LAFFONT – BOMPIANI

LE NOUVEAU DICTIONNAIRE DES ŒUVRES

DE TOUS LES TEMPS ET DE TOUS LES PAYS

V

Pa – Se

ROBERT LAFFONT

Première édition 1980
Réimpression 1981, 1983, 1984,
1986, 1987, 1989, 1990
Nouvelle édition actualisée 1994

ISBN : 2-221-07713-X (tome 5)
ISBN : 2-221-06887-4 (édition complète)

AVERTISSEMENT

En quarante ans d'âge, le *Dictionnaire des œuvres* a pris place parmi les ouvrages de référence les plus appréciés du public. Fruit d'une collaboration franco-italienne à l'origine, l'idée en revient au grand éditeur italien Valentino Bompiani (1898-1992), qui sut s'entourer d'une équipe de brillants collaborateurs. En grande partie originale, la version française publiée à partir de 1953 appelait, du fait des variations de l'optique littéraire et de l'apport de la recherche érudite, une profonde révision.

Grâce à la collaboration de plus de cinq cents spécialistes appartenant aux disciplines les plus diverses, c'est cette édition nouvelle que nous présentons au lecteur.

On comprendra mieux la portée de l'effort quand on saura que l'objet du *Nouveau Dictionnaire des œuvres* est, en somme, de mettre aujourd'hui sous la main du lecteur, en six tomes et un index, la substance de près de vingt et un mille œuvres — contre seize mille quatre cents dans l'édition précédente. Le dictionnaire s'enrichit de l'analyse de quatre mille six cents œuvres nouvelles (un article sur quatre). Tous les articles de l'ancienne édition ont été relus, nombre d'entre eux profondément modifiés, près de six cents entièrement refaits.

Le champ embrassé par *Le Nouveau Dictionnaire des œuvres* est vaste : roman, poésie, théâtre, philosophie, droit, sciences, sciences humaines, histoire, histoire de l'art et musique, des textes les plus anciens de l'Égypte et de la Chine jusqu'aux chefs-d'œuvre de notre temps. Étant donné l'ampleur même de la matière traitée, ce dictionnaire repose nécessairement sur un choix qui peut être discuté mais qu'on s'est efforcé de faire aussi équitable et aussi étendu que possible. Précisons qu'y figurent les œuvres des auteurs morts à la date d'achèvement de la rédaction (1994), ainsi que celles des auteurs vivants nés avant 1951. (Il fallait être né avant 1911 pour figurer dans l'édition précédente.)

À chaque œuvre retenue correspond donc un article — dates biographiques se rapportant à l'auteur, analyse de l'œuvre, jugement critique la replaçant dans son temps et situant son importance dans l'histoire de la culture, mention des traductions pour les œuvres étrangères. On voit que l'intention a été de conserver aux articles le caractère vivant d'essais, allié à la plus grande exactitude.

Mais il fallait tenir compte également des parentés complexes qui peuvent unir certains grands sujets. Pour la commodité de l'information ont été groupées sous un titre unique les œuvres relevant d'un même thème traditionnel tant classique que moderne (Iphigénie, Don Juan, Faust, etc.). Ainsi est-il possible de suivre le développement de certains thèmes fondamentaux à travers les époques et les littératures. De nombreux renvois d'article à article, de thème à thème, viennent compléter cet ensemble.

Bref, premier de ce genre, *Le Nouveau Dictionnaire des œuvres* devrait être dans sa version actualisée le complément toujours plus nécessaire des autres grandes encyclopédies.

Il va sans dire qu'il n'a ni la prétention ni le pouvoir de suppléer à la connaissance directe des œuvres elles-mêmes. Tout comme il serait présomptueux de notre part d'affirmer qu'il ne contient aucune omission. Mais ceux qui ont participé à son élaboration pensent avoir été plus généreux qu'avares, et n'ont eu pour souci que de se référer aux meilleures sources.

USAGE DU DICTIONNAIRE

Quant à l'usage du *Dictionnaire,* nous préciserons à l'intention du lecteur quelques règles.

ORDRE DE CLASSEMENT

Les articles du *Dictionnaire* se suivent dans l'ordre alphabétique des titres d'œuvres. L'ordre alphabétique s'applique non seulement au premier, mais à tous les termes d'un titre.

Ex. : **AMOU(RS J)AUNES.**
AMOU(R SO)RCIER.
AMOU(RS P)ASTORALES DE DAPHNIS ET CHLOÉ.
AMOU(R SU)PRÊME.

Conformément aux règles en usage, l'article défini ou indéfini est toujours rejeté après le titre.

Ex. : chercher **ÉDUCATION SENTIMENTALE (L'),**
et non **L'ÉDUCATION SENTIMENTALE.**

Cependant, les prépositions restent à leur place :

À LA RECHERCHE DU TEMPS PERDU,
DE LA TERRE À LA LUNE,

sauf pour les titres de traités ou d'essais :

SAGESSE (De la),
et non **DE LA SAGESSE.**

Dans les cas de titres génériques (Canzoniere, Épîtres, Élégies, etc.), pour faciliter la recherche, on a adjoint immédiatement les noms d'auteurs.

Ex. : **CANZONIERE de Pétrarque.**
CANZONIERE de Saba.
POÉSIES... de Mallarmé.
POÉSIES... de Rimbaud.

ŒUVRES ÉTRANGÈRES

Pour les œuvres étrangères traduites dans notre langue, nous avons adopté le titre français. Ex. : **LA BARRACA,** de Blasco Ibanez, a sa place à **TERRES MAUDITES.** Le titre original suit toujours, entre crochets (pour le chinois figurent successivement la transcription de l'E.F.E.O., rationalisée sur quelques points, et la transcription en pinyin). En fin d'article, nous avons indiqué le nom de l'éditeur et la date de traduction.

Lorsqu'il y a choix entre deux ou plusieurs titres français, nous avons opté pour le plus usité : de **HAUTS DE HURLE-VENT** et de **HAUTE-PLAINTE,** nous avons retenu le premier.

Pour les œuvres étrangères non encore traduites, nous nous sommes astreints à une traduction la plus exacte possible du titre.

Pour les littératures orientales et extrême-orientales, on trouvera parfois les titres français consacrés par l'usage **(LIVRE DES ROIS, MILLE ET UNE NUITS),** parfois les titres sous leur forme originale, généralement adoptée **(TAO TEU TSING).**

Autre exception : pour les journaux et revues de notoriété mondiale **(LE SPECTATOR),** comme pour les recueils de poèmes portant des titres génériques difficilement traduisibles **(CANZONIERE, CANCIONEROS, DAINOS),** le titre original est aussi conservé, suivi au besoin entre crochets de l'approximation française.

À l'intérieur d'un texte, les renvois sont indiqués par un astérisque entre parenthèses (*), placé à côté du titre de l'œuvre à consulter.

INDEX

Les œuvres y sont reclassées par noms d'auteurs, ce qui permet de retrouver aisément ceux-ci et d'avoir sous les yeux toutes les œuvres d'un même auteur figurant dans ce *Dictionnaire.* On y trouve également la mention de la page où l'œuvre est traitée, celle-ci pouvant se trouver dans un article d'ensemble (c'est ainsi que *Le Burlador de Séville* de Tirso de Molina prend place dans l'article *Don Juan*).

Dans les cas de titres génériques (Canzoniere, Épîtres, Élégies, etc.), pour faciliter la recherche, on a adjoint immédiatement les noms d'auteurs :

ex. : CANZONIERE, de Pétrarque.
CANZONIERE, de Saba.
POÉSIES, de Mallarmé.
POÉSIES, de Rimbaud.

ŒUVRES ÉTRANGÈRES

Pour les œuvres étrangères traduites dans notre langue, nous avons adopté le titre français. Ex. : LA BARRACA, de Blasco Ibáñez, à la place de TERRES MAUDITES. Le titre original suit, toujours entre crochets (pour [illegible] transcription de [illegible]) sur quelques points [illegible] la transcription [illegible]. En fin d'article, nous avons indiqué le nom du traducteur et la date de traduction.

Lorsqu'il y a choix entre deux ou plusieurs titres français, nous avons opté pour le plus usité ; de HAUTS DE HURLEVENT et de HAUTE-PLAINTE, nous avons retenu le premier.

Pour les œuvres étrangères non encore traduites, nous nous sommes astreints à une traduction la plus exacte possible du titre.

Pour les littératures orientales et extrême-orientales, on s'est efforcé parfois de garder les titres français consacrés par l'usage (LIVRE DES ROIS, MILLE ET UNE NUITS), parfois les titres sous leur forme originale généralement admise (TAO TÖ KING).

Autre exception : pour les journaux ou revues de notoriété mondiale (THE SPECTATOR) ; enfin, pour les recueils de poèmes portant des titres génériques difficilement traduisibles (CANZONIERE, CANCIONEROS, DIVANS), le titre original est aussi conservé suivi, au besoin, entre crochets, de l'approximation française.

À l'intérieur d'un texte, les renvois sont indiqués par un astérisque entre parenthèses (*), placé à côté du titre de l'œuvre à consulter.

INDEX

Les œuvres y sont classées par noms d'auteurs, ce qui permet de retrouver aisément celles-ci et d'avoir sous les yeux toutes les œuvres d'un même auteur figurant dans ce Dictionnaire. On y trouve également la mention de la page où l'œuvre est traitée (celle-ci pouvant se trouver dans un article d'ensemble (c'est ainsi que Le Burlador de Séville de Tirso de Molina a pris place dans l'article Don Juan).

P

PAROLES D'UN CROYANT. C'est l'ouvrage décisif du philosophe et écrivain français Hugues Félicité Robert de Lamennais (1782-1854), publié en 1834, celui dans lequel il condensa sa conception personnelle du christianisme, où il mit le meilleur de ses dons d'écrivain, celui enfin qui consacra sa rupture définitive avec Rome. En 1832, Lamennais avait été condamné par le pape Grégoire XVI pour les idées exprimées dans le journal *L'Avenir* (*) qu'il avait fondé en 1830 avec Lacordaire et Montalembert. Ces derniers s'étant séparés de lui, il s'était d'abord soumis à la sentence pontificale en 1832, mais avec les *Paroles d'un croyant,* qu'il écrivit en quelques jours dans sa propriété de La Chesnaie, près de Dinan où il s'était retiré, sa rupture avec le Saint-Siège devenait irrémédiable. Les *Paroles d'un croyant* sont un livre apocalyptique, violent, brûlant, où s'exprime une poésie puissante, puisée à la source biblique et dont le ton se rapproche des paraboles et des *Psaumes* (*) de l'Ancien Testament — v. *La Bible* (*). Nulle doctrine positive n'y est formulée, c'est un appel pressant tantôt sombre et prophétique, tantôt tendre et serein, à la liberté, à toutes les libertés : de la liberté de conscience à la liberté politique ; à l'égalité de tous les hommes : le faible a été trompé par le puissant tout comme les nationalités ont été opprimées par les tyrans ; on ne peut attendre un avenir meilleur que de la charité. Cette charité, prônée par Lamennais, est passionnée, douloureuse, révoltée contre l'État et même contre l'Église, sa complice pour régner sur les faibles. C'est la fraternité des hommes entre eux qui seule peut sauver le monde : cette fraternité qui constitue toute la doctrine du Christ et qui a été perdue, corrompue par les puissants, lesquels ont trouvé le moyen de la faire servir à leurs intérêts particuliers. C'est cette fraternité qu'il nous faut retrouver, à travers les luttes sociales entreprises par le peuple et pour le peuple. Lamennais développe dans son livre les tendances démocratiques et socialistes de l'esprit évangélique avec une force de conviction qui emporte l'adhésion. Il sait retrouver l'incomparable poésie des Écritures. Son style est à la fois poétique et oratoire, emporté par une authentique intensité dramatique. Écrit en prose, mais divisé en versets, ce livre est une suite d'images et de visions, reliées par un mouvement continu qui en crée l'unité. Certains chapitres, en particulier le chapitre VII sur la solidarité (« Lorsqu'un arbre est seul, il est battu des vents... »), le chapitre IX sur la pauvreté, le chapitre XIII sur l'impiété (« C'était dans une nuit sombre : un ciel sans astres pesait sur la terre, comme un couvercle de marbre noir sur un tombeau... »), le chapitre XVIII sur la charité, le chapitre XXIII, qui est une suite de litanies de l'angoisse et de la misère humaines, le chapitre XLI, l'« Exilé », comptent parmi les plus belles pages de la prose poétique française du XIXe siècle. Héritier de Chateaubriand, Lamennais s'y manifeste comme le représentant d'un romantisme qui, plus que du romantisme français, le rapproche d'un homme comme Mickiewicz — v. *Livres de la nation polonaise et des pèlerins polonais* (*). L'ouvrage suscita immédiatement de profondes réactions dans le public et connut un immense et durable succès. Avec les *Paroles d'un croyant,* le divorce de Lamennais avec l'Église s'affirmait. L'Église ne put admettre ce défenseur, qui se faisait un de ses plus dangereux accusateurs, et qui rejetait aussi absolument la tradition et l'autorité. *Les Affaires de Rome* (*), qu'il publia deux ans plus tard (1836) pour sa défense, ne purent qu'aggraver la scission. À partir des *Paroles d'un croyant*, Lamennais, condamné, abandonné par les siens, consacra toutes ses forces à soutenir ouvertement les doctrines politiques, sociales et religieuses qui l'avaient fait condamner. Il eut, sous la monarchie de Juillet, de retentissants procès de presse, fonda, en 1848, un nouveau journal, *Le Peuple constituant,* fut élu député, mais n'exerça plus d'influence et mourut sans s'être réconcilié avec l'Église.

PAROLES ET ÉCRITS de Paul Painlevé. Cet ouvrage posthume du mathématicien et homme politique français Paul Painlevé (1863-1933), publié en 1936 et précédé de deux Préfaces, l'une de Paul Langevin, retraçant la ligne générale de l'œuvre de Painlevé, l'autre de Jean Perrin, mettant en évidence les qualités de l'homme, ne comporte pas de textes purement scientifiques. Néanmoins, au cours des sept parties qui le constituent et qui se rapportent chacune à une période de la vie de Painlevé, on trouve plusieurs articles et conférences qui illustrent sa pensée scientifique ; c'est ainsi qu'on peut lire encore aujourd'hui avec grand profit ceux qui ont trait à la philosophie des sciences. Les plus anciens (1890-1910) sont : « La science vaut-elle l'effort scientifique ? », « L'Esprit scientifique et l'esprit religieux » et « La Philosophie de Marcelin Berthelot ». Puis, une conférence faite en 1922 à la Société d'astronomie : « Des plaines de la Chaldée aux observatoires des montagnes Rocheuses », prouve que, malgré ses tâches politiques, Painlevé avait continué de suivre le mouvement scientifique, et un discours prononcé aux fêtes du tricentenaire de Blaise Pascal nous montre en lui un savant auquel aucun des problèmes éternels qui se posent à l'homme n'est étranger. Pour la période 1924-1929, un texte sur « les conceptions modernes de la matière et de la science classique » et un portrait d'Einstein sont particulièrement remarquables comme mises au point de la physique contemporaine, comme témoignages de l'aptitude de Painlevé à présenter simplement les problèmes les plus ardus, tout en restant rigoureux et rationaliste ; les termes de ce que l'on a appelé la crise de la physique moderne y apparaissent avec une clarté lumineuse. Illustrant le rôle de Painlevé, pionnier de l'aviation, une intervention au Sénat en 1908 et un article, datant de 1909, sur les causes et les conséquences de la victoire de Blériot montrent comment il s'était attaché à faire tous les efforts pour que la France n'ignorât pas l'importance de cette conquête et développât dès cette époque l'industrie de l'aviation. Bien que les textes politiques aient perdu de leur actualité pour un vaste public, tout en gardant une grande valeur pour l'historien, leur lecture donne l'image d'un Painlevé profondément républicain, toujours prêt à lutter pour la justice sociale, ministre et président du Conseil courageux et patriote pendant la guerre de 1914-1918. Enfin, point de rencontre de deux activités qui ont rempli la vie de Painlevé, le thème « Science et rapprochement des peuples » est traité dans une conférence prononcée en Autriche en 1926.

PAROLES HIVERNALES [*Winter Words*]. Recueil de poèmes lyriques de l'écrivain anglais Thomas Hardy (1840-1928), publié l'année de sa mort. Ce volume comprend des récits, descriptions et états d'âme — poésies de longueur et de métrique diverses : notamment « Aristodème de Messénie », drame d'une grande violence, et « Fantaisie philosophique », où s'exprime le pessimisme de l'auteur. L'homme, voyant dans l'état du monde « une intention non réalisée », demande au Créateur pourquoi il ne lui a pas donné la forme parfaite à laquelle il aspirait. Et le Créateur de répondre que, pour lui, le monde est seulement matière à expériences scientifiques, absolument dépourvue de ces valeurs éthiques pressenties par l'homme. Il ne saurait y avoir, dit-il, d'« intention non réalisée » là où il n'y a aucune intention, mais seulement une « tendance aveugle et sans fin ». Parvenu à l'âge de quatre-vingt-cinq ans, Hardy estime que la vie a tenu ses promesses. Dès l'enfance, une voix mystérieuse ne lui avait rien annoncé que d'incertain : « Jamais il ne s'était attendu à mieux... » [He never expected much]. Dans ses dernières poésies, « Nous touchons à la fin » [We are getting to the end], Hardy, rappelant l'expérience de la guerre, renonce à espérer que l'humanité puisse s'assagir et connaître des temps meilleurs. En un dernier poème (« He resolves to say no more »), Hardy prend la résolution de ne plus jamais révéler ce qu'il a appris, ni ce que voit son âme à la lumière de la liberté : sa vision est trop sombre, en effet, pour qu'il en veuille importuner les hommes. Ses poèmes sont d'ailleurs le plus souvent pleins d'une mélancolique pitié. Dans certaines pièces, l'évocation sentimentale prend une teinte nettement « crépusculaire » et s'inspire d'un objet quelconque : une lettre, une miniature, un habit. Quelques brèves poésies, cependant, relèvent de l'ironie, presque de la satire. En intime communion avec la nature, le poète, dans « Je suis le seul » [I am the one], se décrit lui-même comme le passant dont l'approche n'interrompt ni le repas du lièvre ni le roucoulement des tourterelles. Sa vue ne dérange pas celui qui pleure, et les étoiles qu'il fixe avec tant d'ardeur savent bien qu'il est leur ami. Ce qui émeut dans ces poèmes, c'est leur inflexible sincérité de pensée et d'expression. — Trad. de quelques poèmes dans *Poèmes du Wessex*, La Différence, 1990.

PAROLES JETÉES AU VENT [*Words For the Wind*]. Recueil de poèmes du poète américain Theodore Roethke (1908-1963), publié en 1958. *Paroles jetées au vent* constitue une excellente introduction à l'œuvre de Theodore Roethke, puisque ce recueil rassemble les meilleurs poèmes de ses trois premiers volumes, des poèmes d'amour, des poèmes pour enfants, ainsi que les deux cycles élégiaques « Le Mourant » [The Dying Man : In Memoriam W. B. Yeats] et « Méditations d'une vieille femme » [Meditations of An Old

Woman]. Salué unanimement par la critique à sa parution, le livre obtint le prix Bollingen et le National Book Award.

Cet ouvrage permet surtout de suivre le cheminement poétique de Roethke. D'abord tourné vers l'enfance — les poèmes extraits du *Fils perdu* [*The Lost Son,* 1948] sont écrits du point de vue d'un enfant —, son monde imaginaire est marqué par la régression vers les formes les plus élémentaires de la vie organique : plantes, mollusques, insectes hantent cet univers où les rapports logiques cèdent la place aux incantations magiques. Le « fils perdu », comme l'indique un des poèmes centraux du recueil, y glisse de fantômes en fantasmes, toujours « plus loin en arrière / Dans ce monde d'herbes et de fossés, / Quand les [...] petits crabes se glissaient dans des cratères argentés ».

Symboliquement situé au cœur du livre, le poème « L'Éveil » [The Waking] affirme la suprématie de l'intuition et des sens sur la raison : « Nous pensons avec nos sens », écrit Roethke et, servant de refrain à cette villanelle, « Le chemin m'apprend où je vais ».

Confiant dans son exploration, le poète entame alors la seconde partie de son périple à travers les mots, qui le mène vers la sérénité lyrique des poèmes d'amour et des élégies qui closent ce beau livre. A. Ca.

PARQUES (Les) [*The Fatal Sisters*]. Ode du poète anglais Thomas Gray (1716-1771), inspirée des vieilles légendes norvégiennes et publiée en 1768. Sigurd, comte des îles Orkney, est parti pour l'Irlande avec une flotte. Accompagné de Sigtryg à la barbe d'argent (en guerre lui aussi contre Brian, roi de Dublin, son beau-père), Sigurd sera tué au cours d'un combat sanglant. Mais Brian a trouvé également la mort dans la bataille, le jour de Noël. Or, ce même jour, un Écossais de Caithness aperçoit dans le lointain un groupe de cavaliers se ruant au galop en direction d'une colline d'Écosse, lorsque ceux-ci disparaissent soudain dans un gouffre. Intrigué, notre Écossais s'approche et, à travers la fente d'un rocher, voit douze géantes qui s'affairent autour d'un métier : ce sont les Parques, occupées à tisser une toile rouge : celle du destin des guerriers tués. « Regarde : déjà grandit l'horrible tissu, / Fait d'entrailles humaines / Et ces poids dont il est alourdi, / ce sont des têtes de guerriers haletants. » Alors chacune des douze Parques coupe un bout de la toile cramoisie, puis l'emporte au galop : six en direction du midi et six vers le septentrion. De même que *Le Barde* (*), cette ode n'est pas la pure expression du talent de Gray, plus à l'aise dans l'élégie. Elle constitue cependant une des premières tentatives de ce préromantisme anglais qui, plus tard, s'affirmera avec les *Poèmes d'Ossian* (*) de Macpherson et dans les *Reliques de l'ancienne poésie anglaise* (*) de Percy. Elle a contribué aussi au développement du fantastique dans la poésie anglaise.

PARTAGE DE MIDI. Drame en trois actes de l'écrivain français Paul Claudel (1868-1955), l'un des sommets de son œuvre théâtrale. Écrit en 1905, époque où le poète traversait une grande crise morale, il fut représenté à Paris pour la première fois (dans une version remaniée) le 16 décembre 1948. « Rien de plus banal en apparence, constate Claudel, que le double thème sur lequel est édifié ce drame. Le premier, celui de l'adultère : le mari, la femme et l'amant. Le second, celui de la lutte entre la vocation religieuse et l'appel de la chair. Rien de plus banal, mais aussi rien de plus antique. » En effet, comme l'a observé François Mauriac, le poète a introduit dans le « vaudeville sinistre » « un autre personnage », puisque « au centre même de *Partage de midi* une présence, plus agissante que le Destin dans la tragédie grecque, transforme ce drame de la chair en drame de la grâce ». Ysé, la femme, et Mesa, l'amant, se rencontrent sur la plage avant d'un paquebot en route vers l'Extrême-Orient. Pour tout paysage, l'océan Indien. Il est midi et, nous dit Claudel, « pendant de longs jours, entre le ciel et l'eau », quatre protagonistes vont s'affronter sous un soleil de mort « dans une certaine position hors de tout ». De Ciz est le mari, le gêneur : Ysé lui a donné plusieurs enfants. Amalric, le cigare à la bouche, homme « bien assis sur ses propres ressorts » et « sûr de sa place en tout lieu », rôde autour de cette femme de trente ans, très belle, et qui est la féminité, la coquetterie même (car une femme, « c'est gentil, dit-il, à avoir de temps en temps »). Quant à Mesa, l'homme vierge, tourmenté, que rien ne peut assouvir et qui faillit être prêtre, mais que son Dieu a abandonné, l'exigence de sa passion pour Ysé ne saurait avoir de limites et, vers son dénouement, cette pièce à quatre personnages n'en comportera plus que deux : le couple Mesa-Ysé. Sur le pont du paquebot, puis sur la terre d'Asie, la tragédie progresse, s'aggrave, rythmée de temps à autre par des bruits de cloche, de gong ou de sirène. Ysé, s'étirant sur son rocking-chair, rit aux éclats, provoquant, à la fois chez Ciz et chez Mesa, des « frissons d'agacement ». Le drame, c'est, dès l'abord, l'instabilité de la femme, successivement aux prises avec les trois hommes sans qu'aucun lui apporte l'équilibre désiré. Bientôt, entre Ysé et son mari, s'accomplit une séparation irrémédiable. Avec la complicité de Mesa, elle s'en débarrasse et le fait envoyer au loin pour une mission d'où il ne peut revenir. Ysé aime Mesa pour cela, justement, qui, en lui, échappe à sa prise et qui est un irréalisable besoin d'absolu. Elle tente de fuir cet homme qui « la menait, dit-elle, je ne sais où » et, portant son enfant dans son sein, se livre à Amalric qui, lui du moins, se vante de n'être pas une créature de rêve. Ysé, cependant, aura beau faire, elle ne parviendra pas à sortir de son amour pour Mesa « qui est la mort ». Dans ce port du sud de la Chine, maintenant, l'insurrection bat son plein. Ciz est mort et, pour rompre plus sûrement les ponts avec Mesa, elle a même, la malheureuse, fait disparaître son enfant. Mais ce n'est pas là toute l'histoire de Mesa et d'Ysé : sur ce drame, deux témoins invisibles — l'âme et Dieu — pèsent de toute leur présence. C'est une bataille non seulement entre l'homme Mesa et la femme Ysé, mais encore entre Dieu et l'homme, entre la chair et l'esprit. Ce qui semblait, au début, une simple aventure de traversée aboutit à cette conclusion qu'« il est dangereux de demander Dieu à une créature » et que, des deux amants, « ni l'un n'est capable d'apporter ni l'autre d'appartenir ». Et certes Mesa se plaint à Ysé qu'il n'y ait pas moyen de « lui donner son âme » (« Ah, tu n'es pas le bonheur, tu es cela qui est à la place du bonheur !... »). Mais le dialogue ne s'en achève pas moins sur le repentir et la sublimation d'un amour charnel : les deux amants, cette fois, vont se rejoindre, mais dans le sacrifice, et la leçon qui se dégage de *Partage de midi,* c'est que les péchés aussi, les péchés surtout peut-être, servent à la Grâce.

PARTAGE DES EAUX (Le) [*Los pasos perdidos*]. Roman de l'écrivain cubain Alejo Carpentier (1904-1980), publié en 1953. Le héros, un compositeur marié à une actrice, Ruth, mène à New York une vie trépidante et factice, qui a tari son pouvoir créateur. N'aimant plus sa femme, voué au vide et aux obligations automatiques, il partage son temps entre l'alcool et une jeune maîtresse, Mouche, dont les prétentions intellectuelles ne relèvent que du snobisme. L'occasion se présente à lui de partir à la recherche d'un instrument de musique indien, en plein cœur de la forêt vierge, dans une région qui n'est pas précisée dans le roman, mais que Carpentier a révélée par la suite être située dans le cours supérieur de l'Orénoque. Il emmène sa maîtresse, surexcitée à l'idée de « la merveilleuse-aventure-chez-les-sauvages ». La découverte de la nature primitive, tant dans la flore ou la faune que chez les indigènes, éblouit le héros, l'enivre, le fait naître une deuxième fois. Il retrouve l'enfance, son animalité, avec une joie profonde, cependant que sa maîtresse au contraire, aux prises avec les éléments hostiles — une violente tempête en particulier —, enlaidit, s'étiole, se décompose. Lorsque son amant tombe amoureux d'une belle Indienne, Rosario, sans chercher à le cacher, elle ne peut le supporter. D'ailleurs, malade et atteinte de gangrène à la suite d'une blessure reçue au cours d'une rixe avec Rosario, elle est ramenée à New York. Le récit évoque alors la vie heureuse, libre, pleine, menée par le héros dans ce monde neuf, véritable paradis retrouvé où il éprouve les bonheurs les plus spontanés ; où manger, boire, dormir, aimer sont ressentis comme des actes sacrés. Il se lie à des personnages pittoresques : l'Adelantado, ancien explorateur qui gouverne une ville, un prêtre missionnaire, fray Pedro, un chercheur d'or, Yannes ; il découvre une cité, Santa Monica de los Venados, connaît des paysages fabuleux, traverse des épreuves qui sont autant de préludes à son « baptême », à son admission au sein de cette communauté élue d'Indiens primitifs. Mais au moment où il songe au mariage avec Rosario, un avion, parti à sa recherche, atterrit. Pensant qu'il obtiendra plus facilement le divorce sur place, il regagne New York, où sa femme et Mouche, son ancienne maîtresse, lui apparaissent sous un jour dérisoire, voire répugnant. Il n'a qu'une hâte, repartir. Lorsqu'il y parvient, le fleuve, hélas, est en crue et il doit attendre ; Yannes, rencontré alors, lui apprend que Rosario, symbole de son espérance, est mariée et attend un enfant. Il n'aura été pour tous, même pour elle, que « le visiteur ».

En apparence le thème est simple : l'homme, anéanti par la civilisation moderne, revit au contact de la nature la plus sauvage, mais le héros de Carpentier ne se défait jamais de son héritage d'homme civilisé. En pleine forêt vierge, luttant contre le fleuve déchaîné, il évoque Homère, Eschyle, *La Bible* (*), Shelley, tous ses musiciens préférés. Alors même qu'il partage la vie de cette peuplade arriérée, il souffre du manque de papier, car le besoin de composer le dévore. Lorsqu'il se trouve, le fusil à la main, en face d'un lépreux qui a cherché à violer une fillette, il ne peut se résoudre à le tuer, voyant en lui l'homme et non la bête, tandis que son compagnon, Marc, fils de l'Adelantado, qui a été élevé parmi les Indiens et épousera d'ailleurs Rosario, n'hésite pas un instant à abattre le coupable. Pour Carpentier, le mal qui atteint l'homme à travers la civilisation est en effet définitif. C'est une tare, une souillure, qui l'empêche à jamais de revenir en arrière, de rejoindre une impossible enfance. Les êtres inconscients, comme Mouche, n'en ont pas même l'idée. Ceux qui souffrent de leur existence, comme le héros du roman, ne peuvent y prétendre que d'une façon éphémère, qui aiguisera encore leur souffrance, leur inadaptation. Le héros perd tout par sa faute, il est l'entier responsable de son destin, esclave impuissant du monde qu'il a toujours connu, même s'il le hait. C'est pourquoi les péripéties du roman restent malgré tout sans importance. Reviennent et comptent surtout de puissants thèmes, longues phrases musicales s'intégrant à la symphonie qu'a cherché à composer Carpentier. New York, la révolution, le fleuve, la femme, le secret, autant d'hymnes développés avec ampleur, en un dense fourmillement de sons mais aussi de couleurs, d'odeurs, de sensations. Le style, comme à l'ordinaire chez Carpentier, est extrêmement soigné, mais l'artifice y est peut-être moins facilement évité qu'ailleurs.

Toutefois, la richesse d'imagination fait de ce récit fantastique, qui est aussi un grand poème, une des œuvres les plus originales de l'auteur ; elle lui a d'ailleurs valu en 1956 le prix du Meilleur Livre étranger. — Trad. Gallimard, 1955.

PARTHÉNÉES d'Alcman. C'est dans la première moitié du VIIe siècle av. J.-C. que le poète lyrique grec Alcman (milieu VIIe s.-début VIe s. av. J.-C.), d'après la tradition, vint de Sardes, sa ville natale (?), vivre à Sparte parmi les Doriens. Sparte est alors animée d'une vie culturelle intense, dont témoignent les nombreuses productions iconographiques et architecturales ainsi que la production musicale et poétique. C'est dans ce contexte artistique riche et productif qu'il faut situer l'activité d'Alcman. Il est le plus ancien représentant de la poésie lyrique chorale grecque, dont Sparte est d'ailleurs alors le centre. Des fragments qui nous restent de son œuvre, la plupart sont extrêmement brefs, et, si certains font apparaître des motifs descriptifs — comme la nature nocturne, ou les saisons —, la thématique des chants d'Alcman est le plus souvent liée au contexte religieux dans lesquels ils devaient s'insérer. Il est en effet certain que les compositions d'Alcman n'étaient pas destinées à des occasions privées et individuelles, et que leur inspiration ne relevait pas du domaine personnel : ces textes avaient pour cadre les rites qui ponctuaient la vie sociale et religieuse des Lacédémoniens. Ce caractère spécifique de l'œuvre d'Alcman nous apparaît surtout à travers les strophes d'un *Parthénée* que nous a conservé un papyrus égyptien découvert en 1885. Le parthénée est en effet un hymne religieux, qui, chanté par un groupe de jeunes filles (« parthenoi ») et leur chorège, constituait sans doute une phase de l'initiation des jeunes filles, dans le cadre d'un rite associé au culte d'Hélène et à celui d'Artémis Orthia. Dans le parthénée dont le papyrus égyptien nous a livré de longs passages, on trouve d'abord une partie mythique rappelant un épisode de la lutte qui opposa, à Sparte, Héraclès, les Tyndarides et les fils d'Hippocoon — une légende locale, donc. Le mythe débouche sur une conclusion éthique : il y a une vengeance des dieux, est heureux celui qui passe sa vie dans le bonheur, sans pleurs. Puis le chœur passe à la description de la situation qui motive ces vers : les jeunes filles louent la beauté lumineuse de l'une d'elles, Agidô, qui a une relation privilégiée avec la chorège, Hagesichora. Il semble que la participation au chant et à la danse constitue, pour les choreutes, l'équivalent de l'expérience initiatique réellement vécue par Agidô et la chorège-initiatrice. L'exemple de ce parthénée conservé met en évidence le lien très fort qui unit le chant lyrique choral à la pratique rituelle, qu'il accompagne et constitue en même temps. On perçoit ainsi le caractère éminemment social et institutionnel de la lyrique chorale qu'illustre l'œuvre d'Alcman. M. Ro.

PARTHENIA. Recueil de pièces pour virginal, publié en 1612, avec des œuvres des compositeurs anglais William Byrd (1543-1623), John Bull (1562 ?-1625) et Orlando Gibbons (1583-1625). Bien qu'il ne soit pas d'origine anglaise, le virginal acquiert une très grande popularité sous les règnes d'Élisabeth Ire et de Jacques Ier. Les premières compositions pour cet instrument consistaient pour la plupart en transcriptions et arrangements de pièces vocales. Les pièces rassemblées dans *Parthenia*, première œuvre imprimée pour le virginal, témoignent d'un nouveau style, plus harmonique que polyphonique, et où les possibilités techniques de l'instrument (traits virtuoses, gammes arpégées, notes répétées) sont exploitées au maximum. La qualité des mélodies, très spécifiquement anglaises, les variations sur des airs de danses et des chansons populaires, la richesse de l'ornementation représentent au mieux, avec le *Fitzwilliam Virginal Book* (*), la première grande école occidentale des compositeurs pour clavier, celle des virginalistes anglais. D. Ja.

PARTIE D'ÉCHECS (Une) [*A Game at Chesse*]. Comédie du dramaturge anglais Thomas Middleton (1580-1627), en forme d'allégorie politique, publiée en 1624. Dirigée contre l'Espagne, elle est, au dire de Swinburne, « la seule œuvre anglaise que l'on puisse vraiment qualifier d'aristophanesque ». Les allusions qu'elle renferme lui valurent un succès comme jamais n'en a connu aucun ouvrage de la Renaissance anglaise. Elle a pour sujet les menées de l'Espagne (la maison Noire), à l'instigation d'Ignace de Loyola, pour mettre la main sur l'Angleterre (la maison Blanche). Les personnages suivants sont les pièces de l'échiquier : les souverains des deux royaumes, Charles, prince de Galles (plus tard Charles Ier), Buckingham, Gondomar, le « machiavélique » ambassadeur d'Espagne à qui est imparti le rôle ténébreux (comme au « fou » dans le jeu des échecs). Jouée lors de la rupture — approuvée par tout le peuple — du « mariage espagnol » entre le prince de Galles et l'Infante, la pièce a pour épilogue, après maintes péripéties, la victoire de la maison Blanche. Mais Gondomar, intervenant, fit suspendre les représentations et jeter les acteurs en prison. Middleton, lui aussi, fut-il incarcéré ? La colère du roi Jacques fut, en tout cas, de courte durée. Tout inspirée qu'elle soit par les circonstances, c'est là une des meilleures œuvres de Middleton, où le sarcasme s'élève à la hauteur de la satire. Les vers, d'une facture impeccable, et l'expression baroque sont merveilleusement adaptés à l'audace du sujet (ainsi, ce passage dans lequel le peuple est comparé à une vache « que l'on tient par les cornes afin de mieux la traire »). — *Une* *partie d'échecs* s'égale par le métier aux meilleurs drames de Middleton, et sa lecture, aujourd'hui encore, est un enchantement.

PARTIE DE TRICTRAC (La). Nouvelle de l'écrivain français Prosper Mérimée (1803-1870), publiée en 1833. Roger, jeune officier de marine, fait connaissance d'une comédienne médiocre et légère : Gabrielle. Fort épris d'elle, il se ruine au jeu pour satisfaire ses caprices, mange sa solde, contracte des dettes et perd son honneur. Un soir, au cours d'une partie de trictrac, il triche et gagne une somme fabuleuse. Son adversaire s'étant fait sauter la cervelle, Roger devient la proie du remords et se tient pour le dernier des hommes. Histoire de se réhabiliter, il se bat contre les Anglais, mais au fond n'aspire qu'à se faire tuer. Il sera gravement blessé, mais le narrateur, arrêtant là son récit, ne nous dit pas s'il en mourut ou non. Si cette nouvelle n'est pas la meilleure de toutes celles qu'a écrites Mérimée, nous y retrouvons toutefois les grandes qualités de cet admirable styliste : la concision et la vigueur du trait, sans oublier ce brin d'ironie dont il ne se départit jamais.

PARTIE DU DISCOURS [*Čast' reči*]. Quatrième recueil de Joseph Brodsky (né en 1940), poète russe expulsé d'U.R.S.S. en juin 1972, publié aux États-Unis, en 1977, avec le troisième, *La Fin d'une belle époque* [*Konets prekrasnoj epohi*]. Celui-ci regroupait des textes écrits entre 1965 et 1970. *Partie du discours*, présentant un choix de poèmes écrits de 1971 à 1976, est le premier livre de l'exil.

C'est le livre du passage : « Le petit oiseau n'entre plus par la lucarne / la demoiselle, comme un fauve, défend sa petite blouse, / quand je glisse sur un noyau de cerise, / je ne tombe plus... / voilà que je vieillis », écrit Brodsky dans une ode lyrique intitulée *1972*. La vieillesse entraîne un retour sur une vie où, justement, il n'y a plus de retour — ni vers l'enfance, ni vers la femme aimée, ni vers le pays, c'est-à-dire vers la langue. « Privé de ma coupe au festin de la Patrie / je me retrouve dans un coin inconnu. » L'ironie et la référence au poème d'Ossip Mandelstam (qui se disait « privé de [sa] coupe au festin de [ses] pères ») présentent la tonalité du livre tout entier — celle d'un humour désabusé dans la revendication constante d'un héritage.

La poésie de Brodsky devient ostentatoirement géographique. Les titres sont autant d'étapes d'une odyssée pesante : « La Lagune » [Laguna], « La Tamise à Chelsea » [Temza v Celsi], « Le Divertissement mexicain » [Meksikanskij divertissment], « Décembre à Florence » [Dekabr' vo Florentsii], « La Berceuse du cap Cod » [Kolybel'naja Treskovovo Mysa]. Le motif du « milieu de la vie » se retrouve dans tous ces poèmes et forme le point de départ des « Vingt sonnets à Marie Stuart » [Dvadstat' sonetov k Marii Stjuart], écrits en 1974, à l'occasion d'une visite à Paris. La statue de Marie Stuart au Luxembourg couronnée par un petit moineau donne lieu à une suite de souvenirs sur l'enfance (l'actrice Zarah Leander jouant le film *Marie Stuart*), l'exil, l'amour (celles, tumultueuses, de la reine d'Écosse, et celles, problématiques, de l'auteur) — sur le sonnet (Brodsky utilise vingt formes différentes dérivées du sonnet élizabéthain) et sur l'héritage classique, pouchkinien, de tout poète russe. C'est un hymne à la culture européenne qui se dégage de ces sonnets comiques et grandioses par leur dérisoire virtuosité — un hymne, chanté au cœur historique de cette culture : « Paris, la nuit, un restaurant. Le chic / de cette phrase. Non, tu t'imagines ? » par un « kleine nacht moujik / qu'un rhume écharpe et que prévoit l'angine ».

Partie du discours illustre aussi le passage à une nouvelle idée du vers. Si les *Sonnets* restent écrits en vers classiques (même si le jeu formel poussé à son absurde rend caduque toute référence au classicisme), le cycle de vingt poèmes qui donne son nom au livre se définit par une double particularité formelle. D'abord, il s'agit de poèmes brefs (le plus long comprend seize vers), alors que Brodsky était habitué à des constructions plus amples. Ensuite et surtout, le mètre abandonne la succession régulière des accents toniques (base du vers traditionnel russe) et devient fluctuant. Alors que la tradition tient dans la mise en jeu d'éléments symétriques, Brodsky agglomère des éléments disparates, transforme son discours en une seule masse, ininterrompue à cause des rejets, malgré les rimes (souvent assonancées). Il trouve ainsi un ton, une sorte d'ironie blanche, qu'il conserve toujours. La phrase, interminable, empêtrée dans une syntaxe aussi compliquée que le rythme qui la porte, concourt à créer un effet d'étouffement (motif central des poèmes de « La Berceuse du cap Cod » comme du « Divertissement mexicain »). À recréer l'Empire, étouffant, totalitaire, dont l'œuvre de Brodsky ne veut représenter pour la combattre qu'une *Partie du discours* : « De l'homme entier il ne vous reste qu'une partie / du discours. Une partie du discours en général. Une partie du discours. »

Le recueil commence par une série de poèmes écrits en 1972 encore en U.R.S.S., dont le dernier, « Le Papillon » [Babočka], transforme un poème à la forme précieuse, dans la tradition de Herrick, en méditation sur ce qui reste quand l'« être-là » est fatigué : un papillon, justement, à la limite du « rien », aux jolies ailes friables. « Dieu rit et l'homme pleure », écrit Brodsky. Mais se tenir à cette limite-là, et le fait de le dire, cela justifie qu'on existe. — Trad. partielle dans *Poèmes 1961-1987*, Gallimard, 1988, et dans *Vestumne*, Gallimard, 1993.

A. M.

PARTI PRIS DES CHOSES (Le). Recueil poétique publié en 1942 par l'écrivain français Francis Ponge (1899-1988). Cet ouvrage, réédité une première fois en 1945, puis en 1949, revu et augmenté, est sans doute le livre de Ponge le plus célèbre, le plus commenté. Dès le titre, nous sommes prévenus : le sens pourra être double. Si Ponge prend son parti des choses, il prend aussi parti en leur faveur. Comme l'écrivit Sartre, le langage de Ponge est « truqué, enchanté ». C'est sans doute que, réduit volontairement à sa plus grande simplicité, sa puissance de retenue est telle qu'elle fait vibrer notre attention d'une manière singulière. Nous sentons qu'il ne s'agit pas d'ingénieuses trouvailles à propos de l'objet décrit, mais bien plutôt de ce qui le rend à nos impressions, à nos associations les plus fugitives, les moins exprimables, les plus anciennes aussi. Impassible, muet, l'objet « apparaît » en quelque sorte contradictoire. Désirant ainsi décrire les choses de leur propre point de vue, c'est notre point de vue le plus juste que Ponge retrouve, un espace nouveau d'échanges. Bien que le poète prétende vouloir écrire non pas un « De Natura » mais un « De varietate rerum », nous sentons que malgré la modestie du sujet choisi, sa limitation apparente, tout le reste se trouve confirmé. Ces phrases polies, solides, qui tendent à reproduire la forme et la constitution de ce qu'elles expriment, ces phrases presque mnémotechniques ont une vie interne très active que révèlent la ponctuation et la place des mots. Notre réflexion : « C'est cela même », nous enfonce chaque fois davantage dans notre représentation physique de la réalité. C'est une sorte de jeu où l'humour a un rôle important, mais un jeu grave, une liberté par maîtrise. Parmi ces textes, ces sujets différents, aucune interprétation n'exclut l'autre. L'objet est ceci, mais il est aussi cela. Sa représentation dépend de la méthode d'observation. De plus, ces descriptions ne sont pas seulement celles du « cageot », de l'« orange », de l'« huître », du « papillon », elles sont aussi celles de nos rapports avec eux. Ouvrir une porte devient « un corps à corps rapide » ; le liquide de l'orange « oblige le larynx à s'ouvrir largement, pour la prononciation du mot comme pour l'ingestion du liquide » ; l'escargot me rend « sûr de me rétablir sur mes pieds et de coller au sol ». Ces accommodations sont aussi bien imaginaires que fantastiques ; elles vont même jusqu'à rêver de l'origine ou de la fin du monde. Explicites ou implicites, les principes découlent de ces définitions, descriptions pourvu que « le parti pris des choses » égale « le compte tenu des mots ». C'est une rééducation totale où nous réapprenons à voir, à entendre, à toucher, à sentir, dans l'ordre de notre seul critère stable : la parole.

PARTITAS de J. S. Bach. Titre d'une série de compositions en forme de suites, dont elles diffèrent cependant par le nombre et la nature des diverses pièces qui les composent. En effet, l'allemande, première danse des suites, est toujours précédée ici d'un morceau qui n'est pas une danse. Le compositeur allemand Johann Sebastian Bach (1685-1750) écrivit trois *Partitas* pour violon, trois pour luth et sept pour clavecin. Ces dernières sont aussi appelées *Suites allemandes* (1725) ; elles furent écrites entre 1726 et 1730, et, en comparaison des *Suites françaises* (*) de 1722, témoignent d'une plus grande maturité et d'une plus grande indépendance à l'égard de la forme de danse telle qu'elle était traitée par les musiciens français de l'époque. La plus typique des *Partitas* est peut-être la première, en si bémol majeur, qui débute par un prélude dont l'architecture est comparable à celle des préludes les plus connus du *Clavecin bien tempéré* (*). Suit l'allemande, page de véritable virtuosité. Il y a moins de complexité dans la courante, qui requiert pourtant une étude très minutieuse de la main gauche. La sarabande, comme beaucoup d'adagios de Bach, est formée d'un chant orné de nombreuses arabesques et appuyé sur les harmonies de soutien. Deux menuets, très simples, précèdent la gigue finale, autre page de réelle virtuosité. La *Partita n° 2 en ut mineur* commence, en revanche, par une symphonie de caractère presque solennel, suivie, exceptionnellement, d'une fugue à deux voix ; ce n'est qu'ensuite qu'apparaît l'allemande classique. Une autre anomalie est offerte par le dernier morceau, un capriccio au lieu de la gigue traditionnelle. La *Partita n° 3 en si mineur*, par sa valeur musicale, par son ampleur (c'est la plus longue et une des plus riches d'inventions musicales) et par le caractère exceptionnel de certaines pièces qui la composent, offre un intérêt tout particulier ; elle débute, en effet, par une « ouverture à la française », écrite par Bach selon les lois de la forme en usage en France, comme prélude aux opéras. Il n'y a pas d'allemande et l'on passe aussitôt à la courante. Viennent ensuite deux gavottes, de construction très simple, rappelant le style français. Après la sarabande qu'ont précédée deux passe-pieds apparaissent deux bourrées et la gigue, danse qui, d'habitude, concluait la suite, mais à laquelle répond, ici, un écho, forme employée fréquemment par les compositeurs français au XVIIIe siècle. On peut dire que toute la partita, du commencement à la fin, est un hommage à la musique française. Les autres *Partitas* ne s'éloignent guère par leur composition de celles que nous venons de mentionner et sont moins caractéristiques. Les trois *Partitas pour violon* en si mineur, ré mineur, et mi mineur (1720) sont fort différentes les unes des autres. Leur composition formelle varie. La *Partita en ré mineur* contient la fameuse *Chaconne* (*). Une autre compte un louré. L'allemande n'apparaît que dans deux des partitas et est remplacée dans la troisième par un prélude. À cette diversité formelle correspond une grande variété d'inspiration qui fait de ces partitas une des œuvres instrumentales majeures de Johann Sebastian Bach.

PARTITAS de Frescobaldi [*Partite*]. Par ce titre, le compositeur italien Girolamo Frescobaldi (1583-1643) désigna plusieurs séries de morceaux en forme de danse, prenant plus ou moins la forme de variations, publiées à Rome dans le premier et le second livre de *Toccatas et partitas dans le registre du clavecin* [*Toccate e partite d'involatura di cimbalo,* 1614 et 1627]. Dans la « partita », les formes de danse préférées par Frescobaldi sont la « courante », la « gaillarde » et la « passacaille » toutes de mesure ternaire simple ou composée (3/4, 3/2 ou 6/4) ; les deux premières de rythme vif, la dernière plus lente et sévère. Parfois se succèdent diverses danses du même genre, écrites sur des thèmes semblables, séparées par un « balletto » de rythme binaire, souvent suivi lui-même de quelque autre danse ; parfois, au contraire, alternent des danses différentes : on a alors les débuts de la forme de « partita » ou « suite », telle qu'elle sera développée plus tard par Johann Jakob Froberger (1616-1667), élève de Frescobaldi lui-même, et portée à son sommet par Johann Sebastian Bach. On a une structure analogue dans certaines *Partitas* du premier livre, qui portent le nom de *Capricci* (*) et qui ont un caractère de variations plus net que les autres ; par exemple le « Caprice sur la bataille » où, après des épisodes en manière de fanfare, nous trouvons un « balletto », une « chaconne », une « courante », puis encore une « chaconne ». Il faut noter aussi comme caractéristique l'Aria que l'on appelle la « Frescobalda » : celle-ci est constituée par un thème accompagné de cinq variations ; bien qu'elle n'ait pas le nom de Partita, elle apparaît comme une variété spéciale du même genre, où l'on peut assurément remarquer des influences de formes anglaise et flamande, mais assimilées et évoluées. Les *Partitas* et, généralement, les formes de danse de l'époque se prêtaient mieux à être exécutées au clavecin qu'à l'orgue, bien que le titre ne l'indiquât pas expressément. En elles se manifeste un certain aspect de la sensibilité de Frescobaldi : un coloris séduisant et parfois badin ; on ne doit donc pas y chercher l'allure grandiose et méditative des *Toccatas* (*), mais elles sont cependant d'une richesse et d'une nouveauté harmonique certaines, avec un sens tonal peut-être encore plus limpide et plus résolument orienté vers les modes majeur et mineur.

PARVANE. Roman d'amour et de mœurs que l'écrivain iranien de langue persane, Mohammad Ḥedjāzi Moti' od'Dowleh (1900-1974 ?), publia en 1954. Le principal personnage de ce roman est Parvane, jeune fille pauvre, intelligente, pleine de curiosité devant la vie. Par force, elle épouse un homme qu'elle n'aime pas, Šahin, qui est borné et d'esprit vil. Šahin ne voit en Parvane qu'un objet. Voulant chercher ailleurs son bonheur, elle aime un poète. Le poète lui rend son amour, mais une fin tragique ne les épargnera pas. Le style employé par Mohammad Ḥedjāzi fait apparaître l'influence du roman occidental sur la littérature persane. Ḥedjāzi tente d'exprimer les conflits entre l'Iran ancestral et moderne.

PAS AU-DELÀ (Le). Essai de l'écrivain français Maurice Blanchot (né en 1907), paru en 1973. Ce livre, composé de fragments, constitue avec *L'Écriture du désastre*, publié en 1980, l'extrême avancée de l'écriture blanchotienne. Les questions de l'écriture, de ses rapports à l'histoire, de la pensée et de ses dépassements forment, dans ces deux livres, la trame d'une réflexion qui évolue aux confins de l'impensable. « Écrire n'est pas destiné à laisser des traces, mais à effacer, par les traces, toutes traces, à disparaître dans l'espace fragmentaire de l'écriture. » Pratique d'effacement, silencieuse sape de toutes les assises du visible — voire du possible —, ce que Blanchot laisse entendre par l'« exigence fragmentaire » de l'écriture ne peut se dire dans le langage philosophique (ou commun) qui, toujours complice d'une totalité espérée, ne peut, au mieux, que chercher à lui donner sens. « Danger que le désastre prenne sens au lieu de prendre corps. » Les mots de « neutre » et de « désastre » sur lesquels travaillent ces textes et sous l'emprise desquels ils s'élaborent doivent être abordés à partir de la notion de « passivité » telle que le philosophe Emmanuel Lévinas (dans la proximité duquel Blanchot écrit) l'a donnée à penser. Le neutre par « son insistance passive » échappe à toute conceptualisation, voire à toute nomination : « Le neutre est impropre, mais ce n'est même pas là sa propriété. » Plus négatif que toute négativité qui conspire encore par le jeu dialectique à la positivité du monde, le neutre « à l'articulation du visible-invisible » se soustrait à toute présence. On peut toutefois en repérer les effets, les échos : dans le rapport à autrui, le mourir, l'écriture... « Au neutre répondrait la fragilité de ce qui déjà se brise : passion plus passive que tout ce qu'il y aurait de passif, oui qui a dit oui avant l'affirmation. » Cette passivité se retrouve aussi dans la notion de désastre. Plus que la fin d'un monde, le désastre renverrait à la fin du monde en tant que tel, la fin du bel ordre réglé par le cours immuable des astres que les anciens Grecs appelaient « kosmos ». Abandon du monde livré à lui-même, absence de tout principe transcendant qui viendrait donner sens et tenue à nos actions et relations. Cet abandon, Blanchot le pense en faisant référence à la kabbale d'Isaac Louria : la création n'est que la trace laissée par le retrait de Dieu. C'est cet abandon que Nietzsche (ici longuement médité) désignait sous le nom de « nihilisme ».

Mais le nihilisme que Blanchot pourrait reprendre à son compte (il ne s'agit pas pour lui de revenir en deçà de ce qui non seulement a eu lieu au niveau de la pensée, mais aussi s'est inscrit dans l'événement « absolu de l'histoire » — à Auschwitz) contraint, « désarroi nomade », « résolution irrésistible ou imprévue », à penser autrement. Par exemple notre rapport à autrui (là encore la proximité à Lévinas est grande) : « La proximité du plus lointain, la pression du plus léger, le contact de ce qui n'atteint pas, c'est par l'"amitié" que je puis y répondre. » Responsabilité avant tout contrat qui doit se faire réponse « de la passivité à la non-présence de l'inconnu ».

F. W.

PAS DE LETTRE POUR LE COLONEL [*El coronel no tiene quien le escriba*]. Roman de l'écrivain colombien Gabriel García Márquez (né en 1928), publié en 1961. Dans un village perdu de Colombie, un vieux colonel famélique attend la lettre du gouvernement qui lui annoncera l'attribution d'une pension pour les services rendus durant une lointaine guerre civile. Depuis des années, tous les vendredis, il guette l'arrivée de la gabare apportant le courrier de Bogotá et reçoit de l'employé des postes la même réponse : « Rien pour vous, colonel. » Cette pension, qui lui assurerait enfin une vie décente, lui permettrait aussi de nourrir le coq de combat que son fils Agustín, assassiné quelques mois plus tôt au moment où il distribuait clandestinement des tracts antigouvernementaux, lui a laissé. Le colonel n'en doute pas : la victoire du coq le vengera de la mort d'Agustín et sera pour les nombreux opposants du village une victoire politique. Et une victoire économique, car chacun épargne sou par sou pour miser en janvier — date du premier combat — sur le fabuleux animal. « C'est le meilleur coq du département », affirme avec orgueil le colonel. « Je ne sais pas ce qu'ils peuvent trouver à un coq aussi cloche », proteste sa femme, minée par l'asthme, délabrée, comme son utopiste de mari, par un ventre trop souvent vide. Les jours passent. Faut-il, en désespoir de cause, manger le volatile pour survivre quelques heures encore ? Ou vendre au rabais à don Sabas, l'exploiteur des pauvres, le profiteur du régime, cet encombrant et ruineux symbole ? Le colonel tergiverse, décide de garder le coq et de s'en remettre au destin, follement inconscient ou merveilleusement humain. Écrit en 1957, alors que García Márquez se trouvait en exil à Paris (à peu près dans la même situation financière que son protagoniste), ce bref roman (ou cette longue nouvelle) est un petit chef-d'œuvre d'humour et de vérité, un fait divers élevé aux dimensions du fantastique par le talent du futur auteur de *Cent ans de solitude* (*). — Trad. Julliard, 1963 ; Grasset, 1980.

C. C.

PAS D'ORCHIDÉES POUR MISS BLANDISH [*No Orchids for Miss Blandish*]. Premier roman de l'écrivain anglais James Hadley Chase (pseud. de René Raymond, 1906-1985), publié en 1938. Écrit en quelques semaines, ce récit d'aventures policières a passé le cap des deux millions d'exemplaires, et il est devenu un classique du roman noir. C'est en effet dans la direction de la « série noire » que l'auteur, rompant avec toutes les traditions du roman policier anglais d'enquête et de déduction, renouvelle le genre. Il est en quelque sorte le plus américain des auteurs de romans policiers ; influencé par les récits quasi phénoménologiques d'un Dashiell Hammett et l'univers de sadisme d'un Faulkner, il situe ses histoires dans les bas-fonds (si proches de la haute société) de l'Amérique contemporaine. Miss Blandish, fille d'un milliardaire du Kansas, est une splendide rousse dont le collier de diamants tente le gang de Biley. Du vol à l'enlèvement, il n'y a qu'un pas, vite franchi à la suite d'un coup de feu malencontreux. Mais une bande rivale, celle de M'man Grisson, intervient, s'empare de la belle, récolte la rançon. L'amour vient contrecarrer les plans efficaces et meurtriers de la vieille Grisson. Slim, son fils sadique et dégénéré, décide de garder miss Blandish. Il la séquestre, la drogue, la pervertit, jusqu'au jour où l'obstination d'un journaliste permet la découverte de sa cachette. La police donne l'assaut au Paradise Club transformé en forteresse par les bandits. Slim s'enfuit en voiture, est abattu dans une ferme isolée, la belle est libre. Tout devrait bien finir puisque le droit triomphe, mais, incapable de « remonter la pente », épouvantée à l'idée de quitter le paradis de perversité qui l'abritait, la fille du milliardaire se jette par la fenêtre. On le voit, Chase renouvelle les données du roman policier de l'époque dans le sens de l'horreur, du réalisme et de la simplicité. Ses gangsters sont vraisemblables : dépravés certes, mais des « durs » dont la cruauté cache une peur constante de la police et, parfois, un peu d'humanité. Le détective privé, l'ex-journaliste Fenner, n'a rien d'un héros : son intelligence, il l'emploie à éviter les mauvais coups et à demander au moment propice l'aide de la police. Ce sont les multiples relations qu'il a dans le milieu et son art du chantage qui font le reste. Miss Blandish devient vite un symbole : de richesse, de beauté, d'aboulie, et elle n'éveille notre pitié que lorsque le dénouement la tire de son univers de droguée. Slim, lui aussi, devient un symbole, celui du mal. Ce tueur au couteau, vicieux (« le mince visage, les dents jaunes au sourire vicieux »), ressemble étrangement au Popeye du *Sanctuaire* (*) de Faulkner, qui lui aussi séquestre, drogue et aime à sa manière une jeune fille. Le lecteur n'oublie pas son portrait, pas plus que celui du démon femelle qu'est sa mère, et il devine sous l'horreur qui éclate un monde de passions et d'inhibitions inconscientes.

Chase a écrit plus de soixante-dix romans, parfois sous le pseudonyme de Raymond Marshall, comme *Le Requiem des blondes* ou *Miss Shumway jette un sort.* Il a repris la formule de ses premiers succès dans *Éva, Pas d'orchidées* ou *Un lotus pour Miss Chaung,* mais son talent multiple a eu tôt fait de créer un véritable univers : détectives buvant sec et tirant vite, tueurs à gages, avocats véreux, artistes drogués, policiers marrons, milliardaires dépravés, filles splendides évoluant dans les décors variés de boîtes de nuit, de maisons de campagne ou de grandes villes américaines. Il mêle le cynisme et l'humour, l'invention aux trucs les plus éprouvés, fournissant à des milliers de lecteurs leur ration de sang et de « suspense ». Il s'est également essayé au roman d'espionnage comme en témoigne *La Blonde de Pékin* [*You Got Yourself a Deal,* 1965] : une belle Scandinave est trouvée inanimée. Un tatouage permet de l'identifier comme la maîtresse du spécialiste chinois des fusées. Girland, agent des services secrets occidentaux, doit passer pour son propre mari aux yeux de l'amnésique pour recevoir ses confidences à mesure que la mémoire lui reviendra. Les Russes Merna et Malik veulent l'enlever et la faire parler. Les Chinois veulent la supprimer. Dans le cadre d'une Côte d'Azur ensoleillée, le lecteur est convié à des aventures influencées par la mode de James Bond – v. *James Bond contre Dr No* (*). Mais, comme Brennan, comme Fenner, l'agent Girland est « humain, trop humain » et demeure parfaitement vraisemblable. *Pas d'orchidées pour miss Blandish* a été remanié par l'auteur, qui a estimé que « le texte original avec son ambiance 1938 ne serait plus acceptable ». Sa nouvelle version, *Pas d'orchidées,* est néanmoins nettement inférieure à la première. – Trad. Gallimard, 1946 et 1962, pour *Pas d'orchidées.*

PASIPHAÉ. Poème dramatique de l'écrivain français Henry de Montherlant (1896-1972), publié en 1936, représenté en 1938. *Pasiphaé* et *Le Chant de Minos* sont deux fragments d'une pièce intitulée *Les Crétois*, que Montherlant conçut en 1928, en Tunisie. Cette pièce était centrée sur le personnage de Minos. « Les mythes de Minos, de Pasiphaé, du Minotaure et de Thésée sont parmi les mythes les plus riches qui soient jamais sortis du cerveau de l'homme ; je veux dire : qui se prêtent le plus à ce que l'homme leur donne des significations d'ordre essentiel. » Montherlant voyait tant de sens divers à la fable de Minos qu'il hésita à les indiquer tous dans sa pièce de peur que celle-ci ne perdît son unité, et, navré d'être ainsi obligé d'appauvrir son œuvre pour lui donner forme, il préféra l'abandonner, n'en conservant que le passage de *Pasiphaé,* doté au moins en soi d'une « signification morale ».

Un être humain se trouve placé devant un acte que l'opinion de son temps réprouve, et qu'il a envie de faire. Il se décide à le faire. Durant ces moments, que se passe-t-il en lui ? Tel est l'argument de cette courte pièce dont l'héroïne est Pasiphaé, amoureuse du jeune taureau blanc, Amour, d'où naîtra le Minotaure. Contrairement à la légende, Montherlant a voulu que Pasiphaé, à l'issue de son acte, se croie coupable parce que cette hypothèse seule était dramatique. D'un personnage « exemplaire », Montherlant la transforme en personnage « pathétique ». Ce pathétique se développe en de longues tirades qui frappent par leur puissance faite d'un mélange subtil de rêve et de véracité, où abondent des images somptueuses et colorées.

PAS PERDUS (Les). Recueil d'articles et de conférences rédigés entre 1917 et 1923 par l'écrivain français André Breton (1896-1966), publié en 1924. Ce livre est tout entier placé sous le signe de la rupture avec le mouvement Dada et de l'effort de déterminer les thèmes dominants du surréalisme, voire d'établir son droit d'antériorité sur le dadaïsme. Dans une sorte de préface qui donne la tonalité générale du recueil, « La Confession dédaigneuse », Breton s'affirme « absolument incapable de prendre son parti du sort qui lui est fait ». Ayant évité, grâce à l'influence de Jacques Vaché, de devenir un poète, c'est-à-dire un littérateur professionnel, tenant pour rien la postérité, Breton est partisan sans condition de « tout ce qui peut retarder le classement des êtres, des idées, en un mot entretenir l'équivoque ». Dans ces conditions, le mouvement dadaïste lui apparaît bientôt comme un conformisme, le pire, celui de l'anticonformisme. Les deux « Manifestes Dada » de Breton, tout en reniant l'œuvre d'art et en proclamant la nécessité d'un nihilisme de l'inessentiel, récusent déjà implicitement la négation de tout prônée par Tzara, défendent l'idée et l'émotion (qui seront les deux mots clés de sa définition du surréalisme), et reprochent finalement au dadaïsme son immobilisme et son folklore. Aussi les textes anti-dada qui succéderont à l'échec du « Congrès de Paris pour une définition de l'esprit moderne » (avril 1922) non seulement contesteront l'importance que Tzara s'attribuait, mais dénonceront l'inexistence du dadaïsme comme mouvement de pensée et d'action. Dans « Après Dada », Breton, affirmant au passage que Tzara n'est pour rien dans l'invention du patronyme Dada, montre que Picabia, Duchamp et Vaché étaient des précurseurs suffisants pour que le mouvement parisien ne doive rien aux Zurichois. Duchamp d'ailleurs, celui qui « parvient le plus vite au point critique d'une idée » et s'en détache alors sans tarder, avait refusé son concours à l'une des expositions organisées par Tzara. Dans « Lâchez tout », Breton reproche au dadaïsme sa modération, son conformisme profond, son antidialectisme aussi. Dans « Clairement », Breton montre comment la revue *Littérature* (*), antérieure à la venue de Tzara à Paris, n'a été qu'en apparence absorbée par Dada, et développait en fait des thèmes originaux (ce qui prouverait que le titre n'était pas aussi antinomique et parodique qu'on l'a dit). Toutefois, Breton reconnaît au dadaïsme le mérite d'avoir « maintenu les surréalistes dans une disponibilité dont ils vont maintenant s'éloigner pour aller avec lucidité vers ce qui les réclame ». Il développe du même coup sa conception de la poésie, qui engage tout l'homme et sa vie, la vie étant définie comme « la manière dont chacun accepte l'inacceptable condition humaine ».

Le premier mouvement du surréalisme naissant sera donc de se constituer un panthéon, et Breton réunit ensuite dans *Les Pas perdus* une série d'articles consacrés à Jarry, Lautréamont, Ernst, Apollinaire et quelques-uns de ceux qui figureront dans l'*Anthologie de l'humour noir* (*). Le texte sur « Jacques Vaché », souvenir de la rencontre et de la révélation de l'*Umour,* garde une forme presque dadaïste ; il s'agit en fait d'un article nécrologique (Vaché était mort, accidentellement ou volontairement, d'une trop forte consommation d'opium, à Nantes, en 1919). Mais les quelques textes qu'il a laissés, et surtout le souvenir de ses conversations, ont marqué Breton d'une très forte empreinte. Jarry ne se réduit pas à *Ubu,* bien qu'il en ait joué le personnage toute sa vie. Breton marque déjà – idée qu'il développera plus tard dans *La Clé des champs* (*) – que les ambitions du *Docteur Faustroll,* par exemple, sont plus grandes, puisque Jarry pensait, en l'écrivant, donner le moyen de « reconstruire tout art et toute science ». Lautréamont, qui forge une machine et, du même coup, fait naître une nouvelle manière de penser, est à prendre tout entier du côté du sérieux. Il faut interpréter à la lettre la dialectique qui s'établit entre *Les Chants de Maldoror* (*) et les *Poésies*, se référer aux définitions de l'humour, de la beauté et de la poésie que donne Lautréamont, et qui ont l'avantage de poser des problèmes sans prétendre les résoudre. Apollinaire, rencontré par Breton à vingt ans, « l'âge où l'on systématise sa vie », tient une place bien plus importante que celle qu'il lui accordera quinze ans plus tard ; plus que la superficialité du personnage, Breton remarque et loue son « fabuleux savoir prosodique », son érudition, sa sensibilité, les intuitions sur lesquelles il a fondé sa critique d'art. Apollinaire est également l'inventeur du mot « surréalisme » par quoi il entend un « surnaturalisme » – très éloigné des conceptions de Breton et de ses amis. Enfin Breton passe en revue les peintres, annexant au surréalisme Picabia, pourtant l'un des fondateurs du dadaïsme new-yorkais avec Duchamp, Ernst, qui a « cette faculté merveilleuse » d'atteindre simultanément deux réalités éloignées, et de faire jaillir entre elles une étincelle, Chirico, créateur d'une mythologie moderne, et même Derain.

Les deux mots clés du surréalisme sont enfin prononcés : « émotion » (l'adjectif « émouvant » revient fréquemment) et « connaissance » ; un tableau ou une sculpture ne valent qu'« autant qu'ils sont susceptibles de faire avancer notre connaissance abstraite » ; ce qui condamne donc tout l'impressionnisme, qui fait peu de cas de la pensée, ainsi que le dadaïsme. D'autre part, indiquant les recherches d'Éluard et de Paulhan notamment, Breton assigne aux mots une vie indépendante : à l'« alchimie du verbe » de Rimbaud succède une chimie du verbe : « les mots font l'amour ». Le jeu de mots sera donc un jeu dangereux, autant que la roulette russe et les aphorismes de Duchamp ou de Desnos *(Rrose Sélavy)* mettront en jeu « les plus sûres raisons d'être » des surréalistes. « Entrée des médiums » montre le passage technique de l'écriture automatique (jamais abandonnée cependant) au récit de rêve (suspect parce que réclamant le concours de la mémoire consciente), puis au rêve éveillé, considéré comme plus authentique, c'est alors le grand moment des jeux surréalistes – jeux sérieux. La « Conférence de Barcelone », prononcée en 1922, systématisera tous ces thèmes, et dressera la liste des participants du mouvement, indiquant la place historique et littéraire du surréalisme, ses dettes et son devenir.

PASSACAILLE ET FUGUE en ut mineur. Cette œuvre pour orgue du compositeur allemand Johann Sebastian Bach (1685-1750) a été composée en 1716-1717. La première partie est une danse lente à trois temps, d'origine ibérique, qui fut particulièrement prisée des musiciens des XVIIe et XVIIIe siècles. Son origine reste obscure. Étymologiquement, le terme « passacaille » évoque un cortège qui passe dans une rue (passe-calle). La *Passacaille* eût peut-être été une farandole, si les lourds costumes de parade des nobles espagnols ne leur avaient permis que des mouvements extrêmement lents. Elle consiste en un thème de rythme ternaire qui sera utilisé comme une basse ostinato aux multiples variations composant le morceau, avant d'être réexposé en manière de conclusion. La *Passacaille* de Bach suit scrupuleusement ce plan établi par d'illustres auteurs tels Buxtehude, Kerl, Pachelbel, André Raison. Et c'est à ce dernier qu'il emprunta d'ailleurs la première partie du thème de sa partition. Sur ce thème, Bach imagine vingt variations dont l'ampleur sonore s'accroît sans cesse par l'adjonction perpétuelle de nouveaux jeux de l'orgue. Il use du procédé habituel des variations : variations rythmiques, déformations mélodiques, changements des valeurs des notes ; mais, surtout, il confie le thème successivement aux différents claviers de son instrument et le fait passer du pédalier aux voix supérieures. Tout cela sans modulation, sans quitter le ton fondamental d'ut mineur. Bach achève sa partition par une fugue qui interrompt l'ostinato. Cette *Passacaille*, par la complexité de sa registration, pose des problèmes pratiquement insolubles aux organistes. Respighi en a réalisé une orchestration, qui suit fidèlement le texte de Bach, tout en faisant appel à un effectif instrumental largement supérieur à celui dont disposait le Cantor. La plupart des grandes œuvres pour orgue de Bach ont fait l'objet d'orchestrations analogues au cours de la première moitié du XXe siècle.

PASSAGE (Le). Roman de l'écrivain français Jean Reverzy (1914-1959), publié en 1954. Palabaud, le héros de cette œuvre, n'a rien d'un personnage exceptionnel, mais il a essayé sérieusement de réaliser un rêve de sa jeunesse. La rencontre déterminante qu'il a faite enfant fut celle de la mer, pendant des vacances, en Bretagne. Dès lors, il a su qu'il partirait, qu'il quitterait le vieux continent où les hommes ont si mal organisé leur vie. Et il est parti. Qu'est-il devenu ? Instituteur stagiaire à Bora-Bora, puis patron de bistrot-restaurant à Raïatera. Mais ce n'est pas là-dessus qu'on peut juger de la réussite ou de l'échec de la vie d'un homme. Le tout est de savoir si l'on a trouvé, entre naître et mourir, des conditions acceptables d'existence. Palabaud a trouvé aux îles son paysage d'élection et une simplicité de mœurs qu'il aimait. Il est revenu dans sa ville natale pour y mourir. Ce sont les médecins qui l'ont persuadé de regagner la France. Il erre dans la ville qui lui est devenue une ville étrangère. Il abandonne. Il est rongé vivant par la maladie qui lui durcit le foie. Et quand il meurt, que peut-on dire ? La vie n'a d'autre justification qu'elle-même. La splendeur de la vie peut seule la faire accepter. Quand cette splendeur nous échappe, comment pourrions-nous comprendre le monde ? Reverzy ne pose même pas la question tant il est assuré de la réponse. *Le Passage* est un livre d'athéisme parfait. Palabaud ne se révolte pas. Il y a des pages remarquables sur son détachement progressif, sur l'écart qui grandit entre le monde des vivants et son monde de malade, un monde qui n'a plus le même rythme ni les mêmes couleurs. Le monde se décolore avant de disparaître. On voit les deux sens que peut prendre le titre : passage dans le monde et passage hors du monde. Le livre ne débouche pas sur le désespoir, mais sur une sérénité acquise sur les chemins qui mènent à la mer.

PASSAGE DE MILAN. Roman de l'écrivain français Michel Butor (né en 1926), publié en 1954. Ce premier roman a été commencé à Minieh, petite ville de Haute-Égypte où Michel Butor était alors professeur, mais écrit surtout à Manchester les années suivantes. Cette distance entre le lieu de rédaction et celui du récit est intéressante. Selon un système assez proustien qui conduit Jean Santeuil à évoquer le « souvenir de la mer devant le lac de Genève », le monde parisien est décrit à partir d'un lieu tout autre qui permet de mieux en voir les particularités – ainsi l'Angleterre et la ville de Bleston au centre de *L'Emploi du temps* (*) seront recomposés depuis Salonique. L'expérience égyptienne joue un rôle fondamental dans la biographie intellectuelle de Michel Butor – v. *Le Génie du lieu* et *Portrait de l'artiste en jeune singe* (*) : il la tient pour l'occasion d'une renaissance spirituelle.

En intitulant son roman *Passage de Milan*, Michel Butor commence à jouer avec les titres à multiples ententes. Au sens premier, il s'agit de l'adresse parisienne d'un immeuble de sept étages : s'adjoint l'évocation du vol d'un oiseau. Considérant de façon plus systématique que ne l'avait fait Zola dans *Pot-Bouille* (*) un immeuble comme un microcosme social, Michel Butor évoque les douze heures de la vie des habitants, des gardiens, au rez-de-chaussée, jusqu'à l'atelier du peintre Martin de Vere, le soir où les Vertigues donnent une fête en l'honneur de la majorité de leur fille Angèle. Le roman a pu ainsi paraître de facture néoréaliste, bien que l'accent y ait été mis sur des problèmes formels. Associant des histoires diverses, il se présente déjà comme un complexe de nouvelles à la façon de *Degrés* (*) en 1960. Une série d'indications, dont les commentaires du peintre sur la constitution de son œuvre, qui se confond avec celle du roman, incitent à ne pas lire le livre comme un roman réaliste.

Michel Butor a raconté lui-même, dans *Répertoire I*, comment le roman fut pour lui, tout d'abord, un moyen de concilier les exercices d'écriture surréaliste (repris dans *Travaux d'approche*) et ses études de philosophie. L'aspect réaliste du roman est une façade ; tout y est commandé par un envers mythique : le passage du milan, de l'oiseau de mort. Un meurtre se produit. Mais celui qui le cause n'est que l'instrument de forces complexes. Un découpage strict du temps et de l'espace distribue les retours de personnages de façon musicale et permet de développer, entre les cellules textuelles ainsi déterminées, des séries de rapprochements. Ce qui semblait tout d'abord n'être que juxtaposé se révèle être le mécanisme d'une immense machine.

J. Rou.

PASSAGE DU MALIN. Pièce en trois actes et un tableau de l'écrivain français François Mauriac (1885-1970), représentée au théâtre de la Madeleine le 9 décembre 1947. L'héroïne de la pièce, Émilie Tavernas, dirige avec une singulière autorité l'école de jeunes filles qu'elle a fondée. Grâce à elle, l'établissement jouit d'une solide réputation et, grâce à Fernand Tavernas, possède de bonnes assises financières. À vrai dire, Émilie n'a surtout épousé cet homme falot que pour les avantages pratiques de leur association, dont les belles-mères, qui se détestent, profitent assez largement. Elle a de plus été séduite par les deux enfants que Fernand lui amenait d'un premier mariage ; mais ceux-ci ont grandi, et elle s'éloigne d'eux. Cette femme encore jeune et belle, qui méprise les plaisirs de la chair, exerce sur la plupart des êtres qui l'entourent un extraordinaire ascendant. Elle surveille les pensées, elle capte les âmes. Présentement, dans la ville du Puy, là où les Tavernas passent leurs vacances, elle tient moralement prisonnière une jeune agrégée, qu'elle a formée, Agnès, et qu'elle protège jalousement contre les poursuites d'un bellâtre sur le retour, Bernard. Irma, la mère de Fernand, a beau jeu de répandre maintes calomnies sur la nature des liens qui unissent Émilie et Agnès. Irma, elle aussi, est une dominatrice et veut amoindrir en toutes circonstances son fils pour mieux le tenir en main. Elle est déjà plus ou moins responsable de la mort de sa première bru, contre laquelle elle a mené une guerre incessante. Mais Émilie est autrement trempée. Irma rêve, en compromettant cette orgueilleuse, de la briser, pour qu'elle soit enfin à ses ordres. Une occasion se présente : Bernard survient au milieu « des dianes inconnues, des passions funestes et cachées » du foyer ; il recherche Agnès. Émilie l'éconduit, mais cette entrevue change les objectifs de l'homme. Irma, qui veille et comprend, lui donne le moyen de s'introduire la nuit dans la chambre de sa belle-fille. Et celle-ci cède au Malin qui passe : un instinct de domination, mais purement physique, pousse également le séducteur qui ne se délivre que par la possession des femmes placées comme obstacles sur sa route. La chute d'Émilie n'a cependant pas toutes les conséquences attendues. La nuit passée avec Bernard ne l'a pas délivrée du poids des êtres qui, depuis son enfance, s'accrochaient à elle. La faute commise, elle redoute leur jugement ; ils comptent encore pour elle, la retiennent prisonnière. « La conscience est une maladie dont on ne guérit pas... » Bernard le comprend et s'éloigne. Émilie continuera à jouer un rôle dont elle se sent désormais indigne ; elle devra « recomposer ses pensées, ses croyances, ses goûts, et jusqu'aux traits de sa figure » selon le modèle qu'on exige d'elle : son école devient sa cellule. La critique fut sévère pour la pièce lorsqu'elle fut représentée. Pourtant les personnages ne manquent pas de vérité, et l'écriture est belle, sobre et toujours juste.

PASSAGER CLANDESTIN (Le). Recueil de poèmes de l'écrivain arménien de langue arménienne et française Armen Lubin (1903-1974). Publié en 1946, dans la célèbre collection « Métamorphoses », dirigée par Jean Paulhan, ce premier ensemble poétique ouvre l'œuvre « française » de Lubin. Curieusement, on ne connaît pas de poèmes de lui dans sa langue maternelle. Formé de cinq sections, *Le Passager clandestin* compte trente-huit poèmes dont certains sont dédiés aux poètes dont il se sent proche : Jean Follain, Max Jacob, André Salmon, Henri Thomas. L'impression dominante de ce livre est l'humour et la fantaisie, qui tirent vers le ciel une gravité native. D'emblée, Lubin s'inscrit dans un courant ancien de la poésie française, et Verlaine, discrètement revendiqué, peut faire figure de modèle (et Gautier aussi). Mais cette appartenance n'empêche pas la singularité de Lubin, l'indéniable influence du surréalisme sur sa poésie. Dans un savant désordre biographique, les poèmes qui s'agrègent ici dessinent le labyrinthe d'une existence faite de bonheur et de drame. Il y est parlé de l'enfance arménienne, de l'exil, du Paris des hôtels souvent borgnes, de l'hôpital, des sanas (le poème « La Note » est daté de Bidart-le-Maudit !), de lieux et de gens rencontrés au hasard d'une vie d'errance. Mais le titre même, qui n'est pas sans rappeler par maints aspects le personnage de Charlot, dit assez la posture que Lubin assigne non seulement au poète mais aussi à l'homme. Son passage éclair sur la terre, la difficulté d'y trouver son chemin, peut-être même son incapacité à y vivre une vie autrement que rêvée ou cauchemardée, en font bien un être strictement fugitif. Pour cette raison, la mort n'est qu'un motif comme un autre : « Que prend donc la mort, que peut-elle nous enlever ? » (« Hôpital ») ; elle est plus complice de notre pauvre destinée qu'objet d'affrontement — dont Lubin, qui a sans cesse côtoyé la camarde, connaît l'irréalité ; d'ailleurs, « Hors la souffrance physique il n'y a pas de réel » (« Tant et plus »). Et comme pour mieux briser les pesanteurs, Armen Lubin use d'une poétique complexe, où l'âpreté des phonèmes, l'alternance des vers longs et brefs, la hardiesse des images et la tentation de rimer empêchent le lecteur de s'attacher trop à la langue et l'obligent à « penser » chaque vers. Il y a quelque chose de librement « dansé » dans sa poésie, une incitation qui en fait à coup sûr un tenant plus ou moins volontaire de la poésie moderne : autrement dit un rénovateur, pas un briseur de langue. *Le Passager clandestin* sera suivi, dès 1951, de *Sainte Patience,* qui peut être lu comme une suite à ce premier recueil.

F. B.

PASSAGÈRE DE L'« AROOSTOOK » (La) [*The Lady of the Aroostook*]. Roman de l'écrivain américain William Dean Howells (1837-1920), publié en 1879. Le sujet doit être jugé dans le cadre des conventions qui régnaient en 1870. Une belle jeune fille, Lydia Blood, quitte pour la première fois la maison de son grand-père où, orpheline, elle a été élevée d'une façon austère, pour se rendre à Venise, chez une tante. Durant le voyage, elle s'aperçoit avec stupeur qu'elle est la seule femme à bord, et, bien qu'ignorante de l'hypocrisie des conventions mondaines, elle se rend compte de l'étrange position dans laquelle elle se trouve. Le capitaine du bateau s'émerveille à la vue de la jeune fille. D'après ce que lui avait dit le grand-père, il avait cru qu'il s'agissait d'une petite fille. Deux jeunes gens, les Staniford, partagent son admiration. Cependant, ceux-ci, convaincus de l'innocence de Lydia, font mine de trouver naturel qu'elle voyage seule. L'un d'eux s'éprend de la jeune fille, au charme simple et provincial ; mais bien qu'il ait compris qu'elle le payait de retour, il ne veut pas avoir l'air de profiter des circonstances et il attend la fin du voyage pour s'ouvrir de ses sentiments. Arrivée à Venise, Lydia comprend que, devant le monde, il convient de cacher qu'elle a voyagé seule parmi tous ces hommes. Quand Staniford vient lui demander sa main, elle la refuse car elle croit qu'il obéit à un sentiment de pitié ; mais cependant l'amour triomphe et les deux jeunes gens retournent, mariés, aux États-Unis, où les amis de Staniford montrent le plus grand étonnement de le voir ainsi « casé » avec une petite provinciale. Ce roman confirme les qualités de narrateur mondain de Howells et demeure l'un des plus curieux documents sur la mentalité puritaine de l'époque. —Trad. Dronsart, 1884.

PASSAGES. Recueil de proses de l'écrivain français d'origine belge Henri Michaux (1899-1984), publié en 1950, édition revue et considérablement augmentée en 1963. Ce recueil groupe des textes fort divers qui, soit écrits entre 1938 et 1954, n'avaient pas trouvé place dans un des ouvrages publiés entre ces deux dates, soit postérieurs à *Face aux verrous* (*), ne pouvaient en aucun cas, qu'il s'agisse de poèmes, d'essais, de travaux de commande, être intégrés à un quelconque livre « mescalinien ». D'autre part, il convient de distinguer deux sortes de textes (bien que certains participent des deux genres) : des textes « privés », qui éclairent la vie et le caractère de l'auteur et diffèrent des écrits habituels par leur distance au sujet, par leur aspect « écrit » et non « créé » ; et ceux où Michaux exprime ses conceptions artistiques. Les deux séries sont d'ailleurs mêlées.

Rien de vraiment surprenant dans les textes « privés » qui comptent pourtant parmi les meilleurs de Michaux. Mêmes désirs qu'ailleurs : couler en pensée un torpilleur, oublier ses semblables, échapper aux lois biologiques et physiques, soit en les enrichissant de nouvelles connaissances, qui peuvent les contredire, soit en les utilisant pour mieux faire, pour s'évader (par exemple vers d'autres planètes). Michaux continue de rêver d'action et de changement, il explique que son insuffisance cardiaque — conjurée en *Ecuador* (*) — le contraint à agir en chambre, etc., mais il ne résout rien : ici il n'est pas mage. Et contradictoirement, c'est ce qui rend précieux ces développements, dont le caractère plus lâche, c'est-à-dire moins poétique, plus théorique, plus évident (mais le don de la parole demeure vivace), nous permet de saisir mieux que jamais ce qu'on peut nommer vulgairement le rapport de l'homme-Michaux et de son « problème » ou, de façon affectée, celui du Je et du Moi. Michaux désire soit s'évader, soit disparaître, et aussi réapparaître : il veut sans cesse revenir avant (avant quel souvenir d'enfance ?) et singulièrement avant la naissance ; mais il n'a pas vraiment peur de la mort (écoutant au cardiographe-haut-parleur le bruit de son faible cœur, il éprouve de la gêne plutôt que de l'angoisse) et il n'a pas non plus ce que Freud nomme l'« instinct » de mort : la sexualité chez lui, contrairement à la plupart des poètes modernes, occupe une place très restreinte (et de même l'amour et l'amitié) ; elle semble le gêner, non l'angoisser ou l'appeler ; on ne trouve nulle « petite mort » chez Michaux ; il faut chercher ailleurs la disparition libératrice, matrice de schèmes. Et s'il rêve de virginité, c'est sans manifester un sentiment poignant de culpabilité ; il aime les « Visages de jeunes filles » (1939), miroirs de la civilisation, « étoffe de la race », manifestation et rappel de leur jeunesse, de leur vivacité, de leur beauté. Les « Enfants » (1938), c'est-à-dire les jeunes garçons, témoignent eux aussi de l'éternité ; leur savoir est universel, ils sont toutes les sortes d'hommes de toutes les époques, non pas comme possibles, mais comme âmes non aliénées : « Louis XIII, à huit ans, fait un dessin semblable à celui d'un cannibale néo-calédonien ; il a l'âge de l'humanité, il a au moins deux cent cinquante mille ans. Quelques années après il les a perdus » ; les adultes se coupent même du regard de ce Vrai universel (« Retrouverions-nous son temps, on resterait séparé de l'enfant par les dix mille virginités perdues ») et leur aliénation les rend barbares à l'égard des enfants (« Ils les voudraient plutôt croupissant et pourrissant dans le fumier »). Il faut voir ici l'expression de la rancœur de Michaux contre ses parents ; cette rancœur est devenue de la haine, et les agressions dont il a été victime de leur part se sont renversées en un « grand combat » qu'il mène contre son père : « Ma colère, je la sentais alors comme une matière, comme un fluide résistant, comme une arme (...). L'homme que je croyais tant détester avait tendance à devenir flou. » Il avait découvert l'exorcisme et il continuera d'exorciser, notamment en se représentant le pire afin de s'habituer au mal, comme les enfants dans leurs jeux reproduisent, de façon à les dominer, les situations traumatisantes. S'il a mal à une dent, il s'imagine qu'un appareil géant s'attaque à tout son encéphale... et il part à la conquête de l'appareil ; ou bien, dans la sécurité de sa chambre, il se donne cet appareil pour « écraser l'infâme ». Il se prospecte, il se parcourt, « il agit sur sa machine à penser », il se donne des forces, des « Pouvoirs » (ce texte de 1958 explique ce qu'est le poème-action, la « Poésie pour pouvoir » de *Face aux verrous*) ; il crée des pays imaginaires, ici définis (1950), « des sortes d'États-tampons, afin de ne pas souffrir de la réalité ». Michaux : mille coups de dés pour abolir le hasard.

Ainsi le « privé » débouche sur la création et dans *Passages* sont évoquées, commentées, vantées et définies toutes les créations possibles, jusqu'à la création olfactive : « Qu'on me donne un appareil à émettre des odeurs et vous verrez si je reste passif. » Ces textes, réflexifs ou franchement primesautiers, mais qui ne tiennent jamais du traité ni du système, débouchent eux aussi sur l'homme et le révèlent, mais un grand nombre d'entre eux font la navette du « privé » au « créant ». L'art est contre : contre le classicisme (contre Racine, Bossuet, Versailles, l'alexandrin), contre le nombre d'or, contre Rome, contre Chopin (malédictions assez faibles, voire irritantes), contre les mots (« mots prose comme le chacal ») : « Un poème aurait vendu la mèche », dit-il pour vanter la musique. En effet, amant de la spontanéité, de la représentation et de l'activité immédiates, il exprime et expose ici sa gêne devant le langage (l'on sait l'échec que sera ou a été *Face aux verrous*) et nous le sentons devant deux voies : d'une part, la création vive et brutale (dessiner, peindre, jouer du piano) ; d'autre part, la parole, réfléchie, un peu distante, sur ces expériences. Ces deux voies mènent également à l'aventure mescalinienne qui donne l'immédiat irrationnel et dont le commentaire rationnel permet de saisir le fonctionnement de l'esprit (sain et malade). Bien avant 1955, il a des accents mescaliniens pour saluer le surgissement créateur. Cet émerveillement, toujours décrit avec une fougue extraordinairement tonique (notamment à propos de Klee dans la préface admirable, « Aventures de lignes », à un livre sur ce peintre-poète, 1954), il l'a eu successivement pour diverses activités créatrices. D'abord pour l'écriture en gros caractères : au tout début de sa carrière, un éditeur s'intéressa non pas à ses textes mais à leur graphie ; alors Michaux fit plus gros les caractères, qui « devenaient élan, participation, entraînement » ; « coupés de l'impression originelle », ils le portaient en avant ; ainsi, dès le début, l'exercice de l'écriture repose sur une activité pré-écrivante. Plus tard le dessin jouera ce rôle, mais, communicable, il pourra dégoûter de l'écriture. Dessinant ou peignant, Michaux, nous dit-il lui-même, est en action : il malaxe, il triture, il guette ce qui vient, il fonce ; il fait des dessins en un quart d'heure, inspiré par tel visage entraperçu dans un magazine et qu'il ne cherche pas à reproduire, mais à percer, à renaturer. Il se libère de même et trouve le bonheur en improvisant au piano ; il « se vautre » dans la nappe sonore, qui est « plancton » — on pense à sa vocation embryologique, si apparente dans *La Vie dans les plis* (*) —, il fait de la musique « pour approcher le problème d'être » ; devant cet instrument, il « perd toute honte » ; le « rassure contre les bruits mon bruit » ; « mon navire-silence avance seul dans la nuit ». Puis du piano il passe au tam-tam, qui correspond à l'énumération-incantation de *Qui je fus* (*), seul recours quand quelque chose est là et qu'on ne sait pas quoi dire. C'est bien en la primivité de la musique, et par suite en la musique primitive ou extrême-orientale, qu'il voit son salut ; la musique est contre la prose, la musique se moque de la musique, de Bach et de Beethoven, qu'il vomit. Cette liquidation de notre civilisation à laquelle il se livre s'accompagne de sa propre liquidation, celle de ses moi anciens qui masquent le moi primitif, lequel n'a jamais existé, est repoussé dans les limbes ; de même l'activité libre et surprenante (du fait de sa nouveauté) tombe, et il faut une nouvelle excitation, une autre drogue, pour se perdre ainsi et ainsi se trouver.

Cercle vicieux et possibilité de cheminer, cette condition de soi-même Michaux l'expose dans ce livre où passages admirables et passages à la diable alternent, comme déclarations négatives et mises en pratique positives, exaltantes.

Là où la thématique, la sincérité et l'art (trente ans d'écriture) apparaissent le plus étrangement, c'est dans le portrait de Klee qui depuis trente ans l'occupe (« J'ai découvert Klee », note-t-il dans son autobiographie de 1958, en face de la date 1925), Klee le plus « frais » et le plus savant des peintres modernes. « Grâce aux mouvantes et menues modulations de ses couleurs, qui ne semblaient pas non plus posées mais exhalées au bon endroit, ou naturellement enracinées comme mousses ou moisissures rares, ses " natures tranquilles ", aux tons fins des vieilles choses, paraissaient mûries, avoir de l'âge et une lente vie organique, être venues au monde par graduelles émanations. »

PASSAGES CHOISIS DE MA CORRESPONDANCE AVEC MES AMIS [*Vybrannye mesta iz perepiski s drouz'jami*]. Œuvre de l'écrivain russe Nikolaï Vassilievitch Gogol (1809-1852), publiée le 31 décembre 1846. Ce recueil est surtout didactique. Doué pour la satire, l'écrivain souffrait beaucoup de son impuissance à créer des personnages véridiques. C'est que, chrétien très pieux, mystique, ressentant à fond le pouvoir du mal et la menace que le Malin fait peser sur notre monde (ses œuvres sont pénétrées de cette intuition tragique), il croyait que son devoir consistait à combattre les forces noires en prêchant le bien par ses œuvres d'art. N'ayant pu y parvenir, il n'est pas étonnant qu'il soit enclin, dans ses *Lettres*, à un langage passablement dogmatique. Dans ses *Lettres* (partagées en 32 chapitres), Gogol exprime ses idées sur le peuple russe et sa destinée, sur l'Église, la poésie, les arts et le théâtre russes. Mais la plupart de ses articles sont consacrés à la morale qu'implique la vie chrétienne. Il s'adressait aux gens les plus divers : à un écrivain, à un gouverneur, à une femme du monde, voire à un propriétaire foncier. Dans ses conseils, Gogol est terriblement sincère. Pour lui, tous les maux du monde proviennent de la corruption de l'âme. En conséquence, les réformes politiques et sociales ne l'intéressent point. Le perfectionnement de la morale lui importe seul. C'est en se transformant en vrai chrétien qu'on assure le triomphe du Bien. Seulement Gogol n'est profond et persuasif que dans ses œuvres d'art. Il a beau proclamer le primat du cœur sur l'intelligence, ses minutieux conseils restent ceux d'un raisonneur, et d'un raisonneur malheureux. S'intéressant peu aux réformes, il vise à transformer la vie en sollicitant chaque âme humaine. S'il est vrai que Gogol se révèle un critique de première force dans les chapitres sur la poésie et les arts, il faut bien voir qu'il échoue piteusement ailleurs. Par exemple, ses conseils au propriétaire foncier sur ses devoirs envers ses serfs ne peuvent qu'indigner : on ne retient que l'acceptation du servage. Or, l'élite russe prenait justement à cœur l'abolition du servage et d'autres grandes réformes, combien urgentes. Les *Lettres* heurtaient de front ces aspirations. Gogol apparaissait comme un réactionnaire, trahissant ses propres œuvres littéraires. Rien d'étonnant que ce livre ait déçu à peu près tout le monde, aussi bien les occidentalistes — v. *Lettres à Gogol* (*) de Belinski — que les slavophiles. Somme toute, il apparaît que ces *Lettres* étaient tout d'abord essentiellement une tentative entreprise par l'auteur pour conjurer cet univers monstrueux qui n'était autre que le sien. — Trad. Gallimard, Bibliothèque de la Pléiade, 1966.

PASSANT (Le). Comédie en un acte en vers de l'écrivain français François Coppée (1842-1908), représentée pour la première fois à l'Odéon, le 14 janvier 1869, avec Sarah Bernhardt dans le rôle de Zanetto. Silvia, une belle courtisane, indifférente aux passions qu'elle inspire, souffre de sa sécheresse de cœur ; à tout prix elle veut vaincre son insensibilité. L'occasion se présente à elle sous la figure d'un jeune bohémien à la beauté d'éphèbe, Zanetto, et Silvia le retient, fermement décidée à l'aimer et à s'en faire aimer. Le jeune garçon, qui la croit une grande dame, lui raconte avec entrain sa vie errante, lui révèle qu'il est poète et musicien, et lui confie les joies qu'il tire néanmoins de cette misérable existence. Interrogé par Silvia, il finit par lui confesser sa peur de l'amour, sa joie d'être libre, mais lui propose cependant de rester avec elle. La courtisane, émue par la fraîche naïveté du jeune homme, et quoique tentée par cet amour innocent, le repousse pour ne pas le faire souffrir ; il s'en ira, emportant avec lui, comme souvenir, la fleur tombée de ses cheveux. Silvia, restée seule, bénit l'amour qui a chassé cette indifférence du cœur qui était sienne, et se prend à pleurer. Ce badinage eut un grand succès, assez surprenant tout compte fait : certes, l'histoire est délicieuse et romantique à souhait, le vers coulant, les personnages sympathiques. Mais ces éléments ne servent ici qu'à masquer le côté superficiel et désinvolte et les faciles artifices d'une rhétorique sentimentale. La pièce contient, cependant, des morceaux charmants : la sérénade (« Je pense à vous quand je m'éveille... ») est justement célèbre. Cette comédie fut mise en musique par Pietro Mascagni (1863-1945) ; l'œuvre, représentée à Pesaro en 1896, s'intitule *Zanetto.*

PASSÉ (Le). Comédie de l'écrivain français Georges de Porto-Riche (1849-1930), d'abord en cinq actes (Odéon, 1897), puis réduite à quatre actes (Théâtre-Français, 1902). Elle est tenue à juste titre pour le chef-d'œuvre de l'auteur. Une jeune veuve, Dominique Brienne, s'est laissé jadis prendre au charme d'un séducteur de profession, François Prieur. Ayant été trahie par lui, elle en a si cruellement souffert qu'elle pense avoir perdu son âme. Huit ans après, elle le retrouve par occasion. Aussitôt, tout le passé reflue dans son cœur. Elle est contrainte de s'avouer qu'elle aime toujours Prieur. Prête à redevenir son esclave, elle n'en sera pas moins sauvée par l'irruption d'un sentiment des plus imprévus : le dégoût que lui apporte la prétention qu'a Prieur de la posséder dans le lit encore tout chaud du combat qu'il vient de livrer à quelque autre femme. Délivrée de son obsession, elle pourra tenter désormais de se refaire. Autour de son héroïne, l'auteur fait évoluer quelques personnages amusants : le compositeur Mariotte qui ne le cède à personne en fatuité ; le peintre Bracony qui, dépourvu de talent, refuse d'en trouver chez autrui ; et le romancier Behopé dont l'inspiration consiste surtout à imiter ses confrères de la meilleure foi du monde. Dans cet ouvrage, l'intrigue est réduite à sa plus simple expression. Certes, Porto-Riche reste sans égal dans l'analyse du cœur humain, mais il se cantonne toujours dans la peinture d'un seul aspect de l'amour : l'esclavage des sens. En virtuose, il fait ressortir l'opposition qui règne entre les deux sexes. Si Dominique Brienne arrive à se sauver, c'est par quelque grâce d'état, vraiment unique en son genre dans tout le théâtre de l'auteur. Dans l'exploration de ce domaine, Porto-Riche se trouve avoir atteint le plus haut degré de clairvoyance que l'on puisse imaginer. Traitant de cet amour physique avec toute la cruauté qui s'y attache, il ose mettre en lumière les sentiments que l'on s'ingénie à garder par-devers soi. Il faut bien voir que dans toute son œuvre Porto-Riche possède d'incroyables ressources en fait de psychologie. Aussi juge-t-il superflu de s'embarrasser du reste. Il dédaigne donc toute composition, y compris l'intrigue. En soi, l'action résulte du dialogue. Évitant toujours la tirade, il coupe son discours en brèves répliques. Ce style incisif et direct foisonne en trouvailles de toute sorte. Dans ce cliquetis de mots, l'homme est aux prises avec la femme. Ici, une remarque s'impose : chacun se croit pur d'intention, brûle d'obtenir justice, veut convaincre son adversaire et n'y peut jamais parvenir — faute de trouver la moindre ouverture pour entrer dans son esprit. Trop aveuglé par sa passion, l'on est incapable de saisir la pensée d'autrui. Ce tragique malentendu fait que la solitude morale est le lot de la plupart des héros de Porto-Riche. C'est peut-être dans *Le Passé* que ce caractère s'accuse le mieux. Par son accent de vérité, la verve de son dialogue, son naturel, sa profondeur, *Le Passé* est sans contredit la pièce maîtresse de notre auteur. De la même veine que *Le Vieil Homme* (*) et *Amoureuse* (*), c'est un trésor d'observations sur le cœur humain. De là l'influence singulière que Porto-Riche n'a cessé d'exercer sur le théâtre psychologique depuis le début de ce siècle.

PASSÉ ET MÉDITATIONS [*Byloe i dumy*]. Œuvre en partie autobiographique de l'écrivain russe Alexandre Ivanovitch Herzen (1812-1870), dont une partie parut à Londres, où il était en exil, sous le pseudonyme d'Iskander ; l'ensemble vit le jour entre 1861 et 1867. Œuvre aujourd'hui classique dans la littérature russe, elle occupe une place exceptionnelle dans la littérature universelle, tant à cause de l'influence personnelle de son auteur qu'en raison de la beauté et de la rigueur de sa forme. Éveillé très tôt aux questions politiques, sa vie d'homme d'action et de révolutionnaire commence ce jour de 1828 où, jeune étudiant imbu de romantisme, s'étant rendu en compagnie de son ami Ogarev sur le mont des Oiseaux, il fit le serment, face à Moscou, de consacrer sa vie à la cause du peuple : Herzen lui-même nous a rapporté le fait. Ce sont ensuite les années d'études à l'université de Moscou, au cours desquelles il organise et dirige un de ces cercles d'étudiants comme il en fleurissait alors en Russie, véritables foyers d'agitation révolutionnaire en lutte contre l'arbitraire et la violence du pouvoir monarchique. À partir de 1834, il a affaire avec la police et se voit déporté à plusieurs reprises : c'est alors qu'il publie des romans tels que *Le Docteur Kroupov* et *À qui la faute ?* (*), où sont traités quelques-uns des problèmes psychologiques et sociaux qui tenaient le plus à cœur aux jeunes hommes de sa génération. Transportant son inquiétude sur le terrain philosophique, c'est l'époque où il se forge une conception matérialiste du monde, conception à laquelle il restera fidèle toute sa vie et que les événements dont il sera le témoin ne feront que renforcer. Il lit Tacite et Aristote, Bacon et Hegel, Guizot et Louis Blanc, Proudhon et Feuerbach, Goethe et Eschyle, Schiller et George Sand, Pouchkine et Gogol, Saint-Hilaire et Cuvier, Buffon et Linné. Le fruit de ses travaux et de ses recherches sera consigné dans son livre sur *Le Dilettantisme dans les sciences* et surtout dans ses *Lettres sur l'étude de la nature*. Se déterminant à partir de Hegel, il dévoile, avec une grande clairvoyance pour son époque, la contradiction existant entre la méthode, dialectique et profondément révolutionnaire, et le système, proprement idéaliste, de Hegel. « Si la méthode dialectique n'est pas le développement de la nature elle-même, la formation, pour ainsi dire, de celle-ci dans la pensée, elle devient un moyen purement extérieur de poursuivre toutes sortes de choses à travers l'édifice des catégories, une série d'exercices de gymnastique de la logique. » L'année 1847 est la seconde grande date de sa vie : il part pour l'étranger d'où, jusqu'à la fin de ses jours, il ne pourra revenir dans sa patrie. Là, il fonde un journal, *Kolokol* [*La Cloche*], dont la devise « Je fais appel aux vivants » est à elle seule tout un programme : grâce à cette tribune (« une force dans l'État russe », au dire même de ses adversaires), il poursuit sa lutte contre le servage, la barbarie et l'état arriéré de la vie russe. Dans le même temps, il prend une part active aux mouvements révolutionnaires qui agitent alors toute l'Europe occidentale. Il est en rapport avec des hommes comme Proudhon, Mazzini, Louis Blanc, Hugo, Michelet, Quinet, Pierre Leroux, Kossuth. Ce sont ces événements que retrace *Passé et Méditations :* embrassant toute la période qui va de l'entrée de Napoléon en Russie — on se souviendra que Herzen naquit en 1812 —, jusqu'à la veille de la Commune de Paris, son œuvre évoque les divers mouvements intellectuels dont ces temps-là furent les témoins. Il s'agit en quelque sorte d'une épopée où se trouve ramassé, en une puissante synthèse, l'ensemble des événements qui marquèrent pendant cette période la vie politique et sociale de la Russie comme de l'Europe occidentale. Il y stigmatise, en des tableaux qui comptent parmi les plus belles pages de toute la littérature russe, la bureaucratie et le pouvoir policier de l'empereur Nicolas ; parallèlement, il s'en prend à l'esprit petit-bourgeois et mercantile, à cette « religion de la propriété », qui règnent en Europe. Il décrit la vie miséreuse des ouvriers, des hommes en bourgeron, des lazzaroni, de toute cette masse d'indigents que portent en leur sein les grandes villes européennes. Ce qui nous frappe le plus dans cette œuvre monumentale, c'est la sincérité passionnée de son auteur, aussi bien envers les événements et les hommes dont il parle qu'envers lui-même, et qui n'est pas sans faire penser à Tolstoï. Pourtant, sur un point au moins, Herzen est à l'antipode de ce dernier. Tandis que Tolstoï donnera volontiers dans la leçon de morale, Herzen répugne à toute espèce de prédication, laquelle d'ailleurs eût été à l'encontre de son action même. La richesse de ses expériences intérieures tout comme son intense activité révolutionnaire ont puissamment contribué au processus de développement des idées sociales au XIXe siècle. Sa phrase, remplie de sarcasmes et brûlante d'une colère généreuse et noble, fera l'admiration de Tolstoï, qui dira de son œuvre : « Je lis Herzen et je m'extasie beaucoup [...] C'est un écrivain, un écrivain d'une valeur sinon supérieure, du moins égale à celle de nos plus grands écrivains. » En effet le tragique et le comique, le sublime et le mesquin de la vie quotidienne sont saisis et dépeints par Herzen avec un art qui ne le cède en rien à un Tourgueniev ou à un Tolstoï. — Trad. L'Âge d'Homme, 1974-1981, 4 vol.

PASSE-MURAILLE (Le). Recueil de nouvelles de l'écrivain français Marcel Aymé (1902-1967), publié en 1943. Les unes sont des récits fantastiques comme celle qui donne son titre à l'ensemble et que l'éditeur résume ainsi : « Un employé subalterne de l'administration s'aperçoit qu'il a le don de passer à travers les murs. Ce qui lui permet de tenir un rôle. Mais son don, un jour, l'abandonnera au mauvais moment, et il restera figé à l'intérieur d'une muraille. » D'autres nouvelles, comme « En attendant », ont une étonnante valeur documentaire sur la vie du peuple parisien pendant l'Occupation. À travers les unes et les autres, Aymé apparaît comme un poète populiste et un réaliste fantasque. Il combine le merveilleux et le quotidien, l'imaginaire et le réel, avec un égal bonheur. Le phénomène est troublant : le populisme est ici un réalisme scrupuleux, et la poésie se présente sous les aspects du merveilleux. Or le merveilleux ne met pas le réalisme en évidence, mais se laisse absorber par lui et devient vraisemblable à son tour. C'est sans doute qu'Aymé ne s'étonne pas plus des caprices de son imagination que des incohérences du monde réel. Il prend les uns et les autres avec la même naïveté savante et une identique bonne foi.

PASSE SANS PORTE [*Wou-Men-Kouan* en chinois, *Mu-mon-kan* en japonais]. Texte essentiel du bouddhisme zen, mis en forme vers 1229 par le maître chinois Wou-Men (1182-1260). Il s'agit d'un recueil, sans ordre chronologique ni logique interne, de quarante koân empruntés aux maîtres du bouddhisme qui ont précédé Wou-Men, de Bodhidharma lui-même à Houei-Neng, Lin-Tsi, etc., et commentés de façon badine. L'effet est surprenant. Le koân, sorte d'anecdote ou de devinette, dont le caractère insolite, abrupt ou absurde est destiné à déclencher la réaction du disciple, est ici mis en valeur par un commentaire apparemment incongru qui fait rebondir l'énigme qu'il est censé éclairer. Ce texte difficile est considéré comme un des trois grands textes du bouddhisme zen, avec le *Recueil de la falaise verte* (Pi-Yen-Lou) qui lui est antérieur d'un siècle, et avec les *Entretiens* (*) de Lin-Tsi. — Trad. Éditions traditionnelles, 1979.

J.-P. L.

PASSÉ SIMPLE (Le). Roman de l'écrivain marocain d'expression française Driss Chraïbi (né en 1926), publié en 1954. Deux dédicaces témoignent de l'évolution de l'histoire et de l'écrivain : « À François Mauriac. 1954. Il y avait alors la révolte et l'espoir », puis, ajoutée lors de la réédition : « À Hassan II et autres valeureux leaders du monde arabe. N'y aurait-il plus que la révolte ? 1977. » Ce roman d'apprentissage est celui d'une crise : la révolte de Driss Ferdi, jeune fils d'un riche commerçant et grand bourgeois marocain, contre son père, le seigneur, et contre toutes les formes de pouvoir que ce dernier représente : hiérarchie féodale d'une société patriarcale, contraintes religieuses, puissance de l'argent. L'évolution du protagoniste, qui prend conscience de la violence et de l'hypocrisie du monde qui l'entoure, impose au récit une structure brisée, fondée sur la rupture et le contraste. Contraste entre les scènes d'immobilisation dans l'obéissance, les habitudes, les traditions et la série de ruptures que constituent les affrontements du protagoniste avec son père, ses camarades, sa mère même, ses professeurs ou les déchirements dans le cérémonial du Ramadan, la mort du frère, la fuite du fils à la recherche de sa liberté, la mort de la mère. À la violence des situations répond celle des personnages, sous toutes les formes, de l'attitude primitive du chauffeur Jules César à la réflexion élaborée de Driss Ferdi, en passant par la domination affirmée du père (malédictions, humiliations), par le discours menaçant et colonialiste derrière la façade paternaliste de Joseph Kessel, par l'autoritarisme religieux du fqih. Le paysage lui-même échappe à tout pittoresque exotique pour n'être, dans la longue description de la ville de Fès parcourue par Driss, que l'espace grouillant de la misère et du désir. La langue du narrateur donne à lire, tout au long du récit, cette remise en cause de l'ordre paternel par l'« idiolecte de la révolte » qui brise la cohésion communautaire du langage. Chraïbi crée ici une écriture matérialiste, fortement liée au corporel et que caractérise le registre sémantique du pulsionnel, du meurtrier, du scatologique. Le discours bienséant, esthétisant de la littérature coloniale aussi bien que le discours autoritaire du rituel et des interdits sont sans cesse traversés par un langage viscéral et sadique. Le protagoniste est, en effet, écartelé entre deux ordres symboliques opposés, l'ordre musulman du père et l'ordre occidental qui le fascine d'abord et lui permet précisément de se révolter contre son père et contre son passé, mais dont il aperçoit à son tour les insuffisances et les masques. L'apprentissage de la liberté est difficile, entre les « illusions crevées comme bulles de savon » et la « révolte stérile ». Ce n'est qu'en partant pour Paris, poursuivre ses études, qu'il conquerra une identité et préparera la vraie révolte car « on ne se révolte pas, pauvre ». Et Driss de conclure : « Il faut savoir être patient, logique. Je me révolterai demain, voilà tout. »

P. Re.

PASSE-TEMPS. Recueil de textes en prose de l'écrivain français Paul Léautaud (1872-1956), publié en 1929. Le titre dit tout. De la délicieuse « Madame Cantilli » aux « Souvenirs de basoche », aux propos sur les chats et les chiens, seuls vivants épargnés par la raillerie de Léautaud, chaque page est chargée de drôlerie, d'amertume sans histoires, de délicatesse sans excès. Cet homme singulier tient du XVIIIe siècle. Il en a la netteté, la fantaisie, les manières, le charme. Espiègle, ingénu, vagabond de l'aristocratie, tendant au dandysme, et précieux à ses heures, mais jamais par le langage, qu'il veut direct et pris sur le fait. Il dit ce qu'il voit, tout simplement, et cette simplicité, qui vise le vrai dans sa brutalité anecdotique, est toujours cruelle, comme il se doit. Il tire son comique d'un mélange très finement dosé d'observation immédiate et de petites réflexions très personnelles. Il n'est dérangé dans sa vision ni par une ambition démesurée, ni par un message, ni par une morale. Il est frondeur, jamais volontairement méchant, et conserve le plus souvent un sens très dégagé de ses limites, assez nombreuses. Cet homme seul n'a rien à perdre ou à gagner. Il peut se permettre de tout dire et de s'amuser, quand l'ennemi du jour a été touché et renonce au jeu. Léautaud, quoi qu'il arrive, retrouvera ses animaux, ses livres. Une plume, du papier, le voisin pour en rire, la voisine pour en user, cela suffit à Léautaud. Ce sont toutes ces vertus sans détour qu'on remarque dans *Passe-Temps* et qui donnent au volume son allure, inimitable et détachée, comme l'auteur.

PASSIONARIUM. Ouvrage encyclopédique du médecin italien Gariopontus (XIe siècle), rédigé en 1040 et publié à Lyon en 1526. C'est un résumé des œuvres d'auteurs anciens, de Galien et d'Hippocrate notamment, ainsi que de Théodore Priscien, Alexandre, Basile et Théodose ; un tableau des diverses maladies qui veut être, selon l'intention de l'auteur, un traité général de pathologie médico-chirurgicale. Il est divisé en cinq livres : le premier traite des éléments, le second des humeurs, le troisième des urines, le quatrième du pouls et le cinquième enfin des inflammations. En appendice (en trois livres) se trouve un travail succinct sur les fièvres. Gariopontus est très prolixe lorsqu'il décrit une maladie mais, pour les opérations (qu'il limite à de très rares cas), il se borne à mentionner en passant la technique et le mode opératoire ; en effet, il préfère les médicaments à usage interne à l'intervention chirurgicale. Nous ne saurions le lui reprocher, en considérant le temps où il vécut et le milieu dans lequel son œuvre fut mûrie, car l'école de Salerne ne manqua pas d'exercer sur lui une grande influence. Rationnel dans ses prescriptions, patient dans la recherche des symptômes, il s'écarte de l'empirisme propre aux auteurs de son temps qui négligeaient l'étiologie comme étant sans intérêt clinique ; lui, au contraire, recommande instamment cette recherche indispensable au diagnostic et à la prescription médicale. Au point de vue linguistique, son ouvrage est d'un très grand prix ; car nous y trouvons la vulgarisation de termes grecs et latins qui sont ensuite passés dans le vocabulaire moderne ; exemple : cautériser, cicatriser, gargariser, vaporiser, clystériser, etc. De caractère didactique, le *Passionarium* ne porte aucune trace de l'influence arabe, ce qui prouve la continuité de la tradition classique dans la première période de l'école de Salerne.

PASSION D'ANGERS (La). On appelle ainsi *Le Mistère de la Passion de nostre Saulveur Jhésu Crist,* représenté solennellement à Angers en 1486 et publié pour la première fois, sous ce titre, entre 1486 et 1490. C'est une adaptation de *La Passion de Paris* (*) faite par le poète dramatique et médecin angevin, Jean Michel (1435 env.-1501), à qui le célèbre mystère de Gréban devait paraître trop prolixe et austère. C'est pourquoi, supprimant le long prologue qui avait paru indispensable à Gréban et à Marcadé pour présenter un tableau complet de la perdition et de la rédemption de l'homme, l'œuvre de Michel débute « in media res » par le baptême de Jésus et se termine à la mise au tombeau du Rédempteur. Michel n'a donc repris que la deuxième et la troisième journée de *La Passion de Paris,* toutefois il n'a pu se dispenser de commencer, lui aussi, par un « sermon » de 1 000 vers. En regard de ces coupures, certains motifs, à peine esquissés par les prédécesseurs, sont abondamment développés et des traditions extra-canoniques introduites quand elles présentent un sujet pouvant être exploité théâtralement, soit dans le sens du dramatique et du monstrueux, soit dans celui du pittoresque et du gracieux : par exemple, le parricide et l'inceste de Judas, les folies de la fille possédée de la Chananéenne, les occupations mondaines de Lazare (présenté comme un chevalier amateur de chasse, faucon au poing et suivi de ses chiens), la vie de courtisane de Magdeleine (que nous voyons sur scène accueillir la visite d'un de ses admirateurs). Une plus grande importance a été donnée aux scènes diaboliques ; la complaisance pour les détails réalistes se manifeste davantage ; la représentation des tourments infligés au Christ, qui, dans les précédentes *Passions*, avait déjà atteint une ampleur et un degré de cruauté presque insoutenable, est ici encore poussée et amplifiée. À ceci s'ajoute le soin minutieux apporté à l'importante mise en scène et à tout effet spectaculaire. Toutes ces additions, destinées avant tout à flatter la curiosité des spectateurs, font de *La Passion d'Angers* un très long drame puisqu'elle compte 30 000 vers. L'adaptation de Michel a donc d'autant perdu en esprit religieux qu'elle a acquis en qualités profanes. Toutefois, l'admirable dialogue entre Jésus et sa mère manifeste, outre une étonnante maîtrise de la langue et de la versification, une réelle émotion et un pathétique d'une rare puissance. Cette *Passion* était si bien adaptée au goût du temps qu'elle est restée le modèle définitif du mystère de la Passion et a remporté un succès attesté par des représentations qui durèrent jusqu'en 1548 et une série d'éditions illustrées au-delà, lorsqu'un édit parisien défendit la mise en scène des sujets sacrés. Cet édit devait marquer, et non seulement pour la France, la fin du théâtre religieux. — Cette *Passion* a été éditée par O. Jodogne (Duculot, Gembloux, Belgique, 1959) et adaptée par G. Cohen (Richard-Masse, Paris, 1950).

PASSION D'ARRAS (La). Mystère attribué à l'écrivain français Eustache Marcadé (fin XIVe-1440) dont on a pu établir, d'après les miniatures qui ornent le manuscrit, que celui-ci fut mis au point entre 1450 et 1480. C'est un long poème de 24 945 vers sur le mystère de la Passion ou plus exactement de la Rédemption. Il occupe quatre journées, s'ouvrant et se fermant par le procès de paradis entre Justice et Miséricorde, qui est comme la raison d'être de la Rédemption. Le texte comprend également *La Vengeance de Jésus-Christ* qui, notons-le en passant, n'est nullement, au point de vue chrétien comme au point de vue littéraire, un complément indispensable. Mais pour les spectateurs du XVe siècle, elle se reliait intimement à la *Passion :* elle répondait à leurs ardents désirs, elle était le châtiment de ces juifs qui avaient crucifié Jésus. Les traits caractéristiques du « Mystère de la Passion » sont l'abus des longues tirades, la froideur de l'action dont les scènes se succèdent sans être liées l'une à l'autre, la présence de passages en prose. Que le texte soit ou non de la plume de l'official de Corbie, il n'en est pas moins à coup sûr son contemporain : par l'usage qui y est fait des légendes, par la fidélité aux textes liturgiques, par la simplicité des dialogues assez mal découpés, par l'inexpérience des jeux de scène ; il a en effet sa date avant le grand mystère d'Arnoul Gréban — v. *La Passion de Paris* (*) —, que l'on peut regarder comme le type du genre au milieu du XVe siècle. Le « Mystère de la Passion » est écrit, d'une manière générale, en vers de huit syllabes à rimes plates. Outre les *Évangiles,* où l'auteur a puisé la trame de son œuvre, les situations, les dialogues et plusieurs discours comme le Sermon sur les Béatitudes, il a traduit ou paraphrasé plusieurs cantiques liturgiques, le « Magnificat », le « Nunc dimittis » ; mais il accueille également les légendes et les *Évangiles apocryphes* — v. *Apocryphes du Nouveau Testament* (*). — *La Passion d'Arras* a été publiée par J.-M. Richard (Arras, 1891).

PASSION DE PARIS (La). C'est sous ce titre que l'on désigne habituellement *La Passion de Nostre Saulveur Jhesu Crist,* « mistère » composé à Paris au milieu du XVe siècle par le poète dramatique français Arnoul Gréban qui, selon toute probabilité, vécut de 1420 à 1470. Ici, comme dans *La Passion d'Arras* (*) de Marcadé, l'auteur étend son sujet au « mistère de la Rédemption » considéré à partir de sa cause première. Et comme chez Marcadé, dont l'œuvre n'avait cependant pas cette ampleur, l'ensemble est introduit par une manière de prélude rapportant la création du monde, la chute de Lucifer, le péché originel, le crime de Caïn, la mort d'Adam et Ève. L'œuvre elle-même se divise en quatre « journées ». Première journée : l'Incarnation, la naissance et l'enfance de Jésus ; deuxième journée : la prédication de Jean-Baptiste, les miracles du Messie, l'entrée à Jérusalem, l'arrestation au jardin des Oliviers ; troisième journée : la Passion, la crucifixion et la déposition de croix, avec l'épisode des remords et du suicide de Judas ; quatrième journée : la Résurrection, l'Ascension, la descente du Saint-Esprit. L'auteur de *La Passion de Paris* fit de nombreux emprunts à *La Passion d'Arras.* La disposition et l'élaboration des événements, leur encadrement dans le « procès du Paradis » viennent tout droit de l'œuvre de Marcadé. Dans l'une et dans l'autre *Passion* se retrouvent le même goût du pittoresque, la même érudition. Théologien, tout comme Marcadé (en 1456, il est bachelier ou professeur chargé de cours, à la faculté de théologie de Paris), Gréban a donné encore plus que son prédécesseur, dans la littérature théologique et édifiante, avec une prédilection toute particulière pour les *Méditations* attribuées à saint Bonaventure et pour les *Apostilles* de Niccolo di Lira. Outre son érudition, ce théologien était doué d'un talent égal pour la musique (il fut organiste et chef des chœurs à Notre-Dame) et pour la poésie. C'est à cela que nous devons quelques scènes d'une extraordinaire beauté, comme celle de la dernière rencontre entre Marie et Jésus, et différents rythmes pleins de grâce. De telles qualités poétiques et musicales justifient amplement le succès qu'obtint *La Passion* d'Arnoul Gréban au XVe siècle et l'attention que lui porta la critique moderne, grâce à laquelle nous possédons maintenant de l'œuvre une édition complète : *Le Mystère de la Passion d'Arnoul Gréban,* publié par Gaston Paris et Gaston

Raynaud, à Paris en 1878. Toutefois, cette première édition complète ne peut être acceptée sans quelques réserves, car elle a été faite d'après un manuscrit plus récent et moins digne de créance que certains autres qu'il a été possible d'identifier par la suite. – *La Passion* d'A. Gréban a été remarquablement éditée et commentée par O. Jodogne (Bruxelles, Palais des Académies, 1959-1983) et adaptée par M. de Combarieu du Grès et J. Subrenat (Paris, Folio, 1987).

PASSION DU CHRIST (La) [Χριστὸς πάσχων]. Cette œuvre, mystère byzantin en deux mille six cent quarante vers, dans lequel sont décrites sous une forme dramatique la passion, la mort et la résurrection de Jésus, est un des plus importants et des plus anciens de tous les mystères consacrés à ce sujet. Les personnages en sont : le Christ, la Vierge Mère, Joseph, le Théologien, Marie-Madeleine, Nicodème, les hérauts, le chœur des Vierges, le jeune homme, les prêtres, Pilate. Le style et la langue de cette œuvre appartiennent encore à la grande tradition classique de la tragédie grecque, celle d'Euripide en particulier, bien que parfois cette imitation ne soit que formelle. Une réminiscence évidente des œuvres de Romance le Mélode et d'autres indices amènent à réfuter l'opinion générale selon laquelle saint Grégoire de Nazianze (IVe siècle) en serait l'auteur. Il est plus probable que l'ouvrage appartient à l'époque de la renaissance byzantine (IXe siècle environ), pendant laquelle on recommença à étudier directement les grands auteurs du classicisme grec. L'œuvre est empreinte de poésie et d'une puissante religiosité ; dans la littérature mondiale, elle est même un des rares ouvrages où l'inspiration religieuse soit devenue vraiment matière poétique. La grandeur du sujet est ressentie et exposée avec sa triple valeur, humaine, cosmique et divine. Parmi les personnages du drame, la figure de la Vierge est particulièrement poétique ; bien qu'ayant connaissance de la glorieuse résurrection de son Fils, elle pleure sur Sa passion et sur Sa mort avec des accents douloureux, maternels et humains qui en font vraiment une figure vivante. Bien que ce drame n'ait été connu en Occident qu'en 1542 (édité à Rome), on ne peut nier sa relation avec les nombreuses productions analogues (mystères) du théâtre sacré européen (italien et français en particulier) au Moyen Âge.

PASSIONNÉMENT. Comédie musicale en trois actes du compositeur français André Messager (1853-1929), sur un livret de Maurice Hennequin et Albert Willemetz. Cette partition fut créée le 15 janvier 1926 sur la scène du Théâtre de la Michodière. C'est peut-être la plus simple, la plus directe, la plus dépouillée de toutes les opérettes de Messager. Au premier acte, Stevenson, sur le pont de son yacht, en rade de Deauville, redoute de voir sa jeune et jolie femme Ketty descendre à terre : il craint la séduction des Français et veut obtenir de Ketty l'engagement solennel qu'elle portera robe longue, perruque blanche et lunettes bleues... Tandis que Stevenson part à la recherche de Robert Perceval, celui-ci monte à bord en compagnie d'une amie : Hélène Le Barrois. Ketty, déguisée en vieille dame, les accueille, écoute leurs confidences. Hélène, qui craignait de trouver en Ketty une rivale, s'en va, rassurée, avec Robert. Mais ce dernier remontant subitement sur le yacht se trouve face à face avec une ravissante jeune femme sans perruque ni lunettes bleues. Ketty se présente comme la nièce de Stevenson et supplie Robert de l'oublier. Au deuxième acte, Robert reçoit Stevenson et Ketty. Il conte son aventure et implore la permission de revoir la charmante apparition. Ketty lui dit que sa nièce, trop désireuse de le revoir, partira le lendemain pour l'Angleterre... On apprend alors que le yacht vient de subir une avarie et que Stevenson et Ketty devront passer la nuit chez Robert. Stevenson fait imprudemment une visite au casino. Julia, la femme de chambre de Ketty, en profite pour annoncer à Robert que la nièce de Ketty l'attend. Les deux amoureux se disent leur amour... La nuit passe et, le matin, Stevenson, Robert et Ketty (de nouveau déguisée) se retrouvent dans le salon. Stevenson, qui a passé une joyeuse nuit, s'étonne de l'amour que nourrit son hôte à l'endroit d'une nièce qui n'existe pas. Il faut bien tout expliquer. Stevenson, rendu optimiste par la grâce des vins de France, consent à divorcer, à bénir le mariage de Ketty et de Robert ; il trouve le minois de Julia à son goût... et tout s'achève dans l'euphorie. Cette partition, écrite pour un orchestre réduit, est un modèle d'esprit et de charme. Les couplets du « Petit bateau », l'air « J'ai lu dans la Sainte Écriture », la valse « Passionnément » suffiraient à démontrer que l'opérette n'est pas un genre mineur quand un compositeur, possédant le talent de Messager, la hausse au niveau de la musique la plus raffinée et la mieux construite sans lui enlever le moins du monde sa fantaisie et sa gaîté.

PASSION ROUGE (La) [*Patima rosie*]. Comédie tragique en trois actes, publiée et jouée en 1916, du dramaturge roumain Mihail Sorbul (pseud. de Mihail Smolski, 1885-1966). Après notamment un drame historique en vers, *Chroniques* [*Letopiseti*, 1914], l'auteur aborde ici, comme il le fera encore par la suite, la réalité immédiate. Tofana, jeune étudiante pauvre, est entretenue par Castris, homme d'affaires, qui l'aide ainsi à poursuivre ses études, mais elle s'est mal résignée à ce compromis avec elle-même. Son cousin, Sbilt, figure pittoresque de raté, mi-nihiliste mi-réformiste, en profite et lui soutire de l'argent pour traîner dans les bistrots, tout en mesurant d'un œil juste son combat intérieur. Il suffit qu'un bohème, Rudy, sa mandoline enrubannée sous le bras, ayant loué une chambre dans l'immeuble, se trompe d'étage pour déclencher la passion de Tofana qui ne cherchait qu'à s'évader d'elle-même. Pris d'abord dans les rets de cette passion, Rudy recule par la suite et, après une jeunesse mouvementée, aspire au calme que lui offre l'amour de Crina, camarade à l'âme pure de Tofana. Il veut déménager, mais Castris lui impose d'épouser Tofana. Il s'en défend, car il n'avait fait que céder aux avances de Tofana. Celle-ci, ayant épié la scène, demande à son ami de la venger : Rudy échappe péniblement des bras forts de Castris qui était prêt à l'étrangler. Pour se venger elle-même, Tofana demande à Crina de donner un rendez-vous nocturne à Rudy. Crina n'y consent qu'à contrecœur, d'autant que c'est Tofana qui prendra sa place dans sa modeste chambre. Comme convenu, Sbilt apporte un revolver à Tofana. Rudy, en dépit du guet-apens, est rassuré car, en jetant un regard furtif dans le sac de Tofana, il s'est aperçu qu'elle n'avait pas d'arme. Tofana l'avait auparavant glissée dans la poche de sa robe et, au bout d'une scène orageuse, elle blesse d'une première balle celui qui avait allumé sa passion, et le voit se traîner à ses pieds, puis elle le tue, avant de couvrir enfin son corps de baisers. Et pendant que Crina et Castris que la jeune fille avait alertés tapent à la porte, le ricanement nerveux de Tofana couvre ses pleurs, puis s'interrompt brusquement après une dernière balle tirée dans l'obscurité de la chambre. C'est en jouant le rôle de Tofana, dans un spectacle donné en roumain à Paris, qu'Elvire Popesco fut révélée au public et aux hommes de théâtre de France.

PASSIONS de Schütz. Des quatre oratorios pour soli et chœurs portant le titre d'*Histoire de la passion et de la mort de Notre Seigneur et Sauveur Jésus-Christ* [*Historia des Leidens und Sterbens unsers Herrn und Heylandes Jesu Christi*], oratorios contenus dans un manuscrit ancien de Leipzig et attribués au compositeur allemand Heinrich Schütz (appelé en latin Sagittarius, 1585-1672), trois seulement sont aujourd'hui considérés comme authentiques : les Passions selon saint Luc, saint Jean et saint Matthieu, composées, la première après 1653, la seconde en 1665 (remaniée en 1666), la troisième en 1666. À la différence d'autres œuvres de Schütz (*Les Sept Paroles*), les *Passions* sont écrites pour voix seules, dépourvues même de l'accompagnement instrumental le plus simple. Le texte est purement constitué par les narrations respectives des Évangélistes dans leur traduction allemande ; les paraphrases lyriques et les versets liturgiques que nous trouvons dans les *Passions* — v. *Passion selon saint Jean* et *Passion selon saint Matthieu* (*) — de Bach sont ici complètement absents, exception faite pour le morceau final qui varie dans les trois *Passions* et qui est en manière de commentaire édifiant. La partie narrative de l'Évangéliste et la partie dialogique des « soli loquentes » sont illustrées musicalement par un récitatif absolument monodique qui rappelle le style de la psalmodie grégorienne, mais qui, en réalité, est d'invention libre ; le rôle de la foule est confié à un chœur à quatre voix. Cette structure est commune aux trois *Passions,* mais chacune d'elles se distingue par des caractères particuliers. On a remarqué, en effet, combien Schütz a adapté le style musical, dans l'un ou l'autre Évangile, à leur esprit respectif : simple et discursif chez saint Luc, dramatique chez saint Matthieu, mystique et théologique chez saint Jean ; et comme il a choisi à dessein, en ce sens, jusqu'aux modes musicaux : lydien, dans la première gamme adoptée, de fa avec un bémol à la clef ; dorien dans la seconde, transposé en sol avec un bémol à la clef ; phrygien dans la troisième, gamme de mi sans altérations. S'il est loin d'être prouvé que telles furent les intentions mêmes de l'auteur, il est certain, en tout cas, que Schütz s'inspire de l'essence profonde du texte sacré. La partie chorale nous apparaît aujourd'hui comme des plus importantes et des plus vivantes, d'une valeur artistique absolue. Parallèlement au texte, les deux chœurs d'entrée et de conclusion possèdent — et cela est valable pour toutes les *Passions* — un caractère particulier, le premier de simple annonce, le dernier de méditation et d'invocation : les autres sont plus ou moins dramatiques et retracent les mouvements intérieurs et extérieurs de la foule ou de groupes moins considérables (apôtres, prêtres, etc.). Le mouvement n'est jamais exprimé par des changements de structure, des surprises harmoniques ou des procédés semblables, mais il procède de l'intérieur, et il peut donc se concilier avec un style musical non seulement d'une grande sobriété et d'une parfaite sévérité, mais même monochrome et, en un certain sens, statique. La polyphonie, dense et discursive, toujours maintenue dans les limites du classique quatuor vocal, révèle que notre compositeur fut élevé dans la haute tradition de l'école italienne du XVIe siècle et qu'il fut, en même temps, un fils authentique de la première floraison allemande. Son style apparaît en effet dans l'ensemble typiquement allemand, né de l'atmosphère musicale de la Réforme. Dans sa *Passion selon saint Matthieu,* on peut noter, avec une allure plus mouvementée et incisive, la tendance, çà et là, à la forme homophone (c'est-à-dire à voix simultanées), par exemple dans le chœur final. Les *Passions* de Schütz font partie de l'édition complète de ses œuvres publiées par Philipp Spitta (1er volume, Leipzig, 1885).

PASSIONS DE L'ÂME (Les) ou **Traité des passions de l'âme.** Dernière œuvre du philosophe et savant français René Descartes (1596-1650), publiée en 1649. Elle est dédiée à la princesse Elizabeth, disciple avec laquelle Descartes entretint une correspondance active – v. *Lettres à la princesse Elizabeth* (*). À part les règles de morale personnelle et provisoire exposées dans le *Discours de la méthode* (*), c'est le seul ouvrage où Descartes s'aventure sur le terrain de la morale, qui pouvait être matière à critiques ou condamnations autant ou davantage que la métaphysique. Il est possible qu'outre la construction d'un système complet (« physique » et logique avec les *Essais philosophiques* (*), métaphysique avec les *Méditations métaphysiques* (*), enfin ici psychologie et morale) les échanges de questions et réponses avec la princesse Elizabeth aient poussé Descartes à composer ce traité. Une des questions soulevées par la princesse contient en effet toute la problématique de cette œuvre : « Les sens me montrent que l'âme meut le corps, mais ne m'enseignent point, non plus que l'entendement et l'imagination, la façon dont elle le fait, et pour cela je pense qu'il y a des propriétés de l'âme qui nous sont inconnues... » (lettre du 1er juillet 1643).

Le traité se compose de deux cent douze articles, répartis en trois sections. La première traite « Des passions en général ». Elle revient sur la question de la distinction entre l'âme et le corps, et donne une définition des passions. Certaines perceptions et certains désirs sont le fait du corps, où ils ont leur siège : la faim, la soif, l'ensemble des appétits naturels. Mais d'autres, non moins perceptibles, n'ont pas le corps pour siège : ainsi la joie, la colère, l'amour, la haine... Or, dit Descartes, l'âme ne met pas directement le corps en mouvement, même si les émotions qui n'ont pas le corps pour siège retentissent pourtant sur celui-ci. De l'âme, substance pensante, ne procèdent que des pensées (idées, jugements, imaginations) ; mais les mouvements du corps ne se font que par l'effet des « esprits animaux », mis en mouvement par la chaleur du cœur. Dès lors, Descartes expose une physiologie et une psychologie conjointes. Ce qui réunit l'âme et le corps est la glande pinéale du cerveau. Les passions n'ont pas leur siège dans le cœur, comme le dit la tradition, mais dans le cerveau. Par le relais de la glande pinéale, l'âme émue de passions transmet le mouvement éveillé par celles-ci au cœur et à l'ensemble du corps. Sa définition des passions est donc : « des perceptions ou des sentiments ou des émotions de l'âme qu'on rapporte particulièrement à elle, et qui sont causées et entretenues et fortifiées par quelque mouvement des esprits » (animaux). De la sorte, le corps est le vecteur, où se font les sensations d'où naissent les passions et les réactions induites par ces passions, et l'âme est le lieu proprement passionnel, celui où ces mouvements prennent forme et identité. De là, il détaille les effets corporels des passions, et comment du fait que les passions aient le corps pour vecteur il résulte que l'âme ne peut les dominer complètement, mais éprouve un sentiment de lutte entre la raison, qui est sa substance propre, et les résistances du corps.

La deuxième section examine le « Nombre et l'ordre des passions et l'explication des six premières ». Ce sont : l'étonnement, l'amour, la haine, le désir, la joie, la tristesse. À leur sujet, donnant une définition de chacune, il approfondit la question des manifestations corporelles de ces passions. Il en propose une logique d'une modernité certaine : les passions sont utiles, parce que ce sont elles qui alertent l'âme sur les choses qui nuisent au corps, ou, inversement, sur les choses qui sont profitables à ce dernier, qui procurent de la joie, et qui suscitent de « l'amour de ce qu'on croit en être la cause ». Parmi les désirs que ces passions excitent, il distingue ceux dont la satisfaction dépend de nous seuls, de la fortune, ou encore de nous et d'autrui à la fois ; de quoi découle un classique appel à la vertu comme moyen de dominer les passions violentes.

La troisième section traite « Des passions particulières ». Elle les classe à partir des six catégories premières établies dans la section précédente. Elle constate que l'action immédiate sur les passions est généralement impossible. D'où deux règles pratiques essentielles : avoir conscience que l'imagination, mobilisée par la passion, tend à tromper l'âme en lui présentant les raisons favorables à la passion comme bien plus fortes qu'elles ne sont réellement ; et ne pas prendre de décision sous l'emprise de la passion. En cela, la morale pratique cartésienne n'est guère novatrice.

Le caractère novateur du propos, en revanche, naît de l'explication psychophysiologique qui y est faite du mécanisme des passions. Car cela a pour conséquence que les passions y sont regardées comme des phénomènes normaux, et non comme des écarts, des aberrations ou des maladies. Le rationalisme cartésien trouve là un terrain d'exploration neuf : la moralité n'y est pas conçue comme une discrimination du bien et du mal fondée sur une obligation ou une loi extérieure, comme l'exercice de l'imposition d'une norme contraignante, mais comme une voie de connaissance rationnelle. Et cette connaissance, une fois construite, permet de régler presque à coup sûr les problèmes suscités par les mouvements passionnels.

Ce traité apporte donc une réponse aux questions soulevées par la thèse de l'hétérogénéité de l'âme et du corps, en concevant un mécanisme de relation dialectique entre les deux. Surtout, il ouvre la voie à toute une science et une réflexion modernes sur la psychologie et la morale pratique individuelle : en regardant les passions comme des phénomènes normaux, il permet que l'interrogation à leur sujet se fasse sans a priori, sans... passion, sans condamnation préjugée, puisqu'en elles-mêmes les passions sont un bien vital, seulement susceptibles de procurer des maux si elles sont incontrôlées, c'est-à-dire avant tout incomprises. Ce caractère novateur fait que l'ouvrage a contribué à une avancée de la réflexion psychologique. En même temps, il permet de voir comment Descartes a réussi à progresser par un travail de réflexion alors même que les bases scientifiques expérimentales lui faisaient défaut : sa physiologie est en retard sur celle de Harvey, qui avait découvert la circulation du sang alors que Descartes en est à imaginer des « esprits animaux » mis en mouvement par la « chaleur » du cœur. Mais à défaut de ces données expérimentales, il a du moins su problématiser la relation de l'âme et du corps en matière de psychologie, et par là même faire passer les questions de morale de l'ordre de l'abstrait à celui de la réflexion scientifique, autrement dit : unir morale et psychologie, comme le *Discours*, sur un autre plan, unissait morale et logique. Durant près de trois siècles, jusqu'aux progrès décisifs des sciences du psychisme, puis de la sociologie, l'interrogation ne se fera pas sur des bases essentiellement différentes de celles par lesquelles Descartes l'a reformulée là.

A. V.

PASSION SELON G.H. (La) [*A paixão segundo G.H.*]. Roman de l'écrivain brésilien Clarice Lispector (1920-1977), publié en 1964. Il est tenu pour l'œuvre la plus importante de l'auteur. C'est, comme dans les livres précédents, le récit d'une aventure intérieure, un exercice d'introspection exacerbée où les événements comptent moins que leur répercussion dans la vie intérieure. L'œuvre a une structure circulaire : la fin de l'histoire rejoint le début, c'est-à-dire le moment où le personnage commence à raconter son expérience. G.H., la narratrice, désignée par ses seules initiales, est une femme sans problème. Elle est sculpteur, elle vit dans un bel appartement, elle a eu des amours. Tout dans sa vie est en ordre jusqu'au jour où, après le départ de sa bonne, elle décide de ranger la chambre de celle-ci. Dans cette chambre, étonnamment claire et vide, il n'y a littéralement rien à ranger. Mais G.H. y fait une rencontre dérangeante. Seul être vivant dans la chambre déserte, un cafard réveille l'instinct assassin de G.H., qui l'écrase en faisant jouer la porte du placard. Ce cafard à demi-mort, qui la regarde, provoquera tour à tour chez la femme le dégoût, la peur, l'attrait, le sentiment d'identification et, finalement, un besoin de communion qui s'effectuera dans l'acte de manger la substance de l'insecte. S'identifiant au cafard jusqu'à se joindre physiquement à lui, G.H. assume la « partie chose » d'elle-même, qui est l'« inhumain », le vivant à l'état primaire. Cette expérience, que l'on peut tenir pour minime, acquiert, dans l'écriture fébrile et imagée de Clarice Lispector, une extraordinaire ampleur. Elle est décrite comme une ascèse : la solitude, la traversée du désert, le dépouillement progressif de tous les attributs du moi, la perte du langage lui-même, incapable de représenter et d'exprimer l'expérience. Comme les grands mystiques, G.H. arrive au dénuement absolu de son être, se fond dans la vie générale de l'univers, atteignant son noyau neutre, le vide, « le Dieu ». Les étapes de l'épreuve et les allusions à la Bible et aux Évangiles renvoient au domaine religieux. Mais la présence d'aspects grotesques perturbe constamment une lecture allégorique et provoque le soupçon de la parodie. Le parcours de G.H. n'est pas un chemin de salut, n'aboutit pas à la transcendance, mais plonge dans l'immanence. Ce n'est pas la conquête du monde par l'immonde, mais la découverte de l'« immonde du monde ». Elle n'accède pas à un sens supérieur, mais dérive vers une in-différence de sens. Tous les opposés s'équivalent : la haine est amour, la détresse s'identifie à la joie, l'approche de Dieu est démoniaque, la communion est un sabbat. Laissé dans l'indécision, le lecteur fait lui-même une expérience extrême de perte de lieu et de supports. Et il se rend compte que ce récit est moins raconté que construit, au fur et à mesure que le narrateur tisse ses phrases, comme une toile d'araignée où il est attaqué et où il éprouve, avec G.H., une illumination dont le sens ultime lui échappe. — Trad. Des femmes, 1978.

L. P.-M.

PASSION SELON SADE (La). Mystère de chambre du compositeur italien Sylvano Bussotti (né en 1931), écrit en 1965, créé à Palerme avec la soprano Cathy Berberian dans le rôle principal. Le terme Passion est à prendre ici en tant que « théâtre total ». Aucun mot du marquis de Sade n'est présent, mais en revanche on reconnaît sur scène des instruments de torture et du mobilier appartenant au grand répertoire scénique (le divan de *La Traviata*, le lit d'*Otello*, le prie-Dieu de *Don Carlos*). La modernité est représentée par la ritualité onirique et érotique du jeu d'ensemble et l'ambivalence absolue des faits et gestes des acteurs-musiciens. La continuité des éléments scéniques du décor et des costumes avec les diverses techniques d'exécution instrumentale donnent lieu à un véritable « happening » baroque. Sur la partition aléatoire, on lit que l'œuvre ne peut être dirigée que par le compositeur lui-même, la structure ouverte de l'ouvrage nécessitant un chef averti.

P.-A. C.

PASSION SELON SAINT JEAN [*Johannes Passion*]. Oratorio en deux parties pour soli, chœurs et orchestre, du compositeur allemand Johann Sebastian Bach (1685-1750), sur un texte tiré en partie de l'*Évangile* (*) selon saint Jean, en partie des paraphrases lyriques de Barthold Heinrich Brockes, remaniées par Bach lui-même. Composée aux environs de 1723, cette *Passion* fut exécutée le Vendredi saint de 1724 à Leipzig, sous la direction de l'auteur. Elle représente le premier essai de

Bach dans le domaine de l'oratorio, essai qui est déjà une grande œuvre d'art. Comme structure générale, les passions de Bach ne diffèrent guère de ses *Cantates* (*) que par des dimensions beaucoup plus grandes ; nous trouvons ici aussi la succession de chœurs, récitatifs, airs, chorals, en une harmonieuse alternance. Mais on y peut remarquer une différence fondamentale : la passion a un caractère de poème religieux musical axé sur le rôle narratif de l'Évangéliste. Le récitatif, semblable en apparence à celui des *Cantates*, assume ici, en réalité, un rôle différent et plus important, en ce sens qu'il coordonne les autres morceaux (airs, récitatifs, chorals), et projette sur eux, même là où ils forment une sorte de guirlande lyrique ou méditative, une lumière particulière. On peut en dire autant des chœurs insérés dans le récit, qui ont un caractère éminemment dramatique, peignant, pour ainsi dire, les mouvements intérieurs et extérieurs des masses, tandis que les autres ont une fonction de commentaire qui les rapproche de ceux de la tragédie grecque. Telle est, dans ses grandes lignes, la transformation intime des formes vocales chez Bach, qui marque le passage de la cantate à l'oratorio ; il faut noter toutefois que, dans la *Passion selon saint Jean*, elle n'est pas encore parfaite ; les morceaux de forme fermée paraissent, en effet, un peu détachés, et la structure d'ensemble légèrement rigide, peut-être parce que la partie narrative, bien que déjà pleine d'expression dramatique, n'a cependant pas un rôle dominant et ne s'insère pas parfaitement dans la partie lyrique, comme cela se produira dans la *Passion selon saint Matthieu* (*), considérée, à bon droit, comme le modèle suprême du genre. L'observation est spécialement valable pour la figure de Jésus qui est, ici, à peine esquissée. Malgré tout, cette *Passion* reste une mine de beautés musicales. Bach est déjà pénétré de l'austère profondeur du sujet et voit, au-delà des moments particuliers, bien qu'un peu en raccourci, le drame dans son ensemble. Dès le chœur d'introduction (« Seigneur, notre souverain, dont la gloire », etc.), où les voix sont précédées, puis soutenues par l'ondoiement sonore des cordes et par l'intense contrepoint des instruments à vent, l'auditeur est transporté dans une atmosphère de recueillement sublime et tragique. Ce chœur et l'avant-dernier (« Reposez bien, ô saints ossements »), tous deux de forme tripartite avec da capo (employée si souvent et diversement modelée par Bach), constituent comme les piliers fondamentaux de l'ensemble architectonique ; le second, aussi bien par sa structure que par sa forme ou son inspiration, est un pressentiment très clair du chœur final de l'autre *Passion*. Les chœurs que nous avons signalés comme dramatiques sont des pages mouvementées et incisives, parfois même fort brèves, et librement inscrites entre deux récitatifs, au point de rappeler les passages correspondants des *Passions* (*) de Schütz. Parmi les plus beaux, nous mentionnerons le premier (« Jésus, Jésus de Nazareth »), dont le dessin instrumental est répété plusieurs fois dans des pages analogues, et le chœur « Salut à toi, cher roi des Juifs », dont le motif revient dans cet autre : « N'écris pas : le roi des Juifs ». Nombre d'airs sont d'une grande suavité, avec de délicats jeux instrumentaux ; et, ici, c'est encore le tendre et pieux lyrisme des *Cantates*. Nous rappellerons les airs : « Je te suis également avec des pas joyeux », pour soprano et flûte ; et « Fonds, mon cœur, en flots de larmes », pour soprano, flûtes et hautbois de chasse (aujourd'hui cors anglais), ainsi que le magnifique récitatif : « Considère, ô mon âme », pour violoncelle, luth et violes d'amour, et les airs avec chœur, comme celui pour basse : « Hâtez-vous, âmes inquiètes », où le choral intercalaire « Wohin ? Wohin ? » (« Où ? Où ? ») fait pressentir des moments de la *Passion selon saint Matthieu*. Dans toute l'œuvre, en outre, sont répandues des mélodies de chorals protestants harmonisées simplement « note contre note » ; en partie les mêmes que dans d'autres œuvres de Bach, vocales ou instrumentales, mais sous des aspects toujours différents. L'instrumentation est, comme d'habitude chez l'auteur, disposée par groupes variant d'un morceau à l'autre, mais, à l'intérieur de chacun d'entre eux, elle est constante ; dans son type particulier, elle est ingénieuse et séduisante à l'extrême ; quant au récitatif, il est toujours soutenu seulement par l'orgue et continuo, qui est, en substance, une basse chiffrée. À noter enfin que, dans les *Passions*, Bach n'a pas fait usage d'instruments qui, par leur nature retentissante ou éclatante (c'est-à-dire les trompettes, cors et timbales), auraient troublé la gravité du sujet choisi.

PASSION SELON SAINT LUC [*Passio et mors Domini nostri Jesu Christi secundum Lucam*]. Œuvre du compositeur polonais Krzysztof Penderecki (né en 1933), commande de la Radio ouest-allemande pour célébrer le 700ᵉ anniversaire de la cathédrale de Münster en Westphalie, composée de 1963 à 1965 et créée en 1966. Conçue en deux parties relatant la Passion puis la mort du Christ (treize et quatorze mouvements), l'œuvre pour solos (soprano, baryton, basse), évangéliste récitant, chœur d'enfants, trois chœurs mixtes et orchestre alterne comme chez Jean-Sébastien Bach des épisodes narratifs et des phases contemplatives. Le texte en latin est extrait de l'Évangile (dans le latin de la *Vulgate*, saint Luc, saint Jean), des *Psaumes*, de la liturgie catholique romaine du temps de Pâques, du Bréviaire romain et du Missel romain. Tout en convoquant une multitude de styles comme s'il voulait dresser un catalogue des diverses étapes d'écriture de l'histoire de la musique européenne : monodie grégorienne, polyphonie, rapport au timbre, son-bruit, échelle micro-intervallique, dodécaphonisme, cluster, notation aléatoire, citation évidente du motif B.A.C.H. (si bémol - la - do - si) et de refrains religieux populaires polonais, l'auteur a offert une partition d'une grande homogénéité. La fusion de ces ingrédients dans une pâte orchestrale résolument moderne donne à cette passion dramatique toute la clarté de son message religieux et toute son évidence contemporaine en tant qu'aboutissement probant de la longue tradition occidentale du genre musical. P.-A. C.

PASSION SELON SAINT MATTHIEU [*Matthäus Passion*]. Oratorio en deux parties pour soli, chœurs et orchestre, du compositeur allemand Johann Sebastian Bach (1685-1750), sur un texte tantôt emprunté à l'*Évangile* (*) selon saint Matthieu, tantôt composé par Christian Friedrich Henrici, dit Picander (1700-1764), avec la collaboration de Bach lui-même. Exécutée sous sa première forme à Leipzig la nuit du Vendredi saint de 1729 sous la direction de l'auteur, cette *Passion* fut, vers la moitié du siècle, agrandie et fixée par lui dans sa forme définitive ; et bien qu'il y en ait eu d'autres exécutions à Leipzig, même après sa mort, on peut dire qu'elle n'a été répandue dans le monde musical qu'à partir de 1829, année où Mendelssohn la dirigea à Berlin : c'est de ce jour que date le début du culte universel qui sera rendu au Cantor de Leipzig. Nombreux sont ceux qui considèrent la *Passion selon saint Matthieu* (publiée par la Société Bach de Leipzig) comme le chef-d'œuvre de Bach ; il est certain qu'elle est, avec peut-être la *Messe en si mineur* (*), son œuvre la plus complexe et un des sommets de la musique universelle. Dans la structure et l'inspiration poético-musicale, on peut distinguer trois éléments : — le récit de la Passion, dont le texte est tiré de l'*Évangile* selon saint Matthieu dans sa version allemande (chap. 26-27) et traduit musicalement en récitatifs que se partagent le récitant (« Evangelist ») et les « soli loquentes », et, pour le rôle de la foule, les chœurs de forme et proportion libres qui s'y insèrent ; — la poésie lyrique chorale, de caractère à la fois liturgique et populaire, composée de courts morceaux poétiquement apparentés aux plus vieux chants spirituels de la Réforme et, musicalement, sous l'aspect de simples chorals protestants harmonisés à quatre voix ; — la poésie lyrique en solo ou choral de plus ample développement, où les sentiments, tantôt des personnages du drame eux-mêmes, tantôt d'êtres allégoriques, comme les filles de Sion et les fidèles (que l'auteur indique respectivement dans les deux sections du chœur), s'expriment en des airs, des récitatifs, des chœurs grandioses, et aussi en des morceaux pour soli et chœur. Cette pluralité de formes — que Bach reçut de ses prédécesseurs, et qu'il adopta avec sa liberté coutumière —, loin d'être une pure superposition, obéit à une exigence intime de l'œuvre d'art, où l'élément narratif et l'élément lyrique se complètent et se fondent parfaitement dans le cadre religieux d'ensemble, si bien qu'il ne serait pas possible de concevoir l'un sans l'autre.

L'oratorio est de proportions monumentales. La masse sonore est constituée par les solistes, un double chœur et un double orchestre avec deux orgues ; naturellement, elle n'agit en totalité que dans certains morceaux, notamment dans le premier et le dernier de chaque partie, qui apparaissent comme les soutiens principaux de l'édifice entier. Le choral d'introduction a un sens tout symbolique qui nous reporte aux anciens « mystères » : les filles de Sion et les fidèles s'invitent mutuellement à considérer, dans les larmes, la monstrueuse tragédie accablant leur Seigneur. Dans le grandiose dialogue vocal-instrumental s'inscrit, par moments, la mélodie de choral « Ô Agneau de Dieu mourant », chantée par un chœur de soprani qui domine tout l'ensemble ; le rythme général fait penser à une procession solennelle, une montée idéale au Calvaire. Après ce chœur commence le récit ; tandis que dans la *Passion selon saint Jean* (*) l'élément narratif, essentiel à la forme d'oratorio, est encore un peu schématique ou ébauché, ici, en revanche, Bach l'a magnifiquement développé : en contraste avec la fluidité du fond sonore créé par le discours de l'Évangéliste, il donne un relief particulier d'une part à la figure de Jésus (dont le récitatif, toujours accompagné de la basse continue et d'harmonies de violon, est enveloppé d'une lumière surnaturelle), d'autre part à la foule, formant des groupes d'un admirable mouvement dramatique ; il s'y ajoute, çà et là, l'intervention de quelque figure isolée, notamment de saint Pierre. Et cette narration musicale, en un récitatif surprenant de liberté et de nouveauté harmonique ou rythmique, nous fait revivre les moments les plus intenses du drame évangélique : l'épisode de la femme de Béthanie, la prédiction de Jésus touchant la trahison d'un de ses disciples, les agapes sacrées, la scène du mont des Oliviers, l'arrestation et le procès de Jésus, le reniement de saint Pierre, le dialogue entre Pilate et la foule, le Golgotha, l'invocation de Jésus sur la croix, l'atroce raillerie de la foule, puis sa stupeur devant les prodiges qui accompagnent la mort du Christ : tout est retracé par Bach avec une ampleur, une élévation qui n'a de correspondance que dans les grandes œuvres de la peinture italienne à son âge d'or. Dans le récit s'insèrent les morceaux lyriques des solistes, les airs, qui nous offrent parfois une effusion des sentiments de certains personnages du drame, comme dans la célèbre pièce appelée « Les Larmes de Pierre », pour contralto avec solo de violon ; d'autres fois, par contre, une expression impersonnelle et symbolique. Sauf de rares cas où l'on note quelque naïve concession au goût du temps pour les fioritures vocales, les airs de cette

Passion n'apparaissent en rien comme des éléments étrangers ou décoratifs, mais, au contraire, dérivent, avec naturel, de la partie narrative, telles des pauses opportunes ; on peut en dire autant des chœurs, dont on a dans cette œuvre une splendide abondance et dans lesquels lyrisme et caractère dramatique se relient et parfois se pénètrent l'un l'autre. Parmi les airs les plus beaux, nous citerons encore : « Il saigne seulement », « Par amour, mon Sauveur veut mourir » ; parmi les récitatifs mesurés ou lyriques : « Comme mon cœur nage dans les larmes », « Ah, Golgotha, fatal Golgotha ! » ; « Je veux veiller près de mon Jésus », « Ah, maintenant, mon Jésus est perdu ». Au nombre des chorals simples note contre note, il y en a deux dont la mélodie revient plusieurs fois dans des tonalités et avec des harmonisations différentes (les deux mélodies ne sont pas de Bach à l'origine ; la deuxième vient d'un cantique connu de H. L. Hassler), répandant une pure lumière sur les divers moments du drame. Enfin, nous rappellerons le grandiose choral figuré : « Ô homme, pleure amèrement ton péché », dont la mélodie est empruntée à un choral de Buxtehude, et qui termine la première partie ; l'affectueux salut au Rédempteur, où, avec un court récitatif qui passe d'un soliste à l'autre, alterne une douce mélodie berceuse du chœur sur les mots : « Mon Jésus, bonne nuit ! » ; et le chœur final.

Le coloris orchestral est partout contenu dans une atmosphère d'austérité. Aux cordes s'unissent, dans les deux orchestres, flûtes, hautbois, hautbois d'amour et de chasse ; ici, comme dans la *Passion selon saint Jean*, sont délibérément exclus les cuivres et les timbales. Mais, même dans ces limites, se manifeste de façon toute particulière ce sens génial des timbres qui se déploie plus librement dans les *Cantates ;* qu'il suffise de citer comme exemple le trio avec une flûte et deux hautbois de chasse qui accompagne l'air « Par amour il veut mourir ». Ce coloris, partout voilé d'un charme opaque et triste, crée de véritables raccourcis picturaux, même avec le seul concours des instruments à cordes, spécialement dans le « récitatif du soir », que l'on a très justement qualifié de paisible nocturne, et, sous une teinte plus dramatique, dans le récit des prodiges qui ont suivi la mort de Jésus. Ainsi dans cette œuvre se trouve réalisée la parfaite fusion de l'art musical et de l'esprit.

PASTEUR (Le) [Ποιμήν]. Œuvre grecque de caractère apocalyptique, composée par Hermas, écrivain inconnu par ailleurs, qui se dit affranchi et vécut à Rome, où il était venu peut-être de la Grèce, probablement dans la première moitié du IIe siècle après Jésus-Christ. L'œuvre est formée de trois parties distinctes : dans la première, l'Église, sous l'aspect d'une matrone, apparaît à l'auteur en cinq « visions » successives, pour lui montrer, toujours sous la forme allégorique, la gravité de ses péchés et de ceux des autres chrétiens, et lui indiquer comment Dieu, dans son infinie bonté, en considération de la ruine qui menace le monde, donne la possibilité de se purifier une seconde fois après le baptême. Dans la dernière vision de la première partie et dans toute la seconde, qui comprend douze « préceptes » et a un caractère surtout moral, un ange apparaît à Hermas sous l'aspect d'un pasteur — d'où le titre de l'œuvre — pour mieux lui expliquer ce qu'il a déjà vu et doit enseigner aux autres. Les différentes vertus et les vices qui leur font pendant sont passés en revue, afin que les lecteurs, en pratiquant les premières et en évitant les seconds, puissent se sauver. Dans la troisième partie, les préceptes du christianisme sont présentés sous la forme de dix « similitudes », dont certaines illustrent la béatitude que connaîtra dans l'au-delà celui qui aura su vivre sur terre vertueusement. L'œuvre a un caractère fort personnel en ce qu'elle prend pour cible les vices des personnages de l'entourage d'Hermas, plutôt que ceux des hommes en général. Elle ne traite pas seulement de la fin du monde, mais de préférence, sous une forme allégorique et plus proche en cela des œuvres grecques, des problèmes de la vie chrétienne du temps. À cause de son contenu moral, *Le Pasteur* eut une grande diffusion et il fut utilisé, en même temps que les autres écrits canoniques, jusqu'à la fin du Ve siècle, époque où il fut définitivement déclaré apocryphe à la suite du fameux « Décret » du pape Gélase. — Trad. Picard, 1912 ; Cerf, 1986.

PASTEUR FIDÈLE (Le) [*Il pastor fido*]. Tragi-comédie pastorale du poète italien Gian Battista Guarini (1538-1612), publiée en 1590 et représentée à Crema en 1595. De nombreuses représentations et d'innombrables éditions furent faites avant celle, définitive, de 1602. Les faits sont tirés de l'écrivain grec Pausanias. Les Arcadiens doivent périodiquement sacrifier un jeune homme à Diane. Leur prêtre, Montano, descendant d'Héraclès, se rappelant les termes de l'oracle : « Vos maux ne cesseront que lorsque l'amour unira deux rejetons du Ciel », décide, pour mettre fin au terrible tribut, d'unir son fils Silvio avec la nymphe Amaryllis, descendante du dieu Pan. Mais Silvio, ne s'occupant que de chasse, ne pense nullement à l'amour ; quant à Amaryllis, elle aime Mirtil dont elle est aimée en retour. Du pasteur Mirtil s'est cependant éprise une femme de mauvaise vie, Corisca. Sachant que la loi du pays punit les femmes infidèles, Corisca fait se retrouver Amaryllis et Mirtil dans une grotte, où ils sont découverts par un satyre et dénoncés. Amaryllis, ne pouvant prouver son innocence, est condamnée à mort, et Mirtil, comme le permet la loi, demande de mourir à sa place. Au moment où il va être sacrifié survient son père présumé, Carino, venu d'Élide, qui démontre au prêtre que Mirtil n'est pas son fils, mais celui de Montano. Or, comme Mirtil est également descendant d'Héraclès, ses noces avec Amaryllis accompliront l'oracle qui le désigne justement comme « pasteur fidèle ». Pendant ce temps, Silvio lui-même s'est épris de Dorinda, qui l'aimait depuis longtemps sans qu'il se souciât d'elle ; le sort s'accorde avec l'amour, et les deux mariages sont célébrés tandis que Corisca, rachetée par la joie des amants et par l'allégresse de tout le peuple, décide d'abandonner sa triste vie. Composé en vers de onze et sept pieds librement rimés, *Le Pasteur fidèle* unit à une douce musicalité une richesse d'images, un éclat et une maestria de style, qui font pressentir une période littéraire ayant atteint son apogée. – Trad. Nyon, 1759.

★ Une des premières traductions du *Pastor fido* est celle en langue espagnole de Cristobal Suarez de Figueroa (1571-1639), parue peu après l'édition définitive de l'œuvre.

★ Une nouvelle composition en langue allemande de la même comédie, qui avait déjà été traduite en français par Théophile de Viau (1590-1626), fut donnée par le poète Hofmann von Hofmannswaldau (1617-1679), en 1678 ; le style de son *Pastor fido* est une exagération du style baroque que l'original italien faisait pressentir.

★ Divers auteurs donnèrent au *Pastor fido* une forme musicale, mais aucune de ces œuvres n'a la valeur de la comédie de Guarini. Dignes de remarque sont cependant les deux opéras dc Georg Friedrich Haendel (1685-1759), représentés à Londres, l'un en 1712, l'autre en 1734. Sur le même texte, Antonio Salieri (1750-1825) composa un opéra (Vienne, 1789).

PASTORAL (Le) [*Regulae pastoralis liber*]. Écrit de Grégoire le Grand (vers 535-604), célèbre surtout du fait de l'action qu'il exerça, mais qui présente également une certaine importance dans le domaine littéraire – v. *Lettres* (*) et *Dialogues* (*). L'auteur y expose le but et les règles de la vie sacerdotale. L'œuvre, écrite en 591 et largement répandue jusqu'à nos jours, est dédiée à Jean de Constantinople, devant qui Grégoire se justifie d'avoir hésité à accepter la charge d'évêque de Rome. Il montre combien est ardue la tâche du pasteur et indique les règles de vie qu'il doit suivre. Il décrit le type idéal de l'évêque ; celui-ci doit être avant tout le médecin des âmes et trouver le ton juste lorsqu'il s'adresse aux hommes des différentes classes sociales ; il doit se garder de sa propre faiblesse et ne pas tomber dans une trop facile confiance en soi. Cette œuvre brève, qui peut être considérée comme une sorte de direction spirituelle que Grégoire se donne en premier lieu à lui-même, n'est pas d'une forme très soignée, mais elle est un document sur une personnalité extraordinaire. *Le Pastoral* a exercé une grande influence et fut pendant longtemps considéré comme le modèle des règles épiscopales. – Trad. Desclée de Brouwer, 1928.

PASTORALE D'ÉTÉ. Œuvre pour orchestre de chambre du compositeur suisse Arthur Honegger (1892-1955). Composée durant l'été 1920, elle porte en exergue cette citation d'Arthur Rimbaud : « J'ai embrassé l'aube d'été... » À peu près exempte de préoccupation purement descriptive, elle exprime plutôt, par l'intermédiaire d'un effectif instrumental restreint (quintette à cordes, quatre bois, un cor), un « moderne sentiment de la nature » marqué encore par l'influence romantique comme par l'esthétique debussyste. Sa clarté d'écriture, la simplicité de son langage modal, sa structure tripartite d'un équilibre aisément discernable (deux volets extrêmes au tempo modéré, d'un même nombre de mesures, encadrant un épisode de mouvement vif mais d'égale durée) en ont fait à juste titre l'une des œuvres les plus célèbres et l'une des plus souvent jouées du répertoire de la musique contemporaine depuis sa première exécution du 17 février 1921 par l'Orchestre symphonique de Saint Louis sous la direction de Vladimir Golschmann. Techniquement et esthétiquement, elle se place un peu en retrait dans l'œuvre de Honegger, et bien en deçà en particulier des audaces déjà apparues dans *Le Dit des jeux du monde* (*) de trois ans antérieur ; néanmoins, le charme très personnel avec lequel Honegger a su amalgamer les composantes harmoniques et expressives issues d'un passé récent mérite à coup sûr cette juste popularité.

PASTORALES DE NOËL. Œuvres du compositeur français André Jolivet (1905-1974). Les *Pastorales* pour flûte, basson (ou violoncelle) et harpe furent composées en 1943 à l'intention du trio Alys Lantermann qui en donna la première audition le 24 décembre 1943. Écrites dans un style tout de simplicité, de charme et de tendresse, elles occupent une place à part dans l'œuvre de ce compositeur, tant par leur relative facilité d'exécution, intentionnelle, que par l'expression élégiaque qui y domine, très éloignée des virulences sonores et rythmiques habituelles à l'auteur de *Mana* – v. *Œuvres pour piano seul* (*). Il ne faut point cependant les considérer comme une œuvre mineure, mais au contraire, par le caractère intime et profond de leur spiritualité, comme l'une des œuvres religieuses les plus sincères et les plus réussies de notre temps. L'œuvre se divise en quatre parties : « L'Étoile », « Les Mages », « La Vierge et l'Enfant », « L'Entrée et la Danse des bergers ». Les titres des différentes pièces situent déjà la volonté de naïveté, l'inspiration née, semble-t-il, de l'imagerie populaire traditionnelle, qui ont suscité cette composition. Mais cette simplicité s'exprime sans aucune concession de facilité ou d'effet sentimental : la fraîcheur et la grâce musicales égalent l'émotion religieuse qui leur a donné naissance. « L'Étoile » développe d'abord une ligne mélodique suave interrompue par un vibrant appel de la flûte, bientôt répété, soutenu par les harmonies du basson et de la harpe. Un ample motif intercalaire ramène le thème principal. Dans « Les Mages », la beauté de l'inspiration mélodique, savamment mise en évidence par les jeux rythmiques de la harpe, s'épanouit avec chaleur. Pour illustrer le volet de « La Vierge et l'Enfant », et en traduire l'émouvante dualité spirituelle, Jolivet a réuni deux duos successifs, entre le basson et la flûte d'abord, puis entre la harpe et les deux instruments à vent groupés. Enfin « L'Entrée et la Danse des bergers » donne naissance à une danse pleine d'une joyeuse exaltation qui s'amplifie jusqu'à la fin, dotant l'œuvre d'une conclusion remplie d'allégresse dictée par le clair symbolisme de la Nativité. Les *Pastorales de Noël* ne constituaient pas la première incursion d'André Jolivet dans le domaine liturgique. En 1938 en effet, celui-ci avait déjà écrit un *Kyrie pour chœurs mixtes a capella*, demeuré inédit et qui fut donné par la chorale Gouverné. En 1940, aux jours sombres de la défaite qui inspirèrent à Jolivet l'une de ses plus belles œuvres vocales, les *Trois complaintes du soldat*, il composa également la *Messe pour le jour de la paix* pour soprano, orgue et tambourin. Cette *Messe* comprend un Alléluia initial, confié au soprano solo accompagné de l'orgue. Puis suivent les séquences habituelles de l'ordinaire, Kyrie, Gloria où l'orgue tient une place importante, Sanctus, Benedictus, Agnus Dei où l'économie des moyens employés met en valeur la simplicité et l'humilité de la prière. Après le Domine non sum dignus, plein d'un recueillement émouvant, intervient soudain le tambourin qui va scander avec une énergie et une allégresse rythmiques exaltantes l'Alléluia final. En 1942, Jolivet compose sa *Suite liturgique* pour voix, hautbois, violoncelle et harpe. Conçue originellement comme musique de scène pour *Le Mystère de la Visitation* d'Henri Ghéon, elle se divise en huit parties : Prélude, Salve Regina, Alléluia, Magnificat, Musette, Benedictus, Interlude, Final. La formation adoptée, la clarté et la pureté de l'écriture la situent dans le même courant spirituel et musical que la *Messe* ou les *Pastorales* : la même ferveur, la même religiosité intime s'y élèvent dans une prière sereine et profondément émouvante.

PASTORALES ÉCOSSAISES [*Scottish Pastorals, Poems, Songs, etc., mostly written in the Dialect of the South*]. Recueil de poèmes de l'écrivain écossais James Hogg (1770-1835), publié en 1801. Réduit à garder les moutons dans les montagnes dès l'âge de sept ans, James Hogg commença par composer des chansons et des ballades inspirées des formes et des thèmes de la tradition. Son premier poème publié, « Les Méprises d'une nuit » [The Mistakes of a Night, octobre 1794], est une fantaisie légère (mais morale) sur les conséquences parfois inattendues des transports aveugles de la passion amoureuse. Publiés à frais d'auteur, les poèmes qui composent ces *Pastorales écossaises* furent vraisemblablement composés à partir de 1793. Le recueil s'ouvre sur « Veillée pour Geordie Fa » [Geordie Fa's Dirge], en octosyllabes irréguliers, qui aborde le thème universel de la mort d'un ami proche. « Tiereux » [Dusty ; or, Watie and Geordie Review of Politics] traite, sous la forme d'une églogue dialoguée en rimes plates, des problèmes économiques et politiques qui sous-tendaient la vie des petites gens : Watie et Geordie en viennent bientôt à débattre un sujet qui leur tient à cœur, à savoir l'impôt sur les chiens (instauré par William Pitt « le Jeune ») et Geordie raconte comment, n'ayant pu s'acquitter de la taxe, il dut assister impuissant à la pendaison de son chien Tiereux. « Willie et Keatie » est une bucolique, composée de quatrains aux vers de sept et huit syllabes, aux rimes alternées, où Willie, jeune berger amoureux, croit avoir perdu celle qu'il aime et courtise parce qu'il est sans le sou ; mais la ruse d'un compère lui rend sa Keatie, qui l'aime aussi, et le poème s'achève sur cette morale : « Constance et persévérance / Toujours seront récompensées / J'ai chanté sans grande révérence / Mais le ciel sur eux aura veillé. » « Dialogue dans un cimetière rural » [Dialogue in a Country Church-Yard] est une élégie en quatrains aux rimes alternées à la mort de Walter Bryden, bienfaiteur de la famille Hogg lors de la faillite de la ferme familiale en 1777. « La Mort de sir Niel Stuart et du sieur Donald M'Vane » [The Death of Sir Niel Stuart, and Donald M'Vane, Esq. An Auld Tale made new again] est une ballade, aussi en quatrains et rimes alternées : sir Niel Stuart, un preux chevalier, aime et courtise depuis longtemps dame Ann M'Vane, mais un hobereau des hautes terres nommé Glengyle la ravit à son cœur. Se méprenant sur les rapports entre sa sœur et sir Niel, Donald M'Vane provoque ce dernier en duel. Sir Niel tue malgré lui son ami. Ce voyant, Glengyle provoque à son tour sir Niel pour l'honneur et le tue alors que sir Niel, trop occupé à tenter de le dissuader, se gardait mal. Désespérée par la mort des deux hommes qu'elle aimait le plus, Ann M'Vane jure à sir Niel une fidélité éternelle. Suivent deux chansons sans titre, inspirées du répertoire traditionnel, qui nous ramènent aux thèmes champêtres d'amours moins désincarnées.

X. P.

PATATES (Les) [*Kamja*]. Nouvelle de l'écrivain coréen Kim Dongin (1900-1951), publiée en janvier 1925 dans la revue *Chosŏn* *mundan*. De tendance naturaliste, elle souligne l'influence négative du milieu sur la morale. « Querelles, adultères, meurtres, vols et arrestations, tout cela survenait quotidiennement dans le bidonville près de la porte Ch'ilsŭng. » Ainsi commence l'histoire de Pongnyŏ, dont le mari ne fait rien, et qui travaille dans des marais salants où le contremaître pratique une sorte de droit de cuissage. Plus tard, alors qu'elle travaille à récolter des patates, elle se donne au médecin afin d'obtenir les médicaments qui rendront sa vigueur à son mari. La déchéance est proche, marquée par la transformation de son corps en marchandise. Prostituée, elle reçoit le propriétaire foncier sous son propre toit et couche avec un officier japonais pour arranger les affaires de son mari. Pourtant, tout va basculer quand son amant chinois se marie : elle l'agresse le jour de ses noces, et il la tue. Ce dernier étouffera tout simplement l'affaire en remboursant sa dot au mari.

Pa. Ma.

PATERSON. Poème en cinq livres du poète américain William Carlos Williams (1883-1963), publié à partir de 1946 (1946 : Livre I ; 1948 : Livres II et III ; 1951 : Livre IV ; 1958 : Livre V, qui s'est ajouté, comme une sorte d'épilogue, aux quatre livres initialement prévus). Conçu bien avant le début de la Seconde Guerre mondiale, par le poète, comme devant être son œuvre finale et essentielle, *Paterson* a été ainsi défini dans une note liminaire du Livre I : « *Paterson* est un long poème en quatre parties, montrant qu'un homme est, en lui-même, une ville, commençant, réalisant et terminant sa vie sous des formes que les divers aspects d'une ville peuvent incarner — s'ils sont conçus en imagination —, une ville quelconque, dont tous les détails peuvent être amenés à donner voix et forme aux convictions les plus intimes d'un homme. La première partie présente les caractères fondamentaux du lieu ; la seconde introduit les répliques modernes ; la troisième cherchera un langage pour leur donner voix, et la quatrième, la rivière en aval des chutes, évoquera des épisodes ; bref, tout ce qu'un homme peut réaliser dans le cours d'une vie. » Cependant, bien que le schéma puisse suggérer ce que fut le principe créateur du poème, l'œuvre elle-même se présente au lecteur sous un aspect bien plus complexe, nous dirions volontiers « polyphonique ». Ses éléments plus spécifiquement poétiques sont coupés de textes en prose, imprimés en petits caractères, qui parfois, et notamment dans le Livre I, fournissent des références historiques (le nombre d'habitants de Paterson à une certaine date, le rôle de Hamilton dans l'histoire de la ville, des épisodes de la lutte sanglante contre les Indiens, surtout, des faits divers, suicides, accidents et meurtres), mais d'autres fois, ce sont des morceaux d'une correspondance supposée (ou vraie, il n'importe) qui fait courir sa propre trame sous celle du poème ; parfois encore, on tombe sur une citation authentique, voire sur une interview effectivement donnée par l'auteur et reproduite textuellement. Il arrive que ces notations prosaïques suscitent véritablement un thème que la méditation poétique va ensuite faire varier, moduler de diverses manières, mais il arrive aussi qu'elles introduisent simplement une voix de plus, différente des voix du poème, voire opposée à elles. La combinaison des éléments prosaïques et du corps du poème ne s'effectue donc pas selon une formule unique, mais en vertu d'un contrepoint subtil. Si même on voulait se limiter à la partie poétique de l'œuvre, il faudrait encore tenir compte d'autres éléments contrapuntiques. La trame poétique repose souvent sur le conflit entre le texte écrit et les exigences, spontanées ou exigées du dehors, de celui qui l'écrit : fréquemment, le déroulement du poème est interrompu par le monologue du poète à la recherche d'un moyen d'expression, d'un style qui le fuit. Mais d'autre part, le poème, en dépit du programme annoncé par la note liminaire, n'est pas entièrement circonscrit par son propre sujet ; en cours de route, les souffles du monde lui parviennent, s'introduisent en lui (ainsi, des références aux découvertes de Marie Curie, au rôle de la physique atomique dans le Livre IV). Mais le poème contemporain traîne derrière lui le souvenir, les réminiscences d'autres poèmes : et plus d'une fois, le lecteur averti perçoit, en filigrane (notamment Livre V, III), le souvenir (et le refus, en un sens) des grands poèmes de T. S. Eliot : *La Terre vaine* (*), et les *Quatre Quatuors* (*). Si les allusions aux poètes sont le plus souvent implicites (sauf, cependant, pour les noms d'Artaud, inclus dans une page en calligramme du Livre III, ou, çà et là, de Philippe Soupault), les références picturales sont, elles, explicites : la tapisserie de la Dame à la Licorne (V, I), un tableau de Brueghel (V, II). Enfin, il faut noter qu'aux éléments de description, aux images de la ville et des hommes, aux éléments de méditation et de souvenirs, se mêlent des éléments que l'on pourrait, avec quelque prudence, qualifier d'érotiques — cet érotisme qui court dans toute l'œuvre poétique de Williams, et prend tout son sens par réaction contre le puritanisme américain. Malgré tant de difficultés, on peut essayer de donner une idée du déroulement du poème. Le Livre I, pour l'essentiel, est une évocation lyrique de la ville, cette ville avec ses maisons de briques rouges, sa vulgarité, ses autobus où l'on rencontre Paterson (l'homme, et non plus la ville). Cette évocation ne va pas, cependant, sans heurt avec le problème du langage, de l'expression correcte, objective, du lieu, des choses et des êtres (« Cela, dis-le, pas à travers des idées ou symboles, dis les choses telles qu'elles sont »), et le monologue pathétique du poète aux prises avec l'objet du poème brise sans cesse la mise en place du poème.

(Ainsi, le début de la seconde partie : « Il n'y a pas de direction tracée. Où je vais, je ne saurais le dire. Je ne saurais rien dire de plus que le comment des choses », ou encore, à la fin de cette partie : « Le thème lui-même est ce qu'il est : tout endormi, non identifiable, tout d'une pièce, solitaire au cœur d'un souffle de vent qui n'émeut personne d'autre... ») Le Livre II évoque un dimanche dans le parc de la ville, avec ses promeneurs amoureux et ses couples qui font l'amour sur l'herbe et, par-derrière, le sermon obstiné d'un prêtre protestant. Mais, obstinément, tandis que le poète observe un couple d'ouvriers dont « les pauvres pensées se mêlent dans l'union des corps », que l'érotisme prend sa place dans le poème, l'interrogation lancinante sur le langage revient briser, hacher le discours (« Tire un chant de ces faits, / tire-le concrètement », ou encore « Il écoute / mais il ne trouve pas la moindre syllabe qui sourde de cette rumeur confuse, / et le sens lui échappe / en dépit de tout »). Le Livre III nous introduit dans la bibliothèque, au milieu de cette fraîcheur qui sort des livres. Mais les livres rédigent l'histoire de la ville elle-même, dont les rappels sont ponctués, par le poète, du refrain : « Ainsi soit-il. » Puis, comme par un contraste nécessaire, aux livres font écho l'évocation de l'érotisme et l'assimilation de la beauté féminine à la beauté poétique : « Mais il est vrai que les hommes redoutent la beauté plus encore que la mort. » De nouveau surgissent les doutes du poète : Ne devrait-il pas renoncer ? Faut-il laisser subsister un écrit qui n'est pas parfait ? Il évoque les souvenirs de Dada, d'Artaud, etc., mais conclut, après une allusion au début de *La Terre vaine* d'Eliot, par un violent retour au présent : « Je ne peux pas me figer ici à passer ma vie à regarder dans le passé ; il n'est pas de réponse pour moi dans le futur ; il me faut trouver ma signification, et l'écrire, toute blanche, à côté de l'eau qui coule. » Le Livre IV, conçu, quand il fut écrit, comme la conclusion de l'œuvre, est d'abord occupé par « Une idylle », celle de Phyllis qui va de Corydon à Paterson, et affirme être restée vierge. Puis le poète s'adresse à son fils, et évoque l'histoire de la découverte du radium, le rôle de l'uranium aujourd'hui, le tout dominé par la figure de Marie Curie. Mais la troisième partie nous ramène au langage. Et voici une découverte qui renvoie au célèbre passage de l'*Anabase* (*) où les Grecs aperçoivent la mer : « Mais la mer, hélas, n'est pas notre domaine », vers qui est le refrain de ce morceau final (dans le plan primitif), aboutissant à ce « souffle / cet éternel retour / cette spirale / ce soubresaut final / qui est la fin ». Il apparaît, sept ans plus tard, avec le Livre V, dédié à la mémoire de Toulouse-Lautrec, que ce n'était pas encore la fin. Les souvenirs et la contemplation des objets d'art – on pense, à cet égard, à la fin du *Temps retrouvé* (*) de Proust – prennent, dans ce livre, une place grandissante, ils l'envahissent. L'érotisme cependant s'y mêle, notamment dans la seconde partie, jetant dans le poème cet étrange proverbe : « Vierge et putain ne sont qu'une seule et même chose », ou cet autre : « Il n'est pas de vertu pour la femme, si elle ne se donne pas à celui qui l'aime. » Mais la réflexion sur le langage, qui reprend ici, s'appuie maintenant sur le tableau de Brueghel et la tapisserie médiévale, longuement scrutés par un Paterson (l'homme, non la ville) vieilli, qui rêve à propos du *Satyre* (*) d'Euripide. De toute façon : « Nous ne savons rien, et nous ne pouvons rien savoir, si ce n'est danser, danser au rythme, contrapuntique et satirique, du mètre tragique. » Telle est la conclusion, encore sibylline, de cette longue aventure poétique. La richesse même du poème, la complexité de la structure, la variété, on dirait encyclopédique, de ses rythmes et tons défient l'analyse. Mais il s'agit ici, sans aucun doute, d'une des œuvres les plus achevées, les plus complètes, et aussi les plus profondément envoûtantes de toute la poésie américaine du XXe siècle. – Trad. Flammarion, 1981.

PATHER PĀNCĀLĪ [*La Complainte du sentier*]. Roman bengali de l'écrivain indien Bibhūti Bhūṣaṇ Banerji (1894-1950), publié en 1929. Connu en Occident par le film de Satyajit Rāy sous son titre original, ce roman tout à fait nouveau dans l'histoire de la fiction bengali est pour une grande part autobiographique. Il a paru d'abord en feuilleton dans la revue *Bicitrā*. L'ouvrage est divisé en trois parties d'inégale longueur. La première comprend cinq chapitres centrés autour du personnage d'une vieille veuve, recueillie par la famille Rāy, constituée de brâhmanes pauvres qui ont deux enfants, un fils, Apu, et une fille, Durgā. Elle se termine par le départ forcé de la vieille femme, chassée par la mère que la pauvreté accable, et par sa mort. La seconde partie, bien plus longue, suit Apu et sa sœur aînée Durgā dans leurs jeux, montre le garçon à l'école et décrit la mort de la fillette alors que le père est parti chercher une subsistance. Elle prend fin avec le départ de la famille pour Bénarès. Les Rāy, vaincus par la misère, quittent leur village dans l'espoir de trouver de quoi vivre dans la ville de pèlerinage. La troisième partie, de cinq chapitres seulement, déplace le cadre du roman et paraît de ce fait mieux rattachée au volume suivant. Le réalisateur ainsi que les traducteurs anglais et français l'ont séparée des deux premières. Le père meurt à Bénarès, laissant les siens sans ressources. La mère est employée comme cuisinière chez de riches Bengalis. Apu rêve de leur retour au village comme d'un paradis perdu. *L'Invaincu* (*), paru en 1932, poursuit l'histoire d'Apu. Bien que les personnages aient une vie très difficile et que plusieurs d'entre eux ne survivent pas à la misère et à la maladie, *La Complainte du sentier* est un livre optimiste. Le héros trouve sa joie dans l'intimité avec la nature, et il est émerveillé par la beauté du monde. L'écriture parvient à faire partager au lecteur la curiosité enthousiaste de l'enfance. – Trad. « Connaissance de l'Orient », Gallimard, 1969. F. Bh.

PATIENCE (De la) [*De patientia*]. Parmi les ouvrages à la fois pratiques et ascétiques de l'apologiste et théologien latin Tertullien (env. 150-ap. 220), celui-ci est sans aucun doute l'un des plus subtil et des plus intéressant. Le grand apologiste de Carthage l'a écrit entre les années 200 et 203. On pourrait dire qu'il l'a adressé avant tout à lui-même. En effet, dès les premières pages, il reconnaît volontiers qu'il est le moins désigné des auteurs pour traiter ce sujet, lui que « brûlent toujours les flammes de l'impatience ». En bon connaisseur de l'impatience, Tertullien a offert le meilleur des panégyriques de la patience. Il commence par démontrer que l'éloge le plus convaincant de la vertu de patience nous a été donné par Dieu lui-même. Puis, tirant argument des preuves d'endurance que donnent les hommes dans certaines circonstances de leur vie, il affirme que le devoir suprême du chrétien est de se montrer patient dans toutes les traverses de l'existence, dans toutes les charges de la vie sociale. Il faut être prêt et disposé, observe-t-il, à essuyer de lourdes privations. Et tandis qu'il montre que d'une part toute culpabilité morale peut se rattacher à l'impatience, il prouve d'autre part que toutes les vertus ont leur source dans la vertu de patience. La page qui sert en somme de conclusion à ce traité est très belle : paraphrasant le célèbre hymne d'amour que saint Paul a inséré au chap. XIII de sa première *Épître aux Corinthiens* (*), il démontre que toutes les qualités de l'amour sont celles de la patience et lui sont équivalentes. C'est une page d'une éloquence admirable. – Trad. Le Cerf, 1984.

★ Saint Cyprien, évêque de Carthage, martyrisé en 258, a composé, lui aussi, après Tertullien, un traité en latin exhortant les chrétiens à la patience : *Du bienfait de la patience* [*De bono patientiae*] (en 24 chapitres), daté du printemps de 256. Cyprien, comme Tertullien, distingue la patience des philosophes de celle des chrétiens et affirme que la vraie patience est l'aptitude à supporter ce qui contrarie notre nature, c'est pourquoi elle est inséparable de la douceur et d'une profonde humilité ; c'est donc une vertu spécifiquement chrétienne, dont Dieu lui-même, Jésus et les saints ont fixé les traits et le modèle. De même que la patience est le signe caractéristique du Christ, de même l'impatience est le signe du diable, qui ne peut supporter le don fait à l'homme de la ressemblance divine. Il apparaît clairement que saint Cyprien suit fidèlement le *De patientia* de Tertullien ; mais il lui manque la force de style de ce dernier, son hardi réalisme et ses couleurs brillantes. On trouve par contre, chez Cyprien, un sens plus grand de la mesure, une instinctive douceur et une humilité qui sont admirables. – Trad. Le Cerf, 1982.

PATRIE [*Dzimtene*]. Roman en cinq volumes de l'écrivain letton Jékabs Janševskis (1865-1931), paru en 1924-1925. À la différence du roman des frères Kâudzîte, *L'Époque des arpenteurs* (*), appartenant au même genre, *Patrie*, qui décrit la société rurale de la Lettonie à la fin du XIXᵉ siècle, se compose d'une suite d'épisodes, de paysages et de tableaux. Dans la maison d'un paysan pauvre, un joyeux dîner clôt la dure journée du labeur saisonnier. La vie cloîtrée et monotone, en une autre ferme perdue dans la forêt, fait rêver de fiançailles la fille du propriétaire, tandis que sa femme regrette la jeunesse gâchée aux côtés d'un vieux mari. Le maître d'école rassemble la jeunesse et organise chœurs et danses. Au milieu de ces monotones existences, la rumeur se répand brusquement que la terre sera partagée entre les travailleurs. Cette nouvelle allume une infinité de discussions, de projets, d'espoirs ; des intermédiaires intéressés s'offrent pour entreprendre les démarches légales, des délégations sont envoyées au seigneur de la région, des suppliques sont adressées au gouvernement. Soudain, les espoirs s'écroulent et la vie retombe dans l'uniformité habituelle.

PATRIE EN DANGER (Sur la). Célèbre discours de l'homme d'État français Georges-Jacques Danton (1759-1794), prononcé le 2 septembre 1792 à l'Assemblée nationale. Le tribun, si fougueux lorsqu'il s'adresse au peuple, mais combien avisé dès qu'il traite des affaires de l'État, affirme que le salut de la patrie viendra des citoyens, et d'eux seuls. Qu'ils se ruent aux frontières, creusent des tranchées, ou bien défendent l'intérieur contre les nobles, les légitimistes et les étrangers. L'heure est grave, dit Danton ; puis l'orateur rappelle les exploits héroïques accomplis en juillet par les volontaires sous la menace des armées autrichiennes et prussiennes. Et si le tocsin retentit, c'est, précise-t-il, que la nation n'est pas seule en péril, mais aussi la liberté : « De l'audace ! [...] Encore de l'audace, toujours de l'audace : et la France est sauvée ! » Ce discours débordant d'apostrophes violentes, et qui révèle un sens très réaliste des circonstances, fut également prononcé au Champ-de-Mars. Avec la célèbre harangue de Robespierre *Sur l'Être suprême* (*), il constitue l'un des documents les plus révélateurs de l'éloquence révolutionnaire.

PATROLOGIE GRECQUE ET LATINE [*Patrologiae cursus completus. Patres graeci – Patres latini*]. C'est à l'activité infatigable de l'abbé Jacques Paul Migne (1800-1875), théologien français, que nous devons l'existence de cette œuvre colossale qu'il conçut et composa entre 1844 et 1866, dans le but de recueillir en une seule collection tous les textes grecs et latins composés depuis l'époque des Apôtres jusqu'au début de l'âge moderne. La collection se subdivise en deux parties : la patrologie grecque et la patrologie latine. La première comprend tous les textes composés de l'époque des Apôtres au concile de Florence (1459), en cent soixante et un volumes (plus deux vol. d'index), publiés en deux séries (l'une de cent huit, l'autre de cinquante-cinq volumes), où le texte grec est flanqué d'une traduction latine ; il existe en outre une troisième série qui ne contient que les traductions latines des textes. L'œuvre débute avec Clément de Rome, Barnabé l'Apôtre, Matthieu l'Apôtre, Hermas, et va jusqu'à Théodore de Gaza, Jean Paléologue, Constantin Paléologue, Bessarion. La patrologie latine, en deux cent vingt et un volumes (dont quatre d'index), s'étend des origines de la littérature chrétienne, c'est-à-dire de Tertullien et Cyprien, jusqu'à Innocent III (1216).

Après la mort de Migne, Horoy ajouta à cette série, en 1880, un appendice de six volumes intitulé *Patrologia latina Medii Aevi*, qui part de l'« Ordo romanus » et de la « Quinta compilatio decretalium » pour atteindre, avec le sixième volume, les écrits de saint François d'Assise et de saint Antoine de Padoue. Le plus grand prix de cette œuvre fut d'offrir la première édition de quelques textes grecs et latins, et la première traduction latine de certains textes grecs. Il s'agit cependant d'éditions qui souvent présentent des défauts du point de vue critique. En effet, Migne est fréquemment obligé d'avoir recours à des éditions préexistantes et, sur le conseil de Pitra, à celles des bénédictins. De telles éditions, faites selon des méthodes moins rigoureuses que celles utilisées aujourd'hui, ne peuvent être prises pour bases de travaux philologiques. Par contre, les notices d'érudition sur la vie de chacun des auteurs et sur l'histoire littéraire et religieuse des différents textes, et que l'auteur place en tête de l'édition de chacun d'eux, sont très utiles.

PATRON (Le) [*Il padrone*]. Roman de l'écrivain italien Goffredo Parise (1929-1986), publié en 1965. Avec ce titre, Goffredo Parise opère un tournant dans sa production littéraire. Cette œuvre fait en effet écho au phénomène du boom économique que connaît l'Italie à cette époque ; elle est totalement centrée sur la vie d'une entreprise commerciale du nord de la péninsule. Nous sommes loin des premiers romans de Parise – *L'Enfant mort et les comètes* (+), *Odeur de sainteté* (*) –, où le thème central était celui de l'enfance dans les quartiers défavorisés.

Le narrateur, jeune homme venant de province, se lie très tôt d'amitié avec son chef d'entreprise, le « dottore » Max, qui est à peine plus âgé que lui. Celui-ci fait de lui son confident et l'installe dans un bureau proche du sien. La singularité des idées du dottore Max, de son idéologie de patron, est au cœur de l'œuvre. Le patron voudrait en effet que ses employés se consacrent entièrement à l'entreprise, qu'ils en soient des rouages disciplinés et inventifs ; mais, en même temps, il désire que cette attitude de soumission leur vienne spontanément à l'esprit, sans qu'il ait en aucune manière à les forcer. Il en résulte de sa part un comportement lunatique : comme ses aspirations n'apparaissent pas clairement aux yeux de ses subordonnés, il en vient à pratiquer à leur égard une obscure politique de chantage, de bouderies, et même de réduction arbitraire et inexpliquée de leurs traitements. En dépit de l'étrangeté et de l'absolutisme de cette conduite, le narrateur, qui dès les premiers jours a exprimé son souhait de devenir une créature du patron, reste un fidèle partisan des méthodes du dottore Max. On le voit progressivement glisser vers un assujettissement total aux volontés de ce dernier. Lorsque son patron décide de lui faire administrer quotidiennement – comme à lui-même – des piqûres de vitamines, il ne bronche pas. Il en va de même lorsqu'il le déplace de bureau en bureau, ou lui diminue à son tour son salaire. Et, progressivement, le jeune homme va se défaire de ses liens familiaux, quitter sa fiancée, pour devenir un jouet entre les mains du dottore Max ; jusqu'au jour où le patron, pour éprouver sa fidélité, lui impose de se marier avec une mongolienne, la protégée de sa mère (une femme aussi tourmentée et autoritaire que son fils). Et le jeune homme, après quelques hésitations, accepte...

Cette fable cruelle a le mérite de mettre en lumière les conséquences extravagantes d'une certaine idéologie patronale. Lors de la sortie du volume, chacun s'est plu à souligner son caractère caricatural. Et pourtant, à trente ans de distance, on peut mesurer la qualité de visionnaire de Parise. La conduite du dottore Max est en effet dictée par la volonté de concurrencer (déjà) le système japonais sur son propre terrain. On sait que, depuis, cette volonté de copier l'exemple japonais a fait son chemin et a produit des effets souvent singuliers.

C'est sans doute le caractère prémonitoire de cette œuvre qui fait que, en dépit des mutations technologiques qu'ont subies les entreprises depuis les années 60, elle reste d'une étonnante actualité. – Trad. Stock, 1966.

A. S.

PATTE DU SCARABÉE (La) [*The Beetle Leg*]. Roman de l'écrivain américain John Hawkes (né en 1925), publié en 1951. Ce livre fait partie des premières fictions de John Hawkes où, comme dans *Le Cannibale* (*), l'écrivain fait subir de cruels sévices non seulement aux corps humains mais aussi aux conceptions traditionnelles de l'intrigue linéaire, du personnage intègre et jusqu'à l'écriture elle-même.

Mistletoe [« Brin-de-Gui »] est une petite bourgade rurale américaine où l'on s'ennuie à longueur d'année. Dix ans plus tôt, lors de la construction du barrage de retenue, Mulge Lampson a été enterré vivant avec son tracteur à chenille sous une énorme coulée de boue que les habitants appellent le « Grand Glissement ». Cette mort accidentelle fissure la cohésion sociale de la communauté, y crée une fracture presque invisible, aussi mince qu'une patte de scarabée, mais par où va sourdre le drame. « Les rebuts, je m'en repais », dit volontiers John Hawkes. De fait, dans *La Patte du scarabée,* tout ou presque relève du rebut : personnages médiocres et veules, estropiés au physique comme au moral, prompts aux réactions racistes et violentes ; terre et paysage ingrats ; et puis ce rebut fondateur qu'est le cadavre de Mulge Lampson enchâssé dans la boue du barrage et qui empoisonne l'atmosphère. Ainsi, il y a l'adjoint au shérif Wade, être terne et sans avenir, qui maintient à distance une bande de motards appelés les « Diables rouges » ; le Finnois, un infirme, ancien champion de rodéo ; Luke Lampson, le frère du mort, petit cultivateur borné qui vit avec la veuve et une Indienne mandan dans une cahute sordide ; Camper, revenu au pays avec sa femme et son enfant qui se fait aussitôt mordre par un serpent ; Cap Leach, « l'homme aux sangsues », arracheur de dents et rebouteux qui habite une roulotte rouge et propose sa pharmacopée tant aux Indiens qu'aux petits Blancs du voisinage. John Hawkes décrit minutieusement les activités quotidiennes et la déchéance de ces êtres difformes qui paraissent condamnés à la répétition machinale des gestes, des mots et des pensées. Les motos des Diables rouges sont la contrepartie dérisoire, cauchemardesque et parodique des chevaux des cow-boys du Far West. À l'occasion d'une partie de pêche sur le lac de retenue, les hommes de Mistletoe troquent bientôt leurs cannes à pêche pour leurs carabines et donnent la chasse aux Diables rouges, en une parodie macabre de western, comme si toutes leurs digues mentales s'étaient lentement fissurées d'une minuscule patte de scarabée avant de s'écrouler dans le « Grand Glissement » d'une tuerie.

Ici comme dans les autres romans de John Hawkes, la description de la violence passe par le filtre d'une splendide prose poétique qui arrache les êtres à la banalité pour leur accorder une dimension onirique et mythique. — Trad. Le Seuil, 1989. B. M.

PÂTURAGES DU CIEL (Les) [*The Pastures of Heaven*]. Œuvre de l'écrivain américain John Steinbeck (1902-1968), publiée en 1932. L'auteur, qui avait donné trois ans plus tôt un roman d'aventures maritimes, *La Coupe d'or* (*), abordait avec son deuxième ouvrage la peinture de ces milieux ruraux de la Californie centrale, qui allaient lui fournir la matière première de ses romans les plus célèbres. *Les Pâturages du ciel* sont davantage une suite de récits qu'un véritable roman. La seule unité de l'œuvre réside dans le cadre géographique, l'opulente vallée dite des Pâturages du ciel, et dans la réapparition de certains personnages au cours de différents récits. On aperçoit dans cette première œuvre « régionaliste » toute la diversité de ton de l'écrivain. À la veine humoristique appartient par exemple l'aventure d'Edward Wicks, dont toute l'ambition consiste à persuader ses voisins qu'il est colossalement riche et qui est ruiné par l'énorme caution qui lui est demandée lorsqu'on le soupçonne de vouloir assassiner le jeune homme qui courtise sa fille. C'est encore le futur auteur de *Tortilla Flat* (*) qu'annonce le portrait des sœurs Lopez, marchandes de tortillas qui ne parviennent à attirer la clientèle masculine qu'en lui concédant leurs faveurs, et se jettent humblement aux pieds de la Vierge après chacune de leurs faiblesses publicitaires. Quant à l'histoire de la maison des Whiteside, elle est très représentative du mélange de réalisme et de lyrisme terrien propre à l'auteur. Un autre aspect de l'œuvre de Steinbeck, son goût quelque peu morbide pour « ceux que Dieu n'a pas achevés », monstres et dégénérés, est largement représenté dans le volume, notamment par l'histoire de Tularecito et par celle de Mrs. Van Deventer et de sa fille. Au demeurant, le recueil est plus axé sur l'étude de « cas » étranges que sur celle d'un milieu social particulier. — Trad. par Louis Guilloux, Gallimard, 1948.

PAU-BRASIL. Œuvre de l'écrivain brésilien Oswald de Andrade (pseud. de José Oswald de Sousa Andrade, 1890-1954), publiée en 1925. Cet ensemble de poèmes modernistes est la mise en pratique directe des théories énoncées dans le *Manifeste Pau-Brasil* [*Manifesto Pau-Brasil*], publié par Oswald de Andrade dans le journal *Correio da Manhã* de Rio de Janeiro en 1924. En modifiant les formes d'expression poétique, Oswald de Andrade témoigne d'une nouvelle vision du monde, d'un monde où tout va vite, où la machine s'installe et où « la tendance est entièrement à l'expression rude et nue de la sensation et du sentiment, avec une sincérité totale et synthétique », comme le disait l'écrivain Paulo Prado dans une Préface à la poésie d'Oswald de Andrade. Grâce à une modification radicale du langage poétique — qui passe par l'assimilation du langage parlé contemporain —, Oswald de Andrade a pour but de stopper le processus de pétrification inéluctable auquel le parnassianisme avait mené le langage. Dans la poésie *Pau-Brasil*, Oswald de Andrade discute le retard de la création artistique nationale par rapport aux récentes découvertes des avant-gardes européennes. Selon Oswald lui-même, *Pau-Brasil* représente un moment d'« abolition des douanes culturelles » qui repoussent le passé académique toujours en accord avec la bureaucratie officielle et avec le public bourgeois. Oswald de Andrade propose une esthétique au sens pur, avec une réévaluation critique des aspects culturels les plus authentiquement représentatifs de son pays, comme forme de rupture totale avec l'anachronisme mental qui suffoque la nation. Sur le plan formel, les titres sont en minuscules, la ponctuation est abolie, les vers sont en général courts et denses, et les poèmes sont — selon l'appellation de Paulo Prado — comme des « comprimés, minutes de poésie », petits et concentrés. Oswald s'intéresse aux problèmes de la langue non seulement en tant que matériel poétique, mais aussi en tant que moyen de communication de ses contemporains. Elle devient alors thème à part entière de certains poèmes, comme par exemple « pronominaux » [pronominais]. Libérer le vers du pédantisme grammatical et de l'éloquence dévorante, c'est ce qu'a fait Oswald de Andrade dans *Pau-Brasil*, donnant ainsi à la poésie brésilienne un nouvel élan créatif et une universalité reconnue par tous les critiques.

S. Jo.

PAUL ET VIRGINIE. Roman pastoral de l'écrivain français Jacques-Henri Bernardin de Saint-Pierre (1737-1814) paru en 1788. L'ouvrage, annexé à la troisième édition des *Études de la nature* (*), dont il entend illustrer les thèses sur le mode de la fiction, puis publié séparément l'année suivante, tire son origine du séjour de deux ans (1768-1770) que l'auteur effectua à l'île de France (actuelle île Maurice) en qualité d'ingénieur militaire et dont il donna, dans son *Voyage à l'île de France* (*) (1773), une relation passablement désenchantée et souvent caustique. C'est dans la même île que se déroule l'action de ce roman, qui passe pour avoir introduit l'exotisme dans la littérature française, à une époque toutefois nettement antérieure (1726-1745), celle du gouvernorat de Mahé de Labourdonnais, présentée comme une sorte d'âge d'or de la colonie. Au texte du *Voyage* sont empruntés de nombreux éléments descriptifs, notamment les précisions botaniques ou zoologiques, voire quelques amorces de développements narratifs : ainsi l'épisode des deux enfants égarés dans la forêt transpose-t-il une aventure similaire vécue par l'auteur lors de ses pérégrinations à travers l'île. Mais, si le décor est identique, le regard est différent : sans être uniformément idyllique, la nature tropicale, si décevante dans le *Voyage*, se trouve le plus souvent investie d'une signification positive, et l'esclavage même cesse d'être odieux sous le travestissement paternaliste que lui impose le roman. Bien qu'il soit dépourvu de toute articulation explicite, le récit manifeste une très grande rigueur de construction, peu habituelle chez l'auteur. Encadrant la narration proprement dite, le prologue et l'épilogue sont consacrés à une description topographique très détaillée du cadre de l'action romanesque passée, où ne subsistent plus que les ruines de deux cabanes. Dans ce site sauvage des montagnes de l'île, l'auteur rencontre un vieillard qui lui raconte l'histoire de ses habitants aujourd'hui disparus. Son récit achevé, les deux hommes prennent congé, tandis que le roman se referme circulairement sur une nouvelle évocation du décor initial. Ainsi la narration du vieillard est-elle placée d'emblée sous le signe nostalgique du révolu et de la mort. La première partie évoque le temps de l'innocence heureuse de l'enfance, vide de tout événement : enfants de deux exilées, Marguerite et Mme de la Tour, qui se sont réfugiées dans ce lieu retiré pour échapper aux « cruels préjugés de l'Europe », Paul et Virginie grandissent « comme frère et comme sœur », dans une union gémellaire ignorante du mal extérieur. Dans la seconde partie — le temps de la culpabilité —, l'irruption de la sensualité adolescente brise l'immanence heureuse de l'univers édénique et transforme l'amour fraternel des deux enfants en un amour passionnel vécu dans la culpabilité, puisque symboliquement incestueux, tandis que la nature change de signe ; jusqu'ici providence tutélaire, elle manifeste, avec le cyclone qui dévaste le domaine, sa puissance destructrice. La troisième partie correspond au temps de la séparation et de la réflexion : Virginie, envoyée en France par sa mère, s'initie douloureusement aux mœurs corrompues de l'Europe, tandis que Paul, sous la direction du vieillard, s'ouvre parallèlement à la connaissance du monde à travers les livres. Si le temps est immobile, comme dans la première partie, on ne retrouve pas ici l'espace clos initial : l'intrigue se déplace vers l'Europe, devenue le véritable lieu focal du récit. La quatrième partie — l'idylle funèbre — s'ouvre sur le naufrage du vaisseau qui ramène Virginie dans l'île et sur la mort de la jeune fille. Si Bernardin a déplacé au 25 décembre 1744, nuit de la Nativité, le naufrage (historique) du « Saint-Géran », c'est que cette mort est aussi une naissance, l'avènement de l'héroïne à sa véritable identité angélique. Cédant à l'appel de l'éros funèbre, Paul rejoindra bientôt Virginie dans l'« orient éternel » de la mort, puis Marguerite et Mme de la Tour. Ainsi réunie dans la lumière incorruptible de l'au-delà, la « petite société » connaîtra, dans le paradis céleste dont le paradis terrestre initial n'était que la préfiguration, un bonheur soustrait à la mortalité.

Après avoir été unanimement admirée jusqu'au milieu du XIXe siècle, l'œuvre a progressivement sombré dans un discrédit dont elle se relève difficilement aujourd'hui. Fadeur, naïveté, niaiserie, autant de griefs imputables surtout aux mutations du goût et à la paresse des critiques. Lu comme un roman réaliste, le texte en effet est mièvre, voire outrageusement faux. Mais *Paul et Virginie* n'est pas un reflet de la « vie ». L'ouvrage ne peut être appréhendé qu'au travers des codes esthétiques et idéologiques de son temps : le rousseauisme – l'influence de *La Nouvelle Héloïse* (*) y est patente ; une sensibilité souvent déclamatoire ; le « style Louis XVI », qui confère au discours une dignité pompeuse et fige les attitudes en poses sculpturales ; le modèle de la pastorale surtout, genre aujourd'hui à peu près incompréhensible à la majorité des lecteurs, mais alors en plein renouveau : bien que le dénouement tragique constitue une infraction à la norme, c'est toujours comme pastorale, jamais comme roman que l'auteur caractérise son récit. Si donc on accepte d'effectuer l'effort d'accommodation nécessaire, on trouvera dans *Paul et Virginie* une œuvre d'une singulière richesse. D'abord par les tensions idéologiques qui y sont à l'œuvre : disqualifiant, involontairement peut-être, les facilités de l'optimisme naturaliste et finaliste d'une certaine vulgate des Lumières, le cours du récit montre l'ambivalence de la nature, d'abord providence protectrice, puis puissance de désastre ; de même, le trouble de Virginie effrayée par sa propre sensualité, liée pourtant à la causalité purement naturelle de la puberté, récuse l'identification des valeurs de nature et de vertu que l'auteur prétend établir ; si la « petite société » constituée par les deux familles offre bien une alternative à la civilisation corrompue de l'Europe comme à la société coloniale environnante, l'intrigue démontre la faillite de ce modèle utopique. Enfin l'imaginaire du récit se nourrit d'un substrat mythique : « enfants divins » de nature angélique, Paul et Virginie sont comparés à Adam et Ève, ou encore aux Dioscures, fils d'un Dieu et d'une mortelle ; et, dans l'union gémellaire des deux amants enfantins brisée par l'interdit sensuel puis restaurée par la mort, on peut voir à la fois un écho du mythe de Tristan et de la légende platonicienne de l'Androgyne. J.-M. R.

PAUL Ier [*Pavel I*]. Drame historique en cinq actes et sept tableaux de l'écrivain russe Dmitri Sergueïevitch Merejkovski (1865-1941), publié en 1908. Il forme la première partie d'une sorte de trilogie, qui comprend également les romans *Alexandre Ier et les Décembristes* (*) et *Le Quatorze Décembre*. Merejkovski abandonne, avec *Paul Ier*, le ton prophétique qu'il emploie dans de nombreux romans et réussit à créer une œuvre sincèrement humaine et d'un réalisme historique remarquable. Le tsar Paul Ier, qui succéda en 1796 à Catherine II la Grande, eut un caractère instable et coléreux, et pendant son règne la Russie vécut sous une oppression proche de la tyrannie. Au cours des premières scènes du drame, nous voyons le tsar faire fustiger jusqu'au sang quelques soldats et gifler l'un de ses colonels. Puis, ayant reçu une lettre de sa favorite, il se radoucit brusquement et pardonne. Le comte Palen, gouverneur de Saint-Pétersbourg, profitant du mécontentement général, ourdit un complot contre la vie du tsar, et le tyran est assassiné par les conjurés le 12 mars 1801. Avec *Paul Ier*, Merejkovski montre une incontestable maîtrise théâtrale, et plusieurs scènes du drame font preuve d'un réalisme vigoureux ; une figure y est particulièrement bien évoquée, c'est celle du successeur de Paul Ier, Alexandre, entiché de Rousseau et de Voltaire, qui rêva de grandes réformes révolutionnaires pour son règne prochain, mais si lunatique et indécis que l'on comprend comment il put devenir plus tard le fondateur de la Sainte-Alliance. Moins nette apparaît la signification profonde du drame : la déchéance du despotisme et le pressentiment obscur, secret, d'une humanité nouvelle.

PAULICÉIA DESVAIRADA. Recueil de poésie de l'écrivain brésilien Mário de Andrade (pseud. de Mário Raúl de Moraes Andrade, 1893-1945), publié à compte d'auteur en 1922. Dans ce recueil, Mário de Andrade met en évidence l'idée que l'art est un sujet de débat et un instrument de combat, qui permet de « jeter à terre les formes usées de la société ». *Paulicéia desvairada*, dans ses « vers de souffrance et de révolte », offre une vue panoramique de la ville et de la vie, en critiquant la manie obsessionnelle de la possession, caractéristique des rétrogrades et de ceux qui vivent dans l'opulence – comme dans « Les Cortèges » [Os cortejos] ou « Ode au bourgeois » [Ode ao burguês] –, ou en faisant la satire de l'incompétence des administrateurs – comme dans « Le Troupeau » [O rebanho]. Dans une lettre au poète Manuel Bandeira, Mário de Andrade disait de ce livre qu'il était une « cristallisation de vingt mois de doutes, de souffrances, de colères. C'était une bombe. Elle avait explosé ! ». L'hallucination [desvario] est le centre de l'œuvre, comme le dit l'auteur dans la « Préface très intéressante » [Prefácio interessantíssimo], sorte de manifeste poético-esthétique qui précède les poèmes. Dans ce texte, Mário indique ses cheminements poétiques : « Je ne suis pas futuriste (de Marinetti). Je le dis et je le répète. J'ai des points de contact avec le futurisme... » ; ou encore : « Un peu de théorie ? / Je crois que le lyrisme, né du subconscient, sublimé dans une pensée claire ou confuse, crée des phrases qui sont des vers entiers, sans le désavantage de mesurer les syllabes, avec une accentuation déterminée » ; et enfin : « Mais toute cette Préface, avec toute cette histoire des théories qu'elle contient, ne vaut rien. Quand j'ai écrit *Paulicéia desvairada*, je n'ai pensé à rien de tout cela. Je vous garantis pourtant que j'ai pleuré, que j'ai chanté, que j'ai ri, que j'ai hurlé... Je vis ! » Dans cette œuvre, la connaissance que Mário de Andrade avait de la musique, aussi bien classique que populaire, est évidente. La correspondance littérature-musique est présente tout au long du livre, systématisée dans la « Préface très intéressante » et mise en pratique dans les poèmes de *Paulicéia desvairada*. Mário de Andrade utilise le vers harmonique, le vers mélodique et la polyphonie comme instruments d'une poésie moderne rythmée, miroir de notre société contemporaine. Tout au long de sa vie, il s'emploiera à parfaire son esthétique, et certains points de vue défendus dans *Paulicéia desvairada* seront repris et complétés dans *L'Esclave qui n'est pas Isaura* [*A escrava que não é Isaura*, 1925], où il expose la poétique du modernisme. Dans ces deux œuvres, il fait preuve de modernité et d'invention, caractéristiques constantes de l'ensemble de son œuvre, aussi bien poétique que romanesque ou encore critique. S. Jo.

PAULINA 1880. Roman publié en 1925 par l'écrivain et poète français Pierre-Jean Jouve (1887-1976). Paulina commet le péché, mais elle aime Dieu. Cet amour est fait de son péché où elle trouve la force. Puis Dieu la tire à soi, elle entre au couvent. Peine perdue. Elle n'est pas une visitandine comme les autres. Car la faute ne désarme point : mais, à la façon d'une pierre cachée rayonnante, continue d'agir à travers les fibres d'une chair orgueilleuse, que n'exténue pas l'imitation des anéantissements de Notre-Seigneur, que ne purifie pas le sang « prié avec l'os de saint Vincent appliqué sur mes plaies », que ne touche pas la sainte discipline de la Visitation. Paulina agit pernicieusement sur les autres membres de la communauté au point de troubler l'une d'elles « jusque-là nette comme l'or ». Chassée du couvent, Paulina est rejetée dans les bras de son amant. À la fin, elle le tue, tente en vain de se tuer, passe dix ans en prison et achève son existence dans un village où les paysans parfois barbouillent sa porte. La faute alors se défait. La mort de Michele n'avait pas supprimé le péché. Mais la prison et l'usure ôtent le péché car ils ôtent la vie. Devenue une vieille femme, Paulina est pareille à une morte vivante, et un étranger venu la saluer voit en elle « la pureté et le sourire ». Tout est ici appelé par la faute. L'amour pour Michele. L'amour pour elle-même. L'amour pour Dieu : si elle se sépare de son péché, elle se sépare de Dieu. La mort de Michele. Celle peut-être de son père. Enfin la mémoire : 1880 est l'année de la plus grande faute et pour toujours le millésime de Paulina. Paulina est aussi une jeune fille, puis une jeune femme, et un jour ce sera une vieille femme. Paulina est naturellement un être de chair, pleine d'un amour immense et hardi, comme en peint la chronique italienne ; cependant c'est un être de réflexion, qui se met dans la main de Dieu ou s'en retire, et n'obéit jamais qu'aux mouvements contraires de son âme. Paulina est enfin un lieu. Elle est jaillie de « toutes les mémoires d'Italie », spécialement de Florence où Jouve vient de passer deux ans : « Là, je connus un ciel immaculé sur la terre rosée coupée de fuseaux noirs, la terrasse d'oliviers et de roses, enfin la chambre bleue : tout ce qui forme le cadre au crime de Paulina. » Les œuvres de cette époque, si elles ne sont pas toutes nées de l'Italie, appartiennent cependant à la même lumière. Ainsi l'Ève du *Paradis perdu* (*) qui, lorsqu'elle éveille Adam et lui donne la faute en partage, est déjà, ou encore, dans la lumière de Paulina. Entre Paulina et son Dieu se forme et se reforme un écran de verre « dont la substance, écrit Jouve curieusement, est composée de sa sincérité même ».

PAUL, LE JOUEUR DE MARIONNETTES [*Pole Poppenspäler*]. Nouvelle de l'écrivain allemand Theodor Storm (1817-1888), écrite en 1873-74 pour la revue *Deutsche Jugend*. Elle a toutes les qualités qui ont fait de Storm l'un des conteurs les plus exquis de la littérature allemande : optimisme, humour, fraîcheur, profonde compréhension du cœur humain — chez les enfants comme chez les grands personnes —, psychologie pénétrante et enfin élégance du style. « Pole Poppenspäler » équivaut en dialecte frison à « Paul Puppenspieler », c'est-à-dire « Paul, le joueur de marionnettes ». C'est ici le surnom d'un maître tourneur, fort habile dans son art. Il raconte, à un jeune apprenti qu'il affectionne, comment il connut, aima et épousa celle qui est à présent son épouse chérie. Lisette était fille de montreurs de marionnettes ambulants, de braves gens qui étaient arrivés dans la cité avec leur chariot. Lui était alors un enfant fort curieux de comédies de marionnettes ; il ne tarda pas à lier amitié avec la petite Lisette qui, en secret, lui montrait tous ses pantins et le laissait jouer avec ceux qu'il préférait. Par une nuit de clair de lune ils se trouvèrent enfermés dans le théâtre, avec les poupées, et Paul, par mégarde, abîma le mécanisme de l'une d'elles ; redoutant le châtiment, les deux enfants se cachèrent dans une caisse. C'est là que les parents anxieux les retrouvèrent ; ils furent pardonnés et leur amitié ne cessa de grandir jusqu'au jour où les forains repartirent. Les années passèrent. Paul était devenu orphelin et il achevait son temps d'apprentissage artisanal, lorsque le hasard le mit en présence de Lisette dont le père, suspecté à tort d'avoir volé, avait été incarcéré. Le jeune homme sentit bientôt renaître son affection de jadis et intervint pour faire libérer le prisonnier. Puis, ayant épousé Lisette, il la mena à Husum où le père les accompagna. Mais le vieillard, qui avait la nostalgie de son art, voulait encore présenter son répertoire au public, bravant les gamins qui se moquaient impitoyablement de lui et surnommaient son gendre « Paul, le joueur de marionnettes ». Très affecté, le bon vieux se résigna à vendre ses petites poupées et mourut bientôt. — Trad. Delachaux, 1934.

PAUVRE ALBINO [*Memoriale*]. Roman de l'écrivain italien Paolo Volponi (né en 1924), publié en 1961. C'est avant tout de l'inadaptation que traite ce roman, le premier que publia Volponi. L'inadaptation d'Albino Saluggia, jeune rural revenant de captivité, à la vie industrielle — et plus précisément à son travail d'ouvrier d'une grande usine moderne installée depuis peu dans les environs de Turin. Bousculé par un rythme de vie qui lui est tout à fait étranger, incapable de trouver un poste qui lui convienne, constamment à la recherche de son identité, ballotté entre les diagnostics des médecins du travail, les avis des techniciens et les conseils des responsables syndicaux, Saluggia glisse progressivement vers une forme particulière de délire dans laquelle ses collègues, mais aussi tous les représentants de la norme industrielle (et particulièrement les médecins et les syndicalistes déjà cités) font figure de persécuteurs. Il en résulte pour le lecteur un sentiment de trouble, dans la mesure où le roman balance continuellement entre une réalité sociale déterminée et très précisément décrite — celle que subit Albino et qui semble à l'origine de ses dérèglements psychologiques — et un univers singulier, fourmillant d'ennemis potentiels et reposant sur des constructions intellectuelles sans rime ni raison.

Saluggia nous fait glisser d'une situation objectivement mutilante à son monde intérieur isolé de toute réalité. Ce clivage de plus en plus sensible fait évoluer l'intérêt du texte qui, de documentaire industriel, se transforme en une sorte de tableau clinique des troubles profonds d'un héros dont on ne parvient plus, au bout du compte, à partager, ou simplement à comprendre, le cheminement psychique. — Trad. Grasset, 1964. A. S.

PAUVRE CHRIST DE BOMBA (Le). Roman de l'écrivain camerounais Mongo Beti (né en 1932), publié en 1956. Considéré comme le chef-d'œuvre de Mongo Beti, *Le Pauvre Christ de Bomba*, dont l'action se situe dans le Cameroun des années 30, aborde le problème de la présence missionnaire en Afrique, une situation avec laquelle le romancier a été familiarisé dès son plus jeune âge.

Écrit sous la forme d'un journal tenu par le boy-cuisinier du révérend père supérieur Drumont (le R.P.S.) à la faveur d'une tournée d'évangélisation de ce dernier en pays Tala, le roman révèle ironiquement l'absurdité d'une entreprise hypothéquée dès le départ par son étroite collusion avec le pouvoir colonial. Le procédé qui consiste à déléguer la fonction de narrateur à un personnage naïf, peu au fait des réalités qu'il a pourtant la charge de décrire — en l'occurrence ici Denis, le jeune boy-cuisinier du missionnaire —, permet en effet à Mongo Beti de fustiger la brutalité d'une évangélisation menée à la hussarde, dans le temps même où il en dénonce à la fois l'arbitraire et l'ingénuité. Bomba, le toponyme de la circonscription où le R.P.S. Drumont a choisi d'exercer son sacerdoce, ne signifie-t-il pas, en langue pahouine, le guêpier ?... J. Che.

PAUVRE CŒUR DES HOMMES (Le) [*Kokoro*]. Roman de l'écrivain japonais Sôseki Natsumé (1867-1916). Publié en 1914, c'est une des dernières et des plus émouvantes œuvres de cet auteur, très aimé du public nippon. Une phrase du romancier donne le ton du livre : « La seule chose profonde que j'aie sentie en ce monde, c'est le péché qui est sur l'homme. » Un jeune étudiant rencontre fortuitement sur une plage un homme dont le charme énigmatique l'attire. Il décide de faire de lui son maître spirituel. Peu à peu il pénètre dans l'intimité de cet homme, mais leurs relations demeurent singulières. Le Maître se prête mal au rôle que l'étudiant entend lui faire jouer, une sorte de secret douloureux pèse sur son ménage. Il semble ne plus appartenir au monde des vivants et avoir accepté volontairement une vie médiocre, retirée, comme s'il se punissait lui-même. Lorsqu'il revient dans sa famille auprès de son père mourant, l'étudiant n'est pas parvenu à éclaircir le mystère qui l'obsède dans la personnalité du Maître. Dans sa province, il reçoit une très longue lettre du Maître, lui dédiant, avant de se suicider, la confession qui est son testament spirituel. Devenu orphelin très jeune, le Maître a été dupé et dépouillé par une famille avide. Profondément troublé, il tiendra désormais en piètre estime le monde des hommes jusqu'au moment où il sera adopté par sa logeuse, une femme pleine de dignité et de noblesse, qui, avec sa jeune fille, s'efforcera de reconstituer autour de lui le foyer qu'il avait perdu. Ce calme sera de peu de durée. Ayant retrouvé un ami, bouddhiste fervent mais tourmenté dans sa vocation monacale, le Maître l'introduit chez sa logeuse. Au bout de quelque temps, il s'aperçoit que son ami K. est loin d'être insensible au charme de la jeune fille pour laquelle il commençait à éprouver lui-même de tendres sentiments. Cependant K. est retenu par des scrupules au sujet de son ancien idéal mystique. Le Maître devance son ami, demande la main de la jeune fille et est agréé. Deux jours plus tard, il découvre le cadavre de K. qui vient de se suicider. Le Maître, depuis des années, expiait ce qu'il considérait comme une trahison et un crime, et c'est la douleur inlassable de ce remords qui l'a amené à se donner lui-même la mort. Le Maître termine sa lettre en demandant à son disciple de garder son secret et de ne point le révéler même à sa femme, cause innocente et involontaire de ce drame. L'immense talent, discret et suggestif, de Sôseki fait peser sur toute cette histoire qui ne se dévoile que peu à peu au lecteur une atmosphère troublante, menaçante, faite de silence ouaté et de questions non prononcées. On considère *Kokoro* comme le plus représentatif des romans de l'ère Meiji. — Trad. Gallimard, 1957.

PAUVRE D'ASSISE (Le) [*Ο φτωχοῦληςτοῦ Θεοῦ*]. Livre de l'écrivain grec Nikos Kazantzakis (1883-1957), écrit en 1953 et publié à Athènes en 1956. Il s'agit d'une des dernières œuvres de Kazantzakis, écrite après *Le Christ recrucifié* (*) et *La Dernière Tentation* (*). Sans constituer à proprement parler une trilogie, ces trois œuvres se rejoignent par leur thème, leur écriture et le testament spirituel qu'elles contiennent. Dédié « au docteur Albert Schweitzer, le saint François d'Assise de notre temps », *Le Pauvre d'Assise* relate, à travers le récit de frère Léon, son disciple, l'itinéraire ascétique de saint François, le petit pauvre d'Assise, le polichinelle de Dieu. On retrouve d'ailleurs dans l'autobiographie spirituelle écrite immédiatement après la *Lettre au Greco* (*) bien des idées et des intuitions fulgurantes émises par saint François. Le cheminement de la révélation et de l'illumination divine est décrit ici de la façon la plus charnelle : le monde, la nature, la chair, la sève, les fleurs, les êtres vivants, l'élan vital de la Création y sont continuellement magnifiés, comme autant de voies menant à la libération de l'esprit. « C'est en regardant ce qui est visible que je m'imagine l'Invisible », dira François à son disciple Léon. L'amour, l'obéissance et la pauvreté, les trois vertus majeures de saint François y sont constamment présentées à travers le témoignage fidèle et quelque peu effrayé de frère Léon. La lutte du saint contre les tentations, le souci de ne jamais partager la Création divine en deux entités hostiles et irréconciliables (celle de la matière et celle de l'esprit), l'intuition d'une finalité souveraine où la trahison de Judas et la révolte de Lucifer ont leur place, au même titre que l'obéissance aveugle, constituent quelques-uns des thèmes essentiels de cette œuvre. On y trouve aussi la même révolte que dans les autres romans de l'auteur contre la sclérose et l'orgueil de l'Église, l'inutilité de la violence, le respect poussé jusqu'à la folie de tout ce qui a vie et témoigne de l'œuvre divine. Comme le capétan Michel de *La Liberté ou la Mort* (*), comme le berger Manolios du *Christ recrucifié*, comme le Jésus de *La Dernière Tentation*, saint François d'Assise accomplira la longue marche vers les hauteurs, rencontrera l'incompréhension, le mépris et la haine des hommes, et mourra seul, ou presque, entouré d'une poignée de disciples. Mais il laissera, dans la petite hutte où il rend l'âme, l'image indélébile d'un corps et d'une âme brûlés par l'amour divin. — Trad. Plon, 1957.

PAUVRE DIABLE (Le). C'est sous le nom de Vadé que l'écrivain français Voltaire (François-Marie Arouet, 1694-1778) publia ce poème satirique. Il est mentionné sous le titre : « Ouvrage en vers aisés de feu M. Vadé mis en lumière par sa cousine Catherine Vadé ». Ce pseudonyme, Voltaire l'a utilisé à plusieurs reprises. Il est le nom d'un poète burlesque, créateur d'un genre poissard, qui s'est fait, non sans esprit, poète des Halles. L'ouvrage parut réellement en 1760, mais Voltaire l'antidate (1758) afin de renforcer l'effet comique (Vadé est mort en 1757). *Le Pauvre Diable* est l'un de ses meilleurs poèmes satiriques. La verve qu'il y déploie rappelle Juvénal. Elle est renforcée encore par l'aisance du rythme des vers décasyllabiques, dont Voltaire use avec bonheur. C'est l'histoire d'un jeune rimailleur qui est loin de réussir. Ayant fait un jour la connaissance de Fréron, il décide de se lancer dans la critique. Ce qui lui vaudra la haine de toute la société d'alors, importunée par le parti pris de celui que Voltaire présente brièvement en ces termes : « De Loyola chassé par ses fredaines / Vermisseau né du cul de Desfontaines / Digne en tous sens de son extraction / [...] se nommait Jean Fréron. » Lefranc de Pompignan, chez qui notre jeune poète s'est réfugié, lui donne en guise de secours ses *Cantiques sacrés* (sacrés, parce que personne n'y touche) et son chef-d'œuvre *Zoraïde*. Devant les quolibets qu'il recueille à la lecture de ces textes, notre héros prend la fuite et, dans un café, rencontre Gresset qui lui conseille de composer plutôt des vers moraux. Après divers incidents, il échoue chez l'abbé Trublet, où : « Trois mois entiers ensemble nous pensâmes / lûmes beaucoup et rien n'imaginâmes. » Dégoûté par cette nouvelle expérience, il écrit alors un drame injouable. Après un court passage dans un antre de convulsionnaires, il apprend qu'il hérite la fortune d'un de ses oncles. Dès lors, on l'admire et on le fête jusqu'à épuisement de son argent. Force lui sera donc d'accepter une place de portier et d'écouter avec attention le conseil que lui donne son nouveau maître : « Va dans ta loge et surtout garde-toi / Qu'aucun Fréron n'entre jamais chez moi. » Ce n'était pour Voltaire que prétexte à traiter ses nombreux ennemis de méchante façon et de tirer, en terminant son poème, une moralité assez proche de celle qui ressort de *Candide* (*). À tous ces rimailleurs, beaux esprits, malotrus, il donne sans hésiter la préférence à l'humble femme qui tricote les bas dont il aura besoin, adoptant finalement l'attitude du simple qui n'est pas loin d'être celle du sage.

PAUVRE HENRI (Le) [*Der arme Heinrich*]. Cette œuvre de mille cinq cent vingt vers est une sorte d'« exemplum » du poète allemand Hartmann von Aue (1165 ?-1215 ?). Ce petit récit lignager, dont on ne connaît pas la source, conte l'histoire d'un certain Henri, lequel est, curieusement, comme le seigneur du poète, un seigneur d'Aue. Frappé au faîte de sa gloire mondaine par la lèpre que Dieu lui envoie, Henri doit apprendre la mortification et le renoncement. La fille du fermier qui l'héberge propose de lui donner son sang, seul remède qui saura, au dire d'un médecin de Salerne, le guérir de la lèpre. Henri refuse au dernier moment le sacrifice de la jeune fille. Dieu le guérit. Henri épousera celle qui l'aura ainsi aidé à surmonter son égoïsme. Construite avec une rigueur étonnante, cette œuvre d'une exceptionnelle fraîcheur allie le thème religieux de l'histoire de Job à une présentation très vivante du personnage de la jeune fille.

J.-M. P.

★ Ce poème a inspiré l'écrivain allemand Gerhart Hauptmann (1862-1946) dans *Le Pauvre Henri* [*Der arme Heinrich. Eine deutsche Sage,* 1902], œuvre de transition entre le vérisme et le symbolisme. Cette période de la vie littéraire de Hauptmann avait débuté avec *Elga* en 1896.

PAUVRE LISE (La) [*Bednaja Liza*]. Conte de l'écrivain russe Nikolaï Mikhaïlovitch Karamzine (1766-1826), publié en 1792. Il est considéré, quoique à tort, comme le premier récit de la littérature russe dont le sujet soit tiré directement de la vie du peuple. L'intrigue expose la triste histoire d'amour d'une jeune paysanne et d'un seigneur de petite noblesse qui l'abandonne ; ce qui conduit l'héroïne au suicide. Le récit est construit dans la manière sentimentale propre de l'époque, et n'a plus aujourd'hui, au point de vue littéraire, qu'une valeur historique. Dans les environs de Moscou, près d'un bosquet de bouleaux, en une pauvre chaumière, vit une jeune fille très belle, Lise, avec sa vieille mère. Lise gagne sa vie en brodant, en tissant et en allant vendre à la ville des fleurs sauvages. Elle rencontre un jour Erast, un jeune homme qui s'intéresse vivement à elle. Erast se met d'accord avec la mère de Lise pour acheter tout le travail de la jeune fille : il aura ainsi le moyen de revenir souvent. Lise vient à l'aimer et rompt ses fiançailles avec le fils d'un riche paysan. Mais Erast est bientôt lassé de son amour et l'abandonne. Deux mois plus tard, Lise le rencontre à Moscou : il l'accueille froidement et lui apprend qu'il va se marier ; ayant perdu au jeu son patrimoine, il a besoin de faire un mariage d'argent. Désespérée, Lise va se noyer dans un étang. Ce conte eut un immense succès, car l'idéalisation qui nimbe l'héroïne répondait aux besoins de l'époque, réfléchissant avec un certain retard l'atmosphère à la mode en France avant la Révolution, cette atmosphère dont Mme Deshoulières et Bernardin de Saint-Pierre avaient entouré leurs récits idylliques et tendres. Par ailleurs, la simplicité dans les descriptions de la nature, encore qu'assez maniérées, était une nouveauté pour la Russie, ainsi que le naturel de la narration ; Karamzine fut, dans ce domaine, tributaire du célèbre écrivain anglais Richardson, et s'inspira de la figure de la *Clarisse Harlowe* (*) de cet auteur pour tracer le caractère de son héroïne. — Trad. Paris, 1808.

PAUVRE MATELOT (Le). Complainte en trois actes sur un texte de Jean Cocteau, composée du 26 août au 5 septembre 1926 par le compositeur français Darius Milhaud (1892-1974). *Le Pauvre Matelot* marque l'apogée de la collaboration de Cocteau avec Milhaud, commencée en 1919 avec le célèbre *Bœuf sur le toit* (*). C'est aussi la partition la plus significative de l'esthétique du Groupe des Six, telle que la définissait Cocteau : une simplicité en réaction contre le raffinement debussyste, mais qui procède de ce raffinement en en concentrant les richesses. Simplicité, celle des moyens mis en œuvre : Milhaud fait fi du vocabulaire et des procédés traditionnels du théâtre lyrique, pour cerner son sujet avec l'efficacité et le réalisme de l'art populaire. La complainte est entièrement articulée sur les chants de marins — donc populaires —, qui n'en mettent que mieux en valeur le récit du meurtre. Simplicité, réalisme et efficacité, encore, de l'idée dramatique violente qui atteint chaque spectateur. Elle prend appui sur un fait divers bien connu : le fils de pauvres paysans est parti pour l'Amérique. Riche, il revient au pays sans se faire reconnaître. Les siens l'assassinent pour le voler. C'est également le thème dont s'est servi Camus pour *Le Malentendu* (*). Dans le drame de Cocteau, le pauvre matelot revient chez lui au bout de quinze ans, se fait reconnaître de son ami, qui lui apprend la fidélité de sa femme. Auprès de celle-ci, il se fait passer pour un ami de son mari, resté pauvre, et sur le chemin du retour. Pendant la nuit, la femme tue le riche étranger pour le voler et faire profiter son mari de cet argent. Par l'humanité du sujet et de la musique, *Le Pauvre Matelot* a atteint très vite un vaste public et s'est imposé comme l'une des œuvres les plus populaires de Milhaud. Fidèle à sa méthode de travail, Milhaud a médité son sujet deux ans, puis a écrit l'œuvre en quinze jours. Par la suite, il en fit une version réduite pour treize instruments. Dans sa version originale, *Le Pauvre Matelot* fut créé en 1927 à l'Opéra-Comique de Paris.

PAUVRE MUSICIEN (Le) [*Der arme Spielmann*]. Nouvelle de l'écrivain autrichien Franz Grillparzer (1791-1872), écrite après l'échec théâtral de sa charmante comédie *Malheur à qui ment* (*), mais publiée seulement plus tard dans l'almanach *Iris* en 1848. C'est la seule œuvre narrative importante de l'auteur, son autre nouvelle *Le Monastère de Sendomir* (*) étant de moindre valeur. Tout imprégnée d'une douce musicalité, cette nouvelle est en quelque sorte un adieu mélancolique à la Vienne d'antan. Le caractère du héros, renfermé et incompris, reflète celui de l'auteur. Le jeune fils d'un conseiller à la cour de Vienne est répudié par son père à la suite d'un échec subi à un examen et mis en apprentissage, sans salaire, comme gratte-papier dans un bureau où, au bout de quelques années, on lui refuse un avancement pourtant promis. La seule joie de son enfance, jouer du violon, lui a été gâchée par les railleries de ses frères qu'il ne voit plus. Un soir, attiré par un air que chante une douce voix féminine, il découvre qu'il s'agit de la fille du pâtissier voisin et, désireux de connaître la musique de cette chanson, s'approche de la boutique ; mais si timidement que le pâtissier le prend d'abord pour un voleur. Lorsqu'il se nomme, cette méfiance se mue en une sollicitude empressée. Le jeune homme se remet à son violon, et commence à fréquenter assidûment la boutique du pâtissier ; malheureusement, surpris et dénoncé par un domestique de son père, il est chassé de la maison et contraint d'aller habiter un lointain faubourg. À la mort de son père, qui lui laisse quelque argent, il se prend à espérer une vie nouvelle et envisage d'épouser la fille du pâtissier. Mais il est dépouillé de son héritage par le secrétaire de son père et demeure sans le sou. La jeune fille, peu désireuse de vivre misérablement, cède à la volonté de ses parents et se marie avec un riche boucher. Il ne reste à l'infortuné que d'errer à Vienne en gagnant sa vie comme musicien ambulant. Il meurt enfin victime d'une inondation. Cette nouvelle, typiquement viennoise par ses personnages et son atmosphère, fut qualifiée de chef-d'œuvre par Adalbert Stifter : le personnage du violoniste jouant dans un café de Vienne, gauche et pourtant distingué d'allure, est saisi avec une rare pénétration psychologique. — Trad. sous le titre *Le Pauvre Ménétrier*, Aubin-Montaigne s.d.

PAUVRES GENS (Les) [*Bednye ljudi*]. Roman de Fedor Mikhaïlovitch Dostoïevski (1821-1881), publié en 1846. Ce fut la première œuvre de ce grand écrivain russe et c'est elle qui, rencontrant un accueil enthousiaste de la part du public, fit connaître le nom de Dostoïevski et lui concilia la critique, dans la personne de Belinski, ainsi que quelques-uns de ses confrères, comme le poète Nekrassov et le romancier Grigorovitch. Le sujet est constitué par un échange de lettres entre un petit employé de ministère, Makar Devouchkine, et une jeune fille, Varenka Dobrosselova, qui habite en face du réduit dans lequel Makar passe sa vie à recopier des documents qui lui sont apportés du bureau. C'est à travers cette correspondance que le lecteur prend connaissance de la vie, tant passée que présente, des deux personnages, vie formée de mille petits faits insignifiants mais racontés avec simplicité et spontanéité. Cette correspondance révèle en même temps la différence qui existe entre les deux protagonistes : une plus grande intelligence, une éducation plus poussée chez la femme, mais un plus grand altruisme chez l'homme ; encore même trouverait-il une satisfaction assez égoïste à procurer à celle qu'il aime un peu de joie. Le sentiment qui les rapproche n'est pas étranger, chez l'un comme chez l'autre, à leur misérable condition ; toutefois, si pour Devouchkine cette correspondance est un bonheur en soi, dont il ne peut concevoir la perte, pour Varenka l'amitié du petit employé est un soutien dans sa vie difficile, mais n'en a jamais été le but. Or, voici que l'homme qui est responsable en quelque sorte de la position matérielle difficile de Varenka commence à s'intéresser à celle-ci et lui propose même le mariage. Il n'est ni jeune ni de conduite irréprochable, mais il est riche : Varenka accepte donc ; de plus, elle pense qu'il lui sera dès lors possible d'aider son vieil ami, sans se rendre compte que ce mariage n'apportera à ce dernier que désespoir. Le livre se termine sur le départ de Varenka ; la dernière lettre prend fin sur une sorte de gémissement : « Ma fille, ma fille. » La critique releva quelques analogies entre cette œuvre et *Le Manteau* (*) de Gogol, mais il semble bien que ces ressemblances ne soient qu'apparentes, puisque le réalisme de Dostoïevski n'est pas surchargé par les éléments grotesques qui abondent chez Gogol. — Trad. in Dostoïevski, *Les Démons*, Bibliothèque de la Pléiade, 1955.

PAUVRE SOUS L'ESCALIER (Le). Œuvre théâtrale de l'écrivain français Henri Ghéon (pseud. de Henri Vangeon, 1875-1944), représentée en 1920. Le sujet est emprunté à *La Légende dorée* (*) : c'est l'histoire de saint Alexis, jeune Romain qui, le soir de ses noces, poussé par une irrésistible vocation de pauvreté, a quitté sa maison et sa femme pour aller mendier à travers le monde. Mais l'auteur a transposé cette histoire populaire ; il a créé des caractères et tout un décor vivant, fort loin de l'imagerie de Saint-Sulpice, et a fait une grande place aux éléments comiques : querelles de ménage, caquetages de concierges, disputes d'amoureux rivaux, etc. Après des années d'absence, Alexis revient donc dans sa maison. Personne ne le reconnaît, même pas son épouse, Émilie, que cette arrivée trouble sans qu'elle comprenne pourquoi, qui pressent mais ne devine point. Le cœur d'Alexis a bondi de joie lorsqu'on lui a dit qu'Émilie était fidèle et portait toujours le deuil de son mari. Mais tout à coup l'attitude de la jeune femme, enfermée dans sa peine depuis des années, change : l'arrivée du Pauvre lui a donné une joie, une sérénité étranges. Elle se reprend à regarder le monde, à se faire moins farouche avec ses soupirants, à aimer, ou à croire aimer l'un d'eux. C'est au Pauvre qu'elle va demander conseil sur son prochain mariage : Alexis, qui ne veut point révéler qui il est ni contraindre sa femme, lui répond qu'elle est entièrement libre. Cependant Émilie hésite : son ancien amour pour Alexis n'est pas éteint et ne laisse pas de la gêner. Elle est pourtant mise en demeure par sa mère, mondaine fervente et qui trouve que la tristesse a duré suffisamment, de choisir immédiatement l'un de ses prétendants et de l'agréer pour époux. Apaisée par l'entretien avec le Pauvre, la jeune femme refuse et demeure fidèle à Alexis. Avant de mourir, le Pauvre lui demande si elle ne regrette pas le mari qui l'a quittée. Émilie ne regrette rien, elle répond qu'elle n'a jamais quitté Alexis, que jamais son cœur n'a été plus proche du sien : « On dirait que je l'ai porté, comme une mère porte en soi son enfant, et qu'il n'a cessé de grandir en moi, de prospérer, d'embellir, en un mot de vivre. Peut-être n'était-il rien de plus tout d'abord qu'une graine au sillon cachée ; le temps en a fait une fleur. » Le Pauvre préfère alors mourir sans dévoiler son identité à sa femme : que pourrait-il désirer de meilleur en se faisant reconnaître ? « Il est tellement plus beau, quand deux âmes qui s'aiment ou ont appris à se mieux aimer dans l'absence, qu'elles ne se retrouvent, ne se reconnaissent qu'en Dieu. » Cette pièce est donc finalement dédiée à la perpétuité du mariage chrétien. Mais Henri Ghéon sait être fidèle à la théologie sans tomber dans le prêche : son œuvre est saine, vigoureuse, pleine de bon sens et de rire populaire, et le surnaturel s'y exprime parfaitement dans la tendresse infinie de la nature.

PAUVRETÉ [*Armoede*]. Roman de l'écrivain hollandais Ina Boudier-Bakker (1875-1966), publié en 1909. Ce roman, qui est une fresque de la vie néerlandaise, décrit minutieusement les membres d'une famille patricienne d'Amsterdam, à la fin du siècle dernier. Ce que nous montre Ina Boudier-Bakker, ce sont les rites, le protocole, les habitudes de ces êtres ternes, la nécessité pour eux de se réunir autour d'une table, d'y passer de longues heures en buvant le thé, leur orgueil et aussi leur insuffisance. Les uns souffrent dans leur amour, les autres dans leur vanité, dans leurs ambitions déçues, dans celles qu'ils ont pour leurs enfants. La technique de ce roman rappelle celle des écrivains de l'époque victorienne. Alors que les personnages masculins nous sont surtout montrés de l'extérieur, la femme est l'objet d'une profonde sympathie, faite surtout de pitié, et si l'amour charnel existe pour elle, jamais on ne s'en aperçoit directement tant il est évoqué avec discrétion. Néanmoins, ce beau roman est assez réaliste pour faire surgir de l'atmosphère étouffante d'un salon des personnages aux traits précis, dont les conflits sont analysés avec infiniment de délicatesse.

PAUVRE TYPE (Un) [*Poor Fool*]. Roman de l'écrivain américain Erskine Caldwell (1903-1987), publié en 1930. Le premier roman de Caldwell, *Le Bâtard* [*The Bastard*, 1929], était un recueil de violences quelque peu gratuites. *Un pauvre type,* sa seconde œuvre romanesque, également placée sous le signe de l'horreur, est beaucoup plus intéressante et originale. Le « pauvre type » est un boxeur, Blondy Niles, qui, après avoir été trahi et drogué avant un match par son manager, a vu sa carrière brisée. Un soir où il a été assommé par le tenancier d'un établissement de nuit, Blondy est recueilli par une prostituée, Louise. Peu après, un manager marron, Salty, l'embauche pour des matchs truqués. Mais, tandis qu'il participe à une orgie avec Salty et son futur adversaire, « Knockout Harris », Louise est sauvagement assassinée. Quelque temps après, Blondy est entraîné par une fille dans la sinistre maison de Mrs. Boxx. Cette terrible matrone dirige, dans des conditions hallucinantes, une véritable usine clandestine d'avortement, où les patientes meurent comme des mouches, et a, entre autres, l'étrange coutume d'émasculer ses amants à coups de ciseaux. Fasciné par le monstre, Blondy en devient l'esclave. Sur le point d'être mutilé, il est sauvé par l'intervention d'une fille de Mrs. Boxx, Dorothy, qui parvient à le faire fuir. Cependant, Blondy apprend que ce sont les hommes de Salty qui ont assassiné Louise et il décide d'exécuter l'escroc. Mais, avant qu'il n'ait pu réaliser son projet, il est abattu à la mitraillette par les tueurs du manager. Son corps est jeté dans une rivière et Dorothy se suicide en se précipitant à sa suite dans l'eau. Traité de façon réaliste, l'ouvrage n'est en fait qu'un long cauchemar dans lequel s'expriment les obsessions de l'auteur. « J'ai voulu, a déclaré Caldwell, appliquer à un sujet imaginé de toutes pièces les procédés d'écriture réaliste. Quand je travaillais au *Bâtard,* je prenais soin de ne jamais m'écarter, sinon du réel, du moins du possible. Je recherchais avant tout un réalisme vraisemblable. *Un pauvre type,* au contraire, appartient à la littérature de rêve. C'est quelque chose comme ces visions diaboliques que peut procurer l'opium, avec cette différence que je n'ai jamais employé d'opium. J'ai simplement lâché la bride à mon imagination qui n'a plus connu ni barrière ni contrainte. Néanmoins, je me suis toujours efforcé que mon histoire rendît un son vrai, et je crois que, si elle présente quelque intérêt, c'est en vertu du contraste que forme avec la folie du sujet un style froid et concis, parfaitement raisonnable dans sa stricte objectivité. » — Trad. et préface de M.-E. Coindreau, Gallimard, 1945.

PAVANE POUR UNE INFANTE DÉFUNTE. Pièce pour piano du compositeur français Maurice Ravel (1875-1937), composée en 1899, puis orchestrée par l'auteur, et devenue populaire surtout sous cette forme. C'est une page brève, maintenue sur un rythme constant, en forme très simple de scherzo lent à deux trios et sans développements. L'auteur lui-même en dénonça, quelques années plus tard, la pauvreté de la forme et l'influence de Chabrier, par « trop flagrante », qui s'y manifestait. En réalité, cette influence se résout en une élégance de ton qui n'appartient qu'à Ravel et qui est différente de l'empreinte sentimentale de Massenet par l'approfondissement de l'harmonie que l'auteur s'est efforcé d'obtenir, à la faveur de certaines dissonances. Quant à la pauvreté de la forme, sa simplicité constitue un progrès certain sur l'écriture de Ravel à ses débuts (*Menuet antique*, 1895), et une occasion de laisser émerger les valeurs dépouillées d'un langage simple et franchement mélodique, mais sévère et soutenu. La transcription orchestrale qu'en fit l'auteur pour cordes, deux flûtes, un hautbois, deux clarinettes, deux bassons, deux cors, harpe et cor anglais, précise les harmonies latentes et, malgré ses apparences discrètes, fixe fort heureusement les couleurs de la composition initiale pour piano.

PAVILLON AUX PIVOINES (Le) (*Mou-tan-t'ing – Mudanting*). Drame poétique de l'écrivain chinois T'ang Sien-tsou (1550-1616), qui se divise en cinquante-cinq actes. Une jeune fille de seize ans, Tou Li-niang, dont le père est préfet de la ville de Nan-an, et qui descend du grand poète Tou Fou, voit en rêve un jeune lettré dans le Pavillon des pivoines au fond de son jardin ; il lui sourit et lui fait présent d'un rameau de saule pleureur. Une fois éveillée, Tou Li-niang s'éprend du jeune homme si violemment qu'elle en tombe malade. Avant de mourir, elle fait faire son portrait et demande à être enterrée dans ledit pavillon. Par ailleurs, un jeune homme du nom de Lio, car il compte parmi ses ancêtres le grand lettré Lio Tsong-yuan, a vu en songe (« meng ») une jeune fille qui lui a promis d'être son épouse alors qu'il sommeillait sous un prunier (l'arbre « mei »). Ayant entrepris de gagner la ville impériale à l'occasion d'un concours, Lio Meng-mei s'arrête dans la maison du préfet de Nan-an, qui a été transformée en monastère. Dormant dans la chambre de Tou Li-niang, il voit en rêve celle-ci sortir de son autoportrait, et lui demander d'aller rouvrir sa tombe. Lio Meng-mei obéit, de telle sorte que Tou Li-niang revient à la vie et épouse Lio Meng-mei. Après le mariage, Lio Meng-mei participe au concours impérial et se présente à son beau-père, le préfet. Accusé de magie, il est soumis à la torture. C'est alors qu'un décret impérial annonce que Lio Meng-mei a été classé premier au concours. Son beau-père le délivre et le reconduit en grande pompe auprès de Tou Li-niang.

T'ang Sien-tsou appartient à l'école méridionale du théâtre chinois, dont le principal mérite est d'avoir aussi des analyses de sentiments fort subtiles ; cette école connut un plein développement sous la dynastie Ming, et son meilleur représentant est, sans contredit, T'ang Sien-tsou. Les œuvres de ce dernier lui suscitèrent des émules dans l'école septentrionale mongole ; ils se distinguèrent cependant de leur modèle en ce qu'ils accordèrent une plus grande place au lyrisme. *Le Pavillon des pivoines* reste un des plus beaux drames chinois qui soient parvenus à notre connaissance, tant par la beauté du rythme que par la délicatesse du sujet et de l'expression.

PAVILLON DE L'OUEST (Le) [*Si-siang-tsi – Xixiangji*]. Opéra en cinq actes du dramaturge chinois Wang Che-fou (XIIIe siècle). C'est l'une des plus célèbres pièces en genre « tsa-tsiu » des Yuan (1279-1368), mais il n'en reste aucune édition complète qui soit antérieure à la fin du XVe siècle. L'intrigue suit très fidèlement celle de la *Ballade du pavillon de l'Ouest* (*) de maître Tong (actif vers 1200), que la pièce de Wang Che-fou cite parfois littéralement (en ce qui concerne les parties versifiées). L'histoire, qui est l'une des plus célèbres histoires d'amour chinoises, est issue d'une tradition orale dont l'origine est une courte nouvelle des Tang (618-907) : la *Biographie de Ying-ying* (*), composée par Yuan Tchen (779-831). C'est donc celle de la jeune Ts'ouei Ying-ying, qui s'est arrêtée, en compagnie de sa mère et de son frère, au monastère P'ou-tsio-se. Son père, ministre impérial, est mort peu de temps auparavant, et sa dépouille se trouve elle aussi au monastère. Un jeune lettré du nom de Tchang Kong y arrive à son tour, et, apercevant Ying-ying, en tombe amoureux. Mais un bandit et sa troupe de rebelles encerclent P'ou-tsio-se et menacent de détruire tous ses habitants si la jeune fille ne leur est pas livrée. La veuve et mère, Mme Ts'ouei, promet la main de sa fille à qui les délivrera ; Tchang Kong fait alors prévenir un sien ami général qui vient les sauver. Mais Mme Ts'ouei se montre hypocrite et parjure en refusant de donner sa fille au lettré, qui dès lors se met à dépérir d'amour. Les deux jeunes gens cependant, grâce aux bons soins de la servante de Ying-ying (nommée Hong-niang), parviennent à se rencontrer en secret. La jeune fille se montre tout d'abord farouche, mais devient bientôt l'amante de Tchang Kong. Lorsque la mère apprend de quoi il retourne, elle promet de consentir à leur union à condition que le lettré se rende à la capitale et soit reçu à l'examen impérial. Une fois Tchang éloigné survient un cousin de Ying-ying, arguant de son droit à l'épouser. Il forge une fausse lettre de rupture, prétendument envoyée par Tchang, mais ce dernier revient heureusement à temps pour détromper tout le monde et qui plus est couronné docteur et préfet. Le cousin meurt et la mère cette fois ne met plus d'obstacle au mariage. La version originelle de l'histoire ne se terminait pas si bien, puisque le jeune lettré abandonnait son amante passionnée et fidèle ; mais la ballade comme l'opéra ont voulu cette fin plus morale et « sociale ». Pourtant il s'est trouvé, pendant des siècles et jusqu'à aujourd'hui, assez d'érudits pour considérer que cette union était trop sulfureuse pour être récompensée d'une telle légitimation. Ce sont souvent les mêmes érudits qui ont contesté que le cinquième acte – succédant au départ de Tchang Kong pour la capitale – ait été écrit par Wang Che-fou. Son contemporain Kouan Han-ts'ing (v. 1230 -v. 1307) aurait parachevé l'œuvre par cette réunion finale et heureuse [t'ouan-yuan] qui est une convention du genre dramatique chinois.

Quoi qu'il en soit, c'est à la pièce de Wang Che-fou que l'histoire de Ying-ying doit son immense popularité. *Le Pavillon de l'Ouest* a connu plus d'une centaine d'éditions et plus de vingt « suites » et autres nouvelles versions. Elle a été adaptée dans presque tous les genres régionaux d'opéra ou de ballade, et reste célèbre comme l'un des plus grands chefs-d'œuvre littéraires en Chine. – Trad. anglaise *The Moon and the Zither, the Story of the Western Wing*, University of California Press, 1991. Trad. française *Si-siang-ki, ou l'Histoire du pavillon d'occident* (trad. des 4 premiers actes), H. Georg, 1872-80 ; (partielle et adaptée) *L'Amoureuse Oriole, jeune fille*, Flammarion, 1928.

PAVILLON DES CANCÉREUX (Le) [*Rakovyj korpus*]. Roman de l'écrivain russe Alexandre Soljenitsyne (né en 1918), publié à Paris en 1968. *Le Pavillon des cancéreux*, conçu en 1955, rédigé dix ans plus tard, objet d'une bataille entre le pouvoir soviétique et l'écrivain, est l'œuvre la plus accessible de Soljenitsyne, parce que c'est aussi celle où il est le plus fidèle à la grande tradition du réalisme russe du XIXe siècle. L'homme face à la mort a déjà fait l'objet de récits classiques de Tolstoï – *La Mort d'Ivan Ilitch* (*) – ou de Tchekhov – *L'Homme dans l'étui, La Salle 6* (*). Soljenitsyne situe ce combat de l'homme face à la pensée de sa mort dans une salle d'hôpital, à Tachkent, la ville où lui-même fut soigné pour un cancer en 1955. La salle où il nous fait vivre l'angoisse par l'intérieur de chacun des sept personnages qui y sont enfermés, et nous fait voir chacun par les yeux de tous les autres dans un étonnant duel multiplié de regards, est un échantillonnage de la société russe au moment dit du « dégel », c'est-à-dire juste après la mort de Staline.

Il y a l'ancien détenu Oleg, cabochard et toujours sur le qui-vive, il y a le kagébiste Roussanov, un Kazakh, un Ouzbek, qui souffre en silence, un camionneur russe qui a roulé sa bosse à travers toute l'Union, tantôt exerçant son métier, tantôt garde-chiourme, enjôlant les filles et les plaquant à chaque étape. Lui, le hâbleur, le conteur fleurette, est maintenant frappé par où il a essentiellement péché, il a un cancer à la langue. Le monde des médecins est lui aussi montré avec une grande précision, c'est un monde gangrené comme le reste de la société soviétique, où règne la peur, où les planqués, les tricheurs exploitent les êtres intègres qui se dévouent pour les malades ; il y a aussi les personnes déplacées, toute une population de malheureux que le pouvoir a transplantés au petit bonheur, comme l'émouvante femme de charge allemande.

Cependant l'auteur a su donner par le moyen de l'épreuve à laquelle il soumet ses personnages des aspects tragiques, et même parfois shakespeariens, au problème du mal qui ronge cette société : tel est le chapitre du cauchemar de Roussanov, le kagébiste bien installé dans ses privilèges, dans sa surveillance policière du monde, mais qui, sous l'effet de la menace de la mort, se rappelle un suicide de jeune fille qu'il avait provoqué dans la famille d'une de ses victimes. « Il rampait, il rampait dans un conduit de béton armé, ou plutôt un tunnel : à droite, à gauche jaillissaient des tiges de fer nues, qui l'une ou l'autre l'accrochaient, au cou, bien sûr, et à droite, du côté de son mal. » Laminé par le remords, il obéit dans son cauchemar à « une voix sans voix » qui est l'embryon de la conscience et retrouve la jeune suicidée (qui s'est suicidée par noyade). Il lui demande à boire, et elle lui désigne un ange, puis comprend : « C'était l'eau de sa mort à elle, et elle voulait qu'il la bût aussi. Mais puisqu'elle voulait sa mort, peut-être était-il encore vivant ? »

La deuxième partie du roman introduit de nouveaux personnages, un affairiste, qui a des tas de trucs pour guérir, un ancien généticien qui a échappé aux persécutions de Lyssenko en se faisant garçon de bibliothèque et en enfournant les livres interdits dans le feu. Ce personnage devient l'initiateur d'Oleg, c'est lui qui lui révèle ce que sont « les idoles de la caverne, du théâtre et du commerce » qui gouvernent le monde selon le chancelier Francis Bacon qui, au XVIe siècle, paya son audace intellectuelle de sa mort. Le vieillard décrit sa proche déchéance, le reniement par ses enfants, « qu'il a dû rêver », avec un rire étrange qui évoque pour Oleg le meunier fou de *La Roussalka* (*) de Pouchkine. Comme *Le Premier Cercle* (*), *Le Pavillon des cancéreux* est une sorte de propédeutique, d'initiation du révolté naïf à la culture européenne depuis les stoïciens et les empiristes anglais jusqu'à la pensée anarchiste de Bakounine. En un âge de violence forcenée et idéologique, Oleg reçoit une leçon de relativisme et de lucidité politique et sociale. Citant un vers de Pouchkine, Chouloubine dit à Oleg que l'homme n'a que trois choix : « tyran, traître ou reclus ». Lui-même a été traître, Oleg a été reclus, mais c'est le traître qui instruit le captif avant de mourir...

Il y a des mièvreries dans *Le Pavillon des*

cancéreux, en particulier lorsque l'auteur aborde le thème de l'éros renaissant chez l'ancien zek longtemps privé de présence féminine, et chez le malade cancéreux condamné à l'impuissance par le traitement aux rayons. Il y a aussi des moments de sentimentalisme, comme la visite que, après son départ de l'hôpital, Oleg rend au zoo de la ville. Le macaque rhésus est absent de sa cage, un visiteur méchant l'a aveuglé en lui jetant du tabac... L'écriteau naïf qui conte cette histoire rend Oleg songeur : d'où vient le règne de la méchanceté pure dans l'histoire humaine ? Mais, comme dans toute l'œuvre de Soljenitsyne, c'est quand même la glorification de l'être qui l'emporte, elle l'emporte dans la vision du pêcher en fleur dans un recoin de la vieille ville de Tachkent qui étonne Oleg par ses maisons discrètes, qui n'ouvrent que sur l'intérieur, elle l'emporte dans le délire du vieillard Chouloubine qui meurt en apercevant des « reflets d'éternel ».

Si le roman moderne se définit par le refus de l'illusion romanesque, alors Soljenitsyne est un romancier passéiste, mais si la force des images, l'invasion du réel par les grandes forces du remords et de la révolte peuvent être considérées comme des données intemporelles du roman, alors ce long récit de Soljenitsyne est non seulement un puissant apologue sur l'homme et la mort, l'homme et le mal, mais aussi un poème à l'énergie de vivre, un hymne à l'homme en tant que rescapé de la mort et de l'échec. Le temps, l'amour et la mort qui y sont à l'œuvre transfigurent l'humble salle d'hôpital de Tachkent, dont le plan même des lits reste présent dans les yeux du lecteur après qu'il a refermé le livre, en un symbole de la résistance humaine à Thanatos. Comme l'a dit Lydia Tchoukovskaïa, il s'agit moins d'un récit historique que d'une fable philosophique sur « ce qui fait vivre les hommes ». — Trad. Julliard, 1968 ; Fayard, 1982. G. N.

PAVILLON D'OR (Le) [*Kinkakuji*]. Roman de l'écrivain japonais Yukio Mishima (1925-1970), publié en 1956. Le 1er juillet 1950, un moine novice de vingt et un ans, étudiant de chinois, incendia le Pavillon d'or, l'un des temples les plus célèbres de Kyôto. Contestataire et indiscipliné, il mettait en doute le savoir de ses maîtres et c'est ainsi qu'il exprima sa révolte. Il prétendit avoir accompli son acte criminel par « haine de la beauté ». Il l'avait préparé très minutieusement. Tel est le point de départ du roman, ainsi défini par son auteur : « Mon *Pavillon d'or* est une étude approfondie des mobiles d'un crime. Une conception superficielle et baroque de quelque chose comme, par exemple, la beauté peut suffire à provoquer l'acte criminel d'incendier un trésor national. Si l'on se place d'un autre point de vue, il suffit, pour échapper à sa condition présente, de croire à cette idée folle et superficielle, et de l'hypertrophier jusqu'à en faire une fondamentale raison d'être. » Son héros, qui est aussi le narrateur, est un bègue nommé Mizoguchi : son infirmité, dit-il, « dresse un obstacle entre moi et le monde extérieur. C'est le premier son qui a du mal à sortir ; il est en quelque sorte la clé de la porte qui sépare mon univers intérieur du monde extérieur ; mais jamais il ne m'est arrivé de sentir tourner cette clé sans effort ». En butte à toutes sortes d'humiliations, il est amoureux d'une jeune voisine, Uiko, qui ne l'aime pas et qui meurt sous ses yeux, tuée par un déserteur qui a été son amant et qu'elle trahit. Il découvre alors, à travers la beauté même du visage d'Uiko, la félonie : le crime inhérent à la beauté des apparences. « Je suis toujours persuadé que mon visage à moi, l'univers le rejette ; celui d'Uiko, lui, rejetait l'univers. » L'expérience négative de la beauté, Mizoguchi va la connaître sous une autre forme dans le Pavillon d'or, où son père, moine, le conduit, avant de mourir. « La beauté était donc quelque chose qui pouvait être touché du doigt, clairement reflété par l'œil. Qu'au sein même de cet univers aux multiples métamorphoses l'inaltérable Pavillon d'or dût continuer d'exister tout tranquillement, de cela j'étais sûr, absolument sûr. » Alors qu'il est accueilli dans l'enceinte du temple dont il devient un pensionnaire, le narrateur espère que la beauté arrogante du temple auquel il s'adresse comme à un être humain dont la perfection le nargue sera détruite. On est en pleine guerre. « Cela devient mon rêve secret que la cité entière fût la proie des flammes [...] je me disais que Kyôto, trop longtemps oublieuse des incendies de la guerre et de leurs alarmes, avait, du même coup, perdu une partie de sa beauté. » Dans le temple il assiste et parfois participe à d'étranges scènes sexuelles : des visiteurs s'y dissimulent et sont conscients de son regard. Mais c'est pour Mizoguchi une façon de se séparer davantage du monde qui l'exclut. Entrant à l'université, il se lie à un curieux personnage, Kashiwagi, qui lui assène de longs discours cyniques sur la nécessité d'être hypocrite et de considérer la vie comme un simple jeu cruel. « Kashiwagi m'avait, le premier, enseigné la voie détournée et ténébreuse par où prendre la vie à revers. À première vue, cela paraissait mener droit à la destruction ; en réalité, cela foisonnait d'inattendus stratagèmes, métamorphosait la couardise en courage : c'était une sorte d'alchimie par laquelle ce que nous appelons vice se retrouvait ce qu'originellement il est : de l'énergie à l'état pur. » Prenant en haine le prieur qu'il suit dans ses déplacements secrets, Mizoguchi sent son obsession grandir et prépare soigneusement son crime : en détruisant le Pavillon d'or il croit anéantir ce qui l'empêche de vivre. La fréquentation des lieux de plaisir n'est parvenue qu'à lui faire ressentir plus profondément son exclusion du monde. Au moment de l'incendie, il médite longuement sur le lien intrinsèque de la beauté et du néant, découvrant, au crépuscule, entre le jour et la nuit, que « la beauté était structurée de néant [...] la délicate architecture, faite des bois du plus fin grain, tremblait par une sorte de pressentiment du néant, comme tremble au vent une guirlande de fête ». Le sujet même du *Pavillon d'or* fait de ce roman une œuvre à part : la réflexion sur le zen enrichit considérablement la thématique d'un auteur habituellement plus baroque, et le caractère singulièrement intérieur et contemplatif de la narration donne au livre une tonalité abstraite, métaphorique, que l'on ne retrouvera dans aucun de ses ouvrages suivants. — Trad. Gallimard, 1961. R. de C. et R. N.

PAVILLON OÙ L'ON HONORE LA LUNE (Le) [*Pai-yue-t'ing — Baiyueting*]. Drame de l'écrivain chinois Che Houei de l'époque des Yuan (1297-1368), inspiré par la pièce de Kouan Han-ts'ing (v. 1230-v. 1300) qui porte le même titre. Il ne reste aucune édition antérieure aux environs de 1600, et il semble que le texte original ait été remanié, notamment dans sa dernière partie. L'histoire se passe au temps de l'invasion mongole en Mandchourie. Le jeune Chen Fou, fils du ministre de l'État mandchou, est contraint de prendre la fuite en direction du sud. Un jour, poursuivi par des ennemis, il escalade un mur et pénètre dans la maison du lettré Tchang Che-long, qui écoute le récit de ses malheurs et consent à l'accueillir pour quelque temps. Puis il le congédie. Chen Fou erre à travers différents pays ; il est capturé par des brigands qui l'obligent à prendre la tête de leur bande. Au même moment, Wang, ministre d'État, se rend aux frontières pour faire construire des fortifications ; mais les Mongols ne se tiennent pas pour battus et envahissent la Chine par un autre côté. Au cours de l'invasion, le lettré Tchang Che-long et sa sœur Chouei Lien abandonnent la ville impériale et cherchent un refuge dans le Sud ; cependant que la femme du ministre Wang s'enfuit avec sa fille Jouei Lan. La confusion et la panique générale sont causes que le lettré Tchang Che-long est séparé de sa sœur, et que la femme du ministre ne parvient plus à retrouver sa fille. Par fortune, la sœur du lettré et la femme du ministre se rencontrent et sont si enchantées l'une de l'autre qu'elles ne se séparent plus, la jeune fille considérant sa protectrice comme sa mère. De son côté, le lettré rencontre la fille du ministre et l'épouse. Par la suite, le ministre se refuse à reconnaître le mariage de sa fille, et Tchang Che-long, malade et abandonné dans une auberge, est sauvé par Chen Fou. Ensemble, ils s'en reviennent alors dans la capitale et participent au concours impérial où ils sont vainqueurs. Après quoi, ils se mettent à la recherche de la famille Wang : Tchang Che-long arrive à faire reconnaître son mariage avec Jouei Lan, la fille du ministre, tandis que Chen Fou célèbre ses noces avec Chouei Lien, la sœur du lettré. L'œuvre se rattache au théâtre chinois de la seconde période. Alors que la première période, représentée par l'école septentrionale de la dynastie Yuan (1280-1368), limite à quatre les actes du drame, et s'attache tout particulièrement à la partie lyrique, au détriment de l'action, la seconde période par contre, qui commence avec la dynastie Ming (1368-1643), représentée par l'école méridionale [nan-si], ne limite pas le nombre des actes et introduit dans le cours de l'action une description minutieuse et raffinée des sentiments. Or Che Houei est compté parmi les quatre écrivains en renom qui aidèrent à l'instauration de cette nouvelle école.

PAVOT ET MÉMOIRE [*Mohn und Gedächtnis*]. Recueil de poèmes du poète français d'expression allemande Paul Celan (1920-1970), publié en 1952. *Pavot et Mémoire* est le premier des neuf recueils dont se compose l'œuvre poétique de Celan. Auparavant, en 1948, avait paru à Vienne, où le poète a séjourné quelques mois avant de rejoindre Paris, un autre recueil, *Le Sable des urnes* [*Der Sand aus den Urnen*]. Ce petit livre a été retiré de la circulation ; Celan en a retenu en 1952 la seconde partie seulement qui, passée dans le recueil, perd son titre de *Pavot et Mémoire,* remplacé par *Le Sable des urnes,* le titre du livre retiré. La publication était défigurée par des coquilles ; mais ce n'était peut-être pas la raison première. Ont été retranchés tous les poèmes datant de Bucovine ou des camps de travail de Moldavie, d'avant l'époque où le poète s'était installé pour un temps à Bucarest, après la guerre. Les poèmes d'avant 1945 sont accessibles maintenant *(Das Frühwerk) ;* ils remontent pour certains jusqu'à ses études en France, quand il avait dix-huit ans (1938-39), et permettent de prendre la mesure de l'élaboration d'une contre-langue au sein de la langue de ses modèles poétiques, comme Rilke, qu'il a commencé par imiter avec d'autres, avant d'en transformer la matière en profondeur. Le choix du recueil de 1952 traduit une nouvelle exigence. La coupure est marquée. Celan s'était lui-même fixé ses propres débuts. Il a écrit à Bucarest en 1945 « Fugue de mort » [Todesfuge], le chant dont les accents insistants et entraînants ont le plus contribué à lui valoir une première célébrité en Allemagne, dans les années 50. Encore faut-il ne pas s'en tenir à la complainte, ni lire seulement la protestation désespérée d'une victime élevant sa voix devant l'immensité du malheur ou du crime. C'est aussi un manifeste, comme le sont les autres poèmes, dans lequel le poète a su faire dire à la mélodie qu'il emprunte, allemande et juive, qu'il avait réussi à pénétrer dans la langue des bourreaux nazis pour venger les morts, dans la plus âpre des luttes. La langue poétique que lui avait fait connaître sa mère, tuée en 1942 par les Allemands, était elle-même criminelle, complice, dans sa beauté, des exterminations.

Les débuts en poésie, dans la première migration d'Est en Ouest, dans les livres puis dans les lieux, de Bucarest à Vienne (cycle I), s'appuient sur ce rejet interne à la langue. Une tradition immense est maîtrisée, reprise pour être dénoncée, retournée dans un dépassement radical. Ce travail de réfection s'affine dans la progression sur les voies de l'exil de Vienne à Paris (1948), que traduisent le cycle III, « Contre-jour », et le cycle IV, « Les Chaumes de la nuit » (le poème « Fugue de la mort » occupe à lui seul la section II). Un autre jour vient à briller de l'autre côté, dans la nuit, au-delà de la séparation. La langue des poèmes s'abstrait : elle s'extrait d'une autre, trempant les « chaumes » (les *calami*) dans l'encre de la nuit. Le poète, la personne qu'il est, avec son expérience des persécutions, dans le finale du recueil (« Compte les amandes » — ce sont les victimes juives), s'adresse à son autre, à l'autre de lui-même, le « tu » qui écrit ; il voudrait que l'autre le fasse entrer lui-même, le « je », qui n'écrit pas, dans le « nom », dans la réfection du mot, devenu vrai dans le nom, à l'écoute de la mort. L'association entre le poète et sa langue, entre le « tu » et ses « noms », est scellée par une descente dans les profondeurs de la mort. Le poème « Sur la haute mer » formule une profession de foi liée à son nouveau lieu de séjour — il y restera jusqu'à sa mort —, un « à nous deux » lancé au Paris de la poésie ; un défi, et c'est un serment prêté devant le « petit navire » de Lutèce dans son verre, qui a jeté l'ancre devant lui. On boira jusqu'à ce terme, où le cœur, le sien, l'endeuillé, se sera pour l'autre, qui écrit, enrobé de ténèbres, et où Paris se sera mis à nager (ce sont les poèmes) « sur sa larme ». À ce moment, la poésie des ancêtres, les symbolistes, aura appris le désespoir des camps de la mort. — Trad. Bourgois, 1987.

J. Bo.

PAYSAGES AVEC FIGURES ABSENTES. Recueil de proses de l'écrivain suisse d'expression française Philippe Jaccottet (né en 1925), publié en 1970, augmenté en 1976. Ce livre s'inscrit dans une continuité du travail de la prose, commencé en 1957 avec *La Promenade sous les arbres* (+), poursuivi avec *Éléments d'un songe* (*) et *L'Obscurité* (*) en 1961, puis avec *À travers un verger* (1975), *Les Cormorans* (1980), et *Beauregard* (1981). *Cahier de verdure* (1990) mêle proses et poèmes tandis que *Libretto* (1990) rassemble des proses consacrées à l'Italie.

Ces textes sont divers : méditations à partir d'œuvres et d'expériences poétiques (Góngora, Dante, le haïku, Hölderlin, Rilke), évocations d'œuvres d'art inspirantes (Cerveteri, la Villa des Mystères, Rembrandt, Le Lorrain), mais surtout tentatives de description de la beauté du monde dans des lieux. Qu'est-ce qu'un lieu ? Voilà une des grandes questions posées dans ce livre. Un lieu, on le rencontre sans le chercher, sans le vouloir, en passant (et c'est aussi comme dans une sorte de sommeil qu'il vaut mieux essayer de le décrire, pour rejoindre ainsi le « travail de la terre endormie »). « Il semble qu'il faudrait dormir pour que les mots vinssent tout seuls. Il faudrait qu'ils fussent venus déjà, avant même d'y avoir songé. » Nul acharnement donc, nulle chasse anxieuse. Dans un lieu, « on cesse enfin d'être désorienté, la communication et l'équilibre se font de nouveau entre la gauche et la droite, la périphérie et le centre, le haut et le bas ». Comme dans une sorte d'église naturelle, c'est l'harmonie qui est approchée, ou du moins des « fragments, des débris d'harmonie ». C'est le centre qui est trouvé, centre du monde, centre du moi. La mort cesse presque de peser, dans l'« immobile foyer de tout mouvement ». On perçoit enfin l'« accord des éléments ».

L'expérience essentielle de Hölderlin, c'est la rencontre du plus haut « dans le monde, ou à travers le monde ». Sortant d'une espèce d'exil, le poète retrouve sa patrie, qui est le monde réel. Jaccottet ne partage donc pas la révolte de Rimbaud contre l'« ici ». L'« ici », le « maintenant », l'« immédiat », c'est la vie, perpétuelle, ressuscitée.

« Un certain ordre de la lumière » est reçu, une « ordonnance » est rétablie, qui apporte à l'être entier le bonheur de l'accord. S'ouvrir à la « lumière qui paraît infinie, distribuée selon l'aérienne convenance », tel est le plus haut devoir du poète — et de tout homme. Certes, la lumière peut, elle aussi, être mensonge : n'est-elle pas seulement peinte sur l'horreur, ne répond-elle pas trop bien à notre naïf espoir ? Il reste que « n'importe quelle lueur au mur d'une prison est un bienfait ». Comme le dit Simone Weil, « tout être humain est enraciné ici-bas dans une certaine poésie terrestre, reflet de la lumière céleste ».

On touche là à la question du divin. Jaccottet est par nature étranger à tout dogme. Le Christ, il le dit dans *La Semaison* (*), n'est jamais entré profondément dans sa vie intime. Le poète s'appuie ici sur les peintures troublantes de la Villa des Mystères à Pompéi pour regretter cette « très mystérieuse beauté des corps que l'art chrétien a condamnée, escamotée ou humiliée », la perte d'une harmonie, le « moment bref, insaisissable, imaginaire peut-être ? où sanglier et tourterelle sont alliés ». Tout comme *Airs* (*), ce livre est traversé par les « éternelles figures du désir ». Jaccottet les accueille souvent : « Toutes ces robes transparentes ou presque, mal agrafées, vite ! vite ! dimanche est court ! » (les coquelicots), « L'idée du plaisir brûle et court, les pieds nus, entre les troncs » (le bois de pins). Certes, *Paysages avec figures absentes* n'est pas un livre calviniste ! Il n'en reste pas moins que très souvent le poète doit congédier ces images du désir et du plaisir qui envahissent ses pages.

Les « habitantes du jardin » sont aussi des « bergères infernales ».

Est posée la question de l'image, qui est une question ontologique autant que poétique. Le texte « Travaux au lieu-dit l'Étang » est essentiel à ce propos. À la suite de Ponge, Jaccottet présente les différents états d'une « description » d'un lieu. Il est nécessaire d'accueillir les images, mais « les premières qui se présentent à l'esprit ne sont pas nécessairement les plus simples, les plus naturelles, ni les plus justes ». En fait, les images sont « plutôt des directions ». Au terme de ces « travaux », c'est l'illimité qui s'impose, au détriment des figures érotiques d'abord venues. L'« inconnu », l'« insaisissable », l'« infini », c'est bien lui qu'on rencontre un bref instant quand on sait regarder, écouter, boire le monde.

Voilà nommée l'espérance profonde de Jaccottet : cette part d'inconnu, « Le "plus haut", le "meilleur", ne serait-ce pas ce qui est le plus proche, et que l'on ne voyait pas ? » La conclusion de ce livre, plus lesté de terre et de doutes que son contemporain *Airs*, c'est que la vérité et la justesse de vie résident dans l'accueil de la lumière du monde, dans le « plaisir » comme dans le « renoncement au plaisir », dans les « grandes œuvres » comme dans une « simple chanson », dans l'« excès pur » comme dans la « patience », la « simple bonté », la « frêle clé du sourire » (*Pensées sous les nuages*).

Une quête de la justesse, en passant au crible les images, une des affirmations les plus élevées du désir de ne jamais tricher avec l'expérience personnelle, tel est ce livre. J.-P. V.

PAYSAN CÉLESTE (Le). Ce recueil de poèmes de l'écrivain français Georges-Emmanuel Clancier (né en 1914) reprend pour titre global celui d'un volume publié en 1943 et regroupe trois autres titres : *Chansons sur porcelaine* et *Notre temps* (1956), *Écriture des jours* (1972). Panorama d'un cheminement poétique, ce livre porte un titre à la fois symbole et définition de l'entreprise et de la quête de Clancier : l'homme du Limousin participe profondément de la terre, de la douceur des collines et des soirs, de la continuité des saisons et de la vie, mais la glèbe se gorge de soleil et se désaltère de rosée, présents célestes, comme notre chair se nourrit de notre âme, indicible part cosmique et divine de notre être, laquelle tient du mystère de l'origine et de la fin. Encore qu'aucune trace dûment religieuse ne la situe, la poésie de Clancier est métaphysique, mais cet exercice spirituel s'ancre dans le physique pour le sublimer. La poésie, parole sacerdotale au sens étymologique, permet de restituer l'homme à la totalité vitale, de l'arracher à l'éphémère et à la mort, de sauver l'instant. Épicurisme, néo-platonisme, orphisme se fondent avec le regard paysan, la sagesse rurale pour créer une poésie d'autant plus précieuse que rare. La fleur est autant du soleil recueilli, de la rosée bue, de la terre exhumée en sève que du parfum exhalé : du ciel vers la terre puis vers le ciel. Telle est peut-être bien la vie : de l'infini au fini où notre quête nostalgique poursuit le mot juste qui ne serait pas le mot de la fin. Homme, de sang et sève, de poussière et d'étoile, homme végétal et animal, homme d'angoisse et de bonheur : dans la métamorphose du tout et des mots, sache que le poète est là pour que l'on partage « en l'hostie des syllabes le dieu vrai des choses ». Y. P.

PAYSAN DANS SON TROU (Le) [*El villano en su rincón*]. Comédie en trois actes et en vers de l'écrivain espagnol Lope Félix de Vega Carpio (1562-1635), publiée en 1617. Dans une France imaginaire, aux portes d'un Paris qui ressemble étrangement à une grande ville espagnole, vit un riche paysan, Juan Labrador. Fidèle sujet de son roi, prêt à lui sacrifier toute sa fortune s'il le faut, il se vante néanmoins de n'avoir jamais éprouvé le désir de le voir en personne. Il se considère lui-même comme le roi de son domaine et n'envie nullement la pompe de la monarchie. Cette fière attitude est gravée sur la pierre tombale qu'il s'est fait préparer dans la petite église de son village. Le souverain, visitant l'église à l'occasion d'une partie de chasse, lit l'épitaphe et éprouve la curiosité de connaître cet orgueilleux sujet. Profitant de son incognito, il se fait héberger par le paysan, dont les déclarations font sur lui une vive impression : l'idéal de vie de Juan Labrador est de beaucoup supérieur au sien, cet homme simple est plus heureux que son roi. Le sage Juan est mandé à la Cour et investi d'une haute fonction. Une telle conclusion semblerait contredire ce qui précède, mais le lecteur doit se persuader que ce n'est pas le paysan qui a besoin du roi, mais bien le roi du paysan. Lope a situé son action en France pour des raisons évidentes de discrétion à l'égard de son prince, mais la comédie ne cesse pas pour autant d'être purement espagnole. La philosophie de son héros est typiquement locale ; c'est un mélange de stoïcisme à la Sénèque, d'humilité chrétienne et de fatalisme islamique : philosophie qui enseigne à la fois la fierté aux humbles et l'humilité aux puissants, qui apprend à ne pas ambitionner le meilleur comme à ne pas redouter le pire.

PAYSAN DE PARIS (Le). Œuvre en prose du poète français Louis Aragon (1897-1982), publiée en 1926. Si ce livre est bien, comme on l'a dit, inclassable en ce sens qu'il ne relève d'aucun genre littéraire, il n'en est pas moins vrai qu'à sa date il prenait tout naturellement place dans un ensemble du courant d'œuvres surréalistes qui se présentent des *Pas Perdus* (*) de Breton au *Clavecin de Diderot* (*) de Crevel comme de libres méditations où l'auteur semble emporté par sa pensée ou sa rêverie, rencontrant sur son chemin souvenirs personnels, élans lyriques, aventures ou discussions, mêlant poèmes, aphorismes et récits. Aussi bien, *Le Paysan de Paris* (c'est-à-dire l'homme qui, sans cesse, redécouvre la ville, la voit tous les jours d'un regard neuf, et c'est ainsi qu'il voit et la ville et la vie) ne saurait se réduire exclusivement aux pages sur le passage de l'Opéra (démoli depuis, au grand regret des surréalistes en particulier et des paysans de Paris en général), auxquelles la mémoire des lecteurs tend toujours à résumer ce livre vite célèbre. De fait, si cette promenade lyrique dans un coin de Paris déjà condamné à la démolition quand Aragon l'écrivait occupe près de la moitié du livre, il ne convient pas de la dissocier de la courte « Préface à une mythologie moderne » qui la précède (et qui est, en effet, une préface), ni du dernier volet de ce triptyque : « Le Sentiment de la nature aux Buttes-Chaumont », qu'achève le « Songe du paysan ». Il est bien clair qu'il ne s'agit pas ici d'un inventaire ou d'un guide des curiosités parisiennes, quel que soit le souci de précision, le souci du détail vrai (et souvent singulier par là même) qui a conduit l'auteur à insérer, selon la technique du collage, des fragments de journaux, des annonces, des réclames et enseignes, des inscriptions, tels quels dans son livre. Il s'agit bien davantage d'une aventure de l'esprit, où s'exalte la puissance de l'imagination. Parodiant, ou plutôt remaniant les *Méditations métaphysiques* (*) de Descartes, Aragon, dès la préface : « Je ne veux plus me retenir des erreurs de mes doigts, des erreurs de mes yeux. Je sais maintenant qu'elles ne sont pas que des pièges grossiers, mais de curieux chemins vers un but que rien ne peut me révéler, qu'elles. » Et un peu plus loin, cette question, décisive : « Aurai-je longtemps le sentiment du merveilleux quotidien ? » C'est précisément tout le sens de cette aventure parisienne que de dire, de donner à voir, de sauver ce merveilleux quotidien, sans quoi l'existence humaine sombrerait dans un ennui, ou plutôt pour ne pas le confondre avec un certain ennui évoqué dans les pages, dans l'insignifiance. Mais cette exploration des boutiques singulières, ou vues singulièrement (celles des coiffeurs entre autres), du passage de l'Opéra, de ses bordels clandestins, de ses cafés, de ses petits théâtres, des fantômes qui y circulent librement (Naya par exemple), plus loin du XIXe arrondissement, etc., débouchera non seulement sur la puissance de la poésie, sur celle de l'Amour, mais sur une violente profession de foi athée, sur une violente affirmation de l'unité du réel et de l'imaginaire, des sens et de l'esprit, du merveilleux et de la vie. Au demeurant, prétendre résumer ou analyser un livre comme celui-ci, qui est de ceux, assez rares, où l'on ne peut absolument pas sauter une phrase ou un mot, serait vouloir en donner une idée fausse. Car le langage, dont Aragon disait dans *Le Libertinage* (*) qu'il n'a pas été donné à l'homme mais qu'il l'a pris, fait totalement corps avec la pensée ou l'aventure intellectuelle et lyrique de l'auteur. Ce qui explique la fascination que ce livre n'a cessé d'exercer sur plusieurs générations.

PAYSANNE DE VALLECAS (La) [*La villana de Vallecas*]. Comédie en trois actes et en vers du dramaturge espagnol Tirso de Molina (frère Gabriel Téllez, 1583 ?-1648), publiée pour la première fois en 1620. Sous le nom imaginaire de don Pedro de Mendoza, le capitaine Gabriel Herrera séduit Violante, une jeune Valencienne, puis repart pour Madrid. Mais, par une malice du sort, le séducteur rencontre un Mexicain qui répond au nom véritable de Pedro de Mendoza. Par suite d'une erreur commise par le domestique de ce dernier, il se trouve qu'on brouille les bagages. De sorte que Herrera devient détenteur de son argent et de ses joyaux, ainsi que d'une lettre de recommandation à un certain don Gomez, duquel Mendoza devait épouser la fille. Quant au vrai Mendoza, il ne lui reste plus que les bagages compromettants d'un séducteur. Dénoncé par Violante, le Mexicain est jeté en prison. Mais bientôt la jeune fille, s'apercevant de son erreur, se déguise en paysanne au service d'un fermier de Vallecas, dans l'espoir de retrouver le coupable. Alors qu'elle se rend à Madrid pour apporter le pain de son maître, elle rencontre le séducteur. Son astuce fait qu'elle parvient à lui faire rompre ses fiançailles avec la fille de don Gomez. Avec le sens du théâtre qu'on lui connaît, Tirso de Molina a su tirer de ce thème de la ruse paysanne des effets de la plus folle ingéniosité. – Trad. in *Théâtre de Tirso de Molina*, Michel Lévy, 1863.

PAYSAN PARVENU (Le). Roman inachevé de l'écrivain français Marivaux (1688-1763). Ses quatre premières parties furent publiées en 1734, la dernière en 1735. Le héros du roman, Jacob, devenu M. de la Vallée puis retiré à la campagne fortune faite, évoque sous forme autobiographique les étapes de son ascension. Jeune paysan de 18 ans, de belle mine et d'esprit vif et rusé, Jacob est venu à Paris pour entrer au service du seigneur de son village. Il se rend bientôt compte qu'il plaît aux femmes, et en jouant de cet atout, il entreprend de conquérir sa place au soleil. Sa réussite est foncièrement immorale, car il ne parviendra que par les femmes ; mais elle est voulue, poursuivie et racontée par un esprit foncièrement honnête, encore que dépourvu de scrupules. Jacob emploie les mêmes moyens pour nous enjôler : sa franchise et sa bonhomie nous le rendent trop sympathique pour que nous lui tenions rigueur de sa morale facile. Le ménage de son seigneur n'est plus très uni. Monsieur court les aventures et Madame en fait autant. Jacob encourt la disgrâce de son maître, car il refuse d'épouser Geneviève, la jolie femme de chambre de Madame, qui lui plaît et qui l'aime, mais dont le seigneur paie les faveurs ; Jacob a bien profité de cet argent, mais répugne à jouer le mari complaisant. Madame, mise au courant, ne fait qu'en rire. Le seigneur étant mort, c'est la ruée des créanciers, c'est la ruine. Madame « n'avait jamais su ce que c'était que chagrin, et dans la triste expérience qu'elle en fit alors, je crois que l'étonnement où la jetait son état lui sauvait la moitié de sa douleur », note Jacob, qui se trouve sur le pavé, riche seulement d'une certaine expérience. Il rencontre par hasard sur le Pont-Neuf une demoiselle qui se trouve mal. Il la reconduit chez elle. Elle n'est pas jeune, mais encore appétissante. Il entre ainsi au service de Mlle Habert et de sa sœur. La peinture de cet intérieur de vieilles filles est divertissante. Le pauvre amour de la vieille fille, sa fuite avec le valet qu'elle veut épouser ; l'entrée dans la nouvelle maison dont la bavarde propriétaire, la serviable Mme d'Alain, a une fille jeune et coquette qui aguiche Jacob en le servant par la jalousie qu'elle inspire ; la nuit de noces du jouvenceau et de la vierge plus que mûre, sa tendresse comblée et pitoyable, toute cette navrante histoire, nous est racontée avec une légèreté cruelle par M. de la Vallée, le sourire aux lèvres, en se moquant des autres et de lui-même, faraud, mais sans forfanterie. Il trompe sa femme, il la trompera tant et plus, mais il l'aime, à sa façon, et le lui prouve. « J'étais ravi d'épouser l'une et de plaire à l'autre ; et on sent fort bien deux plaisirs à la fois », déclare-t-il. Il continue d'être la coqueluche des dames sur le retour, comme Mme de Fécour qui le recommande à son mari, homme important ; mais les jolies femmes le distinguent également, comme Mme de Ferval qui lui donne rendez-vous dans une petite maison du boulevard ; il est vrai que, surprise par un autre soupirant, elle sacrifie sans hésiter Jacob à la crainte du scandale et accepte sans plus de façons les hommages du nouvel arrivé. La fortune continue de sourire à M. de la Vallée avec une persévérance et une rapidité qui frisent l'invraisemblance. Tout fier de porter sa première épée, dernier cadeau de sa femme, il voit au coin d'une rue un gentilhomme sur le point de tomber sous les coups de trois assaillants ; il dégaine, il vole à son secours, il met en fuite les adversaires. L'homme qu'il a sauvé est le comte d'Orsan, neveu du Premier ministre. La maison dans laquelle on panse la blessure du comte est justement celle de Mme Dorville, touchante jeune femme dont le mari se meurt. M. de Fécour avait offert à Jacob l'emploi que Dorville, malade, ne remplissait plus bien, et noblement Jacob l'avait refusé, ému par la détresse de la jeune femme. D'Orsan tombera amoureux de celle-ci. En attendant, il interroge son nouvel ami, lui offre sa protection, il fera sa fortune ; il ne veut plus le quitter, il l'emmène à la Comédie. Ici finit l'œuvre de Marivaux. La conclusion du roman n'est pas de sa plume ; adroitement pastichée par endroits, elle a des pages que Marivaux n'aurait pas désavouées ; mais dans l'ensemble elle est touffue à l'excès, accumulant les péripéties les plus extraordinaires et les coïncidences les plus incroyables.

Le Paysan parvenu fait pendant à *La Vie de Marianne* (*) : peinture de mœurs alerte et vive, *Le Paysan parvenu* est pourtant moins fouillé que *Marianne*, ce qui est naturel, car l'héroïne de ce dernier roman est autrement compliquée que notre paysan. Mais ce que notre roman perd en pathétique, il le gagne en légèreté, en mouvement, en concision. Les deux romans de Marivaux apportèrent un renouvellement non seulement dans le roman français, mais dans le roman européen.

PAYSAN PERVERTI (Le) et **PAYSANNE PERVERTIE (La).** L'écrivain français Nicolas Edme Restif de La Bretonne (1734-1806) publia en 1775 *Le Paysan perverti*, en 1784 *La Paysanne pervertie*, romans dont la rédaction était antérieure à ces dates, mais dont les exigences des censeurs avaient retardé l'impression. En 1785, il fondit en un seul les deux ouvrages, qui devinrent *Le Paysan et la Paysanne pervertis*. À ces douze volumes il faut encore ajouter *Les Figures du paysan-paysanne pervertis*. Restif attachait la plus grande importance à ces estampes qui lui coûtaient cher, et contraignait ses illustrateurs attitrés, Binet ou Berthet, au respect scrupuleux de ses exigences. Les gravures entraient dans sa poursuite du livre total, en exprimant ce que les mots ne restituaient pas suffisamment. Faute d'argent, il devra renoncer à son rêve, « faire [de *Monsieur Nicolas* (*)] un ouvrage suivi en figures ». Les diverses éditions du *Paysan* posent nombre de problèmes pour lesquels on se reportera au livre de Pierre Testud, *Restif de La Bretonne et la création littéraire* (Genève-Paris, 1977), et à l'édition du *Paysan perverti* procurée par F. Jost (Lausanne, 1977). Mettre le lecteur en garde contre les « dangers de la ville » : tel est le propos, moralisateur en principe, de ces livres où Restif a voulu imiter le style de Richardson, et dont le héros (qui ne fait qu'un avec l'écrivain lui-même), paysan de la Haute-Bourgogne venu apprendre la peinture dans un atelier d'Auxerre, ne se fait guère scrupule, au demeurant, de mettre la morale en vacances. Ce double aspect de l'œuvre de Restif apparaît dans *Le Paysan* et *La Paysanne* comme dans tout le reste de son œuvre. « Mon paysan, écrit-il, je l'ai fait pour montrer aux campagnards le bonheur de leur état et les encourager à y rester. Il faut arrêter le torrent qui porte tous les hommes dans les capitales, et ne pas faire sa cour au plus fort en écrivant un roman. »

Venu d'Auxerre à Paris, Restif, âgé de vingt et un ans, débarqua du coche d'eau au port

Saint-Paul le 3 septembre 1755 : *Le Paysan perverti*, sorte d'autobiographie romancée, est donc le fruit de vingt ans d'expériences citadines – diurnes et nocturnes – sans parler de l'étape auxerroise qui fournit son décor au début du roman (« J'étais là, rôdant pour mon *Paysan perverti* », écrit-il dans *Monsieur Nicolas*). Et voici comment l'ouvrage fut écrit : « Les Français ne donnent un livre qu'après l'avoir énervé et châtré : je donnerai mon *Paysan* sans lui avoir fait subir ces dangereuses opérations. » *Le Paysan* et *La Paysanne* réunis offrent un « raccourci », d'ailleurs très relatif, des deux ouvrages qui permet de résumer moins malaisément les mésaventures du jeune Edmond (c'est-à-dire Restif) et de sa sœur Ursule. Les deux jeunes gens ont été envoyés par leur père chez un cousin d'Auxerre, M. Parangon, professeur de dessin et de peinture. Ce personnage, tel que l'a conçu Restif, suffirait d'ailleurs à nous avertir que, dans les fictions du romancier, l'autobiographie entre pour une grande part (le jeune Restif, en effet, avait été confié lui aussi, par son père le paysan, à un parent habitant cette ville mais qui, en réalité, dirigeait une imprimerie). C'est un roman épistolaire composé de 462 lettres, où, tour à tour, parents et amis nous avertissent avec beaucoup de réalisme des progrès croissants d'Edmond et d'Ursule sur la route de la perversion (pour dépeindre Ursule qui « s'élance vers la turpitude », Restif s'est inspiré des aventures à Paris de sa sœur Geneviève, amalgamées avec celles d'Ursule Rameau, une paysanne de son village de Nitry, près de Sacy). Une lettre du jeune homme à un certain Pierrot (« Pierrot, je suis hors de moi ! ») rend à merveille, par le ton de naïveté feinte, les ébahissements du campagnard à la ville. Non moins que son frère, Ursule, bientôt dépravée, court à l'abîme ; et ses rivales en galanterie, Laurette et Fanchette, ne cachent rien non plus de leurs amours. Tous les quatre, enfin, ont, en la personne de certain cordelier défroqué, libertin des plus inquiétants, nommé Gaudet d'Arras, le plus cynique, le plus jovial aussi, des professeurs d'immoralité, diplomate consommé du vice, un des types les plus représentatifs de la corruption au XVIIIe siècle. La figure la mieux tracée est peut-être celle de Mme Parangon, la femme du maître imprimeur d'Auxerre, personne que Restif a réellement aimée et qui, parmi tant de débordements et de perversions, est une prude authentique, jolie, au pied mignon. Colette Parangon lui plut d'emblée, mais surtout, peut-être, parce qu'elle portait des chaussures faites à Paris. En extase devant ces souliers « de droguet blanc uni ou à fleur d'argent », ou bien « roses à languettes, bordures et talons verts, attachés par une jolie rosette en brillants », il souhaitait (lisons-nous dans *Les Contemporaines*) que le soulier de sa belle et ses mules eussent un « talon de six pouces, arqué, mince, et qu'elle pût à peine se soutenir en marchant ». Cet aspect de Restif, dont le premier succès littéraire fut *Le Pied de Fanchette*, a retenu l'attention des psychiatres, et Havelock Ellis, dans son introduction à l'édition anglaise de *Monsieur Nicolas* (Londres, 1930), écrit que, probablement, « le premier cas de fétichisme du pied jamais signalé en détail est celui de Restif de La Bretonne ». « Restif, précise Havelock Ellis, fut un névropathe, quoique pas dans une mesure extrême, et son fétichisme du pied, bien que distinctement prononcé, n'était pas pathologique. » Ce culte qu'il vouait aux pieds mignons apparaît curieusement dans les illustrations de ses ouvrages, dont Restif, imprimeur de profession, surveillait de près le dessin. Quand le dessinateur n'avait pas suffisamment aminci les extrémités, il faisait lui-même les corrections et obligeait le graveur à en suivre les traits. Petites têtes et petits pieds : telles sont, en effet, les jolies filles du *Paysan* et de *La Paysanne* dont Louis Binet a campé les silhouettes dans des gravures aujourd'hui introuvables. Les légendes qui les accompagnent expriment bien, du reste, la triste progression d'Edmond et d'Ursule dans leur course à l'abîme, comme aussi ces deux courants de l'inspiration de Restif où les pires excès voisinent avec l'exaltation de la vertu et de la religion. Ce sont l'innocence, la candeur, mais aussi les écarts, les égarements, la licence, la volupté, la débauche. On y voit Edmond rêveur, séducteur, s'enivrant d'amour, attaquant une fille, Edmond aveugle, Edmond écrasé, Edmond recevant l'aumône de ses enfants... Ursule enlevée, Ursule dans les bras de sa mère, Ursule danseuse, foulée aux pieds, couverte de fange, poignardant un nègre. Le « moralisant » Restif n'a rien négligé pour donner du piquant à son ouvrage où il dépeint, notamment, les amours incestueuses d'Edmond et d'Ursule, non sans avoir pris soin d'avertir que « la plupart des écarts d'Edmond lui appartiennent ». D'amants en amants, Ursule épouse de force un porteur d'eau, puis devient marquise. Edmond, mordu par un serpent, doit être amputé d'un bras, perd un œil et fera neuf ans aux galères...

En ne résumant que leur trame, on ne donne pas des romans de Restif la mesure exacte : par leur ampleur, leur souffle, leur invention, la richesse de leurs cadres divers, le nombre de leurs acteurs, ils n'ont guère d'égaux dans la foule des romans du XVIIIe siècle, mais ils n'en donnent pas un cliché fragmentaire, ciblé. C'est une des raisons pour lesquelles ils sont restés dans l'ombre de Marivaux, de Prévost, de Diderot, de Laclos. Comme, mais différemment, ceux de Sade. Le lecteur de *Monsieur Nicolas* y trouvera, en outre, la transposition, la transfiguration de toute une part de son autobiographie.

PAYSAN POLONAIS EN EUROPE ET EN AMÉRIQUE (Le) [*The Polish Peasant in Europe and America*]. Ouvrage paru en 1918 (volumes 1 et 2) et en 1920 (vol. 3,

4, 5) des sociologues William Isaac Thomas et Florian Znaniecki (1881-1956), directeur d'une association de protection des émigrants en Pologne. C'est la première grande étude empirique sur les problèmes des immigrants aux États-Unis, et elle traite des relations inter-ethniques entre la communauté polonaise de Chicago — que l'on montrait alors du doigt en raison de son fort taux de violence et de criminalité — et la société américaine, ainsi que des formes d'organisation de la vie sociale à l'intérieur de cette communauté. Ce travail entend suivre deux directions : d'une part mener à bien l'étude des immigrants non seulement dans le pays d'arrivée, mais aussi avant le départ, afin de connaître les filières de la migration, ses conditions et ses raisons, ce qui donne lieu à un séjour d'observation qui fournit la longue description des communautés villageoises et de la politique rurale en Pologne ; d'autre part observer les immigrants non comme individus isolés, mais en tant que membres de petits groupes, et analyser ainsi les réseaux d'accueil, les organisations de soutien et d'entraide à l'arrivée. Il utilise une base documentaire très originale et très variée — lettres issues de correspondances privées, autobiographies, journaux — dont l'interprétation est faite à partir de données plus objectives et plus quantitatives telles que le cadre géographique et spatial ou les statistiques d'immigration, d'âge, de sexe, de taux de natalité, pour aboutir à la compréhension d'un milieu social ancré dans un territoire précis de la ville. Les auteurs donnent une grande place aux autobiographies très fouillées dont l'une de plus de trois cents pages d'un jeune Polonais récemment immigré, et surtout aux correspondances reproduites dans l'ouvrage (plus de sept cent cinquante lettres) qui apportent des matériaux pour analyser minutieusement les relations parentales, les impressions des immigrés sur les événements. L'étude de ces documents permet de tirer des conclusions fines sur les relations dans la communauté et la façon dont se prennent les décisions (souvent par consultation à distance entre la Pologne et Chicago, qu'il s'agisse du mariage d'un émigré, de son emploi ou de ses relations sociales) et d'avoir de véritables « tranches de vie familiale ». Ils remarquent également que les habitants du quartier polonais ont conscience de ce que pense d'eux la mentalité collective et en tiennent compte dans la représentation qu'ils se font de leur propre identité sociale : si celle-ci croit en leur infériorité liée à leur race ou à leur statut d'immigrant, cette infériorité finit par devenir une réalité objective et par se perpétuer. C'est la richesse des outils méthodologiques qui fit de cette œuvre un modèle fondateur de la sociologie urbaine. H. T.

PAYSANS (Les) de Balzac. Roman de l'écrivain français Honoré de Balzac (1799-1850), un des plus importants de *La Comédie humaine* (*), où il constitue la pièce maîtresse des « Scènes de la vie de campagne », qui comprennent également *Le Médecin de campagne* (*) et *Le Curé de village* (*). C'est une des œuvres auxquelles Balzac a le plus travaillé. Il indique en effet, dans la dédicace du livre à P.S.B. Gavault, qu'il a « pendant huit ans cent fois quitté, cent fois repris ce livre, le plus considérable de ceux que j'ai résolu d'écrire... ». C'est, en effet, par sa portée sociale (on pourrait presque dire sociologique), une des œuvres fondamentales de *La Comédie humaine.* C'est un roman de la pleine maturité de Balzac, entrepris alors qu'il possédait à fond le plan d'ensemble de son œuvre. Il fut publié en 1845. En fait, *Les Paysans* sont non seulement un roman mais, sinon un pamphlet, du moins un réquisitoire, Balzac ne se proposant rien de moins dans cette « étude d'une effrayante vérité » que de dénoncer le paysan, « qui rend le Code inapplicable » — « cet infatigable sapeur, ce rongeur qui morcelle et divise le sol, le partage, et coupe un arpent de terre en cent morceaux » —, ainsi que la petite bourgeoisie des campagnes, « auxiliaire et proie » du paysan. C'est au sens propre une œuvre de réaction que Balzac veut faire, réaction politique : « Il s'agit d'éclairer non pas le législateur d'aujourd'hui, mais celui de demain » ; réaction littéraire, Balzac dénonce ici ceux qui « font de la poésie avec les criminels », qui s'« apitoient sur les bourreaux », qui « défient presque le prolétaire ». Il est clair que Balzac vise toute cette littérature sociale et même socialiste inspirée de Lamennais, de Pierre Leroux et dont, en ces années, George Sand était le représentant le plus populaire, depuis *Le Compagnon du Tour de France* (*) (1840) jusqu'au *Meunier d'Angibault* (*) (1845), en passant par son premier roman champêtre : *François le Champi* (*). Contre ces idéalistes ignorants et impénitents, Balzac entend « étudier la conspiration permanente de ceux que nous appelons encore les faibles contre ceux qui se croient les forts, du paysan contre le riche ». Tel est le thème de ce roman dont l'intrigue est d'une simplicité inhabituelle chez l'auteur.

Le général de Montcornet, un des héros de l'Empire, mais un homme faible, « un Titan qui recèle un nain », a réussi à accumuler, au cours de ses campagnes, une grosse fortune. Retiré du service sous la Restauration, il a fait l'acquisition d'un magnifique domaine, les Aigues, en Bourgogne ; il compte ainsi assurer sa fortune et devenir un grand propriétaire terrien. Sa femme, la comtesse de Montcornet, est une frêle créature, pour qui le militaire a plus que de l'affection, de la vénération. Ces deux personnages sont introduits auprès du lecteur par un homme de lettres parisien, Blondet, invité au château. C'est lui qui sera le témoin du drame dont les étapes se déroulent en trois ans, entre 1823 et 1826. Le caractère altier du général, ses habitudes de soldat, ses mœurs de citadin indisposent contre lui la population locale, et il suffit de quelques agents provocateurs pour qu'elle lui devienne tout à fait hostile. Bientôt toute une conjuration se forme autour de Gaubertin, l'intendant malhonnête que Montcornet a eu la maladresse de renvoyer. Gaubertin parvient à introduire à sa place un de ses alliés, apparemment irréprochable, Sibilet ; et, devenu maire d'une localité des environs, il est dès lors à même de s'opposer à son ancien patron. Toute l'intrigue est montée par l'ignoble usurier Rigou, qui en tient les fils et possède partout des complices et des observateurs, dont le cabaretier Tonsard, propriétaire du « Grand-I-Vert », une des figures les plus pittoresques de *La Comédie humaine.* De plus, Rigou, parce qu'il est usurier, tient dans sa main les principaux personnages de Blangy, la ville voisine (un grand nombre d'entre eux sont ses débiteurs) ; il réussit à intercepter les messages que Montcornet envoie à ses puissants amis de Paris. Toute tentative du propriétaire des Aigues se retourne immédiatement contre lui ou se perd dans une ambiance d'hostilité générale, soigneusement entretenue et attisée par Rigou et ses complices ; les incidents s'accumulent et deviennent de véritables menaces de plus en plus directes : il ne reste plus à Montcornet qu'une issue, celle de renoncer à son rêve de devenir propriétaire terrien et de vendre son domaine. Les terres sont achetées et revendues avec d'énormes profits par ses ennemis. Puis le général reprend du service et meurt en commandant sa division. La comtesse, restée veuve, se rapproche de l'écrivain Blondet alors dans la misère. Grâce aux puissants appuis dont elle peut disposer, Blondet est nommé préfet et l'épouse. Partant pour leur voyage de noces, M. et Mme Blondet s'arrêtent aux Aigues : ils y trouvent le domaine divisé en plus de mille lots. « Le paysan avait pris possession de la terre en vainqueur et en conquérant. » Et Balzac laisse entrevoir non seulement la chute des rois, mais un terrible bouleversement social, qui mettra les nations en péril. Dans la pensée de Balzac, ce triomphe de la misère sur la richesse, du paysan sur le grand propriétaire, prend des proportions apocalyptiques ; il prévoit que « cet élément insocial (les paysans) créé par la Révolution absorbera quelque jour la bourgeoisie, comme la bourgeoisie a dévoré la noblesse ». Il y a donc du visionnaire dans ce roman, mais ces perspectives prophétiques sont appuyées sur une quantité d'observations justes, issues de ce sens du détail significatif qui est une des qualités majeures de Balzac. Ici, l'auteur laisse de côté toute intrigue secondaire ; il évite tout côté idyllique. C'est qu'il ne songe nullement à plaire, mais à montrer, à prouver et à convaincre. Ces paysans sont cupides, patients, sordides et obstinés ; la société des petites villes campagnardes est stupide, timorée et oppressante. Rien ne compte pour tous ces gens que de devenir de plus en plus les maîtres de cette terre où ils sont nés et qui leur a été si longtemps refusée. *Les Paysans* sont vraiment, malgré les préjugés et le manque d'objectivité absolu de l'auteur, une grande fresque d'histoire contemporaine ; Balzac y étudie par ses petits côtés un des phénomènes sociaux les plus importants qui soient nés de la Révolution : cette formation, dans l'obscurité d'une nouvelle société terrienne qui, silencieusement et cependant brutalement, surgit au jour et s'impose. Dans son roman, ce phénomène revêt, à cause de sa violence même, lente, aveugle mais continue, l'aspect d'une force invincible de la nature.

Par l'ampleur de ses vues, par la merveilleuse évocation d'un monde trop ignoré des contemporains de Balzac, mais surtout par la précision impitoyable du trait et la justesse de la composition, cette œuvre marque une date essentielle du roman français ; elle annonce déjà le réalisme impassible de Flaubert, et même le naturalisme social de Zola. Dans l'œuvre de Balzac, il est sans doute des romans plus séduisants, mieux réussis sur le plan artistique, il n'en est guère de plus puissant, de plus vaste, malgré ses dimensions réduites.

PAYSANS (Les) de Reymont [*Chlopi*]. Roman de l'écrivain polonais Wladislaw Reymont (1868-1925). C'est un monde dur comme la nature, comme la terre que cultivent les paysans, héros du roman, que Reymont fait vivre dans ces deux volumes. Écrite de 1904 à 1909, cette saga évoque les travaux et les heures de la campagne polonaise, alors sous domination russe mais complètement attachée à ses valeurs, ses rites, ses coutumes. Il y a un ordre des choses, voulu par Dieu, contre lequel on ne peut rien, même s'il est parfois révoltant. Pourquoi tenter vainement de le transformer, d'ailleurs, puisque l'homme n'est que poussière et que le but de son voyage terrestre est la tombe ? Autant qu'il passe le temps dont il dispose ici-bas à vivre honnêtement, dignement, au plus près des préceptes, sans inutiles prétentions ni rêveries.

Les Paysans, ce sont les saisons qui se succèdent, les récoltes parfois bonnes, parfois décevantes, le cochon encore à l'engraissement qui meurt, les naissances, les morts, les mariages et remariages, les enterrements, les ragots de village, impitoyables, mais aussi cette solidarité des ruraux, lorsqu'ils se sentent menacés. Durant la saison des pluies, « un calme effrayant étreignait la terre », note Reymont. Une phrase qui pourrait symboliser tout l'univers qu'il décrit. Car le monde paysan semble alors éternel, immuable. De tout temps il a existé, et il demeurera jusqu'à la fin des âges. Il y aura toujours, croit-on, les veillées dans les fermes, la grande foire une fois l'an, il y aura toujours des familles qui auront du bien et d'autres qui seront obligées de se louer aux autres. Toujours les paysans trimeront, parce que la terre est sans pitié, parce que la vie est ardue. Or, le monde que restitue Reymont a, depuis, presque complètement disparu, en Pologne, en Russie et, au fond, dans toute l'Europe. L'Histoire l'a rattrapé et détruit. La civilisation paysanne qui, hier encore, fondait les nations peuplant notre continent, ne relève pour ainsi dire plus aujourd'hui, dans le meilleur des cas, que du folklore. Quand Reymont écrivait son roman, ce n'était encore que l'amorce du déclin. Les racines paraissaient solides, les hommes bien ancrés dans la glèbe. Avant que tout ne vacille et ne s'effondre, l'écrivain a su retenir le temps et, dans ce livre à la fois plein d'amour et sans concession, imprégné de tendresse et de brutalité, d'obscurité et de lumière, conserver tout un pan de la mémoire humaine. Polonais, les paysans de Reymont le sont incontestablement — leurs traditions, leurs us en témoignent. Et pourtant, dans ce roman très fort, magistralement écrit, ils atteignent à l'universalité. Le lecteur ne sait plus s'ils sont polonais, français, serbes ou espagnols. Ils sont : les paysans. — Trad. L'Âge d'homme, 1981. A. C.-F.

PAYSANS DU DANUBE [*La lilieci*]. Chroniques d'un village de l'écrivain roumain Marin Sorescu (né en 1936), publiées en quatre volumes en 1973, 1977, 1980, 1989. Rien de plus difficile à classer dans une catégorie littéraire traditionnelle que cette œuvre de vastes proportions dont on est en droit de se demander si elle tient plus de la poésie — dont elle affecte les apparences — ou de la prose et plus précisément de la nouvelle - si l'on en juge par les thèmes abordés et le type de narration adopté. La seule chose certaine, en l'occurrence, est que Marin Sorescu a une nouvelle fois fait la preuve d'une inimitable originalité créatrice. Il nous donne à lire, dans une langue qui est indéniablement celle d'un très grand manieur de mots et celle, drue, verte, vigoureuse, des paysans de sa région d'Olténie, les joies fortes et les peines terribles, sinon la tragédie de tout un peuple soumis à la double érosion du temps qui grignote irrésistiblement, et partout, les sociétés rurales et de l'arbitraire d'un régime politique acharné à faire table rase d'une civilisation. Cette double dimension de monument élevé à la mémoire des traditions populaires paysannes et d'acte d'accusation dressé contre le totalitarisme communiste est ce qui donne à ces chroniques hautes en couleur une étonnante modernité. Par-delà un apparent passéisme ou régionalisme, il s'agit bien en effet de sauvegarder, à travers l'œuvre esthétique, ce que plus rien ne protège contre l'intrusion de ce qui se donne fallacieusement pour le progrès, de préserver un passé millénaire sans lequel il ne saurait y avoir de véritable avenir. Et tout naturellement, c'est aux anciens que Marin Sorescu donne la parole, aux vieux, seuls témoins actuels parce que déjà du passé. Leur témoignage est en lui-même, sans que l'auteur ait jamais besoin de forcer leur message, une constante et définitive dénonciation du mal. Pour une population terrienne dont toutes les valeurs sont enracinées dans la propriété du sol, la collectivisation est plus qu'une simple spoliation, elle constitue un sacrilège inacceptable qui prive l'existence de ses justifications essentielles, religieuses, notamment. Les coutumes décrites ne sont donc jamais gratuites : le plaisir de l'enquête ethnographique pratiquée sur un terrain intimement connu de l'écrivain, s'il est évident et s'exprime dans un jaillissement verbal prodigieux, est toujours strictement subordonné à la recherche d'une vérité esthétique supérieure, seule à même de conférer à ces trésors d'une civilisation discrète la pérennité que l'histoire leur refuse. De la multitude de personnages qui peuplent ces chroniques se dégagent quelques figures emblématiques, diaboliques et pitoyables en même temps, comme celle du liquidateur de chiens promu à une tâche sanglante pour faire régner l'ordre nouveau en éliminant les symboles canins de la propriété, d'autres, étranges et un peu inquiétantes, comme celles des sorcières de village qui guérissent du mal de tête. Tout un univers qui prend vie sous le regard tour à tour nostalgique, critique, attendri, sarcastique et toujours humoristique de Marin Sorescu, tout un monde qui ne se délecte d'un passé, en liaison ininterrompue avec le présent à travers la transmission orale de sa petite histoire, que pour mieux juger un avenir en forme d'impasse. On entre ici dans une légende des siècles rurale, rabelaisienne. - Trad. Jacqueline Chambon, 1989. J.-L. C.

PAYS DE NEIGE [*Yukiguni*]. Roman de l'écrivain japonais Kawabata Yasunari (1899-1972), publié entre 1935 et 1948. Les fragments qui devaient constituer cette œuvre avaient été publiés sous différents titres et dans différentes revues littéraires à partir de 1935. En 1937, ils furent réunis et remaniés pour paraître sous forme de roman. Ce fut la première édition de *Pays de neige*. Depuis cette date et jusqu'en 1947, des « suites » se succédèrent, et ce n'est qu'en 1948 que parut, après un second remaniement, sa version définitive. Plus de treize ans pour achever un volume de deux cent cinquante pages ! Pour l'auteur, c'était un délai nécessaire pour la décantation d'une œuvre qu'il voulait transparente. Le sujet en était d'ailleurs simple : l'amour, à l'état pur, d'une femme pour un homme.

L'homme, Shimamura, est un citadin, de passage dans le pays de neige. La femme, Komako, est une geisha, native de ce pays. Les deux êtres, doués d'une sensibilité peu commune, s'aiment d'un amour intense mais sans espoir. L'homme séjourne trois fois dans le pays de neige. Trois fois, ils vivent un amour parfait et, chaque fois, le temps semble s'arrêter. Mais tôt ou tard l'homme doit la quitter, et la vie réelle doit reprendre son cours. Cette vie réelle reste cependant sous-entendue, et c'est ainsi, par exemple, que l'épouse de Shimamura n'apparaît qu'une seule fois dans le récit, et de façon tout à fait épisodique. Tout ce qui est essentiel se passe dans ce « pays de neige », pays où le grand froid modifie toutes les sensations au point que, une fois franchi le tunnel qui y donne accès, l'on éprouve le sentiment d'entrer dans un monde tout autre que celui de la « ville » d'où l'on vient. Un monde irréel, riche en images et en évocations autres, comme détachées de la sensibilité routinière. L'ambiance est ainsi créée dans laquelle Shimamura se plaît à voir évoluer Komako, avec une seconde figure de femme comme en contrepoint, la jeune fille Yôko. Pourtant, dans ses rêveries, l'une est présente tout entière, vivante et sensuelle, l'autre n'est pour lui qu'une voix, un visage, voire le reflet d'un œil dans une vitre. Pour Shimamura le dilettante, ses séjours espacés dans le pays de neige et son amour à éclipses pour Komako ne sont qu'un « divertissement » sublime qui ne prend sa réalité que par la présence charnelle de cette femme à l'intérieur de ces « pauses du temps » qu'il peut se ménager à sa guise. Dans l'absolu, la sincérité de Shimamura ne peut pas être mise en cause. Mais le drame est que, pour Komako la femme, le temps s'écoule homogène, et que son amour à elle n'admet aucune discontinuité. Il en résulte entre les deux partenaires un déphasage qui, au terme d'une expérience menée aux ultimes limites de leur résistance morale, entraîne la catastrophe, lorsque le point de rupture est dépassé. Le célèbre incendie de la fin n'est qu'un des signes de cette catastrophe. Cette scène matérialise la détresse des deux femmes qui s'étaient prises au jeu au point de se détruire, l'une moralement, l'autre physiquement, sous le regard de Shimamura ébloui et titubant dans la neige. Le roman tout entier n'est d'ailleurs qu'une succession de signes de cet ordre : images qui se déroulent à la manière des séquences d'un film et qui défieraient le temps et l'espace. Chez un auteur moins habile que Kawabata, pareil procédé pourrait créer un effet de disparate, mais ici il n'en est rien. Chaque épisode, et chaque signe, plonge en effet ses racines dans le réel : le « pays de neige » a sa place sur la carte du Japon, et le froid qui y règne, pour symbolique qu'il soit, n'en appartient pas moins au monde des sensations tangibles. Les paysages, les visages, les gestes sont décrits avec une rigueur et une force évocatrice qui relèvent d'un classicisme éprouvé. Le résultat en est une suite de poèmes en prose dont le fil conducteur n'est autre que la sensibilité de l'auteur partout présente, qui lui permet, tout en évoquant des sensations inconsistantes en elles-mêmes, de dégager une vérité psychologique intense. Deux films japonais ont été adaptés de cette œuvre, en 1957 et en 1965. — Trad. Albin Michel, 1960.

PAYS DES EAUX (Le) [*Waterland*]. Roman de l'écrivain anglais Graham Swift (né en 1949), publié en 1983. « L'analyse de l'inconscient devrait être une géographie plutôt qu'une histoire. » Ce point de vue de Deleuze, Swift le partage assurément. La géographie singulière de son roman — les Fens à fleur d'eau de l'East Anglia — y sert moins de décor à l'action que de métaphore à la cure pratiquée par le narrateur, Tom Crick, professeur d'histoire, mué en Schéhérazade des Fens. Au terme d'une captivante quoique laborieuse anamnèse, il accouche d'une histoire, d'un secret, dont il aura recomposé le sens et spécieusement exorcisé la culpabilité, grâce en partie à l'activité de relance de ses élèves, s'arrachant ainsi à la folie, à la différence de son épouse, Mary. Géographie des Fens, encore, ce plat pays, où se joue quotidiennement, humblement, le geste mythique de la genèse : partager la terre et l'eau, lutter contre le retour cyclique et fatal du déluge. Cette terre arrachée aux eaux primordiales par les ancêtres des Crick, pêcheurs puis éclusiers ou dragueurs de père en fils, est restée à jamais pays des eaux mêlées : vase, lise, alluvions, sable s'y déposent à la faveur des crues et autres raz de marée, et font planer sur cette matière d'Angleterre atemporelle, déhistoricisée, tant elle apparaît imperméable à toute crise, locale ou universelle, la menace d'un inéluctable vieillissement. Progressant à rebours, par omissions provisoires et réparations tardives, le récit, construit moitié comme une enquête sur un meurtre, moitié comme un cours d'histoire sur la Révolution française, repose sur une savante et complexe anachronie narrative destinée à masquer le désir presque enfantin du narrateur, qui est de remonter à l'origine du coup assassin, dans l'espoir vain que le cours du destin qui, dans les Fens, frappe toujours deux fois, pourra être renversé. Emphatiquement répétitive, la langue mime la fatalité des récurrences, dérisoires et néanmoins dangereuses, ainsi que l'impossibilité apparente de toute différence créatrice : la déroute de la dynastie des Atkinson, brasseurs de bière, victimes de leur croyance dans le progrès, en est le parfait modèle. L'histoire naturelle des anguilles, contée par le menu, joue aussi un rôle emblématique, servant de ballast à cette histoire d'eau, à l'instar de la cétologie dans *Moby Dick* (*). Elle s'avère invariablement cyclique, obscurément pulsionnelle, dans ses périples comme dans ses mécanismes de reproduction, et Dick, le frère demeuré de Tom, enfant de l'inceste (rappel faulknérien), saura s'en souvenir à l'heure de sa mort. À ces conduites instinctives et régressives, le narrateur préfère ses histoires d'amour ; il croit aux pouvoirs thérapeutiques du récit et rejoint ainsi la démarche du romancier. La vertigineuse inventivité narrative, jointe à l'épaisse texture imaginaire de *Waterland,* bruissant d'échos littéraires et plongeant loin ses racines dans un substrat élémentaire, archétypique quoique fortement pétri d'anglicité, en font une œuvre éminemment classique et moderne à la fois. – Trad. Robert Laffont, 1985. M. P.

PAYS D'OCCIDENT (Les) [*Seiyô Jijô*]. Traité géographique et historique du moraliste japonais Fukuzawa Yukichi (1834-1901), publié en dix fascicules, de 1866 à 1869. Cet ouvrage du fondateur de l'école privée de Kelôgijuku représente une étape essentielle dans la diffusion des idées progressistes au Japon, alors en pleine évolution sociale et moderne. *Seiyô Jijô*, l'un des ouvrages les plus importants de la littérature japonaise moderne, est la relation, enrichie de considérations personnelles, de deux voyages que l'auteur accomplit en Europe et en Amérique à la suite d'une mission du « Shogounat » des Tokugawa. Dès l'introduction, il adjure avec énergie le gouvernement d'éliminer toute trace de mentalité féodale dans la vie administrative du Japon. Fukuzawa étudie ensuite la vie, la structure sociale et gouvernementale, l'économie et les finances de la France, de l'Angleterre, des États-Unis, de la Prusse et du Portugal. Malgré ses digressions un peu prolixes et certains aperçus de caractère plus géographique que strictement social, Fukuzawa atteignit le but qu'il s'était fixé en contribuant très efficacement à la rénovation de son pays. *Seiyô Jijô* est parmi les œuvres du siècle dernier une des plus populaires et des plus répandues. Elle valut à son auteur le titre de conseiller privé de l'État.

PAYS D'OMBRE LES FLEUVES [*Schattenland Ströme*]. Recueil de poèmes du poète allemand Johannes Bobrowski (1917-1965), publié en 1962. Ce sont cinquante-huit poèmes dans lesquels Bobrowski poursuit, avec plus de cohérence encore, la recherche poétique entreprise dans *Le Temps sarmate* (*). Le paysage est presque toujours limité – malgré une incursion en France – aux contrées de l'Est européen qui bordent la mer Baltique et qui composent comme un sédiment de nature, d'histoire et de culture : bourgs et fermes isolés avec leur population typique d'animaux (« L'Aigle », « La Mort du loup », « Rondes nocturnes ») ou de personnages (« Au Hassid Barkan », « Le Sonneur de conque »). Par ailleurs Bobrowski évoque à nouveau des figures de poètes avec lesquels il se sent en affinité spirituelle (parmi lesquels Brentano, Hölderlin, Else Lasker-Schuller, Nelly Sachs). Une série de poèmes est dédiée aux événements liés à la période qu'il a passée en Russie, d'abord comme soldat puis comme prisonnier de guerre : « Cathédrale, 1941 », « Église de village, 1942 », « Monastère près de Novgorod », « La Route de Tomsk ». Bobrowski a créé une poésie volontairement détachée des préoccupations de son temps et ancrée dans les thèmes de sa terre d'origine (il était né à Tilsit en Prusse-Orientale) comme lieu de rencontre de plusieurs civilisations. Et il voit dans cet univers une « terre d'ombres », c'est-à-dire peuplée de présences disparues, mais qui restent vivantes dans la mémoire, et immobiles comme la vaste plaine traversée de grands fleuves qui est au cœur de sa thématique. Le langage de Bobrowski est fait de phrases brèves, et parfois de simples mots liés entre eux par un blanc chargé d'un silence riche d'allusions. Le vocabulaire est simple ; c'est la disposition des mots dans le poème, parfois surprenante, qui détermine la syntaxe. La densité de leur sens est accrue par l'enchaînement serré des images, comme à la fin de Hölderlin à Tübingen : « La tour / qu'elle soit habitable / comme une journée, des murs / la pesanteur, pesanteur / contre le vert, / arbres et eaux à soupeser / les deux dans une même main : / elle sonne, la cloche, descend / sur les toits, l'horloge / s'ébranle pour mouvoir / les fanions de fer. » – Trad. quelques poèmes dans *Ce qui vit encore,* L'Alphée, 1987 ; La Différence, 1993.

PAYS DU DAUPHIN VERT (Le) [*Green Dolphin Country*]. Roman publié en 1945 par l'écrivain anglais Elizabeth Goudge (1900-1984). Marguerite et Marianne, la brune et la blonde, aussi dissemblables que le jour et la nuit, sont toutes deux éprises du beau, de l'insouciant William. Sœurs tendrement aimantes, elles vivent leur enfance et leur amour en cette Guernesey si chère au cœur de l'auteur. Mais William veut être officier de marine. Le voici parti pour la Chine sans avoir pu se déclarer à l'une ou à l'autre, bien que son cœur incline vers la douce Marguerite. Un malheureux accident le contraint à déserter. William se retrouve en Nouvelle-Zélande, parmi les nouveaux colons. Dix ans plus tard, alors qu'il a réussi à créer de toutes pièces une fortune, il écrit aux parents des jeunes filles pour leur demander la main de Marguerite. Mais l'étourdi William, qui a toujours confondu les prénoms des deux sœurs, écrit Marianne et non Marguerite. Et c'est la première, la volontaire, l'orgueilleuse, la tenace Marianne qu'il voit débarquer un beau jour. William se tait. Que peut-il faire d'autre ? Les choses n'iront pas toutes seules et leur mariage risquera bien souvent de sombrer dans la haine. Ce n'est que peu à peu que Marianne mesurera les qualités secrètes de William, tandis qu'elle-même se transformera, perdant un peu de son assurance de toujours et de ses ambitions démesurées. Bien des années plus tard, de retour à Guernesey, ils retrouveront une Marguerite toujours belle et devenue supérieure du couvent Notre-Dame du Castel. William avoue son erreur à Marianne, et c'est elle-même, enfin délivrée de son orgueil, qui ira l'apprendre à Marguerite. C'est avec une sûreté de main évidente que l'auteur brosse cette vaste fresque qui s'étend sur un bon demi-siècle. Depuis le paradis des amours enfantines jusqu'à l'achèvement meurtri de l'adulte, c'est Marianne tout entière qui vit devant le lecteur. Ajoutons qu'une fois de plus Elizabeth Goudge a rattaché son récit au folklore des îles anglo-normandes, ranimant la légende des deux abbesses réconciliées, si lourdes de leurs pensées qu'elles marquèrent de leur double empreinte le rocher du petit Aiguillon. – Trad. Plon, 1946.

PAYS DU DÉSIR DU CŒUR (Le) [*The Land of Heart's Desire*]. Drame en un acte du poète irlandais William Butler Yeats (1865-1939), publié en 1894. C'est une comédie féerique et lyrique reprenant une légende médiévale selon laquelle les fées, à la veille des fêtes du 1er Mai, ravissent les jeunes épousées. Maire, une jeune épousée, est rabrouée par sa belle-mère parce que, au lieu de l'aider à la cuisine, elle est plongée dans la lecture d'un conte de fées. Amenée à offrir une tasse de lait à une étrange vieille femme qui a frappé à la porte de sa cuisine, elle se voit accablée de reproches par sa belle-mère ; Maire, agacée, répond qu'elle est fatiguée de rester dans cette triste maison. On entend chanter et voilà qu'une jeune fille aux cheveux d'or et vêtue de vert fait son entrée, bien accueillie par tout le monde. Le curé, qui est présent, voyant que le Crucifix semble faire peur à la jeune fille, l'enlève du mur. La jeune fille commence à danser et invite la jeune épouse à se joindre à elle. La famille prend peur et se serre autour du prêtre ; mais celui-ci, sans le Crucifix, ne peut intervenir. Le mari de Maire, Shawn, tente de retenir sa femme, en la conjurant au nom de leur amour ; mais celle-ci, ensorcelée, est enlevée par la jeune fille aux cheveux d'or. Lorsque le mari se précipite pour retenir sa femme, en saisissant la guirlande de fleurs dont elle est ceinte, il ne lui reste dans les mains que quelques feuilles de frêne. Cette fantasmagorie magique conquit le public dès la première représentation ; elle est demeurée jusqu'à nos jours l'une des plus célèbres productions symboliques de Yeats, qui, par plus d'un côté, se rapproche du symbolisme français. – Trad. dans *Théâtre*, Denoël, 1954.

PAYS DU SOURIRE (Le) [*Das Land des Lächelns*]. Opérette romantique en trois actes du compositeur autrichien Franz Lehár (1870-1948) sur un livret de Ludwig Herzer et Fritz Löhner, créée à Berlin en 1929. Une jeune Européenne, Lisa, a suivi par amour le prince Sou-Chong dans son pays natal. Mais, incapable de s'adapter aux contraintes sociales de la Chine, elle décide de s'enfuir avec son fiancé, Gustave, et la sœur du prince, Mi. Le prince les surprend mais laisse partir Lisa, malgré un amour sincère. Deux airs de Sou-Chong sont passés à la postérité : « Dans l'ombre blanche des pommiers en fleur » et « Je t'ai donné mon cœur ».

PAYS NATAL. Ce roman de l'écrivain français André Dhôtel (1900-1991), publié en 1966, illustre une fatalité des enfances. Quand Félix Marceau, un garçon recueilli par des boutiquiers, jouait avec une bande de voyous, le plus grand jeu c'était de combattre la bande rivale (pour faire des prisonniers, qu'ensuite on libérait contre des gages). Le don de Félix, et c'est à cause de cette capacité étonnante qu'on l'avait accueilli dans l'équipe, c'était d'imiter les cris des bêtes. La bande rivale était commandée par une fille dont personne ne connaissait le nom. Quelques années plus tard, Félix Marceau, un jour qu'il tombe une neige très belle, retrouve cette fille, et ce jour-là sont dissipés des malentendus qu'ils ont eus entre-temps, sur leurs identités réciproques.

Le second thème du livre est familier aussi aux lecteurs d'André Dhôtel : c'est un déchirement entre les promesses d'un confort entrevu et le refus de tout ce qui bientôt aurait le caractère négateur d'un « emploi du temps » : entre une mort et la vie. Il n'y a, au début du récit, pas de raison pour que Félix Marceau, qui occupe alors une honnête situation chez un commerçant dont il est le secrétaire, n'épouse pas Juliette Dorme, aucune vraiment pour qu'il n'entre pas ainsi dans une famille fortunée. Alors réapparaît Tiburce Peridel, un ancien de la bande des délurés, devenu contrebandier. Cette rencontre remet tout en cause, et les deux inséparables, Félix et Tiburce, vont vivre absolument en marge, tout en ayant des activités de bricoleurs urbains et ruraux. Ce ne sont pas des promesses de mariage qui altéreront ces modes de vie, si l'on peut dire. D'ailleurs, il ne s'agit pas ici de classes sociales (les frontières n'en seraient jamais fixées), mais de réalités, anciennes et intemporelles.

PAYS OÙ L'ON N'ARRIVE JAMAIS (Le). Roman de l'écrivain français André Dhôtel (1900-1991), publié en 1955. Gaspard, fils de forains, est élevé par sa tante, une hôtelière qui redoute l'originalité. Or dès son jeune âge Gaspard voit naître sous ses pas des événements surprenants, qui rompent le cours monotone des jours, ainsi la rencontre d'un gamin à la recherche du « Grand Pays ». L'influence étrange qu'il exerce sur Gaspard conduit ce dernier à s'évader avec lui. Gaspard est blessé, l'enfant rattrapé. Mais dans la vie morne, l'imprévu ressurgit. Un cheval pie qui emporte Gaspard à travers bois vers des êtres originaux : Théodule Résidore, fils d'un collectionneur de moustaches de chat, les musiciens Niklaas, Ludovic et Jérôme ; vers des pays lointains : Anvers, les Bermudes, à la suite du jeune garçon, qui est en réalité une fille, Hélène. Gaspard fait sienne sa quête passionnée du « Grand Pays ». Après bien des déboires et une fausse découverte, guidée par le cheval pie, Hélène, escortée de Gaspard et de ses amis, aboutit à ce qu'elle cherchait presque aveuglément avec une mémoire enfantine : sa mère, Maman Jenny, qui chante dans les foires. Ils partent tous vers le « Grand Pays » des vagabonds où les pommiers, les chênes, la terre noire, les palmiers s'offrent tour à tour.

André Dhôtel excelle à faire émerger de la réalité banale des êtres en marge, souvent inexistants pour autrui. Sous sa plume la fugue d'un enfant, la rêverie, le vagabondage acquièrent un étrange relief. Le quotidien s'efface. On est envoûté par une histoire qui ne semble baigner dans la réalité que pour mieux s'enfoncer dans l'irréel. La fiction dépasse la réalité, les desseins des enfants, en apparence saugrenus et dénués de bon sens, sont en fait ceux des sages. Gaspard et Hélène ne font rien de plus que suivre le chemin difficile aboutissant à la vie pour laquelle ils sont faits, toute tentative contraire serait vaine et vouée à l'échec. Il en découle non une fatalité mais un sens du bonheur et une merveilleuse leçon de sagesse, d'espoir, puisque c'est au moment où rien ne semble plus devoir arriver que l'événement incroyable se produit. Mais le bonheur et l'espoir, n'est-ce pas justement la clé des contes ?

PAYS QUI N'EXISTE PAS (Le) [*Landet som icke är*]. Recueil de poésie de l'auteur finlandais d'expression suédoise Edith Södergran (1892-1923), publié de manière posthume en 1925. Le recueil, organisé de manière chronologique en quatre parties : 1916, 1917-18, 1919-20 et 1922-23, est composé de poèmes antérieurs non publiés et de ceux des deux dernières années de la vie de l'auteur. La première partie, par sa légèreté gracieuse et par la vivacité allègre des descriptions de la nature, se rattache au recueil *Poèmes* [*Dikter*] paru en 1916. La force de la concentration lyrique et l'absence de descriptions détaillées ont pu donner l'impression que la poésie d'Edith Södergran n'a qu'un très lointain rapport à la réalité. Or Edith Södergran vit la nature avec la réceptivité d'un enfant. Malgré leur forte charge symbolique, les images employées sont la représentation fidèle de la réalité concrète qui entoure l'auteur, même si elle leur confère ensuite l'apparence du rêve. Ainsi, dans « Jours malades », la strophe « Au bout de mon jardin il y a un lac ensommeillé » évoque-t-elle le lac bien réel qui se trouve au fond du jardin d'Edith Södergran à Raivola. Un « gouffre » sépare, selon le poète lui-même, l'aimable poésie de 1916 et celle, extatique, de 1918. Atteinte de tuberculose et ruinée par la révolution soviétique, mais paradoxalement enhardie par les épreuves qu'elle endure, Edith Södergran n'est plus le poète qui chante la joie de chanter, mais l'outil d'un pouvoir suprême. Marquée par la mort, elle se libère de sa propre souffrance pour témoigner, devant l'humanité affligée, de l'avenir, du soleil, de la vie qui ne meurt pas. Le ton des poèmes des années 1918, 1919 et 1920 que couvrent les deuxième et troisième parties du recueil est prophétique, parfois incantatoire, le message nietzschéen. La jeune femme, socialement isolée et physiquement amoindrie, puise consolation et compensation dans la certitude d'être une personne hors du commun, dans la conscience du rôle prééminent de l'artiste et dans l'assurance d'être chargée d'une mission exceptionnelle. Si, dans cette partie du recueil, Edith Södergran recourt fréquemment aux symboles religieux afin d'exprimer les sentiments que lui inspire la vie, elle n'en a pas pour autant une foi véritable. Les dieux habitent le cœur meurtri du poète lorsqu'il crée, mais ils n'ont pas d'existence propre. Cependant, lorsqu'en 1918 elle fait connaissance avec les textes du philosophe Rudolf Steiner, elle en retient moins les théories complexes que la révélation de la nature divine de la réalité. Les exigences éthiques de l'anthroposophie trouvent aussi un écho favorable dans l'âme avide d'absolu d'Edith Södergran. Commence alors un apprentissage long et pénible pour ce caractère entier et impulsif, en proie aux émotions. Il lui faut maîtriser ses envies, ses instincts, ses passions pour « s'anéantir avec tous ses préjugés ». La démarche enchante le poète par sa difficulté et laisse son empreinte sur sa poésie des dernières années. Edith Södergran se sait condamnée à brève échéance et tente de se familiariser avec ce qui adviendra. La mystique anthroposophe renforce l'affinité qu'elle éprouve depuis toujours avec la nature et la poésie de ses dernières années est imprégnée de cette naïveté que Schiller qualifie de retrouvée. Elle s'efforce d'envisager la mort comme faisant partie de l'éternel recommencement de la nature et aboutit ainsi à une simplicité et un dépouillement qui contrastent avec la frénésie réformatrice et la forme hardiment expressionniste de la période précédente. — Trad. Oswald, 1973. K. D.

PEAU (La) [*La Pelle*]. Recueil de nouvelles de l'écrivain italien Curzio Malaparte (pseud. de Kurt-Erich Suckert, 1898-1957). Ce livre, paru en 1949 et d'une veine analogue à *Kaputt* (*), a pour origine la participation de l'auteur aux combats (1943-45) de la division de partisans « Potente » pour la libération de l'Italie. On y retrouve la poésie brutale, les dégoûts, le grinçant humour, aussi bien que les procédés de *Kaputt*, avec, toutefois, un moindre élément de surprise. Ces douze récits ont pour toile de fond l'Italie, et singulièrement les ruelles populeuses de Naples affamée. Le thème du pourrissement est sans cesse développé (dans « La Peste », par exemple) et l'écrivain ne nous fait grâce d'aucune réminiscence olfactive. D'abord toute morale, la peste ne tarde pas à transformer la conscience humaine en une tumeur fétide. Les premières atteintes sont les femmes, et la peste provoque rapidement la plus épouvantable prostitution, laquelle apporte la honte dans chaque masure. Loin d'en rougir, hommes et femmes semblent se glorifier de leur propre abjection et de l'abjection universelle. Bien des gens, cependant, que le désespoir, la misère, la faim rendent injustes, insinuent « que les femmes prenaient prétexte de ce fléau pour se prostituer et qu'elles trouvaient dans la peste la justification de leur déchéance ». La surprise, puis la certitude que la peste a été apportée par les libérateurs eux-mêmes suscitent dans le peuple une douleur profonde, sans altérer pour autant sa reconnaissance. Les descriptions horribles se succèdent, et Malaparte ne se prive pas de nous faire frémir au moyen de l'obscène, de l'atroce, du macabre. Pourtant, c'est une image impérissable qui clôt ce récit : celle des colonnes doriques des temples de Paestum, au bord d'une plainte couverte de myrtes et de cyprès, où l'on sent que le monde préchrétien est demeuré intact sous le monde moderne. Naples et le Vésuve, semblable « à un os décharné et poli par la pluie et le vent », offrent un paysage cruel et inhumain qui n'est pas « la face du Christ, mais l'image d'un monde sans Dieu, où les hommes sont abandonnés à leur souffrance sans espoir ». Le narrateur marche à travers la ville en ruine, assistant tantôt à une rixe autour d'un cadavre, tantôt à la mort d'hommes qui laissent passer un sifflement rauque entre leurs dents. Le plus souvent, ce sont l'audace et la désinvolture, mais portées par un souffle ample et violent, qui sont à l'origine de la réussite de tel ou tel récit où se marient la bouffonnerie, l'horreur et le lyrisme le plus juste, comme la procession des naines au dîner du général Cork, la scène démoniaque des invertis lors de l'éruption du Vésuve, la mort du chien Febo (dans « Le Vent noir ») ; Febo est comme le reflet de l'esprit de Malaparte, le portrait de sa conscience, de tout ce qui existe de plus profond. « De lui, écrit l'auteur, bien plus que des hommes, de leur culture, de leur vanité, j'ai appris que la morale est gratuite, qu'elle est une fin en soi, qu'elle ne se propose même pas de sauver le monde (même pas de sauver le monde !) mais seulement d'inventer toujours de nouveaux prétextes à son propre désintéressement, à son libre jeu. » Inquiet de l'absence de Febo, le narrateur court à sa recherche, et se rend à l'université après avoir appris que les voleurs de chiens y vendaient pour quelques sous les animaux destinés aux expériences. Là, dans un étrange berceau, Malaparte aperçoit Febo étendu sur le dos, le ventre ouvert, une sonde plongée dans le foie, et il assiste à sa mort qui se passe sans un seul gémissement, parce que, avant d'opérer les animaux, le chirurgien leur coupe les cordes vocales. La honte d'un peuple aux abois est non moins amplement exprimée. (« On ne se bat plus pour l'honneur, pour la liberté, pour la justice, on se bat pour sa peau, pour sa sale peau. ») Sous le ciel de Naples, dont le « totem » (« Le Dieu mort ») est le Vésuve, l'auteur, méditant une fois de plus sur le destin de l'Europe, s'écrie : « Nous étions des hommes vivants dans un monde mort. » Mais cette Naples libérée, c'est aussi le mirage de l'or, la prostitution éhontée des « girls for negroes », et pis encore (« La Perruque »). D'inspiration spécifiquement malapartienne est « Le Dîner du général Cork », où l'on voit cet officier américain servir à ses hôtes, en guise de poissons... une sirène accommodée aux branches de corail. Les autres récits (« La Vierge de Naples », « Le Fils d'Adam », « Triomphe de Clorinde », « La Pluie de feu », « Le Drapeau », « Le Procès ») sont autant de scènes, hautes en couleur, de mœurs ou d'histoires. *La Peau* est incontestablement le livre d'un homme qui a souffert et veut nous restituer sa souffrance sur le ton du désespoir, mais d'une façon ornée, souvent pompeuse, grandiose dans l'horrible et parfois dans le cynisme. — Trad. Denoël, 1949.

PEAU DE CHAGRIN (La). Ce roman de l'écrivain français Honoré de Balzac (1799-1850) date des débuts de sa véritable carrière littéraire. Un an plus tôt, il avait donné les premières « Scènes de la vie privée » ; avec *La Peau de chagrin*, publié en 1831, il commençait la série qui devait dans *La Comédie humaine* (*) occuper une place à part, les « Études philosophiques ». Le jeune marquis Raphaël de Valentin, demeuré orphelin et fort pauvre, vit hanté par une grande œuvre qui est sa consolation et son espoir, il s'agit d'une « Théorie de la volonté », œuvre sublime et fumeuse inspirée, comme l'action du roman elle-même, par le mesmérisme et l'occultisme. Mais, découragé par l'ampleur de sa tâche, il est prêt à se suicider quand il rencontre un étrange personnage à demi antiquaire, à demi sorcier. Celui-ci lui fait cadeau d'une peau de chagrin qui a le pouvoir de satisfaire tous les désirs de celui qui la possède. Seulement, à la suite de chaque réalisation, la surface de la peau diminue et abrège d'autant la vie de son propriétaire, dont elle est le symbole. Raphaël devient immensément riche, il connaît tous les succès et tous les agréments d'une vie brillante ; mais il meurt un an plus tard, après une série d'aventures tumultueuses. La trame du roman est donc très simple, mais cette simplicité même n'est guère convaincante. Balzac, cependant, s'y révèle comme un extraordinaire conteur : il sait émouvoir le lecteur, le passionner par cette invraisemblable histoire et les multiples péripéties qui en découlent. *La Peau de chagrin* n'est pas vraiment un roman, mais un conte à demi philosophique, à demi fantastique, qui rappelle quelque peu la manière d'Hoffmann, lequel exerça sur les « Études philosophiques » une très grande influence. Mais la thèse de Balzac est ici partout un peu trop visible, un peu trop naïve aussi. Balzac croit à une espèce de fatalité, à un déterminisme absolu de l'être humain. Lorsqu'il montrera cette fatalité à l'œuvre dans le déterminisme social, il atteindra à une réelle grandeur, car ses thèses, aussi contestables qu'elles soient, reposeront alors sur un fonds extrêmement solide d'observations. Il entend ici mettre en lumière le contraste qui existe entre la volonté humaine et le destin. Si l'abandon au destin peut se traduire, comme pour son héros, par une extraordinaire prospérité matérielle, il ne peut cependant qu'engendrer sur le plan moral une misère et une angoisse qui ne sont que trop justifiées par la fin lamentable de Raphaël. Parmi les souhaits que formule Valentin, il en est un cependant qui n'a pas de conséquence fâcheuse et n'abrège pas sa vie : c'est le souhait d'acquérir l'amour d'une jeune fille, Pauline. L'amour partagé est, en effet, plus fort que la fatalité, et cet amour lui est déjà acquis avant qu'il ne formule son souhait : Pauline, depuis longtemps, l'aime, à son insu. Malgré le caractère simple de la thèse qu'il développe ici, il faut bien admettre que *La Peau de chagrin* est un récit admirablement mené et fort attachant. Elle fait partie des œuvres les plus connues et les plus lues de Balzac ; c'est qu'ici, comme dans la plupart de ses œuvres, l'auteur sait admirablement combiner le réel et l'imaginaire, ménager jusqu'à la fin l'intérêt et la curiosité du lecteur. Moins vivante, moins profondément ressentie que *Louis Lambert* (*), moins étrange et moins inquiétante que *La Recherche de l'absolu* (*), cette œuvre constitue, avec les deux romans précédents, une des pièces maîtresses de ces « Études philosophiques », où Balzac, s'évadant de son réalisme, tenta, souvent avec maladresse mais non sans susciter l'intérêt et la sympathie, de mettre en valeur les thèmes idéologiques qui sous-tendent son œuvre : en particulier celui, qui lui était cher, de la consommation de l'énergie vitale.

PEAU DE L'HOMME (La). « Roman populaire » du poète français Pierre Reverdy (1889-1960), publié en 1926. La réédition de 1968 est augmentée de deux contes, « Une nuit dans la plaine » et « Médaille neuve », et d'une bibliographie due à Maurice Saillet. Dédié à Pablo Picasso, il comprend deux parties : « La Mort dans l'âme » et « Le Sonneur du couchant », suivies de sept « contes » : « Au bord de l'ombre », « L'Imperméable », « Période hors-texte », « Mirage », « La Maison seule », « Ma Pièce », « Le Dialogue secret ». Les bois, les champs, les mers, les villes créent l'horizon et l'étendue, mais nul ne sait si la tache que le vent pousse au loin est un homme ou une feuille. Celui qui parle a traversé une infinité de lignes, une infinité de crépuscules, d'instants et d'heures, parcouru le monde en se hâtant, couru vers son destin sur le damier du mystère, du temps, du paysage. Derrière lui, le monde s'est effacé pour devenir plus vide et plus grand, pour devenir abîme. Il a quitté la terre. Il est hors de tout. Mais l'on dirait que c'est à cause de cette absence que la voix s'incarne en lui, au point même de l'infini où toutes les lignes convergent, et cette voix qui l'exprime, à travers silences, attentes, fragments, pose toujours la même question : quelqu'un vit-il à l'intérieur ? Toute l'œuvre de Reverdy se développe autour de cette question par associations d'images, comme il l'a d'ailleurs expliqué dans « L'Image », article de *Nord-Sud* (*).

Dans ce roman populaire, un capitaine se livre sans scrupules à la traite des blanches ; son navire est muni d'une simple voile triangulaire, et les femmes blanches qu'il transporte « ne sont pas autrement formées que par l'écume des vagues de la mer ». Quant aux yeux du pilote, à force de regarder le ciel et la mer, ils en ont pris les couleurs. À Paris (« l'action principale d'un roman populaire se passe toujours à Paris »), un vol important est commis dans une banque ; la police recherche les voleurs ; à la même époque vient s'installer dans une chambre de la rue Caulaincourt un jeune homme dont les allures équivoques inquiètent le crémier d'en face. « Il » est arrêté. Après une instruction de plusieurs années, le détenu n'a pas encore avoué. Un jour, la foule voit apparaître l'intrépide capitaine qui, en vrai marin, connaît tous les secrets du vent. Tandis que, dans le soir mouillé, des femmes font la chaîne le long du boulevard, la pluie battante des étoiles fait s'engouffrer la foule avide des spectacles de sport dans le monument où nous retrouvons « le héros, un moment perdu de vue de cette histoire dont le principal mérite est d'être scrupuleusement authentique ». Au milieu de la salle apparaît le ring inondé de lumière blanche. Une immense tristesse monte faisant trembler le feu des lampes, « qui pourtant ne sont pas sous l'empire du vent. Bientôt ce ne sont plus que les yeux humides qui éclairent. Il y a dans plusieurs coins des brouillards de haute mer dissipés par des soleils vivaces ». L'espace, enfin, se trouve habité par une multitude de boules mouvantes, de fumées noires, de formes opaques, à travers quoi, péniblement, se glissent les regards des spectateurs. Le premier combat commence, remarquablement décrit par Reverdy, qui y noue toutes les images accumulées au long de son récit. « Et puis dans ce décor drapé, que seul le silence soutient, un homme compte ; son bras immense battant l'air. Le temps marqué fait un trou noir dans l'esprit flottant qui s'entrebâille. Enfin l'homme, le mur du temps, le visage enfantin, l'heure sont hors d'usage. » Il est tard. La rue, la foule protègent le vainqueur qui cherche à diluer son désespoir dans les mystères de la nuit et les tourbillons du brouillard. Il marche. Il attend et voit apparaître dans le lointain un bateau blanc muni de sa voile triangulaire. Il demande à parler au capitaine, tandis que descendent une à une des formes d'une blancheur irréelle pour disparaître aussitôt au fond du temps, comme au fond d'une glace. Soudain, l'auteur intervient et s'écrie : « Il est sérieux pourtant, celui qui écrit ces lignes. » Apparaît alors, dans ce monde hanté par les voleurs et les trafiquants, « la silhouette élégante du critique d'art lui-même », qui s'empresse de rassurer l'auteur. Cependant, l'auteur reste derrière la vitre qui distribue au monde sa lumière, et, alors que les pluies de l'automne délavent le paysage, une immense glace d'armoire reflète l'univers, l'image du critique, de l'homme riche et de l'auteur.

Se servant de l'imagerie du roman populaire pour résoudre l'opposition entre le « fond » et la « forme », Reverdy, avec la complicité de son lecteur, construit son récit de telle sorte qu'à chaque instant celui-ci se double de sa critique, parfois de sa négation. Ainsi Reverdy peut-il écrire : « Je ne sais plus au point où nous en sommes [...] si l'on se trouve en présence du critique, de l'homme riche ou de l'auteur de ces quelques lignes qui s'est quelque peu fourvoyé. » Image du poète tentant d'échapper au chantage du progrès, de remettre en question les principes les mieux établis et de supporter l'absurdité d'un monde étranger à ses exigences, le champion maudit lutte seul d'égal à égal : les deux images coïncident : « ... frappant sans relâche, avec une précision et une brutalité effarante, terrible et justicier, le poète, à grands coups de ses poings dévoyés, éteignait le soleil. » Tout poème n'est-il pas semblable au disque sans fin que le champion s'exerce à lancer chaque soir le plus près possible des lignes droites à jamais parallèles de l'infini ? Tout serait à citer. Chaque page, chaque phrase est un poème, et le lecteur ne peut que se taire devant un tel foisonnement d'images organisé avec la rigueur d'une équation. Un humour sans pareil colore tout le récit, écrit par ailleurs dans une langue admirable, d'où la pensée émane comme d'un jeu de miroirs, toujours renouvelée, courant vers l'infini.

PEAU DES DENTS (La) [*The Skin of Our Teeth*]. Pièce en trois actes de l'écrivain américain Thornton Wilder (1897-1975), représentée pour la première fois en 1942 et publiée la même année. La « peau des dents », c'est cette marge infinitésimale qui fait souvent basculer un acte sur l'une ou l'autre pente, et la langue française ne fait pas moins image lorsqu'elle dit qu'« il s'en est fallu d'un cheveu ». Cette expression représente en quelque sorte le dénominateur commun de la condition humaine : depuis l'éviction du jardin d'Éden, l'histoire de l'humanité n'a été qu'une longue suite de désastres, et sa prétendue marche en avant qu'une façon d'y échapper par la peau des dents. Dès lors, rien d'étonnant à ce que l'action se déroule simultanément à deux époques chronologiquement distinctes, puisque, à tout jamais, la même angoisse vitale les confond. Le cadre de l'histoire et les héros mêmes ne seront pas plus différenciés, et le ménage Antrobus – le couple primordial après cinq mille ans de vie conjugale –, vivant dans une Amérique à peine sortie de la Dépression, va devoir affronter les périls de la période glaciaire (1er acte), ceux du déluge (2e acte), enfin ceux du XXe siècle, âge des congrès, de la radio et des guerres mondiales (3e acte). Antrobus peut bien avoir inventé le levier, la roue, l'alphabet et la table de multiplication, sa lutte, dès le départ, se révélerait vaine, et bien trop faibles ses forces, si Maggie, Ève riche du savoir de toute femme, ne restait aussi inébranlable dans la confiance et dans l'admiration qu'elle voue à son mari que dans son amour pour leurs enfants, Henry et Gladys. Enfin Sabina, servante et maîtresse de l'homme, personnification de la vie, tantôt sert ou dessert le couple, passant alternativement du mauvais vouloir à l'extrême dévouement au gré de ses contradictions intérieures, mais lui est indéfectiblement liée. Que Caïn – rebaptisé Henry après le meurtre d'Abel – tue pour demeurer libre de tuer encore, qu'Antrobus découvre la futilité de ses efforts pour ordonner le chaos de la nature au regard du chaos qui règne dans les cœurs, le relais n'en sera pas moins assuré car Gladys vient de mettre au monde un enfant... Antrobus retourne à ses livres, Caïn-Henry se dégrise de sa haine. Sabina retourne à ses bouderies et à sa cuisine – la vie continue.

Généreuse et parfois « inspirée », cette pièce pèche cependant par la fausseté de son argument, qui postule l'identité de la démarche des hommes lorsqu'ils luttent contre les forces élémentaires ou qu'ils s'efforcent à la perfection intérieure, assimilant ainsi l'intelligence à une variété supérieure de l'instinct. Du point de vue formel, les trouvailles ne manquent pas, à commencer par les fréquentes admonestations au public de l'actrice jouant Sabina. Mais les « accessoires » tels que dinosaures apprivoisés, usage du télégraphe à idéogrammes, et les « circonstances », mélange de l'âge de pierre et des Temps modernes, apparition des neuf Muses, d'Homère, de Moïse, affaiblissent beaucoup la portée d'une œuvre dont l'allure débridée masque finalement un assez étroit systématisme.

PEAU D'OURS. Publié posthume en 1958, ce livre, le dernier de l'écrivain français Henri Calet (1904-1956), est un document de première main sur la façon de travailler de l'auteur, en même temps qu'une œuvre bouleversante dans sa nudité et dans son inachèvement même. Sous-titré « Notes pour un roman », il se compose effectivement, à la manière d'un agenda tenu en vue du roman projeté, de réflexions lapidaires, percutantes et désabusées, d'observations et de portraits rapides, de bribes de lettres, de fragments d'articles et de toutes ces traces journalières qui sont les nœuds au mouchoir de la vie : rendez-vous, notes à régler, correspondance faite ou à faire, rencontres, anniversaires, etc. Un pense-bête, en somme, mais doublé d'un journal intime, à partir de quoi Henri Calet entendait écrire son grand livre. Qu'on en juge : « 27 juin : Anniversaire Maman : 80 ans. — Immensément triste, comme d'autres sont immensément riches. Je ne me suis pas habitué à moi. — Vivre à feu doux, couvercle fermé. [...] Je suis un vaisseau désemparé. On renfloue un navire coulé, pourquoi ne renfloue-t-on pas un homme ? » ; et plus loin : « Vence : ... J'ai l'air d'un homme comme les autres ; je fume. — Je suis encore un peu ici. Et cependant mon horizon se ferme, mon regard, ma vue, pas au-delà de demain. — Je cherche un endroit pour mourir. » On ne peut écrire plus simple, plus près de soi. Calet, qui s'y entendait pour tout perdre avec élégance, n'a retenu que l'essentiel, la pulsation des jours, les coups au cœur, comme il dit. Ce cœur, c'est lui seul qu'on entend battre ici, à coups de plus en plus forts à mesure que la mort dont il a le pressentiment se rapproche, et le trait s'aiguise, la moquerie de soi, mais la voix s'éraille, l'émotion perce la peau : « Mourir sans savoir ce qu'est la mort, ni la vie. — Il faut se quitter déjà ? — Ne me secouez pas, je suis plein de larmes. » Voilà les derniers mots. Inoubliables. Terrassé par une crise cardiaque, Calet n'aura pas eu le temps d'écrire son roman de la cinquantaine (chacun de ses livres fut projeté, déclarait-il, « comme l'œuvre d'une période bien définie »), ni même de classer le tas de feuillets sur lesquels il dispersait ses notes, cette « sorte d'herbier où je place, j'insère des personnages entrevus, séchés ». Une de ses amies s'en est chargée avec une fidélité exemplaire, nous donnant ce double intérieur d'une œuvre perdue, texte irremplaçable qui éclaire tous les autres et livre le secret de l'homme : une tendresse trop lourde à porter seul, une tendresse impossible à dire (« Je la cache au fond de ma poche, comme on cacherait un mouchoir sale, dont on aurait un peu honte »).

G. G.

PEAU ET LES OS (La). Essai autobiographique romancé de l'écrivain français Georges Hyvernaud (1902-1983), publié en mars 1949. Conçu vers l'été de 1941 et préparé par un ensemble de manuscrits rédigés pendant la captivité et qui en constituent une première version sous le titre provisoire de *Voie de garage* (mais aussi *Hors jeu* ou *Grandes vacances*), l'ouvrage est réécrit de 1946 à 1947. Un chapitre en est publié (sous le titre « La Peau et les Os ») dans le nº 15 des *Temps modernes* (*) (décembre 1946) — ce qui vaut à son auteur une lettre élogieuse de Roger Martin du Gard.

Cet essai d'environ cent cinquante pages est un récit décrivant en cinq chapitres les années de misère matérielle et morale passées dans les camps de Poméranie. Très proche de l'expérience vécue (on peut comparer de nombreux passages avec les observations consignées dans les *Carnets* de son journal intime), le récit recourt aux transpositions et à la fiction, notamment dans la création des personnages. L'auteur reconnaissait qu'il avait « tenté d'écrire un essai romancé », estimant « qu'on ne parvient à exprimer totalement le réel qu'en empruntant au roman certaines de ses techniques ». Au chapitre d'ouverture, qui dépeint le retour décevant du prisonnier au sein de sa famille, succède l'évocation des cabinets collectifs du camp qui symbolisent toute « l'abjection de la captivité », puis celle de la vie absurde, proche de la folie, menée dans les baraquements. Sur le fond de ce tableau sans concession de la déchéance des prisonniers, l'avant-dernier chapitre développe une critique ironique et cinglante de l'œuvre de Péguy (de son idéologie du travail et de l'héroïsme) telle qu'elle a été utilisée par les « gens bien ». Le dernier chapitre, consacré au souvenir de Gokelaere, un ancien élève de l'École normale d'Arras, jeune communiste fusillé par les Allemands en septembre 1941, tout en présentant une réflexion amère sur le métier des enseignants, oppose, en un contrepoint discret, et comme pour un anti-Péguy, au faux prestige du mythe la vérité de cet obscur Gokelaere, instituteur et poète. C'est alors que le récit s'achève : dans l'horreur de la mort, l'otage assassiné rejoint les cadavres des prisonniers russes entassés dans la fosse commune.

Le texte écrit dans un style incisif, souvent proche de la langue parlée, « en petites phrases qui proscrivent les grands mots » (Étiemble), témoigne d'un remarquable effort de lucidité pour saisir, à travers l'avilissement des captifs, la vérité de la condition humaine contre tout parti pris d'idéalisation.

R. De.

PEAU NOIRE, MASQUES BLANCS. Essai de l'écrivain martiniquais Frantz Fanon (1925-1961), publié en 1956. Premier ouvrage d'une série qui en comporte trois, avec *L'An V de la révolution algérienne* (1959) et *Les Damnés de la terre* (*) — série complétée récemment par le recueil posthume *Pour la révolution africaine* (1964), qui regroupe divers écrits politiques à travers lesquels Fanon fait figure de premier théoricien du tiers-monde. *Peau noire, masques blancs* est certainement l'étude la plus importante sur les conséquences humaines du colonialisme et du racisme. Docteur en médecine, spécialisé dans la psychiatrie, il se trouve que Fanon est un « nègre » et qu'il nous livre brutalement l'expérience d'un Noir plongé dans un monde dominé par les Blancs.

La première phase de son itinéraire, il la doit

à une exclamation entendue dans un train : « Tiens, un nègre. » Il prend le parti de s'en amuser mais bientôt : « Maman, regarde le nègre, j'ai peur ! » « Peur ! voilà qu'on se mettait à me craindre. Je voulus m'amuser jusqu'à m'étouffer, mais cela m'était devenu impossible. » Il croit que l'alerte se dissipera rapidement et décide de n'être qu'un homme parmi d'autres hommes. Il échoue : « Quand on m'aime, on me dit que c'est malgré ma couleur. Quand on me déteste, on ajoute que ce n'est pas à cause de ma couleur. » Le nègre a la même morphologie, la même histologie que le blanc : Fanon le sait, mais les victoires de la raison ne résolvent pas les problèmes d'existence. Puisque la raison ne suffit pas, Fanon jette en pleine argumentation une « charge de mots qui fait éclater le contexte, et désorganise nos assurances intellectuelles » : il nous découvre l'explosion à laquelle il est soumis, pour s'être cogné à l'absurde. On n'aborde plus le problème noir « de haut », on est brutalement contraint d'aborder l'expérience de l'homme au niveau même où elle est effectivement vécue — et soufferte — avant d'être objectivée. L'attitude de Fanon n'est ni subjective ni révoltée : elle est révolutionnaire. Son ambition à devenir Blanc étant utopique, le Noir, très souvent, s'efforce de démontrer la suprématie des valeurs nègres : c'est ce que l'on nomme la « négritude ». Les deux voies sont sans issue et Fanon donne les raisons particulières de ce double échec. Ainsi sa démarche est celle d'un homme qui a entrepris de nous affronter, Noirs et Blancs, à la générosité d'une conscience qui se refuse à toute haine et ne s'en prend qu'aux ténèbres de l'âme.

PEAU POUR PEAU [*Skin for Skin*]. Récit de l'écrivain anglais Llewelyn Powys (1884-1939), publié en 1926. « C'est pendant les petites heures d'une nuit de novembre 1909 que j'ai découvert que j'étais atteint de phtisie. » Après cette première phrase, on pourrait s'attendre à un chant funèbre. Mais non. Si déplaisants que puissent être certains moments : « Je me réveillais baignant dans une sorte de rosée de mort, les doigts visqueux comme un champignon vénéneux, les cheveux trempés comme des algues », l'angoisse est dominée. Car il y a, pour y faire face, le sentiment bucolique et païen de la Nature, une communion intense, surchargée, saturée avec celle-ci. « Il nous suffirait souvent de nous asseoir pendant des heures sur le bas-côté d'une route poussiéreuse [...] tout était délectation, tout était enchantement, nos excréments mêmes se métamorphosaient. » Le narrateur atteint au paradisiaque le jour où il trouve moyen d'accéder à une anse apparemment inaccessible et y découvre une grotte inviolée. Et il y a le tissu affectif de la famille Powys, qui apporte soutien et encouragement : « Une fois assis, le vieil homme, mon père, se frottait les mains de joie d'avoir ses enfants autour de lui, nous interrogeait sur notre promenade, et nous lui racontions que nous avions trouvé un héron mort près du moulin de Wulham, et aussi une fleur qui semblait être, pensions-nous, une scutellaire. Il envoyait alors ma sœur Lucy chercher son *Bewick* et sa *Botanique de Johns* dans le bureau et il lisait à haute voix des extraits de chacun des deux volumes. Après quoi, avec un regard d'une infinie bonté, il se frottait les mains et disait comme il était heureux que nous, les garçons, eussions fait une intéressante promenade. À ces mots, le visage de ma mère s'illuminait... » John, Theodore, Willie, Littleton, Albert passeront aussi, brièvement, devant nos yeux, avant que Llewelyn ne retourne dans les sanatoriums des montagnes suisses. La rechute finale ne surprend pas vraiment le lecteur, mais c'est celle d'un homme à qui son immense appétit de vie va assurer encore de fortes années. — Trad. Hatier, 1991.

Ph. Mi.

PÉCHÉ [*Gryah*]. Récit de l'écrivain bulgare Gueorgui Raytchev (1882-1947), publié en 1921. Une des œuvres psychologiques les plus importantes de la littérature bulgare dont la narration polyphonique nous fait découvrir, sous plusieurs aspects, la profondeur du monde intérieur de l'homme. C'est une œuvre sur la redoutable puissance de l'instinct sexuel que les personnages sont complètement impuissants à dominer. Le nombre d'événements réduit au minimum, l'auteur concentre toute son attention sur la psychologie paysanne, sur l'éternel problème des rapports entre l'homme et la femme, sur leur antagonisme et sur la force fatale de leur attirance mutuelle inconsciente. Le conflit entre l'essence biologique et spirituelle de l'homme débouche inexorablement sur un dénouement tragique.

É. F.

PÊCHE (La) [*Halieutica*]. Traité didactique du poète latin Ovide (Publius Ovidius Naso, 43 av. J.-C.-17 apr. J.-C.). Cet ouvrage, qui comporte de nombreuses lacunes (le début et la fin, notamment, nous restent inconnus), se compose de cent trente-quatre hexamètres. Il traite des poissons et des ruses qu'ils utilisent pour échapper au pêcheur. Le fragment que nous possédons s'insère vraisemblablement dans le cadre d'un grand poème ichtyologique, aujourd'hui perdu. — Trad. Garnier, rééd. 1957.

PÊCHE À LA TRUITE EN AMÉRIQUE (La) [*Trout Fishing in America*]. Roman de l'écrivain américain Richard Brautigan (1935-1984), publié en 1967. Ce roman (mais est-ce vraiment un roman ?) se compose de brefs chapitres précédés d'un titre incongru comme « Truite tuée par le vin de porto », « Le Cabinet du docteur Caligari », ou encore « Prélude au chapitre sur la mayonnaise ». Il ne s'agit donc nullement d'un guide pour pêcheurs, mais bien plutôt d'une parodie de ce type d'ouvrage, écrite par un esprit farfelu, amateur de bonne chère, de cours d'eau limpides, de coins de campagne isolés et d'images insolites. Les références à Walt Whitman et à H. D. Thoreau sont évidentes : Brautigan partage avec eux le mépris de la grande ville et du mode de vie américain, il déteste le fanatisme sous toutes ses formes (politique, religieux, idéologique) ; comme eux, et semblable en cela à certains écrivains de la « beat generation », il aime l'errance sans but ; mais au mysticisme oriental d'un Ginsberg, il préfère la pêche à la ligne, et à la drogue d'un Burroughs le bon vin... Fidèle à la tradition antiréaliste américaine, Brautigan écrit que les États-Unis « ne sont souvent qu'un lieu imaginaire », et l'on peut considérer sa *Pêche à la truite* comme une exploration de l'imaginaire américain des années 60.

Aucun fil directeur, donc, sinon au détour d'une page l'éclat fugace d'une truite entr'aperçue, la cocasserie baroque ou surréaliste d'une image ou d'une comparaison qui, pour Brautigan, tient lieu de raison. Énumérations, citations incongrues, images loufoques, bibliographies, statistiques délirantes, extraits de lettres, tous ces chemins de traverse, digressions et autres diversions, pourvu qu'elles allient l'humour frondeur et l'effet de surprise, servent à faire sortir le récit des sentiers battus, à déjouer toute emphase et à prôner une espèce de vie idéale vécue au jour le jour, aux antipodes des valeurs traditionnelles de l'Amérique bien pensante. Richard Brautigan reprend ici des thèmes chers aux beatniks et à la contre-culture des années 60, mais sa façon de les mettre en œuvre dans *La Pêche à la truite* n'a rien de didactique : son grand art est son apparente nonchalance, son refus de l'abstraction et son amour du détail qui parfois excède le tout. Il y a certes un narrateur, double transparent de l'auteur, mais ce « je » minimal sans présence physique ni autre épaisseur psychologique que son goût pour la pêche à la truite sert de simple hameçon sur lequel accrocher cette admirable et délicieuse succession d'anecdotes sans queue ni tête qu'est *La Pêche à la truite en Amérique*. — Trad. Christian Bourgois, 1974. B. M.

PÊCHE MIRACULEUSE (La). Roman de l'écrivain français d'origine suisse Guy de Pourtalès (1881-1941), publié en 1937. Paru à la même époque que *Verdun* de Jules Romains et *L'Été 1914* de Roger Martin du Gard, *La Pêche miraculeuse* est le pendant suisse romand à la réflexion menée par les « hommes de bonne volonté » face aux dangers qui menacent l'Europe dans les années 30. Ce roman d'apprentissage s'apparente plus aux courants romanesques anglais, allemand ou russe qu'à la tradition du roman psychologique français. On peut sans doute l'expliquer par le cosmopolitisme familial et culturel de Guy de Pourtalès qui a étudié en Suisse et en Allemagne avant de s'établir à Paris et qui a parcouru le continent pour ses biographies — v. *L'Europe romantique* (*) — et son activité de conférencier.

L'écrivain a travaillé dix ans à cette œuvre qui représente la somme de ses expériences. Parti d'un projet autobiographique, il a essayé plusieurs formes narratives avant de composer un vaste roman polyphonique qui couvre les années 1880 à 1920. Le héros, Paul de Villars, est presque un double de l'écrivain : né à Genève dans une famille patricienne, il étudie dans les mêmes villes (Vevey, Neuchâtel, Karlsruhe, Berlin), s'engage comme volontaire dans l'armée française, est gazé près d'Ypres en 1915, poursuit sa formation à Paris et revient sur les bords du Léman où sont ses vraies racines.

Mais Paul est pianiste, il a choisi le « langage de l'âme », et la musique traverse le roman comme un fil conducteur. Toutes les expériences du héros sont liées à une œuvre ou à un compositeur ; enfant, il reçoit ses premières leçons de piano de son père qui l'initie aux romantiques. Schumann, Chopin et Wagner accompagnent la découverte de l'amour, Beethoven est un frère dans la souffrance. Les *Passions* de Bach ouvrent le jeune homme à la compréhension des autres et aux mystères de la transcendance.

Selon la tradition du roman d'éducation, l'apprentissage du héros est fondé sur une succession de choix, parmi lesquels l'hésitation amoureuse entre deux femmes permet à l'auteur de créer deux personnages antithétiques et attachants. Antoinette, la petite cousine de Paul, brune et sensuelle, incarne les forces de vie et de liberté ; la blonde et timide Louise, dont la famille a été ruinée et déshonorée par un oncle, refuse les réalités du corps et de l'amour et finira noyée sur les rives du parc d'un hôpital psychiatrique. Si pour Paul elle est l'inspiratrice, la nourricière de l'âme, c'est avec Antoinette cependant qu'il décide de faire sa vie.

Les deux côtés de la famille de Paul s'opposent aussi selon des valeurs inconciliables. La famille de Villars appartient à la rue des Granges, qui domine de ses riches hôtels la basse ville de Genève. Mais, comme ses deux frères, le père de Paul se distingue de sa caste par son non-conformisme et son sens déplorable des affaires. Veuf très jeune, il enseigne à son fils les secrets de la navigation à voile et les richesses de l'âme au lieu de l'initier à la chimie ou à la finance. Les grands-parents maternels offrent à l'enfant la tendresse, la liberté et l'espace d'une grande campagne au bord du lac et de leur maison de vacances savoyarde, pleine de réminiscences de Rousseau et de saint François de Sales. Tout à l'opposé, le père d'Antoinette, le banquier conservateur Victor Galland, est la caricature d'un calvinisme outrancier et castrateur. Pour ses enfants, le conflit des générations est avivé encore par la contestation des valeurs anciennes qui caractérise le lendemain de la guerre de 14-18. Les premiers lecteurs de *La Pêche miraculeuse* qui se sont offusqués de l'image que Pourtalès donnait de leur ville n'ont pas compris que l'écrivain dénonçait les abus d'une religion mal comprise, réduite à la morale d'un Dieu vengeur, et que tout son roman était traversé par la douceur de l'amour évangélique.

La parole biblique, qui revient comme un leitmotiv dans les six épisodes du roman, en détermine la signifiance autant que les références à la musique. Le romancier a emprunté son titre à la parabole évangélique, relayée dans le roman par le retable de Conrad Witz qui se trouve au Musée de Genève. Peint en 1444, celui-ci est la première œuvre picturale qui situe une scène biblique dans un paysage réel, celui des bords du Léman à proximité de Genève, la vue exacte qu'avait l'écrivain de la maison de ses grands-parents, avec le Mont-Blanc à l'horizon. Devant le tableau, Paul comprend la parole « tu seras pêcheur d'hommes » comme le privilège et le difficile devoir de l'artiste. Le mot-titre devient message d'espoir dans le monde bouleversé.

L'épisode de la guerre, en effet, qui vient rompre le caractère intimiste des quatre premières parties, ancre le roman dans l'Histoire. Il représente aussi une étape initiatique essentielle pour le héros. Sur le front et dans les hôpitaux, Paul l'individualiste découvre la souffrance, la fraternité et la richesse des humbles. Comme dans la symbolique de l'Apocalypse, la guerre ouvre à « un nouveau ciel et une nouvelle terre », représentés pour les peuples par la création, à Genève, de la Société des Nations. Dans le tableau de Conrad Witz, c'est le Christ ressuscité qui se tient au bord du Léman, lui aussi annonciateur d'un monde renouvelé. Le roman ne se termine cependant pas sur cette apothéose collective, mais sur les fiançailles de Paul et d'Antoinette, accompagnées par le chant d'un merle, l'oiseau de Siegfried...

Ces nombreuses références culturelles donnent à *La Pêche miraculeuse* une dimension qui dépasse celle d'un roman d'amour, d'un tableau de société ou d'une fresque historique. Si elle est baignée par la lumière du Léman, si elle reflète certaines valeurs propres à la Suisse française protestante, l'œuvre se distingue de la production contemporaine romande et se rattache à la tradition française du roman-fleuve de l'entre-deux-guerres et à celle du roman d'apprentissage issue de *Werther* (*).

F. Fo.

PÊCHEUR (Le) [*Der Fischer*]. Ballade que l'écrivain allemand Johann Wolfgang Goethe (1749-1832) composa en 1778, alors qu'il s'engageait dans un classicisme fort éloigné de sa première manière. Cependant cette ballade se ressent encore des excès qui caractérisent le « Sturm und Drang ». Elle se divise en quatre strophes. Elle reprend un thème éminemment populaire et qui a joui d'une grande fortune à travers les âges : celui de l'attrait mystérieux qu'exerce l'eau. Le pêcheur rêve aux bords des rivières et des étangs et, fasciné par une nymphe, il la suit et disparaît avec elle. Le poète exprime, avec une rare intensité, sa lassitude de vivre et le désir qu'il éprouve d'atteindre à la paix. La simplicité de sa vision a la grandeur d'un mythe, et elle se nourrit de ces deux mystères : la vie et l'amour, éternelle source d'inquiétude, et la nature, dispensatrice de paix.

PÊCHEUR (Le) ou les Ressuscités [Ἁλιεύς, ἢ ἀναβιῶντες]. Dialogue de l'écrivain grec Lucien de Samosate (125 ?-192 ? ap. J.-C.), qui reprend le sujet de cette autre œuvre de Lucien, *Les Sectes à l'encan* (*). Les philosophes que l'auteur fustigeait dans ce dernier dialogue remontent en masse des Enfers pour se venger de lui ; comparaissant devant la Philosophie, il se défend en faisant son apologie : celle-ci n'est qu'une amère accusation contre ceux qui se déclarent philosophes et ne sont en réalité que d'ineptes vulgarisateurs et imitateurs des doctrines des grands maîtres. La défense est menée avec beaucoup d'ardeur, au nom de tout ce qui est vrai, beau, simple, contre les menteurs et les charlatans. Lucien est absous. Vient alors la pêche des vrais philosophes, qu'il fait à la ligne et à l'hameçon, du haut de l'Acropole d'Athènes, ce qui explique le titre du dialogue. *Le Pêcheur* présente une certaine importance, du fait des nombreuses données autobiographiques qu'il contient. – Trad. *Œuvres complètes,* Garnier, 1933.

PÊCHEUR D'ISLANDE. Roman de l'écrivain français Pierre Loti (1850-1923). Paru en 1886, ce roman, dont l'action se déroule en Bretagne, dans le port de Paimpol, évoque la vie dangereuse et rude des « islandais » qui, à la fin de chaque hiver, quittent leur foyer pour aller pêcher la morue parmi les brumes et les tempêtes du grand Nord. Gaud, une « demoiselle de la ville », revient dans sa Bretagne natale auprès de son père, un riche commerçant de la région. Elle s'éprend d'un jeune pêcheur, Yann. Caractère indépendant et sauvage, celui-ci ne semble guère répondre à l'amour muet de la jeune fille. La pudeur, la réserve de cette dernière lui interdisent toute démarche propre à trahir ses sentiments. Les mois s'écoulent, monotones, marqués seulement par le départ, puis le retour des pêcheurs. Mais un jour, le père de Gaud vient à mourir, ruiné ; Gaud alors, courageusement, se met à gagner sa vie. Et Yann, qui, jugeant la jeune fille trop riche pour être un jour la femme d'un simple pêcheur, n'avait jamais osé se déclarer, ne tarde pas à demander sa main. Le bonheur du jeune couple sera de courte durée : une semaine après son mariage, Yann reprend la mer. Gaud partage désormais l'existence des épouses bretonnes, faite de patience et d'attente. La saison finie, les barques, une à une, rentrent au port. Seule celle de Yann manque à l'appel. Gaud prie et espère longtemps, contre tout espoir. Mais Yann ne reviendra pas. Sur ce thème extrêmement simple, Loti a construit un roman plein d'une singulière puissance d'évocation. Les personnages, dont la psychologie est assez élémentaire, sont conventionnels, d'une sentimentalité un peu mièvre. Mais la véritable héroïne de *Pêcheur d'Islande*, c'est la mer, que Loti — lui-même marin — sait rendre toujours présente. Sa technique procède de celle des impressionnistes : elle vise non à reproduire le détail précis, mais à créer une atmosphère. Dans *Pêcheur d'Islande*, les paysages (départ des barques de pêche pour l'Islande, rencontre de Yann et de Gaud dans la lande bretonne, tempête en mer, etc.) sont empreints de la poésie la plus prenante et la plus vraie. Ce roman passe, à juste titre, pour un des meilleurs de Pierre Loti.

PÊCHEURS (Les) [*Fiskerne*]. Drame lyrique de l'écrivain danois Johannes Ewald (1743-1781), composé en 1778 et représenté pour la première fois en 1780, avec une musique de J. E. Hartmann. L'œuvre s'inspire d'un fait réel dont des pêcheurs de Hornbaeck furent les protagonistes. Un navire se trouvant en détresse non loin de la côte, deux jeunes pêcheurs, Knud et Svend, sourds aux prières de leurs fiancées, les deux sœurs Lise et Birthe, prennent la mer avec le vieux Anders, père des jeunes filles ; bravant les éléments déchaînés, ils atteignent le navire et sauvent l'équipage. La beauté de l'œuvre tient essentiellement dans les passages descriptifs, qui sont d'une grande force épique. Retenons de ce drame la célèbre chanson : « Le roi Christian se tenait près du grand mât », qui devint par la suite l'hymne royal et l'un des deux hymnes nationaux danois.

PÊCHEURS DE PERLES (Les). Opéra en trois actes, livret d'Eugène Cormon (1811-1903) et Michel Carré (1819-1872), musique du compositeur français Georges Bizet (1838-1875), représenté à Paris en 1863. Une tribu de pêcheurs de perles de Ceylan a élu son chef, Zurga. Or un vieillard a amené d'un pays lointain une jeune fille inconnue qui, pour tenir éloignés les esprits hostiles pendant que dure la dangereuse pêche des perles, devra chanter du haut d'un rocher. Nadir reconnaît cette voix : il l'a entendue dans une mosquée de Candie où il avait, un jour, pénétré avec son ami Zurga. Ce jour-là, les deux jeunes gens avaient même pu voir la jeune fille. Nadir viole la défense sacrée, et pénètre dans la vieille pagode où Leila — ainsi s'appelle la chanteuse — est absorbée par le souvenir de l'étranger un jour entrevu. Un orage éclate, indice de la colère céleste provoquée par le sacrilège. Les pêcheurs accourent et surprennent les amoureux. Zurga est sur le point de faire grâce à son ami, lorsqu'il reconnaît à son tour la jeune fille de la mosquée et, pris de jalousie, condamne les amoureux à périr dans les flammes. Mais, grâce à un collier que Leila porte au cou, Zurga se souvient de l'homme qui, quelques années plus tôt, l'a sauvé en des circonstances périlleuses. Alors, il met le feu aux cabanes des pêcheurs et, tandis que ceux-ci sont occupés à éteindre l'incendie, il fait fuir le couple ; puis il périt, victime de la colère des pêcheurs. Un livret aussi conventionnel pouvait difficilement susciter une musique exceptionnelle. Le compositeur le sentait bien, qui indiquait, comme seuls morceaux méritant d'être sauvés, le duo Nadir-Zurga du premier acte, la romance de Nadir, le chœur et la « cavatine » de Leila du second acte. Cependant, il émane de cette partition un certain charme, le goût d'une harmonie simple et agréable qui en font l'un des ouvrages du répertoire lyrique français les plus régulièrement représentés.

PÉDAGOGUE (Le) [Παιδαγωγός]. Traité didactique et religieux en trois livres de Clément d'Alexandrie (seconde moitié du IIe siècle après J.-C.), premier docteur de l'Église. L'auteur se propose moins de composer un traité de morale que d'offrir aux néophytes une méthode pratique d'éducation qui consiste à se mettre directement à l'école du « Logos », le Verbe divin. Le premier livre de l'ouvrage, le plus étendu, le plus original et le plus important, est consacré à la personne même du pédagogue : Jésus, véritable et suprême éducateur, a assumé la tâche d'enseigner les hommes qui ne sont que des enfants et qui ont besoin de sa parole. L'éducation, à ses yeux, a pour but de diriger les hommes selon la vérité et de les conduire à la suprême béatitude, c'est-à-dire à la contemplation de Dieu. Dans les deuxième et troisième livres, l'auteur énumère les vices les plus répandus dans la société de son temps : la gourmandise, le luxe dans la vie, dans les maisons, dans les vêtements ; l'importance excessive accordée à la beauté physique et à son culte. En plus de leur valeur morale, ces deux livres, pour lesquels Clément a probablement puisé dans des œuvres maintenant perdues, sont remarquables par l'esprit d'observation et par la vivacité réaliste avec lesquels l'auteur décrit les hommes, les faits et les coutumes de la société alexandrine de son temps. — Trad. Éd. du Cerf, 1960-1970.

PÉDANT JOUÉ (Le). Comédie en cinq actes de l'écrivain français Cyrano de Bergerac (1619-1655). Écrite à une date inconnue, publiée en 1654 dans les *Œuvres diverses*, cette pièce s'inspire en partie de Giordano Bruno et de Lope de Vega, mais reprend surtout des thèmes à la mode. L'intrigue raconte en effet les aventures d'un pédant de collège, Granger, dont les modèles sont Jean Grangier, le principal du collège de Beauvais fréquenté par Cyrano, mais aussi Hortensius, le héros ridicule du *Francion* (*) de Charles Sorel. Il renvoie également au « docteur » de cette comédie italienne, à laquelle Cyrano emprunte en outre les personnages du « capitan » Chasteaufort, du valet parasite Paquier et du fourbe Corbinelli. La création la plus originale restant Gareau, véritable archétype du paysan de comédie, voué à une belle fortune ultérieure : de Molière à Queneau. L'auteur des *Fourberies de Scapin* (*) se souviendra en outre de la réplique de Granger : « Que diable allois-tu faire dans cette galère ? » (II, IV). Mais l'intérêt majeur de la pièce réside dans l'extraordinaire travail sur le langage effectué par Cyrano. Le pédant est un maniaque de la rhétorique s'exprimant par figures, dans un jargon truffé de latinismes burlesques. Le matamore est un visionnaire ridicule dont les discours hyperboliques sont saturés de métaphores réalistes du plus bel effet grotesque. Gareau parle le même patois littéraire que les paysans de Saint-Ouen et de Montmorency ou les « Guépeins » des *mazarinades*. Définis par leur manière de parler, les personnages, enfermés dans leur idiolecte, ne réussissent jamais à se comprendre. D'où, à côté de la drôlerie de la fantaisie verbale, un procès de l'incommunicabilité qui n'est pas sans évoquer le théâtre de l'absurde, de Beckett à Ionesco.

P. Ro.

PEDIGREE. Roman de l'écrivain belge d'expression française Georges Simenon (1903-1989), écrit entre décembre 1941 et janvier 1943 et publié en 1948. On peut le qualifier de « matriciel ». L'auteur y reprend ses souvenirs d'enfance, évoqués dans *Je me souviens* (1954), en les prolongeant jusqu'à la fin de la guerre et en les étoffant de développements sur la vie de Liège entre 1903 et 1918. Dès le chapitre de la naissance de Roger Mamelin, le double de l'auteur, un attentat anarchiste endommage le Grand Bazar sur la place Saint-Lambert : c'est l'acte romantique de Fernand Marette, une projection romanesque de ce que Simenon aurait pu devenir à l'époque où il fréquentait des poètes en herbe et des rapins à la Caque, pour des séances orgiaco-mystiques. On retrouve dans les Mamelin tous les Simenon de *Je me souviens*, de même que ses oncles et tantes du côté de sa mère, Henriette Brüll, appelée ici Élise Peters. Les Mamelin et les Peters vivent les mêmes histoires, mais les portraits sont ici plus complets, aussi bien dans la description physique que dans l'examen psychologique. L'oncle Léopold est toujours le chroniqueur de la branche maternelle, le même ivrogne, bourru bienfaisant qui protège le jeune anarchiste Marette, le fait fuir à Paris et se procure de l'argent pour le tirer d'un mauvais pas. La vaste épicerie de la rue des Carmes, où l'on reconnaît la tante Marthe, qui s'adonne à des « neuvaines d'ivrognerie », s'ouvre comme une immense caverne où, dans l'ombre, reposent des amoncellements de marchandises. Le passage où l'enfant voit emmener à l'asile sa tante Félicie, devenue folle à la suite des brutalités de Coustou, son sinistre mari, et aussi de l'alcoolisme où elle cherche un refuge, est empreint d'une horreur tragique. Les complications familiales dans la buvette de tante Louisa, sur le canal de Coronmeuse, mettent en scène des cousins et des cousines qui étaient négligés dans l'esquisse, et les chapitres consacrés à l'oncle Guillaume (le plus cossu des Mamelin) ou à Louis de Tongres (le seul Peters qui ait vraiment réussi) élargissent singulièrement la peinture de ces prototypes des Malou et des Donadieu. Des parents qui ne faisaient qu'une apparition fugitive dans *Je me souviens*, comme le sacristain Charles Daigne ou Cécile, la femme de l'ajusteur, sont longuement décrits dans leur vie quotidienne et leurs malheurs. La biographie du petit Liégeois, qui s'arrêtait à l'âge de dix ans, est prolongée ici jusqu'à l'entrée dans la vie, aux « débuts littéraires » : c'est donc un roman de la formation. Les premières humiliations, les premières désillusions y sont longuement commentées ainsi que l'éveil à la sexualité. La troisième partie, celle qui montre les réactions du collégien devant les injustices de la vie et les mystères de l'amour, est la meilleure clé de l'œuvre romanesque de Simenon. Car il n'hésite pas à reprendre, sous la forme la plus franche, des secrets qu'il avait déjà utilisés sous des masques divers dans ses livres précédents. L'aspect social est aussi très important. Il y a les pauvres, et il y a les riches, mais la façon dont Simenon enfant apprend à voir le monde lui révèle les inégalités sociales du point de vue du pauvre. Son père est un petit employé qui s'accommoderait fort bien de sa condition modeste si son épouse, Élise, ne lui reprochait continuellement son manque d'ambition et son égoïsme. C'est elle qui ressent profondément l'humiliation de ne pas faire « bonne figure » devant les épiciers Schroefs ou Louis de Tongres, le marchand de bois. Cette humiliation, l'enfant en prend conscience sur un plan très quotidien. Car sa mère, qui a toujours peur de « manquer », ne recule pas devant certaines bassesses pour gratter de petits avantages, obtenir par exemple pour Roger le demi-tarif au collège des frères. Mais cette honte d'être pauvre, Roger ne l'éprouve que plus tard, lorsque certaines blessures d'amour-propre le font rougir devant ses camarades qui ne manquent de rien. Le livre ne contient aucune tirade sur l'inégalité sociale, mais elle est présente à chaque page par de menues notations qui finissent par suggérer le dur combat quotidien pour la vie, et la hantise, surtout chez la mère, de la misère. C'est par peur du lendemain qu'elle manœuvre longuement pour obtenir de son mari qu'il prenne des locataires. Dès l'arrivée des « étrangers », c'en est chez eux pour toujours fini de la tranquillité. Une longue théorie de pensionnaires défile sous les yeux de l'enfant puis de l'adolescent, spécimens d'humanité qui, à des titres divers, finiront tous par prendre place dans les livres du romancier. L'attitude de sa mère envers ces « étrangers » oblige l'enfant à la voir sous un nouvel angle et à la juger. Il la voit servile, faire des avances mielleuses (le plus souvent repoussées), il la voit « strogner » sans cesse, c'est-à-dire tricher, rogner sur le fromage et le charbon, s'échiner, s'acharner au cours des années pour ne pas manquer du « strict nécessaire » et, se lamentant sur son sort, jouer les « Mater dolorosa » sous l'œil impitoyable de son fils, qui ne lui passe aucune mesquinerie, aucune jérémiade, et qui à la fin se dresse contre elle avec une violence qui explose en scènes sordides. Mais ce que Roger ne pardonne surtout pas à sa mère, c'est de rendre son père malheureux : non seulement les initiatives maternelles ruinent sa tranquillité et lui rendent la vie impossible, mais elle le met toujours en accusation parce qu'il est trop bon, trop naïf, trop pur. Les rapprochements du père et du fils sont maladroits, mais c'est pourtant ce qui, à la fin du livre, c'est-à-dire à l'époque de l'« âge ingrat », sauve Roger du danger qui le menace. Au moment où il sent qu'il s'enlise et s'engage dans une vie de petite crapulerie satisfaite, c'est la présence de son père, sa bonté tranquille et pleine de pudeur (sa main sur l'épaule, un mot bonhomme) qui l'arrêtent au bord de la perdition. Car toute la dernière partie montre l'éveil d'une sexualité inquiète, tourmentée dès l'enfance par des complexes qui, amplifiés, nourriront dans l'œuvre de Simenon des centaines de malades et d'obsédés (voyeurs, impuissants, sadiques et assassins). Avec une sincérité qu'il veut totale, l'auteur remonte vers le péché qui a terni sa première communion, puis celui qui l'a fait renoncer à devenir prêtre (à douze ans, à la campagne, une amourette de vacances) et, plus tard, les initiations troubles qui ont à jamais pour lui associé à la notion de souillure les choses de la chair. En ce climat empoisonné de l'Occupation, qui annonce l'atmosphère malsaine de *La neige était sale* (*), Roger se laisse entraîner aux tricheries faciles des petits trafics et aux abjections écœurantes dans les caboulots minables. La révolte d'un jeune garçon contre la laideur et le vice (dont il ne peut s'empêcher de subir l'emprise) est ici amplifiée par la grande immoralité de la guerre et de l'après-guerre. Comme dans *Les Trois Crimes de mes amis*, il rapporte des « choses vues » qui sont une vivante illustration d'une période où tout était permis. Décrivant les petits jeux sales de gamins vicieux excités par des prostituées ou une expédition de ravitaillement en famille, il montre le laid, le sale, l'« ordure », dit-il, où il va s'engloutir. Ce qui le sauve, c'est qu'il en a conscience, qu'il voit à la fois les beautés de sa ville et toutes ses petitesses ; Liège aux saisons dans le soleil, la neige et le brouillard, il en perçoit les moindres bruits, les moindres odeurs, et il pourra dire plus tard, comme Marette, qu'il se souvient de tout « avec une écœurante minutie ». Mais cette lucidité le dresse contre la tentation de la facilité et le pousse à choisir : « Il partira et jamais, jamais il ne vivra comme son père et sa mère, il se le promet, rien ne sera admis dans son existence qui puisse lui rappeler son enfance. » Par les tableaux d'enfance, la profondeur des souvenirs, la franchise des confidences, par la galerie de portraits, par l'art de l'écriture, c'est peut-être le meilleur livre de Simenon, celui en tout cas qui éclaire toute son œuvre et permet d'en avoir une vue synthétique.

PEDRO DE URDEMALAS. Comédie en trois actes et en vers de l'écrivain espagnol Miguel de Cervantès Saavédra (1547-1616), publiée dans les *Huit comédies et huit intermèdes* (*) en 1615. Deux thèmes chers à l'auteur en constituent les éléments fondamentaux : satire de la justice populaire, que l'on retrouve dans *L'Élection des alcades de Draganzo* — v. *Huit comédies et huit intermèdes* — et peinture de la vie aventureuse des bohémiens, comme dans la nouvelle intitulée *La Petite Gitane* (*). En équilibre sur ces deux thèmes se dresse le personnage central, Pedro de Urdemalas, une sorte de « pícaro », ce personnage habituel du roman espagnol ; une intrigue plus nourrie et moins embrouillée aurait certainement fait de ce personnage une des plus grandes créations de Cervantès. Aventureux, la malice même, à la fois noble et cynique, rompu à tous les métiers, Pedro est presque une image du peuple qui, des couches les plus modestes (« Yo soy hijo de la piedra / que padre no conocí »), se lance dans la vie pour en jouir de toutes les manières. Un chiromancien lui a prédit qu'il sera un jour roi, moine et pape, et Pedro attend bien entendu la réalisation de ces prophéties. Au premier acte, il est à la fois le domestique et le confident d'un noble provincial qui vit dans l'oisiveté et nous le voyons mener à bonne fin, grâce à son habileté, diverses intrigues amoureuses entre les filles de son maître et leurs soupirants. Au second acte, il s'éprend d'une bohémienne, la jeune et charmante Belica, et se fait bohémien pour lui complaire. Pour obtenir sa main il a besoin d'argent ; il en soutire à une veuve avaricieuse, mais fort dévote, en se faisant passer pour une âme du Purgatoire venue quêter sur terre au nom des âmes affligées. Or, Belica est en réalité la fille d'un prince ; son père la reconnaît, après quoi Pedro doit se résoudre à prendre un nouvel état, celui de comédien. Non seulement c'est un métier qui est bien dans ses moyens, mais c'est aussi l'accomplissement de la prophétie : dans la fiction du théâtre, il peut être pape, roi, empereur, etc., tel un « second Protée ». Les critiques sont d'accord pour estimer que cette comédie est la meilleure qu'ait écrite Cervantès ; ses autres pièces sont en général moins goûtées.

PEDRO PÁRAMO. Œuvre de l'écrivain mexicain Juan Rulfo (1917-1986), publiée en 1955. Ce bref roman, chef-d'œuvre de la littérature latino-américaine contemporaine, appartient au courant dit réalisme magique ou fantastique, et a pour thème le caciquisme féodal d'avant la Révolution. Sur une route désolée de la province de Jalisco, un homme s'avance sur son âne. Il s'appelle Juan Preciado et, pour répondre à une promesse faite à sa mère sur son lit de mort, il est parti à la recherche de son père, Pedro Páramo, cacique du village de Comala, qui autrefois les a abandonnés. Un muletier au langage étrange auquel il demande son chemin accepte de le conduire jusqu'au village. Mais celui-ci semble désert, et l'inconnu, avant de disparaître, révèle à Preciado que Pedro Páramo, dont il peut voir sur une colline l'immense propriété, est mort depuis longtemps. Quelques heures plus tard, une vieille femme, l'unique habitante de Comala, qui héberge Juan Preciado, lui apprendra que le muletier qu'il a rencontré est mort lui aussi et qu'il s'est adressé à un fantôme... Peu importe, car bientôt, à la suite du muletier, d'autres morts vont surgir et raconter à Preciado, par bribes, leur aventure humaine au service de Pedro Páramo. Et peu à peu l'histoire du cacique est reconstituée. Dominateur cupide et sensuel, Pedro Páramo règne sur un vaste domaine qu'il a développé grâce à des alliances intéressées — son mariage avec la mère de Preciado, par exemple — ou des procédés d'intimidation souvent criminels. Autour de lui, les haines et les rancunes s'accumulent, mais, dominateur incontrôlé, il asservit le village entier, terrifiant les humbles, soudoyant les forts. Comala se prête à ses appétits sexuels comme à ses caprices de tyran. Lorsque l'heure de la vengeance semble avoir sonné, lorsque la Révolution éclate, Páramo met sur pied une armée de révolutionnaires à sa solde, qui le protègent au détriment des humiliés. La mort seule le vaincra, mais sa personnalité est telle qu'au moment où, à demi paralysé et obsédé par l'image d'une femme qu'il a aimée, il s'éteint, le village s'éteint avec lui, ayant perdu son terrible animateur. Une fois encore, la mort mène le jeu comme elle le fait si souvent au Mexique où elle hante l'imagination populaire, inspirant danses et chansons, scènes de marionnettes et cérémonies religieuses, art populaire et folklore. Roman à la structure apparemment éclatée, *Pedro Páramo* présente en fait un désordre chronologique délibéré. La dislocation des séquences temporelles, la juxtaposition des anticipations et des flash-backs sont ici le fruit d'une technique révolutionnaire sans égale dans le roman latino-américain. — Trad. Gallimard, 1959. C. C.

PEER GYNT. Drame de l'écrivain norvégien Henrik Ibsen (1828-1906), écrit en Italie en 1876. La figure du protagoniste est tirée d'un conte populaire norvégien qu'Ibsen lut probablement dans le recueil d'Asbjørnsen. Dans les premières scènes du drame, Peer est exactement le fanfaron du conte. Mais, loin de se contenter de raconter des histoires, voici qu'il enlève en pleine fête nuptiale une jeune épouse, puis l'abandonne et s'enfuit de son village natal. Il est entraîné dans le monde des trolls par la fille du Vieux de Dovre : pour les trolls, il n'est qu'une seule devise : « Sois à toi-même » et cette devise s'oppose à celle des hommes véritables, qui recommande d'« être soi-même ». Pour pouvoir épouser la princesse et avoir biens et honneurs, Peer renonce à sa condition d'homme ; il ne va pas toutefois jusqu'au bout de la déchéance et parvient à s'enfuir. Il vagabonde alors dans les montagnes, formant les desseins les plus orgueilleux, projetant les plus mirobolantes entreprises. Après une fugitive rencontre avec Solveig, jeune fille qui s'est éprise de lui le jour des noces et qui lui restera fidèle toute sa vie, Peer rentre chez sa mère, sa rude et tendre mère, qui finissait par ajouter foi à ses fanfaronnades. La vieille est sur le point de mourir, mais elle se réjouit de voir que son fils, transformant le trépas tout proche en une grande chevauchée, l'emporte jusqu'au seuil du Paradis et la confie personnellement à saint Pierre. Bien des années plus tard, nous retrouvons Peer en Afrique, marchand d'esclaves enrichi, qui fait des théories sur la vie et offre la sienne comme exemple d'activité morale. Il médite des projets grandioses, mais le vaisseau sur lequel sont chargées les richesses qu'il a accumulées lui est volé et il se voit contraint de reprendre son existence vagabonde. Après avoir engagé une lutte ridicule avec des bêtes sauvages et des singes, il devient le prophète d'une tribu de sauvages et est enfin proclamé empereur des fous dans un asile d'aliénés égyptien. Au dernier acte, nous revoyons Peer à bord d'un navire qui le ramène dans sa patrie, aux prises avec un mystérieux passager qui lui annonce sa fin prochaine. C'est un personnage plus mystérieux encore — mais dont le symbole est transparent — que Peer rencontrera dans les montagnes de son pays : il s'agit d'un fondeur de boutons chargé de porter au Maître de toutes choses l'âme de Peer ; n'étant pas à proprement parler un pécheur, Peer doit être en effet replongé dans ce grand chaudron où les boutons mal réussis sont refondus. Mais les choses ne sont pas si simples : Peer n'admet pas d'être un bouton raté de la robe merveilleuse qui revêt l'univers. Il est certain de pouvoir prouver sa perfection de bouton puisque, durant toute sa vie, il a toujours été lui-même. C'est alors que le Vieux de Dovre vient lui enlever toutes ses illusions : « Tu vivais en troll, mais le cachais toujours. La formule apprise de moi t'a permis ton élévation à la grande fortune... et tu viens ici dénigrer la formule et moi-même, à qui tu en es redevable ! » Peer a vécu en troll, croyant vivre en homme. Pour lui, désormais, il n'est plus de salut sinon entre les bras de Solveig, qui a vieilli en attendant son retour et maintenant le bénit d'avoir fait de sa vie un chant d'amour. *Peer Gynt* a été diversement jugé depuis sa parution. Björnson, enthousiaste, affirmait que seul un Norvégien peut en comprendre la beauté ; d'autres critiques par contre ont estimé qu'il ne s'agissait point, ici, d'œuvre d'art, mais tout au plus d'une polémique de journaliste, sans inspiration. Aujourd'hui encore les avis sont partagés. Mais la fraîcheur du drame, la beauté de quelques-unes de ses scènes, sa singulière saveur sont reconnues par ceux mêmes qui se refusent à le considérer comme le chef-d'œuvre d'Ibsen. Et en réalité ils ont raison : un poète, surtout un poète comme Ibsen, ne peut composer un chef-d'œuvre en représentant satiriquement un type d'homme contraire à celui qui répond à son idéal. Peer est absolument l'opposé des personnages dans lesquels Ibsen incarna son tourment. Et le côté caricatural du personnage n'est pas sans gêner parfois le lecteur. – Trad. *Œuvres complètes*, Plon, 1930 ; Beba, 1988.

★ Le compositeur norvégien Edvard Grieg (1843-1907) avait un peu plus de trente ans quand Ibsen, alors âgé de cinquante ans, lui demanda de composer la musique de scène pour le drame fantastique et allégorique qu'il venait de terminer. Par la suite, Grieg en tira deux suites pour orchestre (op. 46 et op. 55). En 1876, la représentation de *Peer Gynt* à Oslo obtint un succès exceptionnel, auquel ne furent pas étrangers les vingt-deux morceaux symphoniques de la musique de scène composée par Grieg. Seules huit pièces sont demeurées dans les suites de concert ; la berceuse de Solveig au dernier acte fait partie des numéros écartés. L'ordre des suites ne respecte pas l'évolution de l'intrigue. La première débute par « Le Matin », morceau d'une réelle fraîcheur où l'âme humaine s'ouvre avec une confiante ivresse devant l'éclosion du jour : c'est le matin qui suit le rapt d'Ingrid et la fuite dans la montagne. Parmi ces pièces, brèves par nécessité, celle-ci est la seule où Grieg ait pu faire vibrer ce sentiment de la nature, cette poésie du paysage nordique qui donnent tout leur prix à ses œuvres les meilleures. Suit l'expression pesante et accablée de la célèbre « Mort d'Aase », la vieille mère de Peer Gynt ; puis la « Danse d'Anitra », morceau à effet, d'une grande vivacité ; la couleur orientale qui semblerait requise par la situation laisse place à la pure qualité folklorique des rythmes scandinaves. Un autre morceau coloré et d'un excellent effet termine la première suite « Dans le palais du roi de la montagne », o Grieg, enchaînant les sonorités les plus grave aux plus aiguës de l'orchestre, évoque ave bonheur les créatures fantastiques imaginée par Ibsen suivant les fables de la brumeus mythologie nordique. La seconde suite s'ouvr avec ce qui devrait être le premier morceau suivant l'ordre chronologique du drame : « Rapt et lamentation d'Ingrid », où alternent des expressions de furieux mépris et de douleur. Puis vient une « Danse arabe », d'un orientalisme vulgaire, sur des rythmes de ballet. Le « Retour de Peer Gynt dans sa patrie » est une description orchestrale d'une tempête nocturne sur le bord de la mer : elle rappelle un peu trop manifestement l'ouverture du *Vaisseau fantôme* (*), mais ne manque pas d'efficacité dans son mouvement pressé, où se confondent la furie des éléments et l'agitation de l'âme de Peer Gynt. La perle du recueil est le dernier numéro, « La Chanson de Solveig », qui, par son expression intime et pénétrante, son harmonisation savoureus et substantielle :

s'élève bien au-dessus du caractère purement descriptif des deux suites : c'est une âme qu s'exprime. Pour le reste, on peut admettre qu les valeurs symboliques et allégoriques d fantastique drame d'Ibsen trouvent assez pe d'écho dans la musique de Grieg.

PEINDRE C'EST AIMER À NOUVEAU [*To Paint is to Love Again*]. Œuvre d l'écrivain américain Henry Miller (1891-1980 publiée en 1960. Ce bref et merveilleu volume, illustré de reproductions d'aquarelle de l'auteur, est un chant d'amour à la peintu et l'histoire d'une expérience qui commenç en 1928. Parallèlement à son activité d'écr vain, Miller peignait, déversant le trop-plei de son énergie créatrice en figures et e couleurs chatoyantes. Ici, il nous parle de s façon de manier les pinceaux, des artistes qu' a connus, des maîtres japonais, des œuvre d'enfants et de fous (qu'il apprécie particulière ment), etc. « Peindre, affirme-t-il, c'est s remettre à aimer. Pour voir comme le peintr voit, il faut regarder avec les yeux de l'amou Son amour à lui n'a rien de possessif : l peintre est obligé de partager ce qu'il voit. L plus souvent, il nous fait voir et sentir ce qu nous ignorons ou ce contre quoi nous somme immunisés. Sa manière d'approcher le mond vise à nous dire que rien n'est vil ou hideu que rien n'est banal, plat ou indigeste si ce n'es notre propre puissance de vision [...] Je m souviens clairement de la transformation qui se produisit en moi quand je me mis à voir le monde avec les yeux d'un peintre. Les choses les plus familières, les objets sur lesquels j'avais posé mon regard toute ma vie, voilà qu'ils devenaient pour moi une source d'émerveillement infini et que s'établissait en même temps un rapport d'affection. Une théière, un vieux marteau, une tasse ébréchée, ou tout objet qui me tombait sous la main, je les considérais comme si je les voyais pour la première fois. Et c'était vrai, bien sûr. Ne vivons-nous pas presque tous comme des sourds, des aveugles, des gens privés de sens ? » – Trad. Buchet-Chastel, 1962.

PEINES D'AMOUR PERDUES [*Love's labour's lost*]. Comédie en cinq actes en vers et en prose du poète dramatique anglais William Shakespeare (1564-1616), écrite aux environs de 1595, publiée dans l'in-quarto de 1598 et dans l'in-folio des *Œuvres* de l'auteur en 1623. Si Shakespeare ne puisa pas son inspiration dans un drame antérieur, il peut s'être inspiré des récits de quelque voyageur anglais ou français pour la partie historique de son sujet ; à savoir la visite de Marguerite de Valois, princesse de France, à Henri de Navarre, son futur époux, en 1578, a Nérac. Le roi de Navarre et trois gentilshommes de sa cour : Biron, Longueville et Du Maine, ont juré de ne point voir de femmes pendant trois ans et de mener une vie retirée, vouée à l'étude et à l'austérité. L'arrivée de la princesse de France, accompagnée d'une ambassade et chargée par son père de négocier le retour de l'Aquitaine à la France, oblige ces messieurs à rompre leurs serments et ils doivent consentir à accueillir la princesse et les dames de sa cour : Rosaline, Maria et Catherine. Toutefois, ces dames ne pourront loger à la Cour et elles doivent chercher l'hospitalité ailleurs. Le roi de Navarre s'éprend aussitôt de la princesse et ses gentilshommes ne résistent pas davantage aux charmes de ses dames d'honneur. Sans se l'avouer, chacun, au fond de son cœur, a déjà rompu ses vœux. Retenus par le respect humain, ils s'espionnent mutuellement. Dans un coin retiré du parc, chacun d'eux exhale son amour en déclamant les chants poétiques qu'il lui inspire. Longueville sera surpris par Du Maine à l'instant même où il proclame sa passion ; le roi, caché non loin de là, survient à son tour pour reprocher à Longueville d'en faire autant de son côté, tandis que Biron, le plus railleur de la bande, démasque le roi lui-même et est trahi à son tour par une lettre de Rosaline à lui adressée et que les autres ont surprise. Pour sa défense, Biron fait valoir quelle douce folie représentait leur serment et invite en conclusion ses amis à s'enrôler sous le signe de l'amour. Ils décident donc de se travestir en Russes pour faire leur déclaration à ces dames ; mais celles-ci, prévenues, se travestissent à leur tour et échangent entre elles les gages d'amour qu'elles ont reçus. Les pauvres amoureux y perdent leur latin. Ils reviennent donc à la charge après avoir repris leur aspect normal ; mais la nouvelle de la mort du roi de France provoque le départ précipité de la princesse. Les belles imposent à leurs « amants » un an de pénitence ; quant à la princesse, elle promet de répondre plus tard à la flamme du roi de Navarre. À cette intrigue principale, somme toute assez mince, se noue l'idylle rustique du berger Trogne, épris de la jeune paysanne Jacquinette, courtisée d'autre part par un noble espagnol, don Adriano de Armado. Ces trois personnages sont en quelque sorte comme une parodie de nos trois seigneurs amoureux. Don Armado finit par jurer qu'il se fera laboureur pour une durée de trois ans, uniquement par amour pour Jacquinette. Les échanges d'épigrammes galantes et les divagations lyriques alternent avec les scènes burlesques, provoquées par l'intervention de personnages comiques inspirés de la « Commedia dell'arte » : outre Armado, nous avons Balourd, le « capitaine », Trogne, le « berger », Holopherne, le « pédant », Nathaniel, le « parasite », et le « bouffon » (en la personne du page d'Armado, dit « Phalène »). À l'occasion d'une fête, ces personnages participent à un cortège, l'« intermède des neuf preux » [Worthies], où Trogne représente Pompée, sire Nathaniel Alexandre, etc. La société galante des dames et des seigneurs se divertit à leurs dépens en une scène qui annonce le récit de Pyrame et de Thisbé dans *Le Songe d'une nuit d'été* (*). La comédie s'achève sur le délicieux poème qui compare le printemps, chanté par le coucou, à l'hiver, célébré par la chouette : « Quand les pâquerettes diaprées et les violettes bleues... » [When daisies pied and violets blue...], « Quand les glaçons pendent au mur... » [When icicles hang by the wall...]. Toute la saveur de l'œuvre est dans son brio et dans le feu croisé de ses répliques, qui laissent haletant le lecteur moderne capable de les suivre (en effet de multiples commentaires sont nécessaires pour les comprendre). Mais, si cette œuvre reflète un goût différent du nôtre, elle possède néanmoins un charme auquel pourraient s'appliquer ces vers de Baudelaire au sujet de Watteau, dans « Les Phares » : « Ce Carnaval où bien des cœurs illustres / Comme des papillons errent en flamboyant... » Assaut d'esprit et mascarade burlesque, *Peines d'amour perdues* esquisse des motifs que Shakespeare traitera plus tard avec une maîtrise accomplie. – Trad. Formes et Reflets, 1954-1961.

PEINTRE D'ENSEIGNES (Le) [*The Painter of Signs*]. Roman de l'écrivain indien Rasipuran Narayan (né en 1907), publié en 1977. Ce court récit est le onzième publié par Narayan, et on y retrouve ses choix et ses thèmes favoris. Le héros en est, comme à l'accoutumée, un personnage modeste, un peintre d'enseignes, et le décor est, encore une fois, la petite ville imaginaire de Malgudi que le héros parcourt en tous sens pour les besoins de son commerce. C'est là l'occasion pour le romancier de brosser une foule de portraits à la fois naïfs et retors, comme celui de l'excentrique local, le Professeur, qui, en toge, vend à ses foules crédules la solution de leurs problèmes sous la forme d'un petit billet où il a inscrit : « Tout ceci finira par passer », ou celui du vendeur de bracelets trop étroits qui masse avec délectation les poignets de ses clientes consentantes. Mais le pivot de cette comédie des années 70 est la rencontre du héros, personnage tout en nuances, avec une jeune femme faite, au contraire, tout d'un bloc et qui vit, avec une fureur qui frise le ridicule, son travail de responsable de la campagne de contrôle des naissances. Raman, le raisonnable, tombe amoureux de Daisy, l'intrépide, et ils partent tous les deux pour une tournée des villages, elle afin de prêcher frénétiquement la bonne parole et lui dans l'intention de mettre en place une série de tableautins illustrant les injonctions de la jeune femme. Leur collaboration devient une liaison amoureuse qui, cependant, ne parviendra pas à aboutir à un mariage. Dans cette « petite Inde » qui cède chaque jour à une modernité irréversible, les pesanteurs psychologiques demeurent encore fortes et les deux protagonistes restent prisonniers de leurs inhibitions, et ne connaissent pas la révélation spirituelle qui pourrait les conduire à une transformation. Daisy, toujours aussi excentrique et excessive, s'éloigne fébrilement vers un nouveau poste et Raman va, lui, rejoindre ses amis du café local, trop heureux de se retrouver égoïstement parmi des « gens ne s'occupant que de leurs propres affaires ». L'hystérie ou, au contraire, la lassitude règnent avec une telle intensité sur la fin du livre que la comédie a de la peine à s'imposer, dans un contexte où le contact humain est rompu. Le célibat stérile auquel aboutit cette relation avortée symbolise, de toute évidence, l'échec des indépendances modernes et, en particulier, sans doute celle, si peu satisfaisante, de l'Inde contemporaine.

D. Co.

PEINTRE DE SON DÉSHONNEUR (Le) [*El pintor de su deshonra*]. Comédie de mœurs de l'écrivain espagnol Pedro Calderón de la Barca (1600-1681), écrite probablement avant 1651 mais publiée, ainsi que bien d'autres, seulement après sa mort. Serafina vient d'épouser un gentilhomme catalan, don Juan, qui pendant de nombreuses années était demeuré « comme enseveli dans ses études » et voué à la peinture, et qui, dans son âge mûr, est soudainement tombé amoureux d'elle. Cependant, la jeune femme pleure don Alvaro qu'elle a aimé jadis et qu'elle croit mort. Lentement le souvenir de cet ancien amour s'efface devant la tendresse qu'elle ressent pour son mari, plus très jeune certes, mais dont elle reconnaît le génie et, surtout, la profonde sollicitude. Alors qu'elle va quitter l'Italie pour se rendre à Barcelone, don Alvaro apparaît brusquement. Elle l'éloigne. Puis un incendie éclate ; don Juan « au milieu des flammes et des étincelles, couvert de fumée et de poussière », sauve sa femme et la remet, évanouie, entre les mains de ce rival ignoré, car il veut encore sauver d'autres personnes. Cela permet à don Alvaro d'enlever Serafina et de la conduire, malgré elle, dans un de ses châteaux italiens, perdu au fond des bois. Don Juan, qui sera victime de la cruelle loi de l'honneur, revient en Italie où le hasard lui fera retrouver sa femme ; obligé de vivre de son art, il cache son identité au prince qui l'emploie ; mais celui-ci, qui est aussi épris de Serafina dont il connaît la retraite, y envoie le peintre pour faire d'elle un portrait à son insu. Il l'aperçoit dans le parc, dans les bras de don Alvaro, alors qu'elle s'éveille en proie à de sombres pressentiments. Le mari se contient un moment, puis les tue tous deux ; aux personnes accourues, il annonce solennellement que sa toile représente « le peintre de son déshonneur ». Bien que le titre semble justifier cette interprétation, il serait inexact de conclure que le sujet principal de cette pièce soit celui de l'honneur offensé, car c'est Serafina qui en constitue le personnage central : femme qui fait taire ses vrais sentiments, qui tâche de se persuader qu'elle a oublié son premier amour et sait lui résister, soutenue en cela par la magnanimité de celui qui a reçu sa foi ; seul le destin inexorable l'a placée sous la protection de don Alvaro, dont l'ardente flamme l'attire et la repousse à la fois. Autour d'elle, don Alvaro, don Juan, le prince d'Ursino, Porcia, n'agissent que sous l'empire de l'amour. De telle sorte que, de toutes les pièces de Calderón, celle-ci est, malgré les apparences, l'une des moins riches dans la diversité des sentiments. Elle semblerait annoncer le théâtre « bourgeois », si elle n'était placée sous le sceau de la fatalité, ce qui l'apparente à la tragédie.

PEINTRE INCONNU [*Hudožnik neizvesten*]. Roman de l'écrivain russe Veniamine Kavérine (1902-1989), publié en 1931. Deux personnages s'y opposent : le peintre Arkhimédov et l'ingénieur Chpektorov. Celui-ci est un homme des temps nouveaux : pratique, efficace. Il n'est pas étranger pourtant à un certain romantisme que l'auteur appelle « romantisme du calcul ». L'autre est au contraire un malheureux, un raté. Il a fait tous les métiers, il se dit peintre, mais personne ne peut affirmer avoir jamais vu une de ses toiles. Esther, la femme d'Arkhimédov, est la maîtresse de Chpektorov, et son enfant, pour lequel le peintre a une véritable passion, est en réalité le fils de l'ingénieur. Incapable de supporter ce déchirement, Esther se suicide en se jetant par une fenêtre. Arkhimédov, visiblement touché, se laisse aller à une vie de bohème. Une décision administrative lui retire finalement l'enfant pour le confier à Chpektorov, qui paraît mieux en état d'assurer son éducation. Composé non de chapitres, mais de « rencontres », le roman est écrit par un personnage qui, bien que lié avec les héros, est étranger à leur drame. Il devine peu à peu tous les détails de cette aventure ; mais ses découvertes sont dues au hasard, sa discrétion l'empêchant de se livrer à une véritable enquête. De plus les témoins qui lui font connaître tel ou tel événement ont plaisir à embellir leur récit, à mentir, si bien que la vérité n'apparaît que très vaguement. Jusqu'à la dernière ligne, le personnage d'Arkhimédov demeure une énigme. Il tient des propos étranges, difficilement compréhensibles. On peut se demander par moments s'il n'est pas fou. Parfois, il fait preuve d'une indifférence inexplicable pour tout ce qui le concerne : c'est sans le moindre murmure qu'il se laisse enlever l'enfant qu'il semblait tant aimer et autour duquel il avait bâti tant de projets. Où donc est la vérité de ce peintre qui ne peint pas ? Le dernier portrait qu'il nous laisse de lui-même est celui d'un homme mal rasé, au linge usé, noir de saleté, au pardessus trop long. L'épilogue décrit un tableau extraordinaire, représentant le cadavre d'une femme qui s'est jetée par la fenêtre. La toile trahit à la fois une rare compréhension des hommes et la puissance d'une obsession. Le peintre est inconnu. – Trad. Gallimard, 1964.

PEINTRE NOLTEN (Le) [*Maler Nolten*]. Roman de l'écrivain allemand Eduard Mörike (1804-1875), publié en 1832. On y sent la double influence du *Wilhelm Meister* de Goethe – v. *La Vocation théâtrale* et *Les Années d'apprentissage de Wilhelm Meister* – et du *Vicaire de Wakefield* (*) de Goldsmith. L'auteur nous brosse un tableau plaisant de l'existence simple et paisible d'un village, par opposition à la vie de Cour dans une petite ville de l'Allemagne d'autrefois. À cela s'ajoute une part de surnaturel : séances de magnétisme, apparitions, présence d'une mystérieuse bohémienne qui répand la mort autour d'elle, personnage qui est une transposition sur le plan fantastique de l'« Étrangère » des *Poésies de jeunesse*, une femme qui mena jadis le poète aux limites de la démence. Fils d'un pasteur de Wolfsbühl, Théobald Nolten passe son enfance et sa jeunesse dans le paisible village où son père a charge d'âmes ; devenu étudiant, il y revient au temps des vacances. Mais en dépit du calme qui l'entoure et de la présence d'un père érudit et pieux, il porte en lui un esprit imaginatif et sensible qui le voue à l'enthousiasme comme au découragement. Le jeune homme voudrait abandonner ses études pour se consacrer à la peinture, mais ce n'est qu'à la mort de son père qu'il peut réaliser son désir. Devenu peintre, il connaît d'abord de nombreuses difficultés, la misère, l'incompréhension de tous. Puis un heureux hasard fait de lui un artiste en vogue, en lui accordant la faveur du roi et de la Cour. Cependant il apprend qu'Agnès, sa fiancée, demeurée à Wolfsbühl, en aime un autre ; la nouvelle n'est pas tout à fait vraie, mais Nolten y accorde créance et rompt ses fiançailles. Il devient amoureux d'une comtesse, femme brillante d'une grande beauté, qui l'initie à la vie mondaine, le fait participer aux chasses, aux représentations données à la Cour, aux promenades en traîneau. Hélas ! à la suite d'une imprudence, il perd la protection du roi et doit s'éloigner de la Cour à jamais. Rentré dans son village, il a la surprise et la joie d'y retrouver l'amour d'Agnès : un de ses amis, le comédien Larkens, imitant son écriture, n'a pas cessé d'écrire à sa place à la jeune fille, car il savait bien que cette idylle si tendre et si pure serait le salut du peintre et sa vraie destinée. Ainsi, Agnès ne s'est doutée de rien et va épouser Nolten, qui en est fort heureux. Mais la perfide bohémienne, qui, par ses mauvais conseils, avait presque réussi à briser leur amour une première fois en laissant croire à Nolten qu'Agnès lui était infidèle, survient à nouveau, apportant avec elle le malheur. La jeune fille apprend que les belles lettres de repentir et de réconciliation qu'elle a reçues lui venaient de Larkens et non de son fiancé et devient folle. Quant au comédien, constatant qu'il est inutile et dangereux pour les hommes de contrarier le destin, il se tue. Envoûté par la bohémienne, Nolten la suit ; il mourra bientôt et achèvera ainsi son existence de pauvre rêveur, incapable de réfréner ses passions et de vivre en accord avec lui-même.

Comparé à l'inspiration si riche et puissante d'un Goethe ou même à la vigueur et à l'assurance qui se dégage de *Henri le Vert* (*) de Keller, le romantisme de Mörike, avec ses rêves, son imagination trouble, ses dédoublements de personnalité, paraît de moindre valeur. Ce roman contient cependant des parties d'une réelle finesse ; citons, entre autres, la mort de Nolten : le poète expire au cours d'une scène pathétique, sur les dernières notes d'une vaste symphonie où dominent les tristes accents du désespoir, de la folie et de la nuit.

PEINTRES CUBISTES (Les). Essai de l'écrivain français Guillaume Apollinaire (1880-1918), publié en 1913, chez Eugène Figuière et Cie, éditeurs à Paris, accompagné de quarante-cinq portraits et reproductions hors-texte. L'ouvrage se compose de deux parties : la première, « Méditations esthétiques », constitue, comme son titre l'indique, une sorte d'introduction d'ordre général à la seconde, « Peintres nouveaux », dans laquelle l'auteur analyse l'œuvre de neuf peintres représentatifs de la nouvelle tendance (Pablo Picasso, Georges Braque, Jean Metzinger, Albert Gleizes, Marie Laurencin, Juan Gris, Fernand Léger, Francis Picabia, Marcel Duchamp, et un sculpteur, Duchamp-Villon, auquel est consacré un appendice) : enfin, une courte note mentionne les artistes vivants rattachés par l'auteur au mouvement cubiste, ainsi que les écrivains et journalistes qui les ont défendus. Pour mesurer toute l'importance de ce texte, il faut le replacer dans son époque et tenir compte du fait qu'il constitue la première tentative, non tant pour expliquer et pour défendre, que pour définir les caractères propres au nouveau mouvement pictural : son « climat » spirituel, ses ambitions, sa nécessité historique. Car, « on ne peut transporter partout avec soi le cadavre de son père. On l'abandonne en compagnie des autres morts et l'on s'en souvient, on le regrette, on en parle avec admiration. Et, si l'on devient père, il ne faut pas s'attendre à ce qu'un de nos enfants veuille se doubler pour la vie de notre cadavre ». Ainsi, ce premier chapitre, empreint du lyrisme particulier au poète, développe l'idée que le « monstre de la beauté n'est pas éternel » et que le but des artistes doit être de mettre en œuvre les vertus plastiques : la pureté, l'unité et la vérité entendues comme éléments permettant à l'homme de dominer souverainement la nature, en un mot, de créer. Et cette vérité, pour Apollinaire, c'est la seule réalité, une réalité qu'« on ne découvrira jamais une fois pour toutes », car « la vérité sera toujours nouvelle ». Il aborde alors dans le chapitre II les caractères propres aux peintres nouveaux : absence de sujet véritable, observation et non plus imitation de la nature, abandon des moyens de plaire, cette peinture nouvelle étant à l'ancienne ce que la musique est à la littérature, autrement dit une peinture pure, qui n'entraînera pas pour autant la disparition des anciens modes plastiques : « Un Picasso étudie un objet comme un chirurgien dissèque un cadavre. » Et après avoir rappelé l'anecdote d'Apelle et de Protogène, dans Pline, révélant la sensibilité des Grecs à la « beauté » d'un simple trait sans signification usuelle, Apollinaire en vient (chap. III) à l'accusation portée contre les peintres cubistes de nourrir des préoccupations géométriques : pour lui, les figures géométriques sont l'essentiel du dessin ; elles sont aux arts plastiques ce que la grammaire est à l'art d'écrire, et les peintres ont été naturellement amenés, par intuition, à se préoccuper des nouvelles mesures de l'étendue, rejoignant en quelque sorte les perspectives ouvertes par la géométrie non-euclidienne. Les grands poètes et les grands artistes, écrit l'auteur (chap. IV et V), ont pour fonction sociale de renouveler sans cesse l'apparence que revêt la nature aux yeux des hommes, déterminant la figure de leur époque et atteignant ainsi au type idéal (sans toutefois se borner, en l'occurrence, à l'humanité) en offrant du même coup des œuvres plus cérébrales que sensuelles ; c'est ce qui explique le caractère de grand art, d'art sacré, présenté par l'art contemporain sans que celui-ci soit l'émanation directe de croyances religieuses déterminées. Faisant ensuite justice de l'accusation de « mystification » ou d'« erreur collective », lancée contre les nouveaux peintres (chap. VI), Apollinaire trace un bref historique du cubisme, des origines de son appellation aux plus récentes expositions de 1912. Il essaie enfin, en se référant aux divers peintres, de déterminer les quatre courants internes du mouvement qu'il partage en cubisme « Scientifique », « Physique », « Orphique » et « Instinctif » ; et conclut en rappelant que le cubisme a eu, avant Cézanne, Courbet pour point de départ, affirmant en outre que l'école moderne de peinture est la plus audacieuse qui ait jamais été : « Elle a posé la question du beau en soi. » Des analyses consacrées aux différents peintres, dans la deuxième partie, on retiendra surtout les pages sur Picasso, évocation poétique de l'homme et de l'œuvre, indissolublement mêlés, dans laquelle Apollinaire fait preuve d'une surprenante pénétration. Si toutefois il exalte avec un enthousiasme égal, ou presque, l'œuvre des autres peintres, on ne saurait aujourd'hui lui en faire grief : si, après coup, des artistes comme Picasso et Braque nous apparaissent comme l'expression achevée de la peinture nouvelle, au-delà du cubisme lui-même, n'oublions pas pourtant que les autres peintres en étaient aux « promesses » et se révélèrent davantage mus par des intentions que tendus vers la concrétisation d'une nécessité intime en accord total avec leur personnalité. Si on a pu dire plus tard que Gleizes et Metzinger étaient les théoriciens du cubisme, Apollinaire en fut le poète, dans le vrai sens du terme : celui qui saisit à la fois l'aspiration du peintre et l'attente du spectateur, dans cette difficile entreprise, toujours renouvelée, qui consiste à concilier les nécessités de la communication et de la liberté. Aussi ce petit livre contribua-t-il grandement à l'essor d'un mouvement capital dans l'histoire de l'art d'aujourd'hui.

Apollinaire pratiqua la critique d'art dans divers journaux et revues. Ses *Chroniques d'art,* réunies en volume en 1960, furent reprises et complétées en 1991. Rendant compte des Salons de peinture et des expositions, il devait naturellement citer de nombreux artistes aujourd'hui oubliés ; mais il savait discerner les vraies valeurs. Il célébra de grands peintres du XIXe siècle encore méconnus, Cézanne et Seurat ; outre les cubistes plus haut nommés, il soutint Delaunay, Derain, Dufy, Matisse ; il fit connaître en France les futuristes italiens ; il défendit contre l'incompréhension du public des artistes novateurs tels que Chagall, Kandinsky, De Chirico. Il contribua aussi à attirer l'attention sur les arts africains et océaniens.

PEINTRES ITALIENS DE LA RENAISSANCE (Les) [*The Italian Painters* *of the Renaissance*]. Ouvrage du critique d'art américain Bernard Berenson (1865-1959), édité d'une façon définitive en 1932. Des quatre courts livres qui le composent, le premier donne une vue d'ensemble de la peinture vénitienne du XVe au XVIIIe siècle, faisant ressortir son sens profond de la couleur et ses intimes liens avec l'esprit de la Renaissance. C'est aussi une étude de la peinture dans ses rapports avec la vie sociale de Venise : sujets religieux, fastes du palais ducal, scènes de genre, portraits, décoration des demeures patriciennes. Tout cela est exprimé par les plus grands maîtres : Bellini, Carpaccio, Giorgione, « dont les œuvres se trouvent d'accord avec l'esprit de la Renaissance dans son plein épanouissement » ; Titien et Tintoret, chez lesquels le plaisir de vivre est déjà moins spontané. Non moins intéressantes sont les pages consacrées aux tableaux de la vie rustique des Bassan, à Paul Véronèse et à toute cette lignée d'artistes qui aboutit à Tiepolo. Malgré la finesse de certaines notations psychologiques (sur Giorgione, par exemple, et sur ses portraits dans la manière de Titien), le reste du livre — où Berenson expose ses théories avec beaucoup de force — n'offre pas le même intérêt. Dans son étude des peintres florentins (deuxième livre), le critique montre avec quel soin ces artistes savaient étudier le visage. Ainsi, Giotto, le premier maître de cette école, lorsqu'il représente le corps humain, sait le rendre plus vivant que la vie même. Un siècle plus tard, Masaccio donnera de l'homme dominateur du monde une image absolument conforme à l'idéal de la Renaissance. On doit aussi à ce peintre d'avoir orienté l'école florentine avant tout vers la représentation artistique du mouvement, et, grâce à sa connaissance de l'anatomie, rendu sensible, dans la représentation d'un visage, le jeu des nerfs et des articulations. Botticelli n'a-t-il pas exprimé la quintessence même de ces idées ? Quant à Michel-Ange, à lui seul il réunit toutes les tendances de l'école. Il excelle dans le nu, dans le modelé, dans le mouvement, comme aussi dans la mâle expression d'un visage. À Léonard de Vinci, on ne saurait reprocher d'avoir si peu peint : sans doute, « c'est parce qu'il était au-dessus de toute spécialisation qu'il nous a légué quelques-unes des œuvres d'art les plus sublimes qui aient jamais été créées ».

Dans le troisième livre (peintres de l'« Italie du Centre »), Berenson étudie, à propos de Duccio et de l'école de Sienne, les rapports qu'il distingue dans une œuvre d'art entre la « décoration » (c'est-à-dire ce qui s'adresse directement aux sens, comme la couleur et la tonalité, ou ce qui provoque en nous des idées de sensation, comme le mouvement et la forme ou « valeurs tactiles ») et l'« illustration » (c'est-à-dire le sujet en lui-même, qu'il décrive la réalité extérieure ou provienne de notre monde intérieur). Ces deux éléments peuvent d'ailleurs coexister dans une même œuvre — celle de Duccio, par exemple ; mais, selon Berenson, les premiers ont seuls une valeur esthétique absolue, car les seconds se ressentent des fluctuations de la mode et du goût. Les peintres de l'Ombrie — Pinturicchio, Pérugin —, qui sont en quelque sorte les continuateurs de l'école de Sienne, possèdent en outre cette qualité essentiellement esthétique : le sens de l'espace et comme une « respiration » plus libre de l'œuvre d'art en communion avec l'univers, allant même — au dire de Berenson — jusqu'à provoquer l'émotion religieuse. À ce point de vue, il n'est pas de plus grand maître que Raphaël, génial interprète de l'humanisme, dont les images, d'inspiration classique ou biblique, atteignent à la perfection.

Le quatrième et dernier livre sur les peintres de l'« Italie du Nord », moins intéressant du point de vue théorique, fourmille d'appréciations piquantes, qu'il s'agisse du « romantisme » de Mantegna, de Tura, des écoles de Ferrare ou de Brescia, de Foppa, ou bien encore de l'abus du gracieux chez les artistes lombards de la suite de Léonard. Et le livre prend fin sur une brillante étude de l'art du Corrège. On doit encore à Berenson le catalogue des œuvres citées dans les quatre volumes. Il a été publié, après de nombreuses adjonctions, sous le titre : *La Peinture italienne de la Renaissance* (Oxford, 1932). Pour Berenson, les quatre livres en question sont moins une histoire de l'art que l'ébauche d'une théorie du portrait fondée sur les exemples du Quattrocento toscan. Cette théorie, dont la rigueur se fait sentir en plus d'un jugement (ceux, en particulier, sur Paolo Uccello et les « naturalistes » florentins), ne peut, malgré le souci d'objectivité de son auteur et la justesse de ses vues, passer pour originale : car elle ne fait que répéter, en la déformant, la théorie de la « pure visibilité ». La fameuse nuance que perçoit Berenson entre « décoration » et « illustration » (dont il tenta lui-même, par la suite, d'atténuer les trop rigoureux effets) n'est d'ailleurs pas sans danger, car elle risque de rompre l'unité de l'œuvre d'art. En leur temps, les théories de Berenson étaient, malgré tout, d'une valeur polémique incontestable, et réagissaient très heureusement contre une certaine critique trop préoccupée du « sujet ». Il a exercé une très grande influence sur la critique d'art de la première moitié du XXe siècle. — Trad. Gallimard, 1927.

PEINTRES MODERNES (Les) [*Modern Painters*]. Traité d'esthétique de l'écrivain anglais John Ruskin (1819-1900). Entreprise pour la défense du paysagiste Joseph Turner, cette œuvre prit les proportions d'un traité en cinq volumes. Le premier parut en 1843, le second en 1846, après un voyage de l'auteur en Italie ; les trois autres, composés après la mort de Turner (1851), furent édités entre 1856 et 1860. Ruskin exprime d'abord l'opinion que la grande peinture, le grand art en général, est celle qui suggère à l'esprit le plus grand nombre d'idées élevées. Il distingue ensuite les idées de puissance, d'imitation, de vérité, de beauté et leurs rapports entre elles. Toute la seconde partie de l'œuvre est consacrée à l'idée de vérité. Pour juger si une œuvre d'art est vraie, c'est-à-dire fidèle à la nature, il faut que nos sens aient reçu l'éducation nécessaire. D'ailleurs, dans le domaine des arts, les vérités particulières ont plus d'importance que les vérités générales ; les vérités rares sont plus importantes que les vérités courantes ; la couleur compte moins que la forme qui renferme à la fois l'ombre et la lumière. La troisième partie est consacrée à des considérations sur l'idée de beauté et sur la faculté qui la perçoit. La beauté éveille des impressions qui ne sont ni sensuelles ni intellectuelles, mais morales. Elle ne se confond pas avec le vrai ou avec l'utile ; elle ne dépend ni de l'habitude ni de l'association des idées, mais de certaines qualités ou types tels que l'infini, le repos, la symétrie, la pureté, la modération, dont Ruskin cherche l'origine dans les attributs divins. Le peintre, et particulièrement le portraitiste, doit représenter une forme ou un caractère idéal, ou en faire deviner l'aspect surhumain, soit au moyen de phénomènes étrangers à l'ordre de la nature, soit en élevant cette forme même à un niveau idéal, ce qui est le sommet de l'art. Dans la quatrième partie, soulignons particulièrement les chapitres sur la grandeur du style, sur les idéals vrais ou faux. Revenant à son sujet préféré, le paysage, Ruskin étudie ici l'évolution de la peinture, de la sculpture et de la poésie à travers les siècles. Il observe comment, au Moyen Âge, pour des raisons relatives aux coutumes sociales, on préfère les images de jardins à celles des champs, comment les montagnes, malgré l'espèce de terreur qu'elles inspirent, se révèlent propices à la vie solitaire et à la méditation. Dans le paysage moderne, tel que nous le découvrons chez les peintres et chez Walter Scott, règnent les nuages et la brume, les montagnes, les couleurs sombres. La cinquième partie de l'œuvre est entièrement consacrée à la splendeur des montagnes ; la sixième et la septième contiennent d'intéressantes observations sur la beauté des arbres et des nuages ; enfin, dans les huitième et neuvième parties, l'auteur s'occupe de l'invention. Du point de vue formel, l'invention ou composition technique est cette disposition en vertu de laquelle toutes les parties d'une œuvre se tiennent et se complètent mutuellement, grandes et petites, afin de réaliser cette harmonie où réside la perfection. Du point de vue spirituel, l'art est en relation à la fois avec Dieu et avec l'homme ; c'est l'œuvre la plus élevée de la création. L'esthétique de Ruskin est toujours dominée par des préoccupations idéalistes, éthiques ou mystiques. Elle est, en outre, profondément opposée à tout système ; mais la noblesse de la pensée et des intentions de l'auteur ainsi que son opposition résolue aux préjugés du néo-classicisme et sa découverte de l'art médiéval sont dignes du plus grand respect. — Trad. Laurens, 1914.

PEINTURE. Recueil du poète français André du Bouchet (né en 1924), publié en 1983. De notes journalières de plus d'un millier de pages, l'auteur a tiré cet ouvrage qui en compte un peu moins de cent soixante-dix, et cette réduction en accentue le caractère fragmentaire et elliptique. La peinture est au centre d'une réflexion qui dépasse l'acte de peindre pour se porter sur la parole, la langue, le monde, le temps. C'est qu'il n'y a pas d'adéquation possible des mots à la peinture, au point que l'existence même de celle-ci est contestée à plusieurs reprises (« la peinture n'a jamais existé »), alors que le travail et les propos de peintres comme Poussin, Cézanne, Van Gogh, Bram Van Velde ou Tal Coat fascinent André du Bouchet. Face à la « relation compacte appelée monde », à l'épaisseur intraversable qui est celle de la langue, de l'étendue ou du temps, le sujet qui parle, prenant appui sur le muet, tente de trouver l'interstice qui « éclairera ». La parole ouvre un chemin qui fracture et divise en deux la totalité. L'expression « en deux » revient souvent sous la plume d'André du Bouchet, notamment dans le titre d'un livre, *Ici en deux* (*) (1986), dont certains textes prolongent *Peinture*. Cette séparation est aussi une articulation : ce thème de la « déchirure qui rive » (*Rapides*) sous-tend toujours la pensée d'André du Bouchet, de même que celui de l'identité du temps et de l'espace, sorte de continuum, où le présent est conçu comme une séparation et comme un point d'articulation à partir duquel tout bascule dans le passé. Le point présent, l'instant, à la fois lieu d'origine et moment de disparition, ne donne pas directement accès à la présence, car il y a un décalage, un retard, homologue temporel de la séparation : « Le Temps est à prendre sur mon retard. » Le présent, toutefois, doit être sauvé de la disparition et c'est l'objet de la peinture : « Le présent : peindre : il sera rendu présent. » C'est dans ce contexte qu'intervient la notion de « révolu » : si le présent sépare, c'est que, aussitôt révolu, il soustrait l'épaisseur à elle-même et, créant une interruption dans la relation compacte, il permet d'avancer et de se tourner vers l'avenir, comme l'exprime l'image du rouleau délaissé sur son aire et « abandonné au futur ». André du Bouchet dit ne pas voir « autrement que dans la durée du temps » et ce qui lui importe, c'est le passage d'un état à un autre, à travers cette durée, et cela dans les deux sens. Le temps de *Peinture* est réversible, comme en témoigne l'indémêlable navette de passé à futur et de futur à passé. *Peinture*, l'un des seuls livres paginés de la dernière période, est à lire dans la continuité, en suivant les tentatives faites par l'auteur pour vaincre l'épaisseur dans sa triple manifestation : l'étendue, la durée et la langue. La typographie même y encourage, avec ses blancs qui, plus qu'une simple ponctuation, marquent, face à l'épaisseur de la langue, le vide où la parole se retourne et la discontinuité de sa progression en avant d'elle-même.

J. De.

PEINTURE (De la) [*De pictura*]. Traité de l'humaniste et architecte italien Leon Battista Alberti (1404-1472), en trois livres, dont on connaît deux rédactions, une latine et une italienne, remontant respectivement à 1435 et 1436. Précédée d'une courte mais importante dédicace [*Prologus*] à Filippo Brunelleschi, dans laquelle l'auteur souligne l'originalité de son œuvre et des artistes florentins contemporains, la rédaction italienne, abrégée, représente non pas une traduction mais une libre version du texte latin. Par ailleurs, comme une partie des manuscrits le laisse supposer, celui-ci fut probablement revu quelques années après la composition de l'ouvrage, au moment où Alberti décida d'offrir la rédaction latine à Jean-François Gonzague, seigneur de Mantoue (avant 1444). Imprimée dès 1540, à Bâle, et traduite par la suite en plusieurs langues (dont l'italien), la rédaction latine a connu un succès plus large et durable que la rédaction italienne qui, ayant essentiellement circulé dans les seuls milieux artistiques, était déjà oubliée à l'aube du XVIe siècle et ne fut imprimée pour la première fois qu'en 1847, par A. Bonucci.

Après avoir défini en termes mathématiques le point, les lignes, les angles, les surfaces et les volumes, l'auteur traite des rayons visuels, puis des couleurs. Renvoyant aux quatre éléments, le rouge, le bleu, le vert et le gris sont reconnus comme les couleurs fondamentales [veri colores], l'adjonction du noir (« ombre ») ou du blanc (« lumière ») devant permettre d'obtenir toutes les autres. Suit la première exposition que l'on connaisse des lois de la perspective (linéaire), l'un des plus grands acquis de l'art de la Renaissance, symbolisant également sa conquête philosophique de l'espace. Son application, jugée indispensable par l'auteur, traduit toute la valeur de la représentation picturale. À cet effet, le plan du tableau est défini comme une « intersection de la pyramide visuelle » qui joint l'objet observé à l'œil du spectateur. Ce qui suppose la conception d'un espace mathématiquement homogène. Ayant défini la nature et les buts de la peinture, ainsi que ses rapports avec la sculpture, l'auteur s'arrête ensuite sur les différentes parties, ou étapes, que l'œuvre du peintre comprend : la « circonscription », la « composition » et la « réception des lumières », à savoir le contour linéaire, la composition des plans et le choix ou distribution des couleurs. L'ouvrage se clôt en soulignant la nécessité d'écouter attentivement, voire même de solliciter le jugement et les conseils non seulement des connaisseurs mais de tout un chacun, car « c'est à tout un chacun que l'œuvre du peintre cherche à plaire ». Bien des idées de ce traité, dont l'importance pour ce qui est de la théorie de l'art de la Renaissance est capitale, ont eu une efficacité durable et sont passées dans les théories académiques des siècles suivants. — Trad. de la rédaction latine, Macula, 1992.

F. F.

PEINTURES. Bref recueil poétique de l'écrivain français d'origine belge Henri Michaux (1899-1984), publié en 1939 accompagné d'illustrations. Michaux, quittant les complexités de *Plume* (*), accable, en un énorme vomissement, ses semblables « si dignes, si dignes, mes semblables », des médiocres, des inconscients, qui ne ressentent pas ce qu'il ressent, ignorant notamment les « S.O.S. lancés dans l'espace par des milliers de malheureux en détresse, hurlant, geignant, criant désespérément vers nous tous tellement sourds ; formant sans profit la grande famille des souffrants ». Nous devons sentir — et certains textes de *Passages* (*) nous le font mieux comprendre encore — que ses peintures hurlent la même tragédie ; « Têtes » monstrueuses qui sont obsession et détresse, « Paysages » qui disent, étant cela, « lambeaux » et « nerfs lacérés », faits pour couvrir le mal actuel : « Paysages comme on se tire un drap sur la tête ». Lui-même « arrachera son ancre » et, se démasquant et masquant tout à la fois, abandonnera toute dignité (hypocrite), s'abîmera « dans le grotesque, dans l'esclaffement », rompra définitivement, ayant expulsé de lui sa forme sociale. Tel est le message de « Clown », un de ses poèmes les plus célèbres. Ce recueil tout entier connaît lui-même une position de déséquilibre ; rompant avec les œuvres précédentes dans la mesure où l'auteur s'adresse décidément et vigoureusement au monde, pour le bannir, et de façon moins complexe que dans *Qui je fus* (*), *Peintures* annonce l'échec d'*Épreuves, Exorcismes* (*), qui tiendra non pas à l'intérêt porté à l'humanité en guerre, mais à l'usage que le poète fait des grandes généralités.

Quatre poèmes de *Peintures* figurent dans *L'Espace du dedans* (*). Notamment « Dragon », qui a l'avantage de revenir aux avatars : « C'était parce que tout allait si mal, c'était en septembre (1938), c'était le mardi, c'était pour ça que j'étais obligé pour vivre de prendre cette forme si étrange. Ainsi donc je livrai bataille pour moi seul, quand l'Europe hésitait encore, et partis comme dragon, contre les forces mauvaises, contre les paralysies sans nombre qui montaient des événements, pardessus la voix de l'océan des médiocres, dont la gigantesque importance se démasquait soudain à nouveau vertigineusement. »

PEINTURES. Recueil de poèmes en prose de l'écrivain français Victor Segalen (1878-

1919), publié en 1916. De *Peintures*, qui a été si bien étudié par Muriel Detrie, il reste trois manuscrits, ce qui permet de comprendre l'évolution de l'œuvre. L'intention de Segalen était au départ d'écrire un traité de la peinture chinoise, comme le prouvent les premières notes datées de décembre 1911. Il vit cependant une grande période créatrice. Il travaille en même temps aux *Stèles* (*), au *Fils du Ciel* (*), et pour *Peintures* commence comme à l'habitude par se documenter sérieusement. Puis, bientôt, il eut l'idée de composer une série de poèmes en prose présentés selon le « détour de la Chine » comme la description d'œuvres chinoises. Succédant aux stèles, ou écrites en même temps, les peintures en diffèrent profondément sous le rapport du langage. Les stèles rivalisaient avec les denses inscriptions sur les pierres. Avec *Peintures*, moins de souci graphique, mais le désir de montrer par la parole, de reconstruire par le langage parlé le support matériel des vieux rêves : peintures, porcelaines, tapis, laques, soies, paravents : « Ceci n'est pas écrit pour être lu, mais entendu. Ceci ne peut se suffire d'être entendu, mais veut être vu. » Toute la valeur du mot écrit dans *Stèles* est passée avec *Peintures* dans le mot parlé. Au lieu de la concentration lapidaire, nous avons un boniment de camelot d'imaginaire habile à susciter un monde évanescent de formes et de couleurs qui disparaît avec la parole proférée. De là le mot de « parade » employé dans la préface en même temps que l'éloge de l'ivresse avec l'évocation du « maître peintre sous le temps de Song... qui avait coutume... de passer le jour dans un peu d'ivresse... (et qui)... cherchait le lien de lumière unissant enfin à jamais joie et vie, vie et joie ». La faculté qui préside à cette joyeuse parade, c'est d'abord l'imagination, la clairvoyance, qui permet de passer du réel à l'imaginaire. Segalen a pu être inspiré par des objets réels, mais le modèle est immédiatement intériorisé : c'est surtout en lui que Segalen a puisé pour composer ces images par les mots. La première partie du livre présente les peintures magiques. Placées sous l'inspiration taoïste, la plupart appartiennent à un monde évanescent, illusoire, dominé par l'imaginaire. « Tout ceci daigne apparaître. Mais sachez bien, d'un souffle, tout ceci peut disparaître. » La deuxième partie, « Cortèges et trophée des tributs des royaumes », est un long rouleau de soie peinte représentant les délégations venues du monde entier apporter leurs tributs à l'empereur. C'est aussi l'allégorie du Multiple rendant hommage à l'Unité. La troisième partie, « Peintures dynastiques », est née d'un pari. Prenant le contre-pied des textes édifiants de Confucius, apôtre du Juste-Milieu, Segalen entreprend de peindre le portrait des derniers de chaque dynastie, ce qui constitue une belle galerie de criminels et de monstres dominée par l'esthétique du désordre. *Peintures* est un recueil de poèmes en prose à mettre sur le même plan que les *Illuminations* (*) de Rimbaud et *Connaissances de l'Est* (*) de Claudel. C'est un hymne de joie qui finit cependant sur une note de mystère et de déception : « Et ne croyez pas que les mots que j'ai dits contiennent tout ce que lumière et joie dessinent dans le lieu du monde – qu'il soit de Chine, ou d'ailleurs, ou d'ici autour de vous... Tant de choses, entr'aperçues, ne pourront jamais être *vues*. » H. B.

PEINTURES MORALES (Les). Discours moral du père jésuite et écrivain français Pierre Le Moyne (1602-1671), publié en deux parties (1640 et 1643). Adressé au public mondain lecteur de poésies et de romans, il se présente sous la forme attrayante d'une discussion entre amis, dialoguant dans un cadre idyllique des passions en général (première partie) et de l'amour sous ses divers aspects, de l'amour brutal à l'amour divin (seconde partie). Se proposant d' « instruire agréablement le lecteur et (de) lui donner un divertissement utile et sérieux », il déploie un style fleuri et métaphorique, précieux et emphatique, imité du baroque italien. La rhétorique ornée de la prose s'agrémente de sept « Tableaux » en vers consacrés à des personnages emblématiques d'une passion, illustrés par une gravure devant prendre place dans une galerie de peinture. Pour avoir trop recommandé la « dévotion aisée », Le Moyne fut attaqué par *Les Provinciales* (*) de Pascal (1656). A. Gé.

PÊLE-MÊLE [*Ketâb-é parishân*]. Œuvre du poète persan Habibollâh Qâ'âni (1808-1854). Écrite à la manière du *Golestân* (*) de Sa'di, c'est une collection d'histoires et de maximes, comprenant cent treize anecdotes et s'achevant par trente-trois conseils très machiavéliens aux rois et aux princes. En outre, elle contient de nombreux renseignements autobiographiques. Qâ'âni s'est efforcé, outre des copies parfaites du *Golestân*, de trouver ses thèmes dans la réalité quotidienne et d'exposer les travers du système social de son époque : hypocrisie du clergé et des magistrats, corruption de la police, escroquerie des artisans, etc. Il y décrit également des individus atypiques – alcooliques, homosexuels, femmes infidèles – souvent représentés dans des scènes lascives. Il est difficile de comprendre pourquoi il critique sévèrement son contemporain Yaghma, car on retrouve dans son œuvre le même piquant et la même grossièreté, malgré une recherche de vie morale, faite de renoncement, de vertu et de piété. M.-H. P.

PÈLERINAGE [*Pilgrimage*]. Série de treize romans hautement autobiographiques de l'écrivain anglais Dorothy Miller Richardson (1873-1957), publiés entre 1915 et 1967. Selon les vœux de l'auteur, l'ensemble fut réuni en quatre tomes sous le titre générique de

Pèlerinage. Le premier rassemble *Toits pointus* [*Pointed Roofs*, 1915], *Eau morte* [*Backwater*, 1916], *Rayon de miel* [*Honeycomb*, 1917]. L'héroïne et narratrice Miriam Henderson, institutrice en Allemagne puis dans une petite école privée du nord de Londres et gouvernante dans une famille de la grande bourgeoisie, va se comparer aux autres femmes, observer les hommes, analyser les codes sociaux, les voix, les comportements, et se rendre compte qu'elle n'utilise pas le langage aux mêmes fins que ceux qu'elle approche. Deux de ses sœurs, Harriett et Sarah, se marient ; elle va accompagner sa mère dépressive au bord de la mer. Celle-ci se suicide en se tranchant la gorge lors d'une promenade solitaire de Miriam. La jeune femme part à la découverte de Londres, personnage important du second tome qui comprend *Le Tunnel* [*The Tunnel*] et *Intérim* [*Interim*], publiés tous deux en 1919. Elle travaille comme assistante dentaire, vit dans une pension bon marché de Bloomsbury, fait de grandes promenades à pied et, le soir, se rend à des conférences (dont une sur Dante), à des réunions, rend visite à des amies, fume, fait de la bicyclette ; elle élargit peu à peu le cercle de ses explorations et côtoie toutes sortes de milieux (musical, littéraire, religieux). Les hommes menacent son identité et son autonomie et elle résiste à leurs traditions intellectuelles autant qu'à leurs offres de conciliation amoureuse.

Impasse [*Deadlock*], *Feux tournants* [*Revolving Lights*], *Le Piège* [*The Trap*], qui forment le troisième tome, sont tous trois tissés à partir de deux relations d'amour avec des hommes et relatent les débuts d'écrivain de Miriam. « Miriam ne peut ni entrer dans le monde des hommes comme le type des femmes qu'ils ont inventé et comprennent, ni y pénétrer comme l'un des leurs. » Dans *Impasse*, publié en 1921, Miriam découvre, en corrigeant la conférence d'un Français sur la littérature espagnole, le plaisir qu'elle prend à ce genre de travail, alors que son emploi quotidien n'engage pas les « forces essentielles » de son être. Grâce à Michael Shatov, l'étudiant russe et juif qui l'encourage à traduire, le processus d'écriture commence à la fasciner. Michael, croyant la connaître, veut faire d'elle une épouse et une mère. En dépit de l'illumination de ce premier amour (« Ce qui compte c'est l'illumination qui vient pendant l'époque où l'on est amoureux. Même quand les amoureux se trompent sur le compte l'un de l'autre [...] la révélation reste, indestructible »), elle va refuser d'épouser Michael et d'aliéner sa liberté en entrant dans une famille juive. Dans *Feux tournants*, publié en 1923, elle fréquente aussi bien des socialistes que des anarchistes. Miriam commence à entrevoir une sorte de fil conducteur dans le déroulement de sa vie : « Dans quel but sa vie fonctionnait-elle par une sorte de dispositif interne ? [...] C'était comme un jeu [...] quelque chose jouait à cache-cache avec elle. » Elle prend conscience de son hérédité conflictuelle, paternelle et maternelle, à la racine de sa nature ; ses relations avec les hommes restent imparfaites, aucun homme ne semble pouvoir partager pleinement la conscience des femmes. Dans *Le Piège*, publié en 1925, Miriam quitte la pension pour s'installer avec miss Holland dans Flaxman's Court, mais elle se sent « piégée » par la situation. Elle lit James, fréquente un club de féministes, des socialistes, mais travaille trop et se retrouve au bord de la dépression. Elle s'éloigne peu à peu du monde de son enfance. Le dernier tome comprend les quatre derniers volumes publiés de son vivant : *Oberland*, *La Main gauche de l'aube* [*Dawn's Left Hand*], *Clear Horizon*, *Dimple Hill*, auxquels il faut ajouter le treizième, posthume : *La Lune de mars* [*March Moonlight*], publié en 1967. Miriam Henderson acquiert une nouvelle confiance en elle qui va lui permettre de réconcilier les éléments contradictoires de sa nature : le féminin et le masculin, l'amour des mots et l'amour du silence, le conflit entre la pensée et le sentiment. Ces antagonismes, dont elle souffrait jusqu'alors, sont producteurs de sens ; la dualité, point de départ de l'exploration, va devenir principe organisateur du roman et théorie de la perception et du réel. *Oberland*, publié en 1927, correspond au premier des deux voyages en Suisse que Dorothy Richardson fit en 1908. C'est une scène de voyage qui ouvre, comme dans la plupart des autres romans, le volume. Mais, dans ce paysage grandiose, la description prend tout de suite des accents mystiques. Après la première nuit à l'hôtel, la peur et la fatigue surmontées, il semble qu'elle ait atteint ce lieu de lumière qu'elle a cherché toute sa vie. *La Main gauche de l'aube*, publiée en 1931, montre Miriam déterminée à rompre avec Hypo Wilson, l'écrivain socialiste, avocat de l'amour libre, et Michael Shatov, l'étudiant juif anarchiste, parce que chacun d'eux n'a « aucun sens de l'éternité ». Le pouvoir de la petite rue de Londres qui ressuscitait immanquablement la culpabilité attachée à la mort de sa mère est exorcisé. Son amie, Amabel French, ardente suffragette, vient vivre dans la pension de Tansley Street mais son attachement encombre Miriam, tout comme l'encombrent les déclarations de Wilson (à qui elle cède à cause du sentiment maternel qu'il lui inspire, mais sans se sentir engagée) et de Densley. Miriam va se défaire dans *Clear Horizon*, publié en 1935, de l'influence de Hypo Wilson de qui elle est enceinte, et passer par une nouvelle crise qui la conduira vers un horizon dégagé, mais par un chemin caché et ardu. Elle va se défaire peu à peu de son ancienne vie, quitter son travail et les êtres qui ont accompagné ses années londoniennes, Michael et Amabel. Dans *Dimple Hill*, publié en 1938, Miriam accomplit une sorte de retour aux origines en allant se reposer dans une ferme du Sussex appartenant à une famille quaker. L'un des fils,

Richard Roscorla, protégé et gâté par sa mère et sa sœur Rachel Mary, la courtise. Retrouvant la simplicité et le sacré d'une vie tranquille, Miriam va guérir des souffrances du passé, bien qu'elle doute encore de ses dons d'écrivain, et ce n'est que dans les derniers chapitres de *La Lune de mars* que Miriam, qui essaie de vivre de sa plume, se lance dans la rédaction de *Pèlerinage* et va rencontrer celui qui, dans la vie, deviendra son mari.

Dorothy Richardson commence à écrire en 1912, année de la publication de *Du côté de chez Swann* (*) de Proust, et Joyce n'a pas encore commencé son *Ulysse* (*) quand *Toits pointus* paraît. L'ensemble des volumes constitue une série d'étapes sur le chemin qui va mener l'héroïne de ses dix-sept à ses quarante ans, début de sa vie de femme mariée et d'écrivain. Leur auteur travaillait encore à *La Lune de mars* l'année de sa mort en 1957. Le temps est « horizontal », le passé et le présent existent sur le même plan comme sur la toile d'un peintre. Chaque volume (des « volumes-chapitres », comme Richardson les appelait) suit une logique dont le déroulement, se moquant du temps linéaire, entraîne le lecteur dans divers lieux et situations dont les personnages apparaissent et disparaissent sans que l'héroïne se soucie de noter selon les règles d'une fiction traditionnelle les liens logiques qui unissent les scènes ; les objets, la lumière, la ville de Londres occupent une place égale à celle consacrée aux événements, et servent autant que les hommes et les femmes rencontrés de supports à l'exploration du monde intérieur de l'héroïne ; la conscience est le seul véritable thème unissant toute la série apparemment hétérogène de descriptions et de portraits, de perceptions, de moments intenses de réflexion et de méditation ; les « épiphanies » sont reliées par une logique interne de la connaissance de soi et de la quête de « réalité » sous-tendant l'expérience que l'héroïne fait des êtres et des choses. Les romans de veine réaliste et romantique présupposent tout un ensemble organisé de croyances partagées par l'écrivain et le lecteur, ensemble qui crée des préjugés, brouille la vision et exclut l'essentiel, présentant la vie sous une forme dramatique trompeuse ; intrigues, séquences de temps bien définies, fins de chapitres bien tournées, constructions habiles, opinions même développent des plans à eux qui réduisent les confusions de la vie alors que rien n'est fixé une fois pour toutes, ils finissent par créer des « orthodoxies » ; ces romans-là expliquent sans « révéler » la « réalité » qui englobe les différentes couches de l'être ; un rai de lumière striant une façade peut alors devenir le seul vecteur de l'expérience directe, susciter l'émerveillement et laisser percer l'« immuable » ; l'auteur se doit d'être « transparent » et de laisser l'héroïne et le lecteur s'identifier aux choses vues et aux incidents en mettant en œuvre leur pouvoir d'identification ou d'empathie, qualité spirituelle semblable à l'amour. Le roman avance par « moments », chaque moment étant exceptionnel. Les livres, les conversations, les visages, les bruits, les odeurs, les vêtements, les couleurs, Miriam les fait siens activement en argumentant avec elle-même. La mémoire illumine ces moments qui, une fois repassés par le filtre de la conscience, réhabités « comme une pièce », constituent un nouveau savoir ; la mémoire réingurgite le passé de façon discontinue et se mêle au « flot » du présent, le « courant de conscience » de May Sinclair (« flaque » eût mieux convenu, écrira, avec ironie, Richardson). Le rythme de la prose, la ponctuation contribuent à une représentation du mouvement de l'attention. Le récit serpente entre dialogues, souvenirs, rêveries et commentaires, sans que le passage du monde extérieur au monde intérieur soit manipulé selon aucun cadre extrinsèque à la conscience de Miriam, seul cadre de référence.

— Trad. *Toits pointus*, Mercure de France, 1965 ; *Eau morte, Rayon de miel, Le Tunnel*, Bernard Coutaz, 1989-90 ; *Intérim, Impassse*, Les Belles Lettres, 1991-92. M.-O. P.-G.

PÈLERINAGE AUX SOURCES (Le). Récit publié en 1943 par l'écrivain poète et philosophe français d'origine italienne Lanza del Vasto (1901-1981). Descendant d'une famille princière de Sicile, l'auteur n'en est pas moins d'expression française. Récit d'un voyage qu'il fit en Inde en 1937, l'ouvrage apparaît sous la forme du journal de voyage classique. Il accompagne l'auteur des paysages luxuriants de Ceylan aux solitudes neigeuses du Népal. Mais c'est aussi le journal d'un voyage intérieur dont chaque étape est un approfondissement. C'est enfin un admirable document sur la vie des peuples de l'Inde. Chaleur et soif d'absolu nous sont communiquées avec une maîtrise dépourvue d'artifice. Le style, volontairement austère, garde une grâce aérienne qui fait penser à Gide et à Valéry. Pure œuvre d'art, composée de courts chapitres d'une égale et brillante précision formelle rattachés les uns aux autres, ce livre est aussi un documentaire, en ce sens qu'il nous donne, et de l'Inde et du déséquilibre profond qui est à la base du malaise moderne, une explication lumineuse. Prêchant d'exemple, Lanza del Vasto mène par ailleurs une action exemplaire : c'est autour de cet homme que se groupent ceux et celles qui veulent sauver les vraies valeurs, et qui se dressent contre les menaces dont notre ciel est obscurci, le danger atomique par exemple. S'il parle avec une imperturbable assurance, c'est qu'il sait de quoi il retourne, c'est qu'il est remonté aux sources : celles, visibles, du Gange, le fleuve sacré symbole de la connaissance, et celles, invisibles, dont les sages de l'Inde ont depuis toujours capté les principes de vie. Par quel miracle cet ouvrage est-il une synthèse, où les aventures, voire même les mésaventures du voyageur se confondent avec l'exposé, rendu vivant, de la religion indienne et de son panthéon de dieux et de déesses personnifiant idées et normes, et de la hautaine philosophie bouddhiste qui parfois s'y superpose, et de la doctrine du grand réformateur de l'Inde, le Mahatma Gandhi ? Ainsi conte-t-il en souriant comment il fut dévalisé de tout son argent pendant qu'il se baignait : excellent début pour qui veut apprendre le détachement suprême. Car Lanza del Vasto n'est pas venu sur les rives du Gange en touriste. Le pèlerin se fait initier non seulement aux croyances, mais surtout à l'ascèse et à la mystique d'un pays où les moines s'abîment en leur concentration contemplative à tous les coins de rue. Le voici déambulant avec un brahmane. Le voici chez la plus charmante des hôtesses : la princesse Bhoubane, et c'est peut-être là l'épisode le plus exquis de l'ouvrage, sorte d'idylle d'une absolue pureté mais combien attachante ! Lanza del Vasto, qui a pris son nouveau nom, Shantidas, lorsqu'il prend congé, ou plutôt lorsqu'il s'arrache à une amitié en train de muer dangereusement, fait partager au lecteur la douleur de la séparation. Le pèlerin n'est pas, en effet, parvenu à son but : il n'y parviendra pas d'ailleurs. Exténué, quasi moribond, il s'entend signifier qu'il se trouve en zone interdite, au Tibet. Mais le but secret est atteint puisque Shantidas sait quelle est sa nature. Il deviendra un vrai yogi, au prix d'exercices et d'efforts surhumains. Il aura connu, non par l'extérieur, mais par le dedans, ce peuple indien si différent du nôtre : « Je pense qu'il y a des peuples animaux, c'est-à-dire agités et voraces, et des peuples végétaux. Celui-ci fait penser à un grand arbre par sa majesté pacifique, par son frémissement sur place, par sa puissance inoffensive. » Lanza del Vasto, qui n'oublie jamais qu'il est chrétien, et qui manifeste sans cesse et ouvertement sa croyance, ne se méprend pas sur le sens des mots quand il proclame ce peuple par nature évangélique. Le récit de son séjour à Wardha, petite ville poussiéreuse où se dressait l'école du Mahatma, qui forme la partie centrale de l'ouvrage, est devenu un des témoignages les plus précieux parmi ceux qui font revivre le libérateur et des Indes et des consciences qui forment l'élite de notre humanité. Le talent de Lanza, à base d'amour, ressuscite sa mimique, la puissance persuasive de sa parole, son enseignement. À son école dure et douce le nouveau disciple travaille de ses mains, plie son corps aux humbles gestes qui transforment son cœur et sa pensée : « l'apprentissage de l'honnêteté ». Et tout en le regardant vivre, tout en vivant avec lui, il réussit ce tour de force de résumer la doctrine de Gandhi, l'œuvre politique de Gandhi, la position nationale et internationale de Gandhi, en un mot le secret de Gandhi en des pages définitives. Toujours de façon tangible, directe, attirante, sachant mêler l'idée à l'objet, les élans de l'âme et les formes et les couleurs. Au chant du rouet du libérateur de l'Inde se superpose le chant des êtres et des choses : le chant du monde. Parmi les œuvres les plus importantes de Lanza del Vasto, il faut encore citer : *Le Chiffre des choses* (1942), *Principes et préceptes du retour à l'évidence* (1945), *Commentaires de l'Évangile* (1951) et *Vinobâ ou le Nouveau Pèlerinage* (1954).

PÈLERINAGE EN TERRE SAINTE de l'hégoumène russe Daniel [*Hoždenie*]. Cette relation de voyage fut écrite en 1106-1107, et publiée en 1839, à Saint-Pétersbourg. C'est un des meilleurs ouvrages que nous possédions sur la Terre sainte au temps du royaume de Jérusalem. Par son ampleur, il dépasse les descriptions de Bernard le Sage, de Willibald et de Benjamin de Tudèle. On peut déduire du contexte que l'auteur, supérieur d'un couvent, était originaire de la principauté de Tchernigov. En bon fils de la Russie du XIIe siècle, il raconte, avec simplicité, comment il demanda au roi Baudouin Ier l'autorisation de poser une lampe sur le Saint-Sépulcre « pour tous nos princes et pour toute la Terre russe ». Cette lampe fut allumée pendant la nuit de Pâques. Daniel conte en détail cette scène émouvante et solennelle. À cette époque, la séparation des Églises, survenue au milieu du XIe siècle, était encore considérée comme une brouille passagère. Ayant passé seize mois en Terre sainte, Daniel eut tout loisir de visiter les principaux lieux de la Palestine, et en outre la Galilée. Ses descriptions sont précises et imagées. Il recueille par surcroît toutes sortes de légendes concernant les Lieux saints, fussent-elles apocryphes. Pendant des siècles, ce texte fut des plus goûté en Russie. Il fut d'ailleurs l'occasion d'un grand nombre de manuscrits ornés de riches enluminures. — Trad. in *Itinéraires russes en Orient*, I, 2, Genève, 1889 ; réimpr., Osnabrück, 1966. Trad. partielle in R. Marichal, *Les Premiers Chrétiens de Russie*, éd. du Cerf, 1966.

PÈLERINAGES [*Pilgerfahrten*]. Recueil de poèmes que le poète allemand Stefan George (1868-1933) publia hors commerce, à Vienne, en 1891. Il est dédié à Hofmannsthal, « en souvenir des beaux jours d'enthousiasme ». En 1899, il fut réuni, pour que l'ensemble ne constituât qu'un seul volume, aux *Hymnes* (*) et à *Algabal* (*). C'est un livre d'angoisse, de douleur, mais surtout de recherche. Après le lyrisme des *Hymnes*, le poète tente pour la première fois de prendre possession de la réalité. Les *Hymnes* exprimaient des états d'âme ; les *Pèlerinages* s'attachent à une expérience concrète. Il semble que la vie vous pousse continûment contre des portes fermées, une union parfaite avec les créatures que l'on aime et une satisfaction totale, sur cette terre de solitude, s'avérant impossibles. Ce qui importe donc, c'est l'expérience, quelle qu'elle soit : « Uber das Leid ! / siege das Lied ! » [Au-dessus de la souffrance / s'élève le chant vainqueur !]. Il arrive, dans les moments où le poète s'exprime avec le plus de bonheur, qu'il découvre un langage particulier. Des poèmes tels que « Moulin, que tes bras s'arrêtent » [Mühle lass die Arme still] — où se découvre un paysage fabuleux, hors du temps —, les deux « Visions » [Gesichte] qui évoquent des souvenirs de Venise, sont autant de témoignages d'une force créatrice en pleine possession d'elle-même. Il arrive que l'on trouve quelques réminiscences des *Hymnes* (« Dans les hautes landes », « Dans les vieux pays »). Mais George se laisse aller à plus de lyrisme encore lorsqu'il évoque son enfance, comme dans « Au-delà des bois, au-delà des vallées » [Zwischen Wälder über Täler]. Cependant, le poète n'en ressent pas moins ce qu'il y a d'incertain dans sa position et que, « pèlerin », il a encore une longue route à parcourir avant d'atteindre à la vraie forme de sa poésie. Au loin s'annoncent les enchantements de l'extraordinaire *Algabal*. — Trad. Aubier, 1941.

PÈLERIN CHÉRUBINIQUE (Le) [*Cherubinischer Wandermann*]. Œuvre du mystique allemand Johannes Scheffler (1624-1677), appelé, après sa conversion au catholicisme, Angelus Silesius, c'est-à-dire Messager de Silésie, sa patrie. Ces vers parus en 1657, sous le titre de *Choses spirituelles rimées par sens et par finales* [*Geistreiche Sinn- und Schlussreime*], eurent une seconde édition en 1675 avec addition du nouveau titre sous lequel ils sont connus aujourd'hui. Il s'agit de distiques d'inspiration religieuse, dont les plus importants au point de vue poétique ont été en partie écrits avant sa conversion. Chacun de ces distiques renferme une pensée. Ces vers, nous dit l'auteur, furent écrits spontanément comme ils naquirent du cœur et entendent amener le lecteur à la contemplation du « Dieu caché » et de sa sainte sagesse. Pour que l'âme atteigne ces sommets, il lui faut être « d'or fin, rigide comme pierre, limpide comme cristal ». Dieu est alors dans cette âme « comme le feu » et elle est en Dieu comme l'« apparence », à la façon dont le feu et la flamme, qui en est l'apparence, sont unis. Grâce à cette intimité, l'âme doit « enfanter le Seigneur » comme le fit Marie, sans se soucier de le comprendre, car « Dieu est le pur néant que ne touchent ni l'espace ni le temps, et plus on cherche à le saisir, plus il fuit ». C'est pourquoi l'âme est d'autant plus proche de Dieu qu'elle est plus tranquille et ne se tourmente pas en de vaines recherches. Quelques aphorismes contiennent un audacieux parallèle entre Dieu et l'homme, tel celui-ci : « Je sais que, sans moi, Dieu ne peut vivre un clin d'œil ; si je deviens néant, il faut qu'il rende l'âme » (I, 8). Dans son ensemble, le recueil est l'expression caractéristique du mysticisme de l'époque, entièrement fait de contrastes et d'antithèses : lumière et ténèbres, éternité et temps, tout et rien, vie et mort, etc. Les cinq premiers livres révèlent la lutte soutenue par le poète au moment de sa conversion. On y décèle déjà une attitude hostile à la doctrine de la prédestination, et le besoin d'une vie religieuse plus ardente et humaine s'y fait sentir : « La foi seule est un tonneau creux. La foi sans amour, seule (si j'y réfléchis bien), est comme un tonneau creux : elle résonne et n'a rien en elle » (V, 108). Lorsque Scheffler écrivit le sixième livre, il était devenu moine ; prenant publiquement part à la polémique engagée contre le protestantisme, il renonce à la vie purement contemplative et sa mystique revêt un caractère plus actif. Le monde est devenu, pour lui, comme une arène où nul ne pourra remporter de lauriers s'il ne sort victorieux du combat de la vie, ce qui n'est possible qu'au chrétien catholique. Angelus Silesius n'est pas un philosophe, mais un mystique et surtout un poète, né, comme les autres poètes religieux de ce temps, pour répondre aux besoins du peuple allemand épuisé par la guerre de Trente Ans et par plus d'un siècle d'arides discussions doctrinales. Sa pensée se rattache à la grande tradition de maître Eckart, des *Sermons* (*) de Tauler et des autres mystiques du XIVe siècle, à travers Falckenberg et Weigel (théologiens mystiques de la fin du XVIe siècle), enfin et surtout à Böhme dont il connut les œuvres en Hollande. Le quiétisme de ses premiers livres eut une influence sur les compositions d'inspiration orientale de Rückert et offrit des pensées et des images à la philosophie de Schopenhauer, qui considérait son œuvre comme « merveilleuse et d'une insondable profondeur ». — Trad. Aubier, 1946.

PÈLERIN DE L'ABSOLU (Le). Dans la série des volumes de son journal que l'écrivain français Léon Bloy (1846-1917) a publiés lui-même, *Le Pèlerin de l'absolu*, paru en juin 1914, fait suite au *Vieux de la montagne* (avril 1911) et précède *Au seuil de l'apocalypse* (mai 1916). Il couvre la période de la vie de Bloy qui s'étend du 1er juin 1910 au 31 décembre 1912. L'écrivain septuagénaire connaît, durant ces années-là, une paix qui lui avait été longtemps refusée. Rue de la Barre, à Montmartre, jusqu'en janvier 1911, puis à Bourg-la-Reine, place Condorcet jusqu'en janvier 1916, il est entouré d'amis fidèles et, s'il vit toujours avec sa famille dans la pauvreté, il échappe à la misère. Il établit le texte de l'autobiographie de Mélanie, bergère de La Salette, et le publie avec une importante préface. Puis il se met à *L'Âme de Napoléon* (*), livre auquel il songeait depuis de longues années et qui paraîtra au *Mercure de France* en septembre 1912, précédant d'un an la seconde série de *L'Exégèse des lieux communs* (*). En juin 1910, il a fait, avec ses amis Pierre Termier et Philippe Raoux, un pèlerinage à La Salette. Le même été, il s'impose, près de Cayeux (Somme), l'une de ces villégiatures dont il avait horreur : l'année suivante, il séjourne en Dordogne et va revoir les lieux de son enfance périgourdine ; en 1912, il passe l'été à Saint-Piat, près de Chartres. Plus que les précédents, ce neuvième tome du Journal de Léon Bloy est truffé de documents : lettres reçues et réponses, articles sur lui et de lui, citations de lectures et jusqu'aux dédicaces qu'il compose à l'intention de ses amis ou d'amateurs d'autographes. On ne retrouve, ici, ni l'aveu pathétique des grandes souffrances ni autant de notes sur la vie spirituelle de l'auteur. Mais on suit de près la composition du livre sur Napoléon, les réflexions sur le « secret » de La Salette, et les pronostics de la guerre prochaine. *Le Pèlerin de l'absolu* reste cependant l'une des pièces maîtresses du Journal ; et c'est dans ses pages qu'on trouve, en particulier, les réflexions les plus pertinentes de Bloy sur son art poétique et sur la nécessité d'un style hyperbolique, qui seul exprimait son extraordinaire vision des choses.

PÈLERIN ENCHANTÉ (Le) [*Ocarovannyj Strannik*]. Récit de l'écrivain russe Nikolaï Semenovitch Leskov (1831-1895), publié en 1873. Nous tenons peut-être là le récit le plus important de Leskov. Il est mené sur le mode du « skaz » caractéristique de l'écrivain. Ce terme, lié au mot « skazat » [dire, raconter] et au mot « skaza » [conte de fées], désigne une narration généralement écrite à la première personne et où l'élément réel se fond avec le fantastique. Chez Leskov, le skaz est généralement asserti à un protagoniste qui incarne le type du « juste » des livres saints. C'est le cas ici. Sur un bateau qui vogue vers les monastères du lac Ladoga au nord de la Russie, Ivan Severianovitch, ancien serf devenu moine, raconte à l'assistance les innombrables aventures dans lesquelles la force magique qui préside à sa destinée l'a entraîné. Ivan Severianovitch est un colosse. Il évoque le preux de l'épopée populaire, le « bogatyr ». Leskov le compare fréquemment à Ilia de Mourom, figure mythique dans laquelle des éléments de paganisme archaïque se mêlent à l'image du Christ. Il est comme la quintessence du paysan russe à la fois sauvage et nourri des livres saints, cruel à la façon des enfants et soucieux du salut de son âme. De fait, la religion est au centre des préoccupations d'Ivan Severianovitch. En lui, l'esprit pratique du peuple s'unit à un attachement très fort pour le rituel orthodoxe et à un sentiment du monde que l'on pourrait qualifier de mystique.

Au fil des récits du pèlerin enchanté toute la Russie défile sous nos yeux : province d'Orel, de Koursk, de Voronej, de Penza, steppes de la Volga, île de Valaam, sise dans le lac Ladoga et surnommée l'Athos du Nord ; nous passons de la Russie des propriétaires terriens où il était cocher et dompteur de chevaux sauvages au monde des brigands (il fut l'un des leurs), des tziganes (il a follement aimé une tzigane), des nomades de la steppe (prisonnier des Tatars, il vivra chez eux plusieurs années, y aura femmes et enfants, nous contera leurs coutumes cruelles). Ivan Severianovitch a été bonne d'enfants, acteur, officier. Il a tué bien des gens, en a sauvé beaucoup d'autres. Des petites villes de la Russie centrale aux steppes brûlantes, du Caucase et à Saint-Pétersbourg, situations et décors se succèdent, investissant comme par magie l'imaginaire du lecteur-auditeur ; il semble que, comme *Les Mille et Une Nuits* (*), le récit du pèlerin enchanté pourrait durer éternellement. Avec la concision et la force d'affabulation qui lui sont propres, Leskov enserre en quelque cent cinquante pages un matériau qui pourrait donner lieu à une dizaine de récits. À propos de cette œuvre dont la langue chatoyante évoque tour à tour l'imagerie populaire et la peinture d'icônes, la critique a parlé d'« encyclopédie des usages et des mœurs », d'« un de ces recueils de légendes rassemblées par des générations ». — Trad. Gallimard (La Pléiade), 1967.

M. G.

PÈLERIN PASSIONNÉ (Le). Recueil de vers du poète français Jean Moréas (Ioannis Papadiamantopoulos, 1856-1910), publié en 1891. L'édition définitive parut en 1893. *Le Pèlerin passionné* est, avec *Les Stances* (*), l'œuvre la plus caractéristique de Jean Moréas : celui-ci y illustre en effet les principes poétiques de l'« école romane » qu'il avait fondée, et qu'il entendait opposer au mouvement symboliste — dont il s'était pourtant réclamé quelques années auparavant dans un manifeste demeuré célèbre. Le ton et l'inspiration du recueil rappellent ceux des poètes de la Pléiade, en particulier de Ronsard ; mais la fluidité de la langue, des rythmes, l'atmosphère poétique de certains morceaux (par exemple, « Jonchée », les « Allégories pastorales » et les « Sylves ») apparentent toutefois cette œuvre à celle des symbolistes, dont Moréas, à son insu, a conservé l'empreinte. Minutieuses, évocatrices, les descriptions sont dignes des meilleurs représentants de l'école parnassienne — elle aussi reniée par le poète. Mais l'art de ce dernier atteint son expression la plus personnelle et la plus pure dans les pièces où Moréas se montre un adorateur fervent de la nature, une nature peuplée de divinités champêtres, de faunes et de nymphes, de personnages mythologiques tels que Vénus, Galatée ou le Cyclope. Dans ces petits tableaux, remarquables par la précision du trait, Moréas, tout en s'inspirant avec un rare bonheur (encore que sa forme soit parfois trop précieuse et trop apprêtée) des poètes de la Renaissance, poursuit et atteint l'idéal artistique qu'il s'est toujours proposé, et qui consiste à allier à la pureté française la subtilité de son pays d'origine, la Grèce.

PELHAM ou les Aventures d'un gentleman [*Pelham or the Adventures of a Gentleman*]. Ce roman de l'écrivain anglais Edward George Bulwer-Lytton (1803-1873), publié en 1828, est le second et, probablement, le meilleur de cet auteur. Henry Pelham, « dandy » accompli et politicien ambitieux, en est le héros. À l'occasion d'une visite chez son tailleur, il compose vingt-deux maximes plaisantes, dont voici un exemple : « Un homme qui vise à être vêtu à la perfection doit être un profond calculateur. Il ne faut pas s'habiller pour aller chez sa maîtresse comme on s'habille pour aller chez un ministre ; ni se présenter chez un oncle avare avec le même costume que si l'on rendait visite à un fastueux cousin ; il n'y a pas de diplomatie plus subtile que celle de la toilette. » Pelham tombe amoureux d'Hélène, sœur de son ami sir Reginald Glanville, qui eut, en son temps, maille à partir avec un autre noble, sir John Tyrrell. Or voici que ce dernier est assassiné et Glanville se retrouve sérieusement suspecté. Afin de venir en aide à son ami, Pelham se consacre à rechercher le véritable assassin et, dans cette intention, n'hésite pas à faire appel à un personnage louche, Job Jonson. Ils finissent par découvrir que le véritable meurtrier était un nommé Thornton, qui faisait chanter Glanville ; mieux, ils réussissent à obtenir le témoignage décisif d'un complice de l'assassin. Le personnage de Henry Pelham, homme actif, capable de mener de front ses occupations politiques et ses amours, amant quelque peu cynique mais plein de verve, plut tellement au public que l'engouement qu'il manifestait jusqu'alors pour tout ce qui était byronien fut oublié et on ne réclamait plus en librairie que le « genre Pelham ». Il est intéressant de noter que le personnage de Thornton fut « croqué sur le vif », sur un assassin réel, un dénommé Thurtell. Le succès du roman n'empêcha pas Thackeray de le tourner en ridicule dans une satire, publiée en 1845-1846 dans la fameuse revue londonienne *Punch*, et intitulée *Mémoires de Jaunepeluche* [*The Diary of James de la Pluche*]. — Trad. Hachette, 1883.

PELLÉAS ET MÉLISANDE. Drame en cinq actes, en prose, de l'écrivain belge d'expression française Maurice Maeterlinck (1862-1949), composé en 1892. Égaré dans une forêt au cours d'une chasse, le prince Golaud, aux tempes déjà grises, découvre une jeune fille en larmes, qui ne sait d'où elle vient. Elle s'appelle Mélisande. Golaud la convainc de le suivre et, par la suite, de l'épouser. C'est dans son château que nous les retrouvons. Pelléas, demi-frère de Golaud, jeune rêveur fou « d'ailleurs », ne tarde pas à trouver en Mélisande le miraculeux obstacle à sa nostalgie. Une bague perdue va déclencher le drame et les soupçons de Golaud. Comme attirés par un dénouement tragique, les deux amants n'attendront que la certitude de la mort pour s'étreindre sans pudeur. Pelléas mourra, tué par Golaud ; Mélisande ne lui survivra que le temps d'un acte, le cinquième, qui est aussi celui du remords et de la douleur de Golaud, seul personnage réel du drame. L'anecdote rappelle toutes celles, de Tristan et Yseult à Roméo et Juliette, dans lesquelles l'amour et la mort ne font et ne peuvent faire qu'un. Malheureusement, le poète belge a trop sacrifié au mystère, a parlé trop ingénument sur la part de destin, de fatalité, que décrète une grande passion. Le sang ne circule pas. Les poses, les attitudes, les gestes sont prometteurs, mais s'exténuent avant que la parole ait pris corps. Maeterlinck est incapable de transmettre le frémissement qu'il cherche un peu trop pour le provoquer totalement. Sa prose écoute, tend l'oreille, attend la musique, le chant qu'elle sollicite par incapacité de timbre. Prose d'accompagnement, sans thème, sans fil souterrain, sans nerfs.

★ C'est le compositeur français Claude Debussy (1862-1918) qui devait, de géniale façon, pénétrer et mettre en valeur le mystère, étoffer et mouvoir ces fantômes, dont l'âme se meurt de n'être émue que par elle-même. Il va muscler ces chairs sans couleur, dramatiser l'action, et hausser l'œuvre au diapason du plus délicat, du plus pudique lyrisme. Rendre à Mélisande son angélique, son « rien » fébrile ; à Pelléas son désarroi ; à Golaud son mal et sa grandeur. La musique jalonnera cette plaine apparemment vierge de tout frisson, et déportera le silence. Debussy écrit : « Je me suis servi, tout spontanément d'ailleurs, d'un moyen qui me paraît assez rare, c'est-à-dire du silence (ne riez pas), comme d'un agent d'expression et peut-être la seule façon de faire valoir l'émotion d'une phrase... » Son *Pelléas et Mélisande* fut représenté pour la première fois à l'Opéra-Comique, sous la direction d'André Messager, le 27 avril 1902. Peu de critiques — sans parler des rires et de la cabale inévitable — en saisirent la nouveauté et le bouleversement qu'il allait provoquer dans la musique lyrique. Seuls Paul Dukas, Charles Bordes, Henry Bauer, Pierre Lalo saluèrent l'événement comme il se devait. Pour certains, Wagner était rejoint et dépassé, par un simple effet de pédales et une juste économie des moyens employés. Grâce au hiatus ingénieusement exploité, à une déclamation qui épouse les moindres fluctuations de l'imperceptible roulis sensuel, Debussy jette l'œuvre de Maeterlinck dans l'espace, immobilise les personnages dans l'attitude même de leur éternité lyrique, et ouvre les veines de l'âge d'or de la musique française. Il serait peu délicat de ne pas rendre hommage, malgré tout, à Maeterlinck, qui a permis ce bonheur par ses suggestions. Pour Debussy, la gloire est venue, la plus justifiée qui soit.

★ D'autres compositeurs se sont inspirés de *Pelléas et Mélisande* : la musique de scène de Jean Sibelius (1865-1957) ; le poème symphonique op. 5 d'Arnold Schoenberg (1874-1954) ; l'opéra de Cyril Scott (1879-1970), et surtout la suite de Gabriel Fauré (1845-1924), intitulée elle aussi *Pelléas et Mélisande.* Cette œuvre, qui date de 1898, servit d'interludes aux représentations du drame de Maeterlinck, données à Londres au Théâtre Prince-de-Galles. Cette partition comprend quatre morceaux : « Prologue », « Fileuse », « Sicilienne » et « Final ». Le Prologue semble illustrer quelque forêt mystérieuse et profonde ; l'angoisse qui s'en dégage paraît plus légendaire qu'humaine. Un thème désespéré alterne avec une triste cantilène chantée par les violoncelles. Golaud et Mélisande errent dans les mêmes ténèbres. Le cor de Golaud enfin sonne plus clair et plus proche. Le destin a tressé ses fils... « Fileuse » pourrait servir à définir le style et l'écriture de Fauré. Les violons évoquent le doux ronronnement du rouet. Deux thèmes qui s'opposent symbolisent peut-être le visage des deux héros du drame. Un chant pur, candide, s'élève, s'épanouit et meurt comme une fleur délicate. Ce n'est pas ici le symbolisme, l'idéalisme de Debussy, mais l'expression plus simple, plus humaine, du drame éternel de l'amour de Mélisande. La « Sicilienne » ne fut pas composée en même temps que le reste de l'ouvrage. Elle était le fruit d'un projet antérieur qui resta sans lendemain. Elle s'est intégrée à *Pelléas et Mélisande,* mais s'y apparente mal en dépit de son charme et peut-être à cause de son insouciante légèreté. Le dernier interlude, adagio, est la page maîtresse de la partition. On y sent rôder la mort qui guette Mélisande, on y entend les questions cruelles de l'implacable Golaud dont les soupçons ne seront jamais apaisés. Toute la passion résignée du drame de Maeterlinck est condensée dans les quelques mesures de cet adagio. *Pelléas et Mélisande* est écrit pour un orchestre réduit. Charles Koechlin en a réalisé une nouvelle version orchestrale pour les concerts symphoniques ; Alfred Cortot en a transcrit la « Fileuse » pour piano seul.

PELLÉ LE CONQUÉRANT [*Pelle Erobreren*]. Ce roman en partie autobiographique, en quatre volumes (1906-1910), est le chef-d'œuvre de l'écrivain danois Martin Andersen Nexø (1869-1954). Le héros nous conduit depuis ses années d'enfance jusqu'à un symbolique épilogue, où le présent et le futur se confondent dans la même espérance. En compagnie de Lasse, son père, Pellé, un jeune garçon, se rend à l'île de Bornholm, en Scanie (Nexø, natif de Kristiansand [Norvège], était lui-même venu, enfant, à Bornholm, et il ajouta à son nom celui de la ville de Nexø qui est située dans cette île). Lasse gagne sa vie comme vacher et le petit, en pleine nature, fait tout seul l'apprentissage de la souffrance. Puis il se rend dans la capitale de l'île, où il travaillera chez un cordonnier, et c'est pour l'auteur l'occasion d'aborder la question sociale. Pellé se plaît à mener la vie saine de l'artisan, mais bientôt les progrès du machinisme l'obligent à chercher fortune à Copenhague. Effrayé par la misère qui sévit dans le peuple, il devient un agitateur socialiste. À la suite d'un procès, le voici en prison où, pendant quatre ans, il va méditer et apprendre à se mieux connaître. Sitôt libéré, Pellé constate que le mouvement social auquel il s'était voué est devenu un parti politique sans améliorer pour autant la condition des travailleurs. Il décide alors de fonder une coopérative ouvrière dans laquelle régneront la solidarité et l'amour. Les hommes, se dit-il, sont égoïstes parce qu'ils souffrent, et c'est la peur de souffrir qui les rend méfiants. Il rêve alors d'un remède qui transforme enfin les conditions de vie du prolétaire et fait entièrement confiance à la bonté native de l'homme. Dans la dernière partie, qui est la plus faible, le récit, trop souvent gâté par l'éloquence, contraste avec les vivantes évocations du début : le vieux Lasse, un « ancien » dont la misère n'a pas entamé la grandeur d'âme, et qui adore son fils ; le maître d'école Fris, médiocre pédagogue mais brave cœur ; le géant Kraften (« La Force »), sorte de génie méconnu qui, pour se venger de l'indifférence des hommes, donne libre cours à sa force physique. Pleine de relief est la description de l'« Arche », grande cité ouvrière de Copenhague, et d'un réalisme brutal le récit de la mort de la petite Johanne, violée par une brute. La grande chaleur humaine répandue dans les pages de *Pellé le conquérant* donne à ce roman, qui est aussi un fidèle miroir des idées dominantes au Danemark à la fin du XIXe siècle, une réelle valeur. — Trad. Messidor, 1988.

PÉNÉLOPE. La figure de l'épouse d'Ulysse, image non de l'amour mais de la fidélité — v. *Odyssée* (*) —, n'a suscité aucune tradition littéraire, mais seulement une faible tradition musicale, où les œuvres dignes d'être mentionnées sont peu nombreuses. Rappelons celles de Baldassare Galuppi (1706-1785), Londres, 1741 ; Niccolò Piccinni (1728-1800), Paris, 1785 ; de Domenico Cimarosa (1749-1801), Naples, 1795 ; toutes s'intitulent *Pénélope.*

★ Présente au contraire un vif intérêt l'opéra en trois actes : *Pénélope* de Gabriel Fauré (1845-1924), sur un livret de René Fauchois, représenté à Monte-Carlo en 1913. Après un prélude, qui constitue une « présentation » musicale de la figure des deux protagonistes, Ulysse et Pénélope, un chœur expose l'argument : absence d'Ulysse depuis vingt ans, fidélité de Pénélope, insistance des prétendants. Au Ier acte, tandis que Pénélope réaffirme sa foi en le retour d'Ulysse, le héros survient sous l'apparence d'un vieux mendiant qui demande l'hospitalité. La musique de ces scènes, reliées entre elles par l'idée dominante du retour du roi grec, se développe avec des moyens relativement simples et offre des accents d'une expression pleine de grandeur et de noblesse. Le IIe acte s'ouvre par un dialogue nocturne entre Eumée et un berger : page idyllique, tissée de délicates harmonies. Suit une scène très développée entre Pénélope et le voyageur qui, sans jamais révéler sa personnalité, conseille à la reine de n'appartenir qu'à l'homme assez fort pour bander l'arc d'Ulysse. L'acte (après l'annonce de l'étranger aux partisans fidèles : « Je suis Ulysse, votre roi ! ») se conclut sur une péroraison orchestrale de grande intensité, contrastant avec le lyrisme du duo précédent. Le IIIe acte commence par une page rude et impétueuse : Ulysse a retrouvé l'épée d'Hercule, et il se termine par le massacre des prétendants. L'opéra se clôt dans un chœur triomphal exaltant la félicité de Pénélope et d'Ulysse. Dans ce drame, l'intuition créatrice du musicien a su conférer vie et vérité aux paroles, aux actes des personnages ; l'inspiration se maintient ardente et élevée. Comme l'affirme Charles Koechlin, le biographe de Fauré, dans *Pénélope* l'auteur se révèle comme un authentique musicien de théâtre. Cet opéra doit évidemment être rapproché de celui de *Pelléas et Mélisande* (*) de Debussy ou d'*Ariane et Barbe-Bleue* (*) de Dukas. Gabriel Fauré, sans faiblesses, sans concessions ni artifices, sait conserver, en écrivant pour le théâtre, son caractère de musicien pur et réaliser un drame où ce qu'on appelle les « nécessités scéniques » sont tenues dans les limites indispensables, et où la construction s'appuie sur des lois essentiellement musicales.

PÉNITENTS EN MAILLOTS ROSES (Les). Recueil poétique de l'écrivain français Max Jacob (1876-1944), publié en 1925, et repris dans le volume intitulé *Ballades* (dernier volume publié de son vivant par Max Jacob en 1938). Dédié « à Mme Élie Lascaux / au charmant peintre / mon ami », le volume est présenté sous les treize titres qu'il aurait pu porter, dont « La Bure et le Maillot », ou « Le Clown à l'autel ». Ces titres précisent la double postulation qui anime l'œuvre de Max Jacob, la fantaisie et la gravité.

Le livre comprend une série de parodies : celle des formes métriques (l'alexandrin épique, l'octosyllabe des chansons, le vers bisyllabique), celle des jeux sonores proches de l'amphigouri, celle des thèmes, dont une série de « Marines à Roscoff ». Liane de Pougy, devenue princesse Ghika en 1910, résidait l'été à Roscoff, où en 1923 et 1924 Max Jacob la rejoignit. Dans une lettre à Georges Ghika (26 mars 1926), il dit combien il a été sensible aux expressions par lesquelles le prince le remerciait d'un livre qu'il avait trouvé « souple comme le scrupule ».

Dans des poèmes burlesques, Max Jacob revient en effet sur l'événement fondamental de sa vie, l'apparition qu'il eut en 1909, et qu'il narra dans *Saint Matorel* (*) et *La Défense de Tartufe* (*). Le livre est un examen du cheminement tortueux que constitue depuis lors, et malgré les effets de la grâce, la vie de Max Jacob : « Colimaçon, le chemin de Jacob ». Les poèmes associent à la gravité du fond le burlesque de la forme ; un madrigal cache une douleur. Mais sa lenteur spirituelle, sa ligne de vie tortueuse ne le détournent pas de son espoir fondamental : « Non ! mon espoir point ne succombe / qu'un jour tout de même viendra / où je sortirai de la tombe / avec un immortel éclat. » J. Rou.

PENSÉE (La) [*Mysl'*]. Récit publié en 1902, puis drame en trois actes de l'écrivain russe Léonid Nikolaïevitch Andréev (1871-1919). Kerjentzev est un solitaire, qui, travaillant pour lui-même et non pour les autres, ne publie rien de ce qu'il écrit. Il est fier de sa pensée, dont la jouissance lui permet de se sentir libre et heureux. Sûr d'elle, il veut toutefois pouvoir en connaître les limites et mesurer sa force. Pour ce faire, il décide de côtoyer la folie, d'en évoquer les sortilèges : jeu atroce mais divin, dans lequel une intelligence moyenne succomberait immédiatement, tandis qu'un esprit fort, comme le sien, montrera, pense-t-il, sa force. C'est ainsi que Kerjentzev simule la folie et tue le mari de la femme qu'il aime. Mais, le fait d'avoir simulé la folie, n'est-ce point déjà une preuve de folie ? Enfermé, après son crime, dans un asile, Kerjentzev est tout à coup pris d'un doute horrible... Suis-je ou ne suis-je pas fou ? Il pose la question à lui-même d'abord, aux autres ensuite, mais ne sait s'il doit préférer une réponse positive ou négative. D'ailleurs, ceux auxquels il avoue avoir commis volontairement un crime ne le croient pas et le considèrent comme fou ; alors auprès de ceux qui le prennent pour un fou, il voudrait se faire passer pour un assassin. Son âme oscille entre le crime et la folie ; mais c'est en vain que, dans l'espoir d'apprendre la vérité, il confesse la préméditation. Macha, l'infirmière, être inculte mais merveilleusement équilibré et sain d'esprit, lui confirme qu'il est fou ; par contre, Tatiana, la femme cultivée et raffinée, dont Kerjentzev avait fait une veuve, nie qu'il soit fou. Le triste héros restera à jamais muré dans le bagne créé de toutes pièces par sa pensée d'individualiste forcené. Lui, si fier jadis du jeu impeccable de ses facultés mentales, envie maintenant la sécurité tranquille avec laquelle l'infirmière analphabète résout ses problèmes. Avec son symbolisme abstrait, *La Pensée* d'Andréev est une des plus typiques expressions du nihilisme spirituel et moral de cet écrivain russe, pour lequel il n'existe ni en l'homme ni en dehors de lui, pas plus que dans la société prise collectivement, de critère autre que celui de sa propre pensée, ce qui condamne l'homme à une épouvantable solitude en le faisant irrémédiablement prisonnier de lui-même. – Trad. Ombres, 1989.

PENSÉE (La). Ouvrage du philosophe français Maurice Blondel (1861-1949), en deux volumes, parus en 1934, dont le premier traite « de la genèse de la pensée et des paliers de son ascension spontanée », et le second, « des responsabilités de la pensée et de la possibilité de son achèvement ». Blondel, par cette étude, va à la recherche du fil qui relie toutes les pensées « constituant le monde de la nature et de l'esprit ». Ce qu'il se propose n'est pas une théorie de la connaissance, mais l'étude intégrale de tous les états de conscience ; il cherche, en somme, la norme qu'« a ou mieux est » la pensée elle-même. Celle-ci est considérée comme gouvernée par deux moments dialectiques essentiels : le premier est le « noétique », représentant « ce qui, dans le monde sous-jacent à la pensée consciente ou réfléchie, est irréductible à la notion commune de matérialité..., ce qui rend compte de la valeur réelle de la connaissance, prépare la pensée concrète et contemplative... », élément objectif qui garantit une objectivité à la matière. L'autre élément est celui qui garantit à l'objet un sujet, et il est dit « pneumatique » : c'est « ce qui, en un être singulier, en un point spécifié et réagissant de façon qualitative, aspire le milieu universel, puis l'assimile et l'expire ensuite ». De sorte que matière et pensée ne sont pas deux réalités opposées et non point deux modes d'une substance unique, comme le voudrait Spinoza, mais deux aspects ou plutôt deux réalités en devenir diversement, incomplètement intelligibles. La pensée constate la nécessité et l'existence d'un transcendant ; le contact avec lui est œuvre de l'« esprit », moment vivant de la pensée même, « force invisible même au regard de l'intellect abstrait qui supplée à l'insuffisance de la connaissance », en nous transportant dans « cette lumière qui illumine tout homme venant en ce monde », lumière qui est en même temps un profond mystère. L'esprit est tout ce que nous sentons en nous d'inachevé et il attend de Dieu son achèvement. La raison débouche en somme dans la foi ; la philosophie, montant à la conquête de l'éternité infinie, trouve son couronnement dans la religion positive. Comprendre le monde dans sa subjectivité et son objectivité inépuisables, le voir dans sa synthèse une et totale est une tâche impossible à l'esprit humain. Elle ne peut être qu'une œuvre d'illumination divine. La pensée nous prépare à recevoir le « germe de vie », qui seul peut nous conduire à l'union mystique avec Dieu.

De l'immanence, chez Blondel, on passe ainsi à la transcendance, et c'est en cela que consiste la nouveauté que *La Pensée* a apportée dans le monde philosophique, en ce sens qu'elle a repris tous les problèmes de l'idéalisme et du réalisme, et le dualisme cartésien, dans une dialectique qui les résout religieusement. Elle prend une voie moyenne entre saint Augustin et saint Thomas, suivant le maître intérieur et l'« illuminatio » du premier, mais ne refusant pas totalement la « res » du second. Dans le domaine de la pensée, Blondel ne perd pas de vue l'acte de philosopher, qui est sa méthode de méditation, et il arrive à sa conclusion en passant d'aporie en aporie sans jamais s'arrêter à aucune solution proposée, mais en partant de chacune d'elles vers des recherches toujours plus hautes, des horizons toujours plus vastes, jusqu'au moment où il vient non pas se perdre, mais se retrouver en Dieu.

PENSÉE CAPTIVE (La) [*Zniewolony umysł*]. Essai de l'écrivain polonais Czesław Miłosz (né en 1911), paru en 1953. Connaissant bien les mécanismes de manipulations et d'automystification existant en Pologne populaire pour avoir passé plusieurs années à son service en tant que diplomate, Miłosz analyse l'état d'esprit des intellectuels polonais que le vide, l'absurde, la nécessité et le besoin de succès poussèrent à s'adonner au Ketman, forme de restriction mentale bien connue dans l'histoire politique de l'Orient et dont il renouvelle ici la notion et l'emploi : le Ketman national, le Ketman de la pureté révolutionnaire, le Ketman esthétique, le Ketman professionnel, le Ketman sceptique, le Ketman métaphysique et enfin le Ketman éthique.

Suivent quatre essais consacrés aux expériences concrètes de quatre écrivains masqués, mais que le lecteur peut sans peine identifier : A. ou le moraliste (Andrzejewski), B. ou l'amant malheureux (Borowski), C. ou l'esclave de l'histoire (Putrament) et D. ou le troubadour (Gałczyński).

Cette analyse en quelque sorte dénonciatrice de l'asservissement de l'esprit et du verbe dans les régimes totalitaires se trouve atténuée par la souffrance infinie que l'on sent derrière la clarté et l'art de l'exposé. L'auteur reste presque toujours à l'arrière-plan pour exposer les raisons de sa rupture avec le régime communiste, monde à la monstrueuse cohérence et à la monstrueuse confusion, réalité que les Occidentaux eurent alors beaucoup de peine à comprendre, tant elle leur paraissait invraisemblable. « Miłosz lutte sur deux fronts : pour lui, il s'agit non seulement de condamner l'Est au nom de la culture occidentale, mais aussi d'imposer à l'Ouest la vision bien distincte qu'on vient d'y vivre, ainsi que sa nouvelle expérience de l'univers, écrit Gombrowicz dans son *Journal* (*) [...] Un Polonais qui tourne sa face vers l'Occident présente un visage confus, sillonné d'obscures colères, de méfiance et d'une foule de mystérieuses irritations. »

Dénoncée comme sacrilège et lue en

cachette, cette « chronique de la banqueroute des lettres en Pologne » dut subir les attaques de la presse émigrée qui taxa son auteur d'hégélianisme et de marxisme. Elle n'en contribua pas moins à une large prise de conscience tant à l'Ouest qu'à l'Est où l'on reprendra ses principales accusations lors du dégel, en 1956. – Trad. Gallimard, 1953.

L. Dy.

PENSÉE CRÉATIVE (La) [*Productive Thinking*]. Ouvrage du psychologue américain d'origine autrichienne Max Wertheimer (1880-1943), publié en 1945. Juste terminé avant sa mort, cet ouvrage posthume prend position contre les vues traditionnelles d'étude de la pensée. La logique associe pensée et vérité (ou fausseté) des propositions. Elle apprend la rigueur dans le raisonnement mais n'explique pas la pensée créative. La démarche associationniste considère la pensée comme une chaîne d'idées, de stimuli et de réponses, associés par répétition selon le principe de proximité. La résolution d'un problème est conçue comme la découverte au hasard d'une solution après plusieurs tentatives infructueuses. Wertheimer situe sa démarche dans le courant gestaltiste. Ce mouvement défend l'idée de la primauté du tout et son rôle décisif dans l'articulation des parties. Résoudre un problème nécessite d'abord la construction d'une représentation organisée de l'information après son analyse. Beaucoup de problèmes sont au premier abord incompréhensibles. La solution devient évidente quand leurs aspects principaux sont clairement dégagés. Différents problèmes sont proposés dans l'ouvrage et l'auteur décrit les processus par lesquels il est possible d'arriver à leur solution. Ce livre, comme le courant gestaltiste dans son ensemble, a marqué le début de la psychologie cognitive.

A. St.

PENSÉE DE SAINTE-BEUVE (La). Ouvrage de l'écrivain français Maxime Leroy (1873-1957), publié en 1940, qui forme une trilogie avec *La Politique de Sainte-Beuve* et la *Vie de Sainte-Beuve* du même auteur. En nette réaction contre le dénigrement dont fut victime la personne de Sainte-Beuve, son propos s'inspire de cette réflexion des *Nouveaux Lundis* (*) : « Rien n'est plus injuste que de prendre d'excellents esprits par leurs défauts uniquement et par les petits côtés ou les côtés faibles de leur nature. » L'intérêt d'une telle étude est de démontrer que notre plus grand critique littéraire fut également un historien attentif des idées. Une appréciation équitable – rendue plus aisée depuis que nous connaissons la correspondance, publiée par Jean Bonnerot – de ce vaste esprit, de cet historien, de ce moraliste et psychologue orienté vers le social, tout autant que critique littéraire, se manifeste également dans *La Politique de Sainte-Beuve* (1941), où l'étude approfondie du saint-simonien, du témoin de 1830 et 1848, est suivie de trois essais sur Chateaubriand, Talleyrand et Proudhon. Ayant rendu justice à l'homme politique, Leroy publia en 1947 une *Vie de Sainte-Beuve* dont l'importance est d'autant plus certaine que, chez lui, « la vie et la pensée se confondent » : ainsi pouvons-nous, malgré les métamorphoses de l'homme, « mieux découvrir une orientation générale qui permet de parler de son unité intellectuelle ». C'est une suite attachante de portraits objectivement brossés : l'adolescent d'une maturité précoce, le drame de l'intelligence insatisfaite, le saint-simonisme de la trentaine jamais renié, la bonté, l'inquiétude du poète, son émotivité, comme aussi ses faiblesses. Et sa mort fut d'un « sceptique en métaphysique comme peut-être nul ne l'a été à ce point, mais non point aveugle à la douleur du grand nombre ».

PENSÉE ET LE MOUVANT (La). Recueil d'essais et de conférences du philosophe français Henri Bergson (1859-1941) écrits entre 1903 et 1923, publiés en 1924. Il y a cependant une unité profonde dans ce volume qui traite presque dans sa totalité de la méthode philosophique telle que l'entend Bergson. L'avant-propos nous indique que l'ouvrage doit être considéré comme le complément de *L'Énergie spirituelle* (*). Bergson s'élève d'abord contre l'imprécision qui fut l'apanage de tous les systèmes philosophiques antérieurs. C'est en s'interrogeant sur les raisons de cet état de fait qu'il a approfondi l'étude de la notion de temps. Il y a, remarque-t-il, une radicale originalité du temps qui échappe aux mathématiques. Jamais la mesure du temps ne porte sur la durée en tant que durée. La science élimine avec raison la notion de durée, qui lui est étrangère. Chez les philosophes, cette méconnaissance de la durée pure est inexcusable ; mais elle s'explique par l'influence du langage : les termes qui désignent le temps sont empruntés à la langue de l'espace, et pour cette raison même le temps mesurable dont on parle ne nous permet jamais d'atteindre à la durée pure. La métaphysique a échoué dans ses essais d'explication, parce qu'elle n'a pas vu qu'elle appauvrissait l'expérience en prétendant la dépasser. La métaphysique se doit de restituer au temps sa durée, au mouvement sa mobilité, au changement sa fluidité. Et les problèmes que nous croyions éternels trouveront alors sans doute leur solution, c'est-à-dire que nous apercevrons qu'il s'agissait là de pseudo-problèmes (Bergson donnera une analyse beaucoup plus détaillée du mouvement et du changement dans le chapitre V, lequel est composé de deux conférences faites à Oxford en 1911). Il apparaît donc clairement que le point de départ de la philosophie bergsonienne fut de rechercher, par-delà notre représentation habituelle du temps marquée par la signification abstraite que lui confère le langage, la révélation de la durée véritable : c'est à ce prix que sera retrouvée la précision indispensable à la méthode philosophique, en écartant les concepts déjà formés qui sont inadéquats à l'expérience pure, en recherchant une vision du réel. La seule méthode possible en philosophie sera l'intuition, entendue au sens de vision directe de l'esprit par l'esprit. C'est elle, et elle seule, qui pourra saisir le prolongement ininterrompu du passé dans un présent qui empiète sur l'avenir. Cette intuition sera intuition de nous-mêmes, mais aussi des autres consciences, et même du vital en général. La métaphysique sera l'étude de l'esprit au moyen de l'intuition et elle abandonnera sans retour à la science le pouvoir d'approfondir la matière par la seule force de l'intelligence. Autrement dit, science et métaphysique, ayant un domaine différent, doivent avoir une méthode différente, et elles ont autant de valeur l'une que l'autre pour atteindre un des aspects du réel. C'est ainsi que, loin de s'exclure, elles se complètent. Nous retrouverons cette idée dans le chapitre IV, où Bergson traite de l'intuition philosophique. Ce chapitre reprend une conférence faite à Bologne en 1911. Nous la retrouverons aussi dans le chapitre VI, qui n'est autre que cette « Introduction à la métaphysique » parue dès 1903 dans la *Revue de métaphysique et de morale*, et qui contient déjà la prise de position de Bergson vis-à-vis de la science et de la métaphysique, ainsi qu'une étude approfondie de la durée réelle. Bergson se défend d'avoir voulu combattre la science. Il ne s'est attaqué qu'à un certain scientisme, de même qu'il n'a pas tant invectivé contre l'intelligence que contre un verbalisme décevant. La méthode philosophique requiert de l'esprit un effort toujours renouvelé et ne peut se contenter de ces formules toutes faites que l'on substitue aux choses pour se dispenser de les approfondir. Le chapitre III traite du possible et du réel et permet à Bergson de donner un exemple de ces pseudo-problèmes qu'il n'a cessé de combattre. En découvrant que le possible ne préexiste pas au réel, mais n'est que le mirage du présent dans le passé, Bergson fait s'évanouir le problème classique de la liberté : une puissance illimitée s'offre à la liberté, si l'on voit bien que c'est elle qui crée le possible et que celui-ci ne peut donc à aucun moment être calculable et prévisible. Le livre contient enfin une conférence sur Claude Bernard, un rapide exposé de la philosophie de William James, et un article sur la vie et l'œuvre de Ravaisson.

PENSÉES de Marc Aurèle [Τὰ εἰς ἑαυτον : *À soi-même*]. Journal que l'empereur-philosophe romain Marc Aurèle (121-180 après J.-C.) écrivit en grec, probablement au cours des dix dernières années de sa vie. Il fut publié en cette langue, pour la première fois, en 1599 à Zurich. Nous ignorons qui le divisa en douze livres. Ces pensées n'étaient pas destinées à être publiées. Les chapitres ou paragraphes sont de longueur variée et ne sont point reliés entre eux ; ils traitent de sujets divers et parfois disparates. Ils ont été vraisemblablement écrits en des circonstances fort différentes. Il n'est pas possible d'assigner une date à cette œuvre. Seules quelques allusions à la fin du deuxième livre nous permettent de supposer que le premier et le deuxième livre ont été écrits dans les dernières années de la vie de l'auteur. En général, cet ouvrage dénote un esprit mûr et expérimenté. Dans le premier livre, qui se distingue des autres par le contenu et la forme, Marc Aurèle exprime sa gratitude pour tous ceux qui ont contribué à sa formation spirituelle, et particulièrement pour Rusticus (I, 7) qui lui a donné la possibilité de lire les œuvres d'Épictète. Dans les autres, il expose la philosophie stoïcienne en insistant particulièrement sur le problème moral.

Cet ouvrage est loin d'être une recherche coordonnée en vue d'aboutir à un credo philosophique. L'auteur, dans ces *Pensées*, évoque, pour sa propre satisfaction, les préceptes puisés dans ses études, dans la philosophie stoïcienne, en particulier dans celle d'Épictète, et dans son expérience personnelle. L'on a remarqué que, dans l'œuvre de Marc Aurèle, subsiste le contraste entre les deux thèmes fondamentaux : cynique et stoïcien, pour lesquels l'« adiaphorie », ou indifférence envers toute cause extérieure, est atteinte soit par le mépris du monde extérieur, soit par la croyance opposée que tout est parfait en ce monde et qu'il n'y a rien de plus vain que d'essayer de changer le cours des choses puisqu'il est voulu par Dieu. De cet antagonisme naissent parfois une certaine angoisse, un scepticisme et un pessimisme sur le sort final du monde et de l'individu. Il s'ensuit un certain mépris pour la vanité terrestre, une compassion fraternelle pour tous les hommes, même pour les plus mauvais, et un fond de tristesse qui imprègne tout l'ouvrage. Les pensées qui considèrent comme seuls biens réels ceux qui dépendent de notre propre volonté, le bien de l'âme, et comme seul mal la privation de celui-ci, sont d'inspiration nettement cynique. Posséder les honneurs, la puissance, la richesse, la santé, ou en être privé, est sans importance. Sont de même origine les motifs qui inspirent à Marc Aurèle son attitude envers les ennemis : « Quelqu'un commet-il une faute à mon endroit ? C'est son affaire. Il a son tempérament propre, son activité propre. Pour moi, j'ai en ce moment ce que la nature universelle veut que j'aie en ce moment et je fais ce que ma nature veut que je fasse en ce moment » (V, 25). Cette attitude envers les ennemis détermine, d'ailleurs, son comportement de tous les jours : « Il faut t'accoutumer à n'avoir que des idées telles que, si l'on te demandait brusquement : À quoi penses-tu ? tu puisses répondre sur-le-champ et en toute franchise : À ceci, ou à cela »

(III, 4). La gloire militaire le laisse froid : « Une araignée est fière d'avoir capturé une mouche ; cet homme, un levraut ; ... un autre, des ours ; un autre, des Sarmates. Or, ces gens-là, ne sont-ils pas des brigands, si l'on examine leurs principes ? » (X, 10).

Le stoïcisme, auquel s'ajoute un certain fond religieux, inspire à Marc Aurèle des pensées d'une grande élévation lorsqu'il aborde les problèmes de l'âme et de sa corrélation avec le corps. « Je suis composé d'une cause formelle et de matière. Aucun de ces éléments ne sera anéanti, pas plus qu'il n'est sorti du néant. Donc toute partie de mon être se verra assigner une autre place par transformation en une autre partie de l'univers et ainsi de suite à l'infini » (V, 13). « Tout ce que je suis se réduit à ceci : la chair, le souffle, le guide intérieur » (II, 2). Marc Aurèle s'y élève constamment à une conception toujours plus haute de l'homme, l'humanité étant pour lui une sorte de grande famille et l'État une communauté spirituelle : « Ma cité et ma patrie, en tant qu'Antonin, c'est Rome ; en tant qu'homme, c'est le monde. Donc, les intérêts de ces cités sont pour moi les seuls biens » (VI, 44). Ou encore : « Considère sans cesse que le monde est comme un être unique, contenant une substance unique et une âme unique ; comment tout aboutit à une seule et même perception, la sienne... » (IV, 40). Les *Pensées* s'achèvent sur ces paroles : « Mon ami, tu étais de cette grande cité. Que t'importe de l'avoir été cinq ans ou trois ?... Pars donc de bonne grâce pour répondre à la bonne grâce de qui te libère » (XII, 36).

Toutes ces *Pensées* témoignent de la lassitude et du dégoût de l'auteur pour la vulgarité et la corruption du monde qui l'entourait ; de son angoisse, du doute et de l'anxiété qu'il cherche à calmer sans y parvenir, de son désir d'une libération spirituelle et d'une continuelle curiosité pour les « maîtres problèmes » de l'esprit. Autant de raisons qui ont rapproché les lecteurs de toutes les époques de cette âme que Tertullien a qualifiée de « naturaliter christiana ». L'œuvre de Marc Aurèle a exercé une influence considérable sur les hommes de tous les temps, des empereurs Justinien et Julien jusqu'à Pétrarque et au Grand Frédéric. — Trad. Les Belles Lettres, 1947 ; Flammarion, 1964.

PENSÉES de Pascal. C'est par ces fragments d'une *Apologie de la religion chrétienne* qu'il ne put achever que Blaise Pascal (1623-1662), savant, penseur et écrivain français, connut, après sa mort, une gloire universelle (une première édition parut en 1670). De son vivant, il avait connu quelque renommée comme mathématicien, puis comme physicien, grâce à ses expériences sur le vide ; ensuite, en tant que disciple de Port-Royal, il avait acquis, comme polémiste, une grande notoriété avec ses *Provinciales* (*), qui furent lues au fur et à mesure de leur parution dans toute la France ; toutefois, c'est seulement grâce aux *Pensées*, publiées à titre posthume, qu'il obtint une audience de plus en plus vaste du XVIIᵉ siècle à nos jours. Selon le témoignage du neveu de Pascal, Étienne Périer, qui rédigea la préface des *Pensées* (édition de Port-Royal, 1670), ce serait en 1652 que Pascal aurait conçu la première idée de son *Apologie*. Il était encore dans le monde à cette époque. Sans doute convient-il de ne pas faire de contresens sur cette expression : Pascal n'a jamais été un mondain, au sens où nous l'entendons aujourd'hui ; elle signifie seulement que Pascal n'avait pas encore renoncé à sa vie profane, qu'il ne vivait pas encore dans la stricte retraite où il s'enfermera de plus en plus après sa conversion de 1654, à la manière des « Solitaires » de Port-Royal. D'ailleurs, il y avait déjà eu dans sa vie une « première conversion ». En 1646, à Rouen, toute la famille d'Étienne Pascal avait été remuée par la fréquentation de deux disciples de l'abbé de Saint-Cyran, et Blaise, le premier. Toutefois, il n'avait pas pour autant abandonné ses travaux scientifiques. Lorsque la famille Pascal s'établit à Paris, elle fréquenta tout naturellement le couvent de Port-Royal de Paris, et Jacqueline, la sœur cadette de Blaise, voulut même y faire profession. En 1651, la mort d'Étienne Pascal et la décision définitive de Jacqueline d'entrer en religion — décision à laquelle s'opposa tout d'abord son frère — rapprochèrent, puis éloignèrent l'écrivain de Port-Royal. C'est alors que commence la période « mondaine » de sa vie qui dure deux ans — v. *Lettres* (*) de Pascal. Pascal fréquente les savants du temps, mais aussi les salons, le duc de Roannez (futur port-royaliste) et le chevalier de Méré (*Les Conversations*) qui sont des libertins, c'est-à-dire des athées. Par eux, il a accès aux cercles où l'on faisait profession d'incroyance. Selon un témoignage de l'époque, celui de Bridieu, archidiacre de Beauvais, ce serait de ces fréquentations que naquit chez Pascal, resté chrétien et choqué d'une telle légèreté sur des sujets aussi graves, le dessein de l'*Apologie* : « M. Pascal a fait ses fragments contre huit esprits forts du Poitou qui ne croyaient point en Dieu : il les veut convaincre par des raisons morales et naturelles. » Le 23 novembre 1654, c'est la fameuse nuit de la conversion, dont il nous reste cet étonnant document mystique : le *Mémorial* — v. *Opuscules* (*). De cette époque daterait, selon certains critiques, la *Prière pour demander à Dieu le bon usage des maladies*. Aussitôt, Pascal se retire à Port-Royal ; peu après son entrée, il a son fameux *Entretien avec M. de Sacy sur Épictète et Montaigne*, qui fut consigné par Fontaine, secrétaire de M. de Sacy, dans ses *Mémoires*. Pascal, cependant, ne quitte pas encore définitivement le monde, mais il y fait de l'apostolat et convertit son ami libertin, le duc de Roannez. Avec la condamnation d'Arnauld en Sorbonne commence la collaboration effective de Pascal à l'œuvre de Port-Royal. Sur la demande d'Arnauld, qui l'estime plus apte que lui-même à répondre efficacement aux accusations portées contre lui et par là à la doctrine de Jansénius – v. *Augustinus* (*) – et de Saint-Cyran, c'est Pascal qui prend la plume pour entamer cette longue polémique contre les jésuites que seront *Les Provinciales* (*). La même année (1656) a lieu le miracle de la Sainte Épine ; la miraculée est la nièce de Pascal, qui semble en avoir été fort touché. Il est alors tout entier occupé par cette dispute théologique qui s'étend et par la rédaction des divers opuscules qui suivent *Les Provinciales.* Toutefois, il semble bien que, dès 1657, à côté de ses travaux scientifiques qu'il reprend, sa grande pensée soit la préparation de l'*Apologie.* C'est à la fin de 1658, selon ses historiens, que se placerait la conférence qu'il donna à Port-Royal sur le dessein qui le guidait dans cette grande entreprise. Il le fit sur ordre des messieurs de Port-Royal : « On l'obligea non pas d'écrire ce qu'il avait dans l'esprit sur ce sujet-là, mais d'en dire quelque chose de vive voix », écrit Étienne Périer dans la Préface des *Pensées* ; et il ajoute : « Il leur développa en peu de mots le plan de tout son ouvrage ; il leur représenta ce qui en devait faire le sujet et la matière ; il leur en rapporta en abrégé les raisons et les principes, et il leur expliqua l'ordre et la suite des choses qu'il y voulait traiter. Et ces personnes, qui sont aussi capables qu'on le puisse être de juger de ces sortes de choses, avouent qu'elles n'ont jamais rien entendu de plus beau, de plus fort, de plus touchant ni de plus convaincant. » Ce témoignage indique bien qu'à cette date Pascal était déjà fort avancé dans l'élaboration de son œuvre, qu'il avait une certaine idée de son plan et qu'il en avait certainement rédigé d'importants fragments. Outre le résumé donné par Étienne Périer, nous avons un exposé de cette conférence, transmis par un janséniste, Filleau de la Chaise, à qui on ne peut malheureusement pas accorder un crédit absolu : « Tout ce que dit alors M. Pascal leur est encore présent [à ceux qui avaient assisté à cette conférence] et c'est d'un d'eux que, plus de huit ans après, on a appris ce qu'on en va dire. » Filleau de la Chaise publia cet exposé en 1672, sous le nom de Dubois de la Cour et sous le titre de *Discours sur les Pensées de M. Pascal où l'on essaie de faire voir quel était son dessein, accompagné de deux autres petits traités* : qui sont le *Discours sur les preuves des livres de Moïse* et *Qu'il y a des démonstrations d'une autre espèce et aussi certaines que celles de la géométrie*, traités qui évoquent certains points de l'apologétique pascalienne.

Peu après cette conférence, le mal dont il souffrait s'aggrave. Sa nouvelle activité scientifique, qui avait succédé aux *Provinciales*, cesse. Il semble d'ailleurs qu'au cours des quatre années qui lui restent à vivre (1658-1662) il soit incapable de se livrer à tout travail suivi. Le témoignage de sa sœur, Gilberte Périer, est formel : « Il ne put rien faire ces quatre années qu'il vécut encore si l'on peut appeler vivre la langueur si pitoyable dans laquelle il les passa. » C'est cependant de cette époque qu'on date quelques-uns de ses *Opuscules* : les *Trois discours sur la condition des Grands* et l'*Écrit sur la signature* qui, lui, ne peut être que de 1661 ; nous savons qu'en 1662 il obtient des lettres patentes pour une entreprise de transports en commun, les « carrosses à cinq sols », ancêtres des omnibus parisiens, qui furent inaugurés quelques mois avant sa mort. De toute manière, il semble bien que Pascal n'ait pu alors s'adonner comme il eût voulu à la rédaction de son *Apologie*, et le témoignage d'Étienne Périer semble contredire celui de Gilberte Périer : « C'est néanmoins pendant ces quatre dernières années [...] qu'il a écrit tout ce qu'on a de lui de cet ouvrage qu'il méditait, et tout ce que l'on en donne au public. Car, quoiqu'il attendît que sa santé fut entièrement rétablie pour y travailler tout de bon, et pour écrire les choses qu'il avait déjà digérées et disposées dans son esprit, cependant, lorsqu'il lui survenait quelques nouvelles pensées, quelques vues, quelques idées, ou même quelque tour et quelques expressions qu'il prévoyait lui pouvoir un jour servir pour son dessein, comme il n'était pas en état de s'y appliquer aussi fortement que lorsqu'il se portait bien, ni de les imprimer dans son esprit et dans sa mémoire, il aimait mieux en mettre quelque chose par écrit pour ne les pas oublier ; et pour cela, il prenait le premier morceau de papier qu'il trouvait sous sa main, sur lequel il mettait sa pensée en peu de mots, et fort souvent même seulement à demi-mot : car il n'écrivait que pour lui, et c'est pourquoi il se contentait de le faire fort légèrement, pour ne pas se fatiguer l'esprit, et d'y mettre seulement les choses qui étaient nécessaires pour le faire se ressouvenir des vues et des idées qu'il avait. » Si la période de composition donnée par Étienne Périer est maintenant fort contestée, il n'en reste pas moins qu'il nous donne ici des indications très précieuses sur la manière dont Pascal travaillait à son *Apologie*, ce qui explique l'état dans lequel elle fut trouvée à sa mort. On peut d'ailleurs très bien admettre les deux témoignages apparemment divergents et les accorder : Pascal aurait accumulé des notes et conçu le plan de son ouvrage avant la fin de 1658, et il aurait continué à écrire ou à dicter des notes éparses et fragmentaires après cette date.

« Comme l'on savait le dessein qu'avait Pascal de travailler sur la religion, l'on eut un très grand soin, après sa mort, de recueillir tous les écrits qu'il avait faits sur cette matière. On les trouva tous ensemble enfilés en diverses liasses, mais sans aucun ordre, sans aucune suite [...] Et tout cela était si imparfait, et si mal écrit, qu'on a eu toutes les peines du monde à les déchiffrer », dit encore Étienne Périer dans sa préface. « La première chose qu'on fit fut de copier ces fragments tels qu'ils étaient et dans la même confusion qu'on les avait trouvés. » Quant au manuscrit lui-même, simples fragments écrits sur de petits morceaux de papier, ils furent découpés et collés sur un énorme album relié de deux cent cinquante-trois folios. Ils nous sont parvenus dans l'état où ils se trouvaient en 1711 (Ms. 9202 de la Bibliothèque nationale, intitulé *Pensées*, 1711). C'est ce texte qui servit à établir la première édition des *Pensées* (1670). Les messieurs de Port-Royal avaient d'abord décidé de publier les papiers tels qu'on les avait trouvés. Les résultats découragèrent les éditeurs. Le duc de Roannez voulut ensuite reconstituer l'œuvre de Pascal, c'est-à-dire l'*Apologie de la religion chrétienne*, au moyen de ces fragments épars. Cette tentative apparut bientôt si difficile à réaliser qu'on y renonça. Les amis de Pascal, Roannez, Brienne — qui appelait Pascal « notre saint » — et Étienne Périer, s'en tinrent finalement à l'édition des fragments, en les disposant dans un certain ordre, groupant celles des pensées qui avaient quelque affinité par le sujet, se contentant de « les éclaircir et embellir ». Le résultat de ces travaux entrepris en 1668 fut l'édition dite de Port-Royal, dont un premier tirage à un très petit nombre d'exemplaires (il n'en subsiste que deux ou trois dispersés dans le monde) eut lieu en 1669 et qui parut en 1670 sous le titre de : « *Pensées de M. Pascal sur la religion et sur quelques autres sujets qui ont été trouvées après sa mort parmi ses papiers.* À Paris chez Guillaume Desprez. » Cette édition était précédée de la préface rédigée par Étienne Périer, « contenant de quelle manière ces *Pensées* ont été écrites et recueillies ; ce qui en a fait retarder l'impression ; quel était le dessein de M. Pascal dans cet ouvrage, et de quelle sorte il a passé les dernières années de sa vie ». Suivaient les approbations d'un certain nombre de prélats et de docteurs en théologie. Enfin, cette édition se terminait sur la *Prière pour demander à Dieu le bon usage des maladies.* L'ordre adopté par ces messieurs avait été dicté plus par l'état dans lequel se trouvaient ces pensées que par l'ordre du plan même de Pascal, exposé partiellement dans la préface. Les pensées dont la rédaction était la plus avancée venaient en premier lieu, réunies sous des titres ajoutés par les éditeurs : « Contre l'indifférence des athées », « Marques de la véritable religion », « Pensées sur Moïse », « Sur Jésus-Christ », « Sur les Juifs ». On avait systématiquement rejeté à la fin, sous le titre de « Pensées morales, Pensées diverses », celles qu'on n'avait pu grouper. Une seconde édition peu différente de la première parut en 1678. En 1684, chez Abraham Wolfgang, à Amsterdam, parut une édition plus complète : elle comprenait quelques pensées inédites déchiffrées depuis et était précédée de la *Vie de M. Pascal escrite par madame Périer sa sœur*, ainsi que du *Discours sur les Pensées de M. Pascal*, de Filleau de la Chaise ; alors publié anonymement, ce *Discours* était suivi des deux autres discours du même auteur que nous avons cités précédemment. C'est ce texte de 1670 qui servit de base à toutes les éditions des *Pensées* jusqu'en 1776. Ce texte respecte dans l'ensemble la pensée de Pascal et en général sa forme même ; seulement, les éditeurs ont reculé devant certaines formules paradoxales et certaines phrases peu compréhensibles, ou bien ils se sont efforcés de les mettre en clair, en conjecturant le sens, ou bien encore ils les ont exclues dès cette édition. De plus, la paix de l'Église était survenue et semblait avoir pour quelques décennies réconcilié les partis ; aussi les éditeurs furent-ils tenus à quelque prudence : c'est pourquoi ils atténuèrent le sens de certains fragments par trop jansénistes. Au XVIIIe siècle, la renommée de Pascal subit une crise ; les port-royalistes, devenus les jansénistes, déconsidérés, condamnés par l'Église, s'effondraient, et l'attitude de Pascal était trop austère, trop sévère, pour plaire en ce siècle. Toutefois Voltaire, qui avait pour Pascal une très grande estime, en tant qu'écrivain et fondateur de la langue classique, mais non en tant que polémiste religieux, consacra, à la fin des *Lettres philosophiques ou Lettres anglaises* (*), des « Remarques sur certaines pensées de M. Pascal ». Il reprit et amplifia ce commentaire pour une nouvelle édition dite « philosophique » des *Pensées*, entreprise par Condorcet. La première édition, placée sous le patronage de Voltaire, parut en 1776 ; la seconde, cette fois accompagnée de nouvelles « Remarques », vit le jour en 1778. Dans ses « Remarques », bien qu'il considère Pascal comme un des plus grands esprits de son temps, Voltaire se livre à des commentaires dont le moins qu'on puisse dire est qu'ils sont déplacés et portent le plus souvent à faux. En 1779, dans les *Œuvres de Blaise Pascal* par Bossut, parut une édition beaucoup plus exacte et complète des *Pensées*, qui comprenait un certain nombre d'inédits. Mais le classement restait encore très arbitraire. Il fallut attendre un rapport de Victor Cousin, qui avait publié peu auparavant une intéressante étude sur la sœur de Pascal, Jacqueline. Il lut en 1842, devant l'Académie française, un rapport intitulé : *De la nécessité d'une nouvelle édition des Pensées de Pascal pour qu'on en revienne au manuscrit lui-même ;* le résultat de ce rapport fut qu'une nouvelle édition des *Pensées* par Faugère vit le jour en 1844 : cette édition fit redécouvrir un Pascal tout nouveau et qui demeurait encore à cette époque pratiquement inconnu ; c'est à partir d'elle que furent établies les éditions successives qui ne firent qu'améliorer la nouvelle version des *Pensées*. Suivirent : l'édition de Havet (1852 et 1887), longtemps classique, avec un très important commentaire ; l'édition paléographique (1877-1879) d'Auguste Molinier qui s'efforça de retrouver le plan de Pascal ; l'édition de Michaut qui revint à l'ordre du manuscrit ; enfin les deux éditions de Léon Brunschvicg (petite édition 1897, celle-ci constamment rééditée ; et la grande édition, en trois volumes, parue dans la collection : « Les Grands Écrivains de la France », Hachette, 1904). En 1905 parut la très précieuse reproduction photographique du manuscrit éditée par L. Brunschvicg.

Pour présenter schématiquement le redoutable problème de l'édition des *Pensées*, on peut dire qu'aujourd'hui plusieurs conceptions — inégalement acceptables — s'offrent au spécialiste. La plus simple, et satisfaisante pour l'esprit, est celle qui a fait le succès de Brunschvicg et qu'avaient déjà adoptée, en désespoir de cause, les premiers éditeurs de Port-Royal : elle consiste à organiser les fragments de Pascal d'une manière arbitraire mais cohérente. À l'inverse, une tentative plus ambitieuse, mais au bout du compte extrêmement naïve, est celle qui voudrait retrouver l'*Apologie* que Pascal aurait écrite si la mort lui en avait laissé le temps, soit qu'on se fie pour cela à des documents (Jacques Chevalier ainsi s'appuie sur le *Discours* de Filleau de la Chaise), soit que l'éditeur fasse tout simplement confiance à son intuition (édition de Francis Kaplan). Outre que cette méthode ne saurait se défendre des accusations de subjectivité, elle offre l'inconvénient de postuler que Pascal avait, à sa mort, une idée arrêtée de son ouvrage — ce que rien ne permet d'affirmer. Un grand progrès a été réalisé par les éditions des *Pensées* dites « objectives » : elles reposent sur l'examen méthodique des deux copies qui nous sont parvenues des *Pensées* en plus du manuscrit. Ces copies ont été faites avant le découpage du texte par les amis de Pascal en vue de l'édition de 1670 et reproduisent encore les fragments dans l'ordre même, ou plutôt le désordre où ils furent retrouvés à la mort de l'auteur. La première copie fut transmise par le bénédictin Jean Guerrier, lequel la tenait de la nièce de Pascal, religieuse de Port-Royal, Marguerite Périer ; la seconde, qui reproduit presque exactement la première, porte la signature du père Pierre Guerrier, neveu du précédent (les deux copies sont les Ms. 9203 et 12449 de la Bibliothèque nationale). Parmi les éditions objectives, il faut citer celles de Z. Tourneur, de Louis Lafuma ou de Michel Le Guern (d'après la première copie) et celle de Philippe Sellier (d'après la deuxième copie). Une ultime possibilité enfin, mais dont la difficulté est extrême et que seuls les récents progrès de l'érudition pascalienne (travaux de Jean Mesnard et Pol Ernst) rendent envisageable, consisterait à intégrer dans un classement objectif les éléments chronologiques que l'on possède sur la date de rédaction des fragments qui composent les *Pensées.* C'est le principe qu'a adopté M. Mesnard dans sa monumentale édition du Tricentenaire. Ajoutons que ce problème de l'édition des *Pensées* est d'une importance capitale, les *Pensées* n'étant aucunement des pensées détachées, des morceaux choisis : ce sont les matériaux d'un ouvrage, et de leur ordre dépend, en grande partie, le sens de l'œuvre elle-même.

Plus encore qu'une œuvre inachevée et fragmentaire, les *Pensées* sont des notes prises pour un livre dont nous connaissons seulement le plan dans ses grandes lignes. Sans conteste, le dessein général de Pascal ne peut faire de doute et il est bien connu : il se proposait de convaincre l'incroyant. Après lui avoir montré les deux états de l'homme : grandeur et misère, il entendait lui prouver que seuls l'« Ancien » et le « Nouveau Testament » — v. *Bible* (*) — rendent compte de l'une et de l'autre par la Création, le péché originel et la Rédemption. Ainsi, il y a une idée si juste du destin humain dans les explications qu'en donnent les Saintes Écritures qu'on est obligé de convenir, même si l'on est incrédule, qu'il y a quelque probabilité pour que Dieu existe et que les livres saints soient dignes de foi. On est donc fondé à espérer que la religion est véridique. À cela s'ajoute l'argument du pari : il faut choisir. La suite de l'analyse pascalienne devait démontrer que la religion n'est pas seulement vraisemblable et désirable, mais qu'elle est vraie. Pour en avoir les preuves, il suffit à l'homme de ne pas se refuser à la vérité, mais de s'y abandonner et de s'y soumettre. Ces preuves, cette preuve unique, c'est Jésus que l'« Ancien Testament » espère et annonce, que le « Nouveau Testament » réalise et propose en modèle à tous les hommes, Jésus dont le drame divin et humain n'a jamais cessé et se reproduira dans tous les siècles, tant qu'il restera une âme à sauver. Telles sont les grandes lignes du dessein que Pascal exposa à ces messieurs de Port-Royal et dont ils furent si bouleversés. Mais de ce plan grandiose, qui eût fait à coup sûr de cette œuvre, avec les *Confessions* (*) de saint Augustin, la plus sublime et la plus efficace des Apologies de la religion chrétienne, seule la première partie (« Misère de l'homme sans Dieu ») a été développée par Pascal ; la seconde partie (« Preuves de la religion chrétienne ») est restée à l'état de fragments inorganisés et souvent si laconiques ou si illisibles que le sens n'en peut être clairement établi. De cela résulte une disproportion qui fausse la pensée de l'auteur et lui fait attribuer un caractère qu'elle n'a jamais eu dans son esprit. La partie négative, nécessairement sceptique, désespérée, prend ainsi une place démesurée par rapport à celle qu'elle eût eue dans l'ensemble de l'œuvre. La présentation même du livre risque de faire commettre une autre erreur. Les *Pensées* ne sont pas, comme on a trop tendance à le croire, un journal intime ; sans doute Pascal a éprouvé lui-même ces angoisses qu'il nous relate, mais cet état était pour lui dépassé et il entendait donner la possibilité à son interlocuteur de le dépasser à son tour. Ce personnage anxieux, tourmenté, effrayé, qu'on entend parler ici, c'est son interlocuteur parvenu dans les dispositions provisoires où il entend le placer. Car les *Pensées* sont des dialogues, un vaste dialogue entre le « vieil homme » et le « nouvel homme », entre l'incrédule et l'apologiste ; sans doute les deux personnages sont bien Pascal, mais à deux moments différents : avant et après la conversion ; maintenant, c'est le converti du *Mémorial*, l'ascète de Port-Royal qui parle : celui qui mourra autant de ses austérités que de ses maladies, ainsi qu'en témoigne sa sœur Gilberte Périer dans la *Vie* qu'elle nous a laissée, celui qu'on appelait à Port-Royal, aussitôt après sa mort, « notre saint » ; et cette homme-là qui a trouvé s'adresse à celui qui cherche, à celui qui ne croit pas encore, mais s'effraie du destin de l'homme. Il ne lui demande qu'une chose, c'est de ne pas se détourner de lui-même par le « divertissement », de regarder en face son existence ; quand il en aura pris pleine conscience, il lui faudra seulement chercher en gémissant, s'abandonner à la vérité, ne plus dresser contre elle cette barrière qu'est la superbe de l'esprit, « s'abêtir ».

En somme, c'est sa propre expérience, sa propre démarche, celle qui le conduisit de sa vie de mathématicien et d'« homme du monde » à l'ascétisme et au renoncement, que Pascal reproduit ; car il sait que, pour être persuasif, il n'a qu'à se retourner vers son propre passé et faire saisir cette nécessité de la conversion qu'il a lui-même éprouvée avec tant de force et à laquelle il a cependant longtemps résisté. Les *Pensées* sont donc, aussi, le récit d'une conversion, et en ce sens on peut également les comparer aux *Confessions* de saint Augustin, à l'exception toutefois des allusions directement biographiques qui y sont rares. Sans doute, lorsqu'il entra à Port-Royal, Pascal était depuis de nombreuses années un converti de cœur : le *Mémorial* en est le témoignage mystique, ainsi que, dans les *Pensées*, le « Mystère de Jésus », qui n'était pas destiné à faire partie de l'*Apologie*. Dans ce texte, un des plus nobles et des plus émouvants de la littérature mystique, c'est le chrétien en face de Jésus crucifié qui parle, et ce court chapitre éclaire toute l'œuvre. Mais c'est l'esprit qu'il fallait convaincre, c'est la raison qu'il fallait persuader. Une des plus grandes et des plus profondes intelligences de tous les temps, Pascal avait besoin que la religion satisfasse entièrement son intelligence ; dans ce siècle où la raison triomphait, il était nécessaire de convertir la raison. Tel est le dessein, à plusieurs reprises affirmé, qu'il se proposa en écrivant les *Pensées*. Et aussitôt, Pascal se fixe des bornes : « Deux excès : exclure la raison, n'admettre que la raison. » « Si on soumet tout à la raison, notre religion n'aura rien de mystérieux et de surnaturel. Si on choque les principes de la raison, notre religion sera absurde et ridicule. »

Ainsi l'entreprise de Pascal s'inscrit dans la vaste réforme tentée par Port-Royal, et elle en tire certaines de ses particularités. On oublie trop que Pascal fut, dès sa conversion, considéré comme une des lumières du mouvement janséniste, et qu'à peine entré dans cette communauté Arnauld s'en remit à lui plus d'une fois. Ces messieurs étaient de grands esprits, des hommes fort cultivés, érudits ; ils pratiquaient et connaissaient à fond l'Écriture, beaucoup mieux que la plupart des théologiens de leur temps : ils étaient historiens, critiques en même temps qu'exégètes, et Pascal rassembla, dans ses écrits, toute la grande expérience d'Arnauld, de M. de Sacy et de quelques autres, réalisant ce qu'ils n'avaient pu eux-mêmes concevoir. Les thèses qu'il développe, ses positions doctrinales, son dessein, il les avait communiqués à ces messieurs et ils avaient reçu une approbation chaleureuse. Mais Pascal est aussi, ce que n'étaient pas les « Solitaires », un grand philosophe. Dans les *Pensées*, il accomplit une démarche aussi radicale que, sur un autre plan, celle de Descartes dans le *Discours de la méthode* (*). Lui aussi part de la table rase, il veut voir l'homme à nu, il le dépouille de tout faux-semblant pour le faire se redécouvrir dans sa déréliction. Il faut que l'homme fasse taire en lui toutes ses voix qui le distraient, il faut qu'il parvienne au vide, au silence. Il apparaît donc que la démarche de Pascal est, par rapport aux apologistes qui l'ont précédé, dans la même relation que celle de Descartes par rapport aux philosophes qui vécurent avant lui.

Tels sont les mouvements de ce long dialogue entre celui qui cherche et celui qui a trouvé, dialogue qui se poursuit tout au long des *Pensées*. Dans les fragments se rapportant au dessein, à l'ordre et au plan de l'ouvrage, on voit comment Pascal entendait persuader, comment il choisit ses arguments, dans quel ordre il entend les disposer. Le fameux fragment sur « l'esprit de géométrie et l'esprit de finesse » ressortit à cette préoccupation. Ces pensées nous font pénétrer dans l'intimité de l'esprit de Pascal ; elles nous le présentent faisant son livre, définissant sa méthode, son art de persuader, auquel il a consacré par ailleurs tout un essai, et dont il devait donner un si magistral exemple dans *Les Provinciales*. S'il cherche si longuement à prévoir ce qui pourra toucher son lecteur, les objections qu'il pourra émettre, c'est parce que pour lui la rhétorique est un art, une science dont il est indispensable de posséder à fond les règles ; c'est surtout parce qu'il se trouve dans l'obligation de fonder sa propre rhétorique, parce qu'il est animé de la passion de convaincre, parce que enfin c'est sa mission. Ces interrogations sur la marche à suivre, sur les vérités à mettre en lumière, sur les arguments à développer, on les retrouvera dans tout l'ouvrage, de telle sorte que le lecteur verra le livre s'ébaucher sous ses yeux, en même temps qu'il suivra l'auteur dans ce travail préalable, dans sa démarche première dont les traces eussent sans doute disparu si Pascal avait achevé son œuvre. Ainsi, tout au long, nous seront livrés non seulement des fragments de l'*Apologie*, mais les matériaux même qui devaient servir à l'édifier. Cette première série de pensées se conclut sur des notes relatives au plan : « Misère de l'homme sans Dieu. Félicité de l'homme avec Dieu. Que la nature est corrompue. Par la nature même. Qu'il y a un réparateur. Par l'Écriture. » Ainsi se trouvent esquissées les grandes lignes de l'œuvre et ses deux parties délimitées.

La première partie, « L'Homme sans Dieu », débute par une Préface où Pascal, à propos de « ceux qui ont traité de la connaissance de soi-même », dit de Montaigne : « Le sot projet qu'il a eu de se peindre ! » On a souvent cité cette phrase comme étant un jugement personnel et littéraire de Pascal ; en fait, c'est l'apologiste chrétien qui parle et qui condamne parce qu'il ne peut que condamner. Pascal ne nie nullement la nécessité de se connaître — tout au contraire, c'est là le point de départ de cette première partie ; ce qu'il réprouve, c'est cette connaissance satisfaisante et impuissante de soi-même qui s'étale dans Montaigne. La connaissance de soi « sert au moins à régler sa vie quand elle ne servirait pas à trouver le vrai » : la connaissance de soi ne doit pas être le terme de la pensée comme chez Montaigne, mais un point de départ. En s'interrogeant sur la place de l'homme dans la nature, Pascal commence cette pénétrante analyse par quoi il dénude l'homme devant lui-même. Il le place immédiatement en face de sa disproportion, pris entre ces deux infinis de grandeur et de petitesse, qu'il évoque dans des pages restées parmi les plus célèbres de l'œuvre ; c'est à la « Misère de l'homme » qu'il consacre ensuite une série de fragments, groupés par les éditeurs en pensées sur les sens et la mémoire, sur l'imagination, sur la coutume, sur l'amour-propre, sur l'orgueil, sur les contrariétés, la folie de la science humaine, le divertissement, l'injustice des lois humaines. En quelques pensées profondes et acérées, avec un implacable scalpel, Pascal tranche tous ces faux-semblants qui rattachent l'homme au monde et auxquels il se cramponne : au terme de cette analyse, l'interlocuteur, le libertin, est obligé de reconnaître qu'il ne peut rien savoir de certain, ni par les sens ni par la raison, de ce monde qui l'entoure, qu'il ne peut s'aimer lui-même qu'au prix d'un malentendu flagrant : « Il veut être grand, et il se voit petit ; il veut être heureux, et il se voit misérable ; il veut être parfait, et il se voit plein d'imperfections ; il veut être l'objet de l'amour et de l'estime des hommes et il voit que ses défauts ne méritent que leur aversion et leur mépris. » Il sera contraint de convenir qu'il n'est qu'« inconstance, ennui, inquiétude » et que rien ne lui est « si insupportable que d'être en plein repos, sans passions, sans affaire, sans divertissement, sans application. Il sent alors son néant, son abandon, son insuffisance, sa dépendance, son impuissance, son vide. Incontinent, il sortira du fond de son âme l'ennui, la noirceur, la tristesse, le chagrin, le dépit, le désespoir ». Il sera persuadé que la justice humaine n'est pas la justice, que la science humaine et la philosophie ne sont que folies, car elles s'écartent du vrai et du seul problème de l'homme ; c'est pourquoi « Descartes [est] inutile et incertain ». En définitive, « les hommes sont si nécessairement fous que ce serait être fou, par un autre tour de folie, de n'être pas fou ». Pascal en arrive à conclure qu'il y a deux faces de l'homme : « La nature de l'homme se considère en deux manières : l'une selon la fin, et alors il est grand et incomparable ; l'autre, selon la multitude [...] et alors l'homme est abject et vil. Voilà les deux voies qui en font juger diversement, et qui font tant disputer les philosophes. » Aussi, après cet exposé complet de la misère humaine, consacre-t-il son attention aux « Marques de la grandeur de l'homme ». Cette grandeur se conclut de sa misère, de l'instinct du vrai et du bien dans ses égarements mêmes : « Toutes ces misères-là mêmes prouvent sa grandeur. Ce sont misères de grand seigneur, misère d'un roi dépossédé » ; la preuve, c'est que « nous avons une si grande idée de l'âme de l'homme que nous ne pouvons souffrir d'en être méprisés, et de n'être pas dans l'estime d'une âme ; et toute la félicité des hommes consiste dans cette estime ». Au passage, Pascal tient à noter qu'il est nécessaire, pour découvrir la vraie grandeur de l'homme, de procéder à un renversement radical du pour au contre, puisque sa vraie grandeur n'est pas celle qu'il se donne pour se rassurer (l'acquisition de biens, la gloire, les certitudes de la raison), mais sa faiblesse et l'inquiète conscience qu'il en a. La véritable grandeur de l'homme est entre ces deux abîmes, ces deux infinis ; elle est dans le milieu, dans cette duplicité, dans cette « guerre intérieure de la raison contre les passions ». La conclusion est qu'il n'y a qu'un seul problème dont nous tentons sans cesse de nous détourner : « Il importe à toute la vie de savoir si l'âme est mortelle ou immortelle. » Quant au repos dans l'ignorance, c'est « une chose monstrueuse », et « dont il faut faire sentir l'extravagance et la stupidité à ceux qui y passent leur vie, en la leur représentant à eux-mêmes, pour les confondre par la vue de leur folie ». Il faut chercher Dieu : « Qu'ils apprennent au moins quelle est la religion qu'ils combattent, avant que de la combattre. » En quelques pages d'une dialectique vigoureuse et insistante, Pascal développe cette pensée à laquelle on ne peut se dérober.

La réflexion consacrée à « L'Homme avec Dieu » est beaucoup moins étendue et surtout beaucoup plus fragmentaire, la plupart des morceaux ne sont qu'ébauchés ; de plus, Pascal procède souvent par allusions, par références qu'il ne précise pas, ses notes n'étant faites que pour lui, n'étant destinées qu'à être des aide-mémoire pour le moment où il se mettrait à rédiger. Le voici maintenant parvenu au centre de sa démonstration ; il a convaincu l'adversaire ; il est parvenu à lui persuader que Dieu était un besoin — et le seul besoin véritable — de l'homme ; que le seul but de notre existence terrestre était la recherche de Dieu. Dorénavant, il ne considère plus son interlocuteur comme un adversaire : il l'a réduit, il l'a fait renoncer à toutes ses vaines certitudes, il a fait place nette, que va-t-il lui donner en échange ? Non pas justement d'autres certitudes, non pas une vision éclatante de la divinité, car Dieu est un Dieu caché, il faut le retrouver sur les indices, sur les signes qu'il a bien voulu nous donner de son existence ; il faut déchiffrer ce palimpseste qu'est la Révélation. Dans la Préface à cette seconde partie, Pascal souligne la raison pour laquelle les apologies sont habituellement si inefficaces, elles supposent la foi au lieu de la faire naître : « Prouver la Divinité par les ouvrages de la nature à des incroyants est vain, dire à ceux-là qu'ils n'ont qu'à voir la moindre des choses qui les environnent, et qu'ils y verront Dieu à découvert [...] c'est leur donner sujet de croire que les preuves de notre religion sont bien faibles » ; il faut partir du doute absolu, du pyrrhonisme, et c'est en cela que le « pyrrhonisme sert à la religion ». Après avoir examiné les thèses des philosophes, Pascal passe à l'examen comparé des différentes religions. Maintenant qu'il a démontré que Dieu est nécessaire, il faut montrer qu'il est et qu'il est le Dieu de l'Église chrétienne : « En voyant l'aveuglement et la misère de l'homme, en regardant tout l'univers muet, et l'homme sans lumière, abandonné à lui-même, et comme égaré dans ce recoin de l'univers, sans savoir qui l'y a mis, ce qu'il y est venu faire, ce qu'il deviendra en mourant, incapable de toute connaissance, j'entre en effroi, comme un homme qu'on aurait porté endormi dans une île déserte et effroyable, et qui s'éveillerait sans connaître où il est, et sans moyen d'en sortir. Et, sur cela, j'admire comment on n'entre point en désespoir d'un si misérable état. » Mais ce désespoir n'est qu'un passage, et Pascal ne le montre si complet et si terrible que parce qu'il dresse en face de lui la possibilité de l'espérance ; parvenu à cet état, il ne peut que « considérer combien il y a plus d'apparence qu'il y a autre chose que ce qu'il voit », il ne peut que rechercher « si ce Dieu n'aurait point laissé quelque marque de soi ». Où est ce Dieu ? « Je vois plusieurs religions contraires, et partant toutes fausses, excepté une. » Pascal a vite fait d'éliminer la religion de Mahomet, religion sans miracles et sans prophéties ; il passe ensuite à l'examen de la religion d'Israël : celle-ci a les marques, encore incomplètes, de la vraie religion ; elle donne la solution de la « difficulté », en l'expliquant par la « nature déchue » de l'homme : « Il faut, pour faire qu'une religion soit vraie, qu'elle ait connu notre nature. Elle doit avoir connu la grandeur et la petitesse, et la raison de l'une et de l'autre. Qui l'a connue, que la chrétienne ? » La religion d'Israël ne connaissait que la faiblesse de l'homme déchu ; la chrétienne la complète, en découvrant la noblesse de l'homme racheté. Voilà Pascal parvenu au nœud de son argumentation : après avoir montré qu'on doit chercher Dieu, il en arrive à ce point qu'il faut « ôter les obstacles », « préparer la machine, chercher par raison ». Dans un passage dialogué resté célèbre, le fragment « infini rien » (connu sous le titre du « pari »), il empoignait son adversaire, le poussant à se décider, à choisir, à faire le saut : « Il faut parier. Cela n'est pas volontaire, vous êtes embarqué. Lequel prendrez-vous donc ? Voyons. Puisqu'il faut choisir, voyons ce qui vous intéresse le moins. Vous avez deux choses à perdre : le vrai et le bien, et deux choses à engager : votre raison et votre volonté, votre connaissance et votre béatitude ; et votre nature a deux choses à fuir : l'erreur et la misère. Votre raison n'est pas plus blessée, en choisissant l'une que l'autre, puisqu'il faut nécessairement choisir. Voilà un point vidé. Mais votre béatitude ? Pesons le gain et la perte, en prenant choix que Dieu est. Estimons ces deux cas : si vous gagnez, vous gagnez tout ; si vous perdez, vous ne perdez rien. Gagez donc qu'il est, sans hésiter. » Mais Pascal prévoit l'objection, et il fait rétorquer à son interlocuteur : « Cela est admirable. Oui, il faut gager ; mais je gage peut-être trop. » À quoi Pascal répond : « Il y a ici une infinité de vie infiniment heureuse à gagner, un hasard de gain contre un nombre fini de hasards de perte, et ce que vous jouez est fini. Cela ôte tout parti : partout où est l'infini, et où il n'y a pas infinité de hasards de perte contre celui de gain, il n'y a point à balancer, il faut tout donner. » Et il ajoute : « Or quel mal vous arrivera-t-il en prenant ce parti ? Vous serez fidèle, honnête, humble, reconnaissant, bienfaisant, ami sincère, véritable. À la vérité, vous ne serez point dans les plaisirs empestés, dans la gloire, dans les délices ; mais n'en aurez-vous point d'autres ? Je vous dis que vous y gagnerez en cette vie, et que, à chaque pas que vous ferez dans ce chemin, vous verrez tant de certitude du gain, et tant de néant de ce que vous hasardez, que vous connaîtrez à la fin que vous avez parié pour une chose certaine, infinie, pour laquelle vous n'avez rien donné. »

Cela étant acquis, il reste à obtenir du prosélyte qu'il fasse les gestes de la foi. Il dit consentir à se plier aux « formalités » ; car si « c'est être superstitieux de mettre son espérance dans les formalités », « c'est être superbe de ne vouloir s'y soumettre ». Et ce n'est que si l'extérieur est conforme à l'intérieur qu'il pourra recevoir la foi qu'il cherche, car « il ne faut pas se méconnaître ; nous sommes automates autant qu'esprits ». La preuve ne suffit pas, elle peut seulement faire sentir la nécessité de la foi ; elle y prédispose, elle ne la donne pas, car la preuve est humaine et la foi est un don de Dieu. En vérité, il ne s'agit pas que de connaître Dieu, mais de l'aimer et « qu'il y a loin de la connaissance de Dieu à l'aimer ! » ; « tout notre raisonnement se réduit au sentiment » et « le cœur a ses raisons que la raison ne connaît point ». Pascal entreprend alors de rechercher, avec prudence et élan tout à la fois, les « Preuves de Jésus-Christ », « que les deux Testaments regardent, l'Ancien comme son attente, le Nouveau comme son modèle, tous deux comme leur centre ». C'est ici que commence la partie proprement apologétique des *Pensées*. Tous les événements de l'histoire du peuple d'Israël, tous ses textes sacrés, s'expliquent et se justifient par cette venue du Messie : « Au temps du Messie, le peuple se partage. Les spirituels ont embrassé le Messie ; les grossiers sont demeurés pour lui servir de témoins. Si les Juifs eussent été tous convertis par Jésus-Christ, nous n'aurions plus que des témoins suspects. Et s'ils avaient été exterminés, nous n'en aurions point du tout. » L'histoire même de Jésus ne pouvait se dérouler autrement : « Les Juifs, en le tuant pour ne point le recevoir pour Messie, lui ont donné la dernière marque de Messie ; et en continuant à le méconnaître, ils se sont rendus témoins irréprochables : et en le tuant, et continuant à le renier, ils ont accompli les prophéties. » Notons au passage que Pascal ne peut se défendre ici, et dans la suite de son exposé, de solliciter quelque peu les textes et le sens des événements ; on pourrait lui reprocher ce qu'il reprochait aux autres apologistes, c'est-à-dire de ne pas se placer au point de vue de l'incroyant ; certaines déductions qu'il tire, si elles sont valables pour celui qui croit, ne peuvent emporter la conviction de celui qui demeure encore hors de la foi ; il est vrai que son interlocuteur est, à ce point du livre, déjà converti, qu'il a admis les preuves et surtout, pour s'être humilié par les formalités, qu'il a reçu la foi. Pascal examine ensuite les prophéties, il y découvre un ordre divin et montre comment Jésus les a accomplies. Il est bien celui qu'on attendait, il a fait des miracles, il est la « lumière qui brille dans les ténèbres et les ténèbres ne l'ont point comprise » ; il est le rédempteur non des Juifs, mais du genre humain tout entier ; il continue à le guider par son enseignement, par sa présence réelle dans l'Eucharistie, par la grâce. Et Pascal en arrive à cette admirable méditation en face de son Sauveur, dans l'acte même du salut, qui est le mystère de Jésus. Après avoir soigneusement recueilli les preuves de ce que l'Église est vraiment l'Église de Jésus-Christ et qu'il n'y en a point d'autre, il conclut sur le devoir de l'homme en face du « mystère de la charité chrétienne ».

Telle est, dans ses grandes lignes, la réalisation de cet immense dessein que Pascal se proposait et qui n'a vraiment été mis en lumière que par les exégètes modernes. Le fait que la seconde partie soit entièrement composée de fragments et moins développée que la première avait pu faire illusion. Pascal n'est pas un désespéré ni un maître de désespoir ; s'il y pousse l'homme, c'est pour le tirer, à tout prix, de cette pernicieuse quiétude où il s'endort, c'est pour faire naître en lui cette angoisse qui le sauvera, pour le faire remonter, de cet abîme où il l'a un instant plongé, vers la vraie joie. Pascal ne prendra pas moins de précautions, ne multipliera pas moins les paliers successifs dans cette marche en avant que dans cette descente à l'abîme. Toute pensée s'inscrit dans cette double et complémentaire démarche, et c'est le pire service qu'on puisse rendre à l'esprit de l'œuvre de les isoler de leur contexte. Il faut reconnaître que beaucoup de pensées, par leur laconisme, leur profondeur, leur acuité, s'y prêtent ; mais on a tôt fait, en les citant séparément, de détourner de leur sens des pensées telles que : « L'homme est un roseau, le plus faible de la nature, mais c'est un roseau pensant », « Le cœur a ses raisons que la raison ne connaît point », « Le silence éternel de ces espaces infinis m'effraie », ou encore si l'on fait de l'argument du pari un résumé de la pensée pascalienne, car il ne prend son sens véritable qu'à sa place dans la démonstration. On a trop souvent oublié que si Pascal est un des plus profonds et des plus perspicaces psychologues qui aient jamais existé, s'il peut, par moments et pour les besoins de sa démonstration, apparaître comme un désespéré, comme un sceptique absolu, cette connaissance de la nature humaine, cette absence totale d'illusions ne sont que les points de départ de sa doctrine. Si les incroyants peuvent y trouver leur nourriture, sans, pour autant, toucher au fond du problème, si les *Pensées* ont un caractère universel, c'est que Pascal est un génie et un génie classique. Pascal est vraiment et profondément de son temps, il veut convaincre, et c'est à l'homme en général et en particulier qu'il s'adresse ; mais, dans ce siècle cartésien, rationaliste, il proclame, lui le savant, lui le rationnel, que la raison n'est rien. Si, par son point de départ, par la rigueur de sa démarche, son entreprise paraît ressembler, dans la forme, à celle de Descartes, elle est d'une tout autre nature. Descartes pensait avoir trouvé la certitude, Pascal cherche la vérité. Chez lui, la raison fait, si l'on peut dire, son autocritique. En effet, face au nouvel univers qui s'ouvre devant l'esprit de l'homme du XVIIe siècle — univers infini spatialement et irréductible à l'homme —, la raison s'avoue vaincue et s'inquiète. Comme le dit très justement Albert Béguin : « La véritable angoisse pascalienne est celle de la pensée qui n'est plus certaine de dominer son objet, ou, plus exactement encore, qui ne se sent plus capable d'humaniser cet objet, d'établir entre lui et la vivante créature un rapport satisfaisant. Aussi le but de l'apologétique pascalienne sera-t-il de rendre à la créature sa " taille ", lui restituer une " situation ", ouvrir à son regard une vue d'elle-même susceptible de la soustraire à la peur. » De sa formation de savant, Pascal a gardé la prudence dans le raisonnement, l'habitude d'examiner les difficultés une à une, ce souci tout pédagogique de ne pas passer à l'étape suivante avant d'être tout à fait sûr qu'on l'a compris et qu'on le suit. De là cette dialectique merveilleusement articulée et minutieuse, dans laquelle percent souvent des éclairs qui s'ouvrent sur une lumière ineffable.

Quant à la substance même de son admirable analyse, il est hors de doute qu'il n'en est redevable qu'à lui-même, qu'à sa propre expérience spirituelle ; il ne faudrait cependant pas oublier l'influence qu'a exercée Port-Royal sur la formation de Pascal apologiste. Sans doute son exposé est-il conforme aux enseignements et à la tradition de l'Église, mais il a un tour tout janséniste. Pascal, comme Jansénius et l'abbé de Saint-Cyran et, à leur suite, tous leurs disciples, a tendance à négliger le Dieu créateur et le mystère de la Trinité pour celui de la Rédemption. Dans l'« Ancien Testament », ce n'est que l'attente du Messie, son annonce qui retiennent son attention. Il est certain que, dans ce sens, il va beaucoup plus loin que la stricte orthodoxie, lorsqu'il proclame, par exemple : « Il est non seulement impossible mais inutile de connaître Dieu sans Jésus-Christ. » Sa religion est la religion du Fils et on retrouve chez lui les divisions mêmes de l'*Augustinus* (*) : « De la nature de l'homme après la Chute » (Deuxième des Traités qui composent l'œuvre de Jansénius) et « Sur la grâce du Christ Sauveur » (Troisième Traité). Ainsi, du point de vue strictement théologique, les thèses de l'*Apologie* étaient-elles et demeurent-elles discutables. Toutefois, jamais au sein de l'Église, à l'exception de saint Augustin (maître d'ailleurs de Jansénius comme de Pascal), on ne trouve un tel pouvoir de conviction joint à une telle pénétration de la nature humaine. Pascal reste unique, non pas tant parce qu'il est « une des plus fortes intelligences qui aient paru » (Paul Valéry), mais par sa fougue, par son élan, par cette agressivité qui empoigne l'âme du lecteur, par ces découvertes, ces surprises qu'il lui réserve, qui l'étonnent, qui le confondent et lui font découvrir, en lui, non seulement des abîmes, mais les moyens ou plutôt l'unique moyen de les franchir.

PENSÉE SAUVAGE (La). Essai de l'ethnologue et écrivain français Claude Lévi-Strauss (né en 1908), publié en 1962. Cet essai a pour intention centrale de mettre en valeur l'aspect logique et conceptuel de la pensée des peuples sans écriture, en opposition avec les auteurs qui ont surtout insisté sur son aspect émotionnel et affectif. Cette démarche conduit Lévi-Strauss à mettre en corrélation la « pensée sauvage » avec certaines formes de pensée et d'expression de notre société, et enfin à s'interroger sur le problème de l'histoire, dont la valorisation inconditionnelle est un des traits essentiels par lesquels la pensée « civilisée » s'oppose à la pensée sauvage. Au début de son ouvrage, Lévi-Strauss souligne que celui-ci ne peut être séparé des problèmes étudiés dans un ouvrage de dimensions plus restreintes, *Le Totémisme aujourd'hui*, paru également en 1962. En effet, *Le Totémisme aujourd'hui*, comme *La Pensée sauvage*, étudie la pensée sauvage à l'œuvre dans le totémisme, pour instituer un système de classification, à travers la correspondance entre une série d'espèces naturelles, animales ou végétales, et une série de groupes ou d'individus, dont la différenciation est d'origine culturelle : membres d'une famille, moitiés exogamiques, classes matrimoniales, clans. Ce qui caractérise le totémisme n'est donc pas d'abord la correspondance terme à terme de chaque individu ou groupe avec l'animal ou la plante qui lui sert de totem, mais la mise en rapport d'un système de différences dans une série culturelle. La pensée sauvage se sert de sa connaissance précise de la nature pour penser le système culturel à travers un principe de classification. C'est la portée de cette pensée classificatoire que Lévi-Strauss met en valeur dans *La Pensée sauvage*. Il souligne la précision et l'ampleur des connaissances botaniques et zoologiques des primitifs, qui aboutissent parfois à une classification faisant songer à celle de Linné. Un tel approfondissement dans l'effort classificatoire ne peut relever seulement de préoccupations utilitaires et révèle dans la pensée sauvage une véritable autonomie du domaine spéculatif, autonomie qu'exprime d'autre part, sur le plan culturel, l'admiration de certaines populations australiennes pour les subtilités et la complexité des systèmes matrimoniaux, et la curiosité pour les organisations matrimoniales des populations voisines. Lévi-Strauss va jusqu'à voir chez ces populations un certain « dandysme intellectuel ». Ce n'est donc pas par son caractère utilitaire et affectif que la pensée sauvage se différencie de la pensée scientifique, mais par son mépris du « principe d'économie », par lequel tous les systèmes doivent être ramenés à un seul, le plus efficace, par l'action technique qu'il permet sur la nature. La pensée sauvage établit ainsi une sorte de « logique du sensible », qui s'oppose par ce caractère sensible à la pensée scientifique, mais se rapproche de certaines formes d'activité de nos sociétés, telles que l'art et le bricolage. La comparaison avec le bricolage, suggestive et neuve car elle porte sur un domaine méprisé et peu exploré, introduit la notion de structure opposée à celle d'événement, pour caractériser la pensée mythique : comme le bricolage, qui utilise des débris d'objets pour constituer de nouveaux ensembles, la pensée mythique, « cette bricoleuse, élabore des structures en agençant... des débris d'événements alors que la science en marche... crée sous forme d'événements ses moyens et ses résultats grâce aux structures qu'elle fabrique sans trêve et qui sont ses hypothèses et ses théories ». Le rôle prépondérant de la structure, dans la pensée mythique comme dans les classifications totémiques et les systèmes matrimoniaux, correspond à la visée de la pensée sauvage, qui est de sauvegarder, contre l'événement et l'histoire, une organisation stable de la société, dont le système matrimonial rétablit l'équilibre malgré guerres et bouleversements démographiques, et une vision du monde qui, à travers la référence de la nature dans le totémisme, échappe à l'ordre de la succession pour abolir le temps dans l'ordre de la répétition. Enfin, le mythe, en situant hors de l'histoire l'événement qui le fonde, fait prévaloir au sein de l'histoire même la référence de la répétition, et la prééminence de la structure sur la succession, puisque tout événement de l'histoire peut être mis en correspondance avec l'un des termes du mythe, et que les mythes d'origine se caractérisent par la prépondérance de la structure sur le contenu, et, selon l'expression de Lévi-Strauss, « de la syntaxe sur la sémantique ». Ainsi la pensée sauvage consiste « non pas à nier le devenir historique, mais à l'admettre comme une forme sans contenu ». De nombreuses analyses, à la fois suggestives et rigoureuses, mettent en lumière la systématisation de cet effort classificatoire, systématisation si poussée qu'elle s'étend jusqu'à l'individu qui figure à titre d'espèce au sein de la classification, à travers le système d'attribution des noms propres qui assignent à l'individu sa place dans le groupe social. Comme à propos de l'art et du bricolage, des parallèles sont faits avec certains usages de notre société : les noms propres des animaux sauvages et domestiques, des chevaux de course, des fleurs. Lévi-Strauss, à travers ces comparaisons, montre pourquoi les coutumes primitives nous fascinent : elles donnent un « sentiment contradictoire de présence et d'étrangeté car elles sont en réalité proches de nos usages dont elles nous présentent une image énigmatique qui demande à être décryptée ». Le dernier chapitre, poursuivant la réflexion sur l'idée d'histoire et s'interrogeant sur la façon dont la société moderne pense son histoire, radicalement différente en cela de la pensée sauvage, met en cause l'ouvrage de Sartre, la *Critique de la raison dialectique* (*). Sartre affirme le primat absolu de l'histoire, inséparable du mouvement par lequel le sujet, dans la pensée dialectique, vise une totalisation jamais achevée du monde et de lui-même. Lévi-Strauss oppose à l'idée de totalisation l'idée de système, système clos que s'efforce de réaliser la pensée sauvage, à travers ses classifications, ses mythes, son organisation matrimoniale. Ces systèmes ne sont déchiffrables que par la pensée analytique. Lévi-Strauss affirme le primat de la pensée dialectique, mais il ne veut pas, au contraire de Sartre, l'opposer à la pensée analytique. Il voit dans la raison dialectique la « raison analytique en marche ». Lévi-Strauss comme Sartre se veut matérialiste et marxiste, cependant il décèle dans le privilège que Sartre donne à la pensée totalisante du sujet un reste d'idéalisme, et veut revaloriser la pensée analytique à l'œuvre dans les sciences de la nature et l'appliquer aux sciences de l'homme, dans l'espoir de parvenir, à travers la diversité des sociétés humaines, à des constantes structurales qui renvoient à des lois de la pensée, et finalement, derrière celles-ci, à des propriétés matérielles du cerveau. À travers quelques formules volontairement tranchantes, le matérialisme de Lévi-Strauss s'expose au reproche de s'éloigner du marxisme pour revenir au positivisme. Mais sa mise en question du primat de l'histoire est en même temps l'effort pour réintégrer l'homme au sein de la nature en étudiant, à travers la pensée sauvage, le fonctionnement de la pensée comme une chose du monde, qui, en élaborant des structures qui donnent forme à la praxis de l'homme, ne détermine pas un écart toujours croissant à travers l'histoire entre la nature et l'homme, mais au contraire, à travers sa logique consistant en des combinaisons d'oppositions, renvoie aux découvertes les plus récentes de la science, qui, par la notion d'information, constitue dans les messages « des objets du monde physique, qui peuvent être saisis à la fois du dehors et du dedans ». Ainsi le domaine de la pensée sauvage est privilégié, puisqu'il permet de saisir sur le vif le fonctionnement d'un code qui rend possible l'expression des correspondances entre la nature et l'homme au sein d'un système clos, alors que d'autre part la science moderne élabore la compréhension de la matière et de la vie, à travers les concepts de code, d'information, de message, d'abord réservés au domaine des communications interhumaines.

PENSÉES D'UN BIOLOGISTE. Recueil publié en 1939 par l'écrivain et biologiste français Jean Rostand (1894-1977). Voici sans doute la clé de l'œuvre de Rostand, œuvre au double visage, l'un tourné vers la littérature, l'autre vers la science. Dualité d'une démarche d'esprit unique comme le montre cet ouvrage où se fondent les deux tendances. On y voit un homme qui pense et juge toujours en biologiste, et en même temps un biologiste qui pense et juge toujours en homme. Ces pensées mises bout à bout, ces aphorismes apparemment en désordre, l'auteur les a en réalité classés selon un plan d'autant plus rigoureux qu'il est moins visible. Dans un style d'une élégance et d'une clarté rares, sans la moindre concession au jargon savant, l'apôtre de la génétique fait le point de ses recherches, y livre ses réflexions. Un invisible fil logique relie les perles du collier. Et les vides, les blancs qui aèrent le texte et séparent chaque pensée, ne sont là que pour être meublés par la réflexion du lecteur. Jean Rostand étudie tour à tour notre espèce telle qu'elle est, quelles conséquences peuvent avoir sur elle les découvertes biologiques ; sa place dans la nature et dans l'univers ; sa misère digne de respect ; sa grandeur souvent ridicule ; l'absurdité de la souffrance et de la mort ; enfin nos rêves de justice, nos instincts politiques et moraux. Des réflexions qui vont loin, justement parce qu'elles ne dépassent pas leur sujet, aussi vaste que limité. Or ces limites sont en nous. « Nous ne transmettons rien que nous n'ayons reçu de nos parents. Nous n'ajoutons rien à l'héritage. Tout l'acquis de notre personne s'éteindra avec nous. » Nous voici en face de l'homme, « ce misérable Seigneur de la planète ». « Cette bête saugrenue qui devait inventer le calcul intégral et rêver de justice » ne fait pas moins partie, indissolublement, d'un système clos, la masse de protoplasme, siège des échanges vitaux. « La biologie dénie à l'homme tout attribut essentiel qui n'appartienne pas aussi au reste des vivants. Bon gré mal gré, il les traîne tous après lui comme une immense armée de pauvres avec qui il est tenu de partager ce qu'il s'arroge. » Voici le ton du livre. Il peut sembler paradoxal qu'un savant, qui s'interdit toute échappatoire métaphysique, en atteigne fréquemment la sombre magnificence. Ayant renouvelé un sujet qui semblait épuisé, parce que les labyrinthes de l'hérédité et maints autres problèmes humains lui sont plus qu'à tout autre familiers, Jean Rostand sait de quoi il retourne, n'a pas honte d'avouer : « Mes contradictions importent peu, je ne suis rien mieux qu'un philosophe, je suis un biologiste anxieux. » À ce recueil, Rostand devait adjoindre, en 1947, un second volume : *Nouvelles pensées d'un biologiste.* Publié en 1959, *Carnet d'un biologiste* appartient à la même catégorie d'ouvrages. Là toutefois apparaît un aspect nouveau : les réflexions non plus seulement sur le monde et l'humanité, mais sur soi-même, où l'auteur se livre et se dévoile.

PENSÉES ET VUES SUR L'INTERPRÉTATION DE LA NATURE [*Cogita et visa de interpretatione naturae*]. Traité dans lequel le philosophe anglais Francis Bacon (1561-1626) a consigné les principaux concepts qu'il reprendra dans son œuvre maîtresse, le *Novum organum* (*). Écrit en 1607 et publié seulement en 1653, ce traité contient, présentées sous une forme concise et dense, les observations et les réflexions qui concernent la méthode de la recherche philosophique, et plus particulièrement de la philosophie naturelle, c'est-à-dire de l'ensemble des recherches désignées plus tard du nom de sciences physiques. Le traité est divisé en deux parties. Dans la première, essentiellement critique, le philosophe passe en revue les erreurs, les assertions dogmatiques et les croyances superstitieuses qui entravent le progrès de la science et constituent l'inutile fardeau doctrinal, transmis par la tradition dans les écoles et les académies, et auquel s'ajoute le charlatanisme des médecins et des alchimistes. Les préjugés du sens commun, alimentés par le mysticisme, par le scepticisme et par les doctrines scolastiques persistantes, sont autant d'obstacles au développement de la philosophie naturelle. S'élevant contre la position de la pensée officielle, prisonnière d'un rationalisme selon lequel la vérité est naturelle à l'esprit humain et ne peut dériver de l'expérience sensible, Bacon critique la méthode syllogistique aristotélicienne, encore en usage dans la méthodologie de son temps, et établit la nécessité, dans le cadre des recherches physiques, d'une véritable démonstration fondée sur de solides connaissances expérimentales. À la méthode déductive traditionnelle, il oppose donc la méthode inductive. Cette partie destructrice de *Cogita et visa* correspond à la doctrine des idoles du *Novum organum.* Dans la seconde partie du traité sont analysés les moyens propres à en réaliser les prémisses ; l'auteur y montre comment la recherche doit se fonder sur des phénomènes soigneusement contrôlés, qui devront être groupés, selon une classification progressive, afin d'arriver à formuler, en dernière analyse, des critères généraux. L'ouvrage se termine par une dédicace, qui constitue un exposé pénétrant et suggestif du problème méthodologique, qui fut le problème par excellence de la philosophie aux XVIe et XVIIe siècles.

PENSÉES PHILOSOPHIQUES. Ouvrage de l'écrivain français Denis Diderot (1713-1784), paru en 1746. Il marque le véritable début de sa carrière littéraire, ce qui précède se limitant à des travaux de traduction. Ce livre, marqué par l'influence de Shaftesbury (dont Diderot avait traduit l'année précédente l'*Essai sur le mérite et la vertu*) et par celle de la littérature clandestine, se présente comme une apologie du déisme, opposé à la fois aux religions révélées, au christianisme surtout, et à l'athéisme. Diderot dénonce ainsi l'absurdité des différents dogmes de la religion chrétienne, qu'il juge contraires à la morale, tout en soulignant la faiblesse des preuves qu'elle invoque, notamment des preuves historiques, fondées le plus souvent sur des témoignages suspects. Il s'en prend également à l'idéal d'ascétisme de la morale chrétienne, auquel il propose de substituer une morale visant à un libre développement de la nature humaine. Diderot entreprend par ailleurs de réfuter l'athéisme, auquel il oppose le spectacle de l'ordre de la nature, en particulier celui régnant dans le monde vivant, qui révèle, selon lui, l'existence d'une Intelligence créatrice. Il n'en reconnaît pas moins la force des arguments avancés par les athées, ce qui a pu faire dire parfois que le déisme affiché par Diderot n'était que le masque d'un athéisme qui n'osait pas dire son nom. L'ouvrage, condamné par le Parlement dès sa parution, eut un succès immédiat, attesté par les nombreuses réfutations qu'il suscita. Diderot écrivit en 1762 une *Addition* aux *Pensées philosophiques*, parue en 1770, mais qui n'est que l'adaptation d'un manuscrit clandestin. Le ton, violemment antichrétien, est par ailleurs sensiblement différent de celui des *Pensées*. F. La.

PENSÉES SUR LA BEAUTÉ ET LE GOÛT DANS LA PEINTURE [*Gedanken über die Schönheit und den Geschmack in der Malerei*]. Ouvrage du peintre et critique allemand Anton Raphael Mengs (1728-1779) qui fut, à l'instar de Winckelmann pour l'histoire de la sculpture, le grand représentant du goût néo-classique en Allemagne dans le domaine de l'art pictural. L'ouvrage, publié à Zurich (1762), se compose de trois parties : dans la première, Mengs traite de la beauté, « qui est l'idée visible de la Perfection divine », — conception chère à Winckelmann ; en outre, elle est raison, en ce sens que « la beauté provient de l'accord de la matière avec les idées ; et les idées proviennent de la connaissance de la destination des choses ». Dans la nature, la beauté n'est jamais absolue, car la nature est sujette à quantité d'« accidents » ; en revanche, elle est absolue en art, car l'art, dépassant la nature, peut choisir en elle ce qu'il y a « de plus beau ». Dans la deuxième partie, l'auteur traite du goût : autrement dit de cette faculté qui détermine le choix du peintre ; il s'agit ici de la « beauté relative » dont les hommes sont capables. Cet assouplissement de l'idée tout académique d'une perfection absolue, imposée a priori à l'œuvre d'art, demeure une des rares idées géniales de Mengs, qui, dans le reste de l'ouvrage, retombe dans son univers de pures abstractions, confirmant l'excellence du vieux « canon » classique selon lequel la beauté absolue est représentée par la seule sculpture grecque. L'auteur trace ensuite une histoire du goût, s'arrêtant particulièrement à sa « trinité » : Raphaël, Corrège et Titien. Il étudie longuement ces maîtres dans la troisième partie, concluant par une exhortation à l'étude et à l'imitation de leurs œuvres. La théorie de Mengs est dénuée d'originalité et exposée sous une forme aride et dogmatique, privée non seulement de la nouveauté des idées, mais aussi de la ferveur et de la foi mystique de Winckelmann ; cependant, lorsqu'il essaie de substituer à l'ancienne rivalité des arts l'unité des arts figuratifs et de la musique, il émet une pensée remarquable et fertile, dont les développements se poursuivront jusqu'au romantisme.

PENSÉES SUR LA COMÈTE. Ouvrage du critique et philosophe français Pierre Bayle (1647-1706), publié en 1682. Son titre exact est : *Pensées diverses écrites à un docteur de Sorbonne à l'occasion de la comète qui parut au mois de décembre 1680.* Partant du phénomène céleste qui avait soulevé de nombreuses discussions parmi ses contemporains, Pierre Bayle saisit le prétexte qui lui est ainsi offert pour faire prévaloir certaines idées qui firent alors scandale. Trop de préjugés séculaires, remontant principalement au Moyen Âge, ont accordé une valeur pseudo-scientifique à l'influence des comètes sur la terre et sur les événements de l'histoire. Mais cette erreur doit être reléguée avec les autres ; elle n'est que l'un des nombreux effets de la superstition. Bayle démontre qu'il faut considérer plus les choses elles-mêmes que leur nom, et que, si l'on y réfléchit bien, de tant de maux, l'athéisme est peut-être moins nuisible que l'idolâtrie. En tout domaine, il est nécessaire de conserver une entière liberté d'opinion, y compris celle de penser qu'il n'existe peut-être aucun Dieu, tout au moins tel que les religions révélées ont l'habitude de l'entendre. L'importance de cet écrit, qui mérite qu'on lui fasse une place à côté du monumental travail du *Dictionnaire historique et critique* (*), réside dans le fait que Bayle s'y fait le défenseur intransigeant de la liberté de discussion : c'est grâce à cette liberté que, graduellement, après tant de luttes religieuses et de conflits de pensée, se forma l'esprit du siècle des Lumières dont naîtra l'Europe moderne. Cet écrit, imprimé en Hollande, fut interdit en France, et l'auteur fut accusé d'athéisme.

PENSÉES SUR LE MYTHE, L'ÉPOPÉE ET L'HISTOIRE [*Gedanken über Mythos, Epos und Geschichte*]. Essai de l'écrivain allemand Jacob Grimm (1785-1863), paru en 1813 en conclusion de divers essais sur le même thème. Alors que l'auteur avait primitivement identifié histoire et poésie dans la poésie populaire, il soutient ici que le peuple prend conscience de la vérité du mythe à travers l'histoire, la poésie épique représentant la fusion des deux termes. Le mythe renferme en soi une vérité divine et une vérité terrestre, qui se révèlent dans la poésie, laquelle est « plus vaste et plus libre que le présent (l'histoire), plus limitée et plus étroite que la révélation (d'origine intemporelle) ». L'élément divin qu'elle renferme « l'élève au-dessus de la réalité purement historique, qui lui fournit cependant un nouvel aliment... ». Le rapport du mythe et de l'histoire est, en quelque sorte, celui « du destin et de la liberté ». Le mythe et l'épopée, la poésie et le droit sont des expressions de la divinité, qui « se révèle ainsi au peuple allemand », tout en le rattachant traditionnellement à ses ancêtres. Par sa théorie, Grimm dépassait la première phase romantico-mythologique des *Livres populaires allemands* (*) de Görres pour fonder proprement et véritablement l'histoire d'une « culture nationale », en opposition avec les tendances humanitaristes et cosmopolites du siècle précédent.

PENSÉES SUR L'INTERPRÉTATION DE LA NATURE. Œuvre de l'écrivain français Denis Diderot (1713-1784), parue dans une première version en 1753, puis, sous une forme remaniée, en 1754. Écrite au moment où les premiers volumes de l'*Encyclopédie* (*) avaient déjà été publiés, elle apparaît comme l'exposé des principes inspirant cette entreprise. L'influence de Bacon, auquel son titre est d'ailleurs emprunté, y est sensible. L'idée qui domine le livre, et qui s'accorde bien avec le programme encyclopédique, est que le règne des mathématiques est terminé, que celui des sciences de la nature commence (Pensées I-V). Les mathématiques sont une sorte de métaphysique abstraite, un jeu intellectuel sans rapport avec la réalité concrète, qui est d'ailleurs parvenu, ou presque, à son complet développement. Et Diderot croit pouvoir affirmer qu'avant cent ans « on ne comptera pas trois grands géomètres en Europe ». La nature offre au contraire un champ d'investigation infini à la science qui se propose de l'interpréter. Il faut cependant définir les règles de cette interprétation. Pour Diderot, elle doit faire intervenir à la fois l'observation, la réflexion et l'expérimentation, la première recueillant les faits, la seconde les combinant, la dernière vérifiant le résultat de la combinaison (Pensées XV-XXI). Le respect des faits s'affirme ainsi comme le trait majeur de la véritable méthode scientifique. Mais l'esprit humain a trop souvent tendance à substituer des hypothèses plus ou moins fondées à la réalité. Diderot ne nie pas pour autant l'utilité des hypothèses, dont il reconnaît au contraire, avant Claude Bernard, la nécessité dans les sciences expérimentales. Il exige seulement qu'elles soient constamment confrontées aux faits : « Ayez un système, j'y consens ; mais ne vous en laissez pas dominer. » Le génie est précisément celui qui associe à la rigueur de l'observateur une intuition des lois cachées de la nature qui s'apparente à une sorte d'« instinct ». Diderot propose lui-même un certain nombre d'hypothèses sur différentes questions de physique, de chimie et de biologie, alors controversées (Pensées XXXII-XXXVIII). Il analyse ensuite les divers obstacles qui ont jusqu'à présent retardé le développement des sciences de la nature et, par là même, le progrès de l'humanité. Ils sont de différents ordres. Le principal reste cependant, pour Diderot, le goût pour les spéculations abstraites et les constructions arbitraires. Il dénonce en particulier le recours aux causes finales et demande, dans une formule qui annonce Auguste Comte, d'abandonner le « pourquoi » pour ne s'occuper que du « comment ». L'ouvrage se termine par une série de questions sur la nature des éléments et les rapports entre matière « morte » et matière « vivante ». À la différence de Buffon, Diderot croit à la possibilité de passer de l'une à l'autre, suggérant ainsi l'existence d'une vie ou d'une sensibilité latente. Hypothèse également évoquée dans un autre passage (Pensées L-LI) et qui sera développée dans l'*Entretien entre d'Alembert et Diderot* (*). Par l'ampleur des problèmes abordés et la rigueur avec laquelle ils sont traités, l'*Interprétation de la nature* apparaît comme l'un des textes majeurs de Diderot, dont la difficulté a cependant souvent rebuté les lecteurs contemporains, qui, à quelques exceptions près, n'y ont vu qu'un ouvrage obscur et confus. F. La.

PENSER LA MUSIQUE AUJOURD'HUI. Ouvrage théorique du compositeur français Pierre Boulez (né en 1925), publié en 1963. Rédaction des cours donnés à Darmstadt en 1960, ce livre demeuré inachevé (quelques-uns des chapitres suivants paraîtront ultérieurement dans *Points de repère* (*) [1981]) poursuit en les approfondissant les idées formulées auparavant dans les articles réunis dans *Relevés d'apprenti* (*) (1966) : confrontation avec les questions soulevées par la musique électronique et les formes à parcours variable. Tel qu'il a été livré au public, l'ouvrage est divisé en deux chapitres d'inégale longueur. Le premier, « Considérations générales », est un bilan des acquisitions de la décennie précédente doublé d'un réquisitoire stigmatisant l'incohérence et la confusion des recherches menées par une partie de l'avant-garde au tournant des années 60. Le second, « Technique musicale », est consacré aux différents moyens d'expression dont dispose le compositeur à ce stade de son évolution : 1) techniques dérivées de l'expansion du sérialisme généralisé ; 2) « Quant à l'espace » étend les possibilités envisageables en cas de perfectionnement de la technologie électronique ; 3) « Inventaire et Répertoire » étudie les différents modes de présentation des structures au moyen de la figuration ; 4) « Terme provisoire » mesure le chemin parcouru au seuil de la forme, en annonçant les chapitres à venir. C'est sur cette investigation demeurée en suspens que s'interrompt *Penser la musique aujourd'hui* ; les nombreux exemples dont le texte est illustré sont empruntés pour l'essentiel aux compositions alors en cours de rédaction : *Troisième sonate* pour piano (1956-1957), *Pli selon pli* (*) (1957-1962). C'est donc moins à un traité de composition que nous sommes confrontés, qu'à une manière de journal tenu en marge de l'activité créatrice. Accaparé par les nombreuses obligations que sa notoriété croissante comme interprète lui imposait, Boulez devait surseoir à l'achèvement de l'ouvrage, dans l'attente de pouvoir réaliser son projet d'institut de recherche avec l'ouverture de l'I.R.C.A.M. en 1976. R. Pi.

PENSEURS DE LA GRÈCE (Les). Histoire de la philosophie antique [*Griechische Denker*]. Ouvrage du philologue et philosophe autrichien Theodor Gomperz (1832-1912), publié entre 1893 et 1909. C'est une vaste histoire de la philosophie antique, depuis ses origines jusqu'à Straton de Lampsaque. Son originalité, par rapport à toutes les autres histoires de la philosophie, tient en ce qu'elle traite de la philosophie en la reliant à l'histoire de la science, de la religion, de la littérature et de la culture en général ; car, d'après l'auteur, ces différentes histoires ne sont pas séparées par des limites bien précises. Il en découle une plus grande variété dans le contenu et un point de vue plus étendu dans l'exposition, mais celle-ci devient inévitablement moins pénétrante. Gomperz se propose de traiter objectivement son sujet, sans aucune vue exclusive et unilatérale et en donnant le même relief aux différentes tendances de la pensée antique. Le premier volume comprend, en plus d'une vaste introduction, toute la période présocratique ; le second traite de Socrate, Platon et Aristote ; le troisième s'occupe du stoïcisme, de l'épicurisme et des écoles mystiques, sceptiques et syncrétistes. Au commencement du siècle, l'ouvrage eut une très vaste diffusion dans l'Europe entière, soit dans le texte original, soit dans sa traduction française. — Trad. Payot, 1928.

PENSION BEAUREPAS (La) [*The Pension Beaurepas*]. Roman de l'écrivain américain Henry James (1843-1916), publié en 1879. Le récit est à la première personne. L'action se passe à Genève dans une pension de famille. L'auteur nous confie que Stendhal lui a enseigné qu'il n'est point d'endroit plus propice à l'étude de la nature humaine. Les personnages principaux sont au nombre de cinq : Mrs. Church et sa fille Aurore, d'une part ; Mr. Ruck, son épouse et sa fille Sophie, d'autre part, tous Américains. Mrs. Church, qui ne jure que par la culture européenne, a quitté l'Amérique avec sa fille encore enfant, et elle refuse absolument de la ramener dans sa patrie, tandis qu'Aurore est dévorée de nostalgie pour son pays inconnu et rêve de la vie libre qu'une fille de son âge pourrait y mener. Mr. Ruck est un homme d'affaires au bord de la faillite qui cède, par habitude et par faiblesse, aux caprices coûteux de sa femme et de sa fille. Celles-ci se croient obligées de visiter toutes les beautés naturelles et artistiques dont on leur parle. Par goût, elles sont les clientes attitrées des bijoutiers les plus coûteux de Genève. Le pauvre diable ne comprend rien aux beaux-arts ni aux splendeurs naturelles, et il comprend moins encore la folie de luxe des deux femmes qui accélèrent sa ruine. Mais un homme de son importance ne peut, tant qu'il est en mesure de le faire, refuser d'assurer à sa famille la situation mondaine à laquelle elle a droit. Aurore et Sophie se lient d'amitié. Sophie représente pour Aurore l'image de la vie américaine à laquelle elle aspire, l'exemple vivant de tout ce qu'elle voudrait être et qu'elle ne sera jamais, à cause de l'influence européenne qu'elle a subie et qui l'a rendue trop consciente d'elle-même. Mrs. Church, ayant eu vent de l'invitation que Sophie a faite à sa fille, la priant de faire un séjour chez elles aux États-Unis, décide de partir sur-le-champ pour Dresde. La pension Beaurepas est sur le point d'être complètement désertée. Les Ruck vont partir pour Chamonix où le pauvre père espère qu'il y aura moins de bijoutiers ; mais, le jour de son départ, il reçoit la nouvelle de la faillite tant redoutée. Sans rien perdre de sa réserve anglo-saxonne, ce personnage atteint une grandeur tragique au moment où, en compagnie de l'auteur, il rejoint sa femme et sa fille chez un joaillier où elles sont sur le point de se laisser tenter par une dernière folie des plus coûteuses. Et l'auteur l'abandonne, aux prises avec les deux femmes qui accueillent sans la moindre émotion la nouvelle de leur départ immédiat pour New York au lieu de Chamonix. Raison de plus pour emporter le bracelet précieux ! L'auteur quitte Genève une heure plus tard. Ce récit limpide est plein de naturel et se ressent de l'influence qu'il subit alors des romanciers réalistes français.

PENTALOGIE [*Khamse*]. Roman lyrique en vers du poète turc d'Asie centrale 'Alî Shîr Navâ'î (1441-1501), écrit à Hérat, à la cour de Sultân Husayn Bâyqarâ, entre 1483 et 1485. L'idée de ces cinq grands poèmes en turc tchaghatay, de même que leur thématique et leur mètre, sont empruntés à l'œuvre homonyme de Nizâmî Ganjavî, le maître persan du genre romanesque en vers. *L'Étonnement des justes* [*Hayrat ul-abrâr*], qui ouvre le recueil, répond au même schéma que *Le Trésor des secrets* (*) de Nizâmî. Navâ'î s'y livre à une vive critique des princes qui s'adonnent au luxe, laissant leur peuple, grevé d'impôts et en proie à l'arbitraire des grands, croupir dans la misère. Les exemples édifiants abondent, directement empruntés à la vie de la cour de Hérat sous Husayn Bâyqarâ : l'allusion à la passion du souverain pour les richesses et la boisson est transparente, et ne manque pas d'audace. Poursuivant la grande tradition moraliste de la littérature persane, 'Alî Shîr s'attaque plus loin à l'hypocrisie des faux derviches et à l'impéritie des fonctionnaires. L'histoire de *Farhâd et Chîrîne* vient, comme dans la *Pentalogie* de Nizâmî, en seconde position. Moins profond que son inimitable modèle persan dans l'analyse psychologique des personnages, Navâ'î introduit de nombreuses modifications dans la trame du récit, dont le preux Farhâd devient la figure centrale, tandis que le roi de Perse Khosrow est réduit à un rôle périphérique. Farhâd, dont l'auteur a pris soin de faire l'incarnation de tous ses idéaux spirituels, personnifie l'âme humaine soumise à une passion inassouvie de la beauté divine (Chîrîne). Ce sens d'un amour éternel que n'interrompt pas la mort des amants sous-tend également le poème « Leylî et Makjnoun », troisième partie de la *Khamse* de Navâ'î, proche des modèles persans laissés par Nizâmî et Jâmî. Le poème « Les Sept Voyageurs » [Sab a-yi sayyâr] qui vient ensuite correspond aux *Sept Images* du poète de

Gandje, auxquelles ʿAlî Shîr a encore apporté de substantiels changements. Sept voyageurs, issus chacun d'un des sept climats (en place des nobles demoiselles de Nizâmî), distraient le roi du remords d'avoir abandonné aux bêtes, dans le bois, sa servante aimée Dilârâm. Le premier récit, une belle fable sur la fidélité féminine, est connu en Europe depuis 1557 par la traduction d'un certain Christophe, arménien, parue sous le titre *Pérégrinations des trois fils du roi de Serendib.* Enfin la série des cinq poèmes se termine avec « La Muraille d'Alexandre » [Sadd-i Iskandar], pour lequel Navâ'î a puisé à différentes sources, au premier rang desquelles figure Jâmî, son ami et mentor persan. Cette œuvre didactique longue de plus de quatorze mille vers est un « miroir des princes » de tradition persane, dans lequel un Alexandre de légende personnifie par ses exploits et ses vertus les qualités normatives du souverain musulman type. Du souverain musulman turc, serait-on toutefois tenté de nuancer, tant les traits d'Alexandre et ses aventures paraissent issus du monde, familier à l'auteur, des chefs de guerre timourides, ouzbeks et mongols de l'Asie centrale. Ainsi l'inspiration littéraire de la *Pentalogie* de Navâ'î le rattache-t-elle à la tradition des maîtres persans, si brillamment représentée à Hérat en cette fin de XVe siècle, cependant le poète tchaghatay sut la vivifier par l'autonomie et la variété de son inspiration. S.A.D.

PENTHÉSILÉE [*Penthesilea*]. Tragédie de l'écrivain allemand Heinrich von Kleist (1777-1811), composée en 1808. Elle ne comprend qu'un seul acte très long, divisé en vingt-quatre scènes, écrit en pentamètres iambiques. C'est l'une des pièces les plus étranges et les plus sauvages, mais aussi l'une des plus hardies de la littérature allemande de l'époque. Sévèrement critiquée par Goethe, elle fut mise au rang de chef-d'œuvre par les admirateurs de Kleist de la nouvelle génération. Kleist lui-même a écrit : « Il y a là toute ma vie intime, toute ma souffrance et, en même temps, tout le rayonnement de mon âme. » On y découvre en effet sa vraie nature, absolue, hostile à tout compromis, sans cesse en lutte avec son destin. L'idée de traiter ce sujet vint à Kleist après la lecture d'un *Lexikon mythologicum* où, parmi des légendes de l'école alexandrine, se trouvait une version de la mort d'Achille tué par Penthésilée. Il a cependant interprété cette légende et ses personnages dans le sens le moins classique, voire le plus barbare, que l'on puisse concevoir. Penthésilée, nommée par Mars reine des Amazones, est envoyée à Troie par le dieu, escortée de ses vierges guerrières (qui se sont fait enlever un sein en signe de virilité) ; elles ont mission de défier en combat singulier les plus valeureux des Grecs, en vertu d'une loi prescrite par l'ancienne reine des Amazones qui exige que, de temps en temps, chacune d'entre elles vainque par les armes un guerrier appartenant à un peuple désigné par Mars. Dans la circonstance, le dieu Mars a désigné Achille et ses Myrmidons ; mais, tandis que les Amazones luttent contre les Grecs, Penthésilée s'éprend brusquement d'Achille et ne sait lui faire de mal ; au contraire, c'est elle qui est blessée. Mais Achille, à son tour, follement épris, va la rejoindre dans son camp où elle a été transportée sans connaissance. Bientôt revenue à elle, Penthésilée est partagée entre la fureur d'avoir été vaincue et sa flamme amoureuse. Elle s'abandonne alors à une sorte de délire ; mais Achille, aidé de Prothoé, sa meilleure amie, parvient à la persuader qu'elle n'a pas été vaincue. Suit, entre elle et le héros, une des plus délicieuses et des plus romantiques scènes d'amour. Mais la vérité ne tardant pas à lui être révélée, Penthésilée se trouve de nouveau partagée entre sa fureur et sa passion. Pour résoudre ce dilemme, Achille lui propose un nouveau combat, avec l'intention secrète de la laisser triompher et d'être ainsi son captif durant une année, puisque c'est la seule façon de la conquérir. Malheureusement, il n'a pas compris le fond de sa nature ardente et ne saurait comprendre que son amour s'est brusquement changé en haine. Quant à elle, ayant percé les intentions d'Achille, elle lance contre lui la meute de ses chiens, rivalise de rage avec eux pour déchirer son corps et lui sucer le sang. Quand elle reprend conscience après ce déchaînement de fureur aveugle et sauvage, elle voit les restes mutilés du héros et l'horreur qui se lit sur le visage de ses compagnes ; alors, comprenant toute la monstruosité de son crime, elle sent naître en elle une douleur tellement surhumaine, un si intense besoin d'amour, un si vif désir de mort, que ces sentiments suffisent à la faire tomber expirante — comme Yseult — sur le corps de celui qu'elle a aimé.

L'action se passe au bord du Scamandre, dans une parfaite unité de lieu et de temps ; mais l'arrangement des scènes et leur enchaînement désordonné, joints à la difficulté de trouver une actrice capable d'interpréter sans trop d'emphase le rôle de Penthésilée, personnage étrange, irréel, à la fois « Grâce et Furie », détournèrent l'auteur lui-même de porter son œuvre à la scène. Plus qu'un héros grec, Achille n'est qu'un homme simple et raisonnable, le type même d'un jeune officier prussien de l'époque. Quant à Penthésilée, elle a, par l'intensité de sa douleur, une certaine analogie avec la reine Louise de Prusse — l'idéal féminin de Kleist —, morte de chagrin après la défaite de son pays. Le défi insensé que Penthésilée a lancé au destin est bien loin d'égaler la fière et noble humanité de l'*Iphigénie* (*) de Goethe ; de même, il est impossible de comparer la loi qui la conduit à la mission de Jeanne d'Arc dans *La Pucelle d'Orléans* de Schiller — v. *Jeanne d'Arc* (*). La facilité avec laquelle elle va de la douceur la plus féminine, la plus exquise, à la plus folle cruauté représente un de ces phénomènes incompréhensibles, purement allemands, qui ont été incarnés dans quelques personnages légendaires aux proportions colossales, tels que Brunehilde et Kriemhilde. — Trad. Aubier, 1938, et Aubier-Montaigne, 1949.

★ Le compositeur suisse Othmar Schoeck (1886-1957) a tiré un opéra de l'œuvre de Kleist, *Penthésilée* [*Penthesilea*], qui a été créé à Dresde en 1927. C'est l'un des meilleurs exemples de l'expressionnisme en matière lyrique, à mi-chemin entre *Elektra* (*) de Richard Strauss et *Lulu* (*) de Berg.

PERCE-OREILLES DU LUXEMBOURG (Le). Roman de l'écrivain belge d'expression française André Baillon (1875-1932), publié à Paris en 1928. De la même veine qu'*Un homme si simple* (1925), que *Chalet I* (1926) et que *Délire* (1931), il évoque les jours malheureux que l'auteur dut passer à la Salpêtrière et autres lieux où l'on traite les aliénés. Ce domaine de la folie, Baillon le considère strictement de l'intérieur ; c'est le point de vue du malade et non du médecin. En dépit d'un semblant d'objectivité, cet ouvrage est une autobiographie. Son accent ne saurait tromper : il est visible que l'auteur ne l'écrivit que pour conjurer une fois de plus ses propres fantômes. D'emblée, le héros se montre atteint de schizophrénie : psychose qu'on peut définir par une rupture de contact avec le réel (on sait que, « des troubles divers qu'elle nous montre, le plus important consiste dans un relâchement des associations d'idées aboutissant à un état de dissociation psychique »). Ce malheureux en verra bien d'autres : il devient la proie du scrupule (prompt à regarder comme une faute tout ce qui est loin d'en être une), la proie de l'érotomanie (en raison même de ce délire, il donne dans certains écarts d'ordre sexuel) ; et, si l'on ose ainsi parler, la proie du vocabulaire (il arrive qu'il bute contre un mot, le retourne en tous sens et ne puisse plus s'en dépêtrer). Signalons enfin un état pathologique qui relève des maladies de la personnalité : possédé du démon de l'imitation, le héros se dépouille de sa personnalité pour revêtir celle d'un de ses défunts camarades. Ce serait donner de cet ouvrage une idée fausse que de le présenter comme une suite de tableaux distincts qui traitent chacun d'un aspect de la psychose en question. Bien au contraire : l'auteur enchevêtre à merveille les péripéties de sa lutte contre le mal. D'un bout à l'autre, l'analyse témoigne d'une précision admirable. Il se peut, certes, que Baillon pèche par un excès de noirceur ; mais dans le malaise même qu'il nous cause, il nous fait toucher du doigt la plus terrible des vérités : à savoir que la raison n'est séparée de la folie que par une mince cloison.

PERCEVAL. Roman appartenant au *Cycle breton* (*), qui fut commencé par Chrétien de Troyes (1130 ?-1195) et continué après sa mort par différents auteurs du XIIIe siècle : Vauchier de Denain, Manessier, Gibert (ou Gerbert) de Montreuil et un poète anonyme. Il fut ensuite rédigé en prose sous le même titre. L'original se compose d'environ quarante-cinq mille octosyllabes, à rimes plates. Perceval, après la mort de son père et de ses frères, qui ont succombé dans un tournoi, est élevé par sa mère ; celle-ci s'est retirée au plus profond d'une vaste forêt, afin que l'enfant ignore tout des lois et même de l'existence de la Chevalerie qui lui a pris son époux et ses fils. Mais, un jour, le jeune garçon rencontre des chevaliers et il est tellement bouleversé par la beauté de leur équipage et de leurs armes qu'il décide de se rendre à la cour du roi Arthur. Il fait alors ses adieux à sa mère qui, après lui avoir donné d'ultimes conseils, s'abandonne à son désespoir et meurt. Vêtu en bûcheron, il arrive au château du roi « Peschierres » (ou Pêcheur) ; là, il se mesure avec un seigneur qu'il met à mort. Le vénérable Gornemant l'arme chevalier, tandis que Blanchefleur, la nièce de Gornemant, s'éprend du jeune homme qui l'a sauvée de mains ennemies. Mais Perceval ne songe qu'à revoir sa mère qu'il croit encore en vie. C'est alors que commence véritablement le cycle de ses aventures. Guidé par le roi Pêcheur, Perceval arrive à un mystérieux château où il assiste à la procession du Graal — v. *Histoire du Graal* (*) — et peut voir le vase sacré dans lequel Joseph d'Arimathie a recueilli le sang du Christ agonisant sur la croix. Perceval, ignorant encore de ses destinées, n'ose pas approfondir ce qu'il voit : le jour suivant, tout a disparu, et le jeune homme doit reprendre ses pérégrinations. Au cours de cette seconde partie sont longuement exposées les aventures du chevalier Gauvain. Perceval rencontre un ermite, frère du roi Pêcheur, qui le confesse et l'incite à remplir assidûment ses devoirs religieux. Ici paraît s'achever l'œuvre de Chrétien de Troyes, tandis que commence le travail de ses continuateurs. Perceval est conduit à nouveau dans le mystérieux château, où il assiste encore une fois à la procession du Graal. Cette partie s'achève par le mariage de Perceval et de Blanchefleur ; et Perceval rompt l'enchantement du Graal, en posant certaine question que l'on attendait, au sujet du vase sacré. Dans cette dernière partie interviennent des personnages étrangers à l'histoire elle-même, tels que Tristan — v. *Tristan et Iseult* (*). L'idée directrice du roman de Chrétien de Troyes et de ses continuateurs est celle de l'héroïsme et de la noblesse que requiert la Chevalerie, et dont la recherche est symbolisée par celle du saint Graal. L'élément mystique, qui prédominait dans l'*Histoire du Graal*, est ici relégué au second plan. *Perceval* connut une immense fortune, du fait de ce caractère sacré dont se revêtait, à travers lui, toute la Chevalerie. Le thème du héros au cœur pur, ignorant et ignoré du monde loin duquel il a été élevé, se trouve déjà dans les légendes celtiques ; mais Chrétien de Troyes l'a traité avec une sensibilité toute particulière, voyant dans la simplicité de cœur et d'esprit le fondement idéal de l'intégrité d'un Chevalier. Comme les autres romans de Chrétien de Troyes — v. *Érec et Énide, Yvain ou le Chevalier au Lion* (*) —, *Perceval* eut un équivalent gallois, *Peredur* — v. *Mabinogion* (*) —, qui parut au XIIIe siècle et dont le contenu et la technique montrent assez qu'il fut inspiré par le roman français.

Le roman de Chrétien de Troyes a été édité par F. Lecoy (Champion, 1973-1975) et traduit par J. Ribard (Champion, 1979) ; Ch. Méla en a donné une édition bilingue (1990).

★ Le *Parzival* de Wolfram von Eschenbach, poème en moyen haut allemand composé entre 1200 et 1216, est l'expression la plus puissante et la plus complexe des sentiments qu'inspira la Chevalerie en Allemagne. Il suit de près le texte du *Perceval* de Chrétien de Troyes, surtout dans les deux premiers livres, et conte tout d'abord l'histoire du père de Parzival, Gahmuret ; puis il décrit, avec des accents nouveaux et poétiques, l'histoire du petit garçon qui a grandi dans la solitude aux côtés de sa mère, Herzeloyde. Les quatre derniers livres complètent l'histoire laissée inachevée par Chrétien de Troyes. Wolfram indique comme source de l'œuvre « un poète provençal Kyot » (Guyot ?), dont nous ne savons presque rien et dont nous ne possédons aucunement le poème. De sorte que l'auteur se donne toute licence pour interpréter la légende dans le sens où l'entraîne son esprit méditatif, pour introduire des personnages comme ceux de Klingsor et de *Lohengrin* (*), et pour faire là une œuvre personnelle pleine d'une poésie vigoureuse. Alors que, dans le texte français, le récit était conduit un peu au hasard de l'imagination, le plaisir de conter l'emportant sur tout autre et servant très suffisamment de justification à l'auteur, on trouve dans le texte allemand un sérieux qui s'oppose à toute possibilité d'évasion : l'âme se pose les problèmes du bien et du mal, et de la responsabilité devant Dieu. Toute l'histoire de la Chevalerie est reprise sous un jour nouveau, à la fois éthique et religieux. Des sphères de la fiction, la Chevalerie passe à celles de la réalité ; la dame en l'honneur de qui le Chevalier s'expose à de grands périls n'est plus une créature hors d'atteinte, la femme d'autrui, comme on le voit généralement dans le *Minnesang* (*) : c'est Kondwiramour, la femme du héros. Au centre du poème et tout baigné d'une clarté mystique resplendit le Graal, qui n'est plus seulement un objet miraculeux, fascinant comme une énigme, mais le symbole de la vie intérieure et d'un ascétique renoncement. Il s'agit pour Parzival d'acquérir, à travers les expériences et la réalité, cette suprême pureté spirituelle. Fort évidemment, la route est longue et ardue, les chutes fréquentes et presque inévitables : Wolfram tombe dans l'erreur, tout autant que Parzival, et se laisse aller au doute. C'est une des lois fondamentales de la vie dont tout le poème s'inspire, à savoir qu'être homme signifie se tromper et expier. Mais, pour qui est pur de cœur et fidèle à lui-même, tout est source de lumière et d'élévation. Parzival pose finalement à Anfortas la question : « Qu'est-ce qui te fait souffrir ? » Et Anfortas guérit sur-le-champ d'une plaie sanglante. Dissimulés dans l'herbe, les chevaliers du Graal se lèvent alors, s'inclinent devant Parzival et le saluent comme leur jeune roi. Grâce à la multiplicité des aventures, à la variété et au relief des personnages, à la nouveauté et à la puissance de la langue, l'œuvre conserve à distance, et en dépit de la lourdeur de certaines parties, une allure grandiose. — Le *Parzival* a été traduit et commenté par E. Tonnelat, Aubier-Montaigne, 2 vol., 1977 ; Christian Bourgois, 1989 ; Kümmerle, 1990.

★ Le personnage de Parsifal inspira, à peu près à la même époque, un grand nombre de poèmes : *Krone der Abenteuer* de H. von Turlin (1200 environ), *Titurel* d'Albrecht (1280 environ), *Lohengrin* (*), œuvre née en Bavière (1283-1290) ; *Parsifal* de Wisse et Colin (1331-1336), la saga norvégienne : *Parsifal* (XIVe siècle), et *Sir Percevelle* (1350) ; *La Mort d'Arthur* (*) de Thomas Malory (1470). Après un oubli de plusieurs siècles, la légende réapparaît au XIXe siècle dans *Holy Grail* de Tennyson (1859-1889), dans les poèmes d'Immermann (1831), Hawker (1863), Westwood (1868), Morris Kralik (1907), Schaeffer (1922) ; dans les récits en prose de Wesper (1911), Gerhart Hauptmann (1913) ; dans les drames de Henzen (1889), Rhyn (1924) ; dans les œuvres lyriques de Vollmöller (1900), dans la légende de Chamberlain (1892-1894), dans le remaniement de Jacques Boulanger (*Les Romans de la Table Ronde,* 1923), dans *Le Roi Pêcheur* (*) de Julien Gracq (1948), *Le Graal-Théâtre* de Florence Delay et Jacques Roubaud (1977) et *Perceval le Gallois* du cinéaste Éric Rohmer (1978) et surtout dans le *Parsifal* de Wagner, où elle trouve sa plus haute expression lyrique et musicale.

★ *Parsifal,* opéra en trois actes du compositeur allemand Richard Wagner (1813-1883), fut représenté à Bayreuth le 26 juillet 1882. C'est en travaillant à *Lohengrin* que Wagner avait pris contact pour la première fois avec la légende de Parsifal ; il en découvrit une version dans le philologue médiéviste Görres, et le personnage de Parsifal était demeuré, dans son esprit, lourd de possibilités dramatiques qui se précisèrent peu à peu, au cours des différentes phases d'évolution que connut Wagner. Dans un projet de *Tristan et Isolde* (*), Parsifal devait apparaître au troisième acte, près de Tristan blessé d'un amour furieux, comme la preuve vivante qu'il n'existait de rachat que dans le renoncement aux joies terrestres. Fort heureusement, Wagner abandonna cette première idée. Il reste encore quelques traces de ces méditations sur la nature, l'ésotérisme et la religion dans le *Jésus* *de Nazareth,* ébauché en 1848, et dans le drame hindou : *Les Vainqueurs,* dont l'idée fut donnée à Wagner par des lectures sur le bouddhisme, et où l'on voit une jeune fille éprise d'un disciple de Bouddha passer par toutes les phases de la purification avant d'en arriver à une pure communion spirituelle. Du 27 au 30 août 1865, Wagner écrivit pour Louis II de Bavière un projet détaillé de *Parsifal ;* puis les choses en restèrent là, jusqu'au commencement de 1877. Wagner se mit enfin à la tâche, considérant la composition de *Parsifal* comme le moyen d'échapper aux multiples soucis que lui donnait Bayreuth. Ce fut alors que le nom de Parzival se changea en Parsifal, Wagner s'en remettant à une étymologie hasardée par Görres : *parsi* signifiant en arabe « pur » et *fal :* « fou ». Le 19 avril 1877, le poème était achevé et, au mois d'août de la même année, Wagner commença d'en composer la musique. Ce fut un travail long et patient ; le compositeur n'avait plus le souci de s'affirmer, il ne se hâtait donc pas. *Parsifal* ne contenait pas l'irrésistible marée passionnelle de *Tristan* ni l'enthousiasme frondeur de *Siegfried,* œuvre de maturité. *Parsifal* est chargé de toute une expérience humaine : l'auteur y a cherché avec une exigence et une patience extrêmes ses moyens d'expression, purifiant toujours davantage son langage. Ce n'est que le 13 juin 1882 (deux ans après la date prévue pour la première représentation) que la partition fut achevée. La légende médiévale fut profondément modifiée, non tant dans le déroulement des faits que dans leur interprétation et dans le relief de certains personnages. Pour obéir à une nécessité dramatique, en même temps que pour répondre à une inclination profonde de son esprit, Wagner a besoin de souligner avec force la présence du péché et la nécessité d'en avoir l'expérience. Parsifal est, à l'origine, un *Siegfried* (*), tout d'impétuosité et de barbarie. Et c'est après qu'il eut fait l'expérience du péché qu'il trouvera la longue « via crucis » de la rédemption. Le laps de temps qui, dans l'œuvre, sépare le troisième acte du second est indiqué par le bref prélude symphonique du troisième acte. Et tout aussitôt Parsifal doit lutter contre les intrigues et les erreurs auxquelles il est exposé. Ces obstacles de différentes natures, que le poème médiéval matérialisait naïvement en les présentant comme des batailles contre des dragons et des chevaliers, Wagner les transforme en luttes contre soi-même. La faute charnelle et son expiation cohabitent dans le même être (Kundry) et le tiennent sous le charme : car la faute continue de vivre grâce à la force du souvenir. Le personnage de Klingsor fut profondément modifié par Wagner qui, de sa castration (dans la légende elle résulte d'une vengeance), fait une mutilation volontaire, susceptible de lui donner la maîtrise des forces de la nature. À dessein mal dégrossie, la figure de Klingsor reste dans une espèce de demi-obscurité.

Dans les trois actes du drame musical, l'action se répartit de cette manière : par une aube grise, le vieux Gurnemanz se trouve aux abords du château du Graal. Endormi, il est éveillé par deux chevaliers qui lui annoncent l'arrivée prochaine du roi Amfortas. Arrive la fougueuse Kundry, qui rapporte de terres lointaines un nouveau baume pour le roi. Celui-ci l'accepte, encore qu'il ne conserve aucun espoir de guérison ; cependant, près de l'autel du Graal, Dieu lui a montré, dans une vision, un chevalier d'une pureté et d'une piété surhumaines. Une fois que le cortège du roi est passé, Gurnemanz défend Kundry de la malveillance des écuyers, qui se font conter par lui l'histoire de la maladie d'Amfortas : après avoir résolu d'abattre le château qu'avait construit Klingsor en face de celui du Graal, Amfortas se laissa séduire par une jeune sorcière d'une merveilleuse beauté, qui était au service de Klingsor. Il succomba à son désir, si bien que l'enchanteur put lui ravir la lance sacrée (celle qui avait percé le flanc du Rédempteur et qu'un chœur d'anges avait apportée au père d'Amfortas, le vieux roi Titurel) et lui faire cette inguérissable blessure. À la fin du récit, lorsque Gurnemanz rapporte comment le Ciel promit à Amfortas qu'il serait guéri par un chevalier en proie à la folie de la pureté, un des cygnes sacrés est frappé d'une flèche. Les écuyers se saisissent aussitôt du coupable : c'est Parsifal. Ignorant l'interdit, Parsifal ne se rend pas compte de la faute qu'il a commise. Il ne sait dire qui il est, d'où il vient, qui est son père ; il se souvient seulement de sa mère Herzeleide. Celle-ci — Kundry l'explique — l'a élevé dans une absolue solitude. Mais Parsifal a rencontré des chevaliers, il a voulu les suivre ; il s'est perdu dans les montagnes et dans les plaines, se défendant des géants et des bêtes féroces avec l'arc qu'il s'est fait. Après qu'il fut parti, Herzeleide est morte de douleur. En apprenant cette nouvelle, Parsifal est près de défaillir : il est secouru par Kundry et par Gurnemanz. Puis Kundry s'écarte, en proie à un tremblement violent : c'est alors qu'elle tombe dans un sommeil enchanté, pendant lequel Klingsor la transforme en magicienne et la rend prodigieusement belle ; mais il l'oblige à le servir. Parsifal se rend avec Gurnemanz au château du Graal. Sous les voûtes, on entend retentir des voix célestes qui chantent les louanges du Rédempteur et renouvellent à Amfortas la promesse de sa guérison prochaine. Parsifal a assisté à cette manifestation avec une infinie stupeur ; mais personne n'a compris, et Gurnemanz renvoie le nouveau venu sans aménité. Le second acte se passe dans le château enchanté de Klingsor : celui-ci ordonne à Kundry de séduire Parsifal. Guettant du haut d'une tour, Klingsor annonce l'arrivée de Parsifal et sa rapide victoire sur les chevaliers qui tentent de défendre le château. Mais le château disparaît et Parsifal se trouve dans un jardin rempli d'une végétation luxuriante (Wagner conçut cette scène en Italie, au cours d'un voyage au sud de Naples, à Amalfi et Ravello) ; là, il se voit entouré par de gracieuses jeunes filles, parées de fleurs, qui cherchent en vain à l'entraîner. L'apparition de Kundry met ces jolies créatures en fuite. Kundry sait comment apprivoiser le farouche Parsifal : elle lui parlera de sa mère, Herzeleide. Mais, lorsque Kundry s'approche de Parsifal, ému par les souvenirs, et l'embrasse longuement sur la bouche, le jeune homme bondit en hurlant : « Amfortas ! La plaie ! La plaie ! » L'expérience du péché lui a révélé ce que signifiait cette cérémonie dont il a été témoin ; l'adoration du Graal et la plaie d'Amfortas, désormais tout est clair : il souhaite passionnément expier sa faute. Une profonde transformation s'opère en Kundry à l'instant où Parsifal accepte la vocation de la sainteté ; et pendant qu'il la regarde avec horreur, elle confesse avec un déchirement sincère son infamie. Éconduite, elle se révolte et en appelle à Klingsor et à ses guerriers. Klingsor apparaît aussitôt, brandissant en direction de Parsifal la lance du Calvaire qu'il a soustraite à Amfortas. Mais il s'arrête, interdit, et pendant que Parsifal se saisit de l'objet sacré et trace avec lui un signe de croix, le château s'écroule. Au troisième acte, nous sommes à nouveau aux abords du château du Graal. C'est le printemps. Le vieux Gurnemanz découvre, près de sa cabane d'ermite, le corps inanimé de Kundry, en habit de pénitente. Une fois revenue à elle, elle reprend sans explication son rôle d'humble servante auprès des chevaliers, qui s'enfoncent de déchéance en déchéance depuis qu'Amfortas a refusé de célébrer le culte du Graal. On voit alors s'avancer un chevalier couvert d'une armure noire : Gurnemanz l'exhorte à déposer les armes, comme il convient de le faire en ce jour du Vendredi saint. Silencieusement, le Chevalier dépose sa lance et son bouclier, enlève son heaume et s'agenouille. Gurnemanz reconnaît Parsifal et la lance sacrée, que le jeune héros a réussi à sauver, non sans subir de dures épreuves. Lorsqu'il apprend dans quelles turpitudes sont tombés les chevaliers et dans quelles circonstances mourut Titurel, à qui il n'a pas été donné de revoir une dernière fois le Graal, Parsifal s'accuse sans pitié. Gurnemanz et Kundry l'entourent de leur sollicitude : Kundry lui lave les pieds avec l'eau de la fontaine et les essuie avec ses propres cheveux. Gurnemanz reconnaît en Parsifal celui qui doit accomplir la prophétie, et le proclame roi du Graal. Parsifal baptise alors Kundry, qui fond en larmes, et lui montre la merveilleuse transfiguration de la nature dont ils sont les témoins. C'est l'Enchantement du Vendredi saint, l'annonce de la résurrection et du pardon. Les trois personnages se rendent dans la salle du château, où l'on célèbre les funérailles de Titurel et où Amfortas devrait accomplir les rites du Graal. Et tandis qu'Amfortas, en proie à d'atroces souffrances, arrache les vêtements qui couvrent sa plaie et invoque la mort, Parsifal le touche avec la pointe de sa lance et le guérit : il découvre alors le Graal, au milieu des chevaliers qui entonnent des chants de louange ; pendant ce temps, Kundry s'affaisse sur le sol et meurt, l'âme en paix, les yeux fixés sur Parsifal. Une colombe descend sur la tête de Parsifal, qui bénit les chevaliers à genoux.

La fréquence des mouvements lents et des rythmes majestueux, le timbre des voix (Titurel, Gurnemanz, Klingsor sont des basses ; Amfortas est un baryton), la gravité des paroles montrent bien que *Parsifal* est le chef-d'œuvre d'un homme qui avait dépassé la maturité. La matière musicale est en quelque sorte raréfiée, surtout par rapport à la *Tétralogie* et aux *Maîtres Chanteurs* (*), qui font montre d'une abondance extrême dans l'invention. Ici, Wagner a usé d'une savante parcimonie. Le langage musical et le procédé par lequel les voix ne sont plus l'élément prédominant de l'orchestre, mais se mêlent à une immense marée, ont subi une évolution extrêmement importante : désormais, la voie est ouverte à toutes les conquêtes et à toutes les expériences modernes, en matière d'opéra. L'exaspération chromatique de *Tristan* est tempérée et se limite aux seuls personnages négatifs : Klingsor et Kundry, cependant que l'ensemble des thèmes et des idées musicales relatifs au Graal et à ses défenseurs a un caractère diatonique, qui est censé exprimer les valeurs morales positives, mais qui n'en reste pas moins soumis à une telle variété de modulations que les thèmes changent perpétuellement de ton ; c'est là un des traits particuliers de l'œuvre et qui est surtout sensible dans le thème fondamental du Graal. Pivotant autour d'une modulation, ce thème reste sans conclusion (de fa mineur à la bémol majeur), mais il s'évase et en même temps s'allège, avec un effet lumineux comparable à celui des rayons qui descendent du sommet de la coupole et qui nimbent la coupe du Graal. À ce premier thème s'oppose, pour son envergure solide, le thème de la foi, qui cependant s'ouvre lui aussi comme pour montrer la possibilité d'une évasion tonale. Avec le thème des agapes, qui s'élève dans une sorte d'oscillation, puis se replie et s'affermit, ces deux premiers thèmes forment la charpente sur laquelle est construit le Prélude de *Parsifal,* d'inspiration plus chevaleresque que chrétienne, et fort éloigné, musicalement parlant, de toute réminiscence liturgique. Notons quelques-uns des thèmes secondaires : celui de Kundry semble rester lié, par son rythme et son mouvement, à l'impétueuse entrée en scène de la jeune femme sautant de cheval, mais il renferme aussi toute la malédiction qui pèse sur Kundry à cause de sa faute. Celui de Klingsor est sombre et tortueux ; tandis que celui de Parsifal est éclatant d'ardeur juvénile et que, dans la mâle vigueur des accords, sonne l'appel des lointaines batailles et de la vie aventureuse. Pendant que Parsifal et Gurnemanz se dirigent vers le château du Graal, l'orchestre commence un carillon dans les notes basses, auquel font suite les thèmes de la foi et du Graal, de la douleur d'Amfortas, les uns et les autres édifiant dans une sorte de tourbillon musical l'énorme scène des agapes sacrées, pendant laquelle retentissent les chœurs, et qui constitue la seconde partie de l'acte. Le ténébreux dialogue entre Klingsor et Kundry, qui commence le second acte, rappelle un peu le dialogue d'Ortrude et de Telramonde au second acte de *Lohengrin* : ce sont les forces du mal qui s'affrontent, puis s'associent dans une obscurité sillonnée d'éclairs livides. La scène de la séduction, avec les filles-fleurs, a des accents qui font songer au chant des filles du Rhin – v. *L'Or du Rhin* (*). L'acte II tire sa grande beauté musicale et poétique du drame déchirant de Kundry, qui voit repoussés tout à la fois ses tentatives de séduction et son désir de salut. Enfin, le troisième acte renferme le thème (dit « du pré fleuri ») rayonnant de suavité et de mystère, et dont la mélodie en majeur trouve son point culminant dans l'enchantement du Vendredi saint. La dernière scène, où se déroule la cérémonie du Graal (comme la seconde partie du premier acte), emprunte toute sa grandeur au sacré.

PÈRE [*Fadren*]. Drame en trois actes du romancier et dramaturge suédois August Strindberg (1849-1912), qui fut publié en 1887. Le drame est provoqué par une divergence de vues entre deux personnages : un capitaine de cavalerie et sa femme Laure, à propos de l'éducation de leur petite fille, Berthe ; le drame est en réalité plus profond et plonge ses racines dans cette sourde violence avec laquelle Laure cherche à amoindrir son mari, à le dominer. Ce dernier est un homme intelligent, mais de caractère faible. Avec une diabolique habileté, Laure découvre le meilleur moyen d'amener son mari à sa perte et de lui donner des soupçons ; elle sait quel attachement il a pour la petite Berthe et tente de lui faire croire, d'une manière détournée, qu'elle n'est pas sa fille. Une fois que le doute est entré en lui, le capitaine ne parvient plus à s'en libérer. Au dernier acte, le drame arrive à son point culminant et s'achève sur cette vision : devenu fou, ou sur le point de sombrer dans la folie, le capitaine tombe mort sur les genoux de la nourrice qui, de connivence avec Laure, vient de lui passer la camisole de force. La véritable héroïne du drame est Laure. Elle légitime ses actes en se persuadant que « l'amour entre les sexes est une lutte », de sorte qu'elle travaille à la ruine de son mari avec une logique pleine de perfidie. D'autre part, le mobile des actes du capitaine n'est point la bonté, mais un amour égoïste pour sa fille. Cette pièce ne prétend pas incarner l'opposition qui existe entre le bien et le mal ; fort simplement elle s'attache à montrer quel peut être le conflit entre deux natures foncièrement égoïstes, la plus mauvaise parvenant au triomphe après une lutte sauvage. Il est curieux de constater que l'auteur accorde la victoire à l'être le plus faible et le plus méchant, à la femme, que Strindberg haïssait en général. Mais Strindberg n'a fait que transposer dans son œuvre des événements dont il était la victime : en proie à une obsession, Strindberg avait craint de devenir fou, et sa femme était arrivée à convaincre ses amis et ses parents qu'il était malade, qu'il convenait de le mettre en tutelle et de lui enlever ses enfants. Elle espérait le voir mourir pour toucher le montant d'une prime d'assurance. C'est sans doute parce qu'il fut vécu que le drame atteint à une telle plénitude et a des accents si justes. – Trad. Ollendorf, 1895 ; in *Théâtre complet*, t. II, L'Arche, 1982.

PÈRE DE FAMILLE (Le). Drame en cinq actes et en prose de l'écrivain français Denis Diderot (1713-1784), publié en 1758 et créé à Paris, au Théâtre-Français, en 1761. Voici sa donnée : resté veuf avec deux enfants qu'il affectionne, M. d'Orbesson, « le père de famille », n'en est pas moins coupable des pires maux pour avoir tout sacrifié aux préjugés de son monde. Il refuse en effet que son fils Saint-Albin épouse une jeune fille pauvre mais vertueuse, nommée Sophie. Au cours d'une entrevue avec elle, il obtient qu'elle renonce à son amour. Saint-Albin, qui s'oppose alors violemment à son père et à son oncle, un commandeur, s'apprête à lutter. Il décide d'enlever Sophie, menacée d'une lettre de cachet par le commandeur. Tout se terminera bien cependant, la jeune fille se révélant être la nièce du commandeur. Tout comme *Le Fils naturel* (*), ce drame est d'un bout à l'autre l'illustration des théories de l'auteur sur le théâtre ; ce drame bourgeois, dont Diderot est l'inventeur et qui relève de la comédie larmoyante, vise à représenter les hommes dans leur état ordinaire et dans leurs sentiments normaux. (Il contient en germe, d'ailleurs, tout le théâtre d'Émile Augier.) Signalons que, malgré son succès durable auprès du public, ce drame fut mal accueilli par la critique du temps. Laharpe en tête prétendait que la grande affaire des personnages y était de conjuguer le verbe pleurer. Outre cet abus de sensibilité, la pièce succombe sous le poids d'un style déclamatoire assez fastidieux. Il n'empêche qu'en plus d'un endroit le dialogue se trouve avoir l'accent même de la vérité. La pièce était accompagnée du *Discours sur la poésie dramatique*, où Diderot précisait les idées déjà développées dans les *Entretiens sur le Fils naturel* sur l'écriture théâtrale et le drame bourgeois.

PÈRE DUCHESNE (Le). Journal politique fondé et dirigé par Jacques Hébert (1757-1794), qui parut de 1790 à 1794. Hébert prit une part très importante aux mouvements les plus sanglants de la Révolution française, et fut guillotiné par ordre de Robespierre. L'auteur donna à sa publication le nom d'un personnage populaire, fétiche des ouvriers parisiens (Hébert fut affublé lui-même de ce surnom), dont l'habitude était de récriminer bruyamment contre toutes les espèces d'abus. Tout d'abord plus attaché à l'idée de la Constitution qu'au mouvement proprement révolutionnaire, Hébert devint Cordelier après la mort de Louis XVI et s'attaqua violemment au parti des Girondins. Ses furieuses sorties démagogiques ne tardèrent pas à faire de lui l'idole de la foule. De sorte que sa première arrestation n'eut pas de suite et qu'il fut relâché, grâce à l'immense popularité dont il jouissait. Après l'assassinat de Marat, il fut le révolutionnaire le plus ardent, le véritable symbole des revendications de la masse qui lisait son *Père Duchesne*. Avec une violence extrême, Hébert s'en prit aux riches, aux fonctionnaires, aux prêtres, aux avocats. Il avait coutume de dire que les sans-culottes ne devaient compter que sur eux-mêmes et que le Christ était le premier sans-culotte qui ait combattu pour la liberté. Hébert prévoyait une époque d'union et de fraternité pour les purs révolutionnaires ; et, se laissant emporter de manière inconsidérée dans le feu du discours, il lui arrivait souvent de prendre violemment à partie Danton et Desmoulins. Enfin, sur l'accusation de l'impitoyable Saint-Just, Robespierre le fit condamner à mort. La collection complète du *Père Duchesne*, dont la publication ne fut interrompue que par la mort de son auteur, fut très vite si recherchée qu'il devint presque impossible de s'en procurer un exemplaire ; encore aujourd'hui, l'intérêt historique qu'il présente est loin d'être négligeable. Parmi les œuvres inégales et nombreuses d'Hébert, il faut citer l'*Almanach du Père Duchesne*, publié en 1790, l'année de la fondation du journal.

PÈRE ET FILS [*Father and Son, A Study of Two Temperaments*]. Texte autobiographique de l'écrivain anglais Edmund Gosse (1849-1928), publié en 1907. Ce livre retrace les premières années de la vie de l'auteur, élevé au sein d'une famille austère, au puritanisme fanatique. Adeptes de la religion calviniste, qui conditionnait chaque aspect de leur vie, membres de la secte des « Plymouth Brethren », les parents du petit Edmund avaient choisi, conformément au dogme de la prédestination, de consacrer leur enfant à Dieu et d'en faire un missionnaire. La mère, « bas-bleu » et poétesse d'inspiration religieuse, connaissait le latin, le grec et l'hébreu, à une époque où les femmes n'avaient guère accès à l'éducation. Philip Henry Gosse, le père, était un biologiste amateur qui essaya toute sa vie, désespérément, de concilier les découvertes des théories évolutionnistes darwiniennes avec sa lecture littérale des Écritures. Le jour de la naissance de son fils, il inscrivit dans son journal : « E. a accouché d'un garçon. Ai reçu une hirondelle verte de Jamaïque. » Orphelin de mère à l'âge de six ans, le narrateur connut une enfance morne : toute littérature, toute œuvre de fiction était défendue, la lecture de tout texte non religieux étant un péché. Le dimanche, toute activité, toute distraction est interdite : c'est le jour du Seigneur — d'autres écrivains ont évoqué le terrible « dimanche victorien » : Samuel Butler dans *Ainsi va toute chair* (*) et Somerset Maugham dans *Servitude humaine* (*). Cinq ans après le décès de son épouse, Mr. Gosse se remarie. Sous l'influence de sa belle-mère, la vie de l'enfant devient moins sinistre. Il commence à se séparer spirituellement de son père, qui, il le découvre à son grand dam, n'est pas infaillible. Envoyé à l'école, il ne revient chez lui que pour le week-end : il échappe à l'influence familiale et découvre les enfants de son âge, avec lesquels il n'avait jusqu'alors eu aucun contact, pour ainsi dire. Plus tard, poursuivant ses études à Londres, Edmund traverse une crise mystique ; Dieu ne répond pas à ses interrogations. Pendant ce séjour londonien, le père se préoccupe énormément de la « santé » religieuse de son fils, s'inquiétant de ses fréquentations et de la moralité des auteurs qu'il étudie. Après une période de conflit, Gosse rompt avec son père.

Ce texte se veut un document, un témoignage sur les mentalités, la religion et l'éducation dans les années 1850. C'est le diagnostic porté sur un puritanisme mourant en même temps que l'étude du développement moral et intellectuel d'un enfant. Une note humoristique est introduite précisément par les commentaires du narrateur qui porte le regard amusé de l'adulte sur la naïveté de l'enfant qu'il était. Il semble cependant que Gosse se soit laissé aller à l'exagération mélodramatique. Sa petite enfance fut loin d'être aussi morose et solitaire qu'il le dit, et la rupture avec son père ne fut jamais totale. — Trad. Mercure de France, 1973. L. B.

PÈRE GORIOT (Le). Roman de l'écrivain français Honoré de Balzac (1799-1850), publié en 1835. Un soir de 1833, au moment où il allait commencer *Le Père Goriot,* Balzac se précipita chez sa sœur, Laure de Surville, et s'écria : « J'ai trouvé une idée merveilleuse. Je serai un homme de génie. » Il venait de trouver l'idée de *La Comédie humaine* (*) et le mécanisme qui devait lui permettre de bâtir son monde romanesque : le « retour des personnages ». C'est, en effet, à partir du *Père Goriot* que Balzac utilise systématiquement ce procédé. Reprenant ses œuvres antérieures — *La Peau de chagrin* (*), *Eugénie Grandet* (*)... —, il en change les noms des personnages pour intégrer ceux-ci dans le cycle romanesque qu'il a conçu. *Le Père Goriot* peut donc être tenu pour la clef de voûte de l'édifice ; à l'image de la pension Vauquer, il est un lieu de rencontre, un carrefour où plusieurs destins se croisent. Le roman vit d'une vie multipliée par la perspective de *La Comédie humaine,* beaucoup plus que d'une vie propre : il est d'ailleurs malaisé d'en définir exactement le sujet. « Un brave homme – pension bourgeoise, 600 F de rente –, s'étant dépouillé pour ses filles qui toutes deux ont 50 000 F de rente, mourant comme un chien » ; telle est l'indication que l'on peut lire dans l'album de Balzac, et qui contient le germe du *Père Goriot.* Mais le drame s'est modifié au fur et à mesure de son développement, au point que l'on s'accorde aujourd'hui à ne pas reconnaître dans l'agonie du père Goriot le sujet essentiel de l'œuvre. Quel est donc celui-ci ? C'est l'« éducation sentimentale » d'un jeune provincial à Paris. C'est l'apprentissage, que fait Eugène de Rastignac, de la ville et de la vie, de la société, des hommes. À la fin du roman, cette éducation est achevée ; c'est un homme mûri par une expérience précoce qui, après s'être écrié en contemplant la ville du sommet du Père-Lachaise : « À nous deux, maintenant », va dîner chez sa maîtresse. Le roman prend racine dans une pension de famille bourgeoise du quartier Latin ; la pension Vauquer, inoubliable pour tous ceux qui y ont pénétré à la suite du romancier, en ont respiré les odeurs, se sont assis à sa table d'hôte. Là se rencontrent les types d'humanité les plus surprenants : le jeune Rastignac, débarqué de son Périgord natal et venu faire la conquête de Paris ; le père Goriot, vieillard qui s'est dépouillé peu à peu de son bien pour en faire profiter ses deux filles, Anastasie de Restaud et Delphine de Nucingen ; Vautrin, mystérieux personnage qui a pris Rastignac sous sa coupe et le fait profiter de la terrible expérience qu'il a acquise des hommes. Devenu l'amant de Delphine, Rastignac verra le père Goriot achever de se ruiner par amour paternel et mourir seul, abandonné de ses filles. Vautrin est démasqué et arrêté comme ancien forçat évadé : avant d'être pris, il exhale sa haine de la société. Un autre drame, extérieur à la pension Vauquer, contribue lui aussi à l'édification de Rastignac : c'est l'histoire de Mme de Bauséant, abandonnée par son amant et qui s'exile après avoir donné un bal où tout Paris vient constater son malheur.

On voit donc, ainsi que le remarque Maurice Bardèche, qu'il y a deux groupes de personnages dans *Le Père Goriot.* Le premier groupe comprend les êtres qui ont voulu obéir dans leur vie à un sentiment noble et désintéressé : Goriot, Mme de Bauséant. L'autre groupe comprend les « adorateurs de Baal » : Vautrin, le forçat en rupture de ban ; les filles du père Goriot qui, elles aussi, rejettent le pacte social en trahissant leurs maris. Rastignac se trouve placé au centre, entre les deux groupes. Par sa jeunesse, sa naïveté de provincial, il est uni à ceux qui sont purs : il est le protégé de Mme de Bauséant, l'ami du père Goriot. Par son désir de parvenir et son indifférence au choix des moyens, il est associé aux forces mauvaises du monde ; il est l'amant de Delphine, l'élève de Vautrin. Mais les « purs » n'ont pas un sort meilleur que les « méchants ». Goriot meurt abandonné ; Vautrin est arrêté. C'est que les sentiments trop élevés, ainsi que la révolte déclarée, troublent la marche de la société. Celle-ci est la plus forte et impose sa loi. Il faut donc ruser avec elle, comme le font les filles du père Goriot, et se soumettre, du moins en apparence, à la règle du jeu. C'est ce que fera Rastignac qui, après son adieu à la dépouille du père Goriot, va dîner chez Mme de Nucingen. Albert Thibaudet n'hésite pas à voir dans *Le Père Goriot* une « cellule mère » de *La Comédie humaine.* Non seulement parce que le roman contient la plupart des personnages clés de l'œuvre, mais parce qu'il nous initie au « mystère de la paternité » qui est à la source de la création balzacienne. « Quand j'ai été père, dit Goriot, j'ai compris Dieu. » La paternité du créateur de *La Comédie humaine* sur ses personnages, c'est une « imitation de Dieu le Père », une collaboration avec Dieu. Cependant, Goriot est un vaincu de la paternité, « parce que père selon la chair, selon l'égoïsme ». Il est un « Christ de la paternité » par la passion qu'il souffre à cause de ses filles. Chez Balzac créateur, la paternité est sauvée par la volonté, et aussi par ce qu'il a appelé lui-même le « don de spécialité », c'est-à-dire le don de voir, à travers les espèces, les idées qui sont à leur principe. À travers le « cas » du père Goriot, c'est une mystique de la paternité qui s'exprime. Mais avec Vautrin et son étrange et puissante sympathie pour Rastignac, c'est une sorte de parodie diabolique de cette même mystique. Goriot est un « Christ de la paternité », Vautrin en est l'« archange déchu ». Tous deux sont vaincus par l'excès même de leur passion et la « trop grande abondance du principe créateur ». Leur antithèse vivante, c'est l'antiquaire de *La Peau de chagrin* (*) qui a réalisé cette « mort dans la vie » par laquelle, refusant toute passion violente, il a obtenu son extraordinaire longévité. *Le Père Goriot* ouvre donc des perspectives sur *La Comédie humaine* tout entière. Non seulement nous y voyons en action une mythologie de la paternité, mais aussi une « mythologie de Paris » dont la pension Vauquer, d'une part, et le salon de Mme de Bauséant, d'autre part, constituent des lieux privilégiés de l'immense édifice.

PÉRÉGRINATION [*Peregrinação*]. Récit de voyage du portugais Fernão Mendes Pinto (1508?-1580?), publié à Lisbonne en 1614. C'est le récit des impressions de voyage, des batailles et des naufrages de cet aventurier, tantôt soldat, tantôt marchand, plus souvent corsaire, qui fit naufrage de nombreuses fois, fut fait prisonnier, vendu comme esclave, racheté, enfin pris en charge par les gouverneurs des Indes portugaises orientales. Beaucoup de ses remarques sur l'Inde, sur la Chine et sur le Japon, où il débarqua parmi les premiers Européens, furent confirmées par d'autres voyageurs. Le récit commence à la naissance de l'auteur à Montemayor dans une famille très pauvre ; il s'embarque comme mousse sur un voilier, tombe entre les mains d'un pirate français, qui saccage et brûle le navire et en abandonne les survivants sur une plage déserte du Portugal. Réussissant à rejoindre Setubal, le héros s'embarque comme soldat pour les Indes, dont le gouverneur Antonio de Faria le prend sous sa protection et lui confie quelques missions auprès des souverains de la péninsule de Malacca et des îles de la Sonde. Il fait un premier naufrage, est fait prisonnier et vendu comme esclave. Racheté, il part à la chasse du féroce pirate hindou Coja Achem, surnommé le « buveur de sang portugais », le rejoint, le tue et en fait équarrir le cadavre qu'il expose au mât du navire. Un second naufrage le jette sur les côtes de Chine, où il réussit à rejoindre Nankin, vivant de la mendicité. Arrivé à Canton dans l'espérance de trouver un embarquement pour l'Inde, il saute dans la barque d'un pirate chinois, qui à la suite d'une tempête est jetée sur une île japonaise. Il s'y fait des relations et y recueille de précieuses indications qu'il communiquera par la suite à saint François-Xavier, l'incitant à tenter l'évangélisation de ce pays. Revenu à Goa en 1557, il y demeure une année et repart ensuite vers sa patrie où il meurt dans la pauvreté. Fernão Mendes Pinto a-t-il réellement pris part à tous ces événements ? Quelle est la part d'invention ? Il est indiscutable, cependant, que les informations géographiques et historiques qu'il donne sur les pays visités sont de précieux documents sur la réalité orientale de l'époque. C'est, sans aucun doute, Robert Viale, son traducteur, qui cerne le mieux les intentions de l'auteur : « Trois aspects alternent sans cesse dans *Pérégrination* : le récit de voyage (description des régions traversées et de leurs mœurs), le récit d'aventures (conte savant pour divertir et séduire le public), enfin, ce qu'on pourrait rattacher au conte philosophique, la volonté de mettre en question (par une ironie insaisissable, grâce aux jeux que permettent les différents statuts du narrateur) la vision du monde du lecteur. » *Pérégrination* fut très vite traduit en français (1628 et 1645). Une édition partielle et modernisée, dirigée par Jacques Boulenger, parut chez Plon en 1932, sous le titre *Les Voyages aventureux*. — Trad. La Différence, 1991.

PÉRÉGRINATIONS DE L'ÂME (Les) [*The Progress of the Soule*]. Poème composé en 1601 par l'écrivain anglais John Donne (1572-1631), le premier des poètes métaphysiques. Il ne faut pas le confondre avec un poème du même titre qui fait partie d'*Une anatomie du monde* (*) de John Donne également. Celui-ci est incomplet ; on n'en possède que cinquante-deux strophes, composées chacune de dix vers iambiques, neuf de cinq pieds, le dernier de six pieds. Ce poème semble écrit sous le coup de l'indignation éprouvée par l'auteur à l'occasion de la condamnation à mort du comte d'Essex. Le poète greffe sur la doctrine de la métempsycose la doctrine pythagoricienne selon laquelle les âmes peuvent habiter également dans les plantes et les animaux ; il raconte, de façon très sarcastique et sceptique, les transmigrations successives d'une âme, passant de la pomme d'Ève dans une plante (mandragore), puis dans un passereau, un poisson, un cygne, une pie, une baleine, un loup, un singe (le premier véritable amant depuis la création, dont les aventures avec la cinquième fille d'Adam, Siphatécia, offrent au poète un prétexte pour faire la satire des femmes et de l'amour), et enfin dans une femme, sœur et épouse de Caïn. Ici, le poème est interrompu. L'âme devait passer ainsi — gardant un peu de tous les vices des êtres en qui elle s'était réincarnée — jusqu'au corps de l'hérétique dont la vie devait être racontée par la suite. Cette personne n'est pas identifiée avec Calvin, comme l'a prétendu plus tard Donne lui-même, mais — ainsi qu'il résulte d'allusions diverses du contexte à la Lune — avec la reine Elizabeth, représentée, dans le langage symbolique du temps, précisément par la Lune et par Diane. Nature profondément sensuelle, mais sincère aussi dans sa ferveur religieuse, John Donne mêle au sarcasme et à la satire une noble indignation. Il parvient ainsi à une forme littéraire du plus pur style baroque qui lui appartient en propre.

PÉRÉGRINATION VERS L'OUEST (La) [*Si-yo-tsi — Xiyouji*]. L'un des quatre plus grands romans classiques de la Chine. On l'attribue à l'écrivain chinois Wou Tch'eng-en (v. 1500-1582 ?). Il est écrit dans la langue de Pékin et s'inspire, avec beaucoup d'imagination et d'esprit, de l'histoire de Siuan Tsang, bonze bouddhiste, et l'un des premiers lettrés qui connut le sanskrit, sous le règne de la dynastie des T'ang (618-907). Ce Siuan Tsang parcourut les Indes à la recherche de textes bouddhiques. Son voyage fut, notamment sous les Song (960-1279), le sujet de multiples récits de conteurs et pièces de théâtre, qui très tôt en donnèrent des versions fantastiques. Wou Tch'eng-en puisa sans doute dans cette tradition pour composer son récit fantaisiste qui remplit cent chapitres. Les sept premiers chapitres décrivent les ravages que causa dans le monde céleste Souen Wou-k'ong, un singe né d'un œuf de pierre, capable de prendre successivement soixante-douze formes et doué de singuliers pouvoirs. Puis Siuan Tsang nous est présenté, et l'auteur décrit la visite de l'empereur T'ai Tsong (de la dynastie T'ang) aux enfers. Cet empereur comprend à quel point s'impose la conversion de son peuple au bouddhisme ; il invite Siuan Tsang à se procurer les textes bouddhiques qui se trouvent dans le pays occidental. Siuan Tsang prend pour compagnon de voyage le singe Wou-k'ong, bientôt transformé en disciple ; avec l'aide de ce dernier, il convertit deux autres créatures ; le pourceau Tchou-pa-tsie, toujours affamé, fatigué ou concupiscent, et le moine Sable. Escorté de ces trois fidèles disciples, le sage passe à travers quatre-vingt-un périls, suscités par magie, et, après s'être tiré à son honneur de toutes les épreuves, il obtient de la main de Bouddha un grand nombre de textes bouddhiques. Ce qui caractérise cette œuvre, c'est son luxe extraordinaire de fantaisie : les quatre-vingt-une épreuves, dont la diversité et la teneur confinent à l'invraisemblance, sont un répertoire de sorcellerie et de métamorphoses, dont l'absurdité même atteint à un lyrisme formel. Ce monde, où il n'est plus de réalité, conserve toutefois un élément de cohérence : à travers leurs métamorphoses, les personnages, qui deviennent tantôt des insectes minuscules, tantôt des monstres hauts de plusieurs lieues, ne sont point altérés dans leur être profond, ce qui nous permet de les reconnaître. Les aventures de *La Pérégrination vers l'Ouest* ont si souvent été adaptées, racontées, représentées, que le singe Souen Wou-k'ong est sans doute encore aujourd'hui l'un des personnages les plus populaires en Chine. En tant que « roman de la quête », l'œuvre a par ailleurs inspiré de nombreuses études comparatistes en Occident. — Trad. par L. Avenol, quelque peu abrégée, sous le titre *Si Yeou Ki, ou le Voyage en Occident,* Le Seuil, 1957 et 1968 ; intégrale, Gallimard, 1991.

PÈRE HUMILIÉ (Le). Drame en quatre actes de l'écrivain français Paul Claudel (1868-1955), écrit en 1918 et publié en 1920. Cette œuvre est tout entière dominée par les deux thèmes essentiels de la pensée claudélienne : la finalité de l'homme et la lutte des ténèbres et de la Lumière. Le 5 mai 1869, dans les jardins du prince Wronsky, à Rome, on donne, de nuit, un bal costumé. Parmi l'assistance, un faux jardinier attire l'attention par les feux brillants que jette sa bague dans la nuit ; le travesti est Orian, dont le nom parle assez : il montre l'Orient, le symbole de la lumière qui se lève. Orian explique que la bague est un bijou de famille : c'est la « pierre qui voit clair » et la main qui la porte voit dans l'obscurité. Le joyau merveilleux symbolise le destin et la finalité d'Orian, porteur de lumière (« Ah, rien que de vivre et de voir et d'avoir les yeux ouverts et d'être vivant et de voir le soleil est beau ! »). Orian, pendant la fête, souhaiterait parler à la fille de l'ambassadeur de France, Pensée de Coûfontaine, en faveur d'Orso, son frère, qui aime la jeune fille. Or voici que Pensée de Coûfontaine, d'elle-même, s'approche d'Orian : ses yeux sont beaux, mais opaques, et ne laissent point passer la lumière. Orian pourra-t-il répondre au vœu de Pensée, qui le supplie de l'aider à ouvrir ses yeux à la lumière ? Orian entend se séparer de la jeune fille en la mariant avec Orso. Mais ce dernier refuse, car il a deviné le sacrifice de son frère. Les jeunes gens iront donc chez leur oncle et tuteur, le pape, pour qu'il décide de leurs destins. Le pape montre à Orian que ce n'est pas lui que Pensée aime, mais un Orian fort, alors que le vrai Orian n'a cessé jusqu'alors d'être menacé par sa faiblesse. Pensée aime l'Orian qui n'est pas encore, la vocation supérieure que le jeune homme porte en lui et qui est préférable à son être présent. Cette fin, pour Orian, c'est qu'il soit le porteur de la lumière et c'est cette fin que Pensée voudrait détourner à son profit, ravir pour elle seule. Plus que recevoir de lui la clarté supérieure, ramener Orian à la nuit est le vœu de Pensée : « Ce qu'elle me demande, dit alors Orian, je ne peux le lui donner. / C'est mon âme qu'elle demande et je ne peux absolument pas la lui donner. / Moi-même ne la possédant pas... » Ainsi la vocation se montre-t-elle plus forte chez le héros que le désir : il comprend qu'il se doit à tous les hommes, et d'abord à la Lumière suprême. Pour guérir la jeune fille, Orian ne devra point l'épouser ici-bas, selon la chair. Plus profondes que les ténèbres de son corps sont celles de son âme : seul l'éloignement physique d'Orian pourra allumer, chez Pensée, la lumière. Orian quitte donc Rome. À son retour, un an plus tard, il trouve le pape humilié, au cœur même de ses États : les Italiens viennent d'entrer dans sa ville. L'humiliation du père sera cependant toute spirituelle et lui viendra de son fils même, Orian, qui renoncera un moment à sa mission, et fera défaut à son exigence. Les deux frères s'étant engagés au service de la France, Orso, avant de quitter Rome, oblige Orian à revoir Pensée de Coûfontaine. Voici Orian déchiré entre les appels contraires de la lumière et de l'obscurité, de sa vocation et de Pensée. Et, lorsqu'il laisse venir la jeune fille dans ses bras, Orian est envahi par la nuit : « Quand tu t'es mise entre mes bras, la nuit est venue sur mes yeux. » Ainsi se confirme le jugement du Père. Avant qu'Orian ne parte, Pensée l'aura cependant pris tout entier dans cette nuit de l'âme et du corps. L'exigence de la Finalité ne laissera point, néanmoins, de l'emporter : Orian reconnaîtra que son destin est celui du solitaire, de « l'insecte mâle qui n'est monté que pour une heure ». Il doit poursuivre sans faillir son chemin vers la lumière. Orian est un de ces « personnages solaires » (J. Madaule) à la famille desquels se rattachent *Tête d'or* (*) et Mesa — v. *Partage de midi* (*). Orian, c'est le chrétien et le drame de toute vocation : le seul bien de l'homme, ce n'est point la volonté qui le fixe, mais la forme de l'amour divin sur chaque être. Dans la mesure où l'homme s'éloigne de cette forme, il se rapproche du néant. C'est l'impuissance à être autrement que comme Dieu le veut qui assure finalement le triomphe d'Orian, lequel ne va point contre les lois du monde, mais rétablit au contraire la nature propre du héros en la faisant dépendre de Celui qui l'a créé, et dont il n'est qu'un reflet.

PÈRE PERDRIX (Le). Roman de l'écrivain français Charles-Louis Philippe (1874-1909), publié en 1902. C'est une des œuvres les plus vraies de ce fils de sabotier, écrivain sensible, qui vécut « dans la fraternité des choses avec son corps et son âme ». Il y raconte, dans le familier décor de Cérilly, son bourg natal, situé aux confins du Berry et du Bourbonnais, la détresse d'un vieux forgeron menacé d'être aveugle et contraint au repos, qu'un enlisement progressif acculera finalement au suicide. « Ces jours d'homme où il n'arrive rien » ont en grande partie pour théâtre le banc sur lequel, chaque soir, s'affale le vieillard désemparé avec, à l'entour, les propos des passants et des commères : leur compassion, peu à peu, va se muer en un franc mépris pour cette épave, ce « feignant », « assommé comme une vieille bête ». Bientôt, écrit Philippe, « il fit partie de la rue » et « la paresse s'était accumulée sur lui comme du lard » : bref, « il n'est pas bon à garder les cochons ». Il y a aussi la mère Perdrix, « une femme bête et qui ne se rendait pas compte », mais qui faisait des ménages et cueillait le cresson. Elle meurt, et son vieux, dont la vie déjà « branlait comme un outil mal emmanché », va s'en aller à la dérive. Un jeune homme, cependant, sera son rayon de soleil : c'est Jean Bousset, le fils du charron, devenu ingénieur (mais les « mauvais livres » l'ont rendu socialiste et il vient de perdre sa place). Il décide le père Perdrix à s'installer avec lui à Paris où il a trouvé un emploi. Mais le vieillard en sabots, qui compte derrière lui « soixante-huit années de village », ne pourra se faire à cette vie sordide en hôtel meublé. Un jour qu'il a buté, aux bords de la Seine, contre une grosse boucle en fer pour amarrer les bateaux, il se laisse tomber dans le fleuve. *Le Père Perdrix* est un émouvant tableau de la misère, et des maladies, que Philippe appelait les « voyages du pauvre », par un écrivain dont la grand-mère avait mendié. Et sans doute y surprend-on parfois quelque complaisance dans l'apitoiement et, dans le style, les plis d'une « robe trop habillée », qu'eût dédaignés Tchekhov. Mais le témoignage de ce prolétaire « qui n'a pas trahi » et dont l'âme se confondait avec celle du peuple est authentique.

PÈRE SERGE (Le) [*Otec Sergij*]. Conte de l'écrivain russe Lev Nikolaïevitch Tolstoï (1828-1910), écrit entre 1890 et 1898 et publié seulement en 1911. C'est l'histoire d'un jeune prince, destiné à une carrière brillante, qui, un mois avant son mariage avec une demoiselle d'honneur de la tsarine, ayant découvert que sa fiancée a été la maîtresse du tsar, rompt ses fiançailles et entre dans un monastère. Mais, ambitieux et avide de gloire, même sous l'habit de moine, il ne parvient pas à anéantir les passions qui assombrissent son cœur et son esprit. Après avoir vécu en plusieurs différents monastères, il se fait ermite. La renommée de sa sainteté se répand parmi le peuple et sa cellule devient l'objet de nombreux pèlerinages. Une jeune et jolie femme, friande d'aventures, sous le prétexte de s'être égarée et invoquant un soudain malaise, se fait héberger une nuit dans la chaumière de l'ermite. Le père Serge, sur le point de succomber à la tentation, pour éviter le péché, d'un coup de hache se tranche un doigt de la main. La femme, profondément troublée, s'enfuit, et quelque temps après s'enferme à son tour dans un couvent. La sainteté de l'ermite est à présent connue dans toute la Russie et on lui attribue même des miracles. Mais la chair n'est jamais vaincue ; alors qu'il veut guérir une jeune fille neurasthénique, celle-ci, presque inconsciemment, l'induit au péché. Le père Serge quitte alors sa cellule, et après un rêve qu'il considère d'inspiration divine, il part à pied pour une ville lointaine où habite une femme qu'il a connue jadis, alors qu'elle était une enfant, et qui vit en travaillant durement pour faire subsister ses fils. « Moi, j'ai vécu pour les hommes sous prétexte de vivre pour Dieu », se dit le père Serge. « Elle vit pour Dieu en s'imaginant vivre pour les hommes. » À partir de ce moment, pour expier ses péchés, il s'en ira, errant par toute la Russie. Les dernières lignes du conte disent qu' « ... en Sibérie, il s'installa sur la terre d'un riche paysan. Maintenant, il vit là-bas chez son maître, il travaille au potager, enseigne l'écriture aux enfants et soigne les malades. » Œuvre de la maturité de Tolstoï, ce conte renferme l'essence de sa philosophie, qui voit dans l'amour agissant la route qui mène à Dieu. — Trad. La Pléiade, 1930, 1960.

PÈRES ET FILS [*Oicy i deti*]. Roman de l'écrivain russe Ivan Sergueïevitch Tourgueniev (1818-1883), publié en 1861. C'est le roman de Tourgueniev qui suscita la plus violente de toutes les polémiques qu'aient allumées les ouvrages de cet écrivain, en raison de son insistance à souligner les contrastes entre l'ancienne et la nouvelle génération. Mais la bataille déclenchée à propos de *Pères et Fils* trouva aussi des raisons dans l'opinion, alors répandue, que ce roman était moins une prise de position polémique qu'une caricature de la nouvelle génération. Toute l'œuvre est centrée sur Bazarov, personnage pour lequel Tourgueniev créa le mot « nihiliste » : nihiliste « parce qu'il ne s'incline devant aucune autorité, n'accepte aucun principe sans examen », suivant la définition de son ami Arkadi Kirsanov. L'action est relativement simple et linéaire, à l'inverse de l'âme du héros, qui est d'une grande complexité. Deux étudiants, Evgeni Bazarov, futur médecin, et son ami Arkadi Kirsanov, reviennent, après trois ans d'absence, dans leur village natal. Ils s'arrêtent d'abord chez les parents d'Arkadi : le père, veuf, homme timide et affairé qui se partage entre un amour sénile et les soucis que lui donne sa propriété depuis que le servage a été aboli ; et un oncle, ex-officier de la Garde qui a quitté le service à la suite d'un drame passionnel et s'est retiré à la campagne. Dans le conflit qui oppose les jeunes gens (et surtout Bazarov) aux parents d'Arkadi se révèle l'esprit de la nouvelle génération. Le contraste est dû non seulement aux idées nouvelles qu'exprime Bazarov, mais encore aux manières insolentes, en partie voulues, mais le plus souvent spontanées, avec lesquelles il les exprime. Il offense ainsi profondément ses hôtes, attachés aux traditions et aux convenances. Un trait caractéristique de Bazarov est la façon dont il envisage le problème de la femme : « Si une femme vous convient, tâchez d'atteindre votre but ; si elle se refuse, adressez-vous ailleurs ; la terre est assez grande pour cela. » Or, c'est précisément sur ce point que Bazarov sera mis en déroute. En effet, après avoir quitté la propriété des Kirsanov, les deux jeunes gens se rendent au chef-lieu de la province où, au cours d'un bal, Bazarov fait la connaissance d'Anna Odintsova, dont il tombe aussitôt amoureux. Bazarov a beau faire ; il a beau lutter contre lui-même et essayer de ramener ses sentiments à une plus juste mesure, son amour est précisément de ceux qu'il a persiflés et raillés. La « proie » lui échappe, bien qu'il ait suscité un vif intérêt chez Anna. Dès lors, il vit au jour le jour comme s'il ne trouvait plus rien à faire sur cette terre. Revenu enfin auprès de ses parents, il tente de se retrouver en reprenant ses expériences scientifiques d'autrefois ; mais un jour qu'il s'est blessé au doigt en opérant un tuberculeux, il omet, par apathie, de se soigner et la maladie ne tardera pas à l'emporter. Les querelles d'actualité, qui entourèrent la parution de cet ouvrage, firent négliger à la critique et au public la valeur artistique et psychologique du roman, l'une et l'autre pleinement appréciées aujourd'hui. En effet, on remarque la justesse avec laquelle l'auteur a su évoquer atmosphères et paysages, et l'on admire, sans restriction, la pénétration avec laquelle sont représentés les personnages et définis leurs traits les plus caractéristiques : révolte, désir de vie et soif de progrès et, derrière le masque de leur attitude, une souffrance profondément humaine. Il apparaît en définitive que la valeur de cette œuvre est moins liée aux circonstances et plus universelle que ne l'a cru peut-être l'auteur lui-même. — Trad. Gallimard, 1987.

PÉRI (La). Poème dansé du compositeur français Paul Dukas (1865-1935), exécuté pour la première fois à Paris aux « Concerts de danse » du Châtelet, en avril 1912, avec des décors de René Piot. Le héros Iskander — v. *Alexandre* (*) — sent que s'approche son déclin et se met à la recherche de la fleur d'immortalité. Entre les mains d'une Péri (fée de la mythologie persane), endormie sur les marches du palais royal d'Ormuzd, aux confins de la terre, il trouve le lotus pourpre. La Péri s'éveille et, pour le reconquérir, exécute, en présence du héros, l'irrésistible danse des Péris divines. Iskander restitue la fleur et se résigne à disparaître. Le poème a la richesse d'instrumentation et l'architecture vigoureuse de *Ariane et Barbe-Bleue* (*), mais l'écriture orchestrale fait parfois une part trop large à la décoration, et l'inspiration se relâche. Musique délicieuse, mais touffue. Au demeurant, production inoubliable dans l'histoire du ballet français moderne.

PERIBÁÑEZ ET LE COMMANDEUR D'OCAÑA [*Peribáñez y el comendador de Ocaña*]. Comédie dramatique en trois actes et en vers de l'écrivain espagnol Lope Félix de Vega Carpio (1562-1635), publiée dans la *IVe Partie* de son théâtre (1614). La demeure de Peribáñez, riche paysan d'Ocaña, est en fête à l'occasion de son mariage avec la belle Casilda. Pour marquer cet heureux jour, les jeunes gens du village décident de lâcher un taureau pour corser les réjouissances. Or, le commandeur d'Ocaña, seigneur du lieu, venant à passer, son cheval se prend dans le licol du taureau et fait une chute. Les jeunes époux soignent avec dévouement le Commandeur, qui devient éperdument amoureux de Casilda et met tout en œuvre pour la séduire et l'enlever à son mari. Sa qualité de seigneur d'Ocaña ne peut que faciliter ses entreprises, et comme Peribáñez a dû s'absenter, il se déguise en moissonneur afin de pouvoir pénétrer plus aisément dans son logis. Par bonheur, Casilda est sur ses gardes ; elle repousse toutes les avances du Commandeur, puis, se voyant menacée, elle appelle ses gens pour le mettre en fuite. Devant la stricte réserve de Casilda et la jalousie méfiante de Peribáñez, le Commandeur recourt à des moyens extrêmes : il envoie dans les fermes de Peribáñez ses hommes travestis en moissonneurs, et prend prétexte d'un ordre du roi pour les rassembler et les placer sous le commandement de Peribáñez. Ce dernier, ébloui par cette promotion inattendue, se met immédiatement en route pour rejoindre le champ de bataille. Arrivé à Tolède, il voit par hasard un portrait de Casilda peint sur l'ordre du Commandeur. Ses soupçons l'emportent sur sa responsabilité de chef : il rentre à Ocaña, surprend le Commandeur dans sa ferme et le tue. Puis il gagne le maquis, en compagnie de la fidèle Casilda. Très affecté par la perte du Commandeur, l'un de ses meilleurs officiers, le roi Henri III de Castille met à prix la tête de

Peribáñez pour mille écus. Comprenant qu'il ne pourra jouir longtemps de sa liberté, le fier paysan se fait livrer à la justice par Casilda elle-même, afin que lui soit attribuée la prime promise. Le roi, ayant appris la vérité, fait remettre la somme à la jeune femme, fait grâce à Peribáñez et lui restitue sa charge de capitaine des troupes d'Ocaña. Cette pièce n'est qu'une des innombrables adaptations d'un thème cher aux poètes dramatiques du « Siècle d'or » espagnol, celui du « roi justicier ». Une fois de plus, le monarque, juge suprême, sait mettre fin aux discordes et aux haines que l'arbitraire et la passion mettent dans les cœurs généreux. – Trad. H. Mérimée, *La Renaissance du Livre*, Paris, s.d.

PÉRICHOLE (La). Opéra bouffe en deux actes du compositeur français d'origine allemande Jacques Offenbach (1819-1880), sur un livret de Henri Meilhac et Ludovic Halévy. Cette opérette, l'une des plus célèbres de l'auteur de *La Vie parisienne* (*), de *La Belle Hélène* (*) et d'*Orphée aux enfers* (*), fut créée le 6 octobre 1868 au Théâtre des Variétés par la célèbre cantatrice Hortense Schneider. L'argument n'est pas une simple suite de quiproquos plus ou moins gratuits comme dans beaucoup d'opérettes ; il est franchement gai, mais distille çà et là un nuage de mélancolie qui a permis à Offenbach de montrer une sensibilité, une profondeur de sentiment, que sans *La Périchole* il eût laissé ignorer. Au premier acte, le vice-roi du Pérou célèbre sa fête en s'affublant d'un déguisement qui lui permet de moins effaroucher les jolies Péruviennes de sa capitale. Il court les rues en quête d'une bonne fortune, chantant les joies de l'incognito. Et justement il rencontre la Périchole, dont les beaux yeux le rendent amoureux. Mais elle, de son côté, est follement éprise de Piquillo, chanteur des rues, dont elle partage la vie misérable. Hélas, la faim l'oblige à quitter son amant ; elle écrit cette lettre émouvante dont l'air est resté justement célèbre : « Ô mon cher amant, je te jure. » Puis elle se rend au palais. Mais la coutume du Pérou exige que la maîtresse du souverain soit mariée. Il faut donc trouver au plus vite un époux légitime à la Périchole. Le hasard fait que Piquillo, ivre de douleur et de vin, accepte de servir de chandelier à la future maîtresse du roi dont il ignore l'identité. On hâte les noces et le chœur prévoit déjà la naissance d'un enfant « qui grandira, car il est espagnol »... Au deuxième acte, Piquillo qui a repris conscience découvre le rôle qu'on veut lui faire jouer. La Périchole est bien décidée à ne rien accorder au vice-roi, sinon le plaisir de souper en tête à tête : mais Piquillo se croit trahi, ne comprend rien aux subterfuges de sa maîtresse et fait un scandale qui oblige la garde à le jeter dans le cachot « réservé aux maris récalcitrants ». Pendant ce temps, la Périchole refuse au souverain un baiser contre une rivière de diamants ; elle lui révèle son amour pour Piquillo, parvient à s'échapper avec ce dernier et, finalement, à se faire pardonner par le monarque, qui la comble de biens sans réclamer le prix de ses bienfaits. *La Périchole* n'obtint en 1868 qu'un succès d'estime. On lui reprochait de n'être pas assez frivole et, par son émotion, de parodier le Grand Opéra. On lui reprochait son charme et sa délicatesse, qualités auxquelles cette partition doit aujourd'hui de vivre et d'être considérée comme l'un des chefs-d'œuvre de la musique d'opérette française.

PÉRICLÈS [*Pericles, Prince of Tyre*]. Drame en cinq actes en vers et en prose attribué en partie au poète dramatique anglais William Shakespeare (1564-1616), écrit et joué aux environs de 1608, publié dans l'in-quarto de 1609, en 1611, en 1619, en 1630 et dans la seconde édition du troisième in-folio en 1664. Ce drame est inspiré de l'histoire d'Apollonius, roi de Tyr, transmise par un texte latin du ve ou du vi^e^ siècle et reprise dans la version qu'en a donné John Gower (1330 ?-1408) dans *Confessio Amantis* (*). L'origine du nom de Périclès est discutée. Ni ce nom ni celui de Marina ne se rencontrent dans Gower, mais ils sont communs au drame et au roman en prose : *Les Pénibles Aventures de Périclès, prince de Tyr* [*The Painful Adventures of Pericles, Prince of Tyre*] de George Wilkins, publié à Londres en 1608. Certains pensent que Wilkins lui-même fut le collaborateur de Shakespeare pour ce drame ; d'autres prétendent que le drame inspira le roman. Toujours est-il que nous avons une mention de la représentation de cette pièce, grâce à l'ambassadeur vénitien Zorzi Giustinian, qui nous rapporte l'avoir vue avant le 25 novembre 1608. Périclès, prince de Tyr, menacé par les complots d'Antiochus, empereur de Grèce, abandonne le gouvernement aux mains de son honnête ministre, Helicanus, et quitte Tyr. Son navire ayant fait naufrage le long des côtes de Pentapolis, seul Périclès est sauvé. Il rejoint la terre ferme, où il affronte et vainc dans des tournois les prétendants de Thaïsa, fille du roi Simonide. C'est alors qu'il apprend qu'Antiochus est mort et que le peuple a choisi Helicanus pour le proclamer roi. Périclès et Thaïsa repartent pour Tyr ; au cours d'une tempête, Thaïsa accouche d'une petite fille. Thaïsa, évanouie, est laissée pour morte et jetée à la mer dans un cercueil ; portée par les vagues, elle arrive à Éphèse où un médecin, Cerimon, la ramène à la vie. Croyant son époux noyé, elle se consacre au culte de Diane et devient prêtresse de son temple. Pendant ce temps, Périclès arrive à Tarse et confie sa fillette, Marina, au gouverneur Cléon et à sa femme, Dionysa. L'enfant grandit et devient si belle et si sage que Dionysa, dévorée de jalousie, veut la tuer ; mais Marina est enlevée par des pirates et vendue à une maison de passe de Mytilène, où sa pureté et sa piété la font respecter de tous. Le gouverneur, Lysimaque, la rencontre et la fait libérer. Périclès arrive sur ces entrefaites à Mytilène et retrouve sa fille qu'il croyait morte ; un songe l'amène au temple de Diane à Éphèse et il y conte l'histoire de sa vie ; grâce à ce récit, son épouse lui est rendue. Marina épouse Lysimaque. Cléon et Dionysa sont brûlés pour leurs intentions criminelles. Bien que nous reconnaissions la main de Shakespeare dans les actes III et IV, l'ensemble de l'œuvre est assez faible et ses péripéties sont aussi arbitraires qu'innombrables. La jeune et pure Marina peut être considérée comme une esquisse préparatoire au caractère de jeune fille que Shakespeare a pleinement réussi avec Perdita dans *Un conte d'hiver* (*) et avec Miranda dans *La Tempête* (*). — Trad. André du Bouchet, Formes et Reflets, 1954-1961.

★ *Marina*, poème de T. S. Eliot (1888-1965), est inspirée du drame shakespearien.

PÉRIÉGÈSE ou Description de la Grèce [Περιήγησις τῆς Ἑλλάδος]. Guide de voyage antique, de Pausanias le Périégète, écrivain grec originaire de Lydie, qui vécut sous les Antonins (IIe siècle ap. J.-C.). Le titre de l'œuvre nous est transmis par Stéphane de Byzance ; Pausanias lui-même ne cite jamais de titre. Le voyage que décrit Pausanias suit deux itinéraires distincts, tous les deux ayant pour point de départ Athènes : l'un prend la direction du Péloponnèse, l'autre celle de la Grèce centrale. Des dix livres qui composent l'ouvrage, le premier traite plus particulièrement de l'Attique ; le deuxième est consacré à la description de Corinthe et de la région environnante, de l'Argolide avec les villes de Mycènes, Épidaure ; le troisième décrit la Laconie ; le quatrième, la Messénie ; le cinquième et le sixième, l'Élide et tout particulièrement la ville d'Olympie ; le septième, l'Achaïe ; le huitième, l'Arcadie ; le neuvième, la Béotie ; le dixième, la Phocide, et spécialement Delphes. La Grèce telle que Pausanias la conçoit ne comprend pas la Grèce du Nord (Thessalie, Macédoine, etc.), la Grande Grèce (Italie du Sud et Sicile), la mer Noire, les îles de la mer Égée ou la côte d'Asie Mineure. Le fil conducteur du guide est toujours le même : la description rayonne depuis une ville, généralement chef-lieu d'une région, avant de passer à une autre ville. Pausanias a visité par lui-même les sites qu'il décrit, employant ce qui devait être une fortune considérable pour effectuer ses voyages. Outre les endroits décrits, Pausanias a visité de nombreuses autres contrées du monde méditerranéen. La description des lieux est souvent interrompue par des digressions. L'auteur s'intéresse notamment de très près aux récits mythologiques concernant les lieux qu'il visite.

Pausanias n'a pas inauguré un genre littéraire nouveau. Plusieurs écrivains l'avaient précédé dans cette voie, à commencer par Dikaiarchos, géographe disciple d'Aristote (IVe siècle av. J.-C.). Pausanias s'est beaucoup servi des œuvres littéraires de ses prédécesseurs, tant de caractère général et encyclopédique, comme celles du périégète Polémon, de l'historien Istros, du géographe Artémidore, que des œuvres qui traitaient particulièrement de l'histoire et des mythes de chaque région, comme celles d'Eumélos pour la préhistoire de Corinthe, du poète Rhianos pour l'histoire de Messène, etc. L'œuvre de Pausanias est de ce fait très importante à cause des nombreux fragments d'auteurs antiques autrement perdus qu'il cite à profusion. Il n'écrit pas un traité scientifique à proprement parler. Cependant, il a exercé son esprit critique sur bien des récits glanés au cours de ses pérégrinations. De plus, nombre des descriptions qu'il a faites ont été vérifiées par l'archéologie moderne. D'ailleurs, la *Périégèse* est une source unique de renseignements pour les archéologues, historiens, historiens des religions et philologues. Pausanias visait deux buts incompatibles : produire un guide pratique de voyage qui serait en même temps une œuvre littéraire. D'une part, si riche de renseignements qu'elle soit, la *Périégèse* atteint rarement les sommets de l'élégance littéraire ; d'autre part, l'ampleur de l'œuvre n'en fait pas le compagnon de voyage idéal dans l'Antiquité. Ces deux raisons expliquent que la *Périégèse* a été peu lue et très peu copiée avant la Renaissance. — Trad. E. Clavier, Paris, 1814-1821 (6 vol.) ; *Découverte de l'Attique*, La Découverte, 1983. Trad. anglaise de P. Levi, *Pausanias' Description of Greece*, Penguin Book, 1971. P. Sch.

PÉRIL BLEU (Le). Roman de l'écrivain français Maurice Renard (1875-1939), publié en 1912. C'est l'un des sommets de la science-fiction française naissante. Des incidents mystérieux, des vols absurdes inquiètent le monde et surtout le Bugey où ils se produisent. Un gendarme a vu des journaliers italiens s'élever dans les airs. On incrimine des démons, les « sarvants ». Les disparitions se multiplient et sèment la panique. Un astronome, Le Tellier, se penche sur le problème. Curieusement, comme le note Collin, son secrétaire, les criminels n'enlèvent qu'un être ou qu'un objet de chaque apparence. Le Tellier observe l'occultation d'une étoile, puis une tache carrée dans le ciel à cinquante kilomètres d'altitude. Le journal de Collin qui s'est fait volontairement enlever donnera la clé. Nous habitons au fond d'un océan d'atmosphère. Les sarvants vivent à sa surface ou plutôt à celle d'une sphère creuse, solide et invisible qui entoure notre globe sauf au-dessus du Bugey où il y a comme un lac d'air. Au moyen d'un « sous-aérien », ils plongent dans notre air et y pèchent des objets et des êtres dans le but de les étudier et de constituer des collections. Leur zoo est la tache visible de notre sol. En bons scientifiques, les sarvants procèdent à des vivisections avec d'autant plus de sérénité qu'ils ignorent l'intelligence humaine et la souffrance. Il pleut du sang et des débris de corps humains. Cependant, un immense solide invisible se pose dans Paris : le sous-aérien, victime d'une avarie. Sous la direction de Le Tellier, il est ouvert. On y trouve de minuscules araignées capables de se brancher les unes sur les autres et de former des êtres collectifs. Leurs semblables ne sont pas incapables de compassion puisque après cet échec elles relâchent les survivants de leurs « collections ».

L'auteur joue sur plusieurs genres, le policier, la science-fiction, l'épouvante, le grotesque. Malgré un style désuet, la description d'un milieu provincial Belle Époque en proie à la panique est pleine de charme. L'auteur esquisse une sociologie du mystère, souligne le rôle de la presse et donne une leçon de relativisme : « L'humanité, ne possédant sur l'univers qu'un petit nombre de lucarnes qui sont nos sens, n'aperçoit de lui qu'un recoin dérisoire. » G. K.

PÉRIPHÉRIE [*Periférie*]. Pièce de l'écrivain tchèque František Langer (1888-1965), représentée en 1925. Tragédie populaire, la *Périphérie* est centrée sur le problème de la justice humaine, du « crime et du châtiment ». Sans le vouloir, le danseur d'une boîte de nuit, l'inoffensif Franci, commet un meurtre qui, curieusement, lui porte chance. Cependant, poussé par le remords, il ressent l'irrésistible besoin de se confier, de se libérer, mais tout le monde le rejette. Enfin, il tombe sur un ancien juge qui lui conseille, pour expier son crime et pour apaiser sa conscience... d'en commettre un autre. Franci n'en a pas le courage, et il repousse même l'offre de la femme qui lui est chère. Celle-ci se suicide alors, et la police arrête le « criminel » qui, ainsi, retrouve la paix de l'âme.

PÉRIPLE [Περίπλους]. Sous ce titre sont rassemblés tous les traités géographiques de l'Antiquité classique destinés à servir de guides aux navigateurs. C'est, traditionnellement, la description des côtes maritimes dont le petit cabotage à ses débuts ne s'écartait guère : d'où l'importance donnée aux ports, aux bases d'appui et de ravitaillement, aux journées de navigation, aux populations ; les terres situées derrière le littoral ne sont étudiées que dans la mesure où elles offrent des produits d'exportation. Déjà, l'*Odyssée* (*) d'Homère ne contient-elle pas, en quelque sorte, l'ébauche d'un périple ? Mais la grande vogue de ces traités ne date vraiment que de la colonisation grecque et de l'activité déployée par la population ionienne. Ainsi prit naissance ce genre littéraire qui, pendant environ mille ans, précéda la cartographie alors presque inexistante. Les premiers *Périples* dont on a souvenance apparaissent dans les écrits des historiens ioniens et portent les noms de Charon de Lampsaque, Scylax de Caryanda, Damastès de Sigée, Hannon de Carthage, Pythéas de Marseille (V-IVe s. av. J.-C.). Les *Périples* prirent plus tard l'aspect de compilations érudites d'après les informations géographiques ou maritimes, dues souvent à des polygraphes et fortement teintées de rhétorique ; parmi ces ouvrages, ressortissant à la littérature de bibliothèque, on trouve ceux d'Éphore de Cumes, Mnaséas de Patras, Apollonius de Rhodes, Alexandre de Milet, dit Polyhistor, Timagènes (Ier s. av. J.-C.), Ménippe de Pergame (Ier s. ap. J.-C.), Arrien, Denys de Byzance (IIe s. ap. J.-C.), Marcien d'Héraclée (IVe s. ap. J.-C). Citons également le *Périple* du Pseudo-Scylax (IVe s. av. J.-C.) : aux renseignements des navigateurs il ajoute des précisions sur les particularités historiques et ethnographiques des régions abordées.

★ *Le Périple du Pont-Euxin* [Περίπλους πόντου Εὐξείνου], adressé par Arrien de Nicomédie (95 ?-175 s. ap. J.-C.) à l'empereur Hadrien, est un des premiers « rapports officiels » concernant la géographie. Il décrit tout d'abord le littoral appelé anciennement Dioscuriade, qui s'étend de Trébizonde à Sébastopol, par lui-même inspecté (131) en qualité de légat impérial. Les deux autres parties, beaucoup plus sommaires, où sont évoquées sous forme de lettres les côtes du Bosphore de Thrace jusqu'à Trébizonde, et qui contiennent la relation d'un voyage de Sébastopol à Byzance, semblent s'inspirer d'ouvrages antérieurs, comme le *Périple* de Ménippe de Pergame. On a prétendu que ces deux dernières parties n'étaient pas l'œuvre d'Arrien, mais l'hypothèse paraît peu vraisemblable. — Trad. Geuthner, 1948.

★ Sont également très importants : *Le Périple de la mer Rouge* [Περίπλους της Ερυδρᾶς θαλάσσης] (Ier s. ap. J.-C.), ouvrage anonyme ; le *Périple du Bosphore* de Denys de Byzance ; le *Périple de la Méditerranée et des océans Atlantique et Indien,* de Marcien d'Héraclée ; le *Stadiasmos* [Σταδιασμός] anonyme — qui indique les distances d'un port à l'autre de la Méditerranée, calculées en stades. Ce genre littéraire venu des Grecs conserva sa dénomination hellénique lorsque les Romains l'adoptèrent : une des *Satires Ménippées* (*) de Varron est, en effet, intitulée *Périple,* et tous les traités géographiques latins sont plus ou moins imités des Grecs. C'est le cas, notamment, de la *Chorographie* (*) de Pomponius Mela, ou des livres III-VI de l'*Histoire naturelle* (*) de Pline ; mais l'ouvrage qui s'inspire le plus des antiques périples ioniens est le traité d'Avienus, auteur du Ve s. apr. J.-C., *Description de la Terre* (*). Les *Périples* classiques sont à l'origine de toute la littérature de voyages et de découvertes : ainsi, *Le Premier Voyage autour du monde* (*) d'Antonio Pigafetta, sur l'escadre de Magellan pendant les années 1519 à 1522, n'est qu'un exemple, parmi tant d'autres, de l'utilisation par les modernes d'un héritage antique qui remonte peut-être aux Phéniciens. – Trad. *Le Périple de la Méditerranée et des océans Atlantique et Indien* a été traduit en 1839 (Imprimerie royale).

PERIQUILLO SARNIENTO (El). Roman de l'écrivain mexicain José Joaquín Fernández de Lizardi (1776-1827), publié d'abord en 1816 dans une édition tronquée, puis en 1825 dans une version à nouveau incomplète. *El Periquillo Sarniento* – traditionnellement qualifié de premier roman latino-américain – ne paraît en édition définitive (cinq tomes) qu'en 1830-1831, après la mort de son auteur. Il s'agit d'une galerie de types nationaux et d'une peinture des mœurs mexicaines au moment où s'achève la période coloniale. Le propos de Lizardi est clair : il est urgent de réformer la société mexicaine, d'en chasser la corruption et l'ignorance, d'en gommer les inégalités et les injustices, de faire des Mexicains des citoyens honnêtes et responsables. Sur le plan de la forme, Lizardi n'innove pas : il se coule dans le moule du roman picaresque, et la filiation de son roman avec le *Guzmán de Alfarache* (*) est évidente, puisque *El Periquillo Sarniento* combine les récits d'aventures avec une volonté didactique et moralisatrice. Mais, alors que chez Mateo Alemán la moralisation est tangentielle, pour Lizardi elle constitue l'élément central de son livre, et le récit n'est qu'un véhicule pour les idées réformatrices de l'auteur. Cependant, à une époque où règne la rhétorique néo-classique, le roman de Lizardi présente l'incontestable mérite d'utiliser la langue populaire mexicaine qui confère au *Periquillo Sarniento* une spontanéité que le ton sentencieux du narrateur vient parfois contrarier. C. Fell.

PERISTEPHANON [*« Sur la couronne »* des martyrs]. Série de quatorze hymnes, chef-d'œuvre de poésie lyrique du poète latin Prudence, chrétien d'origine espagnole, ayant vécu vers la fin du IVe siècle et le début du Ve. Ces hymnes, de longueur et de mètre très variés, racontent le martyre de saints pour la plupart espagnols (hymnes I, III, IV, V, VI) ou romains (II, XI, XII, XIV), dont le poète put voir les tombeaux ; quatre hymnes seulement (VII, IX, X, XIII) sont dédiées à des martyrs d'autres régions. La huitième, très brève et écrite pour célébrer un baptistère à Calahorra, se rapproche beaucoup des inscriptions du pape Damase (366-384) qui, pour les quelques vers qu'il fit graver sur les tombeaux des martyrs, peut être considéré comme le seul précurseur de Prudence. L'œuvre puise ses sources dans la tradition populaire et dans la liturgie. Le choix des mètres est original et bien réussi ; ils sont variés et savants et toujours adaptés au sujet traité.

La première hymne, par exemple, dédiée à deux soldats espagnols martyrisés à la suite de leur refus de sacrifier sur les autels païens, est écrite en tétramètres trochaïques catalectiques, réunis en strophes de trois vers chacune, c'est-à-dire le mètre des chants militaires romains. La seconde, qui développe avec beaucoup de détails, en 584 vers, la légende d'un saint romain, saint Laurent, est caractérisée par une vivacité et un esprit tout à fait populaires : aussi est-elle écrite en diamètres ïambiques acataleptiques, réunis en strophes de quatre vers, rythme très voisin de celui de certaines ballades antiques. Ayant appris, au cours d'un voyage à Rome, le martyre de saint Cassien, Prudence en tire le sujet d'une hymne (IX), écrite dans un style épique, riche en images et en descriptions vivantes. C'est à Rome qu'a été conçue aussi l'hymne XI, où est décrit le martyre de saint Hippolyte, tel que le poète l'a vu représenté sur son tombeau ; elle est écrite en distiques, sous forme de lettre à un évêque espagnol, Valérien, pour qu'il célèbre l'anniversaire de la mort du saint. Cette hymne est importante et intéressante pour les descriptions animées qu'elle contient et qui nous montrent la Rome de l'époque, les catacombes, la foule dévote des pèlerins. À ce point de vue, on peut de même remarquer les hymnes XII et XIV : dans la première, un Romain décrit au poète les fêtes en l'honneur des apôtres Pierre et Paul ; la seconde, écrite à Rome, en hendécasyllabes alcaïques et inspirée d'une inscription de saint Damase, gravée sur la tombe de sainte Agnès, est l'une des meilleures pour les qualités poétiques. Notons pour leur élégance l'hymne III, dédiée à une vierge espagnole, sainte Eulalie, et l'hymne IV, en strophes saphiques, en l'honneur des martyrs de Saragosse. Plus populaire est l'hymne V, sur saint Vincent ; l'hymne VI est dédiée à saint Fructueux ; à saint Cyprien, martyr africain, l'hymne XIII ; à Romain d'Antioche, l'hymne X ; c'est l'hymne la plus longue : 1 140 vers ; elle eut une tradition manuscrite séparée, ainsi que les petits poèmes didactiques de Prudence – v. *Apotheosis* (*). C'est une longue apologie du christianisme et un acte d'accusation contre les païens : l'élément rhétorique domine, et, comme dans les autres hymnes, rend les discours prolixes et inopportuns. Dans l'ensemble, l'œuvre, avec ses qualités et ses défauts, est le monument le plus remarquable de la poésie latine chrétienne : c'est pourquoi elle a exercé une grande influence sur la poésie postérieure et, par la nouveauté de son contenu, elle a inspiré les poètes latins et romans ainsi que les artistes de toutes les nations qui ont voulu représenter des épisodes de la vie des martyrs.

PERIYA PURĀṆAM ou le Grand Purāṇa. Œuvre du poète tamoul Cēkkiḻār (XIIe siècle), constituant le douxième et dernier livre du *Tirumurai*, le canon śivaïte tamoul, le *Periya Purāṇam* est le plus grand texte hagiographique de la tradition śivaïte tamoule, à la fois par la taille et par l'influence considérable qu'il a exercée et continue d'exercer. Il se situe dans la ligne directe de deux textes antérieurs : le *Tiruttoṇṭattokai* où Cuntarar énumère soixante-deux saints śivaïtes (dits Nāyanmārs) et les qualifie d'une ou deux épithètes chacun et le *Tiruttoṇṭar Tiruvantāti* où Nampi Āṇṭār Nampi consacre au moins une strophe à chacun des soixante-trois Nāyanmārs (les soixante-deux cités par Cuntarar auxquels il ajoute Cuntarar lui-même). Le *Periya Purāṇam* suit le même canevas que ces deux textes, mais prend un tout autre relief avec la description, pour chacun des Nāyanmārs, de leur origine sociale, de leur village, puis de leur vie en dévot de Śiva, le tout émaillé de citations d'hymnes appartenant aux autres livres du *Tirumurai.* Aujourd'hui, on ne sait plus lire les hymnes du *Tēvāram* (*) autrement que dans la perspective du *Periya Purāṇam.*

E. S.

PERLE (La) [*The Pearl*]. Poème anonyme anglais écrit dans la seconde moitié du XIIIe siècle, ainsi intitulé par son éditeur Richard Morris (1864). Le poème, écrit en strophes de douze vers octosyllabiques, compte mille deux cent douze vers. L'unique manuscrit connu, au British Museum, contient aussi *Sire Gauvain et le chevalier vert* et deux autres poèmes, peut-être du même auteur. C'est sans doute la plus humaine et la plus triste des œuvres anciennes de la littérature anglaise. Sur la tombe couverte de fleurs de sa petite fille, un père se laisse aller à sa douleur jusqu'à ce qu'il s'endorme, épuisé, dans le silence d'un jour d'été. Il fait alors un songe ravissant. Son esprit s'envole vers un lieu enchanté où il atteint la rive d'un cours d'eau qu'il voudrait traverser, mais il ne peut. Tandis qu'il erre à la recherche d'un gué, un rocher magique lui apparaît et, au pied de ce rocher, sa petite Marguerite lève un visage radieux. De peur de rompre le charme, il n'ose élever la voix ; mais voici qu'elle descend lentement vers le ruisseau, afin de lui conter sa vie bienheureuse au paradis et de lui enseigner comment il peut, à son tour, s'en rendre digne. Oubliant sa douleur, le père veut traverser l'eau pour embrasser son enfant ; mais dans l'effort qu'il fait le songe s'évanouit, et il se réveille, toujours seul, les yeux embués de larmes, couché sur le gazon qui recouvre la tombe de son enfant bien-aimée. Comme tous les poèmes narratifs des XIVe et XVe siècles, l'allégorie fait songer au *Roman de la Rose* (*), le modèle du genre ; mais la beauté des descriptions, la cadence mélancolique des vers et leur dignité révèlent chez l'auteur anonyme une inspiration poétique intime et délicate qui distingue *La Perle* des autres poésies médiévales anglaises.

PERLES, ENFILEZ-VOUS [*Insir'te mărgărite*]. Poème féerique en cinq actes et en vers, joué et publié en 1911, du poète et auteur dramatique roumain Victor Eftimiu (1889-1972). C'est la pièce de début d'une œuvre dramatique féconde : légendes tirées du folklore, tragédies antiques, drames historiques, tragi-comédies inspirées par la vie paysanne, comédies sur la vie provinciale, satires politiques et même revues à couplets. Une adaptation de ses *Contes roumains* fut publiée en 1918 chez Charpentier-Fasquelle, tandis que les éditions de la Revue mondiale publièrent en 1931 son roman *Le Nain du théâtre français*, écrit directement en français.

Le titre de cette féerie est emprunté à une formule magique d'un conte populaire, destinée à démasquer l'action maléfique d'une sorcière. Un vieil empereur, pour assurer sa succession, marie ses trois filles. Les prétendants ne manquent pas. Cependant la cadette Sorina — ayant, comme toujours dans les contes de fées roumains, plus de personnalité — se fiance contre son gré avec le guerrier Buzdugan, car elle aime Făt-Frumos (le Prince Charmant), parti lui-même à la recherche de la belle Ileana enlevée par le dragon qui la garde jalousement dans son château au bout du monde. Pour apaiser ses tourments, Sorina accepte de gagner l'univers de la légende : elle est métamorphosée en fée des fleurs par une vieille sorcière, mère du dragon. Accompagné par Buzdugan, lui aussi à la recherche de sa fiancée, le Prince Charmant arrive enfin au château du dragon. Sorina, résignée à rester fée, l'aide à tuer son adversaire après un dur combat. Ileana est sauvée du château en flammes, mais, envoûtée par la sorcière, elle n'aime plus le Prince Charmant. C'est seulement aux sons d'une flûte enchantée de la sorcière, retrouvée par Buzdugan, qu'elle sera délivrée de l'envoûtement et suivra son fidèle amoureux, tandis que la sorcière, ensorcelée à son tour par sa propre flûte, sera engloutie par la terre ouverte sous ses pieds, à la suite d'un appel magique de Sorina. Ce sera l'ultime acte de fée de Sorina, car elle rejoindra, aux côtés de Buzdugan, l'univers des hommes. Des paysans jouent ici un rôle semblable à celui du chœur des tragédies antiques, et Pácalá, héros populaire espiègle, celui du récitant. Les deux mondes — celui des humains et celui de la légende — se croisent et se départagent, mais, dans la confrontation de leurs héros, le fantastique s'évanouit et, à l'aide d'un certain symbolisme, c'est finalement le côté humain de la légende qui prend le dessus.

PERRUDJA [*Perrudja*]. Roman de l'écrivain allemand Hans Henny Jahnn (1894-1959), publié en 1929. Romancier, auteur dramatique, facteur d'orgues, compositeur, éditeur des maîtres baroques, architecte, biologiste, endocrinologue, éleveur de chevaux, cultivateur, Hans Henry Jahnn est l'une des plus étonnantes figures du XXe siècle et l'un des trois grands prosateurs expressionnistes avec Kafka et Döblin. On ne peut aborder l'œuvre de Jahnn sans souligner les rapports intimes existant entre le facteur d'orgues et le romancier. En effet, Jahnn qui construisit une centaine d'orgues tout en faisant des innovations de première importance dans le domaine de la facture, écrivit divers essais importants dont un projet de réforme intitulé : *Éléments constructifs à l'apogée de l'art de la facture d'orgues comme problèmes actuels de l'orgue* [*Konstruktionselemente aus Blütezeiten der Orgelbaukunst als Orgelprobleme der Gegenwart*] et un traité sur les problèmes de mensurations. Pour Jahnn, la beauté n'est pas le résultat du hasard ou d'intuitions vagues, mais un rapport de chiffres harmoniques. « Une loi esthétique hante les chiffres. » Révélation palpable, le chiffre est un symbole sacré qui donne sa loi à la musique. Jahnn avait le don d'entendre en lui-même l'image sonore totale de l'orgue, de la chiffrer, c'est-à-dire d'établir idéalement à partir de cette image sonore l'image mathématique. « Son œuvre littéraire, à l'immense pourtour, écrit Werner Helwig, est inséparable de celle de l'organier. Ces deux dons de Jahnn se développent simultanément en s'enrichissant mutuellement. Le même dessein régit les deux formes de son œuvre : rendre et faire résonner la création dans toute sa plénitude. » En effet, l'orgue baroque, sommet de toutes les orgues, est l'héritage du paganisme, et la tentative de Jahnn fut de rendre « à cette flûte de Pan gigantesque » domptée, réduite à la dévotion, sa signification profonde : organe de l'harmonie cosmique — source de nouveaux royaumes sonores pour qui croit non pas au bien et au mal, mais à la multitude des ordres et à la cohérence rythmique de la création qui dépasse la compréhension de l'homme. D'autre part, tous les arts se répondent, aussi bien les pyramides, les cathédrales romanes, que le poème de Gilgamesh, les plaintes de Jérémie, le *Cantique des Cantiques* : « Je vois en la pyramide à degrés d'Imhotep à Sakkarah, dressée, comme un lointain symbole de la facture d'orgues. Ce qui est en pierre et pierres dans la pyramide, ce qui est chair et chairs des adolescents dans la chapelle Sixtine, ce qui est couleur et couleurs de la mosaïque des vitraux dans les cathédrales médiévales, tout cela doit être résonance et résonances dans l'instrument de l'orgue devenu matière palpable — voix semblables à cette seule voix qui émane de la contenance de l'homme, voix isolée qui est pourtant un chœur où cent et cent gestes deviennent une fin (c'est-à-dire accord de la diversité, c'est-à-dire unité) — comme ces nus sveltes et timides sur le tableau d'autel de Memling à Notre-Dame de Dantzig. » Voici ce qu'écrit Jahnn sur l'unité multiple de l'orgue idéal — et cela nous fait entrevoir les problèmes de composition qui se posèrent à lui dans *Perrudja* et *Fleuve sans rivages* (*) : « Autant l'aspiration vers des claviers bien opposés est de rigueur, autant il est détestable de vouloir écarteler l'instrument par la disposition d'unités sonores à des emplacements trop éloignés les uns des autres. L'orgue est un tout, rien de disloqué ou de morcelé, bien plutôt la convergence, sans pareille, d'une multiplicité formelle de sons émis. L'orgue constitue des combinaisons que l'esprit est trop court pour imaginer, et au sein de ces combinaisons des contrastes tout aussi insaisissables. »

Dans la pureté des bleus et des blancs du paysage nordique, pris ici non pas comme lieu géographique, mais comme révélation mythique de la création (l'action se passant en grande partie sur le plan de l'absence, de l'éloignement et du souvenir), vit un adolescent, blanc, non pas à force de désirer le paradis perdu, mais à force d'incarner l'exaltation, l'innocence, le présent éternel, lequel porte, tout d'abord, l'adolescent, puis le traverse comme pour lui faire affronter l'heure absolue de la maturité, enfin le hante : c'est l'instant de l'orage printanier de la vie avec ses angoisses magiques et ses joies auxquelles tout être succombe. Être mythique, l'adolescent Perrudja vit dans la solitude des hautes montagnes norvégiennes, à l'abri des hommes et du temps. Il règne sur une terre stérile, sur un immense domaine fait de granit et recouvert de forêts, menant parmi les rares paysans une existence solitaire, pliée à la méditation. Nul ne connaît ses origines et lui-même ignore tout de sa naissance. Parfait de beauté, il semble incarner ce que seul l'éblouissement peut contenir : l'harmonie, la transparence, l'instant, l'immobilité, le silence. Ainsi aux jours succède le ravissement, aux nuits les lettres fabuleuses — veillées que vient anéantir l'hiver qui surprend Perrudja (l'indécision même) isolé dans ses terres, de telle sorte qu'il se voit contraint d'abattre chaque soir un sapin pour nourrir ses animaux apprivoisés et surtout sa jument Shabdez qu'il aime d'amour, et avec laquelle il a scellé un pacte — sorte d'union charnelle et mystique. La maladie brise son exubérance. Cependant, le miracle « du lis dans les champs » a lieu : grâce à l'intervention de son tuteur Grigg, un garçon de ferme survient qui le soigne ; il deviendra son premier compagnon humain. Avec l'hiver, avec la maladie surgit le seuil de la vraie vie dont Signe est l'incarnation : « Signe éclatante comme les orchidées dans de lointaines forêts vierges. Enivrante dans sa perfection. À la fois énigmatique comme une panthère [...] La bravade, sa toute première expression. Ses cuisses se dressaient hautaines. Ses seins, elle ne pouvait les dévoiler qu'à la nuit noire, afin que nul ne les voie et n'en perde la raison. Elle était née pour triompher. » Signe est la fiancée d'un riche propriétaire nommé Hoyer. Elle lui donne sa parole tout en s'accordant le droit de connaître charnellement un autre homme. C'est cette femme qui éveille Perrudja à l'amour et cela pour l'avoir rencontrée une seule fois dans sa première adolescence. Son tuteur lui apprend qu'il est l'homme le plus riche de la terre, et Perrudja se met à construire un château fabuleux, véritable forteresse le protégeant des hommes et de la vie. Cependant, le contact avec les ouvriers lui révèle le vide de son existence ; et malgré les domestiques dont il s'entoure, malgré les richesses qu'il accumule dans son château, l'image de Signe se transforme en un désir insoutenable. Perrudja décide alors de voir Signe, qui s'éprend de lui tout en continuant à aimer Hoyer. Commence à travers la montagne la poursuite extraordinaire des deux rivaux dont l'enjeu n'est autre que Signe elle-même. Hoyer meurt, nul ne sait par qui, abattu d'un coup de feu, et sa mort ne cesse d'occuper Signe qui veut connaître le nom du meurtrier : son frère Hein ou Perrudja lui-même. Quoi qu'il en soit, elle partage les heures de celui-ci, qui, n'osant l'approcher simplement, invente un jeu érotique : la nuit, il revêt la peau d'un léopard ou de tout autre animal. Cependant, Signe insiste, car, si elle peut pardonner au meurtrier, elle ne le pourrait au menteur. Devant les réponses évasives de Perrudja, Signe, le troisième jour, quitte le château pour aller vivre à Oslo, puis s'enfermer dans une demeure située à quelques lieues du domaine de l'aimé. Une nouvelle fois, la solitude fait apparaître un autre personnage qui sauve l'adolescent du désespoir ; et Hein vient prendre la place de sa sœur dans le cœur de Perrudja. C'est alors qu'un Français nommé Pujol lui fait entrevoir sa mission véritable (mission que Perrudja a pressentie lors de la construction du château) : la lutte pour un monde meilleur, charge qui revient aux jeunes gens et qui doit délivrer la civilisation de toute misère et de toute oppression, puisque la masse disparaît dans l'histoire et que celle-ci obéit à la loi du plus fort. De plus, Perrudja apprend qu'il est non seulement riche, l'homme le plus riche de la terre, mais le maître de cent millions d'esclaves, donc le seul capable de racheter ce monde à la dérive, le chef vivant du holding trust qui possède, grâce à des inventions révolutionnaires, l'industrie de la moitié du globe. Pujol le pousse à fonder un royaume insulaire de la jeunesse, à créer un ordre nouveau, une race nouvelle dont l'élan ne sera pas la volonté de puissance, mais la miséricorde, et dont les sources d'énergie n'aboutiront pas à la guerre, mais au triomphe de l'humanité. Perrudja, Hein, Pujol et Grigg entreprennent un long voyage, visitent toutes les entreprises, président toutes les assemblées. Peu à peu, l'armée de la jeunesse est rassemblée, et Perrudja monte sur le trône du monde. Les trois derniers chapitres font réapparaître Signe, solitaire, esseulée, dont l'amour doublé de haine pour Perrudja est devenu l'occupation vitale. Accompagnée par Ragnevald, elle assiste à une fête foraine dans l'unique espoir d'y rencontrer l'adolescent, et malgré le froid et la neige, malgré les cinq heures de marche, en proie à la nostalgie, elle décide d'aller rejoindre Perrudja la nuit même dans son château. C'est, cependant, Ragnevald qui vient au-devant d'elle, l'étreint et la soumet à son désir.

Telle est l'« histoire » de *Perrudja* qu'éclairent et expliquent singulièrement une infinité de récits, de contes et d'épisodes. En effet, Jahnn module quatre de ses thèmes essentiels, le mystère de la douleur, de la volupté, de la mort, de l'éternité dans quatre pièces qui vont de pair dans le roman : « Tristesse du monde », répondant au « Chant de la fleur jaune » et le chant de la « Beauté parfaite » à celui de « l'Ordre du monde souterrain », lequel s'accorde à « Tristesse du monde », tandis que le retour au mythe apparaît le thème commun qui répond à une idée maîtresse de Jahnn, tout en la transposant : la vie est une occupation du désespoir, et l'homme, celle de l'instant et de la nostalgie de l'éternité. Quant à l'existence, elle est angoisse d'être, d'être un moment, de pénétrer dans la mort, et à travers elle, à travers la chair et sa décomposition, de recevoir toute révélation. Le chant de la « Tristesse du monde », le premier des quatre mystères de la cosmogonie de Jahnn, met l'accent sur la volonté de puissance qui est le fond même de toute existence, sur cette « vérité primordiale », loi fondamentale (celle du plus fort) qui commande la vie et verse dans le meurtre collectif et méthodique. À cette vérité, Perrudja répond par la mission de racheter le monde, car l'adolescent, antihéros par excellence, s'il ne connaît que les seules impulsions de la chair périssable, sait que les pleurs et la pitié sont les premiers degrés du dialogue avec l'homme, comme il sait qu'il est destiné à l'éclatement, à la délivrance. C'est alors que Perrudja entend en lui-même l'admirable « Chant de la fleur jaune », où l'angoisse devenant espoir confirme et annule la « Tristesse du monde ». Chimérique, vouée à l'échec (Jahnn était conscient, lors de la réédition de *Perrudja* en 1958, de la faiblesse de cette partie) l'idée de la création d'une race nouvelle se retourne contre Perrudja aux pieds de qui vient battre le seuil perdu de la création que seul peut retrouver l'amour pur : expression non pas d'un jeu quelconque, mais de l'amitié particulière que seuls peuvent vivre les « adolescents-toujours-prêts-à-mourir ». L'amour pur (amour sans fruits), le seul qui emporte l'homme aux limites de l'impossible et de l'éternité, est l'un des thèmes essentiels de l'œuvre de Jahnn et celui du chant de la « Beauté parfaite » : « l'amour pur qui est un chant, un rythme qui bat à travers les espaces temporels : amour gratuit, sans fruits, qui ne périt point avec la chair, plus imperceptible qu'un souffle, volonté constante de n'être point joué par la nature, fidélité désintéressée exempte de la loi de la fécondation, goût du sacrifice et de la mort ; légende qui dit que nous avons été créés à l'image de Dieu ». Le chant de « l'Ordre du monde souterrain » est traversé par la plainte de Gilgamesh pour son ami Enkidu. Elle correspond, en effet, à la douzième tablette de l'épopée de Gilgamesh qui, perdant son ami, le suit jusqu'aux Enfers d'où il revient avec la grâce d'une certitude, plus forte que le temps, plus forte que la mort. Ainsi, le chant de « l'Ordre du monde souterrain » répond au chant de la « Beauté parfaite » et à celui de la « Tristesse du monde ». *Perrudja* possède l'unité de l'orgue, et cela grâce à l'immense organisation des contes et des récits qui alternent avec les phrases romanesques ouvrant sur un jeu polyphonique complexe. Si, à première vue, ils n'ont pas le moindre rapport avec la trame même du roman, c'est à un niveau plus profond que leur lien devient apparent. En fait, l'« histoire » de *Perrudja*, tous ses états d'âme, ses rêves, ses idées et les récits apparaissent comme deux miroirs parallèles, se renvoyant indéfiniment leur sens profond, car Jahnn a composé son roman comme une trame serrée de leitmotive, texture de mots, de phrases qui, sans cesse, apparaissent et disparaissent. C'est ainsi que les quatre mystères portent trois leitmotive principaux — en partie le fond du roman et sa facture. Le premier leitmotiv, « Je suis fleur jaune fétide », est celui de Perrudja. (Le jaune est, entre autres, le symbole des fonctions du corps, celui du sperme, de l'urine...) C'est ainsi que la formule ou le mot reprenant le leitmotiv tient lieu d'image de Perrudja et de ses états d'âme : remords, solitude, angoisse, lassitude, mais aussi espoir. Le leitmotiv des « petits-mamelons-bruns » est celui de Signe, de sa haine, de son amour et de son désir pour Perrudja. Il est aussi celui de l'amour de l'adolescent pour Hein. Enfin, le leitmotiv du « meurtrier et séducteur d'enfants » est celui de la faiblesse de Perrudja devant les adolescents (filles et garçons) et de ses idées de meurtre. Avec le flux et le reflux que le leitmotiv soulève apparaît une phrase ou un mot auquel vient se lier un geste, une idée ou un sentiment. Ainsi élevé au rang du signe, la phrase ou le mot évoque à lui seul le geste, l'idée ou le sentiment auquel l'un ou l'autre a été soudé à l'origine. (Le jaune, par exemple, qui, peu à peu, prend autour du sens initial d'autres significations, dévoile l'aversion de Perrudja pour tout besoin naturel. Le leitmotiv du « séducteur d'enfants » apparaît lorsque l'adolescent épie de jeunes baigneuses.) Il n'est cependant pas possible d'énumérer tous les récits, toutes les histoires qui, loin de briser la trame du roman, lui donnent une infinité d'échos et de résonances. À travers le récit intitulé « Un petit garçon pleure », où un enfant, émerveillé par la musique d'un orgue de foire, se met à pleurer, le lecteur entrevoit l'angoisse et la solitude de Perrudja. Il faut aussi insister sur la profondeur épique d'un livre tel que *Perrudja*, et cela grâce aux personnages de Gilgamesh et Enkidu dont l'amitié préfigure celle de Perrudja et Hein, tandis que l'amour impossible de Signe et Perrudja permet à Jahnn de retrouver une ordonnance universelle. Quant au style de *Perrudja*, il correspond à l'image de Perrudja : il est le miroir de ses phantasmes, de ses rêveries, de ses hallucinations, de ses souvenirs, de ses utopies, de ses lectures (tous les récits qui organisent le livre sont au fond vus à travers les lectures de Perrudja). Jahnn reprend les éléments du langage exotique des primitifs. La structure logique de la phrase est remplacée par la simple force sensuelle d'une pensée plus ancienne. La simple énumération de noms remplit des pages entières ; des propositions subordonnées sont présentées comme des propositions principales ; les parties d'une phrase sont transposées, d'autres phrases, par contre, sont laissées inachevées. Les violences grammaticales de *Médée* — v. *Drames* (*) de Jahnn — apparaissent comme les images lapidaires et la volonté d'exprimer l'abstrait en se pliant à une préciosité tout à fait singulière. Parfois, la volonté de briser toutes les lois du langage révèle un maniérisme extraordinaire, tandis que les cris les plus insoutenables, les limites de l'excès traduisent la pure protestation de Jahnn contre l'usure de la langue littéraire. L'écrivain n'hésite pas à inventer des mots, à donner des noms aux choses précieuses. De cette façon, toutes les aventures magiques de l'être, « la chasse infernale à travers l'espace infini de l'âme » entrent dans l'univers de la parole, de l'écriture, et sont exprimées.

PERSAN (Le) [*Persa*]. Comédie du poète comique latin Plaute (251 ?-184 av. J.-C.), dans laquelle un esclave, déguisé en persan, réussit à berner un proxénète. En l'absence de son maître, Toxilus, qui jouit d'une grande liberté, voudrait racheter au proxénète Dordalus la belle Lemnisélène, dont il est amoureux. Mais il ne possède pas la somme nécessaire au rachat. Sagaristion, un esclave de ses amis, met à sa disposition l'argent que son maître lui a confié pour acheter des bœufs. Il s'agit donc, pour les deux compères, de récupérer cet argent au plus vite, aux dépens, évidemment, d'une tierce personne, en l'occurrence le proxénète Dordalus. Les deux esclaves décident de faire parvenir à ce dernier une lettre, l'invitant à réserver bon accueil à un marchand persan venu en Grèce pour négocier la vente d'une esclave arabe d'une grande beauté. Le Persan sera Sagaristion, l'esclave arabe une jeune affranchie qui, cédant aux injonctions de son père (le parasite Saturion, ami de Toxilus et de Sagaristion), consent à se prêter à la mystification. Le plan réussit à merveille. Le faux Persan est fort cordialement reçu par Dordalus qui, après le marchandage de rigueur, achète la jeune fille et verse l'argent. À ce moment précis apparaît Saturion, qui revendique sa fille et traduit en justice le proxénète, coupable d'avoir acheté une affranchie. Dépossédé à la fois de son argent et de la pseudo-esclave, Dordalus devient l'objet des risées et des mauvais traitements des amis de Toxilus. Un banquet est organisé par Toxilus chez son maître, toujours absent, afin de fêter le rachat de Lemnisélène et la déconvenue du proxénète. L'action proprement dite du *Persan* n'a rien que d'assez banal ; la véritable originalité de la comédie de Plaute réside dans la savoureuse peinture que l'auteur nous brosse du monde des esclaves, des affranchis et des parasites, personnages hauts en couleur, aux plaisanteries appuyées, au parler truculent, qui s'entendent tous comme larrons en foire. — Trad. Les Belles Lettres, 1937 ; Gallimard, 1971.

PERSÉCUTÉ PERSÉCUTEUR. Poèmes de l'écrivain français Louis Aragon (1897-1982), publiés en 1931. Aragon touche terre, il ne crie plus seulement par révolte pure ; il revient d'U.R.S.S., il a vu le visage de la Révolution. Il y a désormais une réalité immédiate dont il lui faut tenir compte. Mais il l'aborde d'abord avec ses moyens de poète surréaliste : la dérision du *Mouvement perpétuel* (*), l'injure, la violence, le ton exacerbé de *La Grande Gaîté* (*). Seulement, cette fois, les coups sont directs, le lyrisme brutal, et la poésie frappe à la tête tous ceux qui oppriment l'homme dans la société pseudo-libérale du monde occidental. Et cette fois les coups portent en effet puisque, le 16 janvier 1932, Aragon est inculpé d'incitation à la violence. La littérature est bien devenue — et chez lui seul à cette époque — une arme intolérable non pas uniquement (dans l'admirable « Front rouge », à l'écriture syncopée, haletante, qui ouvre le recueil) à cause du cri : « Descendez les flics / camarades / descendez les flics », qui motive l'inculpation, mais à cause du rythme emporté de ces poèmes, qui charrie l'appel du « grand soir » de la liberté, de l'amour, avec une puissance qu'on n'avait plus entendue depuis *Les Châtiments* (*) de Victor Hugo. Sans doute tout n'est-il pas également réussi dans ce livre, trop vivement jailli pour avoir trié ses images, mais on y entend s'accorder une voix nouvelle, qui à la fois réinvente et retrouve les accents traditionnels de la satire (« Front rouge », « Le Progrès », « Mars à Vincennes », « Un jour sans pain », « Prélude au temps des cerises »). Œuvre clé dans l'évolution d'Aragon, ce recueil marque le moment où il débouche du surréel dans le réel. Cependant la violence de la jeunesse y flambe encore, dans la mesure où Aragon accepte d'être choisi par les mots autant qu'il les choisit.

PERSÉCUTION ET LE MEURTRE DE JEAN-PAUL MARAT (La) représentés par la troupe théâtrale de l'hospice de Charenton sous la direction de Monsieur de Sade [*Die Verfolgung und Ermordung Jean-Paul Marats dargestellt durch die Schauspielergruppe des Hospizes zu Charenton unter Anleitung des Herrn de Sade*]. Drame de l'écrivain allemand Peter Weiss (1916-1982) joué pour la première fois au Schiller-Theater de Berlin le 29 avril 1964 et considéré par de nombreux contemporains comme une pièce qui allait faire date dans l'histoire du théâtre allemand. Elle sera représentée une centaine de fois entre 1964 et 1976 sur les scènes internationales.

C'est une pièce charnière dans la production littéraire de Peter Weiss, puisqu'elle se situe entre les deux récits autobiographiques, *Adieu aux parents* et *Point de fuite,* et les pièces de théâtre écrites entre 1965 et 1971. Si les récits évoquent les tensions familiales, la précarité de l'exil, la recherche douloureuse de la voie de l'artiste, la pièce *Marat-Sade* témoigne de l'implication de Peter Weiss dans les problèmes politiques du monde et introduit une réflexion sur l'engagement.

La fable historique de la pièce est courte, puisqu'il s'agit de l'assassinat de Marat par Charlotte Corday en 1793. Mais cette fable, jouée en 1808 par une troupe de l'asile de Charenton composée de malades et de pensionnaires enfermés pour des raisons politiques, sous la direction du marquis de Sade, prend, par une technique très élaborée du jeu dans le jeu, une dimension plus ample. Elle évoque à la fois la Terreur et les failles de l'ère napoléonienne en 1808, elle introduit une réflexion générale, actuelle et critique, sur le processus révolutionnaire. Les scènes centrales sont consacrées aux confrontations entre les deux grandes figures antithétiques de Marat et du marquis de Sade, représentants l'un de l'engagement politique total, l'autre d'un individualisme farouche qui réfute tout engagement, pour quelque cause que ce soit.

Les thèmes de la pièce sont mis en valeur par une éblouissante dramaturgie qui, lors des premières représentations, a conquis le public. Les acteurs sont acrobates et jongleurs, mimes et danseurs, musiciens et chanteurs. Peter Weiss utilise tous les registres linguistiques, puise à toutes les ressources de la scène pour étonner, choquer et amener son public, par une forme de « théâtre total », à une réflexion esthétique, morale et politique. C. R.

PERSÉPHONE. Mélodrame en trois tableaux et en vers de l'écrivain français André Gide (1869-1951), musique d'Igor Stravinsky, publié en 1934. Il s'inspire du mythe fameux raconté par Homère. Mais ici, l'enlèvement de la fille de Déméter par Hadès, dieu des enfers, offre à Gide des motifs pleins d'affinité avec lui-même : motif du narcisse, symbole de l'individualisme qui attire Perséphone au lieu où Hadès pourra la ravir. Quant au symbole du grain de blé que Perséphone incarne, il ne devait pas, non plus, laisser l'auteur insensible. Perséphone, c'est enfin, aux yeux de Gide, la noble tentation de descendre au Tartare, c'est-à-dire « jusqu'au fond de la détresse humaine ».

PERSES (Les) [Πέρσαι]. Cette tragédie du poète tragique grec Eschyle (525-456 av. J.-C.) a été représentée aux grandes Dionysies de 472 à Athènes et reprise ensuite à Syracuse. Elle est l'une des très rares tragédies mettant en scène un événement historique. Phrynicos, un prédécesseur d'Eschyle, avait, le premier, emprunté sa matière à la victoire de Salamine, en 476. Mais son théâtre restait proche de la « cantate » : d'emblée, l'issue de la bataille, vue du côté perse, était connue, et l'essentiel du texte devait consister en une plainte funèbre. En reprenant le sujet, Eschyle y a introduit l'élément d'une transformation fondamentale dont la pièce nous offre probablement le premier témoignage historique, celui de la dramatisation. En tant que spectateurs, nous sommes invités à participer à la fiction d'une prise de conscience de l'événement par le chœur. Notre regard sur l'événement emprunte le relais d'un autre regard. Par ce filtrage de l'événement dans le milieu de réflexion d'une conscience collective, le théâtre fait du spectateur non le contemporain fictif d'un événement passé, mais celui d'une réflexion sur lui. Il est l'instrument d'appropriation en acte d'un sens. Eschyle a élevé la tragédie à être la première forme de la conscience de soi « historique » de toute une communauté humaine.

À la cour du roi de Perse, à Suse, on est sans nouvelles de l'expédition partie depuis longtemps. Le chœur, composé de vieillards, conseillers à qui le roi Xerxès a laissé la charge d'administrer le royaume en son absence, est inquiet. Le triomphe perse a jusqu'alors été assuré sur terre : Xerxès n'a pas craint d'exposer ses forces aux pièges de la mer. Un songe inquiétant conduit la reine Atossa hors du palais : elle veut faire des offrandes d'apaisement. Tandis qu'elle se rend à l'autel apparaît un mauvais présage. Dans son échange avec la reine, le chœur lui explique le terme ultime de l'expédition : la conquête d'Athènes pourrait signifier la soumission de toute la Grèce. À peine ce grand dessein est-il dévoilé qu'apparaît le messager du désastre. La flotte du grand roi a été défaite à Salamine ; les personnages les plus en vue de la Perse, par la présomption d'un maître sûr de la victoire, ont été tués dans un combat sur un îlot où ils avaient été placés pour empêcher les Grecs d'échapper à la mort. Le roi a dû faire retraite ; avec le reste de ses troupes, il se hâte de faire retour. En versant des libations pour les morts, on invoque le roi Darius, dont l'ombre apparaît. Celui qui est présenté comme le grand souverain de la Perse tire la leçon du désastre : il tient à la démesure de son fils qui n'a pas su écouter ses conseils et qui a prétendu soumettre la terre et la mer à son joug. La défaite des armées de terre en Béotie (annonce de la bataille de Platées) achèvera le retournement de sa prétention. L'arrivée du roi humilié par la défaite conclut la tragédie.

Sous le masque de l'adversaire vaincu, cette tragédie célébrerait-elle sans restriction un triomphe grec sur un monde « barbare » ? En vérité, le masque étranger ne fait que créer un effet de distance : il permet à un public, dans le moment même où il assiste à une représentation des choses qui est la sienne, de prendre conscience de ses composantes. La pièce n'exalte pas le triomphe d'un peuple sur un autre, mais un ordre du monde que la victoire de Salamine a permis de révéler et dont Darius, un souverain étranger, est l'interprète. En outre elle ne met pas en cause ce que l'on pourrait appeler l'impérialisme perse mais l'erreur d'un homme, en la circonstance figure du « tyran » dont on trouve les modèles par excellence dans le mythe ou l'histoire grecs. C'est Xerxès qui, trop sûr de sa force, n'ayant de comptes à rendre à personne, victime de sa démesure, devenu ainsi la proie facile de la ruse divine, a entraîné ses sujets à la catastrophe. Alors qu'il avait été averti de ne pas le faire par son père, il prétendait subjuguer et la terre et la mer, soumettre à la célébration de sa grandeur unique tous les domaines de l'activité humaine. La victoire des navires grecs est le signe d'un retournement, dont une ruse athénienne a été l'occasion. Tout cela a valeur d'enseignement. Il est vrai qu'en opposant les forces de terre aux forces navales, en faisant des Athéniens les artisans de la leçon divine, Eschyle paraît cautionner un régime politique : aux yeux de Thémistocle, le chef du parti « démocratique », il était vite apparu que la construction d'une flotte permettrait d'asseoir la puissance athénienne en associant le plus grand nombre à la grandeur d'un même projet politique. En même temps, cependant, la pièce met en garde le vainqueur devant la démesure de la tyrannie. Après l'apparition de Darius, le chœur évoquait le temps heureux d'un roi dont la domination s'étendait sur l'Asie, les îles grecques de l'Ionie, et cela « sans qu'il ait jamais franchi le cours de l'Halys » (le fleuve qui séparait le royaume de Crésus de celui de Cyrus, son futur vainqueur) : il n'a pas commis l'erreur de Crésus, il n'a jamais franchi une limite, dont le franchissement aurait entraîné la fin de son propre empire.
— Trad. Les Belles Lettres, 1925 ; Gallimard, 1967. A. Sa.

★ La bataille de Salamine a inspiré *Les Perses* [Πέρσαι], nome « dithyrambisé » (c'est-à-dire chant monodique accompagné de la cithare avec une structure et des inclusions de parties chorales à l'imitation du dithyrambe) de Timothée de Milet, poète lyrique et musicien grec (environ 450-360 av. J.-C.). Grâce à la découverte en 1902 d'un papyrus datant d'avant la fondation d'Alexandrie (331 av. J.-C.), donc très proche du temps de l'auteur (ce papyrus se distingue par son ancienneté des autres papyrus littéraires retrouvés en Égypte), nous connaissons plus de deux cent cinquante vers de ce poème aux rythmes variés et libres, organisé néanmoins selon une structure traditionnelle. Il en reste la partie centrale ou « nombril » [ὀμφαλός] et la fin avec le « sceau » [σφραγίς], où l'auteur se présente, nomme sa patrie et défend sa poésie novatrice contre ceux qui, à Sparte, l'ont critiqué, puis se vante d'avoir porté à onze le nombre des cordes de la cithare et termine en invoquant la protection d'Apollon sur une certaine cité (sans doute celle pour laquelle le nome a été composé, mais aussi toute autre cité où il sera chanté par la suite). Un prélude à cette œuvre avait été, semble-t-il, composé par Euripide. Dans un style recherché, anticipateur de l'esthétique hellénistique, solennel et volontairement obscur, caractérisé par une syntaxe relâchée, d'étranges métaphores, une quantité d'adjectifs composés, des mots rares et inventés, le poète évoque la scène grandiose et terrifiante de la victoire grecque et de la débâcle perse en différents tableaux, baroques dans leur pittoresque et leur réalisme. Il dramatise son récit par des interventions des protagonistes au discours direct : un guerrier perse se noie en lançant d'horribles imprécations contre la mer ; du rivage s'élève l'appel désespéré des rescapés invoquant leur patrie et la Grande Mère orientale ; un Lydien supplie son vainqueur dans un grec primitif, incorrect et confus ; Xerxès, enfin, hurle sa douleur et prend la fuite en criant des ordres pressants et agités, tandis que les Grecs en liesse érigent leurs trophées en dansant et chantent le péan. La perte de la partie musicale ne permet pas de juger d'un aspect très important de la création de Timothée, qui suscita des réactions virulentes chez ses contemporains à cause de son caractère révolutionnaire et outré. Ainsi, dans une comédie de Phérécrate, la Musique se dit torturée par les « trilles monstrueux du rouquin de Milet ». — Trad. *Revue de philologie,* 1903. A. L.

★ On doit au musicien français Maurice Emmanuel (1862-1938) une tragédie lyrique *Salamine* d'après le poème de Théodore Reinach, représentée à Paris en 1929. Certains morceaux que récitent les coryphées et le messager sont du plus bel effet. Le musicien exprime avec pathétique la déception de ce peuple qui attendait l'annonce d'une victoire. Au second acte, la reine mère Atossa refuse son offrande aux mânes de Darius, puis on voit surgir l'ombre de ce roi pour déplorer la mégalomanie de Xerxès. Quant au troisième acte, c'est tout le peuple perse qui en est le héros, mais chaque élément de la collectivité a son chœur particulier ; l'humiliation du despote, les reproches des vieillards et des veuves, la haine désespérée des mères sont autant de voix dont l'imposante symphonie est tout imprégnée du prestige de la Grèce.

PERSÉVÉRER JUSQU'À LA MORT [*Porfiar hasta morir o Macías el enamorado*]. Comédie dramatique en trois actes et en vers de l'écrivain espagnol Lope Félix de Vega Carpio (1562-1635), publiée dans la *XXIIIe Partie* de son théâtre (1638). Elle reprend la légende du troubadour Macías (fin du XIVe siècle), dont il nous reste quelques poèmes dans le *Cancionero de Baena* — v. *Cancioneros* (*). Il existe deux versions de cette légende, qui s'inspire des vers de Macías, et qui toutes deux tentent de reconstituer sa biographie. Dans l'une comme dans l'autre, on le voit épris d'une femme mariée, qu'il célèbre en des chants passionnés rapidement devenus populaires. Mais les dénouements diffèrent ; dans la première, il est finalement tué par le mari jaloux qui le surprend sous les fenêtres de sa belle, en train de baiser sur le sol la trace de ses pas ; dans la seconde, le mari fait en premier lieu emprisonner Macías ; comme il ne réussit pas à faire taire son rival, il le tue d'un coup de lance à travers les barreaux du cachot. Lope a adopté cette dernière version, qu'il a puisée dans la *Nobleza de Andalucía* de Argote de Molina. Macías, ayant quitté la plume pour l'épée, s'achemine vers Cordoue en compagnie de son domestique Nuño ; il a sur lui une lettre de recommandation pour le grand maître de l'ordre de Santiago. Aux abords de la ville, nos voyageurs secourent un cavalier assailli par des brigands. Macías refuse toute récompense, et, une fois le cavalier parti, il apprend par ses valets que c'est le maître de Santiago en personne qu'il vient de secourir. Macías se rend à la Cour, où il est fort bien accueilli par le maître et son épouse. Il tombe amoureux d'une jeune femme, la belle Clara ; mais, hélas ! elle est fiancée à l'un des plus hauts seigneurs, don Tello de Mendoza. Résolu à « mourir d'amour », Macías court participer à la lutte contre les musulmans. Grâce à sa vaillance, le maître de Santiago remporte une victoire éclatante sur Almansor, roi de Grenade. Au roi d'Espagne, don Enrique, qui veut le récompenser de ses hauts faits, Macías demande la main de Clara. Trop tard ! Les noces de Clara et de Tello s'apprêtent, et il lui est accordé, en guise de consolation, les plus hautes distinctions. L'infortuné poète chante son amour en vers pleins de passion, qui volent bientôt de bouche en bouche et sont même traduits en arabe par les musulmans de Grenade. Tello, jugeant que tout ce bruit offense son honneur, s'adresse au maître de Santiago, qui intervient à diverses reprises pour faire reproche de sa folle passion au pauvre troubadour. Mais le destin du poète est de « persévérer jusqu'à la mort », si bien que son protecteur le fait emprisonner pour le soustraire à la colère de Tello. Et comme les murs du cachot ne parviennent pas à étouffer ses plaintes, le jaloux se venge en le perçant d'un coup de lance donné à travers les grilles de la cellule. Lope de Vega, en reprenant pour sa pièce les éléments de la vieille légende, en a condensé toute la puissance dramatique. Il l'a fait avec un sens habile des couleurs et de l'atmosphère et a réussi une fort belle reconstitution de l'époque de Macías, auquel il prête les vers célèbres de Juan de Mena : « Amores me dieron corona de amor. » Il y a en outre un rôle comique, et c'est Nuño, le valet du poète. Par ses saillies et ses grimaces, il ridiculise un peu les peines de cœur de son maître et son amour platonique, si bien que l'intérêt des spectateurs est toujours partagé entre les situations comiques et tragiques. Tout se termine en une véritable farce où Lope, comme toujours, se plaît à comparer diverses classes sociales, à dresser l'une contre l'autre des forces adverses, si bien que la pièce devient plus une sorte de « tenson » qu'une tragédie. — Trad. *Chefs-d'œuvre du théâtre espagnol*, Paris, 1822.

★ La pièce de Lope de Vega fut reprise par Francisco Antonio Bances de Candamo (1662-1704) dans sa comédie dramatique *Macías, l'Espagnol très aimant et malheureux* [*El Español más amante y desgraciado Macías*].

★ Sous le romantisme, le sujet fut traité une nouvelle fois par l'écrivain espagnol Mariano José de Larra (1809-1837), dans une tragédie en quatre actes et en vers intitulée *Macías*, qui fut représentée en 1834. Cette fois, la légende de Macías est traitée d'une manière différente ; l'auteur s'inspire moins de la tradition espagnole que d'un drame d'Alexandre Dumas père, *Henri III et sa cour* (*), dont la première représentation fut donnée en 1829. Plus que les scrupules bourgeois d'un Lope de Vega, on y retrouve les invectives de Rousseau, les sarcasmes de Byron et la truculence de Victor Hugo et de Dumas. Larra déclare : « Macías est un homme qui aime, et rien de plus... ; faire le portrait d'un homme, telle est l'unique intention de mon drame. » La femme aimée, Elvire, est contrainte par son père, pendant une absence du poète, d'épouser le noble don Fernán Pérez, écuyer du roi don Enrique de Villena. Macías, qui revient trop tard, est fou de douleur en apprenant cette nouvelle. S'étant introduit subrepticement dans la maison des nouveaux époux, il est jeté en prison. Elvire, qui n'a cessé de l'aimer, va l'y retrouver pour l'inciter à fuir ; mais elle est surprise par son mari, qui a l'intention de faire assassiner son rival. La jeune femme avoue son amour ; Macías est tué, et Elvire, se perçant de son épée, mêle son dernier soupir au dernier cri de son amant. Les vers manquent d'harmonie et sont très voisins de la prose. Quant à l'action, elle est dépourvue de logique comme d'esprit de suite. Mais les personnages sont bien conformes au goût d'une époque et représentatifs de la psychologie de l'auteur, qui se suicida à l'âge de vingt-huit ans sous l'emprise de la passion. Larra a également placé le personnage de Macías dans son roman historique *Le Damoiseau de don Enrique le Dolent* [*El doncel de don Enrique el Doliente*], publié la même année.

PERSONNAGE COMBATTANT (Le). Pièce publiée en 1956 par le dramaturge français Jean Vauthier (1910-1992) et créée la même année au Petit Théâtre Marigny par Jean-Louis Barrault avec le sous-titre « Fortissimo ». Le sujet de l'œuvre tient en quelques lignes : un voyageur élégant prend pour la nuit une pauvre chambre d'hôtel. C'est un écrivain connu et il entend récrire un roman commencé jadis dans cette chambre. Le contact avec son passé précise la crise où se rue le Personnage. Il voit l'imposture de sa réussite officielle, il souffre et combat toute la nuit pour atteindre à une sorte de rédemption. La pièce ne comporte que ce seul personnage, à l'exception d'un garçon d'hôtel assez mystérieux qui parle très peu. Mais ceci ne l'empêche pas de déborder d'une vie multiple. En réalité, il y a bien un personnage, mais à cela il faut ajouter l'action dramatique de toute la vie, vue ou entendue. Il y a les bruits de la gare au loin, les chuchotements de deux couples qui vivent à leur manière dans les chambres voisines, il y a les pas dans l'escalier, les coups de poing dans les murs, les grincements des tramways qui gémissent dans les tournants, le bruit sinistre et émouvant d'une charrette sur les pavés, etc. Il y a le bruitage de toute la vie, et il y a aussi ce que l'on voit : une lampe qui se balance dans la rue, des meubles qui sont comme autant de personnages, notamment un certain fauteuil. Enfin, cette machine à écrire, qui paraît rassembler à elle seule l'ouïe et la vue, et qui agit dans l'œuvre de Vauthier comme un mystérieux instrument de musique extirpé des enfers. Non seulement l'auteur a écrit un texte, mais aussi une véritable mise en scène. Tout est noté, le moindre geste, le moindre temps, le moindre jeu de scène. Le personnage combattant colle littéralement à tout ce qui l'entoure. Construite comme une symphonie, la pièce est aussi une véritable mise à mort ; et dans la folie qui plane de temps à autre, on retrouve à la fois la sincérité tragique du damné et la complicité intime du simulateur. Deux côtés que l'on rencontrait déjà chez Artaud. Cette pièce, la troisième de l'auteur, fut suivie en 1958 des *Prodiges* et en 1960 du *Rêveur*.

PERSONNALISME (Le) de Mounier. Œuvre du philosophe français Emmanuel Mounier (1905-1950), publiée en 1950. Dans ce résumé de sa philosophie, Mounier esquisse une approche de la réalité personnelle : la caractéristique de la personne est en effet, selon lui, d'être irréductible au monde des objets — auquel cependant elle participe —, et d'être la seule réalité que nous puissions connaître par le dedans, avec le regard intérieur. Aussi ne la peut-on réduire à une définition rigide et claire : on l'éprouve plus qu'on ne la conçoit, ressource inépuisable, que seul l'amour pourra régler. Mais la personne n'est pas, pour Mounier, un « moi » idéal et transcendant : sa valeur étant d'origine chrétienne suppose la notion d'incarnation. La personne est corps, autant qu'esprit, indestructible unité d'existence, ce qui implique à la fois le rejet de l'idéalisme et celui du matérialisme : certes, la réalité personnelle n'est pas exempte des déterminismes physiques, économiques et historiques. Mais elle a le pouvoir de les intérioriser, de transformer la détermination en liberté. Le corps est le « médiateur omniprésent de la vie de l'esprit » ; mais, par lui, il nous est accordé de personnaliser le monde, de le faire naître, par nos actes, à la mystérieuse liberté qu'il contient. Le caractère incorporé de la réalité humaine sépare donc radicalement personnalisme et individualisme ; parce qu'il reconnaît d'abord la réalité du corps, le personnalisme sera « communautaire ». Au lieu de partir de la solitude, il indique la communion comme le fait primitif : le « tu » et le « nous » précèdent le « je » ; et la personne, dit Mounier, est essentiellement une « présence dirigée vers le monde ». La vie sociale est ainsi justifiée : elle ne pourra cependant asservir la particularité profonde de chaque personne. Dans sa perfection, elle sera une rencontre libre, un échange constant, fondés non sur la contrainte, mais dans l'amour et le don réciproque. Toute la démarche de l'auteur est ainsi tendue entre les risques de deux exclusions : soit celle du monde, de l'« autre », par la personne retranchée sur sa différence ; soit celle de la personne qui s'objective dans les tâches politiques ou économiques. La personne est une certaine présence unique au monde des objets : mais elle n'est pas que cela, elle ne peut être réduite à cela et c'est pourquoi sa réalité politique ne peut être échangée contre aucune autre. Mais, d'autre part, c'est dans le monde commun que se nourrit la personne : « Il faut sortir de l'intériorité pour entretenir l'intériorité », ce n'est donc point dans le refus, la protestation et la séparation que nous gagnerons notre liberté, mais dans l'acceptation militante de la réalité : « La liberté ne se gagne pas contre les déterminismes naturels, elle se conquiert sur eux, mais avec eux. » La liberté personnelle n'est pas un pur jaillissement, elle est conditionnée par notre situation corporelle, ce qui la contraint sans cesse à sortir de soi, à se donner au monde et à autrui. Cette générosité de la personne vers le monde des personnes — que révèle la plus élémentaire expérience psychologique — rend légitime un « personnalisme chrétien », où chaque personne sort d'elle-même pour répondre à l'appel unique de la Personne suprême. Dieu est ici reconnu non comme Acte pur ou Parfait intelligible, mais d'abord comme Autre vivant, présent essentiellement à nous, mais présent selon notre mode propre d'exister et de connaître, c'est-à-dire dans une histoire et dans des concepts. Le personnalisme « soulignera seulement la structure personnelle, confiance ou intimité suprême et obscure de la personne à une Personne transcendante, et l'incompétence, à son sujet, de toute démonstration ou régulation qui resterait purement objective ». Dans le domaine de l'engagement politique, l'exigence personnaliste contraindra à reconnaître que les facteurs matériels et économiques, s'ils sont importants, ne sont point cependant les seuls, ni même les plus importants des moteurs historiques : « Le spirituel aussi est une infrastructure. » Aussi la révolution politique n'est-elle point la seule ni la première qu'il faille entreprendre : il faut une conversion libre des personnes. Ces conclusions expliquent toutes les ambiguïtés de l'attitude politique d'Emmanuel Mounier. Ce qui manque à cette doctrine est une table des devoirs, des servitudes, des services spécifiés que la personne, en tant qu'incorporée, devra accepter. D'une part, l'auteur se trouve déchiré entre l'affirmation de la liberté personnelle comme de la plus haute réalité créée et, d'autre part, la nécessité de soumettre la personne à une régulation politique et religieuse. Le personnalisme demeure cependant un effort très intéressant pour ramener l'individualisme moderne à l'acceptation du monde et d'autrui et pour affirmer l'importance fondamentale de la liberté dans la marche de l'histoire.

PERSONNALISME (Le) de Renouvier. Ouvrage du philosophe français Charles Renouvier (1815-1903), publié en 1903. *Le Personnalisme* développe une théorie déjà contenue dans les *Essais de critique générale* (*) et exposée, sous sa forme dogmatique, dans *La Nouvelle Monadologie* (1899). En opposition au criticisme kantien, l'auteur présente le néo-criticisme comme un relativisme et, en même temps, un personnalisme : d'une part, il se fonde sur le principe de relativité, répudie le réalisme de la substance et réduit toutes les catégories à la « relation », forme fondamentale de la pensée ; d'autre part, contrairement à la philosophie kantienne — qui rabaisse à une réalité empirique et presque illusoire tout ce qui est phénomène (y compris la personne humaine) et nie la liberté dans le monde phénoménal, en introduisant le déterminisme —, le philosophe de Renouvier tend à représenter la synthèse totale des phénomènes et à définir le monde réel, le monde vivant, sous l'aspect de la personnalité, c'est-à-dire de la conscience et de la volonté. L'auteur revient à la critique des antinomies kantiennes et reprend le concept de l'impossibilité logique de l'extension sans limites des phénomènes dans l'espace et le temps. L'hypothèse d'un commencement absolu se développe ici dans la définition de Dieu-créateur en tant que personne : de même que la personne divine est parfaite, de même le monde est parfait, étant l'œuvre de Dieu. Le problème du mal donne naissance à une théorie eschatologique, qui contient également une cosmogonie. L'auteur part du principe que l'ordre créé, fondé sur une harmonie de la nature et de la société, est parfait. Cet ordre n'est point une loi divine, absolue et incompréhensible, mais une organisation rationnelle. L'idée de création implique la nécessité d'une autonomie individuelle par rapport à la Loi : sans quoi elle ne serait autre que l'application de la puissance divine à la production des phénomènes. Le péché originel est celui qui, du fait de l'homme, a introduit l'injustice dans le monde. Le libre arbitre justifie l'existence du mal et, partant, la « chute ». En reconstruisant l'ordre primitif parfait, Renouvier définit le sens de l'existence et le devoir moral de l'homme. Le personnalisme conduit à un renouvellement de la monadologie leibnizienne, fondé sur l'existence d'une analogie entre notre volonté et la force qui opère au sein des corps, ainsi que d'un rapport entre l'harmonie naturelle et physique, et l'harmonie sociale et morale. L'intime solidarité qui, dans cette théorie, unit le principe de causalité à celui de finalité constitue l'harmonie préétablie. Ce système sous-entend une théorie cosmogonique du même ordre : la ruine du monde primitif, son passage, à travers une nébuleuse, de l'état cosmique ou unitaire à l'état astronomique ou divisé, et la nécessité d'une reconstruction permettant au « règne des fins » de se réaliser. L'existence acquiert ainsi un caractère éducatif : elle prépare la personne humaine à la « vie des fins ». Sa « chute » aura pour résultat de lui faire connaître le bien et le mal ; c'est là l'expérience acquise par tous ceux qui, sur terre, ont souffert et fait souffrir.

PERSPECTIVE DANS LA PEINTURE (La) [*De prospectiva pingendi*]. C'est le premier traité de perspective géométrique écrit en langue vulgaire, pour les peintres, par Piero della Francesca (1416 ?-1492), qui fut non seulement un grand peintre italien, mais un grand mathématicien. Cette seconde activité ne fut pas réservée aux dernières années, quand la cécité l'empêcha de peindre, comme dit Vasari, mais l'accompagna toute la vie ; on a également conservé de lui son autre traité, *Des cinq corps réguliers* (*), et un petit « abaco » ou table des proportions (manuscrit à la bibliothèque Laurentienne de Florence). Ce n'est d'ailleurs pas un cas exceptionnel, car tous les fondateurs de la Renaissance (Uccello par exemple) furent des fervents des études mathématiques et des théoriciens. Toute leur activité est inséparable de la conviction qu'ils s'étaient faite, à étudier la nature, que l'idée de régularité et de proportions est essentielle et commande aux aspects les plus variés de l'univers ; du même coup, on s'explique pourquoi, au XVe siècle, science et art furent si intimement liés. Entre Brunelleschi et Léonard de Vinci se trouve la place de Piero della Francesca. Si on peut lire, dans le traité *De la peinture* (*) d'Alberti, certaines définitions fondamentales pour comprendre la perspective au XVe siècle, ce n'est que dans le livre de Piero della Francesca qu'on a un véritable développement théorique du sujet, conduit non pas de manière systématique, par règles, mais analytiquement et pratiquement, sous forme de théorèmes résolvant graduellement des problèmes de perspective de plus en plus complexes. Le livre se compose de trois parties : dans la première, après quelques définitions et théorèmes géométriques préparatoires, s'appuyant sur la notion d'angle visuel (notion empruntée à Euclide), l'auteur donne des règles pour dessiner en perspective des figures planes ; dans la seconde, il s'intéresse aux solides et, dans la troisième, sont répétées des constructions analogues et donnés des exemples de perspective appliquée (notamment pour la tête humaine). Les procédés auxquels Piero della Francesca a recours dans cette dernière partie sont plus empiriques que ceux indiqués précédemment : ce sont sans doute ceux en usage dans les ateliers ; l'auteur nous les donne d'ailleurs comme plus « faciles à montrer et à entendre ». Les constructions sont peu exactes mathématiquement, étant faites pour des artistes et non pour des mathématiciens ; le procédé commun est de décomposer les corps en plan et en profil, et de les recomposer progressivement en perspective, en suivant, en somme, le procédé appelé par Alberti « construction légitime » ; l'auteur suppose donnée et acquise la construction du tableau dans sa partie architecturale et son livre ne prétend enseigner que les diverses façons dont se transforment les surfaces et les corps selon le point de vue. Il ne semble pas que Piero della Francesca présente de grandes innovations sur son sujet ; la perspective était désormais une acquisition sûre — mais la beauté des exemples n'appartient qu'à lui (et elle fut si appréciée qu'ils passèrent en d'autres traités). Maître de la perspective également dans sa peinture, il ne manquait pas d'avoir des procédés personnels, comme tous les grands maîtres. Mais l'originalité la plus importante de son traité réside dans le fait qu'il est consacré uniquement à la perspective entendue comme la substance même de la peinture, dans l'intention d'enseigner au peintre à regarder la réalité et à en tirer une image rigoureuse et parfaite, correspondant à sa divine nature, afin qu'il n'en arrive pas à ces constructions approximatives déjà dénoncées par Alberti. Pour la compréhension de l'art de Piero della Francesca, *La Perspective dans la peinture* a donc aussi une signification. Bien qu'Euclide y soit cité souvent et que son *Optique* (*) soit à la base de la perspective du XVe siècle, il y a certaines modifications fondamentales dans la conception de l'espace qui font de la théorie de la perspective linéaire une chose tout à fait originale et liée à l'esthétique de la Renaissance. L'ouvrage fut dédié par le peintre au duc Federico d'Urbino ; il doit donc avoir été composé avant la mort de ce dernier (1482). On a plusieurs manuscrits de *La Perspective dans la peinture,* dont le meilleur est celui de la bibliothèque Palatine de Parme, autographe et avec dessins originaux ; une traduction latine, due au recteur Matteo dal Borgo, compatriote et ami de Piero della Francesca, qui possède aussi des dessins de l'auteur. La première édition fut faite par C. Winterberg (Strasbourg, 1899) ; une nouvelle, plus lisible et plus correcte, a été publiée par G. Nicco Fasola (Florence, 1942). Tous les traités de perspective de la Renaissance dérivent de cet ouvrage et se sont servis de ses constructions, à commencer par ceux de Dürer et de Serlio.

PERSPECTIVE NEVSKI (La) [*Nevskij Prospekt*]. Récit de l'écrivain russe Nikolaï Vassilievitch Gogol (1809-1852), composé vers 1833-1834 et publié dans le recueil intitulé *Arabesques* (*) en 1835. Le titre du récit est emprunté au nom de la principale avenue de la capitale russe à l'époque, c'est-à-dire au début du XIXe siècle. Ce récit, qui fait partie d'un groupe de nouvelles souvent désigné sous le titre de *Récits de Saint-Pétersbourg*, est le plus réaliste de toute cette série ; les autres, comme *Le Portrait* (*) et *Le Journal d'un fou*, sont d'inspiration nettement fantastique. Le début de l'histoire est fournie par la promenade de deux amis, qui déambulent, le soir, le long de la fameuse avenue. Cette entrée en matière n'est qu'un prétexte qui permet à l'écrivain de montrer combien deux lignes de force, parties pourtant du même point, aboutissent l'une au désespoir et au mépris de la vie, l'autre à l'indifférence, même devant une suprême humiliation. Le peintre Piskarev, qui a cru pouvoir réaliser son rêve même en vivant avec une prostituée, est amené à chercher l'oubli dans les stupéfiants d'abord, dans la mort ensuite. Par contre, l'officier subalterne Pirogov renonce à l'idéal que représentait pour lui une amourette avec la femme d'un dinandier allemand, et accepte l'humiliante et vulgaire grisaille quotidienne. Cette œuvre, qui par certains côtés rappelle *Les Confessions d'un mangeur d'opium anglais* (*), est d'autant plus intéressante que les traits de Piskarev cachent la figure de Gogol lui-même. — Trad. Gallimard (Folio), 1979.

PERSPECTIVES DÉPRAVÉES (Les). Triptyque de l'historien d'art français d'origine lituanienne Jurgis Baltrušaitis (1903-1988) publié entre 1957 et 1967 : *Aberrations, quatre essais sur la légende des formes* (1957, éd. aug. 1983) ; *Anamorphoses ou Thaumaturgus Opticus* (1969, éd. aug. 1984) et *La Quête d'Isis, essai sur la légende d'un mythe* (1967, éd. aug. 1985).

Ce n'est qu'une fois l'œuvre achevée, et sans cesse remise sur le métier, que Baltrušaitis prendra conscience de la cohérence et des « récurrences dérobées » (R. Caillois) de ce pan de son œuvre qu'il réunira sous le titre générique : *Les Perspectives dépravées,* aimant à citer, pour la définir, ce mot d'Agrippa de Nettesheim : « Rien n'est plus périlleux que de folier par raison. »

Le premier ouvrage de la série, *Aberrations* (terme que Baltrušaitis emprunte à l'astronomie), contient quatre études sur des « fables » : la physiognomonie animale (la fable de la bête dans l'homme), les pierres imagées, la cathédrale-forêt du gothique, les jardins paysagers (et chinoiseries) qui donnent une image miniature du monde. Ainsi montrera-t-il ce que la faune de Balzac doit à l'anthropologie de son temps, mais aussi à l'iconologie de la Renaissance et aux doctrines du pseudo-Aristote. À la fin de sa vie, Baltrušaitis réunissait les pièces d'une cinquième « Aberration » sur l'architecture physiognomonique ou animale, à propos d'un détail de la *Dulle Griet* de Bruegel, dont seules quelques notes ont été publiées à titre posthume (1989).

Le deuxième pan de l'œuvre est consacré aux anamorphoses, ou « dépravations » optiques, qui consistent à déformer la perspective jusqu'à l'anéantissement. Baltrušaitis en retrace l'apparition, au début du XVIe siècle, avec Dürer et Léonard de Vinci. Mais l'illustration la plus célèbre est sans doute le grand tableau de Holbein, *Les Ambassadeurs,* qui par le jeu des effets optiques devient « Vanité ». La tête de mort invite à prendre ses distances par rapport à la pompe et aux évidences des sens. Message religieux dont la force vient de ce que sa transmission passa par la possession d'un instrument scientifique. Mais bientôt, dans la France du XVIIe, l'anamorphose deviendra une science (Leibniz s'y penchera) et justifiera les spéculations des intellectuels autant qu'elle servira le libertinage. Avec Kircher et Schott, elle rejoindra la magie universelle pour accoucher d'une véritable vision du monde. La version augmentée publiée en 1984 notera la résurgence d'une tradition dont les XVIIIe et XIXe siècles avaient fait un simple jeu et qui connaîtra une nouvelle jeunesse avec les spéculations de Lacan ou de Barthes.

Troisième et dernier essai, *La Quête d'Isis* est une « introduction à l'égyptomanie », ou plus exactement à la légende d'un mythe, autrement dit à un mythe nouveau créé sur une civilisation disparue. C'est aussi l'histoire d'une nostalgie qui se constitue autour des historiens antiques et des Pères de l'Église. La Renaissance en héritera sous une forme encore inchoative du Moyen Âge et en fixera les paramètres définitifs. Dès lors, le mythe d'Isis gagnera toute l'Europe, mais aussi les Indes, la Chine, le Mexique... Les plus grands esprits de l'Europe s'en mêlent au XVIIe, de Kircher et son *Œdipe d'Égypte* (*) à Leibniz jusqu'à Newton et Peiresc. Il y aura même ce que Baltrušaitis nomme des « théogonies égyptiennes de la révolution », avec la mise en scène et les idoles des fêtes républicaines. Car

Baltrušaitis montre que la Révolution combattit l'Église en ranimant les divinités égyptiennes. *La Quête d'Isis* se poursuivra avec Mozart et *La Flûte enchantée* (*) en 1791, s'insinuera dans les armoiries de la ville de Paris et se développera suivant une loi de l'« analogie » qui s'empare de tout prétexte. Le mouvement est si puissant qu'il est permis de parler d'une « Renaissance égyptienne » qui « chemine constamment derrière la Renaissance antique » au point, parfois, de la submerger. En guise de conclusion, Baltrušaitis suggère une poétique de l'affabulation scientifique dans des pages qui évoquent irrésistiblement les recherches de Caillois sur l'imaginaire, les « récurrences dérobées » et son *Esthétique généralisée.*

P.-E. D.

PERSUASION [*Persuasion*]. Roman de l'écrivain anglais Jane Austen (1775-1817), publié après sa mort en 1818. Sir Walter Elliot, homme rempli de lui-même et orgueilleux de ses ancêtres, a trois filles : Élisabeth, Anne et Mary, mariée à Charles Musgrove. Resté veuf de bonne heure, sir Elliot a confié Anne à des amis qui ont pris soin de son éducation. S'étant éprise d'un jeune officier de marine, Frédéric Wentworth, Anne a été quelque temps fiancée avec lui ; mais sur les conseils d'une amie de confiance, lady Russell, elle a rompu ses fiançailles à cause du manque total de fortune de son futur mari. Intelligente et sensible, elle est toujours restée fidèle au souvenir de son fiancé. Celui-ci, devenu riche, retourne en Angleterre pour s'y établir et fonder une famille. Il courtise tout d'abord une des sœurs de Charles Musgrove, mais bien vite se ravive son ancienne passion pour Anne. Pendant ce temps, Élisabeth cherche à conquérir William-Walter Elliot, qui, à la mort de sir Walter Elliot, héritera du titre et des biens de son oncle. Mais celui-ci courtise assidûment Anne ; et Wentworth, arrivé à Bath où vivent Mr. Elliot et sa famille, trouve la jeune fille pressée par ce nouveau soupirant. Très vite on découvre la fausseté de William-Walter Elliot et Anne, qui du reste n'avait jamais songé à le préférer à son ancien fiancé, épouse Wentworth. *Persuasion* est le dernier roman écrit par J. Austen ; commencé en 1815, il fut terminé en 1816 et publié seulement après sa mort avec *L'Abbaye de Northanger* — v. *Catherine Morland* (*). Mieux que dans ses autres œuvres se révèle ici la caractéristique principale de l'art de J. Austen, c'est-à-dire la faculté de décrire avec pénétration et une vérité totale des scènes de la vie courante. Les caractères sont moins nettement dessinés que dans les autres romans de l'auteur, mais l'intérêt se concentre sur l'étude des rapports entre les personnages et des réactions des différents caractères. — Trad. Charlot, 1945 ; Bourgois, 1980.

PERSUASION ET LA RHÉTORIQUE (La) [*La persuasione e la rettorica*]. Œuvre du philosophe italien Carlo Michelstaedter (1887-1910), publiée posthume en 1913. Michelstaedter se donnera la mort le lendemain même de l'achèvement de ce qui devait être à l'origine une thèse de maîtrise sur « Les Concepts de persuasion et de rhétorique chez Platon et Aristote ». « Moi je sais que je parle parce que je parle, mais que je ne persuaderai personne. » C'est ainsi que Michelstaedter s'adresse à ses professeurs dans la préface de cette thèse « inconvenante », unique en son genre. Il échappe ainsi à tout exposé systématique pour suggérer une « version du monde » sans appel. Persuasion impossible du fait que la vérité pèse infiniment et que ce poids la rend *dé-pendante ;* rhétorique qui occulte, à travers l'appareil du langage, des institutions, de la science, cette impossibilité d'atteindre la persuasion. « Parménide, Héraclite, Empédocle le dirent aux Grecs », et à chaque génération il s'est trouvé quelqu'un pour le répéter. *L'Ecclésiaste,* Socrate ou encore Leopardi ou Beethoven, mais les hommes se refusent à les entendre, ils vivent dans la crainte de la mort « et se révèlent déjà morts dans le présent ». C'est cette impossibilité de « penser la vie immédiate » qui demeure la plus forte leçon de cette œuvre brûlante que l'impact d'une balle de revolver aura figée dans un instant éternellement présent. — Trad. L'Éclat, 1989.

M. V.

PERTHARITE, roi des Lombards. Tragédie en cinq actes de Pierre Corneille (1606-1684), auteur dramatique français, représentée à Paris en 1652. Elle subit une chute si retentissante que Corneille se retira du théâtre pour une retraite qu'il présenta comme définitive. En fait, ce n'était pas son art qui était en cause, mais son obstination à faire représenter des tragédies en pleine Fronde, le public ne réclamant alors que des comédies : ses confrères et les comédiens comprirent la leçon et, après *Pertharite,* le genre tragique subit une éclipse totale de quatre ans. De fait, il suffit de lire la pièce pour découvrir rapidement qu'elle est loin de mériter cette indignité.

Elle s'inscrit dans le cycle des œuvres de Corneille qui posent la question des rapports entre l'identité du héros, l'héroïsme et la légitimité royale, face à l'usurpation tyrannique — v. *Héraclius* (*), *Don Sanche* (*), *Œdipe* (*). L'intérêt tout particulier de cette tragédie est d'avoir placé dans la position d'un usurpateur un héros vertueux. Grimoald, en effet, tout vainqueur et tout vertueux qu'il est, sait qu'il ne peut se maintenir au pouvoir en toute sécurité s'il n'obtient pas par quelque moyen une légitimité. D'où dans un premier temps ses efforts pour obtenir Rodelinde, la veuve du roi légitime Pertharite ; d'où aussi la pression morale véritablement inhumaine qu'il exerce sur Rodelinde, allant jusqu'à menacer la vie de son fils : l'illégitimité royale est toujours entachée de tyrannie. Avec la réapparition de Pertharite, au milieu de l'acte III, Grimoald se trouve définitivement privé de tout espoir de légitimité, à moins de lui dénier son nom et son identité, ce à quoi il s'emploie jusqu'à la fin de la pièce en traitant Pertharite d'imposteur et en le menaçant de mort s'il ne déclare pas publiquement qu'il a usurpé le nom du roi proclamé défunt. Sa générosité l'empêche d'aller jusqu'à cette extrémité, au moment même où Pertharite réclame la mort tout en demandant pour seule grâce qu'on reconnaisse en lui un roi, ne serait-ce que pour le faire mourir. Il avoue alors, en lui rendant son trône et sa femme, qu'il avait reconnu d'emblée sa véritable identité. Les affinités que cette histoire présentait avec la révolution anglaise contemporaine – battu par l'usurpateur Cromwell en 1651, Charles II avait été contraint, comme Pertharite, de se déguiser en paysan pour échapper à ses poursuivants –, et la crainte que certains meneurs de la Fronde n'acculent le roi français à une situation semblable, expliquent peut-être la destinée si catastrophique de cette belle pièce. G. F.

PERTURBATION [*Verstörung*]. Roman de l'écrivain autrichien Thomas Bernhard (1931-1989), publié en 1967. Après *Gel* [*Frost*, 1963], c'est le roman qui assure la notoriété de Bernhard et où l'on voit se radicaliser tant sa technique que son univers très particulier. L'anecdote en est constituée par la tournée, en Styrie, d'un médecin de campagne dont le fils fait fonction de narrateur. Après une série de visites dans une région brutale et déshéritée, ils parviennent au château du prince Saurau dont sont alors, presque exclusivement, relatés les discours. L'ouvrage s'organise en deux parties très déséquilibrées (un tiers, deux tiers) : la montée progressive vers le château, puis la parole totalisante et totalitaire du prince. Cette ascension est aussi une montée vers la folie et une pénétration dans l'intériorité. On pense évidemment à un itinéraire initiatique comme ceux qui étaient chers aux romantiques allemands, ou à celui de *La Flûte enchantée* (*), qui est l'emblème de la pièce *L'Ignorant et le Fou* [*Der Ignorant und der Wahnsinnige*, 1972]. Et il y a sans doute encore chez Bernhard, à ce stade, des réminiscences de Kafka. Ici cependant, on accède à une destination : l'intérieur d'une tête, qui s'incarne en un « discours ». Celui-ci a pour fonction de repousser le monde extérieur qui menace de détruire la clarté de l'Esprit (l'ombre qui monte de la gorge, l'inondation qui s'enfle). Et cependant, c'est un discours tourbillonnant dont le centre, au-delà d'un monde très noir, n'est fait que de néant et de mort. Censée repousser le monde extérieur, cette intériorité finit par l'absorber : au retour, on s'aperçoit que le discours du prince ne décrit au fond rien d'autre que la propre situation du narrateur, progressivement réduite au rôle de magnétophone.

Par rapport à *Gel*, la construction s'est affinée et trouve peu à peu cette originalité sans doute unique en notre siècle. D'un faux réalisme, on passe, par un jeu de miroirs, à la mise en scène (à l'intérieur d'une parole) d'une contradiction radicale et permanente qui refuse l'avancée de la dialectique. Les filtres narratifs se multiplient (les « personnages » reproduisant le discours d'autres « personnages ») sans toutefois atteindre encore la mise en abîme étourdissante de *La Plâtrière* [*Das Kalkwerk*, 1970] ou de *Corrections* (*). L'organisation et l'écriture sont de plus en plus d'ordre musical (thèmes et variations) et mettent progressivement en cause les notions mêmes de langue et de littérature, en leur attribuant une fonction provocatrice et destructrice qui ne s'oppose qu'en apparence à l'encerclement indéfini d'un Dieu perdu. – Trad. Gallimard, 1978. C. Po.

PESANTEUR ET LA GRÂCE (La) de Simone Weil (v. *Cahiers* de Simone Weil).

PÈSE-NERFS (Le). Œuvre de l'écrivain français Antonin Artaud (1896-1948), publiée en 1925. Orienté par la *Correspondance avec Jacques Rivière* (*) comme il le dira lui-même dans une lettre du 30 novembre 1927 à son psychiatre et ami le Dr Allendy (« Toujours l'histoire des lettres à Rivière. Je sais bien que j'emmerde tout le monde, que je n'intéresse personne... »), Artaud « s'adresse » : à « vous » (« J'ai senti vraiment que vous rompiez autour de moi l'atmosphère », premiers mots du *Pèse-Nerfs*), à « ceux qui », à « Chers amis », à une femme (dans trois « Lettres de ménage »), à « Il » ou « On », c'est-à-dire le psychanalyste, le monde raisonnable. Recueil (moins de trente pages) de textes de deux à neuf pages, dont l'assemblage (la succession) est moins disparate qu'il ne pourrait sembler. La tonalité a monté d'un ton depuis la *Correspondance*. Toute l'affaire, à suivre, est dite dès le début. Artaud cherche à se saisir, mais aussi à imposer aux autres son insaisissable. Il est contre la pétrification (« chaque mode de l'être reste figé sur un commencement », « cette fixation et ce gel se produisent avant la pensée »), contre la segmentation rassurante du monde (« bonne condition pour créer »). Il est contre la « matière », objet de trituration, mais aussi pour elle. Il est contre l'œuvre, contre les termes, qui arrêtent et sont en dehors, contre les jeux, mais il est forcé de passer par eux. Breton voulait à la fois le haut et le bas, voulait le lieu de leur réunion, Artaud est contre le haut, le bas et leur réunion, mais il est aussi ce « point », ce « nœud ». Il se passe quelque chose, quelque chose de déterminant, de fondamental, que personne ne saisit : « Vous êtes tous des cons... Vous vous acharnez à ne pas comprendre. » Seul un être comprend. Qui ? Artaud ! Quoi ? L'affaire Artaud ! Artaud va mal, aussi mal que lors de la *Correspondance*. Il est le seul à savoir que « la vie est un point », que « l'âme n'a pas de tranches, ni l'esprit de commencements », que l'esprit, reptilien, se dérobe, laisse les langues en suspens. Mais, par malédiction, il ne vit pas, il connaît des trous, des arrêts ; déperdition, dénaturation, de sa « vie », de sa « pensée » (ou de « l'esprit »). Les deux mots reviennent sans cesse et attachés l'un à l'autre, ainsi qu'au temps, à la « durée », qui est la vie de la vie et de la pensée. Le malheur veut qu'Artaud ne soit pas dans le temps, ne dure pas, mais s'abîme dans l'espace, dans la matière, dans la « fixité ». Pourtant Artaud « assiste à Artaud » ; il note avec une certaine satisfaction, mais sans complaisance, les signes de vie, d'une vie supérieure à celle des autres, à qui pourtant il ne cesse de s'adresser, et les signes de mort. Personnage beckettien dont la mort, proche — obsession qui n'apparaissait pas dans la *Correspondance* et qui sera au centre de *L'Art et la Mort* (*) —, est celle de l'esprit, du pur esprit, esprit qui se capte, se « repénètre », « s'installe chaque jour un peu plus dans son être », combat, mais sans illusions. Être de la rechute permanente, de la répétition ; cette répétition n'est jamais radotage mais l'unique parole de l'homme qui crie « Au secours ».

PESSI ET ILLUSIA [*Pessi ja Illusia*]. Conte de l'écrivain finlandais de langue finnoise Yrjö Kokko (1903-1977), publié en 1944. L'auteur, vétérinaire célèbre par ses études sur la Laponie, écrivit ce conte au front, pendant la guerre de 1940. Dès sa parution, l'ouvrage souleva l'enthousiasme. Une forêt s'éveille au printemps, les fleurs conversent entre elles, les oiseaux chantent et le gnome des bois sort de son sommeil hivernal. Haut comme le pouce, couvert de poils roux, avec une queue de lièvre, ses yeux reflètent la bonté. Soudain, près de lui, surgit on ne sait d'où une merveilleuse petite fée aux ailes bleutées et transparentes. Curieuse de voir la terre, elle s'est évadée de l'arc-en-ciel où demeure son père, Illusion. Elle devient bien vite l'inséparable amie du gnome Pessi, né de la race des Pessimistes. Guidée par lui, Illusia, qui ne savait que voler, apprend à marcher et visite la forêt. Elle espérait, sa curiosité satisfaite, revenir au royaume des illusions, mais l'araignée Porte-Croix, jadis condisciple et jalouse de son père à la Haute école technique de tissage, se glisse une nuit près de la petite fée endormie et lui coupe les ailes. Illusia, condamnée désormais à vivre sur la terre, pleure son arc-en-ciel peuplé de rêves, mais, consolée par Pessi, elle prend goût à sa nouvelle vie. Elle apprend à se servir de ses mains « qui mènent, dit-elle, tout aussi haut que les ailes ». Elle fait connaissance avec tout ce qui vit autour d'elle, devient l'amie de la famille Rouge-Queue dont le mari « porte beau », assiste, terrifiée, à des batailles de grenouilles, converse avec le vieux rat musqué, apprend du pinson à construire un lit douillet et du mulot à faire ses provisions d'hiver. Elle comprend bientôt que la poésie et la beauté ne se trouvent pas seulement au royaume des illusions, mais aussi dans une fleur, un chant d'oiseau, un soir d'été, et que le travail donne la joie de vivre. Dès l'automne, Illusia et Pessi se construisent un gîte bien chaud et, au printemps, Illusia met au monde une petite fille, qui n'a ni la fourrure de son père ni les ailes de sa mère et que vient admirer et combler de cadeaux tout le petit peuple des bois. Ce qui fait le charme de ce conte, ce n'est pas seulement le roman naïf du gnome et de la petite fée si plein de fantaisie et d'humour, mais aussi le monde enchanté qui leur sert de cadre, décrit avec une précision de naturaliste et un lyrisme de poète, par un écrivain qui connaît et aime la nature.

PESTE (La). Roman de l'écrivain français Albert Camus (1913-1960), publié en 1947. Salué dès sa parution par le prix des Critiques, *La Peste* connaît, tant à l'étranger qu'en France, un succès constant. L'argument en est simple : dans les années 194., la ville d'Oran est la proie d'une épidémie de peste, dont le roman retrace l'apparition, l'apogée et le règne, puis le déclin. Mais cette apparente simplicité recouvre différents niveaux de signification ; *La Peste* a une portée historique : à travers la maladie, c'est l'occupation allemande et la Seconde Guerre mondiale, le nazisme et toutes les formes d'oppression politique qui sont représentés. Au-delà, cependant, le roman atteint une dimension métaphysique. Témoignage « sur » l'homme, ses limites, sa misère en face de la maladie, de la souffrance et de la mort, sur sa grandeur et sa dignité quand il se donne au combat fraternel, *La Peste* devient un témoignage « en faveur » des pestiférés, face à l'injustice qui leur est faite par l'histoire, s'ajoutant à celle de leur condition mortelle. Si la division en cinq parties l'apparente à la tragédie, le roman s'énonce, dès ses premières lignes, comme une chronique, prise en charge par un narrateur qui ne révélera son identité que dans les dernières pages. Cela permet à la narration de préserver son objectivité : mais le lecteur ne s'étonne guère d'apprendre que c'est le personnage principal, le docteur Rieux, qui en est l'auteur. Quelques passages, tels l'évocation des grandes épidémies, le prêche du père Paneloux, qui impose la présence de l'ange de la peste et celle du fléau, la représentation d'*Orphée et Eurydice*, interrompue par l'irruption de la peste sur scène, la description des enterrements, qui renvoient simultanément au monde concentrationnaire et à la vision pascalienne de la condition humaine, la mort d'un enfant, le bain de l'amitié partagée que prennent Rieux et Tarrou, ont un relief particulier dans un ensemble qui tend, par sa propre monotonie, à traduire la monotonie de la lutte quotidienne contre le mal, et celle du mal lui-même. Cette lutte se caractérise par son aspect collectif ; la peste est l'« affaire de tous », et la révolte qu'elle engendre ne se sépare pas de la solidarité. Mais cette lutte ne donne pas lieu à des actions d'éclat. Bien que *La Peste* ne soit pas sans rapports avec *La Condition humaine* (*), contrairement à Malraux, Camus n'exalte pas l'héroïsme ; il le place après l'« exigence généreuse du bonheur » ; il affirme simplement qu'« il y a dans les hommes plus de choses à admirer qu'à mépriser ». C'est ce qu'attestent le combat opiniâtre des médecins contre la maladie, les formations sanitaires de volontaires où l'on reconnaît, certes, la transposition de la résistance, mais aussi du refus plus général de pactiser avec la violence. Comme l'auteur, le narrateur sait que, dans cet affrontement inégal, la victoire sur la souffrance et la mort n'est que provisoire, à la mesure de l'homme. Chacun des personnages, à sa manière, exprime cette morale relative. *La Peste* propose une fresque d'êtres attachants, qui, tout en préservant une part de mystère, incarnent une des attitudes possibles en face du mal et du malheur ; Rieux, combattant tenace et sans illusions, qui sait, avec compassion, se faire l'« historien des cœurs déchirés », fonde son action sur l'honnêteté, c'est-à-dire la volonté de « bien faire son métier » : son métier de médecin, mais aussi et surtout son métier d'homme. Tarrou, dans sa quête de la paix intérieure, son désir modeste de ne pas propager la maladie, fait de la « compréhension » et de la « sympathie » les règles de sa morale. Paneloux, qui a d'abord cru voir en la peste un châtiment divin, découvre la mort des autres, et semble se réfugier dans une foi volontaire et désespérée. Rambert finit par concilier son goût charnel du bonheur et les exigences de la fraternité. Grand, enfin, habité par un idéal littéraire un peu ridicule, qui ne trouve pas ses mots, peut, par sa générosité sans calcul, sa vérité, et même son « insignifiance », être proposé comme le véritable héros de cette histoire. Quant à Cottard, son « cœur ignorant » fait de lui un collaborateur de la peste. Si la visée éthique du roman est indéniable, elle n'est jamais réduite à une prédication simpliste, et ne saurait l'emporter sur la puissance évocatrice de la création romanesque. La présence du monde naturel, comme celle du « soleil de la peste », la mise en œuvre des thèmes essentiels de la séparation et de l'exil, à travers la douleur individuelle ou collective des « prisonniers de la peste », la conception et la suggestion d'un « temps de la peste » donnent à cette chronique réaliste d'une épidémie imaginaire la valeur d'un mythe de l'homme contemporain.

★ L'une des rares adaptations musicales du roman de Camus est une œuvre pour récitant, chœur et orchestre, du compositeur anglais Roberto Gerhard (1896-1970), *The Plague* (1963).

PETER CAMENZIND. Roman de l'écrivain suisse d'origine allemande Hermann Hesse (1877-1962), publié en 1904. C'est avec ce roman que Hesse connut son premier grand succès littéraire. Il raconte, dans la tradition du romantisme allemand, la vie d'un jeune vagabond qui part de son petit village pour conquérir le monde. Peter Camenzind ressemble quelque peu au Peter Schlemihl de Chamisso – v. *Histoire merveilleuse de Peter Schlemihl* (*) –, mais les problèmes intellectuels ne l'ont pas laissé indifférent. Il est un vagabond de l'art qui regarde la vie à travers l'esthétique. Grâce à son personnage, Hesse peut exprimer ses propres opinions sur l'art et sa destinée. Il opte pour une vie naturelle, s'oppose à la civilisation citadine, et les impressions de son héros pendant son séjour à Paris sont particulièrement révélatrices à cet égard. Par son intermédiaire, Hesse critique violemment la civilisation occidentale. Peter finit par renoncer à son existence vagabonde et rentre dans son petit village, où il deviendra restaurateur. Ce renoncement est significatif pour la pensée de Hesse et indique l'évolution ultérieure de son œuvre. – Trad. Calmann-Lévy, 1950.

PETER GRIMES. Opéra en trois actes du compositeur anglais Benjamin Britten (1913-1976) sur un livret de Montagu Slater, d'après le poème de Crabbe, *Le Bourg* (*) (1810). Créé à Londres le 7 juin 1945, cet ouvrage a marqué le début du renouveau de l'opéra anglais. C'est l'ouvrage lyrique de Britten le plus fréquemment représenté. La partition, très vivante, séduit d'emblée par la diversité de son langage. Dans un petit village de pêcheurs du Suffolk, Peter Grimes (ténor) a perdu un apprenti en mer dans des circonstances mystérieuses ; on lui conseille toutefois de ne pas prendre d'autre apprenti. La maîtresse d'école, Ellen Orford (soprano), seule à avoir confiance en lui, l'aide à trouver un autre garçon. Mais elle découvre que le garçon a été maltraité et se brouille avec Peter. La colère populaire monte et le village entier se lance à la poursuite de Peter qui a emmené son apprenti sur la falaise. Tandis qu'ils descendent, le garçon fait une chute mortelle. Trois jours plus tard, Peter revient au village au lever du jour, épuisé. Sur les conseils de Balstrode (baryton), un vieux capitaine en retraite, il va couler son bateau en mer. La vie reprend dans le petit bourg. Britten a tiré de son opéra quatre *Interludes marins* qui sont joués isolément au concert. A. Pâ.

PETER IBBETSON. Roman de l'écrivain anglais George Du Maurier (1834-1896), publié en 1891. Une introduction informe le lecteur qu'il s'agit d'une autobiographie écrite dans un hospice d'aliénés. Rien de plus inoffensif et de moins morbide cependant que ces pages, pleines de souvenirs réels et de rêves (rêves à l'état de veille ou de sommeil). Enfance heureuse dans le Passy de Louis-Philippe (celle peut-être de l'auteur, citoyen anglais issu d'une famille d'émigrés français), brusquement interrompue par des deuils. Son adolescence et sa jeunesse à Londres sont tristes et médiocres, et il souffre du mal romantique : aspiration vers le beau, vers les arts, vers l'impossible. Rencontre avec la femme de sa vie, inaccessible duchesse, qui n'est autre que la petite compagne d'enfance de Passy. D'abord ils ne se reconnaissent pas, mais ils se retrouvent chacun dans le même rêve qu'ils se racontent. Puis le drame survient. Ne sachant pas mesurer sa propre force, il tue son tuteur, déplaisant don Juan, qu'il ne voulait que châtier parce qu'il avait sali la mémoire de sa mère. Condamné à la pendaison, sa peine est commuée ; mais la prison lui est douce à cause de ses nuits qui sont merveilleuses : il rêve et vit son grand amour. C'est alors que l'auteur donne libre cours à sa fantaisie ; il y a des incursions dans le passé, où le décor se transforme comme au théâtre et où les personnages d'alors, même les enfants qu'ils étaient, évoluent auprès de lui et d'elle, et participent à leurs aventures ; il y a les lectures qu'il voulait faire, les voyages, le théâtre, les concerts ; les doux moments d'intimité aussi. La femme aimée vieillissante lui parle de la mort avec sérénité. Mais dans la nuit où il la voit morte en rêve, il a une crise de folie qui provoque son internement dans un hospice d'aliénés. En somme, livre original, bien d'« époque », avec ses tirades et son vague à l'âme, mais séduisant par là même. Il est émaillé de citations françaises. — Trad. Gallimard, 1946.

PETER PAN dans les jardins de Kensington [*Peter Pan in Kensington Gardens*]. Récit pour enfants de l'écrivain anglais James Matthew Barrie (1860-1937), publié en 1906. Le personnage de Peter Pan a paru pour la première fois dans un roman de Barrie, *Le Petit Oiseau blanc* [*The Little White Bird*], publié en 1902, puis dans une comédie du même auteur représentée en 1904 sous le titre *Peter Pan, ou le Petit Garçon qui ne voulait pas grandir* [*Peter Pan or the Boy who wouldn't grow up*]. Peter Pan, enfant extraordinaire, s'enfuit de la maison paternelle une semaine après sa naissance, pour retourner dans le pays des fées où il restera éternellement enfant, heureux, libre de toute affection humaine. Il vit maintenant dans le monde nocturne des jardins de Kensington, appelés aussi « Never-Never-Never Land » (le « Pays imaginaire »), et devient le chef d'un petit groupe d'enfants tombés de leur voiture, que Peter sauva de la mort et que personne ne vint jamais rechercher. Peter vole la nuit autour des maisons et écoute, derrière les vitres, les contes que les mamans racontent à leurs petits avant de les endormir. Un soir, trouvant la fenêtre ouverte, il entre dans la chambre où dorment les enfants Darling : Jean, Michel et Wendy. La chienne Nana, qui veille sur eux, attaque Peter et l'oblige à fuir si précipitamment qu'il laisse son ombre entre les battants de la fenêtre. Mais, quelques jours plus tard, Peter retourne à la recherche de son ombre et, trouvant Wendy éveillée, la persuade de le suivre à « Never-Never-Never Land », où elle servira de petite maman aux enfants qui n'en ont pas. Jean et Michel apprennent aussi à voler comme Wendy et suivent Peter Pan dans l'île enchantée, où ils combattront contre des pirates, des bêtes fauves, des Peaux-Rouges et des sirènes. Leur plus terrible ennemi est le capitaine Crochet, ainsi appelé parce qu'il a remplacé la main que Peter lui a tranchée dans un combat par un crochet de fer (« Hook »), dont il se sert comme d'une arme terrible contre ses adversaires. Parmi ceux-ci se trouve un crocodile qui, après avoir goûté de la main coupée, voudrait maintenant dévorer en entier le capitaine ; mais le monstre a aussi englouti une montre, dont le tic-tac dans son estomac dénonce constamment sa présence, lui rendant ainsi quasiment impossible toute embuscade. Le séjour de Wendy dans l'île complète le bonheur des enfants, auxquels manquaient seulement ses soins, jusqu'à ce qu'un jour Wendy sente le besoin de sa maman et veuille retourner à la maison. Avec elle partent également Jean et Michel, qui désirent rentrer chez eux. Peter, après les avoir accompagnés, s'envole de nouveau en direction de « Never-Never-Never Land », avec la fée Tinker Bell. Comme suite à ce récit, l'auteur écrivit *Peter et Wendy* [*Peter and Wendy*], publié en 1910. L'éternel enfant vient chaque année visiter ses amis et emmène avec lui Wendy pour quelques jours, afin de faire le ménage de printemps dans la petite maison de l'île enchantée. Mais ses amis perdent peu à peu le divin privilège de l'enfance et quand Peter retourne chez eux, après bien des printemps qui passent pour lui comme des heures, il trouve Wendy avec un mari et une petite fille. Pour cette raison, elle ne peut plus s'envoler pour « Never-Never-Never Land », et à sa place part maintenant sa fille Jane. Sous les traits de Peter Pan, l'auteur n'a pas seulement recréé le mythe de l'enfance : il en a fait aussi le symbole du rêve libre et heureux, de cette félicité bienheureuse à laquelle chacun songe en secret, même aux pires moments de lassitude et de déception. Le livre a eu un succès énorme. La statue de Peter Pan dans les jardins de Kensington, à Londres (statue due à sir George Frampton), est très populaire. Peter Pan a été adapté à l'écran par le cinéaste Herbert Brenon, et interprété par Betty Bronson. — Trad. Hachette, 1947.

PÉTERSBOURG [*Peterburg*]. Roman de l'écrivain russe Andreï Bely (Boris Nikolaïevitch Bougaev, 1880-1934) ; il est le deuxième volume de la trilogie *Orient et Occident* (publiée en 1912), dont le premier volume s'intitule *La Colombe d'argent* (*) et le troisième *Kotik Letaev* (*). Dans *Pétersbourg*, comme dans toutes ses autres œuvres en prose, Bely, théoricien de l'école symboliste, utilise ses souvenirs et ses expériences pour en tirer, dans le cadre d'une œuvre d'imagination, des conclusions qui en dépassent la portée, laissant le lecteur juger où se termine la réalité et où commence le symbolisme. Le roman se déroule sur le fond historique de la révolution de 1905 et a pour sujet l'action terroriste qui oppose le fils d'un haut fonctionnaire du gouvernement à son propre père, qu'il a été chargé, par un comité révolutionnaire, de supprimer. À ce thème central se rattachent les aventures proprement romanesques et personnelles de chacun : du père, Apollon Apollonovitch Ableoukhov, comme du fils, Nikolaï Apollonovitch ; à la faveur de ces aventures, l'auteur entreprend de fixer certains types caractéristiques de la Russie au début de notre siècle. L'attention de l'écrivain se porte surtout sur le personnage du jeune Nikolaï, devenu révolutionnaire non par conviction ou par passion politique, mais par cette sorte de malentendu dans lequel sont tombés beaucoup de jeunes Russes de cette génération. Nikolaï Apollonovitch est en quelque sorte une caricature tragique de ces jeunes gens dont l'existence et le malaise moral (représentés également par Artsybachev sous les traits de son héros Sanine) eurent de graves répercussions sur la psychologie du pays. — Trad. L'Âge d'Homme, 1967.

PETIT (Le). Recueil de notes de l'écrivain français Georges Bataille (1897-1962), publié en 1943 (édition dite de 1934) sous le pseudonyme de Louis Trente ; son édition sous le nom de Georges Bataille est posthume (1963). La majeure partie de ce bref recueil a pour titre « Le Mal » — un mal conçu comme « le besoin de nier l'ordre sans lequel on ne pourrait vivre ». Ces notes ont quelque chose d'haletant et d'éperdu qui rend leur compréhension à la fois claire et insuffisante, car leur lecture relève moins du « savoir-comprendre » que du « se-laisser-posséder ». Lire Bataille, ce n'est pas seulement enregistrer une pensée, mais expérimenter en soi et pour soi cette pensée, si bien qu'il s'agit moins de lecture exacte que de « co-naissance » — chaque lecture entraînant d'ailleurs une expérience toujours différente et toujours nouvelle. Il s'ensuit que tout ce qu'on peut dire sur Bataille est relatif à une lecture et remis en question par la suivante, et cela est particulièrement sensible devant ces notes qui, derrière leur apparence fragmentaire, cachent une expérience totale, laquelle est paradoxalement d'autant plus présente que sont discontinues les phrases qui la rapportent — car cette discontinuité est une sollicitation, une relance perpétuelle pour le lecteur que tant de vide entre les mots menace et jette justement au bord du vide. Mais de quoi Bataille parle-t-il ? Du mal, de la névrose, de la nudité, de l'absence, du remords, cependant qu'il se perçoit scandaleusement à l'image du « petit », ce mot des bordels qui désigne l'anus : « Si j'évoque une enfance souillée et enlisée, condamnée à dissimuler, c'est la voix la plus douce en moi qui s'écrie : je suis moi-même le “petit”, je n'ai de place que caché... On pleurerait avec moi, le devinant lié, ne pouvant qu'être horreur, l'étant avec un courage ombrageux et tendre. » Plus loin, il faut citer aussi ces lignes capitales sur la névrose : « La névrose est l'appréhension timorée d'un fond d'impossible auquel on donne quelque cause accidentelle, au lieu d'en accepter la nature inéluctable. L'impossible est le fond de l'être... le névrosé l'implique dans une circonstance où il n'est pas, en quoi l'homme normal a raison de le dire malade, mais il approche du fond de l'être auquel le normal demeure étranger (sauf dans le rire, le vice, la poésie, la dévotion, la guerre...). » La partie intitulée « W.-C. Préface à l'Histoire de l'œil » rappelle quelques souvenirs d'enfance particulièrement atroces et vivaces : la cécité du père, sa folie, la folie de la mère (« Le malheur m'accablait, l'ironie intérieure répondait : tant d'horreur te prédestine ») ; ces « circonstances » de l'*Histoire de l'œil* (*) soulignent la nécessité et la vérité de ce livre, où Bataille déchiffre une « joie fulminante ». La dernière partie du *Petit* ne rassemble, sous le titre « Un peu plus tard », que quelques notes : la première : « Écrire est rechercher la chance. » La dernière : « La pointe de la chance est voilée dans la tristesse de ce livre. Elle serait inaccessible sans lui. »

PETIT ALMANACH DE NOS GRANDS HOMMES (Le). Répertoire alphabétique de notices critiques et satiriques sur les écrivains sans talent de la République des lettres, publié anonymement pour *1788*, puis *pour l'année 1790* par l'écrivain français Antoine Rivarol (dit comte Antoine de, 1753-1801), en collaboration avec Champcenetz (dit le chevalier de, 1760-1794), et portant en épigraphe : « Dis ignotis » [aux dieux inconnus] ; pour donner le change, l'auteur se mit lui-même en scène (encore que sa présence, avec finesse, attestât davantage une absence) pour avoir accédé à « la gloire » par une inscription en vers qui était non de lui, mais de Ximénès. Réduisant la critique aux dimensions d'un matraquage en série, sans s'encombrer d'aucun corps de doctrine ni d'une esthétique, Rivarol prend, pour juger son « armée de Lilliputiens », le tour du discours ironique. Il assène des coups d'autant plus meurtriers qu'ils sont justement portés

dans leur quasi-totalité dans le style de l'éloge dithyrambique, du franc conseil, de la gravité académique. Mais si ses jugements sur les prétendus beaux esprits de son temps sont presque tous restés sans appel, Rivarol, à l'occasion, ne s'en laisse pas moins prendre indûment à son jeu de massacre. Par exemple, il associe par mépris, dans une même notice, Beaumarchais à son ami, le médiocre Gudin de la Bunellerie ; davantage : il le qualifie dans sa préface de « vétéran de la petite littérature », sauvé de l'oubli non par ses œuvres, mais par son âge. À l'article sur Rétif de la Bretonne, il écrit sur le mode de l'exclusion réciproque : « Voyez M. Mercier », et à l'article sur Mercier : « Voyez M. Rétif de La Bretonne. » Il se permet même avec Laclos un jeu de mots d'un goût douteux : « Ses vers *Sur la jalousie* en ont donné à tout le monde. » Avec sa verve intarissable, l'*Almanach* inaugure dans l'histoire de la critique littéraire l'éreintement par antiphrase comique.
H. M.

PETIT AMI (Le). Ouvrage en prose, qui rassemble les souvenirs d'enfance et d'adolescence de l'écrivain français Paul Léautaud (1872-1956), publié en 1903. Ce dernier y raconte les joies et les peines du petit garçon qu'il fut, rêveur, gavroche, flânant dans le quartier de la rue des Martyrs (« Jours lointains, si je pouvais les revivre, si je pouvais redevenir le cher gamin d'alors ! Je n'avais aucune ambition, aucun souci littéraire. J'ignorais le besoin d'écrire et l'ennui de recopier au net ; j'avais une sorte de tristesse qui suffisait à mon bonheur, et ma tête penchée n'était occupée que de choses très douces et très légères ») ; du timide jeune homme séduit par les Folies-Bergère et que les femmes de petite vertu devaient apprivoiser et adopter. Il ne les oubliera pas, et c'est avec un grand charme qu'il fait leur éloge, évoquant leur gentillesse, leur franc-parler, leur élégance de cœur et leur misère. Quant aux pages consacrées à sa mère, qu'il a si peu connue, mais avec quelle passion, on peut les considérer comme les plus belles, les plus tendres, qu'ait écrites l'auteur. Toute l'œuvre baigne dans une atmosphère d'opérette d'Offenbach, où le triste et le gai, l'amer et l'enjoué s'entremêlent, au gré d'une musique détachée. Par ce livre, et grâce à lui, Paul Léautaud trouve son timbre personnel, son allure, et limite son ambition. Il avait aimé, plus que de raison, Baudelaire et Mallarmé. C'est vers Chamfort qu'il se dirige, avec allégresse. Il change de siècle, et va gagner en vivacité, en esprit. Mais il ne retrouvera jamais le tremblement, le style chatoyant et railleur, qui retient une larme, du *Petit Ami.*

PETIT ARPENT DU BON DIEU (Le) [*God's Little Acre*]. Roman de l'écrivain américain Erskine Caldwell (1903-1987), publié en 1933. Lors de sa publication, l'ouvrage fut poursuivi pour obscénité. Il fallut la protestation de nombreux écrivains américains, dont les plus grands, pour que les poursuites soient abandonnées. Le roman se situe dans l'État de Géorgie, pays natal de l'auteur. Un vieux fermier, Ty Ty Walden, est persuadé que sa terre recèle une mine d'or. Depuis quinze ans, il néglige donc ses cultures pour creuser, avec l'aide de ses fils, Buck et Shaw, d'énormes trous autour de sa maison. À mesure, il recule le « petit arpent du Bon Dieu », carré de terre dont il a consacré le produit au Seigneur. À la ferme vivent aussi Darling Jill, l'une des filles de Ty Ty, et Griselda, la jeune femme de Buck. Darling Jill ne cherche pas à résister à la violence de ses appétits sensuels et a de nombreuses aventures amoureuses et Griselda, qui a un corps splendide, fait tourner la tête de tous les hommes. L'une et l'autre font vivre les Walden mâles dans un climat d'érotisme exacerbé : Ty Ty se contente de surprendre sa bru lorsqu'elle se déshabille et la fait rougir et pleurer par la verdeur de ses compliments, Buck est follement jaloux et Shaw ne songe qu'à aller rejoindre les filles de la ville voisine. Au début du roman, Pluto Swint, gros homme naïf dont les deux grandes ambitions sont d'être élu shérif et d'obtenir la main de Darling Jill, convainc Ty Ty que les hommes albinos possèdent le pouvoir de détecter les mines d'or et que l'un de ces êtres étranges vit dans la région. Aussitôt, le vieux fermier décide d'aller capturer « l'albinos » avec ses fils. Ayant besoin de tous les siens en cette circonstance mémorable, il confie à Pluto et à Darling Jill la mission d'aller chercher à Scottsville sa fille Rosamond et son mari, l'ouvrier tisserand Will Thompson. Ayant découvert Dave, « l'albinos », Ty Ty le fait attacher et l'emmène triomphalement chez lui. Durant ce temps, à Scottsville, Darling Jill s'est donnée à son beau-frère, comme, quelques heures plus tard, elle se donnera à Dave. Elle est surprise par sa sœur, mais, après que la colère de Rosamond a donné lieu à quelques scènes hautes en couleur, c'est en excellents termes que le trio rejoint la ferme paternelle. Cependant, Ty Ty a tant négligé sa ferme qu'il se trouve sans le sou. Il décide alors d'aller trouver à Augusta son fils aîné, Jim Leslie, qui a réussi dans les affaires et ne veut plus entendre parler de sa famille. Accompagné de sa fille Darling Jill et de sa bru, le vieil homme réussit à pénétrer dans la demeure cossue de son fils et à tirer de celui-ci une somme d'argent. Mais Jim Leslie se prend d'une soudaine et brutale passion pour Griselda, qui ne lui échappe qu'à grand-peine. Peu après, Pluto, Darling Jill et Griselda raccompagnent les Thompson à Scottsville. C'est là que, au cours d'une scène orgiaque, Will, sous les yeux de ses compagnons, arrache et lacère les vêtements de Griselda avant d'entraîner la jeune femme dans sa chambre. Le lendemain matin, Thompson prend la tête des grévistes qui ont pénétré dans l'usine de tissage et il est tué d'un coup de feu. Quelques jours plus tard, Jim Leslie se rend à la ferme pour enlever Griselda, mais il est abattu par Buck sur « l'arpent du Bon Dieu ». Désespéré par la violence qui s'est déchaînée sur sa terre, Ty Ty conclut : « Dieu nous a mis dans le corps d'animaux et Il voudrait que nous agissions comme des hommes. C'est pour cela que ça ne va pas [...] Quand on se met à prendre une femme ou un homme pour soi tout seul, on est sûr de n'avoir plus que des ennuis jusqu'à la fin de ses jours. » Toute la première partie du roman, rapide, cocasse, compte parmi les pages les plus savoureuses de l'auteur. La seconde est malheureusement alourdie par l'expression maladroite et bavarde d'une idéologie dionysiaque assez sommaire. — Trad. Gallimard, 1936.

PETIT CARÊME. De l'oratorien français Jean-Baptiste Massillon, évêque de Clermont, dernier des grands prédicateurs de l'époque classique (1663-1742), sont parvenus jusqu'à nous des *Oraisons funèbres et Sermons* (*), mais son œuvre la plus célèbre est incontestablement le *Petit carême*, qu'il prêcha devant le roi Louis XV, alors âgé de neuf ans, en 1718. Massillon était déjà fort connu comme orateur sacré et ce n'était pas ses débuts devant la Cour. Il avait donné à Paris, à l'Oratoire, dès 1699, un premier carême, qui avait connu un tel succès qu'il fut appelé à la Cour, où il prêcha l'Avent de 1699, puis les carêmes de 1701 et de 1704. Paraissant devant Louis XIV, alors à l'apogée de sa gloire, il avait eu l'audace, lors de l'Avent de 1699, de prendre pour thème le texte de l'*Évangile* : « Bienheureux ceux qui pleurent », qu'il avait commenté en ces termes : « Sire, si le monde parlait ici à Votre Majesté, il ne lui dirait pas "Bienheureux ceux qui pleurent..." Mais, sire, Jésus-Christ ne parle pas comme le monde. » Ce ne sont pas seulement ses hardiesses, c'est la finesse, la noblesse de son éloquence, simple et persuasive, qui lui valurent un vaste public. Succédant à la Cour à Bourdaloue, qui avait lui-même succédé à Bossuet, Massillon avait déclaré qu'il ne prêcherait pas comme eux. Il était en effet persuadé que, si le ministre de la parole divine se dégrade en annonçant d'une manière triviale des vérités communes, il manque aussi son but en croyant subjuguer, par des raisonnements profonds, des auditeurs qui, pour la plupart, ne sont guère à portée de le suivre. Après le règne de Bourdaloue, si fortement, si excessivement raisonnable, Massillon fit entendre l'éloquence du cœur. Il venait à son heure, et sa simplicité digne sut émouvoir les fidèles. En 1718, Massillon est au sommet de sa gloire, le Régent vient de le faire nommer évêque de Clermont ; mais, avant de le laisser regagner son diocèse, il lui demande de faire une dernière série de sermons devant la Cour. Ce sont ces dix sermons qu'on appelle le *Petit carême*, pour le distinguer des deux autres Carêmes prêchés devant la Cour. Les *Grands carêmes* se prêchaient plusieurs fois la semaine, les *Petits carêmes* une fois seulement. Le *Petit carême* fut le dernier succès de Massillon à Paris. Reçu en 1719 à l'Académie française, il se retira à Clermont en 1721 et ne reparut plus à la Cour. Dans son diocèse, il se consacra aux devoirs de sa charge et à la direction, comme l'avait fait Bossuet. Il semble que, dans ces dix sermons, Massillon ait rassemblé les traits les plus caractéristiques de son éloquence. Elle y est plus insinuante et plus sensible que jamais. Parlant à un enfant et à un roi, il sait se mettre à sa portée en lui exposant les devoirs des souverains, en prêchant, après les guerres désastreuses de son prédécesseur, un idéal de paix et de bonté. Il lui met sous les yeux les maux qui sont attachés à sa condition : les flatteries des courtisans, la confiance présomptueuse que peut lui inspirer sa puissance, et surtout la tentation de la gloire, qui peut le pousser à faire le malheur de ses sujets. Si, parce qu'il ne traite dans ces dix sermons qu'un thème unique, on peut taxer Massillon de monotonie, on ne peut lui dénier une éloquence harmonieuse et juste, une langue noble, simple et châtiée, remarquable par la propriété des termes, mais qui n'est pas sans nous paraître un peu tiède et terne à côté de l'éloquence chaude et virile de Bossuet.

PETIT CHAPEAU DES JÉSUITES (Le) [*Das vierhoernige Jesuiter Huetlein*]. Satire en vers que le polygraphe et humoriste allemand Johann Fischart (1546-1590) publia en 1580. C'est une œuvre extrêmement mordante, dirigée contre les jésuites : le démon, voulant remettre en honneur la corne, symbole infernal, afin de conduire le monde à sa ruine, se coiffe tout d'abord du capuchon des moines, fait de paresse, d'hypocrisie et de confusion ; puis de la mitre épiscopale, faite d'ambition et d'artifice ; ensuite de la tiare pontificale à trois cornes (simonie, vengeance, luxure, perfidie, poison, magie, rébellion et exil) ; finalement du chapeau à quatre pointes des jésuites, lequel cumule tous les vices. L'œuvre entière repose sur l'audace et l'habileté souveraine avec lesquelles est maniée la langue, sur la violence débridée et souvent plaisante de la polémique. Au-delà de la lutte que mène Fischart au nom du protestantisme contre l'Église catholique, on ne peut dénier à l'auteur de cette satire une merveilleuse fantaisie et une connaissance profonde de l'homme et du monde.

PETIT CHAPERON ROUGE (Le). Conte de Charles Perrault (1628-1703) — v. *Histoires ou contes du temps passé* (*) — qu'ont repris les écrivains allemands, les frères Jacob (1785-1863) et Wilhelm (1786-1859) Grimm. Le récit est conduit de la même manière chez les deux auteurs, jusqu'au point de l'histoire où le loup, s'étant introduit dans le lit de la grand-mère, dévore le Petit Chaperon rouge. L'histoire s'achève, chez Perrault, comme à l'accoutumée, par une morale galante qui s'accorde assez mal avec l'ensemble du conte. Chez les frères Grimm, par contre, l'histoire se poursuit avec la venue du chasseur, qui éventre le loup et tire de là, saines et sauves, la grand-mère et la petite-fille. Et si le récit est, chez Perrault, rapide et agile, les frères Grimm l'agrémentent de descriptions dont la fraîcheur évoque l'humide odeur des bois. – Trad. du conte des frères Grimm, Alsatia, 1943 ; Duculot, 1983.

PETIT CHOSE (Le), histoire d'un enfant. Roman de l'écrivain français Alphonse Daudet (1840-1897), publié en 1868. Première œuvre de Daudet romancier, ce livre est une autobiographie et un fragment de mémoires. Daudet lui-même s'en flatte à bon droit ; c'est bien lui, « cet enragé petit Chose », chez lequel « il y avait déjà une faculté singulière qu'il n'a jamais perdue depuis, un don de se voir, de se juger, de se prendre en flagrant délit de tout, comme s'il eût marché toujours accompagné d'un surveillant féroce et redoutable ». Notre auteur sait parfaitement qu'il est impossible à un homme sincère de ne pas se mettre tout entier dans son œuvre, mais aussi que cette intervention ne signifie point qu'il raconte un épisode de sa propre existence. Il anime sa façon de voir et de sentir, non pour un plaidoyer personnel, mais pour une émotion moins égoïste qui doit gagner les cœurs. Dans la première partie du livre, la transposition est de peu d'importance : on y trouve d'abord, fidèlement notés, l'ennui, l'exil d'une famille méridionale dans la brume lyonnaise, ce changement d'une province à une autre, cette distance morale que les facilités de communications ne suppriment pas. Daniel Eyssette, l'élève méprisé, ce sera bien Daudet encore, obligé de gagner sa vie à seize ans dans l'horrible métier de pion, l'exerçant au fond d'une province hostile et s'y faisant insulter par les petits montagnards cévenoles ; il subit là les basses humiliations du pauvre. Cette dure entrée dans la vie lui a fait supporter légèrement les épreuves du « noviciat littéraire » et les premières années de Paris. Il n'y a guère de réel, dans la seconde partie, que l'accueil fraternel, le dévouement ingénieux de cette « mère Jacques », Ernest Daudet de son vrai nom, qui est la figure rayonnante de l'enfance d'Alphonse et de sa jeunesse. Les comparses sont de pure imagination : Pierrotte et les yeux noirs, la dame du premier, sa négresse Coucou-Blanc ; de même, le vrai petit Chose n'a jamais été comédien, et le commerce de la porcelaine lui est inconnu. *Le Petit Chose,* œuvre touchante et charmante, petit chef-d'œuvre de fine observation et de poésie, a connu un succès de bon aloi auprès d'un très vaste public.

PETIT DÉJEUNER CHEZ TIFFANY [*Breakfast at Tiffany's*]. Nouvelle de l'écrivain américain Truman Capote (1924-1984), parue en 1958. Prenez une ravissante femme-enfant originaire de Tulip, Texas. Elle « monte » à New York et y devient... ce qu'elle y devient n'est pas bien clair, disons : starlette. Elle fraye avec des individus qui fricotent dans le monde du cinéma ou nettement plus bas. Elle se fait appeler Holly Golightly, nom improbable (« go lightly » : qui va d'un pied léger) mais qui lui va si bien. Car cette fille est une impalpable. « Je ne veux rien avoir à moi jusqu'à ce que je trouve l'endroit où moi et les choses on pourra s'appartenir. » Les hommes essaient de la saisir : elle leur soutire des dollars. Mais il est difficile de lui en vouloir : c'est « une truqueuse, mais ses trucs sont vrais ». Puis elle est tellement attendrissante, comme toutes les filles qui louchent très légèrement...

C'est ce personnage que le narrateur de la nouvelle découvre un jour dans son immeuble. Comme les autres, il est conquis. Holly l'aime bien, d'ailleurs, car il lui rappelle son frère Fred. Elle va l'appeler comme cela. « Fred » et Holly se fréquentent pendant quelques saisons, deviennent très complices, se fâchent, se rabibochent. Puis un scandale éclate. Holly, qui croyait sincèrement aider un vieux prisonnier (« Ce serait une bonne action si j'allais lui rendre visite une fois par semaine [...] C'était trop romanesque ! »), est mêlée à une grosse affaire de narcotiques : le vieux prisonnier confiait à Holly, à son insu, des messages codés qu'elle transmettait à des complices. Sur ce, le garçon qu'elle aimait, et qui tient à sa propre réputation, lui envoie une lettre de rupture. Qu'à cela ne tienne, Holly a du ressort : « Chéri, peux-tu atteindre le tiroir là-bas et me donner mon sac ? Une fille bien ne lit pas ce genre de lettres sans se mettre du rouge aux lèvres. » Elle n'a plus qu'à plier bagage une nouvelle fois et reprendre ses tribulations. Pourtant, elle avait presque réussi à appartenir à un lieu et réciproquement. « Mais quand même quelque chose là m'appartient parce que je lui appartiens », avait-elle lancé depuis le pont de Brooklyn juste avant le scandale. Mais Holly n'est pas de la race qui s'installe et s'enracine. Même avec des arrêts en route, ces filles cheminent vers leur vrai domaine : la légende. La dernière trace que le narrateur ait eue de la jeune femme, c'est sous la forme d'une sculpture sur bois africaine qui lui ressemble étonnamment...

Quand *Petit déjeuner chez Tiffany* a paru, toutes les excentriques américaines ont voulu se reconnaître dans Holly Golightly et s'en allaient clamant : « Mais c'est moi ! C'est moi ! » Truman Capote, qui, s'il eut Proust comme idéal, avait Flaubert pour maître, a dû bien rire. – Trad. Gallimard, 1962.

Ph. Mi.

PETIT DICTIONNAIRE DES GRANDS HOMMES DE LA RÉVO-

LUTION, PAR UN CITOYEN ACTIF, CI-DEVANT « RIEN ». Répertoire alphabétique de notices satiriques sur les fauteurs de la Révolution, publié anonymement, en 1790, par l'écrivain français Antoine Rivarol (dit comte Antoine de, 1753-1801). En couverture, sous le titre, se lit : « Tous les hommes sont bons. » Se proposant de « faire le dénombrement des grands hommes de chaque espèce, qui d'une paisible monarchie ont fait une si brillante république », Rivarol, en « un modèle de persiflage et d'impertinence » (Grimm) calqué sur son *Almanach des grands hommes* (*), prend le tour du discours monté pour, ironiquement, couvrir de mépris et de dérision tous ceux qui, du « pair de France » au « savetier » en passant par les prêtres « sacrificateurs », ont contribué à la chute du régime en France par leurs agissements ou, indirectement, par leur faiblesse ou leur lâcheté. Il éreinte les démagogues qui, sacrifiant la liberté que peut seule octroyer à ses yeux la monarchie, flattent une populace toujours avide de sang. Surtout, il se montre imperméable à la générosité de ceux qui, ouverts aux idées nouvelles, accueillent avec enthousiasme les débuts de la Révolution. Et il est frappant de voir vilipendés en si grand nombre des hommes, voire d'anciens amis, qui ont été par la suite des modérés ou des antirévolutionnaires, guillotinés ou conduits au suicide, des Barnave, Biron, Brissot, Carra, Chamfort, Condorcet, Custine, Fauchet, Gouttes, Le Chapelier, Thouret... Mais déjà Rivarol prévoit la Terreur, et son ironie, pour la première fois dans l'histoire de la littérature, puise sa verve tragique dans l'aliénation où se perdent les redresseurs d'histoire. Car, pacifiste et non-violent, il refuse tout destin se profilant sous le masque de la justice à travers l'iniquité, le mal et la mort. H. M.

PETIT DUC (Le). Opéra-comique en trois actes du compositeur français Charles Lecocq (1832-1918), sur un livret de Meilhac et Halévy. *Le Petit Duc* est une des opérettes les plus justement célèbres de Lecocq. Dès sa création au Théâtre de la Renaissance le 25 janvier 1878, elle obtint un succès que le temps n'a pas atténué. Le livret en est amusant, riche de péripéties inattendues et de reparties dont l'esprit n'a pas vieilli. La scène se passe sous Louis XV. Raoul, duc de Parthenay, vient d'épouser la jeune fille qu'il aime. Mais, comme il a dix-huit ans et son épouse un peu moins, on juge convenable de les séparer en les envoyant, dès la fin de la cérémonie des noces, lui aux armées et elle au couvent. Colonel de dragons à Parthenay, Raoul rêve à son amour cloîtré à Lunéville. Las de cette situation, le petit duc part pour la Lorraine. Il pénètre dans le couvent sous les habits d'une paysanne. Hélas, la guerre est déclarée. Raoul, en bon soldat, doit rejoindre son régiment. En gagnant la bataille, il conquerra l'objet de ses vœux, car par sa bravoure il a gagné le droit de vivre avec celle qu'il aime. Plusieurs airs de cette opérette sont devenus vite populaires, et notamment la « Gavotte », le « Duo des amoureux », et surtout la « Leçon de chant » et la marche « Pas de femmes ». Cette partition est écrite avec cette science et cette élégance qui caractérisent le style de Lecocq. L'orchestre est traité avec infiniment de délicatesse ; les mélodies pimpantes sont riches de grâce et de finesse narquoise. Ce n'est peut-être pas là le rythme endiablé ni la verve fulgurante d'un Offenbach, mais Lecocq garde cette émotion légère, cette ironie souriante qui demeurent la véritable tradition de l'opérette et même de l'opéra-comique français.

PETITE APOCALYPSE (La) [*Mala apokalipsa*]. Roman de l'écrivain polonais Tadeusz Konwicki (né en 1926), paru à Londres en 1979 et en Pologne en 1988. À la demande de ses amis, opposants politiques, le héros, écrivain moyen, ni trop célèbre ni inconnu, doit s'immoler par le feu devant le palais de la Culture Staline où s'achève le dernier congrès du parti. Il est prêt à offrir sa vie pour que l'existence dans la Pologne communiste puisse devenir supportable. Son sacrifice est censé rétablir l'ordre des choses. Attendant le moment opportun, il erre dans les rues où il rencontre amis et connaissances, étranges personnages qui semblent flotter comme lui dans un monde apocalyptique où l'absurdité et les difficultés de la vie quotidienne sont normales et comme naturelles. Toute la réalité environnante est grotesque et rend le héros pathétique et symbolique. Sa décision de répondre à la demande de ses amis vient du désir de racheter ses propres péchés et ceux de son peuple (son errance dans les rues de Varsovie est son Golgotha), dans l'indifférence du monde entier pour les souffrances des hommes et des nations opprimés.

Konwicki a condensé dans ce roman la plupart des thèmes et des moyens déjà utilisés dans ses œuvres précédentes. Le roman est organisé autour du héros – qui est, à certains égards, l'« alter ego » de l'écrivain –, en lutte pour sauvegarder son identité et désespéré par son impuissance à modifier le cours d'événements dont il est le jouet. La référence historique est, cette fois, l'époque stalinienne et la fin du processus de soviétisation de la Pologne. Pour le héros, le seul espoir d'échapper à l'esclavage est l'amour ; or, l'amour est aussi soumis aux lois du grotesque. Ce roman de Konwicki est une anti-utopie au même titre que *1984* (*) de Orwell. À la vision de l'État totalitaire en tant que système de répression l'écrivain oppose une vision burlesque de la réalité qui assura à ce roman un réel succès. – Trad. Robert Laffont, 1981. L. Dy.

PETITE CATHERINE DE HEILBRONN ou l'Épreuve du feu [*Kätchen von*

Heilbronn oder die Feuerprobe]. Drame en cinq actes de l'écrivain allemand Heinrich von Kleist (1777-1811), en prose et vers alternés, représenté en 1810. L'idée première est tirée d'une ballade de Bürger. Comme l'*Othello* (*) de Shakespeare, ce drame commence en pleine action, par une scène de tribunal, la ténébreuse « Vehme » du Moyen Âge, devant laquelle comparaissent un armurier de Heilbronn, Théobald, et le comte Wetter vom Strahl. Ce dernier est accusé par l'armurier de lui avoir ensorcelé sa fille, Catherine. Le chevalier tente de se disculper et affirme aux juges — en procédant lui-même à l'interrogatoire de la jeune fille — qu'il a toujours fait son possible pour se dégager d'elle et la ramener vers son père. Mais toutes ses tentatives n'ont fait que renforcer le sentiment de Catherine ; qu'elle lui appartienne non de corps mais d'âme, l'interrogatoire même le laisse transparaître. Le chevalier, du reste, est déjà tout absorbé par une autre aventure, avec Cunégonde, femme de la haute société, intrigante et cruelle au point qu'elle tente d'empoisonner la fille de l'armurier parce que celle-ci l'a vue au bain, dépouillée de tous les ornements dont elle a coutume de masquer sa laideur et son âge. Mais on a prédit au chevalier un mariage avec la fille de l'empereur, devant lequel est donc transféré le procès compliqué qui, jusqu'à présent, s'était déroulé dans les salles obscures de la « Vehme ». Il instaure une sorte de « Jugement de Dieu » entre Théobald, le père soi-disant outragé, et le chevalier. Mais, coup de théâtre, l'empereur se rappelle soudain une aventure qu'il a eue dans un passé lointain et découvre que la jeune fille amoureuse qui se tient devant lui n'est autre que sa fille, fruit de ce caprice passager. Ainsi se réalise la prédiction et la pièce se conclut de manière heureuse par les noces de Catherine et du chevalier. Cette œuvre, éclatante comme un chant populaire, après avoir eu peu de succès à la première représentation, à Vienne, a conquis lentement le théâtre allemand. Très irrégulière dans sa structure, elle montre tous les aspects positifs et négatifs du romantisme : il y a le rapt de Cunégonde, puis le siège d'un château, son incendie, des prédictions, des songes, de la magie, etc. C'est cependant le personnage de Catherine qui remédie à tous les défauts de l'ouvrage par une douceur et une féminité sans égale. Une scène comme celle qui se déroule devant les murs du château, à l'ombre du sureau où Catherine s'est réfugiée pour être plus près de l'homme qu'elle aime, est de la plus haute poésie. — Trad. Jouve, 1905.

PETITE COSMOGONIE PORTATIVE (La). Poème de l'écrivain français Raymond Queneau (1903-1976), publié en 1950.

Le premier recueil de vers de Raymond Queneau, *Chêne et Chien* (*), paru en 1937, s'ornait d'une épigraphe, assez inattendue de la part d'un poète surréaliste, de Nicolas Boileau. Quinze ans plus tard, le même Queneau devait faire, dans une notice sur cet auteur, un vibrant éloge du *Lutrin* (*).

Il est impossible de ne pas avoir ces références en tête quand on aborde *La Petite Cosmogonie portative*, histoire du monde en six chants et treize cent quatre-vingt-huit alexandrins (généralement réguliers). Mais il est clair que le clin d'œil à la poésie scientifique du XVIe siècle est plus net encore.

La deuxième moitié du XIXe siècle marque la disparition définitive des Pic de La Mirandole : on en trouvera la preuve dans la démission de la philosophie, reléguée dans le vague domaine des « sciences humaines » depuis qu'elle est devenue incapable de fournir aux hommes de science les outils intellectuels dont ils ont besoin. Qu'un esprit aussi universel que Raymond Queneau ait résolu de mener une sorte de combat d'arrière-garde contre cette fatalité est tout à l'honneur de la tradition humaniste et des poètes.

« Ce n'est pas un poème didactique », a déclaré (un peu hypocritement) son auteur, « c'est la science envisagée comme thème poétique ». Et la justification de son entreprise est admirablement exposée au chant III, dans une prosopopée d'Hermès, qui argumente : « On parle des bleuets et de la marguerite / alors pourquoi pas de la pechblende pourquoi ? / ... / On parle de Minos et de Pasiphaé / ... / alors pourquoi pas de l'électromagnétisme... »

La Petite Cosmogonie portative présente la particularité d'être tout à la fois fondée sur une documentation rigoureuse et composée dans une langue échevelée. Le résultat, c'est que l'on ne sait plus qui l'emporte, à la fin, de l'histoire ou du rêve. Cette dualité n'est pas unique chez Queneau, puisque rêve et histoire feront, en 1965, le sujet des *Fleurs bleues* (*).

Plusieurs auteurs, et non des moindres (comme Italo Calvino), se sont attachés à déchiffrer toutes les références, allusions et citations de *La Petite Cosmogonie portative*. Ce jeu, qui fait du lecteur un détective de roman, est évidemment amusant, mais pas du tout nécessaire pour apprécier le poème : son lyrisme souriant, son enthousiasme malicieux et le ruissellement de ses vers suffisent à en faire une des œuvres majeures du demi-XXe siècle. Et peut-être la dernière du genre, historiquement parlant. J. B.

PETITE COSMOLOGIE [*Μικρός Διάκοσμος*]. Œuvre du philosophe grec Démocrite d'Abdère (Ve-IVe siècle av. J.-C.), sans doute de même contenu que la *Grande Cosmologie* (*), mais dite petite par modestie à l'égard de son maître Leucippe. Il ne nous en est parvenu aucun fragment mais nous en connaissons le contenu par ce qu'en disent Diodore et d'autres contemporains. Elle contenait une théorie de la formation du monde, de l'origine des animaux, et de l'histoire primitive de la civilisation humaine. À l'origine, il y avait le chaos ; du chaos, les corps sont apparus par l'action de causes mécaniques, et ont pris l'aspect que nous leur connaissons aujourd'hui. Les corps célestes se sont séparés en premier. L'air fut mû d'un mouvement continu et la substance ignée qu'il contenait fut entraînée vers les régions supérieures, c'est du reste pour cette raison que le soleil et les autres astres sont enfermés dans le tourbillon universel. Ce qui était boueux et humide se porta ensemble vers le bas à cause de la pesanteur. Mais comme cette masse en mouvement tournait sur elle-même continuellement, la mer se forma à partir des substances humides, et à partir des éléments plus solides se constitua la terre boueuse et malléable. La terre se condensa ensuite sous l'effet de la chaleur ; il se forma tout autour des pustules recouvertes d'une fine peau. Quand cette dernière se déchira vinrent au jour les animaux, dont le sexe dépend de la chaleur. Les hommes étaient d'abord dépourvus de lois et vivaient comme des bêtes sauvages, ils se vinrent mutuellement en aide à l'école de la nécessité. Puis ils commencèrent à articuler des paroles. Les divers groupements humains dans les diverses parties du monde donnèrent naissance à des dialectes différents. Petit à petit ils passèrent de la vie nomade à des habitations stables, c'est alors les débuts de l'agriculture et, avec l'apprentissage du feu, des arts mécaniques. Si cette cosmologie peut paraître ingénue au lecteur moderne, il reste que la pensée scientifique grecque y révèle une grande maturité : tous les éléments mythologiques sont complètement abandonnés et Démocrite tente d'expliquer la totalité du monde naturel, y compris les phénomènes de la vie, par la simple action de causes mécaniques. La partie qui concerne l'histoire primitive de l'humanité a exercé une grande influence sur la pensée de la Renaissance et jusqu'au XVIIIe siècle, avec les notions d'État, de nature et de « contrat social » chez Hobbes, Puffendorf, et en partie chez Rousseau et Vico, clairement anticipées dans cette œuvre de Démocrite.

PETITE DORRIT (La) [*Little Dorrit*]. Roman de l'écrivain anglais Charles Dickens (1812-1870), publié par livraisons mensuelles en 1857. Le motif populaire de ce roman est la satire des bureaux gouvernementaux contre lesquels s'élevaient alors les protestations du public pour leur lenteur et la paresse des employés. Or, précisément par suite de l'inexécution d'un contrat passé avec un de ces bureaux, le ministère des Circonlocutions (« Circumlocution Office »), William Dorrit a été jeté dans la prison de la Maréchaussée pour dettes, et il y est resté si longtemps qu'il a mérité le nom de « Père de la Maréchaussée ». L'emprisonnement du vieux Dorrit est adouci par le dévouement de sa plus jeune fille, Amy, appelée « la petite Dorrit », de taille minuscule mais de grand cœur. Amy a une sœur danseuse, Fanny, une « snob », et un frère débauché, Tip. Le vieux Dorrit et Amy sont aidés par Arthur Clennam, pour qui la petite Dorrit conçoit une passion qui n'est point tout d'abord partagée. Par un changement à vue de la fortune, William Dorrit se trouve tout à coup héritier d'un grand patrimoine. À l'exception de la petite Dorrit, tous les autres membres de la famille ne tardent pas à devenir des fats insupportables, fiers de leur argent. De son côté, Clennam, après une spéculation malheureuse, finit, lui aussi, à la prison de la Maréchaussée : malade et désespéré, il sera soigné par la petite Dorrit qui le réconfortera. Il apprend ainsi l'amour de la jeune fille, mais sa richesse l'empêche de demander sa main, jusqu'à ce qu'intervienne un autre coup de théâtre : les Dorrit perdent leur fortune avec la même facilité qu'elle leur était tombée du ciel. Ainsi l'union de Dorrit et de Clennam devient possible dès que Clennam est libéré. Malgré le grand succès obtenu en son temps, ce roman est parmi les moins réussis de Dickens ; mais il s'y trouve, comme toujours, des descriptions vivantes (un dimanche à Londres, une vieille salle à manger, une maison abandonnée, une suffocante soirée d'été à Park Lane) et d'amusantes inventions humoristiques comme celle (au chap. V du livre II) des mots que les jeunes filles devraient prononcer souvent pour donner une belle forme à leurs lèvres (papa, pommes, poules, et surtout prunes, prisme). — Trad. Hachette, 1907 ; Gallimard, 1970.

PETITE ÉGLISE DE RĂZOARÉ (La) [*Bisericuța din Răzoare*]. Premier recueil de nouvelles, publié en 1914, de l'écrivain roumain Gala Galaction (pseud. de Grigore Pisculescu, 1879-1961), qui fut par ailleurs le dernier traducteur en roumain de *La Bible* (*) (1938), en collaboration avec Vasile Radu. Parmi les nouvelles de ce volume, publié avant l'ordination de l'auteur comme prêtre, trois, surtout, méritent d'être mentionnées. « Le Moulin de Călifar » [Moara lui Călifar], écrite dès 1902, est une des premières nouvelles fantastiques roumaines. Dans un village, on racontait que ce Călifar avait le pouvoir d'enrichir ceux qui lui rendaient visite dans son moulin lointain et solitaire, mi-réel mi-légendaire. Un jeune homme à la limite du désespoir tente sa chance et y trouve tout le bonheur imaginable dans un rêve qui tournera pourtant au cauchemar. Avant d'être happé, comme d'autres avant lui, par l'écluse du moulin, il se rend compte avec peine que son bonheur et sa richesse n'avaient été que songe et tue le meunier magicien qui sera heureux enfin de mourir, car il traînait depuis trois cents ans une malédiction, selon laquelle il ne pouvait finir sa vie qu'assassiné. Cette histoire se déroule dans une atmosphère où réel et fantastique s'enchevêtrent au point d'être indiscernables l'un de l'autre.

La deuxième nouvelle, datant de 1910, « Le Trou de la calèche » [Copca Rădvanului], est la légende, racontée par un berger, de l'amour impossible d'un jeune tzigane musicien pour la fille de son maître. Lorsque le jeune tzigane apprend que la jeune fille doit se marier, il demande à sa mère, sorcière, de le faire mourir. Le jour du mariage, le cortège nuptial suit la rivière de l'Olt. Dans la calèche de la mariée, aux pieds de celle-ci, comme il le lui avait demandé, le musicien est en train de jouer du violon. Mais, subitement, un trou s'ouvre au milieu du chemin et la calèche s'y engouffre. La rivière fait aussitôt surgir de ses ondes le violon et son archet qui, comme des feux follets, jouent seuls, en descendant au-dessus de l'eau. Seule une procession mettra un terme à cette apparition diabolique, tandis que la rivière désensorcelée jettera sur sa rive les cadavres enlacés des deux amoureux.

Enfin, la troisième nouvelle, datant toujours de 1910, « De chez nous à Kladovo » [Dela noi la Cladova], est également le récit de l'amour impossible d'un prêtre pour la jeune femme d'un ami d'au-delà du Danube. La jeune femme s'éteindra doucement, en proie à sa passion interdite, tandis que le prêtre, conduit vers elle par ses pressentiments, la verra une dernière fois, pour la veiller en pleurant à son chevet et pour lui donner l'absoute. C'est à ce prix qu'il étouffera la tempête secrète qui avait ravagé son âme. — Trad. de cette dernière nouvelle dans *Âmes en peine*, 1946.

PETITE FADETTE (La). Roman champêtre de l'écrivain français George Sand (Aurore Dupin, 1804-1876), publié en 1849. Avec *La Mare au Diable* (*) et *François le Champi* (*), ce livre appartient à la meilleure époque de l'auteur qui, en retournant dans son Berry natal, avait retrouvé, avec la sérénité de l'esprit, ces thèmes d'une inspiration si simple qui renouvelèrent son art et lui valurent un immense et durable succès. Landry et Sylvinet, fils jumeaux de pauvres paysans, sont très affectionnés l'un pour l'autre et inséparables. Devenu grand, Landry s'éprend de la petite Fadette, fille d'une espèce de sorcière. Tout le monde méprise cette enfant. Landry seul a su découvrir, cachées sous de trompeuses apparences, la naïveté et la pureté de cet être. Les deux jeunes gens dissimulent soigneusement leur amour, car Landry craint particulièrement la jalousie de son frère qui se voit négligé au profit de cette nouvelle affection. Mais Sylvinet découvre leur secret, le révèle à son père qui tente d'abord de mettre obstacle par tous les moyens à l'amour de Landry et de la petite Fadette, mais qui finalement doit consentir à leur union. Cette très mince intrigue tire tout son charme de la délicate et fraîche évocation d'un univers champêtre, que George Sand aime et connaît parfaitement. La fiction poétique se mêle harmonieusement à la réalité dans ce tableau où la nature, rendue avec une grande finesse de touche, et les personnages, jusqu'aux plus humbles, ont une gracieuse fraîcheur.

PETITE FEMME DU DANUBE (La) [*Das Donauweibchen*]. Recueil de nouvelles et de légendes de l'écrivain autrichien Max Mell (1882-1971), publié en 1938. Max Mell, un des plus importants poètes autrichiens contemporains, auteur d'essais, de nouvelles, de drames et de poèmes, unit dans son œuvre la tradition culturelle viennoise et les aspects actuels de la vie populaire. Poète d'introspection qui « oppose au quotidien et au trop-quotidien l'Éternel et le Divin », il est surtout connu comme l'un des rénovateurs, à la suite de Grillparzer et de Hofmannsthal, du jeu dramatique d'origine chrétienne et baroque. Au début de sa carrière, fidèle à l'idéal de l'art pour l'art, il donna *Récits latins* [*Lateinische Erzählungen,* 1904] et les cinq nouvelles qui composent *Les Trois Grâces du rêve* [*Die drei Grazien des Traumes,* 1906] ; mais c'est avec la nouvelle *Le Bétail de Barbara Naderer* [*Barbara Naderes Viehstand*, 1914], histoire des tragiques erreurs sentimentales d'une paysanne solitaire, qui devient la victime de son amour pour deux animaux dont l'un a été volé, que Mell obtint son premier grand succès. En 1938, il rassembla les plus importants de ses récits et contes en un volume, *La Petite Femme du Danube,* qui se divise en trois parties : « La Petite Femme du Danube », « Démons » [Dämonen), et « Contes du Paradis » [Paradiesmärchen]. La première partie contient les souvenirs d'enfance d'un vieux Viennois en plusieurs nouvelles comme « Le Danseur de Saint-Stéphane » [Der Tänzer von Sankt Stephan], où un maître de danse veut faire avancer les travaux de rénovation de la cathédrale en exécutant une danse dangereuse sur les créneaux de celle-ci, comme les récits du fils de ce maître de danse qui, dans « Les Pèlerins » [Die Walfahrer], connaît sa première déception amoureuse, dans « La Double Confession » [Die doppelte Konfession] est puni d'une fraude commise en confession et essaie dans « Mon frère et Moi » [Mein Bruder und Ich] de prendre la place de son frère qui est mort, à l'école aussi bien que dans la vie. Les pièces centrales de la deuxième partie sont « Les Lunettes » [Die Brille], qui décrit un foyer pour aveugles et la vengeance d'une femme profondément insultée, et « Le Récit de l'homme brutal » [Die Geschichte vom Gewalttäter], qui découvre une lumière en lui quand il rencontre un couple avec un enfant qui vient de naître dans une crèche. Les « Contes du Paradis » sont, le plus souvent, empruntés à la tradition verbale qui a toujours été chère à l'auteur.

PETITE GITANE (La) [*La gitanilla*]. La première et la plus populaire des *Nouvelles exemplaires* (*) de l'écrivain espagnol Miguel Cervantès Saavédra (1547-1616). Elle appartient au groupe dit « idéoréaliste » et l'on ignore la date de sa composition. Précieuse a été élevée dans le milieu gitan, dont elle a appris tous les tours d'une vieille femme qui se dit être sa tante. La grâce dont elle fait preuve quand elle danse ou dit la bonne aventure charme tous ceux qui la voient. Le jeune chevalier don Juan de Cárcamo s'éprend de la jeune fille. Mais Précieuse, aussi honnête que belle, entend non seulement se marier, mais encore imposer à son prétendant une longue épreuve : pendant sept ans, don Juan abandonnera son rang et sa fortune pour vivre en frère à ses côtés. Le jeune homme accepte ces conditions. Il quitte sa famille et donne à croire qu'il va combattre dans les Flandres. Sous le nom d'Andrès Caballero, il entre dans la tribu des Tziganes dont il adopte les lois et les coutumes. Mais ne pouvant se résoudre à voler, il se bornera à faire croire aux gitans qu'il a dérobé ce qu'il paye en réalité de ses propres deniers. Au cours d'une halte dans un village des environs de Murcie, la fille d'un hôte s'éprend d'Andrès, qui refuse de l'épouser. Pour se venger, la jeune fille cache des objets précieux dans les bagages du faux gitan et le fait arrêter. Un soldat, neveu de l'alcade, veut punir le voleur ; mais le noble sang du jeune homme se révolte. Andrès tue le soldat avec sa propre épée. Arrêté avec toute la tribu, il est conduit à Murcie et emprisonné. Précieuse se rend chez le juge pour lui demander la grâce du jeune homme. Mais la vieille gitane fait alors au magistrat et à sa femme une révélation qui va tout sauver. Précieuse est la fille qu'ils ont perdue toute jeune et qu'elle-même leur a enlevée ; elle donne pour preuve de sa révélation la petite robe de l'enfant qu'elle a conservée ainsi que d'autres signes. Les parents éclatent de joie et Précieuse à son tour révèle l'identité du jeune homme. Quelque somme d'argent apaisera les parents du mort. Le père de don Juan donnera son consentement et tout finira par un mariage. Comme dans *L'Illustre Servante* (*) et plus encore que dans la comédie intitulée *Pedro de Urdemalas* (*), cette nouvelle réalise une fusion entre certains thèmes littéraires d'une grande stylisation et des passages d'un authentique réalisme picaresque. Il en résulte une peinture précieuse et guindée sur le fond de laquelle se détache la gracieuse figure de la « gitanilla ». Ce personnage, avec sa chaste malice, « fusion d'un amour ensorceleur et d'un sourire angélique », a pu rappeler à un critique l'image d'une « Carmen à l'état d'innocence ». Cervantès a intercalé dans sa nouvelle des passages lyriques qui comptent parmi les mieux venus qu'il ait écrits. Citons « Hermosita, Hermosita » (« Petite belle, petite belle ») « Cabecita, Cabecita » (« Petite tête, petite tête »), dont le ton populaire est exquis et qui constituent une sorte de chœur musical. Montalbán et Solís ont porté au théâtre le thème de *La Petite Gitane*. Victor Hugo s'est inspiré du personnage de Cervantès pour l'Esmeralda de *Notre-Dame de Paris* (*). — Trad. dans les *Nouvelles exemplaires*, par Jean Cassou (Gallimard, 1949).

★ P. A. Wolff a tiré de la nouvelle de Cervantès une action dramatique qui porte le titre de *Preciosa* et qui fut représentée en 1821, sur une musique de Carl Maria von Weber (1786-1826). La musique de Weber (une « ouverture », quatre chœurs, une romance et des danses) souligne le charme de la nouvelle de Cervantès avec un sens de la couleur et une grâce qui rappellent les meilleurs Lieder du musicien.

PETITE INFANTE DE CASTILLE (La). Œuvre publiée en 1929 par l'écrivain français Henry de Montherlant (1896-1972) et complétant *Aux fontaines du désir* (*), volume avec lequel elle constitue l'ensemble : *Les Voyageurs traqués*. L'ouvrage se divise en deux parties. La première, dans sa rédaction, précède *Aux fontaines du désir*. L'auteur nous transporte en Espagne, à la faveur de l'un de ses séjours personnels. Les hasards de sa vie très libre le mettent en présence, dans une école de danse de Barcelone tenue par un certain Ramirez, d'une jeune danseuse dont il tombe amoureux. Cette passion est d'ailleurs plus cérébrale que sentimentale, car, à travers l'infante de Castille, c'est l'Espagne même que Montherlant affectionne. L'auteur nous livre ses impressions esthétiques, véritable somme philosophique dont le seul critère demeure la jouissance ; ne cite-t-il d'ailleurs pas en exergue : « Dans la jouissance, je regrette le désir » (Faust) ? Cependant, l'amour platonique porte déjà en lui les éléments qui vont amener sa décomposition. Épicurien mais lucide, l'auteur sait que l'objet de son désir le décevra ; aussi prolonge-t-il l'attente, fait-il durer l'approche. La petite infante de Castille est un cœur à prendre par un cœur qui se reprend : « Ce qu'il y a de meilleur dans l'amour, c'est cet instant de l'inconnu. » Montherlant laisse échapper ce cri sourd : « Ah ! désirer ce que l'on dédaigne, quelle tragédie ! » L'auteur des *Olympiques* (*), dont la lucidité ne s'accommode pas d'un folklore traditionnel, déclare : « Ma patrie est partout où on m'élève au-dessus de moi-même. » La seconde partie de l'ouvrage, rédigée en 1929, après *Aux fontaines du désir*, comprend un « Écrit dans l'île de Félicité », où l'auteur donne libre cours à sa sensualité cérébrale, dans un décor de paradis terrestre. Il quitte ce lieu de jouissances variées, et rejoint Barcelone. « Mais c'est à Madrid que, six mois plus tard, je devais retrouver la petite infante de Castille. » L'enfant de seize ans est devenue la femme qui pratique la « danse profonde », tel le « fandanguillo de Huelva ». Montherlant donne lui-même dans un registre grave lorsqu'il décrit ses évolutions : « Et pour cette simple phrase de valse qui passe, nous avons beau avoir des principes touchant à l'infériorité du sexe, nous voudrions mourir en vain sur l'épaule d'une belle capricieuse... » Enfin, l'auteur consent à donner un aliment à son désir : « Il faut prendre, prendre, prendre pour n'être pas pris. » Dans le dernier chapitre, Montherlant met en relief sa volonté d'évoluer par son œuvre, dans une pleine indépendance, sans maîtres ni disciples.

PETITE MONNAIE (La) [Τὰ ρέστα]. Nouvelles de l'écrivain grec Còstas Taktsis (1927-1988), publiées en 1973. Certains voient dans ce recueil un simple écho du grand roman qui l'a précédé, *Le Troisième Anneau* (*). De fait, on y retrouve les mêmes décors : Thessalonique et Athènes de 1910 à 1960, et les mêmes familles petites-bourgeoises, avec leurs hommes effacés ou absents, leurs femmes abusives, les mêmes scènes qui oscillent entre comique et tragique, mêlant parfois les deux — tout cela saisi par un œil et une oreille ultra-sensibles, décrit avec un frémissement d'écorché vif, un art incomparable du récit, du dialogue, du tempo. À cette différence près que dans ces pages brèves, aiguës, si simples d'aspect, le ton est plus feutré, plus proche de la musique de chambre. Mais en même temps on voit se déployer ici une autre — et essentielle — dimension : l'autobiographie. Ces nouvelles constituent en fait un récit en pointillé où l'on suit, de la petite enfance à l'âge adulte, la formation (ou la déformation) du narrateur, l'éveil de la sexualité, son tournant vers l'homosexualité. Le règlement de comptes avec la mère patrie et la mère tout court se double ici d'un autre plus radical encore, avec soi-même. Désormais le malaise naît moins des grands éclats de voix que d'un art exacerbé de l'allusion, du non-dit, de la confidence truquée, qui partout introduit le doute. Car il semble bien, par exemple, que le narrateur — qui porte le même nom que l'auteur — soit le même tout au long du livre ; pourtant que d'incohérences : tantôt la mère est morte, tantôt elle vit encore, et quand le père n'est pas mort lui aussi, il change de métier d'un récit à l'autre. Comme si la confession était en même temps voulue et refusée ; comme si l'auteur était tiraillé entre deux aspirations contraires : d'un côté l'effort de s'avouer pour se trouver ; de l'autre, la tentation de se cacher, voire de s'éparpiller en plusieurs moi différents. On sent bien, çà et là, combien ce jeu peut être douloureux et dangereux. Et c'est cette lutte sournoise entre confession et fiction qui donne au livre toute sa tension, le rendant à la fois si présent et si fuyant. Cela dit, on peut parfaitement lire *La Petite Monnaie* comme une pure fiction, et indépendamment du reste de l'œuvre. Ce qui frappe alors, c'est l'ambiguïté qui règne ici, dans les situations, les êtres, les sentiments : cette grand-mère, par exemple, dont on ne sait jamais si elle va caresser ou frapper, si elle est bourreau ou refuge, et s'il faut rire ou frissonner. Mais il vaut encore mieux replacer cette *Petite Monnaie* au centre, au point d'équilibre de l'œuvre, entre le roman qui la précède et la quasi-autobiographie, *L'Acte terrible* [Τό φοβερό βῆμα], qui la suit. Dans ce livre subtil et discret, très achevé, on a plus que jamais l'impression angoissante et délicieuse d'une extrême harmonie et d'un éternel porte-à-faux. — Trad. Gallimard, 1988.

M. V.

PETITE MUSIQUE DE NUIT [*Eine kleine Nachtmusik*]. Sérénade en sol majeur (K 525) pour orchestre à cordes (deux violons, alto, violoncelle et contrebasse) du compositeur autrichien Wolfgang Amadeus Mozart (1756-1791), composée en 1787, c'est-à-dire à l'âge d'or de la production mozartienne, celui auquel appartient *Don Juan* (*). Elle comprend quatre mouvements dont le premier, Allegro, s'ouvre par quatre mesures de pompeuse introduction. Suit le premier thème, gai et un peu banal, mais précieux à cause de la symétrie équilibrée de ses parties. Le vrai joyau du morceau est le second thème, en ré majeur, qui commence par une introduction fortement rythmée, avant de s'épanouir, sur un constant chuchotement des basses, en une phrase aux violons qui semble, dans sa gracieuse espièglerie, un jet de lumière, un rire de fraîche allégresse enfantine. Cette phrase fluide et alerte alterne avec l'énergie rythmique du début thématique et va vers une conclusion de simple saveur populaire. Le développement, après avoir repris les quatre mesures initiales de la solennelle introduction, s'appuie aussitôt à ce deuxième thème, qui, modulant, évolue de la tonalité d'ut majeur jusqu'au retour de l'introduction et du premier thème en sol majeur ; dans la même tonalité, le second thème entier leur fait suite. À la grâce malicieuse et vive de l'Allegro succède la grâce tendre et suave de l'Andante, qui s'ouvre sur un rythme quasi somnolent, puis dénoue de sinueuses volutes mélodiques. Mais voici que brusquement la page rêveuse s'assombrit : à la tonalité d'ut majeur succède tout à coup ut mineur ; pendant un moment, c'est bien le Mozart de *Don Juan*, des dramatiques *Fantaisies* et de la *Sonate en ut mineur* — v. *Sonates* (*) — que nous avons devant nous ; puis, par une habile modulation, l'angoisse s'apaise, et le ton d'ut majeur ramène le calme rêveur et la tendre initiale. Le court menuet se compose de deux phrases de huit mesures, l'une solennelle et pompeuse de bout en bout, l'autre parvenant à la solennité obligatoire de la conclusion après la divagation d'une arabesque mélodique. Celle-ci semble déjà annoncer le délicieux bavardage du trio en ré majeur. Un thème unique, tout bondissant et malicieux dans son sautillé piquant, soutient le Rondo entier, grâce à d'ingénieuses modulations.

PETIT ENFANT (Le) [*Il fanciullino*]. Ces écrits du poète italien Giovanni Pascoli (1855-1912) furent publiés pour la première fois en 1897, puis, sous leur forme définitive, en 1902. L'auteur y définit son art poétique, énonce quelques principes puisés dans la poésie moderne, et esquisse une théorie de l'art valable pour la littérature en général. Pour sensible qu'il fût au prestige de Baudelaire et d'Edgar Poe, Pascoli, cependant, ne fait montre, dans ce livre, d'aucun ostracisme, se bornant à préconiser avec modération une forme d'art qui se situe à l'extrême pointe de l'esthétique romantique, de Vico et de Leopardi à De Sanctis et à Croce, le lyrisme en art étant, à ses yeux, une illumination jaillie du plus profond de nous-même et le produit exclusif de notre fantaisie. Ce lyrisme, Pascoli se le représente à l'aide d'une image de Platon adoptée par le romantisme (notamment par Leopardi) : celle d'un petit enfant, sorte de divinité primitive, universelle, qui vit en nous et au cœur de tous les hommes, en toutes circonstances, sous tous les cieux. C'est lui qui nous inspire le sentiment, c'est lui qui, à chaque aurore, révèle spontanément au poète tout ce que les autres ne perçoivent pas : « Tu es, ô poète, le petit enfant éternel qui voit tout avec émerveillement, comme la première fois. » Les principes de l'art poétique sont exposés dans la première partie (chap. 1-7). Dans la seconde (chap. 8-20), l'auteur définit ce qui est poésie et ce qui ne l'est pas, non sans établir une distinction entre la poésie pure et la poésie de circonstance (les poèmes patriotiques, par exemple). Avec beaucoup d'intuition et un grand sens des exigences modernes, il résout les divers problèmes que pose l'esthétique romantique, et ses principes, il les applique à la poésie italienne qui, trop souvent selon lui, a le tort d'imiter étroitement les Anciens ou de confondre le lyrisme avec l'éloquence et la morale. — Trad. Des fragments de ce livre ont été traduits par Albert Valentin dans *Giovanni Pascoli, poète lyrique*, Hachette, 1925.

PETITE ROQUE (La). Cette nouvelle de l'écrivain français Guy de Maupassant (1850-1893), publiée en 1886, est un de ses récits les plus dramatiques. Comme en maints autres de ses ouvrages, il s'agit — dans ce décor normand si familier au conteur — d'une histoire de crime. La petite Roque, gamine de douze ans (mais qui était déjà « presque une femme »), a été violée, puis étranglée dans une futaie. En allant porter son courrier au maire de Carvelin (un certain Renardet, quadragénaire veuf de fraîche date, et le plus riche propriétaire du bourg), le facteur Médéric Rompel vient de découvrir son cadavre aux bords de la Brindille. Qui a fait le coup ? Un rôdeur, un vagabond, bien sûr, car les habitants de Carvelin sont au-dessus de tout soupçon. Médecin, juge, garde-champêtre, accourus sur les lieux, s'efforcent en vain de percer le mystère, en présence du maire Renardet, « gros et grand homme, lourd et rouge, fort comme un bœuf et très aimé dans le pays, bien que violent à l'excès ». La fillette venait de prendre un bain dans la rivière. Mais où sont ses habits ? « Quel gredin, s'écrie le maire, a bien pu commettre un tel crime ? » Mais le médecin de murmurer : « Qui sait ? Tout le monde est capable de ça, tout le monde en particulier, et personne en général... » « On ne sait pas ce qu'il y a d'hommes sur la terre capables d'un forfait à un moment donné. » Ces propos donnent au récit une profondeur inattendue qui s'accorde aux tragiques mobiles du drame lui-même : « un court instant de folie érotique », comme l'écrit René Dumesnil, où se retrouvent le pessimisme implacable de Maupassant et son déterminisme « qui lui viennent de Flaubert et de Tourgueniev, comme son esthétique ». Nous voyons Renardet (car le coupable, c'est lui...), tout d'abord rusé, souriant, afin d'égarer la justice, puis, lorsque les recherches sont enfin abandonnées, nerveux, excitable, en proie à un atroce remords. Et le conteur, en quelques touches très brèves, nous donne l'explication de cette démence : « Habitué depuis dix ans à sentir une femme près de lui [...] il avait une âme chaste, mais logée dans un corps puissant d'Hercule, et des images charnelles commençaient à troubler son sommeil et ses veilles. » Prisonnier de son angoisse et victime des plus obsédantes visions, le maire, finalement, après plusieurs tentatives de suicide, se jette dans le vide du haut de la tour du Renard qui flanque la citadelle qui lui sert de maison. L'assassin de la petite Roque est une des plus émouvantes figures de cette galerie de criminels que nous a laissée Maupassant.

PETITES FILLES ET LA MORT (Les) ['Η φόνισσα]. Longue nouvelle d'une centaine de pages de l'écrivain grec Alexandros Papadiamandis (1851-1911), publiée en 1903. Traduite à trois reprises en français, cette nouvelle est considérée comme la plus réussie et la plus représentative de ce grand prosateur : en réalité, elle ne représente que très partiellement l'œuvre de Papadiamandis (trois romans et cent soixante nouvelles), œuvre variée, multiple, incessamment changeante dans sa forme et sa thématique, et fécondée par les traditions les plus hétéroclites, tant spirituelles que culturelles. Ainsi, dans cette nouvelle, cohabitent dans le même personnage deux motifs contradictoires, deux principes existentiels antagonistes : le « fatum » oriental et la volonté démiurgique occidentale. C'est l'histoire d'une vieille femme, Chadoúla, tueuse de petites filles, vivant dans un bourg grec, au milieu du siècle dernier. Parfaitement saine d'esprit, elle est aussi la mère exemplaire d'une nombreuse famille, aimante et extrêmement ingénieuse : elle arrive même à persuader l'épouse de l'homme tué par son fils ivrogne et bagarreur d'intervenir en sa faveur au procès ! Ce sont peut-être ces qualités, et le fait qu'elle soit pauvre elle-même, qui la rendent si sensible à la condition des pauvres gens, et surtout de ceux qui ont beaucoup de filles, fardeau insupportable, ne serait-ce que par l'accablante coutume de la dot obligatoire. Chadoúla, plusieurs fois grand-mère déjà, est un jour au chevet de la dernière fillette de sa nombreuse progéniture, gravement malade ; ses ruminations amères se brouillent avec la fatigue, la toux du bébé, le sentiment d'une misère interminable ; sa main se tend sans même qu'elle y pense et met un terme une fois pour toutes au destin pitoyable de l'enfant. Chadoúla est-elle une illuminée, instrument de Dieu, ou agit-elle sous l'emprise du diable ? Apaisant sa conscience par les signes encourageants qu'elle interprète comme provenant du ciel, elle se lance dans une série de meurtres et ce n'est qu'à la quatrième victime que la police se met à ses trousses. Traquée, en fuite, elle se noie juste avant d'atteindre l'îlot d'un ermite. N'était-elle pas en droit d'intervenir dans un monde écrasé de malheur ? Papadiamandis ne répond pas. Chadoúla n'a pas cherché, comme Raskolnikof, à provoquer Dieu. La malheureuse a seulement voulu collaborer avec Lui, Lui prêter son concours. Nous ne saurons jamais s'Il a consenti ; nous n'entrevoyons que Son sourire mystérieux. — Trad. Maspero, 1976. L. Pr.

PETITES MISÈRES DE LA VIE CONJUGALE. Cette œuvre de l'écrivain français Honoré de Balzac (1799-1850), qui fait partie des « Études analytiques » — v. *La Comédie humaine* (*) —, fut écrite pour illustrer *La Physiologie du mariage* (*). Balzac remania et amplifia considérablement ce texte quand il l'incorpora au plan général de son œuvre. Bien qu'elles ne soient pas présentées sous cette forme, les *Petites misères* sont un véritable roman ; mais, des aventures du ménage d'Adolphe et de Caroline, Balzac entend faire une histoire exemplaire. C'est ce qu'il exprime dans sa « Préface où chacun retrouvera ses impressions de mariage ». Cette préface reproduit la discussion type d'un contrat de mariage, et le couple dont l'histoire va suivre est le couple type. Balzac, avec une précision très caractéristique, nous expose, par le détail, les « espérances » qu'il y a des deux côtés. Puis commence l'ère des découvertes, en vertu du principe qu'« une jeune personne ne découvre son vrai caractère qu'après deux ou trois années de mariage ». Les quelques joies trop brèves du jeune marié sont bien vite troublées par les « taquinages », les agaceries de la jeune femme. Les ennuis qui découlent de la vie de société, les jalousies, les reproches incessants de Caroline, ses dépenses inconsidérées, sa conception toute particulière de la logique, les insinuations d'une belle-mère hypocrite ont bientôt fait de mettre Adolphe hors de lui et de lui ouvrir les yeux : il découvre dans sa femme un être stupide, borné, égoïste et foncièrement vulgaire, que ses apparences distinguées, le vernis d'une bonne éducation, ne lui avaient pas permis encore de soupçonner. Les premières oppositions tranchées se manifestent à propos de l'éducation du fils, et petit à petit s'accumulent les malentendus, les entêtements de part et d'autre. Caroline fait figure de victime, elle est incomprise, persécutée par un époux qui heurte sans cesse sa prétendue délicatesse ; elle feint de ne prétendre à rien mais en fait, sous le prétexte de vapeurs, de malaises nerveux, parvient à imposer en tout sa tyrannique volonté. Elle n'oublie pas que c'est elle qui a apporté l'argent au ménage, que sans elle Adolphe serait pauvre ; surtout elle ne lui laisse pas l'oublier. Aussi, lorsque les affaires du mari tournent mal, elle saisit ce prétexte pour prendre les rênes de l'administration familiale. Balzac en reste là de son récit, se contentant d'ajouter : « Aussi bien, cet ouvrage commence-t-il à vous paraître fatigant, autant que le sujet lui-même si vous êtes marié. » Puis il tire la « logique » de cette histoire qui, selon l'auteur, « est à *La Physiologie du mariage* ce que l'Histoire est à la Philosophie, ce qu'est le Fait à la Théorie » : « Toute différence entre la situation d'Adolphe et de Caroline réside donc en ceci : que, si monsieur ne se soucie plus de madame, elle conserve le droit de se soucier de monsieur. » Les *Petites misères* sont très supérieures à *La Physiologie du mariage* qu'elles illustrent. Sans doute Balzac s'y laisse-t-il encore aller à faire des pointes, des réflexions qui se veulent cyniques et humoristiques ; sans doute sont-elles encore quelque peu encombrées de digressions, de considérations générales, d'« axiomes », qui ajoutent assez peu à cette description clinique et très réussie, en somme, de la vie conjugale. Bien qu'ils ne soient que des types interchangeables, les personnages ont une épaisseur, une vie attachante, et l'exactitude de l'évocation, la précision impitoyable des détails, le réalisme presque hallucinant de certaines conversations sont du meilleur Balzac.

PETITES PAGES [*Paginette*]. Recueil de textes en prose de l'écrivain italien Antonio Pizzuto (1893-1976). *Petites pages* paraît en février 1964 chez Lerici, dans la collection « Narratori » qui avait déjà hébergé, à l'époque où elle était dirigée par Romano Bilenchi et Mario Luzi, les précédentes œuvres de Pizzuto. Le volume est composé de vingt textes d'importance quantitative très égale (de quatre à sept pages) et d'une note de deux pages intitulée « Paragraphes sur l'art du récit »

[Paragrafi sul raccontare] dans laquelle l'auteur rappelle ses vues théoriques sur l'écriture narrative en établissant une distinction absolue entre « le fait de raconter » et la « narration » : selon lui, cette dernière supprime l'aporie qu'engendre la tentative de « représentation » d'une action en donnant de celle-ci non plus un simple portrait mais une « résonance ».

Pizzuto qualifiait ces textes difficiles à classer de « laisses », sachant bien qu'il utilisait ce terme abusivement, mais tenant à marquer par ce signifiant prosodique l'importance essentielle accordée, dans leur composition, au rythme du discours, à son équilibre et à sa mélodie. Dans son acception première, la laisse renvoie au souffle de « celui qui récite en se laissant aller d'un trait ». Pizzuto ne se laissait pas aller, puisqu'il ciselait ces sortes de poèmes en prose avec une lenteur byzantine. Mais il se fiait à son sens de la musique textuelle telle qu'il l'avait apprise et continuait de la goûter, notamment par l'étude des œuvres des anciens grecs.

Petites pages est une suite de tableaux sans lien apparent mais unifiés, à travers la présence d'un incertain personnage nommé Lumpi, par le lyrisme camouflé d'une mémoire personnelle très sollicitée. Les prétextes de l'écriture peuvent faire penser aux « épiphanies » de Joyce ou, plus classiquement, aux réminiscences d'un platonicien moderne luttant contre le flou des images anciennes, mal reconnues par le souvenir, au moyen d'une langue idéale et rêvée, riche en néologismes forgés sur le modèle du grec antique.

Petites pages, première pièce du deuxième triptyque pizzutien, marque une étape décisive dans le processus d'élimination tant de la figure du personnage que de l'histoire en général et, surtout, dans la mise au point d'une syntaxe excessivement singulière d'où seront bannis progressivement tous les éléments formels qui permettent d'ordinaire au lecteur d'établir un lien entre la matière du récit et la mise en scène textuelle de celle-ci. D. F.

PETITES PIÈCES MORALES [*Operette morali*]. Œuvre du poète italien Giacomo Leopardi (1798-1837). Ces vingt-quatre morceaux en prose, qui prennent généralement la forme de dialogues philosophiques, ont été composés pour la plupart en 1824, les deux derniers datant de 1832. Ils représentent l'aboutissement d'une période d'intense réflexion et la réorganisation d'une partie des matériaux accumulés dans les notes du *Zibaldone* (*), ainsi qu'un travail de clarification qui dénoue les contradictions latentes d'une pensée en cours d'élaboration.

À l'époque de la composition des premières pièces, Leopardi est de retour dans son village natal après un séjour romain qui n'a fait que le confirmer dans sa conviction que la société de son temps est plongée dans l'immoralité et l'ignorance. Les Romains n'ont plus de leurs ancêtres que le nom et ils épouvantent Leopardi par leur superficialité et leur vulgarité. Il sort de cette expérience aigri, sa veine poétique tarie, mais capable, lui semble-t-il, d'accéder à la lucidité et au détachement du philosophe. Refait alors surface l'intention, déjà manifestée dans sa jeunesse, de fustiger les mœurs dans des satires en prose dont il trouve les modèles aussi bien chez les Grecs et les Latins que chez les écrivains français du XVIIIe siècle. Les *Petites pièces morales* se détacheront pourtant de leurs modèles en privilégiant les créations fantastiques, les images poétiques et un style très travaillé, voire archaïsant, teinté d'une amère ironie. Avec ce recueil, Leopardi a l'ambition de créer un modèle de prose italienne, à la fois élégante et apte à se plier aux exigences de l'argumentation philosophique.

Le spectacle d'une société délabrée, égoïste et lâche rend plus douloureux pour Leopardi le sentiment de la perte irréparable de l'intimité avec la nature originelle : les progrès de la raison et du savoir ont dénaturé l'homme et ont détruit les croyances primitives qui lui donnaient l'illusion du bonheur. Illusion, certes, car l'homme, tourmenté par un désir infini et inassouvissable de plaisir, est nécessairement malheureux. Leopardi sourit amèrement devant le ridicule triomphalisme des savants contemporains, persuadés que la science peut rendre l'homme heureux, alors que le pouvoir destructeur de la raison, étouffant l'imagination et les passions généreuses, génère ce sentiment de vide et d'ennui qui est, pour l'homme moderne, la seule alternative à la douleur – *Histoire du genre humain* [*Storia del genere umano*], *Dialogue du Tasse et de son génie familier* [*Dialogo di Torquato Tasso e del suo Genio familiare*]. Au sage qui reconnaît le caractère mensonger de l'espoir, il ne reste qu'à accepter son sort avec courage en attendant de sombrer dans le néant, la mort seule pouvant le soustraire à l'inutilité et à la douleur de vivre – *Dialogue de Plotin et de Porphyre* [*Dialogo di Plotino e di Porfirio*]. Le seul passage en vers des *Petites pièces morales* est un hymne à la mort – *Cœur des morts* [*Coro dei morti*].

C'est justement lors de la rédaction des *Petites pièces morales* de 1824 que Leopardi trouve une issue à un dilemme qui le tourmentait de plus en plus : pourquoi la nature a-t-elle créé les êtres vivants sensibles à la douleur et capables de désir, c'est-à-dire inévitablement malheureux ? Brusquement, il formule un violent réquisitoire contre la nature, responsable du mal universel, et l'accuse d'être une marâtre qui engendre pour détruire, sourde à tout cri de douleur, uniquement occupée à perpétuer la vie de l'univers aux dépens de tous les êtres créés – *Dialogue de la Nature et d'un Islandais* [*Dialogo della natura et di un Islandese*]. C'est ainsi que Leopardi, s'inspirant à la fois de Straton, de Lucrèce et des matérialistes du XVIIIe siècle, décrit alors l'Univers comme une masse en constante évolution dont l'homme n'est qu'une des productions momentanées — *Cantique du coq sylvestre* [*Cantico del gallo silvestre*], *Fragment apocryphe de Straton de Lampsaque* [*Frammento apocrifo di Stratone da Lampsaco*].

L'homme mène contre la nature un combat inégal, mais s'il ne peut éviter de souffrir, il peut, en refusant d'embrasser d'illusoires doctrines du bonheur, soulager ses compagnons de lutte grâce à ces valeurs purement humaines que sont la pitié, la solidarité, l'amitié, le sens du devoir — *Dialogue de Timandre et d'Eléandre*, de *Plotin et de Porphyre*, de *Tristan et d'un ami*. Loin de s'en tenir à son projet d'origine, purement négatif, Leopardi parvient à travers les *Petites pièces morales* à une synthèse de sa pensée et, loin de se poser en censeur ou en misanthrope, il exhorte les hommes écrasés par les lois aveugles de l'univers à puiser en eux-mêmes force et dignité, message qui trouvera sa formulation finale dans l'un des derniers poèmes des *Chants* (*). — Trad. in *Œuvres*, Del Duca, 1964 ; puis in *Chants*, Gallimard, coll. Poésie, 1982. — *Dix petites pièces philosophiques*, Le temps qu'il fait, 1985 (trad. partielle par M. Orcel). S. V.

PETITE VILLE ALLEMANDE (La) [*Die deutschen Kleinstädter*]. Comédie en quatre actes de l'écrivain allemand August von Kotzebue (1761-1819), représentée à Weimar en 1803. C'est une satire aimable de la petite bourgeoisie provinciale dominée par de sottes vanités locales. Le sujet en est fort simple : Sabine, fille du bourgmestre, a été pendant quelque temps invitée chez une parente résidant dans la capitale du petit État ; elle a été reçue à la Cour, y a fait la connaissance du jeune Olmers, et une idylle s'est vite nouée entre eux. Rentrée chez ses parents, elle se rend compte qu'ils ont déjà décidé de son avenir d'une façon différente, en la destinant au sot et ridicule Sperling. Olmers, qui est venu lui rendre visite, se déclare. Mais la famille l'éconduit, car elle estime que son comportement manque de déférence à l'égard des notabilités de la ville et qu'il ne possède aucun titre correspondant à une dignité officielle. C'est sur ce point que porte la satire, car même la grand-mère Staar est fière du titre de son défunt mari : elle se fait nommer « Madame la sous-perceptrice des Contributions » tandis que le malheureux Olmers l'appelle tout simplement « Madame », à la façon française. Se conduisant de même vis-à-vis des différentes cousines de Sabine, dont Mme Brendel, la maîtresse générale du flottage et de la pêche, il se rend odieux aux yeux de ces dames et de ces notables. Leur opinion ne changera que lorsqu'il révélera enfin son titre mirifique de « conseiller-commissaire intime », titre auquel la famille Staar n'aurait jamais osé aspirer ! La satire est poussée ici jusqu'au grotesque, mais elle ne manque pas de verve. Certaines allusions railleuses à des œuvres littéraires d'une bien plus grande valeur soulevèrent l'indignation de Goethe qui, inflexible, les fit supprimer dès la première représentation. Ceci fut l'origine de la lutte sans merci que se firent les deux écrivains, lutte d'autant plus serrée que l'abondante production de Kotzebue et son art de produire des effets spectaculaires (telles les scènes burlesques entre Sabine et ses prétendants) l'avaient rendu extrêmement populaire. On s'en vint jusqu'à le préférer à Goethe et à Schiller, qui visaient à élever le niveau intellectuel des spectateurs et à éduquer leurs goûts. — Trad. Hachette, 1913.

PETIT EYOLF (Le) [*Lille Eyolf*]. Drame de l'écrivain norvégien Henrik Ibsen (1828-1906), écrit et publié en 1894, après *Solness le constructeur* (*). L'écrivain Alfred Allmers décide d'interrompre son œuvre volumineuse sur les *Responsabilités humaines*, à laquelle il travaille depuis longtemps, pour se consacrer entièrement à l'éducation de son fils unique : le petit Eyolf, qu'un accident a rendu à jamais infirme. La femme d'Allmers, Rita, créature toute d'instinct et de sensualité, voudrait son mari pour elle seule. Elle haïssait les travaux qui le détachaient d'elle ; elle voit à présent dans son fils un nouvel obstacle, plus redoutable encore, à l'assouvissement de son désir. Mais au moment précis où elle menace son mari de le tromper et renie presque les sentiments naturels de la maternité, le petit Eyolf se noie dans le fjord voisin. Mari et femme se dressent l'un contre l'autre, et c'est une succession de confessions, d'accusations impitoyables. Leur mariage n'a été qu'une union sans amour : telle est la faute première, dont découlent toutes les autres. Il n'y avait chez elle que désir charnel, et, chez lui, qu'ambition et souci d'un certain confort matériel. Rita n'a jamais été une véritable mère pour cet enfant conçu dans la luxure ; quant à Allmers, son intention de se consacrer à l'éducation de son fils représentait seulement à ses yeux — il en a pris conscience, en perdant la foi dans l'accomplissement de son œuvre — une tentative pour donner à sa propre vie une orientation nouvelle. Les deux époux connaissent la douleur, le remords. Allmers voudrait quitter Rita et retourner vivre auprès d'Asta, la demi-sœur tendrement aimée qui incarne pour lui toute la ferveur, la candeur de l'adolescence. Il ne peut mettre son projet à exécution. Asta lui échappe ; car, venant de découvrir qu'elle n'est pas du même sang, elle redoute désormais cet amour qui a rempli sa vie et ne peut plus être considéré comme fraternel. Allmers restera avec Rita. Il l'assistera dans l'évolution qui s'amorce en elle, et qui marque le début d'une existence plus sereine ; peut-être vivront-ils encore ensemble des jours de bonheur, dans le souvenir de ceux qui les ont quittés : le petit Eyolf et la lointaine

Asta. Dans ce drame, comme dans *La Dame de la mer* (*), Ibsen a tenté de peindre le processus de transformation d'une âme qui se purifie pour parvenir à une vie nouvelle. Mais ici encore, c'est précisément le brusque « mûrissement » de Rita qui semble le moins convaincant. Le drame toutefois a un caractère plus élevé que celui de *La Dame de la mer*, et atteint par moments une étonnante puissance d'expression. Les scènes dans lesquelles Allmers et Rita s'analysent, s'accusent et se confessent mutuellement comptent parmi les plus intenses et les plus dures qu'Ibsen ait jamais écrites. — Trad. Perrin, 1928.

PETIT JEAN (Le) [*De kleene Johannes*]. Roman de l'écrivain hollandais Frederik van Eeden (1860-1932), publié en 1885. S'étant lié d'amitié avec un elfe, Windekind (l'enfant du liseron), le petit Jean se voit transformé à son tour en elfe. En communion intime avec la nature, il apprend le langage des plantes et celui des animaux. Sa vie de créature parmi les créatures se déroule sans heurts jusqu'au moment où un gnome au nom symbolique de Wistik (« Si-je-savais ») se trouve sur sa route. Le petit Jean, troublé, demande au gnome le livre qui contient la clé du mystère de la vie ; à peine a-t-il formulé cette question qu'il se retrouve petit garçon tandis que Windekind a disparu. Il part alors à la recherche de son ami perdu, symbole de l'harmonie naturelle, et il croit le retrouver en la personne d'une fillette dont il s'éprend. À l'instigation de Wistik, il demande à la petite de lui remettre le « livre des livres », et les parents de la fillette lui donnent *La Bible* (*). Jean refuse de l'accepter et se fait chasser ignominieusement. Il rencontre alors une caricature de l'homme : Pluizer (« le chicaneur »), qui lui promet de l'aide et le conduit à la ville où il lui fait suivre les cours du docteur Cijfer (« Chiffre »). Pluizer et Cijfer personnifient l'intelligence abstraite, ennemie du rêve et de l'amour. Mais, plus Jean cherche la lumière en s'adonnant à l'étude, plus il se sent environné de ténèbres. Enfin, le jour où il est amené au lit de mort de son père et où il voit Pluizer s'apprêter à faire l'autopsie de ce corps tant aimé, il se révolte contre lui et le chasse. Jean se retrouve alors en compagnie de la Mort, qu'il supplie de l'emmener ; insensible à sa prière, elle l'incite à pratiquer la sagesse. Revenu à la campagne, Jean croit entendre l'appel de Windekind. En le suivant, il rencontre l'Homme qui lui donne à choisir entre Windekind et la Mort d'une part, et d'autre part l'Humanité vers laquelle il est prêt à le conduire. Jean opte pour l'Humanité et il reprend ainsi son pénible et douloureux chemin. *Le Petit Jean* nous décrit les degrés de l'âme au moyen de symboles et de signes : la communion immédiate avec la nature, ses éléments et ses êtres ; le doute, qui marque le début de la réflexion intellectuelle, et enfin la victoire de l'intelligence par la concentration et par la virilité d'esprit. Les descriptions des jardins abandonnés, des dunes qui séparent la campagne hollandaise de la mer, font le prix de cet ouvrage, l'un des plus appréciés de la littérature néerlandaise. On peut déjà l'estimer comme l'un des classiques de la seconde moitié du siècle dernier.

PETIT JEHAN DE SAINTRÉ (Le). Récit du conteur français Antoine de La Sale (env. 1386-1460) intitulé : *Histoire et plaisante chronique du petit Jehan de Saintré et de la jeune dame des belles cousines.* Composée en 1456, cette œuvre fut publiée pour la première fois en 1517 et réimprimée à différentes reprises. Un jeune page, Jehan de Saintré, est attaché à la maison du roi de France Jean II le Bon et se prend d'amitié pour une jeune femme, la dame des belles cousines. Sachant que le page n'a d'attachement pour personne, sinon pour une enfant d'une dizaine d'années, la dame songe à faire son éducation afin qu'il devienne un vrai chevalier. Pour ce faire, elle lui donne quelques conseils et le pousse à tenter de grandes entreprises. En attendant, elle veille à ce qu'il soit vêtu comme l'exige sa condition et le pourvoit du nécessaire. Puis elle le fait nommer écuyer du roi et l'engage à partir pour des terres lointaines. Assez vite, d'aventure en aventure et de tournoi en tournoi, Jehan devient célèbre. La dame lui assignant des tâches toujours plus difficiles, le valeureux jeune homme se voit récompensé par des honneurs et des charges. Mais la dame entre en galantes relations avec un riche abbé. Très affecté par cette découverte, le beau chevalier tente de reprendre la première place dans le cœur de la dame. Et il luttera jusqu'à ce qu'il ait démasqué l'impudent séducteur et réduit la dame au repentir. Le contraste que forment les amours paillardes de l'abbé et les sentiments de Jehan éclate de la manière la plus brillante, tandis que la narration garde un cours extrêmement rapide, en dépit des considérations, des dialogues et des descriptions variées. L'œuvre est celle d'un homme qui admire ce monde harmonieux du XVe siècle français, fatalement destiné à la décadence. Le style est toujours clair, mais il manifeste certaine complaisance pour une prolixité, qui s'alimente moins aux sources d'une première Renaissance qu'aux thèmes traditionnels. En effet, *Le Petit Jehan de Saintré* s'apparente encore à la littérature du Moyen Âge, bien que l'auteur, sous couleur d'exalter la chevalerie finissante, s'en moque avec une délicieuse et impitoyable ironie. — *Le Petit Jehan de Saintré* a été édité par J. Misrahi et Ch. A. Knudson (Droz, Genève, 1965).

PETIT LORD FAUNTLEROY (Le) [*Little Lord Fauntleroy*]. Célèbre roman pour enfants de l'écrivain américain d'origine anglaise Frances Hodgson Burnett (1849-

1924), publié en 1886. Le petit Cédric Errol, fils d'une Américaine jeune et belle, mais de condition modeste, et du capitaine Errol, est obligé de vivre en Amérique à la mort de son père, son grand-père, l'orgueilleux et coléreux comte de Dorincourt, ne voulant connaître ni sa belle-fille ni son petit-fils. Mais par la mort des deux frères du capitaine Errol, le petit Cédric se trouve devenir l'héritier du titre. Aussi le grand-père, de mauvaise grâce, le fait appeler près de lui, non point par affection, mais par orgueil, pour que son héritier, auquel appartient dorénavant le titre de lord Fauntleroy, ait une éducation digne de sa condition sociale. Cependant le petit Cédric avec sa beauté, sa bonté, sa grâce ingénue d'enfant, réussit peu à peu à conquérir l'affection de son grand-père, qui jusqu'alors n'avait aimé personne, et à rendre le vieil homme plus serein et meilleur. Ce roman est un véritable conte de fées : l'auteur entend donner, par l'intermédiaire de certains personnages secondaires, essentiellement comiques et vraisemblables, une illusion de réalité à une intrigue purement fabuleuse dans laquelle n'apparaissent pas, il est vrai, des êtres fantastiques, mais qui se déroule comme un conte s'achevant sur la récompense de la vertu et la punition de la faute. Bien que ce procédé soit d'une faible valeur artistique, il réussit entièrement ici et le livre demeure l'un des plus populaires de toute la littérature enfantine. — Trad. Delagrave, 1949 ; Gallimard, 1979.

PETIT MANUEL DU PARFAIT AVENTURIER. Ce livre de l'écrivain français Pierre Mac Orlan (1882-1970) fut édité originalement en 1920 dans la collection « les Tracts » des Éditions de la Sirène, puis réimprimé en 1951 dans une version réduite, chez Gallimard, à la suite de *La Clique du café Brebis.* On comprend dès le titre même que cet ouvrage de maximes, recettes et calembours d'idées — désormais d'une cinquantaine de pages découpées en dix-sept chapitres courts — est hautement particulier. On n'y recherchera donc dès l'abord que quelques secrets tels que ceux-ci : « Il est nécessaire d'établir comme une loi que l'aventure n'existe pas. Elle est dans l'esprit de celui qui la poursuit et, dès qu'il peut la toucher du doigt, elle s'évanouit, pour renaître bien plus loin, sous une autre forme, aux limites de l'imagination. » L'aventurier littéraire sera donc passif, mais bien entendu « l'aventurier passif » Mac Orlan a beaucoup voyagé, et de ses voyages il a retenu énormément, avec des yeux tels des éponges. Nous ne saurions donc prendre à la lettre ce guide où l'humour gauchit les conseils : ainsi quand il y est dressé un bilan des effets des voyages eux-mêmes : perte de sensibilité, bagages, mal de mer, exploitation hôtelière, chaleur qui étouffe, ennui, dégoût, etc. La lecture de l'œuvre entière enseigne qu'en réalité les voyages et les lectures font l'objet d'une fertilisation réciproque, et qu'au nombre des pierres de touche il y a : la mer, le soldat, le matelot, un cabaret, quelques types de navire ; et aussi quelques argots pour vivre dans la familiarité des sociétés d'exception englouties dans l'Histoire. Le plus fructueux dans ce livre est pourtant dans la distinction entre l'agent actif et l'agent passif de l'aventure, car si manifestement installé que cet auteur soit de longue date dans la profession des lettres, c'est une distinction qui lui tient à cœur. Outre la place émérite que, pour ces raisons, le *Petit manuel* occupe dans l'œuvre de l'auteur, ce livre qu'à la légère on réputerait absolument désuet est digne de notre attention en ce qu'il détruit ce qu'il nomme : le roman d'aventures. En détruisant un genre, il propose des ouvertures autres — vers la résurgence de cultures oubliées. C'est un fait qu'avec l'avènement des voyages une ère littéraire s'est ouverte (dès l'abord dans les récits médiocres de Loti), puis qu'elle s'est refermée comme une huître. Le meilleur des grands départs tient chez Blaise Cendrars dans quelques poésies magnifiques ; et déjà Morand ne montre plus que des mœurs de sociétés convenues. Le roman exotique n'a donc pas vécu plus d'une saison, et le peu qu'il en subsiste n'évoque plus beaucoup de noms (Joseph Kessel est l'un d'entre eux). On sait ce qui lui est substitué aujourd'hui : surtout des livres documentaires écrits par des journalistes ; une objectivation des racontars. Or Mac Orlan l'octogénaire a vécu tout au long de la seconde moitié de sa vie ses voyages entre les quatre murs d'une maison de campagne, au contact des bibliothèques. Elles n'ont pas cessé de réanimer et d'animer son œuvre. Il est vrai que cette entreprise n'était possible, c'est-à-dire à ce degré de tension, que chez un homme qui a engrangé beaucoup de souvenirs, et aussi qui est muni d'antennes d'une sensibilité surprenante.

La Clique du café Brebis (1918-22) est un texte un peu hermétique, lu près d'un demi-siècle après le temps où le genre a mûri dans la tête de l'auteur. Il se profile parmi des échanges de vues, des anecdotes des temps passés, des esquisses de récits, la clique en question se composant d'un marchand d'épices, d'un professeur d'argot, du cousin du narrateur nommé Paul Bul, d'un compère, d'un descendant de la chevalière de fortune Marie Read, de Cornelobre qui joue de la musique, enfin du narrateur lui-même. Les entretiens de ces sept personnes permettent à l'auteur de faire apparaître Villon, Stevenson, Kipling, etc., plus l'île de la Tortue. La seconde partie de *La Clique du café Brebis* traite d'un sujet tout autre. C'est aussi la plus courte. Il y est évoqué, assez drôlement, les mœurs amollies dans une île imaginaire, l'île Torquate.

PETIT MONDE D'AUJOURD'HUI [*Piccolo mondo moderno*]. Roman de l'écrivain italien Antonio Fogazzaro (1842-1911), publié en 1901. C'est le second volume d'une tétralogie qui commence avec le *Petit monde d'autrefois* (*) et se poursuit avec *Le Saint* [*Il santo*] et *Leïla* (*). L'auteur nous conte une histoire d'amour entre gens du monde avec, pour toile de fond, une petite ville de province que l'on devine être Vicence. Si bien des intrigues s'y trament, la petite ville renferme aussi de grandes âmes blessées capables d'un héroïsme silencieux. Ainsi, Pierre Maironi, fils de Franco et de la Louise de *Petit monde d'autrefois* : séparé de sa femme devenue folle, il est exposé aux tentations les plus troublantes chaque fois qu'il rencontre la belle et aimable Jeanne Dessalle. Mais, à la mort de son épouse, Pierre quitte le monde et se voue aux œuvres religieuses et morales. D'autres figures inoubliables se détachent : celle de la vieille belle-mère de Pierre, sublime de résignation sous des apparences banales, celle aussi du vénérable don Joseph Florès, conseiller spirituel de Pierre, sans compter maints personnages de second plan, qui s'ingénient à distiller le fiel, la médisance et l'envie. — Trad. Albin Michel, 1926.

PETIT MONDE D'AUTREFOIS [*Piccolo mondo antico*]. C'est le chef-d'œuvre du romancier italien Antonio Fogazzaro (1842-1911), publié en 1895. Le roman, de caractère familial, s'inspire du principe qu'il n'est pas de vraie justice si elle ne s'accompagne de l'esprit de charité. L'intrigue se déroule à l'époque du Risorgimento italien, depuis la période de désarroi qui suivit les insurrections manquées de 1848 jusqu'aux succès de 1859. Franco Maironi, jeune homme issu d'une famille attachée à la cause autrichienne, épouse une jeune fille d'opinions libérales, Louise Rigey, dont il partage la foi politique. La grand-mère de Franco, de qui il dépend financièrement, s'est opposée au mariage et menace de le déshériter. Un oncle de Louise, « l'oncle Pierre » Ribera, vient en aide au jeune ménage, en lui offrant sa maison et en partageant avec lui ses modestes ressources. La maison, située à Oria, sur le lac de Lugano, est bientôt égayée par la naissance de Marie. Un jour, l'enfant se noie dans le lac, alors que Louise est sortie dans l'intention de révéler l'existence d'un testament en faveur de Franco, que celui-ci se refuse à produire, car il serait déshonorant pour sa grand-mère. Frappée dans ce qu'elle avait de plus cher, tandis qu'elle s'apprêtait à accomplir ce qu'elle croit être un acte de justice, Louise, rationaliste et chrétienne assez tiède, se considère comme la victime d'une fatalité aveugle et injuste. Franco, contemplatif de nature, doté de peu de volonté mais soutenu par la foi, sort de l'épreuve régénéré et se jette dans l'action. Le conflit d'opinions se greffe avec bonheur sur le drame politique. Chez Franco la douleur engendre la résignation, l'esprit de sacrifice, un enthousiasme passionné qui le fait se consacrer tout entier à son idéal patriotique.

L'ouvrage est très intéressant à de nombreux points de vue. Il fait vibrer toutes les cordes, depuis le sentiment pathétique jusqu'à un comique délicat. Les personnages vivent au milieu d'une foule de silhouettes campées par l'auteur avec un humour plein de bonhomie, de créatures conformes au coin perdu qui les a vues naître et qui les voit végéter et paresser. Le paysage réfléchit, tristes ou gais, les sentiments des hommes. Petit monde inoubliable, plein de poésie, doublement caduc depuis la disparition du gouvernement autrichien, mais riche de vérité et d'évidence dans la représentation des hommes et des choses. Ce roman est le premier d'une série de quatre romans — v. *Petit monde d'aujourd'hui* (*) ; *Le Saint* [*Il santo*] ; *Leïla* (*). Il fut aussitôt traduit en français et en polonais et plus tard dans toutes les langues européennes. — Trad. Hachette, 1911.

PETIT MONDE DE DON CAMILLO (Le) [*Mondo piccolo di Don Camillo*]. Roman de l'écrivain italien Giovanni Guareschi (1908-1968), publié en 1948. Du drame qui déchirait les consciences italiennes, Guareschi n'a voulu voir que l'aspect comique qui se cache dans toute situation, si tragique soit-elle. La fantaisie satirique, très sérieuse en son fond, qu'il a écrite sur les mille incidents qui surgissent entre Don Camillo, curé d'un village imaginaire de la basse vallée du Pô, et Peppone, son maire communiste, est de tout premier ordre. « Smilzo avait appris une nouvelle façon de freiner : le freinage à la Togliatti, comme il l'appelait [...] Avant de rentrer au presbytère, Don Camillo alla faire un petit tour du côté de la bicyclette, desserra l'écrou du moyeu, détacha la roue avant et l'emporta chez lui : "Comme ça, tu pourras freiner à la De Gasperi." » On voit le ton. Mais il faut une grande habileté pour le tenir tout au long d'une œuvre, en évitant l'insistance aussi bien que le ricanement. Les adversaires marquent des points à tour de rôle, mais il semble bien qu'à l'issue du match l'arbitre, qui ne se départit jamais de sa bonne humeur, les renvoie dos à dos, tout en considérant avec attendrissement ces inséparables frères ennemis, braves gens défendant chacun sa vérité. Ce n'est pas, enfin, l'un des moindres charmes du livre que l'interprétation du divin et de l'humain qui s'exprime dans les entretiens familiers et quotidiens du curé avec le Christ du maître-autel. Le succès international du *Petit Monde de Don Camillo* a incité Guareschi à donner une suite à cette histoire dans plusieurs volumes qui, comme à l'ordinaire, ne valent pas le premier : *Don Camillo et ses ouailles* [*Don Camillo e il suo gregge,* 1953], *Don Camillo et Peppone* [*Don Camillo ritorna,* 1954], *Don Camillo à Moscou* [*Il compagno Don Camillo,* 1964]. — Trad. Seuil, 1984.

PETIT PIERRE (Le). Souvenirs d'enfance de l'écrivain français Anatole France (François-Anatole Thibault 1844-1924), publiés en 1918. Avec cet ouvrage franchement autobiographique, encore que l'auteur ait introduit la légère fiction du petit Pierre, Anatole France nous a laissé de lui-même une image malicieuse et souriante, où le scepticisme semble faire place à la bonhomie. C'est l'histoire d'un petit garçon, timide et difficile, de sa naissance à son entrée au collège ; dans une vie malheureuse, le petit Pierre a une double existence ; pendant le jour, il s'adonne aux occupations enfantines d'une manière simple et banale, mais, la nuit, tout devient pour lui surnaturel et terrible. On découvre ainsi le caractère de l'auteur, pessimiste et joyeux, réaliste et nostalgique, tel que la vie le modèlera toujours davantage, tout en contrastes, sentant la nécessité d'agir et en même temps se tournant vers sa propre enfance désormais lointaine. Le petit Pierre chicane sans cesse, on le croit nerveux et on ne le contente jamais dans ses désirs les plus simples, jusqu'à celui d'avoir un tambour pour lui tout seul, de sorte qu'il a été obligé de s'en construire un lui-même. L'amitié et les premières affections, en particulier pour la vieille bonne Mélanie, l'amènent à mieux observer ; une petite fille de quelques années plus âgée que lui, Alphonsine, s'introduit dans sa vie. La nature méditative du petit Pierre trouvera ainsi des voies nouvelles, aussi bien en lisant l'histoire des croisades qu'en découvrant, jour après jour, la vérité à travers le monde de chacun. L'œuvre, développée avec vivacité mais sans enchaînement et apparemment sans souci de construction, mêle les souvenirs de l'écrivain à ses observations d'érudit, comme celles sur l'histoire et sur la langue française. Pour précaire que soit le lien que l'auteur a voulu établir entre ce livre de souvenirs et d'autres ouvrages de même genre, comme *Le Livre de mon ami* (*) de 1883 et *Pierre Nozière* (*) de 1899, il reste que ces livres forment un ensemble qui nous éclaire sur cette époque de sa vie, fondamentale quant à la formation des jugements qu'il portera plus tard sur les hommes.

PETIT PRINCE (Le). Récit de l'écrivain français Antoine de Saint-Exupéry (1900-1944) à l'adresse des enfants, mais où se mêlent, au merveilleux, certains traits de psychologie qui révèlent une connaissance délicate des relations que créent l'amitié et l'amour. *Le Petit Prince*, qui parut en 1943, n'emprunte rien à la littérature spécialement conçue pour les enfants et s'adresse moins à un certain âge qu'à tous les êtres restés, par aptitude, vulnérables, attentifs et voués à une tendre solitude. Aviateur avant que d'être écrivain, Saint-Exupéry imagine qu'une panne de moteur l'a forcé d'atterrir au Sahara, et qu'à « mille milles de toutes les régions habitées » il voit apparaître un petit garçon d'allure fort singulière, visiblement à l'aise dans cette solitude. L'enfant, tout entier à des soucis que l'auteur ne devine pas, se découvre peu à peu et pose des questions grâce auxquelles Saint-Exupéry reconstitue son histoire. Seul habitant d'une planète exiguë dont il ramonait chaque jour les trois volcans, le Petit Prince avait profité pour son évasion d'une migration d'oiseaux sauvages. Il s'y était résolu pour couper court aux tristes discussions, aux malentendus qui l'éloignaient toujours davantage d'une rose, dont il était amoureux et à laquelle il avait jusque-là prodigué ses soins. La rose, fière de sa beauté et se croyant unique au monde, entendait le tenir étroitement assujetti à ses moindres caprices. Ce n'était là qu'une attitude de défense, car elle se savait faible. Désemparé, le Petit Prince parcourt successivement six planètes, avant de gagner la Terre. Au cours de ce voyage, dont les détails et l'allure rappellent quelque peu les *Contes* de Voltaire (mais sans la virulence goguenarde, les traits acérés), le Petit Prince entre successivement en relation avec un roi, un vaniteux, un buveur, un homme d'affaires, un allumeur de réverbères et un géographe. L'activité des uns et des autres lui semble plus ou moins extravagante, et il s'en étonne avec la douceur dont il ne se départit jamais. Enfin, il prend pied sur la Terre et, après de longues pérégrinations, se trouve au milieu d'un jardin fleuri de roses. « Et il se sentit très malheureux », sa fleur lui ayant fait accroire qu'elle était seule de son espèce dans l'univers. C'est alors qu'il rencontra le renard, ou plus exactement le fennec, cet animal aux longues oreilles qui vit dans le désert. La scène la plus émouvante du livre débute alors, scène qui semble l'explication, la clé d'une œuvre où affleure continûment la nostalgie de l'amitié. Le renard prie le Petit Prince de bien vouloir l'apprivoiser ; et il s'explique ainsi : « Tu n'es encore pour moi qu'un petit garçon tout semblable à cent mille petits garçons. Et je n'ai pas besoin de toi. Et tu n'as pas besoin de moi non plus. Je ne suis pour toi qu'un renard semblable à cent mille renards. Mais si tu m'apprivoises, nous aurons besoin l'un de l'autre. Tu seras pour moi unique au monde. Je serai pour toi unique au monde. » — « Je commence à comprendre, dit le Petit Prince. Il y a une fleur [...] je crois qu'elle m'a apprivoisé. » Hanté par le désir de rejoindre sa planète, le Petit Prince se fera mordre par un serpent venimeux, et s'évanouira dans la nuit, après avoir tant bien que mal consolé l'aviateur qui s'était attaché à ce petit personnage étrange, passionné et tranquille. Le style, à la fois alerte et confidentiel, garde au récit cette allure familière des propos tenus à haute voix devant des êtres simples, dont la logique s'accommode de l'imaginaire, et exige toutefois des détails d'une extrême précision.

PETIT RÊVE (Le) [*Giâc mông con*]. Roman d'aventures imaginaires du poète vietnamien Tan Dà (1888-1939). Il s'agit de deux récits dont le premier, *Le Petit Rêve I*, fut publié en 1916, et le second, *Le Petit Rêve II*, en 1932. Le premier récit relate son voyage en rêve en France et ailleurs, dont des contrées créées par son imagination. Prétextant des rencontres avec des personnages illustres, il disserte sur les valeurs anciennes et modernes ; il raconte sa rencontre avec la belle Chu Kiêu Oanh et leur amour platonique, immortel. Le deuxième récit se passe dans le monde céleste où il retrouve de célèbres personnages historiques vietnamiens maintenant condamnés pour trahison à la patrie, et d'autres (Confucius, Rousseau, Nguyên Trai) ; il se promène dans la voie lactée avec Chu Kiêu Oanh maintenant personnage céleste, en lui confiant ses doutes et ses tourments. Écrits dans un style fluide, à la mode ancienne, ces récits lui sont des prétextes pour exprimer ses vœux de servir avec sa plume une société idéale (I) et son scepticisme devant un avenir sans réponse (II).

T.-T. L.

PETIT SAINT (Le). Roman de l'écrivain belge d'expression française Georges Simenon (1903-1989) écrit en octobre 1964 et publié en 1965. Avant-dernier d'une famille de six enfants nés de pères différents, Louis Cuchas est le préféré de sa mère, une marchande des quatre-saisons volage mais tendre. Aussi ne s'étonne-t-il pas d'assister à ses jeux érotiques avec des amants de passage dans la promiscuité de leur pauvre logement de la rue Mouffetard. Cette amoralité tranquille combinée avec un amour authentique font que Louis trouve tout naturellement sa place dans la cellule familiale, puis parmi les petites gens du quartier. Fait rarissime chez Simenon, Louis Cuchas est heureux, capable de laisser le monde venir à lui, d'absorber la fugacité du temps sans jamais se poser de questions inutiles. Émerveillé, il accepte l'existence comme elle vient, regarde des heures à la fenêtre « le mouvement de la rue, grouillante, pleine de bruits et d'odeurs, des cris des marchandes, des victuailles entassées et des détritus dans le caniveau ». À l'école, où on l'appelle « le Petit Saint » en raison de sa gentillesse, Louis n'écoute que d'une oreille distraite, comme si les vérités des autres ne le concernaient pas. Toujours, il reste en dehors sans souffrir ou se réjouir de quoi que ce soit, seulement attentif à la plénitude de l'instant, « en quête de ce scintillement de l'image qu'il recherche depuis si longtemps » et qu'à travers sa peinture il recherchera toujours. En effet, ses frères et sœurs partis, Louis reste seul avec sa mère, qui a renoncé aux amants ; il quitte l'école et l'aide à pousser sa charrette de légumes aux Halles. Mais la grande passion de sa vie c'est la peinture. Grâce aux jeux des couleurs pures, elle lui permet d'exprimer sa joie d'être au monde en osmose avec la création et la saveur des émotions minuscules qui passent dans l'instant et réveillent les visions accumulées depuis l'enfance. Après des débuts difficiles, Louis quitte sa mère, qu'il aimera toujours, et s'installe dans un atelier, en dehors de son quartier. Des amateurs achètent ses tableaux, il est connu, et celui qui est toujours resté un « petit garçon » devient un des plus grands peintres de son époque sans que jamais le succès entache sa pureté intérieure.

« Enfin, je l'ai écrit ! », s'exclama Simenon, tout heureux de boucler ce manuscrit après une gestation douloureuse. C'est que la description, sur fond de fresque sociale, de l'épanouissement d'un être par le biais de l'art, ne trouve guère d'équivalents dans sa production, à part peut-être, dans un registre voisin, *L'Enterrement de monsieur Bouvet* (1950). Simenon s'est toujours senti plus proche des peintres et des sculpteurs que des écrivains. Il a lui-même déclaré qu'« il faisait de l'impressionnisme en roman, du moins dans les descriptions ». Et ce roman en contient de lumineuses, d'une densité presque matérielle, les couleurs éclatant dans « l'air vibrant, sonore, d'une fluidité et d'une profondeur infinie ». Cette pure présence au monde, dont témoigne Louis Cuchas, renvoie à l'acte créateur simenonien qui repose sur la nécessité presque physique de lutter contre le sentiment du vide et d'acquérir sa propre densité existentielle en s'appropriant, puis en restituant la réalité. Ajoutons que la sérénité du « Petit Saint » repose sur le fait qu'aimé par une mère qui l'a élevé très librement il a pu élargir son espace vital par cercles successifs, passant du sein maternel au lit, puis à la chambre, à la cuisine, à la maison, à la rue, au quartier, à la ville, à la société. Et chaque fois, son intégration progressive à l'intérieur du cercle imaginaire lui procure un intense sentiment de bien-être, la conviction « d'être à sa place » au sein de la création, entre le microcosme utérin et le macrocosme cosmique.

Al. B.

PETITS-BOURGEOIS (Les) [*Meščane*]. Œuvre de l'écrivain russe Alexei Pissemski (1820-1881), publiée en 1878. Dans ce livre, qui est son dernier roman, Pissemski a donné la peinture des différents milieux de la bourgeoisie russe du XIXe siècle. Le héros principal, le riche rentier Biegouchev, riche certes, mais loyal et honnête, est à peu près le seul être sympathique au milieu d'un monde de fourbes, de pleutres et de rapaces. Révolté par toutes ces bassesses, Biegouchev devient peu à peu misanthrope. Au spectacle décourageant du monde viennent encore s'ajouter des malheurs personnels : la femme pour qui il s'est battu en duel meurt ; son autre maîtresse, qui l'a déjà blessé par son âpreté et sa vulgarité, devient folle ; enfin l'amie de sa maîtresse, qu'il a tirée de la misère, recueillie chez lui et qu'il songe maintenant à épouser, meurt d'une rupture d'anévrisme. Désespéré, Biegouchev rengage à cinquante ans dans l'armée et meurt bravement au Caucase. Groupés autour de Biegouchev, Pissemski a su peindre un grand nombre de personnages, également typiques des vices de la société : un paysan millionnaire, enrichi par des spéculations douteuses et des coups de Bourse, maintenant reçu chapeau bas dans le « monde » ; un pique-assiette, fort distingué, le comte Khvostikov, vivotant de petits emprunts, servant au besoin d'intermédiaire, et soutirant de l'argent à sa fille et à ses amants ; un officier, le colonel Iansputski, qui n'ose avouer qu'il se sert de son uniforme pour faire de grosses affaires. Vulgaire, il est abandonné par ses maîtresses successives ; ruiné, il essaiera d'en conquérir une autre et de l'épouser à cause de son argent et, comme la dame le repoussera, il s'arrangera plus tard pour soudoyer son avocat et la ruiner complètement. Partout règne la corruption : fonctionnaires, magistrats n'hésitent jamais à protéger quelque criminel et, au besoin, à l'engager au service de l'État. Ces vices sont éternels, et la peinture de Pissemski n'a guère vieilli : on sent que l'auteur en appelle ici à sa propre expérience. Une violente haine ne cesse de l'animer. Par la richesse des caractères qu'il met en scène, Pissemski a écrit là une œuvre digne de durer. – Trad. Plon, sous le titre *Les Faiseurs*, 1886.

PETITS-BOURGEOIS (Les) [*Piccola borghesia*]. Recueil de nouvelles de l'écrivain italien Elio Vittorini (1908-1966), publié en 1931 (c'est la première œuvre de l'auteur). Vittorini a dit qu'à l'époque où il rédigeait *Les Petits-Bourgeois* il ne pouvait écrire que « tourné vers l'arrière », vers une enfance qui entretenait avec « les choses maternelles de la terre » un contact spontané, heureux, qui ne devait lui être rendu que quelques années plus tard, en 1934. Les enfants tiennent d'ailleurs une large place dans les sept récits qui composent le volume. C'est avec ses yeux d'enfant que le narrateur de « Ma guerre » évoque le siège de Gorizia en 1915-16, les bombardements, l'épidémie de peste, et dans sa mémoire la ville en ruine reste le fascinant terrain de jeu de grandes vacances fabuleuses. C'est dans son enfance aussi que l'héroïne de « La Femme de la gare » situe la belle et fraîche lumière dont elle croit découvrir un reflet dans sa jeune servante. L'univers féminin est avec celui de l'enfance l'un des thèmes obsédants du recueil. Parfois les deux s'unissent (dans « La Femme de la gare », ou encore dans « Le Petit Amour » où nous voyons une femme blessée par la brutalité des désirs dont elle est l'objet se réfugier un instant auprès d'un timide adolescent). Ces héroïnes sont toutes des créatures à la fois sensuelles et rêveuses, lourdes de désirs vagues et jamais satisfaits (« Seule à la maison »). Grossiers, médiocres ou indifférents, les hommes qui les entourent ne répondent pas à leurs aspirations (« Deux époux au lit »). Dans l'une des plus longues nouvelles des *Petits-Bourgeois,* « L'Éducation d'Adolphe », l'élément onirique et érotique se confond avec les phantasmes qui habitent l'esprit d'un jeune employé de préfecture, dont les collègues sont décrits avec une impitoyable lucidité. Dans ce premier ouvrage, tour à tour anarchique, lyrique, humoristique, réaliste et précieux, l'auteur laisse se développer avec une séduisante liberté les superbes dons d'écrivain qui devaient se discipliner et se condenser dans les œuvres de sa maturité. – Trad. Éditions Robert Marin, 1948.

PETITS ENFANTS DU SIÈCLE (Les). Deuxième roman de l'écrivain français Christiane Rochefort (née en 1917). Le livre parut en 1961, tandis que des « grands blocs neufs » poussaient un peu partout dans les banlieues parisiennes. La narratrice est une enfant qui loge dans ces blocs et qui contemple d'un œil acide les gens qui y grouillent – « comme des petites bêtes sous les lampadaires » – tout en s'occupant de ses frères et sœurs, plus nombreux au fur et à mesure que les années passent. Au début du roman, elle explique qu'elle est « née des allocations et d'un jour férié » et, dans les dernières lignes, elle est enceinte, se marie, et cherche un appartement dans les beaux blocs de Sarcelles. C'est ce qu'on appelle un dénouement heureux. Entretemps, à la faveur d'expériences partagées par nombre d'adolescents, elle critique absolument tout et même les vacances : « Je me demande pourquoi on ne nous ferait pas une piqûre qui nous ferait dormir pendant le temps du congé. Ça nous reposerait encore mieux, et au moins on n'aurait pas l'emmerdement de s'en apercevoir. Ça, ce serait de vraies vacances. » Lors de sa sortie, on a comparé un peu abusivement le roman à ceux de Raymond Queneau, bien que l'écriture et l'humour de Christiane Rochefort aient une portée subversive qui n'appartient qu'à leur auteur. Et depuis, des milliers d'enfants du siècle se reconnaissent dans les propos de l'héroïne de Christiane Rochefort. Ils ont fait de ce texte une sorte de classique.

A. Di.

PETITS MALENTENDUS SANS IMPORTANCE [*Piccoli equivoci senza importanza*]. Recueil de nouvelles de l'écrivain italien Antonio Tabucchi (né en 1943), publié en 1985. Dans ce court recueil de onze nouvelles, Antonio Tabucchi poursuit son chemin sur la voie qu'il avait tracée avec *Nocturne indien* (*). Que les récits se déroulent en Inde, dans un rallye étrange sur la côte espagnole, à Lisbonne ou dans la banlieue de Paris, on y retrouve le même jeu à partir des méprises, des petites discordances du quotidien qui aboutissent à des dérapages et confèrent à la vie un caractère insolite.

À première vue, les nouvelles semblent refléter des aventures qui n'ont rien d'extraordinaire, avec leur lot de rebondissements anodins, d'habitudes et de banalités. Puis, soudain, vient un moment où le récit bascule vers des rivages plus troublants, où le fil de l'histoire se rompt pour laisser le lecteur face à un problème imprévu, dont le seul révélateur peut être une erreur, un moment d'inattention, un souvenir inexact, une bévue stupide. C'est par le biais de ces petits riens de la vie quotidienne, de ces moments où notre belle tranquillité vient buter contre un obstacle inopiné dont notre comportement est le seul maître d'œuvre et notre inconscient (mais le mot n'est jamais prononcé) le seul responsable, que Tabucchi nous introduit dans son univers énigmatique.

Dans une « note » qui précède le texte, l'auteur cite ses sources : cela va de Françoise Dolto à Baudelaire, de Henry James à Rudyard Kipling. Quant aux nouvelles, elles nous conduisent de l'Espagne à l'Inde en passant par la France, le Portugal et les États-Unis. C'est peu que de parler de « cosmopolitisme littéraire », et certains textes sont d'ailleurs truffés de phrases en anglais ou en français (un tic littéraire qu'on avait connu, quelques dizaines d'années auparavant, chez Curzio Malaparte).

Ce déplacement continu — linguistique et géographique — accentue l'effet d'étrangeté qui se dégage du recueil. Comme beaucoup d'auteurs italiens — il suffit de citer Leonardo Sciascia, Fruttero et Lucentini ou encore Giuseppe Pontiggia et l'Umberto Eco du *Nom de la rose* (*) —, Tabucchi utilise le genre policier pour le dévoyer à son profit, l'énigme n'apparaissant ici au cours du récit que pour mettre en relief les aspects insolites de la réalité. — Trad. Bourgois, 1987. A. S.

PETITS MOTS [*Słówka*]. Œuvre de l'écrivain polonais Tadeusz Żeleński, également connu sous le nom de Boy-Żeleński (1874-1941), parue en 1913. À la première édition s'ajoutèrent *La Marquise et autres bagatelles* [*Markiza i inne drobiazgi,* 1917], *Soleil d'automne* [*Słońce jesienne,* 1915] et *Tiré de mon petit journal* [*Z mojego dzienniczka,* 1917], qui décidèrent de la forme définitive du recueil. Ces poèmes et ces chansons satiriques sont nés dans l'atmosphère du cabaret cracovien « Le Petit Ballon vert » [Zielony Balonik], et constituent un document sur la vie sociale et culturelle à Cracovie au début du XXe siècle. Les manifestations du conservatisme en Galicie, l'aristocratie cracovienne, la pruderie et la phraséologie des « petits-bourgeois », mais aussi la bohème de Cracovie et sa mythologie du « sacerdoce de l'art », font l'objet des attaques de Boy, pleines d'un humour très fin et d'une grande invention linguistique et stylistique. Il manifesta par la suite le même talent dans son œuvre de traducteur. Ce recueil sans prétention, d'une grande concision épigrammatique, écrit dans une langue familière, fut un « véritable soulagement après l'exaltation et la tristesse larmoyante des poètes modernistes ». Il annonça un changement radical dans la poésie. On peut mesurer la popularité des *Petits mots* au nombre d'aphorismes et de « dictons » entrés aujourd'hui dans la langue courante et qui lui sont empruntés. L. Dy.

PETITS POÈMES EN PROSE de Baudelaire (v. *Spleen de Paris, Le*).

PETITS RIENS (Les). Ouverture et danses du compositeur autrichien Wolfgang Amadeus Mozart (1756-1791). Cette suite de danses fut longtemps oubliée dans les archives de l'Opéra de Paris ; car, si elles furent écrites par Mozart, c'est le célèbre maître de ballets Noverre — v. *Lettres sur la danse et sur les ballets* (*) — qui les signa. Il s'agissait d'un ballet à la française, ballet pantomime en trois tableaux (1778), dont le premier met en scène l'Amour mis en cage, le second un jeu de colin-maillard et le troisième une facétie de l'Amour qui présente à deux bergères une troisième bergère travestie en berger. L'ouverture utilise un petit orchestre dont les instruments se renvoient comme une balle légère les deux thèmes. Le développement fait appel au rythme de la « musique à la turque » fort prisée au XVIIIe siècle. Cette allusion exotique évoque déjà l'ouverture de *L'Enlèvement au sérail* (*) et même certains accents des *Noces de Figaro* — v. *Le Mariage de Figaro* (*). Les quatorze danses qui suivent sont riches d'idées mélodiques, que Mozart reprit ultérieurement dans des ouvrages plus étendus. C'est ainsi que la danse nº 9 fait entendre l'air de flûte de Tamino dans *La Flûte enchantée* (*) ; la Gavotte nº 12 servira de motif au final du *Concerto pour violon en ré* — v. *Concertos* (*) de Mozart. Le ballet de Noverre comportait vingt danses ; six ne sont certainement pas de Mozart ; et sur les quatorze qui lui sont attribuées, on peut soupçonner que les cinquième et huitième sont empruntées à des idées mélodiques de Tartini et de Gluck. Il était courant au XVIIIe siècle de faire de tels emprunts et nul ne songeait à y voir l'indice d'un plagiat.

PETITS RIENS DE LA VIE (Les) [*The Little Disturbances of Man : Stories of Men and Women at Love*]. Recueil de nouvelles de la nouvelliste américaine Grace Paley (née en 1922), publié en 1958, traduit en 1985. C'est le deuxième recueil publié par l'auteur, et celui qui a fait le plus pour sa réputation. Il contient en effet certaines de ses meilleures nouvelles, en particulier la première, intitulée « Au revoir et bonne chance », un petit chef-d'œuvre qu'on prendra ici comme témoin et symbole de l'art mineur, peut-être, mais consommé, sûrement, de Grace Paley. Comme souvent chez elle, la narration est à la première personne, ce qui permet de nombreux effets de « voix », qui disent assez combien la première qualité de l'auteur est une oreille exceptionnellement réceptive aux inflexions, aux tours, aux vulgarités comme aux tendresses de la population juive du Bronx. Tante Rosie (Rose Lieber) raconte à sa nièce Lizzie comment elle a naguère été embauchée comme caissière au « Théâtre russe d'art et d'essai de la Seconde Avenue, où on jouait l'une des meilleures pièces yiddish ». Là, sous ses yeux, en chair et en os, « se trouvait Volodia Vlachkine, que les gens de l'époque appelaient le Valentino de la Seconde Avenue ». Sans avoir à le dire, elle donne à comprendre qu'elle est devenue la maîtresse du « grand artiste ». La liaison a duré dix-sept ou dix-huit ans. Bien des années plus tard, un beau jour du temps présent, pendant qu'elle lave ses dessous dans le lavabo, Rosie reçoit un appel téléphonique de Vlachkine, qui lui annonce que sa femme demande le divorce, qu'il est donc libre, etc. Il lui propose de vivre avec lui, ce que Rosie accepte immédiatement. Mais, lorsque Vlachkine lui fait remarquer qu'il serait idiot de se marier, Rosie le tance vertement : « Comment oses-tu me demander de prendre des trains avec toi pour t'accompagner dans des hôtels inconnus, parmi des Américains, sans être ta femme ? » Sur le point de partir se marier, Rosie demande donc à Lizzie de dire à sa mère qu'elle va avoir « un mari, et, chacun le sait, c'est quelque chose qu'une femme doit avoir au moins une fois avant la fin de l'histoire ». Puis elle souhaite à sa sœur, « de la part de Tante Rosie, au revoir et bonne chance ». Tout l'humour de Grace Paley se trouve dans ces quinze pages ; un humour qui prend le contre-pied de l'« innocence » américaine et de l'idéalisme impénitent, mêlé au cynisme et à l'égoïsme des hommes ; un humour qu'on associera à une perte des illusions qui aurait comme conséquence bénéfique l'acquisition d'une sagacité souvent retorse. Et d'un véritable don verbal : Grace Paley est un maître à cet égard ; ses nouvelles n'ont besoin d'aucune préparation ; généralement, elle les commence « in medias res » et les fait narrer par un personnage féminin qui n'a pas davantage sa langue dans sa poche que ses deux pieds dans le même sabot. Bien souvent il en résulte un véritable enchantement littéraire. — Trad. Rivages, 1989.

M.Gr.

PETITS TRAITÉS. Essais de l'écrivain français Pascal Quignard (né en 1948). C'est en 1990 que paraissent, réunis en huit volumes, cinquante-six « petits traités », véritable sommet d'une œuvre déjà fournie. (Douze de ces textes avaient déjà paru, réunis en trois volumes, dans une édition antérieure mais l'ensemble était rédigé dès la fin de l'année 1980.) Singulière moisson de textes de longueurs diverses (de moins de deux pages pour « Du vin piquette » à plus de cent soixante pour « Liber ») réunis sous un titre d'apparence vague : proche de l'essai, du fragment, du récit, de la leçon, de la fable. C'est aux treize volumes des *Essais de morale* (*) de Pierre Nicole, « sous le règne de Louis XIV », que leur auteur aime à comparer cette « suite baroque attendue par la forêt peut-être, un aveugle et un loup ». Ces méditations silencieuses, vagabondages érudits, déconcertantes (et d'autant plus captivantes), destinées à la solitude que la lecture requiert, ne sont point exemptes de passion. Il serait même possible d'affirmer qu'une passion extrême anime ces pages, leur insuffle vie en même temps qu'elle les voue à de violents mouvements de terreur qui arrêtent le souffle. « Passion qui est : sonner en silence. Écrire, Résonner avec une espèce de fracas dans le silence du corps » (« Traité sur Cordesse »). C'est avant tout les langues, leurs métamorphoses, bizarreries sans raison, qui éloignent autant de ce qu'elles veulent dire qu'elles en rapprochent mortellement, qui sont méditées (« Les Langues et la Mort », « Langue »...). Et aussi l'écriture, les livres, la lecture (« Pagina », « La Bibliothèque », « Les Premiers Codex », « Lectio »...), les déportements auxquels la pensée se contraint sans nécessité (« Noésis », « Le Misologue »...). D'autres traités font resurgir d'étranges figures oubliées (« La Passion de Guy Le Fèvre de La Boderie », « Jérôme Fracastor », « Les Trois Voyages de Maximilien Littré »...). Monde inquiet en proie à la peur, à l'angoisse, aux tourments de la chair, au besoin de parler, d'écrire : « Ce qu'on appelle ridiculement le travail de l'écrivain, c'est une oisiveté qui confine à la misère. » Sarcasmes, ironie, dérision déchirent ces pages, portent le trouble jusqu'en la confiance que nous avions cru pouvoir engager dans notre activité de lecteurs. « Végétation étrange que les œuvres. Étranges saisons que les lectures. »

F. W.

PETITS TRAITÉS D'HISTOIRE NATURELLE ou Parva Naturalia. Les philologues modernes désignent sous ce nom une série de petits traités du philosophe grec Aristote (384-322 av. J.-C.). Ce sont des recherches complémentaires au grand traité *De l'âme* (*). Aristote les nomme « **Κοινά σώματος και ψυχής ἔργα** », c'est-à-dire « œuvres relatives au corps et à l'âme ». Elles traitent en effet des fonctions et des états de l'âme, qui sont aussi des fonctions et des états du corps, ou qui en dépendent. Les principaux de ces écrits sont : *De la sensation et des choses sensibles* [**Περὶ αἰσθήσεως καὶ αἰσθητῶν**], *De la mémoire et de la réminiscence* [**Περὶ Μνήμης καὶ 'Αναμνήσεως**], *Du sommeil et de la veille* [**Περὶ Υπνου καὶ 'Εγρηγόρσεως**], *Des rêves* [**Περὶ 'Ενυπνίων**], *De la divination dans le sommeil* [**Περὶ τῆς καθ'**

Υπνου Μαντικῆς], *De la longévité et de la brièveté de la vie* [Περὶ Μακροβιὸτητος καὶ βραχυβιότητος], *De la vie et de la mort* [Περὶ Ζωῆϋαιθαυὰτος], *De la respiration* [Περὶ "Αγαπυοῆζ]. Les autres sont soit d'authenticité douteuse, soit apocryphes. On ne sait quand furent composés ces traités ; certainement après celui *De l'âme,* auquel ils se réfèrent constamment. Aristote y applique en effet à des sujets particuliers les principes fondamentaux de sa psychologie, tels que les formule le traité *De l'âme*. Parmi ces principes, retenons celui concernant les rapports fonctionnels existant entre le corps et l'âme, principe essentiel qui sépare radicalement l'aristotélisme du platonisme. La méthode reste la même que dans les grandes œuvres : position du problème, exposé rapide et critique des diverses opinions, solution du problème sur la base des principes théoriques et des données de l'expérience. — Trad. Dumont, 1847 ; Les Belles Lettres, 1953.

PETIT TRAITÉ DE LA MARCHE EN PLAINE. Œuvre de l'écrivain suisse d'expression française Gustave Roud (1897-1976), publiée en 1932 et reprise dans *Écrits* (*) (1950). « Il y a une mystique de l'Alpe. Le ciel nous garde d'en médire. » Ce principe une fois proclamé, Gustave Roud prend le parti de la plaine contre les fanatiques de la montagne, le parti de l'espace contre les escarpements, des vergers contre la stérilité des pierres, de l'intimité contre le panorama, du détail contre les idées générales. C'est le piéton engagé sur les chemins vicinaux, tout ému par les noms des villages : Missy, Chesalles, Hermenches... Le promeneur solitaire à la recherche de l'amitié, des Fêtes des hommes, et qui retourne à la solitude : « Un homme quelque part cerné par ses quatre murs, parmi les cadavres de ses pensées [...] Ah ! la nature l'a deviné à travers la pierre et, sournoisement comme un coup de cymbale, lui fait signe. » D'autres textes suivent ce traité : Lettres, Dialogues et Morceaux.

PETIT TRAITÉ DE POÉSIE FRANÇAISE. Ouvrage du poète français Théodore de Banville (1823-1891), qu'il publia en 1872 dans le but de réunir, sous la forme d'un traité, ses idées sur la poésie et de fournir en même temps une sorte d'Art poétique des temps nouveaux. Égayé par d'agréables passages de polémique et de charmantes déclarations paradoxales, ce livre est précédé de quelques rares affirmations de principe : sur la gratuité de la poésie ; sur la nécessité d'une forme impeccable qui seule peut transformer nos informes imaginations en art véritable ; enfin sur la sublime « inutilité » de l'art en général, dont l'unique mérite est d'embellir la vie. Suit un panégyrique de la rime, qui seule témoigne par son expression heureuse de l'excellence originaire de l'inspiration. Puisque bien rimer est un don de nature et un signe de sincérité et de probité artistique : « Tant que le poète exprime véritablement sa pensée, il rime bien ; dès que sa pensée s'embarrasse, sa rime aussi s'embarrasse, devient faible, traînante et vulgaire, et cela se comprend de reste, puisque pour lui pensée et rime ne sont qu'un. » Mais comme l'inspiration n'est jamais continue et se produit par éclairs intermittents, le travail savant de l'artiste consiste justement à joindre ces fragments dans l'harmonie d'un tout unique, qui est l'œuvre d'art. Ici le goût et la culture doivent lui venir en aide, et de nombreux expédients ou « secrets du métier », que Banville énumère avec une minutieuse précision, peuvent aussi lui servir. Le *Traité* se termine par une revue des différentes formes de strophes les plus caractéristiques de la poésie française. L'auteur préfère naturellement les formes compliquées, difficiles et très travaillées, sans nier cependant la valeur d'innovations hardies et géniales. La Fontaine est son modèle, mais il retourne plus en arrière jusqu'aux « Virelais » médiévaux, aux « Rondeaux » de Charles d'Orléans et aux « Ballades » de François Villon. D'où la valeur appréciable de ce petit livre particulièrement vivant, qui offre en quelque sorte une analyse critique des formes les plus caractéristiques de la poésie française — au demeurant une analyse menée d'une main légère par un sûr connaisseur.

PETIT ZACHÉE SURNOMMÉ CINABRE (Le) [*Klein Zaches genannt Zinnober*]. Conte de l'écrivain allemand Ernst Theodor Amadeus Hoffmann (1776-1822), écrit en 1816. L'étudiant Balthazar, timide et romantique, aime Candida, fille du professeur d'histoire naturelle Mosch Terpin, jeune fille pleine de bon sens, qui a lu « plus que passablement » et cultive avec assez de bonheur les arts d'agrément, mais qui se contente, pour ce qui est d'écrire, de tenir les comptes de la maison. Elle s'est mis en tête d'épouser le prince et ministre Cinabre, un nain difforme, à qui une fée généreuse a concédé le pouvoir de bénéficier des mérites dont ont fait montre les autres en sa présence. En effet, Balthazar lit une de ses poésies en public et c'est Cinabre que l'on complimente ; inversement, Cinabre fait une sottise et c'est à Balthazar qu'on la reproche. Balthazar et Candida s'aiment, mais Candida épousera Cinabre. (On décèle ici l'amère satire de l'auteur qui connut à diverses reprises semblable situation.) Cinabre cependant n'est pas seulement incapable, mais méchant et satisfait de l'être, ce n'est que par suite d'un malentendu qu'il tient de la fée Rose un pouvoir aussi exorbitant. D'autre part, tant de partialité procure en fin de compte un puissant protecteur à Balthazar : le docteur Prosper Alpanus, doté lui aussi de pouvoirs magiques. Entre le docteur et la fée s'engage alors une lutte qui va décider du sort de Cinabre ; l'un verse le café d'une cafetière et le café sort, mais les tasses restent vides ; l'autre en fait autant, mais le café ne sort pas et les tasses se remplissent. Pour finir, les deux forces se neutralisent. Le seul obstacle que doit surmonter Balthazar est constitué par le mauvais vouloir de Mosch Terpin, dont Balthazar exècre les expériences de physique qui lui paraissent (conception goethéenne) comme « une dérision et une insulte aux lois naturelles ». Un éclair lancé par la canne merveilleuse d'Alpanus donne au jeune homme la force d'agir. Avec quelques amis, il surprend Cinabre, alors que celui-ci s'apprête à épouser Candida, et lui arrache ses trois cheveux roux qui renferment tout son pouvoir magique. Il se sauve ainsi par un acte de volonté libérateur. Alpanus, qui se révèle être l'oncle de Balthazar, fait don à son neveu d'une riche propriété qui procure aux époux non seulement la possibilité de goûter les joies de l'amour, mais aussi un bien-être assuré. — Trad. Phébus, 1980.

PÉTROLEUSES (Les). Ouvrage de l'écrivain français Édith Thomas (1909-1970), publié en 1964. Par le terme de « pétroleuses », employé dans un sens nullement péjoratif, l'auteur désigne « toutes les femmes qui ont été mêlées au mouvement révolutionnaire de 1871 » ; il entend ainsi démontrer l'importance du rôle historique de la femme au XIXe siècle. En effet, pour Édith Thomas, la Commune, manifestation révolutionnaire, fut aussi un manifeste féministe. Elle constitue le plus haut sursaut des femmes pour se libérer de la condition médiocre et même misérable que leur avait réservée la société industrielle du second Empire. Déjà, sous Napoléon III, certaines femmes, institutrices ou journalistes pour la plupart, ont rédigé des articles, écrit des romans, prononcé des discours à des congrès pour montrer avant tout leur volonté de balayer enfin et à jamais les siècles de préjugés qui les avaient reléguées au rang d'êtres inférieurs. Elles ont animé des sociétés d'entraide aux ouvriers et se sont placées à l'avant-garde du combat socialiste. Lorsque les Prussiens entreprennent le siège de Paris, les plus courageuses d'entre elles se groupent dans l'Union des femmes pour la défense de Paris et le soin aux blessés. Quand, en mars 1871, éclate la Commune de Paris, elles s'organisent en clubs par quartiers. Comité de vigilance de Montmartre, Club de la révolution, Club de la Boule noire. Elles font pression sur les membres de la Commune pour revendiquer la justice sociale, non seulement pour la classe ouvrière, mais aussi pour les femmes exploitées. Mais surtout, elles entendent libérer l'enseignement de son empreinte traditionnellement cléricale, en un mot le laïciser. Lorsque les Versaillais investissent Paris, elles se dévouent aux combattants communards, qui en ambulancières, qui en infirmières, en cantinières, en soldats même ; elles appellent les hommes à la lutte et les stimulent par leurs démonstrations quotidiennes de courage et de volonté. Pendant la « semaine sanglante », nombre de femmes se trouvent à la pointe du combat sur les barricades, vieilles, jeunes, parisiennes ou d'origine provinciale (comme le démontre Édith Thomas, la Commune, dans sa majorité, fut l'œuvre des provinciaux, du prolétariat déraciné). C'est alors qu'apparaissent les « pasionarias » de la Commune, celles que soutient une foi fanatique en la victoire : Béatrice Excoffon, Louise Michel, pour ne citer que les deux plus célèbres.

Dans un chapitre entièrement consacré à ce problème, l'auteur aborde « la question des incendies dont les témoins et les historiens bourgeois ont imputé toute la responsabilité aux communards ». Y eut-il des pétroleuses ? C'est à cette question qu'Édith Thomas entend répondre. Il semble bien que les Versaillais, dans leur terreur de classe, victimes d'une sorte d'hystérie hallucinatoire et collective, aient vu, à tout propos, des femmes hirsutes et débraillées répandre de l'huile et du pétrole sur les foyers d'incendies. Or, ni les procès faits aux communards, ni les témoignages sérieux n'ont pu confirmer ces accusations. En fait, les incendies furent allumés au cours de combats pour arrêter l'avance des Versaillais, mais jamais semble-t-il pour le plaisir de détruire gratuitement.

Qui furent donc ces pétroleuses ? « Des femmes qui, coude à coude avec les fédérés, ont lutté pour la défense des barricades. » Leur emprisonnement, leur procès, leur condamnation, leur déportation leur ont permis de donner une dernière fois la prodigieuse mesure de leur courage révolutionnaire : « Hugo, Verlaine, Rimbaud ont tressé des couronnes aux couturières, aux blanchisseuses, aux journalières, aux institutrices de la Commune ; quelles reines peuvent s'enorgueillir d'avoir recueilli autour d'elles de tels poètes de cour ? » L'auteur de l'ouvrage, qui ne cache pas ses sympathies pour les pétroleuses, s'est, en historienne avertie, abstenue cependant de faire œuvre de panégyriste et elle a pu écarter, grâce à de nombreuses archives inédites, la thèse des communardes assoiffées de sang et de feu. Le style par ailleurs chaleureux et vivant, ainsi que la tension dramatique des récits et la savante utilisation des documents, font de cette étude un remarquable modèle.

PETROUCHKA. C'est avec *L'Histoire du soldat* (*) et *Perséphone* (1934) l'œuvre du compositeur russe Igor Stravinski (1882-1971) où les données littéraires et musicales se sont fondues avec le plus de bonheur. Inspiré d'un scénario dont Stravinski est l'auteur, ce nouveau ballet vit le jour le 13 juin 1911 et remporta d'emblée un succès encore plus considérable que *L'Oiseau de feu* (*). C'est que, désormais, toute enflure postromantique a disparu, de même que toute vulgarité instrumentale, au profit d'une rigueur et d'une efficacité de la construction dont jamais la musique de ballet n'avait fait preuve jusqu'alors. L'histoire de la marionnette Petrouchka, amoureuse d'une ballerine qui lui préfère le bel uniforme du Maure, sa mort pitoyable et les menaces que son fantôme dresse à la foule constituaient, situées dans l'animation bariolée d'une fête foraine, un sujet riche de mille possibilités sonores et dramatiques. Les citations burlesques de refrains populaires, ainsi que l'utilisation dans le Final d'une célèbre mélodie populaire russe, ne sont qu'un aspect de la très grande variété que l'auteur introduisit dans une œuvre par ailleurs très solidement composée — Boris de Schloezer démontra sans peine que l'ouvrage était construit comme un allegro de sonate et équilibré avec une suprême aisance. Bien plus, l'extrême science de la palette orchestrale, ainsi que les multiples suggestions du thème et du décor, permirent à Stravinski de faire passer dans son œuvre maints traits harmoniques ou rythmiques qui constitueront la substance fondamentale du *Sacre du printemps* (*) composé simultanément avec *Petrouchka.* Ainsi s'affirmait, plus nettement encore que dans le Final de *L'Oiseau de feu,* l'adresse de Stravinski à concilier et unifier les suggestions contradictoires de la musique d'inspiration littéraire (donc expressive) et de la musique pure (délectation exclusivement intellectuelle), de la variété de climats et de l'unité générale de l'œuvre. Déjà la musique ne vit ici que pour elle-même, déterminée, pourrait-on dire, par les seules nécessités de sa démarche interne : c'est le livret qui s'est plié à la musique, tendance qui s'affirmera plus nettement encore avec le scénario très flou du *Sacre* ou dans le récitatif, séparé de toute musique, qui prévaut dans *L'Histoire du soldat.* Plus tard, le texte lui-même, désarticulé, quasi incompréhensible, sera utilisé comme élément instrumental dans *Renard* (composé en 1917, créé en 1918) et *Noces* (*).

PEUPLE (Le). Œuvre de l'écrivain français Jules Michelet (1798-1874), publiée en 1846. Ce livre est le premier d'une série de ce grand « cours d'éducation nationale » que Michelet souhaita donner de sa chaire du Collège de France. C'était un livre d'actualité : il voulait combattre ce qui est toujours le mal de la société moderne, la lutte des classes. Cette haine sociale est due, selon Michelet, à l'ignorance réciproque des milieux divers : l'intellectuel dédaigne l'ouvrier, l'ouvrier méconnaît l'intellectuel. On propose des solutions politiques : Michelet les juge insuffisantes. Pour guérir le mal social, il faut guérir les âmes par la connaissance et par l'amour : « Le mal est dans le cœur. Que le remède soit aussi dans le cœur. Laissez là vos vieilles recettes. Il faut que le cœur s'ouvre, et les bras... » C'est donc un hymne aux vertus de la France et de son peuple que va élever Michelet, pour rendre à la nation désunie la conscience d'un destin commun. Et d'abord, la France ne s'aime pas assez ; elle a, dit Michelet, la fâcheuse manie de se dénigrer elle-même dans ses livres, de montrer ses plaies et sa boue à toute l'Europe. Si les littérateurs contemporains s'acharnent ainsi à montrer la laideur morale, c'est qu'ils ne sont point du peuple : s'ils en étaient, ils n'auraient qu'à descendre en eux-mêmes pour en entendre la « poésie sainte ». C'est ce que fait Michelet : ce n'est point du dehors, comme un sociologue, qu'il connaît le peuple, mais pour avoir participé à ses travaux, à sa peine, à son humiliation. Ainsi *Le Peuple* peut-il être regardé comme une véritable confession spirituelle de l'écrivain : « Ce livre, je l'ai fait de moi-même, de ma vie et de mon cœur. Il est sorti de mon expérience bien plus que de mon étude... » Si l'ouvrage demeure utopique, il est un très bel hommage rendu aux vertus populaires. La nation est pour Michelet une réalité présente et vivante, formée de millions de personnes, de destinées souvent livrées à la souffrance. L'harmonie de l'humanité est fondée sur l'équilibre entre les différences nationales et complémentaires. Ces différences disparues, rien ne pourrait plus contraindre à l'entente : ce serait la confusion. Mais la France occupe, pour Michelet, une place prépondérante dans le concert des nations : non par sa force militaire ou économique, mais par la grandeur de sa mission. Elle n'a pas les vaisseaux et les machines de l'Angleterre ni les systèmes de l'Allemagne ; mais, avec la Révolution, elle a donné son sang et son âme pour le monde. « De la déduction du passé français découlera pour vous l'avenir, la mission de la France. » Ainsi peut-on considérer *Le Peuple* comme une des pierres angulaires du mouvement nationaliste français, en particulier de l'œuvre de Barrès et de Péguy.

PEUPLE-DIEU (Le) [*Gaṇadevatā*]. Roman bengali de l'écrivain indien Tārā Śaṅkar Banerji (1898-1971), publié en 1943. L'auteur raconte les changements survenus dans un groupe de villages à la suite de l'introduction d'une économie de marché qui vient peu à peu remplacer le système traditionnel de prestations de service et de paiement en grains. Un second volume, intitulé *Pāncagrām,* publié l'année suivante, poursuit le récit de la transformation du monde rural et de sa désintégration qui devra faire place à une régénération sur de nouvelles bases. L'intrigue du *Peuple-dieu* s'ouvre sur le refus du forgeron et du menuisier de continuer à assurer leur service pour les villageois de façon traditionnelle. Ils préfèrent aller travailler dans le bourg voisin où ils sont payés en espèces. Le conseil de village doit faire respecter l'ordre ancien, mais il est confronté en même temps aux agissements sournois d'un propriétaire nouveau riche qui veut établir sa domination par la terreur. Le roman met en scène la résistance qui s'organise autour du maître d'école et d'un jeune militant indépendantiste, assigné à résidence dans le village. Pendant ces événements, la lutte pour la libération de l'Inde se poursuit, et ses effets affectent les acteurs du récit. La composition du roman permet de sentir la dimension réelle des bouleversements qui se produisent à l'échelle de l'Inde. F. Bh.

PEUPLE NOIR, HIER ET AUJOURD'HUI (Le) [*Black Folk, then and now*]. Essai historique et politique du philosophe et historien américain (naturalisé ghanéen quelques mois avant sa mort) William Edwards Burghardt Du Bois (1868-1963), publié aux États-Unis en 1939. C'est une vue d'ensemble sur l'histoire des peuples noirs, des anciens royaumes africains à la colonisation et à la ségrégation telles qu'elles régnaient en Afrique et en Amérique à la veille de la Seconde Guerre mondiale. En cours de route, Du Bois est amené à étudier l'établissement de la traite, l'esclavage sur le continent américain, la croissance du capitalisme européen « engraissé » (selon le mot de Marx) par la traite et l'esclavage, la substitution enfin de l'exploitation directe des Africains sur leur continent à la déportation aux Antilles ou en Amérique du Nord. Mais l'objet du livre est, à travers ce survol, de réhabiliter les Noirs, et l'auteur indique clairement son projet dans ces lignes de la préface : « Pendant longtemps, le Noir a été traité comme le clown de l'histoire, le ballon de l'anthropologie et l'esclave de la grande industrie. Je veux ici montrer pourquoi de telles positions ne sont plus défendables. » Le fait est que la plupart des idées soutenues ici par le vétéran de la lutte contre la ségrégation aux États-Unis, contre l'exploitation de l'Afrique, qu'était Du Bois, sont aujourd'hui généralement admises, voire reconnues comme des évidences premières ; mais il n'en allait pas de même quand le livre parut. Les premiers chapitres sur l'Afrique noire avant la traite, en remontant à la Nubie de l'époque des Pharaons, s'inscrivent en faux contre la thèse soutenue avant-guerre même par les universitaires, que « l'Afrique n'a pas d'histoire » (Guernier, 1933). Plus loin, Du Bois rappelle les noms des écrivains, philosophes ou dirigeants noirs (du philosophe ghanéen Amo au début du XVIIIe siècle à la poétesse américaine Phyllis Wheatley, par exemple, en passant naturellement par Toussaint Louverture), pour souligner l'absurdité des thèses qui prétendent affirmer on ne sait quelle infériorité intellectuelle des Noirs. Ailleurs encore, résumant en quelques pages les conclusions de sa propre étude sur *La Reconstruction noire aux États-Unis* [*Black reconstruction in U.S.A.*, 1935], Du Bois montre que les gouvernements noirs et ouvriers des États du Sud dans les quelques années qui suivirent la guerre de Sécession ne furent pas les échecs dérisoires que l'on a prétendu ; c'est là un passage qui reste encore neuf et instructif pour le lecteur français. Il convient de voir aussi dans cet essai une preuve de la fidélité de Du Bois à l'un de ses principes essentiels, selon lequel la lutte des Noirs américains pour l'égalité des droits ne pouvait en aucune manière s'isoler de la lutte pour la libération de tous les Noirs dans le monde, et d'abord de ceux qui étaient, en Afrique, soumis à la colonisation européenne. Allant plus loin, Du Bois conclut en marquant le lien indissoluble entre cette libération et réhabilitation des peuples noirs, et le triomphe de l'idéal démocratique dans le monde entier. Idéal démocratique dont beaucoup de passages, et le recours fréquent à l'analyse marxiste, soulignent qu'il ne saurait, pour l'auteur, se séparer de l'idéal du socialisme. À cet égard, le chapitre final, « L'Avenir de la démocratie dans le monde », analyse d'une manière pénétrante les problèmes qui se posent aux mouvements ouvriers des deux plus grands pays colonisateurs, Angleterre et France, par rapport à leurs objectifs anticolonialistes. Même aujourd'hui, ces pages sont encore de nature à éclairer bien des points obscurs. En tout cas, il convient de reconnaître à cette œuvre d'avant-guerre l'immense mérite d'avoir joué un rôle de pionnier et de précurseur, tant en ce qui concerne les recherches africaines que la libération du continent noir.

PEUPLE, OUI (Le) [*The People, Yes*]. Œuvre maîtresse de l'écrivain américain Carl Sandburg (1878-1967), publiée en 1936. Le ton du monologue est plus personnel, plus virulent encore, plus direct aussi que dans *Poèmes de Chicago* (*) ou *Fumée et Acier* (*). Ici, plus et mieux que n'importe qui, Sandburg prend le parti des faibles contre les forts, des humiliés, des pauvres, contre l'arrogance des riches. « Les droits de la propriété sont défendus. / Par dix mille lois et forteresses / Le droit de l'homme à vivre de son travail ? / Quel est ce droit ? / Et pourquoi fait-il du bruit ? / Et qui pourrait l'étouffer / Afin qu'il reste étouffé ? / Et pourquoi parle-t-il ? / Et bien que vaincu, parle-t-il encore / Avec force au-dessus de la terre ? » Quand Sandburg écrit ce recueil, Mussolini et Hitler sont déjà au pouvoir, tandis que Franco jette son manteau noir sur l'Espagne. « Qui fut cet antique escroc chinois qui réussit sa révolution et lâcha un cri de coq : "Brûlez tous les livres. L'histoire doit commencer avec nous" ? / Qu'est-ce qui le travaillait au point qu'il dût brûler tous les livres ? / Et pourquoi voulons-nous tous lire ces livres justement parce qu'il les détestait à ce point ? » « Dans l'entourage intime du dictateur / Du bureau au bout d'une longue pièce / Où l'imitation de Dieu tout-puissant / Est assise dirigeant l'affaire / Ils savent grâce à la pression de leur propre moi que cela aussi se perdra / Dans la grande ombre de masse du peuple / Éternel. » Poète engagé contre la misère, contre la guerre, contre la dictature, Sandburg fait passer dans *Le Peuple, oui* un souffle dont les accents purement révolutionnaires ne se retrouvent guère ailleurs dans la poésie américaine. — Trad. Seghers, 1956.

PEUPLE PARTISAN (Un) [*Borstal Boy*]. Œuvre autobiographique de l'écrivain irlandais Brendan Behan (1923-1964), publiée en 1958. Jeune volontaire de l'I.R.A. (l'organisation clandestine irlandaise qui se voue à la libération de l'Ulster par des actions terroristes), le jeune Brendan Behan fut arrêté à seize ans avec un chargement d'explosifs destiné à faire sauter les chantiers navals de Liverpool. Après quelques gifles, quelques déclarations courageuses et un jugement relativement modéré, il se retrouva en maison de redressement pour trois ans. Son livre raconte cette expérience du milieu concentrationnaire (en Angleterre, condamnés de droit commun et condamnés politiques sont au même régime), où la monotonie des jours n'est coupée que par les démêlés avec les gardiens et les autres détenus, la réception de colis ou de lettres, les échanges de cigarettes, le vertige tout à coup insupportable devant cette espèce d'infini grisâtre où la vie se perd. Cette expérience devait inspirer aussi *Le Client du matin* (*), mais plus encore qu'un document sur le régime pénitentiaire britannique, Behan a « réussi le tour de force de brosser avec ce livre, derrière un autoportrait sans complaisance, le tableau psychologique d'un peuple frondeur, bavard, passionné de liberté et la tête farcie de poésie et d'exploits héroïques ». Cette réussite, Behan la doit à son sens de la scène prise sur le vif, mais surtout à son style, d'une imagination, d'une verdeur et d'une franchise savoureuses. — Trad. Gallimard, 1960.

PEUR (La) [*Tars-o Larz*]. Recueil de nouvelles de l'écrivain iranien Gholâm-Hoseyn Sâ'edi (1936-1985), publié en 1968. Ce deuxième recueil de six nouvelles, s'il ne possède pas l'unité du premier, *Le Deuil à Bayal* (*) — qui se passait dans le même village, avec les mêmes personnages —, offre néanmoins une unité géographique : le golfe Persique, et une unité de structure. Tous les récits suivent un schéma récurrent : l'introduction d'un étranger qui vient troubler l'ordre établi d'une société bien ancrée dans ses coutumes et ses préjugés. Cet étranger se manifeste par une « étrangeté » de mauvais augure et son passage se solde chaque fois par la maladie ou la mort. Dans la première nouvelle, c'est l'arrivée d'un mendiant lépreux chez Sâlem Ahmad qui cause son ensorcellement. Dans la deuxième, c'est un étranger qui surprend les hommes du village au retour de la pêche et se présente comme un mollah fortuné désireux de s'installer au village. Très à l'aise, donnant des ordres, le mollah s'impose à la population, prend femme et, sitôt installé, s'enfuit discrètement, laissant la malheureuse accoucher d'un monstre et mourir en couches. Partis à la recherche du mollah pour lui annoncer le malheur et l'inviter à venir enterrer lui-même son épouse, des hommes du village rencontrent la même situation dans les villages voisins, tous ayant subi le même sort ou étant sur le point de le subir. La troisième est l'histoire d'un étrange médecin qui prétend soigner les sorts ; Sâ'edi y excelle dans l'art d'utiliser toutes les ressources de la psychologie des profondeurs pour créer l'atmosphère angoissante et irrationnelle qui est celle de ce village : chuchotements, cris effroyables, bruits de la mer et jeux d'ombres au crépuscule servent de décor à l'action criminelle du médecin. Atmosphère inquiétante qui permet à Sâ'edi de décrire les conséquences de la misère économique et culturelle. Dans le quatrième récit, le supranaturel, le surréel font basculer le réel à travers un jeune enfant aux yeux clairs, au comportement affolant. Recueilli sur la rive opposée par les pêcheurs du village, il vient troubler toutes les familles, au point que d'un commun accord il est renvoyé dans la nature, mais le voilà qui se dirige à nouveau vers le village... Le cinquième récit décrit la confrontation des hommes avec les forces de la nature. Cette mer effrayante et chargée de mystère pèse sur le destin des hommes qui lui sont soumis. La nature est ici le symbole de la faiblesse humaine et le moyen pour l'auteur de scruter les réactions de l'homme face à un environnement naturel hostile, ce qui constitue la psychologie de l'individu et du groupe social. Le dernier récit, plus faible que les précédents par l'absence d'équilibre entre les divers aspects de la réalité et l'intervention du fantastique, décrit les méfaits de la société de consommation sur une population sous-développée. — Trad. « Le Mollah », « L'Enfant », in *Nouvelles Persanes*, Phébus, 1980. C. Ba.

PEUR DE VIVRE (La). Roman de l'écrivain français Henry Bordeaux (1870-1963), publié en 1921. Mme Guibert vit avec sa fille Paule, au Maupas, leur propriété savoyarde. Son fils Marcel, jeune et brillant capitaine qui s'est distingué à Madagascar, est amoureux d'Alice Dulaurens, leur voisine. Mais la mère de celle-ci, femme orgueilleuse et autoritaire, s'oppose à cette union car Marcel est sans titre et sans fortune. Elle songe au comte Armand de Marthenay, dont le rang social s'accorde mieux au leur. Alice, faible, influençable, cédera rapidement et mènera avec le comte une existence morne et sans joie. Triste et déçu, Marcel partira en mission pour le cœur du Sahara où il trouvera une mort glorieuse. Mais avant de disparaître, la vieille Mme Guibert aura le bonheur de voir un ami de son fils, le lieutenant Jean Berlier, épouser la jeune Paule qu'il aimait en secret depuis longtemps. L'auteur a fait ici une juste étude de caractères – plus particulièrement celui d'Alice, nous la montrant comme la pitoyable victime de l'amour exclusif d'une mère – et une excellente peinture d'une certaine société provinciale superficielle, égoïste et stupide.

PÉVERIL DU PIC [*Peveril of the Peak*]. Roman de l'écrivain écossais Walter Scott (1771-1832), édité en 1822. C'est une œuvre compliquée et l'un des moins bons romans de l'auteur. Elle se situe au temps du complot papiste (Popish Plot, 1678) et le sujet principal n'entre en scène qu'au XVe chapitre : c'est l'amour de Julian Peveril pour Alice Bridgenorth. Ils appartiennent tous deux à une famille militante, mais de camps adverses. Par la perfidie de l'un de ses parents, Edward Christian, Alice tombe entre les mains du licencieux Buckingham ; mais elle est sauvée par Fenella, une métisse qui feint d'être sourde-muette et qui est, elle aussi, éprise de Julian. Arrêtés et accusés d'avoir pris part au complot papiste, Julian et son père sont délivrés grâce à l'intervention directe du roi et tout finit pour le mieux. Scott a fait une étude assez poussée des portraits de Charles II et de Buckingham, ainsi que de quelques autres personnages historiques. – Trad. Bry aîné, 1849.

PHAÉTON [*Fetonte*]. Mélodrame en trois actes avec musique du compositeur italien Niccolò Jommelli (1714-1774), livret de Mattia Verazi (XVIIIe siècle). La première représentation eut lieu en 1768, pour l'anniversaire de la naissance du duc Charles de Wurtemberg, au théâtre de Ludwigsburg. Un autre opéra portant le même titre avait été composé par Jommelli sur le texte d'un certain Villati, mais on n'en a conservé que le livret. Le sujet des deux livrets est tiré du second chant des *Métamorphoses* (*) d'Ovide. La forme musicale est celle dont on usait alors, mais elle est traitée par Jommelli avec une grande finesse. La partie vocale est riche en mélodie, bien que les fioritures y abondent, concessions inévitables au goût du temps ; le chœur a un rôle assez important ; la partie instrumentale aussi est plus qu'un simple accompagnement, les cordes ayant une plénitude étonnante d'harmonie et de contrepoint et les instruments à vent complétant la sonorité par des touches et des couleurs délicates. Cependant l'ensemble du drame musical manque de vérité, car les personnages – dans la poésie comme dans la musique – n'ont pas de vie intérieure. Malgré ses graves défauts, *Phaéton* n'en reste pas moins une des œuvres intéressantes de Jommelli et du XVIIIe siècle napolitain.

★ *Phaéton* [*Faeton*] est aussi le titre d'un poème (1663) de l'écrivain flamand Joost Van den Vondel (1587-1679).

★ Jean-Baptiste Lully (1632-1687) est l'auteur d'un opéra, *Phaéton*, représenté à Paris en 1683, livret de Quinault (1635-1688).

★ Se sont inspirés du même sujet : Alessandro Scarlatti (1660-1725), dans l'opéra *Phaéton* [*Fetonte*], livret de Totis (Naples, Palais Royal, 1685), et Camille Saint-Saëns (1835-1921), dans le poème symphonique *Phaéton*, op. 37 (1877) – v. *Poèmes symphoniques* (*).

PHALÈNES [*Phalenas*]. Dans ce recueil de vers, publié en 1870, le poète brésilien Joaquim Machado de Assis (1839-1908), l'auteur des *Chrysalides* (*), en pleine possession de son talent, rivalise comme artiste et comme psychologue avec le grand Gonçalves Dias. Le scepticisme du poète parvenu à sa maturité, et son ironie nuancée se donnent libre cours dans *Phalènes*, œuvre doublement remarquable par l'introspection et l'imagination. Les poèmes suivants sont des plus réussis : « Quand elle parle » [Quando ella fala], « Fleur de jeunesse » [Flôr da mocidade], « Oiseaux » [Passaros], « Le Vermisseau » [O verme], amère vision d'une humanité qui rêve de prendre son essor comme, avec ses ailes, le papillon (ce thème qui avait déjà inspiré Goethe, nous le retrouvons, du reste, dans les romans de Machado). On retiendra aussi *Une ode d'Anacréon* [*Uma oda de Anacreonte*], délicieuse comédie en vers, d'une grâce très XVIIIe siècle, qui est un modèle d'ironie et de sentiment. Dans cette pièce, Machado se fait le chantre d'un pudique amour et, pour exalter la femme, trouve des accents très humains qui sont à égale distance d'un orgueilleux mépris et de l'épicurisme. Il conclut par un éloge du seul véritable amour, celui où l'on « donne et reçoit dans le même instant ».

PHANTASUS. Recueil de poèmes en prose rythmée de l'écrivain allemand Arno Holz (1863-1929), publié en 1898-99. Ces poèmes mettent en application les théories exposées par l'auteur dans son traité sur *La Révolution du lyrisme*. Holz renonce définitivement au jeu facile de la rime qui lie harmonieusement le cours de la pensée à la cadence du vers ; il préfère exprimer ses sentiments au moyen d'une nouvelle disposition typographique, qui place l'accent sur le mot pris dans son sens quantitatif et qui se termine librement (comme un « diagramme métrique ») selon les seules impulsions de l'âme. Tout le recueil, malgré sa diversité, est inspiré par le même lyrisme : souvenirs, impressions, rêves, vols ailés de la fantaisie y sont traduits pour la plupart en motifs très riches et colorés. Il valut à Holz le prix Nobel de 1929 : c'était estimer à sa juste valeur cette seconde manière du poète qui, si elle fut longtemps incomprise et tournée en dérision par certains théoriciens intransigeants, parvint le plus souvent à donner à sa poésie un éclat incomparable.

PHAN TRÂN. Récit vietnamien anonyme en vers, écrit en langue nationale et composé probablement au début du XIXe siècle. Ancienne édition en 1892, plusieurs fois transcrit et édité (1889, 1902, 1943...). D'environ neuf cents vers sur le mode 6-8 pieds de facture inégale, il relate l'amour passionné et plein de contrariétés de Phan Sinh et Trân Kiêu Liên. L'action se passe en Chine sous les Song (1126-1163). Les jeunes gens sont promis l'un à l'autre avant même leur naissance. Mais les événements les ont séparés : lui étudiant au loin, elle chassée avec sa mère par les troubles. Elle devient bonzesse sous le nom de Diêu Thuong. Phan Sinh la rencontre par hasard et sans reconnaître en elle sa fiancée ; il en tombe éperdument amoureux jusqu'à en être malade. Menaçant de se suicider si elle ne lui cède pas, et se reconnaissant enfin, ils deviennent amants sous les toits mêmes de la pagode. Reçu docteur, Phan Sinh épouse Kiêu Liên. Il réussit à rétablir l'ordre et se voit confier de hautes charges. Ils retrouvent leurs familles, vivent heureux et honorés. Ce récit est révolutionnaire pour l'époque : il plaide pour un amour libre de toute entrave, et la pagode est un havre de tolérance, la promesse de mariage étant une concession à la morale traditionnelle. Le style simple, sans beaucoup de références obscures, les personnages commençant à prendre vie bien qu'encore stéréotypés, font de ce récit une histoire très appréciée, et comme le *Kim Vân Kiêu* (*) condamnée par les lettrés conservateurs, et pour les mêmes raisons. — Trad. E.F.E.O., 1962. T.-T. L.

PHARISIENNE (La). Roman de l'écrivain français François Mauriac (1885-1970), publié en 1941. Dans ce livre, des coups de sonde jetés profondément dans les âmes ouvrent pour aussitôt la refermer la perspective d'un abîme. Ici, un art consommé, un regard aigu, intérieur atteignent le point où se divisent la chair et l'esprit. L'originalité apparente du drame, c'est qu'il est vu du dehors par un enfant pur et très intuitif à la fois, sensible aux passions des grandes personnes engagées dans les orages de la chair, auxquelles pourtant il reste étranger. Les critiques de Jean-Paul Sartre à son égard (*M. Mauriac et la liberté,* N.R.F., 1939) ne laissèrent pas F. Mauriac indifférent : il s'efforça, dans ce roman, de ne pas trop user de son « droit d'ordonner cette matière, d'orchestrer ce réel ». La mère du narrateur Louis Pian (le témoin) est morte dans un accident de cheval ; son père, Octave Pian, est un vieil homme bon et faible ; sa belle-mère, Brigitte Pian, est l'héroïne du livre : la Pharisienne dont l'hypocrisie s'inscrit comme un grand thème mauriacien et le pharisaïsme comme un grand thème chrétien. En effet, la Pharisienne va procéder de la rencontre du mensonge et de la religion. Créature malfaisante, elle pousse à bout, par ses interventions maladroites, un séminariste, surveillant de Louis Pian, M. Puybaraud. Elle méconnaît et contrarie l'amour naissant de Michèle, la sœur de Louis, pour Jean de Mirbel. Elle dénonce à l'évêché l'abbé Callou, vieux prêtre d'une humilité et d'une bonté ravissantes. Elle s'arrange pour que son mari apprenne par un papier laissé à sa portée l'infidélité de sa première femme. Enfin, en toute circonstance, au nom d'une fausse justice, d'une charité feinte, Brigitte blesse les âmes, parce qu'elle méconnaît à la fois en elle l'humain et le divin, les voies de l'amour et celles de la grâce si souvent étroitement mêlées. Elle découvre son hypocrisie ; elle s'humilie, elle s'efforce à une religion plus intérieure. Elle échoue, parce que l'orgueil demeure en elle d'avoir reconnu, trop tard, qu'elle avait fait fausse route. Elle s'attache à un vieil homme près de qui elle goûte enfin la douceur d'une tendresse partagée. Elle vieillit dans la médiocrité, et par une dernière pointe, Mauriac nous laisse entendre que c'est alors qu'elle est le plus près d'un Dieu qui nous sauve gratuitement, qui n'a pas besoin de nos mérites, mais de notre humilité et des prières de ses saints. La vie intérieure de Brigitte est le vrai sujet du livre et fait son grand intérêt.

PHARSALE (La) [*Bellum civile* ou *Pharsalia*]. Épopée de l'écrivain latin Lucain (39-65), en dix livres, inachevée (8 000 vers) qui tire son sujet non de la légende, comme Virgile, mais de l'histoire, une histoire datant alors d'un siècle environ : la *Guerre civile* (*), connue par les *Commentaires* de César, les *Lettres* (*) de Cicéron, l'*Histoire* (*) de Tite-Live dont les livres qui narraient ces événements sont aujourd'hui perdus. Le livre I, après un éloge de Néron, explique les causes de la guerre : la rivalité pour le pouvoir entre César et Pompée déjà vieillissant ; le franchissement du Rubicon marque le début de la guerre, il fait naître la terreur à Rome. Au livre II : « Lamentations des Romains », seuls Caton et son épouse Marcia sont d'emblée héroïques ; Pompée s'enfuit à Brindes. Livre III : César entre dans Rome, s'empare du trésor, va assiéger Marseille. Livre IV : César en Espagne combat les lieutenants de Pompée. Livre V : la scène est en Épire où le Sénat délibère ; César y fait passer ses légions ; Pompée se sépare de son épouse Cornélie. Livre VI : Pompée et César gagnent chacun de leur côté la Thessalie où Sextus, fils de Pompée, consulte la sorcière Érichtho. Livre VII : la bataille de Pharsale : Pompée, vaincu, s'enfuit. Livre VIII : Pompée gagne Lesbos, puis la Cilicie, enfin l'Égypte où, sur le conseil du ministre Pothin, Ptolémée le fait assassiner. Livre IX : Caton, chef de ce qui reste des troupes républicaines, gagne l'Afrique, rejoint par la veuve et le fils de Pompée ; ils traversent le désert de l'Égypte à la Libye, tandis que César, ayant visité les ruines de

Troie, arrive en Égypte. Livre X : César visite le tombeau d'Alexandre à Alexandrie ; il rencontre Cléopâtre ; la ville se soulève contre les Romains.

Les dieux ne jouent aucun rôle dans cette épopée : c'est le destin (« fatum ») qui règle le cours des événements. Au lieu du « merveilleux » traditionnel, Lucain fait naître une sorte d'horreur sacrée lorsqu'il évoque les sacrifices barbares dans la forêt de Marseille (livre III), les rites criminels de la sorcière Érichtho (VI), les serpents monstrueux qui grouillent dans le désert de Libye et la peuplade des Psylles invulnérable à leur venin (IX). Le pathétique naît de figures nobles et touchantes : Marcia, Cornélie ; Pompée inspire le respect et la pitié ; mais le vrai héros est Caton, incarnation du sage stoïcien, étranger aux passions, supérieur au destin et juge de l'histoire : « Victrix causa diis placuit, sed victa Catoni » (I, 128) (La cause victorieuse a eu l'agrément des dieux, mais la cause vaincue, celle de Caton). Conforme au stoïcisme est aussi le couplet éloquent (livre X) contre le conquérant Alexandre, modèle et inspirateur de César, fléau des nations. Le style de Lucain n'a rien de la mélancolique douceur virgilienne ; parfois outrancier et redondant jusqu'à l'enflure, il sait aussi développer des images émouvantes (Pompée comparé à un chêne encore debout, mais sur le point de s'effondrer), forger des sentences énergiques. On ne s'étonne pas que Corneille l'ait préféré à l'auteur de l'*Énéide* (*). — Trad. Brébeuf, 1654 (en vers) ; Bourgery, Les Belles Lettres (avec des erreurs), 1927-30.

PHÉDON ou De l'âme [Φαίδων, ἢ περὶ ψυκῆς]. Dialogue du philosophe grec Platon (428 ?-347 ? av. J.-C.), appartenant à ce groupe de dialogues — v. *Le Banquet* (*), *Phèdre* (*), *La République* (*) —, dans lesquels Platon a développé, toujours par la bouche de Socrate, les principaux points de sa doctrine. Les principaux personnages prenant part au dialogue sont : Socrate, Phédon, Simmias et Cébès. Les voici dans la cellule, où Socrate, victime de la réaction des sophistes qu'il combattait, et condamné à mort comme corrupteur de la jeunesse, attend que son geôlier lui apporte la ciguë. Autour de lui se pressent ses disciples et ses amis ; sa femme, Xantippe, fait une brève mais bruyante apparition : Socrate, en effet, la renvoie aussitôt à la maison, car la sagesse hellénique, toute masculine, s'employait à tenir éloignées les femmes, surtout lorsqu'il s'agissait de choses graves. Socrate charge les amis qui l'assistent de saluer de sa part les absents ; en particulier, Cébès est chargé de saluer le poète Évènus. Après avoir fait admettre qu'un véritable philosophe ne saurait avoir peur de la mort, Socrate soulève la question de la survivance de l'âme et de son devenir, lorsqu'elle sera « ramassée en elle-même et sur elle-même, après s'être débarrassée de ses maux ». Socrate est aussitôt invité par ses amis à démontrer l'immortalité de l'âme, et ce grave problème occupera la plus grande partie du dialogue. Le premier argument avancé par Socrate est celui des « contraintes » : dans le continuel devenir des choses, chaque élément semble naître de celui qui est son opposé ; on ne peut parler du sommeil que lorsque l'on connaît l'état de veille, et vice versa ; le froid n'a de sens que si l'on connaît la chaleur ; aussi les expressions « s'éveiller » et « s'assoupir », « s'échauffer » et « se refroidir » ne font qu'indiquer le passage d'un état à l'autre qui lui est opposé. La « mort » et la « vie » sont également des contraires et, puisque « mourir » indique le passage de la vie à la mort, « renaître » indiquera le passage de la mort à la vie. Puisque l'âme renaît, cela signifie qu'elle n'est pas détruite par la mort du corps, mais que, comme le veulent les théories orientales traitant de la métempsycose, l'âme survit en passant à travers une série de vies et de morts. Le deuxième argument de Socrate est celui du « souvenir ». Il advient qu'en voyant une lyre on se souvienne du musicien qui en joue d'habitude, ou qu'en voyant un portrait on se souvienne non seulement de celui dont les traits sont représentés, mais encore de ses amis ou de ses ennemis. On peut donc définir le souvenir comme la connaissance d'un objet qui ne tombe pas directement sous nos sens, et dont nous ne pouvons avoir connaissance qu'à travers un autre objet, différent du premier, mais qui, lui, tombe sous le contrôle de nos sens. Or, nous avons connaissance de valeurs absolues, telles que beauté, bonté, égalité, etc., lesquelles ne tombent jamais sous le contrôle direct de nos sens. En effet, nous voyons des choses belles, mais non la beauté ; des choses égales entre elles, mais non l'égalité. Toutefois, nous ne pourrions avoir connaissance de la beauté, si nous n'avions jamais vu de choses belles ; ni de l'égalité, si nous n'avions jamais vu de choses qui soient égales entre elles. En d'autres termes, en prenant grâce à nos sens connaissance des choses belles ou égales entre elles, nous arrivons, en même temps, à appréhender l'idée de beauté ou d'égalité, concepts qui ne sont pas du domaine du sensible, mais de celui de l'intelligible. Si nous ajoutons cette constatation à notre définition du souvenir, nous devons admettre que toute connaissance que nous pouvons avoir dans le domaine de l'intelligible n'est pas autre chose qu'un souvenir, c'est-à-dire la connaissance de ce qui, ne tombant pas sous nos sens, ne nous est rendu perceptible qu'à travers ce qui existe dans le domaine du sensible. Ce souvenir ne peut, néanmoins, se rapporter à une époque quelconque de notre vie terrestre, puisque à aucun moment de celle-ci nous n'avons accès à la perception directe des valeurs absolues ; par conséquent, il doit se rapporter nécessairement à un moment de notre vie extra-terrestre, lorsque notre âme s'est trouvée en contact direct avec l'éternité. L'âme a donc une vie propre, indépendante du corps et préexistante par rapport à lui. L'« analogue » suggère à Socrate un troisième argument. Tout ce qui existe peut être séparé en deux grandes catégories, à savoir : ce qui est composé, et peut, par conséquent, être décomposé ; et ce qui est simple et donc indécomposable. Est composé ou décomposable tout ce qui participe de la matière ; par contre, ce qui est simple et, par conséquent, indécomposable appartient uniquement au domaine de l'intelligible.

Contre cette argumentation, Simmias rétorque qu'un accord formé sur une lyre appartient au domaine de l'intelligible, puisqu'on ne peut ni le toucher ni le voir ; or, si la lyre se brise, l'accord prend fin également. Semblablement, ne pourrait-on considérer que l'âme est un accord en quelque sorte résultant et dépendant du corps. Cébès intervient alors. Se référant aux deux premiers arguments énoncés par Socrate, il fait observer que ce dernier ne démontre pas que l'âme est immortelle, mais seulement qu'elle peut passer par des corps différents, à la manière d'un homme qui change d'habits, mais rien ne nous prouve qu'à la fin l'âme ne meurt pas non plus. La riposte de Socrate à Simmias est aisée : puisqu'il est démontré que l'âme existe avant le corps, elle ne peut être comparée à un accord, puisque ce dernier ne peut exister antérieurement à la lyre. En outre, l'accord dépend de la qualité de la lyre et ne peut commander à celle-ci ; l'âme, au contraire, commande au corps, comme le démontre Ulysse, qui « ... se frappant la poitrine, gourmanda son cœur en ces termes : Supporte-le, mon cœur, tu as déjà supporté des choses plus révoltantes ! » (*Odyssée,* XX, 17). La réponse de Socrate à l'objection faite par Cébès ne vient qu'après une longue méditation, car elle est plus complexe et implique le développement de la théorie platonicienne des « idées ».

Depuis toujours, commence Socrate, la philosophie grecque a cherché le principe de toutes choses ; mais elle l'avait cherché en vain, parce qu'elle essayait de le découvrir dans les éléments matériels. Or, la cause première de toutes les causes ne réside pas dans la matière, mais dans un principe éternel et immuable : l'« idée ». Ce que nous appelons « beau » est tel parce que participant à l'idée éternelle du beau ; de même, ce qui est « majeur » ou « mineur » est tel parce que participant de l'idée de grandeur ou de petitesse. Ainsi, quand nous disons que Simmias est plus grand que Socrate, mais plus petit que Phédon, nous ne voulons pas faire entendre par là que Simmias réunit en soi les deux contraires, étant en même temps grand et petit, mais que – relativement à Socrate – il participe de l'idée de grandeur, et, relativement à Phédon, de l'idée de petitesse. Les objets peuvent donc participer d'idées contraires, mais seulement alternativement. Il existe pourtant des objets qui ne peuvent participer d'idées contraires – même alternativement –, à moins de changer de nature. Par exemple : la neige participe de l'idée du froid et ne peut participer de celle de la chaleur, sinon en se transformant en eau. L'âme est de celles-ci ; elle participe nécessairement de l'idée d'immortalité (il ne serait pas possible d'imaginer une âme morte), mais dans l'idée d'immortalité est implicitement contenue celle d'incorruptibilité ; l'âme ne peut donc changer de nature (comme fait la neige à l'approche de la chaleur) parce que, ce faisant, elle mourrait en tant qu'âme pour devenir autre chose. Il s'ensuit que, en rapprochant les idées d'« âme » et de « mort », on voit que l'âme ne peut se transformer en quelque chose d'autre pour accueillir en soi la mort, mais qu'au contraire elle s'en éloignera, pour rester immortelle. Les dernières paroles de Socrate sont consacrées à brosser un tableau fascinant de l'au-delà et du destin des âmes qui, après la mort du corps, s'élèvent – si elles sont parfaites – vers un monde supérieur, ou – si elles sont imparfaites et coupables – restent, pour expier, dans les régions souterraines.

Donnant de notre monde, replacé dans l'ensemble de l'Univers, une vision merveilleuse et symbolique, Socrate se livre alors à de brillantes hypothèses cosmologiques, dans lesquelles la constitution physique et métaphysique de notre globe tend vers une harmonieuse unité. Notre planète est, selon Socrate, une énorme sphère, placée au centre du Cosmos, lequel est beaucoup plus grand qu'il ne nous apparaît. Au-dessus et tout autour de notre monde visible se trouve un autre monde, dont la matière est « aérienne » et où les couleurs sont plus diaprées et plus éclatantes que celles que nous connaissons, où la terre est, comme un splendide joyau, ornée d'or et d'argent à profusion, et où les hommes, qui sont de loin plus parfaits que nous, conversent directement avec les dieux. Ce monde supérieur est délimité par les espaces remplis d'éther pur, dans lequel se meuvent les astres, dont le scintillement éblouissant fait le bonheur des habitants de ces régions. La région « aérienne » communique avec notre terre par des « percées souterraines », à travers lesquelles coulent des fleuves intarissables roulant des eaux chaudes et froides. Sous nos pieds se trouve un troisième monde, souterrain, communiquant également avec le nôtre à travers des crevasses, charriant une boue liquide et, quelquefois, de la lave. De ces gouffres, il en est un particulièrement grand qui traverse toute la terre : c'est le Tartare. C'est dans ce gouffre que se jettent tous les fleuves, et c'est de lui qu'ils sortent tous. Ces fleuves et courants sont nombreux, mais parmi les principaux on en distingue quatre, dont le premier et le plus éloigné du centre est l'Océan. Les autres sont les fleuves Achéron, Périphlégéthon et Cocyte. L'Achéron, qui coule entièrement sous la terre, se déverse dans le marais d'Achérousiade, où se rendent les âmes des morts. Le Périphlégéthon, qui coule entre l'Océan et l'Achéron, traverse les zones souterraines en feu et charrie ces matériaux en fusion qui seront ensuite déversés par les volcans. Par contre, le Cocyte est ce fleuve glacial qui, passant par des régions terrifiantes et sauvages, se déverse dans le Styx et, de là, atteint le Tartare. C'est dans ce monde souterrain que se réunissent les âmes qui doivent être jugées après la mort : celles des sages, qui ont vécu en se conformant aux préceptes de la vraie philosophie, s'élèveront dans les régions supérieures, où elles mèneront à l'avenir une existence incorporelle et heureuse. Ceux qui se sont maintenus à égale distance du bien et du mal arrivent par le fleuve Achéron au lac d'Achérousiade, où ils ont à se purifier avant de retourner sur la terre. Ceux qui ont commis des fautes graves, mais pardonnables (par exemple, les violents et les homicides repentis), sont précipités dans le Tartare, d'où le courant les rejette dans le Cocyte ou dans le Périphlégéthon et, de là, dans les marais d'Achérousiade, où ils implorent à grands cris le pardon de leurs victimes. Ce n'est qu'après avoir obtenu le pardon et s'être purifiées que ces âmes peuvent reprendre le courant des nouvelles naissances. Quant à ceux qui sont regardés comme incurables, ceux qui ont commis de nombreux et graves sacrilèges, ils sont précipités dans le Tartare et n'en sortent plus jamais. Telle est la dernière leçon de Socrate à ses disciples et, sans aucun doute, la plus belle. Mais l'heure presse ; Socrate se retire dans une autre pièce pour prendre son bain, puis fait appeler le geôlier qui lui apporte la ciguë. L'ayant bue avec une parfaite sérénité, Socrate s'allonge sur sa couche ; mais, avant de mourir, il dit encore à Criton : « Nous devons un coq à Asclépios ; payez-le, ne l'oubliez pas ! » Telles furent ses dernières paroles. Socrate, qui avait promis de sacrifier un coq à Asclépios (Esculape) s'il guérissait d'une maladie dont il était affligé, se devait d'exécuter sa promesse, la mort lui apportant avec le repos la libération de sa maladie. — Trad. Gallimard, 1943 ; Les Belles Lettres, 1983 ; Garnier-Flammarion, 1991.

PHÉDON ou l'Immortalité de l'âme, en trois dialogues [*Phaedon oder die Unsterblichkeit der Seele in drei Gesprächen*]. Dialogue platonicien repris par le philosophe allemand Moses Mendelssohn (1729-1786), paru en 1767. L'auteur a voulu montrer comment, selon lui, Socrate aurait raisonné s'il avait vécu au XVIIIe siècle et s'il avait eu à sa disposition les éléments nouveaux apportés par le « courant des Lumières ». Le premier dialogue, dans lequel Phédon rapporte les conditions de la mort de Socrate, ne diffère pas beaucoup de la version de Platon, à l'exception d'un endroit où Mendelssohn se lance dans une diatribe contre le suicide, le tout accompagné de considérations morales sur la valeur du corps humain. Dans le second dialogue, Phédon, prenant prétexte d'une prétendue discussion entre Simmias et Socrate sur la manière de bien raisonner, met dans la bouche de Socrate l'injonction de « ne jamais haïr la raison ». Dans le dernier dialogue, Mendelssohn abandonne jusqu'à la forme dialoguée et fait discourir Socrate comme l'aurait fait un philosophe du XVIIIe siècle qui songerait à rendre populaire la philosophie. L'auteur y montre son éclectisme, lorsqu'il dit qu'il n'entend être ni prophète ni sectaire, mais qu'il préfère accepter avec gratitude tout ce qu'il trouve de bon et d'utile chez ses devanciers. De fait, pour démontrer l'immortalité de l'âme, il puise à profusion dans les écrits de Baumgarten et de Lessing, tandis qu'il nous donne une démonstration personnelle de l'harmonie des vérités morales et plus particulièrement de l'harmonisation du système des droits et des devoirs. Son Socrate « rationaliste » est bien différent de celui que nous présentent Hamann ou les écrivains du « Sturm und Drang ». Alors que Mendelssohn présente le « je ne sais rien » de Socrate comme une expression de sa modestie, Hamann y voit la révélation d'une lumière supérieure qui l'élève au-delà de ce qui est considéré comme le « sens commun ». Ce *Phédon*, qui apporta à Mendelssohn une célébrité réelle et méritée, fut aussi la source d'une dispute âpre et douloureuse avec Lavater, dispute qui l'obligea à descendre sur le plan confessionnel. Mendelssohn resta sur ses positions, défendant les droits de la liberté de l'esprit, ce qui lui valut plus tard l'éloge de Kant. Il fut, grâce à cette œuvre, le promoteur en Allemagne de la « religion naturelle », qui cherchait à libérer la philosophie des entraves de la dogmatique. — Trad. Heideloff, 1830.

PHÈDRE. La fatale passion de cette malheureuse reine, sa douleur profonde et vraie, sa féminité si touchante ont séduit de tout temps les dramaturges. Sophocle, le premier, lui a consacré une tragédie, aujourd'hui perdue. Le poète tragique grec Euripide (484-406 av. J.-C.), à son tour, donna un *Hippolyte voilé*, dit *Premier Hippolyte*, également perdu ; puis la fameuse tragédie : *Hippolyte porte-couronne*, titre motivé par la couronne que le protagoniste porte lorsqu'il entre en scène et qu'il offre à Artémis. Le sujet de ce drame, qui fut représenté en 428, est l'amour qu'Hippolyte, fils de Thésée et de l'amazone Antiope, inspire à Phèdre, sa belle-mère, un amour incestueux qu'il repousse. Pieux disciple d'Artémis, menant la vie rude des chasseurs, Hippolyte sera puni par Aphrodite : ainsi le veut son destin. Dans le prologue, la déesse elle-même fait allusion à la façon dont s'accomplira sa vengeance. Ayant fait naître chez Phèdre, fille de Minos, maintenant femme de Thésée, un terrible amour pour son beau-fils, la déesse fera en sorte que Thésée vienne à apprendre la chose ; il maudira alors son fils et cette malédiction l'entraînera à la mort. Bien que, dans l'action, Hippolyte soit le protagoniste, psychologiquement l'intérêt le plus profond du poète est concentré sur Phèdre, victime elle aussi, et encore plus pitoyable, d'Aphrodite. Après le monologue initial de la déesse, voici le chœur, composé de femmes de Trézène, qui se présente. Elles ont appris que la reine est affligée d'un mal mystérieux, et que depuis trois jours, allongée sur son lit, elle ne prend plus de nourriture. Le chœur adresse pour elle une prière à Artémis. C'est alors que sort du palais Phèdre elle-même, soutenue par ses servantes et accompagnée de sa vieille nourrice. Phède délire ; elle rêve de sources fraîches et de prairies. Elle voudrait, à travers les monts et les bois, aller à la chasse, et elle invoque Artémis, la déesse des forêts et des bêtes sauvages, la déesse d'Hippolyte. Revenue à elle, elle refuse d'abord de répondre aux questions anxieuses de sa nourrice, qui l'exhorte à parler pour son salut et pour le bien de ses enfants. Puis, cédant peu à peu à l'insistance de la vieille femme, mais plus encore à son propre tourment, elle se laisse arracher cet aveu : elle aime ; et feignant de croire que son secret a été découvert par les autres plus que dévoilé par elle, elle révèle l'objet de son amour : Hippolyte. Les cris d'épouvante et de supplication de la nourrice et du chœur accueillent cette confession. Ayant retrouvé son calme, Phèdre reconnaît combien son amour est honteux, mais elle est résolue, pense-t-elle, à ne pas se laisser vaincre par lui : puisqu'elle ne peut ni résister à cet amour ni le détruire, elle mourra afin de ne pas entacher l'honneur de sa maison et de ses enfants. Mais tandis que Phèdre parle, la nourrice qui l'aime et ne peut envisager sa mort a, petit à petit, changé d'opinion. Un seule chose importe : le déshonneur doit être évité ; on le pourra à condition de garder le secret. Phèdre repousse les leurres de la nourrice, et réaffirme en son âme et conscience la décision qu'elle a prise de mourir. Mais lorsque la vieille femme lui annonce qu'elle possède un philtre qui, sans honte et sans dommage, la guérira de son mal, et la prie de la laisser agir, Phèdre finit par consentir. Phèdre a-t-elle compris que le remède auquel fait allusion la vieille femme consiste en réalité à avertir Hippolyte ? Cela paraît certain ; en effet, lorsque la nourrice lui a parlé du philtre, n'a-t-elle pas répondu : « Je crains que tu ne veuilles dire quelque chose au fils de Thésée » ; mais Phèdre s'est résignée à ne pas en demander davantage. Vaincue par sa passion et par l'insistance affectueuse de celle qui l'aime, Phèdre se satisfera d'un mot habile pour apaiser sa conscience.

La nourrice entre alors dans le palais pour parler à Hippolyte. Phèdre, restée aux écoutes, entend les cris d'horreur du jeune homme et comprend tout de suite que son secret a été divulgué en vain. Désormais, le déshonneur est venu s'ajouter à la mort. Mais soudain Hippolyte fait irruption sur la scène, en proie à la plus sombre fureur et à une fanatique indignation. La nourrice le suit, le suppliant de ne rien dire et lui rappelant qu'il a juré, avant qu'elle ne lui parle, de se taire dans tous les cas. Hippolyte, après avoir prononcé une longue apostrophe à l'encontre de toutes les femmes et de Phèdre en particulier, affirme qu'il respectera la parole donnée et qu'il se taira en présence de son père. La honte, le désespoir de Phèdre s'exhalent à présent en reproches qu'elle se fait à elle-même ainsi qu'à sa nourrice. Désormais, il n'y a plus qu'une solution pour elle : la mort. Mais avant de mourir, elle veut accabler Hippolyte pour qu'il ne s'enorgueillisse pas de son malheur. Après un triste chant du chœur, nous apprenons que le destin de Phèdre est accompli. Désespérée, la nourrice annonce que Phèdre s'est donné la mort en se pendant. Juste à ce moment, Thésée rentre de voyage. Mis au courant, il pleure son malheur ; s'approchant du cadavre de son épouse, il trouve une lettre sur elle. Cette lettre contient la calomnieuse dénonciation : Hippolyte a osé toucher à la femme de son père et elle en est morte de honte et de désespoir. À l'instant même, Thésée implore de Poséidon (qui lui a promis d'exaucer trois de ses vœux) la grâce que son fils ne voie pas la fin de ce jour. Quand le jeune homme vient à sa rencontre et le salue affectueusement, il l'accuse de simulation éhontée et lui reproche d'avoir causé le déshonneur de sa belle-mère et sa mort. Hippolyte cherche en vain à se disculper, jurant qu'il est innocent ; fidèle à son serment, il ne dévoile rien de son secret. Thésée, qui voit dans la chasteté dont Hippolyte se vante une raison de plus pour le juger coupable, le chasse et lui ordonne de quitter immédiatement la ville. Un serviteur d'Hippolyte arrive peu après et raconte comment Poséidon a exaucé la malédiction de Thésée. C'est un récit merveilleux et fameux, tout imprégné d'un vif sentiment du prodige. Tandis que le char d'Hippolyte avançait le long du rivage, d'une vague immense surgie à l'improviste est sorti un taureau d'une grandeur et d'une férocité monstrueuses. Épouvantés, les chevaux ont, dans leur course effrénée, fait tomber le jeune homme de son char sous lequel il a été broyé. On va le ramener mourant à son père. Mais Artémis se refuse à ce qu'Hippolyte meure avant que son innocence ne soit reconnue : la déesse apparaît et dévoile à Thésée ce qui s'est réellement passé. Elle aussi éprouve une grande douleur à la pensée qu'elle a dû accepter la mort de son disciple, qu'une volonté plus forte que la sienne lui a imposée. Lorsque, devant Thésée, on ramène le jeune corps ensanglanté de son fils, Hippolyte, en proie au délire suscité par cette vision trop vive du malheur qui l'a bouleversé, est consolé par la déesse : « Cypris seule, lui dit-elle, est la cause de tout. » La déesse s'éloigne en adressant à tous des paroles de réconfort. Hippolyte expire alors entre les bras de Thésée, réconcilié avec lui.

Sans aucun doute, cette tragédie qui offre quelques inégalités et qui a été très diversement comprise et jugée, est l'un des chefs-d'œuvre d'Euripide, ainsi que de la poésie et du théâtre de tous les temps. Par leur vérité psychologique, les scènes entre Phèdre et la nourrice forment un ensemble unique. Plus discutables, et plus discutées sont la conduite de Phèdre après la révélation de son amour et sa dénonciation calomnieuse. Cependant, le caractère de Phèdre reste une des créations d'Euripide les plus typiques ; en face d'elle, Hippolyte est, dans l'esprit du poète, avant tout l'instrument principal du malheur de Phèdre, causé par sa passion. Mais lui aussi est une victime, et même, dans le mythe, il est la première victime. Le poète, qui ne croyait aux dieux que comme à des symboles mystérieux de la malheureuse condition humaine, a exprimé, en créant ces deux figures de victimes, son sens tragique de la vie avec une profondeur, avec un sens de la fatalité rarement atteints. — Trad. Les Belles-Lettres, 1927 ; Gallimard, 1962.

★ De l'*Hippolyte* d'Euripide dérivent les diverses tragédies intitulées *Phèdre* et *Phèdre et Hippolyte*, qui apparaissent dans plusieurs littératures.

★ La *Phèdre* [*Phaedra*] du philosophe latin Sénèque (1 av. J.-C.-65 ap. J.-C.) s'inspire d'Euripide avec, cependant, une originalité qui lui est propre. Le caractère de la reine est d'un réalisme beaucoup plus audacieux que dans Euripide. Au cours d'une chasse à laquelle participe Hippolyte, Phèdre déplore l'absence de son époux et, prise d'une passion irrésistible pour son beau-fils, tente de séduire l'adolescent qui méprise les plaisirs de Vénus. En vain, la nourrice de Phèdre, puis la reine en personne, s'efforcent de fléchir le jeune homme : il repousse ces avances avec horreur. C'est alors que, pour sauver l'honneur de sa maîtresse, la nourrice n'hésite pas à calomnier Hippolyte et l'accuse d'avoir voulu faire violence à Phèdre. Thésée, de retour d'un voyage aux Enfers, se laisse convaincre par les habiles réticences de Phèdre que son fils est coupable et, dans son indignation, il appelle contre lui la vengeance de Neptune. Le dieu, alors, fait surgir de la mer un monstre qui tue Hippolyte. On rapporte à Thésée le cadavre de son fils, mais Phèdre, révélant son mensonge, se tue sur le corps de celui qu'elle a aimé. Thésée au désespoir fait alors recueillir les restes d'Hippolyte pour lui donner une sépulture. Le caractère de Phèdre domine toute cette tragédie, laissant dans l'ombre ceux d'Hippolyte et de Thésée. Les chœurs (le douzième en particulier, qui correspond à la scène de la déclaration) sont justement célèbres et ont inspiré la *Phèdre* de Racine. — Trad. Les Belles-Lettres, 1925 ; Garnier, 1937 ; Fl. Dupont, 1990.

★ Phèdre n'est pas la moindre de ces sources classiques où se sont abreuvés si souvent les tragiques de la Renaissance, et ce thème a été repris avec prédilection en plus d'un ouvrage qui précède le chef-d'œuvre de Racine. Parmi ceux-ci, mentionnons *Hippolyte* (1573), tragédie du poète français Robert Garnier (1545-1590), reprise directement de Sénèque, et qui met en évidence la fatalité cruelle de la passion adultère ; la progression de l'œuvre est celle d'une leçon, rythmée par des chœurs : le chœur de la chasse est justement célèbre.

★ *Phèdre*, tragédie en cinq actes et en vers de l'auteur dramatique français Jean Racine (1639-1699), représentée pour la première fois à l'hôtel de Bourgogne, le 1er janvier 1677. À cette date, Racine est au sommet de la gloire ; il est entré à l'Académie française en 1673 ; en 1674, il a été nommé conseiller et historiographe du roi. À 38 ans, il a déjà donné au théâtre huit tragédies et une comédie. *Phèdre* est une de ses pièces auxquelles il a le plus longtemps travaillé : il mit plus de deux ans à l'écrire. Comme pour *La Thébaïde ou les Frères ennemis* (*), pour *Andromaque* (*) et *Iphigénie* (*), c'est encore ici Euripide qu'il imite *(Hippolyte porte-couronne)*. Si Racine a modifié certains détails dans la conduite de l'action, il s'est contenté le plus souvent d'adapter et même de reproduire des passages entiers de la tragédie grecque. Certains vers de sa *Phèdre* ne sont que des transcriptions dans l'admirable cadence racinienne des vers d'Euripide : par exemple, « Que ces vains ornements, que ces voiles me pèsent ! », ou « Dieux ! que ne suis-je assise à l'ombre des forêts ! / Quand pourrai-je au travers d'une noble poussière, / Suivre de l'œil un char volant dans la carrière ! », ou encore plus loin : « Le jour n'est pas plus pur que le fond de mon cœur. » Tout ce qui n'appartient pas dans *Phèdre* à Euripide n'est pas pour autant de l'invention de Racine. Il s'est également inspiré de la *Phèdre* de Sénèque, pièce qui, d'ailleurs, paraît elle-même imitée de l'*Hippolyte voilé*. Là, il a trouvé non seulement la scène capitale de la déclaration de Phèdre qui n'est pas dans Euripide, mais le stratagème de l'épée, qui sert ensuite à accuser Hippolyte. Le jeune homme, indigné des aveux de sa belle-mère, a tiré son glaive pour l'en frapper. Phèdre le presse d'achever son geste et de lui donner la mort. Mais Hippolyte se ravise, l'épargne et lui abandonne l'épée, désormais souillée par un contact impur. On peut donc dire que toute l'intrigue de Racine est dans ces modèles anciens, dont il se contente de transposer, à plusieurs reprises, les termes mêmes. Racine d'ailleurs ne s'en est nullement caché et il commence la préface par ces mots : « Voici encore une tragédie dont le sujet est pris d'Euripide. Quoique j'aie suivi une route un peu différente de celle de cet auteur pour la conduite de l'action, je n'ai pas laissé d'enrichir ma pièce de tout ce qui m'a paru plus éclatant dans la sienne. Quand je ne lui devrais que la seule idée du caractère de Phèdre, je pourrais dire que je lui dois ce que j'ai peut-être mis de plus raisonnable sur le théâtre. » Ici, cependant Racine exagère, le caractère de Phèdre lui appartient vraiment en propre. La Phèdre antique n'était qu'une malheureuse victime, un instrument de la vengeance des dieux. La Phèdre de Racine est plus responsable et, si pour parler de sa passion, elle dit : « Ce n'est plus une ardeur dans mes veines cachée : / C'est Vénus tout entière à sa proie attachée », ce n'est ici qu'une image, car l'excuse de Phèdre, ce n'est pas l'intervention de Vénus, c'est l'envahissement de la passion contre laquelle elle ne peut lutter. Mais si Phèdre est responsable et se considère comme telle, c'est aussi parce qu'elle n'obéit plus seulement, comme celle d'Euripide, aux contraintes sociales, au souci intéressé de son bonheur et de sa réputation, c'est qu'au fond d'elle-même elle considère sa passion comme criminelle. Elle a le sens et l'horreur du péché. Chateaubriand, dans *Le Génie du christianisme* (*), dit qu'il y a en *Phèdre* les « orages d'une conscience toute chrétienne ». Et, en effet, chez Racine, la notion de tentation et de péché s'est substituée à celle de la fatalité antique. Racine avait bien conscience d'avoir fait une tragédie chrétienne et c'est ce qu'il exprime, dans sa Préface, quand il dit : « Ce que je puis assurer, c'est que je n'en ai point fait [de tragédies] où la vertu soit plus mise au jour que dans celle-ci. Les moindres fautes y sont sévèrement punies. La seule pensée du crime y est regardée avec autant d'horreur que le crime même. Les faiblesses de l'amour y passent pour de vraies faiblesses ; les passions n'y sont présentées aux yeux que pour montrer tout le désordre dont elles sont cause ; et le vice y est peint partout avec des couleurs qui en font connaître et haïr la difformité. » Et Racine ajoute, prévenant ou répondant aux objections de ceux qui, au XVIIe siècle, se faisaient les détracteurs du théâtre, particulièrement Nicole et le prince de Conti : « C'est là proprement le but que tout homme qui travaille pour le public doit se proposer... Ce serait un moyen de réconcilier la tragédie avec quantité de personnes, célèbres par leur piété et par leur doctrine, si les auteurs songeaient autant à instruire leurs spectateurs qu'à les divertir et s'ils suivaient en cela la véritable intention de la tragédie. » *Phèdre*, pièce janséniste ? où la fatalité chrétienne se serait substituée à la fatalité antique ? Questions sans réponse, bien évidemment. Ce qui paraît sûr en tout cas, c'est que l'on retrouve ce rapport particulier au mythe et au sacré inauguré trois ans plus tôt dans *Iphigénie* (*). Ici encore les dieux sont à la fois présents et absents : ce jeu dialectique ne se traduit pas comme dans *Iphigénie* par l'incapacité des hommes à voir et à entendre les signes, il se manifeste de façon plus concrète si l'on peut dire. C'est Phèdre qui se sent poursuivie par les feux redoutables de Vénus, qui se désigne comme l'« objet infortuné des vengeances célestes » ; c'est Thésée qui sait qu'un « dieu vengeur » (Neptune) suit son fils et qu'il « ne peut l'éviter » ; c'est Théramène qui dit qu'on a cru voir « un dieu qui d'aiguillons pressait [le] flanc poudreux » des chevaux d'Hippolyte... Or Théramène a cru voir, Thésée n'avait pas besoin de Neptune pour condamner son fils à mort, et Phèdre est d'abord animée par des impulsions et des remords trop humains. Ainsi, sur le plan structurel, on retrouve la combinaison de la dimension horizontale et de la dimension verticale qui avait été inaugurée dans *Iphigénie*. Dimension horizontale du schéma relationnel entre les personnages, qui rappelle celui de *Bajazet* (un couple d'amoureux persécuté par une femme passionnée sur qui pèse la figure absente de son époux), et où les passions conduisent tout au milieu des enjeux politiques ; dimension verticale du rapport de Phèdre elle-même à la divinité dans la mesure où, tandis que c'est elle qui tient son sort entre ses propres mains, elle se sent écrasée par un destin qui la dépasse et l'entraîne.

La tragédie de Racine, comme celle d'Euripide, s'appelait *Hippolyte* (c'est sous ce titre qu'elle fut annoncée par Bayle en 1676) ; elle s'intitula *Phèdre et Hippolyte* lors des premières représentations, pour finir par s'appeler *Phèdre* tout court. Racine pensait qu'il n'avait jamais rien fait de mieux : « Je n'ose encore assurer que cette pièce soit la meilleure de mes tragédies. » L'amitié si judicieuse de Boileau le confirmait dans son jugement. Aussi est-ce avec une entière confiance que Racine attendait la première représentation à l'Hôtel de Bourgogne. C'était La Champmeslé qui jouait le rôle principal et probablement Baron qui interprétait Hippolyte. Mais deux jours après la première représentation, les comédiens du roi (c'est-à-dire l'ancienne troupe de Molière jointe à celle du Marais) donnaient une autre *Phèdre* due à un jeune poète, Pradon. Cette concurrence était courante au XVIIe siècle (Racine l'avait lui-même provoquée en 1670 en opposant sa *Bérénice* (*) à celle de Corneille), mais Racine essaya d'étouffer la pièce de son rival. Pradon, lui, était soutenu par une puissante coterie réunie à l'Hôtel de Bouillon autour du duc de Nevers et de ses deux sœurs, la duchesse de Bouillon et la duchesse de Mazarin. L'affaire dégénéra en guerre des sonnets. Le soir même de la première de *Phèdre*, on rima un sonnet sur cette tragédie : ce petit poème, résumé caricatural de l'intrigue de *Phèdre*, œuvre collective dans laquelle le duc de Nevers semble bien avoir pris la part décisive, suscita une réplique qu'on attribua à Racine et Boileau. Ce sonnet, qui reprenait les fins de vers du premier, s'attaquait à la personnalité des membres de la cabale, avec une violence et une crudité bien audacieuses puisqu'elle visait si haut. Le sonnet contenait même une allusion directe aux mœurs incestueuses de la duchesse de Mazarin et de son frère Nevers. L'affaire était fort grave et le moins que les deux amis eussent à craindre était la bastonnade. C'est bien ce que leur promit le duc de Nevers dans un troisième sonnet, bâti encore sur les mêmes rimes. Il ne fallut rien moins que l'intervention directe du prince de Condé pour empêcher la querelle d'en arriver là. Cependant des comparses continuèrent encore la guerre des sonnets et on en connaît six ou sept sur les mêmes rimes. Le résultat de tout ce tapage fut que la *Phèdre* de Pradon, qui n'avait pu être jouée que sur un ordre exprès du roi, tint pendant vingt-cinq représentations et que Racine, pendant les cinq ou six premières représentations de sa pièce, crut que Pradon allait triompher — ce dont, nous dit-on, il fut au désespoir.

Après une première scène d'introduction, où Hippolyte annonce à son confident Théramène qu'il part à la recherche de son père Thésée, qui a disparu (la véritable cause de son départ, c'est que le superbe et chaste Hippolyte fuit, car il aime Aricie), Phèdre paraît, soutenue par Oenone. Épuisée, vaincue, elle se laisse arracher par sa suivante la confidence du secret de son trouble ; elle aime son beau-fils Hippolyte, elle a tout tenté pour ne pas céder à sa passion, pour écarter le jeune homme ; tout a été vain et elle n'attend plus que la mort : « J'ai conçu pour mon crime une juste terreur ; / j'ai pris la vie en haine, et ma flamme en horreur. / Je voulais en mourant prendre soin de ma gloire. » Un messager apporte la nouvelle que Thésée est mort. Hippolyte va sans doute être nommé roi à Athènes et il faut que Phèdre lui demande assistance et protection pour son propre fils. À l'acte II, après qu'Aricie eut fait ses confidences à sa suivante Ismène, Phèdre demande à être reçue par Hippolyte. Bien vite, elle ne peut tenir de lui laisser entrevoir sa passion, et sous couleur de lui peindre son amour pour Thésée, c'est son amour pour lui qu'elle lui dévoile : elle aime Thésée, mais « non point tel que l'ont vu les enfers », elle l'aime « fidèle, mais fier, et même un peu farouche, / Charmant, jeune, traînant tous les cœurs après soi, / Tel qu'on dépeint nos dieux et tel que je vous vois ». Devant l'indignation du jeune homme, Phèdre lui arrache son épée dont elle veut se transpercer elle-même. On l'entraîne dans un état d'agitation extrême. À l'acte III, Phèdre confesse qu'elle n'a pas perdu tout espoir ; elle se demande même si elle n'a pas, maintenant que Thésée est mort, le droit d'aimer Hippolyte. Mais elle se reprend et, implorant Vénus, elle lui demande de la venger en faisant périr Hippolyte. Soudain, on lui annonce que la nouvelle de la mort de Thésée était fausse et que le voilà de retour. Prise de remords, elle est sur le point d'avouer à son époux son indignité, quand elle apprend qu'Hippolyte aime Aricie. Aussi, torturée par la jalousie, laisse-t-elle (acte IV) Oenone accuser Hippolyte auprès de son père. La défense du jeune homme est si maladroite que Thésée, au comble de la colère, le maudit et implore de Neptune le châtiment du coupable. Quant à Phèdre, qui vient d'apprendre que l'insensible Hippolyte aime Aricie, elle laisse s'accomplir le destin, mais elle n'en repousse pas moins Oenone qui sera cause de la punition de l'innocent. À l'acte V, Thésée apprend de la bouche d'Aricie qu'Hippolyte n'aime qu'elle. Thésée, surpris, reste dans le trouble quand Théramène, au cours d'un récit fameux, vient lui exposer la mort terrible de son fils. Phèdre le suit de peu, elle avoue à Thésée toute la machination et le crime dont elle est coupable, et meurt à ses pieds.

Toute l'action, tout l'intérêt de la pièce sont centrés sur Phèdre. Les autres personnages ne sont que des comparses. Déjà le théâtre de Racine tirait sa renommée de ses puissantes figures féminines ; avec *Phèdre*, il atteint au sommet de son art. Mais si le rôle de Phèdre a pris cette amplitude, ce caractère insoupçonné des tragiques grec et latin, Hippolyte a décrû dans les mêmes proportions. Il n'a pas seulement diminué d'importance, mais a changé encore de caractère. Le fils de Thésée, en devenant amoureux (comme Achille dans *Iphigénie*), a perdu sa grandeur farouche et il semble que, par là, Racine ait privé sa pièce de cette forte opposition si sensible chez Euripide. C'est qu'une fois de plus Racine retrouve le mythe du couple pastoral, transposé dans la tragédie où il est destiné à être broyé. Au plan de l'expression, Racine atteint ici à une telle noblesse du vers, à une telle beauté harmonieuse de la langue, que les vers qui sont couramment cités de *Phèdre* sont innombrables ; ne retenons ici que « La fille de Minos et de Pasiphaé » (acte I, sc. 1), « Soleil, je te viens voir pour la dernière fois, Ariane, ma sœur, de quel amour blessée, / Vous mourûtes aux bords où vous fûtes laissée » (acte I, sc. 3), « Hé bien ! connais donc Phèdre et toute sa fureur. / J'aime » (acte II, sc. 3). Jamais peut-être la langue française n'avait atteint à un tel degré d'harmonie, de justesse, de charme ; il y a dans *Phèdre* un envoûtement verbal qui fait une grande partie de son charme extraordinaire pour des oreilles françaises, mais qui ne peut évidemment que se dissoudre dans une traduction.

La première édition de *Phèdre et Hippolyte* parut la même année (1677). Nous savons par un contemporain, Subligny *(Dissertation sur les tragédies de Phèdre et Hippolyte)*, que Racine revit et corrigea sa pièce pour l'impression. Elle connut deux rééditions du vivant de Racine, en 1687 et en 1697 ; c'est à partir de 1687 que l'œuvre fut intitulée *Phèdre*.

★ *Phèdre et Hippolyte* de l'auteur dramatique français Jacques Pradon (1644-1698), tragédie médiocre que l'histoire littéraire mentionne seulement à cause des circonstances de son éphémère succès (v. ci-dessus).

★ Le même drame inspire la *Phèdre* [*Phaedra*] de l'écrivain anglais Algernon Charles

Swinburne (1837-1909), poème dramatique publié dans *Poésies et Ballades* (*), première série en 1866. Plus que de l'*Hippolyte* d'Euripide, elle procède de la *Phèdre* de Sénèque. L'amour, dans cette tragédie, apparaît comme un dieu cruel qui nous consume sans merci, et Phèdre, sous le poids d'une fatalité inexorable, supplie son beau-fils qu'il la tue. Outre ces traits dominants, modelés sur l'œuvre du poète latin, Swinburne, qui pourtant n'aimait pas Euripide, emprunte au tragique grec les phrases et les mouvements qui lui paraissent saisissants. Il s'inspire aussi d'autres Grecs, notamment de la *Niobé* d'Eschyle.

★ Une des pièces les plus fameuses de l'écrivain italien Gabriele D'Annunzio (1863-1938) est la *Phèdre* [*Fedra*] en trois actes en vers, représentée et publiée en 1909. Dans cette tragédie, comme dans bon nombre de ses écrits depuis *Les Vierges au rocher* (*), D'Annunzio fait très grande la part de l'idéologie. En effet, quand Phèdre tue Hippolyte, ce n'est pas pour se venger des froideurs de l'être aimé, mais au contraire pour surmonter un amour incestueux dont elle a honte. Ayant ainsi dompté la chair, Phèdre se complaît dans sa victoire, ne craignant pas d'injurier la chaste Artémis qui n'a été pour Hippolyte qu'une protectrice impuissante à lui sauver la vie. Victorieuse, donc, elle se proclame, tant elle se considère pure de toute faute et croit pouvoir, sans scrupule, rejoindre en pensée l'objet de sa passion. Nul autre changement n'est à relever dans la manière d'évoquer le thème antique. Le langage, le décor, les morceaux lyriques et la succession des épisodes forment un ensemble dont la noblesse s'accorde bien à celle des tragiques grecs. Cette *Phèdre* marque, en outre, une étape importante dans l'évolution de D'Annunzio : c'est là en effet que, pour la première fois, le poète, jusqu'alors écrivain « solaire », annonce l'écrivain « nocturne » qu'il deviendra par la suite. Désormais, dans son inspiration, l'ivresse panique le cédera au mystère de l'ombre, et, sans rien perdre de sa sensualité, il va, grâce au repliement sur lui-même, élever sa nature sensible jusqu'à la connaissance des réalités spirituelles. Aussi bien la *Phèdre* de D'Annunzio vaut-elle beaucoup moins par les tirades héroïques que par cette volupté, ce désespoir qu'elle exprime sous la menace du destin.

★ Plusieurs œuvres musicales ont été composées sur le même sujet : Thomas Roseingrave (1690-1766), *Phèdre et Hippolyte* ; Christophe-Willibald Gluck (1714-1787), Milan 1745 ; Jean-Baptiste Lemoine (1751-1796) ; Giovanni Paisiello (1741-1816). Des musiques de scène ou des ouvertures ont été composées par Jules Massenet (1842-1912) pour la *Phèdre* de Racine (1900) ; par Ildebrando Pizzeti (1880-1968) pour la *Phèdre* de D'Annunzio. Arthur Honegger (1892-1955) a composé une musique de scène exécutée en 1926.

PHÈDRE ou De la beauté [*Φαῖδρος, ἢ περὶ καλοῦ*]. Dialogue du philosophe grec Platon (428 ?-347 ? av. J.-C.), appartenant tout comme *Phédon* (*), *Le Banquet* (*) et *La République* (*) à ce groupe de dialogues qui contiennent l'essence de la philosophie du Maître. Socrate et Phèdre en sont les interlocuteurs. Considéré dans sa forme, le dialogue se divise en deux parties, la première traitant de la beauté et de l'amour, la seconde de la rhétorique et de la dialectique ; et l'on a facilement relevé le manque de fusion entre les deux parties. En réalité, l'œuvre est parfaitement une, grâce à la subtile pénétration des motifs de l'une à l'autre partie, à la parfaite continuité des rythmes et du climat qui en font un des dialogues les plus parfaits du philosophe grec, même au point de vue artistique. Socrate rencontre Phèdre qui, enthousiasmé par un discours de Lysias sur l'amour, se promène le long des murailles de la ville tout en méditant les belles paroles qu'il vient d'entendre. Le vieillard accompagne le jeune homme le long des rives de l'Ilissus, au lieu même où, suivant la légende, Borée ravit la nymphe Orithye ; ainsi leur dialogue se déroulera-t-il dans un climat de beauté naturelle et mythique, en plein soleil. Phèdre est émerveillé de l'art de Lysias qui, parlant de l'amour, a subtilement démontré la justesse de ce paradoxe : il faudrait plutôt croire aux promesses de celui qui ne nous aime pas qu'à celles d'un véritable amant. Ce dernier, en effet, obnubilé par sa passion, n'aura pas de reconnaissance pour l'être aimé, l'abandonnera quand son ardeur sera éteinte, négligera les convenances sociales, sera jaloux de lui et l'éloignera de ses autres amis, ne prêtera attention qu'à son corps et ne se souciera que de le rendre docile à ses propres désirs. Celui qui n'aime pas, au contraire, c'est-à-dire l'amant non passionné, équilibrera adroitement ses requêtes et ses offres, sera prudent et conduira l'aventure de la façon la plus utile pour lui et pour l'être aimé. Les caractéristiques de ce discours sont celles mêmes de la sophistique, et Socrate admire avec une ironie visible cette analyse raffinée des diverses formes de l'amour ; mais quant au contenu ? Il pense que Lysias lui-même n'y a attaché que fort peu d'importance : beaucoup d'autres choses eussent pu être dites que Lysias a tues. Sur la prière de Phèdre, il improvise à son tour un discours sur le même thème, partant d'une définition de l'amour que Lysias admet comme déjà connue : l'amour est essentiellement désir. Mais il y a deux formes de désir, poursuit Socrate : celle qui tend confusément au plaisir et celle qui tend intellectuellement au progrès, au « mieux ». L'amour passionné se rapproche de la première forme, c'est le désir irrésistible et insensé de la beauté. Celui qui aime ainsi ne cherchera pas à rendre l'être aimé meilleur, mais plus adapté à son plaisir, ne s'efforcera pas d'élever son intelligence de peur qu'elle ne lui échappe, mais préférera efféminer son corps, éloigner l'aimé de ceux qui voudraient son bien ; en outre, tant que durera sa passion, il se mettra au service de l'autre, sans se soucier d'être envahissant, quitte à l'abandonner et à le trahir quand la passion sera éteinte. Là, Socrate s'interrompt : il est inutile d'énumérer les avantages de l'amour non passionné, puisqu'il est exactement le contraire du premier. Son discours s'oppose donc à celui de Lysias dans sa composition : au lieu d'une série d'arguments détachés, il est constitué par un processus unique qui, partant d'une définition du sujet traité, en développe toutes les conséquences. Mais Socrate veut aussi s'opposer au sophiste dans l'essence même de ses idées ; quelque chose en lui le pousse à le faire, et voici son second discours sur l'amour, véritable palinodie du premier.

Il n'est pas vrai que la passion propre à l'amour n'ait qu'un caractère négatif. Les activités supérieures de l'homme participent toutes d'un délire qui est la marque de leur origine divine ; tels sont le délire prophétique, le délire religieux, le délire poétique et enfin le délire amoureux. Toutefois, pour comprendre la valeur et la portée de ce délire, il faut connaître la nature de l'âme et, avant tout, établir son immortalité. L'âme est immortelle comme tout ce qui possède en soi-même le principe de son mouvement, alors que ce qui est mû de l'extérieur périra dès que la source extérieure de vie sera tarie. En tant que principe, l'âme n'est pas engendrée et ne peut se corrompre. Quant à sa véritable nature, seule une science divine pourrait nous la révéler ; il est cependant possible de la connaître en recourant à des images et en se la représentant sous une forme mythique. Nous pouvons imaginer l'âme comme un char ailé que guide un conducteur également ailé et qui est tiré par deux chevaux ; mais, alors que pour l'âme des dieux rien dans cet attelage n'est imparfait, pour l'âme humaine les deux chevaux sont de nature différente : l'un, blanc et noble, aspire au ciel ; l'autre, noir et massif, est attiré par la terre, et leur conducteur lui-même est en butte à ces deux tendances contraires. Or il advient qu'à chaque révolution astronomique un cortège de dieux se forme sous la conduite de Zeus et remonte des confins de l'univers jusqu'à s'approcher du seuil de cet autre monde qui leur est supérieur et où résident les valeurs éternelles : les idées, la science, la pensée, la beauté, la tempérance, etc. Les âmes des hommes s'unissent au cortège divin, mais leur ascension est gênée par les tendances contraires des deux chevaux ; aussi, à peine arrivées à la hauteur du monde éternel, ne pourront-elles s'y maintenir ; certaines peuvent apercevoir quelques idées, les autres sont dominées par la masse incertaine et inquiète des âmes. De toute façon, les unes comme les autres sont précipitées dans l'abîme, leurs ailes manquant de force pour pouvoir les soutenir. Revenues dans la sphère de notre univers, celles des âmes qui ont vu quelque chose des valeurs absolues peuvent continuer leur existence céleste jusqu'à la prochaine révolution et, à moins de dégénérer, resteront pour toujours dans cet état ; si au contraire elles dégénèrent, oubliant ce qu'elles ont entrevu du monde de l'éternité, semblables en cela à toutes celles qui n'ont pu voir aucune idée, elles s'appesantiront et tomberont sur la terre où il leur faudra s'incarner. Il s'ensuit une hiérarchie dans les types humains, hiérarchie comportant neuf degrés qui correspondent à plus ou moins d'imperfection dans les âmes : 1) philosophes ; 2) rois et guerriers ; 3) hommes politiques et financiers ; 4) médecins et hygiénistes ; 5) devins et mystes ; 6) peintres et poètes ; 7) laboureurs et artisans ; 8) sophistes et démagogues ; 9) tyrans. Après une première incarnation, les âmes sont jugées, et celles qui ont péché sont punies par mille ans de vie souterraine, les justes étant récompensées par mille ans de vie dans le ciel ; au bout de ce millénaire, les unes et les autres s'incarnent de nouveau, mais cette fois pourront choisir même le corps d'un animal. Et ainsi de suite, pendant une durée de dix mille ans, après lesquels elles reviennent à leur lieu d'origine. Cependant, si par trois fois consécutives une âme a vécu sa vie terrestre dans le respect de la justice, ce retour s'effectuera après le troisième millénaire. Voici donc l'origine des quatre formes de délire : l'homme se rappelle les valeurs éternelles que son âme a vues à la suite du cortège divin, et dès lors il en recherche constamment en cette vie les images ; l'amant cherche à se rapprocher de l'idée absolue de beauté à travers la beauté de l'être aimé, et il y a dans sa passion quelque chose de divin. Si l'amant ne recherche que cette idée pure, son amour devient un effort continuel de dépassement de lui-même, une contemplation qui l'élève en même temps que l'aimé vers l'éternel. Si, au contraire, l'image corporelle devient la principale chose envisagée, l'amour devient passion des sens ; auquel cas l'amant avec l'aimé seront, après la mort, punis dans le royaume souterrain.

L'examen de ces trois discours amène ensuite Socrate, dans la deuxième partie du dialogue, à fixer les buts et les modes de la vraie rhétorique : celle-ci n'est pas, comme le voulait la dominante sophistique, une science aux règles formelles, tendant à persuader les autres de la justesse de notre opinion, mais plutôt un guide des âmes vers la beauté et la justice. Elle implique donc, d'une part, la connaissance de la vérité, de l'autre celle de l'âme ; et surtout elle implique chez celui qui fait des discours l'amour pour ses auditeurs, afin de les conduire à la vérité. Ainsi la première partie du dialogue devient le fondement de la seconde : la rhétorique est la vivante expression de cette pensée philosophique tendue vers l'absolu et propre aux âmes d'élite. Et à la représentation mythique de la préexistence céleste fait équilibre l'exaltation d'une activité humaine toute destinée à revenir en ce monde ; la sophistique est condamnée par la vision cosmogonique du second discours qui, avec les clartés suggestives qu'elle projette, son charme passionné, sert d'arrière-plan à la succession des critiques subtiles. Le motif de l'amour, conçu comme l'élément nécessaire de toute exposition de notre pensée, donne à la parole dite une valeur essentiellement supérieure à celle de la parole écrite. L'écrit, dira Socrate à la fin du dialogue, plutôt que d'aider la mémoire, convient à la paresse humaine, tend à se substituer chez l'homme à la science vivante, augmente sa capacité, mais demeure auprès de lui quelque chose de mécanique et d'éteint. Ainsi surgit la vision paradoxale et magnifique d'une civilisation déjà assimilée en nous, actuelle en notre âme, que l'homme se transmet de vive voix et aussi par le vivant exemple, ceci étant l'unique moyen de constituer une humanité supérieure. – Trad. Gallimard, 1943 ; Les Belles Lettres, 1985 ; Garnier-Flammarion, 1989.

PHÉNICIENNES (Les) [Φοίνισσαι]. Tragédie du poète tragique grec Euripide (484-406 av. J.-C.), représentée en 410 ou 409. Le sujet est le même, quant à l'essentiel, que celui des *Sept contre Thèbes* (*) d'Eschyle, c'est-à-dire les contestations survenues entre les fils d'Œdipe et leur mort par la main l'un de l'autre. Mais, autour de ces deux personnages, le poète a groupé les membres de la famille des Labdacides (Œdipe, Jocaste, Antigone, Créon), moins soucieux d'évoquer des drames individuels que le destin d'une race tragique. Le chœur, qui donne son nom à la tragédie, se compose de jeunes filles étrangères, des Phéniciennes destinées par le gouvernement de Tyr à se consacrer au culte d'Apollon, à Delphes. La guerre éclate, déclenchée par Polynice, entre Argos et Thèbes, et les jeunes filles, dans l'impossibilité de rejoindre le sanctuaire, demeurent à Thèbes : cette cité, d'ailleurs, leur est chère, puisqu'elle a pour fondateurs Cadmus de Thèbes et Agénor de Tyr. Dans le prologue, Jocaste – qu'Euripide (dans la tragédie, aujourd'hui perdue, d'*Œdipe*) faisait aussi survivre à sa honte d'avoir épousé son fils – raconte comment ont été découverts le parricide et l'inceste commis involontairement par Œdipe. Ce dernier, s'étant crevé les yeux, a été enfermé dans le palais par ses fils Étéocle et Polynice, soucieux d'étouffer ce scandale. Mais, réduit à l'état de spectre, il lance contre eux ses malédictions et leur prédit qu'ils se disputeront par l'épée l'héritage paternel. C'est ce qui a lieu. Le pacte qui avait été conclu entre les deux frères, et selon lequel ils devaient régner chacun un an, n'a pas été observé par Étéocle qui a chassé Polynice. Ce dernier se réfugie près d'Adraste, roi d'Argos, dont il épouse la fille, et marche sur Thèbes à la tête des Argiens et de six princes alliés pour se faire justice. Jocaste, qui a tenté une réconciliation entre ses deux fils, attend la venue de Polynice. De la terrasse du palais, elle aperçoit, dans la plaine, Antigone qui s'avance accompagnée d'un vieil esclave. Un à un, elle se fait nommer les guerriers ennemis, tant il lui tarde de retrouver son frère Polynice : puis l'apercevant au loin, elle lui dit toute son affection et l'informe des efforts que fait Jocaste en vue d'un rapprochement. Polynice, craintif, s'entretient avec sa mère, puis, affrontant son frère, il demande en vain qu'on l'admette dans la cité aux conditions précédemment convenues. Mais Étéocle, sans se soucier du droit ou de la morale, lui répond que jamais il ne cédera, fût-ce la moindre parcelle de son autorité. Les deux frères se quittent, l'injure à la bouche, et Polynice donne le signal de la bataille. Le chœur évoque le tragique destin de la maison de Cadmus, et l'anxiété est à son comble dans l'attente d'un malheur imminent. Étéocle et son oncle Créon, frère de Jocaste, font leurs plans de guerre. Mais, alors que le jeune homme voudrait prendre l'offensive, Créon lui démontre combien il est plus sage d'attendre l'ennemi devant chacune des sept portes de la ville. « Si jamais il devait m'arriver malheur, dit Étéocle en se retirant, je veux que mon fils Haemon épouse Antigone. » Le chœur reprend ; c'est alors que Créon, tiré de son sommeil par le devin Tirésias, apprend que la cité ne sera sauvée que si son fils, le jeune Ménœcée, est offert en sacrifice aux dieux. Créon refuse, horrifié, et ordonne à Ménœcée, qui vient d'écouter l'oracle, de se réfugier en lieu sûr. Le jeune homme fait semblant d'obéir mais, une fois seul, il décide de se sacrifier pour la patrie : il se transpercera et se jettera du haut des murs de la ville. Euripide montre ici combien lui est cher le thème de l'héroïsme juvénile, encore que cet épisode n'ait pas une signification aussi profonde que dans ses autres pièces. Le chœur exaltera l'abnégation de Ménœcée, aussitôt la nouvelle de sa mort connue. Survient Jocaste, accompagnée d'un émissaire : « Mes enfants sont vivants, annonce-t-elle, le pays est sauvé ! » La reine, cependant, est anxieuse du sort de ses fils. L'envoyé lui révèle alors qu'Étéocle a provoqué Polynice en duel : le sort des armes en dépendra. La bonne nouvelle n'était donc qu'une illusion pitoyable. Jocaste tente une dernière fois d'empêcher cette lutte fratricide. Accompagnée d'Antigone, elle se rend au camp pour supplier les deux frères, mais, trop tard, elle les trouve tous deux expirant. Étéocle, sans voix, a jeté sur les deux femmes un dernier regard ; Polynice a pu prononcer quelques mots pour maudire le destin qui le poussa contre sa patrie et supplier qu'on ne le prive pas de sépulture. Jocaste, de désespoir, se tue sur les cadavres de ses fils. Antigone arrive ensuite, suivie du cortège funèbre qui transporte les trois corps. En vêtements de deuil, elle se lamente lorsque, soudain, surgit Œdipe, ombre vivante, jusque-là enfermé dans le palais, et qui, sans le vouloir, a causé tant de malheurs. Il n'a pas fini pour autant de souffrir. Créon, devenu roi, lui enjoint d'épargner à la cité sa funeste présence, et il ordonne que Polynice, rebelle à la patrie, soit privé de sépulture. Quant à Antigone, refusant d'épouser Haemon, elle rendra les honneurs funèbres à Polynice et décide d'accompagner Œdipe dans son exil. Le drame réside moins dans l'unité de l'action ou le relief d'un caractère particulier que dans la succession des épisodes et des détails. Euripide a-t-il voulu rénover un thème rebattu ? Toujours est-il qu'on ne trouve pas, dans *Les Phéniciennes*, cette homogénéité de ton qui caractérise *Les Troyennes* (*). Ce qui est nouveau, dans cette pièce, et vraiment poétique, ce sont les figures de Jocaste et d'Antigone, c'est surtout le caractère de Polynice, personnage particulièrement cher au cœur du poète. Euripide, en effet, contrairement aux usages reçus, accorde toute sa sympathie à Polynice, ce malheureux qui combat en pleurant ceux qu'il aime. Mais les autres personnages manquent de relief : ainsi Étéocle, dont l'ardeur dominatrice, exposée froidement, ne donne pas l'impression de la vie. — Trad. Les Belles-Lettres, 1950 ; Gallimard, 1962.

★ On doit à l'écrivain latin Sénèque (1 av. J.-C.-65 ap. J.-C.) une tragédie incomplète ou mutilée *Les Phéniciennes* [*Phœnissae*], en deux fragments, dont les personnages principaux sont respectivement Œdipe et Jocaste. Dans la première partie, Œdipe, aveugle et exilé, songe au suicide, mais sa fille, Antigone, parvient à l'en dissuader et il se réfugie dans les bois, tandis que Thèbes est menacée par la tragique querelle d'Étéocle et Polynice, les frères ennemis. Dans le second fragment, Jocaste se précipite entre ses deux fils pour les réconcilier, mais Étéocle s'accroche au pouvoir et veut envoyer son frère en exil. Plus d'un épisode émouvant font regretter que cette tragédie ne nous soit pas intégralement parvenue. — Trad. Les Belles-Lettres, 1925 ; Imprimerie nationale, 1990.

PHÉNIX (Le) [*The Phoenix*]. Poème anglo-saxon de six cent soixante-dix-sept vers, conservé dans le « Codex Exoniensis », donné à la bibliothèque de la cathédrale d'Exeter par l'évêque Leofric (1046-1072), quand il transféra le siège épiscopal de Crediton à Exeter. Ce poème, attribué pour l'affinité du style à Cynewulf (VIII-IXe s.), décrit la magnifique forêt où habite le Phénix. À peine le soleil surgit-il, éclatant de lumière, que l'oiseau prodigieux prend son vol en chantant une mélodie qu'aucun être humain ne peut égaler, exprimant ainsi la joie de son cœur. Douze fois il indique les heures du jour et de la nuit et vit ainsi, jouissant des beautés de la nature, pendant mille hivers. Son nid, sur l'arbre le plus élevé, est fait au printemps des herbes les plus aromatiques, et il vit ainsi dans la joie jusqu'au jour fixé où, en pleine extase, le soleil très ardent le brûle, lui et sa demeure ; dans le bûcher tout est réduit en cendres ; mais, de la cendre, l'oiseau renaît jeune et purifié. Le phénix est le symbole des âmes pieuses et saintes qui, après une vie de bonté, ressusciteront dans la béatitude céleste ; il est aussi le symbole du Rédempteur qui passa des souffrances de la terre aux joies éternelles du paradis. Le poème, dans sa première moitié, est inspiré, presque en le paraphrasant, du *Carmen de ave Phoenice* de Lactance et fait écho à l'interprétation déjà donnée à cette légende par saint Ambroise dans l'*Hexaméron* (*) et par Bède le Vénérable dans son commentaire sur Job. C'est la seule composition poétique anglo-saxonne qui exalte une nature luxuriante et sereine, magnifiée par la splendeur éclatante du soleil. Il semble que l'auteur ait voulu oublier la nature de son pays, redoutable et hostile, et se réfugier par l'imagination dans un riant et splendide paysage d'Orient.

PHÉNIX (Le) [*Hi no tori*]. Roman de l'écrivain japonais Itô Sei (1905-1969), paru en feuilleton de février 1949 à 1953. On peut s'étonner qu'un écrivain aussi fécond ait mis près de cinq ans pour achever un roman de quelque trois cents pages. En fait, ces années furent consacrées essentiellement au procès qui lui avait été intenté pour sa traduction de *L'Amant de lady Chatterley* (*), œuvre jugée « pornographique » par le ministère public : les audiences du procès, la préparation de sa défense, la publication d'articles polémiques — v. *Vie et opinions du maître Itô Sei* (*) —, tout cela, ajouté à son activité ordinaire de professeur de littérature anglaise à l'université Waseda et de critique littéraire, ne lui laissait guère de loisirs. La composition même du *Phénix* s'en ressent, dont la seconde partie prit une tournure nettement politique qui nuit à l'harmonie de l'ensemble. Il n'en reste pas moins que ce roman, qui connut d'emblée un succès considérable, peut être tenu pour l'un des plus significatifs de l'après-guerre.

La narratrice, Ikushima Emi, est une actrice, vedette de la troupe « la Rose » [Bara-za], recherchée par les adaptateurs de pièces européennes parce qu'elle est une Eurasienne, fille d'un Anglais et d'une Japonaise. Cette « qualité », qui, elle le note sans illusion, est aujourd'hui la cause principale de son succès, la rendait naguère suspecte, et l'avait contrainte, pendant la guerre, à se maquiller outrageusement quand on voulait bien l'admettre dans les pitoyables tournées du « théâtre aux armées ». Épisode de sa vie qu'elle veut oublier, mais que vient lui rappeler son ancien mari, l'acteur Sugiyama, qui essaie de renouer avec elle, bien que sachant qu'elle est la maîtresse de Tashima, auteur et metteur en scène attitré de la troupe. Cette liaison avec un homme déjà âgé lui pèse d'autant plus qu'elle devine que c'est l'interprète privilégiée de ses adaptations, bien plus que la femme, que celui-ci apprécie en elle. Au cours du tournage d'un film, *Le Phénix,* elle fait la connaissance d'un tout jeune acteur, Nagamura Keiichi, dont l'amour juvénile et l'ardeur « révolutionnaire » la séduisent. À la veille d'une représentation de *La Cerisaie,* sur laquelle Tashima fonde de grands espoirs, elle s'enfuit avec Keiichi. Après de laborieuses négociations – la critique avait été désastreuse pour l'actrice qui la remplaçait –, Emi consent à revenir, et c'est le triomphe, mais quelle est dans ce succès la part du scandale ? À partir de là, le récit dévie vers la description des démêlés avec la police d'une jeune troupe « progressiste », à laquelle appartient Keiichi, et dans laquelle celui-ci voudrait, par ambition plus que par amour, entraîner Emi. Le roman s'achève sur une bagarre entre la police et les syndicats locaux mobilisés pour protéger la troupe en tournée dans une ville de province. Il y a là une peinture des milieux du théâtre et du cinéma du Japon d'après-guerre qui suffirait à retenir l'intérêt du lecteur. Mais l'essentiel est ailleurs, dans le portrait de la personnalité ambiguë de l'héroïne, dont on a pu dire, parodiant le mot de Flaubert, qu'« Emi était Itô ». Celui-ci, comme d'ailleurs tous les intellectuels japonais de sa génération, se définit comme un « sang-mêlé intellectuel » : japonais par sa naissance et son atavisme, occidental par son éducation et sa culture. Il convient dès lors de lire entre les lignes du portrait et de transposer le symbole. Contraints de renier la parenté spirituelle de l'Europe, les écrivains japonais durent, aux temps de l'oppression nationaliste, « se maquiller » de même qu'Emi se teignait les cheveux ; encore ne leur consentait-on, à ce prix, et avec quel mépris, que des rôles secondaires d'amuseurs suspects. Et, le désastre venu, c'est vers eux que l'on se retourne pour renouer des liens jusque-là tenus pour honteux. Mais les applaudissements qu'on leur prodigue sont de mauvais aloi, et les « déclarations d'amour » dont on les accable dissimulent à peine le désir qu'on a de les utiliser à des fins qui n'ont rien de littéraire : on aura tôt fait de leur faire sentir les limites de leur liberté nouvelle s'ils s'avisent de militer pour la révolution, ou même, comme le fit Itô, de traduire ingénument *L'Amant de lady Chatterley.*

PHÉNIX DE SALAMANQUE (Le) [*La fénix de Salamanca*]. Comédie du dramaturge espagnol Antonio Mira de Amescua (1574 ?-1644), représentée vers 1630. Suivie de sa servante Leonarda déguisée en homme, la belle veuve doña Mencia a revêtu le costume de don Carlos pour rechercher son amant don Garcerán, qui l'a quittée sans même la saluer. Elle le retrouve à Madrid, prêt à se battre en duel pour protéger la fuite du chevalier Horace. Ce dernier a fait appel à son aide pour enlever la belle Alexandra que son frère don Juan destine à leur vieil oncle, le capitaine don Beltrán. L'intervention du faux don Carlos évite le duel. Doña Mencia a reconnu la loyauté de don Garcerán, qui a fui son amour parce qu'il était veuf et pauvre. En attendant le moment de se découvrir, elle se rend chez Alexandra pour inviter la jeune fille à calmer le belliqueux vieillard, qui ne songe qu'à la vengeance. L'arrivée imprévue de don Juan et du vieil oncle oblige doña Mencia à reprendre ses habits de femme ; don Juan s'éprend d'elle. Heureusement, elle saura tirer parti de ses transformations pour mener à bien son mariage avec don Garcerán et celui d'Horace avec Alexandra. Le vieux capitaine devra se résigner à la décision pontificale qui lui interdit d'épouser sa nièce ; quant à don Juan, il restera seul et bafoué. Sur cette intrigue légère et invraisemblable, l'auteur a su brosser avec fraîcheur et spontanéité le tableau de la vie de Madrid, avec sa couleur locale, ses galantes préciosités, son code chevaleresque plein de préjugés, la rouerie de ses aubergistes et l'astuce de ses serviteurs. Jamais le comique ne tombe dans la grossièreté des « graciosos », même lorsque Leonarda déguisée en homme doit coucher avec le valet de don Garcerán, qui n'est pas sans soupçonner son sexe. Les déguisements de doña Mencia sont rendus possibles par certains procédés scéniques fort habiles. La versification est claire et harmonieuse. Toutes ces qualités ont valu à la comédie d'être considérée comme un chef-d'œuvre du genre.

PHÉNIX TROP PRESSANT (Un) [*A Phoenix Too Frequent*]. Pièce de l'écrivain anglais Christopher Fry (né en 1907), publiée en 1946. Comme *Vénus au zénith* [*Venus Observed,* 1950], cette œuvre des débuts du dramaturge est écrite sur un ton plus léger que ses pièces postérieures, telles que le *Songe des prisonniers* (*). *Un phénix trop pressant* est une fantaisie à la fois ironique, poétique et macabre. C'est l'adaptation à la scène d'une histoire de Jeremy Taylor tirée de Pétrone. Une jeune Grecque, Dynamène, a perdu son époux ; avec sa servante, elle descend dans le tombeau où il a été enseveli dans l'intention de le rejoindre au pays des morts. Les jeunes femmes y ont passé deux jours – oscillant entre le rêve et le délire, affaiblies et affligées –, lorsqu'un caporal les découvre et tente de leur faire reprendre goût à la vie. Mais, pendant qu'il essaie de réconforter les malheureuses, le corps d'un des suppliciés qu'il a pour mission de garder est enlevé. D'après le code de la justice militaire, le caporal devra être pendu. Désespéré, il préfère mourir de sa propre main. Mais Dynamène veut le sauver et le persuade de remplacer le cadavre manquant par celui de son mari. Ce subterfuge consacre ainsi la victoire de la vie sur la fidélité aux disparus, thème exposé sans le moindre souci de réalisme, mais dans une pièce légère où de très beaux passages philosophiques alternent avec des scènes d'excellente comédie. Fry reprendra dans *La dame ne brûlera pas* (*) l'opposition entre le désir de mourir et celui de rester en vie en faisant triompher de la même manière l'amour sur des circonstances dramatiques et apparemment désespérées.

Vénus au zénith, jouée quatre ans plus tard, commence de la même manière sur une note frivole. Un père s'en remet à son fils du soin de lui choisir une épouse : une liaison se noue entre le père et une jeune fille nommée Perpétua, mais à la fin de la pièce le vieillard retrouve sa solitude. C'est à Perpétua — héroïne typique du théâtre de Fry — qu'est confié le message du poète, et au vieillard la morale, qu'il exprime avec une ironie très britannique à l'égard de sa propre désillusion. Cette pièce illustre l'un des thèmes chers à l'auteur : une philosophie mélancolique et froide de l'amour qui finit par triompher. — Trad. d'*Un phénix trop pressant* in *Théâtre hors saison,* Calmann-Lévy, 1964 ; de *Vénus au zénith* in *Théâtre pour trois saisons,* Calmann-Lévy, 1960.

PHÉNOMÈNE-GUERRE, méthodes de la polémologie, morphologie des guerres, leurs infrastructures (technique, démographique, économique) (Le). Essai publié en 1962 par le sociologue français Gaston Bouthoul (1896-1980). Dans cet ouvrage, l'auteur aborde un problème auquel s'est affrontée l'humanité de tous les temps. Ce livre marque la rupture avec la conception traditionnelle de la guerre qui prône : « Si tu veux la paix, prépare la guerre. » La polémologie nous donne les fondements d'un véritable pacifisme scientifique. Et d'abord, qu'est-ce exactement que la polémologie ? C'est l'étude objective et scientifique des guerres en tant que phénomène social susceptible d'être observé comme tout autre, cette étude devant par conséquent constituer un chapitre nouveau de la sociologie. La méthodologie de la guerre est presque entièrement à créer, toute étude du phénomène guerre s'étant jusqu'alors heurtée à différents obstacles insurmontables tels que la pseudo-évidence de la guerre, le côté volontaire des guerres et aussi l'illusionnisme juridique. Bouthoul expose donc les méthodes d'investigation qu'il a employées. D'abord la description des faits matériels bruts, puis celle des comportements psychiques. Ensuite, il passe au premier degré de l'explication, celle des historiens et annalistes. Le deuxième degré sera constitué des opinions et doctrines sur les guerres en général, celles des théologiens comme celles des métaphysiciens et des moralistes. En un mot, il s'agit de dégager une véritable philosophie de la guerre. Enfin reste le travail propre au polémologue, celui des choix et rapprochements de faits. Il s'agit là d'une observation directe, d'une étude des comportements. Toutes ces données permettent d'entrevoir quelles peuvent être les fonctions que remplissent les guerres dans les équilibres sociaux. Enfin, la présence de la guerre dans tous les types de civilisation connus, le fait qu'elle est inséparable des mentalités et des institutions les plus diverses, et surtout ses analogies avec certaines fonctions biologiques posent la question de sa périodicité. Il ne reste plus à établir qu'une typologie rationnelle des sociétés et des guerres. Du propre aveu de l'auteur, tous ses efforts pour créer une typologie sociale sur laquelle on puisse se reposer se sont jusqu'à présent heurtés à différents obstacles. Aussi cette absence l'oblige-t-elle à des parallèles incessants avec chacun des aspects des guerres. Malgré ceci, « la constitution d'une science des guerres n'a jamais été plus urgente [...] La guerre, qui, au XVIIIe siècle, était un jeu de prince, est devenue une catastrophe. Elle sera demain un cataclysme. Sans la constitution rapide d'une polémologie, toutes les autres sciences risquent de devenir superflues ».

PHÉNOMÈNE HUMAIN (Le). Ouvrage posthume du père Pierre Teilhard de Chardin (1881-1955), philosophe français, publié en 1955. Écrit en 1938-40, complété en 1948, il occupe une place centrale dans son œuvre, car il synthétise sa conception de l'évolution et de la place que l'homme y occupe. L'évolution du monde comporte quatre stades : 1) la prévie (la matière passe d'un état indifférencié à la forme organisée) ; 2) la vie (les formes vivantes se développent vers des espèces au système nerveux de plus en plus complexe : paramètre de céphalisation) ; 3) la pensée (par un nouveau seuil critique, l'homme franchit le pas de la réflexion, car il est la flèche montante de la grande synthèse biologique, la pensée faisant partie de l'évolution) ; 4) l'ultra-humain et la « survie » (l'humanité, par socialisation, converge maintenant vers un point constituant le pôle supérieur de toute l'évolution, Oméga ; ce stade dernier de l'évolution est de nature ultra-personnelle : les personnes s'y unissent et s'y épanouissent). Pour rendre compte de cette montée de la vie jusqu'à l'achèvement en Oméga, l'auteur fait appel à deux couples de notions : 1) la complexité-conscience (conscience et complexité apparaissent comme deux faces, l'une interne, l'autre externe, d'un même phénomène se manifestant tout au long de l'évolution : ainsi, d'une certaine manière, toutes choses ont un dedans, même la matière inerte ; le degré de complexité-conscience constitue le paramètre fondamental qui permet de mesurer le progrès dans l'évolution et la dignité des êtres) ; 2) les énergies tangentielle et radiale (le dynamisme qui tend à assurer une complexification croissante des êtres ne peut être compris que comme provenant d'une énergie d'arrangement, dite radiale parce qu'elle assure la marche en avant ; cette énergie vient s'associer à l'énergie entendue au sens classique, dite tangentielle parce que celle-ci n'est qu'un élément de conservation). Le grand mérite du père Teilhard a été d'intégrer l'homme total dans la cosmologie. Une telle entreprise répond à une exigence de notre époque qui recherche une vue globale fondée sans doute sur des principes généraux, mais faisant état des acquisitions de la science. À la fin de son livre, il traite du « phénomène chrétien » et du problème du mal, mais du seul point de vue phénoménologique. Ce n'est donc pas un ouvrage de théologie. Ce n'est pas non plus une métaphysique, bien que le Père pose les premiers jalons d'une ontologie centrée sur le thème *esse est uniri.* C'est une phénoménologie d'un type original, c'est-à-dire une science synthétique, structurée et extrapolée qui ressemble, avec plus de souplesse, à une dialectique de la nature. Le style est d'une grande beauté, mais sa poésie, maîtrisée, constitue une méthode d'approche de la réalité.

PHÉNOMÈNES [Φαινόμενα]. Poème du poète grec Aratos de Soles en Cilicie (310 ?-254 ? av. J.-C.). En mille cent cinquante-quatre hexamètres d'une soigneuse facture, l'auteur décrit la voûte céleste, passe en revue les constellations, explique leurs noms et détermine leurs positions réciproques. La seconde partie du livre, sous le titre *Pronostics* [Διοσημεῖαι], indique la manière de prévoir le temps qu'il fera. Outre l'exposé scientifique, on y trouve l'histoire des différents mythes qui se rapportent à telle ou telle constellation. L'ouvrage a pour origine un traité astronomique d'Eudoxe de Cnide, que le poète calque sans toujours en saisir exactement la signification. On y perçoit nettement – en particulier dans le prologue – l'influence du stoïcisme, doctrine à laquelle le poète adhérait. Dans le choix des arguments comme dans le style, les *Phénomènes* portent la marque évidente de l'hellénisme. Aratos a su, sans trahir la clarté, plier une matière ingrate aux rigueurs d'une versification impeccable. Non seulement les littérateurs mais aussi les savants lui ont consacré des commentaires. À Rome, les *Phénomènes* ont influé sur la poésie savante, et tout particulièrement sur les *Géorgiques* (*) de Virgile. Ils ont été traduits par Cicéron, Germanicus (*Aratea*) et Avienus. – Trad. les versions latines ont été traduites elles-mêmes en français aux Belles Lettres : celle de Cicéron en 1972, celle de Germanicus en 1975 et celle d'Avienus en 1981.

★ On doit au célèbre astronome Hipparque de Nicée (IIe s. av. J.-C.) une critique du poème d'Aratos, intitulée elle aussi *Phénomènes ;* c'est son seul ouvrage qui soit parvenu jusqu'à nous avec le *Catalogue des étoiles* [Αστρικὰ]. Il y décrit les instruments dioptriques et ceux qui servent à mesurer les méridiens. Hipparque parvient ainsi à évaluer la dimension des étoiles qu'il répartit en six grandeurs, selon une méthode encore en vigueur de nos jours. Puis, comparant ses observations avec celles qu'avait enregistrées autrefois Aristillos, il constate que la latitude n'a pas changé, tandis que la longitude s'est déplacée d'un degré et demi. Remontant aux causes de ce déplacement, il fait une des grandes découvertes de l'astronomie ancienne : celle de la précession des équinoxes, et il rectifie la durée de l'année qui avait été adoptée avant lui. En mathématiques, les découvertes d'Hipparque marquent un grand progrès comparativement au *De la sphère en mouvement* [*De sphaera quae movetur*] d'Autolycus. La première partie des *Phénomènes* d'Hipparque traite de la trigonométrie proprement dite, ce chapitre des mathématiques qui devait offrir aux savants tant de perspectives nouvelles.

PHÉNOMÉNOLOGIE DE LA PERCEPTION. Essai du philosophe français Maurice Merleau-Ponty (1908-1961), publié en 1945. Dès le début de l'ouvrage le problème de la perception apparaît comme entièrement renouvelé. Ce qu'il est essentiel de saisir, note Merleau-Ponty, c'est la perception vivante, la perception en train de se faire. Il faudra donc, pour cela, se débarrasser de tous les préjugés dogmatiques, c'est-à-dire de toutes les « théories » de la perception, qui ne nous livrent que des perceptions fossilisées et comme des cadavres d'objets : « Le philosophe empiriste considère un sujet X en train de percevoir et cherche à décrire ce qui se passe. Il y a des sensations qui sont des états de conscience, de véritables choses mentales. Le sujet percevant est le lieu de ces choses, et le philosophe décrit les sensations et leur substrat comme on décrit la faune d'un pays loitain – sans s'apercevoir qu'il perçoit lui-même et que la perception telle qu'il la vit dément tout ce qu'il dit de la perception en général. » La perception vivante... La première remarque essentielle est que, grâce à nos perceptions, nous co-naissons au monde. Ce qu'il nous faudra donc saisir, sous peine de passer à côté de la question, ce sera cette « touffe vivante » de la perception qui se défait et se refait sans cesse, cette manière particulière que nous avons d'être au monde. L'objet perçu ne sera pas ici thématisé (intellectualisé) mais s'insérera dans une conduite (ma conduite) qui l'investira d'une signification vitale : « Dans le geste de la main qui se lève vers un objet est enfermée une référence à cet objet non pas comme objet représenté, mais comme vers cette chose très déterminée vers laquelle nous nous projetons, auprès de laquelle nous sommes déjà par anticipation, que nous hantons. » Si le sujet connaissant et l'objet connu co-naissent véritablement, on pourra, en transposant, remarquer que le Je qui pense l'objet sera un Je trouble (hanté) déjà en lui-même renvoi à l'objet. Sujet et objet sont ainsi unis par un lien vivant, existent l'un à l'autre, si l'on peut dire, à l'intérieur d'un certain champ qui est une vague du temps. Pas un temps thématisé encore une fois, mais un temps naissant, ambigu, qui n'est pas un objet de savoir mais une dimension de notre être. Ce sont peut-être les plus belles pages. Le philosophe cerne avec une grande finesse notre situation dans le temps (ce temps démoniaque pour lequel être et passer sont synonymes), montre comment nous le vivons et l'assumons, projetant des lignes qui tracent du passé vers l'avenir « au moins le style de ce qui va venir (bien que nous nous attendions toujours, et sans doute jusqu'à la mort, à voir apparaître autre chose) ».

PHÉNOMÉNOLOGIE DE L'ESPRIT (La) [*Die Phänomenologie des Geistes*]. Ouvrage du philosophe allemand Georg Wilhelm Friedrich Hegel (1770-1831), publié en 1807. Hegel part de l'observation que tout moment de la conscience, tout degré de notre réalité spirituelle est quelque chose de différent de ce que — à ce moment et à ce degré — nous le croyons être. Le connaître signifie le juger comme un moment passé, dépassé. Dans le processus spirituel, tout degré suivant est donc la pleine connaissance du vrai contenu dans le degré précédent ; et le développement actif de la conscience ne peut s'arrêter avant d'avoir reconnu ce même esprit absolu comme principe et âme du processus qui constitue sa vie. Ce n'est que par ce moyen que la conscience s'identifie parfaitement avec son contenu. Ce processus consiste donc dans l'établissement et l'écoulement de moments successifs dans lesquels, continuellement, le Moi s'affirme et se nie : dans le but de me réaliser moi-même, je dois devenir quelque chose de plus que ce que je suis ou ce que je connais être. Dans le développement de l'esprit on distingue trois degrés fondamentaux : conscience objective ; autoconscience individuelle ; raison, comme conscience de la communauté. La succession de ces trois degrés se comprend, lorsqu'on remarque que le Moi, dans l'effort de s'accroître et de se comprendre soi-même, répète idéalement le développement historique de l'humanité. Le processus de formation de l'homme est analogue au processus que révèle l'histoire de l'humanité, et la phénoménologie de l'esprit est également une philosophie de l'histoire. Le premier degré est le stade primitif qui commence avec la certitude de la sensation, devient perception et compréhension des choses, considérées objectivement et intellectuellement. Mais, dans la connaissance suivant l'intellect, le moi arrive à s'opposer soi-même aux choses, il se connaît et s'affirme comme « autoconscience individuelle ». Celle-ci agit d'abord en opposition au monde extérieur, comme Moi destructeur ; puis comme Moi qui forme et crée ; le Moi parvient à voir le monde comme sa propre limite extérieure et hostile, comme une nécessité rigide dont il s'écarte, en s'isolant dans l'affirmation de sa propre liberté. Mais dans l'antithèse ainsi posée, le Moi finit par désespérer de soi-même et s'efforce alors de dépasser sa propre limite individuelle en la niant par la reconnaissance de l'autorité historique et de l'organisme social. Ainsi l'autoconscience individuelle est-elle dépassée : elle devient vraie dans la « raison », qui a son fondement dans la conscience de la communauté ; la « raison » se développe à son tour à travers trois formes. La première est « autoconscience rationnelle » ; en tant que raison qui observe, elle construit le monde objectif comme un organisme de lois ; mais, en reconnaissant que la prétendue objectivité de la nature n'est que l'expression des formes de la conscience en général, elle conclut avec le scepticisme théorétique en se niant elle-même. De raison observante ou théorétique, elle se transforme ensuite en raison pratique. Le Moi pratique est d'abord attiré par les choses extérieures qui se présentent à lui comme les termes de son désir de jouissance ; mais en apprenant que la dure loi de la destinée rend vaine la recherche du plaisir, il s'élève au-dessus des choses et se libère du désir. En cherchant dans la liberté le fondement de la vertu, le Moi pratique découvre cette rationalité supérieure qui domine le monde de la nature et de l'histoire, et l'accepte comme puissance objective. Ainsi l'autoconscience rationnelle se transforme dans la deuxième (et supérieure) forme de raison : l'« esprit moral », qui se réalise par le passage de l'individu dans la communauté de l'État. L'exemple de la plus complète adhésion du particulier à l'universel pratique concret, de la conscience de l'identité de l'homme et du citoyen, est offert par la vie de la Grèce. L'affirmation d'un délai généralisé d'humanité, le triomphe d'un universalisme qui nie le moment de l'individualité (ce dont l'exemple est offert, selon Hegel, par le christianisme) provoquent, au contraire, la révolte de l'individu contre la généralité ; la lutte surgit entre la culture et la foi, la conscience est déchirée dans un dualisme qui apparaît comme insurmontable. C'est alors qu'intervient l'esprit moral, afin de résoudre cette opposition dans le moment supérieur de la « religion ». Telle est la troisième forme de la raison, qui développe son contenu à travers une nouvelle triade dialectique, comme religion de la nature, religion de l'art et religion révélée. Mais, au point de vue religieux, l'exigence suprême de la raison, l'unité des choses finies et de l'esprit infini, est seulement « représentée » ; elle doit être « comprise » dans sa nécessité et cela est la tâche de la philosophie.

Depuis le stade primitif et sensuel jusqu'à la pleine autoconscience philosophique se déroule le processus de l'esprit absolu ; de la brutalité de l'instinct, celui-ci parvient à une vie plus élevée, dans la famille, dans la communauté sociale, dans l'État ; et enfin, dans la conscience religieuse, il arrive à se représenter soi-même comme unité et totalité.

L'Absolu est la totalité de l'autoconscience, qui surmonte et implique toutes les contradictions, qui embrasse toute la richesse de la réalité, qui est affirmation et négation de soi-même, car il est un processus constant de dépassement de soi. *La Phénoménologie de l'esprit* est peut-être l'ouvrage le plus difficile de Hegel, moins en raison des obscurités de forme qu'il présente, que par son contenu extrêmement complexe ; en étudiant le passage de la conscience commune à la conscience philosophique, l'auteur a entrelacé des motifs relevant de la gnose, de la psychologie, de l'histoire ; il a établi d'amples et géniales analogies ; mais les connexions logiques sont souvent à peine indiquées ou sous-entendues. L'ouvrage veut être une préparation à l'étude de la philosophie, en examinant les formes phénoméniques à travers lesquelles doit passer la connaissance pour arriver à l'autocompréhension de l'absolu ; mais plus qu'une simple introduction, la *Phénoménologie* est une anticipation de toute la philosophie hégélienne. – Trad. Aubier, 1945.

PHILASTER [*Philaster or Love lies a bleeding*]. Œuvre des dramaturges anglais Francis Beaumont (1584-1616) et John Fletcher (1579-1625), représentée en 1611, publiée en 1620. Le roi de Calabre a usurpé le trône de Sicile ; mais l'héritier légitime, Philaster, aime Aréthuse, fille de l'usurpateur, dont il est aimé. Le roi se propose, au contraire, de la marier à Pharamond, prince d'Espagne. Pour rester en contact avec sa belle, Philaster met à son service le page Bellario. Mais Aréthuse, pour se délivrer de Pharamond, informe le roi de ses relations avec une dame de la cour et celle-ci, pour se venger, accuse Aréthuse d'une tendresse excessive pour Bellario ; Philaster, tout de suite convaincu de la vérité du fait, abandonne Aréthuse et congédie Bellario. Mais peu après, on découvre que celui qu'on croyait être Bellario n'est autre qu'Euphrasia, jeune fille noble qui, amoureuse de Philaster, avait pris des vêtements masculins pour pouvoir être auprès de lui. Tout finit bien, sauf pour Euphrasia qui retourne à la maison paternelle, décidée à ne jamais se marier. Dans ce drame, comme dans les autres dus à la collaboration des deux jeunes auteurs, les réminiscences shakespeariennes sont évidentes au point de faire penser qu'ils se sont bornés à chercher des passages dans l'œuvre du grand prédécesseur. *Philaster* rappelle parfois *Othello* (*), parfois *Hamlet* (*) ; le personnage d'Euphrasia n'est autre que la Viola de *La Nuit des rois* (*), mais il lui manque la volonté, l'esprit d'initiative, la vivacité de celle-ci. Quant à l'intrigue, elle se rapproche de celle de *Cymbeline* (*). On dirait que les auteurs ont pensé faire mieux que Shakespeare, en idéalisant, selon le goût romanesque et superficiel de la cour des Stuarts, les personnages créés par lui, mais ils n'ont réussi qu'à en faire des copies assez pâles. Cette œuvre fut le premier succès éclatant remporté par les deux auteurs et elle résiste au temps à cause de la beauté du style, soutenu par une authentique veine poétique.

PHILÈBE ou Du plaisir [Φίλεβος]. Dialogue du philosophe grec Platon (428 ?-347 ? avant J.-C.), appartenant à la dernière partie de son œuvre. Platon y traite principalement le problème du bien suprême ; mais on y trouve également d'importantes allusions, qui rappellent le *Parménide* (*), aux difficultés de concevoir les idées comme de rigides unités transcendant les êtres particuliers auxquelles elles se rapportent, et on peut même y relever une anticipation de la doctrine cosmologique qui sera développée dans le *Timée* (*). Les personnages sont Socrate, Philèbe et Protarque ; mais dès le début du dialogue, qui s'ouvre sur une discussion déjà entamée, Philèbe, fatigué, laisse à son ami Protarque le soin de défendre sa thèse : selon lui, le bien s'identifie avec le plaisir, tandis que pour Socrate le bien se confondrait avec l'intellect. L'identification grossière et en même temps captieuse d'après laquelle, au dire de Philèbe, le plaisir est la divine Aphrodite elle-même offre à Socrate l'occasion d'inviter ses interlocuteurs à examiner leurs idées au crible de la dialectique : « don de Prométhée », celle-ci leur permettra de discuter d'une manière qui ne soit plus seulement hypothétique. Puisque le bien se reconnaît à trois caractères : la perfection, la suffisance et le fait qu'il est désiré de tous, les thèses opposées de Philèbe et de Socrate s'écroulent, et il convient de reconnaître le véritable bien dans un mélange équilibré de plaisir et d'intelligence. Si le premier prix revient à cette « vie mixte », il reste à examiner auquel des deux éléments revient le second prix. Pour arriver à une conclusion, Socrate distingue dans l'univers les aspects qu'on y peut reconnaître : l'« illimité », toujours susceptible de transformations, c'est-à-dire le devenir (et plaisir et douleur sont à inscrire dans cette catégorie, car ils sont toujours variables) ; la « limite », ce qui est en soi mesure (en font partie, bien que Socrate le laisse seulement entendre, les idées comme « archétypes » séparés du monde sensible) ; le « mêlé », c'est-à-dire ce qui résulte de la limitation et de l'illimité (en font partie toutes les choses concrètes, y compris la vie humaine) ; enfin, la « cause » qui opère une telle limitation : ce serait l'esprit, élément régulateur dans la vie humaine comme dans l'univers. À la base de ces prémisses générales, on peut distinguer dans la connaissance divers plans hiérarchiquement ordonnés, à partir du plan de la plus grande pureté, représenté par la dialectique, pour descendre, en passant par l'arithmétique et les autres sciences pratiques, aux arts, où l'exactitude est remplacée par la conjecture. Parallèlement varient en importance les contributions que les divers degrés de la connaissance apportent au bien de l'âme. Mais c'est à une analyse semblable à celle à laquelle on a soumis la connaissance que doit être également soumis le plaisir, dans lequel Socrate a déjà reconnu initialement un élément déterminant du bien et du bonheur.

À ce point du dialogue, Protarque prend la parole et, contre l'assertion de ceux qui prétendent que les plaisirs doivent être distingués en vrais et en faux, il fait valoir que les catégories de vrai et de faux ne peuvent s'appliquer qu'aux idées et non aux sentiments ; c'est pourquoi le plaisir (comme la douleur), en tant qu'émotion vécue, est toujours vrai, encore se fonderait-il sur une représentation erronée. Mais, selon Socrate, la « fausseté » d'un plaisir tient aux conditions qui l'ont fait naître. En effet, quand le plaisir consiste dans l'assouvissement d'un besoin physique (Socrate se sert à cet effet d'un exemple grossièrement persuasif, « se gratter lorsqu'on a la gale »), il consiste proprement en un sentiment « mélangé », où se marient la douleur, c'est-à-dire le besoin, et le plaisir, c'est-à-dire la satisfaction ; or, dans ce cas, précisément, on doit dire que le plaisir est « faux ». Au contraire, les plaisirs vrais sont les plaisirs « sans mélange », ou « purs », qui ne dépendent pas d'une base corporelle, mais ont leur origine uniquement dans l'esprit, et qui consistent donc en plaisirs intellectuels, les seuls qui soient un véritable bien. Mais cela est loin de suffire ; malgré cette radicale limitation, le plaisir n'occupe que le cinquième rang parmi les éléments constitutifs du bien, étant précédé d'abord par la mesure, ensuite par la beauté, puis par l'intellect et enfin par les sciences, les arts et les opinions droites. Ce mélange d'éléments n'est pas accidentel ; il s'inspire de critères déterminés, qui sont la limite, la proportion et la vérité. Ces critères, ainsi qu'on l'a vu, constituent les trois éléments du mélange lui-même : la limite est la mesure représentée par les sciences parfaites, la proportion signifie la science du beau, et la vérité (sous son aspect subjectif) n'est autre que l'intellect. Ce classement par quoi se termine ce dialogue des plus complexe nous donne une idée de la sagesse telle que la concevait Platon, ensemble de qualités esthétiques, morales et intellectuelles, de l'équilibre desquelles naît cette santé spirituelle qui s'identifie avec le bien et avec le bonheur. De la sorte se trouvent dépassés aussi bien l'hédonisme, qui cependant est conservé en ce qu'il offre de valable, que l'intellectualisme éthique de Socrate. — Trad. Gallimard, 1940 ; Les Belles Lettres, 1941.

PHILÉMON ET BAUCIS. Opéra-comique en trois actes du compositeur français Charles Gounod (1818-1893), sur un livret de Jules Barbier et Michel Carré. Composée en 1859, cette partition date de la grande époque créatrice de Charles Gounod. *Philémon* ne révolutionne pas la conception du théâtre lyrique de la fin du XIXe siècle ; il s'agit d'une suite d'airs, de duos et d'ensembles où Gounod a largement dépensé sa verve de mélodie, mais où l'orchestre ne joue qu'un simple rôle d'accompagnement. *Philémon* est plus proche sans doute de l'opérette que de la comédie lyrique. Les dieux de l'Antiquité y sont gentiment parodiés et aimablement moqués par les pauvres hommes qu'ils croient leurs serviteurs. Gounod traite le sujet de *Philémon* dans le style bouffe, en ménageant toutefois de grandes coulées lyriques pour exprimer l'amour fidèle, éternel et symbolique de Philémon et Baucis. Présenté à l'Opéra le 18 février 1860, *Philémon et Baucis* n'obtint qu'un succès très limité. Gounod décida de supprimer le deuxième acte et d'émigrer sur la scène plus étroite de l'Opéra-Comique. C'est ainsi que, le 16 mai 1876, *Philémon et Baucis* connut une seconde naissance, triomphale cette fois.

PHILIPPIQUES de Démosthène [*Φιλιππικοί*]. C'est sous ce titre que les érudits alexandrins désignèrent quatre discours de l'orateur et politicien grec Démosthène (384-322 avant J.-C.), qui furent prononcés parfois à plusieurs années d'intervalle, mais qui présentent des affinités de sujet en ce qu'ils se proposaient tous d'inciter les Athéniens à une guerre totale contre Philippe de Macédoine. Le premier discours est de 351 ; il contient un plan de guerre détaillé, selon lequel l'offensive devait être portée chez l'ennemi, ce qui lui retirerait l'initiative stratégique et politique. La guerre traînait depuis six ans, et du fait de leur inertie les Athéniens étaient partout arrivés trop tard. Plus que de promptes décisions, Démosthène demandait que l'on envoyât non des armées de mercenaires, mais, autant que possible, des citoyens athéniens. Il proposait en outre un plan de financement détaillé pour l'équipement des expéditions. Le second discours fut prononcé en 344 : Athènes avait été obligée, deux ans plus tôt, d'accepter une paix qui donnait à Philippe la suprématie dans la Grèce septentrionale. Or il se servait des mécontents du Péloponnèse pour s'opposer à Sparte et, à travers celle-ci, à Athènes. Démosthène s'efforce de démontrer que, dès le début, toute l'action de Philippe a été dirigée contre Athènes qui, à vrai dire, est le seul et véritable obstacle à ses projets de conquête. L'analyse pénétrante des actions et des intentions du roi l'amène à proclamer l'impérieuse nécessité qu'il y a d'agir au plus vite, et le pousse à s'en prendre avec force aux partisans d'un accord avec la Macédoine. La troisième *Philippique* (dont nous possédons deux rédactions, qui semblent être de Démosthène lui-même) est de 341. La paix avec Philippe s'était gâtée à la suite de ses menées contre les possessions athéniennes de la Chersonèse. Mais le dernier choc était maintenant imminent ; il eut lieu en 338, à Chéronée. La voix de Démosthène s'élève à présent pour opposer la politique profondément immorale de Philippe à la politique que la tradition impose à tous les Grecs, et en particulier aux Athéniens. Mais à l'éloquente évocation des gloires passées fait contraste la condamnation de l'avilissement dans lequel la Grèce était tombée ; l'immoralité, devenue maîtresse des milieux politiques, était une maladie répandue dans toute la Grèce ; comme s'il prévoyait l'avenir, l'orateur laisse échapper des mots amers, révélant sa crainte que les erreurs de son peuple ne soient voulues par un démon qui l'entraîne à l'abîme. Et cependant, il n'est pas possible d'indiquer une autre voie aux Athéniens : « Mieux vaut mille fois mourir que s'avilir en flattant Philippe. » Dans ce discours, sévère et d'un ton élevé, se révèle la haute conception morale de Démosthène. La quatrième *Philippique* — réunion de fragments de différents discours de Démosthène — présente cependant d'indubitables caractères d'authenticité. On pense que ce discours ne fut jamais prononcé, mais qu'il dut être diffusé par écrit, sans poursuivre un but précis, mais seulement pour tenir en éveil, à Athènes, l'esprit antimacédonien. Si ces quatre discours offrent, du fait d'une situation différente au moment de leur composition, bien des divergences dans les sujets et le ton, on retrouve cependant dans tous les qualités majeures de l'œuvre de Démosthène, aussi bien du point de vue artistique que du point de vue politique. L'analyse que l'orateur fait chaque fois des actions de Philippe est très perspicace : bien qu'il condamne ses méthodes et ses buts, on voit clairement l'admiration que l'Athénien éprouvait pour l'infatigable activité, pour l'habileté diplomatique et guerrière, pour l'audace des projets et des réalisations du roi de Macédoine. Il eut une sûre intuition des questions concernant la guerre ; quelques observations de Démosthène sur la manière démodée dont les Grecs faisaient la guerre, en comparaison des méthodes modernes de Philippe (il menait une guerre totale et il conservait toujours l'initiative stratégique), frappent par leur justesse, et aujourd'hui encore ont un intérêt certain. Mais dans toutes les *Philippiques* apparaît avec évidence la passion avec laquelle Démosthène cherche à secouer l'apathie de ses concitoyens. Il fait la satire de leur armée de mercenaires, qu'il appelle des « épistolaires », car ils ne sont actifs que dans les lettres et les comptes rendus des généraux ; il raille les magistrats qui, au lieu d'aller à la guerre, restent à célébrer les fêtes religieuses ; il compare la stratégie des Athéniens — qui ne sont pas capables d'autre chose que de parer comme ils peuvent les coups de Philippe — à la défense des combattants barbares (« Lorsque l'un d'eux reçoit un coup, il porte aussitôt la main à l'endroit touché ; et quand il lui en arrive un autre en un autre point, ses mains se précipitent là, mais il ne sait ni parer, ni prévoir ») ; il fait la caricature des Athéniens qui se promènent en oisifs et demandent quelles sont les nouvelles, comme si le fait qu'un Macédonien est en guerre contre Athènes n'en était pas une suffisante. Les *Philippiques* sont un témoignage de la valeur morale de l'œuvre de Démosthène, où la voix de la tradition athénienne retentit comme une remontrance et un reproche. On ne peut l'accuser de n'avoir pas secondé la marche des événements dont allait en fait sortir l'unité de la Grèce ; pour les Grecs, cette unité était esclavage : c'est une tout autre unité que prêchait Démosthène, en poussant Athènes à reprendre la guerre contre les Barbares au profit de tous les Grecs. — Trad. dans *Harangues*, Belles-Lettres, 1924-25.

★ Sous le même titre, *Philippiques* [*Filippiche*], c'est un but analogue que se proposent les deux discours politiques du poète italien Alessandro Tassoni (1565-1635) parus sous le manteau vers la fin de 1614 et le début de 1615, et dont la critique attribue, presque à l'unanimité, la paternité à Tassoni, bien que ce dernier, probablement par crainte de vengeance, niât sous serment les avoir écrits. Dans la première, il s'adresse aux princes et aux seigneurs italiens, chez qui, espère-t-il, les croix et les titres par lesquels l'Espagne achète leur soumission n'ont pas complètement éteint la flamme généreuse qui, un jour, domina le monde. Qu'ils n'abandonnent pas Charles-Emmanuel Ier de Savoie qui a levé l'épée contre l'Espagne pour défendre la cause de la dignité et de la liberté. Dans la seconde *Philippique*, l'auteur, encouragé par les récents succès du duc, poursuit une rapide description sarcastique de l'Espagne, avec ses terres désolées et dépeuplées ; ce monstrueux cyclope qu'est l'Empire espagnol n'a que l'œil de l'Italie pour lui donner la vue. Ces deux discours ne sont pas seulement l'un des documents les plus significatifs de cette vaste littérature antiespagnole qui eut son centre à Turin et trouva des échos à travers toute l'Italie ; ils sont aussi parmi les meilleurs échantillons du genre oratoire politique.

PHILIPPIQUES CONTRE ANTOINE (Quatorze) [*In M. Antonium orationes XIV*]. Plaidoiries que composa l'écrivain latin Cicéron (106-43 av. J.-C.) entre 44 et 43, et qui furent appelées *Philippiques*, en souvenir et en imitation des Discours de Démosthène. Ce sont les derniers *Discours* (*) qu'ait écrits Cicéron. Dans le premier (2 septembre 44, au Sénat), Cicéron, dans un désir de conciliation, propose à la fois la ratification des « actes de César » et l'impunité de ses meurtriers. Antoine, irrité d'être rendu responsable de tout ce qui s'est passé depuis les ides de mars, attaque au Sénat Cicéron absent. Celui-ci, dans la seconde *Philippique* qui ne fut pas prononcée mais publiée, critique violemment la vie et les intentions scélérates d'Antoine qui, maintenant, a abandonné Rome et combat contre Decius Brutus. Dans la troisième *Philippique*, Cicéron souhaite la victoire de Brutus et salue Octave (19 ans) comme un libérateur. Dans la quatrième, il communique au peuple la décision prise par le Sénat de s'opposer à Antoine. Dans la cinquième, il donne des renseignements sur la situation de la guerre après un rapport des deux consuls Hirtius et Pansa. Dans la sixième, s'adressant au peuple, il le met au courant des pourparlers de paix menés par trois ambassadeurs ; mais dans la septième il se prononce contre toute paix, et dans la huitième il insiste sur la nécessité de continuer la guerre. Dans la neuvième, il propose que les honneurs funèbres soient rendus à l'un des ambassadeurs envoyés à Antoine, et qui trouva la mort au cours de sa mission. Dans la dixième ainsi que dans la onzième, il se prononce en faveur de Marcus Brutus et de Cassius, pour qu'ils conservent les provinces orientales qu'Antoine et Dolabella réclament pour eux-mêmes. Dans la douzième, il rend compte de la reprise des pourparlers de paix avec Antoine, qui s'avèrent inutiles. Dans la treizième, il démontre par une lettre d'Antoine comment, avec un tel ennemi de la patrie, il est absolument impossible de conclure la paix. Avec la quatorzième parvient la nouvelle qu'Antoine a été vaincu à Modène : Cicéron ordonne une fête d'actions de grâce et demande qu'un monument soit élevé en l'honneur des soldats morts. Mais le bonheur de Cicéron sera de courte durée ; car, Hirtius et Pansa morts, Antoine formera avec Octave et Lépide le second triumvirat et fera tuer l'orateur par ses sicaires. Le noble mais malheureux retour à la vie politique de Cicéron, marqué par les *Philippiques*, le trouve de nouveau à la tête de la classe sénatoriale, comme au temps de Catilina. Mais, cette seconde et dernière fois, pesait sur le défenseur de la République mourante le sacrilège du meurtre de César. L'idée nouvelle, celle du principat, même si elle était personnifiée à ce moment par un homme indigne, qui devait montrer un peu plus tard sa mégalomanie, était pourtant destinée à s'affirmer : Antoine ne disparaîtra de la scène politique romaine que pour céder la place au tout jeune Octave, en qui Cicéron lui-même mettait son espoir. Les quatorze discours sont de longueur variable et d'une valeur littéraire inégale : les plus fameux, à juste titre, sont les deux premiers, écrits alors qu'Antoine ne s'était pas encore déclaré ennemi du Sénat. — Trad. Les Belles Lettres, 1959 (I-IV) et 1960 (V-XIV).

PHILOBIBLON. Ce livre en latin est le plus ancien ouvrage de bibliophilie que nous ait laissé le Moyen Âge. Il constitue, en outre, l'unique écrit (à la fois autobiographie et testament) que l'on connaisse de son auteur : Richard dit « de Bury » (fils de sir Richard Aungervyle), né le 24 janvier 1281 à Bury St. Edmunds, et non Robert Holkot, comme on l'a longtemps soutenu par erreur. Après avoir fait ses études à Oxford, Richard fut successivement évêque de Durham, grand chancelier, puis trésorier d'Angleterre sous Édouard III ; c'est lui qui fonda la bibliothèque d'Oxford. Ambassadeur à la cour pontificale d'Avignon, il y rencontra Pétrarque. Richard mourut en 1345, trois mois environ après avoir achevé son œuvre. On l'a qualifié de bibliomane : et certes, il ne cache pas sa passion pour les manuscrits et les livres précieux, allant même jusqu'à prétendre qu'eux seuls peuvent nous donner la sagesse, et nulle somme, à ses yeux, n'est trop forte pour les acquérir. Dans *Philobiblon,* il fait parler les livres comme des personnes et leur fait dire, par exemple, maintes vérités sévères à l'adresse des clercs et des religieux, possédants ou mendiants, qui ne savent estimer à leur prix les trésors des bibliothèques. Richard, paraphrasant un passage du *Pro Archia* de Cicéron, célèbre les avantages spirituels que les livres nous offrent. L'ouvrage prend fin sur un émouvant adieu au lecteur, où Richard de Bury l'adjure de prier pour le repos de son âme. Le *Philobiblon* était très répandu au xve siècle.

La première édition imprimée est celle de Cologne (1473). Après des siècles de silence, le texte fut réimprimé à Stockholm en 1922. C'est seulement dans la dernière partie du xixe siècle que la figure et l'œuvre de Richard de Bury ont fait l'objet d'une étude approfondie de la part des philosophes américains, anglais et allemands. *Philobiblon* a été traduit dans toutes les principales langues européennes. — Trad. *Philobiblon, excellent traité sur l'amour des livres,* Aubry, 1856.

PHILOCALIE DES PÈRES NEPTIQUES [*Philokalia tôn hierôn nèptikôn*]. Recueil de textes patristiques, publié par Nicodème l'Hagiorite à Venise en 1782. Philocalie signifie « amour de la beauté », celle qui, avec le bien, est l'objet de la contemplation. Neptique signifie « tempérant » et désigne la sobriété de l'âme, le dépouillement de la pensée, le jeûne de l'esprit qui sont la condition de la prière pure et de la contemplation. Le titre complet du recueil est : *Philocalie des pères neptiques, composée à partir des écrits des saints Pères qui portaient Dieu, et dans laquelle, par une sagesse de vie, faite d'ascèse et de contemplation, l'intelligence est purifiée, illuminée, et atteint à la perfection.*

Le premier éditeur de la *Philocalie*, Nicodème l'Hagiorite (1748-1809), en fut le compilateur avec l'évêque de Corinthe Macaire (1731-1809) qui en avait découvert le manuscrit et élaboré le texte ; ensemble, ils furent les artisans de la renaissance de la spiritualité orthodoxe à la fin du xviiie siècle.

Cette spiritualité, incarnée par le monachisme contemplatif de l'Orient et connue sous le nom d'hésychasme, accorde une grande importance à la « prière du cœur », c'est-à-dire à la contemplation intime, la « vie cachée dans le Christ », dans la solitude et la paix. Cet hésychasme ne va pas sans méthode et techniques qui concernent la respiration, la posture et surtout la « prière de Jésus » qui est une invocation (« Seigneur Jésus-Christ, Fils de Dieu, ayez pitié de moi, pécheur ») considérée comme quasi sacramentelle. La *Philocalie* venait rappeler aux orthodoxes la tradition ininterrompue depuis les Pères du Désert (IVe siècle) jusqu'à la grande période de saint Grégoire Palamas (XIVe siècle).

C'est un important volume : la première édition était un in-folio de mille deux cent huit pages sur deux colonnes. Y étaient rassemblés des textes et extraits de plus de trente auteurs : saint Antoine le Grand, moine du désert de Scété au IVe siècle, ouvre le corpus avec des « Exhortations » à consonance stoïcienne. Viennent ensuite Isaïe l'Anachorète, qui mourut dans un monastère de Gaza en 491 ; Évagre du Pont (345-399) ; l'abbé Jean Cassien, qui arriva à Marseille en 415 où il fonda l'abbaye de Saint-Victor ; Marc l'Ascète, dont nous savons peu de chose ; Hesychius de Batos, abbé du monastère du Buisson ardent au Sinaï (VIIe siècle) ; saint Nil, qui porte le nom de plusieurs moines d'Asie Mineure et d'Égypte ; Diadoque, évêque de Photicé au Ve siècle ; Jean, évêque de l'île de Carpathos en mer Égée au VIIe ; Théodore d'Édesse, moine près de Jérusalem au IXe siècle, dont le texte semble un montage ; Maxime le Confesseur, mort en 753 à 82 ans et dont l'œuvre synthétique est une des plus représentatives de la philocalie ; Thalassius l'Africain ou le Libyen, qui reçut Maxime le Confesseur en 626 ; Jean Damascène (675-749) ; l'abbé Philémon, anachorète égyptien au VIe siècle ; Théognoste (« connu de Dieu ») de Constantinople ; Philothée le Sinaïte, lointain successeur d'Hesychius ; Élie l'Ecdicos, auteur important et inconnu ; Théophane le Climaque, qui n'occupe que deux pages et dont nous ne savons rien, pas plus que de Pierre le Damascène, dont l'œuvre occupe plus de cent quarante pages de la *Philocalie* ; Macaire l'Égyptien, contemporain et disciple d'Antoine, maître d'Évagre ; Syméon le Nouveau Théologien, fou de Dieu et bâtisseur (949-1022) ; Nicétas Stéthatos (« le courageux »), mort en 1090 au monastère de Stoudios à Constantinople ; Théolepte de Philadelphie, né à Nicée en 1250, mort vers 1320 ; Nicéphore Gregoras l'Hésychaste (1295-1360) et Grégoire le Sinaïte, mort en Macédoine au XIVe siècle, qui furent les artisans de la réforme du mont Athos ; Grégoire Palamas surtout, né à Constantinople en 1296, mort à Thessalonique en 1359, le plus grand théologien de l'hésychasme ; Calliste et Ignace, les Xanthopouloi qui furent moines au mont Athos au XIVe siècle ; Calliste le Patriarche qui est peut-être Calliste Xanthopoulos, de même que Calliste Cataphygiotis (« celui qui se réfugie ») ; Calliste Télicoudès (« l'accomplissement ») dit encore l'Angélique, qui fut leur contemporain dans un petit monastère de Macédoine ; Syméon de Thessalonique, archevêque de cette ville au début du XVe siècle, au moment de la dissolution de l'Empire byzantin. L'ensemble s'achève avec quelques opuscules en grec démotique, le grec moderne parlé, traduits probablement par les compilateurs eux-mêmes. On y retrouve certains textes déjà présentés, des textes anonymes ou attribués à Marc Eugénicos (archevêque d'Éphèse mort en 1429), à Théophane de Vatopédi : à ce dernier est attribuée la « Vie de Maxime dit le Capsocalyvite », c'est-à-dire le « brûleur de huttes », parce que au mont Athos, au XIVe siècle, il brûlait ses demeures successives.

De cette masse de textes plus ou moins longs, plus ou moins authentiques, plus ou moins originaux et plus ou moins répétitifs, il ressort une extraordinaire richesse spirituelle. Le succès de la *Philocalie* fut énorme, jusqu'en Russie et dans les milieux populaires, comme en témoignent l'auteur des *Récits d'un pèlerin russe* (*) et, aussi bien, la canonisation en 1955 de Nicodème l'Hagiorite. En France même, Jean Gouillard a donné en 1953 la traduction de larges extraits sous le titre de *Petite philocalie de la prière du cœur*, et la redécouverte de l'Église d'Orient, grâce au mouvement œcuménique, a provoqué la traduction intégrale en français de la *Philocalie*. – Trad. Abbaye de Bellefontaine, 11 vol., 1979-1991.

J.-P. L.

PHILOCOPE (Le) [*Il Filocolo*]. Roman de l'écrivain italien Jean Boccace (1313-1375) en sept livres, écrit à la demande de Fiammetta, autrement dit Maria d'Aquino, fille naturelle du roi Robert d'Anjou. Les critiques discutent encore sur la date de sa composition ; d'après certains, le roman aurait été écrit en entier au cours des dernières années du séjour de Boccace à Naples, approximativement entre 1336 et 1340 ; pour d'autres, Boccace aurait interrompu la composition de son roman vers la fin du troisième livre, après la grave désillusion causée par sa rupture avec Fiammetta, et l'aurait repris et terminé à Florence entre 1341 et 1345. Le titre du roman lui aussi a donné lieu à bon nombre de discussions jusqu'au XVIe siècle. *Filocolo*, dans l'intention de l'auteur, voulait dire « fatigue d'amour » : on est en droit de supposer qu'il s'agit là d'un lapsus, la connaissance que Boccace avait du grec étant assez sommaire. C'est probablement *Filopono* qu'il aurait dû mettre, ainsi que cela a été corrigé dans une édition vénitienne de 1527. Le sujet du roman est la légende de Floire et Blancheflor connue dans toutes les langues d'Europe. Les sources probables de Boccace sont, outre la tradition orale, la chanson anonyme de *Floire et Blancheflor* (*) et un petit poème franco-vénitien qui a été perdu, tous deux découlant de deux versions françaises homonymes du XIIIe siècle.

Le but visible de Boccace fut de soustraire la délicate légende médiévale au « langage imagé des ignorants », pour la transposer dans un climat plus élégamment et plus solennellement littéraire. Le résultat fut en effet un roman docte, très littéraire, s'épanouissant avec luxuriance en une série d'intrigues plus compliquées les unes que les autres, comportant à la fois des épisodes réalistes, romanesques et autobiographiques. Dans les premières pages du livre, le sujet du roman, selon un procédé qui annonce déjà celui qu'il emploiera plus tard dans le *Décaméron* (*), est raconté avec une pointe d'humour et de réalisme. Sous une forme symbolique et mythologique, cette introduction contient de nombreuses allusions à la situation politique contemporaine. Puis l'auteur découvre dans un temple une jeune femme d'une beauté admirable, qui devient aussitôt la dame de ses pensées. Quelques jours plus tard, il a la chance de revoir sa belle en compagnie d'autres dames, dans un temple appelé « le prince des célestes oiseaux » (l'église du monastère de Sant'Arcangelo à Balano). Il réussit à se faire admettre parmi cette aimable compagnie, et comme sa dame manifeste le désir d'entendre, sous une forme agréable et littéraire, le récit des aventures amoureuses de Floire et Blancheflor, et prie l'auteur d'en composer un petit livre en langage courant, celui-ci se met immédiatement au travail pour la satisfaire. C'est ainsi que l'histoire commence.

Aux premiers temps du christianisme, un noble Romain descendant des Scipions, Quinctus Lelius l'Africain, se rend avec sa femme et sa suite en pèlerinage au sanctuaire de Saint-Jacques-de-Compostelle pour y accomplir un vœu. À leur arrivée en Espagne, ils sont, à la suite d'une erreur diabolique, assaillis par les soldats du roi Félix. Lelius et ses compagnons sont tués, tandis que sa femme, Julia Topazia, est accueillie avec tous les honneurs, à la cour du roi qui a réalisé, trop tard, l'erreur à laquelle il a été entraîné. Julia donne naissance à une fille, Blancheflor, puis meurt. Le même jour la reine met au monde un garçon, Floire. Les deux enfants grandissent ensemble ; adolescents, ils se prendront d'amour l'un pour l'autre. Le roi décide alors de les séparer. Il envoie Floire continuer ses études dans la ville voisine de Montorio, alors que Blancheflor est embarquée sur un navire à destination de l'Orient. Floire, lorsque cette nouvelle lui parvient, adopte le nom de Philocope et s'engage dans un long et périlleux voyage à la recherche de Blancheflor. Le bâtiment vogue vers la Sicile, mais une tempête le chasse sur Naples où notre héros est accueilli avec honneur à la Cour ; il y séjourne environ cinq mois. Il y connaît Fiammetta et Caleone son amant (Boccace), prend part à une cour d'Amour devant laquelle sont posées et débattues treize questions sur l'amour, dont deux (la quatrième et la treizième) ont servi de sujet à deux longues nouvelles que l'on peut retrouver dans le *Décaméron* (Journée X, 4 ; X, 5). Cet épisode, extrêmement long, est l'un des plus typiques ; car sous les termes tout à fait transparents de la convention romanesque ressort une vaste description des goûts et des coutumes de la haute société napolitaine à l'époque du séjour de Boccace. Floire reprend son voyage et aborde à Alexandrie en Égypte. Là, il apprend que Blancheflor est gardée dans une tour et qu'elle est la prisonnière de l'Amiral. Ayant corrompu le gardien, il réussit, caché dans une grande corbeille de roses, à pénétrer dans la chambre de l'aimée. Découverts par l'Amiral, les deux amants sont condamnés à mort : ils seront sauvés par l'intervention de Vénus, qui rend leurs corps invulnérables. Vient ensuite une bataille entre Floire et ses amis et les troupes de l'Amiral. Enfin celui-ci, touché par tant d'amour et par la valeur des combattants, pardonne à tous et fait célébrer le mariage de Floire et Blancheflor, ce qui lui permet de découvrir que Floire est son neveu. Les deux héros prennent alors le chemin du retour. Ils s'arrêtent à Naples et à Rome. Convertis au christianisme, ils retournent en Espagne, où ils se font les propagateurs ardents de la religion nouvelle. La disproportion entre le sujet et son développement est évidente. Mais il apparaît non moins clairement que Boccace n'était nullement retenu par des scrupules d'économie narrative et que la légende ne lui offrit que le canevas pour développer, en une trame assez compliquée, les éléments les plus divers de son expérience et de sa culture. D'où la saveur anachronique de ce roman. Ce ne sont que fastes, élégances, décors prestigieux, le tout formant une des manifestations les plus brillantes de l'éclectisme de Boccace, mélange de réalisme et de fantaisie. L'invention, elle-même, réduite à très peu de chose si l'on considère l'économie générale du roman, se retrouve au contraire très vivante dans les divers épisodes et se manifeste surtout dans la forme, libre et pleine d'aisance, animée qu'elle est par un joyeux et voluptueux souffle lyrique. — Trad. Gadoulleau, 1575.

PHILOCTÈTE [Φιλοκτήτης]. Tragédie du poète tragique grec Sophocle (496 ?-406 av. J.-C.) qui fut jouée en 409 avant notre ère. Elle s'inspire d'un épisode de la phase finale de la guerre de Troie. Philoctète était en possession d'armes (dans la fable sophocléenne, ce sont celles d'Héraclès) sans lesquelles la cité ne pouvait être prise. Or le guerrier avait été abandonné sur l'île de Lemnos par les troupes achéennes au début de l'expédition : une blessure due à la morsure d'un serpent s'était infectée et répandait une puanteur insupportable ; la souillure empêchait l'accomplissement des rites. On avait donc décidé d'abandonner le malheureux sur l'île de Lemnos, que Sophocle nous représente inhabitée. Ulysse et Néoptolème, le fils d'Achille, que l'on est allé chercher après la mort de son père parce que sa présence était également nécessaire à la victoire, apparaissent les premiers sur scène. Ulysse explique à Néoptolème son rôle : puisqu'il peut s'approcher de Philoctète sans éveiller sa méfiance, il devra, par la ruse, séduire en sa faveur l'âme du héros, lui prendre ses armes sans lui faire violence et l'amener à le suivre sur le navire. Sans ces armes, Troie ne peut être prise ; elle ne peut l'être non plus si elles sont enlevées avec violence. Ulysse se retire : l'issue de la situation dépend tout entière de Néoptolème. Celui-ci réussit d'abord à séduire Philoctète et à se faire confier les armes convoitées. Mais, par un dernier scrupule, il ne peut s'empêcher de révéler à son compagnon la machination dont il est victime. Celui-ci refuse désormais de composer : il est sourd aux explications d'Ulysse apparu sur ces entrefaites et aux arguments de Néoptolème, qui lui a rendu ses armes. Il faudra une apparition d'Héraclès pour vaincre sa résistance.

Le scrupule qui fait parler Néoptolème révèle-t-il un trait de noblesse morale ou un défaut de résistance intérieure ? Pour l'interprétation de la pièce, la question n'est pas sans importance puisque l'échec du plan d'Ulysse et ensuite l'impuissance des hommes à provoquer la réconciliation découlent de cette péripétie. Philoctète semble bien appartenir à la lignée de ces héros sophocléens, entiers, qui ne voient que le droit de leur cause, souhaitant que l'univers périsse plutôt que de rien céder sur leur honneur : Néoptolème a beau se faire le garant de l'explication du devin, il ne concédera pas à Agamemnon la faveur de prendre Troie. Dans l'esprit de Philoctète, sans doute est-il inconcevable que les dieux cautionnent une victoire en faisant fi du respect dû à l'humanité. Car, à la différence des autres héros, ce n'est plus pour un titre spécial à la reconnaissance que Philoctète se bat. Il a pour lui la profondeur de la souffrance : on a trahi sa confiance pendant le sommeil de sa maladie, on l'a abandonné à la solitude la plus totale pendant dix années ; sa survie certes était assurée, puisqu'il disposait des traits invincibles de son arme, mais dans des conditions proches de l'animalité. Il n'y avait pas de place pour lui dans le monde d'Ulysse et d'Agamemnon, et l'on voudrait qu'il contribue à l'éclat d'une victoire qui en exalterait la grandeur ? À ce degré de profondeur d'une blessure causée par le mépris de son humanité, l'âme de Philoctète ne pouvait être séduite et retournée en faveur d'une cause commune. La réconciliation de l'affectivité et de la raison ne pouvait venir des hommes. C'est sans doute le mérite de Néoptolème d'avoir su oublier que les armes de Philoctète auraient pu lui apporter la gloire et de s'être ainsi laissé toucher par le sentiment d'une dignité bafouée dont rien ne peut réparer la blessure. Le déblocage de la situation ne pouvait donc venir que de l'au-delà, par la médiation d'Héraclès. En effet, Philoctète possède les armes que ce dernier lui a données pour le remercier d'avoir allumé, sur l'Oeta, le feu du bûcher qui devait mettre fin à d'insupportables souffrances. Toutefois, dans une pièce antérieure, *Les Trachiniennes* (*), Sophocle avait évoqué la mort d'Héraclès en des termes assez ambigus pour laisser douter qu'elle ait été l'occasion d'une apothéose. Dans *Philoctète*, le fils de Zeus et d'Alcmène vient des demeures célestes où il se trouve par un mérite impérissable, qu'il s'est acquis par ses travaux et ses souffrances. Il invite Philoctète à l'imiter. À n'en pas douter, le point de vue de Sophocle a changé. À l'heure où agonise la puissance athénienne fondée sur la démocratie, ce n'est pas seulement sa réflexion sur la tragédie du sens qu'il poursuit – v. *Trachiniennes, Œdipe roi* (*), *Électre* (*) – ce n'est pas non plus une simple leçon de sagesse politique qu'il voudrait suggérer (la conciliation des valeurs démocratiques et aristocratiques), c'est sa sensibilité à l'humain qu'il approfondit. Philoctète, leur ultime avatar, a plus que la raideur obstinée et la douleur déclamatoire des grands héros traditionnels lorsqu'ils se considèrent bafoués, les Héraclès, Œdipe, Achille, Ajax et autres Électre. S'il élève une plainte, dont le chant est plus pur même que celui d'Antigone au moment où elle va être emmurée vive, c'est que rien ne peut satisfaire à la demande de réparation de celui qui a dû subir un déni d'humanité (et c'est aussi ce que tout individu subit au fond de lui-même quand il est mesuré à l'aune de l'intérêt commun). La plainte que son humanité bafouée élève est aussi insensée que celle du vent ou que le mugissement des vagues qui, pendant dix ans, ont été les seuls échos reprenant pour les répercuter vers les lointains vides ses cris de douleur. Elle ne peut entrer dans aucun système d'équivalence. On ne peut composer avec elle, surtout pas de l'héroïsme. – Trad. Les Belles-Lettres, 1947 ; par Jean Grosjean, Gallimard, 1967. A. Sa.

★ C'est du même mythe que s'inspirèrent Eschyle (525-456 av. J.-C.) et Euripide (484-406 av. J.-C.) dans deux œuvres qui ne sont pas parvenues jusqu'à nous. On sait cependant que, dans la tragédie d'Eschyle, c'est Ulysse lui-même qui, après avoir conseillé d'abandonner Philoctète, va à Lemnos le chercher ; leur rencontre est le nœud dramatique de l'action. L'œuvre d'Euripide, représentée en 432 avant J.-C., acquiert plus de mouvement du fait qu'en même temps qu'Ulysse et Diomède arrivent à Lemnos quelques envoyés troyens. Une comédie mythique d'Épicharme s'intitule également *Philoctète*. Épicharme vécut à Syracuse pendant les dernières décades du VIe siècle et les premières du Ve, et son œuvre littéraire peut être considérée comme la plus significative dans l'histoire de la comédie dorico-sicilienne. Sous le titre de *Philoctète*, on peut encore mentionner une tragédie de Philoclès, neveu d'Eschyle, qui vécut au Ve siècle avant J.-C., et dont, comme de ses autres œuvres, il ne nous reste que quelques fragments, recueillis et publiés par Nanck, *Fragm. Trag. Græcorum*, Leipzig, Teubner. Un *Philoctète* fut encore écrit par Théodecte, célèbre dramaturge, très apprécié à son époque, et qui vécut probablement de 381 à 340 avant J.-C. Euphorion, poète et grammairien grec, qui vécut au IIIe siècle, disciple de Callimaque, composa divers petits poèmes d'un style compliqué et obscur, dont l'un est intitulé *Philoctète*, qui s'inspirent des aventures du héros grec. Les fragments qui nous sont restés de son œuvre furent publiés à Bonn en 1908 par Scheidweiler. Quintus de Smyrne (IVe siècle av. J.-C.) parle de Philoctète dans son poème les *Posthomériques* (*), ainsi que Valerius Flaccus (Ier siècle) qui ajouta aux aventures de Philoctète sa participation hypothétique à l'entreprise des Argonautes — v. *Argonautiques* (*).

★ Jean-François La Harpe (1739-1803) écrivit une tragédie *Philoctète*, qui parut en 1783. Bien que Voltaire eût en estime cette œuvre, elle est, de même que toutes les autres tragédies de cet auteur, assez médiocre.

★ André Gide (1869-1951) publia, en même temps qu'un autre « traité », *El Hadj* (*), *Philoctète ou le Traité des trois morales* (1899). C'est un récit sous forme de dialogues, qui reprend librement, au cours de cinq actes très brefs, le thème de la tragédie de Sophocle. Mais, avant tout, Gide, dans ce drame, se sert du mythe pour donner vie à des débats d'ordre moral ; il provoque diverses solutions avec la plus subtile éloquence, avant d'en arriver au triomphe du détachement absolu, seul capable d'engendrer une indépendance spirituelle illimitée. Le style sec et nerveux montre l'auteur parvenu au seuil de la maturité.

PHILOSOPHE ANGLAIS (Le) ou Histoire de M. Cleveland, fils naturel de Cromwell, écrite par lui-même, et traduite de l'anglais par l'auteur des Mémoires d'un homme de qualité. Roman de l'abbé Prévost (1697-1763), écrivain français, publié en huit tomes de 1731 à 1739. C'est le plus ample des romans de Prévost ; celui qui, avec *Manon Lescaut* (*), connaît au XVIIIe siècle le plus grand succès (une vingtaine d'éditions jusqu'en 1823) ; et qui, par son ambition, sa complexité, sa profondeur, peut être comparé à la *Nouvelle Héloïse* (*) ou à *Jacques le Fataliste* (*). *Cleveland* a été d'abord voulu et lu comme un roman noir. Bâtard d'un père monstrueux, condamné à la mélancolie par sa naissance et sa nationalité, persécuté, emprisonné, calomnié, jeté de caverne en désert, ballotté sur les océans et dans les cours d'Europe, victime des méchants comme de son aveuglement, le héros connaît les affres de la jalousie, des disparitions, des amours impossibles. La grande originalité du *Cleveland* est d'avoir intégré cette poésie du malheur à une quête désespérée du héros pour découvrir les conditions du bonheur et une vérité intérieure : *Cleveland* est aussi un roman de formation. Seul avec sa mère dans la caverne de Rumney Hall, le héros est d'abord initié à une philosophie naturelle déiste inspirée des moralistes. Après son périple américain, il revient en France et, s'interrogeant sur ces « principes » qui ne l'ont pas protégé, il est plongé dans des débats entre protestants, jésuites et jansénistes, qui agissent sur lui de façon dissuasive. Ayant retrouvé sa fille et sa femme, il se voue au plaisir, qui inspire un nouveau plan de vie systématique, est tenté par le matérialisme, et à la mort de sa fille, découvre les vertus apaisantes du christianisme. De manière ambiguë, Prévost fait de cette conversion l'aboutissement de la quête du héros, et il fait de cette quête l'illustration de la situation où se trouve l'homme de son temps, qui a perdu ses repères moraux, religieux, politiques, et n'a plus d'autre règle que son propre moi. *Cleveland* est aussi un roman philosophique qui montre l'homme soumis aux lois du désir comme à celles de l'action politique. Jamais Prévost n'a peint avec tant de force la violence brutale des passions, l'obscurité de la conscience à elle-même, le caractère irrationnel des conduites. Ainsi fait-il voir Fanny en proie aux délires de la jalousie, et quittant son époux au risque de passer pour adultère ; Cleveland, qui n'a point reconnu sa fille, sur le point de commettre un inceste ; Cécile, qui, pour devoir renoncer à son père, meurt de cet amour impossible ; le ministre de Sainte-Hélène, égaré par la fureur de la vengeance et conduisant à la ruine la colonie dont il a la charge. L'univers politique ne fournit à l'individu aucun moyen d'échapper à cette aliénation du désir, puisqu'il est lui aussi dominé par la passion, soit que le pouvoir qu'il procure en constitue l'objet, soit qu'il soit utilisé pour atteindre des fins personnelles. Pour Prévost, la passion n'est pas la victime de l'État, mais son moteur secret et autodestructeur. Ce phénomène est d'abord illustré par le succès de Cromwell, qui remet en question la stabilité et la légitimité de l'ordre monarchique européen, et fait intervenir le « peuple » au nom d'un idéal politico-religieux. L'évocation finale de la France épargne Louis XIV et vise sa politique religieuse : persécution contre les protestants, violences et arbitraires des ecclésiastiques, ridicules de l'apologétique jésuite. Prévost confronte ces deux représentations du pouvoir absolutiste à quatre sociétés imaginaires qu'il situe en Amérique. Il fait d'une petite communauté de protestants installée à Sainte-Hélène un modèle proche des utopies qui se condamne à l'échec par son refus pathologique des passions et sa folie d'égalité, et il présente trois types de « sauvages » face aux « Lumières » du voyageur européen : les Rointons, brutaux ; les Abaquis, éduqués par Cleveland et asservis à son ambition ; les doux Nopandes, dont Mme Riding sait aussi tirer profit. L'audace de Prévost dans *Cleveland* est d'avoir renoué avec le grand roman grec et baroque, avec ses aventures multiples et son pathétique, et d'en avoir fait le truchement d'une méditation angoissée sur l'homme moderne qui, toutes ses références disparues, cherche à se constituer dans son rapport à l'histoire et dans l'accomplissement de ses désirs, et se découvre prisonnier des forces de l'inconscient et des pièges du pouvoir.

J.-P. S.

PHILOSOPHES (Les). Comédie en trois actes de l'écrivain français Charles Palissot de Montenoy (1730-1814), représentée à Paris en 1760, où elle suscita un grand scandale ainsi que de vives polémiques de la part des principaux encyclopédistes qui s'y trouvaient offensés et calomniés. C'était là le but de Palissot, qui voulait faire reconnaître Diderot, Rousseau, Helvétius et Duclos dans les principaux personnages de la pièce. Cidalise, une dame de la haute société, qui se donne comme philosophe, bannit de son salon tous ses amis pour pouvoir se consacrer uniquement à ses études préférées, en compagnie de trois philosophes : Dortidius, Théophraste et Valère. Ceux-ci, en réalité, sont trois fieffés coquins qui, sous le couvert de la philosophie, ont trouvé le moyen de vivre aux crochets de la dame trop crédule. Cidalise a un secrétaire, apprenti philosophe, Carondas, qui n'est autre que Frontin, domestique de Valère, placé par celui-ci auprès d'elle comme agent secret de ses intrigues, qui sont tout autres que philosophiques. La pauvre Cidalise perd de plus en plus le bon sens : poussée par les trois compères, elle s'est mis en tête d'écrire un livre farci de paradoxes et d'ignorance, et elle veut donner pour femme à Valère, le plus vaurien des trois, sa fille Rosalie, qui doit rompre ses fiançailles avec Damis, brave officier qui l'aime et en est aimé. Devant ce péril, les deux jeunes gens, aidés par la femme de chambre de Rosalie, Marton, et par Crispin, domestique de Damis, forment une secrète alliance. Les conjurés réussissent à intercepter un billet dans lequel Valère se moque de sa future belle-mère. Crispin décide de le lire à Cidalise désolée : la leçon est utile, Cidalise se corrige et chasse le quatuor des philosophes qui va chercher fortune ailleurs. Rosalie peut épouser Damis. Toute la comédie dérive évidemment de l'œuvre de Molière, surtout des *Femmes savantes* (*). La satire des femmes philosophes ne sauve pas l'œuvre qui est une injuste raillerie dirigée contre les « philosophes ». Que Palissot ait épargné Voltaire parce qu'il jouissait d'une trop grande autorité et qu'il le craignait, le scandale même que provoqua la pièce montre la bassesse de l'attaque. Un passage de Diderot dans *Le Neveu de Rameau* (*) fait justice de la comédie et de l'auteur. Il n'empêche que certains traits caricaturaux de ces *Philosophes* s'imposèrent dans l'esprit d'un public étendu et furent le prétexte aux moqueries qui accablèrent les encyclopédistes.

PHILOSOPHE SANS LE SAVOIR (Le). Comédie en cinq actes de l'auteur dramatique français Michel Jean Sedaine (1719-1797), représentée pour la première fois en 1765, après que l'auteur en eut changé le titre d'origine, *Le Duel*, par ordre de la police. Vanderk, riche négociant, s'aperçoit, le matin du mariage de sa fille, que son fils cherche à sortir de la maison sans être vu, avec des pistolets de duel. Il l'interroge et apprend qu'il doit aller sur le terrain pour régler une querelle qu'il a eue le jour précédent avec un inconnu. Il comprend les raisons qui commandent au jeune homme de se battre et, faisant taire son affection, le laisse aller. Toute la cérémonie doit cependant se dérouler comme il était prévu et personne ne doit savoir le déchirement de son cœur paternel. Le vieil intendant Antoine, qui a vu naître et grandir le jeune homme, devine quelque chose et le suit. À la maison, Victorine, fille d'Antoine et sœur de lait du jeune Vanderk, sans trop bien comprendre la cause de son trouble, est inquiète, préoccupée et, au milieu de la joie générale, reste triste et silencieuse. Lorsque à midi tous les parents, les époux et les invités sont prêts à se mettre à table, on s'étonne du retard du fils. À ce moment arrive le vieil Antoine qui, caché derrière un buisson, a assisté au duel et annonce que le jeune Vanderk a été tué. Heureusement, le mort supposé survient, explique comment le vieux a pu croire à sa mort et tout finit gaiement. Sedaine, précédant Diderot — v. *Le Père de famille* (*) — et Beaumarchais — v. *La Mère coupable* (*) —, et réussissant là où ils échoueront, créait ainsi le « drame bourgeois ». Dans le caractère de Vanderk vivent les sentiments et les affections d'une humanité simple, et le climat de l'œuvre est celui d'une existence modeste et banale, qui peut cependant être effleurée par une grande tragédie. Cette comédie, qui reste le chef-d'œuvre de Sedaine, eut un profond retentissement et fut un modèle pour le théâtre du début du XIXe siècle. George Sand en écrivit une suite : *Le Mariage de Victorine.*

PHILOSOPHIE À L'ÉPOQUE TRAGIQUE DES GRECS (La) [*Die Philosophie im tragischen Zeitalter der Griechen*]. Œuvre du philosophe allemand Friedrich Nietzsche (1844-1900). Ce livre n'est pas à proprement parler un ouvrage de Nietzsche. Car son projet de compléter *La Naissance de la tragédie* par une étude des origines de la philosophie n'a jamais pu être réalisé. Il ne s'agit donc que d'un recueil de fragments, de notes et d'esquisses. La pensée de Nietzsche y est cependant fort claire. Sous l'influence de Schopenhauer, il cherche moins à connaître objectivement les philosophes présocratiques qu'à se connaître lui-même et s'affirmer à leur propos. La philosophie est, selon lui, l'imagination suprême. Elle s'apparente à l'œuvre d'art. Elle est essentiellement subjective. Avec de telles idées, Nietzsche (qui travaillait, d'ailleurs, avant que Diels n'eût fait sa grande édition critique des présocratiques) ne pouvait guère tenter une œuvre historique au sens usuel de ce mot. Il a fait une série de portraits : Thalès, Héraclite, Empédocle, Démocrite, etc. Ces penseurs apparaissent comme les héros d'un savoir passionnel, né du même souffle que le mythe et la tragédie. Socrate, au contraire, marque le début du rationalisme, et ruine, pour le plus grand malheur de la civilisation, la double tradition religieuse et métaphysique. — Trad. sous le titre *La Naissance de la philosophie à l'époque de la tragédie grecque*, Gallimard, 1938 ; trad. nouvelle, 1975.

PHILOSOPHIE ANATOMIQUE. Œuvre du naturaliste français Étienne Geoffroy Saint-Hilaire (1772-1844), publiée en deux volumes en 1818-1822 et fondée sur une nouvelle interprétation de l'anatomie comparée, tant formelle que fonctionnelle. L'auteur, examinant les nombreuses espèces que connaissait déjà la zoologie de son temps, concentre hardiment ses recherches sur les rapports qui peuvent être établis entre les divers organes, non seulement d'un être vivant donné, mais aussi des espèces qui lui sont plus ou moins apparentées. Geoffroy Saint-Hilaire relève ainsi un grand nombre de différences et d'analogies en appliquant une méthode purement descriptive, mais non sans recourir aussi à l'étude des embryons et des fœtus. Ces recherches permirent au savant de formuler les lois d'une vérité éprouvée, dont quelques-unes sont bien connues et d'une importance capitale : « Dans toute espèce, le développement d'un organe se fait au détriment des autres » (principe de l'équilibre des organes selon lequel, par exemple, si, dans une espèce, les ailes sont fortement développées, les pattes le seront moins). Ou encore : « Les espèces étant toujours susceptibles de se transformer, la classification devra indiquer le plus possible les parentés entre chaque espèce. » Pour avoir affirmé ce dernier principe, Geoffroy Saint-Hilaire figure parmi les précurseurs de l'évolutionnisme. Sans doute peut-on lui reprocher parfois quelque tendance à établir des analogies entre les divers organes avec une hâte excessive, et sans que soient fournies toutes les démonstrations désirables. Aussi sa théorie du « transformisme » de l'espèce demeure-t-elle un peu sommaire et vague, les causes des transformations nous étant encore inconnues. Le titre de l'ouvrage enfin, *Philosophie anatomique*, promet beaucoup plus de philosophie que n'en contiennent les deux volumes. L'œuvre de Geoffroy Saint-Hilaire a néanmoins une importance décisive dans le développement scientifique moderne. Le savant, poursuivant ses recherches, tenta, en 1820, d'en approfondir la portée théorique, particulièrement dans les *Principes de philosophie zoologique*. Mais son nom demeure surtout attaché à la *Philosophie anatomique*, qui eut tout le retentissement de la nouveauté et exerça une grande influence sur les milieux littéraires. Goethe, notamment, professait pour cet ouvrage la plus vive admiration. Balzac, de son côté, assure qu'en écrivant sa *Comédie humaine* (*) il s'était proposé d'accomplir, sur le plan psychologique et social, une œuvre analogue à celle de Geoffroy Saint-Hilaire, qu'il considérait, avec Cuvier et Napoléon, comme l'un des génies les plus originaux et les plus bienfaisants de son siècle.

PHILOSOPHIE AU MOYEN ÂGE (La). Ouvrage du philosophe français Étienne Gilson (1884-1978), paru en deux volumes en 1922 et réédité avec de considérables additions en 1944. Ce livre déjà classique put apparaître, lors de sa première publication, comme un audacieux voyage d'exploration dans un vaste monde obscur, depuis longtemps dédaigné par la curiosité philosophique. Le principal mérite d'un tel travail est d'avoir contribué plus qu'aucun autre à détruire l'idée classique qu'on s'était faite de la pensée médiévale en ne voulant voir en elle qu'une morne transition entre l'Antiquité et la Renaissance — pensée tout intermédiaire, assimilatrice et non créatrice, uniformisée par la contrainte de l'autorité religieuse. L'auteur se plaît à souligner que le Moyen Âge, comme période fermée et définie, n'existe pas puisque, d'une part, dès l'époque patristique, dès les Pères apologistes, commence le long travail d'approfondissement métaphysique du dogme qui aboutira finalement à la scolastique, et que, d'autre part, dès les XIIIe et XIVe siècles, avec l'averroïsme latin et l'occamisme, apparaissent des attitudes philosophiques résolument « modernes ». Dans la grande réédition de son ouvrage, Gilson fut ainsi amené à intégrer à sa fresque les lentes recherches poursuivies à l'époque patristique. Thomiste convaincu, mais d'abord historien, il sait entrer avec beaucoup de souplesse intellectuelle dans les points de vue les plus différents, les plus contradictoires, montrant ainsi au milieu de quel fourmillement passionné et tumultueux la chrétienté occidentale a poursuivi son évolution intellectuelle. C'est bien d'évolution qu'il s'agit, car le Moyen Âge a été tout le contraire d'une période philosophique statique et figée : dès la fin du IXe siècle, on voit ainsi Scot Érigène lancer des idées d'une hardiesse extrême qui feront leur chemin peu à peu, en dépit de toutes les condamnations ; à la même époque s'ouvre la querelle des universaux qui agitera les esprits pendant trois siècles, opposant violemment réalistes et nominalistes jusqu'à la retentissante affaire d'Abélard. Tout aussi mouvementés et agités apparaissent le XIIIe siècle (lutte des platoniciens et des aristotéliciens) et le XIVe siècle (averroïsme et occamisme). Mais en écrivant cette histoire, Gilson n'a pas eu seulement le souci de mettre en relief l'originalité des grandes personnalités et écoles philosophiques, il a tenu aussi à replacer l'activité philosophique dans l'ensemble de la culture, ce qui nous vaut de remarquables chapitres de synthèse sur la culture patristique latine, sur chrétienté et société, sur la fondation des universités, etc. Dressant enfin le bilan de la philosophie médiévale, l'auteur souligne avec quel sérieux cette pensée a toujours cultivé l'esprit critique à l'égard de son propre patrimoine ; il montre aussi que le Moyen Âge des philosophes théologiens a directement préparé la pensée moderne en léguant à celle-ci les deux idées d'une sagesse et d'une société universelles, fondées sur l'acceptation commune des mêmes valeurs spirituelles.

PHILOSOPHIE BOTANIQUE [*Philosophia botanica*]. Traité du naturaliste suédois Charles de Linné (1707-1778), qui fut publié en 1751 et qui sert de commentaire à un précédent ouvrage du même auteur intitulé *Fondements de la botanique* [*Fundamenta botanica,* 1736]. Charles de Linné dicta sa *Philosophie botanique* à son disciple Löfling, pendant qu'il se trouvait retenu au lit par une attaque de goutte. Nous retrouvons dans ce livre le mode de classification des plantes qu'il avait conçu, classification faite d'après les organes de reproduction. Ce système a peut-être le défaut de ne pas grouper et distinguer les plantes selon leurs affinités biologiques, mais il eut à l'époque le grand mérite de mettre de l'ordre là où, auparavant, régnait le chaos, en dressant une sorte d'index du grand livre des végétaux ou, selon les propres termes de Linné, une espèce de plan de ce monde : « Plantae omnes utrique affinitatem monstrant, uti territorium in mappa geographica. » L'auteur n'était pas un physiologue et moins encore un embryogéniste ; sa classification est simplement fondée sur une observation sagace des caractères extérieurs et particulièrement de la disposition et de l'assemblage des étamines et des pistils ; c'est donc une classification éminemment morphologique. Ce livre revêt une importance historique certaine, car Linné y expose pour la première fois sa conception de la « nomenclature binaire » dont il se sert pour désigner les diverses plantes : dans ses précédents ouvrages, il avait employé seulement de courtes définitions qui suivent le nom du « genre » ; c'était le procédé déjà utilisé par ses prédécesseurs. – Trad. Cailleau, 1788.

PHILOSOPHIE COMME SCIENCE RIGOUREUSE (La) [*Philosophie als strenge Wissenschaft*]. Publié en 1911, cet ouvrage du philosophe allemand Edmund Husserl (1859-1938) sert de lien entre deux états de sa pensée, l'état « prétranscendantal » et l'état « transcendantal ». Il fait suite aux *Recherches logiques* (*) et attaque comme elles le naturalisme, le psychologisme et l'historicisme, mais il annonce la nécessité, qui s'affirmera avec une force croissante dans l'œuvre de Husserl, d'une philosophie qui soit une science de la vérité absolue. Husserl mentionne tout d'abord les échecs successifs rencontrés par la philosophie lorsqu'elle a voulu se constituer en science rigoureuse et les explique. C'est que la philosophie ne peut se réduire à être une psychologie psychophysique, elle doit être « une connaissance scientifique de la conscience dans ses diverses formes, dans laquelle sera contenu l'être véritable de l'objectivité » (Q. Lauer). Or ces exigences ne peuvent être satisfaites que par la phénoménologie, capable d'atteindre grâce à l'intuition le « sens » (ou essence) des phénomènes, ce que ne peuvent faire ni la psychologie telle qu'elle est conçue actuellement, ni le relativisme historiciste. La philosophie, si elle veut devenir une science rigoureuse, doit se dégager de ses errements passés. Elle doit prendre un nouveau départ sur des fondements nouveaux et être absolument radicale. Avec *La Philosophie comme science rigoureuse* se révèle la nécessité d'un être absolu ; or le seul être qui puisse être donné apodictiquement est l'être phénoménal, c'est-à-dire l'être dans la conscience. La pensée de Husserl dépasse donc le stade de la « psychologie descriptive » et s'engage dans la voie de la science a priori transcendantale et universelle, telle qu'elle est décrite dans les *Méditations cartésiennes* (*). Marquant une étape essentielle dans l'évolution philosophique de Husserl, *La Philosophie comme science rigoureuse,* par sa clarté et la netteté de son dessein, demeure une des œuvres les plus accessibles du grand philosophe allemand. – Trad. P.U.F., 1955.

PHILOSOPHIE DANS LE BOUDOIR (La). C'est sous la rubrique suivante que l'écrivain français Donatien Alphonse François, marquis de Sade (1740-1814) fit paraître en 1795 les dialogues qui constituent cet ouvrage : *La Philosophie dans le boudoir, ouvrage posthume de l'auteur de « Justine ». À Londres, aux dépens de la Compagnie, MDCCXCV.* Dès 1791, année de la publication de *Justine ou les Malheurs de la vertu* (*), Sade n'a cessé de se défendre d'être l'auteur de ce roman et ne cessera, sa vie durant, de maintenir une telle position : annoncer *La Philosophie dans le boudoir* comme l'ouvrage d'un auteur disparu était une ingénieuse manière de désorienter ses ennemis. L'édition originale ci-dessus indiquée est en deux volumes in-18, ornés d'un frontispice non érotique et de quatre figures libres. Avant la mort de son auteur (1814), *La Philosophie dans le boudoir* ne devait être réimprimée qu'une fois (Londres, 1805, 2 vol. pet. in-8° ornés de dix lithographies libres), avec ce sous-titre :

... *ou les Instituteurs immoraux.* Un tel sous-titre, pour n'être probablement pas de l'auteur lui-même, alors détenu à Charenton, ne s'en trouvait pas moins des plus justifié. En effet, *La Philosophie dans le boudoir*, dont l'ordonnance est visiblement imitée de l'*Aloysia Sigéia* de Nicolas Chorier, nous offre comme fiction principale l'éducation sexuelle d'une jeune fille. L'ouvrage est traité sous forme de dialogues, dont les répliques constituent souvent de longues dissertations érotico-didactiques ; mais la théorie ne laisse pas d'en être interrompue çà et là par la réalisation pratique des débauches préconisées. La préface, adressée « aux libertins », est très explicite, et il faut dire que la lecture de *La Philosophie dans le boudoir* n'en dément d'aucune sorte les promesses : « Voluptueux de tous les âges et de tous les sexes, c'est à vous seuls que j'offre cet ouvrage ; nourrissez-vous de ses principes, ils favorisent vos passions, et ces passions, dont de froids et plats moralistes vous effraient, ne sont que les moyens que la nature emploie pour faire parvenir l'homme aux vues qu'elle a sur lui ; n'écoutez que ces passions délicieuses ; leur organe est le seul qui doive vous conduire au bonheur. Femmes lubriques, que la voluptueuse Saint-Ange soit votre modèle : méprisez, à son exemple, tout ce qui contrarie les lois divines du plaisir qui l'enchaînèrent toute sa vie. Jeunes filles trop longtemps contenues dans les liens absurdes et dangereux d'une vertu fantasque et d'une religion dégoûtante, imitez l'ardente Eugénie ; détruisez, foulez aux pieds, avec autant de rapidité qu'elle, tous les principes ridicules inculqués par d'imbéciles parents. Et vous, aimables débauchés, vous qui, depuis votre jeunesse, n'avez plus d'autres freins que vos désirs et d'autres lois que vos caprices, que le cynique Dolmancé vous serve d'exemple : [...] convainquez-vous à son école que ce n'est qu'en étendant la sphère de ses goûts et de ses fantaisies, que ce n'est qu'en sacrifiant tout à la volupté que le malheureux individu connu sous le nom d'homme, et jeté malgré lui sur ce triste univers, peut réussir à semer quelques roses sur les épines de la vie. »

Le dialogue initial de *La Philosophie dans le boudoir* a lieu entre Mme de Saint-Ange, jeune femme absolument au-dessus de toutes les conventions morales et sexuelles, et son frère le chevalier, souvent complice de ses débauches, mais qui se distingue de sa sœur en ce sens que la cruauté ne se mêle jamais à ses plaisirs. Mme de Saint-Ange le convie à prendre part aux scènes de volupté qui vont se dérouler chez elle le jour même. Les acteurs en seront, d'une part Dolmancé, « l'homme le plus corrompu, le plus dangereux », d'autre part, et surtout, Eugénie de Mistival, jeune vierge de quinze ans dont le père est aussi libertin que la mère est dévote. Mme de Saint-Ange a décidé avec Dolmancé de placer « dans cette jolie petite tête » tous les principes du libertinage le plus effréné ; la pratique sera jointe à la théorie et « l'on démontrera à mesure que l'on dissertera ». « J'aurai deux plaisirs à la fois, s'écrie Mme de Saint-Ange, celui de jouir moi-même de ces voluptés criminelles et celui d'en donner les leçons, d'en inspirer les goûts à l'aimable innocente que j'attire dans nos filets. » Eugénie paraît, bientôt suivie de Dolmancé. La jeune fille se montre l'élève la plus avide du genre de connaissance qui lui est proposé, la plus douée aussi ; aucune des ressources voluptueuses que peuvent lui offrir les différentes parties de son corps n'est dédaignée par elle. Ainsi que nous l'avons indiqué, les dissertations érotico-philosophiques tiennent une place considérable dans *La Philosophie dans le boudoir.* Mme de Saint-Ange et Dolmancé s'emploient à détruire successivement dans l'esprit de leur jeune élève tous les principes que sa dévote mère lui avait inculqués. L'athéisme et le blasphème, l'égoïsme, l'avidité, le vol et l'assassinat, l'adultère, l'inceste et la sodomie sont justifiés et célébrés à toutes les pages de cette œuvre de Sade, que l'on peut considérer comme la somme de sa doctrine. Les théories de Mme de Saint-Ange et de Dolmancé ne trouvent qu'une maigre réfutation dans la tirade du chevalier qui se termine par ces mots : « Laissons là les principes religieux, j'y consens ; mais n'abandonnons pas les vertus que la sensibilité nous inspire : ce ne sera jamais qu'en les pratiquant que nous goûterons les jouissances de l'âme les plus pures et les plus délicieuses. » Cependant les ivresses de l'érotisme le plus raffiné, le plus intrépide, ne suffisent déjà plus à Eugénie de Mistival, qui brûle d'exercer sur sa propre mère, qu'elle déteste, les leçons de cruauté dont son âme est encore toute chaude. Après l'entrée en scène du chevalier, puis d'Augustin, garçon jardinier, grâce auxquels la jeune fille pourra connaître les arrangements de groupe les plus audacieux, Mme de Mistival arrive juste à point pour connaître le monstre d'érotique férocité qu'est devenue sa fille, vierge encore le matin même. Sous les yeux d'Eugénie, folle d'allégresse, toutes sortes de violences sexuelles sont exercées sur Mme de Mistival, belle encore dans l'automne de son âge... Puis un valet nommé Lapierre est chargé de l'infecter du virus spécifique ; après quoi, Eugénie, avant de s'asseoir devant les mets délicieux destinés à fournir de nouvelles forces aux acteurs de la gigantesque orgie, se charge elle-même de pratiquer sur sa mère le supplice de la suture des parties nobles. Il faut indiquer, pour finir, qu'un opuscule, dont Dolmancé fait la lecture à haute voix, est inséré au milieu de *La Philosophie dans le boudoir.* Il s'agit d'une sorte de contrat social intitulé : *Français, encore un effort si vous voulez être républicains.* Les idées contenues dans les dialogues y sont reprises succinctement, mais s'y trouvent encadrées et soutenues par des considérations de philosophie et de sociologie qui les revêtent d'une vigueur supplémentaire. Maurice Heine a résumé ainsi le contenu de ce manifeste : « Sade, [qui a] placé dans l'individu, dans les innombrables individus en lesquels se résolvent les sociétés humaines, la seule force réelle et organique de celles-ci [...] poursuit une critique impitoyable de toutes les contraintes sociales qui tendent à réduire en quoi que ce soit l'incoercible élément humain. Seul, à ses yeux, l'intérêt de l'individu lui conseillera d'accepter non pas un contrat, mais un compromis social pouvant à tout moment être dénoncé ou renouvelé... » Mais *La Philosophie dans le boudoir* demeure avant tout l'exaltation la plus aiguë de l'érotisme que nous possédions dans le domaine des lettres.

PHILOSOPHIE DE LA COMPOSITION (La) et autres essais [*The Philosophy of Composition*]. Œuvre critique de l'écrivain américain Edgar Allan Poe (1809-1849), publiée en 1846. Poe part du sentiment premier, confirmé par la lecture des grands poèmes romantiques, que la poésie est une musique qui éveille l'âme à elle-même. Il en fait le sommet de la littérature. Cette dernière ne doit donc pas se mettre au service des vérités positives (scientifiques ou morales). Poe dénoncera le didactisme. À l'allégorie (décodable terme à terme), il opposera la suggestion d'un sens caché. À la « fantaisie » [fancy], il opposera l'« imagination » [imagination] dans des termes qu'il emprunte à la *Biographia literaria* (*) de Coleridge.

Mais, dans le monde anglo-saxon, la grande vague créatrice est passée – et Poe va doubler l'idéal romantique d'une volonté de conscience claire. Critique professionnel à partir de 1835, il élabore, au fil de ses comptes rendus, une pratique et une théorie nouvelles. D'abord il distingue le sentiment poétique des « moyens de le susciter » chez le lecteur (avril 1836) : la poésie est « la création rythmique de la beauté » [the Rhythmical Creation of Beauty, avril 1842]. Même chose pour le roman : une série linéaire d'incidents ou d'arguments n'est pas plus littérature « que le boyau de chat n'est musique » (janvier 1842). Seul le travail de « composition » donne à un texte sa valeur littéraire. Et c'est « l'art seul » que doit apprécier et analyser le critique : son travail ne méritera-t-il pas alors le nom de « science » ? Le texte où Poe prend aussi nettement position, « Introduction aux comptes rendus critiques » [Exordium to Critical Notices, 1842], peut être considéré comme l'acte de naissance de la critique textuelle.

Dans *La Philosophie de la composition* (1846) (que Baudelaire traduira par « Méthode de composition » dans sa « Genèse d'un poème »), Poe ne donne sans doute pas l'exacte genèse de son « Corbeau » dans son hasard historique, mais il poursuit sa révolution critique : (1) inspiration et expression de soi sont remplacées par la volonté consciente d'un « effet » (de mélancolie) (et Valéry admirera ce déplacement de l'intérêt vers la relation au lecteur), (2) cet effet à atteindre détermine le thème (du deuil de l'amant) et (3) c'est un élément formel (le refrain) qui détermine le choix du second personnage (le corbeau). Dans « Le Fondement de la métrique » [The Rationale of Verse, 1848], étude technique et ardue, Poe cerne un principe d'égalité entre les différents pieds qui puisse donner tout son rôle à une diversité calculée des rythmes. « Le Principe poétique » [The Poetic Principle], donné en conférence fin 1848, sera publié à titre posthume. C'est un essai qui doit beaucoup à l'idéalisme romantique mais le dépasse sans tomber dans l'esthétisme en reprenant une affirmation lancée dès 1844 : seul vaut le poème « lui-même », le poème « pour le poème » (nous dirions aujourd'hui le poème « comme tel ») [per se, written solely for the poem's sake] car c'est lui, dans sa réalité verbale, qui entre en consonance avec « l'âme » du lecteur. Par le poème [through the poem], l'âme entrevoit son lieu natif dans une extase douloureuse. Ce sont des procédés linguistiques et littéraires qui suscitent chez le lecteur le haut sentiment de l'Un.

Poe, enfin, fut le théoricien du conte tel qu'il le pratiquait. Au travail du poète correspond pour le conteur un travail de structuration de l'intrigue. Ce travail n'étant guère praticable que dans les limites étroites du conte, Poe abandonne à leur sort le théâtre et le roman : à eux le naturel, la vraisemblance et toutes les vertus du réalisme. Il proclame l'autonomie esthétique du « court récit en prose » [the short prose narrative] (mai 1842) (beaucoup voient là, dans ce compte rendu des *Contes deux fois contés* de Hawthorne, le texte où la nouvelle reçoit ses lettres de noblesse). Et il élabore, entre 1841 et 1845, sa théorie de l'intrigue. Par un art savant et abstrait doit être créée une puissante impression de circularité totalisante. La série causale des événements doit être rendue réversible, au point que la fin du récit soit aussi son commencement : là gît « l'âme de tous les mystères ». Dieu seul a le secret de l'intrigue parfaite, mais, avec la notion d'« univers » [universe] comme retournement de tout sur soi dans la pleine conscience de son unité, Poe peut risquer, dans *Eurêka* (*), l'élaboration de la figure suprême. Alors s'articulent le sentiment de l'Un et les dualités de la conscience, la poésie et la prose, la beauté et la vérité.

Baudelaire a paraphrasé l'essentiel des textes critiques de Poe dans « Notes nouvelles sur Edgar Poe » (1857, en tête des *Nouvelles Histoires extraordinaires*). H. J.

PHILOSOPHIE DE LA LIBERTÉ. Ouvrage du philosophe suisse d'expression française Charles Secrétan (1815-1895), publié à Paris en 1879. Il comprend deux parties : « Idée » et « Histoire ». Dieu est « volonté absolue » : il existe, parce qu'il veut être ; il est à l'origine de lui-même, qui, librement, décide d'être. Il ne dépend de rien, pas même de la raison ; sa volonté renferme tout pouvoir, y compris le pouvoir de se limiter. Comment arrive-t-on à cette notion de Dieu ? À travers le concept de « devoir » : si je suis libre, il doit y avoir un Dieu libre, parce que la liberté dans l'effet présuppose la liberté dans la cause. Mais comment prouver ce « devoir » ? On peut en douter rationnellement, mais non point pratiquement. Après avoir identifié l'essence divine à la liberté pure, Secrétan procède à l'énumération des autres attributs de Dieu : incompréhensibilité (il est impossible à la raison de prouver Dieu), toute-puissance, éternité, omniscience, etc. L'univers est l'œuvre de Dieu, de la Volonté absolue ! L'« être » de Dieu est la volonté : Dieu veut être Dieu – autrement dit il veut le monde. La création est acte de la volonté divine, acte d'amour désintéressé. Ce n'est pas pour répondre au besoin d'exister et de créer que Dieu a créé l'univers : il a créé l'univers pour l'univers. Mais la liberté ne peut créer que liberté : l'univers est liberté créée, Dieu est liberté absolue. Secrétan se garde bien de tomber dans le panthéisme, qu'il combat. De même que la liberté est l'essence de Dieu, de même elle est celle de l'homme ; et, parallèlement, elle est le principe du devoir. La deuxième partie de l'ouvrage est moins riche. Elle traite de divers problèmes relatifs à la théologie, parmi lesquels celui du péché originel (pour Secrétan, il s'agit d'une chute universelle, antérieure à celle du premier homme), celui du mal, etc. Les principaux thèmes de discussion sont ceux qui ont trait à la liberté et à Dieu. Secrétan part de l'axiome indémontrable de l'« unité de l'être », et affirme que substance, vie, esprit et liberté absolue sont les quatre stades de l'ascension dialectique vers l'Absolu, qui est tout esprit et toute liberté, qui n'est pas Dieu mais le produit. La *Philosophie de la liberté* est un ouvrage d'une grande originalité de pensée et d'une grande vigueur dialectique. Ces qualités apparaissent surtout dans la manière dont Secrétan prétend concilier deux concepts incompatibles : celui de l'unité de substance et celui de la libre création. En effet, sa conception le conduit à opérer une synthèse – peu convaincante, mais fort hardie – entre théisme et panthéisme. L'ouvrage, extrêmement complexe, comporte des contradictions, des faiblesses, des obscurités. Il n'en représente pas moins une des tentatives les plus valables faites en vue de reconstruire le spiritualisme théiste, à travers Fichte et Schelling, et de repenser de façon originale les moments les plus importants de l'histoire de la pensée humaine.

PHILOSOPHIE DE LA MISÈRE (La). Cet ouvrage de l'écrivain politique français Pierre Joseph Proudhon (1809-1865), dont le titre complet est : *Contradictions économiques ou la Philosophie de la misère,* parut en 1846. Le livre fut assez froidement accueilli par les économistes qui s'y voyaient attaqués ; Karl Marx publia l'année suivante, directement en français, *La Misère de la philosophie* (*), qui réfute les thèses de Proudhon. Les *Contradictions économiques*, selon leur auteur, devaient régler la question de l'économie politique et du socialisme. Le ton de l'ouvrage, comme la multiplicité des sujets abordés, sont au niveau de ce dessein ; c'est une bible, disait Marx. Conformément au titre, le livre analyse successivement les contradictions propres aux principales notions de l'économie politique. Supposer Dieu, c'est le nier, postule l'auteur, mais la supposition est nécessaire : comment échapper au dualisme de l'univers ; l'esprit s'oppose à la matière, l'âme au corps, Dieu au monde. Dieu donnera un sens à l'histoire et légitimera les réformes à opérer au nom de la science. Dieu sera le lien entre le civilisateur et la nature et justifiera le style de l'ouvrage : au dualisme philosophique correspond un dualisme moral du bien et du mal ; en exposant chaque notion économique, il conviendra de bien voir que la réalité concrète comporte toujours un « bon » et un « mauvais » côté : il faut conserver le bon et éliminer le mauvais. Procédant par thèse, antithèse, et désirant conclure par la synthèse des oppositions, Proudhon – qui n'avait pas lu Hegel – pensait se conformer au schéma de ce philosophe et faire une histoire, non selon l'ordre des temps, mais selon la succession des idées – ce que Marx appelle de l'« hégélianisme frelaté ». La succession des idées comporte tout d'abord une analyse de la valeur, pierre angulaire de l'économie politique ; Proudhon indique l'opposition entre valeur usuelle et valeur d'échange, sur laquelle Sismondi fondait sa principale doctrine, et d'après laquelle la diminution du revenu est proportionnelle à l'accroissement de la production. Négligeant la demande, la dialectique de Proudhon substitue à la valeur utile et à la valeur échangeable, à l'offre et à la demande, des notions abstraites et contradictoires, telles que la rareté et l'abondance, l'utile et l'opinion, etc. Il introduit alors les frais de production comme synthèse. La valeur d'une chose est égale à la quantité de travail, au temps de travail nécessaire pour la produire ; les objets seront échangés selon une valeur déterminée par le temps nécessaire à leur production, le temps étant la garantie de leur utilité (« Ce qui détermine la valeur, ce n'est point le temps dans lequel la chose a été produite, mais le minimum de temps dans lequel elle est susceptible d'être produite, et ce minimum est constaté par la concurrence » (Marx, *Misère de la philosophie*). Les autres notions sont exposées dans le même esprit : la monnaie, la division du travail, au sujet desquelles la contradiction inhérente au principe apparaît sans remède. Les contradictions de la concurrence, de l'impôt, du commerce extérieur sont ensuite examinées. Mais le plus grand problème que puisse se poser la raison, après celui de la destinée humaine, est celui de la propriété ; les légistes voient dans la propriété le droit d'user et d'abuser, les économistes trouvent son origine « dans le travail ». Cette notion, comme les autres, est contradictoire, car la propriété est un droit d'occupation et d'exclusion : c'est le prix du travail et la négation du travail, un produit spontané de la société et la dissolution de la société, une institution de justice mais aussi un vol : la propriété, c'est le vol (il ne se dit pas en mille ans deux mots comme celui-là, constate Proudhon). Après une critique des conceptions formulées par Cabet et des théories de Malthus, l'auteur se demande, en conclusion, si la misère ne vient pas d'un vice d'organisation dans le travail. Le paupérisme résulterait de la mauvaise organisation du travail, de l'économie politique. Il ne resterait d'espoir que dans une solution intégrale qui, synthétisant les théories, rendrait au travail son efficacité. Il faut appliquer une loi juste de l'échange, une théorie de « mutualité ». Marx jugeait que, dans une histoire rigoureusement scientifique de l'économie politique, cet écrit serait à peine digne d'être mentionné. Il est exact que cette œuvre vaut surtout par la fougue critique qui l'anime. Des formules vigoureuses se sont détachées de développements souvent confus pour connaître une faveur singulière, assez surprenante et peu justifiée.

PHILOSOPHIE DE LA MYTHOLOGIE [*Philosophie der Mythologie*]. Ouvrage du philosophe allemand Friedrich Wilhelm Joseph von Schelling (1775-1854), publié en 1857 dans le tome II de la seconde série des *Œuvres complètes.* Il s'agit d'un recueil groupant des conférences publiques prononcées par le philosophe à Berlin, en 1842, puis en 1845-1846. L'ouvrage comprend deux parties, dont la première (« Le Monothéisme »), d'un grand intérêt philosophique, sert d'introduction à la seconde, qui traite de la philosophie de la mythologie proprement dite. Pour que la mythologie puisse servir de base à une véritable philosophie, elle doit être autre chose qu'une succession de petites histoires et de balivernes : elle doit contenir une vérité qui lui soit propre. Cette vérité réside dans le fait que la mythologie est un processus théogonique qui se réalise dans la conscience humaine. Ce processus a pour principes ceux-là mêmes de l'être et du devenir ; il s'agit donc là du processus universel et absolu de l'évolution du monde. C'est pourquoi le postulat de toute déduction philosophique faite à partir des diverses créations mythologiques de l'homme est le concept de Dieu comme Dieu unique, c'est-à-dire comme absolu en soi, que la conscience humaine réalise sous des formes multiples. Dieu est puissance d'être, être pur, autoposition de l'être (esprit) ou, mieux encore, il représente la synthèse virtuelle de ces trois aspects. Pour passer de cette virtualité à l'être en action, il faut un acte — l'acte du vouloir divin : Dieu est celui qui veut être. Cette volonté se manifeste par un processus créateur qui a ses prolongements dans la conscience humaine, et c'est cette multiple et graduelle autocréation de Dieu qui se transpose précisément dans la conscience de l'homme sous forme de mythe. Point n'est besoin de suivre ici les déductions — laborieuses et souvent artificielles — de l'auteur en ce qui concerne les diverses divinités grecques, romaines et hindoues : cette partie de l'ouvrage relève davantage de l'histoire proprement dite et de l'histoire de la civilisation que de la philosophie. La valeur de cet ouvrage tient dans le fait qu'il constitue une tentative pour déterminer quel principe spéculatif est susceptible de réunir dans une loi unitaire de développement les diverses formes dans lesquelles l'expérience humaine s'objective en concepts philosophiques et théologiques. — Trad. Aubier, 1946.

PHILOSOPHIE DE LA NATURE [*Vorlesungen über die Naturphilosophie*]. Ouvrage du philosophe allemand Georg Wilhelm Friedrich Hegel (1770-1831), formant la deuxième partie de son *Encyclopédie des sciences philosophiques* (*), publiée en 1842. L'idée dans son être « en soi », concept réel, développe le contenu de ses moments catégoriques dans la connaissance finie — v. *Science de la logique* (*) ; mais la connaissance comme telle est un « apparaître » de la vie que l'idée porte en soi. Pour pouvoir s'affirmer comme vérité absolue, l'idée se résout à laisser sortir d'elle, librement, le moment de sa particularité. Avec cette détermination dans la particularité, l'idée exprime la négation dialectique de soi-même comme autonomie pure ; elle devient « autre que soi ». Ce moment de la particularité qui se met en relief au sein même de l'idée, comme contenu qui est « autre » que l'idée dans son absolu, est la « nature ». Celle-ci peut donc se déduire, dans ses formes générales ou lois, du processus même de l'idée, car elle est déjà en elle comme un contenu. La nature est donc l'idée en tant qu'extérieure à soi-même ; elle est particularité, mais en relation avec l'universel : celui-ci ne résout toutefois pas en soi toute la particularité, mais reste en face d'elle comme une nécessité abstraite. Le mode de la particularité considérée par elle-même, comme cas accidentel, ne peut donc pas se déduire de l'idée ; c'est pourquoi la nature, tout en reflétant, dans ses formes générales ou lois, l'universalité de la raison absolue, met en opposition la nécessité et la contingence du fait, autrement dit le règne de la casualité. Les déterminations conceptuelles se trouvent, abstraitement, en face des particularités de l'accidentel ; la nature a son principe essentiel en cette opposition, non résolue, d'universel et de particulier, de nécessaire et de contingent. En cela consiste la justification de la pensée scientifique, qui se meut précisément dans cette opposition et vit d'elle dans son progrès indéfini. La normalité que l'on peut déduire rationnellement vaut comme nécessité idéale de la nature ; la particularité de fait, tout en étant seulement détermination casuelle, révèle, dans son rapport avec la loi, l'ordre téléologique de la nature : la fin de celui-ci est de réaliser sa nécessité idéale, fin que la nature ne peut jamais atteindre complètement. Les degrés particuliers du processus téléologique sont ceux par lesquels on arrive de la normalité abstraite à la particularité empirique et enfin à l'immanence du nécessaire dans l'accidentel. Les sciences particulières tirent leurs propres limites théoriques des moments particuliers du processus de la nature qu'elles étudient : le premier degré du processus est la « mécanicité », où l'universel est, dans sa nécessité, indifférent au particulier ; et par conséquent la mécanique définit, par un procédé déductif, les lois abstraites. Le deuxième degré est la « physicité », où l'accidentalité se pose par elle-même et, en s'ordonnant par rapport à des lois universelles, se concrétise en unité individuelle ; par conséquent la physique étudie, par une méthode inductive, le rapport empirique de dépendance réciproque entre la loi et le fait accidentel, sans jamais résoudre entièrement l'un dans l'autre les deux termes. Troisième degré : l'« organicité », où l'individuel est l'acte même de l'universel ; et partant, la biologie se fonde sur le principe de l'intériorité de l'universel par rapport au particulier et elle étudie les relations entre l'espèce et l'individu.

La philosophie de la nature définit la structure logique des sciences particulières. Sa première partie considère donc la mécanique qui, après avoir construit les concepts de temps et d'espace, et de leur synthèse qui est le mouvement, développe la doctrine de la matière et des lois de celle-ci, gravité et inertie ; et termine par la théorie de la gravitation universelle. La deuxième partie est la physique, où l'on examine les phénomènes particuliers de l'existence matérielle ; on y traite des relations cosmiques et des liaisons météorologiques entre les éléments ; et donc, du poids spécifique, de la cohésion, du magnétisme, de la cristallisation, enfin de l'électricité et du chimisme. La troisième partie est l'« organique » ou biologie, où la vie est étudiée comme la synthèse de la loi universelle et de l'acte particulier ; elle débute par l'étude de la nature géologique, elle développe ensuite l'opposition entre matière brute et vie végétale, puis entre vie végétale et organisme animal ; enfin elle traite de la formation, de l'assimilation et de la reproduction comme des trois formes fondamentales du processus animal. La philosophie de la nature se conclut par l'étude du rapport de l'individu organique avec son espèce. La nécessité idéale et la rationalité ne doivent pas être recherchées dans l'individu, mais dans l'espèce. L'individu n'est qu'un point de passage dans le devenir de l'idée qui s'y manifeste. Le concept d'espèce ne parvient jamais, en aucun individu, à la réalisation parfaite de sa forme pure. Tout individu, dans son existence empirique, s'éloigne du concept d'espèce et porte en lui-même l'élément de sa contingence ; par conséquent il ne répond jamais complètement à ses fins ; cette « inadéquation à l'idée » est sa « maladie originelle ». Les individus meurent de ne pas pouvoir accomplir leur tâche, de ne pas pouvoir réaliser l'idée qui détermine téléologiquement l'existence empirique. Dans le système hégélien, la *Philosophie de la nature* marque le passage de la *Logique* (*), doctrine du concept pur, à la *Philosophie de l'esprit* (*), où s'exprime la synthèse entre l'universalité de la raison et la particularité déterminée de la nature. — Trad. Baillière, 1867 ; Vrin, à paraître.

PHILOSOPHIE DE LA NATURE (De la). Traité philosophique de l'écrivain français Delisle de Sales (1741-1816), publié en 1770-74. Le contenu notionnel de ce traité ne présente aucun élément véritablement original et ne se compose pas en système, mais il constitue un témoignage sur la culture d'un « philosophe » en 1770-75, sur l'ensemble des connaissances livresques et factuelles qui composent son horizon et alimentent sa réflexion. Buffon, Voltaire, Rousseau, Helvétius, Diderot et l'*Encyclopédie* (*) y sont tour à tour appelés et confrontés, sous le signe de la collaboration militante. De présentation plus poétique que théorique, et recourant à toutes sortes de procédés d'animation du discours, (dialogues, contes, anecdotes), il présente une méthodologie, une ontologie (théorie de la nature, cosmogonie, géogénie, histoire naturelle), une anthropologie (pneumatologie, psychologie, logique, génétique, somatique), une théologie (théiste), enfin l'ébauche d'une sociologie et d'une théorie politique. Bien qu'il s'oppose à l'athéisme de d'Holbach, Delisle s'y montre résolument matérialiste ; et sa conception de la nature et de l'histoire entraîne une critique en règle des religions instituées. Cette synthèse éloquente des élans de la philosophie novatrice et libératrice, appuyée sur l'extraordinaire culture d'un jeune homme qui n'avait encore aucune notoriété, parut aux réactionnaires, au moment du ministère Turgot, l'excellente occasion de faire un exemple. L'ouvrage fut condamné et brûlé, l'auteur condamné au bannissement perpétuel par le Châtelet, sentence réduite à l'admonestation par le Parlement (1777). Le bruit de l'affaire, l'intérêt qu'y prit Voltaire, l'attitude ferme et courageuse du jeune « martyr » lui procurèrent une gloire durable. Il prit le nom de « philosophe de la nature », et développa les éléments de son ouvrage dans une œuvre abondante et variée, jusqu'en 1816.

P. Ma.

PHILOSOPHIE DE LA NOUVELLE MUSIQUE [*Philosophie der neuen Musik*]. Essai du philosophe allemand Theodor Adorno (1903-1969), paru en 1949. Ce livre, compris par l'auteur comme une digression à la *Dialectique de la raison* (*), rédigée deux ans auparavant avec Horkheimer, est en fait la synthèse de deux études écrites à quelques années d'intervalle et une introduction. En 1938, Adorno publiait dans la *Zeitschrift für Sozialforschung* un essai « Sur le caractère fétichiste de la musique et la régression » où – selon ses propres termes – il se proposait « un triple objectif : indiquer le changement de fonction de la musique actuelle, montrer les transformations internes que subissent les phénomènes musicaux comme tels dans le contexte de la production commerciale de masse, et signaler comment certaines modifications anthropologiques dans cette société standardisée s'étendent jusqu'à la structure de l'audition musicale. [... Il s'agissait] de rendre compte des antinomies objectives dans lesquelles se laisse nécessairement prendre un art qui veut – au milieu d'une réalité hétéronome – rester vraiment fidèle à sa propre exigence sans prêter attention aux conséquences, antinomies que l'on ne peut surmonter qu'en les portant sans illusion à leur paroxysme ». Le livre tente de remplir un tel programme. L'activité du compositeur est envisagée en tant qu'elle reflète, au sein des œuvres mêmes, la « violence de la totalité sociale ». Car le matériau même de la composition est préformé socialement, non pas en tant qu'objet naturel en soi, mais en tant qu'il se constitue au travers des attitudes d'écoute réifiées en canons expressifs. L'œuvre musicale est ainsi la représentation du rapport où le compositeur en tant que sujet se trouve face aux exigences objectives du matériau. Schoenberg et Stravinski sont présentés comme les attitudes extrêmes de la nouvelle musique, bien soulignées par les titres des deux études : « Schoenberg et le progrès », rédigé en 1940-41, et « Stravinski et la restauration », rédigé après la guerre. Pour Adorno, les compositions dodécaphoniques de Schoenberg, par leur rigoureuse exposition d'une logique propre à leur matériau musical, demeurent non contaminées par une quelconque détermination sociale, si ce n'est dans la mesure où elles articulent l'irréductibilité de la tension entre sujet et objet, et par là la protestation du sujet contre la violence qui lui est faite. La musique de Stravinski, avec toute l'admiration que l'on peut avoir pour elle, n'échapperait pas à un moment de régression, qu'Adorno discerne dans la fétichisation des moyens (par exemple le rythme, la virtuosité instrumentale) qui prennent la préséance sur la musique. L'analyse particulièrement tranchée d'Adorno eut une grande influence sur les jeunes compositeurs des années 50. Elle lui valut aussi des critiques véhémentes, auxquelles il répondit en nuançant son analyse, sans se départir toutefois de la thèse développée dans son livre : « Le déclin du sujet, contre lequel l'école de Schoenberg se dresse âprement, la musique de Stravinski l'interprète directement comme la forme supérieure qui absorberait le sujet. » – Trad. Gallimard, 1962.

V. B.

PHILOSOPHIE DE LA RÉALITÉ [*Wirklichkeitsphilosophie*]. Titre de la deuxième édition, publiée à Leipzig en 1895, du *Cours de philosophie* [*Kursus der Philosophie,* 1875], du philosophe allemand positiviste Eugen Dühring (1833-1921). Le principe de raison suffisante est, pour Dühring, un principe de notre intellect par lequel il tend à établir entre les phénomènes une liaison continue. Mais ceux-ci se présentent, eux-mêmes, plutôt sous forme discontinue (loi du nombre déterminé), de sorte que, sur chaque point, l'intellect doit reprendre ses recherches et les orienter dans une nouvelle direction ; ce qui est le principe de raison insuffisante. Pensée et réalité tendent continuellement à s'identifier, s'opposent et se vainquent ; c'est sur ce rythme que se déroule la vie du savoir. Toutefois, il y a entre elles deux une relation fondamentale, car, autrement, on ne pourrait comprendre le succès, même partiel et provisoire, de leur identification. Cette relation est interprétée par Dühring en un sens de plus en plus réaliste : à savoir que la réalité serait de nature à engendrer une structure de la conscience adaptée, dans ses formes, à la constitution de la réalité elle-même. Les lois de la pensée, comme structure réelle de la conscience, dérivent des lois de la réalité et, d'une certaine manière, les reflètent. Ce réalisme marqué, que l'on observe notamment dans les dernières œuvres de Dühring, si on les compare aux premières – et en particulier à la *Dialectique naturelle* [*Natürliche Dialektik,* 1865] –, se traduit en une critique serrée du criticisme, du phénoménisme et de l'idéalisme, et sert de base à une conception caractéristique, bien qu'ambiguë, de la réalité. D'une part, en effet, Dühring est nettement matérialiste ; la matière est le principe constitutif de la réalité ; mais, d'autre part, le concept de matière est très étendu et comprend non seulement le substratum des phénomènes physiques, mais des phénomènes biologiques et même psychologiques. De sorte que le matérialisme n'empêche pas d'adopter une conception finaliste de la nature, en comprenant, par finalité, l'action coordonnée de plusieurs éléments. La nature est, pour Dühring, un tout différencié (loi de la différence) et son unité se compose sur une tension infinie d'éléments divergents ; elle est donc un processus incessant, dont la limite est une harmonie supérieure. Dans le domaine éthique également, la vie humaine se forme sur la base des exigences naturelles, mais le sentiment de sympathie qui rapproche tous les hommes fait tendre la structure sociale vers une fin plus haute que l'accord de ces besoins eux-mêmes. L'évolution éthique cherche une harmonie entre le maximum de développement de l'individu et le maximum de socialisation. Cela est possible, non dans l'État moderne, qui a ses origines dans la violence, mais en une libre société où les rapports de production et de consommation seraient soumis à une direction sociale, de manière que la personnalité individuelle y gagne en liberté et en pouvoir. Dühring voit une telle société comme la limite naturelle d'un progrès pacifique et se place donc résolument sur des positions contraires à la conception dialectique de l'histoire, telle qu'elle ressort du matérialisme historique, puisqu'il se refuse notamment à admettre le principe de la lutte des classes.

La *Philosophie de la réalité* est l'œuvre la plus systématique de Dühring ; cependant, les aspects polémiques n'y manquent pas ; c'est là un ton qui accompagne tous les écrits du philosophe berlinois, dont les amers souvenirs personnels ont été exposés par lui-même dans *Ma cause, ma vie et mes ennemis* [*Sache, Leben und Feinde,* 1882]. Violences, polémiques, injustices et inimitiés se reflètent dans son œuvre et dans sa pensée. Dühring, qui admire les siècles précédents, le XVIIe pour ses grandes idées, le XVIIIe pour leur réalisation théorique et pratique, considère son propre siècle comme rétrograde et identifie souvent ses ennemis personnels avec les ennemis du vrai et de la civilisation. Enfin, un manque de sérénité apparaît dans la synthèse hâtive et ambiguë qu'il entreprend et qui, plutôt qu'elle ne résout, confond et annule les problèmes et simplifie à l'excès les solutions pratiques elles-mêmes.

PHILOSOPHIE DE LA RÉVÉLATION [*Philosophie der Offenbarung*]. Œuvre posthume du philosophe allemand Friedrich Wilhelm Joseph von Schelling (1775-1854), composée des dernières leçons professées par l'auteur à Berlin et publiée en 1858 dans l'édition des *Œuvres* en quatorze volumes (Stuttgart et Augsbourg, 1856 et suiv.). Dans sa tentative pour intégrer la philosophie négative de Hegel à une pensée positive atteignant, par-delà le rationnel, à l'irrationnel, et tout en satisfaisant à une exigence idéaliste, Schelling conçoit, pour l'interprétation d'ensemble de la religion chrétienne, un nouveau système théologique destiné à éclairer l'Église future. Déjà, avec la *Philosophie de la nature* (*) et la *Philosophie de l'esprit* (*), il avait placé dans le suprême et l'absolu la solution de tous les problèmes, assimilant la maturité de l'intelligence à la pureté absolue de Dieu. Dans cette quête du divin, il se prévaut de la poésie, de la mythologie, des traditions et des monuments de tous les peuples, des arts de tous les temps : « La révélation est une histoire qui embrasse et dévoile tout, des origines du monde à sa fin. » Mais, reconnaissant que « rien n'est plus irrationnel que de vouloir rationaliser ce qui ne se donne pas pour rationnel », il ne prétend qu'expliquer, c'est-à-dire « donner un sens déterminé » à la révélation hébraïque et chrétienne. Et, s'il considère le récit de la « chute » comme un mythe, il aborde les « mythes » bibliques avec le même respect que ceux des autres mythologies auxquels il les associe. Pour Schelling, le principe de toute chose est l'« Unvordenkliche », l'impensable premier. La Trinité est l'« existence aveugle », « ce qui peut être », « ce qui doit être » : concept plus gnostique que chrétien. Lorsque le monde est parvenu au stade de la pensée, la création est complète et la félicité de Dieu parfaite. À l'encontre de Feuerbach, qui ramène la philosophie et la théologie à l'anthropologie, Schelling continue de voir en Dieu, et non en l'homme, le créateur du monde. C'est avec le premier acte de liberté humaine que commence l'histoire. L'homme aspire à devenir Dieu et à posséder la science de Dieu : en fait, il pose le monde pour soi, mais hors de Dieu, c'est-à-dire le monde de l'homme [Menschenwelt]. La distinction entre le bien et le mal apparaît dans le monde avec la chute, et le génie du mal occupe dans l'univers de Schelling une place importante auprès des « anges », médiateurs entre Dieu et l'homme. L'auteur interprète la rédemption comme une participation au sacrifice du Christ par la mort de l'égoïsme et l'abnégation. La « révélation » est expliquée sous tous ses aspects en fonction des traditions religieuses et de la philosophie de tous les temps. Le christianisme est éternel. Le catholicisme, l'Église de saint Pierre, prend la suite du rituel judaïque ; le protestantisme représente l'Église de Paul. Ici, Schelling, à la suite de Fichte, imagine un troisième type de communauté, dont saint Jean, dans son *Évangile*, serait le représentant : jusqu'au jour où Pierre, se repentant à nouveau de sa faiblesse et réconcilié avec Paul, reconstitue avec Jean le Panthéon du christianisme : le panchristianisme, qui rassemblera tous les chrétiens. Ceci adviendra « lorsque la philosophie et toutes les sciences, qu'elle conduit vers la perfection, seront revenues, par l'intermédiaire d'une nouvelle mythologie, au sein de la poésie d'où elles sont issues ». Cette nouvelle orientation de la pensée de Schelling fit aussitôt l'objet, en 1842-1843, de vives critiques, en particulier de la part de Paulus, ce qui provoqua une vive réaction de Schelling et enfin l'abandon de sa chaire. Il convient cependant de remarquer qu'à travers l'évolution de sa pensée, de la *Philosophie de la nature* à la *Philosophie de la révélation*, son talent, son enthousiasme, son style persuasif, sa brillante et séduisante érudition lui conservèrent son ascendant sur la pensée allemande, et ses dernières méditations sur la philosophie de la mythologie et de la révélation, au cours desquelles il annonça de façon prophétique que l'ère du modernisme religieux et du panchristianisme était sur le point de s'ouvrir, trouvèrent aussitôt une large audience. – Trad. P.U.F., 1989.

PHILOSOPHIE DE L'ARGENT [*Philosophie des Geldes*]. Ouvrage du sociologue allemand Georg Simmel (1858-1918), publié en 1900. Dans cet ouvrage, Simmel développe une théorie du symbole à propos de l'argent. Il associe dans son analyse des vues empruntées à l'économie, à l'histoire, à la sociologie et à la psychologie afin de définir comment l'argent a organisé et quantifié les rapports sociaux et les conduites (du commerce à la coquetterie en passant par l'individualisme). L'ouvrage est divisé en deux parties, l'une analytique, l'autre synthétique. Dans la première il élabore une théorie positive de la monnaie à partir d'une réflexion économique à propos de la notion de valeur. Celle-ci est de l'ordre de la subjectivité des jugements et des opinions, qui s'oppose à l'objectivité des choses, ces deux ordres étant autonomes, mais la valeur fait des objets qu'elle investit des objets de désir et s'objective ainsi elle-même en eux. Le phénomène déterminant pour la vie économique réside dans la reconnaissance de la valeur de l'objet par autrui et conduit à l'échange, lui-même créateur de valeur, à l'égal de la production ; il fonde la vie économique et par là même la vie sociale, établissant l'« action réciproque » qui apparaît dans les relations individus-groupes et interindividuelles. On saisit là le projet de Simmel de démontrer que les phénomènes économiques, base de la vie sociale, sont à leur tour déterminés par des dynamiques sociales et psychologiques. Avant tout, ce que l'individu gagne à l'échange, jeu à somme non nulle, c'est la communication ; l'argent apparaît alors comme un procédé qui va briser le troc et faciliter les échanges en les réglant, puis devenir l'outil privilégié de valorisation qui domine le monde des valeurs, la sienne étant fonctionnelle et non substantielle. Moyen impersonnel, qui permet l'établissement d'un prix à partir d'un référent, extérieur à la marchandise en jeu dans la transaction, il produit de la continuité, contrairement au vol ou au don. Dans une seconde partie, Simmel souligne que l'argent joue, dans les comportements culturels et sociaux, tantôt un rôle libérateur, tantôt un rôle asservissant. Dans un premier temps l'argent émancipe car il permet de rompre les liens personnels étroits entre le paysan et le seigneur, conduisant à une plus grande liberté de choix dans la production, qui entraîne un changement de la lutte de l'homme contre lui-même en lutte contre la nature, amenant les progrès techniques et l'industrie. L'argent ne supprime pas toutes les dépendances mais il les rend anonymes et atomisées en les multipliant et les fractionnant, comme dans le cas de l'habitant des villes. Il permet enfin la création de l'État moderne et la formation de nouvelles élites intellectuelles toujours plus nombreuses, dans un processus continu d'individualisation, mais a pour revers l'égoïsme calculateur au détriment de la sensibilité, la superficialité des rapports, et pousse au développement de la prostitution et du mariage d'argent. C'est ce type de conclusion qui fit repousser les analyses de Simmel par Durkheim qui les taxait de « psychologisantes ». – Trad. P.U.F, 1987. H. T.

PHILOSOPHIE DE L'ART. Ouvrage de l'écrivain français Hippolyte Taine (1828-1893), publié à Paris en 1865, réunissant en volume une série de leçons données par l'auteur à l'École des beaux-arts, sur la nature et la production des œuvres d'art. Taine part de la constatation que tous les produits de l'esprit humain – et par conséquent les œuvres d'art également – ne peuvent s'expliquer, tout comme les formes naturelles, que dans le milieu où ils sont nés. Un tableau, une sculpture, un poème ne sont jamais isolés ; ils rentrent nécessairement dans l'ensemble de l'œuvre de leur auteur et de l'école à laquelle il appartient ; et, en dernière analyse, ils dépendent de la situation générale de l'esprit et des mœurs, de la « température morale » de l'époque et de la société dans laquelle l'artiste a vécu. En partant de ce principe et en refusant toute définition a priori et dogmatique du beau, l'esthétique ne doit pas avoir d'autre tâche que celle d'étudier les œuvres d'art comme des faits et des produits dont elle doit fixer les caractères et établir les causes ; elle tend par là à une explication complète du développement de toutes les formes artistiques, de tous les temps et de tous les pays ; elle devient donc « une sorte de botanique appliquée aux œuvres de l'homme ». Taine tente ensuite de préciser les qualités communes à tous les produits de l'art : il en conclut que le but des arts, et non seulement des arts dits d'imitation, comme la peinture, la sculpture et la poésie, mais également de l'architecture et de la musique, est de manifester quelque caractère essentiel de la réalité, plus clairement et complètement que ne le fait la réalité elle-même. Les chapitres suivants sont consacrés à la démonstration de la théorie du « milieu ». Celui-ci ne crée pas les génies, mais il détermine les conditions favorables ou contraires à leur éclosion, suivant les diverses espèces de talent artistique, et il opère un choix entre celles-ci, en laissant fleurir les unes, en comprimant ou en déviant les autres. Ainsi, l'état généralement malheureux des hommes du Moyen Âge, causé par les invasions, le dur régime féodal, les famines, les épidémies ; et d'autre part la sensibilité exaltée pour les formes de l'amour mystique et chevaleresque, ainsi que l'attachement puissant à la conception chrétienne du monde et de l'au-delà

– conséquence, selon Taine, de la dépression collective des esprits –, expliquent la naissance de l'architecture gothique avec ses caractéristiques particulières, ainsi que sa diffusion en Europe. La *Philosophie de l'art*, inspirée des idées d'Auguste Comte, est le prototype de l'esthétique positiviste, et rencontra, comme tel, une très grande faveur pendant de nombreuses années ; certes n'y étaient pas étrangères non plus la vaste culture de l'écrivain ainsi que la forme claire et brillante de son exposé. La théorie de Taine, fondée sur une juste appréciation des rapports qui lient l'art, la culture et la vie sociale, est néanmoins très insuffisante pour expliquer la nature intime de l'activité artistique ; elle conçoit en effet l'influence du « milieu » de façon purement déterministe, comme une action physique, niant ainsi la liberté de création de l'artiste. Sous le même titre général, Taine republiait en 1882 cet essai, en le faisant suivre par ses autres études : *La Philosophie de l'art en Italie, La Philosophie de l'art dans les Pays-Bas* (1868), *La Philosophie de l'art en Grèce* (1869) ; *De l'idéal dans l'art* (1867) : dans ce dernier essai, la préoccupation morale s'insinue déjà dans le jugement, pour la classification des œuvres.

PHILOSOPHIE DE LA SOLITUDE (Une) [*A Philosophy of Solitude*]. Essai de l'écrivain anglais John Cowper Powys (1872-1963), publié en 1933. Malgré sa division en chapitres, cet essai n'est guère plus structuré que *L'Apologie des sens* (*) : en effet, les essais de Powys sont moins des démonstrations rationnelles que des plaidoyers véhéments et passionnés pour un art de vivre résolument opposé aux modes contemporains. Ici, pourtant, Powys tend à ériger les certitudes auxquelles il est arrivé en une philosophie cohérente, dont *L'Art du bonheur* (*) sera l'aboutissement accompli. Le facteur de cohésion est dû à l'unité profonde que donne à la moisson d'observations, dont Powys avait commencé la synthèse dans l'*Apologie*, l'image, ou l'idée centrale de la solitude. Pour Powys comme pour Wordsworth, la solitude n'est pas un état négatif d'a-société ni même un refus de celle-ci ; elle est monolithique, globale, monumentale, en un mot véritable mode d'être. Ce mode d'être, qui répond au triple impératif powysien de soumission, d'attente et de simplification, devient mode de vie lorsqu'on privilégie la solitude pour en faire un état moral, une sorte d'épiphanie de l'existence que l'on peut perpétuer à volonté.

Tous les systèmes échouent parce que nous ne nous y sentons pas concernés dans notre expérience, la seule vérité, le seul critère que nous devions reconnaître. Ce qu'il nous faut, dit-il, c'est une philosophie de la représentation : une série de substituts à toutes les satisfactions spirituelles que nous donnaient les vieilles mythologies. La sienne a nom élémentalisme. « L'élémentalisme est une philosophie qui sert de substitut à la religion ; car il est assez de mystère dans l'inanimé pour satisfaire cette fin. Et c'est précisément parce qu'elle a la gravité de la religion que nous ne devons pas nous étonner que les esprits malins et mondains la trouvent éminemment ridicule. Mais sa gravité participe aussi de l'intensité particulière au désir ; par conséquent, tout comme le désir, elle peut aisément paraître ridicule aux esprits pratiques et pondérés. » Son but est d'atteindre à cette « extase préméditée, l'étreinte érotique du non-moi par le moi » ; d'augmenter notre vie en accroissant notre conscience d'être au monde ; de créer cette quasi magique « circonférence de solitude » où nous sombrons dans le mystère de l'inanimé. Il y a dans cet acte, en soi, un accomplissement qui est le bonheur. « C'est l'éternel paysage de la vie qui importe : non les objets de notre épuisante quête sur la scène de la vie, mais la scène elle-même. » Tout nous ramène à l'esprit solitaire méditant sur le mystère séculaire de l'univers.

Ce qui nous rend malheureux n'est pas ce qui nous manque mais ce que nous possédons : l'automobile, par exemple. La science en général, et la psychanalyse en particulier, avec sa grossière et simpliste distinction entre conscient et inconscient, ne sont pas des moyens, mais des obstacles au bonheur par la vie simple. Nous ne devons pas aller de l'avant ni nous projeter à l'extérieur. L'homme sur la lune restera un homme. Une philosophie doit au contraire nous ramener en arrière, et à l'intérieur et vers le bas, jusqu'à ce que nous prenions pied sur le sol immuable de notre expérience de la vie. Le salut n'est pas ailleurs, mais *ici ;* et surtout, *ici-bas* – dans la matière à jamais offerte comme autre à notre conscience ; tout ensemble pâture et lieu de vie.

Cet essai, qui contient nombre de pages admirables (sur l'importance de la routine et de la marche, sur la signification du crépuscule, du vent, de la pluie), est précédé d'un hommage aux « grands et vieux écrivains d'ères plus calmes » dont Powys se réclame ici particulièrement ; on ne sera pas surpris d'y lire les noms de philosophes-poètes de l'art de vivre : Lao Tseu et son disciple Kouang Tseu ; Héraclite d'Éphèse ; Épictète ; Marc Aurèle, le « psychiatre spirituel des névrosés » ; Rousseau enfin, parmi les modernes, et Wordsworth qui reste pour Powys le plus grand des romantiques anglais. – Trad. La Différence, 1984.

M. Gr.

PHILOSOPHIE DE L'ESPRIT (La) [*Die Philosophie des Geistes*]. Ouvrage du philosophe allemand Georg Wilhelm Friedrich Hegel (1770-1831). C'est la troisième partie – et la plus importante – de l'*Encyclopédie des sciences philosophiques* (*) ; elle fut publiée en 1845. La connaissance de l'esprit, tel qu'il est « en soi » dans la nécessité de son développement dialectique, est la science de la logique, développée dans la première partie (« Logique ») de l'*Encyclopédie* et dans la *Science de la logique* (*). La connaissance de l'esprit dans son « être autre » ou « pour soi » est la philosophie de la nature, développée dans la deuxième partie de l'*Encyclopédie*, sous le titre même de *Philosophie de la nature* (*). La théorie des formes dans lesquelles l'esprit « en soi et pour soi » se comprend lui-même et accomplit son développement est la philosophie de l'esprit. Les formes dans lesquelles l'esprit se développe sont au nombre de trois : la forme subjective ou individuelle, la forme objective ou générale et la forme absolue ou divine. Dans l'étude de la première forme, la philosophie de l'esprit comprend trois sciences : l'Anthropologie traite de l'âme naturelle et de son développement, de la sensibilité à la conscience ; la Phénoménologie traite du processus à travers lequel la conscience devient autoconscience ; la Psychologie étudie le développement de la raison qui, en commençant par poser l'antithèse « théorie-pratique », parvient avec la volonté libre et autoconsciente à se reconnaître comme unité, comme rationalité naturelle et surindividuelle, comme esprit objectif. Ainsi l'esprit passe à la seconde forme de son développement : l'esprit objectif est conscience de l'universalité, par laquelle la liberté se réalise dans la réalité humaine, surindividuelle. L'étude de l'esprit objectif est l'objet de la philosophie du droit : elle-même comprend le droit abstrait ou naturel dans sa forme intérieure ou morale ; enfin la synthèse de la légalité et de la moralité, c'est-à-dire la forme éthique. Celle-ci, qui est la forme la plus élevée de l'esprit objectif, se réalise dans la famille, dans la société, considérée comme une organisation ayant des buts économiques et utilitaires ; enfin dans l'État, qui est l'essence éthique concrète, déterminée comme esprit national. Toutefois la réalisation véritable de l'idée d'État ne doit pas être recherchée dans un État individuel, mais dans le développement historique de l'Humanité, dans l'histoire universelle. L'histoire universelle est le développement de l'esprit pensant qui dépasse les limites propres des esprits nationaux particuliers. Ainsi la philosophie de l'esprit parvient au concept de l'esprit absolu, dans lequel se résout le dualisme entre l'esprit subjectif et l'esprit objectif, et qui est réalité éternellement agissante ; en celle-ci, la raison qui sait et qui est libre par elle-même, ainsi que la nécessité, la nature et l'histoire, servent seulement à la révéler. La connaissance de l'esprit absolu se développe sous trois formes : comme intuition, dans l'art ; comme représentation, dans la religion ; comme concept, dans la philosophie.

La vie esthétique, la vie religieuse, la vie philosophique ne sont que des manifestations différentes de la même autoconscience absolue. Le beau est intuition de l'esprit absolu, en tant qu'il révèle l'identité complète de l'idée et du phénomène. Le beau naturel doit être considéré comme un moment dialectique du développement du beau artistique ou idéal dans ses trois formes fondamentales : la forme symbolique, qui permet seulement de deviner l'idée dans le phénomène ; la forme classique, qui représente cette unité avec un réalisme ingénu ; et la forme romantique, qui concilie sciemment l'idée et le phénomène. Un art essentiellement symbolique est l'architecture, où les relations avec le contenu spirituel sont seulement suggérées. Un art classique est la sculpture qui rend l'individualité spirituelle sous une forme sensible. Arts romantiques peuvent se définir la peinture, la musique et la poésie, qui donnent une expression phénoménique adéquate au contenu de la conscience, sous les formes de l'image, du son ou du langage, moyen — ce dernier — le plus parfait. Si le premier moment de l'esprit absolu est intuition ou art, le deuxième moment est religion ou représentation et il se développe dans la conscience humaine à travers des degrés différents ; le premier est la religion naturelle, fondée sur une conception fantastique de la nature ; le deuxième est la religion de l'individualité spirituelle ; le troisième est la religion chrétienne qui, dans sa conception la plus haute, est la religion absolue. En elle, Dieu apparaît tel qu'Il est vraiment. Esprit absolu : idée éternelle qui se développe dans le monde, le Père ; idée parvenue à la conscience, le Fils ; idée de l'unité de l'extérieur et de l'intérieur, de la conscience et du monde, Esprit universel. Enfin, ce qui est intuition dans l'art est représentation dans la religion et doit être contenu dans la philosophie comme concept. Mais la philosophie, elle aussi, réalise sa tâche seulement dans son développement historique ; l'histoire de la philosophie est le processus de la culture de l'esprit humain, la conquête progressive de l'autoconscience. Ainsi la philosophie, « pensée du monde », est l'idée qui se pense elle-même dans le concret de son devenir ; elle est « la vérité qui sait, et la logique, l'universalité devenue réelle dans le contenu concret, comme une réalité de la logique elle-même ». *La Philosophie de l'esprit* est l'ouvrage de Hegel dans lequel la pensée du philosophe se développe dans les formes les plus profondes et les plus originales ; c'est d'ailleurs, de toutes les œuvres de Hegel, celle qui a eu le plus d'influence sur le développement de la philosophie moderne. *La Philosophie de l'esprit* a exercé une action décisive sur l'orientation en un sens historique de la philosophie et de la culture du XIXe siècle. — Trad. Baillière, 1867 ; P.U.F., 1982.

PHILOSOPHIE DE L'HISTOIRE [*Philosophie der Geschichte*]. Traité de l'écrivain allemand Friedrich Schlegel (1772-1829), publié en 1829. La conception chrétienne, ou plus exactement catholique, que Schlegel se faisait du monde prit, avec les années, une importance toujours plus grande dans sa pensée et en vint à prévaloir sur toute autre chose. Vers la fin de sa vie, il édifia une philosophie de l'histoire universelle en fonction de son concept de la Providence ; il en tira la matière de dix-huit conférences qu'il donna à Vienne en 1828. D'après lui, le but de la philosophie est de restaurer chez l'homme la notion trop oubliée de la divinité. L'homme est devenu, de propos délibéré, l'esclave du péché, perdant ainsi l'unité de son être et tout pouvoir sur la nature ; il n'est plus qu'un égaré, en profonde contradiction avec lui-même. Seuls les hommes de génie, les caractères d'élite, les âmes religieuses savent rétablir en eux l'harmonie primitive. Au sein de ces ténèbres, un peuple, le peuple juif, a cependant montré le chemin de la liberté et c'est ce même chemin que le christianisme devait plus tard ouvrir de nouveau. Schlegel voit dans le Moyen Âge, celui qui se situe avant le mouvement gibelin, l'époque idéale dans l'histoire de l'humanité : temps admirable, où la force et la valeur du monde germain se confondaient avec l'universel rationalisme de Rome grâce à la « charitas » chrétienne, siècle de Charlemagne et d'Alfred le Grand. Mais, dès que décline la puissance du christianisme, les forces qui avaient engendré la paix en s'unissant se désagrègent de nouveau. Et voici poindre le fatal XVe siècle, puis la corruption du XVIe, dont la conséquence inéluctable est la Réforme. Schlegel étudie ensuite la littérature au temps de Louis XIV, la philosophie de Bacon, de Descartes et celle de Leibniz. Il parvient ainsi au XIXe siècle dans lequel il espère beaucoup : il souhaite pour un proche avenir la fusion de l'Europe — v. *Europe* (*) — avec le monde oriental et le triomphe éclatant de l'esprit sur les ténèbres du rationalisme. Toute sa théorie se fonde sur sa foi en Jésus-Christ et sur l'efficacité de la Rédemption, sans laquelle l'histoire de l'humanité ne serait qu'une énigme insoluble, un labyrinthe sans issue, un monceau de ruines et de décombres. En principe, Schlegel suit la morale qui, au début du romantisme, avait inspiré à Novalis son célèbre essai intitulé : *La Chrétienté ou l'Europe* [*Die Christenheit oder Europa,* 1790]. Mais, en fait, il repousse catégoriquement dans cet ouvrage les idées libérales et révolutionnaires qu'il avait accueillies avec enthousiasme dans sa jeunesse. Il attaque également l'État protestant et proclame sa foi en la Restauration et en la Sainte-Alliance. — Trad. Parent Desbarres, 1836.

PHILOSOPHIE DE L'HISTOIRE (La). Œuvre de l'écrivain français Voltaire (François-Marie Arouet, 1694-1778), publiée anonymement en 1765. Le masque sous lequel l'auteur se cache est celui d'un prétendu neveu de l'abbé Bazin. Et l'ouvrage, publié à Genève aux dépens de l'auteur, porte la dédicace suivante : « À très haute et très Auguste Princesse Catherine Seconde, Impératrice de toutes les Russies, protectrice des arts et des sciences, digne par son esprit de juger des anciennes nations, comme elle est digne de gouverner la sienne. » Les anciennes nations dont il est question tout au long de l'ouvrage sont celles qui, de l'Antiquité à l'Empire romain, ont formé ce que Voltaire appelle « l'Histoire de l'esprit humain ». En quelque cinquante chapitres, fort courts (chacun d'eux ne compte que cinq à six pages), il expose son point de vue sur les différentes races d'hommes, en relatant succinctement l'histoire politique et religieuse des divers royaumes : Babylonie, Chaldée, Phénicie, Inde, Chine, Égypte, Grèce, Arabie et Palestine. Voltaire profite de son anonymat pour fustiger à son aise toutes les religions révélées, dont le dogmatisme, selon lui, est propre à engendrer l'intolérance. Toutefois, son masque ne l'empêche pas de se trahir. Pourquoi cette note, en bas de page, dans le chapitre consacré aux Chaldéens : « Notre sainte religion, écrit-il, religion si supérieure en tout à nos lumières, nous apprend que le monde n'est fait que depuis environ six mille années selon la *Vulgate*, ou environ sept mille selon les *Septante*. Les interprètes de cette religion ineffable nous enseignent qu'Adam eut la science infuse et que tous les arts se perpétuèrent d'Adam à Noé. Si c'est là, en effet, le sentiment de l'Église, nous l'adoptons d'une foi ferme et constante, soumettant d'ailleurs tout ce que nous écrivons au jugement de cette Sainte Église qui est infaillible. En un mot, nous prévenons toujours le lecteur que nous ne touchons en aucune manière aux choses sacrées. Nous protestons contre toutes les fausses interprétations, contre toutes les inductions malignes, que l'on voudrait tirer de nos paroles. » Au cours des cinquante-deux autres chapitres, le faux abbé n'hésite guère à « toucher » à ces choses sacrées. Il traite des oracles, des superstitions et des préjugés populaires avec un mépris et une ironie non dissimulés. Mais le jeu, car il s'agit bien pour lui d'un jeu, il décide tout à coup de l'arrêter en parvenant à l'examen de l'Empire romain. *La Philosophie de l'Histoire* s'arrête abruptement à cette apogée par une très cavalière annonce : « Le reste manque. L'éditeur n'a rien osé ajouter au manuscrit de l'abbé Bazin. S'il retrouve la suite, il en fera part aux amateurs de l'histoire. »

PHILOSOPHIE DE L'HISTOIRE (La) ou De la tradition [*Philosophie der Geschichte, oder über die Tradition*]. Œuvre du philosophe allemand Franz-Joseph Molitor (1779-1860), dont la publication a demandé douze années de travail intensif (le premier volume parut à Francfort, en 1827 ; le deuxième et le troisième à Münster, respectivement en 1834 et 1839). Le titre de l'œuvre pourrait étonner, si l'auteur n'avait pas pris soin de le faire suivre du sous-titre que voici :

Philosophie de l'histoire, ou De la tradition de l'Ancienne Alliance et de ses rapports avec l'Église de la Nouvelle Alliance. C'est là, mis au clair, le but de Molitor : présenter la tradition judaïque, c'est-à-dire la *Kabbale* (*), en montrant que, loin d'être contraire à la tradition chrétienne, elle en ouvre les portes en initiant l'homme à la métaphysique mystique. Dans le premier volume, Molitor commence son exposé par une leçon sur la tradition orale en général, et sur la tradition hébraïque en particulier. Pour comprendre la pensée de Molitor, il faut avoir présent à l'esprit que, pour lui, « la civilisation humaine dérive d'une " révélation divine immédiate " et consiste en une série ininterrompue de traditions transmises d'une génération à l'autre, en une vivante progression ». Toute la quintessence des connaissances possibles aurait été transmise ainsi, de génération en génération, et ceci longtemps avant que l'homme n'ait trouvé le moyen de fixer la parole dans le temps, en inventant l'écriture. Ensuite, Molitor explique l'importance de la tradition hébraïque pour la chrétienté, en appuyant ses affirmations sur des considérations philologiques, destinées à jeter la lumière sur l'origine de la langue et de l'écriture hébraïques. Les trois derniers chapitres de ce volume sont consacrés à l'origine de la ponctuation massorétique, qui permet la lecture des textes hébraïques sans en posséder la clé traditionnelle, ainsi que de la tradition écrite, telle qu'elle se présente dans la *Mishna* (*) et le *Talmud* (*). Le deuxième volume est consacré à la mystique. Une étude, traitant de la possibilité d'acquérir une connaissance spéculative de la divinité, sert en quelque sorte d'introduction à l'« essai sur le développement des notions générales essentielles de la théosophie, suivant les règles fondamentales de la *Kabbale* ». Le volume se termine sur une étude des rapports existant entre la connaissance et la foi. Le troisième volume est consacré à l'exégèse de la révélation dans l'idolâtrie, dans le judaïsme et dans le christianisme. Les annexes se trouvant à la fin du deuxième et du troisième volume consacrent cent trente-cinq pages à des extraits de textes kabbalistiques, inédits pour la plupart, et dont le but est de corroborer les assertions de Molitor. — Une adaptation française, très raccourcie, du premier volume a été tentée, en 1834, par Xavier Quris, mais elle fourmille d'erreurs.

PHILOSOPHIE DE L'INCONDITIONNÉ (La) [*The Philosophy of Unconditioned*]. Long article publié dans l'*Edinburgh Review* en 1829, qui rendit célèbre dans le monde entier son auteur, le philosophe écossais sir William Bart Hamilton (1788-1856). L'article, écrit en un style clair et concis, est une critique vigoureuse des idées exposées par Victor Cousin dans un célèbre cours de philosophie tenu à Paris pendant l'hiver 1827-28. Par-dessus Victor Cousin, Hamilton attaque les théories de Fichte et surtout de Schelling, théories dont Cousin s'était fait l'apôtre en France et que l'auteur stigmatise comme de véritables aberrations. Suivant Hamilton, il est erroné de soutenir que l'absolu peut être connu ou conçu. Sa notion n'est qu'une simple négation du conditionnel qui, seul, peut se connaître ou se concevoir. « L'intuition de l'absolu est évidemment le fruit d'une abstraction arbitraire, d'une imagination qui est dupe d'elle-même. » Notre connaissance se limite aux phénomènes et ne peut être que relative. Elle est restreinte à des secteurs bien définis de la réalité et peut seulement passer, par le raisonnement, de certaines prémisses, admises comme vraies surtout pour des buts pratiques de conduite morale ou religieuse, à leurs conséquences. L'infini n'est pas à l'échelle de la raison humaine. En toute rigueur, notre raison ne peut même pas nous dire si un infini existe ou n'existe pas. La foi religieuse seulement peut nous le faire trouver dans la Divinité. Les philosophes qui soutiennent le contraire, comme Fichte ou Schelling, ne sont, pour Hamilton, que des visionnaires. Cousin, qui tente de fondre ensemble la métaphysique postkantienne allemande et le rationalisme français relevant de Descartes, en réalité ne fait que pousser jusqu'à l'exagération extrême les erreurs de l'une et de l'autre école. Son éclectisme, en dépit de l'indiscutable valeur intellectuelle de l'auteur, peut être considéré comme une faillite complète dans le monde de la philosophie. La critique de Hamilton fut favorablement accueillie dans les milieux philosophiques, surtout en France et en Angleterre. Victor Cousin lui-même sentit le devoir de répondre publiquement à son auteur, qu'il considérait comme « le plus grand des critiques philosophiques d'Europe ». Avec les idées exposées dans cet essai, qu'il reprendra et développera en d'autres écrits, Hamilton représente le trait d'union entre l'école écossaise et le positivisme. L'un des livres philosophiques les plus importants de John Stuart Mill sera en effet *La Philosophie d'Hamilton*, publié en 1865 ; de son côté, Herbert Spencer s'inspirera directement de Hamilton pour sa célèbre théorie de l'inconnaissable.

PHILOSOPHIE DE L'INCONSCIENT [*Philosophie des Unbewussten*]. C'est l'ouvrage principal du philosophe allemand Eduard von Hartmann (1842-1906), publié à Berlin en 1869. Il se divise en deux parties : « Phénoménologie » et « Métaphysique de l'inconscient ». Une longue introduction énonce le sujet, ainsi que la méthode suivie par l'auteur, inductive de préférence ; et expose des considérations remarquables sur les précurseurs de son système, en particulier Schelling, Hegel et Schopenhauer, et sur la finalité telle qu'elle se révèle dans la nature et surtout dans les phénomènes de l'activité organique instinctive. Hartmann soutient l'existence d'une volonté et d'une idée inconscientes, en démontrant l'indépendance de ces deux attributs par rapport au cerveau, qui est le siège de la conscience, et leur union intime dans la catégorie supérieure de l'inconscient. On parvient ainsi à une intégration réciproque du volontarisme de Schopenhauer et de la logique absolue de Hegel. Le principe de l'inconscient domine les phénomènes de l'instinct, des réflexes. Et si l'on passe à l'examen de ses manifestations importantes dans l'esprit humain, on peut y distinguer des instincts répulsifs, comme la crainte de la mort, la pudeur, le dégoût ; et des instincts de sympathie, comme la charité, l'amour maternel, l'amour sexuel. Tout un chapitre est consacré à celui-ci, et il répète, tout en y apportant quelques modifications, les vues pessimistes de Schopenhauer sur cette passion illusoire et funeste qui, en réalité, a pour objet la propagation de l'espèce. Hartmann, en vertu de l'optimisme qui dérive de l'introduction dans son système de l'idée hégélienne, ne nie pas le caractère positif du plaisir, et rattache au nouveau principe de l'inconscient la sensibilité que Schopenhauer reliait à son principe de volonté. Sur l'inconscient se fondent aussi la morale et l'esthétique ; l'homme en effet, tout en connaissant la cause occasionnelle de la volonté et l'action qui en est le terme, ignore le processus depuis l'idée jusqu'à l'action et par conséquent le motif profond de la volonté elle-même. Dans l'art, la jouissance esthétique est immédiate et ne relève pas du raisonnement ; le jugement sur le beau se présente comme une disposition de l'âme ; l'inspiration elle-même, considérée depuis les temps les plus reculés comme un don divin, doit être reconnue comme étrangère à la conscience. Celle-ci n'agit que pour concentrer toutes les forces de l'esprit humain dans cette atmosphère d'art où l'idée inspiratrice se manifestera. Après avoir expliqué le langage comme l'œuvre de l'instinct collectif, Hartmann fournit de nombreuses preuves du caractère profondément inconscient de la pensée dans ses multiples activités : ainsi le principe de causalité que nous possédons dès l'enfance est une de ces preuves ; il en est de même pour certains concepts purs, qui sont des a priori pour l'inconscient et des a posteriori pour la conscience, celle-ci parvenant à les connaître à travers l'expérience. Hartmann attribue cette même origine inconsciente à l'intuition de l'espace, tandis qu'il nie le temps subjectif de Kant et de Schopenhauer et soutient la réalité objective, établie par l'acte instinctif qui transforme les sensations en objets réels.

L'ouvrage se poursuit par des observations sur le mysticisme, considéré comme l'ensemble des manifestations de l'inconscient dans la conscience ; et sur l'histoire, résultat des actions égoïstes des individus qui, en croyant travailler pour leurs propres buts, contribuent au progrès de l'humanité. Mais, au milieu de tant d'activités de l'inconscient, quelle est la fonction de la conscience ? Elle fournit tout d'abord le motif de la volonté ; par ailleurs, elle peut modifier le caractère, si la réflexion oppose une résistance constante aux désirs que nous voulons détruire en nous ; elle freine la volonté que la passion voudrait faire agir et la façonne en vue d'un plus grand bien à obtenir. Hartmann fait dériver de l'inconscient la conscience elle-même, la matière et l'individualité. Dans la démonstration du premier de ces points, en se maintenant à mi-route entre le matérialisme et le spiritualisme, il reconnaît que la conscience est liée aux vibrations cérébrales sans être toutefois un produit exclusif de la matière, car elle s'engendre au sein du principe métaphysique, comme une émancipation de l'idée à l'égard de la volonté, celle-ci s'opposant à celle-là. La conscience est donc pour Hartmann, comme déjà pour Schopenhauer, volonté insatisfaite et partant douleur. Dans la démonstration de la non-autonomie de la matière par rapport à l'inconscient, Hartmann réduit d'abord la matière en force selon les principes de la dynamique ; puis en volonté et en idée, qui sont en effet respectivement la tendance de la force à produire le mouvement et le but cherché, c'est-à-dire la production réelle du mouvement. Par conséquent, le monde matériel coïncide au fond avec le monde spirituel. L'individuation est expliquée comme le produit des actes volitifs de l'inconscient, au moyen desquels un nombre correspondant de forces individuelles s'établit dans la réalité. Dans son jugement sur le monde présent, Hartmann répète une pensée de Leibniz : si, au moment de la création de l'univers, l'intelligence inconsciente, beaucoup plus subtile et intuitive que l'intelligence consciente, avait conçu la possibilité d'un monde meilleur, elle l'aurait certainement réalisé. Cette affirmation n'exclut pas cependant la notion pessimiste de l'Univers considéré comme un mal, de sorte qu'il serait préférable qu'il n'existât point. Dans le monde en effet on ne trouve pas le bonheur ; on arrive à cette conviction après un long parcours sur le chemin de l'illusion ; Hartmann y distingue trois étapes : le bonheur est d'abord conçu comme pouvant être atteint dans l'existence présente ; puis comme pouvant être obtenu en une existence transcendante ; enfin comme réalisable dans l'évolution progressive cosmique. La conscience a la tâche de libérer non seulement l'individu, mais le monde entier du poids insupportable de l'existence, en corrigeant l'erreur de la volonté et en la déterminant au non-être. La conscience pessimiste doit anéantir avec la volonté négative le vouloir positif qui se manifeste dans le monde, et engloutir l'être dans le non-être. À cette rédemption cosmique l'individu participera de toutes ses forces. Le principe moral de l'homme consistera en effet dans l'identification des fins de sa propre conscience avec les fins de l'inconscient métaphysique. Appliquant ces principes à l'étude du sentiment religieux, Hartmann présentera, dans sa *Philosophie de la religion* [*Religionsphilosophie*], l'individu comme un simple système fonctionnel du sujet absolu, lequel sera inconscient de lui-même ; autrement dit, l'unité absolue, qui a été troublée par la création cosmique, sera rétablie à travers la rédemption de chaque individu, Dieu étant nécessairement conçu, dans le cadre de cette philosophie, comme étant impersonnel. – Trad. Baillière, 1877.

PHILOSOPHIE DE L'INFINI. Œuvre de Joseph Marie Wroński (1776-1853), mathématicien et philosophe messianiste polonais, publiée à Paris en 1814. L'ouvrage est constitué par un ensemble de mémoires et de notes relatifs aux problèmes du calcul infinitésimal. Dans un premier mémoire : *Contre réflexions sur la métaphysique du calcul infinitésimal,* Wroński s'attaque au livre de Lagrange intitulé *Réflexions sur la métaphysique du calcul infinitésimal* et auquel il reproche de n'être qu'une pure et simple pétition de principe. Un second mémoire s'intitule *La Philosophie du calcul infinitésimal.* L'idée de l'infini est un produit de la raison, tandis que l'idée du fini est un produit de l'entendement ; elle est donc inapplicable dans l'ordre de l'expérience ; mais elle se transforme en idée de l'indéfini, qui devient une « loi régulative de la fonction même du savoir concernant la génération de la connaissance de la quantité ». Les quantités finies et les quantités indéfinies appartiennent à deux classes de connaissances absolument hétérogènes, les premières portant sur les objets de notre connaissance, les secondes sur la génération de nos connaissances. La contradiction qu'on croit reconnaître dans le calcul infinitésimal provient en fait de l'antinomie entre la raison et l'entendement (au sens kantien). D'où le précepte négatif du calcul infinitésimal : ne pas confondre les lois objectives des quantités finies avec les lois purement subjectives des quantités infinitésimales. Quant au principe du calcul infinitésimal, le voici : deux quantités qui ne diffèrent entre elles que d'une quantité indéfiniment plus petite sont rigoureusement égales ; en effet l'idée de cette quantité indéfiniment plus petite n'étant qu'une règle et non une réalité objective ne change en rien la relation des quantités objectives considérées. Les argumentations du calcul infinitésimal portent donc sur les règles de la génération de quantités et non sur la relation même des quantités. Wroński passe ensuite à la classification des méthodes de calcul infinitésimal qu'il déduit a priori à partir des principes précédents : cette classification est fondée sur l'emploi des facultés : jugement ou raison, qui conduisent aux premiers éléments de la génération des quantités. Un troisième mémoire s'intitule *Réponse à la seconde édition de la Théorie des fonctions analytiques de Lagrange :* l'auteur s'attaque au problème de la génération des fonctions dérivées, dans la théorie des fonctions analytiques. Le quatrième mémoire, *Sur l'éloge de M. le comte Lagrange*, n'est qu'une polémique au sujet de son conflit avec Lagrange. La fin de l'ouvrage est constituée par deux notes, la première sur la *Méthode générale d'approximation ou la Méthode algorithmique d'exhaustion,* c'est-à-dire sur la loi qui « nous faisant remonter de plus en plus aux premiers éléments de la génération d'une quantité cherchée, sans que cependant il soit nécessaire de lier ses progrès continuels, nous fait parvenir à la connaissance de cette quantité » ; la seconde sur la *Génération primitive des différentielles.* Dans son *Manuel de philosophie moderne* (1842), Renouvier rapproche la doctrine du calcul infinitésimal, « que... M. Wroński a systématisée avec beaucoup de force », de la pensée même de Leibniz sur la raison de la méthode infinitésimale et qui consiste « en ce qu'il ne peut y avoir erreur à négliger un point mathématique qui n'est qu'une création de l'esprit ». Et il ajoute un peu plus loin que Wroński a, dans ce même livre, « rigoureusement établi » que l'idée de l'indéfini de Descartes mise en œuvre par Lagrange pour systématiser le calcul différentiel était impuissante à rendre compte philosophiquement du calcul infinitésimal. Ainsi le livre de Wroński, qui prend place au milieu de l'œuvre étrange du prophète du messianisme, présente un réel intérêt dans l'histoire de la philosophie des mathématiques.

PHILOSOPHIE DE L'ŒUVRE COMMUNE (La) [*Filosofija obščago dela*]. Recueil d'articles du penseur russe Nicolas Fedorov (1829-1903), publié après sa mort par deux de ses disciples (tome 1 : Verny [Alma-Ata], 1906 ; t. 2, Moscou, 1913). La pensée de Fedorov ne s'est pas constituée en un système spéculatif : c'est une réflexion sur « les causes de l'état non fraternel, non parental, c'est-à-dire non pacifique du monde », c'est un projet pour « rétablir la fraternité » et instaurer le royaume de Dieu sur terre. Partant d'une critique de la séparation de la connaissance et de l'action, de la civilisation urbaine, du capitalisme comme du socialisme, Fedorov arrive à l'idée que tous les maux proviennent de la « force aveugle destructrice » de la nature, d'où découle la mort. Celle-ci n'est donc pas une fatalité inéluctable : en pénétrant totalement la nature par sa conscience et sa volonté, l'homme doit non seulement pouvoir la dominer (projets de régulation des processus météorologiques, d'utilisation de l'énergie solaire, de conquête du cosmos), mais aussi la transformer en une « force reconstitutive », capable de rappeler à la vie toutes les générations passées par la réunion des molécules individuelles dispersées dans l'univers. C'est à cette « ressuscitation » [voskrešenie] — transfiguration des ancêtres — que les « fils » doivent œuvrer en commun.

Cette utopie est présentée par Fedorov comme étant la réalisation directe par l'homme de la volonté divine. Fedorov rejette toute attente passive de la Pâque universelle : « La résurrection du Christ n'est que le prodrome de cette résurrection universelle qui doit se dérouler ici-bas et être une œuvre humano-divine. » Si l'homme se fait l'instrument actif du « Dieu des vivants », si la liturgie (qui veut dire « œuvre commune ») s'élargit à toute la terre, les mystères chrétiens comme la résurrection deviendront immanents, l'humanité sera une communauté à l'image de la Trinité, et le Jugement dernier n'aura plus de raison d'être.

Cette synthèse (ou « supramoralisme ») de Dieu, de l'homme et de la nature, de la religion et de la science, où « l'homme devient l'instrument de la raison divine et devient lui-même la raison de l'univers », aboutissant à la « ressuscitation » générale, a séduit Dostoïevski — voir surtout *Les Frères Karamazov* (*) —, Tolstoï, Soloviev, les poètes futuristes Khlebnikov et Maïakovski, Gorki, Platonov tout particulièrement, Tsiolkovski (le père de l'astronautique soviétique) et d'autres écrivains ou savants. La pensée de Fedorov a pu être rapprochée de celle de Teilhard de Chardin. Tout en reconnaissant que son interprétation des prophéties de l'Apocalypse était « géniale et unique dans l'histoire du christianisme », Berdiaev reprochait à Fedorov de ne pas avoir pénétré la métaphysique du Mal et d'avoir « rationalisé le mystère de la mort » : ce « matérialisme religieux » a attiré et continue d'attirer en Russie (où Fedorov est réédité depuis 1982) aussi bien des chrétiens que des marxistes.

M. N.

PHILOSOPHIE DES FORMES SYMBOLIQUES (La) [*Die Philosophie der symbolischen Formen*]. Œuvre du philosophe allemand Ernst Cassirer (1874-1945), publiée en 1923-1932. La conscience moderne, selon Cassirer, jaillit de la matrice du mythe préhistorique et de la métaphysique médiévale ; ses formes symboliques sont issues du donné brut des rites et des gestes ; les fonctions logiques se dégagent du matériel naturel et se libèrent peu à peu de l'invasion sensorielle, permettant ainsi l'autolibération de la conscience. Les formes symboliques sont donc les états progressifs de l'apparition de la conscience. Cette apparition, cette émergence graduelle, on peut en suivre les progrès dans l'évolution qui, de la pensée métaphysique, conduit à la science moderne. C'est cette étude que le philosophe avait entreprise dans les trois volumes du *Problème de la connaissance* (*). Mais cette même émergence peut être mise en évidence par le développement progressif de la matière brute et de la production de la conscience en activité : tel est le but de *La Philosophie des formes symboliques*, qui met l'accent non tellement sur l'esprit créateur que sur la forme créée par l'esprit et qui, comme un miroir, reflète celui-ci. *La Philosophie des formes symboliques* est une philosophie de la création. La forme symbolique ne doit pas être confondue avec la matière première de la création, ni avec la source de l'acte créateur ; elle représente, en effet, le processus même de la création. Ainsi Cassirer souligne que sa philosophie n'est pas une métaphysique (tournée vers l'Être), ni une psychologie (intéressée par la conscience elle-même). Ni la pure conscience ni l'Être pur n'intéressent la philosophie de Cassirer. Toute donnée immédiate est déjà un complexe « matériel — spirituel » ; c'est, dit Cassirer, un « creatum », le germe d'une forme symbolique. Et, sans doute, faut-il préciser maintenant que si Cassirer ne se penche ni sur l'Être pur ni sur la conscience pure, c'est qu'il n'y a ni Être pur, ni conscience pure, ni donnée pure. Le monde des formes symboliques est le monde de la vie, et la philosophie des formes symboliques, qui culmine dans le langage mathématique, est une philosophie essentiellement optimiste qui poursuit la libération de l'homme par lui-même, à travers le symbolisme. Elle poursuit aussi ce but suprême : l'union de tous les hommes. Le retour au monde des signes est l'étape préparatoire de ce départ décisif qui lancera l'esprit à la conquête du monde qui lui est propre : le monde de l'idée. Il nous faut vivre par les symboles ou mourir dans la chair. — Trad. Minuit, 1972.

PHILOSOPHIE DU NON (La). Essai d'une philosophie du nouvel esprit scientifique. Œuvre du philosophe français Gaston Bachelard (1884-1962), publiée en 1949. Avec *Le Matérialisme rationnel* (1953), cet ouvrage constitue l'une des dernières étapes de la vaste enquête entreprise afin d'étudier dans sa démarche même la pensée scientifique et de constituer ainsi une véritable psychanalyse de la connaissance scientifique. Au terme de ces recherches, Bachelard précise les caractères que devrait avoir une philosophie nouvelle qui satisfasse à la fois savants et philosophes, qui donc serait construite sur les conclusions philosophiques que doivent tirer ceux-ci des travaux de ceux-là. Puisque « tout réel progrès dans la pensée scientifique nécessite une conversion » spirituelle, et que la connaissance apparaît comme une évolution de l'esprit, cette philosophie ne peut constituer qu'un système ouvert, une philosophie criticiste et différentielle, en contraste avec la philosophie dogmatique et intégrale des philosophes, autrement dit une philosophie du non, englobant ses précédents avatars comme des cas particuliers, de même que les géométries non euclidiennes renferment la géométrie euclidienne, et *La*

Théorie de la relativité la mécanique newtonienne.

Seule cette philosophie du non sera capable de rendre compte de l'évolution des concepts scientifiques, et Bachelard, pour illustrer sa thèse, développe un exemple particulièrement démonstratif : l'évolution de la notion de masse au travers d'attitudes intellectuelles successives : l'animisme, le réalisme, le positivisme, le rationalisme, le rationalisme complexe et le rationalisme dialectique. Seule elle permettra de saisir le pluralisme de notre culture philosophique qui fait que toute notion est chez chacun d'entre nous la somme variable de connaissances ressortissant à chacune des six philosophies précédemment mentionnées, somme que rend manifeste le profil épistémologique établi pour chaque notion. C'est dans le domaine de la logique qu'apparaissent le mieux les premiers signes de la formation d'une nouvelle pensée. Là est en train de se créer une logique non aristotélicienne, fondée non sur la connaissance des choses – qui sont des phénomènes arrêtés – mais sur celle des phénomènes eux-mêmes, une logique qui admet et reconnaît la pluralité des interprétations, qui rend le psychisme à sa tâche essentielle qui est d'invention, d'activité, d'ouverture. Cette philosophie nouvelle dont Bachelard enregistre et synthétise les premières démarches, il ne l'a pas seulement annoncée, il a largement contribué par ses travaux à en jeter les fondements.

PHILOSOPHIE DU SURRÉALISME. Essai du philosophe français Ferdinand Alquié (né en 1906), publié en 1955. Bien que ce livre ne laisse aucune place à l'anecdote, il est tout empreint de la longue fréquentation de l'auteur avec les personnages de l'étonnante aventure surréaliste. Cela suffit à gommer tout ce que peut avoir de rébarbatif et d'artificiel le projet de saisir l'exigence interne à partir de quoi se constitue le surréalisme. L'auteur porte une attention plus particulière à André Breton, non parce qu'il voit en lui le chef ou la règle du surréalisme, mais bien plutôt parce qu'il est, du groupe, celui qui a le mieux réfléchi le projet et ses œuvres. Le projet du surréalisme, Alquié le dégage d'un vieux et célèbre texte d'André Breton : *Poisson soluble* (*) ; c'est, en un mot, la volonté et la décision de placer la beauté au cœur de la vraie vie. Le surréalisme se montre en cela fidèle à l'antique tradition platonicienne qui, déjà, conjugue émoi esthétique et émoi érotique. Mais Alquié rappelle que l'expérience surréaliste n'en reste pas moins par essence poétique : aussi bien son amenuisement apparent et sa réduction, les années passant, au langage ne furent pas trahison mais fidélité. Un chapitre consacré à la révolte et à la révolution donne la mesure de cette vue de l'auteur sur le sens du surréalisme ; confronté au « romantisme satanique », à Sade et à Lautréamont, au communisme, le surréalisme conserve figure et avenir : existence et poésie, principe de réalité et principe de plaisir, volonté révolutionnaire et extase contemplative de l'amour semblent bien s'opposer ; le surréalisme est l'exigence impossible à tenir mais toujours réaffirmée de leur unité. C'est de tout le surréalisme, nous dit Alquié, qu'il convient de penser qu'il tend à nous donner de l'homme une image plus exacte et plus complète : du surréalisme des collages, des dialogues de hasard et de l'écriture automatique. Ici se propose une idée des puissances humaines dépassant de loin les seules puissances de création artistique : l'imaginaire tend, de tout son poids, à devenir réel, et les rêves de l'homme à transformer le monde.

PHILOSOPHIE ÉPILOGIQUE [*Realis philosophia epilogistica*]. Ouvrage encyclopédique du philosophe italien Tommaso Campanella (1568-1639). Cette œuvre, en de précédentes éditions italiennes (1594, 1598 et 1601), avait été intitulée *Compendium de Physiologie* [*Compendio di Fisiologia*], *Grand épilogue* [*Epilogo Magno*], *Philosophie épilogique* [*Filosofia epilogistica*] ; elle parut ensuite sous le titre latin, dans une sixième rédaction, remaniement datant de la captivité de Campanella dans la prison du Castel dell'Ovo à Naples. Publiée à Francfort en 1623 et, dans des proportions beaucoup plus vastes, en 1637 à Paris par Campanella lui-même, l'œuvre comprend, dans sa rédaction définitive, outre la « Physiologie » et l'« Éthique » de la rédaction italienne de 1601, une « Politique », avec en appendice *La Cité du soleil* (*), et une « Économie ». Le noyau fondamental de cette *Philosophie épilogique* est constitué par les parties dédiées à la philosophie et à l'éthique, distribuées en six livres, dont la matière correspond, selon le vocabulaire moderne, à la physique générale et astronomie, à la géographie physique, météorologie, minéralogie, botanique, zoologie, embryologie, anatomie, physiologie, psychologie, gnoséologie et éthique. La culture scientifique de Campanella est empirique, mais son étude est traversée d'intuitions originales, de vues philosophiques personnelles et d'hypothèses bizarres. Par exemple, l'espace est vide et incorporel : la matière, dans cet espace, n'est divisible à l'infini que par l'imagination, en réalité la division a un terme dans les atomes ; le chaud et le froid (selon la doctrine de Telesio – v. *De la nature des choses selon leur propre principe* (*) –), principes actifs ou « forgerons incorporels », ennemis par nature, donnent naissance à la Terre et aux étoiles, et l'influence de ces dernières sur la Terre donne naissance à la différenciation de la matière en pierres, eau, plantes et animaux. Le monde pour Campanella est un organisme vivant, un animal en lequel l'eau occupe la place et remplit les fonctions du sang. La marée est le produit de l'ébullition de l'eau de mer causée par la chaleur du Soleil ; et par les vapeurs s'expliquent les vents, les tremblements de terre, les comètes. Pour contempler la « statue du monde » et contenir en soi tout ce qui, dans l'univers, reflète l'image divine, l'homme, doué non seulement d'esprit animal mais d'une âme immatérielle et immortelle, a été créé par Dieu ; l'esprit, en l'homme, sent les choses « en les touchant doucement » ; la sensation est, à proprement parler, la perception de ce changement subjectif ; en elle est cependant toujours immanent un « jugement de la chose sensible ». Campanella admet aussi chez l'homme un esprit divin, lequel, quand l'esprit connaît les universaux, les connaît lui aussi et s'aperçoit qu'ils correspondent à l'idée de Dieu. Avec l'étude des passions de l'âme et de la morale commence la partie qui est peut-être la plus intéressante de l'ouvrage : l'auteur tente, selon une vue naturaliste de l'homme, de réduire l'éthique à des qualités et propriétés de l'esprit animal corporel ; donc une éthique descriptive, non normative, partant d'un point de vue physiologique ou physique, et selon laquelle, par exemple, la libéralité est l'indice d'un « esprit pur et libre de toute humeur infectante ». À ces motifs naturalistes se superpose, plutôt qu'il ne se fond avec eux, le motif surnaturel, selon lequel « Dieu, qui a donné l'être et la conservation, est le bien véritable, digne d'être aimé au-dessus de nous-mêmes ». L'idéal de l'État, selon Campanella, est exprimé en une apostrophe mise dans la bouche de Dieu : « Ô âmes que je sème dans les corps humains, souvenez-vous de faire une république semblable à celle que je gouverne dans le ciel, avec mes ministres, dans une suprême justice. » Chaque livre est divisé en « Discours », et ceux-ci sont suivis d'« Avertissements », auxquels sont réservées toutes les citations des auteurs. L'œuvre tout entière est caractérisée par une vision naturaliste du monde, du vivant, de l'homme, selon laquelle la société idéale devra se réaliser, non par une intervention surnaturelle de Dieu, mais par l'évolution interne de la nature humaine ; et en cela Campanella est bien un représentant de la Renaissance.

PHILOSOPHIE ÉTERNELLE (La) [*The Perennial Philosophy*]. Ouvrage critique et philosophique de l'écrivain anglais Aldous Huxley (1894-1963), publié en 1945. Dans les essais de *La Fin et les Moyens* (*), l'auteur avait traité des principaux dilemmes moraux de l'homme moderne en face de la science, de manière à ordonner ses analyses en un début de synthèse constituant une « théorie de la nature ultime de la réalité ». Sa somme philosophique, longuement mûrie depuis le début des années 30, correspond au projet de son héros Anthony dans *La Paix des profondeurs* (*) : réaliser un manuel de contemplation. Dans cet ouvrage au titre leibnizien, Huxley mêle en effet les religions, les traditions orientales et occidentales dans une sorte de rapprochement des Églises à l'échelle mondiale. Il tente de réconcilier l'esprit scientifique et l'esprit mystique au moyen d'un dénominateur commun à tous les grands courants de pensée. Cette quête intellectuelle correspond à l'attitude pratique de l'écrivain qui cherchait le salut dans un mysticisme proche du bouddhisme — bien qu'à la différence de celui-ci Huxley crût en un fondement de l'existence purement spirituel et demeurât déiste. Il ne devient pas non plus antirationaliste, mais fait une place à la science. Le résultat est une synthèse imparfaite : d'une part le mur de son rationalisme le sépare du monde des mystiques, d'autre part ses solutions portant sur une réforme de l'âme demeurent inefficaces dans l'univers de la technique. En 1954, il deviendra encore plus difficile au public de le suivre dans *Les Portes de la perception* [*The Doors of Perception*] où il attaque le matérialisme, mais emploie les dernières découvertes médicales pour une élévation de l'âme. Cet esprit qui s'enfonce dans une méditation indienne où se mêlent la neurothéologie, la thanatologie et la métachimie finira par chercher dans la drogue le remède aux imperfections de notre condition. — Trad. Plon, 1946.

PHILOSOPHIE ET RELIGION [*Philosophie und Religion*]. Traité du philosophe allemand Friedrich Wilhelm von Schelling (1775-1854), publié à Wurtzbourg en 1804. Cet essai, qui marque la nouvelle orientation de l'auteur vers les grands problèmes éthiques et religieux, trouve son origine dans les clairvoyantes objections, adressées à Schelling par son ami Eschenmayer, au sujet de la difficulté de faire dériver de l'absolu les êtres finis et différenciés, au sein d'un système d'identité qui n'admet — comme tel — aucun principe de distinction. À ce problème s'en relient d'autres, tous de grande importance, par exemple ceux de la liberté, de l'existence de l'histoire, de l'origine du mal, des rapports entre Dieu et l'homme. Cette difficulté avait amené Eschenmayer à une sorte de dualisme, en admettant la foi au côté de la raison, comme une source différente de connaissance permettant d'aller au-delà de l'absolu rationnel. Schelling avait surmonté ce dualisme, en affirmant que l'unité de la philosophie et de la religion était suffisamment prouvée, ne serait-ce que par l'identité de leur but commun, la connaissance de l'absolu. Celui-ci, éternellement enfermé en lui-même, ne peut pas se transférer dans le monde fini et empirique de la nature et de l'histoire ; il n'y a donc pas de continuité dans le passage de la divinité à ce monde fini ; le problème n'admet pas de solution, tant que l'on reste dans la doctrine de Spinoza. De là le recours de Schelling aux principes platoniciens. L'origine du monde s'explique alors comme un éloignement ou une chute des idées, qui s'engendrent à partir de l'absolu comme des répétitions éternelles de l'acte par lequel il se connaît lui-même : la doctrine des idées est une véritable théogonie transcendante. Ayant en Dieu leur fondement, les idées ne nous feraient pas encore sortir de l'absolu. Mais elles peuvent se détacher de leur appui originaire, se « substantiver » au sens métaphysique, et, bien que n'étant pas encore elles-mêmes des différences réelles, former la condition de différenciations ultérieures. En cette « possibilité » d'indépendance des idées consiste la liberté qui a donné naissance au monde ; liberté qui n'est pas toutefois la liberté absolue (laquelle est identifiée par Schelling, en cela fidèle aux principes de Spinoza, avec l'absolue nécessité). Par cette possibilité d'indépendance ou de liberté, les idées restent reliées à la divinité. Leur détachement, loin donc d'être un acte nécessaire pouvant être déduit de la nature de l'absolu, est l'acte irrationnel de la faute originelle, par laquelle le fini voulut être l'infini, le monde égaler la divinité elle-même, d'où s'ensuivit le caractère fini et fragmentaire des êtres de la nature. C'est là, brièvement résumé, le sujet de la première partie (« Iliade ») : notons au passage que l'existence y est conçue comme la faute. La deuxième partie, ou palingénésie, considère la rédemption : en effet, les idées, divines par leur origine et par leur essence, aspirent à se joindre encore à Dieu et, dans l'accomplissement de ce retour (« Odyssée »), déterminent le processus historique, qui vient se superposer à la nature, et complètent le développement dialectique de l'absolu. L'histoire de l'homme est identique à celle de l'univers : l'âme, détachée de Dieu par la faute, fut enserrée dans les liens du fini, qui est par lui-même la peine fatalement liée au péché. Mais, par son intime nature qui est d'essence divine, l'âme tend à se libérer de la nature et à retourner à son origine, au monde intelligible où elle vivra éternellement. Son immortalité ne sera donc pas une perpétuation d'existence individuelle — car dans ce cas elle ne serait pas vraiment détachée des liens du fini —, mais un engloutissement dans le tout de l'absolu. Cette aspiration est la « catharsis » de l'esprit.

Philosophie et Religion marque l'abandon définitif du système de l'identité et annonce le renouvellement de pensée auquel Schelling fut amené par le problème angoissant de la religion. À ce point de vue, le traité est assez significatif, en dépit des contradictions et des erreurs qui y furent décelées par les critiques et les adversaires. Schelling se trouve en effet dans l'impossibilité de rester sur le terrain du panthéisme pur, en raison de sa conception de l'absolu éternellement enfermé en lui-même, sans aucun rapport avec le monde fini ; et par ailleurs son recours aux idées de Platon, introduites dans la doctrine de Spinoza, risque d'aboutir à une conception négative de la réalité finie, ce qui était loin de l'esprit de la philosophie de Schelling. L'intérêt de l'ouvrage réside surtout en ce qu'il énonce des motifs, qui seront repris et traités systématiquement dans une œuvre ultérieure, plus réfléchie, ses *Recherches philosophiques sur l'essence de la liberté humaine et sur les problèmes qui s'y rattachent* (*). — Trad. dans les *Écrits philosophiques*, Joubert et Ladrange, 1847.

PHILOSOPHIE ITALIENNE DANS SES RAPPORTS À LA PHILOSOPHIE EUROPÉENNE (La) [*La filosofia italiana nelle sue relazioni con la filosofia europea*]. C'est là une série de cours (onze leçons tenues en 1861 à l'université de Naples) du philosophe italien Bertrando Spaventa (1817-1883), à laquelle l'éditeur Giovanni Gentile donna son titre. Le titre originaire était : *Leçon inaugurale et introduction aux leçons de philosophie tenues en l'université de Naples, 23 novembre-23 décembre 1861.* Ces onze leçons portent sur le « caractère et le développement de la philosophie italienne depuis le XVIe siècle » à partir d'une prise de conscience de la « nécessité d'une histoire de la pensée italienne dans son rapport à la pensée européenne » (1re leçon), d'où le titre gentilien. Dans sa « Leçon inaugurale » intitulée « De la nationalité en philosophie », Spaventa considère l'« idéalisme allemand » comme la simple reprise (la poursuite souterraine et « ailleurs ») d'une textualité nationale et philosophique en exil, constituée par la plus pure tradition philosophique (renaissante et moderne) italienne, que recouvrent pour l'essentiel les signatures de Bruno, Campanella, Galilée et Vico. Et c'est très précisément cette « même » textualité, « déjà traduite » en allemand par celui qui au cours de ces années-là devient dans son « propre » pays un véritable « chien crevé » (Hegel), que Spaventa veut rapatrier dans l'espace italique. Ici l'« original » (allemand) à (re)traduire n'est original que dans la mesure où il est « déjà traduction » de la langue maintenant traduisante (mais une première fois traduite) : l'italien. Si l'idéalisme allemand n'est que la poursuite souterraine et « ailleurs » de la tradition « rinascimentale », c'est qu'il s'agit là d'un « retour » de / par la traduction, d'une restitution, d'une re-traduction, de cette (première ?) traduction allemande. Traduction, récupération, et re-traduction de cette traduction allemande « originale (?) » d'un « original » dé-rivé (malgré lui) mais sur-vivant à / de / dans sa dérive. Le dispositif hégélien déjà mort en Allemagne trouvera ainsi sa « sur-vie » et son « plus-de-vie » dans l'espace philosophico-politique italien. On peut ajouter à ce modèle tératologique de la circulation des idées européennes comme transmission-traditionalisation-traduction, la question de la « double signature », si l'on sait que les textes inauguraux de l'école napolitaine, d'inspiration hégélienne et jetant les bases d'un programme politico-culturel (celui des hérauts de l'unité italienne et du Risorgimento), sont d'attribution douteuse, même si l'on peut désormais se ranger à l'avis crocien d'une paternité qui devrait revenir également au frère de Spaventa : Silvio, sénateur, très proche collaborateur de Bertrando, qui fut emprisonné par la réaction le 19 mars 1849, puis exilé. Pour l'anecdote et pour rendre compte d'une certaine atmosphère, de certains « affects » aussi, qui tiennent au contexte politique et institutionnel de ces années-là, nous citerons le témoignage du français Marc Monnier dans *La Revue des Deux Mondes* du 5 avril 1865 : « Le mouvement italien à Naples de 1830 à 1865 dans la littérature et l'enseignement » : « Le ministre Del Caretto envoya un de ses agents les plus habiles pour surveiller les trop fréquentes réunions que ces jeunes philosophes tenaient au "Caffè delle Belle Arti". Mais aussitôt reconnu, l'agent fut lui-même surveillé et dérouté de mille façons : on ne parla devant lui que l'hégélien, langue encore plus difficile que le basque [sic !]. L'auditeur était tout oreille, il suait à grosses gouttes et ne comprenait pas. Il finit par quitter la place. » Croce raconte que l'extraordinaire intérêt pour la pensée hégélienne à Naples était, de façon générale, si retentissant que vers 1850 les enfants de la rue baptisaient les étudiants en philosophie du nom de « begriffi », tellement le mot revenait souvent dans leurs discussions. Il sera finalement donné à Giovanni Gentile de cristalliser et de traditionaliser le dispositif spaventien. — Trad. Gallimard, 1994.

C. Al.

PHILOSOPHIE NATURELLE [*Theoria philosophiae naturalis redacta ad unicam legem virium in natura existentium*]. Ouvrage de l'astronome, mathématicien et physicien dalmate, le père Ruggero Boscovich (1711-1787), publié à Vienne en 1758. Dans ses trois parties se trouvent exposées les conceptions de l'auteur sur la constitution de la matière, assez proches du dynamisme des monades de Leibniz. De même qu'une loi unique (celle de la gravitation universelle, définie peu auparavant par Newton) régit le système solaire, une seule loi régit la matière. Ce principe est exposé et développé dans la première partie de l'ouvrage. Dans la seconde partie, il en est fait application à la mécanique ; et à la physique, dans la troisième ; suit un appendice consacré à la métaphysique où il est traité de l'âme et de Dieu, et enfin un supplément exposant les idées de l'auteur sur l'espace, le temps, et quelques démonstrations géométriques et algébriques. Étant donné, selon Boscovich, que les corps tels que nous nous les représentons sont divisibles en parties de plus en plus petites, il s'ensuit, en dernière analyse, qu'ils se composent d'éléments simples, c'est-à-dire sans masse ni poids. Ce sont de vrais points mathématiques, séparés les uns des autres par des intervalles très réduits, et de constitution absolument homogène. Donc, la matière des corps n'est pas extensible à l'infini ; et la notion d'extension continue de la matière n'a pu s'imposer à notre esprit que parce que les sensations — soit tactiles, soit visuelles — ne nous permettent pas d'appréhender ces simples points mathématiques, vu le très faible intervalle qui les sépare ; si pourtant l'huile pénètre les corps, si la lumière traverse les cristaux, cela signifie qu'il existe un vide imperceptible entre les divers points de la matière. Ces points sont dépourvus de toute possibilité d'expansion, alors que les âmes et Dieu même sont présents en tous lieux de l'espace. Il n'est de continuité que dans le mouvement de ces points et dans l'espace qui les renferme. Les propriétés de ces points n'ont rien de mystérieux ; ils sont seulement dotés d'une force d'attraction et de répulsion en vertu d'une loi unique : quand les distances sont minimes, la force est répulsive et cette répulsion est inversement proportionnelle à la distance ; mais, si les distances augmentent, la force de répulsion décroît jusqu'à devenir nulle, puis devient attractive ; cette attraction va d'abord en augmentant puis, la distance diminuant, elle décroît à son tour, redevient nulle et, de nouveau, se change en répulsion.

À l'aide de ces points et en vertu de cette loi, Boscovich considère avoir maintenu la loi de la continuité du mouvement et celle de l'impénétrabilité des corps, écarté la notion d'infini et réfuté les arguments de Zénon contre le mouvement. Puis, appliquant ses théories à la mécanique, il prétend résoudre les problèmes se rapportant aux systèmes de deux, trois et quatre points ; il en déduit la loi de la conservation de la somme de mouvement dans le monde et celle de l'équilibre entre action et réaction au sein des masses. Ce système appliqué à la physique lui permet de définir les propriétés de la matière (impénétrabilité, densité, divisibilité, pesanteur, cohésion) et d'attribuer la différence entre corps solides, liquides et gazeux, à la diversité des intervalles séparant les points, aux mouvements propres de ces particules. Les quatre éléments : terre, eau, air et feu, se distinguent par le groupement particulier de leurs particules. Boscovich analyse ensuite les synthèses et les analyses chimiques, les phénomènes de précipitation, de volatilisation, d'effervescence, d'évaporation, d'ébullition, de cristallisation et de fermentation, soutient que le feu est une fermentation de la substance de la lumière au contact de principes sulfureux, explique les phénomènes lumineux, les manifestations électriques et magnétiques, et termine en déclarant ce qu'il faut penser de la matière, des formes, de la substance, des accidents, des transformations et des altérations admis par les philosophes scolastiques.

Dans l'appendice (métaphysique), il précise la différence entre la matière et l'esprit et, à cette occasion, aborde le problème des relations entre l'âme humaine et le corps, celui de la localisation de l'âme dans le corps, rejetant l'harmonie préétablie de Leibniz tout comme l'hypothèse de la glande pinéale de Descartes. Quant à l'existence de Dieu, étant donné l'impossibilité d'admettre que le monde soit né du hasard ou d'une rencontre improbable d'atomes, étant donné qu'il est exclu qu'il ait pu se constituer de lui-même – ne serait-ce qu'en vertu de l'impossibilité d'exister « ab aeterna » –, Boscovich démontre par sa théorie l'infinie sagesse et la toute-puissance du Créateur, sans pour cela tomber dans l'optimisme de Leibniz. Enfin, espace et temps ne sont pas deux entités propres, mais deux façons d'être des choses, si bien que l'on dit qu'elles sont réellement ici ou là, avant ou après. L'ensemble de ces états virtuels constitue le lieu et le temps réels, l'un et l'autre continus, divisibles à l'infini, éternels, immenses, immobiles, nécessaires. Une interprétation de la monadologie de Leibniz, assez proche de celle de Boscovich, fut également proposée par Kant dans sa *Monadologie physique* (Königsberg, 1756).

PHILOSOPHIE OCCULTE (De la) [*De occulta philosophia*]. Ouvrage du savant allemand Heinrich Cornelius Agrippa von Nettesheim (1486-1535), publié à Cologne en 1510. C'est peut-être l'expression la plus caractéristique de la philosophie à tendance magique de la Renaissance. L'auteur lui-même déclare, dans sa Préface, devoir beaucoup aux courants de pensée platonicienne : mais à son platonisme se mêlaient également, comme déjà chez Pic de La Mirandole et Reuchlin, des motifs pythagoriciens et kabbalistiques ; le tout était nettement orienté dans le sens d'une recherche des secrets de la nature. Dans le premier livre du présent ouvrage, Agrippa partage le monde en trois plans, élémentaire, céleste, intellectuel, hiérarchiquement ordonnés dans une action de supérieur à inférieur. Pour lui, la magie, grâce à la compréhension intime des opérations du réel, parvient à remonter les voies occultes et visibles des forces rationnelles qui pénètrent le Tout. Elle peut ainsi nous assurer la domination de ces forces, en nous suggérant le moyen de les maîtriser. Le monde élémentaire est constitué par quatre éléments, dont les fondamentaux sont le feu, agent principal, et la terre, principe passif. Le feu, élémentaire en soi, principe de lumière, est immense et invisible, extrêmement mobile, source de bien. La terre est le réceptacle universel, l'eau la vertu séminale, l'air l'esprit vital imprégnant le Tout. Le Tout est immanent en toute chose : les formes sont contenues dans la matière, tandis que dans le monde élémentaire vivent les ombres des idées, unifiées en Dieu, multiples dans l'âme du monde, réverbérées à travers les intelligences, jusque dans la plus basse réalité. Une importance particulière est attribuée à la lumière, qui constitue presque dans ses divers degrés la base unitaire du Tout, l'image de l'influence universelle de Dieu. Et c'est en Dieu que réside la lumière originelle, d'où se répand et se communique l'éclat angélique jusqu'à la splendeur céleste et au feu animateur de toute chose. L'homme enfin, formule résumant le monde, nœud du cosmos, lié au Tout et lien de toute chose, peut par ses forces intimes influer et transformer le Tout. Dans le deuxième livre, l'auteur aborde la signification profonde des nombres, donnant une vision pythagoricienne et kabbalistique de leur puissance. De la monade divine, unité fondamentale en dehors de la série numérique, jaillissent les nombres universels ; l'expression numérique du Tout est également celle de l'intime rationalité divine, qui transparaît en toute chose. Au rythme numérique correspondent idéalement les lettres, éléments de la réalité. L'univers est une formule mathématique à travers laquelle Dieu s'exprime ; il est le livre et la parole de Dieu, harmonieuse musicalité divine. Mathématiques, grammaire et musique sont des aspects de la logique universelle, du rythme de l'expansion divine. L'art de Lulle trouvait sa place dans cette perspective, où les « sephiroth » kabbalistiques étaient conçues comme catégories du tout. Mais cette rationalité qui vit en chaque chose vit dans l'âme de chaque chose, car tout est animé et la magie se révèle comme le secret permettant de se faire comprendre par l'âme des choses. Le magicien est le savant qui résume, en la clarté de sa propre conscience, la conscience aurorale du monde et surprend ainsi le secret pour en devenir le maître. Dans le troisième livre, l'auteur insiste sur le caractère trinitaire de toute chose, s'attachant par ailleurs à définir la nature de la réalité spirituelle, des divers genres d'esprits, de leur activité et de leur sort. Ainsi, mysticisme et naturalisme se confondaient avec la magie, à travers une intuition à la fois esthétique et logico-mathématique. Le symbolisme médiéval allait se transformant, pour devenir la moderne science de la nature. Plus tard, Agrippa, dans son *De l'incertitude et de la vanité des sciences* [*De incertitudine et vanitate scientiarum,* 1527], qui bénéficia d'une large diffusion et fut traduit en italien, en anglais et par Sebastian Franck (1535) en allemand, répudiera complètement son ancienne foi en la rationalité universelle, pour s'arrêter à un scepticisme qui sera un excellent point de départ sur le chemin de la foi religieuse.

PHILOSOPHIE ZOOLOGIQUE. Ouvrage du naturaliste français Jean-Baptiste Pierre Antoine de Monet, chevalier de Lamarck (1744-1829), publié à Paris en 1809. C'est le premier livre scientifique exposant la théorie des modifications et du transformisme graduel des espèces animales et végétales. L'auteur démontre, en premier lieu, que le concept de l'immutabilité des espèces est, en fait, très vague, et que le climat, le genre de vie, les conditions d'air et d'eau, les rapports entre les divers organismes vivants agissent, en les « modifiant », sur les êtres composant une espèce. Ces modifications, transmises aux générations successives, renouvellent et transforment l'espèce. Lamarck formule les lois fondamentales de sa théorie qui, par la suite, prendra le nom de « lamarckisme » ; ces lois sont les suivantes : 1° Dans tout être vivant qui n'est pas encore parvenu au terme de son développement, l'emploi d'un organe tend à le fortifier ; au contraire, son usage limité l'affaiblit et finit par le faire disparaître ; 2° Tout ce que les êtres ont acquis sous l'influence du milieu dans lequel ils vivent pendant une longue période (emploi ou non-emploi d'un organe quelconque), ils le conserveront et le transmettront à leurs descendants (à condition toutefois que ces changements soient communs aux deux sexes ou, tout au moins, aux deux premiers ascendants). En résumé, selon la théorie de Lamarck, c'est la fonction qui crée l'organe et non pas l'organe la fonction : c'est le rôle de cette dernière, par rapport au milieu, qui détermine les modifications de l'organe lui-même. Cette théorie suppose par ailleurs l'hérédité des caractères ainsi acquis. Mais la preuve expérimentale de cette hérédité n'a pas été fournie, ni par Lamarck ni, jusqu'ici, par aucun de ses disciples, si bien que la question demeure fort controversée. L'œuvre entière de Lamarck dénote une tendance aux affirmations théoriques et aux grandes généralisations. C'est pour cette raison, et par son manque de preuves pratiques suffisantes, que le lamarckisme a été fort combattu ; il n'en demeure pas moins que l'œuvre du célèbre savant a fait faire, en son temps, un pas de géant aux sciences de la nature et qu'elle a été un admirable stimulant pour les chercheurs et les théoriciens de tous les pays.

PHILOSOPHOUMENA ou Réfutation de toutes les hérésies [*Φιλοσοφούμενα ἢ κατὰ πασῶν αἱρέσεων Ἔλεγχος*]. Œuvre du théologien grec Hippolyte de Rome (150 ?-235/6 ?). L'intention d'Hippolyte, ainsi qu'il nous le dit lui-même dans sa préface, est de réfuter les doctrines des hérétiques, en démontrant qu'ils les ont puisées non pas dans l'Écriture, ni non plus dans la tradition orthodoxe, mais bien dans la sagesse empoisonnée des Grecs. C'est la raison pour laquelle les quatre premiers livres traitent longuement de la tradition culturelle préchrétienne, prise au sens large. L'étude directe des hérésies, qui débute au livre V, expose et réfute les doctrines des naassènes, des pérates, des séthiens et de Justin l'Hérétique. Le livre VI est consacré à Simon le Magicien, à Valentin, aux deux écoles (l'une orientale, l'autre occidentale) qui dérivent de lui. Le livre VII traite de Basilide, Satornil, Ménandre, Marcion, Carpocrate, Cérinthe, des ébionites, des deux Théodote, de Cerdon, des disciples de Marcion : Lucien et Apelle. Le livre VIII est consacré aux docètes, à Tatien, à Hermogène, aux quartodécimans, aux montanistes, aux encratites. Le livre IX — celui où Hippolyte se trouve le plus dans son élément, car il peut s'y livrer tout à son aise à ses fantaisies contre son rival détesté de Rome, Calixte — est consacré tout entier à la réfutation de l'hérésie des sabelliens ; très arbitrairement, il fait du bon Calixte leur représentant et leur coryphée, et il en retrace la carrière romanesque. Le livre X veut être une profession de foi. Le premier livre de l'ouvrage était déjà connu depuis longtemps et on l'attribuait à Origène. Vers la moitié du siècle dernier, Minoide Minas retrouvait l'œuvre, mais probablement sous une forme incomplète, dans un manuscrit grec. On a beaucoup discuté, et l'on discute encore, sur la paternité des *Philosophoumena* : nombreux sont ceux qui répugnent à leur donner pour père le saint et docte martyr romain, vu le ton polémique et rancunier dont fait preuve l'auteur à l'égard de Calixte. Cependant, la plupart des critiques inclinent à penser qu'il s'agit bien d'une œuvre d'Hippolyte ; ils la considèrent même comme la plus imposante de toute sa production théologique et exégétique. — Trad. Rieder, 1928.

PHORMION [*Phormio*]. Comédie du poète comique latin Térence (185 ?-159 av. J.-C.), inspirée du *Mari adjugé* d'Apollodore de Carystos. Elle fut écrite et représentée en 161. Son titre lui vient du nom du principal personnage de la pièce, un parasite madré et retors. Phédria et Antiphon sont cousins germains. Leurs pères, devant s'absenter, ont confié les deux jeunes gens à la garde de l'esclave Geta. Celui-ci a fort à faire pour surveiller ses jeunes maîtres, tous deux amoureux ; il a d'ailleurs plutôt tendance à favoriser leurs fredaines. Il s'emploie donc, mais en vain, à procurer à Phédria les trente mines nécessaires au rachat d'une jeune musicienne qu'il aime ; et il a réussi à faire épouser à Antiphon la belle Phanie, malgré son absence de dot. En fait, Phormion, un avocaillon parasite, a déniché une loi aux termes de laquelle Antiphon, en tant que parent de Phanie, doit la doter ou, à défaut, l'épouser. Et Antiphon, ne disposant que d'une somme très insuffisante, a été contraint de prendre Phanie pour épouse (ce qui d'ailleurs est loin de lui déplaire). Démiphon, père d'Antiphon, est, à son retour, scandalisé du mariage de son fils avec une jeune fille sans fortune. Nourrissant pour son fils d'autres projets, il se déclare prêt à payer à Phormion tout ce qu'il voudra, pourvu qu'il consente à taire la chose. Mais le rusé compère menace Démiphon d'un procès, au cas où celui-ci voudrait expulser les jeunes époux du domicile paternel. Sur ces entrefaites arrive le frère de Démiphon, Chrémès, à qui son fils Phédria se prépare, avec l'aide de l'esclave Geta et de l'inépuisable Phormion, à extorquer par la ruse les trente mines nécessaires au rachat de sa musicienne. On apprend alors que Chrémès, bien que marié à Athènes avec la fidèle et jalouse Nausistrate, a eu à Lemnos une fille naturelle, Phanie, celle-là même qui, venue par hasard à Athènes, a épousé son cousin Antiphon. Chrémès, qui ignore tout du mariage de son neveu, est stupéfait en apprenant la nouvelle. Il décide alors, en accord avec son frère, de convoquer Phormion, et le supplie de faire annuler le mariage. Phormion accepte, mais exige en échange que lui soient versées, à titre de dot pour Phanie, trente mines, qui serviront au rachat de la jeune musicienne aimée de Phédria. Mais, le marché une fois conclu, Chrémès apprend que Phanie est sa fille, et que ce mariage était précisément ce qu'il souhaitait pour son neveu. Désormais opposé à la dissolution du mariage, il réclame l'argent qu'il a versé. Mais Phormion, à qui certaines indiscrétions de Geta ont permis de percer le mystère des origines de Phanie et de l'infidélité de Chrémès, en informe aussitôt Nausistrate. Il en résulte une violente scène de ménage. Cependant, la colère de l'épouse offensée une fois calmée, tout finit bien : Chrémès et sa femme se réconcilient, Antiphon et Phanie restent unis par les liens du mariage, Phédria pourra racheter sa musicienne, Geta sera pardonné et Phormion se verra somptueusement traité. Comme les autres comédies de Térence, le *Phormion* a pour thème les rapports réciproques de deux mondes bien distincts : celui des jeunes gens, et celui des vieillards. Mais ici, jeunes gens et vieillards ne communiquent que par le seul truchement d'un personnage très particulier. Phormion en effet n'a rien de l'habituel bouffon de comédie, dont les impairs font rebondir l'action : pleinement conscient de la portée de ses initiatives, il se plaît à semer le trouble et le mensonge parmi les protagonistes qui, chacun de leur côté, recherchent désespérément leur vérité. Du côté des jeunes gens, Phédria nourrit pour sa musicienne un amour passionné ; Antiphon éprouve un attachement sincère pour l'humble Phanie. Du côté des vieillards, Démiphon s'inquiète, fort légitimement, de l'avenir de son fils, et Chrémès, non moins légitimement, de sa paix conjugale. Ces préoccupations sont humaines et nous touchent en ce qu'elles font partie du cadre de la vie quotidienne. Et pourtant entre ces divers personnages règne un indéfinissable malaise. Il semble que cette vie si simple contienne en elle-même le germe de quelque tourment secret. Pour rétablir la bonne entente, il faudra l'arrivée d'un parasite retors et sans scrupules qui, exploitant les faiblesses de chacun, réveillera en eux ce qu'ils ont de meilleur et créera ainsi entre eux un équilibre, d'ailleurs assez artificiel. Les péripéties burlesques renferment une ironie latente, non exempte de tristesse. Ici encore, Térence étudie la petite bourgeoisie qu'il affectionne, et met en lumière les aspects tragiquement absurdes de sa vie quotidienne. — Trad. Les Belles Lettres, 1947 ; Garnier, 1948 ; Gallimard, 1971.

PHOTINA SANDRI [*Φωτεινὴ Σάνδρη*]. Drame en trois actes de l'écrivain grec Grigorios Xénopoulos (1867-1951), tiré du roman *Le Rocher rouge*, du même auteur. L'héroïne, Photina, une jeune fille de l'île grecque de Zante, âgée d'à peine dix-sept ans, est très belle, intelligente, naïve et simple ; elle ne connaît rien du monde et vit dans la solitude agreste du rocher rouge avec ses parents et un frère un peu plus jeune qu'elle, le beau Mimis. Un cousin germain de Photina, Angelo Marini, qui n'est plus de la première jeunesse, débarque à Zante. Il s'éprend follement de Photina, au point d'en arriver à lui déclarer son amour coupable. Photina, horrifiée, le repousse et le chasse. Elle ne comprend que plus tard qu'elle l'aime aussi et en éprouve une grande peine, car elle sait que l'Église orthodoxe n'autorise pas les mariages entre cousins germains. Mais lorsqu'une de ses amies, Julie, épouse son cousin germain — exceptionnellement, ils ont obtenu l'autorisation du patriarche —, Photina reprend courage et écrit à Angelo, qui se trouve alors à Athènes, pour l'inviter à venir la chercher : ils s'enfuiront ensemble et s'épouseront à Constantinople. Mais il est trop tard. Le jour même où, secrètement, elle met sa lettre à la poste — sa famille ne sait rien de tout ceci —, arrive d'Athène le faire-part du mariage de son cousin avec une certaine Elisa. Il n'avait pas imaginé que Photina, qui l'avait chassé avec tant de mépris, pût l'aimer ! Cette nouvelle est terrible pour Photina, qui en devient littéralement folle. Dans sa démence, elle escalade le rocher rouge et se jette dans la mer. Cette figure de femme est peut-être la plus populaire de toutes celles qu'a créées Xénopoulos.

PHOTOGRAPHE ET SES MODÈLES (Le) [*Whistlejacket*]. Roman de l'écrivain américain John Hawkes (né en 1925), publié en 1988. Déjà, dans *Les Oranges de sang* (*), du même auteur, Hugh maniait son appareil photo devant de jeunes bergères nues. Dans ce roman qui est à la fois biographie, essai, poème et prose mêlés, deux conceptions de l'image s'opposent et se complètent tout en confirmant la première phrase du livre : « La beauté n'est pas dans l'œil du spectateur, comme ils disent, mais dans l'objectif de l'appareil photographique. » C'est donc d'objectivité, d'observation scrupuleuse de la réalité que nous parle ici l'auteur du *Cannibale* (*). Une fois encore, John Hawkes dédouble magistralement le temps du roman pour dialectiser la problématique de la représentation : voici George Stubbs, célèbre peintre de chevaux dans l'Angleterre du XVIIIe siècle, dont le chef-d'œuvre, un tableau représentant le pur-sang Whistlejacket, trône dans le salon de la famille Van Fleet ; et puis voilà un photographe de mode contemporain, Michael, vingt-huit ans, cavalier et chasseur de renard, narrateur outrancier du présent livre, et qui dit : « J'adore mon travail. J'adore les chevaux. J'adore la femme. » Le cheval est donc le pont qui relie peintre et photographe. Comme dans *La Patte du scarabée* (*), le roman s'ouvre sur une mort accidentelle : celle de Harold Van Fleet, tué par une ruade de son cheval préféré, Marcabru. Et, comme dans le film *Blow up* d'Antonioni, des images photographiques – portraits, photos de famille, fantasmes sexuels – servent de piste à Michael qui désire élucider cette mort, déterminer s'il s'agit vraiment d'un accident ou bien d'un assassinat. De la photo de mode aux images de mort et tirant prétexte d'une énigme policière, John Hawkes nous entraîne dans une enquête qui a pour objet essentiel les pouvoirs évocateurs de l'image, non seulement photographique mais aussi poétique.

Quant à George Stubbs, dont le récit de la vie et des occupations sanglantes occupe le cœur du livre, il paraît convaincu que les véritables profondeurs, les vrais secrets, ne sont pas d'ordre psychologique, mais ceux du corps : il dissèque des chevaux pour se familiariser avec leur anatomie et, ensuite, les peindre de manière si saisissante qu'un cheval vivant confondra l'image et son modèle. Mieux, il va jusqu'à disséquer clandestinement une femme morte en couches pour parachever le portrait qu'il fait d'une mère et de son enfant. Ainsi, pour Stubbs, la connaissance du plus intime sert à la reproduction picturale des apparences. À l'inverse, le photographe Michael part des surfaces de ses images pour accéder aux dérèglements intérieurs des êtres. Cette double enquête tournant autour de la figure centrale et emblématique du cheval est l'un des livres les plus subtils et les plus « romanesques » de John Hawkes. – Trad. Le Seuil, 1989. B. M.

PHRASE INACHEVÉE (La) [*A Befejezetlen mondat*]. Conçu en 1934, terminé en 1938, ce grand roman de l'écrivain hongrois Tibor Déry (1894-1973) a été publié en 1946. Il brosse un vaste tableau de la société hongroise de l'époque et surtout de ses deux pôles opposés : la bourgeoisie industrielle et le prolétariat. Issu d'une famille de riches industriels, mais révolté par la sécheresse d'âme et la mesquinerie de ses pairs, le jeune Lörinc Parcen-Nagy, en quête d'idéal et de pureté, se sent attiré par la classe ouvrière. Or toutes ses tentatives pour communiquer avec le prolétariat échouent. En vain adopte-t-il le fils des Rózsa, ouvriers communistes, tous deux emprisonnés, en vain poursuit-il de son amour la militante Eva Krausz, en vain se décide-t-il à partager la vie misérable des ouvriers des faubourgs, ceux-ci le considèrent comme un étranger, comme un intrus. Cependant, sa vie ne sera qu'un demi-échec : Lörinc terminera ses études de droit et, devenu avocat, il se consacrera à la défense des humbles et des persécutés. Mais son aspiration à la beauté, à la pureté et à la justice absolue ne pourra jamais être satisfaite : la phrase qu'il a commencée en s'engageant aux côtés du prolétariat ne pourra jamais être achevée. Proche parent des grands « romans de famille » de la première moitié du siècle, et malgré quelques réminiscences proustiennes, *La Phrase inachevée* s'intègre parfaitement dans l'œuvre si originale de Tibor Déry : le lecteur y retrouve à la fois la délicate sensibilité de *Niki ou l'Histoire d'un chien* (*) et l'émouvant humanisme de *M. G. A. à X.* (*). Les différents chapitres de ce vaste roman qui conduisent le lecteur successivement à Budapest, sur la côte dalmate, dans les montagnes du Monténégro, à Vienne en plein soulèvement, à Capri, avec quelques évocations de Paris et de l'Italie du Sud, sont les échos des divers voyages et pérégrinations de l'auteur. Après l'échec de la Commune hongroise de 1919, Déry dut en effet émigrer, en France, en Allemagne, en Italie, en Autriche et en Yougoslavie. Rentré dans son pays en 1928, il n'y trouva pas sa place ; comme son héros Lörinc Parcen-Nagy, il resta, jusqu'à la fin de la Seconde Guerre mondiale, un étranger au milieu de ses compatriotes. – Trad. Albin Michel, 1966.

PHYSICIENS (Les) [*Die Physiker*]. « Comédie en deux actes » de l'écrivain suisse d'expression allemande Friedrich Dürrenmatt (1921-1990), jouée pour la première fois le 21 février à Zurich. C'est, avec *La Visite de la vieille dame* (*), l'œuvre la plus connue du dramaturge. L'action tout entière se déroule dans le salon de la clinique psychiatrique « Les Cerisiers », où un meurtre vient d'être commis sur la personne d'une infirmière par un malade qui se fait appeler du nom d'Einstein ; voici deux mois déjà, une autre infirmière avait été victime, dans des circonstances analogues, d'un certain Newton ; la police procède pour la forme à l'interrogatoire des irresponsables ; survient un autre pensionnaire de l'établissement, du nom de Möbius, ex-physicien de son état, qui, dans un tête-à-tête confidentiel avec sœur Monika, attachée aux soins de sa personne, lui avoue qu'il a choisi de passer pour fou pour échapper à son rôle, après avoir pris conscience que ses travaux et découvertes préparaient l'apocalypse de l'humanité ; sœur Monika, qui paraît au fait du passé et de la renommée de Möbius, veut le convaincre de retourner dans le monde ; Möbius, alors, l'étrangle dans la pénombre du salon... Le début de l'acte II, poursuivant la parodie d'intrigue policière, livre l'explication des meurtres en série dont la clinique est le théâtre. Derrière « Einstein » et « Newton » se cachent en réalité deux physiciens réputés qui ont été chargés par les services secrets de leur pays respectif de surveiller étroitement Möbius et de le convaincre, le cas échéant par la force, de travailler au profit des intérêts qu'ils représentent (c'est parce que l'un et l'autre ont été percés à jour par une employée de la clinique qu'ils n'ont eu d'autre choix, disent-ils, que d'éliminer celle-ci). Newton-Kilton, avocat de la cause « occidentale », soutient que la recherche scientifique n'a pas à se préoccuper de morale pourvu qu'elle puisse progresser ; Einstein-Eisler au contraire, en bon prosélyte de la pensée marxiste, revendique pour le scientifique une responsabilité morale, pourvu qu'il choisisse d'œuvrer pour la bonne cause. Möbius, à travers une démarche qui n'est pas sans rappeler *Le Mariage de M. Mississippi,* renvoie dos à dos les idéologies politiques qui cherchent à le récupérer, en soutenant que l'une et l'autre situation qui lui sont offertes aliènent sa liberté. Il préfère la prison d'une maison de fous car, dit-il, « il y a un risque que l'on n'a pas le droit d'encourir : celui de provoquer la fin de l'humanité ». Möbius parvient même, au terme de son plaidoyer, à persuader ses deux collègues de l'imiter et de rester avec lui dans cet « asile », puisqu'ils ont de toute façon échoué dans leur mission dans la mesure où il vient de brûler tous ses manuscrits. Et tous trois de choisir « la cape du fou » : « prisonniers, mais libres ; physiciens, mais innocents ! » Si la pièce s'achevait ici, le désordre du monde serait inchangé, mais le sacrifice de l'individu, au moins, ne serait pas tout à fait vain. Consolation ruinée par la scène finale, qui réserve un ultime retournement de situation. La directrice de la clinique, le docteur Mathilde von Zahnd, y apparaît sous son vrai jour : elle a depuis longtemps démasqué Einstein et Newton, espionné Möbius pour son propre compte, photographié ses manuscrits qu'elle a commencé d'exploiter pour construire un gigantesque empire industriel qui va lui permettre d'étendre son pouvoir sur l'univers ; par les meurtres qu'ils ont commis sur les infirmières (qui n'ont fait d'ailleurs que lui obéir en jouant une comédie à leurs malades), les physiciens sont désormais irrémédiablement ses prisonniers, prisonniers du rôle qu'ils ont endossé en croyant se protéger. Le monde est désormais entre les mains d'un médecin fou et mégalomane. Le personnage de Möbius dans *Les Physiciens* est sans doute parent de celui d'Alfred Ill dans *La Visite de la vieille dame* ou encore du commissaire Bärlach des fictions policières : il mène un combat qui, s'il laisse le monde en l'état, devrait sauver, au moins à ses propres yeux, la valeur de la responsabilité morale de l'individu. Mais aucun geste de ce genre, dans toute l'œuvre de Dürrenmatt, n'est à ce point dérisoire que dans *Les Physiciens,* réplique grotesque au Galilée de Brecht — v. *La Vie de Galilée* (*). — Trad. L'Âge d'Homme, 1988. J.-J. P.

PHYSIOCRATIE ou Constitution naturelle du gouvernement le plus avantageux au genre humain. Les divers écrits de caractère économique, déjà publiés ou encore inédits, de l'économiste français François Quesnay, chirurgien du roi (1694-1774), furent rassemblés sous ce titre en 1768-1769 par le publiciste Dupont de Nemours (1739-1817). Ils constituaient « un corps de doctrine déterminé et complet exposant avec évidence le droit naturel des hommes, l'ordre naturel de la société et les lois naturelles les plus avantageuses pour les hommes réunis en société ». La doctrine physiocratique, née au cours du XVIIIe siècle, en opposition au mercantilisme, se fonde sur le principe que seule l'agriculture produit vraiment la richesse (revenu net) et que la liberté des échanges peut seule en favoriser le développement. À travers les écrits de Quesnay, on voit se développer une doctrine dont le fondement philosophique serait l'existence de lois immuables appartenant à un ordre naturel, lequel ordre dériverait de la formation même de la société. De même que, dans la philosophie politique médiévale, le droit de nature ne dérivait pas de l'état de nature (ainsi que le pensera Rousseau plus tard), mais d'un ordre intrinsèque des choses, de même en est-il ainsi pour Quesnay : mais alors qu'autrefois on faisait appel à une hiérarchie théologique, maintenant Quesnay pense que cela tient à une disposition interne et physique du monde. En conséquence, ces lois de nature ne peuvent manquer d'être considérées comme les meilleures possible, parce que les seules vraies. Ayant découvert et défini la connexion des lois naturelles, les physiocrates affirment la nécessité pour les lois positives de compléter et de soutenir les lois naturelles, sans jamais les altérer ni les violer. Ils reconnaissent comme des droits inhérents à l'ordre naturel de la société : la propriété personnelle, la propriété mobilière, la propriété foncière, ainsi que tous les autres droits qui assurent l'existence et la perpétuation de l'espèce. Ils ne reconnaissent pas l'égalité entre les hommes ; mais ils admettent le droit de tous les hommes à la liberté, dans le cadre des lois de la nature, laquelle est immuable et éternelle, justement parce que voulue par Dieu. Tenant compte de la répartition des forces telles qu'elles se présentent dans la réalité, les physiocrates sont amenés à admettre le despotisme éclairé, car le souverain assure le respect des lois naturelles : il en est l'interprète. Du coup, le despotisme s'en trouve légalisé ; cela tient à ce que l'idée que se faisaient les physiocrates de la liberté n'est pas soutenue par une exigence éthique et reste donc circonscrite dans les seules limites de l'économie.

PHYSIOGNOMONIE OU L'ART DE CONNAÎTRE LES HOMMES (La) [*Physiognomische Fragmente*]. « Esquisse sur l'art de connaître les hommes par leurs traits physionomiques », du psychologue et poète suisse d'expression allemande Johann Kaspar Lavater (1741-1801), composée et publiée en quatre volumes de 1775 à 1778. Si un grain de sable, une feuille contiennent l'infini, l'homme, synthèse de la création, lié indissolublement à l'âme par son corps, doit montrer les intimes harmonies spirituelles dont il est l'expression. L'auteur examine tout d'abord les diverses objections que l'on a coutume d'opposer aux doctrines de la physiognomonie, surtout celles concernant l'hypocrisie et la fausseté. Il étudie l'harmonie qui existe entre beauté morale et beauté physique, ce qui démontre pour le moins que la vertu embellit les traits du visage et que le vice les déforme. Il disserte sur le témoignage des portraits et des profils. De l'examen des crânes des diverses espèces d'animaux, il passe à celui de l'homme, et il étudie les manifestations des tempéraments et les signes de la santé et de la maladie. Dans un chapitre spécial, il étudie les physionomies nationales. Particulièrement intéressantes sont ses observations sur la ressemblance des fils avec leurs parents. Il consacre deux chapitres à la physionomie de la femme, de l'enfant et du jeune homme. Suit une étude détaillée des diverses parties de la tête, surtout du visage humain, des mains et autres organes expressifs. L'auteur classe, distingue, formule des règles — souvent arbitraires — en faisant alterner avec des déductions assez subtiles et exactes des remarques naïves et des divagations pieuses. Avec une emphase oratoire qui recherche la publicité, il se propose de retrouver les pulsations de l'âme et la présence du Divin dans chaque être vivant. Il cite de nombreux auteurs et analyse avec soin l'œuvre de son prédécesseur Giambattista Della Porta, *De la physionomie humaine* [*De humana physionomia*]. Pour illustrer les données de la première partie de son ouvrage, Lavater procède sous le titre d'« Exercices physiognomoniques », à l'examen théorique et pratique des physionomies de quelques personnages historiques, d'écrivains et d'artistes. Se fondant sur ces examens et sur certains principes assez simples, il procède à l'étude comparée des hommes et des animaux, du lion au crapaud. Les idées de Lavater, adoptées par quelques-uns de ses contemporains, suscitèrent un très vif intérêt. D'aucuns, comme Goethe, Herder, Jacobi, les accueillirent favorablement ; d'autres, comme Lichtenberg et Nicolaï, les rejetèrent. Elles passionnèrent les savants d'Europe qui se scindèrent en deux groupes, selon qu'ils acceptaient ou répudiaient « la phrénologie de Gall » dont Lavater fut l'infatigable défenseur : groupes antagonistes faits des physiognomonistes et des antiphysiognomonistes. Par la suite, les partisans de Lavater tombèrent dans des exagérations qui jetèrent sur cette théorie un discrédit immérité. — Trad. Prudhomme, 1806-9 ; L'Âge d'homme, 1979.

PHYSIOLOGIE DE LA CRITIQUE. Essai du critique français Albert Thibaudet (1874-1936), publié à Paris en 1930. « Physiologie », parce que l'œuvre entreprise par Thibaudet n'était ni une psychologie ni une géographie, mais une simple introduction à l'histoire de la critique française et correspondait à cette « physiologie de l'homme en société, considéré dans ses rapports avec la terre », qui est une partie de la géographie ; physiologie donc en un double sens : étude des « fonctions » de la critique, mais aussi étude des modes de peuplement, si l'on peut dire. L'ouvrage distingue en effet, dans ses trois derniers chapitres, les trois fonctions de la critique : le goût, la construction, la création ; et dans ses trois premiers chapitres, les trois régions naturelles : la critique spontanée, la critique professionnelle, la critique des maîtres. La critique spontanée, c'est celle des honnêtes gens qui lisent, qui parlent de leurs lectures : critique du jour, qui prend souvent la forme de la critique journalistique. Elle est entièrement tournée vers l'actuel. La critique professionnelle a une histoire bien définie : Chapelain, Voltaire, La Harpe, Brunetière et quelques autres. On sent que Thibaudet, qui est pourtant lui-même un critique professionnel dans toute la force du terme, ne goûte guère la critique des professeurs. C'est qu'il est bergsonien, et qu'il sait distinguer entre l'intelligence tournée vers le passé, et l'intuition qui coïncide avec la vie : d'où sa dénonciation de la critique qui prétend être à l'origine de l'œuvre d'art et la déterminer à l'avance, et son souhait d'une critique qui chercherait à connaître la littérature de l'intérieur comme un organisme. La critique des maîtres, c'est par exemple le *William Shakespeare* (*) de Victor Hugo, ou l'*Introduction à la méthode de Léonard de Vinci* (*) de Paul Valéry, ou encore certaines pages du *Génie du christianisme* (*) de Chateaubriand, critique qui est souvent une contemplation de ces essences que sont le « génie », le « genre », le « livre ». Après ces régions géographiques où habitent les critiques, leurs fonctions : le goût, la construction, la création. Le goût, comme le plaisir, conduit logiquement à une discipline, suppose une éducation et un discernement. Mais la critique exige plus encore : elle construit des ordres, tels le genre, la tradition, la génération, le pays. Et cette construction, à son tour, suppose une capacité de création. Une critique créatrice est un idéal qui n'a été atteint que dans le *Phèdre* (*) de Platon, où Socrate fait coïncider merveilleusement création et critique. Toutefois, Thibaudet est conscient des limites de la critique et, toujours bergsonien, il reconnaît qu'elle correspond plutôt à quelque chose qui se défait qu'à quelque chose qui se fait, à la retombée matérielle d'un élan vital. Pour lui, la critique peut tout au plus créer des génies. *Génie du christianisme, Génie de la littérature anglaise, Génie de Racine,* êtres intermédiaires entre ciel et terre. Et son livre n'est-il pas lui-même plus qu'une « Physiologie de la critique », un « Génie de la critique », où l'essence subtile et mesurée de la « dixième Muse » tend à prendre conscience d'elle-même. Thibaudet est près de penser que ce génie intermédiaire est amour, et qu'il sait respecter le pluralisme, la diversité féconde, les formes multiples de la beauté.

PHYSIOLOGIE DU GOÛT ou Méditations de gastronomie transcendante. Œuvre du magistrat français Anthelme Brillat-Savarin (1755-1826), publiée d'abord anonymement en 1825. Son intérêt tient dans la légèreté avec laquelle les diverses questions culinaires sont présentées (fort savamment) et dans l'ironie constante qui allège et aère ce petit ouvrage. Les réflexions du facétieux auteur, sur les hommes et les choses, se mêlent à une continuelle verve descriptive, qui sait demeurer toujours fort précise et évocatrice ; on passe de la « Théorie de la friture » aux digressions sur les plaisirs de la table, de l'« Histoire philosophique de la cuisine » (la Méditation XXVII bien connue) aux anecdotes de « Variétés ». Les aphorismes, célèbres par leur singularité, font comprendre comment l'écrivain traite son sujet et de quel accent professoral il s'adresse aux connaisseurs : « La destinée des nations dépend de la manière dont elles se nourrissent » (III), « Dis-moi ce que tu manges : je te dirai ce que tu es » (IV), « On devient cuisinier, mais on naît rôtisseur » (XV), « Convier quelqu'un, c'est se charger de son bonheur pendant tout le temps qu'il est sous notre toit » (XX). L'œuvre est composée à la façon d'un traité et va des « Aphorismes du professeur pour servir de prolégomènes à son ouvrage et de base éternelle à la science » jusqu'à un « Envoi aux gastronomes des deux mondes ». C'était l'époque du triomphe prophétique de la physiologie et, sur les traces de Brillat-Savarin, Balzac devait donner ce nom à la mode à sa *Physiologie du mariage* (*).

PHYSIOLOGIE DU MARIAGE (La) ou Méditations de philosophie éclectique sur le bonheur et le malheur conjugal. Œuvre de jeunesse de l'écrivain français Honoré de Balzac (1799-1850), qui fut plus tard incorporée dans le plan général de *La Comédie humaine* (*). Datée de 1824-1829, *La Physiologie du mariage* peut être considérée comme la première œuvre de Balzac, si on néglige la série de ses romans de jeunesse qui parurent d'ailleurs sous des pseudonymes ; elle fut publiée en 1829, soit un an avant les premières « Scènes de la vie privée » qui amorçaient *La Comédie humaine.* Plus tard, lorsqu'il résolut de la faire entrer dans le plan d'ensemble de son œuvre, Balzac créa une section spéciale, les « Études analytiques ». À *La Physiologie du mariage* et aux *Petites misères de la vie conjugale* (*) qui en sont comme l'illustration, Balzac prévoyait de joindre un certain nombre d'études dont il nous a donné la liste dans le catalogue de ses œuvres de 1845. De ses différents ouvrages : *Anatomie des corps enseignants, Pathologie de la vie sociale, Monographie de la vertu, Dialogue philosophique et poétique sur les perfections du XIXe siècle,* aucun ne semble avoir reçu un commencement d'exécution. Le ton de *La Physiologie* est fort différent de celui des premiers ouvrages de *La Comédie humaine,* Balzac se veut brillant, spirituel, paradoxal ; il ambitionne visiblement de devenir un écrivain à la mode. Dans une introduction d'un style facétieux, l'auteur explique la genèse de son œuvre. Ce sont les paroles prononcées par Napoléon devant le Conseil d'État, à propos du mariage, lors de la discussion qui précéda l'élaboration du *Code civil* (*), qui portèrent Balzac à la méditation sur ce sujet ; de ses rêveries sortit un petit « pamphlet conjugal », l'histoire de deux époux qui s'aiment pour la première fois après vingt-sept ans de ménage. Il retrace ensuite les traverses, plus ou moins fantaisistes, qui se sont longtemps opposées à la réalisation d'un plus ample projet. Balzac prétend qu'il n'a fait que coordonner ici les observations faites par deux dames qui lui auraient fait leurs confidences. Il indique qu'afin de ménager le lecteur il a multiplié les haltes dans son livre, suivant l'exemple de l'auteur de la *Physiologie du goût* (*), dont l'influence est évidente et parfois gênante dans la composition de tout le livre. Aussi *La Physiologie du mariage* est-elle divisée en 30 méditations, distribuées en deux parties : « Considérations générales », et « Des moyens de défense à l'intérieur et à l'extérieur ». Les « Considérations générales » comprennent des aperçus d'ordre assez brutalement physiologique et social, appuyés sur des données statistiques évidemment fantaisistes, et coupés d'aphorismes, de propositions présentées comme les axiomes et les théorèmes de cette science exacte qu'est pour Balzac le mariage ; certains d'eux sont groupés sous le titre de « Catéchisme conjugal ». L'idée que se fait Balzac du mariage est fort cynique et non moins superficielle. Le mariage pour lui est très exclusivement une aventure charnelle nécessairement décevante et une affaire d'intérêts financiers ; le grand problème est l'adultère. C'est donc, dans la deuxième partie, une stratégie et une tactique en règle qu'il propose aux maris qui désirent ne pas être trompés (le titre de la première méditation de la seconde partie est significatif à cet égard : « Traité de politique maritale »).

Cette œuvre de Balzac est intéressante à plusieurs égards. Elle s'apparente, par son sujet et ses anecdotes, aux vaudevilles dont Scribe possédait le secret ; mais, dans la mesure où elle examine les mécanismes d'une société fondée sur le mariage, *La Physiologie* est une des clefs de *La Comédie humaine.*

L'observation sociale et politique y est relayée par une morale du mariage qui n'est pas exempte d'un certain féminisme.

PHYSIOLOGIE VÉGÉTALE ou Exposition des forces et des fonctions vitales des végétaux pour servir de suite à l'organographie et d'introduction à la botanique géographique et agricole. Cette *Physiologie* fait partie d'un cours de botanique tiré des leçons professées, de 1804 à 1829, par le botaniste suisse Augustin de Candolle (1778-1841). Elle fait suite à une organographie (nous dirions anatomie) et ouvre la voie à l'étude des « parties accessoires » : botanique géographique et agricole. Elle répond au besoin éprouvé, pour la première fois, de récapituler les connaissances acquises à ce moment sur la vie des plantes, à la lumière de la chimie et de la physique, alors en pleine jeunesse. Elle déborde largement le domaine de ce qui constitue actuellement la physiologie végétale. En plus des fonctions de nutrition et de reproduction, et de l'action du milieu, elle embrasse l'étude des parasites animaux et végétaux, ce qu'on peut appeler déjà la génétique, et l'écologie. Candolle y ajoute l'étude des techniques agricoles et horticoles, avec cette objectivité ingénue caractéristique de son temps, qui lui fait envisager avec le même sérieux les expériences fondamentales sur l'absorption du gaz carbonique par les végétaux et les « accidents indéterminés dus aux mouvements des animaux ». Cette objectivité, si ingénue soit-elle, se double d'un esprit scientifique remarquable, et l'on est frappé du bon sens et de la précision avec lesquels est dessiné le cadre où s'inscriront, par la suite, les grandes divisions de la physiologie et des sciences qui s'en sont séparées. Le souci d'en revenir à l'expérience ou à l'observation est constamment exprimé, même quand Candolle émet un avis sur une question controversée. L'importance attachée aux préoccupations pratiques, ici agricoles, traduit la notion de l'utilité de la science. Il compte autant sur ses savants collègues que sur les agriculteurs pour la faire avancer et laisse à chaque instant la porte ouverte à l'expérimentation ultérieure, en soumettant partout des questions inédites et de nouveaux problèmes à leur sagacité.

PHYSIOLOGUE [Φυσιολόγος]. Titre d'un ouvrage grec, où l'auteur traite d'environ quarante-huit animaux, plantes et pierres ; à la fin de chaque chapitre, il caractérise leurs puissances occultes comme des symboles du Christ, du diable, de l'Église et de l'homme. Le titre désignait à l'origine non pas l'œuvre, mais un savant, qui y est cité comme faisant autorité dans le domaine des sciences naturelles, peut-être l'auteur de la source païenne dont s'inspire notre livre. L'œuvre fut composée selon toute vraisemblance dans la seconde moitié du IIe siècle à Alexandrie, où de telles spéculations étaient alors à la mode. On a conservé de multiples rédactions de cet ouvrage, dont certaines sont attribuées aux plus célèbres pères de l'Église grecque (Basile, Épiphane, etc.). Sa diffusion ne se limita pas au monde byzantin : le *Physiologue* fut traduit en éthiopien, en copte, en syriaque, en arabe, en arménien, en diverses langues slaves, de nombreuses fois en latin, ainsi que dans les langues romanes et germaniques. Son influence apparaît même pendant le Moyen Âge, où il fut à l'origine des nombreux *Bestiaires* (*). Les illustrations, qui dans quelques manuscrits ornent l'œuvre, présentent une certaine importance pour l'histoire de l'art.

★ De la rédaction latine du livre grec, qui fut faite au début du Ve siècle et que l'on attribue à Ambroise, diverses traductions se répandirent en Allemagne, comme dans le reste de l'Europe. La plus ancienne, dite *Discours des animaux* [*Reda umbe diu tier*], est écrite en allemand du haut Moyen Âge (alaman) et fut composée dans la seconde moitié du XIe siècle, d'après la rédaction latine de Chrysostome [*Dicta Chrysostomi de naturis bestiarum*]. En Allemagne, on connaît encore un autre ouvrage du même genre, que l'on a appelé le *Livre des animaux et des oiseaux* [*Uon Tieren unde uon Fogilen*], et qui fut composé en moyen haut allemand, vers 1120-30. Il reprend la rédaction latine du *Pseudo-Chrysostome,* dont il est une traduction littérale. Un troisième *Physiologus* allemand est le *Physiologue rimé,* composé vers 1130-50, qui n'est autre qu'une médiocre versification du texte en prose. Ces trois rédactions allemandes du *Physiologue* offrent toutes ceci de particulier qu'elles accentuent le caractère religieux du texte latin ; leur but n'est donc pas scientifique, mais exclusivement de symbolique théologique.

PHYSIQUE d'Aristote [Φυσικὰ ἢ Φυσικῆς ἀκροάσεως]. Ce traité fait partie des ouvrages acroamatiques du philosophe grec Aristote (384-322 av. J.-C.), qui étaient réservés à un petit nombre d'auditeurs. Il fut écrit entre 335 et 332 av. J.-C., pendant le second séjour d'Aristote à Athènes, en même temps, semble-t-il, que les autres ouvrages scientifiques de celui-ci. La *Physique* est annoncée dans la *Logique,* qui étudiait les conditions générales du savoir. Elle-même étudie la réalité naturelle, ouvrant ainsi la voie à la *Métaphysique* (*), qui a pour objet la réalité première. Elle contient une part critique, dirigée notamment contre les Éléates, qui niaient le changement. Puis elle développe une théorie dynamique du changement, considéré comme un passage de la puissance à l'acte, et cherche à expliquer les causes, le hasard, l'infini, le lieu, le vide, le temps et la cause première. L'ouvrage est formé de huit livres. Au premier, Aristote détermine l'objet de la physique : c'est l'étude des principes des choses de la nature. Que ces choses existent va de soi, et qu'elles sont en mouvement. L'éléatisme, qui le nie, est absurde. Combien maintenant y a-t-il de principes ? On peut en distinguer trois : la matière, la forme, la privation. L'objet de la *Physique,* c'est à la fois la matière et la forme, c'est la forme engagée dans la matière. Au livre II, Aristote étudie les causes. Elles sont au nombre de quatre : matière, forme, cause efficiente, cause finale. Ainsi la statue a quatre causes : sa matière, sans quoi elle ne serait pas ; son modèle ou forme dans l'esprit du sculpteur ; celui-ci en tant que cause efficiente ; ce qu'elle sera enfin, son état final, en vue duquel l'être en puissance qu'elle était est devenu être en acte. Qu'est-ce maintenant (livre III) que le mouvement ? Le mouvement est l'acte de ce qui est en puissance. Si l'enfant grandit, c'est parce qu'il est un adulte en puissance ; et c'est là spécifiquement son mouvement. C'est au livre V seulement qu'Aristote poursuit son analyse du mouvement. Tout mouvement a lieu entre des contraires, du haut au bas, du blanc au noir, etc. Il y a donc autant de genres de mouvement qu'il y a de genres de l'être qui admettent des contraires : c'est le cas de la qualité, de la quantité et du lieu, d'où trois genres de mouvement : altération, augmentation ou diminution, mouvement local. À chaque fois, le mouvement va de la privation d'une certaine qualité à la possession de cette qualité. Au livre III (2e partie) et au livre IV, Aristote avait, entre-temps, défini l'infini, le lieu, le vide et le temps. Le changement, en effet, est continu, ce qui introduit l'infini. Il a lieu dans l'espace, il a besoin, selon l'opinion générale, du vide et du temps. Il faut donc analyser ces quatre notions. L'infini existe. Mais comment existe-t-il ? Il n'est pas une chose en soi, comme le pense Platon. Attribut de la grandeur, il n'existe qu'en puissance. Et la nature évite l'infini. Le ciel, ainsi, est fini. L'espace est avant tout, pour Aristote, la limite, l'enveloppe de la chose et non pas l'intervalle entre deux choses. Le vide, c'est un tel lieu privé de corps ; mais son existence est inadmissible : le contenant ne peut qu'avoir un contenu. Le temps enfin, inséparable du mouvement, est continu comme lui ; il est le nombre du mouvement. Au livre VI, Aristote, poursuivant l'étude du mouvement, étudie sa divisibilité et sa division ; au livre VII, sa relation aux moteurs et aux mobiles. Il démontre d'abord l'existence d'un premier moteur et d'un premier mobile. Tout mû, en effet, est mû par quelque chose. Et le mouvement a été et sera toujours. Il y a donc eu (la démonstration en est faite au début du livre VIII) un premier moteur, lequel ne peut être lui-même qu'immobile. Ce principe de tous les autres mouvements meut par translation circulaire, une, continue, infinie, parfaite. Il est inétendu. Il est unique. Il est pensée pure. – Trad. Les Belles Lettres, 1926-31 ; P.U.F., 1972.

PHYSIQUE DE L'AMOUR. « Essai sur l'instinct sexuel » de l'écrivain français Remy de Gourmont (1858-1915), publié à Paris en 1903. Désireux de situer la vie sexuelle de l'homme sur le plan de la sexualité universelle, l'auteur s'attache avec beaucoup de soin à examiner les différents aspects de la question, mais son enquête pèche indéniablement par excès d'intellectualisme. L'auteur rappelle tout d'abord que l'homme n'est pas au sommet de la nature, mais bien dans la nature même et qu'il constitue seulement un des éléments de la vie : et rien de plus. L'homme est le produit d'une évolution partielle et non d'une évolution totale. Il faut en outre s'avancer encore plus loin que ne l'a fait Darwin, en traitant de la sélection sexuelle dans la mécanique de l'amour, afin de pouvoir déduire les lois de la sexualité universelle des lois de la nature et évaluer les conquêtes de la physiologie. À cette fin, il est nécessaire d'étudier les lois de l'amour dans leur complexité et leur unité. Dénonçant tous les artifices de la littérature, Gourmont insiste sur ce point que l'amour est profondément « animal » : c'est là que réside sa beauté. Le dessein premier de la nature est le maintien de la vie, mais l'idée même d'une intention de la nature est une illusion humaine ; il n'y a ni commencement, ni moyen, ni fin dans la série des causes. L'amour engendre la vie, avec une surabondance d'énergie au milieu des morts et des destructions qui sont la source d'une nouvelle vie et de nouveaux êtres. C'est pourquoi l'acte sexuel est « le plus important de tous les actes ». Une fois achevée cette exposition d'un caractère tout polémique, l'auteur traite du problème sexuel sous ses différents aspects, de la différenciation des sexes au dimorphisme sexuel, du féminisme à la description des organes et au mécanisme de l'amour. On trouve également quelques chapitres sur la polygamie, sur l'amour chez les animaux, ainsi que sur l'instinct. L'œuvre présente un intérêt certain, qui tient beaucoup moins à ses tentatives de vulgarisation, cependant étayées par des informations minutieuses, qu'à une véhémente défense de la nature dans ce qu'elle a de spontané et sous cet aspect que condamne la morale traditionnelle.

PHYSIQUE NOUVELLE ET LES QUANTA (La). Dans cet ouvrage publié en 1937, le physicien français Louis de Broglie (1892-1987), après avoir rappelé les fondements de la mécanique et de la physique classiques, expose le développement qu'a pris la physique moderne depuis la théorie de la relativité et l'introduction par Planck des quanta (*De la nature de la lumière*). Il montre comment l'existence du quantum d'action implique une sorte d'incompatibilité entre le point de vue de la localisation des phénomènes dans l'espace et dans le temps, et le point de vue de leur évolution dynamique, incompatibilité que traduit le principe d'incertitude de Heisenberg. La description du monde physique dans les théories quantiques résulte d'une sorte de compromis. Malgré leur caractère contradictoire, chacune des idées d'ondes d'une part, de corpuscules d'autre part, est nécessaire à la description des phénomènes et elles doivent être alternativement employées. En dernier lieu, Louis de Broglie expose sa théorie de la lumière, qui permet d'unifier les concepts de matière et de lumière en considérant que le photon est constitué par deux demi-photons complémentaires, couple de particules obéissant à la même statistique que l'électron. Il donne également un résumé des connaissances de cette époque sur la physique du noyau. Ce livre est écrit dans une langue agréable, c'est un modèle d'exposition ; néanmoins, bien que « vulgarisant » certaines notions, il n'est abordable qu'à ceux qui possèdent déjà de bonnes connaissances de physique générale.

PIANOS DE LITUANIE (Les) [*Litavische Klaviere*]. Roman du poète allemand Johannes Bobrowski (1917-1965), publié posthume en 1966. Dans cette dernière œuvre, Bobrowski développe une fois encore le thème de la cohabitation de populations diverses dans les régions situées aux confins de l'Allemagne orientale. La trame n'est qu'un simple prétexte à un « entremêlement de passages lyriques » parfois très proche des poèmes et surtout des proses, de monologues intérieurs. Deux citoyens de Tilsit, le professeur de lycée Voigt et le musicien et chef d'orchestre Gazehn, ont l'intention de composer un opéra en s'inspirant de la figure historique de Kristijonas Donelaitis, prêtre de campagne qui vécut au XVIIe siècle à Tolmingehmen, poète national lituanien, constructeur de baromètres et de thermomètres, et facteur de trois pianos. À la recherche de matériau biographique pour l'œuvre qu'ils ont esquissée, la veille de la fête de la Saint-Jean 1936, les deux amis prennent le petit train qui les conduit de l'autre côté du fleuve Memel, dans le petit village de Wilkischken encore lituanien à cette époque, pour y consulter l'instituteur du village, Potschka, qui recueille des chansons populaires et qui est un excellent linguiste. Voigt et Gazehn, qui se trouvent ainsi mêlés aux festivités de la Saint-Jean célébrée séparément par les associations patriotiques allemandes et lituaniennes, ont la possibilité d'observer de près les tensions entre les deux communautés. Ils se rendent compte que le conflit latent est attisé par l'art, et assistent à un assassinat perpétré par les nazis, encore dissimulés sous le paravent d'une association culturelle. La cohabitation pacifique à laquelle Voigt espérait contribuer avec son opéra ne semble plus possible. Mais certains compatriotes de Potschka menacent aussi d'organiser une « expédition punitive », parce que l'instituteur lituanien a une relation amoureuse avec une jeune fille allemande, Tuta Gendrolis. Si, et comment, cette agression a été véritablement effectuée, le narrateur ne le laisse que vaguement deviner, dans la mesure où les derniers chapitres mêlent de manière presque indiscernable des événements réels et d'autres imaginaires : Potschka monte sur une « tour qui n'existe pas », où il se perd dans des visions relatives à la vie de Donelaitis, avec lequel il s'identifiait déjà depuis un certain temps. La fin reste indéterminée : dans l'une des versions il est assassiné par un sbire des nazis ; dans l'autre, Tuta le rappelle à ses devoirs et au choix imposé par la situation. La conclusion, énigmatique, contraint le lecteur à s'interroger sur la signification du livre. L'« obscurité maïeutique » de cette œuvre est caractéristique de la poésie lyrique et de la prose de Bobrowski pour lequel le principe structural dominant est le rapport qui s'établit entre les faits réels et le récit. Si le contact étroit avec la nature favorise une forme d'existence idyllique, loin des vicissitudes historiques, celle-ci n'en affecte pas moins la vie et les traditions des Lituaniens, et c'est elle qui impose de choisir entre le juste et l'injuste. Voigt et Potschka, qui à travers d'évidents parallèles biographiques peuvent être décrits comme des « postfigurations » de Donelaitis, révèlent autant la réussite que la faillite d'une simple adéquation au modèle. Voigt a déjà trouvé le rapport juste avec celui-ci, qui est de poursuivre activement son œuvre. Potschka — comme le montre emblématiquement la scène de la tour — a encore beaucoup à apprendre : la vénération romantique et contemplative du passé est impuissante face aux forces du mal. La mémoire n'est féconde que si elle permet de modifier la situation actuelle et à venir, dans l'action et dans la communication orale avec les autres. Les pianos lituaniens de Donelaitis sont l'emblème de l'espérance dont cette façon d'agir serait porteuse : ils doivent être accordés « lentement », petit à petit, mais resteront toujours « légèrement désaccordés » à l'image d'une harmonie que l'on doit souhaiter mais qui reste inatteignable. — Trad. Maren Sell, 1990.

PÍCARA JUSTINA (La) [*El libro de entretenimiento de la pícara Justina*]. Roman picaresque espagnol publié à Medina del Campo en 1605 sous le nom de Francisco López de Ubeda. Certaines allusions satiriques de Cervantès dans le *Voyage au Parnasse* (« Haldeando venía y trasudando / el autor de *La Picara Justina* / capellán lego del contrario bando »), la tradition scolastique ont fait parfois penser que le nom d'Ubeda masquait celui du dominicain Andrés Péres ; mais comme l'existence de Francisco de Ubeda, médecin à Tolède, est indéniablement prouvée, on s'accorde à voir en lui le véritable auteur de ce roman. Le livre ne montre pas de grands dons d'invention et sa nouveauté fondamentale consiste à prendre pour protagoniste une

« pícara » au lieu d'un « pícaro ». Le roman est bizarrement précédé de trois prologues et compte quatre livres divisés en parties et chapitres. Chaque chapitre est précédé d'un résumé en vers, empruntant les mètres les plus variés en usage au XVIIe siècle, et se termine par un « aprovechamiento » en guise de morale, qui enseigne à tirer profit de la lecture. Dans le premier livre, « La pícara montañesa », Justina rappelle sa propre ascendance et raconte son éducation ; mais au lieu de remonter, comme le Lazarille — v. *Les Aventures du Lazarille de Tormès* (*) — et *Guzmán de Alfarache* (*), à ses parents, elle remonte jusqu'à ses arrière-grands-parents, comme pour montrer de quel lointain atavisme viennent sa propension à la vie déréglée et son goût de l'aventure. Le second livre, « La pícara romera », narre les aventures de Justina au cours d'une série de « pèlerinages » (« romerías ») : enlevée par une bande d'étudiants, elle risque de perdre son honneur, mais elle se libère d'eux en les enivrant et les bernant ; elle se lance dans mille autres aventures burlesques, frôlant continuellement le code pénal et civil, sans jamais être prise. Le troisième livre, « La pícara pleitista », raconte les procès intentés à Justina par ses frères ; elle quitte alors sa maison et s'en va vivre à Ríoseco, où elle continue ses larcins, jusqu'à ce qu'elle entre dans les bonnes grâces d'une vieille sorcière maure ; lorsque celle-ci meurt, elle réussit à se faire passer pour sa nièce et hérite d'elle, puis revient dans son pays. Le quatrième livre, « La pícara novia » (« fiancée »), raconte les plaisanteries auxquelles Justina se livre vis-à-vis de ses prétendants ; elle épousera le pire d'entre eux, le belliqueux Lozano, joueur et dépravé. Ce quatrième livre promet une seconde partie qui devait être déjà composée puisque, dans le prologue qui présente le sommaire de l'œuvre, l'auteur énumère les titres de tous les livres, le dernier de ceux-ci indiquant que, devenue veuve, Justina épouserait le pícaro Guzmán de Alfarache. Le roman est une tentative mal réussie de mettre en application l'heureux mélange de morale et de picaresque, qui avait fait le succès du chef-d'œuvre d'Alemán. Mais, dans *La Pícara Justina*, la réflexion morale vient s'ajouter d'une façon tout à fait arbitraire et les thèmes satiriques, qui donnaient tant de vivacité à l'histoire de Guzmán, ne sont ici que prédications moralisatrices ; d'une morale extrêmement relative qui se perd dans les extravagances anecdotiques. Cet ouvrage, où s'expriment allègrement le débraillé et les bouffonneries de la canaille, est écrit dans une langue admirable, d'une grande richesse de couleur.

PIÈCE DIDACTIQUE DE BADEN-BADEN [*Das Badener Lehrstück*]. Œuvre de l'écrivain allemand Bertolt Brecht (1898-1956). C'est la dernière version d'une courte pièce didactique sur le premier vol de Lindbergh au-dessus de l'océan Atlantique, écrite en 1928-29. Construite à la façon d'un oratorio, sur une musique de Hindemith, avec chœur et récitant, la pièce se présente comme un montage de brèves séquences. C'est une sorte de mise en jugement de l'aviateur que l'on suppose tombé et blessé avec trois de ses camarades au cours d'un vol. Il réclame du chœur un secours que celui-ci ne veut ni ne peut lui apporter. Le procès se développe jusqu'à la sentence définitive, rompu çà et là par des sketches, enquêtes et examens qui viennent enrichir le débat, comme on apporte au dossier d'une affaire des pièces à conviction que les jurés auront à utiliser pour le mieux.

Une autre démonstration fait l'objet des deux courts « opéras scolaires » parallèles, inspirés d'un Nô japonais : *Celui qui dit oui* [*Der Jasager*] et *Celui qui dit non* [*Der Neinsager*], écrits en 1929. Tout comme dans la pièce précédente, il s'agit pour l'homme d'établir un accord, une relation juste de lui à lui-même, de lui aux autres et au monde. Une épidémie ayant éclaté dans leur ville, un professeur et ses élèves vont chercher du secours. L'un des plus jeunes, dont la mère elle-même est malade, épuisé, ne peut plus avancer. Le professeur et les étudiants se concertent et décident de l'abandonner là ; ils consultent malgré tout l'enfant. Dans le *Jasager*, celui-ci répond selon l'usage et prie les étudiants de le jeter dans la vallée, car il a peur de mourir seul. Avec une sorte d'affreuse tendresse, les étudiants le prennent dans leurs bras pour le jeter au bas de la montagne. Situation et récit identiques dans le *Neinsager*, jusqu'au moment où le garçon, interrogé et dont on attend une réponse conforme à l'usage prescrit, se rebiffe. Et tous décident de retourner d'où ils viennent. Le Neinsager, le garçon qui dit non à l'usage établi, est en accord, en relation juste avec le monde. L'aviateur échappait à cet accord par l'orgueil, le Jasager par l'obéissance aveugle à une tradition périmée. — Trad. L'Arche, 1960.

PIÈCES BRILLANTES. C'est sous ce titre générique que le dramaturge français Jean Anouilh (1910-1987) a regroupé en 1951 quatre de ses pièces. Créée en 1947 par André Barsacq, *L'Invitation au château* est le bondissement retrouvé du *Bal des voleurs* — v. *Pièces roses* (*) —, avec la virtuosité étourdissante des entrées et des sorties, et des intrigues qui s'entrecroisent. Mais peut-être y discerne-t-on déjà un certain essoufflement. Dans cette pièce rose où le ton plus grave du *Rendez-vous de Senlis* — v. *Pièces roses* — rejoint celui du *Bal*, ce qui frappe d'abord, c'est un rappel insistant du thème de l'argent ; mais la morale de la fable nous indique que, cette fois, l'argent ne fait pas le bonheur. L'argent est vaincu. Une fière jeune fille, mi-Juliette (*Le Bal*), mi-Thérèse

(*La Sauvage* — v. *Pièces noires* [*]), suffit à mettre en échec la puissance d'un financier colossalement riche. Il lui offre des millions, mais elle refuse, pour le plaisir de dire non. Cette résistance inexplicable le dépossède plus cruellement qu'une faillite. De désespoir, il déchire les liasses de billets qu'il porte sur lui. Parallèlement, la situation des pauvres fait l'objet de plusieurs développements, leur fierté à vif, leur impuissance, leur scandale, leur gravité incurable. À la même occasion, l'hypocrisie bourgeoise est démasquée avec force. L'antagonisme social est présenté sous son aspect le plus irréductible, mais, là encore, aucun remède n'est envisagé, ni réforme ni révolution. Un trait surprend par sa nouveauté : pour la première fois il est question, en termes clairs, de la religion chrétienne, ou plutôt de ce qu'elle représente pour deux fidèles : une demoiselle de compagnie dévote et un peu niaise, une vieille dame lucide, riche et cynique ; tout cela donne un badinage sarcastique assez déconcertant ; il semble que la satire porte plus sur les personnages que sur la doctrine religieuse. Au total, pour une pièce « brillante », pour un divertissement, *L'Invitation au château* a pu paraître déroutante. Le spectacle laisse au spectateur une impression ambiguë que provoquent le mélange de mascarades, d'invraisemblances dans les caractères ou les situations, et la gravité des thèmes abordés.

Le passage au « grinçant », c'est-à-dire à la fantaisie s'appliquant à la douleur humaine elle-même, se laisse saisir dans *Colombe*. La date où cette pièce fut écrite demeure imprécise, mais elle fut créée en 1951 par André Barsacq. On y trouve le procédé déjà employé dans *Le Voyageur sans bagage* — v. *Pièces noires* : un personnage est vu par un autre personnage, caché celui-là. Il s'agit toujours de cette tentation du théâtre dans le théâtre. Mais, alors que dans *Le Voyageur* on assistait surtout à un remue-ménage extrêmement scénique, dans *Colombe* le pas est franchi. Lucien et Colombe s'affrontent, dans la jalousie de l'un, dans le mensonge de l'autre ; derrière la porte, on les observe ; mais ce ne sont plus les domestiques indifférents du *Voyageur*, ce sont les amis frelatés de la jeune Colombe, les instruments mêmes de la discorde. Ils observent donc moins qu'ils ne guettent ; ils ne sont pas des spectateurs curieux. Ils sont impliqués dans les malheurs d'autrui. Et du même coup, la scène grince.

Avec *La Répétition ou l'Amour puni*, pièce écrite en 1947 mais créée en 1950 par Jean-Louis Barrault, Anouilh s'amuse à pasticher Marivaux. Ainsi Anouilh se renouvelle-t-il au contact de jeux plus subtils. Ce soir, dans le château de *La Répétition*, on répète Marivaux. La joute nuancée de Tigre et de la Comtesse s'enchâsse dans *La Double Inconstance* (*) ; le style d'Anouilh s'assouplit. Dans le théâtre de Marivaux, chacun trouve sa chacune, à travers les embûches et les stratagèmes ; les figures mal tracées se défont pour une figure plus parfaite. Ainsi, dans *La Double Inconstance*, Sylvia quitte Arlequin pour s'unir au prince, tandis qu'Arlequin rejoint Flaminia. Mais la fantaisie cruelle des cœurs ne prend-elle pas en fait l'avantage ? Fidèle cette fois à lui-même, Anouilh tire à lui cette amertume ; par le truchement du comte Tigre, il met l'accent sur le noir : « C'est une pièce terrible [...] c'est proprement l'histoire élégante et gracieuse d'un crime. » Brisant l'accord entre Tigre et Lucile, Héro, l'ami déchu, pénètre dans la chambre de la jeune fille, la désespère par un mensonge et la séduit. Alors c'est la Thérèse de *La Sauvage* — v. *Pièces noires* — qui reparaît aux yeux des spectateurs, Thérèse à l'instant de la première souillure. Il est remarquable de noter qu'au moment même où elle cède Lucile redevient une enfant : « Mon enfant. Mon tendre enfant. Mon pauvre petit enfant », chuchote Héro. Une fois de plus, et ici par le détour imprévu d'un pastiche, règne douloureusement le thème de l'enfant sali par le monde trompeur de l'adulte.

Avec *Cécile ou l'École des pères*, un an plus tard, notre pasticheur emprunte les surprises du jardin de *L'École des mères*, entre la maison et la petite porte du mur, espace théâtral où à l'arabesque du sentiment se joignent la danse, les masques, les flambeaux. La pièce ne fut créée qu'en 1954, dans une mise en scène de Jean-Denis Malclès.

PIÈCES COSTUMÉES. C'est sous ce titre générique que le dramaturge français Jean Anouilh (1910-1987) a regroupé en 1960 trois de ses pièces. *L'Alouette* fut créée en 1953 dans une mise en scène de Jean-Denis Malclès. Imagerie autour de Jeanne d'Arc, la pièce ne prétend pas, du propre aveu de l'auteur, expliquer le mécanisme de l'aventure de la Pucelle. Il s'agit de bien autre chose, et d'abord d'un jeu de théâtre où le dramaturge se donne à la joie de peindre la saveur populaire, sa manière à lui de se détendre et de prendre contact avec la vie. Il s'y mêle on ne sait quels souvenirs de livre d'images. « Il n'y a pas d'explications à Jeanne. Pas plus qu'il n'y a d'explications à la petite fleur vivante qui savait de tout temps combien elle avait de pétales et jusqu'où ils pousseraient. Il y a le phénomène Jeanne, comme il y a le phénomène pâquerette, le phénomène ciel, le phénomène oiseau [...] On reconnaît aux enfants le droit de faire un bouquet de pâquerettes, de jouer à faire semblant d'imiter le chant des oiseaux, même s'ils n'ont aucune sorte de connaissance en botanique et en ornithologie. C'est à peu près tout ce que j'ai fait. » Voici ce qu'écrivait Anouilh dans la présentation de sa pièce. À ces mots, il ne convient que d'ajouter la tendresse et la naïveté avec lesquelles il a dessiné la petite silhouette de l'enfant Jeanne. *Becket ou l'Honneur de Dieu* fut créé en 1959 dans une mise en scène de l'auteur. Thomas Becket, compagnon du roi Henri II Plantagenêt, au conseil, mais aussi dans le plaisir ou à la chasse, travaille contre le pouvoir exorbitant que l'ancienne charte d'Angleterre avait donné au clergé et à son chef, l'archevêque primat. Il est sans doute l'ami du roi, en tout cas il est profondément fidèle à son suzerain et au serment féodal qui le lie à lui. L'archevêque meurt. Le roi, croyant simplifier tout pour le bien du royaume, force Becket à accepter ce poste. Becket l'avertit qu'il va faire une folie : « Si je suis archevêque, je ne pourrai plus être votre ami. » Le roi s'obstine, l'oblige. Le soir de son élection, Becket renvoie ses concubines, vend sa vaisselle d'or, ses chevaux et ses riches habits à un Juif, revêt une simple robe de bure, invite les pauvres de la rue à dîner et commence à lutter contre le roi, qu'il n'a peut-être pas cessé d'aimer. Il avait accepté le fardeau. Ce débauché, cet homme facile, ce réaliste qui pressurait le clergé pour le compte du royaume était maintenant comptable de l'honneur de Dieu. Voilà ce que put lire un jour Anouilh dans *Histoire de la Conquête de l'Angleterre* (*) d'Augustin Thierry ou dans *Meurtre dans la cathédrale* (*) de Thomas Stearns Eliot. Ce qu'il en a retenu, c'est surtout le drame entre ces deux hommes qui étaient si proches, qui s'aimaient et qu'une grande chose, absurde pour l'un d'eux, celui qui aimait le plus, allait séparer. Et, certes plus touchante que la tragédie du pouvoir qui se livre en même temps, la tragédie de l'amitié en constitue la doublure écarlate. Anouilh a merveilleusement analysé les rapports qui unissent Becket au roi, et les tourments de ce dernier, contraint à condamner le meilleur de lui-même, tout en souhaitant qu'il échappe aux pièges qu'il lui tend. Et le meurtre de Thomas Becket, archevêque, devient crime d'amitié. Parallèlement à ce conflit tragique, Anouilh illustre aussi ce simple proverbe : l'habit fait le moine. Becket, Saxon vaincu par les Normands, est un « bâtard » dans le sens sartrien du mot. Il « collabore » de bonne grâce, mais ne possède en propre ni honneur patriotique ni honneur de famille. Où donc seront son honneur, sa patrie, sa famille ? En Dieu, dès qu'il se sera donné à lui en devenant archevêque. D'où son intransigeance qu'il est assez honnête pour ne pas confondre avec la sainteté.

La Foire d'empoigne, créée en 1961 dans une mise en scène de l'auteur, est une farce où bien entendu « toute ressemblance avec Napoléon ou Louis XVIII ne saurait être que fortuite et due au hasard ». La pièce commence au moment où le roi file et où Napoléon revient ; puis, très vite, c'est le roi qui revient et Napoléon qui file. Le factionnaire, lui, est à la même place ; et son sergent lui colle encore une fois quatre jours (on voit à la fin, par une « profonde et fulgurante vue de l'esprit », que c'est pareil en Angleterre). Pour Dupont, quoi qu'il arrive, le régime ne change guère. Il n'a qu'à se remettre les paroles du nouvel hymne dans la bouche, l'enthousiasme, bien entendu, devant rester égal à lui-même. Encore le Dupont que nous montre Anouilh a-t-il la chance de rester de garde aux Tuileries ; d'autres Dupont, « des enfants à qui l'on n'avait même pas appris la manœuvre du fusil », sont partis vers la Belgique jouer le va-tout du vieil aventurier qui s'ennuyait à l'île d'Elbe. Anouilh donne à son public, par la bouche de Louis XVIII, une magistrale leçon de politique où il montre la nécessité, pour un chef de l'État, d'être tolérant, d'être ingrat, d'avoir l'esprit de finesse, le sens de l'humour, le sens pratique et l'amour passionné des intérêts du pays considéré comme un bien propre. En même temps, il brosse l'image étonnante d'un Napoléon de café-concert, aventurier goguenard, agité, cabotin de génie qui s'embarque sur le « Bellérophon » en méditant déjà sur la manière dont, à Sainte-Hélène, il pourra parfaire définitivement sa légende. Lorsqu'on aura ajouté qu'à la création ce fut le même comédien, Paul Meurisse, qui interpréta les deux rôles, il sera aisé de comprendre pourquoi cette pièce connut un très grand succès, tant auprès de la critique que du public.

PIÈCES DE CLAVECIN de d'Anglebert. Recueil de soixante pièces pour clavecin du compositeur français Jean-Henry d'Anglebert (1635-1691), regroupées en quatre suites, publiées à Paris en 1689. D'Anglebert a ajouté à ces œuvres quelques transcriptions tirées d'opéras de Lully, un tableau des agréments, une étude intitulée « Principes de l'accompagnement », et six pièces pour orgue (cinq fugues et un *Quatuor sur le Kyrie*). Elles possèdent une richesse expressive rare dans la musique française pour clavier du XVIIe siècle (« son plus haut degré de magnificence et de plénitude » selon Willi Apel) et requièrent une grande virtuosité de la part de l'instrumentiste. Kenneth Gilbert en a réalisé une édition moderne d'après les sources originales (Paris, 1975).

A. Pâ.

PIÈCES DE CLAVECIN de Champion de Chambonnières. Ces œuvres du compositeur français Jacques Champion de Chambonnières (1602-1672), répandues chez les amateurs en manuscrits dès 1640, furent en partie éditées avec une dédicace au duc d'Enghien vers 1670, à Paris. L'héritage des formules et de la technique d'écriture des luthistes y est encore si nettement perceptible qu'on pourrait bien souvent les exécuter aussi facilement au luth qu'au clavecin. L'inspiration et l'élaboration de ces pièces sont placées sous le signe de la simplicité. Les développements inutilement savants, les doubles et triples (variations) sont volontairement négligés, au bénéfice parfois d'un intéressant contrepoint (principalement dans ses allemandes) ou de la recherche du pittoresque et de la bouffonnerie empruntée aux musiques de ballets. Toutefois, la part descriptive ou imitative est extrêmement réduite dans ces pièces. On peut deviner – mais combien secondaire – un vague carillon dans l'allemande « Le Moutier », mais les imitations de chants d'oiseaux et de bruits de guerre tellement en faveur chez les contemporains de Chambonnières semblent proscrites chez lui. Les titres de ses pièces, plus encore que ceux de François Couperin, restent la plupart du temps énigmatiques et sans grand rapport avec l'œuvre. – Les pièces de clavecin de Chambonnières ont été rééditées avec notes critiques, en 1925, par Paul Brunold et André Tessier.

PIÈCES DE CLAVECIN de Louis Couperin. Ces œuvres du compositeur français Louis Couperin (1626-1661), aussi célèbres en leur temps que les *Pièces pour clavecin* (*) de son neveu François Couperin, ne nous sont parvenues qu'à travers des manuscrits. Elles sont essentiellement caractérisées par la force expressive, un certain lyrisme bien proche du romantisme. La technique d'écriture de Louis Couperin est proche de celle des luthistes, au point qu'il va parfois jusqu'à les accompagner de notes d'interprétation spéciales au luth, telle « dans le ton de la chèvre », usitée pour indiquer que l'instrument devait être accordé d'une manière particulière. Plus profondes que brillantes, ces pièces peuvent être – suivant les indications du compositeur lui-même – souvent exécutées sur d'autres instruments que le clavecin : orgue, luth, ou même viole. Parmi les plus fameuses se comptent « Les Carillons de Paris », et « Le Tombeau de M. Blancrocher ». Cette dernière composition est dédiée à la mémoire d'un luthiste. C'est une des rares œuvres de Louis Couperin véritablement descriptive : elle évoque la chute de son infortuné ami dans un escalier, le désespoir de ses proches, les cloches sonnant l'agonie. Il s'en dégage une intense et authentique émotion. Les pièces de clavecin de Louis Couperin furent pour la première fois éditées en 1936 avec notes critiques par le musicologue Paul Brunold.

PIÈCES DE CLAVECIN de Rameau. Le premier livre de pièces pour clavecin fut publié par le compositeur français Jean-Philippe Rameau (1683-1764), alors âgé de vingt-deux ans, en 1705 ; mais déjà l'on y reconnaît certains caractères distinctifs, qui seront le propre de son art à l'époque de sa maturité. Certes, la connaissance du clavecin n'y est pas encore approfondie ; jusque-là, l'orgue avait été plus familier à Rameau, et c'est pour cet instrument, plutôt que pour le clavecin, que semble écrit le « Prélude » initial. Mais sa valeur harmonique est particulièrement significative ; d'autres musiciens, comme un Daquin ou un Marchand, avaient essayé des dispositions analogues d'accords, sans donner cependant à ces expériences la signification logique et ordonnée que leur confère notre compositeur, le futur auteur d'un *Traité de l'harmonie réduite à ses principes naturels* (*). Si, dans ce premier livre, les « Sarabandes » paraissent un peu rigides et compassées, certaines pages, comme une « Vénitienne » et une « Gavotte », révèlent une grâce et une élégance limpides et personnelles. C'est à dix-huit ans de distance que Rameau publia le second livre de pièces pour clavecin. Dans ces pages s'affirme sa maîtrise instrumentale ; l'emploi des ornements est rigoureusement approprié et d'expression efficace, toujours nécessaire et spontané. Ce deuxième volume est précédé de la célèbre « Méthode pour la mécanique des doigts », dont les préceptes concernant certains problèmes d'agilité furent reconnus par un Cortot – dans son édition critique des *Études* (*) de Chopin – comme utilement applicables à la technique de piano elle-même. Les harmonies sont, dans ces morceaux, volontairement simples et claires ; la mélodie acquiert un caractère et un accent qui lui appartiennent sans confusion possible. Une autre particularité du recueil est l'abandon presque total des formes de la « Suite » : à un « Menuet », une « Allemande », une « Courante » et deux « Gigues » correspondent seize pièces de forme libre, véritables « tableaux de genre », comme les appelle Laloy, et dans lesquels l'auteur « sait dépeindre tous les sentiments qu'il se propose ». Pour leur sincérité dans l'expression des états d'âme les plus divers et les plus opposés, tous les morceaux de ce classique, qui anticipe de presque deux siècles sur l'impressionnisme, devraient être cités : depuis les « Tendres plaintes » jusqu'à la « Joyeuse » et à la « Foliette », du « Rappel des oiseaux » aux « Rigaudons » et au « Tambourin ». Entre 1727 et 1731 parut un nouveau recueil de pièces pour clavecin, qui ne sont cependant pas aussi vives ni aussi spontanées que les précédentes ; nous rappellerons, comme particulièrement intéressants, la « Gavotte » avec variations, la « Fanfarinette », le « Menuet en sol majeur ». Les *Pièces en concert,* qui parurent en 1741, appartiennent à la dernière manière de Rameau ; ici, à l'émotion qui pâlit se substitue un esprit vif et brillant. C'est désormais au théâtre, auquel il se consacre depuis huit ans, que Rameau destine le meilleur de sa sensibilité et de son inspiration ; les compositions instrumentales peuvent être, au fond, considérées comme une préparation à cette activité entreprise seulement à l'âge mûr.

PIÈCES DE MUSIQUE POUR CLAVIER, HARPE ET VIHUELA [*Obras de música para tecla, arpa y vihuela*]. Recueil d'œuvres du compositeur espagnol Antonio de Cabezón (1500-1566), publié à Madrid par son fils Hernando en 1578. Ces pièces, dont certaines furent écrites avant 1557, constituent l'un des premiers recueils de musique pour clavier publié en Europe. L'écriture de Cabezón peut être austère, très contrapuntique dans les « tientos », mouvements lents parfois fugués, sur le mode de l'imitation. Le plain-chant est soit dans la partie basse, soit dans la partie haute, ce qui distingue le compositeur de ses contemporains. Les « diferencias » [variations], de caractère plus pastoral, s'appuient sur des thèmes empruntés à des airs profanes espagnols et à la chanson française (Josquin des Prés, Crecquillon, Claudin de Sermisy). Ces variations notamment ont profondément marqué les compositeurs européens. L'école des virginalistes anglais en est tout imprégnée. D. Ja.

PIÈCES GRINÇANTES. C'est sous ce titre générique que le dramaturge français Jean Anouilh (1910-1987) a regroupé en 1956 quatre de ses pièces. *Ardèle ou la Marguerite* fut créée en 1948 au Théâtre de la Comédie des Champs-Élysées ; puis, en 1952, *La Valse des toréadors.* Le général Saint-Pé, qui est au centre d'*Ardèle* et de *La Valse des toréadors*, est d'abord un personnage de vaudeville, et même d'un vaudeville au deuxième degré car, tandis que le vaudeville joue avec la société de son temps, Anouilh joue avec le jeu lui-même, avec les plaisanteries éculées sur les ménages à trois, les amants trompés par les maris, joue avec les images d'Épinal de la Belle Époque, avec l'arsenal des accessoires militaires. Le général Saint-Pé est aussi un être humain avec un passé personnel, des regrets, des espoirs. Quelquefois, un souvenir d'enfance ou d'adolescence émerge. Ce passage du pantin à la créature humaine, douée d'une histoire individuelle, donnait leur saveur aux *Pièces roses* (*). Mais ce passage ne se fait pas dans les *Pièces grinçantes ;* ou plutôt l'unité du personnage ne s'y maintient plus. Si la marionnette continue son existence mécanique de marionnette, ses « états d'âme » sont des éléments qui n'existent que par eux-mêmes, détachés de tout centre vivant. Il y a en même temps une invasion du plaisir ; ce n'est plus le personnage blessé qui occupe le devant de la scène, mais celui qui blesse ; ce n'est plus la victime, mais le bourreau. Ainsi la Générale, qui, du haut de l'escalier d'Ardèle, brosse un tableau épouvantable de l'univers hanté par le plaisir. De même que le rêve d'évasion se matérialise en quelques-unes des *Pièces roses*, de même l'obsession sexuelle prend forme avec les *Pièces grinçantes.* « Tout jouit et s'accouple et me tue », hurle la Générale. La réalité d'*Ardèle* et de la *Valse* n'est pas celle de l'intrigue apparente, mais celle d'un cauchemar.

Ornifle ou le Courant d'air, créé en 1955 dans une mise en scène de Malclès, semble une tentative de « haute comédie » ; la recherche du plaisir semble s'organiser autour d'un caractère. Ornifle, parolier à la mode, collectionne, comme don Juan, le plus grand nombre de femmes possible. C'est l'éternelle répétition du plaisir qu'il poursuit, sans jamais pouvoir se reposer dans la fidélité. Ornifle est un menteur cynique lorsqu'il faut se tirer d'un mauvais pas ; il a fait un enfant à une jeune fille et s'arrange pour qu'elle épouse l'affairiste Machetu. Ainsi don Juan inventait des prétextes pour justifier l'abandon d'Elvire. Ornifle, c'est encore la jalousie effrayante de l'homme de plaisir qui assiste aux caresses des êtres purs et dont le cri éclate : « Arrêtez ! » Et c'est aussi la manœuvre afin de séduire la fille, la manœuvre tentée et réussie par Héro dans *La Répétition* — v. *Pièces brillantes* (*) —, mais qui est ici reliée à un caractère dont on dévoile le mécanisme, dont on fait jaillir le trait typique par un mot, un geste. Aux grâces feintes de don Juan correspond le rictus d'Ornifle. Don Juan, s'il définit avec assez de précision le ressort de son activité, ne fait qu'accentuer, ce faisant, l'impétuosité joyeuse de son plaisir. Mais, si Ornifle se définit lui-même et de la même manière, c'est une lassitude étrange qui l'envahit. Lassitude de vivre comme un poète raté, mais aussi lassitude du plaisir.

Pauvre Bitos ou le Dîner de têtes, créé en 1956, est aussi l'étude d'un caractère. Peu appréciée par la critique, la pièce est pourtant un chef-d'œuvre. On y trouve d'abord la virtuosité de *La Répétition*, car Anouilh réussit à unir en une seule pièce deux moments de l'histoire de France : Révolution et Libération. Cela, une fois encore par le biais du théâtre dans le théâtre : quelques amis, en province, ont organisé un dîner de têtes ; les têtes seront celles des grands révolutionnaires, dont on esquissera aussi le rôle. Puis soudain tout s'anime, les figurants deviennent ces personnages ; la couleur violente, chaude, pleine d'une saveur populaire, la couleur de l'Histoire envahit le présent. Sur ce fond se détache le pauvre Bitos, ancien camarade de collège devenu procureur de la République ; il incarne Robespierre. Bitos, c'est l'adulte resté enfant, ou plutôt qui a gardé une blessure d'enfance, celle d'avoir été élevé, par complaisance sinon par charité, dans le collège même où sa mère était blanchisseuse. Humilié, il le sera toujours, lui qui essaie d'être accepté par la haute société de la ville et qui cependant n'en connaît que très mal les usages. Sur cette donnée fondamentale, ce n'est pas un drame qui est construit, mais une comédie. Les propos de Bitos sont étrangement inadaptés à la situation car, avec cette raideur d'où naît le comique, il tombe dans tous les pièges que lui tendent ses anciens camarades. Aucune prise de conscience ne vient grignoter cette raideur. Le constat que dresse Bitos, le souvenir de son enfance contrainte laissent intact le mécanisme de son caractère. En même temps, on devine la genèse de ce caractère, on perçoit le lien entre la blessure d'enfance et l'automatisme établi. Anouilh retrouve donc Molière ; sans laisser de côté l'individu, il campe le caractère ; bien plus, il ne se contente pas de le dessiner vigoureusement, mais il nous en fait comprendre la genèse en peignant dans le même tableau la racine et le fruit.

PIÈCES LYRIQUES [*Lyrische Stücke*]. Pièces pour piano du compositeur norvégien Edvard Grieg (1843-1907), groupées sous les numéros d'op. 12, 38, 43, 47, 54, 57, 62, 65, 68, 71. Ce sont de courts morceaux faciles, qui puisent leur inspiration dans un élément littéraire qui les détermine (« Papillons », « Au printemps », etc.), ou encore directement dans les mélodies et les rythmes populaires norvégiens (« Air populaire », « Mélodie norvégienne », « Marche de paysans norvégiens », etc.). Le langage harmonique, tout en rentrant dans la tradition chromatique dominant alors, est cependant original et donne aux mélodies un caractère personnel ; l'auteur, bien qu'il conserve la vivacité originelle et le coloris du folklore norvégien, le greffe sur la tradition musicale européenne, dans laquelle il ressent surtout l'influence du romantisme allemand. C'est peut-être la raison de l'énorme diffusion des *Pièces lyriques*, très simples dans leur structure (presque toujours sur le schéma classique a-b-a), mais parfois imprégnées d'un souffle de délicate poésie.

PIÈCES NOIRES. C'est sous ce titre générique que le dramaturge français Jean Anouilh (1910-1987) a regroupé en 1942 quatre de ses pièces. *L'Hermine*, écrite en 1931 et créée en 1932 par Pierre Fresnay, est l'« histoire d'un jeune homme pauvre », traitée à la manière cynique. Le jeune homme pauvre, Frantz, aime une jeune fille riche, Monime, dont il est aimé. À leur union s'opposent la tante de Monime et la différence de leurs conditions. Les démarches tentées par Frantz pour se procurer l'argent qui le sépare de Monime échouent. Désespéré, il décide d'assassiner la vieille tante. Mais il y a plus que le désir de satisfaire l'amour dans les mobiles de ce meurtre. Il y a l'orgueil du crime, le froid silence devant les policiers ; il y a une vengeance et une revanche. Mais l'amour de Monime a cessé avec le crime. Frantz s'écroule, et avoue. La pièce est en fait un drame de la jeunesse et de la pureté car Frantz n'accepte pas ce monde dominé par l'argent ; et, s'il refuse la possibilité d'un bonheur étroit, ce n'est point par goût médiocre du faste, mais par désir d'absolu, ce désir d'absolu qui tenaillera tous les personnages d'Anouilh. « Mon amour est trop pur pour se passer d'argent. » Malgré ses imperfections, la pièce fut convenablement accueillie par la critique et le public.

La Sauvage, bien qu'écrite en 1934, ne fut créée qu'en 1938 par les Pitoëff. Ce fut un immense succès. Le climat est typique du théâtre d'Anouilh : c'est celui d'une famille de musiciens ratés, qui erre de brasserie en brasserie. Ils ont une fille, la Sauvage, heurtée par leur vie ignoble, et qu'ils voudraient vendre. Elle rencontre Florent, un compositeur de talent, et riche, qui s'éprend d'elle. Les parents aussitôt étalent leurs calculs sordides. La Sauvage les juge odieux et méprisables, mais en même temps le bonheur de Florent, la constante facilité de sa vie l'irritent et la blessent. Elle refuse le bonheur, renonce à l'amour, préférant à l'existence heureuse la vilenie et la bassesse des siens, la boue de son propre destin. Il n'existe pas de bonheur possible pour la Sauvage. La condition des humains est de souffrir ; la souffrance est leur rédemption. Les parents de la Sauvage, aussi médiocres, tout bas qu'ils soient, Anouilh a pour eux une infinie pitié. Selon lui, ils représentent l'ordinaire de l'existence qui est flétrissure, honte, avilissement. Non seulement il y a quelque chose d'anormal à posséder le bonheur, mais il est un scandale. Ce goût du malheur ne vient pas de l'humilité ; il s'accorderait mieux avec un orgueil. Loin de dissimuler ses lèpres, la Sauvage les étale avec une satisfaction victorieuse. Dans ce suicide figuré, elle cherche et trouve sa liberté. Elle se délivre d'elle-même en se rabaissant devant Florent ; elle entraîne Florent aussi bas que cette femme qu'elle est et qu'il aime mais qu'elle dénonce ; elle triomphe de Florent, du bonheur pour lequel elle n'est point faite ; elle triomphe de son misérable destin.

Le Voyageur sans bagage, bien qu'écrit postérieurement à *La Sauvage*, fut créé une année plus tôt, en 1937, par les Pitoëff également. La pièce reprenait le thème d'une œuvre précédente, *Y'avait un prisonnier* (1935), mais en en renversant les données. C'est à travers lui-même que le héros porte ses accusations ; c'est son propre passé qu'il accuse. Au cours de la guerre, Gaston a perdu la mémoire. On recherche la famille de l'amnésique depuis quinze années. Cinq familles appuient de preuves sérieuses leurs prétentions ; on conduit l'amnésique dans l'une d'elles. Nul doute : ce sont bien les siens qu'il rencontre. Mais quelle déception ! Au récit de ses années oubliées, il s'épouvante d'apprendre qui il a été : un jeune homme cruel, méchant, égoïste, qui tuait les bêtes innocentes pour les empailler, qui a commis plusieurs escroqueries, estropié l'un de ses amis, séduit sa belle-sœur. Gaston se débat dans l'écœurement. Il finit par refuser cette famille, et fuir. Il se fuit lui-même, choisit une famille inconnue, représentée seulement par un petit garçon inconnu. Là au moins il n'aura pas à répondre de lui-même. Dans cette pièce, traitée avec autorité et rigueur, d'un humour pathétique et déchirant, le tragique de la vie quotidienne est devenu le tragique de la vie morale. La critique du monde des hommes, jusque-là insuffisante et superficielle, s'approfondit et se nuance. Le destin règne en maître sur le monde et noue, selon ses caprices, les fils des relations entre les hommes, ces relations où ils sont forcés de s'engager ou de se perdre. L'homme n'échappe pas à sa condition.

Le monde des comédiens ambulants, tragique à force de ridicule, sert de toile de fond à *Eurydice* (1941), créée en 1942 par André Barsacq. Dès leur rencontre, le destin presse les deux héros, affublés de ces noms lourds à porter : Orphée et Eurydice. Autre thème déjà exploité : celui de l'appartenance de l'homme à son milieu. Eurydice, pareille à la Sauvage, renonce à son amour parce que son passé lui colle à la peau, parce que vivre avilit, parce que nous n'en finissons jamais de traîner derrière nous les actes, les paroles que nous voudrions oublier. Elle trouve la mort dans un accident de car. Alors paraît un commis voyageur, masque d'emprunt qu'a pris ce jour-là la mort. Il ressuscite Eurydice qui vivra tant qu'Orphée ne la regardera pas en face. Orphée ne respectera pas cette condition et Eurydice mourra à nouveau, après que les compagnons de sa vie seront venus témoigner de sa parfaite pureté, qui la rendait digne de son bel amour perdu. Le commis voyageur, au dernier acte, accordera à Orphée l'unique remède à son mal : la mort, qui lui permettra de retrouver Eurydice. « La mort est belle. Elle seule donne à l'amour son vrai visage. »

PIÈCES PITTORESQUES. Pièces pour piano du compositeur français Emmanuel Chabrier (1841-1894). Chabrier est sans doute le musicien le plus fidèle à l'esprit français incarné par Rabelais et où se mêlent le lyrisme et la franche gaieté. Il n'en est pourtant pas de plus éclectique, car il nourrissait un même amour pour Offenbach et pour Wagner, il soutenait les peintres et les poètes impressionnistes, mais il ne méprisait pas pour cela les austères disciples de Vincent d'Indy qui l'avaient affectueusement surnommé l'« ange du cocasse ». Les dix *Pièces pittoresques* pour piano montrent un Chabrier cocasse, certes, mais aussi un Chabrier poète, rêveur, primesautier. « Paysage », construit sur deux thèmes doucement rythmés, s'achève par une succession de traits dont l'élégance caractérise le style pianistique de Chabrier. « Mélancolie » fait alterner des rythmes de 9/8 et 6/8, le thème apparaît à la main droite à laquelle la main gauche répond en écho. « Tourbillon » est surtout destiné à faire briller la virtuosité de l'exécutant. « Sous-bois » est remarquable par la fluidité de ses harmonies, qui préparent l'entrée du chant frémissant comme des feuilles agitées par la brise sous une chaude lumière. « Mauresque » reste plus intéressante par sa formule rythmique que par sa valeur mélodique assez pauvre. « Idylle » débute par un chant naïf et tendre, soutenu par un accompagnement en staccato. Dans la deuxième partie, cet accompagnement use d'une formule chromatique qui engendre de subtiles harmonies et introduit une ambiance de profonde tendresse. Mais l'ironie fait tout à coup place à l'émotion : il ne faut pas prendre au sérieux, dit Chabrier, ce qui n'était qu'une idylle. La « Danse villageoise » rappelle les origines auvergnates de Chabrier ; la mélodie au rythme franc y est soutenue par des basses où l'on croit entendre le martèlement des sabots. « Improvisation » : fantasque, passionné, ce morceau est un chef-d'œuvre de construction harmonique. « Menuet pompeux » parodie avec grâce la danse ancienne. Enfin « Scherzo-valse » termine par un véritable feu d'artifice ce recueil. Il débute dans un mouvement très rythmé, sur lequel vient se greffer une phrase souple, alanguie, attendrie, bientôt chassée par le brillant retour du « Scherzo » initial. En 1888, Chabrier a orchestré quatre de ces pièces (« Sous-bois », « Danse villageoise », « Idylle », « Scherzo-valse ») sous le nom de *Suite pastorale*.

PIÈCES PLAISANTES ET DÉPLAISANTES [*Plays Pleasant and Unpleasant*]. C'est sous ce titre général que le dramaturge irlandais George Bernard Shaw (1856-1950) réunit, en 1898, un certain nombre de ses pièces. Les *Pièces plaisantes* comprennent : *Le Héros et le Soldat* (*), *Candida* (*), *L'Homme du destin* (*), *On ne peut jamais dire* (*) ; les *Pièces déplaisantes : Les Maisons des veufs* (*), *Un bourreau des cœurs* (*), *La Profession de Mrs. Warren* (*). Les *Pièces plaisantes* sont sarcastiques, mais souriantes, sans cette férocité cinglante qui nous fait sortir du théâtre avec un sentiment gênant de culpabilité (après *Les Maisons,* par exemple, ou *Mrs. Warren*), même si nous n'avons pas l'ombre d'une responsabilité dans l'histoire d'un taudis ou celle de la chute d'une femme. La carrière de Bernard Shaw, ainsi que les circonstances qui l'amenèrent au théâtre, méritent d'être rappelées. Après d'hésitants débuts dans la prose narrative, et après avoir imposé à la tribune et dans la presse l'inquiétante et diabolique responsabilité de G. B. S., socialiste et individualiste, pourfendant toute hypocrisie, cassant les vitres, jetant ses pavés dans toutes les mares de la politique, de l'économie sociale, de la pensée conformiste, Shaw devait être poussé au théâtre presque sans le vouloir par sa nature même de polémiste qui trouve sa vraie forme d'expression dans la parole parlée encore mieux que dans la parole écrite. C'est ainsi que presque chacune de ses pièces est une bataille ; l'un des aspects de notre civilisation provisoire nous y est présenté en liberté : que ce soit les problèmes politiques et de gouvernement : *La Seconde Île de John Bull* (*) ; *La Maison des cœurs brisés* (*) ; la religion : *Androclès et le Lion* (*), *Sainte Jeanne* (*) ; la famille : *On ne peut jamais dire* ; le mariage : *Un bourreau des cœurs*, *Candida* ; ou la prostitution, phénomène économique : *La Profession de Mrs. Warren,* etc. La vie de chaque homme se révèle trop courte pour qu'il puisse résoudre les problèmes posés par la vie de la communauté. Mais Shaw a foi dans une « évolution créatrice » qui doit permettre à l'humanité de réaliser ses possibilités, pour peu que l'homme se découvre des raisons suffisamment fortes pour abolir la guerre et les autres misères qui contrecarrent la Force de la Vie. Il peut se sauver s'il peut se persuader qu'il se bat pour une idée puissante : *L'Homme et le Surhomme* (*), *En remontant à Mathusalem* (*). Et cette idée puissante est la « passion morale » qui conduit les personnages héroïques ou simplement vertueux de Shaw : *Le Disciple du diable* ; *La Commandante Barbara* (*) ; *Le Vrai Blanco Posnet*. Étincelant d'esprit, fourmillant de paradoxes, cynique parce que le monde des hommes est cynique, le théâtre de Shaw suit une méthode socratique. L'auteur apparaît peu derrière ses personnages ; c'est là un des secrets de sa force ; il nous dissèque la question : à nous de tirer la conclusion ; même quand il n'y a pas de conclusion parce que les thèses en conflit sont irréconciliables et également valables. Shaw se réserve le plus souvent de nous donner son opinion dans les préfaces brillantes, batailleuses, sarcastiques, de ses pièces ou de ses recueils de pièces. Shaw, qui a été le rénovateur du théâtre anglais et l'un des plus grands écrivains de théâtre de notre époque, a pu être défini, pas tout à fait à tort, comme « le Molière du XXe siècle ». En fait, c'est plutôt à Voltaire qu'à Molière que l'apparentent les qualités de son esprit. — Trad. L'Arche, 1974.

PIÈCES POUR CLAVECIN de Couperin. Elles sont au nombre d'environ 250, groupées en 27 « ordres » et en 4 livres (1713, 1716, 1722, 1730). Ce qui frappe tout d'abord, ce sont les titres. Après avoir donné vie, dans l'opéra, à la scène psychologique, le génie français, intellectuel et raisonneur, porté à expliquer toutes choses, fait un nouvel effort, par l'école des clavecinistes cette fois, pour arracher la musique à l'indétermination et la ramener à l'un des canons de l'esthétique classique : l'imitation de la nature. On trouve donc des portraits dans ces pièces du compositeur français François Couperin (1668-1733) (« La Bersane », « La Fine Madelon », « La Douce Jeanneton », etc.) ou des esquisses psychologiques (« La Séduisante », « L'Engageante », « L'Insinuante », etc.). Ailleurs, on a des descriptions réalistes, à tendances imitatives (« Les Tricoteuses », où le bourdonnement persistant de quelques notes contiguës imite les gestes des femmes tricotant avec agilité ; « Les Tambourins », « Les Petits Moulins à vent », etc.), ou encore des scènes mythologiques et galantes (« Les Gondoles de Délos », « Le Carillon de Cythère », etc.). Le sens des titres n'est pas toujours clair, et ce sont, alors, des intuitions d'un modernisme surprenant, comme ces « Barricades mystérieuses » qui semblent une sorte de cauchemar musical. Quelquefois plusieurs morceaux se trouvent réunis, formant une sorte de petit poème descriptif — v. *Les Fastes de la grande et ancienne Ménestrandie* (*). Cependant, si cette tendance à la psychologie et à l'intellectualisme contribuait fortement à orienter la musique instrumentale vers l'expression, elle renfermait en elle-même une équivoque dangereuse, et portait à négliger les valeurs strictement musicales en faveur de suggestions littéraires. Couperin fut sauvé non seulement par l'enviable vivacité rythmique de ses inspirations, mais aussi par son intérêt passionné pour la technique de l'instrument, dont il fut un des premiers théoriciens, et par sa compréhension éclairée des expériences musicales du temps. Il fut ainsi amené à jouer un grand rôle : largement influencé par le goût italien — v. *Apothéose de Corelli* (*) —, il exerça, à son tour, une forte influence sur Bach.

PIÈCES POUR ORCHESTRE op. 6 de Berg. Triptyque qui constitue la seule œuvre symphonique pure du compositeur autrichien Alban Berg (1885-1935). Les trois *Pièces op. 6* ont été composées pour le quarantième anniversaire d'Arnold Schoenberg, le maître et l'ami de Berg. Elles s'inscrivent dans la période atonale de la vie de Berg, avant qu'il opte pour le système sériel inventé par Schoenberg. Les deux premières, *Präludium* et *Reigen*, ont été créées en 1923 à Berlin, la dernière, *Marsch*, avec les deux premières dans leur version révisée en 1930. Ce triptyque est d'une rare complexité d'écriture et effraie bien des orchestres. Berg y fait appel à un effectif considérable qui le situe dans la mouvance de Mahler. La troisième pièce est aussi longue que les deux autres réunies et se présente comme un chaos organisé. Pierre Boulez en parlait comme de « la pièce la plus démesurée de la littérature musicale dans cette période ». A. Pâ.

PIÈCES POUR PIANO de Beethoven. En dehors des *Sonates* (*) et des *Concertos* (*), le compositeur allemand Ludwig van Beethoven (1770-1827) a écrit de très nombreuses œuvres pour piano. Ces œuvres s'étalent tout le long de la production beethovénienne et sont évidemment très diverses de forme, de style et de qualité musicale : *Bagatelles pour piano*, op. 33 ; six *Variations sur un thème original*, dédiées à la princesse Odescalchi, en fa majeur, op. 34 (1803) ; quinze *Variations avec fugue*, en mi bémol, sur le motif du ballet *Prométhée*, dites « Eroïca », dédiées au comte Lichnowsky, op. 35 (1803) ; deux *Préludes* dans tous les tons majeurs et mineurs pour piano ou orgue, op. 39 ; trois *Marches* pour piano à quatre mains, op. 45 ; deux *Rondos pour piano*, en si bémol, sur la « Marche turque » des *Ruines d'Athènes*, op. 76 (1810) ; *Fantaisie pour piano*, en si bémol, op. 77 ; *Variations pour piano quatre mains*, en ut majeur, op. 87 ; *Polonaise* *brillante*, dédiée à Élisabeth, impératrice de toutes les Russies, op. 89 ; douze *Bagatelles*, op. 119 (1823) ; trente-trois *Variations* sur une Valse de Diabelli, op. 120 (1823) ; six *Bagatelles*, op. 126 ; et enfin *Rondo a capriccio*, en sol majeur, op. 129. De cette très vaste production musicale, certaines œuvres comptent parmi les plus remarquables qu'ait écrites Beethoven. Tout d'abord les *Bagatelles*, où le compositeur rappelle bien souvent Mozart et Haydn, mais où perce déjà, dans les premières et surtout dans celles de 1823, la personnalité puissante de leur auteur. Si la *Fantaisie* paraît un peu vide de sens musical, les *Rondos* ont une grâce et un charme indéniables, de la légèreté, et témoignent de la virtuosité instrumentale de leur auteur. Parmi les *Variations*, les plus remarquables sont celles sur un thème de Diabelli : admirablement écrites, mettant à contribution aussi bien les qualités percutantes qu'expressives du piano, recouvrant d'une forme classique un sentiment musical très exalté, ces *Variations* sont demeurées célèbres et sont très souvent jouées en concert.

PIÈCES POUR PIANO de Brahms. Le compositeur allemand Johannes Brahms (1833-1897) a composé un grand nombre de pièces pour piano que l'on distingue généralement, non point par leur nom générique comme fantaisie ou rhapsodie, mais par leur numéro d'opus. Ces diverses pièces sont assemblées en recueils, qui portent les numéros d'opus suivants : 10, 76, 79, 116, 117, 118, 119. Ces pièces comprennent des *Ballades*, des *Rhapsodies*, des *Fantaisies*, des *Caprices* et des *Intermezzi.* C'est dans l'opus 79 que se trouve la célèbre *Rhapsodie en si mineur* d'une inspiration noble et profonde. L'opus 117 offre un exemple très rare d'œuvre où Brahms s'est inspiré d'un texte littéraire : le premier *Intermezzo* est en effet tiré d'un lied écossais. L'opus 118 est d'une qualité musicale remarquable. Toutes les pages qui le composent atteignent une réelle beauté : la *Ballade en sol mineur*, au caractère épique, mystérieux et énergique, est justement célèbre, ainsi que la *Romance en fa majeur*, si bucolique et pleine de charme. Dans l'opus 119, il faut remarquer la *Rhapsodie en mi bémol majeur*, au rythme scandé d'une vie intense et passionnée. Ces pièces sont fort bien écrites et leur qualité instrumentale – Brahms était un grand virtuose –, jointe à leur valeur musicale exceptionnelle, fait de ces pièces une des parties les plus vivantes de l'œuvre du grand compositeur.

PIÈCES POUR PIANO de Chopin. Le compositeur polonais Frédéric Chopin (1810-1849) a écrit de très nombreuses œuvres pour piano, en dehors même des œuvres classées sous des titres aussi célèbres que les *Ballades* (*), les *Scherzos* (*), les *Polonaises* (*), les *Nocturnes* (*), etc. La plupart de ces pièces appartiennent à différentes formes. L'*Allegro de concert*, op. 46, fut joué par Chopin lui-même à plusieurs reprises. La *Berceuse*, op. 57, délicate, ciselée comme un joyau, est d'une grande pureté de sentiment. La *Barcarolle*, op. 60, est une des plus belles œuvres de Chopin : un rythme aussi enthousiaste que souple la soutient tout entière, l'épisode central se détache de l'ensemble par une étonnante simplicité linéaire. Les *Écossaises*, op. 72, gardent un charme pénétrant. Deux grandes formes qui ont inspiré Chopin sont celle du rondeau et celle des variations. On compte cinq *Rondeaux*, dont un à 2 pianos (op. 73) et un *Rondeau de concert* appelé « Krakowiak », op. 14. Chopin y met charme, gaieté et distinction. Ils sont délaissés et injustement traités. L'inspiration y est cependant spontanée et atteint une réelle qualité (*Rondeaux*, en ut mineur, op. 1 ; *Mazurka*, op. 5 ; en mi bémol, op. 16). Il y a quatre séries de *Variations :* celles sur un thème allemand ; celles sur un thème de *Don Giovanni*, op. 2 ; les *Variations brillantes*, op. 12, et les *Grandes Variations* de bravoure. Si l'on cite encore le *Boléro* et la *Tarentelle*, on aura fait le tour des diverses pièces pour piano de Chopin. Il faut leur attribuer une grande valeur, tant pour leur qualité d'inspiration que pour leur importance historique dans l'œuvre et la vie du grand compositeur polonais.

PIÈCES POUR PIANO de Satie. Ces pièces constituent la plus grande partie de la production du compositeur français Érik Satie (1866-1925). Elles s'échelonnent jusqu'en 1916 environ, l'année où, avec *Parade* (*), commence la série des ballets. Il s'agit d'une centaine de pièces environ, groupées la plupart par séries de trois. On peut y distinguer diverses périodes. La première comprend, entre autres, les trois *Sarabandes* (1887), les trois *Gymnopédies* (1888) ainsi que les trois *Gnossiennes* (1890) : morceaux de tempo lent, d'une structure rudimentaire, dénuée de virtuosité, et conçus selon trois formules s'appliquant chacune de façon identique aux trois pièces du même recueil (par exemple, les trois *Sarabandes* comportent presque exclusivement des accords de neuvième ordonnés selon un rythme uniforme ; les trois *Gymnopédies,* trois monodies identiques, appuyées sur trois accompagnements rythmiquement semblables). C'est surtout dans les deux premiers recueils, avec leurs tendances modales et l'usage constant de dissonances, qu'on décèle, à travers l'influence de Chabrier, les signes précurseurs de certains procédés de Debussy ; le premier recueil révèle un emploi répété des accords de neuvième non résolus ; deux pièces du second furent transcrites plus tard pour orchestre par Debussy, probablement séduit par la coupe sévère et abstraite de la mélodie. Dans la deuxième période, qui fut qualifiée de période mystique de Satie, le sens agogique qui s'affirmait dans les pièces précédentes s'amenuise progressivement ; on y trouve en revanche de longues séries d'accords parfaits (*Sonneries de la Rose-Croix,* 1892), tout à fait dans le goût de Debussy, ainsi que des audaces harmoniques, comme les séries de quartes superposées dans les préludes au *Fils des étoiles* de Péladan (1891). En 1897, Satie donne soudain dans le genre humoristique, qui demeurera par la suite, hormis de rares exceptions, le ton général de son œuvre. Déjà, avec les *Pièces froides* (1897) qui comportent deux séries : *Airs à faire fuir* et *Danses de travers,* on note l'usage des mouvements rapides et brillants, jusqu'au moment où, en 1903, les *Morceaux en forme de poire,* à quatre mains, rassemblent et résument les diverses expériences de l'auteur, dans un esprit assez proche des morceaux à danser pour café-concert (Satie composa d'ailleurs de la musique de danse). En 1906, deux morceaux, écrits pendant le séjour de l'auteur à la Schola Cantorum (Satie, quadragénaire, s'y était attelé à de sévères études musicales), dénotent un souci contrapuntique qui ira en s'accentuant avec les *Aperçus désagréables* (1908-1912). En 1912 commence, avec les *Véritables préludes flasques (pour un chien),* la dernière période de Satie, qui se distingue de la précédente par la liberté absolue de l'écriture, souvent franchement polytonale ; en outre, toute inspiration ne se manifeste ici qu'à travers un humour explicitement littéraire, ce qui arrive revient à indiquer par le fait même les limites de Satie. Parmi les principales pièces de cette période, on peut citer : *Embryons desséchés* (1913), *Enfantines* (1913), *Sports et Divertissements* (1914), *Avant-dernières pensées* (1915), *Sonatine bureaucratique* (1917) et, parenthèse presque unique dans sa production pianistique, les méditatifs *Nocturnes* (1919), où il est possible de déceler l'influence du jeune Darius Milhaud. L'imprécision agogique et la gaucherie de style, dont Satie ne se défit jamais entièrement, en arrivent à devenir, à travers l'apport ironique, des éléments certains de polémique. Et cette ironie se prévaut largement (en dépit de toute déclaration de classicisme ou d'anti-impressionnisme de l'auteur) d'expédients littéraires et même souvent purement orthographiques. On a déjà cité des titres significatifs dans ce domaine, mais, dès les *Gnossiennes,* l'auteur avait pris l'habitude de commenter au fur et à mesure sa propre musique, y superposant çà et là des indications burlesques, des conseils à l'exécutant, etc. Dans cette dernière période, on arrive presque régulièrement à un texte littéraire, décrivant note par note le « programme » du morceau et presque la trame d'une action ; à telle enseigne que la page, avec les années, se vide peu à peu de notes et se remplit de mots. Satie fut accueilli par les « Six » et leurs épigones comme le prophète du style « dépouillé » propre au néo-classicisme français de l'immédiat après-guerre.

PIÈCES ROSES. C'est sous ce titre générique que le dramaturge français Jean Anouilh (1910-1987) a regroupé en 1942 quatre de ses pièces. *Le Bal des voleurs*, œuvre écrite en 1932 et créée en 1938 par André Barsacq, voulait rivaliser avec le théâtre de boulevard. En fait, l'auteur n'a écouté que sa fantaisie, et on ne voit pas que le style des vaudevilles bourgeois l'ait beaucoup influencé, sauf dans certains passages du dialogue. Lady Hurff, qui « s'ennuie comme une vieille tapisserie », cherche un moyen d'égayer le séjour qu'elle fait avec ses deux nièces et leur tuteur à Vichy. Elle se sent d'une humeur « à faire une grande folie ». À peine a-t-elle prononcé ce vœu que l'occasion qu'elle cherchait lui est offerte. Trois voleurs se sont déguisés en grands d'Espagne dans l'espoir de lier la conversation avec elle et de lui subtiliser ses perles. Elle entre dans leur jeu et fait mine, malgré l'étonnement des nièces, de reconnaître le chef de la bande. C'est le duc de Miraflor qu'elle dit avoir rencontré à Biarritz. Les voleurs n'ont garde de détromper la vieille dame et ils acceptent de venir loger dans sa villa. Le quiproquo est noué. Mais le jeu n'est pas un jeu pour tous, et Juliette, l'une des nièces, se prend à aimer le faux prince Pedro. Enlèvement, puis retour chez la tante. Lamentations. Mais le tuteur des jeunes filles reconnaît en Pedro un fils enlevé en bas âge. Tout est bien qui finit bien. Divertissement parlé, mimé et dansé, cette pièce est une transposition du thème de *La Sauvage* — v. *Pièces noires* (*). Mais le dénouement est cette fois heureux grâce au mensonge du vieux tuteur et surtout grâce à la confiance persuasive avec laquelle Juliette accueille l'amour.

Le Rendez-vous de Senlis, pièce écrite en 1937 et créée en 1941 par André Barsacq, mérite beaucoup plus d'attention. Le noir y côtoie constamment le rose. Las de la vie qu'il mène auprès d'une épouse trop riche, dans un milieu corrompu, conscient d'avoir manqué aux promesses qu'il s'était faites, Georges va tenter de s'offrir, pour un soir, la comédie de l'existence dont il rêve. Il a rencontré une pure jeune fille, Isabelle ; le naïf amour qu'il lui a inspiré, et auquel il répond avec toute la sincérité dont il est capable, lui inspire à la fois honte et confiance. Redoutant de décevoir son amie, il lui dissimule sa véritable personnalité et recompose pour elle un édifiant tableau de sa jeunesse et de sa famille. Pour donner plus de réalité à son jeu, il loue une villa à Senlis, engage deux vieux acteurs qui joueront ses parents. Mais les scènes au cours desquelles Georges fait répéter aux comédiens leurs rôles, leur dit comment il voit le père idéal et la mère parfaite qu'il aurait su aimer, et les supplie d'être fidèles, l'espace d'une soirée, aux portraits imaginaires dont ses vrais parents lui ont offert de si décevantes répliques, dégagent une grande émotion. Elles permettent en outre d'esquisser le programme de vie où la plupart des personnages d'Anouilh voient le secret du bonheur : suite de jours tranquilles partagés entre l'amour et l'amitié, affectueuse compréhension, soirées au coin du feu, soupières fumantes, vieillissement paisible, nobles rides. Voilà pour la partie proprement rose de la pièce. Noirs au contraire la vérité, le passé de Georges ; noirs ses vrais parents, et ce Robert qui n'est plus son ami. Souvenirs et personnages refusent de se laisser oublier ; ils interviennent, et leur irruption dissipe les songes. Le caractère de Robert, à vrai dire, est posé avec une vigueur indiscrète ; railleur et crispé, plastronneur et veule, il suffit à mobiliser toute l'attention. Son éloquence, la violence convaincante des termes brûlants de haine et de regret qu'il emploie pulvérisent littéralement les défenses d'Isabelle. Cela ne veut pas dire qu'il ait raison, mais qu'il existe davantage. Ce triomphe est révélateur. Le monde rose et le monde noir sont pour Anouilh deux mondes distincts ; le premier n'a aucune action sur le second. Certes, *Le Rendez-vous de Senlis* finit bien. Isabelle, simplement parce qu'elle croit en eux, confère aux rêves de Georges une existence authentique ; elle déclare : « Oui, je crois que je lui apprendrai le bonheur », et cette confiance semble récompensée. Cependant Georges, en suivant Isabelle, abandonne sa famille et Robert, il les condamne à une vie misérable, il se sauve tout seul. On peut se dire que, s'il est vraiment un personnage d'Anouilh, son passé un jour ou l'autre se réveillera. Les amants ne sont qu'au début de leur aventure. Et, si la pièce avait eu un acte de plus, ce serait sans doute une pièce noire.

Léocadia, pièce écrite en 1939, fut créée en 1940 par Pierre Fresnay. Les personnages n'ont aucune existence, même dramatique. Ils flottent, juxtaposés dans une intrigue fluide. Bribe par bribe, l'auteur nous met au courant des faits et gestes d'une grande cantatrice défunte dont un certain prince Albert conserve amoureusement le souvenir. Une duchesse veut le guérir de son obsession en lui poussant dans les bras Amanda, modiste. La jeune fille, pour bien jouer son rôle, doit être mise au courant. Mais, lorsqu'elle affronte le prince, tout est à recommencer ; car celui-ci, perdu dans son amour, apporte de nouveaux détails, dont on ne sait trop s'il ne les imagine pas. Il faut interroger, enquêter. Bref, on parle beaucoup, on raconte, on évoque, et il ne se passe rien. La jolie modiste, prise à son jeu, livre combat contre l'ombre de Léocadia ; et, finalement, Albert abandonne son rêve pour la charmante réalité qu'Amanda lui offre de vivre. Une très bonne scène, d'ailleurs accessoire, est seule à retenir : celle où se rencontrent deux maîtres d'hôtel qui s'entretiennent avec solennité de leur profession et opposent, en termes empreints d'une onction et d'une sévérité épiscopales, les mérites respectifs de la branche hôtelière et du service en maison bourgeoise. Enfin, dans la nouvelle édition de 1958, Jean Anouilh a joint à ses trois pièces une œuvre écrite pour la jeunesse : *Humulus le Muet*.

PIÈCES SUR L'ART. Recueil d'écrits divers, préfaces, lettres, notes, discours et réflexions de l'écrivain français Paul Valéry (1871-1945), publié en 1931. Composés à des dates fort variées, l'ensemble de ces textes témoigne de l'activité « mondaine » de Valéry, et certains s'en ressentent assez désagréablement. On y voit l'auteur s'y livrer à des considérations somme toute des plus banales et qui ne sont point sans surprendre sous la plume d'un tel écrivain. Qu'on en juge par ces quelques lignes extraites du « Problème des musées » : « Je n'aime pas trop les musées. Il y en a beaucoup d'admirables, il n'en est point de délicieux... Au premier pas que je fais vers les belles choses, une main m'enlève ma canne, un écrit me défend de fumer. Déjà glacé par le geste autoritaire et le sentiment de la contrainte, je pénètre dans quelque salle de sculpture. Un buste éblouissant apparaît entre les jambes d'un athlète de bronze. » L'ensemble du morceau coule de la même source et ne dépasse guère les limites d'un anarchisme distingué et d'une conversation de salon. On n'est pas peu surpris de voir que l'auteur de *Monsieur Teste* (*) mettait tant de bonne volonté à satisfaire aux convenances. C'est avec un semblable étonnement qu'on lira le chapitre intitulé « La Conquête de l'ubiquité », où, derrière un titre assez pompeux, se cachent les plus banales considérations sur les facilités qu'offrent de nos jours les moyens techniques tels que la photographie, la T.S.F., pour aborder, au moment choisi par chacun, les plus belles productions de l'esprit humain, que ce soit en peinture ou en musique. L'ubiquité dont il est question dans le titre est tout simplement cette possibilité qui nous est donnée de pouvoir contempler dans notre chambre une toile de Velasquez, qui se trouve au Prado, ou d'entendre un concert qui se donne à Honolulu. On demeure confondu devant les quelques lignes servant de conclusion : « Tels sont les premiers fruits que nous propose l'intimité nouvelle de la Musique avec la Physique, dont l'alliance immémoriale nous avait déjà tant donné » (remarquons en passant les majuscules dont s'ornent les mots Musique et Physique). Tout, fort heureusement, n'est pas de cette veine et, à côté de textes dictés par la courtoisie ou la plus exquise des gentillesses (« Les Broderies de Marie Monnier », « Lettre à Madame C. »), à côté de certaines allocutions, où il s'efforce, encore que maladroitement, d'être le plus simple possible (« Au Concert Lamoureux en 1893 »), à côté de préfaces à des livres (« Fontaines de mémoire ») ou pour catalogues d'expositions (« Préambule », « Variations sur la céramique illustrée »), on trouvera quelques textes reprenant l'admirable discours de son *Degas, danse, dessin* (*). Retenons les pages consacrées à

« Berthe Morisot », et surtout les notes « Autour de Corot », qui abondent en points de vue d'une parfaite justesse et d'une subtilité que l'on a plaisir à reconnaître. Parlant ailleurs de l'*Olympia* de Manet, il écrira ces lignes d'une surprenante acuité : « *Olympia* choque, dégage une horreur sacrée, s'impose et triomphe. Elle est scandale, idole : puissance et présence publique d'un misérable arcane de la société. Sa tête est vide ; un fil de velours noir l'isole de l'essentiel de son être. La pureté d'un trait parfait enferme l'Impure par excellence, celle de qui la fonction exige l'ignorance paisible et candide de toute pudeur. Vestale bestiale vouée au nu absolu, elle donne à rêver à tout ce qui se cache et se conserve de barbarie primitive et d'animalité rituelle dans les coutumes et les travaux de la prostitution des grandes villes. » On placera, non loin de cet essai, les pages qu'il consacre à l'art du sculpteur et aux mystérieux échanges qui s'établissent entre l'artiste et son modèle (« Mon buste »), ainsi que ses « Regards sur la mer », où il retrouve un thème qu'il a souvent traité, l'approfondissant sans cesse.

PIERO DELLA FRANCESCA. Essai de l'historien de l'art italien Roberto Longhi (1890-1970), paru en 1927. Premier livre de Roberto Longhi consacré à la peinture, cet essai fut publié à Rome par la revue *Valori Plastici* ; il résultait d'études que l'auteur menait depuis plus de dix ans sur le maître de Borgo San Sepolcro — avec notamment, en 1914, un important article sur l'influence qu'il exerça sur Antonello de Messine et Giovanni Bellini, et sur le développement ultérieur de la peinture vénitienne.

Après avoir systématiquement analysé ce que Piero della Francesca (vers 1416-1492) devait aux peintres du trecento (à Sassetta en particulier, et à Maso di Banco) et à certains de ses aînés (Masolino, Uccello, Fra Angelico, Masaccio et Domenico Veneziano), Roberto Longhi aborde directement l'étude de ces œuvres, qu'il traite une à une, selon leur probable chronologie, en usant de son habituelle méthode descriptive. Une place essentielle est évidemment accordée au cycle de fresques illustrant la légende de la Vraie Croix, dans le chœur de l'église San Francesco à Arezzo — et au sein de ce cycle au *Songe de Constantin,* ce nocturne qui prépare tout à la fois le Caravage et Rembrandt, et « où les Italiens, précise Longhi, doivent reconnaître leur classicisme le plus vrai ».

L'un des ressorts profonds du texte est l'opposition réitérée entre le style de Masaccio, « pure exaltation de la corporéité abstraite des choses », et celui de Piero della Francesca, fait « d'un équilibre purement chromatique et spatial ». Cependant, dit Longhi, « sans celle de Masaccio, l'humanité de Piero serait différente ».

Dans la dernière partie du livre, l'auteur indique à grands traits les multiples et capitales influences que l'œuvre de Piero della Francesca a exercées : sur la peinture française par l'intermédiaire de Jean Fouquet et d'Enguerrand Quarton, sur l'école de Ferrare et sur celle de Venise, sur Melozzo da Forli, Signorelli, le Pérugin et le jeune Raphaël, sur l'Espagnol Pedro Berruguete, mais aussi sur les marqueteurs, les peintres de coffres de mariage [cassone] et certains architectes comme Laurana... Roberto Longhi a profité des deux rééditions du livre, en 1946 et en 1963, pour y ajouter, sans modifier le corps du texte, quelques notes prenant en compte les acquis de l'érudition et précisant ou corrigeant certains points. — Trad. A. Weber, 1927 ; Hazan, 1989.

A. M.-P.

PIERRE ou les Ambiguïtés [*Pierre, or The Ambiguities*]. Roman de l'écrivain américain Herman Melville (1819-1891), publié en 1852. Suite à la mévente de *Mardi* (*) et de *Moby Dick* (*), Melville se posa en écrivain maudit et livra ce récit sulfureux qui traque l'imposture, au-delà de la Sainte Famille et de la passion amoureuse, jusqu'au cœur de l'écriture. Orphelin de père, Pierre Glendinning est le dernier représentant d'une prestigieuse lignée. Il vit dans la vénération de son père, entre une mère adorée, Mary, et une fiancée angélique, Lucy Tartan, à qui il fait mièvrement la cour dans l'ombre de sa mère. Dans la demeure ancestrale, miraculeusement préservée de l'Amérique urbaine et démocrate, ils s'ingénient à perpétuer l'idéal pseudo-aristocratique de l'Ancien Monde. La mère entretient le culte du père mort, et l'âme de Pierre en est le sanctuaire. Sa piété lui vaut l'admiration du révérend Falsgrave. En bonne dame patronnesse elle rend visite avec son fils au cercle de couture des demoiselles Pennies. Mystérieusement, à leur arrivée une jeune fille pousse un cri et s'évanouit. Pierre reste hanté par ce visage entrevu et fait taire de troubles pressentiments lorsque survient une lettre signée Isabel Banford qui se prétend l'enfant naturelle de son père. Pierre refuse d'y croire d'abord, mais la nouvelle vient corroborer d'autres soupçons : son père agonisant, en proie au délire, s'était inexplicablement adressé à sa fille. Par ailleurs, la tante de Pierre lui avait fait don d'un portrait équivoque de son père, différent de celui que sa mère avait choisi d'exhiber dans le salon. Le mensonge familial est mis à nu : « Désormais je veux voir ce qui se cache et vivre à fond ma vie cachée. » Pierre ne renie pas sa demi-sœur qui serait le fruit d'amours illicites en France et dont les pathétiques souvenirs sont chaotiques, quasi irréels. La seule trace tangible qu'ait laissée son père est un mouchoir brodé à ses initiales et une guitare où son nom est gravé et dont les sons lui rappellent confusément sa mère. Révéler le péché de son père, ce serait ternir à jamais son image et du même coup déshonorer sa mère, trop pharisienne pour admettre Isabel dans la famille. Pour racheter la faute de son père, Pierre devra donc renoncer à épouser Lucy et s'enfuir avec sa demi-sœur qu'il fera passer pour sa femme au prix d'une « pieuse imposture ». Il brûle le portrait de son père qu'il tient pour une preuve accablante. Sous couvert d'un sacrifice ambigu qui recouvre un inceste doublé d'un parricide, il se substitue en fait à son père. Le transgresseur apprend à ses dépens l'ambivalence des sentiments. Les liens de l'amitié ? Il comptait sur l'hospitalité de son cousin Glen Stan, l'ami de toujours, qui l'ignore et le congédie. L'amour maternel ? Sa mère l'a déshérité précisément au profit de ce cousin qui du coup cherche à conquérir Lucy, laquelle décide de rejoindre le couple en se faisant passer pour la cousine de Pierre (ce qui n'est pas impossible). Réduit à vivre de sa plume, Pierre se réfugie avec Isabel chez les Apôtres, une ancienne église désaffectée qui n'abrite plus que des avocats et la bohème new-yorkaise. Il accueille Lucy dans son foyer au prix d'un nouveau mensonge. Ensemble, ils forment une trinité sulfureuse sous l'égide de Pierre qui se sent investi d'une mission pseudo-apostolique. Sous couvert d'écrire un roman populaire, il a un projet qui lui tient à cœur : livrer *La Bible* des temps modernes. Or cette parole d'évangile qu'il porte en lui, soufflée par la musique d'Isabel, s'efface à mesure qu'il tente de l'exhumer. À défaut d'authenticité, Pierre livre au public un texte qui est un tissu d'emprunts (ses éditeurs l'accuseront de plagiat) cependant qu'il continue à s'enfoncer dans la crypte de son cœur pour y découvrir, au fond de la pyramide, que la momie enfouie sous les bandelettes ne recouvre aucun corps. Il doute de plus en plus du récit d'Isabel et il découvre, lors d'une exposition de peinture, le portrait d'un étranger qui ressemble à s'y méprendre à celui de son père qu'il avait brûlé. Ce qu'il avait cru reconnaître comme le vrai visage de son père pourrait donc être le portrait d'un étranger, peut-être même sans modèle réel. Les repères sur lesquels Pierre s'était fondé paraissent de moins en moins assurés. Loin de constituer une pierre fondatrice, ils n'auront été qu'une pierre de scandale, un piège pour le pseudo-prophète. Il tombe sur l'opuscule de Plotinus Plinlimmon, nouveau maître à penser ou nouvel imposteur qui spécule justement sur les errements de la foi. Ce tract qui se lit El (Dieu) ou Ei (le Si du temple d'Apollon), qui suggère donc la révélation tout en insinuant le doute, présente le point de vue de Dieu et celui des hommes comme étant diamétralement antithétiques. Il est donc vain de tenter de les réconcilier. Pierre restera hanté par ce testament ambigu. En butte à l'incompréhension, il s'identifie en songe à Encelade, le colosse qui s'acharne à regagner sa patrie céleste mais s'enlise inexorablement. Pierre est aussi une sorte de météorite erratique. Comme pour démasquer l'hypocrisie sociale, il tue Glen et le frère de Lucy qui le harcèlent et par là même signe son propre arrêt de mort. Le roman se termine sur le suicide collectif de Pierre, de Lucy et d'Isabel dans la prison des Tombes. Cette ultime tentative pour s'appartenir en propre et s'instituer père est le dernier acte d'une longue série de méprises dont le point de départ aura été, comme dans *Othello* (*), le don détourné d'un mouchoir chargé d'étranges sortilèges. Il n'y a pas plus de gage de la foi dans ce récit vertigineux qu'il n'y a de preuve tangible de l'infidélité amoureuse. — Trad. Gallimard, 1939. M. I.

PIERRE ANGULAIRE (La). Roman de l'écrivain français d'origine russe Zoé Oldenbourg (née en 1916). Il a pour cadre la France du XIIIe siècle. Une France agitée par des querelles religieuses, parcourue par des cohortes de pèlerins et de mendiants. C'est dans les environs de Troyes que se situe le lieu de l'action. Zoé Oldenbourg met en scène le destin d'une famille de petits seigneurs : celle des de Linnières. L'histoire de cette famille se déroule sur trois générations. Le patriarche, Ansiau de Linnières, « le Vieux », est hanté par le souvenir de son fils mort à Jérusalem. Il décide d'abandonner son domaine et de se joindre aux pèlerins qui s'en vont en Terre sainte. « Malade et à moitié aveugle, il n'avait rien de mieux à faire que d'aller prier pour ses péchés. » Une sourde fatalité semble s'être abattue sur Ansiau de Linnières, le condamnant à abandonner ses terres : « Depuis la mort de son enfant, il n'avait eu que des malheurs et de la malchance quinze années durant. » Ses longues pérégrinations avant d'atteindre Jérusalem permettent à Zoé Oldenbourg de dresser un portrait haut en couleur d'une France accablée de malheurs, ravagée par des guerres perpétuelles. Ses descriptions sont d'un réalisme violent : « Debout dans un petit groupe de fuyards [...] une jeune fille [...] chantait une complainte d'une voix aiguë [...] ses pieds étaient violets et enflés. Sa mère était très malade, car on lui avait coupé la langue et les seins. » Herbert de Linnières, le fils du « Vieux », est surnommé le « Gros ». C'est un personnage hors du commun. Gros mangeur, gros buveur, il ne se déplace jamais sans « ses femmes, ses bâtards, sa valetaille, ses faucons, ses chiens ». Herbert de Linnières est capable des pires exactions pour acquérir de nouvelles terres. Personnage dont la démesure fait songer à Gilles de Rais. Il est comme lui blasphémateur, pervers, incestueux, criminel. Pour se venger de son père, qui ne l'aimait pas, il décide de séduire sa propre sœur : « En pensant à Églantine, il avait parfois d'inavouables jouissances d'amour-propre ; ce soufflet donné au vieux père était la revanche de Dieu sait combien de brimades. » Églantine, quant à elle, est « d'abord effrayée de commettre un tel péché dans une chapelle [...] puis elle y prit du plaisir. » Haguenier de Linnières, fils du « Gros », incarne dans le roman l'idéal de la chevalerie. Preux, sensible, fidèle, il vivra une grande histoire d'amour avec sa « Dame », Marie de Mongenost. Le roman est ponctué par plusieurs chapitres qui narrent les épreuves amoureuses auxquelles est soumis le jeune chevalier : le serment, le Paradis refermé, dureté, sacrifice, la vie qui sépare... L'œuvre tout entière baigne dans une atmosphère tragique comme si la malédiction qui s'est abattue sur la famille de Linnières, cette « pierre angulaire » qui maintient scellé le destin de ses membres, ne pouvait à aucun moment être levée. P. Bl.

PIERRE D'ACHOPPEMENT (La). Essai de l'écrivain français François Mauriac (1885-1970), publié en 1951 et groupant des articles parus au cours de l'année 1948 dans la revue *La Table ronde* (*). Les critiques de l'auteur portent, les unes sur l'Église en général, les autres sur les gens d'Église, d'autres encore sur les laïques et surtout sur lui-même. Parlant du « décor à l'italienne de la vieille Église mère », Mauriac se demande si l'on n'a pas trop flirté soit avec la richesse, soit avec les puissants de ce monde. Il rend hommage à ceux qui, dans l'Église, ont décidé ce que l'Église dans son ensemble et sous son aspect humain ne semble pas pouvoir faire, et ont renoncé à tout soutien temporel, pour vivre, individuellement, dans la pauvreté la plus complète, le détachement des choses de la terre. Les reproches que Mauriac adresse aux gens d'Église sont les suivants : les prêtres usent en chaire d'arguments parfois insuffisants : ils visent plus au nombre qu'à la qualité de leurs ouailles ; ils suggèrent parfois davantage des procédés que des pratiques, ils exagèrent à l'occasion les obligations (par exemple en matière de vote) ; ils acceptent trop facilement certaines dévotions et le culte de certains saints plus que douteux. L'auteur s'adresse à lui-même les critiques portant sur les laïques, avec une loyauté touchante. Il s'est posé en chrétien ; mais a-t-il vécu toujours en chrétien, c'est-à-dire avec le souci de s'adapter à la croix du Christ ? Il a peur que l'exemple de sa vie ne témoigne pas, autant qu'il devrait, en faveur du Maître. C'est au point, avoue-t-il, que s'il avait à recommencer sa vie, sa vie telle qu'elle a été, il mettrait autant de soin à dissimuler sa foi chrétienne qu'il s'est donné de mal pour la monter en épingle.

PIERRE DE LUNE (La) [*The Moonstone*]. Roman de l'écrivain anglais William Wilkie Collins (1824-1889), publié en feuilleton en 1868 dans la revue *All the Year Round.* Le jour de ses dix-huit ans, le 21 juin 1848, Rachel Verinder reçoit de son oncle la Pierre de lune, énorme diamant provenant du pillage d'un temple hindou. Le lendemain, le cadeau a disparu de la chambre de la jeune fille. On fait appel, pour le retrouver, aux services du sergent Cuff, le célèbre détective. Les soupçons se portent alors successivement sur une troupe de saltimbanques indiens de passage dans la région, sur Rosanna Spearman, servante chez les Verinder et criminelle repentie, sur Franklin Blake, cousin et prétendant de Rachel Verinder et, à cause de ses réticences à témoigner, sur la jeune fille elle-même. Selon Cuff, en pénétrant dans la chambre où se trouvait le diamant, le voleur a dû se tacher en frôlant la porte fraîchement repeinte. Blake, par amour pour Rachel Verinder, décide de mener l'enquête lui-même. Avant de se suicider en se jetant dans les sables mouvants voisins, Rosanna Spearman lui fait savoir qu'elle a caché sur la plage une pièce à conviction décisive. À l'endroit indiqué, il découvre une chemise de nuit tachée de peinture qui, à sa grande stupeur, lui appartient : il est donc le voleur. Avec l'aide du docteur Jennings, et sous l'influence de l'opium, Blake parvient à reconstituer les faits : il s'était emparé du diamant au cours d'une crise de somnambulisme provoquée par l'absorption involontaire d'opium, puis avait remis la pierre à Godfrey Ablewhite, l'autre prétendant de Rachel. Ce dernier a délibérément gardé le diamant, et projette de le revendre pour payer ses dettes. Grâce au sergent Cuff, on apprend un peu plus tard qu'Ablewhite a été assassiné par les saltimbanques indiens, qui étaient en fait des brahmanes gardiens de la pierre sacrée. Le diamant retrouve finalement sa place au front de la statue du dieu de la Lune.

Dans *La Pierre de lune,* « le premier et le plus grand roman policier anglais » selon T. S. Eliot, on retrouve le principe des narrateurs multiples déjà présent dans *La Dame en blanc* (*). Plus encore que dans ce dernier ouvrage, Wilkie Collins se révèle le précurseur du roman policier, par un suspense habilement ménagé, par l'importance accordée aux indices et surtout par la personnalité du détective. Avec son allure mi-pasteur mi-croquemort et son humour glacial, le sergent Cuff, qui se retire parmi ses roses pour méditer, annonce Sherlock Holmes. Collins trouve en outre l'occasion de s'en prendre à l'hypocrisie de l'Angleterre victorienne, avec le personnage de Godfrey Ablewhite, qui dissimule une vie dissolue sous les dehors respectables d'un philanthrope. On peut enfin relever le rôle central joué par l'opium, dont Wilkie Collins était lui-même un grand consommateur. — Trad. Néo, 1987. L. B.

PIERRE DE LUNE (La) [*La pietra lunare*]. Roman de l'écrivain italien Tommaso Landolfi (1908-1979), publié en 1939. Le décor est d'abord celui d'un bourg assoupi, avec des hobereaux déchus et envieux, beaucoup d'ennuis et de médisances. Giovancarlo, un étudiant poète et timide, est venu passer l'été dans la maison de ses parents, où il n'a, pour toute compagnie, qu'une vieille gouvernante. Un soir, en visite chez son oncle, l'étudiant rencontre une ravissante adolescente au nom étrange : Gouroue. Avec stupeur, il découvre tout à coup que la fille a, en guise de pieds, des sabots de chèvre, mais ses hôtes ne semblent pas s'en apercevoir. À la fin de la soirée, Gouroue entraîne Giovancarlo dans la montagne. Le lendemain, le poète tient sa vision des pieds de chèvre pour une hallucination ou un rêve. « Quant à ce qui avait pu se passer pendant le reste de la nuit jusqu'à l'aube [...], ou bien il ne s'en souvenait absolument pas, ou bien c'était manifestement d'une nature si propre à le confirmer dans sa théorie selon laquelle il s'agissait d'un rêve que l'on ne pouvait en tenir compte. » Quelques jours plus tard, Giovancarlo aperçoit Gouroue à une fenêtre du village. Alors il enquête, apprend que cette fille est la dernière descendante de la cruelle famille qui a tyrannisé le bourg dans un lointain passé, qu'elle vit seule, est lingère, chante de mystérieuses chansons et a, auprès de certains, la réputation d'être quelque peu sorcière. Une vieille confie même au jeune homme qu'elle tient l'adolescente pour une « chèvre-garoue ». Cependant, Giovancarlo fait venir Gouroue chez lui sous le prétexte de lui faire repriser ses chemises. La vision des sabots de chèvre ne se reproduit pas et, bientôt, les jeunes gens s'avouent leur amour. Malheureusement, les nuits de pleine lune, un trouble et une inquiétude inexplicables s'emparent de Gouroue. Un soir, sa jeune maîtresse entraîne pour la seconde fois Giovancarlo dans les sentiers de la montagne. Ils atteignent un village abandonné. La nervosité de la fille augmente. Une tempête menace. Fascinée, une chèvre surgit et s'approche de Gouroue. Tandis que l'adolescente et l'animal s'étreignent sauvagement au milieu des éclairs, la partie inférieure du corps de Gouroue se couvre de poils caprins et l'animal se transforme à demi en femme. Puis arrivent des hommes à l'allure rébarbative : ce sont des bandits, morts depuis bien des années. Gouroue et Giovancarlo accompagnent ces farouches personnages dans l'immense grotte, sous la montagne, où ils ont aménagé un repaire, boivent et font rôtir d'énormes quartiers de viande en évoquant leurs exploits. Leur existence est toujours aventureuse, d'ailleurs, et, une de leurs anciennes victimes leur ayant jeté un défi, Giovancarlo peut assister à un sauvage combat. Plus tard, tandis que les bandits, fatigués, s'assoupissent, arrivent les pareils de Gouroue : loups-garous, « gouroues » ou « véragnes » au corps mi-humain, mi-animal. L'une des gouroues montre au jeune homme une pierre précieuse, la « pierre de lune ». Puis, au déclin de la nuit, c'est l'apparition terrifiante des trois hiératiques « Mères », dont les regards, reflétant les pouvoirs meurtriers de la lune, suffisent à tuer. Ces trois énigmatiques puissances tentent d'anéantir le « solaire » Giovancarlo, qui n'est sauvé que par les brumes qui s'interposent un moment entre les Mères et la lune. Au matin, le jeune homme s'éveille, seul, dans une cabane en montagne. Quelques semaines plus tard, il reprend le chemin de la ville, et on devine qu'il ne saura jamais si son étrange nuit appartient au domaine du rêve ou à celui d'une « réalité » généralement interdite. Mais on peut se demander si le rêve n'est pas aussi significatif que le réel. Ces « Scènes de la vie de province » (tel est le sous-titre du roman), qui confondent allègrement le quotidien et le fantastique, ne sont donc pas sans rappeler l'art d'un Hoffmann et les thèmes chers aux romantiques allemands. – Trad. Gallimard, 1957.

PIERRE ET ALEXIS ou l'Antéchrist [*Antihrist - Petri Aleksej*]. Roman de l'écrivain russe Dmitri Sergueïevitch Merejkovski (1865-1941), publié en 1904. Ce roman est la troisième partie de la trilogie : *Le Christ et l'Antéchrist,* dont *Julien l'Apostat* (*) et *Le Roman de Léonard de Vinci* (*) forment les deux autres parties. Dans cette histoire de l'humanité qui doit conduire, selon Merejkovski, à un royaume futur où sera réalisée la synthèse entre les forces païennes et le christianisme, Pierre le Grand apparaît comme une personnalité complexe présentant des analogies avec celle de Léonard de Vinci. La multiplicité des intérêts qui le caractérisent semble se concentrer dans la tâche qu'il s'est fixée : la création, en européanisant l'homme russe, d'une nouvelle espèce d'homme où des éléments jusqu'alors contraires se fondront en se complétant. La Russie est, pour Merejkovski, le pays qui a la mission de conduire les peuples vers un prophétique et fantastique Troisième Royaume de l'humanité. Le livre est axé presque exclusivement sur la lutte que doit soutenir Pierre le Grand contre l'esprit conservateur du peuple russe, qu'il écrase avec une cruauté sans pareil. Parmi les adversaires de ses réformes est le propre fils du tsar, Alexis, que son père sacrifie comme tous ses antagonistes. La figure du tsar apparaît au peuple comme celle de l'Antéchrist, car la structure religieuse du pays est inévitablement ébranlée dans ses fondements. De même que les luttes religieuses du temps de Léonard, dont le moine Jérôme Savonarole avait été la figure la plus marquante, avaient formé le lien entre cette époque et l'époque de Julien l'Apostat, l'auteur décèle un lien analogue dans les exaspérations tragiques des mouvements sectaires et dans les longues et venimeuses controverses théologiques. Tout en obéissant à certaines lois de symétrie qui lui étaient imposées par le fait même que l'auteur entendait écrire une trilogie exemplaire, où l'on pût retrouver d'une époque à l'autre les mêmes thèmes, Merejkovski s'est efforcé de respecter autant que possible l'exactitude historique. – Trad. Calmann-Lévy, 1904.

PIERRE ET CAMILLE. Nouvelle de l'écrivain français Alfred de Musset (1810-1857), publiée en 1844. À la fin du XVIIIe siècle, le chevalier des Arcis avait fait un bon mariage avec la fille d'un ancien négociant. Il vivait heureux et n'attendait plus, pour être au comble des joies domestiques, que la naissance d'un enfant. L'enfant vint : ce fut une fille, qu'on nomma Camille. Mais le petit être ne tarda point à faire le désespoir du chevalier : Camille était sourde de naissance, et donc muette. M. des Arcis vit dans sa fille un châtiment du ciel ; il se prit à la haïr. La mère de Camille étant morte de chagrin, l'enfant fut recueillie par son oncle, qui l'emmena à Paris. Camille devint vite belle et gracieuse, mais ses lèvres ne laissaient toujours passer aucun son. Son oncle ne savait comment faire pour qu'elle oubliât un peu sa triste condition. Un jour qu'il la conduisit à l'Opéra, Camille fut surprise, ayant jeté les yeux dans la loge voisine, d'y voir deux jeunes gens qui conversaient par le truchement d'une ardoise où chacun écrivait ses pensées. Jusqu'à la fin de la soirée, Camille ne quitta guère des yeux son voisin et celui-ci parut la remarquer. Et ce soir-là Camille, alors que son oncle venait de la quitter, vit entrer dans sa chambre, enjambant la fenêtre, le jeune homme en question, qui aussitôt écrivit son nom sur le mur : Pierre. L'oncle, alerté par le bruit, accourt : le jeune homme ne lui laisse point le temps de se mettre en colère. Toujours écrivant, il explique qu'il est noble, riche de quelques milliers de livres de rente et qu'il demande la main de Camille. L'oncle, cependant, ne peut rien décider ; il faut aviser le chevalier. Celui-ci, après maintes hésitations, consent au mariage de Pierre et de Camille, mais il se refuse à paraître à la cérémonie. Quelque temps après, il reçoit une lettre de sa fille : elle vient d'avoir un enfant et le supplie de venir la voir. M. des Arcis répond au désir de sa fille sans trop de bonne grâce : « Encore un muet ! » s'écrie-t-il en voyant le petit garçon. Mais Camille pose le doigt sur les lèvres de l'enfant, les frotte un peu, et le bambin, pour saluer grand-père, s'écrie : « Bonjour, papa ! » Très bien écrit, ce conte est émouvant sans verser jamais dans la sensiblerie.

PIERRE ET JEAN. Paru en 1888, c'est le quatrième et, au jugement de beaucoup, le meilleur des romans de l'écrivain français Guy de Maupassant (1850-1893). L'auteur, dans cet ouvrage, se tenant dans des limites volontairement plus modestes, a réussi à égaler l'intensité d'effet de ses plus puissantes nouvelles. Monsieur Roland, brave homme borné et commun, maniaque de la pêche, a laissé Paris et son modeste commerce de joaillier pour se retirer au Havre, où il passe ses journées sur la mer ; sa femme, bien plus fine que lui, douce, tranquille, affectueuse, mère idéale, ne vit que par l'affection qu'elle porte à ses enfants. Ceux-ci sont fort différents au physique comme au moral : l'aîné, Pierre, près de la trentaine, brun, maigre et nerveux, tourmenté par de grands projets et sujet à des découragements imprévus, après avoir commencé et abandonné diverses études, a enfin été reçu docteur en médecine ; Jean, de cinq ans plus jeune, gros blond placide, est docteur en droit et se prépare à exercer tranquillement la profession d'avocat. Dans l'affection qui lie les deux frères, il y a toujours eu une sorte de rivalité (le plus jeune a constamment été proposé comme modèle, grâce à sa vie régulière, à Pierre l'indiscipliné) ; cette rivalité secrète éclate à l'occasion d'une promenade en barque, à laquelle est invitée la belle et blonde Mme Rosémilly, jeune veuve d'un riche capitaine de vaisseau. Le soir même, la vie tranquille de la famille est bouleversée par une nouvelle : un certain M. Maréchal, fidèle et vieil ami de la famille, est mort à Paris et a laissé comme unique héritier de sa fortune considérable le plus jeune fils des Roland, Jean. Pendant que les autres s'abandonnent à la joie et commencent à faire des projets, Pierre est assailli par la jalousie ; dans ce sentiment s'insinue une autre pensée atrocement torturante, réveillée par certaines phrases de ses amis et qui très vite l'obsède. Tandis que Jean, avec le prestige de sa récente richesse, se déclare à la veuve et obtient d'elle une promesse, le malheureux Pierre, honteux de lui-même et torturé par les remords, poursuit cependant une sorte d'enquête particulièrement pénible, déchirant le cœur de sa mère qui l'a deviné et qui perd peu à peu à ses yeux tout son charme serein de femme aux pures affections. Un soir, il ne résiste plus et, au cours d'une dispute avec son frère, lui révèle sa découverte, insoucieux de sa mère qui, certainement, les entend de la chambre à côté. Jean, bouleversé, obtient peu après la confirmation de la vérité de la bouche même de sa mère. Mais son caractère placide et positif prend rapidement le dessus : il dédommagera son frère, en renonçant en sa faveur au petit patrimoine de la famille ; en attendant, puisque Pierre n'a plus envie de vivre à la maison, il facilitera son embarquement comme médecin de bord sur un grand transatlantique. Tout se passe ainsi, et M. Roland accepte tout, sans soupçonner le moins du monde la récente tragédie. Le style de Maupassant, pittoresque et vigoureux comme toujours, apparaît ici riche de nuances, pénétrant et mesuré, à l'image de ses meilleures nouvelles. L'auteur lui-même a fait précéder son livre, en manière de préface, d'une brève étude intitulée « Le Roman ». Là, non sans pointes polémiques, il raisonne judicieusement sur le rôle de la critique et sur la grande variété des écrits narratifs qu'on a l'habitude de grouper sous le nom traditionnel de « roman » ; puis il explique et justifie la nouvelle école du roman « réaliste » ou « naturaliste ». On sent dans cet essai l'influence des idées de Flaubert plus que de celles de Zola. Dans l'ensemble, il n'a pas une particulière valeur doctrinale et n'est guère plus qu'un intéressant document.

PIERRE ET LE LOUP. Cette partition du compositeur russe Serge Prokofiev (1891-1953) a été écrite en 1936 pour un spectacle du Théâtre pour enfants de Moscou ; elle offre un aspect nouveau, et non l'un des moins remarquables, de l'art de Prokofiev. Un récitant rapporte les aventures de Pierre, « pionnier rouge », qui, négligeant les conseils de son grand-père, entreprend la conquête du Loup. Notre héros est aidé par un oiseau, un chat, un canard, il est cependant toujours sur le qui-vive, les intentions du chat à l'égard de l'oiseau n'étant pas très pures. Toutes sortes d'aventures merveilleuses se terminent par l'entrée au zoo du monstre capturé. Ce qui frappe le plus dans cet ouvrage, c'est l'ingénieux emploi des leitmotive. Les principaux personnages sont représentés par un instrument : le grand-père par un basson, l'oiseau par une flûte, le chat par une clarinette, le loup est évoqué par des cors et Pierre par un thème « aventureux » confié aux cordes. L'histoire narrée par le conteur se trouve donc littéralement illustrée de façon si gaie, si directe, que l'audience de *Pierre et le Loup* a très vite largement dépassé son premier public enfantin de Moscou.

PIERRE GRASSOU. Nouvelle que l'écrivain français Honoré de Balzac (1799-1850) écrivit en décembre 1839, et qui fait partie des « Scènes de la vie parisienne » — v. *La Comédie humaine* (*). Le récit conduit à une sorte de bouffonne apothéose de la médiocrité, et montre comment un petit négociant et sa famille peuvent s'engouer pour un peintre sans talent, brave garçon au demeurant, mais tout juste bon à copier les œuvres des maîtres. Les premières pages sont consacrées à d'amères réflexions sur l'absence de jugement chez le public des « Expositions », sur l'outrecuidance des jeunes peintres qui prétendent à la gloire avant même que de savoir leur métier. Puis Balzac, en marge de ces considérations, se laisse aller au plaisir d'une anecdote. En 1832, Pierre Grassou, dit Fougères (du nom de sa ville natale), habite un atelier qu'il entretient avec une minutie extrême, et parvient non seulement à vivre du fruit de ses travaux, mais encore à faire des économies. Bien qu'éclairé à maintes reprises par ses camarades sur l'incurable médiocrité de son talent, il a résolu de peindre et il exécute les commandes d'Elias Magus, vieil usurier qui revend les toiles, après un traitement approprié, comme d'authentiques chefs-d'œuvre signés des plus illustres noms. Un jour, Elias Magus lui annonce une visite importante : un marchand de bouteilles enrichi, et qui donne dans les arts avec la fureur habituelle aux petits-bourgeois, veut faire exécuter son portrait, celui de sa femme et celui de sa fille. La famille Vervelle se présente tout aussitôt. Dénués de grâce autant qu'il est possible, attifés avec le dernier ridicule, le père, la mère et la fille traitent avec respect ce représentant des arts dont la bonhomie et l'évidente absence d'envergure les mettent bientôt à l'aise. Il se trouve que les uns et les autres ont le même notaire. Et comme le père Vervelle s'émerveille et paraît fort aise de ce que Grassou ait des économies, l'idée d'un mariage s'impose aux deux partis en présence. L'intervention d'un ami, qui vient se gausser des modèles et des toiles, risque un instant de tout compromettre. Mais l'artiste économe et ces petites gens stupides ont trop d'affinités pour ne pas être enchantés les uns des autres. Invité à Ville-d'Avray, dans la propriété des Vervelle, qui renferme une « Galerie » dont le père fait grand cas, ayant acheté à prix d'or des Rubens, des Rembrandt et des Titien, quel n'est pas l'ébahissement de Fougères lorsqu'il reconnaît ses propres tableaux. L'art du marchand Elias Magus en a fait des toiles anciennes. Mais cet incident ne parvient qu'à resserrer les liens entre Grassou et les Vervelle ; le mariage se conclut, qui vaut à l'heureux gâcheur de toiles une immense prospérité, le grade d'« officier de la Légion d'honneur et de chef de bataillon dans la garde nationale ». Mais, encore qu'il se sente un grand homme au regard des petits-bourgeois qu'impressionne sa situation, Grassou ne peut s'empêcher de sentir quelque amertume à l'idée du mépris qui s'attache à son nom lorsqu'il est prononcé par ses camarades. Et cette lucidité relative, cette humilité donnent au personnage un caractère assez touchant. Le dialogue, la description sont rendus avec cette véracité que l'on connaît à Balzac. Mineure quant à ses proportions et quant au sujet, cette nouvelle s'insère dans l'ensemble et contribue à l'extraordinaire fortune de *La Comédie humaine.*

PIERRE Ier [*Petr Pervyj*]. Roman de l'écrivain russe Alexis Nikolaïevitch Tolstoï (1882-1945). Le premier tome fut publié en 1930, le deuxième en 1934, le troisième en 1945, et l'ensemble en 1947. Une langue riche, précise et colorée, un don de conteur, une connaissance profonde du peuple russe et de son passé ont permis à Alexis Tolstoï d'écrire un des meilleurs romans historiques russes. Il a créé une fresque puissante, qui va de l'avènement au trône du petit Pierre, en 1682, jusqu'à la prise de Narva par les Russes, en 1704 (un an après la fondation de Saint-Pétersbourg). L'auteur se proposait d'amener le roman au moins jusqu'à la bataille de Poltava ; la mort l'a interrompu en plein travail. La collision de la jeune Russie naissante de Pierre Ier avec la Russie des boyards, des strelitz, des « Vieux Croyants », est montrée d'une manière saisissante. On respire l'air de l'époque, on croit toucher du doigt les représentants innombrables de toutes les couches de la société. Ici, tout est saisi sur le vif. Grâce à une vivante sympathie pour la personne de Pierre Ier, l'auteur — sans se départir d'un réel sens critique à l'égard de son personnage — nous aide à comprendre la vie de l'Empereur, en nous faisant participer intimement à sa vie. Nous saisissons cette farouche volonté, qui l'anima toute sa vie, de créer une Russie rénovée, de la sauver des forces aveugles du conservatisme qui la menait à la ruine. Emporté, souvent cruel, Pierre savait reconnaître ses torts, et surtout il était prêt à donner sa vie pour son peuple, dont il se considérait le serviteur. Il ne pardonnait pas aux ennemis de sa cause, mais appréciait hautement la parole audacieuse et honnête, née de la bonne volonté. Ce travailleur acharné savait estimer le travail des autres. Cela, l'auteur ne le raconte pas, il nous le montre. Il évoque en outre maintes scènes historiques : les luttes tumultueuses pour le pouvoir, la prise d'Azov chez les Turcs, le fameux voyage en Europe, puis la lutte ouverte contre la vieille Russie, le travail créateur en tous domaines, la guerre contre la Suède avec ses premiers revers terribles... À côté des personnalités russes, à commencer par la grande rivale de Pierre (la tsarevna Sophia), nous faisons connaissance avec les amis de l'Empereur dans le « Faubourg allemand » de Moscou, avec ses ennemis et alliés étrangers : Charles XII, Auguste de Saxe, Stanislas Leszczynski et tant d'autres. Alexis Tolstoï donne parfois dans le naturalisme, emploie des expressions et conte des épisodes trop crus. Mais, peu avant sa mort, il avait commencé à expurger son œuvre. Disons, avant de terminer, que la haute qualité du roman va à l'encontre de certains parallèles historiques que des critiques désobligeants, plus soucieux de polémique que d'analyse littéraire, avaient cru bon d'évoquer. — Trad. *Pierre le Grand* (extraits), Gallimard, 1937.

PIERRE L'ÉBOURIFFÉ [*Struwwelpeter*]. Œuvre de l'écrivain allemand Heinrich Hoffmann (1809-1894). Pour la Noël de 1844, le docteur Hoffmann, médecin à Francfort-sur-le-Main, cherchait un livre à offrir à son fils âgé de trois ans, mais il ne put rien trouver à son goût et rentra chez lui avec un cahier blanc. Peintre, poète et homme plein d'esprit, il écrivit et illustra les vers très simples de ce qui allait devenir un des livres pour enfants les plus universellement connus. L'éditeur Löning, ami de la famille, voulut publier à 1 500 exemplaires pour Noël de l'année suivante ce petit ouvrage qui n'était pas à l'origine destiné au public : en quatre semaines, l'édition fut épuisée. Dès lors, chaque enfant d'Allemagne connut les vers de ces dix petits contes décrivant les principaux défauts des enfants et leurs funestes conséquences : Pierre qui refuse de se laisser peigner et de se laisser couper les ongles ; Paulette qui touche aux allumettes et se brûle ; les trois enfants qui se moquent du nègre et sont plongés par punition dans un encrier, etc. Le succès du livre était dû surtout au fait que, à la différence de la littérature pour enfants alors en vogue, Hoffmann sut dans ses vers et ses dessins éviter toute rhétorique, tout sentimentalisme et toute forme d'idéalisation, offrant au petit lecteur son monde réel, à peine teinté d'ironie ou, mieux, déguisé par une fantaisie fertile en joyeuses trouvailles. — Trad. Oberlin, 1947.

PIERRE LE CHANCEUX [*Lykke Per*]. Roman de l'écrivain danois Henrik Pontoppidan (1857-1943). Il fut l'objet d'une première édition en huit volumes, parus entre 1898 et 1904, sous le titre général de *Aventures de Pierre le Chanceux* (avec un titre différent pour chaque tome). Puis, sous le titre unique de *Pierre le Chanceux*, fut publiée une nouvelle édition réduite à trois volumes. Peter Andreas Sidenius, dit Per, fils d'un pasteur protestant du Jutland, petit-fils et arrière-petit-fils de pasteurs, se sent très différent des siens ; même physiquement, il n'a avec eux aucune ressemblance. Il rompt avec la tradition qui voudrait en faire à son tour un pasteur et, rebelle à Dieu et à son père, s'en va à Copenhague où il devient ingénieur. Avide de plaisirs et de gloire, chanceux au-delà du possible (d'où le titre) et dépourvu de scrupules, il réussit à intéresser des financiers et des journalistes à un gigantesque projet qu'il a conçu : le percement de canaux à travers le Jutland. Par son ardeur juvénile et son audace, il séduit Jakobé, fille d'un riche israélite qui l'a reçu chez lui. Alors que tout lui réussit et que le jour des noces approche, voilà que Per, apprenant la mort de sa mère, se sent repris par l'atavisme ancestral et les scrupules religieux et moraux. Il abandonne la lutte, quitte Copenhague et Jakobé (dont il ignore la prochaine maternité), se marie avec la fille d'un pasteur du Jutland et se fixe à la campagne, ne souhaitant plus qu'une existence paisible et effacée. Hélas, le retour (apparent tout au moins) à la vie et à la foi de ses pères ne lui procure pas la paix de l'esprit : ayant pris conscience de sa personnalité et de ses limites, il laisse sa femme à sa vie mesquine et calme de petite-bourgeoise et s'en va passer ses dernières années dans le Jutland du Nord comme modeste surveillant de travaux routiers, tandis que d'autres, en exploitant ses anciens projets, se couvrent de gloire et d'honneurs. À sa mort, ses maigres économies iront à Jakobé qui, après avoir perdu le fils qu'elle a eu de Per, a ouvert une petite école laïque, voulant se consacrer aux enfants pauvres de l'endroit. À travers la vie et les expériences successives de son personnage, l'auteur brosse un tableau fidèle du Danemark à la fin du XIXe siècle, au début de l'ère industrielle, et du radicalisme de Brandes. D'une part, c'est la campagne, régénérée par le mouvement religieux dont Grundtvig fut l'initiateur ; d'autre part, c'est la vie fiévreuse de la capitale, la lutte acharnée des hommes pour la conquête d'une situation ou d'un titre, les salons et les cafés littéraires. Les portraits de Brandes et du poète Drachmann sont particulièrement réussis : le premier est représenté sous les traits du docteur Nathan, le second sous ceux du peintre Fritjof Nansen, « cactus du sud, aux fleurs de flamme, qui a poussé dans la rocaille ». — Trad. Stock, 1947.

PIERRE LE LABOUREUR, ou la Vision de William concernant Pierre le Laboureur [*Liber de Petro Plowman* ou *The Vision of William concerning Piers the Plowman*]. Poème en deux parties et vingt-trois sections, du poète anglais William Langland (1332 ?-1400), publié à trois reprises (1362 environ ; 1377 : la meilleure version et la plus détaillée, et après 1386). Dans la première partie, l'auteur, surnommé Wille le Long (Longe Wille), après s'être présenté comme un pauvre clerc, grand, maigre, vêtu de noir, qui chante pour quelques sols aux funérailles des riches, assure s'être trouvé, en songe, dans « un beau champ plein de gens de toutes sortes » et situé entre la Forteresse de la Vérité et la cellule où réside le Tracas, père de l'Illusion. Le rêveur, voyant apparaître la sainte Église, lui demande : « Où est l'Illusion ? » « Retourne-toi », répond-elle. William aperçoit alors l'Illusion. Dame Corruption (lady Meed) l'accompagne, et elles sont prêtes à s'épouser. Mais la Théologie intervient et, sur son conseil, tout le monde décide de se rendre à Londres devant le roi. Ce dernier, ayant fui l'Illusion, propose à la Corruption d'épouser la Conscience (que l'auteur met au masculin). Mais celle-ci, ne voulant rien entendre, révèle toutes les fautes de lady Meed et prédit qu'un jour viendra où la Raison gouvernera le monde. Le roi demande à la Raison de rester toujours à ses côtés. Vient ensuite la confession des sept péchés mortels, et c'est, agrémentée de figures et costumes du temps, la partie la plus vivante de ce poème. Tous les pénitents se mettent alors à rechercher la Vérité, jusqu'au moment où Pierre le Laboureur leur apprend qu'on ne la trouve qu'au prix d'un labeur rude et opiniâtre. La Vérité envoie à Pierre la bulle du pardon ; mais un prêtre, le prenant à partie, conteste avec une telle violence la validité de cette bulle que le laboureur se réveille. La seconde partie du poème est divisée en trois sections : « La vie de Do-Well » (Bonne-Vie), qui enseigne aux hommes à travailler pour eux-mêmes ; « La vie de Do-Better » (Vie-Meilleure), qui décrit la passion, la mort et la résurrection du Christ ; « La vie de Do-Best » (Vie-Parfaite), où Langland nous décrit une nouvelle vision. La terre est devenue le royaume de l'Antéchrist : tous les méchants ayant attaqué l'Église, la Conscience, après avoir tenté en vain de réveiller la Contrition, s'en va à la recherche de Pierre, qui est considéré comme une incarnation de l'Amour s'identifiant avec le Christ, et le rêveur s'éveille en versant des larmes amères.

Ce poème de 8 000 vers est essentiellement populaire, tant par la langue que par la métrique, inspiré des vieilles légendes saxonnes. Il fut écrit en des temps de misère, d'oppression et d'injustice sociale, peu avant le soulèvement de 1381, au cours duquel les paysans se révoltèrent contre les excès du clergé. Chaucer, contemporain de Langland, n'avait de contacts qu'avec les nobles normands dont la caste était la sienne ; aussi n'a-t-il pas vu cet aspect misérable de la société. Langland, au contraire, porte-parole des Anglo-Saxons, laisse un témoignage indigné de la persécution dont le peuple était victime.

PIERRE NOZIÈRE. Paru en 1899, ce volume occupe la deuxième place dans la série des quatre livres où l'écrivain français Anatole France (François-Anatole Thibault, 1844-1924) rassembla, à des dates fort espacées les unes des autres et comme en des reprises successives, les mémoires de son enfance et de sa prime adolescence — v. *Le Livre de mon ami* (*), *Le Petit Pierre* (*), *La Vie en fleur* (*). Certes, l'auteur y parle à la première personne, mais il se cache sous le pseudonyme de Pierre Nozière ; de même Anatole France a-t-il changé certains faits (le père de l'enfant, par exemple, est médecin), de façon à donner à ces souvenirs une certaine liberté narrative et cet air agréablement fabuleux qui sont les caractéristiques de son style dès qu'il aborde, non sans une certaine pudeur, le thème suggestif de l'enfance. Le récit apparaît très heureusement rompu en une série d'épisodes, dont chacun forme un tout par lui-même ; de plus, on y trouve insérée une série de portraits : la figure des « grands » qui entrent en contact avec Pierre en différentes occasions et que l'auteur dessine avec une minutieuse légèreté, se complaisant à ce jeu subtil qui consiste à mélanger les sensations de l'enfance avec les jugements de l'homme mûr, obtenant ainsi des effets particulièrement exquis. Le malicieux scepticisme de France et son goût pour les personnages pittoresques sont fort heureusement éclairés par un sens pathétique de l'humanité, qui donne tout son prix à la première partie du livre (« Enfance »). Les deux autres parties au contraire (« Notes écrites par Pierre Nozière en marge de son gros Plutarque » et « Promenades de Pierre Nozière en France ») sont de caractère assez différent et réunissent un certain nombre de divagations philosophiques et morales ou de dissertations sur des provinces et monuments français qui montrent un Anatole France quelque peu disert et pédant.

PIERRE PATIENTE (La) [*Sang-e Sabour*]. Roman de l'écrivain iranien Sâdegh

Tchoubak (né en 1916), publié en 1966. Pour le situer dans l'œuvre de l'auteur, il suffit de mentionner la famine, qui dicte sa loi aux personnages, et le fait que ceux-ci, à l'exception de Seyfolghalam, sont déjà tous présents dans les récits antérieurs. Ahmad Aghâ est la reprise de Djavâd dans « La Dernière Lampe », Balghis la réplique d'Ozrâ, frustrée sexuelle en quête d'un homme dans « Le Marchand de pétrole ». Djahân Soltân ressemble beaucoup à Fakhri, la prostituée qu'on enterre dans « Sous la lanterne rouge » ou bien à la mère d'Asghar dans « Après-midi de fin d'automne ». Gowhar ressemble aussi à Afâgh et Djirân dans « Sous la lanterne rouge » ou Zivar dans « Pourquoi la mer était-elle houleuse ? » ou bien encore à Khadidjeh, la femme enceinte qui enterre un enfant vivant dans « Les Pilleurs de tombe ». Kâkolzari est la réplique du fils de Zivar (« Pourquoi... ») ou d'Asghar (« Après-midi... »). Sheykh Mahmoud est l'archétype du religieux musulman et Hâdji Esmâ'il le type du richard. Tchoubak résume ses meilleurs personnages dans son meilleur récit. La technique narrative de Tchoubak consiste à opérer une « coupe verticale » dans un personnage pour en révéler non seulement le caractère mais aussi sa vision des autres, qui s'éclairent les uns les autres progressivement (pas seulement dans la section qui porte leur nom). Chaque personnage se fait connaître deux fois : par introspection (vision interne) et par son rôle social (vision externe). *La Pierre patiente* est construit à travers les monologues intérieurs de cinq personnages (Ahmad Aghâ, Kâkolzari, Balghis, Djahân Soltân et Seyfolghalam), livrés par fragments intercalés. Le récit se tisse autour de l'histoire d'un personnage qui n'intervient pas personnellement dans le récit : Gowhar, la mère de Kâkolzari. Elle a disparu et tous les cinq s'inquiètent à leur manière de son sort. Car Gowhar — c'est toute l'unité du roman — fait partie de trois cercles d'événements qui surviennent dans la vie de ces personnages. L'histoire se déroule à Shirâz, dans un immeuble où Ahmad Aghâ, instituteur, est locataire mais où habitent aussi Balghis, une femme assez laide que le mari, opiomane et impuissant, a laissée vierge, Djahân Soltân, une vieille femme qui se meurt sur un grabat dans l'écurie, Gowhar et son fils Kâkolzari. C'est le recoupement progressif de ces trois faisceaux de relations à travers les cinq récits qui constitue le roman, dévoilement progressif de la « vérité » (le meurtre de Gowhar par Seyfolghalam) mais aussi, plus modestement, de la vérité de chaque vie, de chaque nœud relationnel (amour d'Ahmad pour Gowhar mais incapacité de se décider ; amour jaloux de Balghis pour Ahmad, mais nécessité d'attendre la mort de Gowhar pour obtenir ses faveurs ; misère de Djahân Soltân ; solitude et abandon du jeune Kâkolzari qui meurt noyé dans le bassin et enfin folie meurtrière de Seyfolghalam...). Reste l'énigme de l'écriture de ce roman qui est un croisement de plusieurs voix et de plusieurs langues, et même de plusieurs genres littéraires (cf. la citation du *Livre des rois* (*) et la pièce de théâtre finale), ce qui fait de *La Pierre patiente* le livre le plus moderne de la littérature persane du XXe siècle.

C. Ba.

PIERRE PRÉCIEUSE (La) [*Der Edelstein*]. Recueil de cent fables en dialecte suisse ancien, écrites en vers rimés, avec un prologue et un épilogue, que le prédicateur bernois Ulrich Boner dédia à un patricien de Berne vers 1340. Elles ont leur source dans les *Fables* (*) latines d'Avianus et de l'anonyme de Nevelet, ainsi que dans les adages de la *Bescheidenheit* — v. *Discernement* (*) de Freidank. Chaque fable est dénommée, en langage médiéval, « bîspel » (allégorie ou similitude) et s'achève sur une morale en forme de sentence. L'auteur évite soigneusement tout ornement de style ou étalage verbal. C'est précisément dans ce naturel et cette simplicité que réside le charme de ce recueil, qui ne dépasse pas d'ailleurs le niveau d'une bonhomie propre à la sagesse bourgeoise. Une teinte d'humour, spontané chez l'auteur, contribue également à raviver les images et agrémenter la morale. Tous les vices sont présentés comme découlant de la « folie », représentée par un coq qui renonce à la « pierre précieuse », symbole de la sagesse, pour la moindre bribe de nourriture. Avec *La Pierre précieuse,* la fable fait son apparition dans la littérature germanique. Publié en 1461 à Bamberg, ce recueil fut peut-être le premier livre imprimé en Allemagne.

PIERRES. Œuvre de l'écrivain français Roger Caillois (1913-1978), parue à Paris en 1966. Ce n'est pas la seule fois dans ses écrits que Caillois rencontra les pierres : en 1970 il fit paraître, illustré de photographies effectuées sur des échantillons de sa propre collection de minéraux, un autre ouvrage, *L'Écriture des pierres,* et enfin, en 1975, *Pierres réfléchies* viendra clore la recherche. Après avoir étudié les sociétés humaines, puis celles des insectes, Caillois entreprit — le hasard de ses voyages l'ayant mis, en 1952, en contact avec une labradorite dont les couleurs changent avec la lumière — l'approche du règne minéral. « Comme les anciens Chinois, je suis porté à considérer chaque pierre comme un monde. » Paradoxalement les pierres, loin de pétrifier la pensée, vont être l'occasion pour l'esprit et le langage d'exercer leur lucidité et d'inventer (au sens propre, de découvrir) de nouveaux rapports. C'est à de véritables exercices d'ascèse spirituelle, voire « mystique », que les pierres vont contraindre l'auteur. Les pierres sont tout à la fois objets de mythe, de poésie et de descriptions quasi scientifiques. En elles se rencontrent les différentes facettes des préoccupations de l'auteur, et elles lui inspirent une écriture dense, mate, cassante, mais aussi parfois presque lyrique. Explorations lithographiques ou géo-logiques qui provoquent une « sorte d'excitation très particulière ». Des pierres, Caillois écrit : « Je me force de les saisir en pensée à l'ardent instant de leur genèse [...] Entre la fixité de la pierre et l'effervescence mentale s'établit une sorte de courant où je trouve pour un moment, mémorable il est vrai, sagesse et réconfort. » Jeu de la pierre et de l'esprit dont l'une va faire l'offre à l'autre de ses richesses et dont l'autre va s'efforcer de retrouver la simplicité hiératique. Les pierres sont objets de culte, votives par nature quoique non fabriquées de main d'homme ; elles peuvent, à condition d'être laissées intouchées, se transfigurer en effigies d'un monde qui n'a pas eu besoin de nous pour se faire. Gratuites, aucune intention ne présidant à leur production, elles préfigurent déjà, par les traces ou marques imprimées en leur surface ou profondeur, ce que l'homme aura pu produire de meilleur au niveau des formes et de leurs compositions. À propos de « concrétions siliceuses » que l'on peut voir en Ile-de-France, Caillois note : « Plusieurs des plus belles sculptures modernes ont été trouvées en ce gîte. Elles y étaient depuis environ vingt-cinq millions d'années. » Cette invention sans intention est création du temps, déploiement progressif et surprenant d'une genèse miraculeuse que seul un esprit extatiquement attentif pourra ré-inscrire, analogiquement, dans la mémoire des hommes. Si les pierres « n'attestent qu'elles », il appartient cependant à l'écriture de tenter d'en répercuter l'« infaillible » et inutile beauté. Sur le parcours pré-historique qui va du chaos au cosmos, du désordre primitif à l'ordre réalisé, les pierres — « vertige et ordre », « ferment et image » — témoignent d'un « mystère plus lent, plus vaste et plus grave que le destin d'une espèce passagère ». F. W.

PIERRES DE PANTALICA (Les) [*Le pietre di Pantalica*]. Roman de l'écrivain italien Vincenzo Consolo (né en 1933), publié en 1988. Si curieuse que puisse sembler la forme de ce livre, à la fois roman, nouvelle, témoignage documentaire, évocation de souvenirs ou méditation, il doit son incontestable unité à la Sicile, à son histoire, à sa langue, au chassé-croisé d'influences, qui ont fait la culture de son peuple que Consolo interroge avec passion. Sa cohérence, il la doit à un regard complexe, regard de l'écrivain attentif aux fastes concrets d'un univers qu'il sait menacé et qu'il veut recréer, regard d'un intellectuel qui reconstruit le passé, mais pour le comprendre et le juger à l'aune du présent. Suivant la perspective, la langue change du tout au tout : épaisse, grenue, cocasse ou lyrique, nourrie par la sève des dialectes, quand il s'agit de faire revivre les saveurs, les parfums de la terre sicilienne ou de recréer des mentalités, la façon de parler ou de penser du pêcheur, du paysan, du noble ou du commerçant ; limpide et chaleureuse comme celle d'un mémorialiste quand il s'agit d'évoquer des hommes ou des événements. Parfois enfin, c'est l'essayiste qui prend le relais pour méditer sur son époque.

La première partie, « Théâtre », fait défiler les personnages d'un jeu d'ombres qui s'animent à l'époque de la libération de l'île par les Alliés : un moine fou, des commerçants effrayés par la guerre, des notables sournois qui naviguent en eaux troubles, d'un régime à l'autre, pour préserver leurs biens. Dans ce théâtre de l'histoire, il y a les gagnants et les perdants, auxquels va la sympathie humaine et, si l'on peut dire, linguistique de l'auteur : ce sont les paysans de Ratumemi qui, croyant aux projets de réforme agraire et convaincus que la terre appartient à ceux qui la cultivent, s'en vont occuper en 1946 les terres incultes des latifundia, ces énormes propriétés qui font que les deux tiers de l'île appartiennent à une poignée de notables. La police et la prison mettent un terme brutal à ce rêve de justice qui périodiquement resurgit et qui est à chaque fois bafoué. La deuxième partie, « Personnes », est centrée sur les portraits de quatre intellectuels siciliens : le poète Lucio Piccolo, le romancier Sciascia, le poète dialectal Buttitta, et Uccello, qui recueillit dans sa maison transformée en musée tout ce qui portait témoignage de la culture sicilienne. La dernière partie, « Événements », est une sorte de reportage sur quelques expériences marquantes.

Deux axes contradictoires traversent ce livre : le peuple sicilien, au contact de tant de civilisations différentes, Arabes, Grecs, Phéniciens, Normands, Espagnols, s'est forgé une culture que la technologie moderne menace de disparition et que, tel un archéologue, l'écrivain doit préserver ; mais ce passé s'est forgé dans la violence et dans l'abus, et l'artiste doit le sonder pour en dégager un humanisme qui puisse mener à plus d'équité et plus de compréhension, si étroite que soit la voie qui concilie la beauté et la justice. — Trad. Le Promeneur, 1990. G. de V.

PIERRES DE VENISE (Les) [*The Stones of Venice*]. Étude historique et esthétique du critique anglais John Ruskin (1819-1900), éditée en trois volumes, avec des illustrations dont plusieurs sont de l'auteur, entre 1851 et 1853. L'œuvre, qui fut reprise en édition réduite en 1879, illustre « pierre par pierre » les principaux monuments de Venise, de Torcello et de Murano, particulièrement Saint-Marc et le palais des Doges. Les digressions alternent avec les discours moralisateurs au sujet de l'histoire politique et civile de la République vénitienne. L'œuvre s'achève par des appendices analytiques et descriptifs. Plus que dans les nombreuses notices historiques et érudites à propos des monuments, l'intérêt du livre réside dans l'interprétation originale des valeurs essentiellement colorées de l'architecture vénitienne proprement dite. Pour Ruskin, la couleur n'est pas seulement cette splendeur de teintes changeantes dans l'atmosphère et dans les reflets de l'eau ; c'est encore ce goût en matière d'architecture pour tout ce qui est asymétrique, irrégulier, variable comme la vie elle-même. De là, l'importance extrême pour l'histoire de la critique de pages comme celles que Ruskin consacre à la basilique Saint-Marc, les plus belles que l'auteur ait dédiées à un monument du passé. L'architecture « vivante » du Moyen Âge n'excite pas seulement la sensibilité de l'artiste ; elle confirme dans son esprit tous ses principes essentiels au sujet de l'art, de la morale, de la religion et de leurs rapports réciproques. Un élément fondamental de l'esthétique de Ruskin, à quoi se rapporte un passage célèbre du livre, est la distinction qu'il faut établir entre la science, qui s'intéresse aux choses en elles-mêmes, et l'art, qui considère uniquement leur effet sur le cœur et sur l'esprit de l'homme. L'esprit scientifique, l'orgueil intellectuel sont funestes à l'art, qui ne peut naître spontanément que d'un esprit purement religieux, de l'humilité et de la sincérité du cœur. Reprenant et développant une thèse déjà énoncée dans *Les Sept Lampes de l'architecture* (*), l'œuvre tend à démontrer comment, depuis l'épanouissement médiéval de l'art romano-byzantin jusqu'à la renaissance de l'inspiration classique et à la décadence du goût dans un maniérisme grotesque, l'affadissement de l'architecture à Venise s'accompagne d'une diminution de la foi chrétienne et d'une augmentation des richesses, de l'immoralité, de l'orgueil politique et commercial de la Sérénissime. Malgré les aspects discutables de cette thèse et son incompréhension totale de l'art de la Renaissance (attribuable surtout aux préjugés moraux de Ruskin et à son aversion toute protestante pour le « papisme » romain), on ne peut nier l'apport de Ruskin dans la remise en honneur des arts du Moyen Âge italien — v. *Matinées florentines* (*). Pratiquement, l'œuvre de Ruskin a contribué à l'adoption du style néo-gothique dans les constructions civiles de l'époque victorienne en Angleterre. Son chapitre sur « La Nature du gothique », réédité séparément par la suite, est de toute première importance par ses points de contact avec le mouvement préraphaélite. — Trad. Laurens, 1906 ; Hermann, 1983.

PIERRETTE. Titre d'un des plus célèbres récits de l'écrivain français Honoré de Balzac (1799-1850), publié en 1840, et incorporé par la suite dans les « Scènes de la vie de province » — v. *La Comédie humaine* (*). Les Rogron, enfants d'un ex-hôtelier, reviennent à cinquante ans passés dans leur petite ville natale de Provins après avoir fait fortune dans le commerce à Paris. Poussés par l'ambition, le frère et la sœur cherchent en vain à se mêler à l'aristocratie locale ; repoussés, ils se laissent prendre au jeu de deux intrigants, l'ex-colonel napoléonien, le baron Gouraux (nous sommes en 1827), et l'avocat libéral Vinet. Les deux anciens boutiquiers ont recueilli chez eux, par calcul, Pierrette, une fillette orpheline, leur parente éloignée dont la mère a été auparavant dépouillée de la part d'héritage qui aurait dû lui revenir à la mort de leur père. La grâce ingénue et exquise de la jeune fille a ému les dames de la ville et semble ne pas laisser indifférent même le colonel Gouraud, que Sylvie Rogron voudrait épouser ; tout cela ne fait qu'aggraver la situation de Pierrette dans la maison Rogron. C'est pourquoi, parmi de perfides intrigues, la malveillance de Sylvie envers Pierrette se change en une véritable haine : dès lors elle soumet la pauvre enfant à une suite calculée d'atroces vexations qui minent sa santé délicate. En vain, Pierrette est défendue par son fidèle compagnon d'enfance, Jacques Brigaut : quand elle échappera à l'horrible maison Rogron, les soins les plus affectueux ne pourront la sauver. L'histoire du martyre de Pierrette est très habilement mêlée par Balzac à la chronique politico-mondaine de Provins. Parmi les nombreuses figures de jeunes filles d'une grâce innocente et d'une âme très pure que Balzac s'est souvent complu à dessiner, Pierrette est peut-être la plus attachante et certainement la mieux évoquée. La délicate précision du style de Balzac, qui apparaît ici moins lourd que d'habitude, moins chargé de ces morceaux de virtuosité et de ces considérations emphatiques qu'il affectionne parfois un peu trop, contribue à faire de ce simple récit un de ses plus purs chefs-d'œuvre.

PIERROT LUNAIRE. Mélodrame op. 21 pour voix de récitant et cinq musiciens, du compositeur autrichien Arnold Schoenberg (1874-1951), composé entre le 12 mars et le 30 mai 1912 sur trois séries de sept poèmes de l'écrivain belge Albert Giraud (1860-1929), traduits du français par l'écrivain allemand Hartleben (1864-1905), créé à Berlin en 1912. En réaction contre les orchestres post-wagnériens devenus démesurément enflés, Schoenberg opte pour une petite formation de chambre. Les instruments choisis sont le piano, la flûte ou le piccolo, la clarinette ou la clarinette basse, le violon ou l'alto, et le violoncelle. L'œuvre, atonale, est en trois parties, qui chacune en sept poèmes développe un thème, la lune et la maladie, la nuit, le drame et la mort, les regrets. En préface du *Pierrot lunaire*, Schoenberg donne plusieurs indications d'interprétation. Le « Sprechgesang » d'abord, moyen d'expression vocal nouveau, qui demande au récitant de « parler sur tons » plutôt que de chanter (littéralement « chant parlé »). Conséquemment, il recommande à tous les exécutants de s'en tenir strictement au texte donné en ne laissant transparaître aucune teinte autre que celles qui seraient indiquées, tout étant déjà parfaitement défini par la musique. Musique ardue, aux sombres clameurs à l'image des paroles, qui nous fait déambuler dans un monde nocturne étrange, « où les vers sont des larges croix où saignent les rouges poètes ». D. Ja.

PIERROT MON AMI. Roman de l'écrivain français Raymond Queneau (1903-1976), publié en 1942.

S'il est difficile d'affirmer que *Pierrot mon ami* est le plus « parfait » des romans de Raymond Queneau, ce qui supposerait des comparaisons laborieuses, on peut assurer, en revanche, qu'il est le plus énigmatique. Cela tient en partie à la façon dont le projet initial a été modifié par son auteur au cours de sa réalisation. Qu'en a-t-il dit lui-même ? Ceci : « En écrivant *Pierrot mon ami*, l'auteur a pensé qu'évidemment le roman-détective idéal [...] serait celui où non seulement on ne connaîtrait pas le criminel, mais encore où l'on ignorerait même s'il y a eu crime, et quel est le détective. »

Un roman policier sans criminel, sans victime et sans détective, ce n'est pas non plus un roman « non policier ». D'où la sensation qu'a le lecteur que l'auteur lui cache quelque chose. Mais quoi ? Et surtout : mais où ? Cette dernière question n'est pas une boutade, car peu de romans paraissent aussi transparents que *Pierrot mon ami*.

Un deuxième élément auquel on peut attribuer son aspect énigmatique met en jeu la question du temps. Ce roman, dont l'intrigue se noue pourtant autour d'une chapelle funéraire, temple du souvenir, est le roman de l'oubli : les visages, les événements et les lieux s'enfouissent dans une brume opaque, les gens ne se reconnaissent pas facilement, ils hésitent, ils doutent de leur mémoire et de celle de leurs interlocuteurs. C'est que le temps dans lequel ils évoluent (et surtout Pierrot) est insaisissable. Certes, il possède une certaine réalité, puisque l'on peut dater assez précisément les différents épisodes de l'histoire, mais il n'a pas de valeur « romanesque », c'est-à-dire que les différents moments du récit ne s'enchaînent pas selon les habituelles relations de cause à effet.

Pierrot, personnage lunaire, évolue dans cet univers sans tenter de le modifier à son profit, guère plus actif qu'un bouchon sur l'eau. Il ne connaît donc que des emplois précaires, ce qui ne semble pas l'émouvoir beaucoup, et des déboires amoureux, ce qui le préoccupe davantage. Il fait partie de ces « philosophes » populaires qu'affectionne Raymond Queneau et qui portent sur le monde ce regard myope qu'une jeunesse difficile a rendu mi-indulgent, mi-résigné. Rien ne peut vraiment les surprendre, car ils n'attendent rien, ni des hommes ni de la Providence. S'ils sont gais, c'est à la manière de Figaro, parce qu'ils ont pris « l'habitude du malheur ».

Pierrot a plusieurs homologues dans l'œuvre de Raymond Queneau, comme Saturnin dans *Le Chiendent* (*), Alfred dans *Les Derniers Jours* (*), Valentin Brû dans *Le Dimanche de la vie* (*). Mais c'est lui dont on se souvient certainement le mieux, parce qu'il est tout à la fois le plus impénétrable et le plus lumineux. J. B.

PIÉTON DE PARIS (Le). Ouvrage du poète français Léon-Paul Fargue (1876-1947), publié en 1939. Alors que *D'après Paris* (*) du même auteur nous transportait dans le monde suranné et charmant d'avant 1914, *Le Piéton de Paris* se présente comme une chronique de l'entre-deux-guerres. Fidèle à son enfance, cet âge d'or du souvenir, Fargue commence tout naturellement sa randonnée à travers la capitale par ce qu'il appelle « mon quartier », à savoir l'espace compris entre le boulevard Magenta, Belleville et le boulevard de la Chapelle, à peu de chose près le 10e arrondissement. Avec ses deux gares (gare de l'Est, gare du Nord), « vastes music-halls où l'on est à la fois acteur et spectateur », avec son canal de l'Ourcq, « glacé comme une feuille de tremble », ce quartier a fourni au poète les principaux éléments d'un paysage mental que l'on retrouve tout au long de son œuvre. On ne saurait cependant restreindre l'univers du poète à ce simple quadrilatère découpé dans Paris ; Fargue en effet se meut avec la même aisance à Montmartre comme au Palais-Royal, à Saint-Germain-des-Prés comme à Montparnasse. Nulle part dépaysé, il nous donne de tous les lieux où il nous entraîne cette image irremplaçable que lui dicte sa longue intimité avec les êtres et les choses. Certes le ton de l'ouvrage reste familier et l'on ne trouvera point ici de ces projections à travers l'espace et le temps qui donnaient à *Vulturne* — v. *Espaces* (*) — le caractère angoissé et inquiétant que l'on sait. Néanmoins la poésie ne perd jamais ses droits et Fargue s'est depuis trop longtemps incorporé au paysage pour ne pas nous donner des spectacles auxquels il participe lui-même une vision totalement renouvelée. Connaissant parfaitement la géographie morale de la ville, il lui suffira le plus souvent de nous faire saisir quelques-uns de ces subtils échanges entre le passé et le présent dont est faite la vie de la capitale, pour que le merveilleux jaillisse sans effort. Témoin ému de l'âme parisienne en ce qu'elle a de sentimental, de profond et d'archaïque, Fargue a créé une sorte de « mélodie enrouée » faite de monologues et de romances, de musiques stridentes et déchirées, de termes de métier et d'argot, de tout un langage où les hommes ont laissé leur empreinte.

PIEUVRE (La) [*The Octopus*]. Roman de l'écrivain américain Frank Norris (1870-1902).

La compagnie de chemins de fer P.S.W., concessionnaire d'immenses terrains dans le centre de la Californie, à la limite des lignes déjà établies, incite les colons ou « ranchers » à y investir leurs capitaux en s'engageant, lorsque le gouvernement aura établi la taxe foncière, à vendre à leurs premiers occupants ces terres au même prix que l'État. Avec le temps, Magnus, Derrick, Annixter, Dyke et quelques autres, à force de travaux et d'investissements, ont décuplé la valeur de leur terrain mais, au moment de les acheter, la société ferroviaire, « trust » capitaliste présidé par Behrman, ne s'en tient pas aux promesses faites et se propose, par-dessus le marché, d'augmenter les tarifs de transport. Les ranchers, à la veille de la ruine, organisent leur résistance par tous les moyens licites ou illicites, mais ils succombent un à un à cette lutte féroce. Les uns perdent l'honneur, comme Magnus, connu pour son intégrité ; les autres, la vie, comme son fils, frappé au cours d'une embuscade ; d'autres encore, la liberté, comme le fils de Dyke condamné aux travaux forcés pour avoir fait sauter un wagon blindé et s'être emparé d'une forte somme. Behrman, vainqueur de cette lutte sans merci, est frappé à son tour par le sort justicier ; tandis qu'il contemple avec extase le nouvel élévateur rapide qui déverse son grain dans les cales de la « Swanhilda », prête à larguer les voiles, il tombe accidentellement dans la soute et y meurt étouffé. Ce roman vigoureux forme, avec *La Bourse du blé* et un autre roman resté inachevé, la « Trilogie du grain » qui est l'œuvre la plus ambitieuse de Frank Norris. — Trad. Hachette, 1914.

PIE VOLEUSE (La). Roman de l'écrivain français Georges Limbour (1900-1970), publié en 1939. De tous les livres de Limbour, c'est sans conteste le plus sombre, le plus visionnaire et le plus réaliste à la fois. Cette œuvre, visiblement inspirée par la guerre civile espagnole, se compose de deux parties : la première, écrite en 1936, ressemble à une féerie barbare, à un mystère moyenâgeux joué sur le parvis du monde moderne ; la seconde, « ajoutée plus tard », est un épilogue brutal et inattendu, bien qu'annoncé, que la dure réalité des faits apporta à l'auteur en 1937. Il est difficile en effet de ne pas penser à Guernica en lisant cette « histoire [imaginaire, précise Limbour] d'un village heureux détruit par des nations criminelles », un village écrasé par le soleil et la chaleur avant de l'être par les bombes. Pourtant, au départ, il n'y a qu'un gros village au bord de la mer, avec son despote de province, Cornélius, le marchand de sardines, qui règne sur la puanteur de son clos d'équarrissage et sur une petite cour apeurée : le curé, le boucher et le boulanger. En marge vit Gisèle, jeune sauvageonne pure et perverse à la fois, qui chante des chansons obscènes « d'une voix douce, avec feinte innocence et préciosité ». La pie qu'elle a soignée lui rapporte des objets dérobés : une bague, une boucle d'oreille, un miroir de poupée, un œil de verre. Ces vols « précipitent » le destin de plusieurs personnages, à commencer par la pie elle-même qui, proie du village en furie, finit décapitée entre les mains de Cornélius. Le boulanger se pend et Gisèle, la « femme à la pie », bouc émissaire du village, meurt défigurée. La deuxième partie du roman s'ouvre sur la guerre, avec le saccage de l'église par les milices et l'assassinat de Cornélius. Le village est bombardé. Emilia, la protégée de Gisèle, est tuée, mais son enfant est sauf. Sauf également l'honneur du village qui se mobilise pour résister à l'ennemi, et sauf l'espoir puisque le récit s'achève sur le « bêlement des chèvres » ramenées du champ de bataille, « dans les mamelles desquelles reposait le lait sur, et peut-être tourné », dont se nourrira l'enfant affamé d'Emilia. La richesse inventive et symbolique de ce texte est étonnante. Dérouté au premier abord par la profusion des images et l'aspect labyrinthique des situations, on est bien vite emporté par l'art extrêmement subtil du conteur et séduit par la beauté poétique de sa langue.

G. G.

PIE VOLEUSE (La) [*La gazza ladra*]. Opéra tragi-comique en deux actes du compositeur italien Gioacchino Rossini (1792-1868) sur un livret de Giovanni Gherardhi, créé en 1817 à la Scala de Milan. Le sujet est tiré d'un drame français, *La Pie voleuse*, inspiré, à ce qu'il semble, par un fait réel. La maison de Fabrizio, riche fermier, est en fête à cause de l'arrivée imminente de Giannetto, fils de Fabrizio, actuellement aux armées. C'est avec une anxiété d'amoureuse que l'attend une brave fille, Ninetta, servante de Fabrizio ; sa joie est d'autant plus grande qu'elle va revoir aussi son propre père, compagnon d'armes de Giannetto. Le jeune homme arrive, joyeusement accueilli par tous, mais le père de Ninetta ne se présente que plus tard à sa fille, et sans que les autres puissent le voir : il s'est rendu coupable d'une grave faute d'insubordination et on le recherche. Aussi demande-t-il à sa fille de l'aider et, à cette fin, lui remet un couvert d'argent pour qu'elle le vende. Le malheur veut que, peu après, la femme de Fabrizio vienne à s'apercevoir de la disparition d'un couvert en tout point semblable. Ayant su la vente faite par Ninetta, et devant le silence où celle-ci s'enferme pour sauver son père, la femme n'hésite pas à orienter les soupçons vers elle. Arrêtée et jugée, la pauvre fille est condamnée à mort ; mais, alors qu'on va exécuter la sentence, on découvre qui est la vraie voleuse : une pie que Fabrizio a chez lui. Ninetta, dont l'innocence est reconnue, reçoit la bonne nouvelle de la grâce que le souverain accorde à son père. Avec le consentement de leurs parents, Giannetto et Ninetta échangent enfin la promesse consacrant leur amour. L'ouverture, bien connue, est parmi les plus chaudes et impétueuses qui aient été écrites par Rossini ; elle débute par un maestro marxiste, dont le commencement est constitué par trois simples roulements de tambour (trouvaille originale qui surprit alors) ; l'allegro con brio qui suit présente le fameux thème en triolets rapides, typiquement rossinien, imprégné de naïve tristesse en dépit de son mouvement serré. Le premier acte, qui s'ouvre par la description de la fête chez les paysans et se termine avec l'arrestation de la présumée voleuse, contient la cavatine de Ninetta (« Di piacer mi balza il cor ») — triomphe de la Malibran dans les exécutions parisiennes — ainsi qu'un magnifique trio et le finale, plein de vive musicalité rythmique. Au second acte domine le duo entre Giannetto et Ninetta, qui a lieu au cours de la scène de la prison ; d'autres pages remarquables sont la marche au supplice, la prière de la condamnée, le quintette.

PIGEONS SUR L'HERBE [*Tauben im Gras*]. Roman de l'écrivain allemand Wolfgang Koeppen (né en 1906), publié en 1951. Avec ce roman du chaos apparaît un ton nouveau dans la jeune prose allemande de l'après-guerre, une synthèse entre les influences de Borchert, d'Andersch, de Joyce et de Wolfe. Pour saisir toute une journée de l'année zéro dans la ville de Munich (qui n'est pas nommée), l'auteur recourt à la technique du montage cinématographique et du monologue intérieur. La réforme monétaire, la politique, l'actualité, la sociologie, les sorts jetés pêle-mêle d'hommes de nationalité allemande et américaine font de ce livre un impénétrable kaléidoscope. La veuve d'un musicien, un couple d'acteurs, un soldat noir devenu un meurtrier, un poète anglais à la mode, un homosexuel, des institutrices et des enfants américains, un médecin intoxiqué, tous sont pour la plupart des cyniques et des désespérés poussés par l'angoisse de vivre et cherchant en vain l'illusion d'un appui dans un monde absurde. Alors que dans le ciel des avions apparaissent tels des oiseaux annonçant le malheur, le soldat noir Ulysse Cotton rencontre la putain Nausicaa, et tous deux demeurent symboliquement « l'un près de l'autre, peau noire, peau blanche ». Si *Pigeons sur l'herbe*, dont le titre a été emprunté à Gertrud Stein, provoqua des critiques contradictoires, il n'en fut pas moins salué unanimement pour son témoignage courageux et sa prose magistrale. — Trad. Robert Laffont, 1953.

PIGMENTS. Recueil poétique de l'écrivain français d'origine guyanaise Léon Gontran Damas (1912-1978), publié en 1937. Le titre invitant à mettre l'accent sur la couleur de peau, la préface de Robert Desnos (« Damas est nègre et tient à sa qualité et à son état de nègre »), la thématique de la souffrance nègre font de cet ensemble de trente-deux poèmes un premier et éclatant témoignage littéraire du mouvement de la négritude. La poésie de Damas procède en effet d'un douloureux sentiment racial, obsédant comme une névralgie, toujours à vif comme une plaie ouverte : « Si souvent mon sentiment de race m'effraie /.../ je me sens prêt à écumer toujours de rage / contre ce qui m'entoure / contre ce qui m'empêche / à jamais d'être / un homme. » Le recueil se nourrit de toutes les humiliations procurées par le seul fait d'être un nègre. D'où sa violence nue, et sa révolte renouvelée contre les tentatives mutilantes d'assimilation : « Se peut-il donc qu'ils osent / me traiter de blanchi / alors que tout en moi / aspire à n'être que nègre ? » Mais il ne faut pas réduire l'œuvre de Damas à ces bouffées de colère, à ces « graffiti » vengeurs. Son ambition était d'inventer en français un rythme poétique subtil et ténu, tenant à de discrètes répétitions de mots et de sons, agissant comme une signature négro-africaine des poèmes. On peut suivre au fil des rééditions du recueil (l'« édition définitive » date de 1962, par les soins de *Présence africaine*) le travail d'épurement, de dépouillement de la ligne rythmique.

J.-L. J.

PILATE. Récit de l'écrivain français Jean Grosjean (né en 1912), publié en 1983. La plupart des récits de l'auteur sont l'amplification d'un épisode des Écritures. Ici c'est dans l'esprit de la tradition éthiopienne, qui fait de Pilate un saint, que Jean Grosjean raconte comment il « guérit du pouvoir ».

Le récit évoque toute une gamme de caractères d'hommes de pouvoir, du plus dérisoire au plus odieux, du serviteur Malchos au roi Hérode en passant par Tibère, l'empereur-dieu drapé dans sa morgue. La fantaisie verbale de Grosjean manifeste combien ce pouvoir est miné. Toute autorité, politique mais aussi littéraire (genres établis, poses hiératiques), est mise en cause par une sorte de burlesque chrétien, une effronterie qui rend contemporaines et familières des figures ratatinées par deux mille ans de servitude sacerdotale. Cependant Pilate continue de croire à la paix romaine dont il est l'administrateur pragmatique. Se défiant des hommes, il garde toutefois une distance par rapport à son propre pouvoir. Procla, l'épouse de Pilate (et dans ce monde obscur, la gardienne de l'acuité), devine : « Ton rôle est une comédie. »

La camaraderie militaire, puis l'amour de Procla, ont contribué à ouvrir en Pilate une brèche, à éveiller son âme. Mais « l'empire ne prétend / ... / rien sur l'âme ». Il la laisse en friche, ouverte à tous les dieux, comme une coquille vide prête à abriter tous les bernard-l'ermite. La religion s'engouffre dans ce vide béant, pour y calfeutrer toutes les inquiétudes, en boucher toutes les issues. Pilate sera absous par l'auteur, mais Caïphe et les « Suisses du temple », hommes de méticuleuse religion, tenus pour coupables. L'ironiste cède ici la place au pamphlétaire. « Caïphe se croyait responsable du succès de Dieu et il en prenait les moyens. » Jean Grosjean laisse entendre que ce sont moyens de Grand Inquisiteur.

Ce Messie, donc, qu'on attendait comme un supplément d'âme, va s'emparer de Pilate. Le Christ, d'abord surpris par quelqu'un qui n'espère ni ne craint rien de lui, choisit la moquerie pour toucher Pilate en retour : « Tu dis cela ou on te l'a dit ? » Du pouvoir, vraiment ? Un perroquet ? Pilate bascule, pressent, et cherche dès lors à sauver son prisonnier. Deux ressorts l'empêchent d'agir : sa propre lenteur, et déjà l'influence du Christ qui le dissuade de lancer la troupe sur la foule. C'est donc d'un même mouvement, sous le signe de l'impuissance, que Pilate le laisse assassiner et va ensuite s'abandonner à celui qu'il reconnaîtra pour le « roi des gens qui n'ont pas de roi ». « Autre est mon règne. » Le monde s'est retourné comme un gant. Le chant retrouve ici la force de l'enfance ou de la mystique.

Quand Pilate quitte Rome, puis l'empire, les statues des dieux s'effritent sur son passage. Signe qu'il a « guéri du pouvoir » et connaît l'autorité du visage qui éclipse « toute l'histoire passée et future de Rome ». F. B.

PILOTE DE GUERRE. Récit de l'écrivain français Antoine de Saint-Exupéry (1900-1944), publié à Paris en 1942. Ici, comme dans la plupart des œuvres de cet auteur, il semble que le temps soit aboli. Rien n'est moins apprêté que ce long monologue au présent, où sont pêle-mêle rapportés les détails d'une situation sans espoir, et les souvenirs, réflexions, retours sur soi-même et encouragements que se prodigue un pilote certain de laisser dans cette aventure sa vie. En 1940, au plus fort de l'exode, Saint-Exupéry se voit chargé d'une mission aussi dangereuse qu'inutile ; il a la certitude d'être sacrifié, comme tous les autres, invité à participer de cette manière au deuil national. Mais « ceux qui donnent des ordres », dans l'affolement et la débâcle, ne peuvent plus s'en tenir qu'aux consignes inhumaines et abstraites de l'administration. Glacé par la perspective d'une fin absurde, le pilote ne sait plus pour qui et pour quoi il va donner sa vie. Tout alentour, la campagne grouille d'une population fuyarde, lamentable, tandis que se vident les villages et que les horloges s'arrêtent partout, dans les églises, dans les gares, dans les maisons désertes, comme le symbole d'un temps et d'un espace bloqués. Dans cette terrible situation, plus rien de stable, plus rien de sûr. Et c'est alors que le pilote se laisse aller à une méditation très nourrie, très diverse, à quelque dix mille mètres d'altitude, dans le bruit des moteurs, dans le froid qui gèle les machines et les corps. L'avion se fige dans l'immobilité ; il suit le mouvement de la Terre. Le pilote retrouve le temps de son enfance et s'en sert de bouclier contre l'heure présente. Par intervalles surgissent les avions de chasse attirés par la longue traîne que déroule l'appareil. Le pilote est rappelé brusquement à l'heure présente, car la manœuvre ne souffre point de négligence, point de retard. Puis c'est le rase-mottes au-dessus de la ville à observer, les zigzags, les ruses qui semblent un jeu, le cri de joie devant la parfaite soumission d'un corps maintenant délivré de la peur, une sorte de surtension extraordinaire. Le livre s'achève par un acte de foi, une nouvelle prise de conscience destinée à faire contrepoids à la défaite, après que l'auteur a cherché les causes de celle-ci (sur le plan purement humain). Il n'est point ici d'attitude littéraire, mais seulement la voix d'un homme qu'a modelé l'ascèse de son métier, et qu'une lucidité et une intelligence extrêmes n'empêchent pas d'être tout d'abord sensible. De sorte que l'œuvre déborde d'une généreuse candeur qui émeut profondément.

PILULES DU DIABLE (Les). Mélodrame de l'auteur dramatique français Auguste, dit Anicet Bourgeois (1806-1871), écrit en 1867. C'est une grande féerie en quatre actes et vingt tableaux ; le rideau se lève sur la boutique de l'apothicaire Seringuinos, qui vient d'arrêter le mariage de sa fille Isabelle avec le riche barbon Sottinez. Or, Isabelle aime Albert, jeune peintre français, et en est aimée. Albert songe à s'empoisonner, quand une sorcière survenant lui dit : « Viens me voir à minuit... Je te rendrai Isabelle, et tu seras riche. » La vieille lui donne des pilules, précieux talisman grâce auquel Sottinez est changé en dindon et Albert transporté au couvent où Isabelle a été enfermée. Tout va fort bien, jusqu'au moment où la sorcière révèle à Albert qu'elle est condamnée par le destin à rester vieille jusqu'au jour où elle trouvera un beau cavalier comme lui qui l'épouse. Albert, terrifié, refuse et le malheur s'abat sur le jeune couple. Le drame, comme il se doit, a pour épilogue un beau mariage, mais auparavant se succéderont maintes visions, allégories et fontaines enchantées.

PINCENGRAIN (Les). Recueil de récits et nouvelles publiés en 1924 par l'écrivain français Marcel Jouhandeau (1888-1979). Le ménage Pincengrain tient une petite épicerie de Chaminadour — v. *Chaminadour* (*) ; quatre enfants les entourent : Robert, Véronique, Éliane et Prisca. M. Pincengrain, candidat à la mairie, trompe sa femme et l'entraîne vers la ruine ; voici la famille dispersée, le petit Robert meurt ; les trois jeunes filles et leur mère se réunissent à Paris. Prisca, la plus gaie, se marie au pâle et laid Godichon. C'est à l'occasion de cette union que M. Godeau —

v. *M. Godeau intime* (*) — fait son entrée chez les Pincengrain, un M. Godeau encore ému par le ciel bien qu'il ne croie plus. Peu à peu, sous l'influence de ces demoiselles, M. Godeau revient vers Dieu, tente de convertir Godichon ; et c'est au cours de l'un de ses sermons que meurt le pauvre Godichon. Éliane se propose d'entrer en religion. Mme Pincengrain meurt. Véronique reste seule au côté de M. Godeau : « Il y a encore le Dieu de Godeau. » À cette nouvelle, l'auteur a joint quelques contes et récits : « Mademoiselle Zéline ou Bonheur de Dieu à l'usage d'une vieille demoiselle », qui fit l'objet la même année d'une publication particulière ; « Mélanie Lenoir ou Comme on fait son lit on se couche », qui nous conte comment une sainte mourut dans une maison de tolérance ; « Clodomir assassin » ; « Madame Quinte ou la Chèvre d'ivoire », dont le seul amour fut justement cette statuette volée ; « Vieille Françoise ou la Conquête de l'honorabilité » ; « Noémie Bodeau ou la Morte maquillée », qui meurt en mettant au monde une petite comtesse d'Albula ; et enfin « Paul Kraquelin ou la Chambre sans fenêtre », conte allégorique où l'auteur oscille du ciel à l'enfer. Nous retrouvons dans ce recueil le petit univers de Chaminadour, et des personnages qui par la suite réapparaîtront de nombreuses fois dans l'œuvre de Jouhandeau.

PING-PONG (Le). Pièce en deux parties et douze tableaux de l'écrivain français d'origine russe Arthur Adamov (1908-1970), représentée pour la première fois le 2 mars 1955 au Théâtre des Noctambules, publiée en 1955 dans *Théâtre II.* Les personnages se rencontrent autour d'un appareil à sous dans le café de Mme Duranty. Ils évoquent leur vie : Arthur et Victor sont étudiants, Sutter parle de ses voyages, de sa vie aventureuse, Annette semble aimer M. Roger, jeune élégant sans ressources, que Mme Duranty refuse de servir. Mais tous ces personnages sont surtout en proie à la fascination qu'exercent sur eux l'appareil à sous et le vocabulaire technique qui s'y rapporte : on ne saurait mieux briller devant une jeune fille qu'en actionnant en virtuose boutons et flippers... Mais cet appareil, c'est aussi le mirage de l'argent, que l'on peut gagner si l'on est employé par le Consortium comme agent commercial ou inventeur. Et la course à la réussite commence : Arthur et Victor vont proposer au Vieux, directeur du trust, les perfectionnements techniques les plus extravagants. M. Roger, lui, par on ne sait quelle intrigue, est devenu le secrétaire, parfaitement inapte d'ailleurs, du Vieux. Annette ne cesse de supplier Sutter et les deux garçons de lui trouver une place dans le Consortium. Mais le temps passe, les deux jeunes gens, toujours sans emploi, finissent par se brouiller, Victor renonçant à la chimère pour faire ses études de médecine. Annette est successivement vendeuse de chaussures, manucure, et doit subir enfin les outrages du Vieux. Sutter a quitté le Consortium ; il fait des apparitions éclair, toujours sûr de lui, mais de plus en plus débraillé. Le Vieux enfin, le dieu, nous offre le spectacle d'une mort obscène. L'obsession collective, que l'on a vue grandir au cours de la pièce, a ainsi conduit chacun à la même déchéance, y compris le plus sage, Victor, qui, devenu médecin, pense recruter sa clientèle dans les stands d'appareils à sous. Si la pièce reste symbolique, si elle tend à nous montrer que nous sommes les jouets d'une machine économique, elle-même soumise à des fluctuations, les personnages n'en possèdent pas moins une existence théâtrale propre, surtout dans le dernier tableau, ironique et cruel, qui nous montre Victor et Arthur, devenus des vieillards, jouant au ping-pong avec des gestes raides de pantins cassés, mais avec la même ardeur, la même acrimonie que du temps où ils jouaient avec l'appareil à sous.

PINOCCHIO. Roman pour la jeunesse de l'écrivain italien Carlo Collodi (pseud. de Carlo Lorenzini, 1826-1890), publié d'abord en feuilleton dans le *Journal des enfants* [*Giornale per i bambini*] de Ferdinando Martini en 1878, puis en volume, toujours à Florence, en 1883, sous le titre *Les Aventures de Pinocchio. Histoire d'une marionnette* [*Le avventure di Pinocchio. Storia di un burattino*], avec les illustrations de Enrico Mazzanti. L'ouvrage rencontra dès sa parution un grand succès et les rééditions furent très nombreuses. Il faut rappeler particulièrement l'édition de 1911, illustrée par le peintre Attilio Mussino, qui créa l'image de la marionnette telle qu'elle est restée jusqu'à l'interprétation qu'en donna Walt Disney dans son dessin animé. L'invention continuelle, les trouvailles qui se suivent à chaque page semblent presque justifier par leur jaillissement spontané la fausse légende suivant laquelle Collodi aurait écrit son livre en une nuit, pour pouvoir régler une dette de jeu. Le parallèle est remarquable que l'on peut faire entre Pinocchio et Peter Pan, autre célèbre personnage parmi les plus aimés des enfants. L'un comme l'autre sont « moitié-moitié », pour employer l'expression de Barrie lui-même : moitié marionnette, moitié gamin, tel est Pinocchio ; moitié gamin, moitié lutin, tel est Peter Pan. Tous deux sont à mi-chemin entre la fable et la réalité, avec la différence que Pinocchio, en se détachant du rêve, veut parcourir les routes du réel et abandonner sa dépouille de marionnette, tandis que Peter Pan veut rester toujours enfant.

Les Aventures de Pinocchio se développent en trente-six courts chapitres. Les deux premiers nous racontent comment il arriva que maître Cerise, menuisier, trouva un morceau de bois qui riait et pleurait comme un enfant et comment maître Cerise fit cadeau d'un morceau de bois à son ami Geppetto, qui le prit dans l'intention de fabriquer une marionnette merveilleuse qui saurait danser, faire de l'escrime et exécuter les sauts périlleux. À peine Geppetto a-t-il fini d'ébaucher les yeux et la bouche que déjà ceux-ci lui adressent les plus vilaines grimaces. Sitôt les jambes montées à leur place, après les premiers pas embarrassés, la marionnette enfile la porte et disparaît. Geppetto se met à sa poursuite. L'ayant rattrapée non sans peine, il lui donnera à manger, l'habillera d'un costume en papier à fleurs, d'une paire de souliers en écorce et d'un béret en mie de pain. Désirant l'envoyer à l'école, Geppetto vend sa veste pour lui acheter l'abécédaire. Pinocchio est rempli de bonnes intentions : « Aujourd'hui même, à l'école, je veux apprendre à lire ; demain j'apprendrai à écrire et après-demain à compter. » Mais les bonnes intentions ne résistent pas à une musique lointaine de fifres et de grosse caisse. C'est un théâtre de marionnettes qui invite son jeune public à la représentation. Pinocchio vend l'abécédaire pour quatre sous, prix du spectacle. Et dans le théâtre, c'est le cataclysme. Les marionnettes reconnaissent en lui un frère ; Pinocchio saute sur la scène, la comédie est interrompue au milieu des huées du public. Le montreur de marionnettes, Mange-le-feu, est une espèce de géant à l'allure terrible, mais au cœur d'or. Après avoir menacé de brûler tout vivant Pinocchio, il se laisse émouvoir par les larmes de la marionnette et lui donne cinq pièces d'or pour qu'il les apporte à Geppetto. Encore une fois, en dépit de ses bonnes intentions, Pinocchio se laisse prendre aux astuces d'un renard plein de ruse et d'un chat voleur. Tout son argent serait perdu, s'il n'était secouru par la fée aux cheveux bleus, qui l'héberge pour quelque temps. Plus tard, ayant repris la route de l'aventure, Pinocchio fera la rencontre d'un horrible serpent auquel il échappe par miracle. Mais c'est pour tomber aussitôt dans un piège à loups : le voici désormais attaché à une chaîne comme un chien, et le fermier qui le retient prisonnier lui confie la garde de son poulailler. Ayant bien rempli son devoir, le fermier lui accorde en récompense la liberté. Aussitôt Pinocchio se rend à la maisonnette de la fée ; il n'y trouve, hélas ! qu'un tombeau : « Ci-gît / la jeune fille aux cheveux bleus / morte de douleur / pour avoir été abandonnée / par son petit frère Pinocchio. » Apitoyé par ses larmes, un pigeon voyageur le transporte jusqu'au rivage de la mer. C'est ici que s'insère le récit du voyage de Pinocchio à l'île des Abeilles industrieuses : dans cette île, chacun doit travailler s'il veut manger. Pinocchio d'abord s'y refuse ; mais, poussé par la faim, il aide une jeune femme à porter un broc d'eau et finit par reconnaître en elle la fée. « Tu te souviens, lui dit-elle, tu m'as laissée petite fille et maintenant tu me retrouves femme. Si bien que je pourrais presque te servir de mère. » La marionnette promet une fois de plus de changer de vie et d'étudier. Il veut devenir un vrai garçon. Mais... malheureusement il y a toujours, dans la vie des marionnettes, un « mais » qui gâche tout ; Pinocchio part en cachette avec son ami Lucignolo pour le Pays des joujoux, où, après cinq mois d'une vie de cocagne, il se transforme, comme tous les mauvais écoliers, ses compagnons de bombance, en un joli petit âne. Bien longtemps après, redevenu marionnette, il sera englouti, sous les yeux mêmes de la fée, par un énorme requin. Dans le ventre du monstre, Pinocchio retrouve Geppetto son maître, qui vit là depuis deux ans, grâce aux provisions accumulées dans l'estomac de l'« Attila » des poissons. Celui-ci peut avaler un navire tout entier, mais souffre d'asthme ; et, par la bouche ouverte du monstre endormi, une nuit Pinocchio s'enfuit en portant sur son dos Geppetto ; un thon obligeant les aide à gagner le rivage. Après tant de mésaventures, Pinocchio est enfin digne de devenir un enfant comme les autres. Il travaille pour son père, il vient en aide à la fée en un moment de besoin ; et un beau matin : « Comme j'étais drôle, à l'état de pantin ! », dira-t-il en regardant sa dépouille en bois, toute désarticulée et pantelante.

La conclusion moralisante — « Combien je suis satisfait maintenant d'être devenu un petit garçon comme il faut ! » — peut paraître postiche. On a d'ailleurs supposé qu'elle avait été ajoutée, à la demande de l'éditeur, par un ami de Collodi, Guido Biagi, à l'insu même de l'auteur. Quoi qu'il en soit, la puissance de fantaisie du livre est telle qu'elle confère une logique même à l'interprétation purement pédagogique de la conclusion. Le livre s'impose comme un chef-d'œuvre de la littérature pour enfants. En 1972, le cinéaste Luigi Comencini en a fait une magnifique adaptation. — Trad. Arthaud, 1941 ; Gallimard, 1979.

PINS DE ROME (Les) [*I pini di Roma*]. Poème symphonique (1924) du compositeur italien Ottorino Respighi (1879-1936). C'est la seconde application d'une formule qui avait fait ses preuves avec *Les Fontaines de Rome* (*). Ici également, le sujet n'est pas une véritable narration, mais simplement propose et illustre quatre mouvements symphoniques d'expression variée. « Les Pins de la Villa Borghèse » [I pini della Villa Borghese] : les enfants jouent dans la pinède du parc, dansent une ronde, représentent des marches militaires et des batailles, se grisent de cris comme les hirondelles du soir, puis se dispersent. Tout à coup, la scène change : « Pins près d'une catacombe » [Pini presso una catabomba] : des profondeurs une mélodie triste s'élève, se répand, solennelle comme un hymne, et s'évanouit mystérieusement. Dans l'air passe alors un frémissement : au clair de lune serein se profilent les « Pins du Janicule » [Pini del Gianicolo]. Un rossignol chante. Puis ce sont les « Pins de la Voie Appienne » [Pini della

Via Appia] : aube brumeuse sur la route romaine. Dans la campagne tragique les pins solitaires montent la garde. Indistinct, incessant, le rythme d'un pas innombrable. À l'imagination du poète apparaît une vision de gloires antiques ; les buccins retentissent, une armée consulaire fait irruption, sous l'éclat du soleil matinal, et se dirige vers la Voie Sacrée pour monter au triomphe du Capitole. Bien que le sujet n'influe pas sensiblement sur l'organisme musical, on a toutefois l'impression que cette œuvre est vraiment née comme une illustration. Dans le premier et le dernier épisode notamment, l'exiguïté du matériel thématique est littéralement écrasée par le sonore déploiement orchestral. Dans le troisième épisode, tout imprégné de langueur lunaire, entre la ligne mélodique de la clarinette, les trilles des instruments à cordes et le tintement de la harpe, surgit le chant du rossignol, reproduit au moyen d'un disque de phonographe : ce sont treize mesures, qu'il suffit de confronter avec les harmonies imitatives, pourtant critiquées jadis, du second mouvement de la *Pastorale,* pour découvrir le naturalisme fondamental de la musique de Respighi.

PINTO ou la Journée d'une conspiration. Comédie historique en cinq actes, en prose, de l'écrivain français Louis Jean Népomucène Lemercier (1771-1840), représentée pour la première fois en 1799. Il s'agit de la conjuration qui, en 1640, détermina la chute de la domination espagnole sur le Portugal et l'accession au trône de la maison de Bragance ; mais l'auteur, négligeant la portée historique de l'événement, met l'accent sur le jeu varié des caractères et sur les conflits d'intérêts qui furent à l'origine. Il nous campe un duc de Bragance noble et valeureux, mais qui préfère les loisirs à la politique, une princesse vertueuse, sa femme, beaucoup plus que lui sensible aux aiguillons du patriotisme et de la gloire et, autour d'eux, toute une troupe de conjurés ténébreux, violents, avides ou téméraires, notamment le franciscain Santorello, intrigant médiocre, et leur chef militaire Fabrizio, dont l'esprit obtus risque de compromettre le succès de l'affaire. L'âme de la conspiration est un homme modeste, Pinto Rebeiro, qui aime la vertu plus que l'or et, peut-être, la gloire plus que la vertu. Seul, il sait ce qu'il veut et, avec des moyens de fortune, édifie la liberté d'un peuple, pourvoyant à tout et refoulant les obstacles que le hasard met sur sa route. C'est la figure de Pinto qui donne son plus grand intérêt à cette comédie, dont les autres personnages laissent le spectateur insatisfait. *Pinto* est une des expériences les plus intéressantes que l'on ait tentées en France dans le domaine de la comédie historique et constitue une étape dans l'évolution du goût, qui devait aboutir au drame romantique.

PIONNIERS [*O Pioneers !*]. Roman de l'écrivain américain Willa Cather (1876-1947), publié aux États-Unis en 1913. Ce roman, le second de l'auteur, est dédié à Sarah Orne Jewett, écrivain régionaliste (du Maine) de la seconde moitié du XIXe siècle, inconnue en France mais redécouverte aux États-Unis par les féministes. Le titre est celui d'un poème célèbre où Walt Whitman exalte les vertus des défricheurs de la terre américaine. En l'occurrence il s'agit du Nebraska, où l'auteur passa son enfance. La « terre sauvage » de « la Ligne » (de partage des eaux) où se passe l'action est d'ailleurs le véritable antagoniste des trois groupes de pionniers d'origine européenne : Français, Bohémiens et Suédois. La figure dominante de la famille principale, d'origine suédoise, n'en est pas moins une femme, Alexandra, la fille aînée des Bergson, qui prend la suite de son père après la mort de celui-ci, et, tant par l'intelligence de ses investissements que par son action personnelle et son courage physique, mène, malgré ses frères, la ferme familiale à la réussite. Mais, comme le fait dire l'auteur à son héroïne, « je me demande pourquoi il m'a été ainsi permis de prospérer, si c'est pour voir tous mes amis me fuir ». C'est qu'Alexandra est seule, et plus encore lorsque le drame éclate qui précipite dans la mort son plus jeune frère, le favori Emil, et sa meilleure amie, une jeune et sémillante Bohémienne du nom de Marie. Alexandra n'en épousera pas moins in extremis un ami d'enfance, Carl Linstrum. Beau roman relativement traditionnel (« réaliste »), mais émouvant comme tout sentiment fort mais retenu. — Trad. Ramsay, 1987. M. Gr.

PIONNIERS (Les) ou les Sources du Susquehanna [*The Pioneers, or The Sources of the Susquehanna*]. Roman de l'écrivain américain James Fenimore Cooper (1789-1851), qui parut en 1822, après son fameux roman *L'Espion* (*). Ce fut le premier des « Leatherstocking Tales » (littéralement : Contes de Bas-de-Cuir, nom que se donnaient, à cause de leur accoutrement primitif, les explorateurs et les chasseurs qui pénétraient peu à peu dans les régions centrales et occidentales du continent). On y trouve tous les éléments et tous les procédés habituels à ce genre de littérature et sur quoi se fonde l'immense fortune du *Dernier des Mohicans* (*). Ici, c'est le dernier des Pellirossa qui meurt, après avoir rendu d'inestimables services au vieux major Effingham, héros de la guerre d'Indépendance qui combattit aux côtés des légitimistes. Le neveu d'Effingham croit avoir été dépouillé de tous ses biens par le juge Marmaduke Temple, puritain, et chef d'une colonie qui s'est installée près du lac d'Otsego, aux sources du Susquehanna. À la fin du récit, on découvre que Temple avait administré les terres en lieu et place des Effingham, de manière parfaitement désintéressée, et qu'il n'avait en rien démérité de l'estime que la famille lui portait autrefois, encore que les uns et les autres eussent combattu dans des camps opposés. Après quoi, le mariage de la fille de Temple et du jeune Effingham termine, comme il se doit, une idylle qui s'était poursuivie tout au long du roman. Il semble que le personnage le plus vivant soit le « leatherstocking » Natty Bumppo ; après avoir combattu sous les ordres du vieil Effingham au temps de sa jeunesse, Bumppo vit dans les forêts depuis trente ans du produit de ses chasses ; quand l'occasion s'en présente, il prête main-forte au major. À plusieurs reprises, il sauve d'un péril mortel la jeune fiancée ; et il refuse avec fermeté toutes les offres qui lui sont faites et qui tendent à lui assurer une vieillesse tranquille. Il préfère chasser les cerfs, les ours et les loutres, avec ses chiens et son fusil. Les coutumes des pionniers, les conditions dans lesquelles vit la petite communauté qui défriche pied à pied la forêt sont rapportées avec des détails que Fenimore Cooper emprunte à ses souvenirs de jeunesse, et dont la valeur documentaire est loin d'être négligeable. — Trad. Gosselin, 1882 ; Presses de la Cité, 1989.

PIRATE (Le) [*The Pirate*]. Roman de l'écrivain écossais Walter Scott (1771-1832), publié en 1822. L'histoire se passe dans les Shetland, îles situées au nord de l'Écosse ; l'auteur, qui avait voyagé dans ces mers en compagnie du grand-père de R. L. Stevenson, décrit admirablement les us et coutumes de ces plages isolées (chants des bardes, danse de l'épée, chasse à la baleine, etc.). Ces petits tableaux forment la meilleure partie de l'œuvre. À la suite d'un naufrage, le capitaine Clement Cleveland apparaît sur ces rivages ; il allie le courage à l'élégance et à la cruauté, c'est une image du héros fatal de Byron. Minna Troil, la fille de Magnus Troil, riche habitant de l'île, de noble origine scandinave, s'éprend de lui tandis que Brenda, la sœur de Minna, s'éprend de Mordaunt, jeune homme valeureux et sympathique qui, après avoir sauvé Cleveland, devient son ennemi. À la fin, les pirates, qui avaient enlevé Magnus avec ses filles, sont vaincus et faits prisonniers à leur tour ; Minna et Cleveland sont séparés pour toujours, tandis que Brenda épouse Mordaunt. Nous remarquons le personnage de Ulla Troil ; c'est une demi-folle douée de pouvoirs magiques et qui se révèle ensuite comme la mère de Cleveland, né de ses relations avec Basile Mertoun, le père de Mordaunt ; les deux adversaires sont donc demi-frères. Un portrait charmant est celui de Triptolème Yellowley, agriculteur du Yorkshire, et de sa sœur, la mégère Barbara. Le roman de Scott inspira plusieurs compositeurs de ballets romantiques ; l'opéra de Bellini, *Le Pirate*, et une version abrégée en vers libres d'un auteur anonyme, *Minna, récit extrait du « Pirate » de W. Scott* (1832), témoignent de sa célébrité à l'époque. — Trad. Garnier, 1933.

★ *Le Pirate* [*Il pirata*] du compositeur italien Vincenzo Bellini (1801-1835), opéra en deux actes, sur un livret de Felice Romani (1788-1865), fut créé à Milan en 1827. C'est la troisième œuvre de l'auteur de *Norma* (*) et l'originalité du musicien s'y précise. Gualtiero, comte de Montaldo, ex-partisan du roi Manfred, a perdu tous ses biens et abandonne sa patrie et sa fiancée, Imogène, pour devenir le chef des pirates aragonais. Pendant son absence, Imogène est contrainte, pour sauver son père, d'épouser Ernest, duc de Caldora, et partisan de la maison d'Anjou, ennemi juré de Gualtiero. Un jour, ce dernier est rejeté par la tempête sur les côtes de son pays natal. Il apprend qu'Imogène a épousé Ernest et, dans sa fureur, il veut tuer le fils qu'elle a conçu de cette union avec son ennemi ; mais la jeune femme réussit à l'apaiser en lui expliquant les raisons de cette union. Il ne vit plus, alors, que pour se venger et pour tuer son rival qu'il finit par abattre au cours d'un duel. Gualtiero est condamné au supplice tandis qu'Imogène devient folle. On voit que l'intrigue ne s'éloigne guère du genre des premiers mélodrames du XIXe siècle. La musique, encore éclectique et imprécise, dessine déjà ce lyrisme limpide et pur qui caractérise Bellini dans ses meilleures œuvres.

PISE [*Pisa, ein Versuch*]. Essai de l'écrivain allemand Rudolf Borchardt (1877-1945), publié en 1938. Issu d'une commande de la revue *Atlantis* qui souhaitait un texte d'accompagnement pour des photographies de la ville de Pise, cet essai est un véritable poème en prose à la gloire de Pise et l'un des chefs-d'œuvre de son auteur. Borchardt, qui vit en exil en Italie depuis 1904, d'abord par goût, puis par dégoût de la République de Weimar et enfin par horreur pour le régime hitlérien, fait passer dans cet essai son rêve d'une époque de perfection et d'équilibre. Il voit dans Pise à son apogée l'un des lieux où s'est réalisée la synthèse miraculeuse des contraires qui, la plupart du temps, ne cessent de déchirer l'Europe, la synthèse, entre autres, de la germanité et de la latinité héritées de l'Antiquité. Faux du point de vue des sciences humaines (mais moins contestable que *Villa*, essai sur la Toscane classique publié en 1908), *Pise* est à lire dans la tradition des ouvrages de la Renaissance qui exaltent une cité idéale avant tout rêvée. — Trad. italienne, Nistri-Lichi, 1965.

J.-Y. M.

PISTIS SOPHIA [*Πίστις σοφία*]. Œuvre en quatre livres, longtemps attribuée à l'hérésiarque gnostique grec Basile Valentin (mort en 161). Les deux premiers livres disent la chute de l'Éon « Sophia » (ou avatar divin) et son salut par la grâce de l'Éon « Sôter » (Sauveur), c'est-à-dire le Christ, qui, après sa résurrection, alla libérer les Éoniens. Les deux autres livres contiennent les instructions données par le Christ à ses disciples ; développant certains arguments concernant l'origine du mal, ils démontrent la nécessité du repentir par la pénitence de Sophia. Cette œuvre renferme d'innombrables questions, aussi étranges que renouvelées, adressées à Jésus par ses disciples, par des hommes et des femmes de toutes conditions, avec les réponses du Messie, réponses formulées selon les rites du symbolisme gnostique. Les questions sont principalement posées par Marie-Magdeleine, ce qui semble rattacher la *Pistis Sophia* à l'ouvrage gnostique intitulé *Questions de Marie*. L'auteur s'inspire plus ou moins directement des Évangiles canoniques. Voici par exemple une imitation évidente des « Béatitudes » : «... Aimez les hommes, pour que vous deveniez dignes des mystères de la lumière... ; soyez bons, afin d'être dignes... ; soyez pacifiques, afin d'être dignes... ; soyez miséricordieux... ; servez les pauvres, ceux qui sont malades, ceux qui sont pressurés, afin que vous receviez les mystères de la lumière. » Le premier livre débute sur ces mots : « Il arriva, lorsque Jésus fut ressuscité d'entre les morts, qu'il passa onze ans à parler à ses disciples et à les instruire jusqu'aux lieux des premiers Ordres seulement et jusqu'aux lieux du premier mystère, qui est à l'intérieur du voile [...] lequel est le vingt-quatrième et dernier mystère. » Le principal intérêt de ce texte réside dans une précieuse suite d'hymnes et de louanges placés dans la bouche de tel ou tel disciple et dont certains sont fort beaux ; il y a parmi eux cinq des *Odes de Salomon* (*), attribuées à des auteurs inconnus du IIe siècle ap. J.-C. Citons comme exemple ce passage d'un hymne chanté par saint Jacques : « Seigneur, mon Dieu, j'ai cru en toi ; sauve-moi de ceux qui me poursuivent et délivre-moi, de peur que, comme un lion, ils ne déchirent mon âme [...] Seigneur, mon Dieu, s'il y a eu en mes mains une violence, si j'ai rétribué ceux qui me rétribuaient dans des maux, que je tombe sous mes ennemis, étant vide ; que ma parole poursuive mon âme ; qu'elle la saisisse, qu'elle foule ma vie sur la terre et qu'elle fasse que ma gloire soit dans la poussière. » Édition critique de C. Schmidt, *Koptisch gnostische Schriften* (*Die Pistis Sofia*) dans le recueil : « Die griechischen-christlichen Schriftsteller » (Berlin, 1905). — Trad. de Amélineau, 1895.

PITIÉ CONTRE PITIÉ [*Pietà contro pietà*]. Roman de l'écrivain italien Guido Piovene (1907-1974), publié en 1946. Chez l'auteur le désespoir reste secret, sans emphase, et son œuvre cruelle doit en grande partie sa valeur à sa discrétion. Dans *Pitié contre pitié*, Piovene évoque le moment où, rentrant de Londres en Italie, il s'engagea dans la résistance avant de revenir au journalisme. Ici, la pureté de la forme suffit à séduire et cache une frénésie contrôlée, l'auteur s'appliquant à n'exprimer la violence que masquée par l'art. Le récit, au lieu de suivre un fil unique, est composé d'une suite de récits qui s'imbriquent, à la fois s'éclairant et se contestant, car ce que raconte chaque personnage est révisé par ce que les autres disent d'eux-mêmes et de lui. Cette construction très serrée aboutit à une sorte de mathématique de la psychologie qui se développe avec une rigueur tragique. C'était le cas dans *La Novice* (*) et *La Gazette noire*, ce l'est peut-être encore plus ici, où les personnages se ressassent et ressassent leurs faux conflits, faute de se fier à la vie, eux qui ne croient qu'à leur inquiétude, à leur déception, à leur solitude. *Pitié contre pitié* se situe dans un cadre tragique, morne, écrasant : Milan dans la dernière année de la guerre, avec les ruines entre lesquelles « les fils désordonnés des trams, avec leurs emmêlements insensés et vivants, étaient les seuls habitants du ciel vide ». Une nuit, deux êtres écrasés d'insomnie sont rapprochés par le hasard, par la terreur qui rôde ; Luc et Anna passent ainsi la nuit dans une chambre, assis l'un en face de l'autre, à parler, à raconter alternativement des épisodes de leur vie, dans le vain espoir que la lucidité les sauvera. Échange de désespoirs secs, besoin de parler cependant, car le démon de l'analyse survit au désespoir. Chez d'autres, comme chez un amant d'Anna, Rigo, l'attrait de la confession devient morbide, et pourtant constitue sa seule raison d'être : « Au désir théâtral de me montrer sa bassesse pour me faire mal se mêlait de la sincérité. » Ainsi, en croyant s'appuyer les uns sur les autres, les personnages de Piovene ne font-ils que se heurter, ou plutôt que se révéler les uns aux autres leur vide désespéré. — Trad. Robert Laffont, 1947.

PITIÉ DANGEREUSE (La) [*Ungeduld des Herzens*]. Roman de l'écrivain autrichien Stefan Zweig (1881-1942), publié en 1938. Seul roman de Zweig, *La Pitié dangereuse* est en réalité conçue, tant par son thème que par sa structure (« cadre » servant à introduire le récit du narrateur) comme une nouvelle élargie. L'action se déroule en 1914, dans une petite ville de garnison de la monarchie austro-hongroise et le héros en est un jeune sous-lieutenant, Anton Hofmiller. Ce schéma initial n'est pas sans rappeler une tradition de la littérature autrichienne : celle de la *Marche de Radetzky* (*) de Joseph Roth, des nouvelles de Schnitzler ou de Lernet-Holenia. L'ambition de Zweig était peut-être d'écrire, comme le fit Roth, un grand roman autrichien dans lequel le destin individuel s'inscrit dans une fresque de l'époque. Son talent d'écrivain n'allait pas dans ce sens et *La Pitié dangereuse* est un roman à l'image des nouvelles de son auteur : un chef-d'œuvre de la littérature psychologique. Zweig construit son récit, comme dans *La Peur, Amok* (*) ou *Vingt-*

quatre heures de la vie d'une femme (*), autour de l'analyse d'un sentiment, la pitié, sentiment « à double tranchant », dont il veut démasquer les ambiguïtés. Au cours d'une soirée chez les Kekesfalda, le sous-lieutenant Hofmiller commet par distraction une bévue : il invite à danser la fille de son hôte, Edith, qui est... paralysée. Obéissant à la fois à un mouvement de pitié spontanée et au désir de réparer sa maladresse, Hofmiller vient désormais voir Edith régulièrement, éveillant bientôt en elle l'illusion qu'il l'aime. Entraîné de plus en plus loin par cet élan de pitié que la jeune fille prend pour de l'amour, Hofmiller se trouve enveloppé dans le tissu de ses propres confusions, cède aux voix qui lui dictent un comportement qui lui échappe, finit par accepter l'ultime illusion, s'engage, se laisse dire « fiancé » à la jeune paralysée. Mais à la caserne, devant l'incrédulité ironique de ses camarades, il nie tout engagement. Edith l'apprend, elle se suicide. La nouvelle de la mort d'Edith parvient au sous-lieutenant le même jour que celle de l'attentat de Sarajevo.

Le fil du récit est interrompu par quelques récits secondaires (l'histoire du médecin Condor en particulier), selon la technique du récit dans le récit, destinés à éclairer et à anticiper la marche inéluctable de l'action. Celle-ci est menée avec une rigueur parfaite, l'enchaînement des événements liés au caractère du héros le conduit, avec une tension croissante, vers l'issue tragique. Si le roman est une analyse d'un sentiment permanent de la nature humaine, il n'en est pas moins très directement fonction de l'époque dans laquelle Zweig situe l'aventure de son héros. Trop influençable, irrésolu, soumis aussi au code de son statut social, plus porté par les événements que décidant des situations où il est placé, trop insouciant et brusquement confronté aux conséquences de ses actes et au sentiment de culpabilité qui en découle, Anton Hofmiller est l'un de ces héros qu'a façonnés la littérature autrichienne ancrée dans le déclin de l'empire des Habsbourg, ceux que l'on retrouve chez Roth, Schnitzler ou Musil. — Trad. Grasset, 1940. G. Ra.

PITIÉ DE DIEU (La). Roman de l'écrivain français Jean Cau (1925-1993), publié en 1961 (prix Goncourt). Jean Cau, licencié en philosophie, ancien secrétaire de Sartre, a écrit, à côté de pamphlets de droite, de très nombreux romans. *La Pitié de Dieu* se trouve encore sous l'influence de l'existentialisme sartrien, dont il ne devait pas tarder à se détacher. La situation, dans ce roman, est simple et théâtrale : quatre prisonniers condamnés à perpétuité, très différents les uns des autres, confinés dans la cellule d'une prison imaginaire, se racontent interminablement leur vie, leurs crimes, sans qu'on sache avec exactitude la part de vérité et celle de l'affabulation. Leurs récits, éclatés en séquences, ponctués de jeux grotesques, s'entremêlent en une série de monologues et dialogues burlesques, philosophiques ou sinistrement comiques. Ce qui compte ici, au-delà de ce point de départ qui rappelle bien la pièce de Sartre *Huis clos* (*), c'est pour l'auteur de décrire un univers exclusivement masculin et misogyne, étouffant, de faire naître des symboles (parfois difficilement déchiffrables), et de glisser des remarques philosophiques abruptes sur Dieu, la solitude, etc. à travers ses personnages. Il fait preuve de beaucoup d'imagination quand il truffe son récit d'histoires et de cas concrets, grâce auxquels il dénonce, avec son style emphatique et baroque, la bêtise et la méchanceté des hommes. Si Jean Cau n'atteint cependant jamais la noirceur de *Huis clos* et si, plus que d'absurde, il faut plutôt parler dans ce roman d'une dérision générale, *La Pitié de Dieu* reste un roman cruel et sans concessions sur la nature humaine. Mais Jean Cau ne conçoit pas le mal universel comme une fatalité irrémédiable, car nous sommes également très loin de Kafka : aucun des quatre criminels ne se sent coupable, et il n'est pas dit que la « pitié de Dieu » ne viendra pas tous les absoudre. J.-É. M.

PITIÉ ÉTERNELLE (La) [*The Everlasting Mercy*]. Ce long poème narratif, publié en 1911, auquel l'écrivain anglais John Masefield (1878-1967) dut sa renommée, est l'histoire brutale et réaliste d'un vaurien, relatée en vers souples, hauts en couleur et faciles. Tour à tour matelot, manœuvre et journaliste, l'auteur doit à ses expériences multiples une vigueur fort attrayante. Il a choisi ses maîtres dans la grande tradition du réalisme poétique qui va de Chaucer à George Crabbe. Il partage avec Kipling l'ivresse de la mer et de l'effort physique, avec Whitman le goût des fraternités simples. Il fut très vite au centre du mouvement de renaissance poétique au sein duquel se groupèrent les poètes anglais qui firent leurs débuts vers 1910 et que l'on a nommé « la poésie géorgienne ». Sa richesse verbale, ses dons d'invention, l'abondance et la variété de ses rythmes le signalèrent parmi ses contemporains. Masefield succéda à Robert Bridges comme poète lauréat en 1930. Son œuvre poétique donne plus une impression de facilité que de véritable originalité et rappelle d'une certaine manière l'éloquence romantique. Cependant ce poète traditionaliste appartient aussi à son temps, par son allant, son imagination très concrète, son sens viril du réel. L'on sent derrière la joie que lui procure la création verbale une certaine insatisfaction due à la conscience des limites du langage comme moyen d'expression. La variété des genres auxquels il s'est consacré — poésie lyrique, narrative, dramatique, prose, théâtre — lui donne plus d'envergure que la plupart de ses contemporains. S'il avait approfondi ses dons et son éblouissante facilité, on a l'impression que ce poète lauréat aurait pu devenir un grand poète. John Masefield est l'auteur de plusieurs romans ; *Sard Harker* (1924), *Odtaa* (1926) et *L'Oiseau de l'aube* [*The Bird of Dawning*, 1933] sont les plus connus ; *Si longtemps pour apprendre* [*So Long To Learn*, 1952] est une autobiographie intéressante.

PIZZICATO POLKA. Polka pour orchestre à cordes des frères Johann (1825-1899) et Josef (1827-1870) Strauss. Cette petite pièce, l'un des succès favoris des orchestres viennois, a la particularité d'utiliser les instruments à cordes sans archet, uniquement en pizzicato, c'est-à-dire en grattant les cordes du doigt. La tradition viennoise ajoute une brève réplique de glockenspiel dans la partie centrale, mais cette intervention ne figure pas dans le texte original. A. Pâ.

PLACARD POUR UN CHEMIN DES ÉCOLIERS. Recueil du poète français René Char (1907-1988), paru en 1937. Après la détermination farouche et solitaire avec laquelle le poète fréquente le monde douloureux du *Marteau sans maître* (*), il doit se heurter aux premiers symptômes du conflit guerrier qui se prépare. S'il se peut, il donnera un dernier éclairage d'innocence à une époque où « la fosse commune a été rajeunie » ainsi qu'il l'affirme dans sa dédicace aux enfants espagnols tués pendant la guerre d'Espagne. À cette courte suite de poèmes René Char assigne son climat remarquable : « Quant à *Placard pour un chemin des écoliers* puis-je dire tout simplement à son propos que j'ai couru ? Ceci fut cause d'une chemise trempée, d'une soupe refroidie, même d'une promesse de rendez-vous quand les volets seront tirés. Cependant, la persécution et l'horreur mijotent déjà leur branle-bas. » Le poète vit déjà l'état de perpétuelle menace, pressent les événements attentatoires à la beauté. La guerre civile espagnole n'est à ses yeux que l'un des signes avant-coureurs de cette réalité de « l'hallucinante expérience de l'homme voué au mal, de l'homme massacré et pourtant victorieux ». Marquée par la souffrance, la tristesse sous-tendue par une vision lucide et noire, à la fois projetée vers un passé de fraîcheur et de tendresse et sous le présent lourd de menace, l'enfance que nous révèle Char est une sorte de terre idéale où le poète se fait porteur d'espoir, émissaire de la beauté traquée. Face à la subversion patiente et cynique des qualités fondamentales de l'humain, Char oppose, en termes d'approche plus charnels, attentifs, une préoccupation majeure de l'homme et de la construction de sa vie.

PLACE ! [*Platz !*]. Pièce de l'écrivain allemand Fritz von Unruh (1885-1970), publiée en 1920. La première partie de la trilogie *Une race* (*) s'achevait sur la mort de la Mère que ses enfants avaient si durement accusée de leurs malheurs. Cependant son corps, sauvagement damné, deviendra « le cœur de l'édifice neuf » et formera une nouvelle race. Porté en triomphe, le plus jeune Fils redescend avec la troupe vers la vallée. Il reste le seul mâle de la race ancienne. Il est le dernier parmi ses frères ; mais en lui flambent et grondent d'un seul feu toutes les forces du futur. Il va annoncer au peuple la chute de l'ancienne autorité, et déchaîner la révolution. Le plus jeune Fils, Dietrich (maintenant les personnages portent des noms), est porté en triomphe, au milieu de la place entourée de palais et de larges escaliers, au centre de laquelle se tient l'Idole avec le glaive et la balance. « La destinée de l'homme est sa poussée vers l'homme. » Telle est la force obscure qui meut le héros du drame.

PLACE (La) [*Mesto*]. Œuvre de l'écrivain russe Friedrich Gorenstein (né en 1932). Roman massif, roman massue, *La Place*, écrite de 1969 à 1976 et publiée pour la première fois en français en 1991, est une véritable encyclopédie de la fin du stalinisme et du dégel khrouchtchévien, et une parfaite introduction au « second dégel » vécu par l'U.R.S.S. : la perestroïka gorbatchévienne.

Fils d'« ennemis du peuple » disparus durant les grandes purges staliniennes, Gocha Tsvibychev, le héros-narrateur, tente de se trouver une place dans la vie et dans la société soviétique des années 50. Ses ambitions sont d'abord extrêmement limitées, se résumant à essayer de garder à tout prix une « place-couchette » qu'il occupe illégalement dans un foyer d'ouvriers en province. Friedrich Gorenstein décrit, avec une minutie qui frise l'obsession, les conditions d'une survie sordide dans un monde qui n'accepte pas la différence.

Par bonheur pour le héros, survient le XXe Congrès, et avec lui la dénonciation du culte de la personnalité stalinien par Nikita Khrouchtchev. S'ensuit une longue et confuse période de réhabilitations, durant laquelle Gocha Tsvibychev va faire valoir ses droits, s'efforcer de récupérer l'héritage de ses parents, d'occuper enfin la place qu'il estime devoir lui revenir dans le monde soviétique. Il n'y parviendra pas, s'apercevant bien vite que, si le discours a changé, les hommes du pouvoir et de l'appareil sont restés les mêmes et qu'ils n'ont pas l'intention de céder leurs places à d'autres.

Plus Gocha Tsvibychev est rejeté par un univers hostile, impitoyable, plus ses ambitions grandissent. Le voici qui se lance dans l'action « terroriste » au sein de groupuscules désireux d'en finir une bonne fois avec le stalinisme. Puis il monte à Moscou car il se sent investi d'une mission : il sera un jour appelé à diriger la Russie. De plus en plus mégalomane et déboussolé dans un pays qui ne l'est pas moins et qui n'a rien perdu de sa dureté, le héros obtient finalement une forme de pouvoir, mais pas celui qu'il escomptait : il devient un agent du K.G.B., il fait des rapports, écrit des dénonciations sur ses concitoyens.

Et pourtant, là non plus, il n'a pas véritablement de place, là aussi, il finit par être rejeté, décidément trop marginal, « à part ». Gocha Tsvibychev renonce alors à ses ambitions politiques et se met en quête d'une simple « place parmi les vivants ». Il cherche à vivre tout bonnement, sans complications, à peu près proprement, honnêtement. Et il s'aperçoit qu'il a reçu de Dieu le « don de la parole ». Le roman s'achève lorsque le héros commence à écrire.

Si Gocha Tsvibychev va, tout au long de ce roman hallucinant, d'échecs en compromissions, il pose, avec tous les personnages, des questions d'une incroyable actualité aujourd'hui en Russie : quel système politique instaurer dans ce pays ? À qui revient la faute des tragédies d'hier et du chaos présent ? Qu'est-ce que le nationalisme russe ? Et d'abord, qu'est-ce que la Russie ? Fresque désespérée, ce « roman politique tiré de la vie d'un jeune homme », comme l'indique le sous-titre, est écrit de main de maître.

A. C.-F.

PLACE AU SOLEIL (Une) [*Mesto pod solncem*]. Première œuvre importante, publiée en 1928, de la poétesse et romancière russe Vera Inber (1890-1972). Issue d'une famille bourgeoise d'Odessa, Vera Inber a fait son entrée en littérature en 1914 avec un recueil de poèmes intitulé *Vin triste* [*Pečal'noe vino*], suivi de *Joie amère* [*Gor'kaja uslada*], où l'on décèle l'influence des symbolistes français. Au début des années 20, elle avait adhéré au groupe des « constructivistes » (apparentés aux formalistes), mais renonça bientôt aux recherches de style, s'efforçant au contraire de trouver une forme simple, accessible au grand public. *Une place au soleil*, récit autobiographique, retrace avec humour et vivacité les aventures de la jeune romancière, séparée de son mari et restée seule à Odessa, avec sa petite fille, au moment de la tourmente révolutionnaire. Placée dans des conditions inhabituelles et extrêmement sévères, le froid et la faim n'épargnaient alors personne à Odessa, la jeune femme lutte avec courage et plus ou moins de bonheur contre tous les obstacles, afin de gagner « une place au soleil » pour elle-même et pour son enfant. Tour à tour pâtissière, bricoleuse, actrice dans un cabaret à la mode, employée, trop distraite et bientôt licenciée, d'une administration, elle trouve enfin sa voie en rédigeant des récits réalistes et humoristiques qui sont acceptés par une revue. « Pourquoi, demande-t-elle, n'ai-je pas essayé d'écrire plus tôt quand j'avais la paix et des loisirs et que la lampe, sous l'abat-jour, répandait une lumière immuable ? [...] Je pense, non, j'affirme qu'on écrit difficilement quand on est parfaitement heureux. » — Trad. Éditions des Portiques, 1931.

PLACE DE L'ÉTOILE (La). Roman de l'écrivain français Patrick Modiano (né en 1945), publié en 1968, couronné par les prix Roger Nimier et Fénéon. Dans *Livret de famille* (1976), Modiano écrit : « Je n'avais que vingt ans, mais ma mémoire précédait ma naissance. J'étais sûr, par exemple, d'avoir vécu dans le Paris de l'Occupation. » Sa mémoire se révèle en réalité le fruit de son imagination qui se plaît à entrecroiser lieux, époques, personnages réels et fictifs dans un récit qui évoque parfois la manière de Raymond Queneau. Une histoire juive rapportée en tête du roman éclaire le titre : « Au mois de mai 1942, un officier allemand s'avance vers un jeune homme et lui dit : "Pardon, monsieur, où se trouve la place de l'Étoile ?" Le jeune homme désigne le côté gauche de sa poitrine. » La place de l'Étoile est aussi une vaste scène où s'agitent des marionnettes errantes. Nous suivons le narrateur Raphaël Schlemilovitch des bas-fonds de l'Occupation durant laquelle il fut un Juif collaborationniste à un kibboutz disciplinaire en Israël pour finir dans la clinique viennoise du docteur Freud. Les épisodes s'enchaînent avec la folie même de l'Histoire et nous valent des pages hautes en couleur : celles où Raphaël sert de rabatteur à un vicomte Lévy-Vendôme, qui pratique la traite des Blanches et écrit des apocryphes inattendus, d'un conte licencieux de Bossuet aux tragédies érotiques de Racine ; celles où Raphaël voit en Drieu la Rochelle et Brasillach des « cocottes » énamourées de SS musclés. Façon de traiter avec humour la « question juive » et de répondre aux écrivains antisémites de la Collaboration avec une désinvolture juste et cinglante.

Y. P.

PLACE DES ANGOISSES. Récit de l'écrivain français Jean Reverzy (1914-1959), publié en 1956. C'est la place Bellecour, à Lyon, que Reverzy appelle la place des angoisses. Là logent les grands médecins de la ville. C'est de là aussi que Reverzy est parti un matin, jeune étudiant, pour gagner l'hôpital sur la colline et se joindre à la cohorte qui suivait le professeur Joberton de Belleville. Le professeur est un homme fatigué, c'est pourquoi il se déplace d'un pas si rapide, il est « à la recherche de son équilibre » : s'il s'arrêtait il tomberait. Et telle est la vie du médecin selon Reverzy : une course incessante. C'est la maladie que le médecin traque, mais, en définitive, c'est le plus souvent l'usure qui mine les corps. Reverzy nous parle longuement de son premier malade. Or, ce malade n'est qu'un homme fatigué : c'est sa fatigue qui va l'emporter. Le médecin ne parviendra pas à le sauver, mais sentira s'affermir sa vocation : « Je m'étais trouvé près d'un vieillard endormi, je l'avais réveillé : nos voix s'étaient levées pour proclamer notre alliance, pendant que derrière nous une femme se signalait par une phrase sans fin. Je ne voulais rien comprendre, parce que rien d'humain ne se comprend, mais j'avais trouvé ma place au milieu des hommes. » Le vieux professeur et le vieil ouvrier sont au centre du livre : autour d'eux s'ordonnent les souvenirs déterminants de l'auteur. Il trace de ces hommes des portraits inoubliables, en particulier celui du professeur, personnage de grand format, grand homme et grotesque tour à tour. Le livre est écrit sur trois notes qui sont fatigue, misère et solitude. Toutes les variations se résoudront en un accord final : « ... je continue ma route, accompagné par ma fatigue, annonciatrice d'une mort si peu redoutable, malgré ses rigueurs, qu'un jour, sans débat, je me confondrai avec elle. Je ne lui survivrai pas, elle ne me survivra pas. Je mourrai en même temps que ma mort, saluée comme le but de ma longue étude. »

PLACE DES HÉROS [*Heldenplatz*]. Pièce de l'écrivain autrichien Thomas Bernhard (1931-1989), publiée en 1988. La place des Héros, c'est celle où la population de Vienne s'était rassemblée en 1938 pour faire un triomphe à Hitler. Et Mme Schuster, dont le mari juif, professeur d'université, vient de se suicider, ne cesse d'entendre ces clameurs. Jusqu'à 1978, on avait pu cataloguer Bernhard comme un « anarchiste de droite ». Mais cette année-là, *Avant la retraite* [*Vor dem Ruhestand*] montre que Bernhard est aussi un auteur politique — d'une tout autre manière, il est vrai, qu'un Brecht, un Hochhuth ou un Peter Weiss. La bonne conscience du SS allemand d'*Avant la retraite* est aussi celle, aux yeux de Bernhard, de la population autrichienne. L'univers concentrationnaire que sont dans l'autobiographie l'internat et le sanatorium, dans les romans l'univers et même la tête d'un individu, est ramené ici, entre autres, à sa dimension historique, sociale et politique. *Place des Héros* aura été la dernière provocation d'une vie riche en « scandales » et en démêlés avec l'opinion publique autrichienne. La pièce est jouée peu avant la mort de Bernhard sur la scène du Burgtheater de Vienne, « la » grande institution théâtrale de l'Autriche, où le théâtre est justement une institution quasi intangible. Aussi Bernhard et ses interprètes doivent-ils faire face à une énorme campagne et reçoivent-ils un déluge d'insultes, allant jusqu'aux menaces de mort. En représailles, Bernhard interdit par testament toute représentation ou publication de ses textes dans son propre pays. Il faut dire que la provocation n'est pas légère : sur scène, des Juifs autrefois chassés d'Autriche et qui ont eu le tort d'y revenir font un bilan de cette Autriche, entièrement négatif bien sûr : le pseudo-socialisme autrichien n'est qu'un masque posé sur un national-socialisme profond. En correspondance avec son dernier roman *Extinction* (*), il est manifeste que Bernhard laisse là un testament où tous les thèmes de son œuvre reviennent en quelque sorte à ce qui, en partie, les avait engendrés : l'expérience précoce d'une société d'exclusion où Bernhard se sentait totalement marginal, en même temps qu'il jouait de la célébrité enfin atteinte — c'est le titre d'une autre pièce, *Les Célèbres* [*Die Berühmten*] — pour renforcer cette marginalité. Il veut être, selon une interview, « le petit oiseau qui ne fiche pas la paix » dans le silence et les ténèbres de la forêt. Et s'il est impossible d'échapper à l'univers concentrationnaire, « ne t'allie jamais avec les gardiens ». — Trad. L'Arche, 1990. C. Po.

PLACE DU 25 SEPTEMBRE (La) [*25. Septemberplassen*]. Roman de l'écrivain norvégien Dag Solstad (né en 1941), publié en 1974. Écrit par le représentant le plus en vue d'une génération de jeunes intellectuels norvégiens qui a répudié les aliénantes douceurs de la social-démocratie pour un marxisme-léninisme pur et dur, le livre est sans doute l'illustration la plus caractéristique et la plus ambitieuse de ce courant. L'auteur retrace le destin d'une famille ouvrière de Halden (dans le sud-est de la Norvège) de la fin de la guerre, en 1945, au référendum sur le Marché commun, le 25 septembre 1972. Mais, à travers celui-ci, c'est aussi, nourrie d'une pléthore de détails concrets placés dans un environnement précis et aisément reconnaissable, l'évolution de la Norvège durant la même période qui nous est décrite. Le personnage principal est Håkon Nyland, ouvrier dans une usine de chaussures. Il se marie, s'installe, a trois enfants et voit son existence progressivement s'améliorer au fur et à mesure que la Norvège s'éloigne elle-même des rigueurs de l'après-guerre pour entrer dans l'ère du bien-être et de la société de consommation. Håkon a trois fils qui suivront chacun leur voie propre. L'aîné, Egil, préoccupé uniquement de voitures et de paris sportifs, assume sans complexes et sans grandeur les idéaux petits-bourgeois de la nouvelle société. Le deuxième, Axel, pourrait avoir une propension à faire de même, mais ce qui lui reste de conscience ouvrière est stimulé par sa liaison avec une élève de l'école normale qui milite activement dans le parti maoïste et, à défaut de susciter l'engagement de tous les instants qu'elle souhaiterait, arrive au moins à le faire participer à la lutte que mènent ses compagnons contre l'adhésion de la Norvège au Marché commun. Quant au benjamin, Inge, qui, en dépit de ses études secondaires, a dû devenir ouvrier pour subvenir aux besoins de sa famille, il a fait sienne une cause révolutionnaire qui est pourtant à l'origine de graves déboires conjugaux. Mais, entre-temps, le père a perdu tout réflexe de classe : licencié de son usine, il n'éprouve nul sentiment de révolte, seulement l'espoir que de meilleurs gestionnaires permettront de rétablir la situation compromise de l'entreprise. À travers le livre, Dag Solstad entend bien évidemment démontrer que, depuis la fin de la guerre, la société sociale-démocrate n'a cessé de trahir la classe ouvrière, annihilant toute volonté de lutte et tout sentiment de solidarité pour favoriser des idéaux fondamentalement bourgeois. Au demeurant, Dag Solstad ne se contente pas de laisser son récit parler de lui-même. Il intervient dans le cours du récit, argumente, polémique et montre, à l'exemple du benjamin et peut-être du cadet, que reste ouverte la voie d'un espoir qui passe par l'engagement de chacun dans les rangs révolutionnaires.

É. E.

PLACE ROYALE (La) ou l'Amoureux extravagant. Comédie en cinq actes, en vers, de l'auteur dramatique français Pierre Corneille (1606-1684), représentée pour la première fois au théâtre du Marais entre août 1633 et mars 1634. Cette pièce, la sixième du théâtre de Corneille, se place au terme du cycle de ses comédies de jeunesse et précède ses débuts dans le genre tragique — v. *Médée* (*) (1635). L'intrigue est la plus éloignée des schémas pastoraux sur lesquels étaient construites les quatre premières comédies. Si cette pièce constitue cependant une nouvelle variation sur le thème de l'éblouissement amoureux des bergers, elle se clôt sur un étonnant refus du bonheur pastoral. Alidor aime Angélique et celle-ci le paie de retour, au grand regret de Phylis qui voudrait lui faire épouser son frère Doraste. Mais Alidor avoue à son ami Cléandre qu'il est effrayé à la pensée de se lier pour la vie. En vue d'éviter le mariage, il imagine de céder Angélique à Cléandre ; il s'arrange donc pour faire croire à sa fiancée qu'il lui est infidèle, la pousse à bout par ses impertinences, se fait volontairement congédier. Mais là-dessus il apprend que, grâce à Phylis, c'est Doraste qui est en passe de profiter de la situation pour épouser Angélique ! Ce n'est pas là son fait : il entend que les choses se passent comme il l'avait décidé et qu'elle épouse Cléandre. Il dresse donc de nouvelles batteries, va trouver Angélique et se montre cette fois si persuasif et si charmeur qu'elle lui accorde, sans trop de peine, un rendez-vous pour minuit, à l'issue du bal que donnera chez elle Doraste. Il compte ainsi l'enlever, mais au profit de Cléandre. Quand elle paraît au rendez-vous nocturne, il lui remet une promesse de mariage qu'elle va déposer dans sa chambre pour rassurer ses parents, avant de revenir pour suivre le ravisseur. Mais, dans l'intervalle, Phylis, inquiète de son amie, sort aussi sur la place et c'est elle que Cléandre, impatient et trompé par l'obscurité, enlève ! Au dénouement, ils acceptent tous deux de profiter de la rencontre et s'épousent. Cependant, la pauvre Angélique découvre que la promesse de mariage était signée de Cléandre et qu'elle a été jouée par Alidor, qui l'aime encore et voudrait le lui dire ; elle le chasse avec horreur et va s'enfermer dans un couvent, tandis qu'Alidor s'applaudit plus que jamais de ne la céder à personne et de rester libre.

Cette comédie renferme trois caractères originaux. D'abord Phylis, enjouée, frivole, qui se plaît à traîner après elle de nombreux adorateurs et à les rendre jaloux l'un de l'autre, quitte à épouser joyeusement celui que le hasard des événements aura conduit jusqu'au mariage. En face d'elle, Angélique est au contraire une pathétique figure d'amoureuse : en dehors d'Alidor, rien n'existe pour elle. Aussi la trahison de ce dernier la laisse-t-elle désemparée ; si elle consent à se promettre à Doraste, c'est surtout grâce à l'habileté de Phylis qui sait à l'instant profiter de son désespoir ; mais à peine Alidor reparaît-il qu'elle se rend à ses belles paroles et consent à l'enlèvement. Sa nouvelle tromperie est pour elle le dernier coup : elle sent qu'il est indigne d'elle, mais elle se voit elle-même indigne de Doraste qu'elle a trahi : le cloître sera son refuge. Le caractère le plus singulier est celui d'Alidor : « amoureux » puisqu'il aime sincèrement Angélique, caractère « extravagant » puisqu'il veut se dégager de cet amour partagé, afin de sauvegarder un bien qui lui semble plus précieux encore : son indépendance morale. Il accepterait d'aimer si cet amour était le fruit d'un libre choix. Angélique étant « trop belle », il se voit « dominé » par elle : esclavage qu'il juge déshonorant. C'est pourquoi il s'en détache, avec trop de brutalité d'ailleurs. Mais c'est l'indice de ses tourments, de la situation fausse dans laquelle il se trouve. Car, à peine séparé de sa maîtresse, il lui revient : il entend encore la dominer, ne la céder qu'à un rival de son choix. C'est pour ce rival, pense-t-il, qu'il la reconquiert : est-ce absolument sûr ? Du moins son cœur bat-il bien fort au moment de cette reconquête... Au dernier instant n'a-t-il pas encore vers elle un grand élan de tendresse passionnée ? C'est le dernier feu : puisque Angélique est à Dieu, et à Dieu seul, il peut se raffermir une fois de plus à la pensée de son triomphe : il est libre, il a fait ce qu'il a voulu... L'amoureux extravagant est le premier héros volontaire du théâtre cornélien.

PLACE SUR LA TERRE (Une) [*Miejsce na ziemi*]. Recueil du poète polonais Julian Przyboś (1901-1970), publié en 1945. Ce recueil contient des poèmes des années 1922-1944. Przyboś appartient à la même école que Peiper — v. *Poèmes* de Peiper (*). Lui aussi veut trouver et expérimenter de nouvelles formes pour exprimer des idées nouvelles. Sa poésie n'est pas d'un accès facile et probablement ne sera jamais populaire. Tandis que Peiper tourne ses regards vers « les villes, les machines et les masses », Przyboś, tout en mettant plus d'accent sur l'émotion lyrique, est avant tout poète de la campagne et de la nature. Il écrit : « Le poème moderne, riche en matière visuelle et tension affective, doit être composé de pointes. Cela veut dire que la sensation vécue qui conditionne la naissance d'un tel poème doit être plus forte que l'inspiration d'un impressionniste. » Przyboś confronte constamment ses impressions avec le paysage. Pour lui tout sentiment serait vide, inexistant en soi-même, s'il ne trouvait pas son équivalent dans la nature. Mais Przyboś refuse de peindre la nature, de décrire la réalité environnante au moyen d'images usées. Il méprise dans l'objet le trait caractéristique, évident pour tout le monde. Il en trouve un autre, aussi inattendu qu'opposé à l'évidence. Ainsi, la poésie de Przyboś crée une réalité nouvelle qui complète la vision habituelle du monde. Elle est difficile et exige un effort, mais le plaisir qui en découle le compense amplement.

PLACIDA ET VICTORIANO [*Égloga de Plácida y Victoriano*]. Églogue théâtrale de l'écrivain espagnol Juan del Encina (1468-1529), représentée très probablement à Rome, en 1531, où, selon Moratín (*Les Origines du théâtre espagnol*), elle fut publiée sous le titre de *Farsa de Plácida e Vitoriano* (Rome, 1514). C'est la plus longue et la plus animée des œuvres théâtrales du poète et son importance historique est particulièrement grande du fait que, mieux que les autres églogues, elle annonce le grand théâtre poétique espagnol. Le nœud de l'action est constitué par un suicide par amour : Placida, désespérée d'être incapable d'aimer Victoriano, met fin à ses jours au terme d'un monologue passionné. Victoriano, qui, en revanche, aime Placida, épanche sa douleur devant le cadavre de la femme aimée et s'apprête à mourir à son tour. Mais le caractère médiéval de cette conclusion se trouve tempéré par le soudain triomphe de l'amour et de la beauté (thème proprement humaniste). Alors qu'il est sur le point d'imiter le geste fatal de Placida, Victoriano est arrêté par la main de Vénus : afin de lui redonner la joie de vivre, elle ressuscite Placida. Il est significatif que le monologue de Placida soit l'adaptation à un thème érotique d'une prière funèbre : de nombreux critiques ont vu là une intention parodique. Valbuena Prat estime que cette églogue consacre le « triomphe de la conception néo-platonicienne de la vie sur la tradition de l'impossible amour médiéval ».

PLAGE DE SCHEVENINGEN (La). Roman de l'écrivain français Paul Gadenne (1907-1956), publié en 1952. Paris au lendemain de la Libération, tout le monde attend quelque chose, mais la vie qui recommence n'est qu'un retour à la solitude individuelle. Guillaume, le narrateur, éprouve alors l'irrésistible besoin de revoir la femme qu'il aima, et dont le sépare un silence de six années ; dans le même temps, il ne cesse de penser à son ami Hersent (Brasillach), qui a trahi, collaboré. Ainsi se noue un double chant, celui de l'amour perdu et revécu, celui de l'amitié perdue et coupable. Guillaume cherche Irène, et tous ceux qu'il interroge lui parlent d'Hersent. Guillaume pense aux jours d'Irène, et le temps retrouvé au fond de la mémoire lui raconte aussi Hersent. Irène enfin rencontrée, le temps s'immobilise un moment de même qu'à l'intérieur de ce tableau qu'ils aimèrent ensemble : « La Plage de Scheveningen » de Ruysdaël. Brusquement, Guillaume propose un voyage vers cette plage, ou vers quelque plage du Nord, et là, arrivés à la nuit, logés dans une auberge où hurle une radio, Guillaume vit à la fois cette nuit qu'emplit la présence d'Irène et tout leur passé commun : insoluble, énigmatique, bien que sans trêve analysé dans l'enlacement vertigineux d'hier et d'aujourd'hui. À un moment, la radio crie la nouvelle de l'exécution d'Hersent, et la culpabilité de l'ami vient se mêler encore à l'interrogation de l'amour, coupable en son temps même puisqu'il n'était pas durable. Guillaume parle, Irène parle, et la parole ne diminue qu'à peine la distance : ils se tendent des mots, comme on se tend la main, avec tendresse, mais sans la fusion de l'amour, désormais passé, impossible. Et quittant la plage, où l'immobilité d'une heure ne pouvait annuler le temps qui les sépare, Guillaume et Irène retournent à leur vie différente. Ce roman est trop riche pour se laisser si brièvement décrire ; parenthèses et italiques y ouvrent de brusques échappées où se découvre un infini paysage de mémoire, et la lecture cesse alors d'être ce parcours d'un livre pour devenir une étrange plongée : on ne lit plus, on se souvient ; le temps cède, le lecteur est le livre. Pourtant l'auteur vous a conduit sans qu'il y paraisse : ses mots, ses phrases, ses images, tout s'enchaîne naturellement, simplement. Gadenne a su introduire dans le roman français une présence nouvelle du temps, non pas vertigineuse comme chez Faulkner, mais insidieuse, peu à peu fascinante, toujours plus envahissante.

PLAIDEURS (Les). Comédie en trois actes et en vers du dramaturge français Jean Racine (1639-1699), qui fut représentée pour la première fois à Paris sur la scène de l'Hôtel de Bourgogne en novembre 1668. Racine l'écrivit au lendemain d'*Andromaque* (*) et à la veille de *Britannicus* (*). Prenant prétexte d'un procès perdu, il semble qu'il n'ait pas été fâché de montrer qu'il n'était pas moins capable que son illustre rival, Corneille, d'exceller dans les deux genres. Cette audace faillit, au vrai, lui coûter cher ; l'accueil du public fut d'abord très froid, il fallut que lors d'une représentation à Saint-Germain, un mois après les deux représentations parisiennes, Louis XIV « y fit de grands éclats de rire », pour que la Cour donne le signal et que la pièce soit reprise à l'Hôtel de Bourgogne avec un succès qui, cette fois, ne se démentit plus jusqu'à nos jours. Il semble qu'aux premières représentations les délicats se soient offusqués de certaines plaisanteries un peu fortes, et que le gros public n'ait rien compris aux termes de chicane ; il est probable que les gens de justice profitèrent des hésitations pour faire tomber une pièce où ils étaient si fort maltraités. Racine, dans sa préface à l'édition de sa pièce, nous donne une explication fort pertinente de son insuccès, dans des termes d'une si amusante impertinence qu'ils méritent d'être cités : « On examina d'abord mon amusement comme on aurait fait d'une tragédie. Ceux-mêmes qui s'y étoient le plus divertis eurent peur de n'avoir pas ri dans les règles, et trouvèrent mauvais que je n'eusse pas songé plus sérieusement à les faire rire. Quelques autres s'imaginèrent qu'il étoit bienséant à eux de s'y ennuyer, et que les matières du Palais ne pouvoient pas être un sujet de divertissement pour des gens de cour. La pièce fut bientôt après jouée à Versailles. On n'y fit point scrupule de s'y réjouir ; et ceux qui avoient cru se déshonorer de rire à Paris furent peut-être obligés de rire à Versailles pour se faire honneur. » Ce que Racine ne dit pas, mais laisse entendre, c'est qu'il y avait eu, entre-temps, la représentation devant le roi à Saint-Germain et qu'il était devenu de fort mauvais ton de ne point rire aux *Plaideurs.* Les personnages qu'ici Racine prend à partie, avec une verve et une truculence qui étonnent, sont ceux-là mêmes contre lesquels la verve des satiristes français de tous les temps s'est exercée à plaisir : à savoir, les hommes de loi méprisés des gentilshommes, haïs et craints du peuple. Racine avait d'abord songé à donner sa comédie aux comédiens italiens, ce n'aurait été qu'un simple canevas sur lequel ils auraient brodé : mais, nous dit-il, le départ de Tiberio Fiurelli, le fameux Scaramouche, lui « fit interrompre son dessein ». Il voulut alors renoncer à son projet, mais ses amis le décidèrent à composer sa pièce, « moitié en l'encourageant, moitié en mettant eux-mêmes la main à l'œuvre ». Dans sa préface, c'est d'ailleurs comme une adaptation des *Guêpes* (*) d'Aristophane qu'il présente *Les Plaideurs.* Il faut dire que, si Racine a repris le sujet d'Aristophane, il en a fait une comédie de mœurs contemporaines et il l'a doté d'une charmante fantaisie qui n'appartient qu'à lui. On peut d'ailleurs dans *Les Plaideurs* trouver maintes autres influences, celles en particulier de *La Farce de Maître Pathelin* (*) et de la satire des gens de justice qui court d'un bout à l'autre de l'œuvre de Rabelais. En particulier, c'est au *Quart Livre* qu'il emprunte le nom d'un de ses personnages : Chicaneau — dans Rabelais, l'île des Chicanous ; v. *Gargantua* (*). Enfin, certaines situations sont tirées de la tradition de la comédie italienne : le jeune homme qui se déguise en commissaire pour faire la cour à une jeune fille et qui fait signer par surprise au père un contrat de mariage.

Au premier acte, après une brève exposition de la situation par le secrétaire du juge Perrin Dandin en un pittoresque patois picard, son maître, sur qui il doit veiller, saute par la fenêtre pour échapper à sa garde. C'est un vieux juge, atteint d'une singulière manie, celle de juger à tort et à travers et sans discontinuer. Son fils, Léandre, fort affligé de cette folie, essaie par tous les moyens de le rendre à la raison et de le retenir chez lui. Léandre aime Isabelle, fille de Chicaneau, un plaideur endurci, tout aussi enragé que le juge. Le dévouement de l'Intimé lui étant tout acquis, Léandre décide d'un stratagème pour obtenir la main d'Isabelle que son père séquestre. Cependant, Dandin, rattrapé par ses gardes du corps, a été mis hors d'état de nuire, mais Chicaneau s'est pris de querelle avec une grande dame, Yolande Cudasne, comtesse de Pimbesche, Orbesche et autres lieux, qui n'a point d'autre souci que de terminer heureusement, et le plus tard possible, une grande quantité de procès qu'elle accumule à plaisir. À l'acte II, Léandre, déguisé en commissaire, force la porte de Chicaneau, en compagnie de l'Intimé qui joue le rôle d'un huissier. À l'issue d'un interrogatoire en règle, que Chicaneau croit justifié par ses démêlés avec la comtesse, les deux complices lui font signer un faux procès-verbal qui n'est autre que le contrat de mariage de Léandre et d'Isabelle. Cette ruse est l'occasion d'une des scènes les plus drôles de la pièce, celle où l'Intimé jouant le rôle d'huissier, exposé aux sévices de Chicaneau, note imperturbablement, et dans le plus pur style du Palais, les horions qu'il reçoit. Mais Dandin, enfermé dans le grenier, passe la tête par la lucarne pour entendre les deux plaideurs, Chicaneau et la comtesse, venus lui exposer leur différend. On met l'infatigable vieillard à la cave, il apparaît par le soupirail pour reprendre le cours de l'affaire. De guerre lasse, Léandre lui propose de rendre justice à la maison et de juger les siens. Après quelque résistance, le vieillard est sur le point de consentir, quand on lui rapporte un cas pendable qui le décide tout à fait : Citron, son chien, vient de dérober un chapon. Le juge n'y tient plus, il siège à son tribunal et nomme aussitôt Petit Jean, son portier, demandeur, et l'Intimé, son secrétaire, avocat de la défense. Et c'est sur ce procès burlesque que s'ouvre le troisième acte : toute la pièce d'ailleurs se résume dans cette scène qui en est la plus brillante, la plus spirituelle et la plus vivement satirique. Petit Jean s'embrouille dans sa harangue, tandis que l'Intimé s'aventure dans un plaidoyer des plus emphatiques : après avoir invoqué l'autorité d'Aristote et fait mille citations érudites qui n'ont évidemment aucun rapport avec le sujet, il évoque l'affaire en un crescendo fort pathétique et dans un jargon parfaitement imité de celui du Palais, puis il annonce ses conclusions : « Je finis. / Avant la naissance du monde... » Le malheureux juge essaie d'enrayer la tirade : « Avocat, ah !

passons au déluge », mais il s'endort. Dans une admirable péroraison, l'Intimé en appelle à la pitié des juges, il leur montre cette « famille désolée », « ces pauvres enfants qu'on veut rendre orphelins », il les pousse devant le juge en leur disant : « Venez faire parler vos esprits enfantins. » Le résultat de ce bel effet oratoire, c'est que les petits chiens « ont pissé partout ». Et l'Intimé a cette réplique sublime : « Monsieur, voyez nos larmes. » Dandin est fort perplexe, enfin il se décide à condamner le chien Citron aux galères, quand un heureux événement, le mariage de Léandre et d'Isabelle, forts du contrat qu'ils ont extorqué à Chicaneau, l'incline à l'indulgence : Citron sera gracié.

À vrai dire, l'intrigue amoureuse fait assez pâle figure au milieu de ces événements grotesques, et le personnage de Chicaneau fait double emploi avec la comtesse : cela fait beaucoup de maniaques à la fois. Mais ces outrances sont voulues : Racine explique, dans sa préface, que les caractères et les situations sont si outrés que personne ne s'y peut reconnaître ou s'en offusquer. Sans soupçonner la bonne foi de cette affirmation, il ne faut pas oublier que Racine a voulu avant tout s'amuser et nous amuser, et il y réussit. Il semble d'ailleurs qu'il n'ait pas été mécontent de s'abriter derrière l'autorité d'Aristophane pour accabler de ses railleries et de ses plaisanteries fort cruelles les magistrats, vieux fous radoteurs et maniaques, juges prévaricateurs et sordides, ou pour bafouer les pères gâteux. Irrespectueux, Racine l'est ici, non seulement à l'égard des ridicules qu'il vise, mais envers les écrivains les plus célèbres, envers Cicéron dont il parodie l'exorde du plaidoyer *Pour Quinctius* (*), mais surtout de Corneille dont il utilise avec une belle impertinence les nobles vers tragiques en leur donnant un sens comique : « Ses rides sur son front gravoient tous ses exploits » (au sens d'exploits d'huissier), qui reproduit presque mot pour mot le fameux : « Ses rides sur son front ont gravé ses exploits » du *Cid* (*), ou encore quand, reproduisant le « Viens mon fils, viens mon sang » du *Cid*, il fait dire à Chicaneau : « Viens, mon sang, viens ma fille », suivi de cette chute : « Va, je t'achèterai le Praticien françois. » Le comique est partout dans cette pièce, joli monument d'insolence : dans la versification parodique, moqueuse, qui n'est pas sans rappeler celle du *Lutrin* (*) de Boileau ; dans la langue qui nous fait passer de l'emphatique au trivial à tout moment ; dans les personnages qui sont des caractères de farce ; dans les situations appuyées comme dans la comédie italienne ; dans l'esprit de persiflage enfin qui y règne d'un bout à l'autre. On comprend que le public, habitué à la comédie de Molière, si fine et si forte à la fois, ait quelque peu boudé *Les Plaideurs.* Mais ce serait une grave erreur de comparer *Les Plaideurs* et *L'Avare* (*) ou même *Le Malade imaginaire* (*) ; c'est tout autre chose que Racine se propose, tout autre chose qu'il réussit.

PLAIDOYER D'UN FOU (Le). Témoignage autobiographique (1887-1888), rédigé en français, du romancier et dramaturge suédois August Strindberg (1849-1912). Aux alentours de 1875, Strindberg fit la connaissance de la baronne finlandaise Siri Wrangel, née von Essen, qu'il épousa, celle-ci ayant abandonné son mari, officier de la Garde, pour faire du théâtre. Après quelques années de bonheur, la vie conjugale devint de plus en plus insupportable : la différence de tempérament était trop grande, et Strindberg passait de la haine à l'amour dans de furieux accès de jalousie et de persécution, engendrés par la schizophrénie de type paranoïaque dont il était atteint. Au cours d'une période de crise particulièrement aiguë, alors qu'il craignait de se voir interner dans un asile, il rédigea cette confession justificative, qui devait à l'origine demeurer inédite et qui ne fut en effet publiée qu'en 1893, deux ans après son divorce d'avec Siri, dans une traduction en langue allemande [*Die Beichte eines Toren*]. Dans la première et la deuxième partie, Strindberg raconte comment il connut Siri et retrace les péripéties de leur amitié et de leur amour ; la troisième partie est l'exutoire d'un malade, obsédé par la haine et la manie de la persécution — il interprète *Le Canard sauvage* (*) d'Ibsen comme un drame à clé, identifiant le photographe Hjalmar Ekdal et sa femme Gina au couple Strindberg —, s'acharnant à accumuler des chefs d'accusation et des charges écrasantes contre sa femme, soupçonnée de toutes les perversions. En tant qu'acte libérateur d'un malade, ce livre peut se justifier ; ce qui est assez peu pardonnable, c'est que l'auteur ait rendu public, au bout de quelques années, un document aussi pitoyable sur son infirmité, s'acharnant à injurier et à calomnier la femme qui fut, des années durant, une épouse aimante et dont il avait eu des enfants. Ce manque total de dignité, de réserve et de délicatesse envers autrui comme envers soi-même fait de ce livre un pénible document.

PLAIDOYERS (Les) ou Recueil de divers plaidoyers et harangues. Recueil des plus célèbres plaidoyers d'Antoine Le Maître (1608-1658), avocat français de renom qui s'était retiré à Port-Royal où il fut un des « solitaires » du jansénisme. Ces textes, qui eurent un grand succès et plusieurs éditions, étaient regardés comme un modèle de la « belle langue » en même temps que de l'art oratoire : ils représentent une rhétorique qui pour convaincre se fonde davantage sur la solidité du raisonnement et de l'argumentation rationnelle que sur l'emploi des « figures » ou des images.

A. V.

PLAIE NOIRE (La) [*Birîna Res / Kara Yara*]. Œuvre du poète et écrivain kurde de

Turquie Musa Anter (1917/18-1992). Première véritable pièce de théâtre moderne de la littérature kurde septentrionale, elle paraît à Istanbul en 1965 dans une édition bilingue kurde-turque. L'auteur décrit avec un réalisme saisissant les méfaits de la plaie noire ou bouton d'Alep, un chancre contagieux affectant surtout les enfants et qui constitue un véritable fléau dans le Kurdistan de Turquie.

J. Bl.

PLAIES D'ARMÉNIE (Les) [*Verk Hayastani*]. Roman de l'écrivain arménien Khatchatour Abovian (1809-1848), écrit en 1841 et publié à titre posthume en 1858. Jusqu'au milieu du XIXe siècle, la langue des lettrés et la langue littéraire chez les Arméniens étaient encore l'arménien classique (grabar). À Constantinople ou à Venise, on écrivait et on publiait depuis un demi-siècle dans la variante occidentale de l'arménien moderne, mais sans production littéraire originale. Cette œuvre d'Abovian, écrite dans le dialecte de son village natal, est donc la première qui batte en brèche le monopole littéraire du grabar. L'action du roman se situe pendant la guerre entre la Russie et l'Iran en 1828, qui aboutit à l'annexion de l'Arménie orientale par les Russes. Abovian décrit la situation des Arméniens sous le joug perse et turc, il pourfend l'obscurantisme et appelle à une prise de conscience. Dans une Préface essentielle, l'auteur explique la nécessité d'un passage à la langue du peuple, et la crise profonde qu'il a dû traverser pour parvenir à cette certitude.

Ma. N.

PLAIES D'ÉGYPTE (Les) [*Shiré macoth mitzrayim*]. Recueil du poète israélien d'origine polonaise Nathan Altermann (1910-1970), publié en 1943, peu après *La Joie des pauvres* (*), œuvre dont il diffère tant par le ton que par la transparence de son symbolisme. Les poèmes qui le composent évoquent par leur accent et leur structure la poésie juive espagnole de l'âge d'or et la liturgie des jours de pénitence, éclairées par le souvenir des événements de la Pâque. La profondeur de cette œuvre tient au fait que sa signification spirituelle est tirée de la conception juive de la vengeance ; c'est à travers elle que le poète retrace le récit biblique des plaies d'Égypte et fait le procès, dans une perspective juive, de l'humanité perverse qui a traversé le temps et sévit encore en plein XXe siècle. Car tout le mal qu'elle a fait aux peuples (sous-entendu le peuple juif) retombera sur elle. L'épisode de la nuit sanglante et de la plaie des premiers-nés est le symbole clair des années de guerre et de persécution ; ce sont toujours les mêmes souffrances qui s'abattent sur le monde coupable depuis l'époque des pharaons ; on y décèle l'écho de la sentence de mort qui pèse sur les nations et le désir d'un châtiment exemplaire. Dans toute génération les aînés sont promis à la mort par le glaive, et leur sacrifice régénère la foi des survivants, il atteste de la pérennité des valeurs morales que persécution et violence ne peuvent altérer. Après le crépuscule du monde renaît l'aube, limpide symbole de l'espérance humaine, et c'est vers cette aube que convergent les regards de tous les pères souffrant du massacre de leurs enfants. Ce chant dont la signification est transparente est donc sous le signe d'un conflit entre deux générations : celle des rescapés pour qui la plaie a le sens d'une épreuve justifiée par les infidélités du passé, et celle des enfants qui n'ont pas connu l'holocauste et qui s'insurgent ; mais, pour le poète, le conflit même est fécond dans la mesure où, par l'effet d'une opposition dialectique, il donne naissance, à travers la souffrance, à un nouvel espoir.

PLAIGNEZ LES LOUPS ! [*Los hijos muertos*]. Œuvre de la romancière espagnole Ana María Matute (née en 1926), publiée en 1958. Il est difficile de résumer ce gros roman dont les personnages et les épisodes sont multiples et enchevêtrés. En 1948, dans le vieux village de Hegroz, un homme âgé, Gerardo Corvo, qui vient d'enterrer son garde-chasse, médite sur son passé. Il a été la seule personne, avec le curé et les enfants de l'école, à accompagner le mort au cimetière. Et tandis que les gamins, pour s'amuser, jettent des pierres sur le cercueil, le vieux latifondiste revit la splendeur de ses années anciennes sur les terres de la Encrucijada, avec leurs bois humides, leur vallée isolée et leurs paysans primitifs et superstitieux. Le latifondiste est en réalité comme tous ses semblables, égoïste, orgueilleux, tyrannique. Trois enfants sont nés de son mariage, avec chacun une personnalité différente : César est un être sans volonté, peu intelligent et plutôt lâche ; Isabel possède un tempérament autoritaire et tenace comme son père ; Veronica, elle, est sentimentale et mystérieuse. Il y a aussi Elías, son cousin, et son fils Daniel. La guerre civile sépare, déchire la famille. Elle tue Veronica et fait de Daniel un « rouge », un combattant républicain et, après la défaite, un exilé. César, qui a choisi le camp franquiste, se transforme en homme d'affaires, en trafiquant. Tous en réalité sont des vaincus, des vaincus par le temps, des vaincus parce qu'ils vivent éternellement dans le passé. La jeune Monica le comprend : « Ces gens parlent toujours du passé, jamais du futur. Parfois, ils s'enflamment pour ce qu'ils ont aimé ou haï à une autre époque. Mais, et l'avenir ? N'existe-t-il rien de nouveau, rien qui puisse commencer avec moi ? » Non, car l'avenir est sombre : on prépare la construction d'un barrage et la Encrucijada disparaîtra sous les eaux. L'intention profonde de la romancière apparaît clairement au long d'une lente fiction abondante en notations poétiques : montrer l'inutilité d'une guerre qui n'a rien changé. Le temps passe, immuable, sur les personnages du livre. Passé et présent sont une même chose : le temps n'a pas de sens. Tout demeure immobile, tout ressemble à un rêve ou, mieux, à un cauchemar. Le temps détruit tout, idéaux et pureté, mal et bien, réalités et songes, inexorablement. – Trad. Gallimard, 1963. C. C.

PLAIN-CHANT. Poème en trois parties de l'écrivain français Jean Cocteau (1889-1963), publié en 1923. Radiguet venait d'enseigner à Cocteau la nécessité de refuser la mode et l'avant-garde, d'où ce long poème en vers réguliers et rimés (de cinq, six, sept, dix et douze syllabes). Après avoir expliqué qu'il chante de vingt façons pour éviter de l'habitude « l'éloge et les nobles glaçons », Cocteau abandonne l'essentiel de la première partie de son poème à l'ange en « armure de neige » qui l'habite et l'utilise comme instrument. La deuxième partie chante l'amour, la mort et surtout le sommeil où l'autre vous trahit (« Rien ne m'effraye plus que la fausse accalmie / D'un visage qui dort... ») ; la troisième dit la volonté cruelle des muses, qui plient le poète à leurs ordres et le vident de sa vie sans lui laisser autre chose que cette page écrite. Cocteau confond souvent l'agilité verbale avec cette vitesse intérieure qu'est en principe pour lui la poésie, aussi nombre de ses vers sont-ils plus habiles qu'habités, mais quand il parle de l'ange ou du sommeil, images qu'on sent calquées sur une réalité profonde, il a cette voix juste et brisée de qui ne parle que du plus vif de soi. Alors, concise et rapide, la parole est à son vrai niveau : elle mêle avec rigueur le « plain-chant » et le sens, et éveille chez le lecteur l'écho qui la rend à la fois authentique et comprise.

PLAINTE DES ENFANTS (La) [*The Cry of the Children*]. Poème lyrique de l'écrivain anglais Elizabeth Barrett Browning (1806-1861), inclus dans les *Poésies* de 1844, mais publié précédemment. Dans ce morceau, les enfants souhaitent mourir pour se soustraire au travail auquel ils sont assujettis à un âge précoce : et la loi de 1848, adoptée en Angleterre après un rapport de Horne, et qui limitait le travail des mineurs, fut obtenue en partie grâce à l'émotion que suscita ce poème. Cette lamentation est, d'ailleurs, pleine d'un lyrisme fort efficace. Les enfants parlent de leur terrible condition, des fatigues disproportionnées à leur âge et des tourments de leur jeune vie sur un ton de supplication, non seulement éloquent mais authentique. Edgar Allan Poe juge cette poésie « pleine d'une nerveuse, indomptable énergie, d'une horreur sublime dans sa simplicité ».

PLAINTE DU SERF (La) [*Lelek Sebra*]. Premier recueil du poète croate Tin Ujević (1891-1955), publié en 1920. Il comprend trente-quatre poèmes, pour la plupart composés à Paris entre 1913 et 1919, et dont beaucoup sont des sonnets d'une facture sévère, mais envoûtante. L'un d'eux, la « Complainte quotidienne », est particulièrement célèbre et rappelle les incantations obsessionnelles des rhapsodes dalmates : « Comme il est dur d'être faible / Dur d'être seul et d'être vieux quand on est jeune / Dur d'être seul et inquiet et désespéré / Dur de n'avoir qu'épines au cœur et flammes aux mains... » Mais Ujević chante moins ses peines romantiques que la misère de ceux qui sont nus et cherchent vainement un asile, la misère de ceux dont le cœur est en détresse. Ainsi sa plainte atteint-elle à une sorte de mysticisme érotique, très nouveau dans la poésie croate. Ujević déclarait lui-même : « Je considère que la psychologie de la vie intérieure et la mystique de l'érotisme sont deux traits essentiels de mon recueil à condition d'y ajouter un appel vers la justice sociale. » Ce double courant s'épanouira dans les recueils suivants : *L'Automobile sur le cours* (*), *Le Collier* (*).

PLAISANTERIE (La) [*Zert*]. Premier roman de l'écrivain tchèque Milan Kundera (né en 1929). Écrit entre 1962 et 1965 et publié à Prague en 1967, il a valu à son auteur sa renommée internationale. Les chars russes ayant écrasé en 1968 la petite Tchécoslovaquie, ce roman est demeuré pour les années qui ont suivi comme le seul message qui pût éclairer le phénomène de la décomposition du monde communiste. Aussi a-t-il subi les interprétations extrêmement politisées de l'époque. Mais avec le travail d'érosion du temps, il est devenu clair désormais que la valeur propre du roman se situe bien au-delà du domaine limité de la politique.

Ludvik Jahn, exclu du parti et de la faculté, et forcé à travailler dans les mines pendant six ans à cause d'une simple plaisanterie, saisit quinze ans après, en la personne d'Helena Zemanek – la femme de l'ancien président de l'organisation du parti à la faculté –, l'occasion de se venger. Pousser à l'adultère la femme de son ennemi, voilà qui lui semble une blague digne de son inextinguible rancune. Or, la proie qu'il vise s'est déjà enfuie : le coït a bien lieu (il occupe toute la cinquième partie du roman), mais Ludvik apprend que le mari, de communiste pur et dur, s'est transformé entre-temps en rénovateur, qu'il ne vit plus avec sa femme, et que celle-ci est à la recherche du grand Amour. La première défaite de Ludvik était grave et implacablement concrète ; la deuxième est ridicule et a lieu dans le vide. Persécuté, il pouvait dire : « J'étais rejeté hors du chemin de ma vie » ; sa vie, cela était alors bien réel. Mais dans le monde des ombres qu'il poursuit, c'est elle maintenant qui se dissout, loin de « tout » chemin. Cas banal de désillusion ? *La Plaisanterie* est un roman autrement important. Car Ludvik, qui voit sa vengeance partir en fumée, n'est pas le seul que consterne le ridicule de sa vie. Tous les personnages traversent, à un moment, ce tunnel obscur du ridicule ; le monde entier est pris dans une blague. Kostka veut marier sa foi chrétienne avec le communisme, mais de là-haut ne lui parvient aucun signe d'acquiescement : « Fais-toi entendre, mon Dieu, plus fort, plus fort ! Dans ce tohu-bohu de voix brouillées, je ne t'entends pas du tout ! » Jaroslav, ami de jeunesse de Ludvik, collabore avec le régime pour revivifier le folklore ancestral, mais il est ridiculement trahi par son propre fils. Et si seule Lucie échappe à ce destin – Lucie, l'être à peine réel qui rôde dans les cimetières pour voler des fleurs à l'intention de son bien-aimé –, c'est parce qu'elle seule se situe ailleurs. Cet « ailleurs » veut dire : hors de l'Histoire. En effet, les personnages principaux sont tous obsédés du désir de monter sur la scène de l'Histoire. Se confondant avec cette nouvelle divinité, ils l'intériorisent ; et quand l'Histoire se délite, ils perdent avec elle leur raison d'être, plus, leur essence propre. Dans cette perspective, les régimes communistes mis en place à l'est de l'Europe n'ont fait que devancer la déification de l'Histoire (ou du progrès, ou de la modernité) que l'homme contemporain allait étendre à la planète, en se soumettant à ses impératifs. Peut-être est-ce à cause de ce naufrage de l'Histoire (naufrage qui se déroule à l'extérieur comme au-dedans d'eux-mêmes) que les personnages de *La Plaisanterie*, ayant une fois misé sur l'avenir mais vite brisés et ridiculisés, se tournent vers le passé à jamais enfoui (le roman s'achève le jour d'une fête folklorique, la « Chevauchée des rois », d'origine immémoriale) et implorent en vain son secours : Jaroslav se tourne vers l'art populaire ancien ; Ludvik vers Lucie, qui incarne l'idylle du passé anhistorique de l'humanité ; Kostka vers les temps anciens de l'Évangile. Scruter dans le passé des signes indéchiffrables et se pencher sur des sources taries, c'est l'âme même de ce merveilleux roman. – Trad. Gallimard, 1968.

L. Pr.

PLAISANTERIES ÉROTIQUES [*Erotopaegnia*]. Recueil de poèmes composés par le poète latin Lævius (peut-être Lævius Melissus, première moitié du Ier siècle av. J.-C.). Dans l'état actuel de nos connaissances, ce recueil, réduit à vingt-quatre fragments d'un ou de quelques vers, constituait le premier échantillon de poésie érotique rédigée en langue latine. L'auteur utilisait les mètres les plus variés : il semble qu'en cette matière Lævius ait été le précurseur de Catulle. Les *Plaisanteries érotiques* se composent de poésies d'inspiration mythologique : « Adonis », « Alceste », « Les Centaures », « Hélène », « Ino », « Le Phénix ». Certains titres résultent parfois de la juxtaposition, assez inattendue, de deux noms : « Protésilaodamie » (« Les Amours de Protésilias et de Laodamie »), « Sirenocirca » (Circé et les Sirènes).

PLAISIR DE ROMPRE (Le). Comédie en un acte et en prose de l'écrivain français Jules Renard (1864-1910), jouée à Paris en 1897. Avant de se marier, Maurice va rendre une dernière fois visite à Blanche, sa maîtresse. Après avoir évoqué leurs amours, ils en font le bilan avec calme. Ce bilan n'accuse rien de fâcheux : ils se sont bien aimés l'un l'autre ; bref, leur liaison fut parfaite d'un bout à l'autre. Maintenant qu'ils doivent se séparer, ils le feront : plaisir de rompre ! Dans cet acte des plus ramassé, Jules Renard nous donne le meilleur de lui-même : un sens aigu de l'observation allant jusqu'à la minutie, et cette ironie mêlée de tendresse qui eut toujours l'acidité du verjus.

PLAISIR DES SENS (Le). Roman de l'écrivain français Alain Gerber (né en 1943), publié en 1977. L'œuvre d'Alain Gerber donne le sentiment de se développer dans deux directions bien distinctes : d'abord le jazz, auquel il a consacré des livres et son activité de journaliste, et en second lieu les romans, qu'il publie depuis 1975, date de parution de *La Couleur orange*. En réalité, il s'agit d'une même démarche artistique puisque les romans d'Alain Gerber sont l'extension naturelle de sa passion pour la musique de jazz. Celle-ci influence profondément son art romanesque : un style d'une grande liberté de ton, des phrases parfaitement rythmées qui se développent comme les séquences mélodiques d'une partition musicale. Gerber ne recule pas devant une profusion de mots, mais ces mots il les organise, les sculpte dans la phrase : sa rhétorique personnelle pousse le plaisir du verbe jusqu'à ses limites (« ça devenait musique et rien d'autre », écrit-il). Dans *Le Plaisir des sens*, nous retrouvons cette sonorité originale. D'un point de départ minuscule, une réunion de famille à la campagne à l'occasion d'une première communion, Alain Gerber fait une montagne et évoque, en télescopant à l'envi images et sensations multiples, l'enfance (peut-être la sienne). La description du banquet a une connotation rabelaisienne. Alain Gerber cherche avant tout à restituer les émotions ; *Le Plaisir des sens* apparaît donc comme un patchwork de sensations, mais c'est aussi une quête de la propre mythologie de l'auteur, avec des scènes entre fantasme et réalité. La complexité baroque de la narration fait que les personnages subissent des métamorphoses et reviennent sous des identités différentes selon les époques : l'« enfant » du début du roman, qui traverse le « plaisir des sens », devient le « je » du narrateur qui surgit à la dernière page. *Le Plaisir des sens* est donc à la fois le roman d'une naissance, celle du petit personnage, et d'une renaissance, celle de l'auteur lui-même.

J.-É. M.

PLAISIR POÉTIQUE ET PLAISIR MUSCULAIRE. Essai publié en 1949 par l'écrivain et poète français André Spire (1868-1966). Ce livre ne se présente en aucune façon comme une sorte de compte rendu d'expérience. C'est une vue détaillée et circonstanciée, appuyée sur des résultats précis, soigneusement classés, synthétique et objective, sur les principes de la phonétique appliqués ou applicables à la formation du vers. Même ainsi, c'est une somme, un gros volume de près de six cents pages mettant en lumière quelques connaissances essentielles qui forment l'armature de la construction réalisée par un poète qui, pour mieux servir son art, s'est plié, par volonté plus que par vocation, aux sévères disciplines de l'érudition et de la science. À la vérité, l'objet des recherches de Spire n'est pas tant l'examen des règles de la prosodie considérées en elles-mêmes que l'étude de ce qu'on pourrait appeler leur philosophie, leur histoire, les causes de leur persistance et de leur déclin. Il substitue ainsi progressivement à la notion conventionnelle de règles la notion naturelle de lois. La question la plus importante dégagée par Spire de ses recherches est celle de rythme. « Quel est donc, se demande-t-il, ce rythme du français qui impose à tout poète le moule où il fondra ses rythmes personnels ? » Notre rythme est un rythme d'accent et l'accent créateur de rythme est au premier chef un accent de durée. Il n'est pas fixe et, au lieu de tomber « d'une manière rigide » sur telle syllabe, il se pose sur « la dernière syllabe non muette » de chaque groupe de mots exprimant une idée simple. L'accent est donc aussi un accent de sens, non exclusivement phonétique. À cette valeur logique s'ajoute une valeur affective : « La durée des syllabes est influencée par l'émotion exprimée par le texte. » Ainsi les lois naturelles, les lois physiques, qu'il s'agisse de phonétique ou d'acoustique, ont une souplesse qu'ont perdue les règles qui en dérivent. Les lois sont la vie mouvante, les règles, la vie sclérosée. Il faut les confronter sans cesse. L'euphonie, autre question essentielle approfondie par Spire au cours de sa collaboration avec les phonéticiens. Qu'est-ce qui détermine une concordance intime ou une mauvaise adaptation entre le sens et la forme ? Tout dépend du contact entre les phonèmes. Bien rythmée dans la langue française, « toute pensée vraiment poétique se met à chanter d'elle-même ». Les traités du XVIIIe siècle donnaient sous le nom d'harmonie des conseils empiriques ; aussi bien, à ce mot vague Spire préfère celui d'euphonie, « si proche d'ailleurs d'euphorie ». L'ouvrage eut un grand retentissement dans les milieux scientifiques et esthétiques.

PLAISIRS DE L'ÎLE ENCHANTÉE (Les). C'est le titre que choisirent les organisateurs des fêtes de Versailles, qui durèrent du 7 au 13 mai 1664, le duc de Saint-Aignan, premier gentilhomme de la Chambre, et le machiniste italien Vigarani. Ils avaient voulu évoquer un épisode du *Roland furieux* (*) de l'Arioste, celui de l'île enchantée, où la magicienne Alcine retint le chevalier Renaud jusqu'au jour où la sage Mélisse vint lui découvrir son erreur. Si ce titre est passé à la postérité, c'est que Molière (Jean-Baptiste Poquelin, 1622-1673), dramaturge et comédien français alors au sommet de la faveur royale (le roi avait accepté d'être le parrain de son premier fils, Louis, qui devait mourir peu après), fut le grand pourvoyeur de comédies pour ce spectacle royal. Le premier jour eurent lieu le défilé d'un magnifique cortège auquel prit part le roi, puis des courses. Le second, on représenta une « comédie galante » de Molière, écrite pour la circonstance et d'ailleurs inachevée, *La Princesse d'Élide* (*). Après des ballets et d'autres défilés, on donna également, le 11 mai, *Les Fâcheux* (*) et *Le Mariage forcé* (*) ; le 12 enfin, la première du *Tartuffe* (*) : la pièce alors ne comprenait que trois actes, mais nous ne savons exactement si elle était complète ou inachevée, la seule version qui nous soit parvenue étant la comédie en cinq actes qui ne put être présentée au public qu'en 1669, après une longue guerre contre ceux qui voulaient s'opposer à ces représentations. *Les Plaisirs de l'île enchantée* furent donc une manière de festival Molière et marquent le plus haut point de la faveur royale à son égard.

PLAISIRS ET LES JOURS (Les). Recueil de pièces diverses écrites par l'écrivain français Marcel Proust (1871-1922) et réunies pour la publication en 1896, avec une préface d'Anatole France et quatre pièces pour piano de Reynaldo Hahn. Ces nouvelles ou études, parues dans *Le Banquet* (revue de jeunes qui ne dura que l'espace d'une année) et *La Revue blanche* (*) en 1892 et 1893, sont de qualités très diverses. Proust, encore « parcouru de mille ruisselets venus de son ascendance et de sa prime jeunesse », selon le mot de Léon Daudet, cherche sa voie. Toutefois un thème général transparaît : à travers les plaisirs desséchants de la vie mondaine, l'auteur condamne la perte et l'affaiblissement des joies de l'enfance, des simplicités campagnardes et des beautés naturelles, le tarissement de la sensibilité, l'oblitération de la conscience, la perte de l'âme où mènent les plaisirs de salon. Tout cela est plus suggéré que dit, une impression de tristesse, de délectation morose, se dégage, et déjà comme le décèle Anatole France dans sa préface une « étrange et maladive beauté ». « La Mort de Baldassare Silvando, vicomte de Sylvanie » décrit le lent dépérissement d'un dilettante de haute noblesse, frappé de paralysie générale. « Violante ou la Mondanité », récit tout aussi bref, révèle comment « l'existence faite pour l'infini » d'une jeune fille du monde est « peu à peu restreinte au néant » par la vanité des plaisirs mondains. « Fragments de comédie italienne » est une suite de pensées et de portraits qui semble pasticher à la fois La Bruyère, La Rochefoucauld, Saint-Simon et Stendhal, avec quelque chose de précieux, de « proustien » avant la lettre. « Mondanité et Mélomanie », courte satire où revivent un Bouvard et un Pécuchet très « fin de siècle » ; « Un dîner en ville » où éclate la vanité des soupers de snobs. Si l'on met à part quelques poèmes, rédigés pour la mise en musique de Reynaldo Hahn, et « Les Regrets, rêveries couleur du temps », suite de trente brèves chroniques que leur titre général suffit à caractériser, les meilleurs morceaux de ce recueil sont « Mélancolique villégiature de Mme de Breyves », « Confession d'une jeune fille » et « La Fin de la jalousie », trois nouvelles parfaitement construites où Proust montre l'extraordinaire puissance de l'imagination amoureuse et ses méfaits. Mme de Breyves dépérit parce que mille contretemps s'opposent à ce qu'elle revoie un jeune homme qui lui a donné un furtif rendez-vous auquel elle n'a point voulu aller. Une jeune fille se suicide, parce que l'amour de sa mère et sa conscience religieuse n'ont pu faire taire les élans de sa sensualité. Honoré ne transcende que sur son lit de mort, où un brutal accident l'a prématurément conduit, la jalousie qui s'était insinuée dans son esprit au point de l'envahir tout entier. Ce recueil où se marque si fort l'unique souci de peindre les états d'âme d'un milieu social élégant et artificiel, étonna jusqu'à son préfacier : « Il y a en lui du Bernardin de Saint-Pierre dépravé et du Pétrone ingénu », dit-il. Le public, lui, trouva à Proust une parenté avec Anatole France. Quoi qu'il en soit, on ne peut dire que ce livre contienne les promesses qui se réaliseront dans *À l'ombre des jeunes filles en fleurs*. Chacune de ces peintures de genre manque, à vrai dire, d'ampleur et n'annonce que par une discrète et passagère fulguration *À la recherche du temps perdu* (*).

PLAISIR TERRESTRE EN DIEU (Le) [*Irdisches Vergnügen in Gott*]. Volumineux recueil de poèmes (neuf tomes, sept mille pages, cent quarante mille vers) du poète allemand Berthold Heinrich Brockes (1680-1747), publié entre 1721 et 1748. L'auteur, s'inspirant des poètes anglais Pope, Shaftesbury, Young, et en particulier, à partir du troisième volume, de Thompson, chante les saisons (volumes VII et VIII), les phénomènes atmosphériques : « La Pluie » [Der Regen], « Le Calme après la tempête » [Die auf ein starkes Ungewitter erfolgte Stille], et toutes les créatures terrestres, jusqu'aux plus petites : « La Grenouille » [Der Frosch], « La Fleurette » [Das Blümchen], « La Fourmi » [Die Amelse], etc. Il s'agit bien souvent de petits tableaux qui rappellent les peintures hollandaises et révèlent un esprit d'observation pénétrant, toujours étroitement associé au sentiment religieux. L'œuvre tout entière est empreinte d'une profonde admiration envers la nature, non pour elle-même, mais comme moyen d'accéder au Créateur : chaque chose a donc une signification sublime, du fait qu'elle est le reflet d'une intention divine, que les sages seuls peuvent avoir la joie de connaître. Un sentiment d'optimisme préside à cette œuvre monumentale et en justifie le titre : la nature est le guide qui nous conduit à la vérité. Dans sa contemplation, on atteint à l'extase mystique de ceux qui parviennent aux sphères divines. Tel est le thème majeur de ces poèmes où description et morale sont intimement mêlées. En ce qui concerne le style, Brockes fait montre d'une parfaite habileté technique dans l'usage de l'allitération et de l'onomatopée. Certes, les répétitions et la prolixité ne font pas défaut dans une œuvre de cette envergure et l'auteur n'a pas évité une certaine lourdeur : les premiers livres ont plus de spontanéité que les derniers, où la veine poétique s'épuise quelque peu. Brockes fut un des premiers poètes qui surent libérer la poésie allemande du style ampoulé et des extravagances ridicules du baroque finissant. Aux allégories artificielles, il substitua une observation directe de la nature, pleine de simplicité et de fraîcheur, apprenant à aimer Dieu au travers de ses plus infimes créatures. C'est à cela qu'il doit d'être encore cité.

PLAN DÉCHIQUETÉ (Le) [*Moetsukita chizu*]. Roman de l'écrivain japonais Kôbô Abe (1924-1993), publié en 1967. Comme *La Femme des sables* (*), le livre commence par la disparition d'un homme (Hiroshi Nemuro, trente-quatre ans, chef des ventes aux entreprises Dainen) que sa femme charge un détective privé de retrouver. Mais ici le point de vue est inverse : le narrateur est le détective. Le style beaucoup plus poétique et parfois même lyrique contraste avec la froideur des ouvrages précédents d'Abe. « Il était passé là pour la dernière fois un matin. Tôt. Les lampadaires étaient éteints et les insectes s'étaient noyés dans les profondeurs de l'herbe. C'était l'heure où les gouffres se dépouillaient de leurs ténèbres et redevenaient une ville à flanc de colline, si blanche, si proche du ciel. Peut-être était-ce un merveilleux matin bleu, avec une forte brise venue du sud-ouest. Le premier battement de cœur de la cité constitue un signal. » À partir d'indices infimes et contradictoires, vieux de six mois par surcroît, le détective tente de spéculer sur les raisons d'un possible enlèvement. Une boîte d'allumettes, quelques renseignements arrachés aux collègues de Nemuro, à sa femme, à son beau-frère lui permettent de reconstituer une personnalité de plus en plus fuyante. Des manies se révèlent, qui confirment les obsessions sexuelles du romancier : « Il était couvert de photos... Des nus [...] C'est lui qui faisait les photos. » L'attitude équivoque du beau-frère de Nemuro, l'intervention d'un chantage, la découverte d'un trafic de voitures d'occasion auquel se livrait le patron d'un bar fréquenté par le disparu ou dans lequel est peut-être impliqué Nemuro lui-même, tels sont les éléments qui surgissent au fil de l'enquête. Mais c'est surtout la personnalité du beau-frère qui va orienter l'enquête : il est assassiné et le détective imagine que la « disparition » de Nemuro n'est qu'une mise en scène pour dissimuler un « crime parfait » auquel l'existence d'un contrat d'assurance-vie prêterait un motif crapuleux. Obligé d'abandonner son enquête parce que sa cliente n'a plus de ressources et, surtout, ultérieurement, parce que l'un des amis de Nemuro se suicide, le détective sombre dans une espèce de folie où il semble devenir lui-même l'homme qu'il recherche. À l'exception de quelques plans intégrés au volume, le roman n'utilise plus les « accessoires » qui viennent souvent en aide à l'écrivain. La narration étonnamment linéaire, l'enquête rigoureuse, l'atmosphère policière soutenue rattachent ce roman à une tradition de la littérature à suspense et bien que l'on y retrouve des thèmes chers à Abe, on peut considérer cette œuvre, qui évoque la production de Patricia Highsmith ou de Boileau-Narcejac, comme un épisode à part dans sa carrière. – Trad. Stock, 1971.

R. de C. et R. N.

PLANÉTARIUM (Le). Roman de l'écrivain français d'origine russe Nathalie Sarraute (née en 1902), publié en 1959. « Voici les Guimiez. Un couple charmant. Gisèle est assise auprès d'Alain [...] Ses jolis yeux couleur de pervenche brillent. Alain a un bras passé autour de ses épaules. Ses traits fins expriment la droiture, la bonté. Tante Berthe est assise près d'eux [...] Sa petite main ridée repose sur le bras d'Alain d'un air de confiance tendre. Mais on éprouve en les voyant comme une gêne, un malaise. Qu'est-ce qu'ils ont ? On a envie de les examiner de plus près, d'étendre la main [...] Mais, attention, un cordon les entoure. Tant pis, il faut voir. Il faut essayer de toucher [...] Oui, c'est bien cela, il fallait s'en douter. Ce sont des effigies. Ce ne sont pas les vrais Guimiez. » Dans tous les romans de Nathalie Sarraute, on retrouve la même hantise : l'inefficacité d'une parole qui ne se dévoile que pour mieux se vider, s'aplanir et se rassurer dans des lieux communs qui servent de paravents à l'angoisse. Angoisse et hantise. Mais une angoisse et une hantise d'un genre bien particulier ; d'autant plus dramatiquement vécues que plus feutrées, plus fuyantes, plus absurdes. Dans *Le Planétarium,* par exemple, nous assistons à l'effondrement intérieur d'une vieille femme (tante Berthe), à qui le monde devient soudain insoutenable à cause d'une poignée de porte mal posée, ainsi qu'aux vains efforts du couple Gisèle-Alain pour s'exorciser. Le monde dans lequel nous introduit l'écrivain est un monde de grattements, de pustules, de tentacules, tout cela insignifiant, on dirait sans objet, fantasmatique. Le drame surgit lorsque nous comprenons que l'autre monde, celui des vies droites et des fauteuils de cuir, des pantoufles et de l'avenir, des réconciliations, n'est en réalité qu'un décor de carton-pâte.

PLANÈTE DE M. SAMMLER (La) [*Mr. Sammler's Planet*]. Roman de l'écrivain américain Saul Bellow (né en 1915), publié en 1970. Si *Herzog* (*) peut être considéré comme le bilan d'une vie, *La Planète de M. Sammler* se veut, par-delà une intrigue sobre en péripéties, le bilan d'une époque. Ce bilan est dressé par un comptable impassible, impartial, un homme qui, laissé pour mort par les Allemands au fond d'une fosse commune, a dû se frayer un passage à travers les cadavres pour rejoindre le monde des vivants. Recueilli par son neveu, il vit à New York avec sa fille Shula. C'est à partir de sa propre expérience, élargie par les souvenirs d'autres survivants, qu'il juge le nazisme qui pour lui représente le mal absolu. Sammler récuse la thèse de la banalité du mal développée par Hannah Arendt dans son ouvrage *Eichman à Jérusalem.*

C'est sur l'arrière-plan de ses souvenirs des camps de concentration nazis que viennent se placer les images d'une Amérique en proie à la violence sous toutes ses formes. Sammler voit dans la dégradation du paysage urbain et dans les actes criminels les signes d'une déchéance morale et spirituelle. Mais ce qui scandalise surtout Sammler c'est la frénésie sexuelle qui s'est emparée de l'Amérique et qui n'épargne pas ses parents les plus proches. Il est le confident forcé des exploits sexuels de la fille de son neveu, Angela Gruner, il est aussi la victime fascinée de l'exhibitionnisme d'un voleur noir qui, surpris par Sammler, le poursuit jusqu'à son immeuble et lui exhibe sa virilité triomphante. Il est aussi agressé verbalement par une jeune étudiante qui reprend à son compte les thèses de Wilhelm Reich exposées dans *La Révolution sexuelle.* Sammler n'aime pas les jeunes, il les accuse d'œuvrer à la décadence de la civilisation occidentale par la bestialité de leurs mœurs sexuelles et surtout par leurs idées révolutionnaires.

Mais le roman n'est pas qu'un long réquisitoire, c'est aussi une méditation sur la vie et la mort. L'expérience limite que Sammler a vécue – son ensevelissement – l'a en quelque sorte libéré des contingences d'ici-bas. Ayant failli être dépouillé de la vie, il fait du dépouillement et du renoncement une règle de conduite. Il aime à se comparer à un prêtre, à un prophète, à un ermite engagé dans une quête mystique. Et sa méditation sur la mort et sur le mal le conduit inéluctablement à une réflexion sur Dieu. Bien que nourrie de textes bibliques, mais aussi de la lecture de Suso, Tauler et maître Eckhardt, sa réflexion ne se développe pas dans l'abstrait d'une argumentation théologique, mais puise dans ses émotions et l'observation de la vie autour de lui l'essentiel de sa substance. Le roman s'achève sur une prière que Sammler adresse à Dieu, véritable « kaddish » à la mémoire de son neveu Elya Gruner, mais aussi profession de foi d'un homme qui affirme, par-delà la barbarie et les forces du mal qui se déchaînent sur notre planète, la primauté du contrat moral, de l'Alliance qui lie la créature à son Créateur. – Trad. Gallimard, 1972. C. L.

PLANÈTE DES SINGES (La). Roman de science-fiction de l'écrivain français Pierre Boulle (1912-1994) et publié en 1964. *La Planète des singes* est l'un des romans d'anticipation les plus connus de son auteur. Une adaptation cinématographique en fut tirée avec grand succès en 1967. En l'an 2500, une expédition dans l'espace est organisée par un savant, le professeur Antelle, dans le but d'atteindre une lointaine constellation où brille l'étoile de Bételgeuse. Un disciple du professeur, ainsi que le journaliste Ulysse Mérou font partie du voyage. La vitesse de leur vaisseau spatial comprime le temps : en deux ans de trajet pour eux, des centaines d'années se seront écoulées sur Terre. Parvenus à proximité de Bételgeuse, ils repèrent une planète qui ressemble à s'y méprendre à la Terre et qu'ils baptisent pour cette raison Soror (la planète sœur). Ils décident de l'explorer. Ils rencontrent tout d'abord des hommes à l'état sauvage, dépourvus de langage, qui vivent nus dans la forêt. Ils sont faits prisonniers. Mais cette tribu primitive est elle-même bientôt prise dans une gigantesque battue, menée par des êtres civilisés possédant des armes à feu et qui tuent les hommes comme du gibier. Ulysse constate avec effroi que les chasseurs sont en réalité des singes (des gorilles) vêtus comme les hommes de la Terre et se comportant exactement comme eux. Il découvre peu à peu que sur Soror, la civilisation appartient à la race simienne. Ayant perdu ses compagnons, Ulysse est transporté, avec d'autres rescapés, dans un Institut où les singes se livrent à des expériences biologiques sur les hommes. Outragé d'être pris pour un sauvage, Ulysse tente d'apporter la preuve qu'il est doué de raison. Une guenon chimpanzé, Zira, qui a découvert son intelligence, le prend sous sa protection et fait part de ce « prodige » à son fiancé, Cornélius, scientifique dont les recherches portent sur l'origine de la race simienne. Lors d'un immense congrès, qui rassemble des savants singes, Ulysse révèle publiquement qui il est et d'où il vient. Finalement libéré, il participe aux investigations de Cornélius, et se demande avec lui si une ère humaine n'aurait pas précédé l'avènement des singes. Cependant, les dirigeants de Soror commencent à lui montrer de l'hostilité, craignant de voir surgir une espèce nouvelle d'hommes. Avec la complicité de Cornélius et de Zira, Ulysse parvient à regagner son vaisseau spatial, qu'il avait laissé en orbite autour de Soror, et, accompagné de Nova, une femme de cette planète qui lui a donné un fils, il entreprend le voyage de retour. Quand il aborde la Terre, deux ans plus tard, il est accueilli par un gorille...

Chaque livre est pour Pierre Boulle l'occasion de poser des questions plus graves qu'il n'y paraît, comme ici par exemple sur l'origine et le destin des hommes. Même si son humour reste assez froid, son sens du romanesque est incontestable et donne à une œuvre comme *La Planète des singes* la dimension d'un véritable conte philosophique. J.-É. M.

PLANÈTES (Les). Suite pour orchestre op. 32 du compositeur anglais Gustav Holst (1874-1934) composée entre 1914 et 1917, créée partiellement (cinq mouvements) en 1918 et intégralement en 1920. Elle se compose de sept mouvements : *Mars, celui qui apporte la guerre ; Vénus, celle qui apporte la paix ; Mercure, le messager ailé ; Jupiter, celui qui apporte la gaîté ; Saturne, celui qui apporte la vieillesse ; Uranus le magicien ; Neptune le mystique.* Cette partition au lyrisme direct et à l'orchestration brillante traduit les préoccupations astrologiques de Holst. Elle est à présent l'un des éléments de base du répertoire des orchestres britanniques, au même titre que *Daphnis et Chloé* (*) de Ravel en France ou que les poèmes symphoniques de Richard Strauss en Allemagne. Elle a connu une seconde gloire lorsqu'elle a été intégrée, aux côtés d'autres partitions illustres, à la bande originale du film *2001 : Odyssée de l'espace.* A. Pâ.

PLANIFIER POUR DÉVELOPPER : de l'État-providence au monde providence. Œuvre de l'économiste suédois Gunnar Myrdal (1898-1987), publiée en 1963. Face aux problèmes du sous-développement, Myrdal combine l'analyse institutionnelle avec l'analyse théorique. Déjà au début de sa carrière il avait voulu montrer que l'équilibre ne s'établit pas nécessairement de façon spontanée. Mais, face au tiers-monde, il dénonce les thèses libérales. Nées en Occident au XVIIIe siècle, elles s'appuient sur des notions comme l'utilitarisme et le droit naturel, et elles trouvent leurs conditions d'efficacité dans la souplesse des institutions des pays entraînés par la révolution industrielle. Mais elles n'ont pas de valeur universelle. Elles présupposent des conditions institutionnelles qui ne sont pas réalisées dans les pays sous-développés. Là, la persistance du féodalisme, des rapports de force inégalitaires, du culte de la tradition, tout s'oppose à la mise en œuvre du développement. Myrdal analyse l'« effet de remous », qui fait que la richesse « appelle la richesse » et accroît l'inégalité. Il faut donc organiser l'effet inverse, l'« effet de propagation », qui par le volontarisme rompt le cercle vicieux spontané et propage la croissance. Pour cela, il ne faut pas hésiter à utiliser le nationalisme des pays dominés, et à aider leurs États interventionnistes qui s'efforcent de créer de nouvelles conditions à la fois institutionnelles et économiques. C'est le rôle en particulier des organisations internationales. Les pays développés ont un rôle à jouer dans le financement volontaire du nécessaire grand « bond en avant », indispensable à l'équilibre des relations mondiales. L. L. V.-L.

PLANISPHÈRE [*Planispherium*]. Traité de l'astronome grec Claude Ptolémée (IIe siècle ap. J.-C.). De cet ouvrage, antérieur à l'*Almageste* (*) dans lequel il est maintes fois cité, il existe une traduction en latin d'après un texte arabe, publiée à Bâle en 1536 ; elle a été suivie d'une autre édition (1558) faite par les soins de Comandino (*Comandini Urbinatis in Ptolomei Planispherium commentarius*). Le but de cette œuvre est la recherche d'une méthode permettant la projection de la voûte céleste sur un plan, problème qui sera repris plus tard par l'auteur dans l'*Analemne* pour la construction de cadrans solaires. Ptolémée résout ici le problème par la projection du pôle austral sur le plan de l'équateur, de telle façon qu'aux points de l'hémisphère boréal correspondent des points intérieurs à l'équateur, et à ceux de l'autre hémisphère des points extérieurs à l'équateur. Les méridiens deviennent des lignes formant un faisceau ayant le pôle pour centre, et les parallèles autant de cercles concentriques. L'importance de cette méthode, qui reçut seulement en 1613 le nom de projection stéréographique (par Aguillon), réside dans la relation existant, sur la sphère et sur le plan de projection, entre un cercle et un autre et dans la propriété de conserver des grandeurs identiques aux mesures des angles tracés sur la sphère correspondant aux angles reportés sur le plan.

PLANTAIN (Le) [*Podorožnik*]. Recueil de la poétesse russe Anna Akhmatova (1889-1966), publié à Petrograd en 1921. Akhmatova n'accepta jamais de s'exiler. Ce qu'elle chante dans *Le Plantain*, c'est l'attachement à la terre russe, la présence de ses paysages et de la communauté humaine qui les habite et leur donne sens, la beauté aussi de la langue partagée. L'un des poèmes les plus célèbres du recueil dit justement le refus de l'émigration : « La voix me vint, pleine de douceur / Elle m'appelait : Viens, viens, / Quitte ce pays perdu, ce pays pécheur, / A tout jamais quitte la Russie. / Je laverai le sang de tes mains, / Chasserai la noire honte de ton cœur, / Et demain, je donnerai un nom nouveau / À tes défaites, à ta douleur. / Mais indifférente, mais sereine / J'ai clos mes oreilles avec mes mains / Pour que pareils propos indignes et vains / Ne souillent mon esprit en peine. » La poésie d'Akhmatova est ici peut-être moins vigoureuse qu'infiniment habitée, comme entièrement donnée, inspirée. Les vers sont dépouillés, musicaux, et quelques images toujours très personnelles suffisent à donner au poème une charge émotionnelle bouleversante dans la simplicité de l'expression. — Trad. in *Poème sans héros et autres œuvres*, Maspero, 1982.

PLANTE ET FANTÔME [*Plant and Phantom*]. Recueil de poèmes de l'écrivain anglais Louis MacNeice (1907-1963), publié en 1941. MacNeice appartient avec Stephen Spender et W. H. Auden à la génération des poètes anglais qui tentèrent de combiner la révolution et la tradition durant les années trente. Il écrivit avec Auden des récits de voyages, comme *Lettres d'Islande* [*Letters from Iceland*], et collabora à *New Verse*. Politiquement moins radical que ses amis, il était partisan d'un libéralisme assez sceptique, de l'engagement de l'écrivain mais par-dessus tout de sa liberté d'exercer son sens critique indépendamment de ses convictions. *Poésie moderne* [*Modern Poetry*, 1939] reflète son attitude vis-à-vis de la politique et esquisse son développement poétique. Après des poèmes de jeunesse, *Feux d'artifice aveugles* [*Blind Fireworks*, 1929], son premier recueil important fut *Poèmes* [*Poems*, 1935], bientôt suivi de *La Terre oblige* [*The Earth compells*, 1938], *Journal d'automne* [*Autumn Journal*, 1939], *Plante et Fantôme*, *Tremplin* [*Springboard*, 1944] et *Trous dans le ciel* [*Holes in the Sky*, 1948]. On remarque peu d'évolution d'un recueil à l'autre. MacNeice ne fut pas un écrivain aussi changeant qu'Auden et sa technique même ne se modifie guère. Poète peu ambitieux, il a cependant les qualités d'un vrai poète : sens de la couleur, don de l'observation et de la satire, intérêt toujours vivant pour les mots, les rimes et les rythmes. Ses dons se révèlent dans des genres divers : poésie amoureuse, courts poèmes lyriques ou dramatiques, poèmes-portraits comme les « Novelettes » de *Plante et Fantôme*, poésie humoristique et satirique comme « Musique pour cornemuses » [Bagpipe Music], didactique et philosophique comme « Pluralité » [Plurality]. MacNeice partage avec Auden le goût du langage parlé, des allusions précises, des images urbaines et un certain ton d'exhortation, mais il est plus sensuel qu'Auden. Ses poèmes présentent parfois de véritables catalogues d'impressions et de sensations d'une extrême précision. C'est là l'attitude d'un épicurien érudit et spirituel en qui l'infamie politique et la folie du monde suscitent tour à tour le mépris, l'indignation et la tentation de chercher refuge dans le monde de la nature, de la beauté et des nourritures terrestres.

PLANTES (Des) [*De Plantis*]. Essai de classification du botaniste italien Andrea Cesalpin (1519-1603), publié en 1583. C'est le premier essai de cette nature fondé sur les caractères morphologiques des végétaux, tandis qu'auparavant on se contentait de les grouper en fonction de leurs propriétés et de leurs vertus. Cesalpin (et l'on voit dans ce livre qu'il a étudié Aristote à fond) se préoccupe d'en distinguer les éléments fondamentaux, afin de les grouper systématiquement selon ces signes. Ce sont : la durée de la vie, les particularités des radicelles, le nombre de graines, la forme et la nature des racines, la présence ou l'absence de fleurs et de fruits. Grâce à ces observations, Cesalpin détermine une série de familles correspondant à la variété des organes de reproduction. L'un des graves défauts de sa classification provient de ce qu'il a retenu comme principe capital la durée de la vie, laquelle n'a manifestement rien à voir avec la morphologie des organes. C'est pourquoi certains de ces groupes sont purement arbitraires et manquent d'unité. Mais son ouvrage — surtout pour ce qui touche à l'analyse morphologique des organes de reproduction — a servi de base aux autres botanistes pour l'établissement de la classification moderne et, en dépit du manque de clarté de sa terminologie, il n'a pas manqué d'être apprécié par ses contemporains et plus tard par Linné et Cuvier.

PLATÉE. Comédie-ballet en trois actes et un prologue de Jacques Autreau, musique du compositeur français Jean-Philippe Rameau (1683-1764). Cette œuvre, écrite en 1745, diffère nettement de *La Princesse de Navarre*, antérieure de quelques années. Dans cette dernière, un premier pas vers le comique était accompli, mais ce comique était encore associé à des éléments appartenant au genre tragique. *Platée* n'est pas seulement une comédie, mais aussi une farce : le comique s'étend à la facétie, à la caricature. La nymphe Platée, avec son cortège de grenouilles et ses mésaventures, la jalousie de Junon, la figure de Jupiter travesti en âne pour la circonstance offrent au compositeur la possibilité de s'essayer dans un type de musique tout nouveau pour lui. En illustrant un sujet aussi imprévu, Rameau révèle une souplesse insoupçonnée : le fait de travailler pour divertir un frivole auditoire de Cour lui a suggéré non seulement des expédients faciles et des solutions banales, mais l'a amené à réaliser une œuvre pleine d'esprit, de vivacité, de trouvailles instrumentales, qui ne serait peut-être jamais née si Rameau n'avait destiné qu'à la scène sévère de l'Opéra ses compositions théâtrales. *Platée* fut, d'ailleurs, exécutée plus tard (1749) à l'Opéra, mais à titre exceptionnel, en tant qu'œuvre donnée précédemment à la Cour. Comme le remarque Prunières, cette page singulière d'un « penseur mélancolique » et ayant dépassé la jeunesse est vraiment surprenante ; le musicien, sortant du cadre bouffon du livret, s'élève parfois à une véritable parodie « épique ». Les indications mêmes que l'auteur donne pour l'interprétation semblent anticiper d'un siècle et demi les notes explicatives d'un Érik Satie ; c'est ainsi que nous trouvons des expressions telles que : « en gracieusant », « en pédalant », « en faisant l'agréable », « à demi-jeu ». Les instruments de l'orchestre ont de curieuses fantaisies descriptives, la flûte imitant le coucou, les hautbois et les violons le coassement des grenouilles, tandis que les chœurs chantent dans les coulisses. Cette œuvre porte un reflet authentique de la souplesse du génie français et rappelle le mot de Voltaire, affirmant qu'il est naturel qu'un grand homme lui-même sache abandonner de temps à autre le sublime pour le ton badin et léger.

PLATONOV [*Piesa bez nazvania*]. Pièce qui occupe une place à part dans l'œuvre de l'écrivain russe d'Anton Tchekhov (1860-1904). Jamais représentée de son vivant, la pièce fut publiée pour la première fois en 1923 par Beltchikov. Le manuscrit, retrouvé en 1914 dans un coffre-fort d'une banque de Moscou, porte des corrections « effectuées en plusieurs étapes et à des époques différentes », indique l'édition académique des *Œuvres complètes de Tchekhov* (1978).

La page de titre faisant défaut, plusieurs solutions ont été adoptées par les éditeurs successifs : soit, à la suite de Beltchikov, *Pièce sans titre* [*Piesa bez nazvania*] ; soit du nom du personnage principal, *Platonov* (voire *Ce fou de Platonov,* titre sous lequel la pièce fut introduite en France dans une adaptation de Pol Quentin) ; soit *L'Absence des pères* [*Bezotsovscina*], ce dernier titre se justifiant par divers témoignages, dont une lettre d'Alexandre Tchekhov à son frère, lettre datée du 14 octobre 1878, et qui établirait donc que la pièce a été écrite par un lycéen de dix-huit ans.

Malgré un travail de correction considérable (« la moitié est barrée », indique une note au crayon écrite à l'intention de l'actrice Ermolova à qui la pièce était destinée), le manuscrit revu compte encore deux cent cinquante pages, pour une représentation d'environ six heures. La longueur, l'épaisseur mélodramatique, l'inachèvement, tout donne l'impression d'une gangue dans laquelle, pourtant, les qualités majeures de Tchekhov se trouvent déjà, et les situations, les personnages de ses grandes pièces, et jusqu'à certains noms.

Si la composition par démultiplication d'intrigues et de rôles est d'une grande complexité, le thème de *Platonov* est assez simple : reçu chez Anna Petrovna, la jeune veuve du général Voïnitsev, dans un domaine de la Russie du Sud qui risque d'être vendu, comme celui de

La Cerisaie, Platonov se livre à toutes sortes de provocations ; ruiné, devenu instituteur et marié plutôt par ennui, il incarne la révolte contre l'enlisement dans la province, le conformisme, l'échec, l'âge, la pesanteur des pères. Cette révolte attire à lui aussi bien l'étudiante Grekova qu'Anna Petrovna ou sa belle-fille, Sofia. Les incertitudes de Platonov, qui cède à toutes sans choisir personne, aboutissent à une dégradation des relations et une déchéance que double la ruine du domaine. Le coup de pistolet que Sofia tire sur Platonov à la fin du dernier acte est une manière d'en finir avec un drame dont la qualité majeure est peut-être, bien paradoxalement, d'être interminable, et par là accordé à l'interminable lourdeur de vivre dont il donne une vision cosmique, matérialisant ainsi sur la scène le désespoir de Platonov. C'est, non moins paradoxalement, cet aspect inachevé qui fait l'intérêt d'une pièce dont la grande richesse offre un matériau malléable au metteur en scène. Et l'on est tenté de penser que c'est le fait de ne pas avoir su comment en finir avec cette pièce injouable qui explique ce cas, étrange de la part d'un auteur si peu enclin à garder ses essais, d'un manuscrit conservé au secret une vie durant, et contenant la matrice de l'œuvre tout entière. — Trad. par Elsa Triolet, Gallimard, 1967 ; par André Markowicz et Françoise Morvan, Solin 1990. Adaptation sous le titre *Ce fou de Platonov,* L'Arche, 1958. F. Mo.

PLÉIADES (Les). Roman de l'écrivain français Joseph Arthur de Gobineau (1816-1882), publié en 1874. Quand Gobineau entreprend la composition de ce vaste roman, qu'il écrivit de 1871 à 1873, il pouvait considérer sa vie publique comme manquée. Sa carrière diplomatique a été une série de demi-échecs, il a commencé et presque aussitôt abandonné une carrière politique, son nom comme écrivain n'est attaché qu'à l'*Essai sur l'inégalité des races humaines* (*), publié près de vingt ans plus tôt et qui n'a pas encore eu le retentissement qu'il devait connaître par la suite. Quant à ses travaux historiques et linguistiques, l'*Histoire des Perses* et le *Traité des écritures cunéiformes*, ils n'ont été lus que par des spécialistes et sans bienveillance. Ses œuvres d'imagination, de *Scaramouche* à *Nicolas Belavoir*, sont passées inaperçues et il faut bien convenir que seule *Mademoiselle Irnois* (*) méritait de survivre dans toute cette production. C'est seulement à partir de 1871 que Gobineau va se détacher des imitations par trop serviles pour donner, coup sur coup, deux chefs-d'œuvre : un roman, *Les Pléiades*, et un recueil de nouvelles, les *Nouvelles asiatiques* (*). *Les Pléiades* furent commencées en pleine crise : Gobineau n'a alors ni situation ni argent, ses démarches pressantes n'aboutissent pas, il tente même de vendre, sans succès d'ailleurs, ses sculptures ; il travaille cependant à la fois à son roman et à ses nouvelles. Enfin, en 1872, il est nommé ministre de France à Stockholm, c'est là qu'il achèvera son manuscrit. Mais les difficultés recommencent quand il veut publier son livre, personne ne veut se charger d'éditer *Les Pléiades* à Paris. Finalement, un éditeur suédois, Joseph Muller, décide d'entreprendre la publication. Il doit bientôt renoncer à le faire imprimer à Stockholm et charge de l'impression la maison Plon-Nourrit à Paris. Gobineau ne surveilla pas lui-même l'impression de son manuscrit et ne se soucia pas de corriger les épreuves ; aussi l'édition originale qui vit le jour en 1874 est-elle très fautive. *Les Pléiades* ne furent pas un succès de librairie ; deux ans plus tard, on n'en avait écoulé que 465 exemplaires ; sept ans plus tard (1881), 507 seulement. Ce n'est qu'autour des années 1910 qu'on commence à vendre un peu ce livre, mais la première édition n'était pas encore épuisée en 1919. Après la Grande Guerre, *Les Pléiades* commencèrent leur carrière publique. Il y eut trois rééditions en 1921, 1924 et 1933. Toutefois, il fallut attendre l'édition de M. Jean Mistler (1946) pour posséder un texte conforme au manuscrit et une édition critique.

De multiples influences ont été relevées dans la conception des *Pléiades*, la plus incontestable est celle d'un roman de Jean-Paul Richter, *Le Titan* (*), à qui Gobineau a emprunté bien des détails, mais dont l'atmosphère est fort différente de celle de son livre. On peut aussi signaler l'influence considérable qu'exercèrent sur Gobineau les romans de Goethe, en particulier *Les Affinités électives* (*) et la seconde partie de *Wilhelm Meister* — v. *Les Années de pèlerinage de Wilhelm Meister* (*) — et les romans de Stendhal, surtout *La Chartreuse de Parme* (*). Mais le seul véritable emprunt de Gobineau, c'est le récit, qu'il place dans la bouche d'Harriet, de l'histoire de Don Pierre de Luna, simple adaptation d'un des récits des *Scènes de la vie castillane et andalouse* de lord Feeling (pseudonyme sous lequel se cachait l'obscur écrivain Antoine Fonteney), publiées en 1835. À cela près, l'œuvre de Gobineau est vraiment originale. En fait, le cadre du roman lui a été fourni par les souvenirs de sa vie de diplomate. La petite cour princière de Burbach est sortie de ses séjours à la cour de Brunswick et à la cour de Hanovre. Par contre, toute tentative de retrouver, sous les personnages du roman, des personnages réels semble vaine : Gobineau a recomposé et renouvelé la réalité. Certains de ses personnages sont des types en qui il entendait symboliser les forces et les ridicules de son temps, car il avait l'intention de faire un roman à thèse. Fort heureusement pour nous, le caractère politique et même pamphlétaire que Gobineau voulait donner à son livre s'est peu à peu estompé au fur et à mesure de la composition et il n'en est resté presque plus rien dans la seconde partie. Gobineau s'en rendait bien compte et il projetait un autre roman, *Les Voiles noirs*, dont il ne nous reste que quelques pages, dans lequel il se proposait de faire une critique beaucoup plus violente et moins romanesque de la société moderne. Cependant, il tenait à ce qu'on vît dans *Les Pléiades* autre chose qu'une œuvre d'imagination. Peu après la parution, il écrivait : « *Les Voiles noirs* diront plus que *Les Pléiades*, mais *Les Pléiades* ont dit tout ce qu'il fallait dire au moment où je les ai écrites, et soyez certaine que ce n'est pas un roman et qu'il faut les juger autrement qu'un roman. » Il n'empêche que pour nous, elles sont justement et presque exclusivement un roman ; c'est en tant que roman qu'elles ont connu le succès, qu'elles sont un des grands livres du XIXe siècle.

Le Livre Ier débute par le Journal de voyage de Louis de Laudon, jeune Français que sa condition sociale, sa peur d'être dupe condamnent à une existence oisive et vagabonde. Laudon rencontre en Suisse un sculpteur allemand, Conrad Lanze, qui se rend comme lui en Italie. Une solide amitié lie aussitôt les deux hommes qui décident de faire le voyage ensemble. Parvenus sur les rives du lac Majeur, ils y rencontrent un troisième voyageur, un Anglais, Wilfrid Nore ; au cours d'une discussion qui se prolonge fort avant dans la nuit, Nore révèle aux autres les raisons pour lesquelles une sympathie spontanée est née entre eux. Le roman cesse alors d'être écrit à la première personne. Nore expose à ses deux amis qu'ils appartiennent tous trois à la même catégorie d'hommes, les fils de rois : « Nous sommes trois calenders, fils de rois. » Les fils de rois, précise-t-il, ne sont pas nécessairement des princes, ce sont des êtres étrangers à la commune folie des hommes (cela signifie : « Je suis d'un tempérament hardi et généreux, étranger aux suggestions ordinaires des naturels communs. Mes goûts ne sont pas ceux de la mode ; je sens par moi-même et n'aime, ni ne hais d'après les indications du journal. L'indépendance de mon esprit, la liberté la plus absolue dans mes opinions sont des privilèges inébranlables de ma noble origine »). Le reste de l'humanité, c'est la masse stupide et servile parmi laquelle on peut distinguer les imbéciles, les drôles et les brutes. Ils n'ont pas d'âme et on ne peut comprendre leur utilité sur cette terre. Leur existence est aussi injustifiée que celle des sauterelles qui promènent la destruction de par le monde ou que celle des microbes. Puis les trois calenders, qui constituent une de ces Pléiades comme il s'en forme de temps en temps dans le monde et qui, à elles seules, suffisent à justifier l'existence de l'humanité tout entière, entreprennent de se raconter mutuellement leurs vies. Le centre de chacune de leurs existences est une femme : pour Wilfrid Nore, la très sage Harriet, fille d'un distributeur de bibles dans le Proche-Orient, laquelle lui voue un amour passionné et maternel qu'elle ne songe qu'à dissimuler à cause de la grande différence de leurs âges ; pour Conrad Lanze, qui ne sait démêler s'il l'aime ou non, une comtesse polonaise, un peu folle, séduisante et capricieuse, maîtresse en titre du prince régnant de Burbach. La confession de Laudon, en qui Gobineau a accumulé à plaisir tous les ridicules qui s'attachent au caractère français, en lui prêtant des propos du genre : « Dans tous les pays du monde, quand on n'est pas français, on est étranger », est un modèle de satire et de persiflage. Laudon a l'existence la plus vide, la plus dénuée, grâce à sa présomption, à sa peur du ridicule, à sa méfiance. Notons que les critiques de Gobineau, si pertinentes mais si violentes, se rapprochent singulièrement des critiques formulées contre le caractère français par Stendhal, en particulier dans *Le Rose et le Vert* et dans *Mina de Vanghel* — v. *Nouvelles inédites* (*) de Stendhal. Comme Stendhal, Gobineau oppose au tempérament français spirituel, sec, étroitement rationaliste, le caractère allemand chez qui les sentiments et les élans du cœur ne sont pas de vains mots, ni l'objet de ridicules. Laudon aime, mais à sa manière ; il aime une femme mariée, Mme de Genevilliers, pour qui il a la plus vive, mais la plus discrète affection.

Avec le Livre II, nous sommes transportés à la cour de Burbach, où le prince Jean-Théodore rompt avec la comtesse Tonska, à la suite de son idylle avec Conrad Lanze. La peinture de la vie d'une petite cour allemande est parfaitement réussie et fort attachante. Gobineau sait minutieusement, et non sans malice, souligner les anachronismes de cette Allemagne morcelée en minuscules principautés. Le portrait du prince régnant, Jean-Théodore, est particulièrement attachant, et il semble bien que Gobineau l'ait fait à sa ressemblance, comme la figure d'un singulier personnage du roman, Casimir Bullet. Gobineau retrouve ensuite ses trois voyageurs. Nore, qui avait négligé depuis plusieurs années la pauvre Harriet, laquelle se morfondait à Bagdad, vient la rejoindre à Florence, où elle se trouve avec son père qui a obtenu un congé en Europe. Cette fois, il sait qu'il n'aime et n'a jamais aimé qu'elle, et il vient lui demander sa main. Harriet ne peut croire à un tel bonheur auquel elle a, depuis longtemps, renoncé et n'accepte le mariage qu'après toutes sortes de résistances. Ce sont ensuite les amis de Laudon, M. et Mme de Genevilliers, que nous trouvons en Suisse, où les hasards de l'hôtel leur font rencontrer la comtesse Tonska. Celle-ci, résolue à retourner auprès de ce mari qu'elle avait quitté parce qu'il la maltraitait, vient de recevoir une lettre lui annonçant sa mort. Elle s'effondre, et les Genevilliers sont les témoins de cette fausse agonie, agrémentée de toutes sortes de confessions, de décisions prises et abandonnées, celle de mourir d'abord, puis d'entrer au couvent. Un beau matin, la comtesse a disparu, elle est allée rejoindre un ami qui mène à Wilna sous un nom d'emprunt, celui de Casimir Bullet, une existence ascétique, réduite au strict nécessaire. Les trois amis se retrouvent ensuite

(Livre III) à la cour de Burbach, où le prince, après les avoir traités froidement, se prend pour eux d'amitié. Les trois calenders deviennent ses confidents de tous les instants, à la grande jalousie des courtisans. Ceci nous vaut de belles conversations de philosophie politique, qui complètent les vues exposées au Livre I par Gobineau. Jean-Théodore, sur ces entrefaites, s'éprend de sa cousine, Aurore ; il lui semble qu'il aime pour la première fois et son amour est le plus chaste et le plus désintéressé qui soit. Dans une lettre à propos de son livre, Gobineau s'exprime sur cet amour en ces termes : « Théodore désire Aurore avec son âme qui avait dormi jusqu'alors », et le prodige de cet amour « est de faire jaillir la source là où elle était fermée et n'avait pas coulé encore ». Cette histoire idyllique est, sans conteste, un écho de la passion que Gobineau, déjà âgé, éprouvait au moment où il écrivait son roman pour la comtesse de La Tour, qu'il avait rencontrée à Stockholm et qui avait bouleversé sa vie. Il est hors de doute que c'est cette belle histoire d'amour, que Gobineau ne put s'empêcher, la vivant au moment même qu'il écrivait, de faire passer dans *Les Pléiades*, qui contribua à les détourner de leur sens premier. C'est pourquoi le livre, commencé comme un roman social, s'achève comme une idylle héroïque et sentimentale et ne diffère plus tellement d'un conte de fées, à la manière des romantiques allemands. Jean-Théodore, qui ne peut épouser Aurore, l'éloigne ; lui même abdique et se retire dans la solitude à Palerme, il s'abandonne à sa vaine passion et va se laisser mourir. Lorsqu'il parvient à se ressaisir, il reçoit un télégramme de la cour de Burbach, sa femme qu'il n'a jamais aimée vient de mourir. Il est libre et court rejoindre Aurore. Le roman se termine sur l'évocation d'une scène d'intimité familiale, qui a lieu quatre ans plus tard : Théodore et Aurore sont au bord de la mer et ils contemplent avec attendrissement leur enfant qui joue devant eux.

Ainsi qu'on le voit, du fait des changements survenus dans la conception du livre en cours de route, *Les Pléiades* sont un livre fort hétérogène. Ce sont surtout les personnages qui aiment et le récit de leurs aventures qui demeurent vivants à nos yeux et qui font des *Pléiades* une des plus belles et des plus singulières histoires d'amour du XIXe siècle.

PLEIN AMOUR. Recueil du poète français Lucien Becker (1912-1984), publié en 1954. Le poète y fait l'éloge de la femme avec une ferveur, une sensibilité inhabituelles dans son œuvre. Partagé entre le désir et l'amour, il parvient à se réconcilier avec le monde. En effet celui-ci s'inscrit en toutes lettres sur le corps de la femme. On remarque une sorte d'osmose entre les éléments, la nature et la femme, une métamorphose qui se réalise à chaque fois que les corps des amants se rejoignent. Écrits dans une langue sobre, ces poèmes privilégient les métaphores, les comparaisons les plus inattendues, lesquelles donnent le plus grand relief à cette poésie de la lumière. Ainsi célébrée la femme est cet « objet » qui offre à l'homme le pouvoir de se réaliser au cœur d'une saison le plus souvent éclatante. Toute la délicatesse de Lucien Becker se manifeste dans ces poèmes où le concret s'impose comme un des facteurs les plus déterminants. En effet la pensée du poète se porte sur le réel et son souhait est de s'emparer du monde par l'intermédiaire de la femme aimée. Ce qui surprend c'est la transposition de l'univers des sens, son élargissement qui se produit par le biais des objets jalonnant l'itinéraire amoureux du poète. On remarque alors ce glissement de l'unité du corps vers la totalité du monde : « Il me suffit de quelques gestes pour retrouver enfouie sous ta peau la plante nue que tu es. » Cette célébration de l'amour accompagnée de nombreuses descriptions de clairs paysages n'empêche pas la solitude de s'affirmer : la chambre, lieu unique, est aussi l'endroit où la présence de la femme s'efface : l'image de la mort s'inscrit alors, qui clôt ce livre, le plus singulier de Lucien Becker le solitaire.

M. A.

PLEINE MER [*Pleamar*]. Œuvre du poète espagnol Rafael Alberti (né en 1902), publiée en 1944. Alberti se trouvait en exil en Argentine lorsqu'il composa *Entre l'œillet et l'épée* [*Entre el clavel y la espada*] précédé d'une période de stérilité poétique dont seules émergent les quelques pages de la « Vie bilingue d'un réfugié espagnol en France » rédigées à Paris. Le titre souligne très exactement son orientation générale. Il s'agit d'une sorte de convalescence de l'âme au contact d'un monde qui connaît la paix et offre aux yeux du poète meurtri les images bucoliques d'un paysage réconfortant, bien propres à séduire ce « Marin à terre » ; cependant l'obsession du passé ne cesse d'infléchir ce mouvement nouveau du cœur, avec violence et cruauté. Le ton des poèmes passe ainsi d'une gracieuse légèreté — celle de l'œillet — : « Je m'appelle herbe. Si je pousse, / Je peux m'appeler chevelure / Je m'appelle herbe. Si je saute, je peux être bruissement d'arbre » à un tragique lourd de sens (l'épée) : « On ne pouvait dormir : on entendait s'ouvrir des trous et des trous dans la terre. » De la même époque date *Pleine mer* qui ne sera achevé qu'en 1944, évocation nostalgique, pathétique de l'Espagne, symbolisée par la mer qui illumina l'enfance du poète, et dont les accents sont parfois empreints d'une joie véritable, lorsqu'il chante la petite fille, Aïtana, que sa femme vient de lui donner, cet « enfant joyeux des fleuves américains ». Une grande tendresse baigne ces compositions, et le poète sait rendre sa peine sensible à tous les autres hommes, et faire comprendre l'affreuse tristesse de l'arrachement à la patrie : « Tu ne m'avais pas dit, mer, mer de Cadix / mer du collège, mer des toits, / que sur d'autres plages tiennes, si lointaines, / je pleurerais, mer interdite, je te pleurerais, mer du collège, mer des toits. »

PLEURE-MISÈRE (Le) [*An Béal Bocht*]. Troisième roman de l'écrivain irlandais Flann O'Brien (1911-1966), écrit en gaélique et publié en 1941. Le titre complet en est *Le Pleure-Misère, ou la Triste Histoire d'une vie de chien.* L'ouvrage fut traduit en anglais en 1973 sous le titre *The Poor Mouth.* Contrairement au premier roman de Flann O'Brien, *La Kermesse irlandaise* (*), *Le Pleure-Misère* connut un certain succès dès sa parution. C'est une attaque virulente, dans les formes propres à l'auteur, contre les partisans du renouveau gaélique qui cherchaient à ranimer l'Irlande du passé et la langue gaélique moribonde, au mépris des êtres de chair et de sang rencontrés sur leur route. Cette autobiographie parodique, qui tourne en dérision les autobiographies paysannes en vogue chez les intellectuels dublinois (comme la célèbre autobiographie de Peig Sayers, et surtout *Vingt ans de jeunesse* [*Twenty Years A-Growing*], de Maurice O'Sullivan), tire sa force du fait que l'auteur, élevé dans la langue irlandaise et excellent linguiste de surcroît, possède, bien mieux que tous les collecteurs de folklore et que tous les nostalgiques d'une Irlande rétrograde et misérable, le génie de cette langue tant courtisée. À l'absurdité de cette quête passéiste répond le grotesque des scènes évoquées par l'auteur. Le récit se déroule, selon les lois du genre, en plusieurs chapitres précédés d'un court résumé. Le héros, Bonaparte O'Coonassa, habite au lieu dit Corkadoragha, dans le village de Lisnabrawshkeen, quelque part à l'ouest de l'Irlande. Dans la petite maison vivent également sa mère et le Vieil Homme Gris, personnage central du récit. Les péripéties se succèdent, de chapitre en chapitre, plus grotesques et démesurées à chaque fois, métaphores de la bêtise et de la prétention humaines. Ainsi, le cochon qui vit dans la maison dégage une puanteur insupportable. Il a tant grossi qu'on ne peut plus l'en extraire. On finira par l'étouffer dans ses propres miasmes, en bouchant toutes les issues. Et c'est aussi le cochon qui, caché dans l'obscurité, produit les sons irremplaçables qu'un linguiste de Dublin va fièrement faire entendre à des spécialistes berlinois. La caricature s'accompagne d'une parodie des grandes épopées celtiques. Ainsi le héros entreprend un voyage initiatique au Pic de la faim, pour y trouver un trésor. De la source jaillit un liquide brun : le whisky. Un monstrueux chat de mer, dont le profil évoque étrangement la carte de l'Irlande, rôde dans les parages. Le dénouement suggère le retour infernal des choses : Bonaparte, accusé de vol, est condamné à vingt-neuf ans de prison. Tandis qu'on le conduit vers son destin tragique, il rencontre son père, qui vient d'en être libéré après... vingt-neuf ans. Dans ce roman Flann O'Brien applique le puissant remède de son humour décapant à la pédante stupidité humaine. – Trad. Le Tout sur le Tout, 1984.

E. G.

PLEURS (Les). Recueil de vers de la poétesse française Marceline Desbordes-Valmore (1786-1859), publié en 1833. Comprenant cinquante-sept poèmes au rythme souvent subtil, il révèle une nature noble et sensible. On y voit se manifester un étrange don des larmes, sorte d'« incommodité », avouait drôlement Marceline, qui provenait « de son organisation de saule pleureur ». Selon Verlaine, la poétesse avait trouvé avant Lamartine l'accent d'un Parny chaste et paisible. Dans *Les Pleurs*, elle s'inspire beaucoup du thème de l'absence et de la séparation. Avec une grâce prenante, laquelle n'est pas toujours exempte de mièvrerie, l'émotion, jamais forcée, prend surtout sa source dans la monotonie des jours. Marceline évoque son enfance, célèbre Louise Labé, s'attendrit devant sa fille, paraphrase les *Mélodies* de Moore, etc. Elle approche, enfin, de bien près la perfection dans ces élégies où se lamente un cœur déchiré : « Malheur à moi » (« Malheur à moi ! je ne sais plus lui plaire ; / Je ne suis plus le charme de ses yeux... »). Citons encore « L'Adieu tout bas », et les beaux alexandrins de « Je ne crois plus » (« Allez, pensers d'amour, vers de nouvelles âmes... »). L'édition de 1833, publiée à Bruxelles avec une préface d'Alexandre Dumas, contient sept autres poèmes dédiés aux petits enfants.

PLI SELON PLI. Cantate du compositeur français Pierre Boulez (né en 1925) sur des poèmes de Stéphane Mallarmé, pour soprano et orchestre (1957-62 ; révisions : 1983, 1990). Ce vaste cycle, contribution majeure de Pierre Boulez aux œuvres à parcours variable (avec sa *Troisième sonate pour piano* [1956-1957-...] et le *Deuxième livre de structures* pour deux pianos [1956-1961]), est conçu d'après cinq poèmes de Mallarmé : *Don* (citant le vers liminaire de « Don du poème »), *Improvisation I* « Le Vierge, le Vivace et le Bel Aujourd'hui », *Improvisation II* « Une dentelle s'abolit », *Improvisation III* « À la nue accablante tu », *Tombeau* (s'achevant sur le vers final du « Tombeau de Verlaine »). Au travers d'une réflexion sur la notion d'improvisation (ce terme devant être pris dans son acception rigoureuse, au sens où l'on entend différents degrés d'achèvement d'une réalisation première, telles les fugues improvisées à l'orgue dans le répertoire du XVIIIe siècle), Boulez nous invite à une méditation sur l'acte même de composer. Ainsi, les pièces sont articulées autour du poème central figurant, au moyen du symbolisme de la vitre et de la dentelle, l'image de l'écriture et de la page.

L'effectif va de l'ensemble instrumental complet (volets extrêmes) jusqu'à l'ensemble de chambre (noyau central), en passant par des formations moyennes (pièces 2 et 4). L'écriture vocale, notamment pour « Une dentelle... », joue sur l'opposition et l'alternance des styles mélismatique et syllabique. Structurellement, *Pli selon pli* est l'une des pièces les plus complexes de Boulez, en ce qu'elle entremêle des composantes tirées d'un corpus d'œuvres fort varié : on y trouve, entre autres, des techniques empruntées au *Marteau sans maître* (*) (1955), à la *Troisième sonate pour piano* (1956-57), ainsi que des citations des *Douze notations* pour piano (1945, alors retirées du catalogue). L'instrumentation, une des premières approches de Boulez du grand orchestre avec *Poésie pour pouvoir* (1958) et *Figures-Doubles-Prismes* (1958-1963-1968...), est extrêmement variée, allant de la musique de chambre (*Improvisation II*) au maniement de l'effectif complet (*Tombeau*), avec d'étonnants raffinements acoustiques (*Improvisation III*) fondés sur la transposition instrumentale des sonorités du poème. Le texte musical, qui laisse à des degrés divers une part d'initiative au chef d'orchestre (ordre de succession des entrées instrumentales, voire d'ordonnancement de séquences entières, avec possibilités de sélections optionnelles), a fait l'objet de plusieurs remaniements, Boulez ayant choisi de fixer certaines alternatives combinatoires, suite à l'expérience des contraintes imposées par les orchestres symphoniques quant au temps accordé pour la mise en place en cours de répétitions.

R. Pi.

PLONGÉES. Nouvelles de l'écrivain français François Mauriac (1885-1970), publiées en 1938. La fatalité qui pèse sur le destin de son héroïne, Thérèse Desqueyroux, Mauriac ne l'a jamais rendue plus douloureusement sensible que dans deux nouvelles « Thérèse chez le docteur » et « Thérèse à l'hôtel » du recueil *Plongées.* Les lecteurs savent qu'aux dernières lignes de *La Fin de la nuit* (*), elle va mourir et comparaître devant Dieu. L'auteur fait deux « plongées » dans le destin de Thérèse. Elle va chez Élisée Schwartz, psychiatre et charlatan, lui étale ses misères. Nous savons ainsi que Thérèse a traîné dans les boîtes de nuit, cherché l'insomnie, le spectacle du vice et les stupéfiants, elle est tentée, à nouveau, de tuer, non par amour, mais parce que le désir de recommencer est enfermé dans la première faute. Le psychiatre ne sera d'aucun secours pour elle. Nous retrouvons l'empoisonneuse plus lasse dans un hôtel du cap Ferrat ; elle s'y heurte à une pureté plus forte que toute impureté. Elle entreprend de séduire, non pas à cause d'un désir charnel, mais parce qu'elle a toujours soif d'aimer, un enfant de vingt ans, que la foi éclaire. Mais le jeune apôtre reste invincible. Son innocence est plus perspicace que l'expérience de Thérèse. Il voit en elle. Il y voit même des promesses de résurrection. « Votre âme est très malade, affreusement malade, mais encore vivante. » L'art de l'écrivain paraît ici dépassé par une sorte de vision d'une lucidité toute théologienne, qui atteint l'essentiel. De Thérèse, ainsi fouillée jusqu'au plus ténébreux d'elle-même, il ne reste plus qu'une victime de la prédestination. Les autres « plongées » — « Insomnie », « Le Rang », « Conte de Noël » — ne descendent pas jusqu'au crime. « Insomnie », où un homme se tourmente, est en quelque sorte un poème sur la jalousie. « Le Rang » est l'évocation d'une vie manquée. « Conte de Noël » plonge dans les souvenirs de l'auteur.

PLONGEUR (Le) [*Der Taucher*]. Ballade du poète et dramaturge allemand Johann Christoph Friedrich von Schiller (1759-1805), composée en 1797. Le thème, suggéré semble-t-il à l'auteur par Goethe, est inspiré de la légende contée par le jésuite Athanasius Kircher, *Le Monde souterrain* [*Mundus subterraneus,* 1678] : Niccolo Pesce, qui a plongé dans le gouffre de Charybde pour y repêcher une coupe que le roi y avait jetée, en lui promettant de la lui laisser en récompense pour l'encourager à explorer les abîmes, a réussi dans sa tentative ; incité par le roi à tenter une nouvelle fois l'aventure et contre promesse d'une plus forte récompense, il trouve la mort au fond du gouffre. Schiller, approfondissant et élevant l'anecdote, en fit l'expression symbolique d'un thème moral. Un roi, voulant éprouver le courage de ses chevaliers et de ses écuyers, lance une coupe d'or dans les tourbillons de Charybde, déclarant qu'elle appartiendra à celui qui saura la lui rapporter. Un silence glacial accueille sa proposition. Mais voici que s'avance du groupe figé des courtisans un jeune page, qui enlève calmement sa cape et s'approche du bord du gouffre. Un hurlement accompagne la chute du page qui a déjà disparu dans les tourbillons. Mais le héros sort vainqueur de l'épreuve, brandissant à bout de bras la coupe d'or arrachée aux flots déchaînés. À genoux, il la tend au roi, à qui il relate la lutte terrible qu'il a soutenue contre les éléments, tandis que la fille du roi verse dans la coupe un vin généreux. Mais le roi n'est pas satisfait et défie le page de renouveler sa tentative. Et comme sa fille le supplie de ne pas provoquer les dieux, il promet au page, outre une bague sertie de diamants, la main de sa fille. La jeune fille s'évanouit, avouant son amour. Alors le page, mû par l'amour, l'espérance et l'audace, plonge une fois de plus dans le gouffre et disparaît à jamais. La signification de cette ballade est claire : l'homme ne doit pas provoquer les dieux ; si ceux-ci aident les audacieux, ils punissent les téméraires. Mais alors que la provocation du roi ressortit à une témérité follement sacrilège, celle du page est ennoblie par sa jeunesse et son amour. La ballade, qui comprend vingt-sept strophes en vers ïambiques et en anapestes, est animée d'un rythme particulièrement vivant. La peinture des sentiments, des flots déchaînés, des horreurs et des monstres sous-marins y est intensément évocatrice. — Trad. in *Ballades*, Aubier-Montaigne, 1965.

PLOUTOS [Πλοῦτος]. Comédie du poète comique grec Aristophane (environ 447-380 av. J.-C.), représentée à Athènes en 388 av. J.-C. Elle est la dernière dans l'ordre chronologique des onze comédies conservées d'Aristophane, comme elle est aussi la dernière à avoir été personnellement mise en scène par l'auteur. De l'Antiquité à la Renaissance, cette pièce a joui d'une faveur extraordinaire et a été la plus imitée des œuvres du poète, elle a été notamment traduite par Ronsard en 1545. Le *Ploutos* développe le thème de la juste distribution de la richesse. Cette question sociale y est abordée dans une perspective principalement morale. Par rapport à *L'Assemblée des femmes* (*) de 392, où l'on peut déjà noter des signes évidents de lassitude à l'égard des polémiques politiques et des prises de position face à l'actualité, et, parallèlement, un rétrécissement de l'importance du chœur, le *Ploutos* représente une étape plus avancée encore du processus de transformation radicale que subit le spectacle comique à cette époque, et qui touche tout aussi bien son contenu que sa forme. L'engagement du poète face à la Cité est désormais réduit à peu de chose. La question de la justice sociale et de la répartition équitable des richesses est en effet considérée uniquement du point de vue des individus et de leur bien-être privé : il n'est plus question ni de peuple ni de démocratie. Le désenchantement d'Aristophane, déjà manifeste dans *L'Assemblée des femmes*, se révèle une fois de plus dans les distances que le poète prend face à l'utopie proposée dans sa pièce et dans l'ironie avec laquelle il en décrit la réalisation. Quant au chœur, dans la pièce de 392, à laquelle manque déjà, comme au *Ploutos*, la parabase, il est encore chargé de deux parties lyriques ; en revanche, dans le *Ploutos*, il ne chante plus (du moins dans le cadre de l'action) : le seul coryphée récite (ou chante) les vers qui lui sont attribués. De temps à autre, là où les événements justifient une réaction du chœur, les manuscrits intercalent l'indication : « choroû », ce qui semble faire allusion à des interventions chorales dansées sur un accompagnement musical, probablement sans paroles. Il se peut que cet emploi radicalement nouveau du chœur soit déterminé par une transformation des conventions réglant le financement des spectacles comiques, mais nous n'avons pas là-dessus d'informations précises. Quoi qu'il en soit, si le *Ploutos* est caractérisé par l'abandon de bon nombre d'éléments (formels et de contenu) de la comédie ancienne, il présente aussi certains traits qui préfigurent la comédie moyenne et nouvelle : l'intérêt pour la sphère privée, une intrigue dotée d'unité et de cohérence, et un personnage d'esclave intelligent et rusé tenant un rôle de premier plan. Dans le prologue, un honnête homme de modeste condition, le paysan Chrémyle, revient avec son esclave Carion de l'oracle de Delphes, qu'il a consulté pour savoir s'il doit faire de son fils unique un coquin. Il a reçu pour toute réponse la recommandation de conduire chez lui le premier homme qu'il rencontrerait en sortant du sanctuaire. L'inconnu envoyé par le destin, un mendiant aveugle et âgé, se révèle être Ploutos, le dieu de la richesse, que Zeus, jaloux des hommes, a privé de la vue. Sa cécité le condamne à errer et à dispenser au hasard ses faveurs, le plus souvent à ceux qui le méritent le moins. Chrémyle persuade Ploutos qu'il doit surmonter sa peur de Zeus et se laisser guérir de son infirmité, en lui démontrant que, s'il recouvre la vue, il peut être bien plus puissant que le dieu olympien, puisque tout le monde vénère l'argent au plus haut point. Une fois Ploutos persuadé, l'esclave Carion appelle les compagnons de dème de son maître, des paysans pauvres et âgés qui forment le chœur (c'est la « parodos »). Il faut d'abord vaincre leur méfiance, mais ils se mettent à danser de joie dès qu'ils se rendent compte que la prospérité les attend. Chrémyle doit surmonter plus particulièrement la résistance de son ami Blepsidème, qui le soupçonne d'être en train de s'enrichir par des moyens illicites. Les deux vieillards sont déjà sur le point de conduire Ploutos au sanctuaire d'Asclépios, le dieu de la médecine et des guérisons miraculeuses, lorsque la Pauvreté, sous les apparences d'une femme pâle à l'air tragique, les arrête et essaie de les dissuader de leur entreprise. Au cours d'une scène qui conserve partiellement la structure d'un « agôn », Chrémyle défend l'idée que les bons doivent être riches et les méchants pauvres, et la Pauvreté lui oppose ses arguments : lorsque tous seront riches, personne ne sera plus forcé de travailler et, par conséquent, personne ne se consacrera plus aux arts, aux sciences, aux métiers artisanaux, à l'agriculture et au commerce, bref, aux activités permettant aux hommes de subsister et de rendre leur existence agréable. Incapable de la contredire, Chrémyle envoie simplement la Pauvreté « aux corbeaux ». Dans la scène suivante, Carion raconte à la femme de Chrémyle ce qui s'est passé au sanctuaire d'Asclépios, où, conformément à la coutume, Ploutos a passé la nuit pour obtenir du dieu médecin la guérison souhaitée. Ce récit, morceau de bravoure très amusant, nous éclaire sur les croyances et pratiques rituelles liées au culte d'Asclépios, et nous fait découvrir quelques aspects humains de la réalité quotidienne du sanctuaire. Guéri, Ploutos arrive en adorant le Soleil qu'il n'avait plus vu depuis longtemps, salue Athènes et entre dans la maison de Chrémyle, désormais décidé à ne favoriser que ceux qui le méritent vraiment. Une série de personnages vient illustrer la nouvelle époque qui débute. Un homme juste apporte son misérable manteau d'autrefois pour le consacrer au dieu qui l'a enrichi. Un sycophante se plaint d'être ruiné ; il se trouve en retour bafoué et malmené. Une vieille femme qui entretenait un jeune homme pauvre, et qui vient d'être abandonnée, rencontre auprès du dieu son ancien amant, tout heureux de la liberté retrouvée. Comme personne n'offre plus de sacrifice aux dieux, Hermès, tourmenté par la faim, passe au camp ennemi : il vient proposer ses services à Ploutos. Un prêtre de Zeus Sauveur prend le même parti. Enfin, dans l'« exodos », un joyeux cortège part vers l'Acropole pour installer Ploutos dans le Parthénon, à la place qu'il occupait jadis, comme gardien perpétuel du Trésor de la Déesse. Le chœur, qui est resté présent tout au long de l'action, quitte les lieux en se joignant à la procession. — Trad. Les Belles Lettres, 1930 ; Gallimard, 1987.

A. L.

PLUIE ET LE BEAU TEMPS (La). Recueil du poète français Jacques Prévert (1900-1977), publié en 1955. On n'y trouvera ni maximes charmantes ou féroces, ni ces citations de militaires, ecclésiastiques et personnes de plume dans lesquelles l'auteur, dans d'autres livres, se délecte. Ce sont surtout, comme d'abord et par définition on l'attend de lui, des poésies qu'il donne à lire, ou, pour s'exprimer mieux, à entendre ; mais il s'y trouve aussi du théâtre. De sorte que les titres mêmes de ses deux premiers recueils — *Paroles* (*), *Spectacle* (*) — résument la substance sensible de ce recueil-ci. Trois grands écrits dominent *La Pluie et le Beau Temps* : « Drôle d'immeuble » est un « feuilleton » hilarant et burlesque, farouche et tendre au passage ; associations d'images, de mots, d'idées y vont grand train. Le moindre incident de cette suite de cauchemars « réels et surréels » concerne le brave petit cœur qui, jouant comme ça avec les allumettes, met le feu à son père. « La Famille Tuyau de Poêle » fut représentée au Théâtre des Quatre-Saisons (mais le groupe *Octobre* avait joué dès 1935 une première version de cette violente charade). C'est un condensé de Feydeau, où le surréalisme et Freud permettent de faire s'ébattre entre cour et jardin l'inceste, la pédérastie et la prêtrise ouvrière. Le troisième texte de *La Pluie et le Beau Temps* a pour titre « Intempéries » : « Petits couteaux de gel et de sel / petits tambours de grêle petits tambours d'argent / douce tempête de neige merveilleux mauvais temps. » Les meilleures de ces pages sont bouleversantes. Il s'agit dans cette poésie d'un ramoneur qui a perdu sa marmotte, emportée par le vent du nord ; et il ira trouver refuge dans un bistrot de Paris, depuis lors abattu à la pioche, le Château-Tremblant.

PLUIE ET VENT SUR TÉLUMÉE MIRACLE. Roman de l'écrivain français d'origine guadeloupéenne Simone Schwarz-Bart (née en 1938), paru en 1973. Accueilli par un réel succès public (il a reçu l'année de sa publication le prix des lectrices de l'hebdomadaire *Elle*), traduit dans une dizaine de pays, *Pluie et vent sur Télumée Miracle* constitue une des œuvres majeures de la littérature antillaise. Pourtant sa construction a pu sembler maladroite : on a parfois déploré le déséquilibre entre une brève première partie où la narratrice Télumée présente la vie de ses ancêtres, la généalogie des femmes de la famille Lougandor, commençant avec Minerve, la mère de sa grand-mère, « femme chanceuse », qui avait connu l'esclavage et qui en avait été libérée par l'abolition ; et une longue seconde partie tout entière consacrée à l'histoire de Télumée elle-même, affrontant les intempéries de la vie. On a aussi critiqué l'ambition encyclopédique du roman, qui semble poursuivre la chimère de présenter la vie antillaise sous tous ses aspects. Mais cette démesure est probablement nécessaire. Pour que le récit de la vie de Télumée délivre sa pleine leçon morale (pour que Télumée démontre qu'elle est digne des Lougandor, ces femmes « talentueuses, de vraies négresses à deux cœurs, et qui ont décidé que la vie ne les ferait pas passer par quatre chemins »), il fallait qu'elle soit confrontée à toutes les complexités et ambiguïtés de la situation antillaise.

Élevée au village perdu de Fond-Zombi par sa grand-mère, Reine Sans Nom, une « haute négresse », Télumée connaît les bonheurs et les épreuves de la vie : le mariage avec Élie, le naufrage du couple, la dépression, l'initiation aux secrets des plantes et des guérisons miraculeuses (d'où le nom qu'on lui a donné : Télumée Miracle), le travail épuisant sur les champs de canne, l'amour apaisé d'Amboise, qui meurt dans la répression d'une manifestation de grévistes... Ballottée par ce qu'elle appelle elle-même la « folie antillaise » (qui est sentiment de flotter sur une terre où l'on est mal raciné et abandon à la dérive dangereuse hors du rationnel), Télumée parvient cependant au bout de sa quête : elle s'est assuré la possession sereine de son royaume insulaire (« Je mourrai là, comme je suis, debout, dans mon petit jardin, quelle joie... ») et la maîtrise d'une langue qui sauve du naufrage menaçant de grands pans de culture populaire.

J.-L. J.

PLUIE MAUDITE (La) [*Ukleti dažd*]. Recueil de poèmes de l'écrivain croate Vesna Parun (née en 1922), publié en 1969. Ce recueil, qui comprend vingt-sept poèmes, ou trente-six, selon que l'on compte ou non comme une unité les petits poèmes de quatre à dix vers composant un ensemble réuni sous le titre de *Murmure des ailes et murmure de l'eau* [*Šum krila i šum vode*], marque une sorte de point d'orgue dans l'œuvre de Vesna Parun. L'érotisme échevelé et joyeux de ses premières compositions, les austères préoccupations des années 60 (problèmes sociaux, condition féminine, rôle du pays natal), tous ces éléments restent présents, mais comme composantes d'un réseau thématique ténu, discret, dominé de haut par les deux grands thèmes de la nature et de la solitude. Là l'expression évolue vers la recherche d'une parole plus symbolique, sinon plus symboliste. Les parfums, les couleurs et les sons servent à désigner l'être aimé dans le même temps qu'ils décrivent celle qui le regarde apparaître et aussitôt disparaître dans le silence de l'herbe, des nuages ou du vent. Parfois, un « nous » indéterminé, qui suggère un rêve ou une volonté de fusion totale avec l'autre, traverse des montagnes qui le dissimulent, ou pénètre dans des forêts qui l'absorbent. Là les âmes sont « grises », les anges « impuissants », l'être est « dans la non-existence », mais le mouvement du monde est « comme une nourriture amoncelée et douce ». Vesna Parun sait rendre la tristesse jubilatoire. Son lyrisme charnel, son appétit des paysages et des saisons, et toujours elle-même comme thème rappelleraient Anna de Noailles, n'étaient le rythme de ses vers, essentiellement émotionnel et musical, et sa versification libérée, au service de mouvements souples qui ne peuvent guère se soumettre à la rigidité de la strophe traditionnelle. – Trad. Obsidiane, 1990.

J. M.

PLUIE SUR LE STERCULIER [*Wou-t'ong yu – Wutong yu*]. Pièce du dramaturge chinois Pai P'ou (Bai Pu) (1227-1306) qui est une des plus célèbres œuvres théâtrales de l'époque Yuan. L'histoire raconte la tragédie de l'empereur Ming-houang du VIIIe siècle qui, follement amoureux de sa concubine Yang Kouei-fei, doit accepter qu'elle soit exécutée quand, après la révolte d'An Lou-chan et la prise de la capitale par les rebelles, il part en exil, sa garde exigeant la mort de celle que l'on rend responsable de la situation. Au dernier acte, l'empereur, qui a démissionné, en écoutant la pluie tomber sur les feuilles d'un sterculier, évoque celle qu'il a tant aimée.

J. P.

PLUME. Recueil de l'écrivain français d'origine belge Henri Michaux (1899-1984), publié en 1938. C'est la plus composite des publications de l'auteur, mais l'une des plus importantes et des plus révélatrices. *Un certain Plume* avait été publié en 1930, juste après *Mes propriétés* (*) et, la même année, *Difficultés.* Dans la partie « Poèmes » sont réunis des textes qui, plus tard, seront rattachés à *Plume ;* enfin *Lointain intérieur* réunit *Entre centre et absence* (publié en 1936), *La Ralentie* (1942), *Je vous écris d'un pays lointain* (1937). Puis d'autres textes moins importants précèdent *Plume* que suivent deux essais dramatiques ; *Chaînes* (1937) et *Le Drame des constructeurs* (1930). En fait, ce recueil nous donne tout Michaux, chez qui la même pulsion prend quinze formes, la même vision quinze significations, la même phrase apparente ayant quinze cadences réelles. Carrefour et réunion de quinze genres littéraires, ce livre, une sélection, établit des pistes, les brouille, et insiste sur la nature « position d'équilibre » du Moi, dans une diabolique postface où les jeux de sens l'emportent sur les jeux de mots. L'auteur de *Plume* est un écrivain, qui se contrôle avec art et nous présente des formes achevées ; mais, exorciste, il invente au jour le jour les réponses, provisoires, aux questions vitales ; il n'est pas encore l'homme, disposant de formes reconnues, qui apparaîtra dans *Face aux verrous* (*). Aussi *Plume* occupe-t-il une position d'équilibre exceptionnelle que la réussite d'*Ailleurs* (*) complète.

Six parties.

I. *Lointain intérieur*, où l'intérieur est lointain plus que le lointain n'est intérieur (ce qui est le cas d'*Ailleurs*), est censé grouper : 1° *Entre centre et absence* (1936) : « Magie » est prise de possession par adhésion, détournée et contournante, de « cette pomme », symbole du sexe féminin et d'une femme (« D'abord pour la séduire, je répandis des plaines et des plaines. Des plaines sorties de mon regard s'allongeaient, douces, aimables, rassurantes [...] L'ayant bien rassurée, je la possédai ») et du propre corps de Michaux, à partir de la dent cariée qui l'anéantit : « La difficulté est de trouver l'endroit où l'on souffre. S'étant rassemblé, on se dirige dans cette direction, à tâtons dans sa nuit, cherchant à la circonscrire, puis à mesure qu'on l'entame, le visant avec plus de soin. » Les textes suivants décrivent des visions et des apparitions, notamment celle d'une tête monstrueuse qui sort sans cesse du mur et traverse la chambre ; des avatars et des difficultés qui annonceraient *Plume* si elles ne lui étaient postérieures de six ou sept ans. Ton soutenu, l'écriture est mesure de toutes choses, Michaux a trouvé la distance à son sujet : « C'est ça qui nous endort à tout le reste, et toujours nous ramène, recueillis aux fenêtres, aux fenêtres, aux fenêtres aux grands horizons. » Le très beau poème en prose nommé « Entre centre et absence », lyrique, de progression sûre : « C'était à l'arrivée, entre centre et absence, à l'Euréka, dans le nid de bulles... » 2° *La Ralentie*, un des rares longs poèmes de Michaux, qui occupe dans son œuvre une place exceptionnelle : jamais il ne s'est exprimé de façon aussi libre et aussi resserrée. Est « ralentie » la vie, la voie en soi, celle de Michaux, celle d'une nommée Lorellou (ou Juana) : « Ralentie, on tâte le pouls des choses ; on y ronfle ; on a tout le temps ; tranquillement, toute la vie. » Ce chant à plusieurs voix, mais neutre, se développe en un certain nombre de sommes, vivement établies, dont chacune réunit de brèves déflagrations. Aucune anecdote, mais une progression irréversible : « Mes jambes, si tu savais, quelle fumée ! / Mais j'ai sans cesse ton visage dans la carriole... / Avec une doublure de canari, ils essayaient de me tromper. » On pense à l'*Erwartung* de Schönberg, moins romantique, ou à la fin de *Finnegan's Wake* (*). 3° *Animaux fantastiques* : ce sont les compagnons du malade, qui nous apparaissent dans un texte d'une dizaine de pages, différant des « Notes de zoologie » de *Mes propriétés* par la volonté de construction ou le don de non-répétition. 4° *L'Insoumis* est un nouvel autoportrait du présent. 5° *Je vous écris d'un pays lointain* narre en douze points l'ailleurs qui est l'ici vu d'une façon étrangère ; l'auteur de la lettre est une femme dont le désespoir, ou plutôt le non-espoir, le dégagement, s'exprime de façon nostalgique dans un registre surnaturel : « Quand on marche dans la campagne, il arrive que l'on rencontre sur son chemin des masses considérables. Rien ne sert de résister, on ne pourrait plus avancer » et « Nous vivons tous ici la gorge serrée ». Dans ce texte comme dans les deux précédents, Michaux s'intéresse pour la première fois au temps ; mais il n'en analyse pas le mystère, il le contemple, et en transfère l'étrangeté dans le rythme, dans le déroulement.

II. Les *Poèmes*, non datés, réunis à *Un certain Plume* dans *L'Espace du dedans* (*). D'une très grande simplicité, ils rappellent ceux de *La nuit remue* : « Le Malheur, mon grand laboureur, / Le Malheur, assois-toi, / Repose-toi... » ou « Dans la nuit / Dans la nuit / Je me suis uni à la nuit... » Tantôt parole lourde de sens (mais désinvolte, et pourtant grave), tantôt rythme par quoi est traduite une facette du réel (dans « Télégramme de Dakar », la synthèse du style télégraphique et du tam-tam s'opère en une forme parfaite), le poème peut devenir vision futuriste, dont la naïveté voulue fait penser à Maïakovski : « Le problème était de faire aspirer la lune hors du système solaire », « Jamais... ne saurez quelle misérable banlieue c'était que la Terre. »

III. *Difficultés* (1930), nouveaux autoportraits dont le plus célèbre est le « Portrait de A. », longue autobiographie abstraite, parsemée de révélations qui n'en sont pas pour qui a lu *Ecuador* (*) : « On le détestait, on disait qu'il ne serait jamais homme », « A : l'homme après la chute ». Mais c'est le petit système ontologique, support et débouché du texte, qui en fait tout l'intérêt : « jusqu'au seuil de l'adolescence il formait une boule hermétique et suffisante », boule que peut « disloquer » le monde extérieur, boule qui est aussi la vie fœtale et l'être, l'être parfait (« Dieu est boule. Dieu est. Il est naturel ») et qui, aliénée en soi, s'aliène également en sortant de soi-même, en apprenant, en lisant. Aussi les *Difficultés* se présentent comme des avatars : par exemple Michaux-Plume dans « Naissance », où il se nomme Pon, doit, pour venir au jour, descendre un arbre zoologique et embryologique particulièrement fantaisiste : « Pon naquit d'un œuf, puis il naquit d'une morue et en naissant la fit éclater, puis il naquit d'un soulier. » En fait la mort et la peur soutiennent ces avatars.

IV. *Un certain Plume* (1930), augmenté de quatre chapitres inédits (1936). En 1958, Michaux déclare : « Avec *Plume*, je commence à écrire en faisant autre chose que de décrire mon malaise [...] Je n'ai sans doute jamais été aussi près d'être un écrivain. » Plume n'éprouve pas seulement un sentiment de culpabilité radical et absolu, mais aussi celui de sa faiblesse, faiblesse qui le livre aux autres (« Les uns lui passent dessus sans crier gare, les autres s'essuient tranquillement les mains à son veston »). Il ne demande qu'à filer doux, acceptant tout, admettant tout, mais il n'a pas de chance et sa perte est inscrite en lui ; ainsi au restaurant, il a commandé et on lui a servi une côtelette « qui n'était pas sur la carte » ; le voilà bientôt entre les mains de la police (« Ça va chauffer, nous vous prévenons... Quand ça commence à prendre cette tournure, c'est que c'est grave »). Ses quatorze aventures (quatorze sketches de deux, trois ou quatre pages) sont autant de cauchemars, comme chez Kafka, mais la symbolique du rêve et la conduite d'échec n'ont pas la même complexité. Michaux conte l'anecdote, avec entrain, puis il trouve une chute. L'ensemble, cependant, le raconte, le dit. *Plume* est toute une vie qui se grave à jamais dans notre échine. *Plume*, poème de la renonciation, ajoute ses impossibilités « aux millions de possibles ».

V et VI. *Chaînes* (1937), pièce en un acte, annonce le théâtre avant-gardiste d'après-guerre (notamment celui d'Adamov). Même économie de moyens et de langage, même cauchemar. Cette pièce est beaucoup plus significative que *Le Drame des constructeurs* : le personnage central, un jeune homme, enchaîné matériellement par son père et psychologiquement par le respect qu'il lui porte, chemine sur place, en dialoguant avec une jeune fille, vers sa libération, laquelle est aussi celle du père. Par contre *Le Drame des constructeurs*, sans unité, sans structure dramatique, fait penser aux réunions de textes dont Michaux nous a donné l'habitude, présentés sous forme de dialogues. Mais la situation les désamorce : l'action se déroule dans un asile d'aliénés.

PLUPART DU TEMPS. Recueil poétique du poète français Pierre Reverdy (1889-1960), publié en 1945. Cette édition collective qui, avec *Main-d'œuvre* (*), contient la quasi-totalité de l'œuvre poétique de Reverdy, groupe les poèmes écrits de 1915 à 1922. On y trouve les fragments divers rassemblés dans l'anthologie intitulée *Les Épaves du ciel* (*)

(1924) et les recueils suivants : *Poèmes en prose* (1915), *Quelques Poèmes* (1916), *La Lucarne ovale* (1916, poèmes et poèmes en prose), *Les Ardoises du toit* (1918), *Les Jockeys camouflés* (1918), *La Guitare endormie* (1919), *Étoiles peintes* (1921, deuxième recueil de poèmes en prose), *Cœur de chêne* (1921), *Cravates de chanvre* (1922), le tout augmenté de nombreux inédits.

Rien ne s'organise mécaniquement : la durée entraîne une continuité d'instants parfaitement superposés et le souffle donne naissance à un mouvement, une animation cosmiques où objets, formes, lignes, plans, profils discontinus se juxtaposent (tout poème est un équilibre de forces) pour multiplier les correspondances, poursuivre un renouvellement constant des aspects du réel et rendre ainsi impossible l'indestructibilité du poème (de l'objet). « Autrefois ses mains faisaient des taches roses sur le linge éclatant qu'elle repassait. Mais dans la boutique où le poêle est trop rouge son sang s'est peu à peu évaporé. Elle devient de plus en plus blanche et dans la vapeur qui monte on la distingue à peine au milieu des vagues luisantes des dentelles » (« La Repasseuse »). Dès les *Poèmes en prose* (1915), le manque cerne seul le visible, et l'homme apparaît pénétrable, fragmentaire, divisible, à la fois un dans le cristal de la matière qui lui révèle sa propre dispersion, son éternel passage et déchiré dans le labyrinthe de ses métamorphoses. L'univers est tout entier entraîné dans un mouvement qui est celui du temps cosmique et celui du temps humain. « Les nuages font marcher la maison dans le jardin. Au milieu des fils de fer et des branches, elle s'arrête. » Chaque poème dit cette animation des objets – le glissement, le passage qui s'empare d'eux et leur donne une apparence de fixité. « On ne voit pas ses mains et le guidon remplace les pédales. Il monte. On a peur de le voir tomber et qu'une lourde voiture l'écrase ; mais au coin de la rue une glace absorbe son image qui tourne. Il est sauvé » (« Le Patineur céleste »). La poésie est inépuisablement dans l'acte de sa transformation. Cependant, les premiers poèmes évoquent, sans les décrire, des événements, des tableaux (cubistes ?), des décors trompeurs, comme dans les poèmes suivants : « Carnaval », « L'Homme impassible », « Nocturne », « Des êtres vagues », « Saltimbanques », « Le Bilboquet ». La plupart de ces poèmes confondent le battement du cœur humain et la rumeur de la terre, et le personnage rêve de coïncider avec ce qui est « immobile et trop réel dans la matière ».

Dans *Quelques Poèmes* (1916), Reverdy concentre moins les objets dans son univers qu'il ne les juxtapose sur des plans dont les assemblages multiples convergent vers l'objet pur, re-connu et prolongé par l'isolement des images. Dès lors, re-créé intérieurement, l'objet se meut dans un « aérien » immobile où ses rapports avec les objets réels sont annihilés, où la perception du temps et du lieu devient impossible. « On entend crier / C'est un oiseau de nuit / La montagne avale tout / Tous ceux qui ont peur sont debout / Les autres dorment / On descend l'autre côté du monde / On glisse dans un trou qui n'a pas de fond / On est content de s'en aller / Le ciel se fond / Et un petit clocher se dresse au bord de la mer » (« P.O. Midi »). Jeté dans cette solitude, l'objet apparaît avec la mesure de son espace absolu et dans un ordre nouveau totalement étranger à l'ordre universellement admis et immuable. Les pages portent l'ombre d'un monde hanté, transcrit dans une prose partagée entre le vers libre, la rime et l'alexandrin, sans intervalle ni décalage typographique.

« Demain / Le soir ferme sur lui une immense paupière / Et la peur durera autant que la lumière / Il faut passer un espace infernal / Risquer plus que l'on a / Et partir revenir s'en aller / Plus de larmes enfin dans un cœur desséché / – Un tourbillon l'a pris – / Et lorsque dans la nuit il tomba pour jamais / Personne n'entendit le nom qu'il prononçait » (« Droit vers la mort »). Dans *La Lucarne ovale* (1916), le mouvement de l'homme semble vouloir se libérer de celui du monde : il est mouvement d'une recherche. L'homme, en quête de ce dont il éprouve le manque, veut s'identifier aux choses, durer dans leur immobile présence, et le monde fuit son approche. À travers les images du visible, le poète est à la recherche d'un absolu humain, d'une signification, d'une autre distance avec soi-même. Mais l'objet fondamental de l'expérience n'est qu'un masque, une attente, un mouvement intérieur. « Loin / Rien derrière moi et rien devant / Dans le vide où je descends / Quelques vifs courants d'air / Vont autour de moi / Cruels et froids / Ce sont des portes mal fermées / Sur des souvenirs encore inoubliés / Le monde comme une pendule s'est arrêté / Les gens sont suspendus pour l'éternité / Un aviateur descend par un fil comme une araignée / Tout le monde danse allégé / Entre ciel et terre » (« Toujours là »).

Avec *Les Ardoises du toit* (1918), le poème apparaît comme une organisation plastique ; il répond dès lors d'une discipline intérieure définissant plastiquement l'objet et contrôlant tout abandon lyrique, tout épanchement sentimental. Une vitre noire isole Reverdy du monde et absorbe son regard comme pour en faire le tain qui la rendra miroir. Dans sa rondeur interne, le poète tente, à force de volonté, d'explication, de désir de pénétration, d'expier le « rien » quotidien : évidence qui ne cède devant aucune révolte, aucune résignation, aucun silence. Entre son lever et son coucher, le poète se re-commence. Le passé et l'avenir reculent, lavés d'un présent éternel. Un abat-jour, sur la table, veille : Reverdy écrit, sans chronologie, ses constats méthodiques. Une autre main éteint la lampe. Demain, à la même heure, le poète la trouvera allumée. Le mur n'est qu'une horizontale ; le volet, une verticale. Un trottoir indique un voyage. Les pavés réfléchissent un retour. Un toit étend la ville. Le couloir, les rideaux, les gouttières glissent. Les yeux, les voix, les regards, les silences définissent dans l'espace des taches de « manque ». « Dans la place qui reste là / Entre quatre lignes / Un carré où le blanc se joue / La main qui soutenait ta joue / Lune / Une figure qui s'allume / Le profil d'un autre / Mais tes yeux / Je suis la lampe qui me guide / Un doigt sur la paupière humide / Au milieu / Les larmes roulent dans cet espace / Entre quatre lignes / Une glace » (« Fausse Porte ou Portrait »). Les poèmes les plus statiques de Reverdy mettent en pleine évidence ce caractère d'événement et cette apparence de fixité. En effet, le poème proprement reverdyen se réduit à des termes dégagés et accentués de manière à produire l'objet nommé dans sa plus convaincante nudité. Le mot est jeté comme un cri dans le vide. Sur la page blanche, sur le silence, s'équilibrant, prenant appui l'un sur l'autre, apparaissent les seuls éléments fondamentaux. C'est que Reverdy commence son poème par la position et l'appel des objets séparés. Le verbe est le mot principal et met l'accent plus sur ce qui est vu que sur ce qui vient. Les substantifs se suivent, sans qu'il y ait entre eux le moindre lien syntaxique. La voix la plus personnelle, la plus constante est la plus dépouillée. Nommés les uns après les autres, les objets établissent sur la page des niveaux d'articulation — les blancs — qui décryptent le silence intérieur du poème, son élocution, enfin rythment l'énumération cyclique qu'ils suscitent. Les mots se déroulent entre les blancs. Ils découpent la chaîne écrite et en même temps accentuent l'enchaînement. Les images, qui sont le plus souvent la sensation même des choses, créent des faisceaux de sens et les faisceaux de sens segmentent les images. Ainsi dans le poème reverdyen type « Soleil » : « Quelqu'un vient de partir / Dans la chambre / Il reste un soupir / La vie déserte / La rue / Et la fenêtre ouverte / Un rayon soleil / Sur la pelouse verte. »

Dans *Les Jockeys camouflés* (1918) et *La Guitare endormie* (1919), l'écriture, agrandie par les couleurs sombres et pâles des fantasmes, devient comme d'un revenant : feu refroidi dans la glace, nuit polaire, avenue d'étoiles, égarement, plaintes, vide épais — images et couleurs de Reverdy revenu de l'autre côté du miroir. Poèmes mêlés de vers et de prose qui répondent à la pure exigence : « Saisir en plein vol ». La poursuite devient plus obstinée, le poème plus haletant. Le Je disparaît (ou plutôt « transparaît ») dans les grands paysages, tandis que les arêtes, pierres d'angle des poèmes, émergent plus durement : « Entre le dos du livre et les feuilles du vent / s'ouvre l'antre limpide / où bouillonne l'écume / quand les rochers serrent les dents... »

Cette austérité ascétique se développe en direction d'une introspection hagarde dans *Étoiles peintes* (1921). C'est naturellement que la poésie de Reverdy rend évidente la fragilité des mots. Le dédoublement lui est attitude naturelle. Immobile, le personnage se regarde aller et venir. Le spectateur est en même temps l'acteur, comme dans le poème « La Clef de verre » : « Il n'y a personne à la table, personne sur le lit et les fauteuils sont vides. Quelqu'un veut sortir. Mais ce n'est pas moi qui ai soufflé la lampe et ce n'est pas mon pas qui descend l'escalier. Il y a peut-être aussi un mort dans la maison ! » L'angoisse triomphe à l'intérieur d'un univers anéanti. Le vide enfle le Je, et le peuple. Un regard oblique pique le ciel et soutient le trou, la tête. À l'intérieur du corps, à l'intérieur de la mémoire, il y a la moitié de tout ce qu'on peut voir glisser, s'évanouir et un carré de ciel par où disparaissent les forêts, les vents, les lampes, les choses, pour n'être plus que cet œil procédant à l'inventaire des objets : « C'est une véritable armée en marche ou bien un rêve / un fond de tableau sur un nuage. » Le mouvement s'accélère, les verbes emporter, glisser, courir, passer, animer suivent les verbes pencher, trembler, envelopper, s'allonger. La matière se pulvérise, et son émiettement projette le réseau spatial du monde, et à l'intérieur, l'écume du poème.

Le poème peut se renouveler indéfiniment, qui est recomposition des choses par le langage, création. Celle-ci est d'abord expression. Elle dit la monotonie de l'homme, la banalité de sa recherche (de son absolu humain) — les bras jetés à la rencontre du vide. Cette fatalité de monotonie (d'exaspération), Reverdy l'accentue particulièrement dans les poèmes des deux dernières plaquettes : *Cœur de chêne* (1921) et *Cravates de chanvre* (1922), d'où le lecteur peut découvrir l'évolution des images — images portant l'empreinte de la fantaisie : « Un aviateur descend par un fil comme une araignée » —, métaphores intemporelles que Breton admirait dans les premiers recueils : « Dans le ruisseau il y a une chanson qui coule... / Le jour s'est déplié comme une nappe blanche » — images apparaissant moins une recomposition du monde que la sensation « instantanée » correspondant à l'une de ses métamorphoses : « Une ombre coule sur ta main / La lampe a changé ta figure / La pendule bat / Le temps dure / Et comme il ne se passe rien / Celui qui regardait s'en va / Le monde se retourne et rit / Pour regarder tout ce qui vit. »

Malgré sa volonté d'immobilité et d'unité pure, malgré sa voix une et spontanée, la poésie de Reverdy est en proie à une évolution sourde qui se manifeste à travers les changements du vocabulaire et de la syntaxe. Cette évolution, désormais en perpétuel mouvement dans les profondeurs, se traduit dans *Plupart du temps* par la présence des objets concrets derrière les mots (les titres des recueils le disent : *La Lucarne ovale, Les Ardoises du toit, Cravates de chanvre*) ; elle se traduira au contraire dans *Main-d'œuvre,* second recueil collectif, par la montée d'images plus abstraites, reflets de l'invisible.

PLUS ANCIEN DOCUMENT DU GENRE HUMAIN (Le) [*Die älteste Urkunde des Menschengeschlechtes*]. Ouvrage de l'écrivain allemand Johann Gottfried Herder (1744-1803). Volume I (Ire à IIIe partie), Riga 1774 ; volume II (IVe partie), Riga, 1776. C'est le premier des ouvrages théologiques de l'auteur et le plus représentatif du mouvement spirituel de l'époque des « Lumières ». Susceptible de multiples interprétations mystiques et de plus amples développements, comme l'a défini Goethe, fragmentaire et inégale dans son exécution, mais en même temps organique et unitaire dans l'idée qui l'inspire, l'œuvre amorce, par un commentaire poético-religieux des onze premiers chapitres de la *Genèse* (*) (création et déluge), cette exégèse originale de l'Ancien Testament selon les nouvelles méthodes de l'« Einfühlung » qui donnera ses résultats majeurs avec l'ouvrage *Sur l'esprit de la poésie hébraïque* [*Vom Geist der ebräischen Poesie*, 1782-83], considéré par Mme de Staël comme l'œuvre la plus achevée de Herder. La traduction, qui entend restituer pleinement les valeurs poétiques de l'original, est ici partie essentielle et intégrante de l'interprétation, laquelle, s'opposant volontairement à la forme objective, didactique ou dialectique des précédents commentaires orthodoxes, rationalistes ou historico-philologiques, revêt chez Herder le caractère purement subjectif d'une évocation lyrique, d'une participation directe. En effet, plutôt que d'éclairer pas à pas le texte biblique, Herder entend annoncer au monde sa découverte d'un évangile humain et universel renfermé dans les premières pages de la *Genèse*, afin de réfuter le plus grave argument opposé par les déistes au dogme de la révélation : la partialité et l'injustice d'un Dieu qui se serait manifesté à un seul peuple, laissant tous les autres dans les ténèbres de l'erreur, pour les punir ensuite de damnation éternelle. Après avoir nié dès le début la paternité de Moïse pour les premiers chapitres de la *Genèse* — adoptant sur ce point la position de Jean Astruc dans son ouvrage *Conjectures sur les mémoires originaux dont il paroit que Moyse s'est servi pour composer le livre de la Genèse* (1753) —, Herder voit dans le récit biblique un « document » authentique, une grandiose « épopée historique » remontant aux origines mêmes de l'humanité, transmise oralement, et altérée plus tard par des populations tombées dans l'idolâtrie. Cette thèse, dérivée du néo-platonisme chrétien, est soutenue dans les deuxième et troisième parties par Herder, qui s'attache à analyser, avec des moyens encore peu appropriés, mais avec une très sûre intuition des caractères essentiels du phénomène religieux, la mythologie des Égyptiens et des peuples asiatiques, inaugurant ainsi les recherches de mythologie comparée, et désignant dans le mazdéisme, dont les sources venaient à peine d'être révélées par Anquetil-Duperron (*Zend-Avesta, ouvrage de Zoroastre*, 1771), la tradition la plus proche du « document » biblique. Herder se donnait pour but ultime avec ce livre d'établir une fois pour toutes les frontières entre science et religion, afin de sauver les jeunes générations du « fatal et déchirant dilemme » dont il avait été, le premier, la victime. La laborieuse gestation de l'ouvrage (1769-1773), qui comprend au moins cinq rédactions, reflète la crise religieuse de l'auteur, qui le conduisit du « libertinage théologique » des années de Riga à l'affirmation résolue de sa foi renouvelée dans l'intervention directe et continue de Dieu dans l'histoire humaine, affirmation qui caractérise ses écrits de la période de Bückeburg (1771-1776). Considéré historiquement en rapport avec les courants de pensée contemporains et ultérieurs jusqu'au romantisme chrétien (Adam Müller, Görres, Friedrich Schlegel, Baader), cet ouvrage demeure un des monuments les plus remarquables du « Sturm und Drang » religieux, même si la forme, en raison d'une longue gestation, et par suite de l'absence d'une solide base historique, n'atteint pas toujours à la hauteur et à la noblesse des conceptions de l'auteur.

PLUS DE COUPS D'ÉPINGLE QUE DE COUPS DE PIED [*More Pricks than Kicks*]. Recueil de nouvelles de l'écrivain irlandais Samuel Beckett (1906-1989), publié en 1934. Jusqu'à *Murphy* (*), qui parut en 1947, rien ne laissait prévoir, dans les œuvres de Beckett, l'auteur de *En attendant Godot* (*) et de *Molloy* (*). À vingt-trois ans, il collabora au recueil de douze articles composé par les disciples de son grand maître, James Joyce, sorte de défense et d'exégèse au titre intraduisible : *Our Examination round his Factification for Incamination of Work in Progress.* Son essai, *Dante... Bruno... Vico... Joyce*, annonçait cependant l'un des principes littéraires qu'il devait suivre : « La forme, qui n'est qu'un phénomène arbitraire et à part, n'a rien de mieux à proposer à l'entendement, en activant un réflexe conditionné au troisième ou quatrième degré, qu'une prise de conscience par voie de bave », écrit-il pour rallier un public désirant qu'entre « la forme et le fond il existe une coupure assez nette » pour « saisir celui-ci tout en ne prenant qu'à peine connaissance de celle-là ». Lecteur à l'École normale supérieure, Beckett se fit une réputation de poète en remportant, avec *Whoroscope*, un prix offert par Nancy Cunard. La plaquette fut publiée en 1929 à cent exemplaires : il s'agissait d'une méditation sur le temps, montrant Descartes raisonnant sur les œufs de poule et le devenir dans un style plutôt canularesque.

Les nouvelles de *Plus de coups d'épingle que de coups de pied*, dont le titre anglais suppose un jeu de mots obscène, ont pour cadre un Dublin qui n'est pas sans évoquer celui de *Dublinois* (*) de Joyce. On y trouve de nombreux échos de l'expérience que fit l'auteur comme professeur au Trinity College. Le héros de ces divers épisodes, Belacqua, ressemble fort à Beckett que son humeur vagabonde jointe à une introversion mêlée d'une certaine indolence allaient lancer dans de longs voyages en Europe. L'indolence de Belacqua – le protagoniste est plus ou moins tiré de Dante – se double d'une lucidité qui fait de ces dix nouvelles une sorte de parodie burlesque et humoristique, de galerie de portraits caricaturaux. Cette œuvre de jeunesse, que l'auteur a reniée, est loin de la virtuosité qui caractérise les grands livres de Beckett, mais elle allie déjà une satire swiftienne à une structure et une attitude détachées et désinvoltes qui rappellent *Vie et opinions de Tristram Shandy* (*). « Dante et le Homard » [Dante and the Lobster], qui parut dans le premier numéro du magazine new-yorkais *Evergreen Review,* est construit, comme les nouvelles suivantes, sur un malentendu qui produit un effet burlesque. L'homme est placé dans un contexte de laideur corporelle ou architecturale, de puanteur liée à ses fonctions physiques, d'animation mécanique qui vise à le déshumaniser. En ce sens, les descriptions géométriques des corps ou les angles inhabituels d'où sont considérées les activités humaines préfigurent le processus de dégradation et de paralysie qui transformera le héros de *Malone meurt* (*). Ailleurs, l'humour est plus lucide et plus léger : Belacqua rédigeant le billet qui annoncera le suicide qu'il prépare écrit « Crise de lucidité », afin qu'on n'impute pas son acte, comme toujours en Angleterre, à un accès de folie. Il parvient ainsi à inverser les valeurs, comme lorsqu'il tente de trouver un amant à sa future épouse afin d'établir son union sur une base permanente de cocuage. Le refus de considérer la sexualité produit un effet franchement comique dans « Fingal », où le jeune homme trouve une bicyclette au cours d'une promenade sentimentale et n'a rien de plus pressé que d'abandonner sa belle pour les joies du cyclisme. Ces manifestations antisociales, qui présentent les rapports humains comme illusoires et la vie de l'artiste comme une ascèse solitaire, demeurent proches de l'attitude de Joyce, mais elles annoncent déjà le théâtre de Beckett, qui portera sur le plan métaphysique les problèmes personnels et psychologiques de ses œuvres de jeunesse.

PLUS DE FEMMES QUE D'HOMMES [*More Women than Men*]. Roman de l'écrivain anglais Ivy Compton-Burnett (1892-1969), publié en 1933. « La vie réelle n'a, semble-t-il, pas d'intrigue, et comme je pense qu'une intrigue est souhaitable et presque nécessaire, j'ai cet autre reproche à faire à la vie. Je pense cependant qu'il existe des signes témoignant que des événements étranges peuvent se produire bien qu'ils n'émergent pas vraiment. » Peu soucieuse de réalisme littéraire, l'auteur choisit de parler du possible plutôt que du réel et de l'ordinaire. Dans ses romans, elle fait émerger les événements étranges de l'inconscient : c'est lui qui pousse ses personnages à commettre les crimes dont on rêve sans oser les perpétrer dans la vie de tous les jours. Son œuvre est fondée sur une sorte de psychanalyse diabolique. Dans *Plus de femmes que d'hommes,* la directrice d'une école de filles, Josephine Napier, tue ainsi la femme de son neveu Gabriel en l'exposant à un courant d'air alors qu'elle souffre d'une pneumonie. Le motif de ce meurtre est la passion obsédante et à demi incestueuse qu'elle nourrit pour son neveu. Le roman s'ordonne autour de cet acte de violence, de la naissance de l'obsession, des hésitations et des machinations de l'héroïne et les péripéties, pourtant nombreuses, apparaissent toujours au second plan. Au centre des romans de cet auteur poli et délicat, une mort violente tient souvent lieu d'intrigue, à moins que ce ne soit le souvenir ou la découverte d'un secret familial honteux qui ne sème la confusion. Le crime prend des formes diverses : inceste dans *Frères et Sœurs* (*), matricide dans *Des hommes et des femmes* (*), vols et fornication dans *Jour et Ténèbres* [*Darkness and Day,* 1951]. Cette obsession de la violence et du meurtre ne s'accompagne jamais d'effets faciles, de sentimentalité ou de recherche du sensationnel. Il y a un goût certain du roman policier, mais Ivy Compton-Burnett est une Agatha Christie classique. Elle demeure maîtresse de sa création, ne se fait aucune illusion sur la nature humaine. Quand *Les Vertueux Aînés* (*) lui attirèrent le reproche d'immoralité, puisque ce sont les méchants qui l'emportent dans sa vision pessimiste, la romancière se défendit vigoureusement : « La vie ne punit pas les méchants. Voilà pourquoi il est naturel d'être coupable. Quand le mal doit être puni, alors, la plupart d'entre nous l'évitent. » Cette attitude n'implique nullement une absence de valeurs morales. Mais l'auteur se méfie des générations et des abstractions. Le résultat de cette attitude est une œuvre pleine de sympathie pour la nature humaine et sa perversité profonde. – Trad. Le Seuil, 1950.

PLUS DOUX QUE LE VENIN [*Slàšče jada*]. Ce court roman de l'écrivain russe Fédor Sologoub (Fédor Teternikov, 1863-1927), publié à Moscou en 1904, exalte la puissance libératrice de la mort et révèle le pessimisme effréné de cet écrivain. La nostalgie de la mort, un détachement progressif de ce qui nous rattache à la terre : tel est le thème d'inspiration qu'il préfère et, dans son œuvre, ce sont souvent les enfants qui en sont atteints, des enfants anormaux, maladifs et impatients de faire cette constatation que les adultes ne découvrent qu'après tant de luttes et de déboires : la vie est un songe, une duperie, et il n'y a de vérité que dans la mort. Le petit Kòlia est un garçon blond et docile qui vit tranquillement avec sa mère ; mais celle-ci, trop absorbée par les soucis matériels, néglige l'âme de son enfant. Kòlia suit alors le mauvais exemple d'un jeune voisin, Vània, nature charmante mais dangereuse, que ronge un scepticisme précoce. Vània sape peu à peu toutes les certitudes dont vivait l'innocent, l'inexpérimenté Kòlia, et qui donnent à l'enfance son attrait mystérieux. Par une sorte d'envoûtement satanique, Vània insinue dans l'âme de son ami le goût de la mort : dès lors, tout se fane aux yeux de Kòlia et son cœur se détache de tout ce qu'il avait aimé. Même sa dernière espérance, Dieu, est raillée et brisée. Alors Kòlia, dans un moment de suprême désespoir, quitte la maison paternelle pour se jeter dans le fleuve, et Vània, effrayé par cette décision subite, décide, après un instant d'hésitation de suivre son compagnon dans la mort. Bien que cette œuvre soit, dans l'ensemble, inférieure au *Démon mesquin* (*) qui le rendit célèbre, l'hypnotisme démoniaque émanant de Vània lui donne un relief particulièrement tragique.

PLUS LIMPIDE RÉGION (La) [*La región más transparente*]. Œuvre de l'écrivain mexicain Carlos Fuentes (né en 1928), publiée en 1958. Avec son titre emprunté à un poème d'Octavio Paz, cette fiction est en quelque sorte la biographie romancée de la ville de Mexico à travers toutes ses activités et toutes ses couches sociales, ce qui explique le nombre considérable de ses personnages : quatre-vingt-deux au total. Ce qui explique aussi la difficulté que l'on éprouve à lire les cent premières pages de ce livre épais, jusqu'au moment où l'on commence à se familiariser avec la technique du romancier et où l'on s'enfonce résolument dans le tourbillon de ces différents destins surpris dans leur vie quotidienne. La complexité du roman est d'autant plus grande que deux réalités s'y superposent : le présent et le passé. Le présent est celui des années 50 et correspond concrètement à la période gouvernementale du président Miguel Alemán. Au Mexique, la classe dirigeante est la grande bourgeoisie née de la révolution antiféodale et nationaliste de 1910 et qui, depuis cette date, manie la politique, les affaires, la presse et les consciences du pays. Pour celle-ci, le problème est simple : pour que le Mexique progresse, il faut concentrer les richesses dans les mains des couches supérieures et, tôt ou tard, ces dernières profiteront aux couches inférieures. Une telle politique suppose donc qu'on laissera, d'une part, les portes grandes ouvertes aux capitaux américains et que, d'autre part, on brisera par tous les moyens les revendications populaires. Mais, au Mexique, il y a beaucoup de fantômes et il faut toujours compter avec le passé, un passé à la fois magique et tragique irrémédiablement détruit, mais dont la nostalgie hante bien des esprits. Cette seconde réalité, enveloppée et recouverte par la première, est tout aussi puissante. Tiraillé entre le présent et le passé, l'homme mexicain s'achemine péniblement vers le monde moderne proposé par l'Occident. Trente ans après la fin de la Révolution, la communauté mexicaine n'a pas encore trouvé son visage réel. Elle a de multiples visages, qui sont ceux que nous présente Carlos Fuentes. Il y a, par exemple, les vieux révolutionnaires transformés en hommes d'affaires (Robles) et les nouveaux capitalistes de la Révolution (Régules) ; les vieux aristocrates du porfirisme, partagés entre la nostalgie de leur « belle époque » et la nécessité de s'adapter, pour survivre, aux formules de la bourgeoisie au pouvoir (les Ovando) ; la classe moyenne ambitieuse, qui apprend les règles du jeu (Norma Larragoiti, Rodrigo Pola) ou qui se perd en illusions sentimentales (Rosenda Zubarán de Pola, Mercedes Zamacona) ; le prolétariat urbain, généralement d'origine paysanne, qui cherche à ramasser les miettes du banquet (Gladys García, Beto, Gabriel) ; les étrangers immigrés, qui ornent la nouvelle classe (Vampa, la contessa Aspacuccoli) et ses satellites et ses parasites (Pedro Caseaux) ; une classe intellectuelle divisée entre le cosmopolitisme et le chauvinisme, quand elle ne trouve pas, dans le doute, une nouvelle intelligence (Zamacona). Et au-dessus de ce monde bigarré, inquiet de son existence et qui s'interroge sans cesse avec un désir angoissé de se justifier, il y a aussi l'ombre des morts ou des échoués (Gervasio Pola, Feliciano Sanchez, Librado Ibarra) et les gardiens des survivances masquées, les chœurs incantatoires du sacrifice (Ixca Cienfuegos, Teodula Moctezuma). Le critique américain C. Wright Mills a écrit que *La Plus Limpide Région* était la fresque murale et balzacienne des grandeurs et des misères de la Révolution mexicaine. En fait, la plume à la fois acerbe, réaliste, colorée, brutale, de Fuentes sait prendre toutes les formes et tous les styles pour dénoncer ce « quelque chose d'insolite, de scandaleux, d'irrespectueux et d'obsédant » dont parle Miguel Angel Asturias dans sa préface à la traduction française. – Trad. Gallimard, 1964.

C. C.

PLUS QU'HUMAINS (Les) [*More than Human*]. Roman de l'écrivain américain Theodore Sturgeon (1918-1985), publié en 1953. Composé de trois nouvelles dont seule la seconde, *Bébé a trois ans* [*Baby is three,* 1952], parut séparément, il raconte comment six êtres monstrueux pris isolément, maltraités par leur entourage, se rencontrent, s'allient et forment une entité, un « Gestalt », aux pouvoirs surhumains. Il y a Tousseul, l'Idiot adulte et errant du premier texte assez largement inspiré du fameux monologue de *Le Bruit et la Fureur* (*) de William Faulkner, qui est télépathe ; puis Janie qui découvre à quatre ans qu'elle peut déplacer les objets à la seule force de son esprit ; les jumelles noires, Beany et Bonnie, qui ont le pouvoir de disparaître et de réapparaître ailleurs à volonté ; et enfin Bébé, un enfant mongolien génial qui devient le cerveau de cette étrange association dont Janie est le cœur, Beany et Bonnie les membres et Tousseul la conscience. Le dernier sera remplacé par Gerry, génie déboussolé et amoral qui a fui l'orphelinat à sept ans. Il manque au Gestalt, pour acquérir une dimension supérieure, le sens éthique que lui apportera Hip Barrows, un humain ordinaire dont Janie est amoureuse et à travers qui l'Homo-Gestalt rejoint l'humanité. — *Les Plus qu'humains* sont une fable étrange et déconcertante sur le handicap social ou psychologique, l'anormalité apparente, la solitude et la solidarité. Ce roman obtint l'International Fantasy Award en 1954. — Trad. Hachette, 1956.

G. K.

PLUS RARES SONT LES ROSES [*Wardun aqall*]. Recueil de poèmes de l'écrivain palestinien Maḥmūd Darwīsh (né en 1941), édité en 1986. Composée de poèmes en prose ou de vers fondés sur des mètres libres, cette œuvre déroule des aquarelles poétiques nées de l'exil et de l'errance : souvenirs pétrifiés de l'aéroport d'Athènes, fascinations périlleuses de Beyrouth, plaintes minérales de Damas, routes hallucinogènes d'Aden. L'écho des luttes politiques du peuple palestinien se retrouve ainsi dans une toponymie épique où surgissent les évocations mythiques de La Mecque, de Cordoue, de Sumer et de Babylone. La célébration des roses mystiques de Galilée se conjugue ensuite avec les réminiscences bibliques et coraniques de la légende de Joseph, de la Cène et de Marie, dans une plainte d'abandon désespérée, où le poète musulman retrouve les paroles du Christ sur la Croix. Au fur et à mesure des arabesques verbales, la nation éloignée devient un enjeu passionné, où l'amour charnel se confond avec les litanies de l'odyssée pour célébrer une prière de l'absence : « J'ai appris tout le langage et je l'ai défait pour composer un seul mot : Patrie... » Un bestiaire fabuleux et la flore des contes apparaissent, au détour d'un cri, pour magnifier la nature blessée. L'évocation d'Homère et d'Eschyle apporte enfin le souffle tragique de la Grèce antique, comme pour mieux signifier la malédiction absurde des nouveaux Atrides du Proche-Orient. Par la diversification des références et des symboles, Darwīsh renouvelle un langage poétique recherchant toujours la mélodie harmonieuse du cantique ou du psaume. Nouveau journal d'exil de son peuple, ce recueil est aussi la moisson d'éternité des jours précaires du poète. — Trad. partielle Minuit, 1989.

B. Mo.

PNINE [*Pnin*]. Roman de l'écrivain américain d'origine russe Vladimir Nabokov (1899-1977), publié aux États-Unis en 1957. Timofei Pavlovitch Pnine est professeur de russe dans une université américaine, après une existence errante d'émigré qui l'a conduit de sa Russie natale à Prague, puis à Paris. Dans un pays où l'adaptation sociale est la valeur suprême, Pnine promène une apparence étrange, torse massif posé sur des jambes trop grêles et surmonté d'un crâne totalement chauve, et une distraction irrémédiable, tout habité qu'il est d'un monde de nostalgies, de souvenirs et de rêves. C'est un personnage à la fois cocasse et touchant qui est au centre de ce livre, et, en même temps qu'on rit de la suite de gags que sa présence déclenche à un rythme accéléré (erreurs dans les trains qu'il prend, dans les textes des conférences qu'il doit prononcer, chaussures dans une machine à laver, etc.), on est ému par la survivance, en Pnine, d'un monde disparu, celui de l'ancienne Russie, qui est aussi, pour cet homme vieillissant, celui de l'enfance et de la jeunesse. Sont également présents dans ce roman les thèmes de l'amour et de la paternité, à travers la femme qui a été celle de Pnine, et qu'il n'a pas oubliée. Il était prêt à adopter le fils qu'après son mariage avec Pnine elle avait eu d'un psychiatre. Finalement elle divorce pour épouser le psychiatre. Mais son fils, Victor, est cependant resté pour Pnine le sien, et l'un des épisodes les plus touchants est la rencontre de Pnine et de Victor, maintenant âgé de quatorze ans. Autour de Pnine apparaît tout un petit monde d'émigrés russes qui, involontairement et sans ostentation, reste comme un corps étranger dans la société américaine. Pnine lui-même, malgré son immense érudition, peut-être même à cause d'une culture trop approfondie, trop intériorisée, qui l'empêche d'apercevoir à quel point ses étudiants sont éloignés du savoir qu'il essaie de leur transmettre, et aussi à cause d'une prononciation désastreuse de l'anglais, est un très mauvais pédagogue. Il finit par perdre son poste de professeur, qu'il devait surtout à son caractère de « phénomène », qui apportait une note exotique à l'uniformité du monde universitaire où il évoluait. Le roman doit sa valeur à la façon dont sont inextricablement mêlés l'aspect clownesque de ce personnage innocemment comique, et la richesse nostalgique de sa vie intérieure. On retrouvera Pnine dans un autre roman de Nabokov, *Feu pâle* (*). — Trad. Gallimard, 1962.

POCHEKHONIE D'AUTREFOIS [*Pošekhonskaja starina*]. Suite de récits en forme de chronique de l'écrivain russe Mikhaïl Saltykov-Chtchédrine (1826-1889), publiés au cours des années 1887 à 1889 et réunis en volume en 1889. C'est la dernière composition du grand satirique russe, la plus puissante après *Les Golovlev* (*), à laquelle elle ne le cède que par moins de concision artistique. Dans aucune autre œuvre de sa littérature, la Russie, esclave de la glèbe, n'a ainsi montré un visage sans masque ni fard. Satire féroce, l'ouvrage riposte aux descriptions plus ou moins idylliques de la campagne russe offertes par Aksakov, Tolstoï, Tourgueniev et Gontcharov. « Ce que j'ai dépeint – dit Saltykov lui-même – ressemble à l'enfer, mais n'est pas de mon invention ; je peux poser la main sur mon cœur et dire : conforme à l'original... » Un exemple de cette terrible chronique peut être pris dans l'histoire de la tante Anfissa Porfirievna, qui sauve son mari, capitaine en retraite, d'un départ comme soldat dans un régiment disciplinaire, en le faisant passer pour mort et en l'obligeant à tenir le rôle d'un serf de la glèbe. C'est pour elle l'occasion de se venger de tout ce qu'il lui a fait supporter durant les longues années de leur mariage, en le traitant à son tour comme un esclave, sans qu'il puisse se faire reconnaître ou se rebeller sous peine d'être aussitôt arrêté. Du même esprit sont la plupart des histoires de cette chronique, écrite à la première personne et, de toute évidence, fondée sur des souvenirs et des matériaux recueillis par Saltykov lui-même. Pour documentaire qu'il fût de tout un passé, *Pochekhonie d'autrefois* n'en produisit pas moins une impression énorme, aussi vive que celle causée en leur temps par *Les Âmes mortes* (*) de Gogol et par *Les Golovlev* du même Saltykov ; l'ouvrage demeure encore aujourd'hui, indépendamment de toute considération idéologique, un tableau effrayant de ces conditions de vie auxquelles les premières réformes avaient cherché à mettre un terme. – Trad. Savine, 1892.

POEMATA de Du Bellay [*Poèmes latins*]. À son retour de Rome, le poète français Joachim du Bellay (1522-1560) publie en 1558 avec *Les Antiquités de Rome* (*) et *Les Regrets* (*) un recueil de poèmes latins écrits « en exil », les *Poemata*, en quatre livres. Le premier, « Elegiae » réunit neuf élégies ; la première explique pourquoi Du Bellay a renoncé au français pour le latin ; « Description de Rome » [Descriptio Romae] énumère les grands monuments anciens et modernes (Saint-Pierre, Belvédère, Panthéon, villa Giulia, etc.) ; la septième élégie « Regret de la patrie » [Desiderium patriae] développe le thème de l'exil avec souvenirs d'Ovide. Le livre II rassemble soixante-sept épigrammes satiriques, la description d'une « Didon endormie », un éloge de la variété qui est une sorte d'« Art poétique », une satire indirecte des hommes d'Église, des hommes d'État et des gens de guerre. Le livre III, « Amores », chante les amours contrariées du poète et d'une femme appelée Faustine, peut-être imaginaire, avec des imitations des *Baisers* de Jean Second. Le livre IV « Tombeaux » [Tumuli] est un recueil d'épitaphes dont la plus émouvante est celle du poète lui-même, d'une fierté retenue. Cet ensemble où les poèmes latins ont quelquefois suivi, quelquefois précédé les poèmes français sur des thèmes analogues (« Heureux qui comme Ulysse... » et *Desiderium patriae*) fait de Du Bellay l'un des meilleurs poètes latins en France au XVIe siècle.

D'autres poèmes latins dispersés dans trois recueils dont deux posthumes ont été aujourd'hui réunis : un « Tombeau de Henri II » [Tumulus Henrici secundi], des dizaines d'« Étrennes » [Xenia], brefs jeux sur les noms des personnages à qui ils sont adressés, une « Élégie » dite testamentaire de trois cent trente vers sur le thème « Nul n'est malheureux par la faute d'autrui » d'apparence stoïcienne, mais qui est en fait une dolente autobiographie. – Trad. in *Œuvres poétiques*, t. VII et VIII, Société des textes français modernes, 1984 et 1985.

J. Ch.

POÈME BÉNÉFIQUE EN L'HONNEUR DE LA DÉESSE ANNADĀ [*Annadā maṅgal*]. Œuvre poétique de l'écrivain bengali Bhārat Candra Rāy (1712-1760). Ce long poème est composé de trois parties : la première, correspondant au titre, est un récit mythologique concernant la déesse, épouse de Śiva, sous son aspect de donneuse de nourriture. La deuxième raconte avec beaucoup de talent l'histoire mouvementée des amours de la princesse Vidyā et du prince Sundar, thème très populaire à l'époque. La troisième, intitulée « Mānsiṃha », du nom du général de l'empereur moghol Akbar, est le récit des hauts faits de l'ancêtre du rājā de Krishnanagar, patron du poète. Rāy utilise des mètres très variés, et il joue avec les allitérations et les figures de style en véritable artiste. Son vocabulaire est très riche, mêlant des mots persans et hindustānī au lexique très sanskritisé du bengali.

F. Bh.

POÈME BÉNÉFIQUE EN L'HONNEUR DE LA DÉESSE CAṆḌĪ (Le) [*Caṇḍī maṅgal* ou *Kavikaṇkan Caṇḍī*]. Poème narratif bengali en l'honneur de la déesse hindoue Caṇḍī, écrit par Mukundarām Cakravartī, dit aussi Kavi Kaṅkan, dans la seconde moitié du XVIe siècle. Chef-d'œuvre de la littérature bengali médiévale, ce long poème appartient à un genre appelé maṅgal kāvya, qui était traditionnellement chanté et déclamé avec accompagnement d'instruments de musique par un chanteur principal et ses assistants. La représentation accompagnait un culte et durait plusieurs jours et plusieurs nuits. Beaucoup de poètes composèrent sur le même thème mais aucun n'atteignit la renommée de Mukundarām Cakravartī. Le poème s'ouvre sur des invocations, se poursuit par un long récit cosmogonique, suivi de la narration des principaux mythes classiques concernant Caṇḍī, épouse du dieu Śiva. Ensuite, le poète raconte comment la déesse réussit à imposer son culte sur terre, d'abord chez un chasseur dont elle fait un roi, puis chez un riche marchand auquel elle inflige bien des épreuves avant qu'il accepte de la vénérer. Le récit du chasseur et celui du marchand sont originaux et ne se trouvent pas dans la tradition sanskrite. L'auteur met en scène ses personnages humains et divins avec beaucoup de vie, décrit des villes fabuleuses avec ses diverses communautés, évoque les mariages, la vie des familles aisées, narre les voyages en bateau sur les fleuves et sur l'océan à la recherche des épices. Les parties narratives sont en vers de quatorze syllabes avec la césure fixe après la huitième, et la rime est plate. Les passages plus lyriques sont en couplets rimés aab ccb, et ils étaient chantés et même dansés. F. Bh.

POÈME D'ALPHONSE LE ONZIÈME [*Poema de Alfonso Onceno*]. Poème anonyme espagnol du XIVe siècle, dont le manuscrit fut découvert en 1573 dans la Bibliothèque de l'Escurial. Il comprend – répartis en deux mille quatre cent cinquante-cinq strophes – huit mille huit cent vingt vers de seize syllabes, divisés en deux hémistiches assonants, selon la métrique qui devait être adoptée dans le « romance ». C'est une chronique rimée du glorieux règne d'Alphonse XI, roi de Castille et de León, depuis son avènement à l'âge d'un an (1312) jusqu'à la prise de Tarifa. Autour de son berceau se déploie la lutte entre l'héroïque grand-mère du petit roi, doña Maria de Molino, et ses tuteurs, les infants don Juan et don Pedro. Après la mort de ces derniers (1319), tués en combattant les Maures de Grenade, et celle de sa grand-mère, Alphonse est en butte à la malveillance de ses nouveaux tuteurs, don Juan l'Estropié et don Filippo. Mais en 1325 le roi, proclamé majeur par les Cortès, prend les rênes du gouvernement et se venge sans pitié de ses tuteurs. De nouveau en guerre contre les Maures (1331), Alphonse demande une trêve pour mater des vassaux en révolte qui dévastent la Castille, et répondre aux menaces du Portugal et de la Navarre. Le sultan du Maroc s'étant emparé de Gibraltar, Alphonse fait la paix avec ses voisins puis, avec l'aide de l'Aragon, détruit l'armée marocaine et s'empare de Tarifa. Ce poème évoque ainsi, d'émouvante façon, l'un des moments les plus dramatiques de l'histoire d'Espagne. Tout y est vu, décrit avec un réalisme plein de couleur : les horreurs de la guerre, la lutte entre chrétiens et Maures, les trêves, les ambassades, les coutumes, les cérémonies de la cour, les tournois, etc. Le *Poème d'Alphonse le Onzième* est certainement la traduction d'un manuscrit galicien-portugais. Le premier éditeur du poème, Fiorenzo Janer, en attribuait la paternité à Rodrigo de Yáñez, mais ce pourrait être aussi l'œuvre de Fernán Sánchez de Valladolid, conseiller d'Alphonse XI, auteur présumé de la *Crónica de Alfonso XI,* dont l'inspiration dérive sans aucun doute du poème.

POÈME DE LA CRÉATION (v. *Enūma eliš*).

POÈME DE LA DÉCOUVERTE DE LA CROIX [*Poema de la invención de la Cruz*]. Important poème épique du poète espagnol Francisco López de Zárate (1580-1658), dit « El Caballero de la Rosa » ou « El poeta de la rosa » ; publié en 1648, il avait été écrit quelques années plus tôt. Le premier chant nous montre l'empereur Constantin chargeant sa mère Hélène d'aller à Jérusalem chercher la sainte Croix. Il veut débarrasser le calvaire de la terre qui s'y est accumulée, découvrir la relique et élever une basilique au vrai Dieu à la place du temple païen qui s'y trouve. Les autres chants rapportent l'aventure d'Hélène, avec des retours dans le passé, par le truchement à peine indiqué du récit : le sacrifice par Maxence en l'honneur du Tibre, l'évocation du Tibre et sa fausse prédiction de victoire. Maxence fut écrasé par Constantin et trouva la mort dans ce combat. Francisco López de Zárate nous conte les pièges tendus par le prince des Enfers, qui envoie le sommeil annihiler les troupes de Constantin et Mégère exciter les Grecs contre l'empereur. La Croix fut découverte, identifiée grâce à sa vertu miraculeuse de guérison. Très librement conçu, d'un souffle large, le *Poème de la découverte de la Croix* atteint parfois, comme dans l'invocation de Maxence au Tibre, aux plus hauts sommets de la poésie épique, sans être exempt de longueurs, du fait même de sa liberté de construction.

POÈME DE LA DÉESSE ANAT. Poème mythologique ougaritique et phénicien, rédigé en langue ougaritique, dialecte sémite parlé pendant le second millénaire av. J.-C. Il fut découvert dans les ruines d'Ugarit, près de Râs-Shamrah dans la Syrie septentrionale, au nord de l'antique Phénicie, dans un territoire qui, sans faire partie de la Phénicie proprement dite, appartient à cette région par sa civilisation et sa langue. La figure principale est la déesse Anat. Du poème nous ne possédons que des fragments, dont tous ceux découverts n'ont pas encore été publiés. Il décrit les combats d'Anat, divinité avide de sang et meurtrière. Aleyin-Baal l'invite à partager son repas, après quoi elle devra combattre Saphon, qui occupe un territoire qui ne lui appartient pas. Le but de ce mythe est d'assurer le succès de Baal sur ses ennemis qui voudraient s'opposer à l'érection d'un temple en son honneur. Le récit offre un caractère nettement agraire, comme la plupart des mythes d'Ugarit, et en général ceux de la Phénicie et de la Syrie septentrionale. Le style est vif et parfois hautement poétique, avec des parties très réalistes, notamment là où sont décrits les massacres perpétrés par la déesse. — Trad. *Textes ougaritiques,* Éd. du Cerf, 1974.

POÈME DE LENINGRAD (Le) [*Leningradskaja Poèma*]. Œuvre de la poétesse soviétique Olga Bergholtz (1910-1975), publiée en 1942. L'auteur y chante les actes de solidarité et d'héroïsme des habitants de la ville assiégée, ainsi que les épisodes tragiques de leur vie avec un souffle épique qui confère à cette poésie engagée une vérité, un mouvement et une force très émouvants. Olga Bergholtz, qui partagea les malheurs des gens de Leningrad et qui ne cessa d'aider ces derniers par les propos qu'elle leur tenait à la radio, s'est vraiment faite le chantre de la résistance de la ville, tout imprégnée qu'elle était de sa réalité. Aussi, rarement poème de circonstance a-t-il pareillement atteint les accents de la grande poésie que dans cette œuvre qu'avait précédée un *Journal de février* [*Fevralskij Dnevnik*, 1942] traitant les mêmes thèmes et écrit dans la même veine. *À la mémoire des défenseurs* [*Pamjati Zachtchitnikov*, 1944], écrit à la demande d'une jeune fille qui voulait que soit commémoré le sacrifice de son frère, tombé pour la libération de la ville, et *Ton chemin* [*Tvoj Pout'*, 1945] complètent le cycle des œuvres de guerre et l'épopée de Leningrad. Les poésies lyriques d'Olga Bergholtz, dont un important recueil a paru en 1965 sous le titre *Le Nœud* [*Uzel*], possèdent le même caractère de témoignage concret et direct sur des événements vécus. Le critique Siniavski a justement expliqué qu'Olga Bergholtz ne cherche ni l'originalité de la rime ni de la forme, ni la richesse des métaphores, et que sa poésie ascétique et sobre « ne réside pas tant dans les mots que dans l'intonation avec laquelle ces mots se prononcent, intonation particulièrement tragique et personnelle, qui vient du cœur et remplit le vers d'un haut degré de passion ».

POÈME DE L'EXTASE. Poème symphonique (op. 54) d'Alexandre Scriabine (1872-1915), composé en 1908 ; œuvre où le compositeur russe réussit à réaliser le mieux ses aspirations les plus novatrices. On a fait rarement tant de violence à la musique pour la forcer à exprimer l'inexprimable ; c'est là le prototype de la musique à écouter « le visage entre les mains », à laquelle Nietzsche, dans son enthousiasme pour *Carmen* (*), opposait la « musique aux pieds légers », méditerranéenne et dansante. Et c'est pourtant de la philosophie de Nietzsche que se nourrit particulièrement le credo de Scriabine : le mythe du surhomme, agrémenté de velléités prophétiques à la Tolstoï, constitue l'ossature de cette idéologie trouble dans laquelle se complaisait l'intelligence bourgeoise russe, avant la Première Guerre mondiale. Ces pages de musique sont débordantes de sensibilité pathétique, de valeurs expressives, d'aspirations cérébrales à une transcendance inaccessible. Le matériel thématique est, naturellement, marqué par Wagner ; la masse des cordes, traitée le plus souvent avec des effets de voix blanches, s'étend, suivant l'exemple de *Tristan* (*), en rafales décroissantes ; les sonorités de l'orchestre s'entassent pour aboutir à un énorme fortissimo, où les voix des cors émergent au-dessus du bouillonnement des cordes et des bois. Avec le *Poème de l'extase*, on reste, du point de vue musical, dans un domaine fertile et concret, car la vie musicale du morceau est solide et convaincante. Harmonie et instrumentation atteignent aux extrêmes de la complication ; l'orchestre joue de façon magique, utilisant des timbres et des effets que Stravinski n'oubliera pas ; le matériel thématique est riche et vivant.

POÈME DE PENTAOUR. Sous ce titre conventionnel est mentionnée une composition écrite pour glorifier les actions de Ramsès II (XIXe dynastie, 1301-1235 av. J.-C.) au cours des journées de Kadesh, en l'an V de son règne. Pentaour ne semble pas être le nom de l'auteur de cet écrit, mais plutôt celui du copiste du texte, lequel provient du papyrus Sallier III. L'écrit en question n'est pas réellement un poème ; mais il doit être rattaché à ces compositions ou hymnes en l'honneur de tel ou tel roi, dont la littérature égyptienne fournit de nombreux exemples. L'auteur inconnu, contemporain de Ramsès II, fait preuve à la fois d'un certain talent lyrique et d'une grande habileté dans la narration même des faits. Les deux thèmes du *Poème* sont parfaitement mis en valeur : glorification du jeune souverain combattant, exaltation de la puissance du dieu Amon, le plus grand dieu de l'Égypte aux temps de la dynastie thébaine. Ce *Poème* dut plaire à Ramsès, qui en assura la diffusion. Il le fit plusieurs fois reproduire, aussi bien sur les bas-reliefs relatifs à ce combat que sur les parois des édifices monumentaux : les temples de Karnak et de Louxor, le Mnénomium d'Abydos, le Ramesseum, le grand temple d'Abou Simbel en Nubie. Des copies manuscrites ont été tirées du papyrus Sallier III — connu par une brève notice de Champollion (1828) et, plus tard, par un écrit plus complet de Salvolini (1835) —, et des papyrus Ralfet et Chester Beatty. Les Hittites, qui habitaient l'Asie Mineure, s'étaient étendus peu à peu jusqu'à se heurter à la zone d'influence de l'empire égyptien en Syrie. Au temps de Ramsès II, ils reprirent, en l'accentuant, leur marche vers le sud, après avoir contracté d'utiles alliances avec certains peuples de Syrie, dont la liste figure dans le *Poème*. Ramsès II jugea opportun de s'opposer par la force à un mouvement qui pouvait devenir menaçant. La rencontre entre Égyptiens et Hittites et leurs confédérés eut lieu à Kadesh, ville fortifiée près du fleuve Oronte. C'est dans la cinquième année de son règne, le neuvième jour du second mois de l'été, que Ramsès, avec quatre divisions, dépassa le dernier poste de la frontière égyptienne. Le pharaon remonta la vallée de l'Oronte et la traversa près de Kadesh où, à son insu, s'effectuait la réunion des Hittites et de leurs confédérés, « recueillis jusqu'aux extrémités de la mer (lisons-nous dans le *Poème*), nombreux comme les sauterelles, comme les grains de sable ». Le gros de l'armée peut encercler et retarder une division encore en formation de marche, deux espions hittites, qui s'étaient fait prendre par les avant-gardes égyptiennes, ayant assuré faussement que les Hittites étaient beaucoup plus loin. Les trois divisions restantes suivaient plus à droite. Ramsès, qui précédait son armée, avait établi son camp aux alentours de la cité. Averti du péril, il s'arma et sauta sur son char, pour se rendre sur les lieux de la rencontre. À sa vue s'offrit le spectacle d'une armée immense, dont les troupes étaient montées sur deux mille cinq cents chars. À partir de cet instant, le texte s'exprime à la première personne. Le jeune roi, ayant constaté qu'aucun prince égyptien ne se trouvait auprès de lui, adresse à son père Amon une fervente prière, lui rappelant que rien de grand ne put jamais se faire, dans le passé, sans son aide. Ramsès énumère alors les nombreux temples et obélisques édifiés à son intention, les innombrables navires courant la mer pour tirer des terres étrangères les riches tributs à lui destinés. « Maintenant, je suis seul, au milieu des ennemis, abandonné de mes soldats. Toutefois Amon vaudra plus pour moi que d'innombrables soldats... », conclut le valeureux Ramsès. Et en effet, les adversaires ne tardent pas à reculer, tombant en masse dans les eaux de l'Oronte. Muwatalli, le chef des Hittites, ne peut s'empêcher d'admirer le combattant solitaire qui a l'audace de se jeter contre une masse énorme d'ennemis stupéfaits. Le poète le compare au griffon dans ses heures de furie, au faucon qui pénètre dans les rangs et auquel nul ne peut échapper. Une figure secondaire, habilement placée près du combattant invincible, est celle de son cocher, soldat craintif, qui admire en spectateur les mémorables prouesses de son maître. Les troupes égyptiennes arrivent sur le lieu de la rencontre quand déjà la défaite des confédérés est manifeste. Comme elles entonnent un hymne de louange au pharaon, celui-ci le repousse, estimant que cet éloge revient justement à ses hardis chevaux, à qui désormais il apportera de sa main le fourrage. Le jour suivant, le combat reprend ; terrorisés à la vue du serpent uréus — le fameux serpent que tous les rois d'Égypte portaient sur leur diadème —, les ennemis se prosternent d'eux-mêmes aux pieds de Ramsès II ; le chef ennemi lui-même ne tarde pas à se déclarer vaincu. Aux yeux de l'historien, ces journées de Kadesh ne furent qu'un simple épisode du duel qui devait se terminer, quelques années plus tard, par un traité conclu sur un pied d'égalité, traité dont les copies nous sont restées dans la langue des deux peuples. — Trad. sous le titre *La Geste de Ramsès II, à Kadesh,* dans l'ouvrage, *Textes sacrés et textes profanes de l'ancienne Égypte,* t. I, Gallimard, 1984.

POÈME DE SPANÉAS [Σπανέας]. C'est sous ce titre que nous est parvenu un court poème parénétique de l'époque byzantine que certains manuscrits attribuent à Alexis Comnène (1106-1142), fils de l'empereur Jean II Comnène. Le prince aurait voulu laisser des préceptes à son neveu Alexis, fils de sa sœur Marie. De nombreuses versions, assez différentes les unes des autres, nous ont transmis ce livre qui, dans son écriture originale, s'inspirait du livre de sentences *Remontrances adressées à Demonicos* attribué à Isocrate. Dans les textes ultérieurs, elles ont été mises au goût du temps et adaptées aux mœurs de Byzance. Le poème débute sur une exhortation, dans laquelle l'auteur demande au personnage auquel il s'adresse de bien vouloir prêter une oreille attentive à ses conseils qui lui serviront en toutes circonstances. Suit une longue série de préceptes touchant la religion, les devoirs des sujets envers l'Empereur, le choix des amis, l'emploi des richesses, etc. C'est, en fait, une somme de recommandations dictées par une morale assez sommaire qui reflète bien la vie byzantine, surtout celle de la Cour, avec ses intrigues, la crainte de la lutte à visage découvert, la méfiance, la frivolité, qui se cache sous le masque de la dévotion. Des exemples viennent souvent à l'appui de ces conseils. L'intérêt poétique du *Poème de Spanéas*, comme de tous les poèmes gnomiques en général, est mince. Il eut néanmoins un grand succès en son temps comme le prouvent les nombreuses versions qui en ont été faites et l'influence qu'il eut sur les poètes qui suivirent, tels que Sachlikis, Marc Defarana, Marino Falieri, Georges Lapitès. Sa renommée dans le monde byzantin est comparable à celle que connurent les préceptes aristocratiques des *Élégies* de Théognis dans l'ancienne Grèce. Et, de même que l'on trouve parmi les vers de Théognis maints passages qui ne sont pas de lui, de même remarquons-nous, dans le *Poème de Spanéas*, de nombreuses sentences qui ne figuraient certainement pas dans le texte original et qui y ont été interpolées ultérieurement. Notons encore qu'un autre court poème, connu sous le titre *Les Enseignements de Salomon à son fils Roboam*, paraît n'être qu'un fragment détaché du *Poème de Spanéas*.

POÈME DU RHÔNE (Le) [*Lou Pouèmo dou Rose*]. Poème en langue provençale en douze chants, de l'écrivain français Frédéric Mistral (1830-1914), publié en 1897, c'est son dernier chef-d'œuvre. Après *Mireille* (*), grave et simple épopée, après *Calendal* (*), plein de merveilleux et de pittoresque, le poète chante le Rhône, fleuve-dieu de la Provence, véritable héros du poème ; tumultueux et inconstant, il personnifie les vieux souvenirs et les vivantes activités du pays. Les bateliers du Rhône sont groupés en corporations, selon de très anciennes traditions. La plus fameuse (nous sommes dans la première moitié du XIXe siècle) était celle de Condrieu, qui avait coutume d'élire chaque année un « roi du Rhône ». Le Roi de cette année-là est le vieux et sage Apian, qui doit accomplir le traditionnel voyage à la foire de Beaucaire. Il descend le fleuve sur sa fine embarcation, le « Caburle », lequel mène tout le convoi, et se trouve avoir à son bord un personnage qui n'est rien de moins que le prince Guillaume d'Orange (Guilhem), lequel fuit Paris et ses plaisirs pour aller se retremper dans le pays qui fut jadis le berceau de sa famille. Le prince rêve d'un amour de légende, « fleur vivante des antiques naïades », et croit pouvoir le vivre quand monte à bord la belle Anglore, chercheuse de paillettes d'or dans le sable du fleuve, et qui se rend, elle aussi, à la foire. Elle-même donne toutes ses pensées à un certain dragon qu'on dit habiter au fond des eaux. Les deux jeunes gens, qui poursuivent un même rêve, s'éprennent l'un de l'autre. Mais, remontant péniblement le fleuve en revenant de Beaucaire, le convoi est coupé par le premier bateau à vapeur qui, fort de son droit, refuse de céder le pas. Le « Caburle », jeté par le courant sur la pile d'un pont, fait naufrage ; les bateliers arrivent à se sauver, mais le prince et la jeune fille sont engloutis par les eaux. La mort du prince mélancolique (à qui Mistral a donné les traits d'un Guillaume, fils de Guillaume III, roi de Hollande, qui vécut à Paris et y mourut en 1879) ainsi que celle d'Anglore et le naufrage du « Caburle » évoquent la fin des antiques légendes et des traditions de la vie du fleuve, lesquelles doivent céder la place devant les dures nécessités du progrès. Dans ce poème, l'allégorie est loin de se superposer — comme elle fait parfois dans *Calendal* et trop souvent dans *La Reine Jeanne* (*) — à la vision poétique : elle se confond intimement avec cette dernière. Tout s'enchaîne en une belle suite de tableaux, dont quelques-uns sont justement célèbres : l'apparition des tours d'Avignon dans le rougeoiment d'un coucher de soleil ou l'évocation du grand pont de Saint-Esprit, avec sa chapelle Saint-Nicolas que maître Apian salue en bénissant le Rhône.

POÈME DU SUD [*Poema del Sur*]. Œuvre du poète chilien Luis Mizón (né en 1942), publiée à Paris en 1982. Le Sud, c'est le Sud chilien, la région de Chillán où, durant son enfance, Luis Mizón allait passer les vacances scolaires avec sa famille chez une tante mariée à un grand propriétaire terrien. Loin de son pays natal, et alors que peu à peu s'éloignent ces années heureuses, le poète recrée l'ambiance de ces terres où l'homme prend davantage conscience de sa solitude, sous la menace constante de la violence tellurique, dans un paysage grandiose mais sans cesse érodé par les éléments, secoué par les cataclysmes, et où sa patience reconstruit au jour le jour ce que la nature défait. L'homme du Sud est paysan ou forestier par tradition, mais aussi aventurier, bandit – jamais escroc : ici on vole par goût du risque et amour de l'action autant que pour survivre, on est souvent utopiste et à l'occasion généreux. Chez tous, gens honnêtes ou parias, s'affirment les mêmes constantes : l'attachement aux racines, l'individualisme qui ne méprise pas la solidarité, le culte des chimères, la croyance aux revenants. Dans ces campagnes de feuillages et de vent, l'arbre qui bruit crée une atmosphère complice avec ses voix, une ambiance de fantômes. Au Sud, il y a aussi la mer que Mizón, à chaque retour au pays natal, affectionne : celle des plages désertiques et des côtes abruptes de Concepción, avec leurs cimetières de bateaux, leurs épaves, leurs planches et leurs barils vides qu'aucune marée n'emporte, leur ambiance d'abandon, de décomposition, de pourriture et leurs rares habitants s'évadant dans le rêve et l'imaginaire. Campagne ou mer, Mizón aime par tempérament le côté caché, l'aspect voilé, replié, des choses et des hommes. L'envers plutôt que l'endroit. Il marche au milieu des siens comme à travers une forêt d'ombres dont il cherche la motivation secrète, le mobile inconscient, l'essence profonde sous les actes ou les effets, les folies, les résignations, les marottes. Dans *Poème du Sud,* comme dans *Terre brûlée* (1984), *Passage des nuages* (1986), *L'Éclipse* (1987), *Voyages et Retours* (1989), la poésie est pour lui une façon de lever délicatement les masques, d'interroger les labyrinthes creusés sous les apparences, de décrypter les signes muets, de deviner les appels étouffés, de pressentir la transcendance sous la banalité, de débusquer les secrets cachés derrière l'écorce rationnelle du réel. – Trad. Gallimard, 1982.

C. C.

POÈME ÉCARLATE [*Karmazynowy poemat*]. Recueil du poète polonais Jan Lechoń (1889-1956), publié en 1920. Lechoń a peu écrit : quelques satires politiques pour théâtre de marionnettes, des études sur Mickiewicz et sur la poésie, sept brefs recueils de poèmes, dont deux publiés quand il avait quatorze et quinze ans. Le *Poème écarlate* lui apporta la gloire et le plaça immédiatement parmi les plus illustres poètes polonais. À travers des évocations du passé, à travers des visions poétiques où de célèbres personnages historiques défilent devant nos yeux, Lechoń parle de la Pologne contemporaine. Il fait surgir les fantômes des grands traîtres et des grands héros, tout un monde d'ombres, qui pèse lourd sur les idées des Polonais. Dans les poèmes « Hérostrate », « Jacek Malczewski », « La Diète », « La

Polonaise d'ailleurs », « Piłsudski » et enfin dans le plus poignant de tous, « Mochnacki », Lechoń s'insurge contre l'héritage douloureux de l'Histoire, ne craint pas de renier certaines conceptions que le passé impose, tente d'échapper au devoir de vénérer une tradition de martyre. Il veut que la Pologne nouvelle ait droit à sa propre grandeur et pas seulement à celle qu'elle a héritée de ses ancêtres. Il souhaite remplacer la grandeur des morts par celle des vivants. Cette poésie romantique, hardie, faisant vibrer les sentiments les plus purs a soulevé un enthousiasme sans bornes. Lorsque, à l'occasion d'une réunion publique, Lechoń récita ses vers, ce fut, dit-on, la première fois que les Polonais accueillirent par un tonnerre d'applaudissements la poésie qu'ils sentaient leur, celle qui, grâce à lui, est devenue à la fois digne et sobre, romantique et réaliste, précise et pleine de fantaisie.

POÈME PÉDAGOGIQUE (Le) [*Pedagogitcheskaia poema*]. Œuvre du pédagogue et écrivain russe Anton Sémionovitch Makarenko (1888-1939), publiée à Moscou en 1935. Le livre, malgré son titre de poème qu'il faut entendre au sens étymologique de « action créatrice », n'est pas vraiment de la poésie. Il raconte l'histoire des efforts d'un jeune maître soviétique pour remettre en fonction, en septembre 1920 (à l'époque de Wrangel et de la guerre avec la Pologne, alors que toute l'Ukraine était en proie aux bandits, à la famine et à la misère), une colonie pour la rééducation des jeunes délinquants, qui avait existé un temps aux alentours de Charkov et qui s'était dispersée en 1917. Des problèmes énormes se posent : reconstruction des locaux, choix du personnel ; mais plus grave encore est la nécessité de maîtriser, de guider et d'éduquer ces jeunes délaissés, qui ont enfreint les lois, qui sont presque tous analphabètes et privés de pratiquement tout principe ou de tout scrupule, tous déjà coupables de vol ou d'agression à main armée et qui n'hésiteraient pas non plus à recourir à l'homicide. Makarenko se dévoue à cette tâche difficile, s'efforçant de créer une « pédagogie humaine et informelle ». En étudiant les garçons, il découvre dans le « collectivisme » le système qui permet de rédimer véritablement l'homme en le rendant non seulement inoffensif mais en le faisant participer activement et positivement à la vie sociale. Bientôt, l'ancienne ferme est à nouveau cultivée, ses bâtiments réparés, et ce sont les adolescents eux-mêmes qui accomplissent ces tâches. Ils construisent un moulin, implantent un élevage de porcs et édifient aussi un théâtre aux spectacles duquel se précipite la population rurale du voisinage. Ainsi, de pair avec la prospérité matérielle, se développe la préparation culturelle. Certains des adolescents de la colonie – qui a été baptisée Gorki – partent pour la « faculté ouvrière ». Mais une communauté libre d'adolescents ne peut rester statique, elle doit s'agrandir, s'enrichir, se projeter vers l'avenir. Et donner ainsi de nouveaux aliments à l'énergie des jeunes gens. Le nouveau projet sera donc la remise en ordre d'une autre colonie en totale désagrégation, où vivent quatre cents garçons qui semblent totalement irrécupérables. Les adolescents de la « colonie Gorki » réussissent vite, dès leur arrivée, à changer l'atmosphère de ce lieu : on se met au travail, l'entente renaît, ainsi qu'un esprit nouveau. La colonie est dès lors cimentée par la communauté de vie, l'unité dans le travail, la responsabilité et l'entraide. Le principe pédagogique dont s'inspire Makarenko et qui est le véritable stimulant de la vie humaine est la joie du lendemain : sa technique pédagogique consiste donc à organiser cette joie et à en faire une réalité ; il faut ensuite transformer les formes les plus simples de cette joie en formes plus complexes et humainement plus importantes. Éduquer l'homme signifie donc « éduquer en lui les perspectives vers lesquelles se dirigera demain sa joie ». Indirectement, *Le Poème pédagogique* constitue une réponse à la satire du *Journal de Kostia Rjabcev* de Nikolaï Ognev et, du point de vue littéraire, on peut le rattacher à une œuvre biographique et pédagogique du XIXe siècle : *Esquisses de la vie au séminaire* (*) de Nicolas Pomjalovski. L'influence de Gorki est également sensible : une longue correspondance s'était établie, à partir de 1925, entre la colonie et l'écrivain, qui résidait alors à Sorrente. Rentré en Russie en 1928, Gorki se rendra à la colonie et écrira un article à son propos. Dans le récit, rien n'est inventé, mais la réalité est illuminée par un profond optimisme et par un grand sens de l'humour : les types et les caractères sont présentés avec une concision et une sérénité exemplaires et avec ce que Gorki définit comme la faculté de représenter l'« élément héroïque dans la vie commune ».

POÈME POUR ADULTES [*Poemat dla doroslych*]. Les traductions de ce long poème (il a paru d'abord à Varsovie – *Nowa Kultura* no 34, 1955), publiées dans les revues littéraires de nombreux pays occidentaux, ont apporté la célébrité à son auteur, l'écrivain polonais Adam Ważyk (1905-1982). Pourtant ce poète avait déjà donné des preuves incontestables de son grand talent et, en plus, avait réalisé de très belles traductions de poètes russes et français, notamment d'Aragon, d'Éluard et surtout d'Apollinaire. Avec un courage devenu depuis proverbial, et cette verve que l'expression de la vérité fait naître, le *Poème pour adultes* démasque le mensonge du réalisme socialiste, l'hypocrisie claironnant les bienfaits du stalinisme, et jette le mot d'ordre de la lutte contre l'oppression de la pensée, contre la réglementation de la vie littéraire et de la vie tout court, contre la pauvreté de l'existence matérielle. Tout dans ce poème, jusqu'à son titre, implique la critique du statu quo. À côté de quelques autres œuvres nées du « dégel » politique et intellectuel de 1955, le poème de Ważyk, empreint d'humour et en apparence léger, ce qui le rend d'autant plus éloquent, ouvre une nouvelle époque dans les lettres de la Pologne d'après-guerre. – Trad. in *Nouvelle Revue française*, n° 48, 1956.

POÈME POUR VIOLON ET ORCHESTRE op. 25 de Chausson. Œuvre concertante apparentée au poème symphonique, probablement la page la plus célèbre du compositeur français Ernest Chausson (1855-1899) qui l'a écrite à l'intention du violoniste belge Eugène Ysaÿe. Sa composition s'échelonne entre 1892 et 1896, et semble avoir été inspirée au musicien par une nouvelle de Tourgueniev, *Le Chant de l'amour triomphant*. L'œuvre est conçue avec une grande liberté formelle pour laisser chanter le violon soliste. On peut déceler trois volets, le premier consacré à une introduction orchestrale, le second, Animato, où la tension expressive est poussée à son maximum, le troisième marquant un retour à l'atmosphère initiale mais avec la participation du soliste. Le *Poème* de Chausson compte parmi les pages maîtresses du répertoire violonistique. On l'exécute parfois avec accompagnement de piano.

A. Pâ.

POÈMES de Ai Ts'ing. Le poète chinois Ai Ts'ing (né en 1910) est probablement le mieux connu de ce siècle et le plus souvent traduit en Occident. De son œuvre, influencée par le symbolisme et par Walt Whitman, on considère que « l'émotion est universelle ». Sa période créatrice la plus puissante et la plus féconde s'étend du premier recueil, *Ta-yen heu, ma nourrice* (1936), jusqu'à 1942, et manifeste un engagement politique et patriotique dont la métaphore principale est tout naturellement lumineuse et ardente : *Vers le soleil* [*Siang t'ai-yang*], *Les Torches* [*Houo-pa*], *Feu follet* [*Ye-houo*], *L'Annonce de l'aube* [*Li-ming-teu t'ong-tche*] ; où la « Fille du printemps », « Dans la lumière solaire du petit matin / Ne se repose pas un seul instant ». Ses recueils se composent de nombreux poèmes courts, lyriques, descriptifs ou philosophiques, ainsi que de longues pièces narratives. Après vingt années d'exil pour cause d'« occidentalisme », de 1958 à 1978, et dont aucun poème n'est resté, il publie « Il y a de l'ombre dans la lumière » comme « Il y a de la lumière dans l'ombre ». La publication du *Drapeau rouge* [*Hong-ts'i tsa-tche*] annonce la réhabilitation de Ai Ts'ing, qui sera suivie du *Chant du retour* [*Kouei-lai-ten-ken*, 1980], de *La Tombée des feuilles* [*Louo-ye-tsi*, 1982], des *Poèmes aux pays étrangers* [*Yu-wai-tsi*, 1983], ainsi que de plusieurs recueils génériques intitulés *Poèmes de Ai Ts'ing* [*Ai Ts'ing che-siuan*]. – Trad. par Li Tche-houa, *Vers le soleil*, Seghers, 1958 ; C. Vignal, *Poèmes de Ai Ts'ing*, P.O.F., 1978 ; *Ai Qing, Poèmes*, Édition en langues étrangères de Pékin, 1980 ; *De la poésie, du poète*, P.U.V., 1982 ; *Cent poèmes*, Panda, 1984 ; NG Yok-Soon, *Le Récif*, Cent Fleurs, 1987 ; *Le Chant de la lumière*, Cent Fleurs, 1989.

V. L.

POÈMES d'Arnold [*Poems*]. Recueil dans lequel le poète anglais Matthew Arnold (1822-1888) publiait en 1853, pour la première fois sous son nom, le contenu de ses deux premiers volumes : *Le Viveur égaré et autres poésies de A.* (*) et *Empédocle sur l'Etna et autres poésies* (*), omettant cependant le long poème dramatique *Empédocle* et d'autres poésies de moindre importance, en ajoutant d'autres au contraire, parmi lesquelles les très célèbres « Sohrab et Rustum » [Sohrab and Rustum] et « L'Étudiant bohémien » [The Scholar Gipsy]. « Sohrab et Rustum » raconte un épisode tiré d'une œuvre du poète persan Firdousi : le jeune Sohrab, né d'une passion juvénile de Rustum, ayant quitté sa mère pour acquérir la gloire en guerroyant, rencontre en combat singulier son père, qu'il ne reconnaît pas et dont il n'est pas reconnu. Frappé à mort, il tombe, et, dans un dernier spasme, menace son adversaire de la vengeance de Rustum. Aussitôt, le héros, plein d'angoisse, demande au moribond les preuves de ce qu'il vient d'entendre. Ce dernier montre alors à son père certaine marque que sa mère lui fit au bras, quand elle lui dévoila le secret de sa naissance. Désespéré, Rustum tente de mettre fin à ses jours ; mais il en est empêché par les efforts de son fils. Sohrab mort, le père ramène la dépouille du jeune homme dans son pays natal, où il le fait ensevelir en grande pompe. De tous les poèmes descriptifs d'Arnold, « Sohrab et Rustum » est peut-être celui qui est composé avec le plus de respect des règles classiques. « L'Étudiant bohémien » est, au contraire, un poème élégiaque tiré d'un épisode du livre *La Vanité de dogmatiser* [*The Vanity of Dogmatizing*, 1661] de Glanvil : un jeune étudiant, contraint par pauvreté d'abandonner l'université d'Oxford, se lie avec un groupe de bohémiens vagabonds dont il réussit à gagner l'affection. Quelques années plus tard, rencontrant deux anciens condisciples, il s'efforce de leur montrer que les bohémiens ne sont pas des imposteurs et que lui-même révélera au monde leur savoir quand il l'aura approfondi. En cet étudiant vagabond, Arnold voit le symbole de l'esprit humain, mécontent de tout ce que la science humaine peut lui donner, toujours inquiet et aspirant à une connaissance plus haute. En 1867, Arnold donna une nouvelle édition de son livre, sous le titre *Nouveaux Poèmes* [*New Poems*], y insérant cette fois *Empédocle sur l'Etna* et y ajoutant quelques-unes de ses plus belles poésies, comprises en partie dans les *Poèmes, seconde série* [*Poems, Second Series*, 1855] comme « Balder Dead ». Un des plus significatifs est « Thyrsis », poème élégiaque que l'auteur écrivit à la mort de son ami, le jeune poète Arthur Hugh Clough (1819-1861) : le poète retourne à Oxford, la ville de sa jeunesse ; tout y a changé depuis le temps où il y passait avec l'ami qu'il pleure aujourd'hui ; il lui semble que sa jeunesse aussi est morte avec Thyrsis et il en éprouve un amer regret. Mais il se console en pensant que ce qu'il y avait en eux de meilleur, leur aspiration à une réalité plus haute, leur foi en une vérité supérieure, vit encore et vivra aussi longtemps que flottera, immortelle, l'âme de l'« étudiant bohémien ». Mentionnons encore les « Stances écrites à la Grande Chartreuse » [Stanzas from the Grande Chartreuse]. Bien que la poésie d'Arnold se meuve avant tout dans l'abstraction, elle n'en comporte pas moins une veine élégiaque et, par cet intimisme même, se rattache au romantisme. Dans ses dernières œuvres se reflète le drame de son temps, écartelé entre les exigences de la raison et l'aspiration religieuse.

POÈMES de Beaumanoir. Philippe de Rémi, sire de Beaumanoir (1247-1297?), bailli de Senlis et de Clermont, sénéchal de Poitou, de Saintonge et de Vermandois, et qui fut un conseiller très estimé de Saint Louis et de son fils Robert, comte de Clermont, est surtout célèbre pour avoir recueilli en 1283, en les accompagnant d'un précieux commentaire, les *Coutumes du Beauvoisis,* un des plus importants monuments de l'ancien droit français. Mais il n'est pas seulement un jurisconsulte illustre, il fut aussi de son temps un poète de renom. De lui nous possédons deux romans en vers, *Manekine* (vers 1270), sombre histoire d'une jeune femme mutilée et abandonnée avec son petit enfant, dans un bateau sans pilote, pour une faute dont elle est innocente, et un roman d'amour, *Jehan et Blonde,* dans lesquels Beaumanoir met à profit, avec une grande habileté et un réel sens du pathétique et même du fantastique, les traditions légendaires de son pays. Nous connaissons également de lui un certain nombre de pièces en vers, dont les plus originales sont les fatrasies. La « fatrasie », genre à la mode aux XIIIe et XIVe siècles, est proche de la rêverie par le caractère imprévu et décousu des idées et des images qui s'y succèdent. En principe, elle se bâtit sur des strophes de onze vers. Les fatrasies, ou fatras, survécurent dans les *Mystères,* où elles sont débitées par le fou entre deux scènes dramatiques et destinées à délasser le spectateur. Les fatrasies de Philippe de Beaumanoir sont pleines d'une fantaisie qui ne manque pas d'humour et à laquelle se mêlent des notes réalistes fort piquantes.

L'on tend maintenant à distinguer le père et le fils : le premier serait l'auteur des romans et des poésies, le second aurait composé les *Coutumes du Beauvoisis.* — Les œuvres poétiques ont été éditées par H. Suchier (Paris, Société des anciens textes français, 1884-1885) ; les *Coutumes* l'ont été par A. Salmon (Paris, 1899-1900).

POÈMES de Bialik [*Shirim*]. Les poèmes de Haïm Nahman Bialik, poète russe de langue hébraïque (1873-1934), ont été publiés en 1901, 1908 et 1923. Bialik fut profondément marqué par son époque, mais sa seule biographie ne suffit pas à expliquer son œuvre qui dépasse les frontières de son pays et de son temps. Il exprime dans sa poésie les doutes, les espoirs, les aspirations et les tourments des Juifs de sa génération, mais également ceux de l'homme de tous les temps face à lui-même et face à Dieu. Au centre de sa poésie se situe la tension entre le moi et le monde, la foi et le doute, la réalité extérieure et la réalité intérieure. Cette tension confère à l'ensemble de son œuvre un caractère déchirant. Il se sent, en tant que poète, investi d'une mission prophétique — « Pensées nocturnes » [Hirhourei Leila, 1892] — mais constate avec amertume qu'il demeure incompris. Souvent romantique, sa poésie est l'expression de la quête permanente d'un paradis perdu, et de l'aspiration à restaurer le dialogue interrompu avec Dieu. Il célèbre la gloire passée du judaïsme de ses pères, évoquant avec nostalgie ou désespoir la ruine des synagogues, la force, mais aussi l'abandon des valeurs du judaïsme traditionnel — « Seul » [Levadi, 1902] et « Devant le tabernacle » [Lifne Aron HaSefarim, 1910]. Incapable de choisir entre le monde de la tradition ancestrale et celui de la culture européenne, coupé de ses racines, Bialik apparaît souvent dans sa poésie comme oscillant entre la vie et la mort. Parallèlement à ces poèmes, dans lesquels le judaïsme occupe une place centrale, Bialik consacre aux thèmes de l'enfance, de la nature et de l'amour une grande partie de son œuvre. La vision qu'il a de l'enfance est particulièrement romantique : cette période de sa vie, pourtant marquée par la solitude et par le deuil, apparaît comme un moment privilégié : seul compte, en effet, le regard émerveillé de l'enfant qui, « recueilli » par Dieu, pénètre les mystères du monde : « Clarté » [Zohar, 1901] et « La Mare » [HaBrekha, 1905]. Cette harmonie perdue, seul le poète peut, par la magie des mots, lui redonner vie. Les poèmes d'amour, également romantiques, sont l'expression de la quête sans fin d'une âme sœur, d'une femme idéale qu'il ne peut définir, et qui seule peut lui apporter le salut, « Où es-tu ? » [Aiekh ?, 1904]. La nature, elle, est tantôt complice, tantôt hostile ; mais les poèmes qui lui sont consacrés font toujours apparaître une double réalité, extérieure et intérieure, ainsi qu'une évidente interaction entre les deux — « Dans le champ » [BaSadeh, 1894] et « Message » [Besora, 1903].

C'est dans sa poétique, et non dans ses motifs, que Bialik se distingue des poètes de son temps. Il refuse toute grandiloquence, il réduit ou atténue au lieu d'amplifier, et privilégie les moments intermédiaires ; la métonymie est également l'un de ses moyens d'expression privilégiés. Il se plaît aussi à renverser, ou à modifier de façon imprévisible soit le sens, soit l'atmosphère du poème ; il préfère, enfin, le concret à l'abstrait : l'étincelle, le vent, le nuage sont, malgré leur valeur de symbole, bel et bien réels.

La poésie de Bialik est à la fois nationale et universelle. Il est à juste titre considéré comme l'un des plus grands poètes juifs de son temps. — Trad. de quelques poèmes, Éd. Alpha, Jérusalem, 1967. A. B.

POÈMES de Bonnefoy. Recueil poétique de l'écrivain français Yves Bonnefoy (né en 1923), publié en 1978. L'ouvrage rassemble, avec une version abrégée et modifiée d'*Anti-Platon* (1947), quatre volumes successivement publiés : *Du mouvement et de l'immobilité de Douve* (1953), *Hier régnant désert* (1958), *Pierre écrite* (1965), *Dans le leurre du seuil* (1975). Chacun de ces ouvrages était construit de manière cohérente. Leur ensemble forme un livre animé d'un mouvement qui trace un unique et ample parcours. Il s'agit là d'un itinéraire, l'un des plus significatifs de la poésie de notre siècle, et non d'une architecture préméditée.

« Il s'agit bien de cet objet », lit-on au début d'« Anti-Platon ». Dès le commencement le choix de l'être singulier est indiqué de la manière la plus nette, contre la généralité du concept. De même, la mort, c'est-à-dire l'épreuve de la finitude, est proclamée « indispensable ». Dans ce texte initial, la diction est allusive, tendue, concise. C'est le ton que l'on percevra dans de nombreux poèmes de *Douve*. Il faut lire les *Entretiens sur la poésie* (1990), pour savoir comment est né ce nom propre et quelle fonction l'auteur lui a attribuée. Douve intervenait d'abord parmi les quelques personnages d'un projet de récit antérieur à *L'Ordalie* : ils y avaient pour mission secrète « d'altérer, de ruiner des pans entiers de la figure du monde [...] de faire se fissurer le système des représentations ». Il y a d'abord dans Douve « toute une virtualité de sens associable à une figure féminine ». Dans ce même mot, et tout aussitôt, il y eut aussi « le pressentiment d'une terre, d'une contrée toute bruissante bien qu'encore mêlée de nuit ». Douve est aussi la parole. Si bien qu'en un seul mot Bonnefoy donne corps aux valeurs qui lui importent le plus, mais laisse entendre qu'elles ne sont pas possédables. La connivence de Douve avec la nuit en fait une figure apparentée à celle d'Eurydice : « En Douve s'annonça pour moi l'être mortel que nous sommes même si nous refusons d'en prendre conscience ; et la parole à la fois immédiate et pleine que celui qui se saurait tel, vraiment, atteindrait, lui, au terme du rêve. [...] Je ne voulais pas signifier mais faire d'un mot en somme quelconque l'agent de la désagrégation de ces systèmes que les signifiants — comme nous disons aujourd'hui — ne cessent de mettre en place. [...] Un visage, non une essence. En poésie il n'y a jamais que des noms propres. » Les cinq parties de « Douve » se déploient entre la nuit d'un premier « Théâtre » et l'aube qui laisse entrevoir un « Vrai lieu ». La section centrale intitulée « Douve parle » constitue le point tournant. Après la traversée de la noirceur et du froid vient l'apparition de la salamandre, d'« un peu de feu », de l'existence immédiate et simple, d'un monde enfin habitable.

Ce qui semblait un aboutissement et une conquête à la fin de « Douve » est remis en question au début du livre suivant. L'épigraphe, empruntée à l'*Hyperion* (*) de Hölderlin, est un reproche : « Tu veux un monde, dit Diotima. C'est pourquoi tu as tout, et tu n'as rien. » « Hier régnant désert » commence, dans une tonalité angoissée, par les poèmes intitulés « Menaces du témoin ». Plus tard, dans *L'Arrière-Pays* (*), qui fait maintenant partie de *Récits en rêve* (*), Bonnefoy rappellera : « J'écrivis des poèmes où je me laissais reprocher par des voix qui venaient de la conscience morale d'avoir eu peur, d'avoir laissé le feu, si tant est qu'il eût jamais pris, s'éteindre sur la table où je voulais la présence, lui préférant un mauvais sommeil qui noyait tout d'une eau trouble. [...] Ce que j'accusais en moi, ce que je croyais pouvoir y reconnaître, et juger, c'était le plaisir de créer artistiquement, la préférence accordée sur l'expérience vécue à la beauté propre d'une œuvre. » Mais de cette situation de faute, de ce sentiment de « pas qui ne progressent plus », « d'aile fermée », de « toujours la même nuit qui ne s'achève pas », le désir de la présence renaîtra et découvrira de nouvelles ouvertures. Se consacrer à « faire œuvre », poursuivre la beauté, c'était se détourner de la vérité. Si la beauté, offusquant la lumière réelle, est la « pourvoyeuse du ciel noir », il faut la mettre « à la roue », la « supplicier », l'« humilier », en préservant toutefois le désir de son « corps infirme ». Un poème devenu rapidement célèbre porte pour titre « L'imperfection est la cime ». Et le feu va renaître. « Ici » redeviendra le « lieu clair ». Les images solaires et la confiance reconquise par quoi s'achève « Hier régnant désert » ouvrent la voie aux splendides poèmes qui forment l'ouverture du livre suivant, « Pierre écrite ». Dans la première section, « L'Été de nuit », l'amour humain ne fait qu'un avec la beauté du monde. C'est le premier jardin — le paradis — presque retrouvé. Dans ces poèmes à la respiration heureuse, certaines réalités jusqu'alors peu fréquentes dans la poésie de Bonnefoy font leur apparition : dès le premier poème, le fruit est nommé avec insistance, comme le seront aussi la barque et le navire. On perçoit un changement de registre. Le « toi », le « nous » sont des présences plus immédiatement incarnées. Une plus large palette de couleurs se déploie. La mort, toutefois, en contrepoint, ne cesse de faire entendre sa voix. Bonnefoy l'avait dit dans « Douve » (comme l'avait fait Goethe) : « La lumière profonde a besoin pour paraître / D'une terre rouée et craquante de nuit. » De nombreux poèmes, tout au long du recueil, portent pour titre « Une pierre ». Ce sont des pierres tombales, et des paroles qui parviennent d'un lieu ténébreux.

« Dans le leurre du seuil » marque un nouveau degré d'épanouissement et de clarification, alors même que persistent la « tache noire dans l'image », le « cri qui perce la musique », et la « misère du sens ». Il s'agit d'un seul et unique poème divisé en sept parties, qui se déroulent dans une lente alternance de nuit et de jour. La voix poétique occupe un lieu bien défini : une très ancienne demeure, en partie ruinée, qui fait face à un paysage du Midi, sous un ciel traversé de nuées. « Dans le leurre du seuil », comme l'a déclaré Bonnefoy, est le poème d'une « possibilité d'unité vécue, de consentement, de transparence accessible ». C'est aussi, dans ses grandes strophes irrégulières et dans les lignes de points qui les entrecoupent, le poème de l'ouverture à l'extériorité. L'illusion, le leurre sont reconnus pour ce qu'ils sont. Mais ils sont en même temps acceptés. Les contraires peuvent coexister au sein d'une plus grande réalité. Référence est faite, dans le poème et dans son épigraphe, au *Conte d'hiver* (*) de Shakespeare : « Ils semblent entendre la nouvelle d'un monde rédimé ou d'un monde mort. » La poésie est l'acte qui s'accomplit dans l'intervalle entre ces deux mondes. Elle établit entre eux un lien ambigu, mais qui n'en est pas moins le seul espoir offert à l'existence humaine. Ce qui fut considéré comme le mal peut être racheté : le mouvement et l'immobilité, le rêve et le monde réel, l'image et la vie incarnée, l'épars et l'indivisible ne sont plus en guerre. À la fin de l'ouvrage, « la vague sans limite sans réserve » et l'immense ciel se réfléchissent tout entiers « dans la flaque brève ». La finitude peut recevoir la lumière de l'illimité. Bonnefoy a souvent parlé, dans ses textes critiques, du bien que peut dispenser une œuvre de parole, par la façon dont elle nomme une réalité « partageable ». Pour le lecteur d'aujourd'hui, les *Poèmes* en sont le meilleur témoignage.

J. S.

POÈMES de Boye. Durant sa vie, Karin Boye (1900-1941), écrivain suédois, publia quatre recueils de poèmes, le cinquième restant inachevé. Artiste éclectique, Karin Boye hésite entre diverses formes de création, sculpture, peinture ou écriture, puis son choix se porte finalement sur la poésie. En 1922, elle fait paraître un premier recueil, *Nuages* [*Moln*], reflet de son aspiration à la perfection et à l'harmonie. Élans mystiques, extase esthétique et transports amoureux y révèlent déjà l'ampleur de la nostalgie chez cet être exalté à la recherche de la paix intérieure et de l'élévation morale. Dans « Le Désir du peintre » elle clame un exigeant programme poétique : « Je voulais peindre une cuiller en bois de telle sorte / que les hommes y entrevoient Dieu ! » *Pays cachés* [*Gömda land,* 1924] et *Âtres* [*Härdarna,* 1927] marquent la véritable percée de l'auteur. Si l'inspiration reste universelle, Karin Boye ose manifester sa sensualité féminine et surtout elle sait admirablement faire vibrer une musique profonde dont le rythme est l'expression parfaite de sa personnalité. Cette femme ardente et déchirée, qui se sent frappée de malédiction, élève la voix afin de réclamer pour tous le droit à l'affirmation de soi et à la plénitude. Ainsi, la « Walkyrie » [Sköldmön], un des poèmes les plus célèbres de Karin Boye, chante le rêve de pouvoir s'adonner sans réserve à la lutte pour un idéal, tandis que la ballade intitulée « Torkel Tyre », magnifique de laconisme, retentit tel le cri d'angoisse d'un banni. Après une pause de huit ans, Karin Boye revient à la poésie en 1935 avec *Pour l'amour de l'arbre* [*För trädets skull*], un ensemble d'abord boudé par les critiques pour son hermétisme, mais qui sera rapidement considéré comme un chef-d'œuvre du modernisme. Karin Boye a composé une poésie symbolique qui semble l'émanation directe de son subconscient. Ainsi, pour traduire son exigence de liberté, de calme et de droiture, elle a privilégié l'image de l'arbre, fortement enraciné, au tronc puissant et au feuillage resplendissant. Dans ce recueil elle multiplie d'ailleurs les références au monde végétal et minéral. Karin Boye a mûri, évoluant vers une plus grande stylisation et une concentration accrue de la forme. Même si sa perception de l'existence paraît moins sombre, des accents de désespoir subsistent : « Je suis malade de poison. Je suis malade d'une soif / pour laquelle la nature n'a point créé de boisson » (« Nulle part » [Ingenstans]). Mais Karin Boye n'ignore pas non plus les instants de bonheur, comme en témoignent ses odes à l'amour, aux métaphores audacieuses (« Le Profond Violoncelle de la nuit » [Nattens djupa violoncell]), ou bien une série d'hymnes vibrants à la nature qui exaltent la douleur infinie du renouveau. Karin Boye ne parvient à surmonter la dialectique mystérieuse du bien et du mal que dans son dernier recueil où elle fait l'éloge des *Sept Péchés capitaux* [*De sju dödssynderna,* 1941], dont elle revendique la nécessité dans le processus de création littéraire. Certains poèmes cependant laissent présager la fin tragique de Karin Boye qui semble prête à abandonner un combat désormais inégal : « Si j'écoute, j'entends la vie fuir / toujours plus vite maintenant / Ces pas calmes derrière moi / ô mort, c'est toi. » Ces vers sont écrits le 15 avril 1941. Le 24 avril, Karin Boye, une des principales figures de la poésie moderniste suédoise, se donnait la mort dans la solitude de la forêt. — Trad. La Différence, 1991.

M.-B. L.

POÈMES de Brooke [*Poems*]. Publié d'abord en 1911, ce recueil de poèmes de l'écrivain anglais Rupert Brooke (1887-1915) s'accrut, en 1918 [*Collected Poems of Rupert Brooke, With a Memoir*], de ses sonnets inspirés par la guerre : *1914 et autres poèmes.* Brooke excelle à découvrir le sens le plus obscur des choses dans le plan de la vie quotidienne. On trouve d'abord chez lui cette sorte de candeur propre à la jeunesse (une candeur qui ne va pas toujours sans cruauté) et une inlassable curiosité qui le rapproche des poètes du XVIIe siècle anglais. Il use admirablement du langage poétique. Plus tard, son ironie première se changera en mélancolie et en tendresse. Ses sonnets de guerre sont très connus ; l'un d'eux, qui ressemble à un testament, est comme la préfiguration de sa destinée ; un autre « Ciel » [Heaven], inspiré de l'*Atta Troll* (*) de Heine, conçoit le Paradis comme pourraient le concevoir les poissons ; un troisième, « Le Poisson » [The Fish], évoque subtilement ce que peut être le sens de la vie chez un poisson. Tout au long de ce recueil, on peut suivre l'évolution spirituelle du poète, qui se défait progressivement de tout esprit de révolte pour aller vers la plus sereine contemplation. Rupert Brooke est bien de la lignée des grands lyriques anglais (Shelley, Keats, Blake, Browning), tant son génie créateur l'emmène haut et loin. — Trad. La Différence, 1991.

POÈMES de Cao Chu Thân [*CTThi tâp*]. Œuvre du poète vietnamien Cao Ba Quat (1809-1854) dont une partie est traduite du chinois et publiée en 1971 à Saigon et en 1977 à Hanoi. Ce qui reste de l'œuvre de Cao Ba Quat est conservé à Hanoi, en partie traduit et publié dans plusieurs anthologies générales. L'édition de 1977 regroupe un choix de plus de cent cinquante morceaux traitant des thèmes chers aux lettrés (sens du devoir, retraite, misère matérielle mais pureté du cœur, nature compatissante)... Sa confiance dans le triomphe de la valeur, sa solitude, sa déception de ne pas trouver quelqu'un digne du mandat céleste s'expriment dans ses poésies d'une beauté parfaite. Sentimental, il est sincère dans son émotion pleine de compassion pour ses semblables et pour lui-même. Il fut souvent confronté à des injustices et difficultés matérielles. La contradiction entre sa culture classique enfermée dans les vertus confucéennes et son tempérament épris de liberté donne à ses vers tantôt un souffle épique, tantôt un ton d'une poignante ironie ; mais trop de références aux Classiques et à l'histoire chinoise nuisent parfois à leur compréhension.

T.-T. L.

POÈMES de Cavafy [Τὰ ποιήματα]. Recueil de cent cinquante-quatre poèmes de Constantin Cavafy, poète grec ayant vécu à Alexandrie (1863-1933), publié à Athènes, en 1935. L'œuvre poétique de Cavafy constitue la réaction la plus marquante à l'égard de l'esthétique rigoureuse de la poésie issue de la chanson populaire et qui domine à Athènes au début du XXe siècle. La poésie de Cavafy est sobre, aristocratique, antilyrique essentiellement ; aux grandes descriptions soutenues par des cris et des gestes, le poète alexandrin substitue son propre drame, dépouillé de toute emphase : sa langue est très personnelle, artificielle parfois et assez maniérée, mêlant aux tournures savantes des expressions populaires. Déraciné, fonctionnaire au service d'un gouvernement étranger, citoyen d'une ville cosmopolite dédiée au commerce, Cavafy transmet dans ses *Poèmes* sa lassitude, son expérience profonde des gens, une conception de la vie pessimiste ; œuvre d'un homme mûr, amateur passionné d'histoire, qui se complaît avec insistance à rappeler les heures envolées de sa jeunesse, se dérobant tour à tour dans l'évocation du passé ou dans le culte de la volupté. L'histoire, l'hédonisme et une morale didactique en sont les thèmes essentiels. Cavafy ne se veut pas uniquement peintre d'un instant ou d'un événement historique : il y participe comme un chroniqueur nous révélant tout ce qui est humain, vile hypocrisie, fausse gloire chez les princes, les courtisans, les poètes et les héros mythologiques. Se replaçant dans l'époque dont il traite, il nous suggère, au moyen de mots et d'expressions attentivement choisis, les événements qui la marquèrent et l'atmosphère qui la distingue. Le poète préférera cependant les coulisses et se délectera souvent de détails empruntés à l'envers du décor. Dans son poème « En attendant les Barbares », que nous dit-il ? Une ville lasse de son État s'apprête à accueillir les Barbares qui la menacent : tout est prêt pour la réception, les officiels s'animent pour la dernière fois peut-être, mais... « Voici la nuit et les Barbares ne sont pas venus... Et maintenant qu'allons-nous devenir sans Barbares ? / Ces gens-là, c'était tout de même une solution. »

L'histoire hellénistique et byzantine lui fournit un nombre important de personnages. Ce recul dans le temps est, parallèlement à ces visions historiques, un prétexte pour mieux décrire et nous exposer, de façon voilée, les amours particulières qui furent les siennes, son amour des beaux éphèbes. La censure morale de son milieu, sa position sociale l'empêchant de crier son adoration, Cavafy se confinera dans ces périodes de décadence qui cultivaient cette forme d'amour au grand jour. Dans son *Ciseleur de vases précieux* (1921), que de précautions. « Sur ce cratère d'argent pur destiné à la demeure d'Héraclide... j'ai placé au centre un beau jeune homme / nu, inspirant le désir... quinze années ont passé depuis le jour / qu'il tomba, combattant, à la défaite de Magnésie. » Dans un poème daté de 1917 : « J'ai tellement contemplé la beauté que ma vue reste pleine d'elle. » Les femmes sont rares dans sa poésie et toujours traitées avec une austérité exceptionnelle. Un autre aspect de son œuvre est représenté par des poèmes au ton didactique, tel celui intitulé « La Ville » : « Tu t'es dit : " J'irai vers une autre terre, / j'irai vers une autre mer "... Tu ne trouveras pas d'autres pays, tu ne trouveras pas d'autres mers. La ville te suivra... / Pour avoir tant gâché ta vie sur ce petit coin de terre. / Tu l'as ruinée dans l'univers entier. » On notera que, depuis la publication, en 1935, des cent cinquante-quatre pièces « reconnues » par Cavafy, d'autres œuvres sont venues au jour, constituant le recueil des *Poèmes inédits* (1968). — Trad. Seghers, 1979 ; Imprimerie nationale, 1992.

POÈMES de Hart Crane [*Collected Poems*]. L'œuvre du poète américain Harold, dit Hart Crane (1899-1932), fut rassemblée par Waldo Frank en un seul volume en 1933, un an après la mort de l'écrivain américain qui avait disparu en mer au large de Cuba, alors qu'il rentrait d'un voyage au Mexique. Une édition plus complète paraîtra en 1958. Il n'avait publié qu'un recueil de vers en 1926, *Blanches constructions* [*White Buildings*] et, en 1930, un long poème visionnaire, *Le Pont* [*The Bridge*]. L'édition de 1933 comporte, outre les vers de ces deux volumes, diverses pièces que le poète n'avait pas cherché à publier de son vivant. L'influence de Walt Whitman est prédominante dès les premiers vers de Crane, qui fut sans aucun doute l'un des poètes américains les plus doués de la période d'entre-deux-guerres. Dans *Le Pont* par contre, c'est plutôt la cadence de la prose de Melville qu'on retrouve. Deux thèmes principaux, la mer, que le poète découvrit tout enfant, et la mort, ont été le levain de son inspiration. Le recueil de *Blanches constructions* comprend vingt-neuf poèmes. Dans les meilleurs d'entre eux, « Black Tambourine », « Praise for an Urn », « At Melville's Tomb » et surtout les fragments II et VI de la longue pièce intitulée « Voyages », le poète a tiré un parti intéressant de ses lectures de Shakespeare, Marlowe et même Rabelais. Une vitalité prodigieuse s'y exerce. C'est cependant dans « The Marriage of Faustus and Helen », où Crane par un parti pris tout moderniste transporte l'héroïne grecque dans le monde de son temps, que le poète a voulu voir la première mise en œuvre aboutie de ses théories poétiques. Son poème n'est cependant pas toujours convaincant et c'est dans *Le Pont* qu'apparaît le plus clairement la réussite de Hart Crane. De loin son œuvre la plus importante, *Le Pont* est un long poème d'une forme qu'on ne saurait dire tout à fait « achevée ». L'auteur, qui voyait dans son pays un principe de foi et d'unité permanentes, nous présente l'Amérique moderne comme un pont capable de relier le passé à l'avenir. Ce symbole s'accentue encore par la facture à la fois ancienne et moderne de la pièce où Crane tente, selon ses propres termes, de combiner « l'expérience soi-disant classique et les réalités divergentes du cosmos confus » des temps modernes. Cette idée lui était venue en regardant le pont de Brooklyn qu'il apercevait de sa fenêtre new-yorkaise. La plus belle pièce, intitulée « Le Fleuve » [The River], est un hommage au Mississippi et parmi les derniers poèmes, « La Danse » peut passer pour une des plus fines compositions qui soient dans le ton élégiaque. À propos du « Tunnel » enfin, on a évoqué la technique d'Eliot. Crane a certainement abusé de ses dons. Sorte de Thomas Wolfe en vers, il croyait avant tout à une vision extatique des choses. Le courant poétique auquel il s'abandonne est le plus souvent à haute tension. Dans ses vastes fresques à la Whitman, dans tels passages admirables du « Fleuve » décrivant la marche des trimardeurs et des vagabonds, dans sa recherche d'une synthèse de la poésie subjective et des réalités du monde physique, ses vers charrient pêle-mêle idées mystiques et détails très matériels. Le plus haut romantisme, le plus échevelé, y épouse çà et là le naturalisme le plus cru. Son dernier poème, « La Tour brisée » [The Broken Tower], qu'il avait écrit au Mexique très peu de temps avant son suicide et qui devait faire partie d'un ensemble intitulé *Key West,* reprend en l'amplifiant l'émotion religieuse indiscutable que dégageaient déjà certains passages du *Pont.* C'est peut-être même sa pièce la plus caractéristique ; le désir d'un « salut » qu'avait recherché le poète y transparaît en tout cas avec beaucoup plus de précision dans les symboles. D'indisciplinée qu'elle était, sa poésie témoigne ici d'un sens plus sûr de la mesure et de la clarté ; mais Crane n'a nullement abandonné les audaces formelles qui lui furent chères si longtemps et qu'il devait en grande partie aux symbolistes français dont il avait été un lecteur passionné. Par l'ampleur de ses vues, la puissance incontestable de sa langue, très recherchée, la magnificence de ses images et l'incohérence même de ses idées, ce poète de la frénésie du monde moderne, comme on l'a appelé, n'a pas entièrement échoué dans la tâche gigantesque qu'il s'était fixée : doter son pays d'un mythe poétique capable de contenir l'essentiel de la « philosophie » du « mode de vie américain » [american way of life]. — Trad. *Au pont de Brooklyn et autres poèmes,* Lettres modernes, 1965 ; *Choix de poèmes et lettres,* Obsidiane, 1980 ; *Le Pont,* Obsidiane, 1987 ; *Key West et autres poèmes,* La Différence, 1989.

POÈMES de Stephen Crane. Les poèmes de l'écrivain américain Stephen Crane (1871-1900) sont contenus dans deux recueils, *Les Cavaliers noirs* [*The Black Riders*, 1895] et *La guerre est bonne* [*War is Kind*, 1899]. Autant la création en prose est constante dans la courte vie de Crane, autant l'inspiration poétique, chez lui, est intermittente. Mais quand elle venait, elle se présentait, au moins dans sa jeunesse, comme une dictée impérieuse qui ne souffrait pas de ratures. « C'était précisément, a dit son ami Hamlin Garland, comme si un esprit étranger eût délivré ces vers par l'intermédiaire de sa main. » Crane ne les traitait jamais de « poèmes » ni de « poésie », leur accordant seulement l'appellation de « lines » qui, bien qu'employée en anglais au sens de « vers », conserve la modestie de « lignes ». Ils échappent en effet à toute scansion, sont comme une prose à peine chantante, martelée, dont les pauses, extrêmement significatives et contraignantes, impliquent toutefois une diction qui est celle de la plus grave poésie, souvent même de la poésie oraculaire. On a rappelé à leur propos le choc, peut-être déterminant, que donna à Crane la lecture des poèmes d'Emily Dickinson ; en tout cas, l'influence des *Rêves* [*Dreams*] d'Olive Schreiner ainsi que des épigrammes et des fables d'Ambrose Bierce s'y retrouve. Crane n'en est pas moins un poète des plus originaux dans son emploi du paradoxe, de la parabole, du syllogisme ou du pseudo-syllogisme et, presque toujours, de la plus noire ironie pour traduire sa vision du monde et du destin de l'homme. Son pouvoir de condensation peut atteindre à ceci : « Un homme craignait de rencontrer un assassin. / Un autre, de rencontrer une victime. / L'un était plus sage que l'autre. » Ou encore à l'elliptique richesse de : « Je marchais dans un désert / Et j'ai crié / "Ah, Dieu, retire-moi d'ici !" / Une voix dit : "Ce n'est pas un désert." / J'ai crié : "Mais / Le sable, la chaleur, l'horizon vide ?" / Une voix dit : "Ce n'est pas un désert." » Citons encore cette vision : « Dans le désert / J'ai vu un être nu, bestial, / Lequel, accroupi sur le sol, / Tenait son cœur dans ses mains / Et en mangeait, / Je lui dis : "Est-ce bon, l'ami ?" / "C'est amer, amer, me dit-il. / Mais j'aime ça / Parce que c'est amer, / Et parce que c'est mon cœur." » Les poèmes tardifs, déjà dans l'ombre de la mort, de *La guerre est bonne*, notamment celui qui a donné son nom au recueil, et le posthume *Un homme à la dérive sur une frêle vergue* [*A Man Adrift on a Slim Spar*] restent lapidaires, gnomiques et d'expression paradoxale, mais ne se refusent pas au chant et prennent une ampleur pathétique qui mettent en jeu l'homme tout entier. Ils grandissent encore à nos yeux l'auteur de *La Conquête du courage* (*) et des *Nouvelles* (*).

POÈMES de Cretin. Avec le poète français Guillaume Cretin (entre 1461 et 1465 - 1525), chantre puis chanoine de la Sainte-Chapelle, chroniqueur de François Ier, l'art des grands rhétoriqueurs triomphe à la cour de France. C'est sur la demande du roi qu'il s'employa à versifier Grégoire de Tours dans ses *Chroniques de France* en douze livres ; ce sont également des commandes ou des poèmes de concours que les *Chants royaux*, qui furent si appréciés des contemporains, la *Plainte sur le trépas du chevalier de Byssipat*, ou la *Déploration sur le trépas d'Okeghem*, le fameux musicien. Certains poèmes sont pleins d'une fantaisie allègre qui ne manque pas d'esprit, mais qui parfois fait long feu, comme le *Débat sur le passe-temps des chiens et des oiseaux*. En vérité, c'est dans ses épîtres en vers, tantôt lyriques, tantôt narratives, où la versification est éblouissante, que Guillaume Cretin, délivré de l'obsession des formes fixes, nous apparaît le plus valable. Il ouvre la voie à Clément Marot, qui devait parvenir à de belles réussites dans le genre et qui n'a jamais caché son admiration pour ce « souverain poète françois », « le bon Cretin au vers équivoqué ». Marot n'est pas le seul à admirer sa virtuosité et notamment son art des rimes équivoquées. Mais cet art n'est que l'aspect le plus voyant d'une exigeante recherche formelle qui entend la poésie comme une sorte de musique, plutôt que de chercher à livrer un « message ». Les œuvres poétiques de Guillaume Cretin ont été publiées par Kathleen Chesney (Paris, 1932).

POÈMES de Davičo [*Pesma*]. Roman de l'écrivain serbe Oskar Davičo (1909-1989), publié en 1952, où la vie à Belgrade en temps d'occupation est décrite sous divers aspects, où le problème politique et moral de la relation de l'individu avec le parti est longuement exposé. À travers ce premier roman, dont l'action se passe en trente-six heures, Davičo rapporte les exploits de jeunes résistants, dans l'atmosphère politique et sociale particulière à une ville occupée, et il consacre de longues descriptions au jeune intellectuel communiste, Mića Ranović, garçon tenace au caractère inébranlable. Ce personnage permet à l'auteur de présenter une des multiples variations possibles autour du caractère de l'ascète révolutionnaire qu'on retrouve dans ses autres romans, tels que *Titre provisoire de l'infini* [*Radni naslov beskraja*, 1958] ou *Béton et Lucioles* [*Beton i svici*, 1956]. Pour se préparer à devenir un vrai révolutionnaire, se doter d'une parfaite concentration de la volonté et d'une résistance physique étonnante, Mića Ranović a mené une vie rude, se passant souvent de repas et ne prêtant aucune attention aux joies de la jeunesse. Il est convaincu qu'un véritable révolutionnaire doit renoncer aux plaisirs jusqu'à la victoire de la révolution, et se montrer exempt de toute inclination personnelle. À l'opposé de Mića Ranović se situe le poète Vilović, expansif, sensuel outre mesure et ayant même quelque chose d'animal. Il rêve de rejoindre les partisans en territoire libre, et là, inspiré par le pressentiment de la victoire, d'écrire le plus beau poème de sa vie, un poème à la liberté. Un des personnages les plus authentiques de ce roman est Zika Ranović, le père de Mića. Zika Ranović, toujours à l'ombre de l'action principale, est un malheureux qui depuis des années est rongé par des soupçons relatifs à la fidélité de sa femme. Le dogmatisme et la froideur de son fils ajoutent à ses tourments intérieurs. De sorte qu'il tente désespérément de réveiller chez Mića un amour filial décroissant, et va jusqu'à se sacrifier et à offrir sa vie pour aider son fils dans ses menées révolutionnaires. Par ailleurs, le membre de la Gestapo, Klaus, est un personnage extrêmement original de criminel nazi. Bourreau raffiné qui sait être courtois, il a de belles manières et connaît bien l'idéologie nazie. Il n'est ni emporté ni grossier. C'est un gendarme raide qui ne fait pas réflexion sur la tâche qu'il doit accomplir. Intelligent et perspicace, il a été spécialement préparé pour devenir un criminel d'une espèce particulière. Au cours de son stage parmi les jeunesses hitlériennes, on a systématiquement étouffé en lui toute compassion pour les souffrances de ses semblables. Cette œuvre écrite sur le mode lyrique a été adaptée pour la scène et jouée avec succès.

POÈMES de Deschamps. Né en Champagne vers 1346 et mort avant 1407, le poète français Eustache Deschamps dit Morel, disciple de Guillaume de Machaut — v. *Poésies* (*) de Guillaume de Machaut — et peut-être son neveu, nous a laissé une œuvre poétique très vaste, mais le plus souvent plate, sans véritable lyrisme. Fonctionnaire royal, bailli de Valois, huissier d'armes sous Charles V, bailli de Senlis et châtelain de Fismes sous Charles VI, il reste un bon bourgeois, hargneux et raisonneur, mettant en vers la chronique de sa vie et de son temps, avec un solide bon sens, une satire un peu fruste, un esprit rude et réaliste. Son œuvre ne comprend pas moins de 1 175 ballades, 170 rondeaux, une centaine de virelais, lais, complaintes, poèmes divers, parmi lesquels quelques pièces dialoguées « à jouer de personnages ». Eustache Deschamps affectionne particulièrement la ballade : il en accepte la forme traditionnelle, il sacrifie au goût du jour en la « moralisant », en la remplissant d'allégories ; mais sa ballade (ainsi que son rondel) est rarement un poème d'amour ; la plupart portent d'ailleurs le titre de « balades de moralitez ». Il n'est pas fait pour les subtilités galantes ; souvent il est franchement misogyne, qu'il s'agisse des filles qu'il faut marier (ballade 1149), ou qu'il soit question de la vie conjugale (*Le Miroir du mariage* : quelle que soit la femme choisie, on n'aura que repentir). Pourtant, en glanant cette œuvre de versificateur sans envolée, il arrive de rencontrer, avec une surprise émue, un vers qui nous arrête, toute une strophe, d'une grâce charmante. Comment n'être point frappé par l'étrange écho, jusqu'à la consonance de la rime, reliant la première strophe de son *Lai du désert d'amour* et la « Ballade des dames du temps jadis » — v. *Ballades* (*) de Villon —, que Villon écrira cent ans plus tard : « Geniè-vre, Yseult et Hélaine / Palas, Juno ne Medée, / du Vergy la chastellaine, / Andromada ne Tisbée / n'autre dame trespassée / ne nulle vivante mondaine, / n'orent ne le mal ne la paine / ne la dure destinée / qui d'amours m'est destinée, / dont pale suis, triste et vaine... » L'héroïne, délaissée au seuil de la vieillesse, devant le « désert d'amour » qui lui est promis, dit son regret de l'âge heureux où, belle et insouciante, elle se riait des amoureux. Le regret du temps passé est un thème fréquent dans sa poésie ; parfois chanté avec délicatesse (« Adieu, douce, mal nommée / saison folement aimée », dit la *Chanson baladée* 1118) ; parfois exprimé avec une truculente verdeur, comme dans la ballade 1105 (*Regrets de la jeunesse passée*) ou la ballade 1228 (*Regrets d'un vieillard*). Il arrive souvent de rencontrer dans les poèmes de Deschamps une idée, ou un vers, qui seront repris plus tard et avec plus d'art par un grand poète. Le premier vers de la *Ballade sur la mort* de Guillaume de Machaut (« Armes, Amours, Dames, Chevalerie... ») est exactement le même vers qui lève magnifiquement le rideau sur le *Roland furieux* (*) de l'Arioste : « Le Donne, i Cavalier, l'Armi, gli Amori... » Un rondel de Deschamps commence ainsi : « À ce premier jour de Mai / celle qui veult son aumosne donner... » ; « Le premier jour du mois de Mai... », retrouve-t-on en un rondel de Charles d'Orléans.

De nombreuses ballades de Deschamps sont satiriques : il s'en prend aux courtisans, aux guerriers, aux financiers, aux magistrats, aux valets ; déjà il trouve qu'il faudrait diminuer le nombre de fonctionnaires (ballade 1109) ; il se moque avec verve des ridicules, des défauts, des vices de ses contemporains. Quelques-unes de ses ballades ont un accent patriotique, un sentiment national peu commun à son époque (ballade sur la mort de Du Guesclin ; ballade sur la reprise de Calais aux Anglais, etc.). Il convient de signaler les deux ballades à la louange de Paris, dont le refrain est : « Rien ne se peut comparer à Paris. » Nous citerons une strophe où Paris déjà est présenté comme la Ville-lumière, et même davantage : « C'est la cité sur toutes couronnée / fonteine et puis de sens et de clergie / sur le fleuve de Saine située : / vignes, bois a, terres et præerie. / De tous les biens de ceste mortel vie / a plus qu'autres cités n'ont ; / tuit estrangier l'aiment et aimeront / car pour déduit et pour estre jolis / jamais cité tele ne trouveront : / rien ne se puet comparer à Paris. » Soucieux de l'art qu'il cultive, Deschamps écrira un intéressant traité sur la rhétorique et la prosodie *(L'Art de dicter).* Il faut enfin rappeler sa contribution à la naissance d'un théâtre profane : ne trouve-t-on pas dans son œuvre une singulière *Sote chançon de cinq vers à deux visaiges à jouer de personnaiges*, comique échange d'injures entre une vieille ribaude et un mauvais garçon, certainement destinée à la récitation ? Ordurière, mais d'une rude vigueur populacière, elle est intéressante, car elle imite sans doute les divertissements scéniques embryonnaires que les baladins devaient débiter aux carrefours ou sur des tréteaux improvisés. Une autre pièce, plus importante, la *Farce de Trubert et d'Antroignart*, est une sorte de fabliau dialogué, mêlé de vers narratifs ; elle peut se prêter à la récitation comme à la représentation. Enfin Eustache Deschamps est l'auteur d'un *Dit des quatre offices de l'Ostel du roi* « à jouer par personnages », qui présente les caractères de la « moralité » et qui était sans doute destiné à être joué dans les communs du palais royal — v. *Moralités* (*). — Les œuvres de Deschamps ont été éditées par Queux de Saint-Hilaire et G. Raynaud (Paris, Société des anciens textes français, 10 vol., 1878-1903).

POÈMES d'Emily Dickinson [*The Poems of Emily Dickinson*]. Recueil de la poétesse américaine Emily Dickinson (1830-1886), publié en 1951. Cette œuvre majeure, dont la renommée est aujourd'hui immense, n'eut droit qu'à une reconnaissance posthume. Des 1 775 poèmes qui la composent, quelques-uns seulement furent publiés dans des revues, d'autres, plus nombreux, adressés à des amis, mais la majorité fut découverte à la mort de l'auteur. Des publications partielles eurent lieu dès 1890, et en 1951 parut l'édition complète établie par Thomas H. Johnson, organisant ce foisonnement de textes épars selon une datation aussi rigoureuse que possible. Mais une vision purement chronologique de ce corpus semble peu fertile, au regard de l'historique de cette archéologie et de la nature même de l'écriture dickinsonienne. Ces poèmes, laissés dans l'indétermination que leur confère l'absence de tout titre, et présentant une forme toujours brève — allant du distique à quelques strophes au plus —, apparaissent comme autant de textes autonomes mais aussi comme les fragments d'un grand œuvre « baroque », tout en ruptures et en reprises. C'est de manière discontinue que s'y manifestent les genres divers de l'élégie, de la ballade et du sonnet, ou que s'y agencent des séries — poèmes à l'abeille, au volcan, au tombeau ou au crépuscule. Il n'y a jamais chez Dickinson de volonté d'écrire autour d'un thème. Il ne saurait y avoir non plus de suites de poèmes d'inspiration directement biographique pour elle qui souhaitait « Dire toute la vérité mais en oblique » [Tell all the Truth but tell it slant]. C'est donc de manière discontinue mais selon un système d'échos que furent écrits ces poèmes, au fil d'impressions récurrentes et de reprises méditatives.

La discontinuité même est d'ailleurs la figure qui donne paradoxalement à l'œuvre son unité profonde. La séparation et la mort sont au cœur de cette poésie, souvent fort proche de la poésie métaphysique anglaise. La tombe y est un lieu métaphorique extrême, où transgresser librement les frontières de l'humain — ainsi Dickinson ose-t-elle parler de sa mort au passé : « J'entendis bourdonner une mouche / lors de ma mort » [I heard a Fly buzz / when I died]. Même les descriptions les plus anodines de paysages de Nouvelle-Angleterre s'entrouvrent souvent sur une perte radicale : l'oiseau dit la voix perdue, l'insecte parle de son corps coupé, et une simple promenade au bord de la mer : « Je partis Tôt / Emmenai mon Chien / Pour aller voir la Mer » [I started Early / Took my Dog / And visited the Sea] se termine en scène de la vision refusée « Avec un regard Tout-Puissant / Vers moi / La Mer se retira » [With a Mighty look / At me / The Sea withdrew].

De semblables déchirures traversent le corps même des poèmes, dont la forme est faussement sage. S'il n'y a pas ici de « Coup de dés » mallarméen, de dispersion du texte sur la page blanche, les mots et la syntaxe sont en proie à une forte tension interne, voire à une certaine défiguration, souvent assortie d'effets burlesques. La relative régularité métrique, presque hymnodique parfois, dissimule les violations syntaxiques et les jeux de mots violents ; une ponctuation erratique, composée d'innombrables tirets, troue le texte de ses signes incertains, exprimant à la fois les limites et le pouvoir du verbe poétique.

En effet, la poésie dickinsonienne est une constante remise en jeu et en scène de la parole et du silence : « La Parole est symptôme d'Affection / Et le Silence aussi / La communication parfaite / Nul ne l'entend » [Speech is one symptom of Affection / And Silence one / The perfectest communication / Is heard of none]. Néoplatonicienne à la manière des transcendantalistes américains, Dickinson écrit dans le champ d'une idéalité inaccessible. Puritaine mystique influencée par l'héritage calviniste de la théologie négative, elle conduit cette dépossession en son point extrême, où même les mots pour la nommer font défaut : « La définition de la Beauté c'est / Qu'il n'y a pas de définition » [The Definition of Beauty is / That Definition is none]. Dans l'Ancien Testament qu'elle relit assidûment, avec une réelle liberté, elle entend à la fois la parole de Dieu et son silence. Et c'est ce cheminement paradoxal du sens, à la fois révélé et caché, qu'elle remet en jeu dans ses poèmes. Le secret y règne de toutes parts car « Alors, s'agit-il de Runes / Ou s'agit-il de rien / Le dedans seul le sait » [So whether it be Rune, / Or whether it be none / Is of within]. Ainsi le poétique est-il le lieu où toujours l'annulation menace — ou s'espère. De fait, la lecture de la correspondance de Dickinson révèle une conscience aiguë d'une précarité sublime de la posture du poète, qui chante à la frontière de la désincarnation : « Moi-même, plus modestement, j'ai chanté au-delà du degré charnel », écrit-elle après s'être étonnée de la prodigieuse créativité d'un Robert Browning.

En effet le poème fait œuvre paradoxale, redonnant voix à la mémoire, dans la célébration et le deuil, « la jubilation et le glas ». En dernier lieu, le poète recherche les signes d'une communication qui soit possible « quand même ». Aux prophètes Dickinson envie leur pouvoir d'interprétation du Verbe. Dans le Nouveau Testament elle relit le signe de la croix comme celui d'un passage du sens. À Shakespeare enfin elle emprunte librement les voix qui permettront une théâtralisation du mot. Interdite de publication, Dickinson s'autorise à rêver de traduction. Qu'elle ait su être médiatrice d'autres textes énigmatiques et que ses poèmes aient su traduire l'étrange et l'indicible, telle est la justification plénière de sa vocation poétique, faisant renaître une voix dans l'écart ironique du dessaisissement : « Enchaînée — Je peux encore chanter / Exilée — ma mandoline / chante juste au-dedans » [Bind me — I still can sing / Banish — my mandolin / Strikes true within]. — Trad. poèmes choisis : Aubier, 1970 ; La Dogana, 1987 ; Belin, 1989 ; Éd. du Limon / L'Arbre voyageur, 1991 ; La Différence, 1992. C. S.

POÈMES d'Eminescu [*Poezii*]. Les poèmes du poète roumain Mihail Eminescu (1850-1889) furent publiés assez peu de temps avant sa mort ; un premier choix, dû aux soins de Tittu Maiorescu, parut en 1883, alors que le poète avait déjà sombré dans la folie. Des nombreuses éditions ultérieures, les plus remarquables sont l'édition complète de 1939 (Perpessicius) et celle de 1940 (Mazilu), avec variantes. Les poèmes d'Eminescu se rattachent au romantisme allemand du début du XIXe siècle : poésie nourrie de méditations, de passions, d'amours douloureuses pour des créatures imaginaires. Les poèmes d'amour, même lorsqu'ils s'adressent à la poétesse Véronique Micle, chantent un être irréel, à la fois ange et démon, comme « Vénus et Madone » [Venere si Madona] et « Ange gardien » [Inger de pază]. Le plus souvent, ils s'adressent à cette femme lointaine dont chacun porte en soi le rêve : « Vers le coteau, le soir » [Sara pe deal] ; « Le Lac » [Lacul] ; « Désir » [Dorinta]. Ailleurs, en revanche, c'est une image de bonheur qui s'impose, mais l'amour est impossible, car toute passion est morte au cœur du poète : « Le Long des peupliers impairs » [Pe lângă plopii fără sot]. Désormais, en lui, il n'est plus qu'un seul désir (« Mai am un singur dor ») : mourir au bord de la mer. Le ciel bleu et un lit de feuillage, le sourire des étoiles et le chant de la mer lui suffiront, car dans sa solitude il ne fera plus qu'un avec sa terre. Parmi les poèmes à thème civique, il faut signaler, pour son esprit antilibéral, le poème « Les Épigones » [Epigonii], dans lequel l'auteur oppose les écrivains de jadis aux artistes modernes, froids et sceptiques, qui ne croient plus en rien. Dans l'« Épître III », il fustige avec mépris les faux patriotes qui se perdent dans la corruption d'une ville telle que Paris. Le plus beau poème d'inspiration patriotique est sans aucun doute « Doina », écrit par Eminescu peu de temps avant que la folie ne s'empare de lui. Il fut composé à l'occasion de l'inauguration du monument d'Étienne le Grand (1883) à Iasci. Sous la forme d'une romance populaire, il déplore que du Nistre à la Tissa la terre roumaine soit piétinée par l'ennemi : il fait appel à Étienne le Grand afin qu'il surgisse de son tombeau et sonne du cor pour rassembler autour de lui toute la Moldavie ; la violence du sentiment est rendue ici avec une sobriété dans l'expression qui rejoint les formes d'art les plus hautes. Les poèmes à caractère philosophique sont empreints, en revanche, d'un pessimisme schopenhauerien. Devant la mort qui vient enlever une enfant (« Mortua est »), le poète se pose une série d'interrogations sur les raisons de l'existence, interrogations qui demeurent sans réponse. La mort cependant est une nécessité — « La Prière d'un Dace » [Rugăciunea unui Dac]. Difficile est la vie, particulièrement pour l'homme de génie qui rayonne au-dessus de tous, mais souffre d'être incompris et voudrait parfois renoncer à sa supériorité afin de n'être plus seul. Cette idée est exprimée dans « L'Étoile du berger » [Luceafărul], petit poème qui, par la pureté de sa conception et l'équilibre de sa forme, est une des meilleures œuvres d'Eminescu. Notons enfin le célèbre sonnet consacré à Venise et qui oppose les splendeurs du passé à l'actuelle déchéance. Artisan d'un nouveau langage poétique par la richesse dans sa langue, l'harmonie et l'originalité des rythmes et des rimes, l'élévation de la pensée et la profondeur du sentiment, Eminescu est passé à l'histoire de la littérature comme le fondateur de la poésie roumaine. — Trad. Anthologie bilingue, éd. Cartea Românească, 1987 ; Héméra, 1989.

POÈMES de Fargue. Titre donné par le poète français Léon-Paul Fargue lui-même (1876-1947) à l'un de ses principaux recueils de poèmes en prose, publié pour la première fois en 1912 aux éditions Gallimard. Lors d'une réédition datée de 1919, il fut adjoint à ce recueil d'autres poèmes qui avaient vu le jour entre-temps sous la forme d'une plaquette intitulée : *Pour la musique* (1914). À ces différents écrits il convient de rattacher le petit livre appelé *Tancrède,* par lequel le poète s'était fait connaître en 1895. Ces trois recueils forment en quelque sorte l'œuvre proprement poétique de Léon-Paul Fargue, encore qu'il soit impossible d'établir une démarcation autre que chronologique entre ces écrits et ceux qu'il a réunis plus tard dans *Espaces* (*) ou même *Haute solitude* (*). Né à Paris, Fargue reçut de son père, qui exploitait une fabrique de céramique et de verrerie fondée vers 1820, cet amour pour les objets bien faits, pour les belles matières que l'on remarque tout au long de son œuvre. La composition de *Tancrède*, qui remonte aux environs de l'année 1895, témoigne de ce goût pour les recherches verbales dont le symbolisme venait de rappeler la nécessité en matière de poésie. Les éléments de *Tancrède*, ainsi que nous l'a rapporté Roland de Renéville, « lui furent inspirés par la personnalité d'un de ses camarades d'études, dont l'élégance, la grâce et une certaine aisance supérieure dans le comportement l'avaient impressionné au point qu'il eut la tentation de s'identifier à lui ». Confession voilée sur le mode mineur, *Tancrède* n'a pu être écrit que par un lecteur fervent de Rimbaud et de Laforgue ; sur le thème toujours nouveau de l'homme aux prises avec la femme, le poète a dessiné les péripéties d'une aventure émouvante où les images s'allument comme des lampes bleues dans la nuit, pour rappeler aux âmes bien nées qu'il n'est d'autre certitude que l'amour qui nous porte. Se gardant de toute émotion excessive, le poète a pris soin de couper les ailes à son discours, d'où la répétition de quelques mots simples autour desquels s'organisera son œuvre : « Amour tenace. Amour tremblant. / Tu t'es posé sur le rebord / De l'âme la plus misérable, / Comme un aigle sur un balcon ! / Amour tenace. Amour tremblant » (« Tremblant »). Cette façon de procéder ne serait rien moins qu'arbitraire, si elle ne supposait chez l'auteur, conformément au vœu formulé par Mallarmé, la tentative de reprendre à la musique son bien. C'est là d'ailleurs ce qui rassemble dans une même gerbe *Tancrède* et les poèmes publiés en 1912.

N'est-il pas symptomatique en effet que Léon-Paul Fargue ait placé en tête de ses *Poèmes* une phrase musicale empruntée à une *Étude* de Chopin ? Toutefois, ce dernier recueil offre ceci de particulier qu'il représente, dans l'œuvre du poète à ses débuts, un effort décisif pour aboutir à un système poétique cohérent et efficace. Désormais, nous pénétrons dans un monde fait de mémoire et de visions, où toutes les ressources conjuguées du réel seront à peine suffisantes pour dire les sentiments dont l'âme du poète s'est faite le lieu d'élection. Chaque phrase, quand ce n'est point chaque image, y devient une sorte de carrefour où les regrets voisinent avec les illusions, les souvenirs d'enfance avec les remords, la beauté pure avec le tourment du divin et la sensation de l'inexprimable. Le poète y atteint à cette évidence sensible qui est la marque de l'esprit demeuré lucide, quand bien même il s'est livré sans défense aux songes féroces de l'imagination. Outre quatre pièces en vers libres se faisant suite et groupées sous le titre « Aeternae memoriae patris », *Poèmes* comprend trente-sept morceaux (sans titre), datant presque tous de 1902. Les sujets de ces pièces échappent pratiquement à toute définition : le poète y côtoie certains lieux de prédilection, quelque part entre douleur et joie, non loin d'une mer intérieure où s'en vient mourir une pensée montant du plus lointain des âges. Procédant par intuitions soudaines, il suffit que Fargue nous dise les choses qu'il entrevoit pour que du fond de notre mémoire, se lèvent, sinon les choses mêmes par lui aperçues, du moins d'autres qui leur ressemblent au-delà de toute attente. En effet, que le poète nous annonce le plus simplement du monde que « des enfants jouent et crient doucement, dans un square étroit et noir, au crépuscule », ou encore qu'« aux tempes des rues s'allume un dortoir de pensées fiévreuses », alors qu'on entend « fraîchir la voix des écluses », cela suffit pour qu'à ces images, nées d'un rêve poursuivi les yeux ouverts, on ne sait quoi ici de désolé et d'atroce, là, de menaçant, envahisse la page où se reflétera désormais toute notre inquiétude. Il apparaît donc de toute évidence qu'avec ces *Poèmes*, nous nous trouvons devant l'une des alchimies les plus savantes et les plus insolites que la poésie française ait eu à connaître depuis *Les Illuminations* (*) de Rimbaud. C'est dire combien cette œuvre, à la jonction de deux siècles, n'a rien perdu de sa puissance, ni de son actualité.

POÈMES de Gezelle. L'œuvre poétique de Guido Gezelle (1830-1899), l'un des plus grands poètes belges d'expression flamande, se partage en deux périodes distinctes. La première, très brève (1858-1862 env.), est celle des œuvres de jeunesse : *Exercices poétiques* [*Dichtoefeningen*], *Poésies, chansons et prières* [*Gedichten, Gezangen en Gebeden*], *Fleurs de cimetière* (*) et *Petits poèmes* [*Kleengedichtjes*]. Le poète, étant très jeune entré en religion, évolue bientôt des tendances classiques de ses débuts vers une forme plus personnelle, romantique ou lyrique. Au cœur d'un mouvement littéraire qui se contentait de variations sur des thèmes rebattus, Gezelle fait retentir un chant spontané, inspiré d'une foi fervente et d'une sensibilité très vive : « Oh ! que le frémissement du frêle roseau / Résonne dans mon triste chant / Et monte jusqu'à Toi en se lamentant / Oh ! Dieu qui nous donnes à tous la subsistance. » Cette première époque est suivie d'un silence qui dure trente ans, pendant lesquels Gezelle continua d'étudier la langue populaire vivante pour atteindre enfin à cette maîtrise que nous révèlent les deux ouvrages de sa maturité : *Guirlande du temps* (*) (1893), *Recueil des rimes* [*Rijmsnoer*, 1894] et le recueil posthume : *Derniers vers* [*Laatste Verzen*]. — Trad. *Poèmes choisis*, Crès, 1916.

POÈMES de Grégoire de Nazianze. L'œuvre poétique de Grégoire de Nazianze, dit « le Théologien » (IVe siècle ap. J.-C.), auteur de langue grecque de *Discours* (*) et de *Lettres* (*) très connus, comprend plus de six mille vers. C'est surtout dans les dernières années de sa vie, après qu'il eut renoncé à sa charge d'évêque de Constantinople, qu'il composa cette œuvre. Les poèmes de saint Grégoire peuvent se partager en deux groupes : l'un, théologique, et l'autre, historique. Le premier comprend les compositions de contenu dogmatique et moral ; du point de vue poétique, leur intérêt est moindre : la fraîcheur des métaphores parvient rarement à faire passer la monotonie du sujet. Selon l'auteur, leur but est essentiellement didactique. Bien plus grand est l'intérêt des poésies dites « historiques » : même à travers les subtilités extérieures de la technique oratoire, auxquelles saint Grégoire ne renonce pas, même dans ses poésies, on sent une inspiration vive et sincère, tout à fait exceptionnelle pour l'époque. Sont dignes surtout de considération les poésies autobiographiques, qui ont de l'importance même au point de vue de l'histoire : « Sur ma vie » (1 949 trimètres ïambiques), « Sur mes vicissitudes » (600 hexamètres) et « Lamentation sur les malheurs de mon âme » (175 distiques). Le sens mélancolique de la vanité des choses humaines, que saint Grégoire possède en commun avec beaucoup de poètes élégiaques païens, s'enrichit chez notre auteur d'une profonde méditation religieuse et philosophique. Quelques belles descriptions de la nature complètent parfois l'expression lyrique des sentiments. Un certain nombre de poèmes abordent les sujets les plus divers : une supplique adressée à l'empereur Julien pour lui demander de diminuer les impôts ; une exhortation à un païen pour qu'il se convertisse au christianisme ; des épigrammes à sujet moral, comme les « sentences tétrastiques », très connues dans l'Antiquité et ainsi dénommées parce que les trimètres ïambiques qui les composent sont réunis par groupes de quatre vers contenant chacun une sentence et une règle de vie. Les mètres employés sont très nombreux et les plus variés qui soient. Les *Poèmes* de saint Grégoire étaient très connus au Moyen Âge ; Cosme de Jérusalem au VIIIe siècle, Nicétas David au XIe en firent des commentaires. – Trad. Vitte, 1943.

POÈMES de Grinberg. Le poète d'expression yiddish et hébraïque Uri-Tzvi Grinberg (1894-1981) écrivit d'abord une poésie intimiste, empreinte d'amour et de religiosité : *Le Bruissement du temps* [*In tseytns roïsh,* 1919] et *Or crépusculaire* [*Farnakhtngold,* 1921]. Mais son œuvre change vite de ton. En 1922, dans son *Manifeste aux opposants de la nouvelle poésie* [*Manifest tsu di kegner fun der nayer dikhtung*], il revendique « la cruauté dans le poème, le chaos dans les images ». À l'instar des prophètes de *La Bible* dont il reprend souvent les images, et dans un style résolument expressionniste, il lance un réquisitoire qui parcourra dès lors toute son œuvre. Sa poésie révoltée mêle intimement la violence d'un monde livré au désastre et son propre bouillonnement intérieur, les grandes visions bibliques et de petits mythes familiaux qui prennent de ce fait d'invraisemblables proportions.

En Europe (1922-1924), il stigmatise un monde déserté de toute valeur morale : *Le Monde sur la pente* [*Velt barg arop,* 1922], un monde sur lequel le diable étend son emprise : *Mephisto* [*Mefisto,* 1923], pour finalement rejeter cette Europe qu'il pressent comme la terre d'un impossible avenir pour les Juifs dans son poème « Au royaume de la croix » [In malkhus fun tseylm, 1923].

En Palestine, à partir de 1924, ses poèmes en hébreu sont l'expression d'une vision mystique du sionisme comme accomplissement du destin juif : « L'Effroi et la Lune » [Eyma gdola veyareakh, 1925]. Le contraste est frappant avec le courant majoritaire de la poésie hébraïque de l'époque qui reprend les aspirations laïques et humanistes des pionniers du sionisme. Ses poèmes d'après la Shoah mettront en cause la responsabilité de Dieu dans la catastrophe : « Les Rues du fleuve » [Rekhovot hanahar, 1951], mais la mystique l'emportera finalement sur la révolte. – Trad. extraits de « Méphisto » dans *Le Miroir d'un peuple,* anthologie de la poésie yiddish, Seuil, 1987 ; « Le Monde sur la pente », in *Khaliastra,* Lachenal et Ritter, 1989. G. Roz.

POÈMES de Maurice de Guérin. En dehors du *Centaure* (*) et de *La Bacchante* (*), les poèmes du poète français Maurice de Guérin (1810-1839) se limitent à *Glaucus,* admirable fragment en vers réguliers, et à quelques pièces d'une facture inégale qui sont d'un précieux recours pour l'étude de la sensibilité de l'auteur, partagée entre le Christ et Apollon. Panthéisme et christianisme, en effet, inspirent tour à tour ce poète mort prématurément et qui, selon le mot de Lamennais, était plus que nul autre « écartelé à deux mondes ». De ce déchirement les poèmes les moins connus de Guérin portent la double trace : ils témoignent à la fois de sa ferveur chrétienne et du trouble charnel que l'ancien séminariste ressentait au contact de la nature (ainsi s'effraie-t-il, dans le « Cahier vert », que son âme soit « livrée au caprice des vents »). Parmi ces vers, on retiendra surtout ceux qui datent de son séjour à La Chesnaie (1833). Ce sont, dit Sainte-Beuve, des vers « naturels, faciles, abondants, mais inachevés » ; il recourt volontiers à l'alexandrin familier, au risque de sombrer dans la prose. De cette époque datent « Ma sœur Eugénie » (« Mille rêves d'ange / Allaient de son sein / Au mien... »), les poésies qui ont pour destinataires ou inspirateurs Hippolyte de La Morvonnais et François du Breil de Marzan, disciples de Lamennais (« À mes deux amis », « Maurice et François, ou le premier jour d'une liaison poétique à La Chesnaie », qui contient ce vers : « Adorez le Seigneur et la sainte Nature... ») et « Promenade à travers la lande ». Dans ce long poème philosophique et lyrique, Maurice de Guérin, après avoir reproché leur tristesse aux paysages bretons, rend à la nature un hommage ému (« Terre, terre, ô combien tes entrailles sont belles ! »). On lui doit aussi « L'Anse des Dames (Le Val de l'Arguenon) », autre site de Bretagne où il rêva de se « creuser, au cœur d'un rocher [...] Une fraîche et sombre retraite ». D'autres poèmes, telle « La Roche d'Onelle », sont l'expression d'un amour malheureux. « La Sainte Thérèse de Gérard », enfin, reflète curieusement les aspirations religieuses à la fois et très humaines d'un « chrétien mal dépris de ce monde mortel ». On y trouve notamment ce vers : « O ma sainte, le jour ! ô mon rêve, la nuit ! » où, à travers la grande mystique, apparaît le visage aimé d'une voisine de campagne, Louise de Bayne. Quant à *Glaucus*, qui n'est qu'un fragment, mais parfait, on y trouve bien, comme l'écrit Marcel Arland, la même inspiration « d'origine chrétienne et de tendance panthéiste » que dans la prose de Guérin « et, sous le calme harmonieux de la forme, la même inquiète et profonde ferveur ». Dans cette magnifique évocation de l'océan, le poète chante son attrait pour « les dieux retirés aux antres qu'on ignore, / Les dieux secrets plongés dans le charme des eaux... » et, comme dans *Le Centaure*, interroge les mystères de la création : « Je voulus égaler mes regards à l'espace, / Et posséder sans bornes, en égarant ma trace, / L'ouverture des champs avec celle des cieux. »

POÈMES de Hofmannsthal. Les premiers poèmes de l'écrivain autrichien Hugo von Hofmannsthal (1874-1929) furent publiés à partir de 1890 dans des journaux et revues littéraires, d'abord sous des pseudonymes (Loris, Theophil Morren), le jeune poète n'ayant que seize ans à cette date. Ces premiers poèmes sont caractérisés par la simplicité, une forme très classique (sonnets, ghazels) et une musicalité rappelant la poésie de Verlaine. Ils expriment généralement une sensibilité délicate au spectacle d'un paysage, d'un moment fugitif, ainsi qu'une réflexion sur la vie, le monde et ses mystères, la place du moi lyrique au sein de la réalité universelle. Déjà, la problématique fondamentale de l'œuvre à venir se manifeste là : celle de la relation au monde, celle de l'existence poétique, celle du rapport entre l'art et la vie. L'expérience qu'expriment ces poèmes est celle d'une vision universelle, d'une totalité englobant le moi et le monde, celle qu'en d'autres écrits Hofmannsthal désignera par le terme de « préexistence », de « magie pure », à la fois sublimation de l'enfance et formulation philosophique d'un état « anticipant » par l'art, le rêve et la poésie la connaissance du réel. La richesse sonore de ces poèmes, l'image esthétisée du réel transmise par l'évocation de la beauté des objets valent à Hofmannsthal non seulement l'engouement immédiat du public, mais aussi une réputation d'« esthète » qui ne le quittera plus d'ici longtemps. Et pourtant, le danger d'une persistance dans cet état échappant au flot de la réalité, et la « fuite du réel » qu'elle pourrait représenter n'échappent pas au poète, en particulier dans ses implications éthiques. Viennent donc maintenant des poèmes, dans lesquels est transcrite sous forme lyrique nouvelle cette nouvelle conscience. En même temps s'impose en effet avec force et angoisse le caractère éphémère de l'existence humaine. La leçon, apportée sans doute par une réalité qui n'épargne pas même ceux qui habitent la sphère protégée de la « préexistence », est que le moi, comme le monde, est soumis à l'universelle fuite du temps — et n'a de stabilité que dans l'instant : vision « impressionniste » d'une réalité soumise à la loi du changement perpétuel. Les poèmes les plus marquants de cette tragique rupture de l'harmonie antérieure sont les « Tercets sur les choses éphémères » (1894) et la célèbre « Ballade de la vie extérieure » (1895). « La mélancolie impressionniste devient là angoisse métaphysique » (W. Rey). Et pourtant, le poète conserve au sein de cette universelle fugacité des choses, peu à peu acceptée, la conviction que l'esprit, que le créateur peut, en des instants privilégiés (rêve, extase quasi mystique), accéder à nouveau à la vision universelle et symbolique de la totalité, du lien unissant toutes choses, l'âme et le monde, la vie et la mort, le rêve et la réalité. Ce pouvoir, les poèmes de cette époque l'objectivent dans des figures lyriques toutes porteuses de puissance magique et créatrice : le magicien (« Un rêve de magie grandiose », 1895), l'empereur (« L'empereur de Chine parle », 1897). Par la magie du Verbe, le poète domine le temps et la multiplicité des manifestations du réel. Cette période de « poésie magique » est une affirmation qui n'empêche pas cependant que s'imposent avec une évidence réitérée le temps, la vie « extérieure », échappant en définitive à celui qui croyait les dominer (« Le Jeune Homme et l'araignée », 1897). L'acte magique de la poésie transmettant ses visions universelles ne peut suffire à l'accomplissement d'une œuvre. Le Verbe doit être mis au service d'autres formes d'écriture : à partir de 1900, Hofmannsthal se détachera de l'expression lyrique pour se tourner, en particulier, vers le théâtre « dramatique ».

Les poèmes de Hofmannsthal sont une phase de l'œuvre indissociable des petits drames lyriques qui leur sont contemporains. Ils accomplissent, dans leur spécificité, l'étonnante et remarquable fusion de la beauté sonore, de la légèreté de l'émotion et de la profondeur d'une réflexion poétique et philosophique sur l'existence. — Trad. sous le titre *Avant le jour*, La Différence, 1990. G. Ra.

POÈMES de Hölderlin. En dehors de *L'Archipel* (*) et des *Odes* (*), dont la rédaction remonte aux années 1799-1801, en dehors de deux grandes élégies écrites aux alentours de 1801 — v. *Ménon pleurant Diotima* (*), *Pain et Vin,* l'œuvre poétique du poète allemand Friedrich Hölderlin (1770-1843) comprend des *Hymnes* qui comptent parmi ses plus belles créations. Composés en majeure partie entre 1800 et 1803, c'est-à-dire peu de temps avant que le poète n'ait sombré dans la folie, ces *Hymnes* ne doivent pas être confondus avec ceux, de moindre importance, qu'il écrivit au début de sa vie, aux environs de 1793, alors qu'il était encore sous l'influence de Schiller. Appelés par Dilthey *Hymnen an die Ideale der Menschheit,* ces derniers, au nombre de neuf, montrent en effet un enthousiasme pour les idées d'humanité (« An die Menschheit »), de liberté (« An die Freiheit »), de beauté (« An die Schönheit ») et d'amour (« An die Liebe »). Ces poèmes offrent ceci de particulier que l'on y trouve esquissés, pour la première fois, un certain nombre de thèmes que l'auteur reprendra sans cesse, les approfondissant et les enrichissant de toute la douloureuse expérience que sera sa vie. Par contre, avec les *Hymnes* et *Fragments,* composés après 1800, nous nous trouvons non seulement devant les plus hautes créations que le génie poétique de Hölderlin ait données, mais encore devant l'un des sommets de la poésie allemande. Depuis l'édition critique qu'en fit Norbert von Hellingrath (1888-1916), on a coutume d'appeler ces œuvres : *Hymnen in freien Strophen* [*Hymnes en strophes libres*], pour les distinguer des *Hymnes* du début. En dehors des pièces que l'on peut considérer comme achevées, von Hellingrath joignit à son édition critique (vol. IV des *Œuvres complètes,* Berlin 1914) de nombreux *Fragments* [*Fragmente*] de la même époque, qu'il fut d'ailleurs bien souvent le premier à révéler. En effet, la plupart de ces œuvres étaient ensevelies depuis plus d'un siècle dans les manuscrits conservés à Stuttgart et Hombourg, sans que les éditeurs et les érudits — de Schwab à Litzmann — y fissent attention ; seul Dilthey, « qui avait l'ouïe fine et entendait l'herbe pousser », perçut la présence indiscutable d'un art encore mal connu. Pendant longtemps, le « style obscur », l'état fragmentaire de nombreux textes, les difficultés mêmes de la lecture provenant de la superposition continuelle de remaniements avaient poussé les critiques à considérer ces œuvres comme des rêveries déjà marquées du sceau de la folie (« des éboulements désordonnés de la vie intérieure d'un esprit qui n'est plus maître de soi »). Par contre, quand Hellingrath, déjà initié aux secrets du style poétique de l'auteur par l'étude qu'il avait précédemment entreprise sur les autres œuvres d'Hölderlin, reprit tous les manuscrits et, patiemment, commença à déchiffrer, lire, réordonner, transcrire, interpréter les manuscrits, il lui apparut très vite que l'œuvre comptait parmi les plus grandioses que l'Allemagne ait jamais eues. L'impression produite dans le pays fut telle que, malgré les tempêtes de la guerre, il n'y eut pour ainsi dire pas un poète lyrique allemand — de George et de Rilke aux expressionnistes — qui n'y ait trouvé une source d'inspiration ou une raison de renouvellement.

Si, dans l'œuvre d'Hölderlin, l'époque où il écrit (en mètres classiques) ses *Odes,* où il traduit Pindare et Sophocle et procède aux derniers remaniements de *La Mort d'Empédocle* (*) correspond à celle de sa formation, les *Hymnes* représentent incontestablement le moment de sa plus haute envolée, celui où l'art du poète devient à proprement parler souverain. On dirait que l'inspiration, tout en gardant l'enseignement des formes antiques, a brisé ce cadre rigide pour trouver des rythmes nouveaux mieux adaptés aux nécessités d'une vie essentiellement intérieure. Le paysage spirituel des *Hymnes* est d'une singularité presque sans égale. Jusqu'à Nietzsche, l'histoire de la poésie moderne n'a peut-être pas connu de solitude plus grande. Goethe bienveillant, mais hautain ; Schiller, après une brève illusion d'amitié, « détaché » et inaccessible ; Schelling, Hegel — les compagnons de collège — dispersés, chacun vers son destin ; la femme aimée, Diotima, perdue pour toujours, puis enlevée par une mort précoce ; la mère du poète, bonne, affectueuse, mais limitée dans la simplicité de son esprit ; que restait-il à cet homme éternellement errant de Francfort à Hombourg, de Hauptwil à Bordeaux, sans cesse à la recherche d'un toit qui, toujours, s'effondrait sur sa tête ? À la fin, quand Hölderlin, à pied semble-t-il, revint en Allemagne, après avoir traversé toute la France, il avait sur son visage, autrefois très beau, une expression bouleversée et effrayée de dément. Il eut l'assistance isolée de quelques rares amis fidèles, mais il vécut, peut-on dire, dans ses meilleures années, seul avec lui-même, avec ses rêves, ses méditations solitaires, la fantaisie de son imagination. N'était-ce pas, pour un poète, le plus grand de tous les dons que d'« être parmi les élus, appelés à annoncer de leur chant l'avènement de la nouvelle ère » ? Devant un tel état d'âme, comment ne tomberaient point tous les intérêts du moment ? Seules résistent les grandes valeurs spirituelles : le sentiment de Dieu omniprésent en qui « toutes les choses existantes reposent » ; l'amour de la nature, proche amie de l'homme, lui dévoilant perpétuellement le « visage de Dieu » ; l'amour envers tous les hommes ; le tendre attachement à la terre natale, au peuple fraternel ; enfin, par-dessus tout, le sentiment de la poésie, « rayon divin resplendissant dans la parole humaine », mais aussi « libre déploiement de l'esprit ivre de sa propre richesse ».

Les *Hymnes* sont au nombre de quinze ; mais souvent on relève des lacunes dans le texte, et certains sont inachevés : « Comme au jour du repos », « À Mère la Terre », « À la source du Danube », « Conciliateur », « La Migration », « Le Rhin », « Germanie »,

« L'Unique » (en deux versions différentes), « Patmos » (en trois versions différentes), « Les Titans », « La Madone », « Mais quand les dieux ont édifié », « Il y a encore une chose à dire », « L'Ister », « L'Aigle », « Mnémosyne ». Par eux-mêmes, les titres donnent une idée des thèmes et motifs, peu nombreux mais de vaste résonance, qui y sont développés. C'est avant tout le « mythe » – créé par le XVIIIe siècle allemand – d'une renaissance de l'hellénisme dans l'Allemagne de Winckelmann et de Goethe ; pour Hölderlin, cette renaissance ne fut pas une simple construction idéologique ou historique, mais une force active dans la vie, une harmonie intérieure, on peut même dire l'aube d'une foi nouvelle. Les dieux antiques revécurent vraiment dans son imagination, il crut en leur présence ; devenus trop incorporels, évanescents, transfigurés par la nostalgie, pour être en réalité les anciens dieux, ils l'accompagnaient vraiment dans ses promenades à travers les vertes prairies et les riantes collines de la « Souabe bienheureuse » ; ils furent au-dessus de lui, autour de lui durant ses méditations, et la nature tout entière s'en trouva comme transformée. Mais, en même temps, un autre thème de vie et de poésie – et aussi un autre problème – surgit. Hölderlin était né et avait reçu un enseignement théologique dans le Würtemberg, où le piétisme était depuis un demi-siècle religion d'État, et sa manière de sentir en avait été profondément imprégnée. Dès lors, comment trouver l'accord entre le besoin d'infini et de transcendance, propre à l'âme chrétienne, et l'antique, païenne « béatitude du présent dans la beauté parfaite » ? « J'ai trop souffert – chante l'hymne "À la Madone" – pour ton amour, ô Madone, et pour l'amour de ton Fils, depuis que j'ai entendu parler de Lui dans ma douce jeunesse. » C'est un conflit lourd de conséquences qu'Hölderlin traîna, sous des formes toujours nouvelles, jusqu'au moment où la folie s'empara de lui. Et ceci amena cela : derrière le monde chrétien et derrière le monde hellénique, dans de mythiques fonds éloignés, apparut un autre visage énigmatique, celui de l'« antique Mère », l'Asie. Hölderlin en tira quelques géniales « anticipations » qui furent reprises plus tard, après Nietzsche et Rohde, par la science moderne des religions. Mais la critique a trop insisté sur cet aspect de son œuvre. La grandeur des *Hymnes* est d'une autre nature : poétique, lyrique ; les idées y ont laissé dominer le « fait religieux en soi, pour lui-même » : l'homme qui, dans la pureté de son cœur, se trouve face à face avec son Dieu. Omniprésent, Dieu se révèle à lui sous des visages toujours nouveaux : identique à lui-même, mais d'aspects changeants, innombrable comme la vie.

Seul Goethe, parmi tous les poètes de son temps, puisa à d'aussi profondes sources d'inspiration. Mais, dans sa lucidité sereine, il est resté, comme toujours, conscient de sa limite, et sa poésie en a acquis un ton contemplatif ; Hölderlin au contraire s'identifie entièrement à chaque vie particulière, à travers laquelle « Dieu lui parle ». Et la forme achevée, – si parfaite dans le « Chœur des anges », ou dans le « Prologue au ciel » de *Faust* (*) –, nécessairement chez lui se brise. Elle devient fragment – v. dans le volume de Hellingrath, les quelque trente fragments reportés, dont certains ne sont pas inférieurs aux plus grands des *Hymnes*. Citons par exemple : « Autrefois Dieu jugeait », « Libre comme les hirondelles est le chant ; elles volent et émigrent », « Hymnes de l'Allemand », « Nouveau Monde », « Autrement Jupiter », « J'ai interrogé autrefois la Muse », « Tinian », « Depuis trop longtemps dure la brûlure », « En attendant, laisse-moi aller errant », « Comme des oiseaux passent lentement », « Quand le suc du raisin », « Ouvertes, les fenêtres du ciel », « Sur un feuillage jaunissant repose » ; voir aussi « Colomb », bien que l'hymne y soit encore à un stade initial de gestation. L'écho continuel des thèmes d'un poème à l'autre ou d'un remaniement à l'autre du même hymne montre le caractère de l'inspiration, tout en lueurs et éclats. Les hautes et profondes pensées ne deviennent pas des détails particuliers ; leur contenu est tellement essentiel à la poésie qu'il pénètre la structure même du langage. L'armature logique et syntaxique est souvent bouleversée par l'explosion lyrique, qui lui substitue des accords de tonalités, des rapports d'images ; il en naît un monde poétique fait d'illuminations soudaines éclairant l'abîme. – Trad. *Poèmes de la folie* (par Pierre Jean Jouve), Fourcade, 1930 ; *Poèmes de Hölderlin* (par Gustave Roud), Lausanne, 1942 ; *Poèmes* (G. Biaupuis), Aubier, 1943 ; *Hymnes, élégies et autres poèmes* (par Armel Guerue), Mercure de France, 1950 (nouv. éd. Garnier-Flammarion, 1983) ; *Poèmes* (par André du Bouchet), Mercure de France, 1961 (nouv. éd. 1987) ; *Œuvres* (sous la dir. de Ph. Jaccottet), Gallimard, 1967.

POÈMES de Hopkins [*Poems*]. L'ode *Le Naufrage du « Deutschland »* [*The Wreck of the « Deutschland »*], pièce de deux cent quatre-vingts vers, composée en 1875 par le poète et jésuite anglais Gerard Manley Hopkins (1844-1889), ne fut publiée, avec ses autres poèmes, qu'en 1918. Elle fut inspirée à l'auteur par le naufrage du « Deutschland », où périrent cinq franciscaines expulsées d'Allemagne par des lois anticatholiques. Chacune des trente-cinq strophes comporte huit vers dont la longueur varie selon une ordonnance calculée et dont le rythme (« sprung rhythm » : rythme « abrupt » ou « bondissant ») bouleverse les règles de la prosodie anglaise établies depuis Chaucer. L'aspect quantitatif y est délaissé au profit de l'accent (un accent suffit à faire un pied, quel que soit le nombre, savamment modulé, des syllabes faibles), ce qui permet des effets dramatiques ou musicaux inédits. Les indications de rythme dans certains manuscrits suggèrent même une partition (Hopkins tenait à ce que sa poésie soit « dite », selon un art nouveau dont il souhaitait l'avènement). Il s'y ajoute, sans compter les audaces syntaxiques, un travail serré sur les sonorités, en partie inspiré de la tradition galloise (« cynhanedd »). Ces innovations connurent un grand retentissement après 1930, bien qu'elles soient difficilement imitables tant elles paraissent liées à une pensée et une expérience singulières. Le dramatisme parfois violent, proche d'une esthétique baroque, dont vibre l'ode, restitue la tragédie du naufrage, mais l'auteur croit aussi déchiffrer dans celle-ci les « marques » de l'action, de l'insistance (« stress », « instress ») divines, en un paradoxe théologique, souvent redit, de la puissance et de la miséricorde. Cette vision fait écho à l'expérience personnelle, quasi pascalienne, rapportée dans la première partie, et suppose toute une conception, subtile et audacieuse, de Dieu, de l'homme et de la Création. L'ode annonce aussi presque toute la poésie à venir de l'auteur. De 1877 datent beaucoup de ses sonnets les plus admirés, comme « Grandeur de Dieu » [God's Grandeur], « Nuit d'étoiles » [The Starlight Night], « Le Faucon » [The Windhover], qui reste une somptueuse énigme, « Beauté piolée » [Pied Beauty] ou « La Mer et l'Alouette » [The Sea and the Skylark] tout imprégné du charme du paysage gallois. Ils se signalent par une extrême acuité sensible du regard qui saisit, jusqu'à l'infime, contours, tons, détails. Une place particulière revient à « Le martin-pêcheur flambe... » [As kingfishers catch fire...], sonnet d'une rare densité métaphysique. Dans l'éclat singulier de chaque chose est aperçue une lueur de la présence créatrice de Dieu à laquelle répond l'homme juste, comme s'il parachevait la nature et la rendait, dans le Christ, à sa source. Moins fécondes, les années pastorales comportent pourtant des pièces comme « L'Oxford de Duns Scot » [Duns Scotus's Oxford] ou « Henry Purcell » (1879) dédiées à ses deux génies tutélaires. Son ami R. Bridges a qualifié de « sonnets terribles » six des œuvres les plus sombrement dramatiques de Dublin (écrites vers 1885). Le poète y fait, en une amère lucidité, un constat d'exil et d'échec face à une volonté divine incompréhensible. Au-delà de la souffrance exhalée, ces poèmes s'efforcent à un déchiffrement spirituel, selon la pratique des *Exercices* (*) ignatiens, et à une résistance contre la tentation du désespoir : « Non, Désespoir, non, putride pâture... » [Not, I'll not, carrion comfort, Despair...], sonnet écrit, avec deux autres, lors de sa retraite d'août 1885. Deux compositions de plus grande ampleur forment un diptyque où l'épreuve personnelle se transpose dans la vision de la nature, « Déchiffré des feuilles de la sibylle » [Spelt from Sibyl's Leaves, 1886] et « Que la nature est un feu héraclitéen et du réconfort de la Résurrection » [That Nature is a Heraclitean Fire and of the Comfort of the Resurrection, 1888]. L'ensemble de cette œuvre difficilement comparable frappe comme une fulgurance solitaire d'une pathétique vérité. – Trad. *Reliquiae (Vers-proses-dessins),* Seuil, 1957 ; *Le Naufrage du « Deutschland »,* Seuil, 1964 (ces deux volumes traduits et présentés par Pierre Leyris ont été réunis chez le même éditeur en 1980 sous le titre *Poèmes accompagnés de proses et de dessins*) ; *Grandeur de Dieu et autres poèmes,* Granit, 1980 ; *Poèmes/Poems,* Aubier, 1980 (trad. intégrale des poèmes achevés de la maturité) ; *De l'origine de la beauté* suivi de *Poèmes* et d'*Écrits,* Comp'Act, 1989 ; *Le Naufrage du « Deutschland ». Poèmes gallois. Sonnets terribles,* Orphée/La Différence, 1991.

R. G.

POÈMES de Kloos [*Verzen*]. Recueil du poète hollandais Willem Kloos (1859-1938), publié à Amsterdam en 1933. Il rassemble la totalité de sa production poétique, soit les volumes suivants : *Poèmes* [*Verzen,* 1894], *Nouveaux Poèmes* [*Nieuwe Verzen,* 1895], *Poèmes II* [*Verzen II,* 1902] et *Poèmes III* [*Verzen III,* 1913]. Le premier est indubitablement le plus important et contient entre autres les sonnets qui ont valu à Kloos sa renommée de poète et qui restent au nombre des chefs-d'œuvre de la poésie hollandaise. Kloos est en effet, également en tant que critique, une figure de premier plan du « mouvement des années 1880 » qui a rénové le goût littéraire en luttant contre la rhétorique et le moralisme des poètes contemporains, au nom d'une théorie de l'art pur qui se référait aux idées et à l'exemple de Shelley. Le poète a souvent des accents de profonde souffrance intérieure, qui alternent avec des sonnets à la manière de Heine ou de Von Platen, écrits en allemand, avec des pointes mordantes contre ses ennemis. Le volume se conclut sur trois fragments écrits par Kloos entre 1878 et 1884, qui donnent la mesure de sa vigueur poétique. Le premier est un fragment dramatique, *Rhodopis,* dans lequel apparaissent trois figures de femmes, qui représentent trois aspects contradictoires de l'esprit de Kloos ; Myrrha, obsédée par la jouissance des sens et la beauté terrestre ; son amie Rhodopis qui s'est repentie de cette vie et qui est donc en quête d'un but et d'un ordre, mais qui désillusionnée souhaiterait retomber dans la nuit de l'inconscience ; Mytilla, qui trouve un remède aux douleurs de la vie dans sa douceur intérieure. *Okeanos* est un fragment épique, qui s'inspire de l'*Hypérion* (*) de Keats et reprend le mythe de Ganymède, qui représente l'âme de l'artiste qui, après s'être élevée dans l'extase suprême, désire revenir à la beauté terrestre. La partie sans doute la plus belle est la description de Ganymède au second chant. Le troisième fragment, *Sappho,* est une brève composition dramatique dans laquelle Kloos reprend le thème de la contradiction entre l'esprit et les sens. La langue de ces fragments est pure et vigoureuse ; le son, le rythme et le choix des mots et des images sont au nombre des plus heureuses créations du poète. Après 1893, l'inspiration de Kloos décline : les volumes de 1902 et 1913 n'atteignent que rarement les sommets de la poésie de *Poèmes* ; dans *Poèmes II,* le chant est alourdi par des méditations religieuses ou philosophiques.

POÈMES de Kouratov. L'œuvre du poète komi Ivan Kouratov (1839-1875) a été intégralement publiée en 1939 à Syktyvkar (capitale du pays komi). Seuls quatre poèmes de Kouratov ont été publiés de son vivant : ce poète, qui donne à son peuple une langue littéraire, n'a ni public (les Komi sont pour la plupart illettrés), ni espoir de publication. Malgré ces conditions désespérantes, il commence à écrire dès son plus jeune âge. S'il puise son inspiration dans son peuple, sa misère et son asservissement, il connaît bien la culture européenne et russe : influencé par Tchernychevski, émule de Nekrassov, il a Pouchkine comme maître.

Ses premiers poèmes présentent des paysans, des vieillards komi : « Le Vieillard aveugle » (1866), « La Vieille Femme » (1866), « Le Bal komi » (1865), « Chez Zakar » (1867) ou encore « Tima a vieilli » (1864). C'est une poésie empreinte de vitalité et d'humour, dans une langue robuste et savoureuse. En même temps, il chante sa culture : « Ma langue est barbare, dit-on », mais elle est « modeste, à l'image de nos gens » (*La Langue komi*, 1857), « restons donc komi ! » (1867). Dans les dernières années de sa vie, en Asie centrale, sa poésie devient plus triste, plus subjective, plus philosophique : « Comme la comète entre les astres, / je n'ai plus de place parmi les vivants » (1875). Il laisse un poème inachevé, « Remarques d'un aveugle », à forte dimension autobiographique, qui résume bien les deux tendances de sa poésie : les idéaux et les combats généreux, ainsi que les souffrances d'un héros qui se sent perdre la vue. E. T.

POÈMES de Lanier [*Poems*]. Les poésies complètes de l'écrivain américain Sidney Lanier (1842-1881) ont été éditées dans un recueil posthume en 1884. Jusqu'à cette édition complète, les poèmes de Lanier, parus dans diverses revues durant une quinzaine d'années, n'avaient valu à leur auteur, malgré un premier recueil publié en 1877, qu'une gloire diffuse, confondue avec sa notoriété de flûtiste, de musicologue et d'essayiste. Lanier s'inspirait le plus souvent de son Sud natal. Au retour de la guerre de Sécession où il avait combattu avec les Confédérés (il était originaire de Macon en Géorgie), Lanier avait été victime, comme tant d'intellectuels sudistes, des conditions désastreuses dans lesquelles la guerre laissait sa province. Son œuvre poétique n'exprime pourtant ni plaintes, ni récriminations : on retrouve l'écho de la tragédie douloureuse dans ses rythmes tout imprégnés d'amour et de nostalgie pour le pays natal. Lanier avait su s'élever jusqu'au nouveau patriotisme nord-américain qu'il exprima avec noblesse dans les chœurs écrits pour la « Centennial Cantata » à l'occasion des festivités nationales de 1876, ou dans le « Psaume de l'Ouest » qui date de la même année. Lanier est avant tout un lyrique, très fidèle aux formes classiques, extrêmement sensible aux valeurs musicales de la poésie. De son sentiment de la nature, il fait le thème de ses meilleurs poèmes : « Les Marais de Glynn » (1878), qui est considéré comme son chef-d'œuvre ; « L'Aube » [Sunrise], « L'Ondoiement du blé » [The Wawing of the Corn], « Le Cristal » [The Crystal]. La « Ballade des arbres et du Seigneur » [A Ballade of Trees and the Master] est connue d'un vaste public et figure dans ces anthologies : c'est un poème très bref (deux octaves), dans lequel l'écrivain donne la mesure de son habileté technique (recherche d'effets rythmiques et musicaux particulièrement réussis). Le poème commence par un vers dont l'allitération sonore est très suggestive : « Dans les bois mon Maître s'en est allé » [Into the woods my Master went]. Il arrive au poète de donner dans l'extravagance et l'intellectualisme, et quelques-uns de ses contemporains l'accusèrent déjà d'être didactique. Mais il sait la plupart du temps éviter ce péril : ainsi dans les sonnets dédiés à sa femme. La brièveté de sa vie, les angoisses de la pauvreté et de la maladie empêchèrent peut-être le plein épanouissement des dons poétiques de Lanier.

POÈMES de Lemaire de Belges. Parmi les poètes français de la fin du XVe siècle qu'on appelle péjorativement les grands rhétoriqueurs, Jean Lemaire de Belges (1473-1515 ?), natif du Hainaut, neveu et filleul de Jean Molinet, élève de Guillaume Cretin, se détache nettement. C'est le premier poète distingué du XVIe siècle, c'est surtout le prédécesseur direct de Marot et indirect de la Pléiade. Flamand par sa langue maternelle, il adopta la langue française, « gente, propice, suffisante assez et du tout élégante pour exprimer en bonne foi tout ce que l'on saurait excogiter soit en amour, ou autrement ». Il fit aux services des grands une assez brillante carrière ; protégé par Marguerite d'Autriche, gouvernante des Pays-Bas, dont il fut l'historiographe, l'« indiciaire », il fut ensuite appelé à la cour de Louis XII et y devint un grand personnage. Poète honoré, chargé de nombreuses missions diplomatiques, il semble cependant qu'il ait quitté la cour vers 1515 ; en tout cas, à partir de cette date, on perd sa trace, et une légende le fait mourir vieux et démuni. Toute son œuvre est en vers, à l'exception de son grand traité : les *Trois livres des illustrations de la*

Gaule Belgique (*), et de quelques œuvres politiques comme *La Légende des Vénitiens*, le *Promptuaire des conciles*. Mais son œuvre poétique est elle-même très variée. Dans *Le Temple d'Honneur et de Vertu*, publié à Paris en 1504, Lemaire imite une églogue latine de Pétrarque et, le premier en France, utilise la forme strophique de la rime tierce, la « terza rima » des Italiens. Éditée seulement en 1509, la *Plainte du Désiré*, ou *Déploration du trépas de Louis de Luxembourg*, est un noble poème allégorique dans lequel dame Nature, accompagnée de Peinture et de Rhétorique, vient pleurer sur le cercueil du comte de Luxembourg, protecteur des arts et des lettres ; cette œuvre, plus encore qu'une déploration, est une méditation de la poésie sur elle-même. De nombreuses allégories apparaissent encore dans *La Couronne margaritique* (1504), monument élevé, sur la demande de Marguerite d'Autriche, à la mémoire de son mari, Philibert de Savoie. Le poète nous conduit dans une contrée d'abstraction, où l'on rencontre d'abord la montagne de « Laboriosité spirituelle ». Sur cette montagne siège, dans son palais, le roi Honneur, rejeton de la famille Justice, entouré de son ministre Mérite et de sa cour composée de Jeunesse, Infortune, Noble-Penser, Savoir-Humain. Tous ces personnages s'entretiennent doctement des mérites de Marguerite d'Autriche. Puis se déroule un tournoi d'un genre nouveau, puisqu'il consiste à appeler en champ clos les hommes les plus illustres (la liste en est bien curieuse, car elle mêle Albert le Grand, Vincent de Beauvais et Isidore de Séville à Robertet, Chastelain et Marsile Ficin) pour chanter les mérites de la dame. Cette œuvre laborieuse de courtisan est intéressante par l'érudition énorme et quelque peu fantaisiste qu'y déploie Lemaire de Belges. Les *Trois contes de Cupidon et Atropos*, écrits en tercets à la manière de Dante, ne sont qu'une longue discussion entre Atropos et Cupidon, à laquelle se mêlent les dieux de la mythologie antique et les personnifications abstraites chères aux poètes de la fin du Moyen Âge. Mais l'œuvre la plus agréable de Lemaire, et qui n'est pas loin d'être un chef-d'œuvre, ce sont les *Épîtres de l'amant vert* (1505). Cet amant vert, c'est le perroquet de Marguerite d'Autriche qui, des Enfers, envoie des vers à sa maîtresse ; il y dit toute sa tristesse d'être privé d'une aussi charmante compagnie : « Bien me plaisait te voir chanter et rire, / Danser, jouer, tant bien lire et écrire, / Feindre et pourtraire, accorder monocordes » ; loin d'elle il songe à son tombeau, il le voudrait « en quelque lieu joli, / Bien tapissé de diverses fleurettes, / Où pastoureaux devisent d'amourettes, / Où les oiseaux jargonnent et flageolent, / Et papillons bien couleureux y volent ». Là des bergers viendront s'entretenir de l'histoire de cet oiseau exotique devenu célèbre pour avoir été le confident d'une princesse. En une autre épître, le perroquet décrit l'enfer : c'est évidemment un enfer animal, et la bizarre érudition de l'auteur prend plaisir à évoquer, non sans charme d'ailleurs, tous les animaux célèbres. Ces descriptions ingénieuses, cette galanterie précieuse procèdent d'une jolie imagination. La forme est, chez Lemaire de Belges, en net progrès sur celle de ses prédécesseurs ; excellent versificateur, curieux de rimes rares et inusitées de son temps, épris de rigueur et de rythme, il ouvre la voie aux recherches de la Pléiade et parfois atteint à de véritables réussites qui ne seront pas dépassées par Ronsard.

POÈMES de Levet. Henry Jean-Marie Étienne Levet (1874-1906), poète et diplomate, nous a laissé une œuvre mince, mais originale : héritier des parnassiens et des symbolistes, il ouvrit cependant des voies nouvelles par son souci de naïveté raffinée, son intimisme cosmopolite, son humour voilé et ce chant brisé, dissonant, qui annonce les révolutions poétiques du début du siècle. Et il s'agit moins d'exotisme chez Levet que de renouvellement du merveilleux ; il ne s'agit pas de pittoresque, mais de la découverte d'un insolite sentimental qui sourd des simples choses et de leur éclairage : cela est surtout sensible dans les poèmes qui composent *Cartes postales* (*). Le reste de sa production relève en revanche de l'expérience mallarméenne : ainsi *Le Coche manqué, Parades*, les cinq poèmes composant *Le Drame de l'allée* et les sonnets réunis sous le titre *Le Pavillon*. Toutefois, en dépit de similitudes qui font penser au pastiche — on reconnaît Rimbaud, Laforgue et d'autres au passage —, Levet imprime à ces poèmes une musique qui lui est propre, comme un sourire lointain et doré. Les poèmes de Levet parurent en plaquettes et dans diverses revues telles que : *Le Courrier français* (1895-96), *La Vogue* (1900), *La Plume* (1901), *La Grande France* (1902). Ils furent réunis en 1921 par les soins de Léon-Paul Fargue et Valery Larbaud, lesquels firent précéder le recueil, en guise de préface, d'une conversation qu'ils eurent le 1er mars 1911, après une visite faite aux parents de Levet, et dans laquelle ils évoquent la personnalité de leur ami commun ainsi que l'atmosphère qui présida à leur jeunesse et à leur vocation poétique.

POÈMES de Li Heu [*Li Heu keu-chepien — Li He geshi bian*]. Recueil des œuvres du poète chinois Li Heu (791-817), qui rassembla lui-même deux cent vingt-trois poèmes en quatre fascicules, auxquels les éditions postérieures ajoutèrent quelques pièces. L'œuvre du « sorcier de la poésie », tel qu'on l'appelait, est souvent apparue à ses critiques par trop peuplée d'êtres surnaturels ; de dieux et de fantômes, d'immortels et de chamanesses, de dragons côtoyant les poissons dans leur rivière. Li Heu y a sans doute exprimé une fascination évidente pour la mythologie divine et chamanistique, qu'accompagnait une obsession de la mort et de la vieillesse – il ne vécut que 26 ans mais fut longtemps malade. Son inspiration fantastique compose des images ardentes ou abstraites ; elle transfigure une nature où les choses savent rire et pleurer, produit des métaphores qui semblent pouvoir tirer d'elles-mêmes leur propre fin : l'impression en est aussi intense qu'étrange. Mais la poésie de Li Heu, parfois macabre et pour certains visionnaire, est aussi sarcastique, notamment envers les gouvernants et les aristocrates de son temps, envers la Cour accaparée par les plaisirs et les divertissements. Ailleurs, elle prend pour objet l'art du musicien ou la vie des courtisanes de la capitale. Souvent narratifs, ses poèmes suivent pour la plupart la « forme ancienne » [kou-ti] ou celle du « poème à chanter » [yue-fou], comme si Li Heu avait dédaigné les genres en vogue à son époque. Le travail du style, à l'exception de quelques pièces plus simples, ne se prive pas de rompre la syntaxe ni de distordre les parallélismes. Il tend à exacerber l'impression sonore par une abondance d'allitérations, d'onomatopées et de répétitions, qui ne rattache pas moins cette poésie à la tradition des *Élégies de Tch'ou* (*) que ne le fait la représentation d'expériences chamanistiques. – Trad. anglaise J. D. Frodsham, *The Poems of Li Ho (791-817)*, Oxford University Press, 1970.

V. L.

POÈMES de Liiv [*Luuletused*]. Recueil de poésies de Juhan Liiv (1864-1913), l'un des plus remarquables poètes estoniens. Dans ce volume, paru en 1910, on retrouve les accents et les thèmes qui furent à l'honneur dans la période de russification forcée qui suivit 1890. La sombre couleur de l'époque aiguise le pessimisme naturel de Liiv, qui était atteint de troubles psychiques. Sa sensibilité morbide se révèle parfois par des expressions très délicates et d'autres fois se concentre en de brefs accents très profonds, en des poésies fragmentaires et synthétiques. La force de Liiv réside dans le dynamisme et l'authenticité de son sentiment. Liiv apparaît, dans la poésie estonienne, comme un rebelle qui crée de nouvelles règles esthétiques : il rompt avant tout avec les traditions romantiques ; son réalisme poussé à l'excès finit par faire de lui un symboliste.

POÈMES de Lio Pin-K'e (ou Lio Yu-si). Ensemble de l'œuvre poétique de l'écrivain et penseur chinois Lio Yu-si (772-842), qu'il composa principalement à partir de 805, date de son premier bannissement politique. Ce sont quelque huit cents poèmes, « che » réguliers et « yue-fou » (genre de « poèmes à chanter »), dont certains parmi les plus célèbres prennent sens au moins en partie au regard de la carrière et des opinions réformistes de leur auteur. *Pour les gentilshommes qui regardent les fleurs* [*Si-tseng K'an-houa tchou-tsiun-tse*] s'adresse ainsi à ceux qui – après l'envoi en exil de Lio – purent contempler à sa place certains pêchers du temple Suan-tou. Ailleurs le ton satirique du poète vise le gouvernement, l'administration et leurs intrigants : *Le Chant des moustiques* [*Ts'iu-wen-yao*]. Cependant, le plus grand nombre de ces poésies ont les plus traditionnels des sujets, amour, nature, paysages et saisons : *Ballade du vent d'automne* [*Che-wen ts'io-feng*], le vin et l'amitié. Dans ses lointains séjours dans le sud de la Chine, Lio fut influencé par les folklores des minorités non chinoises. Les chants des chamanes ou des chansons paysannes lui auraient inspiré certaines pièces qui ont pu être considérées comme les premiers « ts'e » : *Chanson des tristesses du gynécée* [*Kouei-yuan-ts'e*]. Car ce genre, florissant du Xe au XIIe siècle, commande de composer des poèmes (irréguliers) sur la prosodie d'airs musicaux existants. – Trad. *Anthologie de la poésie chinoise classique*, Gallimard, 1956 ; Trad. anglaise *Chinese Literature*, 1975.

V. L.

POÈMES de Makhtûm-qulî. Les recueils successifs des œuvres du poète turkmène Makhtûm-qulî (vers 1730 - fin du XVIIIe s.) ont été publiés à Achkhabad par les philologues du Turkménistan. L'édition de 1926, en caractères arabes, comprend deux cent quatre-vingt-neuf poèmes ; celle de 1957, par l'Académie des sciences de la R.S.S. turkmène, en cyrilliques, en comprend trois cent soixante-dix-neuf ; celle des « Œuvres choisies », publiée en 1959, et où ne figurent pas certaines compositions de la première édition, contient cependant quatre cent vingt-trois poèmes. Les œuvres de Makhtûm-qulî, dont une part importante est aujourd'hui perdue, subirent les vicissitudes d'une époque troublée par les incursions du châh de Perse Nâdir Afshâr, qu'aggravaient de sanglantes rivalités intertribales. Le poète nous apprend même qu'à la suite d'une bataille où il fut fait prisonnier il vit ses manuscrits disparaître dans les flots de la rivière Gurgen. C'est pourquoi les œuvres de Makhtûm-qulî nous sont parvenues en ordre dispersé, principalement par la transmission orale des aèdes [bakhshî], gardiens et propagateurs des créations populaires (B. A. Karryev). Le corpus dont nous disposons n'est donc pas fermé, et de constantes découvertes l'enrichissent de nouveaux éléments.

La langue de ces poèmes constitue à elle seule une révolution dans l'histoire linguistique de l'Asie centrale. Makhtûm-qulî, que désespéraient les conflits endémiques des tribus turkmènes, tenta en effet d'insuffler à ses compatriotes une conscience ethnique supratribale, en partie au moyen d'une langue littéraire unifiée et débarrassée des particularités dialectales. Le tchaghatay, langue archaïque prisée avant lui par les poètes mais incompréhensible de la masse de la population, fut abandonné au profit d'une version moyenne, simplifiée, du turkmène — qui devait par la suite être la base de la langue populaire et littéraire commune. Le langage artistique de Makhtûm-qulî, fondé sur la forme des quatrains populaires à laquelle était intégrée la prosodie turque syllabique, devint quant à lui un modèle pour ses successeurs des XIXe et XXe siècles. Ainsi détruite la barrière qui séparait la langue littéraire et la langue du peuple, l'œuvre de Makhtûm-qulî a profondément pénétré la mentalité des Turkmènes, qui ont fait des vers de leur poète de nombreux proverbes. Les sujets les plus différents voisinent en effet chez Makhtûm-qulî, sans ordre préconçu, couvrant tous les aspects de la vie. L'éthique y tient une place centrale, comme dans toute la tradition islamique : Makhtûm-qulî a approfondi la réflexion de son père Azâdî sur le gouvernement et le bien-être du peuple. Abordant de nouveaux problèmes sociaux, il a élaboré une morale de caractère humanitaire et universaliste (B. A. Karryev). — Trad. sélective : *Poèmes de Turkménie,* Presses orientalistes de France, 1975. S.A.D.

POÈMES de Mao Tseu-tong [Mao Zedong]. Trente-neuf poèmes de l'homme d'État chinois Mao Tseu-tong (1893-1976) ont été publiés entre 1957 et 1979, de façon échelonnée et à des dates coïncidant avec certains moments cruciaux de la carrière politique de leur auteur – ainsi que de l'histoire de la République populaire de Chine ; rectification du mouvement des Cent Fleurs en 1957, 1958 et 1962, lutte contre le « révisionnisme » en 1968 et 1976, mise en valeur de l'homme après la mort du président et la remise en question du maoïsme en 1979. Ces poèmes, qui obéissent aux règles strictes des genres classiques « che » et « ts'e », valent sans aucun doute moins esthétiquement que parce qu'ils s'insèrent tout naturellement dans la tradition des écrits de circonstance ; datés, usant de l'allusion ou du symbole. On a pu comparer le « chef-d'œuvre » *Neige* à la fameuse et triomphale *Chanson du grand vent* du fondateur de la dynastie des Han (206-23 av. J.-C.), Lio Pang, ou encore aux poèmes de Ts'ao Ts'ao, guerrier et fondateur du royaume de Wei (220-265). Mais si l'on en croit Waley, cité par Simon Leys, la poésie de Mao est dans l'ensemble « moins mauvaise que la peinture de Hitler, mais pas aussi bonne que celle de Churchill ». — Trad. Éditions en langues étrangères, 1978. V. L.

POÈMES de Marvell. L'œuvre poétique du poète anglais Andrew Marvell (1621-1678) a été réunie en 1681 dans une première édition sous le titre de *Poèmes variés* [*Miscellaneous Poems*], due aux bons soins d'une veuve hypothétique et intéressée. Les quelques satires ou panégyriques qui furent publiés de son vivant peuvent être datés d'après les événements auxquels ils sont rattachés ; pour la majorité des pièces lyriques demeurées manuscrites jusqu'à sa mort, les indications biographiques fournissent d'uniques repères : ainsi « Le Jardin » [The Garden] et les poèmes de la série du Faucheur pourraient avoir été écrits durant son séjour auprès des Fairfax. Marvell a souvent été qualifié par les critiques d'esprit métaphysique brillant. Mais son originalité provient peut-être moins de son maniement du concetto [conceit] que de la structure de ses poèmes, dont l'articulation tend à la discrète remise en question de modèles littéraires, proposés par l'Antiquité ou ses contemporains. Adopter les conventions formelles et les images stéréotypées d'un genre poétique comme celui de la pastorale constituait pour lui à la fois un moyen de rendre compte d'un point de vue particulier sur le monde, et de souligner en même temps l'incapacité de tout langage à orchestrer la complexité des rapports de l'homme avec la Création. Cette défiance fondamentale se traduit par un air de détachement permanent, qui confère au texte son irrésolution dernière, et rend par là son interprétation souvent difficile. Dans « Pleurs » [Mourning] le locuteur se garde bien d'interpréter les larmes (de crocodile ?) des femmes — leur laissant ainsi le bénéfice du doute : « Quant à moi, je tais mon jugement / Laissant là querelle d'opinions. » Un des thèmes majeurs de la poésie lyrique de Marvell est celui de l'innocence perdue, incarnée dans le rêve arcadien. « La Galerie » [The Gallery] met en scène un homme et une femme, rompus aux artifices de l'amour, contemplant avec nostalgie l'image d'une bergère cueillant des fleurs : la pastorale ne sert pas de cadre amoureux, mais elle suggère un désir de fuite au sein d'une nature et d'un âge d'or perdus, étrangers aux soucis de la civilisation. Les liens qu'entretiennent Nature et Artifice échappent cependant à une trop grande simplification : c'est un homme sophistiqué qui rend hommage à une représentation artistique (tableau) de la grâce naturelle (bergère), elle-même symbole créé par l'art (pastorale). Quatre poèmes remettent en cause l'idéalisme du modèle hérité de Théocrite et de Virgile. En créant le personnage du faucheur « Damon », Marvell réduit l'opposition ville/campagne (à la différence du berger, le faucheur a une action destructrice et « civilisée » sur la nature) et dénonce l'impossibilité d'un retour à l'Éden. Le destin de Damon s'achève dans une mort tragi-comique (il se fauche lui-même accidentellement !), qui vient briser le songe harmonieux d'une Nature protectrice. « Le Jardin », plus heureux dans sa conclusion, participe pourtant du même débat (fuite/participation). Comme dans d'autres pièces marvelliennes, le « Je » ne livre aucun sentiment autobiographique mais explore différentes traditions littéraires et philosophiques. Dans le jardin, à l'abri de la civilisation et des femmes, le poète goûte simultanément les plaisirs terrestres (séductions du monde végétal) et l'extase spirituelle. En un distique admirable, Marvell évoque l'unité profonde de l'homme et de ce qui l'entoure, ainsi que le risque d'un oubli de nos tâches séculaires : « Réduisant tout ce qui existe / À une pensée verte en une ombre verte. » Les heures passées au jardin, bien que précieuses, ne constituent qu'un intermède fugace. L'acte sexuel, s'il ne permet pas d'arrêter la course du « char ailé du Temps », la fera peut-être accélérer, suggère d'un ton cajoleur puis féroce (on est loin d'un « Carpe Diem » sentimental) un poète à « sa prude maîtresse ». La frilosité d'une âme qui, rejetant le monde physique, n'aspire qu'à s'« évaporer » en Dieu – « Sur une goutte de rosée » [On a Drop of Dew] est jugée tout aussi sévèrement que la pruderie. Le puritanisme poétique de Marvell appartient davantage aux « Dialogues », comme le « Dialogue de l'Âme et du Corps » [A Dialogue between the Soul and the Body], où il fait le portrait de l'âme puritaine modèle se battant sur le terrain. « Sur Appleton House » [Upon Appleton House] est, en dépit de sa longueur (97 strophes), son œuvre la plus achevée, sur le plan littéraire et philosophique. Lyrisme et célébration se conjuguent dans cette évocation de la retraite (au propre et au figuré) du général Fairfax. L'apparition du personnage central (le récitant devenu acteur-observateur) dans le paysage d'Appleton donne lieu à de curieuses distorsions spatiales et temporelles. Le temps d'une promenade défilent, en plus des saisons, les grandes étapes de l'Histoire universelle (la Chute, l'Exode... et les récentes guerres civiles) cachées sous d'habiles métaphores ; les perspectives se parent d'aberrations visuelles et mentales qui rendent incertaines les frontières séparant sujet et objet, image et réalité. L'abolition de relations stables entre le percevant et le perçu ouvre alors un espace de révolutions : pour échapper au déluge qui s'abat sur les terres, le poète va se réfugier dans les bois d'une colline, qu'il quittera une fois le pays lavé de ses souillures. Surpris en flagrant délit de paresse (il pêche) et d'abandon de ses devoirs professionnels, il reprend sa tâche de panégyriste et qualifie Nun Appleton de « seule carte du Paradis ». Mais un voile d'ironie a jeté le discrédit sur ses gambades champêtres – preuve, aux yeux de certains, d'un retournement décisif qui s'est opéré chez Marvell et qui aurait décidé de son entrée dans la vie publique. Héraut de la scène politique, il délaissera les subtilités lyriques au profit d'un langage surtout persuasif. Après la mort de Cromwell, dernier sujet de ses panégyriques, il se consacre entièrement à la satire, qui deviendra (un peu grâce à lui) l'instrument préféré des poètes de la Restauration. Si le vers change, la stratégie est la même : l'utilisation d'un persona adapté à la cause défendue, et qui souvent rejoint la nostalgie édénique des premiers poèmes : « Mais hélas ! Cet état de perfection disparut dès l'instant, pour laisser place à l'Anarchie, et ne dura pas plus d'un jour » – « La Répétition mise en prose, seconde partie » [The Rehearsal Transpros'd, part II]. – Trad. quelques poèmes in *Poèmes élisabéthains*, Seghers, 1969 ; *Poèmes choisis*, Ophrys, 1989.

S. Rz.

POÈMES de Milosz. Dans son premier recueil, publié en 1899, le *Poème des décadences,* le poète français Oscar Venceslas de Lubicz Milosz (1877-1939) adoptait sans réserve les thèmes et les découvertes verbales du symbolisme. Mais ce qui, chez beaucoup, n'était alors qu'affectation, correspondait profondément à son expérience personnelle, à ses hérédités nationales et sociales. Cet aristocrate lituanien, qui apportait avec lui une atmosphère de sombres légendes nordiques, était bien préparé à s'enivrer de mélancolie, d'ennui et de cette lassitude qu'engendre le spectacle des civilisations finissantes. Mais aucune affectation dans son spleen. Le recueil n'eut aucun succès, n'attira pas même l'attention. À un moment où le symbolisme s'affaiblissait, Milosz n'avait pas craint de s'afficher « décadent » et poussait dans ses traits les plus noirs une tristesse qu'aucune lueur mystique ne venait encore éclairer. *Les Sept Solitudes* (1906) ne firent qu'accentuer les caractères de sa première œuvre. Ces alexandrins allongés, d'une grande puissance invocatoire, nous introduisent dans le drame ardent d'une âme que le doute ne cesse de poursuivre. La tristesse qui se dégage du recueil est immense et la hantise de la mort y atteint son paroxysme : « Et grâce aux trous creusés par le noir printemps / Les corbeaux sont gras de froide chair humaine ; / Et grâce au maigre vent à la voix d'enfant / Le sommeil est doux aux morts de Lofoten... / Ah ! les morts y compris ceux de Lofoten / Les morts, les morts sont au fond moins morts que moi ! » L'âme du poète continue pourtant d'être traversée par de mystérieuses réminiscences, avant-goût d'un monde surnaturel que Milosz ne sait encore ni concevoir ni bien nommer, mais qui laisse pressentir sa future conversion. Au cours des années qui précèdent la guerre, Milosz parcourt l'Europe entière : devenu cosmopolite (il y était bien préparé par la bigarrure de ses hérédités, par son expatriation, par sa connaissance de nombreuses langues étrangères), il traduit, et presque toujours d'une manière excellente, les poètes lyriques du Nord : Byron, Shelley, Coleridge, Goethe, Schiller... Mais surtout ces itinéraires européens aident bientôt à naître un Milosz très différent de celui des premières œuvres, qui s'exprimera dans *Les Éléments* (1911) : le calme et la sérénité des paysages qu'il a contemplés lui ont fait découvrir les promesses de cette sagesse qu'il cherchait obscurément. Sa ferveur religieuse s'exhale, mais d'une manière encore toute panthéiste, dans un effort pour devenir en pensée un simple élément du Cosmos immense. La mort elle-même se transfigure, devient la promesse d'une éternelle communion avec la vie de l'univers. Cette évolution de la pensée de Milosz, ce retour à l'ordre se poursuivent dans le roman intitulé *L'Amoureuse Initiation* (*) et surtout dans *Miguel de Mañara* (*), où don Juan est présenté comme le chevalier mystique de l'amour humain et divin, qui veut embrasser tout l'univers d'une passion absolue, et qui finalement aboutira à Dieu.

Milosz, pleinement converti, devient un fervent lecteur de *La Bible,* qui lui inspire la plupart de ses poèmes ultérieurs. Dans *Méphiboseth* (1913), il reprend le thème de l'amour sublimé, qu'il avait développé dans *Miguel de Mañara.* Aussi parfaitement qu'il venait de ressusciter la poésie orientale dans cette dernière œuvre, Milosz exprimera la nostalgie du pays natal dans les poèmes composés pendant la guerre et publiés en 1915, sous le titre de *Symphonies.* Il pourrait d'abord sembler qu'il n'y ait eu aucune évolution dans la pensée de Milosz depuis son premier recueil : c'est bien en effet, ici comme dans le *Poème des décadences,* la tristesse la plus amère et les rêves d'un passé diffus, enveloppé de brumes, inaccessible, dont la présence ne fait que rendre plus aiguë la solitude du poète : « Solitude, ma mère, redites-moi ma vie... » Mais la nouveauté des *Symphonies* (« Symphonie de septembre », « Symphonie de novembre », « Symphonie inachevée »), c'est une résignation heureuse qui atteste assez que Milosz s'est à jamais débarrassé de son premier nihilisme. Au terme des tristesses et de la nostalgie, la lumière apparaît, signe d'une vie nouvelle, déjà en partie goûtée et possédée : « Un soleil intérieur / Se levait sur les vieux pays de la mémoire. » Cet élan mystique, qui triomphe de l'angoisse, s'affermit encore dans *La Confession de Lemuel* (*) (1922) : « Les voix que tu entends ne viennent plus des choses » peut alors se dire avec certitude Milosz ; et l'ascension qu'il entreprend, il essaiera, avec les mots les plus précis qu'il pourra trouver, de la relater dans son *Cantique de la connaissance* : le voilà, sorti de ce « monde de la négation, de l'adultère, du massacre », qui gravit la montagne, malgré « la démence de l'éternité noire d'à côté », « noyé dans la béatitude de l'ascension ». Une fois parvenu ainsi à sa pleine maturité, Milosz a abandonné la rime et conquis sa forme propre, point d'équilibre entre le vers libre et le verset claudélien. Uniquement préoccupé désormais de problèmes spirituels, il est devenu l'homme de *La Bible,* qu'il interprète selon une assez obscure symbolique. Les poèmes mystiques de cette époque, le *Psaume de la réintégration,* le *Psaume du roi de la beauté,* le *Psaume de l'étoile du matin,* où nous apparaît une Vierge insolite, fastueusement chargée d'ornements baroques et hébreux, appartiendraient beaucoup plus à l'expérience spirituelle proprement dite qu'à la littérature. Leur hermétisme montre l'échec de Milosz à traduire les nouvelles découvertes de son âme : aussi renoncera-t-il dès lors à composer des poèmes. Leur grande vertu est de dégager un climat indistinct, d'exotisme diffus et envoûtant, d'exciter en nous la rêverie de ces mystérieux pays antérieurs, découverts par Nerval, et où les âmes fatiguées aimeront toujours à aller se dissoudre.

POÈMES de Nazor. La riche production poétique de l'écrivain croate Vladimir Nazor (1876-1949) a été recueillie dans des anthologies *Carmen vitae* (1922) et *Poésies lyriques* [*Lirske pjesme,* 1925] puis dans l'édition posthume *Poésie* [*Poezija,* 1953]. Né dans l'île de Brač et ayant longtemps vécu en Dalmatie, l'auteur tire du paysage méditerranéen (auquel il s'intéresse aussi en tant que naturaliste) et de ses vastes lectures les thèmes disparates de ses chants : la fascination du ciel méridional, le parfum des fleurs, les représentations d'animaux, les personnages des mythes grecs, les figures hiératiques de l'Égypte antique, les patriarches bibliques, les hippogriffes et autres monstres fabuleux du poème de l'Arioste, les héros nordiques légendaires tels que Väinämoinen, le héros du *Kalevala* (*) finnois, les habitants de l'Atlantide disparue se succèdent dans ses poèmes, tout comme les réminiscences d'auteurs italiens (Carducci, D'Annunzzio, Pascoli, Leopardi, Dante), allemands (Goethe et Heine) ou français (Hugo surtout). Nazor débuta en 1895 avec deux cycles de sonnets : *Kosovo,* consacré à un épisode de l'histoire nationale, et *Marko Kraljevic,* inspiré par une figure de la poésie populaire serbe. Vinrent ensuite les *Légendes slaves* [*Slavenske legende,* 1900], publiées alors que prévalaient dans le monde littéraire croate les tendances modernistes et décadentes. Dès ses premiers poèmes, Nazor révélait également sa forte personnalité sur un plan formel, en ayant recours à des mètres remarquablement différents de la prosodie traditionnelle. Loin du pessimisme alors de mode, Nazor exalte les valeurs positives de la vie : les divinités de l'Olympe slave et les héros des chants populaires russes, qu'il évoque une nouvelle fois dans les *Légendes slaves,* sont pour lui les champions de la lutte entre le bien et le mal. La production ultérieure de Nazor se développe dans diverses directions et met en lumière les aspects divers et contradictoires de sa personnalité tour à tour païenne et chrétienne, rêveuse ou réaliste, mystique ou terrestre, mais avant tout lyrique, éternellement fidèle à son impulsion intérieure. Une grande part de l'épopée nazorienne a un contenu patriotique ou historique : *Le Livre des rois croates* [*Knjiga o kraljevima hrvatskijem,* 1903], *La Chemise ensanglantée* [*Krvava kosulja,* 1905], *Les Rois croates* [*Hravtski kraljevi,* 1912], ou partisane (pendant la Seconde Guerre mondiale, l'auteur participa à la Résistance à laquelle il a dédié, entre autres, ses *Chants partisans* [*Knjiga psejama,* 1942]. Mais la meilleure part de sa production poétique est indubitablement la part lyrique de son œuvre : *Lyrique* [*Lyrika,* 1910], *Nouveaux Chants* [*Nove pjesme,* 1913], *Chants d'amour* [*Pjesni ljvne,* 1915], *Livre des chants* [*Knjiga pjesama,* 1942]. Ces vers sont animés d'un incessant mouvement d'élévation et de chute, le poète ressent constamment une exigence, pulsation intérieure qui le pousse à se libérer de son poids terrestre, mais il se sent également attiré par la nature qui le fascine avec toutes ses merveilles et le séduit par ses tentations. Le poète est sensible au mystère de la vie humaine et la solitude est parfois la clé qui permet de le pénétrer mais, le plus souvent, il se laisse prendre par la contemplation extatique de la nature, comme dans « Nocturne ».

Dans les poèmes de Nazor, les figures animales sont fréquentes, du cheval à la cigale. Le paysage dalmate est le thème qui lui est le plus cher : la mer poissonneuse, le ciel traversé de vols d'oiseaux, les bosquets de pins odorants, les vignes, les oliviers, ainsi que les démons familiers, qui depuis des temps immémoriaux peuplent ces contrées. Mais, où qu'il se trouve, Nazor est toujours accompagné de l'image de son île natale, terre de la félicité perdue et nouvelle Atlantide. Cette extraordinaire variété d'expression et de motifs s'incarne dans une forme d'une grande souplesse, tantôt exubérante, tantôt mélodieuse, toujours riche d'assonances et d'effets linguistiques et métriques. Toute la littérature croate moderne, en prose ou en vers, a été fortement influencée par cette œuvre.

POÈMES de Ngô Xuân Diêu. L'œuvre considérable (une quinzaine de recueils) du poète vietnamien Ngô Xuân Diêu (1916-1985) peut se diviser en trois étapes. La première va de *Poésie poésie* [*Tho tho*) en 1938 à *Parfum au vent* [*Gui huong cho gio*] en 1945. *Poésie poésie*, chef-d'œuvre de jeunesse, aidé par les circonstances du moment — influence française, politique de « joie et jeunesse » [vui ve tre trung] —, chante avec fougue le « moi », l'amour enfermé dans le couple qui bientôt se sent pris au piège par le temps qui passe... À partir de 1945, il est inspiré par la lutte pour la libération de la nation. Son lyrisme donne un souffle épique à ses poèmes héroïques : *Le Drapeau national* [*Ngon quôc ky*], *L'Assemblée de la nation* [*Hôi nghi non sông*]... Après 1954, il chante le quotidien avec autant d'émotion, mais surtout avec humilité, laissant son moi s'immerger dans la multitude. Son itinéraire poétique est remarquable par son ardeur, son courage et sa sincérité. C'est avec déchirement qu'il passe de l'« horizon de l'un à l'horizon de tous ». Mais l'unité de sa création reste sa fidélité à l'amour dans tous ses aspects, qu'il chante avec des mots justes d'une grande résonance émotionnelle. T.-T. L.

POÈMES de Nietzsche. Le philosophe allemand Friedrich Nietzsche (1844-1900) n'a pas, à proprement parler, composé d'œuvre poétique, mais il a parsemé ses principaux ouvrages de poèmes que ses éditeurs ont par la suite réunis en un recueil. Ce choix fut tenté pour la première fois, en 1894, par Fritz Kœgel, qui lui consacra le huitième volume des *Œuvres complètes.* En 1898, la sœur de Nietzsche donna une nouvelle édition de ce volume en l'augmentant de quelques poésies de jeunesse et, en 1899, Arthur Seidel refondit l'ensemble. Les poèmes de Nietzsche ont été écrits de 1871 à 1888 avec une production plus abondante entre 1882 et 1884 ; on les rencontre surtout dans *Humain, trop humain* (*), *Ainsi parlait Zarathoustra* (*), le prologue et l'appendice du *Gai Savoir* (*) et l'épilogue de *Par-delà le bien et le mal* (*). Quelques autres ont été tirés des douze cahiers dans lesquels Nietzsche notait ses pensées avant de leur donner une forme définitive. Les poèmes de jeunesse correspondent à des épanchements lyriques vite taris. Ils utilisent, en général, des formes régulières fondées sur le nombre des syllabes et la rime. Ils sont pleins de préciosités et souvent même de mignardises. À la période suivante, cet attirail sentimental cède la place à une pensée de plus en plus forte qui se cristallise dans une forme concise et frappe des sentences, des maximes et des aphorismes. Le lyrisme réapparaît à la fin du cycle poétique — v. *Dithyrambes à Dionysos* (*) — mais avec une vigueur et une intensité qui marquent l'apogée et l'éclatement des thèmes propres à Nietzsche. Les *Poésies complètes* sont loin de donner une connaissance totale de la pensée de Nietzsche, mais elles en tracent la courbe. Chaotiques, composées au gré de la passion, elles ne nomment presque jamais le rire, mais le rire, thème purificateur par excellence, éclate partout et constitue leur lien profond. Au sommet, quand la passion touche au sarcasme, elle se retourne brusquement contre elle-même et rit de ses invectives. Nietzsche est alors au plus près de sa vérité, car son rire lui procure ce détachement qui est l'essence même de son bonheur. Les *Poésies* sont, en quelque sorte, le rire de son œuvre, elles sont aussi une invitation pressante à descendre dans la pensée jusqu'aux limites du vertige. — Trad. sous le titre *Dithyrambes à Dionysos* Seuil, 1949 ; Poèmes et fragments poétiques posthumes, Gallimard, 1975.

POÈMES d'Owen [*Poems*]. Recueil de l'écrivain anglais Wilfred Owen (1893-1918), publié en 1920. Cette première édition, établie par Siegfried Sassoon, ne contient que vingt poèmes ; celle de 1931 en propose trente-cinq supplémentaires, et il faudra attendre 1983 pour que soit publié l'ensemble des poèmes et fragments (environ deux cents). Cet étoffement posthume de l'œuvre est à l'image de l'intérêt croissant que Wilfred Owen, qui publia seulement quatre poèmes de son vivant, suscita après sa mort. Lui-même se disait « poète pour poètes », expression qui évoque aussi bien la complexité de sa forme que la profondeur intertextuelle de nombreuses pièces. De fait, le public l'ignora longtemps, et les éditions successives de ses textes furent établies par des poètes (Sassoon, Day-Lewis, Stallworthy). Si l'on est frappé par la diversité des formes utilisées — dialogues, paraboles, récits, odes... —, c'est autour d'un thème unique que gravite la poésie d'Owen : « La guerre est mon sujet, et le malheur de la guerre. La poésie se tient dans le malheur. » Si l'on excepte les poèmes lyriques de jeunesse, c'est bien d'une poésie de guerre qu'il s'agit : beauté des soldats, familiarité de la mort, absurdité des combats, gravité de l'instant, indignation violente sont exprimées à travers un « réalisme romantique » où Owen excellait, et que Siegfried Sassoon l'avait aidé à affermir. On a souvent reproché à ces *Poèmes* de faire un usage abusif du lexique romantique (notamment W. B. Yeats, qui lui-même s'affranchissait à grand-peine de cet héritage), et de transposer sur le champ de bataille les élans lyriques réservés, au siècle précédent, aux urnes grecques ou aux rossignols. En fait, il semble que l'originalité de son style soit due précisément à cette vision oblique, qui le démarque d'une multitude de contemporains, soldats-poètes dont la violence crue mais conventionnelle n'est nullement plus frappante que la douceur de cette « Étrange rencontre » [Strange Meeting] entre deux soldats morts : « Ami, je suis l'ennemi que tu viens de tuer. / Et je t'ai reconnu dans cette obscurité / ... / Allons, il faut dormir. » C'est cette apparente simplicité, soutenue par une forme riche et complexe, qui valut à Owen un succès posthume mais durable. P. H.

POÈMES de Peiper [*Poematy*]. Recueil du poète polonais Tadeusz Peiper (1891-1969), publié en 1935. Chef d'un groupe d'avant-garde poétique, Peiper a publié de nombreux articles et études où il trace les grandes lignes de son programme. Voici ses idées principales : pour être vraie, la poésie doit se vouer au temps présent et, dans le cadre de ce culte, elle est appelée à chanter les beautés cachées « des centres urbains, de la machine et de la masse ». Afin de « réveiller la vie et l'idée de la vie », elle doit créer de nouveaux moyens d'expression. Ces moyens sont : un mouvement poétique nouveau, une construction du poème basée sur une suite rigoureusement logique de phrases qui forment ce que Peiper appelle un « système d'épanouissement progressif », une métaphore faisant usage des associations les plus lointaines. En somme, cette poésie ne voit et ne pense qu'à l'aide d'images. D'où une certaine surabondance de métaphores. Peiper écrivit : « Nous allons transmuer le charbon en or et l'or en conte de fées. » Il est certain que l'école de Peiper a renouvelé et enrichi la technique poétique en Pologne. Elle a donné aussi d'excellents poèmes. Peiper lui-même prétend dans la préface que « ses vers sont ce qu'il y a de mieux parmi les œuvres contemporaines ». Tout jugement hasardeux mis à part, il nous faut reconnaître que ce recueil contient des poèmes de haute qualité. On a dit que Peiper était un « acrobate de la métaphore ». Lui répond : « Ma poésie n'est pas née pour illustrer ma théorie. Ceux qui le disent ne savent pas ce qu'est la vie, ni ce qu'est la poésie lorsqu'elle représente toute l'existence d'un homme. »

POÈMES de Pei Tao. L'œuvre du poète chinois Pei Tao (né en 1949) peut être considérée comme emblématique du courant de la nouvelle poésie en République populaire de Chine, individualiste et désillusionnée, après la « révolution culturelle » et la répression du « Printemps de Pékin » de 1978. Depuis le poème *Réponse* [*Houei-ta*], qui déclare ne croire ni à « l'azur du ciel » ni au « pardon des trépassés », jusqu'à *La Vie* [*Cheng-houo*], composée d'un unique caractère (« filet »), la révolte de Pei Tao se veut permanente et parfois cynique, puisque « La liberté, ça n'est rien d'autre / Que la distance séparant le chasseur de sa proie. » — Trad. *Quatre poètes chinois*, Cahiers Ulysse Fin de siècle, 1991. V. L.

POÈMES de Périer. Ouvrage posthume du poète belge Odilon-Jean Périer (1901-1928), publié à Paris en 1952 par la librairie Gallimard. Il rassemble quatre plaquettes publiées du vivant de l'auteur : *La Vertu par le chant* (1921), *Notre mère la ville* (1922), *Le Citadin* (1924) et *Le Promeneur* (1925). Ces poèmes sont au nombre de quatre-vingt-dix environ. (« Le Citadin » ou « Éloge de Bruxelles » étant le plus long : près de deux cent cinquante alexandrins à rimes plates.) Dans tout le recueil, Périer demeure égal à lui-même. Du commencement à la fin, il chante le cours des saisons, les éléments, les fruits de la terre, et diverses créatures. Bien entendu, il n'en retient que la nuance la plus propre à féconder sa vie intérieure ; tant le commerce de l'amitié que les plaisirs de l'étude. Tout ce que suppose, en un mot, la chasse au bonheur, sous l'égide d'une certaine sagesse : « Je tente d'acquérir la sagesse du feu » ; ailleurs : « Je remue un trésor plus fuyant que le sable » ; ailleurs encore : « Je crois à la beauté des travaux patients. » S'étant mis en quête de bonheur, il nous fait part de ses trouvailles, de ses craintes, voire de ses secrets d'une manière toute confidentielle. Ce ton même augmente encore la valeur de son propos. Sa poésie possède bien des dessous. Son caractère est de concilier la réserve avec l'abandon. Ayant un culte pour le langage et un goût inné, Périer se montrait consciencieux jusqu'au scrupule. Par là même, il entend réagir sur son temps. Détestant le style de rencontre, il se surveille sans relâche. Un tel contrôle pourrait, certes, éteindre la spontanéité. Par miracle, le poète échappe à ce danger. Par ses divers renoncements, il désencombre son chemin. Dominant bien sa matière, il s'énonce le plus souvent avec une justesse exquise. Davantage, il donne l'impression d'avoir fait ce qu'il voulait faire. La plupart de ses poèmes sont faits de main d'ouvrier. Témoin celui-ci : « Garde ma récolte secrète / Et partageons ce peu de vin / Fille plus douce qu'une bête / Portant le masque du destin / Déchirée, habile à sourire / Et qui ne sais rien de mes dieux / Que le taciturne délire / Où je te confonds avec eux. » Néanmoins, l'alexandrin semble bien être le vers dont Périer use le plus volontiers : « Comme une eau solitaire où descend le soleil / Renonce pour tant d'or aux plus beaux paysages... » On résiste mal au plaisir de citer plus d'un de ces vers d'une miraculeuse beauté : « Amour, je ne viens pas dénouer vos cheveux », « Les fontaines, ce soir, parlent à haute voix », « Ce piège magnifique et fermé comme un cœur », « Ton visage est le mot de la nuit étoilée ». On sait qu'Odilon-Jean Périer devait mourir à vingt-sept ans. Étant conscient peut-être de sa mort prochaine et soucieux de laisser sa trace, il allait trouver dans la poésie un véritable accomplissement. Son œuvre est, à n'en pas douter, l'exacte expression de sa vie. Elle se résume dans ce dernier vers qui en dit long sur ses plus tendres sortilèges : « Qui m'écoute chanter me garde de mourir. »

POÈMES de Poe. Cette partie de l'œuvre de l'écrivain américain Edgar Allan Poe (1809-1849) reste très controversée : est-elle artificielle et malsaine ou recèle-t-elle la quintessence de la poésie ? Poe avait ouvert sa carrière sur deux poèmes ambitieux, « Tamerlan » [Tamerlane], d'inspiration byronienne, et « Al Aaraaf », où domine l'influence de Shelley. Mais ses deux premiers recueils, *Tamerlan et autres poèmes* [*Tamerlane and Other Poems*, 1827] et *Al Aaraaf, Tamerlan et autres poèmes* [*Al Aaraaf, Tamerlane, and Minor Poems*, 1829] passent, légitimement, à peu près inaperçus. Un début de maturité se fait jour dans le troisième volume, *Poèmes* [*Poems*, 1831], avec « À Hélène » [To Helen], « Israfel », et « Irène » qui, par retouches successives, atteindront leur perfection dans les années 40 – « Irène » devenant « La Dormeuse » [The Sleeper] en 1841. Poe sait alors, et c'est le thème d'« Israfel », repris dans la Préface du recueil de 1845, que des contraintes tant internes qu'externes l'empêchent d'atteindre à la grande poésie dont il rêve passionnément, lui interdisent de toucher « la frémissante corde vivante ». Se tournant vers le conte, il laisse sa mince production poétique s'amincir encore. De ces années, on retiendra « À quelqu'un au Paradis » [To One in Paradise, 1834], « Silence » [Sonnet-Silence, 1839), « Lénore » [Lenore, 1843], « Terre de songe » [Dream-Land, 1844].

Puis c'est, en 1845, le coup de cymbales fracassant du « Corbeau » [The Raven]. Poe y démultiplie sa puissance en mettant à distance son « je » lyrique dans le personnage de l'amant inconsolable, en plaçant malicieusement les effets incantatoires du refrain dans le bec du corbeau, en mettant en scène le psychodrame de la lecture du « jamais plus » [nevermore] et en se livrant dans l'espace ainsi conquis à un jeu prosodique éblouissant. Il nous offre ainsi une parodie analytique et jubilatoire de sa propre poésie. L'immense succès que connut le poème était sans précédent dans l'histoire des lettres américaines. Dans son sillage, Poe publia *Le Corbeau et autres poèmes* [*The Raven and Other Poems*, 1845].

Les épreuves des dernières années raviveront la source lyrique. « Ulalume » (1847) est une ballade sombre et quelque peu hermétique, « Les Cloches » [The Bells, 1848], un brillant exercice onomatopéique, « Un rêve » [A Dream within a Dream, 1849], un pur bijou classique sur le thème de la vanité de la vie, « Pour Annie » [For Annie], un poème très personnel et original qui dit le retour à un sein maternel devenu ciel brillant d'étoiles, « Eldorado », une ballade très pure, « À ma mère » [To my Mother], un émouvant sonnet, « Annabel Lee », une ballade encore, avec ses répétitions naïves, ballade des amours enfantines perdues où pleure l'audacieuse rime unique en [i] long.

Derrière toute la poésie de Poe se profile un drame d'impuissance affective. La femme est interdite parce qu'elle est toujours déjà morte. Irène, Lénore, Ulalume ou Annabel Lee, c'est la même jeune femme morte, l'Éléonora des contes – et Hélène est statue. L'amour, que la passion maudite menace, doit se sublimer en vénération esthétique et spirituelle. Le poème tombe parfois dans le mièvre ou frôle le macabre, mais veut ouvrir un ailleurs « hors de l'Espace, hors du Temps ». Par ses réseaux d'assonances, ses fluides paronomases, ses répétitions naïves et lancinantes, il tend à sacrifier le sens à une incantation légèrement hypnotique. Poésie de l'épuisement, elle fut saluée par les symbolistes, et Mallarmé en fit une version en prose à la fois littérale et musicale. Elle conduisit à l'idéal de « poésie pure ». Contrairement à ce que l'on a dit longtemps, ses rythmes sont assez libres dans les meilleurs poèmes lyriques et parfois si souples qu'ils tendent à se dissoudre dans l'inaudible. – Trad. de Mallarmé, 1888, rééd. Gallimard, 1928. H. J.

POÈMES de Catherine Pozzi. L'écrivain français Catherine Pozzi (1882-1934), en qui l'on peut voir, depuis la publication en 1987 de son *Journal 1913-1934* (*), le témoin douloureux de sa propre vie et de son monde, se voulut avant tout un poète secret et discret : à partir de 1926, elle s'exerça à diverses tentatives lyriques qui allaient se concentrer jusqu'à former les six poèmes qui perpétuèrent sa mémoire, grâce à l'admiration que leur portèrent Julien Benda, Charles Du Bos, André Gide, Thierry Maulnier, Marcel Béalu, Jeanine Moulin, Robert Sabatier ou Michel de Certeau : « Sapho n'a pas traversé le temps sur plus de mots », écrivait-elle dans son *Journal*.

Catherine Pozzi était de ces poètes qui prétendent que l'inspiration leur vient de l'au-delà, leur est dictée : liant son activité lyrique à sa sensibilité visionnaire, à ses expériences mystiques, mais aussi aux médicaments à base de morphine qu'elle prenait pour calmer ses accès de tuberculose, elle disait percevoir des « poèmes-messages » prémonitoires : ainsi le premier qu'elle écrivit et souhaita ne voir publié qu'après sa mort, « Vale », fut composé en 1926, après une piqûre de Sédol, et préfigure sa rupture avec Paul Valéry, son « très haut Amour ». Selon sa stricte volonté, un seul de ses poèmes, « Ave », fut publié de son vivant dans *La Nouvelle Revue française* (*) du 1er décembre 1929 ; et pour deux autres, « Nova » et « Scopolamine », que Jean Paulhan avait donnés à l'imprimeur en novembre 1932, Catherine Pozzi alla arrêter les machines qui tournaient déjà et les retira in extremis du sommaire de la *N.R.F.* : « Je ne les aime pas assez pour leur laisser faire l'amour à vos cent mille lecteurs », écrivit-elle en guise d'explication. La même année, sous l'influence du poème de Baudelaire — « J'ai longtemps habité sous de vastes portiques... » — qui intensifia le sentiment qu'elle avait d'avoir déjà vécu, elle écrivit « Maya ». Enfin, « Nyx », le dernier texte qu'elle composa en novembre 1934, un mois avant de mourir, est inspiré par un sonnet de Louise Labé, elle aussi « de Lyon et d'Italie ». Après sa mort, les six poèmes que Catherine Pozzi avait sélectionnés et confiés à ses amis les plus sûrs ont été publiés, selon l'ordre qu'elle leur avait assigné, dans la revue *Mesures* (*) (1935), puis en plaquette, l'année suivante. Cette édition fut reprise, augmentée de ses traductions de trois poèmes de Stefan George, dans la collection « Métamorphoses », chez Gallimard en 1959.

Avec « Ave », « Vale », « Scopolamine », « Nova », « Maya », « Nyx », c'est toute une vie, toute la vie spirituelle d'une femme subtile et solitaire qui est, dans cet unique recueil de poèmes, résumée en six titres : le salut et l'adieu à son « très haut Amour », le nom d'un médicament sédatif dont elle dut abuser pour calmer ses souffrances, le nom d'une étoile dont la lumière s'accroît fortement avant de s'éteindre, l'illusion et la nuit finale. C. Pa.

POÈMES de Prodromos. L'œuvre de l'écrivain byzantin Théodore Prodromos (1115-1166), qui fut, à l'époque des Comnène (XIIe siècle), le poète officiel de la cour byzantine, est très variée. Son héritage littéraire, outre un roman — v. *Rodanthé et Dosiclès* (*) —, comporte des poésies sur les sujets les plus divers. Toutefois, c'est encore ses *Lettres* (au caractère poétique) qui sont le plus intéressantes à lire, car elles nous montrent cet homme infortuné dans sa lutte quotidienne avec la faim et l'anxiété. Il est difficile de trouver une poésie moins conventionnelle, même si elle n'atteint pas de hauts sommets, elle constitue, en tout cas, une singulière exception dans le domaine de la vieille tradition poétique, purement formelle, de Byzance. Sa lettre *À l'empereur* est une véritable satire sur les occupations littéraires qui n'ont jamais nourri ceux qui les exercent. Se livrant, avec beaucoup d'esprit, à une comparaison entre sa condition, qui le mène au désespoir, et celle des différents ouvriers, ses voisins, qui peuvent manger à leur faim, il fait remarquer qu'il n'a, quant à lui, pas d'autre solution que de « chercher les pieds d'un vers, duquel il ne tirera rien à manger ». Sa lettre *Au Sébastocrator* est une composition poétique, adressée à Andronic Comnène, frère de l'empereur Manuel. Comme tant d'autres lettres de Prodromos, celle-ci est écrite pour obtenir une aide qui permettrait au poète de subvenir à ses besoins et à ceux d'une famille qui ne compte pas moins de treize membres. Le poète donne, tout au long de cette lettre-supplique, une série interminable d'articles de première nécessité dont sa famille éprouve le manque. Cette épître n'a ni la vivacité, ni l'esprit des autres compositions poétiques de celui qui se donne, non sans raison, le titre de « Ptocoprodromos » (« Prodromos le misérable ») ; par contre, c'est peut-être la plus sincère et, dans ses lamentations, la plus douloureusement vraie. L'épître *À l'empereur Jean le Maure* est adressée à l'empereur Jean II Comnène, surnommé le Maure, à cause de la couleur foncée de sa peau et de ses cheveux. C'est l'une des œuvres les plus longues de ce poète et la plus importante de toutes, tant par les renseignements qu'elle nous fournit sur sa vie, que pour la vivacité et l'habileté avec lesquelles elle est composée. Cette satire, dirigée contre sa femme, offre un caractère de réalisme qui ne manque pas de relief. Prodromos se plaint d'une grave maladie ; toutefois, ce n'est pas un mal physique qui le mine, c'est sa propre femme, être chicanier et batailleur, qui se plaint continuellement et qui n'hésite pas, à l'occasion de chaque querelle, à faire empoigner son mari par les serviteurs et à le faire jeter à la porte de sa propre maison. Un jour, après avoir été mis ainsi dehors, il réussit à rentrer chez lui en cachette et, ayant trouvé la clef du cellier, à se rassasier enfin. Le lendemain, il se déguise en pèlerin et se présente, à la porte de sa maison, comme le ferait un mendiant qui demande la charité. Sa femme le fait asseoir à sa table : cette fois encore le misérable poète pourra manger à sa faim. Cette bouffonnerie, qui témoigne d'un certain sens dramatique, ne laisse pas d'évoquer par endroits la poésie populaire telle qu'on la vit fleurir en France au XIIIe siècle. – Trad. sous le titre *Trois poèmes vulgaires*, chez Maisonneuve, 1875.

POÈMES du Renclus de Molliens. Bertremieu ou Barthélemy, poète picard du XIIIe siècle, vécut retiré dans une recluserie à Molliens-Vidame près d'Amiens, d'où son nom. Nous ne possédons de lui que deux longs poèmes, *Carité* et *Miserere ;* mais ceux-ci, d'une structure savante et inspirés par des sentiments profondément authentiques, connurent une telle popularité qu'ils placent leur auteur au premier rang des poètes français du XIIIe siècle. Les deux poèmes furent composés sous la régence de Blanche de Castille ou au début du règne personnel de Saint Louis ; ce sont une critique acerbe des diverses classes de la société et une diatribe passionnée contre l'état des mœurs. Dans *Carité,* le poète feint de partir à la recherche de la Charité ; ne l'ayant trouvée nulle part, il blâme son siècle de ne point pratiquer la sagesse et la patience comme Job, qui sut aussi bien vivre dans la misère que dans la fortune. Aux riches, il donne le conseil de se priver d'un peu de leur bien : « Vous, rike home, ki alaitiés / Les deliches et les daintiés, / Astenés si com Job s'astint ! », afin de « soutenir » les pauvres. Aux pauvres, il donne ce conseil : « Tien patienche ke Job tint ! / Porte poverte un peu sans tint ! / Sueffre un peu. Car pres est pitiés. » Dans *Miserere,* long poème qui commence par la citation latine : « Miserere mei, Deus », il passe en revue les diverses passions : Orgueil, Envie, Convoitise, lesquelles naissent de l'erreur de l'homme qui, de ses sens, fait ses maîtres. Puis vient une exhortation à la pénitence, et l'œuvre se termine par une très belle prière du pécheur repentant à la « non comparable roïne », la Vierge, qui conseille l'homme et intercède pour lui auprès de son Fils. Ces deux poèmes sont d'une grande beauté ; le Renclus de Molliens n'est pas seulement un moraliste éloquent et sincère, c'est un excellent versificateur et un poète habile. – Les deux poèmes du Renclus ont été édités par A. G. van Hamel (Bibliothèque des hautes études, Paris, 1885).

POÈMES de Rochester. Une première édition incomplète des œuvres du poète anglais John Wilmot, comte de Rochester (1647-1680) parut en 1680 sous le titre *Poèmes en plusieurs occasions* [*Poems on Several Occasions*]. Les éditions modernes sont parvenues à établir un corpus d'au moins quatre-vingts poèmes, dont quelques-uns seulement apparaissent douteux. Rochester ne publia que trois poèmes de son vivant. Le reste circula vraisemblablement sous forme de copies au sein de la Cour, dont certaines furent publiées ponctuellement. L'œuvre comporte surtout des poèmes d'amour, des traductions du latin, des satires et des pamphlets. La poésie amoureuse s'inspire en grande partie de la tradition de la chanson « cavalière » dont elle conserve le cadre lyrique et l'argument du carpe diem, mais pour y substituer l'obscénité à l'invitation amoureuse. Voici un exemple des distorsions érotiques que subit la pastorale chez Rochester. Une jeune fille, Chloris (dont le nom rappelle la nymphe de la légende mise en abyme dans le songe), fait le rêve pénible d'un viol qui n'est en fait que l'amplification onirique d'une masturbation « innocente ». Le mélange de l'art et du dialogue grivois confère à son travail une apparente insouciance formelle que dément la structure de ses poèmes. Certains sont fondés sur le retournement (ou le détournement) implicite d'une idée philosophique ou religieuse. Dans « L'Amour et la Vie » [Love and Life], Rochester reprend les thèses de Hobbes sur la seule existence positive du présent (contre celle du passé et de l'avenir) qu'il utilise pour excuser l'infidélité au lieu d'inciter à la prévoyance comme l'y invite le philosophe. « La Chute » [The Fall] révèle toute l'ampleur du désastre causé par le péché originel en comparant la sexualité heureuse d'Adam et Ève avec l'impuissance momentanée du narrateur à satisfaire sa maîtresse. La structure des satires s'appuie sur les procédés traditionnels de la répétition d'exemples, de la dispute, etc. Les récits linéaires de « Une promenade dans le parc Saint-James » [A Ramble in Saint-James's Park] et de « Sur les eaux de Tunbridge » [Tunbridge Wells] mettent en scène une série de personnages observés par un narrateur sceptique, et dont la folie (comme la liste des perversions féminines dans « Signor Dildo ») renforce la conviction (réelle ou prétendue) que la société est dégénérée. Or l'emphase satirique est telle qu'on y décèle moins l'attitude littéraire que l'obsession, signe d'un ancrage authentique dans l'existence. L'obsession agit sous deux formes, le plus souvent liées : l'obscénité et la réduction de l'homme à l'animal. Dans « La Jouissance imparfaite » [The Imperfect Enjoyment], Rochester célèbre en même temps qu'il dénonce la puissance physique de laquelle les hommes et les femmes dépendent, et qui est un leurre. L'homme réduit à son pénis n'est rien, et l'insatiabilité féminine ne fait qu'augmenter l'insatisfaction des deux sexes. Les individus subissent une triple dépersonnalisation : le corps qui se substitue à la personne est remplacé par une partie dominante (le pénis ou le vagin), qui est à son tour déshumanisée (le godemiché, l'orifice). Dans cet enfer du désir, rien ne sépare plus l'homme de l'animal. Mais l'humanité, parce qu'elle possède la raison, est bien plus vile. L'homme imagine qu'il désire ce pourquoi il n'a pas d'appétit et contrôle au moyen des idées la poursuite de ce qu'il veut. Or la raison qui dépend elle aussi des sens nous trahit. L'animal est plus sage en suivant son instinct – *Satire contre l'homme* [*A Satyr*]. L'œuvre de Rochester, dénonciatrice d'illusions, débouche sur un constat d'impuissance et de déception. S. Rz.

POÈMES de Rydberg. Sous ce titre, Viktor Rydberg (1828-1895), écrivain suédois, a publié deux volumes, le premier en 1882, le second en 1891. Considéré en son temps comme un des plus éminents poètes post-romantiques, Rydberg sait encore aujourd'hui émouvoir ses lecteurs, et sa production appartient désormais au patrimoine poétique de la Suède. Tegnér, Stagnelius, Byron et Goethe – Rydberg donna une traduction remarquable du *Faust* (*) – ont marqué ce chantre au lyrisme classique, apprécié pour sa musicalité et sa puissance évocatrice. Son goût du rêve entraîne Rydberg à se plonger dans les souvenirs d'enfance : *Paix de neige* [*Snöfrid*]. Mais sa poésie est avant tout l'expression d'une quête philosophique sur la condition humaine. Ainsi dans *Le Lutin* [*Tomten*], *D'où et vers où ?* [*Vadan och varthän ?*], *Cantate* [*Kantat*], Rydberg s'interroge sur le mystère de l'existence. Refusant de se laisser gagner par le pessimisme, il garde une foi inébranlable dans les vertus de l'homme. L'éthique de son œuvre vise à l'édification de ses compatriotes et entend leur fournir un idéal conforme à la spécificité de l'âme nordique. Le long dialogue versifié *Prométhée et Ahasvérus* reprend les idées défendues dans son roman *Le Dernier Athénien* (*) : Rydberg réaffirme avec force que la lutte est nécessaire pour assurer l'avènement d'un monde meilleur et la victoire de la liberté. Dans une saisissante satire rimée, *Le Nouveau Chant de Grotti* [*Den nya Grottesången*], Rydberg s'attaque également aux méfaits de l'industrialisation. Son indignation est sincère lorsqu'il stigmatise les travers de la société moderne, l'égoïsme, le matérialisme et l'athéisme. Rationaliste aux élans visionnaires, Rydberg n'est pas un expérimentateur stylistique. Même si son art témoigne de tendances nouvelles – recours à des images annonciatrices du symbolisme, choix d'un vocabulaire prosaïque qui brise à dessein l'harmonie du poème –, Rydberg demeure sur le plan esthétique un romantique farouchement hostile au naturalisme. M.-B. L.

POÈMES de Scève. À côté de la *Délie, objet de plus haute vertu* (*), le poète français Maurice Scève (1500-1562, env.) est l'auteur de trois grands poèmes et d'un certain nombre de petites pièces de circonstance, françaises et latines. *Arion. Églogue sur le trespas de monseigneur le daulphin*, poème composé à l'occasion de la mort de François – fils préféré de François Ier, dont la mort subite, à Lyon, fut attribuée à un empoisonnement –, est le premier grand poème de Scève. De huit ans antérieur à la *Délie*, il parut en 1536 dans un *Recueil de vers latins et vulgaires de plusieurs Poëtes françoys, composés sur le trespas de feu Monsieur le Daulphin*. C'est une allégorie mythologique plus ingénieuse que vivement sentie. Arion pleure le dauphin, qui était son ami, sa mort met en deuil la « tombe marine ». Tout l'intérêt du poème réside dans l'étonnante maîtrise de Scève, la splendeur si originale du langage et des images, l'admirable accord de la pensée et du rythme : « Dessus le bord de la Mair coye et calme, / Au pied d'ung roc soubz une sèche palme, / Arion triste estendu à l'envers / Chantoit tout bas ces siens extremes vers » ; « Et avec moy seulement demourra / Pour compaignon sus ceste triste rive, / Ung doulx languir jusqu'à la mort tardive. » C'est à peine forcer le jugement que de voir dans cette pièce si parfaite, si ajustée, si riche et fermée sur elle-même l'équivalent, au XVIe siècle, du *Cimetière marin* (*) de Valéry. Moins originale de ton et de forme, *La Saulsaye. Églogue de la vie solitaire* vit le jour à Lyon en 1547. L'imitation des Anciens, en l'occurrence du Virgile des *Bucoliques* (*), est fort sensible dans cette pastorale où deux bergers, Antire et Philerme, discourent ; c'est une apologie de la vie des champs, de la vie solitaire, opposée à la vie frelatée des villes, aux poursuites amoureuses dont ne résultent que chagrins, dispersion et perte de l'individu. Mais ce poème ne manque ni de sincérité, ni surtout de beaux vers, amples, pleins et harmonieux.

Le *Microcosme* est la dernière grande œuvre de Scève, elle ne parut qu'en 1562. En trois livres et en trois mille trois vers, Scève enferme toute la création (ce retour du chiffre trois est une allusion à la Trinité, qu'invoque Scève au premier vers de son œuvre : « Dieu, qui trine en un fus, triple es, et trois seras »). Tout le poème d'ailleurs est construit selon une stricte architecture et une symétrie remarquable : un sonnet liminaire ; trois livres, de mille vers chacun (la fin du troisième rappelant le début du premier) ; enfin un tercet isolé et un sonnet terminal. Dans le sonnet liminaire « Au lecteur », Scève fait allusion aux voyages qu'il a entrepris : « Le vain travail de voir divers païs / Aporte estime à qui vagabond erre, / Combien qu'il perde à changer ciel, et terre, / Ses meilleurs jours du tems larron trahis. » C'est ensuite, avec le début du livre premier, une ample et majestueuse fresque de la création du monde, où abondent, dans les nobles alexandrins, les sonorités rares et les raccourcis suggestifs. Enfin naît l'homme : « Puis tout en un instant ce Modelle si beau / Fut solidé en os vestus de chair, et peau : / Forme qui tant lui [à Dieu] plut, et tant il eut en grace / Que de son saint Esprit lui soufla en la face / Une alaine de vie, une ame végetante / Croissant de sensitive en ratiocinante [raisonnable]. » L'homme est le condensé de l'univers, le microcosme, le porte-parole de Dieu qui nomme la création. Suivent les récits de la création de la femme, de la faute originelle, la très belle et émouvante évocation de la première naissance sur terre, celle de Caïn, enfin le crime, l'assassinat d'Abel. La découverte du cadavre d'Abel par Adam et Ève, donc de la possibilité de l'homicide et de la mort à laquelle l'homme est condamné, puis l'enterrement d'Abel échauffent le ton et rendent vivantes et comme contemporaines les émotions toutes neuves du premier homme. Le second livre raconte le songe qu'Adam eut après ces funérailles, songe au cours duquel se développe devant lui toute l'histoire de l'humanité : c'est surtout une histoire des conquêtes de l'esprit, inventions, découvertes des arts, que fait ici Maurice Scève, histoire pleine d'érudition, surtout en ce qui concerne celle de la musique, et qui exprime, en termes contenus, cet enthousiasme pour le progrès de l'esprit si caractéristique du temps. Au « Livre tiers », éveillé, Adam fait part à Ève de sa toute nouvelle science ; pénétré de la joie de connaître et de respect pour l'œuvre divine, il trace un tableau éloquent du mouvement des astres et des merveilles de la nature. Il termine son évocation sur l'espoir de la venue de l'Homme-Dieu « qui restituera son Homme à Dieu son père ». « Nostre vie par mort sur terre finissant, / Nostre mort par la sienne à luy nous unissant, / À luy, qui, se montrant la voye et vérité, / Et la vie éternelle à ceste humanité, / Commencement, et fin principiant son bout, / Son Rien, son Microcosme, unira à son Tout. » Puis Adam « cloant sa bouche profetique / Se r'asseure esperant en son saint pronostique », la joie renaît en son cœur et la confiance dans la Providence divine et dans l'éternité bienheureuse qui lui fut promise. Peut-on dire que l'exécution répond bien à si noble et si ambitieux propos ? Scève n'a pas la facilité quelquefois fort heureuse de Du Bartas, dont on ne peut pas ne pas rapprocher *La Sepmaine* (*) du *Microcosme*. Point ici de ces descriptions vives et colorées qui abondent chez Du Bartas, dont le poème, il convient de le rappeler, est de seize ans postérieur à l'œuvre du Lyonnais. Scève, lui, est un poète abstrait, un poète d'idées, nous pourrions même dire un « poète métaphysique », au même titre que les poètes anglais du début du XVIIe siècle et que Jean de Sponde en France — v. *Poésies* (*) de Sponde. Sa poésie savante, froide et raffinée, « exprime sous une forme très condensée, très personnelle et très choisie des pensées très longuement méditées », comme le remarque Valery Larbaud. C'est sans doute dans le *Microcosme* qu'on sent le mieux cette originalité profonde de Maurice Scève, qui, avec ce poème, s'est dégagé de l'imitation des Italiens et du pétrarquisme, et a trouvé son propre ton, assez insolite dans l'histoire de la poésie française.

POÈMES de Séféris [Ποιήματα]. L'œuvre du poète grec Georges Séféris (1900-1971) se classe parmi les plus marquantes de la Grèce moderne. Imprégnée de courants occidentaux autant que des traditions poétiques de la Grèce médiévale et contemporaine, elle devait dès la parution du premier recueil, *Strophe* [Στροφη, 1931] susciter des réactions passionnées. Palamas, doyen des lettres grecques, s'intéressa aussitôt au jeune poète. La publication de *La Citerne* ['Η στέρνα, 1932] puis de *Mythologie* [Μιθιστορημα, 1935] devait confirmer l'originalité du poète en même temps qu'ébaucher les thèmes de l'exil, du déracinement, de la recherche obstinée de soi-même et des autres qu'on retrouvera dans le reste de son œuvre. Dès cette époque, à la suite de séjours en France et en Angleterre, il a fait la connaissance de Valéry et d'Eliot dont il traduit en grec certains poèmes. Mais leur influence reste superficielle et Séféris cherche plutôt son inspiration dans des thèmes purement grecs, liés à l'histoire ancienne ou récente, aux mythes, aux symboles, aux déchirements d'un pays intellectuellement partagé entre l'Orient et l'Occident. Avec *Cahier d'études* [Τετρὰδιο Γυμνὰσματων, 1940] et *Journal de bord* ['Ημερολόγιο καταστρωματος, 1940], Séféris s'affirme comme le premier poète de sa génération. La Seconde Guerre mondiale, qui contraint le poète — par ailleurs diplomate — à s'exiler en Crète puis au Transvaal et en Égypte, aura une profonde répercussion sur son œuvre. Les thèmes de l'errance, de la quête patiente d'une réalité difficile et trompeuse, des longs malheurs d'un peuple dont l'histoire est comme une continuelle Passion, y trouveront un écho majeur. C'est pendant cette période qu'il compose et publie le *Journal de bord II* (Alexandrie 1944 puis Athènes 1945) avec les grands poèmes : « Stratis le marin parmi les agapanthes » ['Ο Στρατις θαλασσινος ἀνάμεσα οτοῦς Αγαπανθοῦς], « Un vieillard sur le bord du fleuve » ['Ενας γεροντας οτῆν ἀυροποταμια] et « Dernier arrêt » [Τελευταίος οταθμος]. L'après-guerre le retrouve en Grèce où il compose *La Grive* [Κικλὴ, Athènes 1947], lucide et longue méditation sur la solitude du poète, où les voix vivantes du passé se mêlent aux cris d'un amer présent. Il séjourne aussi à Chypre d'où il rapporte *Journal de bord III* (Athènes 1955). La force des images, la constante interpénétration des thèmes classiques avec les réalités du présent donnent à cette œuvre une résonance presque charnelle. Le poète dira d'ailleurs de lui-même : « Je ne suis pas un philosophe. Je ne m'intéresse pas aux idées abstraites. J'écoute ce que me disent les choses de ce monde, je regarde comment elles se mêlent à mon âme et à mon corps et je les exprime... » Georges Séféris a obtenu le prix Nobel de littérature en 1963. – Trad. *Séféris*, Institut français d'Athènes, 1945 ; *Poèmes*, Mercure de France, 1963.

POÈMES de Shimoni [*Poémoth*]. Recueil du poète israélien d'origine russe David Shimoni (1886-1956), publié en 1956. Ces *Poèmes*, au contraire des *Idylles* (*), appartiennent à la période préisraélienne de Shimoni, et sont dominés par une nostalgie romantique née de l'idéal sioniste ; ils expriment le sentiment d'être étranger, l'insatisfaction vis-à-vis du présent précaire, le désir ardent d'une existence qui ait un sens ; et cette attitude a pour corollaire le mythe d'un ancien âge d'or juif placé sous le signe de la vaillance. C'est d'ailleurs une problématique que l'on retrouve chez la plupart des poètes israéliens qui ont connu un itinéraire comparable, comme Saül Tchernikhovsky ou Zalman Schnéour. Dans cette perspective la terre des ancêtres revêt une ampleur mythique : elle devient le refuge, le symbole de la liberté, elle est espérée comme le lieu d'une aube humaine. Le rythme mélodique et les images des *Poèmes* rappellent la manière d'un poète russe que Shimoni aime beaucoup et dont il a traduit les œuvres : Lermontov.

POÈMES de Sidoine Apollinaire [*Carmina*]. Recueil d'œuvres poétiques de Sidoine Apollinaire (Caius Modestus Apollinaris Sidonius), né à Lyon vers 430, évêque d'Arverna (Clermont-Ferrand) à partir de 472, mort vers 487. Ce recueil comprend 24 poésies latines de longueurs, de mètres et de contenus divers, composées presque toutes avant l'élévation de l'auteur au siège épiscopal ; Sidoine Apollinaire considère, en effet, dans ses *Lettres* (*), qu'il n'est pas de la dignité d'un évêque de composer des vers. Ces poésies peuvent se répartir en deux groupes, dont le premier comprend de longs morceaux de circonstance, comme les panégyriques en l'honneur d'Avitus, de Majorien, d'Anthémius ; dans ces panégyriques, la mythologie et l'allégorie prédominent et servent à l'élaboration de louanges hyperboliques. Parmi les poésies mineures, qui forment le second groupe, deux épithalames sont remarquables : dans l'un (X), composé pour le mariage de Ruricius et d'Iberia, on voit Vénus et l'Amour, après l'éloge des époux, venir bénir les noces en grande pompe ; dans l'autre (XI), pour l'union du philosophe Polémius avec Araneola, le poète décrit deux temples, le premier consacré aux anciens philosophes grecs, le second consacré à l'Amour et orné de précieuses draperies ; la déesse Pallas célèbre elle-même le mariage. C'est encore la mythologie qui prévaut dans la poésie XIX écrite pour vanter le « burgus » (château) de Pontius Leontius ; elle est précédée et terminée par une partie en prose à l'imitation des *Silves* (*) de Stace. Ce dernier est en effet, avec Claudien, le principal modèle de Sidoine Apollinaire. Un grand intérêt pour l'histoire des mœurs s'attache à la poésie dédiée à la ville de Narbonne, dans laquelle le poète fait, plutôt que l'éloge de la ville, celui de deux de ses citoyens. En dehors de ces poésies, certains vers insérés dans la correspondance de l'auteur méritent aussi quelque considération, par exemple l'épitaphe pour son ami Claudien [Mamertus Claudianus] et le poème pour Abraham, fondateur du couvent de Saint-Cirgues, près de Clermont. Exercé à la rhétorique, Sidoine Apollinaire aspire surtout à la perfection de la forme, et ses poésies, intéressantes par la description de la société de l'époque (par exemple celle des coutumes des Huns dans l'éloge d'Anthémius, et des Francs dans l'éloge de Majorien), sont ornées et pompeuses au point d'être parfois obscures. La langue comporte les constructions propres au latin de la décadence. – Trad. Didot, 1867 ; Les Belles Lettres, 1960.

POÈMES de Siu Tche-mo [*Tche-mo che-tsi – Zhimo shiji*]. Recueil de poèmes lyriques du poète chinois Siu Tche-mo (1897-1931), contenant ses poésies des années 1922-1924. C'est l'époque la plus intense de sa production poétique. Ces poèmes appartiennent tous au style nouveau, dit « sin-che », et ont mérité d'être appelés : « la première moisson digne de la Révolution littéraire », « Révolution littéraire » dont Hou Che fut l'initiateur ; Siu Tche-mo représente l'aile droite ou (si l'on peut dire) le « courant bourgeois » par opposition à l'aile gauche du mouvement, de tendance socialiste. Siu Tche-mo fit ses études aux États-Unis et en Angleterre. Aussi peut-on apercevoir dans ses œuvres une influence très nette de la poésie de langue anglaise, et en particulier de celle du XIXe siècle. Elles contiennent les épanchements lyriques d'une âme insouciante qui s'abaisse rarement à décrire les misères de la société, et préfère considérer le monde comme un spectacle coloré, que le poète évoque d'une manière très séduisante par des images hardies et profondes. Dans les milieux qui cultivaient la poésie nouvelle, c'est-à-dire libérée du mètre ancien, l'œuvre de Siu Tche-mo fut saluée par les louanges unanimes et le poète considéré comme le chef du mouvement, puisque Hou Che qui fut le véritable initiateur de la « Révolution littéraire », s'en tenait, dans ses œuvres, au domaine de la critique. L'évolution poétique de Siu Tche-mo est passée par trois phases, qui sont en fait les étapes de la renaissance de la poésie chinoise. Pendant la première phase, suivant le précepte énoncé par Hou Che, il soutint et appliqua le principe de l'absolue liberté de la poésie, sans se plier à aucun mètre déterminé : c'est en effet l'époque de la destruction de la métrique rigoureuse de la poésie ancienne qui étouffait les talents. Siu Tche-mo fit un retour en arrière, pendant la seconde phase de son évolution, quand il chercha à formuler les principes d'une métrique nouvelle et essaya d'adapter à la poésie chinoise les rythmes des poésies étrangères. Au cours de la troisième phase, avec ses amis de la revue *Croissant,* il inventa des formes inédites de rythme et ce fut la période constructive de son évolution. Après 1925, Siu Tche-mo publia successivement trois autres volumes de vers, sans jamais égaler ni par la vigueur, ni par la beauté de la forme le recueil *Poèmes,* qui demeure son œuvre la plus représentative.

POÈMES de Słonimski [*Poezje*]. Ce recueil, paru en 1951, rassemble l'essentiel de l'œuvre poétique de l'écrivain polonais Antoni Słonimski (1895-1976) par ailleurs publiciste, critique, dramaturge, pamphlétaire à l'humour mordant, et membre du groupe poétique « Skamander ». S'engager dans la brutalité de la réalité sociale et politique et conserver, en même temps, la finesse du verbe ; allier le courage des idées révolutionnaires protestant contre la stupidité collective du nationalisme et de la guerre, à un vers dont le rythme non mécanique défie la facilité mélodieuse ; rechercher l'ingéniosité dans l'humour et le sarcasme, sans perdre pour autant la force de l'expression et la fraîcheur de la pensée ; éviter, et ceci jusque dans ses poèmes de guerre les plus patriotiques et nostalgiques, la moindre tonalité rhétorique — telles sont les qualités qui ont fait de Słonimski un écrivain jouissant d'une immense popularité. Pour opposer les recueils publiés entre 1930 et 1951 à la poésie, plus insouciante, de sa jeunesse, Słonimski les intitule : « Âge d'homme, Âge de défaites », citation empruntée à Mickiewicz, son idole du passé. Mais Słonimski, ce poète, homme d'action, ami de l'homme et défenseur de sa liberté, souhaite dans tous ses écrits et espère, malgré tout, que cet âge sera celui de la victoire.

POÈMES de Sue T'ao [Xue Tao]. Recueil des poèmes écrits par la célèbre courtisane et poétesse chinoise Sue T'ao (Xue Tao) (?-832/835). À l'origine sa poésie avait été éditée en un ouvrage intitulé *Œuvre écrite au bord de la rivière Tsin-tsiang,* du nom de la rivière qui passe à Tch'eng-tou où vécut Sue T'ao. Malheureusement ce livre est perdu, et il ne reste plus d'elle que les poèmes qui figurent dans *La Poésie complète des T'ang* et qui sont publiés aussi en volume séparé. Sue T'ao y figure en effet au chapitre des poétesses courtisanes comme Yu Siuan-tsi ; elle connut de grands poètes de son époque comme Po Tsiu-yi et Yuan Tchen ; son personnage a fait rêver, et on lui prête même dans la littérature romanesque une aventure avec Po Tsiu-yi. Ses poèmes couvrent des sujets très variés : la situation de la Chine, comme des envois à des amis ou des impressions de paysages. — Trad. *Un torrent de montagne*, La Différence, 1992.

J. P.

POÈMES de Tāyumānavar. Les poèmes de Tāyumānavar, poète-philosophe tamoul de la première moitié du XVIIIe siècle, héritier de la tradition des siddhars (yogis tamouls), ont été parfois appelés les *Upaniṣhads* du tamoul. En effet, le contenu de ces poèmes est grandement philosophique. Le yoga et la méditation y tiennent une part importante. Tāyumānavar dont la philosophie s'inspire à la fois du Saiva-Siddhanta et de l'Advaita est libre de tout sectarisme ou ritualisme, ce qui confère à ses poèmes une tonalité très universelle. Parmi ses poèmes les plus célèbres, il faut citer l'« Anantak Kaḷippu », chant d'extase en trente strophes et le « Parāparakkaṇṇikaḷ », guirlande de trois cent quatre-vingt-neuf distiques se terminant tous par l'invocation Parāparamē (Ô Tout-Puissant). Certains vers de Tāyumānavar sont tellement célèbres qu'ils sont devenus proverbiaux en tamoul.

E. S.

POÈMES de Dylan Thomas [*Collected Poems*]. Le poète anglais Dylan Thomas publia en 1952 sous le titre *Collected Poems 1934-1952* ses œuvres poétiques précédemment parues en cinq recueils : *Dix-huit poèmes* [*Eighteen Poems*, 1934] ; *Vingt-cinq poèmes* [*Twenty-five Poems*, 1936] ; *La Carte du Tendre* [*The Map of Love*, 1939] ; *Morts et Accès* [*Deaths and Entrances*, 1946] ; *In Country Sleep* [New York, 1946]. Pour cette édition, il ajouta un long prologue rimé 1er vers / 102e ; 2e vers / 101e, etc., qui, par sa forme et ses thèmes — la montée de la mort, l'éblouissement devant un univers en constante genèse, le poète comme Noé, artisan faillible d'une arche qui permettra peut-être mais contre toute attente de sauvegarder l'essentiel —, est emblématique de bien des aspects de son œuvre. Si celle-ci est par certains côtés d'une grande — certains diront trop grande — homogénéité, notamment dans sa thématique (le travail inexorable du temps...) ou par son recours — qui va en s'accentuant — à la culture religieuse, on peut néanmoins distinguer essentiellement deux grandes périodes dans l'œuvre, articulées par un recueil de transition (*La Carte du Tendre*). La poésie des débuts est la plus aventureuse dans son utilisation du langage, la plus tourmentée par ses multiples réseaux de métaphores superposées. Elle fut influencée (entre autres) par les possibilités offertes par la redécouverte récente de la poésie du XVIIe siècle dite « métaphysique » (Donne, Crashaw...) et les expériences de Joyce, dans ce qui allait devenir *Finnegans Wake* (*). Le contenu thématique de ces poèmes tourne essentiellement autour d'une présentation des processus naturels. Les activités aveugles de la nature (marées, vents, cycles des saisons) font contrepoint aux activités incontrôlées du corps (glandes, sang, sexualité...) et aux poussées brutales d'un langage très maîtrisé. Le poème est perçu comme un dédale où microcosme et macrocosme, thème et texte s'entrelacent dans une version « affolée » des pointes (« conceits ») du XVIIe siècle. Cette mise en rapport est « dite » par une voix empreinte d'une extraordinaire autorité (surtout si l'on garde à l'esprit que Dylan Thomas est alors à peine sorti de l'adolescence) parlant sur un rythme incantatoire, mettant en relief les répétitions syntaxiques dans des vers d'une grande densité, avec des monosyllabes sculptés et fortement martelés selon une prosodie rare dans la poésie de langue anglaise : « La force qui pousse l'eau parmi les rocs / Pousse mon sang rouge, tarit les eaux jaillissantes. Fige les miennes en cire. » Suit une période de transition (*La Carte du Tendre*), où coexistent, d'un côté, le travail poétique des débuts, mais aussi un travail poétique, qui semble se dessécher pour s'enfermer dans ce que l'on peut percevoir comme une impasse maniériste ; de l'autre, un style nouveau, celui qui a fait sa popularité, moins opaque, moins dense, où la réflexion sur la vie et la mort renoue explicitement avec la grande tradition romantique anglaise. Formellement, on perçoit des mutations : les poèmes ont des titres, cessent d'être anonymes, se réfèrent à des personnes vivantes comme dans *Après les funérailles* (*À la mémoire d'Ann Jones*), manifestent des volontés picturales ; ils prennent volontiers la forme élégiaque, adoptent des stratégies cumulatives, laissent respirer le lecteur, remettent en cause l'autorité du poète et, au lieu de confronter le travail destructeur du temps avec énergie, tendent à se tourner avec nostalgie et mélancolie vers des espaces protégés « en dessous du temps » [below a time] : communautés villageoises ou enfance (« La Colline aux fougères »). Ce mouvement peut être perçu comme le résultat conjugué de deux phénomènes : d'abord le parcours individuel de Thomas dont la vie personnelle devient de plus en plus difficile à maîtriser, et de plus en plus dominée par l'ombre portée de sa propre mort. Mais c'est aussi un avatar de la fin du modernisme, la fin d'une époque héroïque qui sombre dans les crises européennes, les poètes revenant vers des valeurs plus « sûres » (la religion pour T. S. Eliot, D. Gascoyne ou W. H. Auden).

Le statut de Thomas devant la critique n'est pas encore clair. Si la critique américaine est souvent enthousiaste, notamment à cause de l'énergie que dégage sa poésie, la critique universitaire anglaise, surtout celle formée dans les années 50, hésite encore devant ce qu'elle perçoit comme l'excessive obscurité des poèmes du début, le danger de « sentimentalisme », et le manque d'originalité des thèmes des poèmes de la fin. Cette réticence s'est trouvée accentuée par un succès populaire dont une des sources est la fascination du grand public pour une vie « maudite ». Cependant, le fait que des poètes continuent à s'intéresser à son travail augure bien de son avenir, d'autant plus qu'il est hors de doute que d'un point de vue langagier, Dylan Thomas est un poète remarquable, un poète qui a fasciné les linguistes, un travailleur infatigable et minutieux, orfèvre comme le furent les moines enlumineurs de la grande époque de la civilisation celte. – Trad. dans *Œuvres*, Le Seuil, 1970 et dans *Vision et Prière*, Gallimard, 1991.

P. V.

POÈMES de Trakl [*Gedichte*]. L'œuvre du poète autrichien Georg Trakl (1887-1914) se compose essentiellement de deux recueils dont l'un fut publié du vivant du poète, en 1913, sous le titre *Poèmes* ; le second, bien que préparé par Trakl lui-même, fut retardé par la déclaration de guerre et ne fut publié qu'après sa mort, en 1915, sous le titre *Sébastien en rêve* [*Sebastian in Traum*]. Par la suite, plusieurs poèmes parurent à titre posthume, soit dans la revue *Der Brenner*, soit sous forme de recueils. Les premiers poèmes écrits par Trakl sont placés sous le signe d'une poésie « décadente » dont la modernité autrichienne de l'époque était encore marquée, et sont également chargés de réminiscences, en particulier baudelairiennes et hofmannsthaliennes. La composante ornementale y évoque nettement le Jugendstil et ses plantes en arabesques. Parmi les thèmes et images récurrents dominent le crépuscule, le déclin, la mélancolie, le paysage automnal : quelques éléments naturels, certains adjectifs aussi revêtent un caractère obsessionnel (sang, pourpre, pâle, blême, noir), tandis que la volupté et une sexualité sourde transparaissent, associées à l'interdit, à la faute. La ville de Salzbourg et ses environs est, soit directement, soit sous forme d'éléments épars, très présente (« Musique à Mirabell », « La Belle Ville »). Si dans les tout premiers poèmes le moi occupe encore une place centrale, il s'efface dans les poèmes du premier recueil publié par Trakl. La subjectivité est désormais transférée dans les seules images. Le vers est ici toujours régulier, la forme privilégiée est le sonnet, celle de la strophe est le quatrain, les nombreuses assonances viennent souligner la rime très régulière, accentuant la musicalité du vers. Un principe d'écriture poétique se dessine nettement : à l'unité de composition fait place fréquemment la succession sans lien logique de visions, tandis que les sensations se mêlent comme un état de conscience diffus. Cette technique de la discontinuité restera l'une des caractéristiques de la poésie de Trakl et c'est elle qui, entre autres, explique l'attribution du qualificatif « expressionniste » à sa poésie. La solitude et la mort imprègnent fortement ces poèmes. Si elles s'accompagnent parfois d'une acceptation sereine du rythme inéluctable (« Automne transfiguré »), le plus souvent la mort reste une présence impérative, effrayante, obsessionnelle. Le monde de la poésie de Trakl est une réalité constamment soumise à un processus de dissolution, de décomposition, de déclin.

Dans le second recueil, *Sébastien en rêve*, la régularité des éléments structurels traditionnels est maintenue dans quelques poèmes, mais Trakl va désormais (la mutation se situe vers 1912) faire éclater les formes. Le rythme, la longueur des vers s'adaptent à la succession et à la force des images, à la volonté d'expression par segments non préétablis. De même, les images perdent leurs références extérieures, elles fonctionnent en association à l'intérieur de la poésie elle-même et ne livrent leur « sens » (quand elles le font) que dans la synthèse interne au poème. Les couleurs perdent de la même façon leur valeur convenue pour devenir valeur symbolique, non définie cependant par une comparaison précise. De ces correspondances naissent des associations nouvelles, surprenantes, surréalistes : « le silence bleu », « un gibier bleu », « un instant bleu ». Détachée de « son » objet, la couleur acquiert son autonomie, se charge de sens en elle-même, ce qui n'est pas sans analogie avec la fonction nouvelle de la couleur dans la peinture expressionniste allemande. La composition des poèmes, moins rigoureuse dans leur structure extérieure, l'est désormais beaucoup plus dans les correspondances internes, les récurrences de motifs. La diversité des images comme celle des motifs restent relativement réduites. Plus que la richesse, c'est le principe de la variation qui domine. Mais par là même, l'écriture établit une correspondance avec la vision du monde qui la sous-tend : la « monotonie » thématique et sémantique de la poésie de Trakl (les titres de nombreux poèmes indiquent dans quels schémas elle s'inscrit : « Le Soleil », « Été », « Déclin de l'été », « Année », « Printemps de l'âme ») en fait un univers soumis à la loi qui régit la vie et la mort, la loi du devenir, de la disparition, de la présence fugitive et de la perpétuelle métamorphose de la même matière. — Trad. Gallimard, 1972 (sous le titre *Crépuscule et déclin*) ; *Vingt-quatre poèmes*, trad. par Gustave Roud, La Délir.ı te, 1978. G. Ra.

POÈMES de Yeats [*Poems*]. Recueil de poèmes du poète irlandais William Butler Yeats (1865-1939), publié à Londres en 1895. Bien qu'il renferme quelques brèves poésies qui comptent parmi ses meilleures, il ne nous montre pas encore un Yeats mûr, tel que devait nous le révéler *Le Vent dans les roseaux* (*) de 1899. Le mysticisme même de Yeats est en formation. Ainsi qu'on l'a dit, il n'avait pas encore appris à voir (selon l'expression de Blake) « à travers et non avec les yeux ». Dans le « Chant du berger heureux », où le poète se demande si le désir de savoir et de vérité n'est pas le fruit d'une impulsion trompeuse, si la vérité ne doit pas se chercher tout au fond du cœur, nous sommes en présence des signes évidents d'une hésitation qui est le résultat d'une immaturité, mêlée à une naïveté qui n'est pas tout à fait poétique. « La Folie du roi Goll » prélude aux poésies mystiques de Yeats. « La Ballade du père O'Hart » et « Moll Magee », qui parlent de la vie irlandaise, sont empreints d'une sincère émotion. « La Ballade du père Gilligan » raconte comment un prêtre, fatigué, s'est endormi sur une chaise alors qu'il devrait réconforter son paroissien pendant les dernières heures qui lui restent à vivre ; mais il se réveille et à cheval se hâte vers son devoir ; hélas, il arrivera trop tard. C'est peut-être la plus belle de ces poésies. On rencontre déjà, dans ce recueil, une heureuse simplicité d'expression qui en fait tout le prix.

POÈMES suivi de **MIRLITONNADES**. Recueil de poèmes de l'écrivain irlandais Samuel Beckett (1906-1989), publié en 1978. Ce fascicule réunit deux séries de courts poèmes. Une première suite de quinze poèmes, écrits en français entre 1937 et 1939, dont onze parurent dans les premiers numéros des *Temps modernes* (*). Les quatre autres furent publiés dans les numéros 21 et 33 de la revue *Minuit*. La deuxième section du recueil, constituée par *Mirlitonnades*, fut écrite entre 1976 et 1978. *Poèmes* offre au lecteur un aperçu dense et concis du travail poétique de Samuel Beckett. De rares virgules, de sombres épithètes, l'émergence du passé tributaire de quelques interrogations métaphysiques où se déclinent le temps et la mort. Les poèmes s'inscrivent dans l'entre-deux : pareils à l'absence, pareils à l'amour défunt. *Mirlitonnades* éclaire paradoxalement cette première tentative, qui est comme la première mouture d'un vaste poème dont il ne subsisterait que des vers très brefs formés de quelques pieds. *Mirlitonnades* évoque, à l'instar d'un flûteau insignifiant, la fausse désinvolture et l'insouciance des refrains populaires. Ces vers que l'on pourrait fredonner sont comme des paroles en suspens, comme des lambeaux de phrases dont seule l'ossature apparaît : « Rêve / sans fin / ni trêve / à rien. » La part restreinte, voire congrue de la notation poétique. Une sorte de parodie où le lieu commun vise le dérisoire et se réclame des vers de quatre sous du mirliton. Avec, implicitement nommée, la mascarade : « En face / le pire / jusqu'à ce / qu'il fasse rire. » Toutefois s'y donne à lire un précipité pur : le substrat de l'évidence. Beckett rompt l'os : ni la phrase, ni le mot mais leur flot continu. Le flux comme le reflux menacés. Avec, pour paravent, l'insigne et le peu. Une théologie du misérable. Et la quête patiente du « presque rien », du « je ne sais quoi » qui corrode les certitudes, dépouille les mots de leurs oripeaux et jaillit précisément là où on l'attendrait le moins. La littérature beckettienne, comme la poésie, se nourrit de l'évidement progressif d'une matière. Elle est l'expression d'une raréfaction délibérée, mais cette exténuation sans cesse reconduite se maintient du côté de la vie dans ce qu'elle a de plus humble, de plus lumineux aussi. Une existence tempérée par la précarité du regard, le chatoiement brusque d'une branche, la précision solide et douce d'un galet, et l'effervescence ténue d'une joie passagère ou de l'oubli. *Poèmes* suivi de *Mirlitonnades* réarticule comme en sous-main l'attachement à un univers dont la désolation fournit aux mots mêmes leur combustion. Art sans artifice, parole pudiquement exposée, le vers chez Beckett retient en un soubresaut ce que la pensée livrée à elle-même a su saisir, incorporer, laisser voir. L'extrait le plus réduit de ce qui demeure. Comme le souci mineur d'une préoccupation ontologique. Noter simplement l'étonnement que trahit la fugacité des choses.

S. R.

POÈMES 1923-1958 de Borges [*Poemas 1923-1958*]. Œuvre de l'écrivain argentin Jorge Luis Borges (1899-1986), publiée en 1958. La célébrité de Jorge Luis Borges est celle de quelqu'un qui, sans jamais faire violence à la réalité, a été capable de fouiller sa chair, de regarder dans son cœur, de découvrir ses innombrables labyrinthes. Son œuvre poétique est un chemin vers le monde qui tremble au-delà des apparences. *Poèmes 1923-1958* comprend quelques livres essentiels de Jorge Luis Borges : « Ferveur de Buenos Aires » (1923), « Lune d'en face » (1925), « Cahier San Martín » (1929) et « Autres compositions ». On y trouve donc le jeune Borges et le Borges d'aujourd'hui, le poète à travers un cheminement de trente-cinq années. Néanmoins l'œuvre donne une indiscutable impression d'unité, grâce à quelques éléments constants : la recherche d'un sens métaphysique sous la réalité quotidienne, le mystère de Buenos Aires et de son profil entrevu, la mort en tant qu'inquiétude vitale, la beauté des choses insignifiantes, les fantômes des personnages familiers ou historiques, les jeux, les quartiers métropolitains, l'esprit des choses, les épitaphes, le temps, le paysage intérieur de la pampa, le retour éternel, la vie considérée comme une interminable galerie de miroirs, le rêve. L'entreprise poétique de Borges est singulière et difficile. Dans sa tâtonnante continuité, le lecteur trouve une succession de lumières et de mystères ; envisage avec l'auteur le temps comme principe de destruction et comme renaissance perpétuelle ; échappe à un univers apparemment clos ; parvient à l'avenir et refuse un destin insidieux. Le poète Borges le conduit vers le royaume du « possible », car tout est possible en deçà et au-delà de l'homme. La voix de Borges, ses poèmes en espagnol ou en anglais (« Two English Poems », dans « Autres compositions ») sont une source inépuisable d'inquiétude, de rupture avec des lois physiques acceptées. La voix de Borges, son monde, sa poésie, sa présence verbale, ses motifs constituent un autoportrait, et en même temps le portrait de Buenos Aires et le portrait d'un destin humain irréductible. *Poèmes 1923-1958* c'est le livre de l'homme qui a écrit : « Je sens la peur de la beauté ; qui osera me condamner si cette grande lune de ma solitude me pardonne ? » — Trad. pour les poèmes de 1925-1929 in *Œuvre poétique. 1925-1965*, Gallimard, 1970.

POÈMES 1948-1962 [*Shirim 1948-1962*]. Recueil de l'écrivain israélien Yehuda Amihaï (né en 1924), regroupant les poèmes des cycles suivants : « Maintenant et en ces autres jours » [Achchav ou va yamim ha aherim], « Vers » [Likrat], « Dans la distance entre deux espoirs » [Be merhak shtei tikvot], « Dans le jardin public » [Ba cina ha tsibourit] antérieurs à 1958, et autres poèmes postérieurs à cette date. Ces poèmes sont dans la mouvance de la révolution linguistique et idéologique qui bouleverse la littérature israélienne dans les années 50, durant laquelle Amihaï se distingue comme l'un des pères fondateurs de la nouvelle poésie hébraïque moderne. Sa poésie est tout entière ancrée dans le présent et centrée autour du « je » individuel, faisant fi des glorifications collectives, nostalgiques et passéistes des générations précédentes. Elle s'inscrit dans l'immédiat, l'instant, comme en témoigne le poème « Maintenant » [Kan] où les unités linguistiques s'imbriquant les unes dans les autres convergent vers l'individu, le locuteur. Le poète est un voyant au sens littéral du mot qui ne se différencie des autres que par sa capacité à observer les anomalies inhérentes au monde. Dans le poème « Dans toute la rigueur de la miséricorde » [Be hol houmrat ha rahamim], le poète est seul à pouvoir dénombrer les âmes esseulées errant dans les rues. L'exhortation récurrente « compte les hommes solitaires » est une collocation explicite tirée du rituel de Kippour dans lequel Dieu exécute ce comput, référence ironique ici marquant son absence dans le monde moderne. L'univers du poète s'articule autour de deux pôles opposés : l'individu et le monde qui n'a de cesse de happer celui-ci. La forme chez Amihaï est le parfait reflet du drame existentiel de l'individu submergé dans la construction même du poème par une pléthore d'éléments abstraits et concrets, cependant que la présence du locuteur, le « je » d'une autobiographie imaginaire, le dote d'une certaine unité. L'instant amoureux est le seul qui permette à l'homme d'échapper aux contingences du monde et à ses contraintes. Incommensurable et insaisissable, il signifie « ne pas rester, ne pas laisser de marque changer entièrement ». La guerre dans « Ballade sur le cheveu long et le cheveu court » [Balada al ha sear ha aroch ve al ha sear ha katser] ponctue les séparations et retrouvailles des deux amants, le cheveu court désignant une codification sociale infligée à l'individu, marquant aussi paradoxalement sa reconnaissance. Au-delà de la dénonciation, certes impuissante, du moule dans lequel l'individu est confiné, le poète s'insurge contre la forme conventionnelle inhérente au langage dès lors même qu'on l'utilise : « Comment pourrais-je définir ce qui a été fait, ô monde plein de définitions comme un livre de géométrie ! » Son originalité réside dans la manière dont il tente de transcender l'expression soumise aux codes de l'usage. Par exemple, le cycle *Dans le jardin public* compte de nombreux oxymores ; pour mieux cerner la solitude, le poète y parle du « solitaire public ». — Trad. *Poèmes,* Actes Sud, 1985.

K. W.

POÈMES À L'AUTRE MOI. Recueil de poèmes de l'écrivain français Pierre Albert-Birot (1876-1967), publié en 1927 et réédité en 1954. Révolutionnaire, Albert-Birot l'est pour ainsi dire naturellement. Lorsque, vers 1917, il écrivit ses *Poèmes à crier et à danser,* que Dada découvrit avec enthousiasme, il inventa déjà à son insu le lettrisme, sans parler d'une infinité de trouvailles (poèmes en forme de timbres, calligrammes, graffiti), dont quelques-unes, grâce à d'autres poètes, sont passées dans le domaine littéraire. Car Albert-Birot ne s'est jamais soucié d'exploiter ses propres découvertes, mais d'élargir constamment son registre, en donnant par exemple avec *Les Amusements naturels* (1945) une traduction de l'*Iliade* (*) et des *Euménides,* pleine de spontanéité et de verdeur. Quelque peu babylonienne, la poésie d'Albert-Birot est la quête d'un état statique qu'il semble poursuivre entre l'instantané et le permanent, entre l'extraordinaire et le fabuleux, entre le rêve et le réel, tandis que son poème se veut à l'image d'une sphère qui contiendrait la pensée et l'instant de toute chose en figeant leur mouvement à l'intérieur de la grille des mots. Particulièrement représentatifs, les *Poèmes à l'autre moi* sont les chapitres d'une confession très franche adressée à soi-même ; ils traduisent, ou incarnent, l'unité de la vie et de la mort, de l'instant et de l'éternel, du je et de l'autre, de ce qui fut, de ce qui est, de ce qui sera. Et l'on a l'impression à les lire que peu de poètes se sont pareillement engagés dans les dédales du Tout, dans cet espace qui s'étend entre le poète et l'autre, et que tout poème doit explorer, déchiffrer, proférer.

POÈMES ANCIENS ET NOUVEAUX [*Wiersze dawne i nowe*]. Recueil du poète polonais Anatol Stern (1899-1968), publié en 1957. Ce recueil, qui contient les meilleurs poèmes de Stern écrits entre 1919 et la date de publication, donne une image frappante de l'évolution des idées et du talent du poète. Futuriste dans sa jeunesse, Stern voulait être l'apôtre de la « réalité vivante », d'où son culte du mouvement, son admiration pour les forces de la nature, sa passion pour tout ce qui est dynamique. À l'époque où le cinéma en était encore à ses débuts, c'est la poésie qui devait, selon Stern, communiquer à l'homme la conscience du mouvement. Quand il parle de la terre, elle n'est que matière en formation, naissance et explosion perpétuelle, un paradis de couleurs, une abondance de fruits. Puis sa joie de vivre se transforme en une adoration du corps. Mais, petit à petit, ses regards se tournent vers sa propre personnalité. Il ne suffit pas d'admirer la beauté des changements constants, il faut encore lutter contre sa propre inertie. Poète de la sensualité, Stern devient poète du réveil de la conscience de l'homme. Vient enfin la troisième étape de son œuvre poétique. Celle où il se penche sur les maux de cet être conscient. Il évoque alors les problèmes du pacifisme et de l'Europe avant et pendant la guerre. Il cherche des solutions et appelle ces recherches la « marche vers le pôle ». Sa poésie toujours fervente, passionnée, dynamique, est désormais placée sous le signe de cette « marche ».

POÈMES ANTIQUES. Premier recueil du poète français Leconte de Lisle (1818-1894), publié en 1852, considérablement augmenté au cours des éditions successives. L'auteur s'y montre déjà en pleine possession de son art et de sa pensée. La poésie nouvelle, objective, de facture robuste et d'un pessimisme inexorable, qui sera bientôt appelée « parnassienne », s'affirme en réaction contre les fadeurs, la sentimentalité d'un romantisme trop facile et optimiste. Et déjà se manifeste l'idée, poursuivie dans les *Poèmes barbares* (*), de conter l'histoire de l'humanité telle qu'elle apparaît à travers les religions où s'expriment les rêves de l'homme et son espérance : ainsi, la vaste, la solennelle mythologie de l'Inde védique et brahmanique, et le rêve, l'éternelle illusion de nous dissoudre dans le grand tout. C'est ensuite la lumineuse religion de l'Hellade, bientôt vaincue par le christianisme, lui aussi destiné à périr. L'hymne védique « Sûryâ » (le Soleil), la prière védique pour les morts « Bhagavat » expriment admirablement cette poésie d'inspiration moderne et qui remonte aux sources les plus antiques. L'idéal de la beauté grecque inspire les strophes si parfaites de la « Vénus de Milo », et la vérité que ces fictions recouvrent apparaît bien, par exemple, dans « Hypatie », poème dédié à la mémoire d'une martyre païenne. Certaines compositions, tel le classique « Midi, roi des étés... », sont des paysages lumineux qu'inspire la nostalgie de la Réunion, île natale du poète. D'autres témoignent combien il est injuste de le dire impassible, alors qu'en affirmant sa foi positiviste il voulait seulement adapter son art aux rigueurs de la science nouvelle.

POÈMES ANTIQUES ET MODERNES. C'est l'unique recueil poétique que l'écrivain français Alfred de Vigny (1797-1863) publia de son vivant. Des pièces qui le composent — les premières écrites par Vigny — certaines (dont « La Dryade », « Symétha »,

« La Fille de Jephté ») parurent en 1822, sous le titre : *Poèmes.* Après une nouvelle publication en 1826, Vigny en donnait une réédition en 1829 : au premier recueil avaient été ajoutés les poèmes célèbres : « Le Déluge », « Moïse », « Le Cor ». Le succès, l'intérêt même furent très lents à venir, et Vigny s'attristait de voir le public préférer son *Cinq-Mars* (*) à ses *Poèmes.* Bien des raisons inclinèrent Vigny à chercher dans l'Antiquité, et surtout dans *La Bible* (*), la forme de son expression poétique. La mode de l'époque, tout d'abord : comme beaucoup des jeunes gens qui avaient grandi sous l'Empire, *Le Génie du christianisme* (*) avait été pour lui un livre de chevet, et, du *Génie,* il était passé à *La Bible,* dont il avait fait son incessante méditation. Chateaubriand l'avait aussi mené vers Milton et son Dieu austère, terrible, celui de l'Ancien Testament, bien plus que du Nouveau. Quant à l'Antiquité païenne, elle avait obsédé les hommes de la génération précédente, sous la Révolution ; et l'œuvre de Chénier, qui venait d'être publiée, la parait des prestiges d'un nouveau lyrisme qui enthousiasma Vigny. Mais la prédilection pour l'Antiquité a chez Vigny des causes plus profondes : poète, il est malheureusement dépourvu des dons du visuel qui crée naturellement des images ; il ne vit point comme les autres romantiques dans une continuelle émotion lyrique. Les légendes suppléent donc à ces défaillances, elles lui fournissent l'univers qu'il ne sait pas tirer de lui-même. Pourtant, et bien qu'il montre un grand souci de la couleur locale, bien qu'il vérifie l'exactitude historique des beaux mots qu'il a d'abord choisis pour leur sonorité pittoresque et exotique, il ne demande finalement à *La Bible* qu'un cadre. Il retient tout l'extérieur, mais c'est son âme qu'il met à la place des âmes antiques : Moïse, la fille de Jephté, Éloa ne sont pour lui que des figures éternelles où il s'exprime lui-même, et lui seul. Ainsi, sous des dehors antiques, ses personnages sont bien modernes. Le pessimisme de son Moïse n'a rien à voir avec le chef des Hébreux ; la pitié d'Éloa pour Satan était inconnue du monde chrétien. Aussi bien la nature que les héros d'histoire ou de légende, tout est symbole pour Vigny : c'est tout le sens de son art. Ce qu'il veut d'abord dans ces *Poèmes,* c'est livrer sa pensée, une philosophie, et il n'use de toutes les ressources du lyrisme qu'en vue de ce but unique.

Le « Livre mystique » est considéré comme la plus parfaite expression de son génie poétique : avec son « Moïse », écrit à trente ans, il est déjà à la hauteur des *Destinées* (*). C'est qu'aussitôt, dans *La Bible,* telle qu'il l'interprète, il a trouvé le moyen d'exprimer son pessimisme, son expérience de la solitude de l'homme à qui ne parlent plus ni la nature, ni les hommes, ni Dieu même. Et l'austère tristesse de cette œuvre de jeunesse fait bien voir que l'amertume de Vigny tient bien moins aux événements douloureux de sa vie qu'à la nature même de sa personnalité. Mais ce désespoir ne cesse pas d'être digne, jamais ne s'abandonne aux plaintives récriminations et aux larmes romantiques. Son « Moïse », quand il a quitté les tentes des Hébreux pour gravir la montagne où il ne trouvera point Dieu, mais le silence et la déréliction, illustre bien le thème romantique du génie prédestiné au malheur : « Hélas ! je suis, Seigneur, puissant et solitaire / Laissez-moi m'endormir du sommeil de la Terre. » Mais, s'il se plaint de cette fatalité, il ne regimbe pas contre elle ; il se maintient à sa mesure et sait que le divin doit être révélé aux hommes, au prix inévitable du sacrifice de celui qui le révèle. Pourtant, quelle est cette force qui le possède ? Il ne sait rien d'elle, elle lui semble froide, et, sinon méchante, indifférente du moins à la peine, aux soucis humains. « Éloa », inspiré de la vieille légende de l'Ange né d'une larme du Christ pleurant sur Lazare, reprend en partie le thème de « Moïse », mais le complète, faisant paraître l'autre pôle de la pensée de Vigny, qui répond à son désespoir et le compense : Éloa, c'est, en effet, le thème de la pitié qui ne recule devant rien, qui veut sauver à tout prix, même le Diable ; l'amour qui voudrait, inutilement, racheter le monde, et qui périt de son audace, mais sans se plaindre. Prophétisme de Vigny, qui le rattache bien à son siècle : on dirait un moment qu'il doute si le Salut absolu ne serait pas en effet possible, si l'avènement d'un nouveau Dieu, réconciliant les deux principes, Satan et Dieu, ne viendra pas chasser le mal de la terre : c'est l'élan qui anime le sacrifice d'Éloa. Et Vigny s'interroge : « Ah ! si dans ce moment la Vierge eût pu l'entendre, / Si la céleste main qu'elle eût osé lui tendre / L'eût saisi repentant, docile à remonter... / Qui sait ? le mal peut-être eût cessé d'exister. » Pourtant le pessimisme est plus fort, comme dans le poème « moderne » : « Paris », effleuré un moment du même rêve. Éloa se sacrifie en vain pour racheter Satan ; son amour est bafoué et il semble que Vigny ait ici confessé par avance les tristesses de sa liaison avec Marie Dorval. Dans « Le Déluge », la protestation contre ce Dieu silencieux, qui exige le sacrifice de l'innocent (comme dans « La Fille de Jephté »), se fait plus violente, par opposition avec la pureté, la bonté, la beauté du monde et de l'homme du premier matin, évoquées en des termes dont Péguy se souviendra dans son *Ève* (*). Bien loin d'être une simple évocation historique, un jaillissement d'images étranges, de mots exotiques, ces « Poèmes mystiques et antiques » prennent donc la valeur d'une philosophie, sans doute assez sommaire, mais que Vigny sait exposer avec la grandeur d'un verbe qui s'adresse surtout à l'intelligence et aux régions les plus hautes de l'être. Protestation contre le Dieu chrétien – que Vigny connaît surtout par Joseph de Maistre et le Lamennais terrible, intransigeant, d'avant les *Paroles d'un croyant* (*) –, Dieu d'injustice, de colère et de vengeance ; solitude de l'homme, mais qui pourrait être réparée par la pitié de certaines âmes d'élite, dont Éloa est le symbole. Ainsi, très curieusement, Vigny réussit à allier la plus extrême tristesse et un optimisme un peu facile, qui est bien du temps des utopistes sociaux, des saint-simoniens, évoqués d'ailleurs dans « Paris ». Les poèmes inspirés par l'Antiquité païenne sont plus anciens, mais incontestablement moins bons. Bien qu'il s'essaie à imiter Chénier (comme dans l'élégie de « Symétha »), il n'a pas l'agilité heureuse de son maître ; et l'austérité des déserts d'Égypte, où l'âme est seule dans la nature, en face de Dieu, lui convient mieux que la scène fleurie du départ d'une courtisane pour Lesbos. Dans le « Livre moderne », la nostalgie du temps des anciens preux (dans la célèbre pièce du « Cor ») trouve un écho dans la vision apocalyptique de « Paris », où le soldat en mal de gloire voit poindre un monde nouveau, heureux ou malheureux, mais où, de nouveau, régnera la grandeur.

Le visage double de l'art de Vigny apparaît clairement dans les *Poèmes antiques et modernes :* romantique, par ses thèmes, par le goût des images, des mots sonores, par toute une atmosphère d'exotisme trouvée chez Chateaubriand ; mais classique, par son souci de la composition, et surtout par l'absolue primauté accordée à la pensée sur l'image. Poète épique, et là encore héritier de Chateaubriand, mais qui a compris que la grande épopée était désormais impossible, Vigny ouvrait les chemins au Victor Hugo de *La Légende des siècles* (*) et à Leconte de Lisle. Mais lui-même était un héritier : outre Chateaubriand, il doit à Byron, auquel il emprunte des rythmes (« La Fille de Jephté »), toujours des images, parfois des thèmes ou des états d'âme (comme dans « Le Déluge » inspiré de « Ciel et Terre »). Les *Poèmes antiques et modernes,* accueillis sans chaleur, prolongent leur influence loin jusqu'à notre époque : Hugo, mais surtout les symbolistes, lui doivent beaucoup. Plus récemment, Péguy, qui avait préparé une thèse sur Vigny, reprendra, pour les amplifier, certains thèmes des *Poèmes :* la volonté de se sauver à tout prix, le refus de consentir à la damnation de quiconque passeront d'« Éloa » à la *Jeanne d'Arc* (*). Dans ce recueil il nous semble aujourd'hui que le pire (« Madame de Soubise ») voisine sans cesse avec le meilleur (par exemple la rencontre d'Éloa et de Satan). Le vrai est que chez Vigny le poète ne s'affirme, l'expression n'est puissante et lyrique, que lorsque le philosophe a trouvé un thème à son goût, l'âme un héros à la mesure de sa tristesse et de sa pitié.

POÈMES BARBARES. Recueil du poète français Leconte de Lisle (1818-1894), publié d'abord en 1862 sous le titre de *Poésies barbares* ; une édition augmentée (1872) reçut le titre définitif que nous connaissons. Le poète y accentue encore le pessimisme des *Poèmes antiques* (*) et continue d'évoquer les religions instaurées puis détruites par l'homme. S'éloignant de la sagesse hindoue, de la sereine religion polythéiste des Grecs, il brosse, maintenant, de sombres tableaux tirés de *La Bible* (« Qaïn », par exemple), ou d'étranges mythologies nordiques : scandinave, finnoise ou celtique. Il va jusqu'à évoquer les mythes cosmogoniques de la Polynésie. Deux pièces seulement sont tirées du mythe grec ; elles sont empreintes d'un primitivisme rude et féroce. Les plus caractéristiques de ces poèmes sont les nordiques qui s'opposent violemment aux « antiques » : ciel sombre, blancheur de la neige, existence rude, passionnée et guerrière, qu'on sent être recherchée pour le contraste qu'elle offre avec la civilisation moderne, policée et raffinée, mais sceptique et vile. Les mythes de l'*Edda* (*) et du *Kalevala* (*), d'autres mythes et légendes celtiques, sévères et puissants, plaisent à l'auteur pour l'aversion dont ils témoignent vis-à-vis du catholicisme qui a détruit leur univers : mythes souvent assez obscurs, de sorte que ces poèmes s'imposent par la seule force de l'art qui les anime ; tels sont « Le Cœur de Hialmar », « La Mort de Sigurd », « Les Larmes de l'ours », ce dernier mélancolique et sensible. « Le Runoïa » représente le dernier combat entre le paganisme et le christianisme, et la victoire certaine de ce dernier, qui tombera cependant quand les hommes se débarrasseront de toute croyance. Mais le Christ, dernier-né des familles divines, est l'objet, plusieurs fois dans ce recueil, de la respectueuse sympathie de Leconte de Lisle. À ces récits s'ajoutent ou de simples tableaux d'une nature chaude et lumineuse, ou des portraits d'animaux (« Les Éléphants » comptent parmi les plus beaux), ou encore de nocturnes funèbres, comme « Le Vent froid de la nuit » qui rappelle le stoïcisme d'Alfred de Vigny. À noter encore « Le Manchy » (sorte de palanquin de Madagascar), où sont évoqués, avec la plus grande délicatesse, des souvenirs d'enfance. Car le poète, en proie à une foule de pensées désolées dont il souffre, entend affirmer sa volonté de ne pas se donner en spectacle dans ses vers, pour le banal plaisir de la multitude (sonnet : « Les Montreurs »).

POÈMES : BONOLOTA SEN [*Banalatā Sen*]. Recueil de poésies bengali du poète indien Jībanānanda Dās (1899-1954), publié en 1942. C'est le nom d'une femme, Bonolota Sen, titre du poème le plus célèbre de Dās, qui donne aussi son nom au recueil qui fut publié pour la première fois en 1935 dans la revue *Kavitā* éditée par le poète Buddhadev Bose. En 1942, cette revue groupa sous ce titre douze poèmes, dont celui-ci, et les publia sous forme de livre. Dix ans plus tard, un autre éditeur, Signet Press, reprit cette édition en y ajoutant dix-huit autres textes. Ces poèmes furent écrits entre 1925 et 1939 et représentent un sommet de l'œuvre du poète bengali. La métrique est très variée : certains textes sont en vers de longueur et de rime régulières, d'autres sont en vers libres et se dispensent de la rime. La nature et la femme sont les deux thèmes essentiels du poète. Sept textes ont pour titre un prénom féminin, d'autres encore sont en forme de dialogue avec l'aimée. Le poète poursuit sa quête de la paix à travers des vies successives, et c'est souvent à une femme qu'il la doit (« Bonolota Sen »). Il s'imagine canard sauvage, volant en compagnie de sa bien-aimée au-dessus des rizières, jusqu'au coup fatal du chasseur qui met un terme à leur envol et leur donne la quiétude finale (« Si j'étais canard sauvage »). Ailleurs, il évoque la biche-appât, celle dont se servent les chasseurs pour faire sortir le cerf de la forêt et le tuer d'une balle : face cruelle de la femme (« La Chasse »). Le poète n'a que faire de la terrible conscience de l'homme, source d'infinies souffrances, et souhaite renaître oiseau, orange rafraîchissante aux lèvres de l'agonisant, ou encore herbe, sortie du giron parfumé de la terre (« L'Herbe »). Poète sensuel, Dās évoque à merveille les paysages du Bengale : il choisit la saison d'automne lorsque, les récoltes engrangées, une brume froide descend sur les rizières, qu'à l'agitation des hommes fait place l'activité des campagnols, des oiseaux et des insectes, venus chercher les derniers grains oubliés, et que les rivières ont retrouvé leur calme après les crues de la mousson. Ses poèmes sont une méditation sur le temps qui passe, les civilisations disparues qui revivent un moment dans la mémoire, images de splendeur, avant de mourir à jamais (« Une main nue solitaire »). F. Bh.

POÈMES CHANTÉS de Li Yu. Ensemble de trente-quatre « ts'e » (« poèmes chantés », composés selon un air de musique déterminé) du souverain et poète chinois Li Yu, ou Li Ho-tchou (937-978), contenus dans *Les Ts'e des deux souverains des T'ang du Sud* [*Nan-T'ang ar-tchou-ts'e*] avec les œuvres de son père Li Ts'ing (916-961). Les deux hommes régnèrent successivement sous la brève dynastie des T'ang du Sud (937-975), et contribuèrent tous deux à l'évolution et au parachèvement de la forme du « ts'e » — qui sera particulièrement florissante sous les Song (960-975). C'est d'ailleurs aux Song que Li Yu dut la chute de son royaume en 975, et l'exil qui fut le sien jusqu'à sa mort trois ans plus tard. Son œuvre reflète ainsi la grandeur et la décadence d'un homme qui mûrit dans les fastes de sa Cour avant d'être emprisonné par son vainqueur. Les pièces de la première période prennent bien souvent pour sujet l'amour et la séparation de l'être aimé, et pour toile de fond la vie luxueuse et raffinée de la Cour. Puis, après les pertes successives de sa femme, de son fils et de son royaume, Li Yu chante le regret et la nostalgie d'un bonheur passé, les « fleurs du printemps et la lune d'automne » enfuies. L'on se permet d'autant mieux de lire dans son œuvre le reflet de la vie d'un auteur quand celui-ci se rattache comme Li Yu à la tradition des poètes les plus « subjectifs » de la Chine — tradition que tous voient inaugurée par Ts'iu Yuan (340 ? - 278 ? av. J.-C.). Par ailleurs, cette poésie, usant d'une langue naturelle, possède une grande puissance d'émotion. Car l'apport de Li Yu au genre du « ts'e » réside dans l'adoption d'un style dépouillé et d'une expression beaucoup moins allégorique que celle de ces prédécesseurs — plus simple et donc plus franche.

POÈMES CHANTÉS de Tsia-siuan [*Tsia-siuan ts'e — Jiaxuan ci*]. Recueil de sonnets du poète chinois Sin Ts'i-tsi (1140-1207, appelé aussi Tsia-siuan, d'où le titre), dont nous sont parvenues plusieurs éditions comportant des variantes. Sin Ts'i-tsi, qui vécut durant l'avant-dernière période de la dynastie Song, était un homme de grand talent politique. La dynastie était menacée par les Tartares de Mandchourie, alors royaume des Tsin, qui occupaient déjà la partie septentrionale du pays. Toute sa vie, Sin Ts'i-tsi tenta d'incliner la politique du gouvernement à la résistance et à la reconquête, mettant toute son énergie au service de son généreux patriotisme. Cet élément a eu un grand retentissement sur sa poésie. Le « sonnet » chinois [ts'e] écrit selon les formules fixées par les musiciens devait être, dans le principe, chanté par des chanteuses et des danseuses ; au début (milieu du IXe siècle), le sujet en était toujours l'amour, traité dans une forme précieuse, selon un rigoureux schéma rythmique. Plus tard, Sou Che (1036-1101) libéra le « ts'e » de cette formule étroite et l'introduisit dans le domaine de la poésie commune en formant une nouvelle école. Sin Ts'i-tsi fut le maître illustre de cette école et célébré comme le plus grand auteur de « ts'e ». Ses poèmes expriment une sensibilité riche, l'amour de la patrie ainsi qu'un optimisme heureux ; passant agilement d'un thème à l'autre, ils reflètent fidèlement les états d'âme de l'auteur. Le style limpide rappelle celui de Sou Che ; mais, par l'habileté du rythme et par sa souplesse, il dépasse les œuvres du maître, grâce surtout à une connaissance profonde de la musique poétique chinoise. Dans les « ts'e » de Sin, le sens de la contemplation de la nature et le sentiment de la bienveillance envers ses semblables prédominent : dans une de ces pièces, par exemple, le poète conclut un pacte avec les oiseaux du lac afin de passer une vie paisible en leur compagnie ; dans une autre, prenant congé d'un ami, il exprime le regret de n'avoir pu trouver l'occasion de mettre son talent au service de la société ; dans un troisième poème, il répond à une invite amicale en formulant ses aspirations et son idéal : « Mon idéal est dans l'immensité de la nature ; au cours des ans passés j'avais rêvé de monter dans le ciel, de toucher la lune et de contempler le monde dans son histoire millénaire... » Ailleurs il décrit la triste vie d'un automne solitaire : « Les vieilles haines et les nouvelles sont déjà ensevelies dans les tombes désolées ; joie et douleur suivent le fil de l'eau et passent... » Mais les deux thèmes fondamentaux, l'amour de la nature, l'amour des hommes et de la patrie, ont entre eux un lien dramatique : dans l'un le poète trouve un adoucissement à la douleur de n'avoir pu exprimer l'autre. C'est là, en somme, le motif essentiel de la poésie de Sin qui s'est vu amené, puisque la possibilité de travailler au salut de sa patrie lui faisait défaut, à chercher une vie paisible dans les beautés de la nature.

POÈMES CHOISIS de Brzękowski [*Poezje Wybrane*]. Recueil du poète et critique d'art polonais Jan Brzękowski (1903-1983), paru à Londres en 1963. Ces poèmes reflètent l'esthétique du « métaréalisme » cher à ce grand poète de l'avant-garde polonaise que fut Brzękowski. Fondé sur une imagination organisée, le « métaréalisme » concilie la spontanéité de la vision avec le contrôle de la création par la conscience. « L'imagination est un essai pour sortir de la réalité extérieure qui nous entoure, écrit le poète. Mais elle associe en elle les éléments puisés dans l'univers extérieur avec les éléments irréels dont l'existence dépend des conditions qui se trouvent en nous-mêmes. En ce sens, elle est une projection du monde. » La plupart de ses poèmes mêlent donc des formes contradictoires : irréel et réel, rigueur et spontanéité, comme « Les Lois de Newton » (1928) ou « Éléphantiasis » (1933).

Brzękowski est toujours conscient de l'interdépendance de l'image et de la langue : « Faim » (1936) et ses constructions métaphoriques sont en permanence fondés sur l'image visuelle (« Magasins de tissus », « Charrettes », « La Pologne »), ce qui le conduira logiquement à introduire dans certains de ses poèmes des techniques analogues à celles du cinéma (« Drame à la villa Daisy », 1934). Après la Seconde Guerre mondiale, des poèmes tels que « Fleuves » révèlent une nostalgie du passé qui coexiste toutefois avec la réalité extérieure du présent.

L. Dy.

POÈMES CHOISIS de N. Grieg. Sélection de poèmes de l'écrivain norvégien Nordahl Grieg (1902-1943). Les caractéristiques de ce poète voyageur au grand souffle, de cet ancien matelot que sa culture ne détourna jamais de l'action, sont la sincérité, la vie, le mouvement, et surtout un amour inaltérable pour sa patrie. Son chant dépourvu d'emphase exalte avec tendresse l'austère beauté de la Norvège, qu'il s'agisse d'une île désolée battue par les grands vents, d'un « Matin sur les hauts plateaux du Finnmark », du parfum des trèfles après la fauche, des flotteurs franchissant les rapides ou du bref été nordique lorsque luit « l'or des jonquilles et des cheveux d'enfants ». Vue de l'étranger, la Norvège apparaît au poète plus belle encore, alors que, sur toutes les mers du monde, chaque bateau, sous son pavillon, « est une part d'elle-même qui s'avance ». Poète du risque et de l'énergie, Nordahl Grieg, à qui l'on devait déjà une sobre méditation « Sur la mort de Nansen » (1930), puisa dans la Seconde Guerre mondiale, à laquelle il devait participer si activement — il mourut le 2 décembre 1943 au cours d'un raid de la R.A.F. sur Berlin, auquel il participait comme volontaire —, une inspiration à la hauteur de son lyrisme ; ainsi les poèmes composés lors d'un bombardement nocturne, tels que « Londres » (novembre 1940), où il est écrit : « La Gestapo n'a pas ses quartiers dans les airs, / les avions, malgré tout, ne tuent pas l'esprit », ou l'hommage rendu au roi Haakon VII (« Voilà comment le roi vivra pour nous / Près du tronc argenté d'un bouleau / Il se dresse seul avec son fils / Des avions allemands les survolent »). Il n'est pas jusqu'à l'idée de Dieu (« La Chapelle du collège de Wadham ») qui, pour lui, ne soit présente dans les volutes que fait « un tabac amical ». Nordahl Grieg, qui a consacré un ouvrage aux poètes morts prématurément (Keats, Shelley, Alan Brook, etc.), sait traduire les élans des jeunes, notamment dans le poème intitulé « Les Meilleurs » (1942) et dans « Sens de la jeunesse ». — Trad. Seghers, 1954.

POÈMES CHOISIS de Hughes [*Selected Poems*]. Anthologie du poète noir américain Langston Hughes (1902-1967), établie par lui-même, et publiée en 1958. Elle représente l'image que le poète entend laisser de son œuvre poétique et contient, outre quelques inédits, des poèmes tirés des différents recueils publiés par l'auteur : *Blues épuisés* [*The Weary Blues,* 1926], *De beaux habits pour le Juif* [*Fine Clothes to the Jew,* 1927], *Le Gardien des rêves* [*The Dream-Keeper,* 1932], *Shakespeare à Harlem* [*Shakespeare in Harlem,* 1942], *Champs merveilleux* [*Fields of Wonder,* 1947], *Billet d'aller* [*One-Way ticket,* 1949], *Montage d'un rêve différé* [*Montage of a Dream deferred,* 1951], et un recueil publié à tirage limité : *Chère et tendre mort* [*Dear Lovely Death*]. Le classement adopté ne suit pas nécessairement l'ordre chronologique de publication, les poèmes ayant été regroupés par thèmes. Néanmoins, le premier poème publié par l'auteur, alors âgé de dix-neuf ans, le court et justement célèbre « Le Nègre parle de fleuves », qui parut en 1921, dans la revue *Crisis,* se retrouve tout au début du volume : « J'ai connu des fleuves, Des fleuves vieux comme le monde, / Plus vieux que la marée du sang humain dans des veines humaines. / Mon âme est devenue aussi profonde que les fleuves... » Un autre poème, parmi les plus connus de Langston Hughes, « Moi aussi... » (« Moi aussi, je chante l'Amérique. / Je suis le frère au teint foncé. / Ils m'envoient manger à la cuisine / Quand il y a du monde. / Mais je ris, / Et je mange bien, / Et je grandis... / Moi aussi, je suis l'Amérique »), ouvre la dernière section de ce choix, intitulée : « Paroles de liberté ». C'est assez marquer la ligne directrice du chant de Langston Hughes, auquel la passion de la libération de son peuple, les Noirs américains, donne sa naissance, et confère sa passion. Poésie combattante, qui s'exprime en poèmes généralement courts, comme des slogans politiques ou des rappels à l'ordre, cette œuvre est parcourue d'un souffle de chaleur et de fraternité humaines, à qui rien d'humain n'est étranger. La mélopée des Noirs opprimés se mêle aux accents épiques de l'ancienne Afrique et à l'aspect pour ainsi dire mondial de la tragédie noire ; elle se mêle aussi à des accents de révolte et d'espoir dans la victoire : « Le vent / Dans les champs de coton du Sud / n'est qu'une douce brise ; / Mais prenez garde ; bientôt viendra l'heure / Où il va déraciner les arbres. » Ou encore : « Il n'y aura de démocratie / Ni aujourd'hui, ni cette année, / Ni jamais, / S'il y a compromis et peurs... / J'en ai assez d'entendre les gens dire : laissez faire le temps, / Demain sera un autre jour. / Quand je serai mort, je n'aurai que faire de la liberté. / Je ne peux pas me nourrir d'un pain futur. » Mais l'inspiration du poète ne s'enferme pas dans le cercle de la « négritude » ; elle demeure toujours largement ouverte sur le monde, sur le combat mondial pour la liberté, et aussi sur l'Amérique en tant que nation. (Il n'est que de se reporter au long poème qui conclut ce choix : « L'Amérique est un rêve. / Le poète dit que c'étaient des promesses. / Le peuple dit que ce sont des promesses qui finiront par se réaliser... / Qui donc est-ce, l'Amérique ? Vous comme moi. ») En ce sens, on pourrait parler de l'« américanisme » de Langston Hughes, mais un américanisme qui, tout comme celui de Walt Whitman (auquel est d'ailleurs consacré un poème d'hommage), n'exalte qu'une Amérique généreuse et démocratique. À l'intérieur de ce cadre que délimitent les poèmes ardents de la première et de la dernière section du recueil, il faut souligner que cette poésie sait aussi chanter les désespoirs d'amour, les malheurs humbles et quotidiens, dessiner d'un trait rapide le paysage d'Harlem et de La Havane, etc. Par moments, on serait tenté de parler du réalisme de Langston Hughes, mais les brèves touches réalistes ne sont pas le caractère dominant ni la source de cette poésie. En fait, le titre même du premier recueil de Langston Hughes (*Blues épuisés*) l'indique assez, ce sont la musique et les chants traditionnels des Noirs américains qui ont donné son rythme particulier à cette poésie. Utilisant les formes courtes presque exclusivement, évitant toute emphase, toute rhétorique, voire tout excès de lyrisme, mais toujours au bord d'un humour attendri, qui retient ses larmes, la poésie de Langston Hughes tout naturellement devient un chant bref et dense. Il est sans doute peu d'œuvres où l'âme des Noirs américains ait trouvé une expression aussi profondément prenante. — Quelques poèmes de Langston Hughes ont été traduits dans une courte anthologie publiée chez Pierre Seghers en 1955.

POÈMES CHOISIS d'Iłłakowicz [*Wybor wierszy*]. Recueil de la poétesse polonaise Kazimiera Iłłakowicz (1892-1983), publié en 1956. Ce recueil, qui reprend des poèmes précédemment parus dans des volumes comme *Le Vol d'Icare* [*Ikarowe loty*, 1911], *Les Trois Cordes* [*Trzy struny*, 1917], *La Mort du phénix* [*Śmierć Feniksa*, 1922], *Le Miroir de la nuit* [*Zwierciadlo nocy*, 1928], *Cendre et Perles* [*Popiól i perly*, 1930], *L'Oiseau qui pleure* [*Płaczący ptak*, 1927], *Ballades héroïques* [*Ballady bohaterskic*, 1934], etc., permet d'apprécier la variété et l'importance de l'œuvre d'Iłłakowicz. Cette poétesse surveille attentivement les plus subtiles réactions de son âme et sait les transposer en un expressionnisme parfois explosif, mais toujours rigoureusement contrôlé, qui rappelle la tradition classique. La nostalgie du monde passé, nostalgie dictée par une extrême sensibilité qui met l'auteur en opposition à la réalité environnante, est un des thèmes favoris d'Iłłakowicz ainsi que les beautés de la nature, qu'elle sait souligner d'un trait personnel, et les problèmes de la religion et du patriotisme. Les chants patriotiques, sujet difficile et qui prête souvent à la pire banalité, révèlent justement tout le talent d'Iłłakowicz, qui y déploie un trésor d'inventions et d'images, notamment dans les *Ballades héroïques*, où elle parle des rois et des héros polonais tels que le roi Sigismond de Warna, le roi Sigismond Auguste, Barbara Radziwiłł ou Czarniecki, et où elle adopte un ton qui ressemble à un chant populaire.

POÈMES CHOISIS de Jastrun [*Poezje wybrane*]. Recueil du poète polonais Mieczysław Jastrun (1903-1983), publié en 1947 et contenant des poèmes parus dans différents volumes entre 1929 et 1937. Les débuts poétiques de Jastrun coïncident avec la grande crise économique et idéologique de l'Europe, avec l'époque où « la vitalité optimiste se voit remplacée par le pessimisme et le pressentiment d'une fin prochaine de la civilisation ». Le concret cesse alors d'être l'objet de la foi, la vie simple et quotidienne se transforme en un cauchemar triste ou terrifiant. Cette crise marque le poète. Jastrun, qui se rattache d'abord à l'école dite néo-classique, puis à l'école néo-symboliste, et qui subit l'influence de Rilke, Pasternak et Supervielle, hésite un certain temps entre le traditionalisme et l'avant-garde. Il se range finalement du côté de ceux qui préfèrent la forme classique. Attiré par le fantastique, c'est également un penseur et un philosophe qui médite sur les problèmes humains, et particulièrement sur le temps, l'inexorable écoulement du temps. Si, au début, ce problème avait pour Jastrun un aspect plutôt abstrait ou philosophique, les événements de la dernière guerre l'ont poussé à le concevoir d'une manière plus concrète. Les poèmes qu'il écrivit par la suite sont dominés par les réflexions sur l'homme et sur son attitude envers son époque et l'histoire.

POÈMES CHOISIS de Lowell [*Selected Poems*]. Recueil du poète américain Robert Lowell (1917-1977), publié en 1976. Ce volume est une somme poétique choisie et révisée par l'auteur à la fin de sa vie. On y trouve les textes les plus importants de Robert Lowell : « Le Cimetière quaker à Nantucket », « Mère Marie-Thérèse », « Mon dernier après-midi en compagnie d'oncle Devereux Winslow », les poèmes du recueil intitulé *Pour les morts de l'Union,* et de nombreux textes issus du *Dauphin* [*The Dolphin*], le volume publié en 1973. Robert Lowell est un écrivain de la Nouvelle-Angleterre pour qui le passé compte. L'histoire américaine n'est jamais absente de ses vers. Lowell y trouve une grandeur tragique, et il y puise des forces capables de donner une légitimité à son esthétique. Ainsi, « Le Cimetière quaker à Nantucket » nous fait éprouver le pouvoir destructeur de la nature, puisque Nantucket est une île soumise aux tempêtes de l'Atlantique aux abords de laquelle on ne compte plus les noyades et les naufrages. Ce thème d'ailleurs n'est pas sans rappeler *Le Naufrage du « Deutschland »* (*), le grand texte métaphysique et initiatique du poète anglais du XIXe siècle Gerard Manley Hopkins. Les marins du poème de Robert Lowell éprouvent la faiblesse de l'homme devant la grandeur de la nature. Tout comme les hommes sont dépassés par les forces cosmiques qui les gouvernent, le poète, lui, aime à sentir que l'inspiration en lui est une force qui lui échappe. Aux abords de Nantucket, Robert Lowell nous dit : « Vous êtes sans pouvoir / pour affermir grâce à des sacs de sable ce rempart atlantique qui fait face / au remueur de terre, vert, imperturbable, chaste sous ses écailles d'acier. » L'océan symbolise l'inspiration poétique, une inspiration qu'il est difficile d'analyser, mais qui est sans doute pour Robert Lowell une forme de justification esthétique, un fondement de la poésie utilisé pour valider l'acte esthétique, dans un pays et une culture matérialistes où l'écrivain tend à passer pour un marginal.

On pourra voir dans « Mère Marie-Thérèse » une réincarnation des nonnes noyées avec délices par Gerard Manley Hopkins. Les images ne manquent pas de puissance d'évocation, et la mort rôde : « Nous sommes des ruines ; / La Providence divine grâce au temps nous a maîtrisés », écrit Lowell dans une veine métaphysique proche de celle de John Donne.

L'oncle Devereux Winslow est une figure plus modérée et plus rassurante de l'œuvre de Lowell. La recherche du temps perdu laisse entrevoir un bonheur simple, dans l'Amérique des années 20, où l'on faisait des parties de campagne. Et pourtant, l'oncle Devereux Winslow, que Lowell a connu dans son enfance, est en train de s'éteindre lentement d'une grave maladie alors qu'il n'a pas dépassé l'âge de trente ans. La nostalgie qu'éprouve le poète prend de ce fait une tonalité tragique.

« Pour les morts de l'Union », le poème qui donne son titre au recueil homonyme, ajoute à la méditation sur la mort une dimension historique. Le poème est dédié au colonel Shaw et au 54e régiment d'infanterie du Massachusetts. Shaw en effet commanda le premier régiment composé de Noirs libres, créé dans un État non esclavagiste. Il trouva la mort au siège de Fort Wagner, une position sudiste en Caroline du Nord, en 1863. Le poème de Lowell décrit un monument célèbre du grand jardin public de Boston, « Boston Common ». Ce monument est un bas-relief d'Augustus Saint-Gaudens, le sculpteur ami de Henry Adams — v. *L'Éducation de Henry Adams* (*). L'irrégularité du mètre et les nuances du ton ont pour objectif de transcrire les inflexions du travail du sculpteur. Il s'agit là d'une visée idéale du texte poétique, qui entraîne des difficultés, car c'est une entreprise hasardeuse de représenter l'œuvre d'art, en l'occurrence le monument de Saint-Gaudens. C'est que Robert Lowell ne s'en tient pas aux banalités de bon ton, et au patriotisme de clocher. Il dit en substance que la grandeur tragique de ces hommes-là est oubliée, que le monde moderne est indifférent à sa propre histoire, et que nous sommes condamnés à la banalité du présent. Et lorsque l'on contemple le monument de Saint-Gaudens à Boston, on ne peut manquer de constater son épouvantable solitude en plein quartier des affaires. Le poème de Lowell d'ailleurs nous dit : « Partout des voitures géantes à ailerons vont nez conquérant / comme des poissons ; / une servilité sauvage / avance sur des roulements bien huilés. »

Le dernier volume de Lowell, *Le Dauphin* (1973), laisse apparaître une personnalité à la fois généreuse et détachée, quelque peu ironique à l'égard d'elle-même. Devant le monde, c'est à l'œuvre d'introspection que le poète est renvoyé. Dans cet ensemble où dominent des images de la mer, le filet symbolise l'art poétique, qui est projeté sur le monde sensible avec pour but de s'en saisir. Et toujours pareille tentative est vouée à l'échec, au mieux à la demi-réussite.

Dans « Mermaid », où l'on pourra voir des échos de la vie affective tumultueuse du poète, le filet de la création poétique n'est pas en mesure de retenir la sirène convoitée. Les figures féminines y sont nombreuses, comme ici : « Je te vois en jeune requin-baleine, / libre d'arpenter toutes les mers en quête de proie, / le cœur réchauffé par une couche de glace. » Autant dire que la sirène est cruelle et ne se plie pas aisément à la volonté du narrateur. Elle est sans doute la muse qui inspire le poète, mais qui est, elle, peu séduite par le verbe qu'elle fait naître. Il y a toujours, chez Lowell, une part d'incontrôlé, d'échec, ou de destruction sous l'effet du temps. La sirène n'échappera pas à cette règle, au point de perdre tout pouvoir de séduction. La sirène de Lowell n'est plus juvénile. C'est une femme mûre en puissance, qui ne se laisse pas facilement circonvenir. Femme divinisée, certes, mais aussi, pour cette raison même, femme capable de faire naître un athéisme à son encontre, et un manque de crédibilité. La voici qui réapparaît dans « La Sirène qui sort de l'eau ». C'est un dialogue empreint de fantaisie que celui-ci : « Sirène, pourquoi es-tu d'une autre espèce ? / Parce que toi, moi, nous tous, nous sommes uniques. » L'incommunicabilité entre les êtres règne puisque, symboliquement, la sirène est un emblème de la femme. Cependant, malgré l'isolement de chacun, la sirène, qui est assimilée à la fois à la femme et au dauphin (« Je suis femme et je suis dauphin, / le seul animal que l'homme aime vraiment »), apporte une libération car elle a le pouvoir de rompre les chaînes et les filets. En somme, en dépit de la solitude essentielle de l'être humain, c'est dans l'amour que le salut doit être recherché.

La poésie de Robert Lowell mêle la générosité du lyrisme à l'esprit d'analyse propre à l'engagement intellectuel. Elle n'est jamais larmoyante, car la réflexion tempère souvent ses accents tragiques. Elle est en revanche représentative de la modernité poétique dans son ensemble par sa capacité d'abstraction, qui la place d'emblée aux côtés de T. S. Eliot et de Wallace Stevens, et par une diction d'une tonalité et d'une rigueur comparables. A. S.

POÈMES CHOISIS de Staff [*Wiersze wybrane*]. Recueil du poète polonais Leopold Staff (1878-1957), publié en 1946. Staff est considéré comme un des maîtres spirituels de la poésie polonaise du XXe siècle, et ce volume permet de constater en effet que sa poésie a su non seulement manifester et concrétiser les idées et aspirations de plusieurs générations, mais aussi leur donner à chaque fois une expression nouvelle. Ayant au départ glorifié l'intransigeance d'une jeunesse courageuse, dressée contre la « décadence » de la fin du siècle, Staff passe par une époque de complexité lyrique et d'innovations formelles, pour aboutir, entre les deux guerres, à une inspiration religieuse : *Le Chas de l'aiguille* [*Ucho igielne*, 1927]. Sa poésie acquiert alors une admirable simplicité qui évoque le souvenir de Mickiewicz. Le recueil des poèmes de 1932, *Les Grands Arbres* [*Wysokie drzewa*], marque une période plus moderne. Ami des poètes, Staff a su devenir l'oracle des jeunes en parrainant le groupe « Skamander ». En parcourant les pages de ses *Poèmes choisis*, nous découvrons l'importance du rôle qu'a joué ce créateur puissant, témoin de tout un siècle de poésie, et dont la voix prophétique a montré le chemin à des générations d'écrivains.

POÈMES CHOISIS (1939-1989) [*Versi scelti (1939-1989)*]. Anthologie poétique (réalisée par l'auteur) de l'écrivain italien Franco Fortini (né en 1917), publiée en 1990. La poésie de Fortini, née au contact de l'hermétisme florentin mais dans le total refus de ses canons néo-symbolistes, se réclame, au début, de Noventa, et s'oriente nettement vers l'allégorie. Dès *Feuille de route* [*Foglio di via*], en 1946, les deux composantes essentielles de cette voix apparaissent dans leur claire contradiction : d'une part la volonté d'engagement de la poésie, en tant qu'une des fonctions du langage, dans l'histoire et le combat idéologique, de l'autre une extrême tension vers la densité hautaine, quasi prophétique, frappée d'amertume, qui caractérise au plus haut point le vers fortinien. De l'un à l'autre des cinq recueils (outre *Feuille de route* : *Poésie et erreur,* 1959 ; *Une fois pour toutes,* 1963 ; *Ce mur,* 1973 et *Paysage avec serpent,* 1983), la figure du poète s'impose comme celle de l'« hôte ingrat » qui semble adopter le moule baroque d'un « grand style » hérité de la haute tradition européenne (celle des classes dirigeantes) pour mieux le subvertir. Cette création d'un « faux classicisme » éloigne Fortini des néo-avant-gardes qui, avant les « années de plomb » (celles du terrorisme armé), voulurent dynamiter le langage. Sa poésie, irréconciliable, est celle d'un homme fidèle à d'essentielles séparations : du monde, des autres, de soi-même. « Je ne sais quand l'on m'a fait un mal. / Une injustice étrange et indéchiffrable / m'a rendu stupide et fort pour toujours. » Force et stupidité d'un « idiot de la famille » pour qui la poésie demeure essentiellement une éthique. Porteur d'une judéité conflictuelle, Fortini est en rupture avec l'esthétisme de la modernité, sous-tendue par les derniers avatars du nihilisme mondain. Pour lui, la polarité mise en lumière par Walter Benjamin, celle d'une poésie oscillant entre divulgation et intériorité, entre les deux figures du « kiosque » et du « coffre-fort », n'est pas nécessairement une fatalité. Dépourvue de tout véritable caractère « sacré », la poésie témoigne tout au plus de la mythique « élection » du poète : elle hérite de formes historiques sur lesquelles elle peut encore intervenir. Consumant ses poèmes par leur perfection même sur le plan formel, Fortini exprime par l'érosion sa hantise d'une nature essentiellement cruelle (cf. la fréquence des allégories meurtrières : insectes écrasés, animaux silencieusement éliminés dans le grand vertige biologique...). « Je ne peux ni détruire, ni rire / ni graver une forme, une chose. / ... / et le seul changement est ce vers / qui va et vient, répète – en lui-même différent / et semblable, monotone – cadences / immotivées, danses grises, absences / séculaires, mais ronge de pitié / la pierre de la réalité morte. » Chez ce poète qui, plus que tout autre, s'engagea dans un geste politique, la poésie dialogue éternellement avec l'erreur, dont elle est, inutilement consolatrice, le lieu privilégié. C'est au sein même et dans le moment de l'engagement que le poète éprouve la plus grande solitude. – Trad. (partielle) sous le titre : *Une fois pour toutes (poésie 1938-1985)*, Fédérop, 1986. B. Si.

POÈMES COMPLETS d'Aldington [*The Complete Poems*]. Ce recueil du poète et romancier anglais Richard Aldington (1892-1962) a été publié en 1948 à Londres. Le futur romancier de *Mort d'un héros* (*) fut d'abord longtemps connu comme poète. Ses premiers poèmes parurent dans les anthologies « imagistes » de 1914 à 1917, par les soins d'Harriet Monroe qui dirigeait à Chicago la revue *Poetry*. Le mouvement « imagiste » avait été lancé en 1912 par la poétesse américaine H. D. (Hilda Doolittle), Ezra Pound et Richard Aldington qui tout naturellement intitulera ses recueils : *Images 1910-1915 ; Images anciennes et nouvelles* [*Images Old and New*, 1916] ; *Images de guerre* [*Images of War*, 1919] ; *Images de désir* [*Images of Desire*, 1919]. Ces plaquettes suffirent à faire connaître Richard Aldington, dont la réputation était déjà bien établie lorsqu'il partit pour le front français en 1916. Revenu de la guerre, meurtri dans son corps et dans son âme, il s'installa à la campagne pour tenter d'oublier le cauchemar. Là, il écrivit un long poème sur la rivière qu'il voyait couler devant son cottage, *La Kennet du Berkshire* [*The Berkshire Kennet*], d'abord publié dans la revue *Today*, puis chez Curwen Press, en 1923. La même année vit la parution d'*Exil et autres poèmes* [*Exile and Other Poems*], suivi en 1924 de *Un fou dans la forêt* [*A Fool in the Forest*] chez le même éditeur. Il publia ensuite des poèmes en prose *Les Amours de Myrrhine et Konallis* [*The Love of Myrrhine and Konallis*, 1926] et *Le Cœur mangé* [*The Eaten Heart*, 1929]. Richard Aldington écrivit l'année suivante l'un de ses poèmes majeurs, *A Dream in the Luxembourg*. Ce long et beau chant d'amour, qui restera au fil des années celui qu'il préférait, a été traduit en français par Gustave Cohen qui le fit paraître dans la revue *La Table ronde* (octobre 1957), puis par Catherine Aldington, la fille du poète, sous le titre *Rêverie dans le jardin du Luxembourg*, avec une Préface de Lawrence Durrell qui ne manqua pas de souligner : « La *Rêverie* occupe une place privilégiée dans son œuvre comme la plus chaleureuse et la plus riche des productions de sa jeunesse. » Ce poème est, visiblement, dédié à Brigit Patmore, sa compagne du moment. En 1935, Aldington fit paraître *Quête de vie* [*Life Quest*] et en 1937 son dernier recueil *Le Monde de cristal* [*The Crystal World*] qu'admirait beaucoup C. P. Snow : « Si l'on désire connaître l'écriture d'Aldington, il convient de commencer et de finir par ce livre. » Curieusement, c'est le moment que choisit Richard Aldington pour mettre un terme à son œuvre poétique. Sa vie, assez perturbée à cette époque, allait prendre un tournant décisif. Il décidera de quitter l'Angleterre pour vivre aux États-Unis, avant de s'installer pour toujours en France en 1948, année de publication de son bilan poétique. – Trad. *Rêverie dans le jardin du Luxembourg*, Actes Sud, 1986. F. J. T.

POÈMES CONVIVIAUX [*Poemi conviviali*]. C'est une des plus grandes œuvres en vers du poète italien Giovanni Pascoli (1855-1912), et l'une des plus intéressantes de la littérature moderne inspirée de l'Antiquité ; elle parut en 1904. Le monde antique est ici repris, comme sujet de poésie, dans l'ensemble de son évolution, depuis les origines homériques jusqu'à l'avènement du Christ. La matière est historique et épique, d'où le titre de l'ouvrage, car, selon Pascoli, « le poème épique naît dans les banquets ». Le premier morceau, « Solon », évoque en effet un banquet, au cours duquel une chanteuse interprète deux poèmes de Sappho, l'un sur l'amour, l'autre sur la mort. Dans tout le recueil, ces deux thèmes se mêlent. Celui de la mort est dominant, mais il s'agit bien d'une mort par laquelle la vie s'éclaire et acquiert tout son sens. Les mythes s'humanisent ; les héros reviennent, comme chargés du fardeau de se savoir mortels, mais sans en être accablés. Cette interprétation de l'Antiquité est débarrassée de tout ce qu'elle avait de conventionnel ou de verbal. La mort, bien que présentée le plus souvent dans tous ses atours romantiques, n'y apparaît pas moins sereine et forte que la mort antique ; il suffit, pour s'en convaincre, de relire par exemple « Le Dernier Voyage » [L'ultimo viaggio], nouvelle odyssée, où la mort d'Achille et des autres héros est entourée de songes enchantés ; les « Poèmes de Psyché » [Poemi di Psyche] nous décrivent la mort de Socrate, sereine et riante comme l'entrée dans un séjour céleste. Mentionnons encore, parmi les poèmes les mieux venus du recueil, celui sur « Le Poète des ilotes » ou encore celui sur Hésiode. Dans cette œuvre, particulièrement célèbre, où l'inspiration antique est soutenue par les vues les plus larges et les plus sûres, l'artiste et l'humaniste se donnent la main et le résultat est des meilleurs. – Trad. Hachette, 1925.

POÈMES DE CHICAGO [*Chicago Poems*]. Premier recueil de poèmes de l'écrivain américain Carl Sandburg (1878-1967). Édité en 1916, ce livre provoqua un scandale. Écrit dans une langue simple et concise, il met en scène le petit peuple des États-Unis d'avant la Première Guerre mondiale. Carl Sandburg s'y montre très ému de la condition des ouvriers, prend parti pour eux, célèbre les héros des luttes syndicales, dénonce l'injustice de l'exploitation industrielle. « Si le prêtre répète de vieux sermons, le dimanche, l'esprit de Jasper vogue vers sa ferme de trois cents hectares / et cherche des moyens de la faire produire plus efficacement. / Et parfois il se demande s'il ne pourrait rédiger une annonce pour le *Daily News* / qui pousse davantage encore de femmes et de jeunes filles vers sa ferme / et réduise son prix de revient. » Considéré à tort peut-être comme l'œuvre la plus caractéristique de Sandburg, *Poèmes de Chicago* marque cependant une étape dans la littérature américaine du XXe siècle et affirme l'auteur comme l'un des poètes majeurs de sa génération.

POÈMES DE CŒUR MEURTRI [*Diwana Cegerxwin*]. Recueil de l'écrivain kurde Cheikh Moussah Hessein (1903-1984), publié en 1945. Connu sous le pseudonyme de « Cœur meurtri », Cegerxwin est incontestablement le plus grand des poètes kurdes qui s'expriment en kurmandji (langue kurde du nord du Kurdistan). Ce recueil est l'œuvre poétique maîtresse de la littérature kurde contemporaine. Il comprend 173 poèmes d'inspiration variée mais qui expriment tous l'amour de Cegerxwin pour sa patrie, le Kurdistan, dont le territoire est encore partagé entre la Turquie, l'Iran, l'Irak et la Syrie. Pour exprimer l'amour de la patrie, il emploie les mots de la passion amoureuse. Il évoque toutes les régions du Kurdistan, tous les héros nationaux, les révolutionnaires tombés dans la lutte, ou les grands noms de la littérature kurde : il en tire une exaltation qu'il s'efforce de faire partager à ceux pour lesquels il s'exprime : avant tout, ses compatriotes. Héritier de l'immense folklore kurde, il écrit souvent des fables : « La Grue qui s'est brisé les ailes », « Le Lion et la Fourmi », « Révolte au poulailler »... sont des paraboles transparentes où l'auteur appelle les Kurdes à s'unir. D'autres poèmes, « Marches et Mélodies », expriment les mêmes sentiments mais comme ils s'adressent plutôt aux enfants, ils sont écrits dans la forme légère de chansons à refrain. L'auteur, un ancien cheikh (sorte de religieux musulman), a perdu la foi et quelques poèmes expriment une philosophie désabusée. Mais l'amour lui est à nouveau octroyé, sur quoi s'achève le recueil. Cependant, si l'auteur vante les charmes de sa bien-aimée « belle comme Leyla et Belkis, désirable comme Zîn ou Sîrîn, dont la taille est élancée comme celle des pins, dont les yeux dardent des flèches qui pénètrent jusqu'au fond du cœur », c'est encore à sa patrie qu'il pense et il ne pourra goûter le calme que lorsqu'elle sera libérée : « Nous, Kurdes et loups, sommes un : nous sommes des frères / Nous aussi, comme vous, nous fuyons par les montagnes. / Nous aussi, comme vous, souffrons chaleurs, frimas, brouillards, poussières / Qui d'entre nous se fait tuer, tout comme vous, reste sans recours / Notre désir, c'est le Kurdistan ; votre désir, c'est les moutons ! / Vous, tout comme nous, chacun dit : “ Moi seul ! ” / Donnons-nous les mains, contre l'ennemi unissons-nous / Ils ne nous feront plus violence cet ennemi et ce chien ! / Bêtes et hommes, frères et compagnons d'infortune, Nous et vous sommes restés miséreux, parce que sans oncle, ni tante ! / Kurdes et loups, toujours à errer, sommes devenus brigands et voleurs / Nous sommes malheureux : c'est grande honte pour Ahriman et pour Ormuzd ! / Loups malheureux, au cou penché, au cœur blessé, / Kurdes impuissants, tous nous resterons des “ Cœurs meurtris ”. »

POÈMES DE DAVID [*Davit Iani*]. Œuvre en partie épique, en partie lyrique du poète géorgien David Gouramichvili (1705-1792), écrite entre 1764 et 1774 à Mirgorod ; publiée partiellement en 1852 et 1862 et dans son intégralité en 1931. Ce recueil en quatre parties rassemble toute l'œuvre de cet auteur mort en exil. Le chapitre d'introduction simplement intitulé « Chant » est connu en Géorgie sous le titre : « Les tourments de la Géorgie, qui saurait les conter ? » Dans cette partie historique commence pourtant la touchante autobiographie lyrique du poète. L'histoire de sa vie mouvementée se poursuit dans la deuxième partie, qui commence à l'époque qui précède sa libération de la prison de Mirgorod. Dans la troisième partie, on trouve, inspirée par la destinée difficile de l'auteur, des réflexions sur l'existence humaine, des complaintes, et des prières dans la tradition des poètes royaux Arcil et Vahtang. La dernière partie, qui constitue sur le plan formel autant que par son contenu un ensemble clos, relate l'histoire idyllique d'un berger sous le titre *Joyeux printemps* [*Mhiaruli Zhapuli*] mais est connue en Géorgie sous le titre *Le Berger K'avcia* [*K'avcia mcqemsi*]. Un testament, une épitaphe et des prières pour le salut de l'âme achèvent le recueil.

Sur le plan prosodique, l'auteur utilise, en plus du traditionnel « sairi » (quatrain de seize syllabes rimé « aaaa »), des mètres nouveaux trouvés dans les chansons populaires ukrainiennes et géorgiennes. Souvent les incipits de ces chants sont donnés en épigraphe en ukrainien. Cet abandon des lourdes formes prosodiques traditionnelles au profit d'un vers chantant et fluide typique de la poésie populaire était tout aussi neuf, dans la littérature géorgienne, que la représentation de gens simples, bergers et paysannes, et d'une philosophie de la vie, simple et croyante, dont Gouramichvili se fait le porte-parole.

POÈMES DE GUERRE [*Shirei milhama*]. Recueil de poèmes hébraïques de l'homme d'État et poète juif d'Espagne Samuel

Ha-Nagid (993-1055). Ce recueil, qui emprunte aux chansons de guerre arabes leur structure formelle, et à la croyance juive son esprit, comprend plus de quarante poèmes : il conte les faits d'armes de Samuel Ha-Nagid, commandant en chef de Grenade pendant les guerres de l'Espagne musulmane. Son intérêt documentaire est considérable puisque les descriptions sont très précises et que les contextes (dates, lieux, armes...) sont parfaitement restitués. Samuel Ha-Nagid a conservé la structure prosodique arabe de la « qaṣida », mais, en juif croyant, il se sert de l'introduction traditionnelle de cette forme arabe pour exprimer ses sentiments religieux profonds en utilisant le vocabulaire, le phrasé, les images bibliques. Ce recueil se trouve dans le *Diwan* de Samuel Ha-Nagid (ms. Sasson 590). — Une édition moderne en hébreu a été publiée par D. Yarden, Jérusalem, 1966. M. It.

POÈMES DE LA FILLE DE SION [*shirey bat tsion*]. Court recueil de poèmes du poète lituanien d'expression hébraïque Mikhal (1828-1852), publié en 1851 par son père Adam Ha-Cohen, aidé du jeune poète Gordon, afin de procurer une dernière joie à Mikhal avant sa mort. Il contient cinq poèmes narratifs à sujets bibliques et juifs : dans le poème à deux volets « Salomon et Kohelet », le roi est présenté à deux moments de son existence, d'abord l'amoureux dans la force de l'âge, le poète du *Cantique des cantiques* (*) ; puis le vieillard désabusé de l'*Ecclésiaste* (Kohelet) ; la « Vengeance de Samson » célèbre le sursaut d'énergie qui permet au héros emprisonné, affaibli, aveuglé par ses ennemis, de se sacrifier afin d'entraîner les Philistins dans la mort ; « Yaël et Sisera » rappelle l'exécution par une jeune femme du général ennemi venu se réfugier sous sa tente ; mais, alors que le *Livre des Juges* (*) (chap. 4-5) semble approuver sans réserve cet acte sanguinaire, le poète décrit le conflit « cornélien » qui agite la jeune femme, partagée entre deux devoirs contradictoires, le patriotisme et l'hospitalité. « Moïse sur le mont Avarim » montre la douleur du chef prestigieux qui ne pourra accompagner son peuple vers la Terre promise, mais mourra d'un baiser divin sans atteindre son but. Comme lui, le héros du dernier poème, le poète philosophe du Moyen Âge espagnol « Juda Halévi » qui quitta son pays natal pour s'installer à Jérusalem, mourut au moment où il allait réaliser son rêve : Mikhal s'inspire de la légende selon laquelle il fut assassiné alors qu'il récitait sa plus célèbre *Sionide* auprès du Mur occidental. Tous ces poèmes reflètent la personnalité de Mikhal, ils chantent l'héroïsme, l'amour du peuple juif et de sa terre, et saisissent le héros au moment le plus dramatique de son existence, lorsqu'il est confronté à la mort.

J. St.

POÈMES DE LA LUMIÈRE (Les) [*Poemele luminii*]. Recueil poétique de l'écrivain roumain Lucian Blaga (1895-1961), publié en 1919. Il fut une révélation, car il renouvelait la poésie roumaine en lui proposant d'étudier la géographie du monde intérieur. Par ailleurs, le mot « lumière » est ici entendu comme illumination, une illumination qui se préoccupe moins d'éclairer le mystère que de l'enrichir, comme il apparaît dès le poème liminaire : « Moi, je n'écrase point la corolle des merveilles du monde / Ma lumière, je m'en sers pour grandir le mystère du monde / ... et tout ce qui est secret / Sous mes yeux se transforme en secrets / Plus secrets... » Cependant, pour explorer son espace intérieur, Blaga a recours au monde naturel : ainsi se voit-il en stalactite pétrifiant les gouttes de lumière tombées de la voûte céleste, ou bien partage-t-il la vie végétative et paisible du chêne. Ailleurs apparaît un doute, la crainte de n'être qu'une chose aliénée parmi les choses, mais la lumière réconcilie les contraires, et surtout l'amour, qui fait fraterniser grâce et péché. En l'amour, le poète est délivré, car des yeux de la bien-aimée coulent confondus la nuit et le jour, le printemps et l'automne. La beauté des images s'appuie sur des rythmes nouveaux, qui cassent la prosodie traditionnelle au profit de la seule force expressive des mots. Cela ne va pas toujours sans une certaine grandiloquence, mais qui est compensée par un perpétuel bonheur d'expression. Les recueils suivants seront plus rigoureux, mais aussi plus retenus, leurs thèmes restant néanmoins les mêmes : espace du dedans, symboles et mythes de l'univers intérieur : *Éloge du sommeil* [*Lauda Somnului*, 1929], *Au partage des eaux* [*La Cumpăna apelor*, 1933], *Les Marches secrètes* [*Nebănuitele trepte*, 1943] et le recueil posthume intitulé simplement *Poèmes* [*Poezii*, 1962].

POÈMES DE LA PRATIQUE [*Caryā gīti koṣa*]. Poèmes en ancien bengali, composés au XIe siècle environ, par plusieurs maîtres appartenant à une école tantrique du bouddhisme mahāyāna. Un seul manuscrit comportant quarante-sept chants, dont un incomplet, fut retrouvé au Népal au début du XXe siècle. Un certain Muṇidatta en avait fait un commentaire sanskrit au XIIIe siècle. Ils furent traduits en tibétain un siècle plus tard et inclus dans le *Tanjur*. Première œuvre de la littérature bengali parvenue jusqu'à nous, ces courts poèmes en métrique moraïque sont écrits en une langue métaphorique et allusive. Ils sont destinés à guider le disciple sur la voie de la connaissance mystique. Kānha, Bhusuku et Saraha ont contribué chacun à un nombre important de ces chants. Les littératures oṛiyā et maithilī revendiquent aussi ces textes, d'un état de langue fort ancien. F. Bh.

POÈMES DE MORVEN LE GAÉLIQUE. Volume de poèmes de l'écrivain français Max Jacob (1876-1944), publié en 1931.

Ayant proposé à Julien Lanoé, en 1927, de faire de sa revue *La Ligne de cœur* l'organe d'une renaissance celtique, Max Jacob prit, à la façon d'Ossian, le pseudonyme de Morven Le Gaélique ; il a expliqué son choix : « "Morven" : la jeune fille / "Le Gaélique" : la langue écossaise. / La jeune fille dont la distinction est de parler écossais. / C'est assez curieux ! comme disent les professeurs. » Ce qui pourrait passer pour la plaisanterie d'un instant a une origine plus ancienne. Dès 1911, parodiant Théodore Botrel (*Chansons de Bretagne*, 1897), se moquant, pour le ton, de Paul Fort et de Francis Jammes, Max Jacob a publié un poème *La Côte,* où se mêle à la dérision un amour réel de ses territoires d'enfance.

En préface aux *Poèmes*, il précise que : « Les connaisseurs ne manqueront d'être frappés des pastiches qu'ils rencontreront dans ce livre. Ils se montreront meilleurs connaisseurs encore en se réjouissant des traits d'originalité qui s'y mêlent. » Les pastiches portent sur la langue (la transposition en français de formes syntaxiques bretonnes : « Un beau cheval que j'aurai ») et sur les thèmes diffusés par les œuvres d'Anatole Le Braz – *La Légende de la mort en Basse-Bretagne* (*), 1893 –, de Charles Le Goffic – *L'Âme bretonne*, 1902-1910 –, ainsi que sur des centaines d'images privilégiées de la poésie symboliste (le brouillard, l'évanescence, les jeunes filles fantômes).

L'originalité tient certes à l'art du vers, à la liberté des enchaînements, au jeu des refrains. Mais plus encore à ce que Max Jacob dit de lui sous ce nouveau masque : sa douleur d'être sans patrie, sa souffrance de vivre solitairement (« Qu'y a-t-il donc pour moi sur terre ? / Est-ce qu'on peut vivre sans amour ? »), sa foi, qu'il veut naïve à la façon de la représentation de la crucifixion sur les calvaires, son espérance dans les miracles (« Préservez-nous des dartres et des boutons / de la peste et de la lèpre »). Sa voix est celle de l'accompagnement humble des témoins du mystère.

J. Rou.

POÈMES DE PARDON [*Sélihot*]. Poèmes du poète juif d'Espagne Moïse Ibn Ezra (1055 ?-1140 ?). La poésie sacrée hébraïque comprend divers genres de poèmes qui remplissent chacun une fonction bien définie dans l'ensemble des prières prononcées à la synagogue.

Les « Sélihot » (poèmes de pardon) sont des poèmes généralement écrits en vers rimés, récités à la synagogue le jour de l'an (Rosh ha shana), le jour de Kippour, pendant les Dix Jours redoutables (de Rosh ha shana à Kippour) et pendant les nuits du mois d'Elloul. Ce genre littéraire sacré est très ancien, cependant il a fleuri principalement dans la poésie hébraïque séfarade du Moyen Âge en Espagne. Les Sélihot de Moïse Ibn Ezra, qui comptent parmi les plus connus, sont d'une grande diversité thématique et formelle. Ils sont centrés sur l'expression de sentiments de péché et de culpabilité. Étant destinés à être récités lors du Kippour, le « Jour du jugement », ils sont essentiellement confessions de péchés et imploration de la grâce divine. Du point de vue des sentiments qu'ils expriment, il faut distinguer entre les « Sélihot » nationaux et généraux, dont les sujets relèvent de la conception fondamentale du péché du peuple d'Israël en tant que communauté – la dispersion reconnue comme étant un châtiment, l'attente du salut de la nation – et les Sélihot personnels exprimant le sentiment qu'éprouve tout croyant d'avoir péché individuellement, la crainte du Jour du jugement, et l'imploration de la pitié divine. Les poèmes personnels de Ibn Ezra sont justement connus pour leur style simple, touchant par leur sincérité et leur lyrisme. On y trouve de fréquentes évocations du Jour du jugement céleste, de Dieu décrit comme un juge trônant au siège du tribunal, et de l'homme vu comme une créature médiocre suppliant qu'on la laisse vivre.

Quant à la forme, elle est très variée. Une partie des poèmes sont manifestement écrits sur un modèle arabe (de poèmes en vers, de rimes et de mètres identiques) qui est aussi très répandu dans la poésie profane. Cependant, la plupart sont construits comme des poèmes strophiques – les « muwashshahat » – comportant parfois un refrain, où reviennent surtout des versets bibliques, et dont la métrique est basée sur la longueur des voyelles.

Les « Sélihot » de Moïse Ibn Ezra étaient déjà extrêmement populaires au Moyen Âge, et faisaient partie intégrante de la liturgie des Jours redoutables. On les trouve d'ailleurs encore aujourd'hui dans les rituels séfarades de Rosh ha shana et de Kippour.

M. I.

POÈMES DES ESCLAVES [*Os escravos*]. Recueil de vers du poète romantique brésilien António de Castro Alves (1847-1871). Castro Alves fut le représentant éminent, avec Tobias Barreto (1839-1889), de l'école « condoreira » qui préconisait une fusion du Parnasse avec l'idéal hugolien de liberté cher aux Américains. Composés presque tous vers 1865, mais publiés seulement en 1883, ce sont des poèmes aux rythmes les plus divers avec, cependant, une préférence marquée pour les alexandrins (« Le Soleil et le Peuple », « Le Régent », « La Chute de Paulo Affonso »). Dans certaines de ses poésies, Castro Alves, fidèle à la pensée de Victor Hugo, s'élève contre les injustices sociales de son temps (par exemple, la première pièce du volume intitulée « Le Siècle »). Mais ce qui inspire plus que tout le poète, c'est la cause des esclaves dont il fut l'ardent défenseur. Ce thème, en effet, loin d'être seulement pour lui un prétexte à rhétorique, lui inspire souvent des tableaux d'une suggestion magique. « Poète des esclaves » (ainsi l'avait-on surnommé), son œuvre fut pour beaucoup dans les réformes qui entraînèrent l'abolition de l'esclavage au Brésil (1888). Nombreux sont ses poèmes lyriques dont la beauté, fort au-dessus de l'occasion qui les avait fait naître, s'égale aux meilleurs de son recueil *Écumes flottantes* : « Navire négrier », notamment, où Castro Alves s'étonne que des marins, naturellement épris de liberté, se montrent aussi féroces à l'égard des Noirs ; ou encore « Voix de l'Afrique », allégorie de l'Afrique qui, sous les traits d'une femme éplorée, se plaint à Dieu du sort injuste de ses fils. Un souffle épique traverse des poèmes tels que « Adieu, mon chant », frémissant appel à la lutte pour la vérité et la justice, et « La Chute de Paulo Affonso », orchestration grandiose de toutes les révoltes de l'écrivain, dont les chants harmonieux (« Le Soir », « Maria », « Le Bal fleuri ») nous content, d'une façon poignante, un drame de la mer (« Le Nageur », « Sur le navire ») ou la rébellion des esclaves (« Sang d'Africaine »).

POÈMES DE SPLENDEUR [*shirey tiferet* ; sous-titre allemand *Die Mosaide*]. Poème narratif de l'écrivain allemand de langue hébraïque Naphtali Herz Wessely (1725-1805), publié en six livraisons, de 1789 à 1829 (dernière partie posthume). Divisé en dix-huit chants, le poème compte près de sept cents pages, plus des introductions en prose. Il narre l'exode des Hébreux, à partir de leur esclavage en Égypte et de la naissance de Moïse, jusqu'à la promulgation du Décalogue et à la montée de Moïse au mont Sinaï pour y recevoir les lois qui le complètent. Traducteur et commentateur de plusieurs livres bibliques, Wessely était prédisposé à traiter un tel sujet. Il y fut poussé par deux incitations extérieures : la remarque de Herder dans *Sur l'esprit de la poésie hébraïque* (+), qui regrette qu'aucun poème n'ait jamais été consacré à Moïse et estime que le sujet conviendrait particulièrement à un « Allemand d'origine hébraïque » ; et le succès obtenu par la *Messiade* (*) de Klopstock dont le héros est Jésus. Wessely suit fidèlement le récit biblique, il puise peu dans le midrash (exégèse rabbinique de *La Bible*), invente peu d'éléments, sinon bien sûr portraits, dialogues, réflexions ; son poème est narratif et non épique. Moïse a les qualités du parfait « maskil » (adepte des Lumières hébraïques), fidèle à Dieu et à son peuple, porteur d'une double culture (hébraïque et égyptienne), sage et avisé. Son beau-père et conseiller Jéthro représente le sage des nations ouvert au dialogue avec Israël. Dans le dernier chant, le poète développe à partir du Décalogue les idées qui lui sont chères — v. *Paroles de paix et de vérité* (*). Le poème s'achève par l'apogée de la carrière de Moïse, son tête-à-tête avec Dieu au Sinaï. La structure prosodique choisie par Wessely influença longtemps la poésie hébraïque — vers syllabiques de douze pieds et demi, accentués sur la pénultième, que certains considèrent comme l'équivalent hébraïque de l'alexandrin. Le poème est un classique, estimé mais peu lu, dont on extrait des textes d'anthologie, mais qui comporte de regrettables longueurs. J. St.

POÈMES DE SVENDBORG (Les) [*Svendborger Gedichte*]. Recueil poétique publié en 1939 par l'écrivain allemand Bertolt Brecht (1898-1956). Ce recueil regroupe des poésies écrites de 1933 à 1939, pendant toute la période d'exil. Un grand nombre des poèmes de Brecht sont encore inédits et la plupart de ceux qui ont été publiés demeurent dispersés dans des revues littéraires, des « Morceaux choisis », les « Versuche », etc. Parmi les poèmes écrits par Brecht durant l'exil et qui ont été regroupés, signalons le premier « Deutsche Kriegsfibel » (« L'a b c allemand de la guerre ») qui est comme la suite de *Grande peur et misère du III*e *Reich*, divers poèmes politiques de circonstance (« Aux combattants des camps de concentration », « Le Grand Octobre » en 1937), des « Kinderlieder » (Chansons pour enfants) en 1934. Le recueil des *Poèmes de Svendborg* porte le nom de la province danoise où Brecht avait trouvé refuge. Le réalisme le plus minutieux et l'interrogation éthique se rejoignent ici, comme s'y conjuguent le proverbe et la parabole, les formes les plus raffinées de la poésie savante et celles de la poésie populaire. Brecht se donne des maîtres qu'il pille, imite, adapte. Villon, Rimbaud, Baudelaire, la poésie chinoise antique et moderne, les chansons populaires et les répertoires du cabaret français sont malaxés, broyés, concassés, pour rendre finalement la sève qui imprègne toute l'œuvre du poète. L'art de Brecht unit ses contraires dans un mouvement dialectique dont la clé est le lecteur ou le spectateur. Cette œuvre d'un exilé n'est ni un chant de louange à la mémoire du passé, ni un cantique d'espérance en un avenir heureux. Elle restitue au présent (on remarque que le présent est le temps de la majorité de ces poèmes) toute son épaisseur, toute sa dureté. Pourtant ce présent est toujours médiatisé : Brecht ne nous le livre pas tel quel, il nous le restitue par l'intermédiaire du récit : il raconte le présent, il nous le raconte, d'où ses fréquents appels au lecteur, qui correspondent aux appels au spectateur de ses œuvres dramatiques. Instaurant ainsi entre ce présent et nous une certaine distance, il nous invite à le juger, à nous en dégager, et à faire nous-mêmes notre avenir. Œuvre de critique, une critique autant interne qu'externe, l'œuvre de Brecht est, pour reprendre le titre de l'un de ses poèmes didactiques, reconnaissance de « l'ancien » afin de fonder le « nouveau ». — Trad. *Poèmes choisis*, Seghers, 1954 ; L'Arche, 1966.

POÈMES D'OSSIAN. Les chants de caractère épique que les bardes gaéliques d'Irlande et d'Écosse accompagnaient sur leurs petites harpes nous ont été transmis par plusieurs manuscrits du XIIe au XVIe siècle. Ossian, ou plutôt Oisin, fils de Fingal, le barde et guerrier légendaire sous le nom duquel on le désigne, aurait vécu au IIIe siècle de l'ère chrétienne. Ces textes ne survivaient plus que dans la tradition orale lorsque l'écrivain écossais James Macpherson (1736-1796), stimulé par le dramaturge John Home (1722-1808) et d'autres écrivains écossais, en traduisit quelques fragments qu'il publia sans nom d'auteur (1760), sous le titre : *Fragments de poésie ancienne recueillis dans les montagnes d'Écosse et traduits du gaélique* [*Fragments of Ancient Poetry collected in the Highlands of Scotland and translated from the Gaelic or Erse language*]. Encouragé par le succès de ces chants, Macpherson, l'année suivante, leur donna une suite : *Fingal* [*An Ancient Epic Poem in Six Books*], mais cette fois il avouait en être le traducteur et faisait précéder le texte d'une dissertation concluant à l'authenticité des poèmes. Ces six « chants » retracent l'épopée de Fingal, fils de Combal, roi de Morven (en Calédonie), qui s'en alla libérer l'Irlande envahie par les armées de Swaran, roi de Lochlin (Scandinavie). Les tribus irlandaises sont sur le point d'être écrasées lorsque Fingal intervient : il défait Swaran en combat singulier, mais laissera son prisonnier regagner son pays avec son armée en souvenir de l'amour qu'il avait eu dans sa jeunesse pour Agandecca, sœur de Swaran. Et le poème s'achève sur un banquet de réconciliation, à la gloire de Trenmo, ancêtre commun des deux héros. Par la richesse des métaphores, le sens du fantastique, la vigueur de peinture des paysages et des caractères, la variété des épisodes, *Fingal* est l'un des poèmes ossianiques les plus vivants. En 1763, enfin, Macpherson publiait *Temora*. L'ensemble de ces chants fut édité en 1765 avec les commentaires de Macpherson et une étude du Dr Blair où Ossian était comparé à Homère. L'édition de 1773 donna le texte définitif des vingt-deux poèmes, et ce fut en quelque sorte la « vulgate » de l'*Ossian* de Macpherson. Puis, de nouveaux chants parurent encore, par les soins d'autres écrivains. À la mort de Macpherson, on s'aperçut qu'il avait pris force libertés avec le texte, et même que certains passages étaient de pure invention, mais son *Ossian* n'en exerça pas moins un irrésistible attrait sur les générations préromantiques. Les chants ossianiques ont entre eux une grande ressemblance : ce sont, sur un ton épique qui alterne avec le lyrisme et l'élégie, maintes histoires, assez emmêlées, de guerre ou d'amour, des récits d'enlèvements, de chasse ou de naufrages, et surtout la description de paysages du Nord pleins de mélancolie. Retenons, pour mémoire, *Dar-Thula* et *La Mort du coucou* [*The Death of Cuthullin*]. Le premier de ces poèmes a pour sujet l'assassinat des trois fils (Nathos, Althos et Ardan) d'Usnoth, seigneur d'Etha, victimes de l'usurpateur Cairbar qui s'était épris de Dar-Thula, laquelle s'enfuit par la suite avec Nathos. Le poème est célèbre par son invocation à la lune que l'on trouve au commencement : « Où vas-tu quand tu quittes les cieux, quand l'obscurité descend sur ton visage ? As-tu une demeure comme Ossian ? Habites-tu dans l'ombre de la tristesse ? » ; quant à *La Mort du coucou,* c'est la description du combat qui eut lieu, près du lac de Lego, entre Cuthullin (Petit-Coucou) et Torlath ; l'un et l'autre succombèrent. Le poème s'achève sur un chant funèbre en l'honneur de Cuthullin. Pittoresques ou passionnés, les *Poèmes d'Ossian* sont écrits dans une prose rythmée, de syntaxe facile, aux fraîches métaphores. Les poésies d'Ossian reçurent en Europe un accueil enthousiaste : dans cette seconde moitié du XVIIIe siècle, il n'est pas de grand écrivain qui ne subisse, fût-ce un instant, la mode ossianique, et Napoléon tenait le barde calédonien pour un de ses poètes favoris. Ossian a inspiré en outre les tableaux de François Gérard (1770-1837), Girodet (1757-1824), Ingres (1780-1867), les compositions d'Antoine-Jean Gros (1771-1835), d'Eugène Isabey (père du miniaturiste).

Pour ce qui est de la musique, citons : *Ossian ou les Bardes* de Le Sueur (1804), dont l'orchestre comportait douze harpes ; *Comola,* de Calzabigi et Morandi ; *Colto,* de Foppa et Bianchi (1788). — Trad. de Diderot, Turgot, Suard, rééd. Corti, 1990.

★ En Italie, l'abbé Melchiorre Cesarotti (1730-1808) a donné d'Ossian une traduction en vers, accompagnée de commentaires, *Les Poésies d'Ossian* [*Le poesie di Ossian*, 1772 et 1826].

POÈMES DU JADE PUR [*Chou-yu ts'e — Shuyu ci*]. Recueil de « poèmes à chanter » [ts'e] de la plus célèbre des poétesses chinoises, Li Ts'ing-tchao (1084-1151/55). Celle-ci composa des « che » (en vers réguliers), mais excella surtout dans la forme du « ts'e » (à forme fixe et vers irréguliers), qu'elle défendit d'ailleurs dans un essai (*Sur le ts'e*). Les *Poèmes du jade pur* sont d'une langue simple et musicale, pleins de la sensibilité et de l'imagination de leur auteur, qui accordait beaucoup d'importance à la recherche esthétique, au pouvoir évocateur du mot. Leur sujet étant essentiellement biographique, ces poèmes se différencient en deux groupes reflétant les deux périodes — heureuse puis malheureuse — de la vie de Li Ts'ing-tchao. Les premiers racontent les joies d'une jeune femme affranchie, évoluant dans les cercles lettrés, et les plaisirs de l'ivresse, de la promenade ou des études épigraphiques qu'elle menait avec son mari. Les derniers, d'un style plus dépouillé, disent la douleur du veuvage et de l'exil (après la chute des Song du Nord en 1127 et la fuite devant les envahisseurs Jürchens). — Trad. par Liang

Pai-tchin, *Œuvres poétiques complètes de Li Qingzhao,* Gallimard, 1977 ; *Les Fleurs du cannelier*, La Différence, 1990. V. L.

POÈMES DU SILENCE [*Básně ticha*]. Recueil du poète et plasticien tchèque Jiří Kolář (né en 1914), imprimé en 1970, mais pilonné avant sa diffusion. Écrit entre 1959 et 1961, dernier livre de Kolář au sens traditionnel du terme, ce volume consacre la transition de la poésie verbale à une poésie « évidente » définie par l'auteur comme toute poésie « qui exclut le mot écrit comme véhicule de la création et de la compréhension ». Il se compose en réalité d'extraits de plusieurs recueils : « Hommage à Malevitch » (calligrammes, textes « naturalisés », détruits et chiffrés), « Y61 » (poésie « déstatique » et facéties fondées sur des parallèles entre le linguistique et l'extra-linguistique), « L'Enseigne de Gersaint » (galerie de portraits-dactylogrammes emblématiques de cinquante-deux artistes, écrivains et compositeurs modernes), « Poèmes du silence » (compositions « visuelles » proches du lettrisme par l'autonomie rendue au signe graphique) et « Poèmes évidents » (collages, froissages, « dingogrammes », « poèmes trouvés » où le langage s'efface presque entièrement au profit de l'image). Le point de départ est une méfiance envers les mots dont l'histoire, au XXe siècle, n'a que trop abusé ; le point d'aboutissement est une nouvelle syntaxe plastique qui veut combler l'abîme entre l'art et la vie en donnant la parole aux choses, les mots ne subsistant qu'en tant que matière d'image. Sans atteinte à la poésie. Ce qui est aboli n'est pas le discours comme tel, mais seulement les distances dont la raison discursive ne peut se passer. — Trad. La Différence, 1988.

POÈMES ÉLÉGIAQUES de Tailhade. Recueil de l'écrivain français Laurent Tailhade (1854-1919), publié en 1907. Il comprend les compositions du *Jardin des rêves* (1880), ainsi que des poèmes plus récents ; l'auteur y expose la conception qu'il se fait de la vie, et notamment des rapports entre le rêve et la réalité. La structure rigoureuse des sonnets trahit chez Tailhade l'admiration qu'il porte à ses maîtres les parnassiens ; par contre, les harmonies légères, indistinctes, de ces œuvres élégiaques évoquent *Les Fêtes galantes* (*) de Verlaine, ou mieux encore certains poèmes de Samain. Dans une « Villanelle » composée avec un rare bonheur d'expression, Tailhade chante les jeunes filles qui, sous le clair soleil d'avril, inspirent d'amoureuses rêveries. Parmi les *Épigrammes*, citons les « Stances pour le Nouvel An », celui-ci étant symbolisé par une jeune et jolie femme traversant Paris et tenant en réserve pour chaque passant une joie ou une peine. Dans les *Nocturnes*, le poète tente d'évoquer l'inexprimable douceur de la nuit, son mystère, le refuge qu'elle offre aux humains harassés. La rigueur du style est celle-là même qui avait caractérisé l'école parnassienne : elle en a les qualités aussi bien que les défauts. Mais il convient de ne point oublier un autre aspect du génie de Tailhade, qui a su stigmatiser, avec une verve mordante, les aspects sordides ou ridicules de la vie moderne — en particulier ceux de la vie parisienne — dans un recueil intitulé *Poèmes aristophanesques* (1914).

POÈMES ÉLÉGIAQUES de Théognis. Sous le nom du poète grec Théognis (VIe siècle av. J.-C.) nous sont parvenus deux livres d'élégies, regroupant en tout mille trois cent quatre-vingt-neuf vers. Mais le corpus ainsi constitué pose un délicat problème philologique : il est en effet certainement le résultat d'adjonctions ultérieures et de remaniements, et il est très difficile de déterminer quels sont les vers qu'on peut authentiquement attribuer à Théognis. Diverses thèses se sont développées parmi les philologues depuis le XIXe siècle, allant de la défense de l'authenticité totale (Harison, 1900) à l'idée de divers recueils (jusqu'à cinq selon Jacoby, 1931) superposés par la tradition, où ne sont en général considérés comme authentiques que les deux cent cinquante-quatre premiers vers (c'est encore la thèse de West, en 1974 ; autres vers considérés comme authentiques chez Carrière). Ce processus de formation du corpus théognidéen explique que les idées y soient parfois contradictoires. Néanmoins les vers sûrement authentiques permettent de se faire une idée cohérente du caractère de l'œuvre et de l'auteur. Représentant de l'aristocratie de Mégare, Théognis est le témoin des troubles qui agitent sa cité au cours du VIe siècle. Cette époque charnière voit la montée économique et politique des classes inférieures et leur entrée dans la vie politique, avec l'appui des tyrans. C'est contre eux que s'élève Théognis, se battant avec acharnement pour les vieilles valeurs de l'aristocratie. Mais, devant l'échec de son parti, il doit s'exiler ; il connaît la pauvreté et l'oppression ; il implore de Zeus, avec passion, la satisfaction de se venger. Son idéal conservateur, démenti par la réalité, se raidit dans le culte nostalgique des vertus aristocratiques, et, pour exprimer sa haine et son mépris des nouvelles valeurs, Théognis trouve des mots d'une singulière vigueur. L'amertume de son expérience l'amène à une conception pessimiste de la vie : l'homme n'est pas responsable des maux qui l'accablent ; de tous ceux qui vivent sous le soleil, personne n'est heureux ; aussi vaut-il mieux ne pas venir au monde, ou du moins « franchir au plus vite les portes de l'Hadès ».

Cette poésie gnomique s'enracine dans le contexte social — aristocratique — du banquet, et les sentences qui la composent s'adressent pour la plupart à un jeune noble nommé Kyrnos, qui est sans doute, selon la coutume de la noblesse dorienne, à la fois le disciple et l'amant du maître. Outre le thème principal de l'irritation et de l'inquiétude du noble qui voit ses privilèges lui échapper et qui refuse le nouvel ordre social, l'œuvre de Théognis, tout entière composée de vers élégiaques (distiques formés d'un hexamètre et d'un hexamètre catalectique), contient aussi les motifs traditionnels de la poésie gnomique, telles la prudence, la soumission aux dieux, la piété, l'horreur de l'hybris et la recherche d'un bonheur fait de quiétude et d'aisance ; mais, à côté de ces éléments de sagesse traditionnelle, l'originalité de Théognis ressort dans des passages où est mise en question la justice divine, à la lumière d'un rationalisme qui annonce déjà l'émancipation religieuse de l'homme et la pensée du Ve siècle. M. Ro.

POÈMES ÉLÉMENTAIRES [*Poemas elementales*]. Recueil du poète argentin Francisco Luis Bernárdez (1900-1979), publié en 1942. Une confrontation incessante entre toutes les apparences de la vie : le mal, le feu, le vent, la terre, sont les « éléments ». Bernárdez, à ses débuts, fit partie des mouvements d'avant-garde argentins ; il était du groupe « Florida » (Borges, Mastronardi, Molinari, Norah Lange, etc.), qui s'opposait à « Boedo » (Barletta, César Tiempo, Amorim, Raúl González Tuñón, etc.). Ces deux groupes symbolisaient deux tendances définies : « Florida », nom d'une rue élégante et européenne, créait une littérature raffinée ; « Boedo », nom d'une rue pauvre, suburbaine, peuplée d'immigrants, avait pour but l'idéal social. Mais, avec le temps et l'évolution, les groupes meurent ; et Bernárdez apparaît comme un poète qui a trouvé la clarté et l'idée équilibrée, intelligente, presque thomiste, d'un monde qui s'exprime à travers la parole. *Poèmes élémentaires* est la recherche d'une substance divine que les hommes recèlent. Poèmes religieux, pleins de foi, parfois scolastiques, parfois contemplatifs. Le poète se révèle comme le maçon ou comme le médecin, celui qui engendre des formes nouvelles ou qui essaie de guérir l'âme blessée. Le fait d'exister lui paraît compromettant et beau, dangereux et heureux en même temps. Et le tout (les « éléments » de la vie et les « éléments » de la poésie) est un mélange de prière et de chant, de rythme et de nécessité intérieure d'expression. Son lyrisme est comparable à celui d'un saint Jean de la Croix, mystique et clair, organique et vital. Le lyrisme d'un poète qui ne peut penser « monde » sans penser « homme », et qui ne peut penser « homme » sans penser « Dieu ».

POÈMES EN PROSE [*Senilia, Stihotvorenija v proze*]. Œuvre de l'écrivain russe Ivan Sergueïevitch Tourgueniev (1818-1883), publiée en 1882. C'est un mélange de brèves descriptions, de fantaisies, d'effusions lyriques et de réflexions philosophiques : une sorte de bréviaire où se trouve, pour ainsi dire, résumée toute la pensée de Tourgueniev, dans les dernières années de sa vie. La forme à laquelle a recours le poète n'est pas sans rappeler les poèmes en prose de Baudelaire – v. *Le Spleen de Paris* (*) ; Tourgueniev, qui vivait depuis de nombreuses années en France, connaissait fort bien le poète des *Fleurs du mal* (*). Le sous-titre « Poèmes en prose », ne fut pas donné par l'auteur aux *Senilia,* mais par son éditeur russe. Pas un de ces poèmes qui ne soit marqué de ce pessimisme, que l'on retrouve d'ailleurs dans la plupart de ses œuvres ; mais, ici, le culte de la beauté, créatrice des valeurs spirituelles, apporte une note plus réconfortante. Si la forme et la composition dénoncent bien l'influence de Baudelaire, les thèmes de Tourgueniev ont un caractère parfaitement original, et les images, qui proviennent de la tradition russe, donnent à cette œuvre une physionomie qui lui est propre. Grossman, l'un des plus grands spécialistes russes de Tourgueniev, a voulu retrouver dans les *Poèmes en prose* une disposition en forme de triptyque, s'organisant autour de quelques grands thèmes : « La Russie », « Le Christ », « La Nature », « Le Destin », « La Mort », etc. ; il est même allé jusqu'à montrer que des relations très étroites existeraient entre chacune des parties au point qu'il considère les *Poèmes en prose* comme une œuvre ayant une unité, dont chaque fragment serait une strophe. Mais, plus que par leur contenu, c'est par la richesse de la langue que les *Poèmes en prose* occupent une place importante dans l'œuvre de Tourgueniev ; en effet, nulle part, il n'avait fait preuve d'un sens aussi aigu de la poésie et des lois musicales qui la commandent. – Trad. Didier, 1946.

POÈMES ÉPIGRAMMATIQUES de Goethe [*Epigrammatisch*]. Écrits d'époques différentes, réunis par la suite dans le volume des *Poésies* (*) ; seuls les quinze derniers poèmes furent publiés après la mort de l'auteur. Ces poésies de l'écrivain allemand Johann Wolfgang Goethe (1749-1832), quelques-unes longues, d'autres brèves, n'ont pas une métrique uniforme. Chaque épigramme a son caractère propre et tantôt exprime une maxime de sagesse sur un ton plaisant, tantôt fait allusion à la vie mondaine ou à la vie littéraire. L'une des plus connues est « Catéchisme », écrite en 1778, et dans laquelle Goethe entend faire la satire de la méthode socratique adoptée dans les écoles. L'autre, intitulée « Société », est plus agressive : un érudit, à qui l'on demande les impressions qu'il rapporte d'une soirée, répond en faisant allusion aux personnes rencontrées : « Si c'était des livres, je ne les lirais pas. » Citons encore, parmi les plus connues, « Nouvelle sainte » : écrite en 1785, cette épigramme montre l'enthousiasme des belles dames de l'aristocratie allemande pour Mlle Olive, impliquée avec

Cagliostro dans l'affaire du « Collier de la reine ». — Trad. Hachette, 1861.

POÈMES ET CHANSONS de Hogg. L'œuvre poétique de l'écrivain écossais James Hogg (1770-1835) est considérable. En dépit d'une grande renommée locale, et des amitiés de Byron, de Wordsworth et de Scott, Hogg n'obtint jamais une véritable audience nationale. L'un de ses plus fameux poèmes reste sans doute *La Veillée de la reine* [*The Queen's Wake : a Legendary Poem,* 1813] où, de retour de France pour s'asseoir sur le trône d'Écosse, Mary Stuart organise une veillée de Noël au palais de Holyrood, où treize bardes de clans concourent pour gagner une harpe incrustée de joyaux. Hogg s'employa aussi à parodier ses contemporains, non sans y réussir fort adroitement, dans *Le Miroir poétique* [*The Poetic Mirror, or the Living Bards of Britain,* 1816] ; ses parodies de lord Byron, de Coleridge, de Wordsworth et de Scott, entre autres, sont plus l'aboutissement d'une vision syncrétique de leur œuvre que de la distorsion d'un seul poème. Outre une anthologie de chansons et ballades jacobites : *Reliques de l'Écosse jacobite* [*Jacobite Relics of Scotland ; being the Songs, Airs and Legends of the Adherents to the House of Stuart,* 1819 et 1821], Hogg publia de nombreux volumes de ses œuvres, dont *Le Barde des montagnes* [*The Mountain Bard ; consisting of Ballads and Songs, founded on Facts and Legendary Tales,* 1807], un recueil de ballades imitées de celles de la tradition, *Le Jongleur de la forêt* [*The Forest Minstrel ; a Selection of Songs, adapted to the most Favorite Scottish Airs,* 1810], où Hogg rassembla une partie de ce qu'il avait composé à ce jour avant d'aller tenter sa chance à Édimbourg comme « homme de lettres », *Les Pèlerins du soleil* [*The Pilgrims of the Sun,* 1815], *Chansons du Berger d'Ettrick* [*Songs, by the Ettrick Shepherd,* 1831], et bien d'autres compositions qui, pour la plupart, parurent en revue avant d'être réimprimées en volumes. Il semble cependant que les thèmes de prédilection de Hogg, et les plus favorables à l'épanouissement de son inspiration, restent ceux profondément liés à l'héritage culturel de la terre, à l'histoire locale, chair et sang de l'histoire nationale ; autour de ces thèmes, qui donnent à sa poésie, riche de la variété du dialecte écossais, une vigueur et une force émotionnelle propres, Hogg dépeint les mœurs et us des gens de la campagne écossaise à une époque encore troublée, au sortir d'un siècle politiquement très agité et où les affrontements religieux étaient particulièrement sanglants. Ce qui n'empêche pas sa poésie de rester souvent légère et cocasse, espiègle et un tantinet libertine — ce qui ne fut pas toujours du goût d'une critique généralement pudibonde et conservatrice. C'est sans doute dans ses pièces les plus modestes et les plus spontanées que Hogg se révèle être un véritable poète, faisant écho au chant du monde et non du seul verbe.

X. P.

POÈMES ET DESSINS DE LA FILLE NÉE SANS MÈRE. Recueil du peintre, graveur et poète français Francis Picabia (1879-1953), publié à Lausanne en 1918, avec dix-huit dessins de l'auteur. C'est le second recueil du peintre-poète qui venait de faire paraître, peu de temps auparavant, à Barcelone, ses *Cinquante-deux miroirs* pour n'être pas dupe, « un seul jour de personne comme de soi-même ». Dada commençait à naître. Et Picabia retiré en Suisse, à Gstaad, où il soignait une dépression nerveuse, en même temps que vivre, réapprenait, selon sa propre expression, les « mots en liberté ». Les poèmes étaient dédiés à trois neurologues en renom — les professeurs Collins de New York, Dupré de Paris et Brunschweiller de Lausanne —, et il semble que Picabia favorisa la confusion de quelques gynécologues suisses qui crurent voir dans le titre une étude médicale sur le cas sans précédent d'une fille née sans mère... À la même époque, Picabia parlait de poésie ininterrompue, s'expliquant et se définissant par ce constant mystère de n'être jamais le même sans pourtant changer. C'est que la poésie de Picabia, comme le remarque Pierre de Massot dans une introduction à l'œuvre du poète, se veut la plus naturelle qui soit : elle coule de source, d'où les inépuisables ressources et ses multiples sortilèges. D'où sans doute la stupeur qu'elle suscite chez ceux qui s'agenouillent devant l'artifice et la préciosité. L'esprit dada n'est pas séparable des *Poèmes et dessins de la fille née sans mère.* Écrits pendant la guerre, ils préparent directement le regroupement zurichois qui marque la fin des hostilités. *L'Athlète des pompes funèbres* et *Poésie ron-ron,* publiés également en 1918, démarquent un même état d'esprit. Il faut également y voir l'influence de Guillaume Apollinaire, dont Picabia fut l'ami pendant dix ans. D'un Apollinaire que les feux d'artifice guerriers n'avaient pas encore atteint (au sens poétique et « physique » du terme), sur un fuyard, à la manière dont Picabia refuse la guerre, les engagements nationalistes ou toute autre forme de contrainte dans lesquels il ne veut voir qu'hypocrisie et médiocrité. André Breton, qui admira dès le début l'« originalité du poète », ne s'y est pas trompé. « La belle vie a regardé, regarde et regardera par les fenêtres que Picabia a ouvertes si souvent à l'improviste, mais alors à une sorte d'improviste "*royal*" [...] La jeunesse de ce siècle aura coïncidé avec les fêtes que Picabia lui donnait et dont la seule règle fut de tendre à les rompre, dans toutes les directions, les cordes du possible... »

POÈMES ET PROSES de Clare. Quand paraît le premier livre du poète anglais John

Clare (1793-1854), *Poèmes descriptifs de la vie et de la scène rurales* [*Poems Descriptive of Rural Life and Scenery*, 1820], plus de vingt ans se sont écoulés depuis les *Ballades lyriques* (*) de Wordsworth et Coleridge, ce manifeste du romantisme anglais. Quant à Byron, Keats et Shelley, qu'une mort prématurée va emporter, ils ont déjà produit toute leur œuvre. Clare les connaît certes, les admire avec quelques réserves, mais ses *Poèmes descriptifs* sont plus apparentés à Collins, au Thomson des *Saisons* (*) et à Cowper qu'à ses contemporains : tant par la sagesse de la forme (il ne renie nullement Pope, pourtant passé de mode) que par la modestie de ses sujets familiers et par un équilibre entre l'émotion et le bon sens (chez lui paysan) que n'altéreront pas essentiellement les fantasmes de la folie. Cela est vrai de tous ses ouvrages, aussi bien des *Poèmes descriptifs*, du *Ménestrel de village* [*The Village Minstrel*, 1821], du *Calendrier du berger* [*The Shepherd's Calendar*, 1827], où il évoque mois par mois les aspects changeants de la nature, des travaux des champs, de la vie au village, que de *La Muse rurale* [*The Rural Muse*, 1835] et des poèmes et des proses qui n'ont été publiés que tout récemment. Si l'on ignorait ces dates, on le prendrait pour un préromantique du siècle précédent.

Fils d'un ouvrier agricole de Helpston, village du Northamptonshire situé à la lisière de la région des marais, Clare fut toujours sans grammaire pour n'avoir pu suivre que quelques cours du soir après ses douze ans. C'est environ à cet âge, nous dit-il dans un fragment autobiographique, qu'il se mit à écrire sous un saule, en prose ou en vers de sa façon, ce qu'il voyait et ce qu'il éprouvait dans la campagne : « Comme je trouvais la nature, ainsi la rendais-je. » Dès l'âge le plus tendre, elle était pour lui, ainsi qu'il le chantera, « plus qu'un Éden », et elle devait l'être toujours, au moins dans sa mémoire. Ce « plus qu'un Éden » eut, comme Clare allait sur ses quinze ans, une Ève en la personne d'une Mary bien-aimée, dont le père l'éloigna résolument quand elle atteignit l'« âge de femme », mais qui resta sa Muse à jamais. Tel fut le premier coup que lui porta le destin. Lorsqu'il eut vingt-cinq ans et que ses poèmes accumulés virent le jour par miracle, ils connurent un immense succès, et Clare fut fêté à Londres. Mais la ville mondaine se lassa vite de ce prodige qu'était un rustre poète, et ses recueils suivants furent mal accueillis. Il retomba dans sa dure vie de prolétaire rural, à présent marié à une paysanne et père de nombreux enfants. Il reste cependant un poète, en même temps qu'un ornithologue qui dressa un précieux catalogue descriptif des oiseaux du comté, mais ses forces le trahirent, sa raison chancela et, en 1837, on l'interna à l'asile privé d'Epping Forest. Le journal de son « Voyage à partir de l'Essex » [Journey out of Essex] relate comment il s'enfuit quatre ans plus tard et parcourut à pied quatre-vingts miles sans aucun viatique pour regagner son chez-soi, où il pensait trouver et sa femme et Mary qu'il se figurait avoir épousée en premier lieu. Quelques mois plus tard, on le réinternait pour toujours à l'asile de Northampton, dont l'intendant a conservé avec soin les poèmes, souvent incomparables, qu'il ne cessait d'écrire.

Thomas De Quincey a décrit Clare comme l'« élève des champs, des bois et des bords de ruisseau », ajoutant : « Je doute qu'on puisse trouver dans ses poèmes une seule image banale ou une description faite à l'aide d'éléments rebattus. » On peut dire aussi que, lorsqu'il imite en vers le chant de la mésange bleue, c'est avec des accents si limpides qu'on les situe entre les *Chants d'innocence* (*) de Blake et *Les Illuminations* (*) de Rimbaud. — Trad. *Poèmes et proses de la folie de John Clare*, par P. Leyris, Mercure de France, 1969.

P. Le.

POÈMES FRANÇAIS. Œuvres écrites en français par le poète équatorien Alfredo Gangotena (1903-1944) et réunies par Claude Couffon (1991 et 1992). Dans les compositions de jeunesse que ce poète bilingue publia dans les revues de l'époque (*Intentions, Revue de l'Amérique latine, Philosophies, Le Roseau d'or, La Ligne de cœur*), on ne trouve pas l'influence du surréalisme alors tout-puissant mais celle des poètes que l'écrivain Gonzalo Zaldumbide lui présenta dès 1922 : Jules Supervielle, Paul Bar, Pierre Morhange, Max Jacob, Jean Cocteau et, plus tard, Henri Michaux. Ces compositions initiales révèlent déjà certains traits caractéristiques : sensibilité à fleur de peau, catholicisme profond mais tourmenté, anticonformisme devant les traditions nationales et familiales. Ajoutons à cela la présence obsessionnelle de la mort que l'hémophilie entretient depuis l'enfance dans le corps et l'esprit de Gangotena. *Orogénie* (1928), qui reprend plusieurs poèmes antérieurs sensiblement remaniés et dont le titre rappelle le tellurisme du pays natal, unit en une symbiose originale la luxuriance du vocabulaire et des images tropicales et la découverte de spectacles nouveaux et tempérés du monde occidental. Celui de l'automne, par exemple : « La pentecôte des feuilles d'automne enlumine les carreaux. / Souvenir ! Ô patiente et douce mémoire vivifiant ses eaux / Dans l'amoureuse et chaude enceinte des rideaux. » Ou celui de l'hiver : « L'ouragan lunaire s'engouffre dans les sombres plis de mes rideaux ? / Le vent se lève, le vent ! / Et son prestige autour des ailes, autour des flammes, comme l'attirance lucernaire des océans ! / Ah ! tristement c'est décembre... » La rigueur syntaxique du français lui permet d'autre part, mieux que l'exubérante langue espagnole, d'analyser ses sensations, de creuser les interrogations de la foi, d'exprimer ses visions, ses rages, ses révoltes et ses affres de malade sans affaiblir pour autant son impétuosité d'homme des

Andes : « Mes cils s'imbibent du vent des tombes. / Ah ! cessez vraiment, cessez : inutiles, inutiles comparaisons. » Écrit après son retour en Équateur (1928), *Absence* (Quito, 1932) exalte la passion frustrée d'un cœur « illuminé d'amour », en même temps que se fait sentir une angoissante impression d'exil sur le sol natal. Européen par sa culture, Gangotena a l'impression d'être devenu chez lui, et notamment parmi les écrivains livrés à l'indigénisme naissant, un étranger. Sentimentalement blessé par l'obsession d'une femme aussi inaccessible et belle que la mère du Christ, le poète laisse éclater une rage grandiose contre la Terre « intraitable », « inhumaine et sans ressources », confondue avec celle, ingrate, du pays d'origine, « Terre d'or et de lumière, / Où l'œil ne brûle que du feu continu et solitaire des roches ! » : « Ô terre, je m'annonce à toi / Et ma parole vindicative, et lourde de la sève des pavots, ma parole te souille, te dit : / Ô Terre ! je t'abhorre ainsi : solennellement ! » La maladie qu'il ne peut vaincre et qui nourrit ses hallucinations réveille dans son esprit l'étrange malédiction dont il se croit atteint depuis toujours : « Maudit ici et partout, maudit, je n'ai ni science ni espoir de m'évader. / Perclus, ignorant, relégué au soir des sables, / Je m'alimente, tout autour, de ma seule tristesse ; / Tout autour mon corps aimé n'a d'autre faim que de mourir. » En 1934, un amour contrarié cette fois par la distance dicte les vers éblouis et nostalgiques de *Jocaste* (demeuré inédit de son vivant) : « Ici, dans ma terre d'exil, écoutant le vol des oiseaux, je t'implore, Ô beauté ! et tressaille quand renaissent mes peines et leurs grandes pupilles. » De cette passion on retrouve la véhémence dans *Cruautés,* publié l'année suivante (*Le Journal des poètes,* Bruxelles) : « Et de ta chair aimée, je tourne, / aveugle je tourne dans l'insoutenable vertige. / Ta chair au centre ouvert de mes entrailles. / Ta chair dans l'absolu de mon exil ! » Pourtant, et peut-être parce que cet amour est idéalisé par l'éloignement et en fait plus rêvé que vécu, une sérénité confiante, peu habituelle chez Gangotena, nimbe les derniers vers : « Je t'appelle, Mon Amour, Ô Toi !... / Mais de ton corps fidèle, et de ton sang dans la mémoire active de mes pensées, mais de Toi lustrale, de Toi et de ta nudité nuptiale en moi, / Mon Amour, l'éblouissant soleil jamais plus ne s'éteindra ! » Le mal qui allait l'emporter à quarante ans nous vaut les poèmes douloureux ou prémonitoires de *Nuit* (*Cahiers des poètes catholiques,* Bruxelles, 1938), aux images brèves et cruelles : « Mes yeux meurtris suintent leur boue, contre les murs », « Atroce, / Le tombeau coule dans mes veines comme un puits ». Commentant le lexique de son ami, Henri Michaux a écrit : « Tout ce qui est positif dans l'univers gangoténien est angélique et floral. Ce qui est négatif est maudit et minéral. » C. C.

POÈMES HUMAINS [*Poemas humanos*]. Œuvre maîtresse de l'écrivain péruvien César Vallejo (1892-1938), composée de 1923 à 1938 et publiée en 1939.

Des poèmes qui composent *Les Hérauts noirs* [*Los heraldos negros,* 1918] jusqu'à ceux de *Espagne, éloigne de moi ce calice* [*España, aparta de mí este caliz,* 1937-1938), l'œuvre de César Vallejo se confond avec les attitudes du poète. Métis, conditionné par la situation faite à ses frères de race, il publie d'abord *Les Hérauts noirs,* recueil dans lequel il définit sa rébellion. En lui se déroule le combat de l'Indien et du conquistador, duel vieux de quatre siècles et contenu dramatique et dialectique de l'Amérique latine. Dans son essence et dans sa forme, le fatalisme qui en ressort n'est ni rigoureusement indigène ni exclusivement américain, c'est aussi le produit du scepticisme castillan.

Fuyant son hérédité, il quitte sa petite ville pour la capitale. Sa vie y est obscure et solitaire, une vie qui ne peut se conjuguer avec la frivolité de ce monde de petits bourgeois et sans tragédie qu'il rencontre. À cette époque, il publie *Trilce* (1922) et le silence autour de lui se fait plus obstiné, plus suspect. Bien qu'on ne puisse apparenter Vallejo à aucun mouvement, la puissante originalité qui se dégage du dénominateur métis et de la tonalité péruvienne atteint parfois les sommets de la poésie dadaïste et surréaliste. Si les thèmes en sont toujours l'homme, le paysage et l'anecdote, l'essentiel est dans la forme. Vallejo renverse l'ordre poétique établi en employant d'une manière distincte et personnelle les expressions propres à son peuple.

Séduit par le côté anarchiste et sensuel de la légende, il décide de vivre en poète maudit à Paris. De 1923 à 1938 il parcourt l'Europe et écrit ses *Poèmes humains.* L'accent n'est plus posé sur le cours naturel de la vie ni sur les paysages, mais sur sa propre conscience et sur sa vie subconsciente. Pendant l'année 1937, il écrit les poèmes de *Espagne, éloigne de moi ce calice,* poèmes qu'il convient de séparer des *Poèmes humains* car il s'agit d'une étape profondément significative dans la vie et l'œuvre du poète. Écrits pendant la guerre civile, ces poèmes reflètent la tragédie espagnole. La lutte intérieure de Vallejo touche à sa fin. Il « sent » l'Espagne, la défend et souffre avec son peuple, en homme situé sur deux courants, l'indien et l'espagnol, qui se confondent pour réaliser l'homme synthèse. La longue marche est terminée. Vallejo s'est trouvé. Intimement saturée du malheur espagnol, son œuvre dernière a les accents du métis des *Hérauts noirs.*

POÈMES IBÉRIQUES [*Poemas Ibéricos*]. Livre de poèmes de l'écrivain portugais Miguel Torga (né en 1907). Publiée en 1965, cette version reprend, avec modifications et compléments, le recueil paru en 1952 sous le titre *Quelques poèmes ibériques* et censuré par le régime de Salazar.

Les Ibères sont issus de plusieurs peuples et ont subi diverses influences. Considérant l'unité dans cette diversité, l'auteur voit dans la péninsule Ibérique un continent et dans les peuples qui y vivent autant de nations. Il n'y a aucun doute pour lui : le peuple galicien n'a rien à voir avec le castillan ou le catalan. Et s'il admire la Castille, il estime que son hégémonie étouffe les différences. Ainsi – et la lecture des *Poèmes ibériques* le prouve amplement – Miguel Torga n'a-t-il aucun projet, aucun idéal nationaliste. Comme le note Louis Soler, le cotraducteur avec Claire Cayron des *Poèmes ibériques*, « le poète s'élève, avec la notion d'Ibérie, au-dessus du concept politique de nation et au-delà de chaque particularisme (linguistique, par exemple), avoue se sentir aussi bien galicien, asturien, basque, castillan, andalou, catalan que portugais ».

Le recueil s'ouvre sur le poème « Ibérie », isolé, qui introduit les quatre parties du livre : « Histoire tragico-tellurique », « Histoire tragico-maritime » (composée chacune de sept poèmes), « Les Héros » (vingt-sept poèmes), et « Le Cauchemar » (trois poèmes).

Le mot « terre », rugueux et profond en portugais, est le premier du livre. Si cette terre est capable « de contenir et Vieux Monde et Nouveau... », elle est aussi la terre que l'on quitte, « Terre-tumeur-d'angoisse de savoir / si la mer est sans fond et se laisse franchir ». Ainsi le poète introduit les Histoires telluriques et maritimes des peuples ibériques. Le destin et les éléments vitaux tels que la terre, le pain, le vin marquent les sept brefs poèmes de « Histoire tragico-tellurique ». La vie, l'aventure « c'est de ne jamais, à aucun prix / douter du sol avare et dur ». Tout peuple a son destin et se doit de l'accomplir ; ceux de la terre ibérique se tournent vers la mer puisque « leur sol natal ne peut plus les nourrir ». Torga écrit ces poèmes au présent, car la réalité des rapports de l'Ibère à sa terre natale est toujours aussi tragique. Le dernier poème de cette série, « Le Mirage », évoque le désir de richesses « par-delà les flots vastes et tourmenteux » et ouvre ainsi le chapitre de « Histoire tragico-maritime ». Les poèmes, écrits maintenant au passé, content brièvement mais fortement les Grandes Découvertes. Les raccourcis temporels que le poète accomplit donnent à l'Histoire l'intensité du vécu. L'Ibérie répond à l'appel de la mer qui vient lui murmurer un « cosmique secret ». Cette vocation s'épanouit en désir qui lui-même se concrétise « en frêles caravelles ». Mais les mots « illusion » et « rêve » se glissent entre les vers, fragilisant déjà les conquêtes futures. Et dans les très beaux vers de « La Découverte », les navigateurs ramènent ce « désir qui les poussa / par aucune Inde satisfait » et ils font « le serment de retourner / voir si (perdure) la couleur du rêve ». Ce rêve seul subsiste après le naufrage des navires et des illusions qui donnèrent « au monde des mondes » ; et les « yeux lusiades » en sont encore embués. Le poète alors invoque la mer : « Mer ! / trompeuse sirène à la voix triste et rauque / ce fut toi qui vins nous séduire / et ce fut toi qui nous trahis ! » et dans la dernière strophe, ramenant l'histoire au présent, il interroge ce destin maritime : « Mer ! / Quand donc prendra fin la souffrance / quand cesseront de nous tenter / tes enchantements ? » Miguel Torga n'exalte donc pas les glorieuses conquêtes, mais il puise en elles et lit dans les traces qu'elles ont laissées les signes, les plis et replis de l'âme ibérique et, au-delà, ceux de l'âme humaine.

« Les héros » qu'il chante – de Viriathe, l'Ibère qui, loin du berceau natal, trouve, sur la Péninsule, sa terre et meurt pour elle, jusqu'à Lorca, le frère, « l'indomptable gitan » – ne sont certes pas les figures de proue que se plaît à évoquer le nationalisme ; une passion les brûle et ils ne la fuient ni ne l'éteignent. Ils sont loin de ces protagonistes exaltés par le Portugal et l'Espagne fascistes, mannequins sans rides de récits hagiographiques. Chacun est multiple, divisé, l'âme et le corps marqués par l'effort de vivre, jusqu'au bout, leur destin. Ainsi saint Jean de la Croix : « Main dans la main, le saint et le poète / l'un niant l'autre et cependant unis... » Leur folie est leur véritable raison, leur besoin absolu de liberté, leur seul vrai courage. L'Ibérie leur ressemble, forte d'être multiple en une, rude, angoissée comme ses héros. Et les trois poèmes réunis sous le titre « Le Cauchemar » sont autant de retour à cette terre, Dulcinée qui gémit, que tourmente une ancienne douleur dont l'origine se perd dans les brumes du rêve. Le poète, évoquant la guerre d'Espagne, crie à cette Ibérie tant parcourue, tant aimée, comme s'il se criait à lui-même : « Mère ne désespère pas ! / Ils n'ont pas le droit à l'ultime triomphe, les soi-disant héros. » C'est enfin vers Sancho Pança, symbole du peuple, « asservi et vaincu », que Torga se tourne pour l'exhorter à regarder en face « cette Ibérie qui (lui) fut dérobée, / et qui n'aura de paix qu'en redevenant (sienne) ».

Dans ces poèmes denses on retrouve tous les thèmes de Miguel Torga. À force de scruter son territoire, le poète brise les frontières. La terre dont il est issu nourrit sa quête de liberté, sa lutte incessante contre tout ce qui ruine l'indépendance des peuples et des individus. Il puise dans toutes les traditions – populaires et savantes – de son pays pour approfondir le mystère de son origine et de sa fin. De Camoens aux légences populaires, de l'érudition littéraire à celle « acquise par les pieds », il se saisit de tout ce qui lui semble bon pour ciseler des poèmes aux rimes franches et sonores, aux paroles essentielles. – Trad. Corti, 1990.

F. Be.

POÈMES LATINS [*Carmina*]. Fruit de l'éducation que l'auteur reçut de Gregorio de Spoleto, les *Poèmes* écrits en latin par le poète italien Ludovico Ariosto, dit l'Arioste (1474-1533), entre 1493 et 1503, constituent le meilleur de son œuvre de jeunesse. On y décèle aisément l'influence de Catulle et d'Horace. L'Arioste y chante son amour pour Pasifile, courtisane espagnole, pour Filoroe et Lidia, en des vers gracieux où transparaissent la joie et le désir de vivre. L'épitaphe pour son aïeul, Niccolo Ariosto, et l'épithalame pour les noces d'Alphonse Ier d'Este avec Lucrèce Borgia (1502) devinrent vite célèbres. À souligner la délicatesse des épigrammes pour une jeune fille (« De puella »), marchande de roses, ou l'épitaphe pour une certaine Filippa qui avait quitté le toit conjugal. Le recueil renferme également les vers connus que le poète composa en guise d'inscription pour sa villa de Mirasole.

POÈMES LUSITANIENS [*Poemas lusitanos*]. Recueil de poèmes de l'écrivain portugais António Ferreira (1528-1569), publié par son fils, après sa mort, à Lisbonne en 1598. La poésie de Ferreira se rattache à la Renaissance portugaise, et, plus que d'une recherche d'expression, elle témoigne de l'effort d'assimilation d'une forme et d'une culture. Venu après Sá de Miranda, il considère que les formules espagnoles dont bénéficiaient les poètes du temps sont épuisées, et il tourne résolument sa poésie vers les modèles classiques et italiens, se faisant le théoricien du classicisme. Le recueil se compose de nombreux sonnets, de treize odes divisées en deux livres, de plusieurs élégies, églogues, épigrammes et épitaphes. Les sonnets s'en tiennent à la mythologie sentimentale de Pétrarque, mais ils ont une harmonie contenue de la forme qui les place, en ce qui regarde la technique, aussitôt après ceux de Sá de Miranda (« Aquelle claro Sol, que me mostrava »). Les odes et les épîtres suivent les préceptes d'Horace (d'où le surnom d'« Horace portugais » donné à l'auteur), et comme chez leur modèle, elles sont utilisées pour traduire les raisonnements didactiques et les élans civiques du poète, qui aspire seulement à la « gloire de chanter dans sa propre langue, pour son pays et pour son peuple ». Du fait de cette expérience formelle, les *Poèmes lusitaniens* conservent, dans le cadre de l'idéal classique, une physionomie qui leur est propre.

POÈMES OFFERTS. Recueil de poèmes de l'écrivain français Henri Pichette (né en 1924). Publié en 1982, cet ouvrage rassemble des poèmes divers, dont le point commun réside dans l'adresse à un dédicataire, qui tient lieu de titre à chacun d'entre eux. Il s'agit en fait d'unir dans l'intimité du souvenir des personnes qui ont joué un rôle dans le vie du poète : la mère, les « parents occasionnels », des amis restés dans l'ombre, ou des personnalités comme Jacques Doucet, ou encore des poètes, comme Artaud et Loys Masson. L'hommage le plus réussi donne vie aux mobiles de Calder, où le spectateur s'éprend d'une « gravitation de rêve ». Avec *Poèmes offerts,* l'auteur des *Apoèmes* (*) revient à une poésie d'inspiration lyrique, où on peut lire ce type de vers, quasi hugolien : « Et je ferai déborder d'amour / le Calice du Verbe. » On notera aussi le retour des thèmes classiques : nostalgie de l'enfance opposée aux tourments de la guerre, réhabilitation de la nature. Dans la besace du poète chasseur de merveilles pastorales, on retrouve l'écureuil, la limace, le hibou, qui viennent peupler une campagne odorante et chaleureuse, participant d'une certaine quête de la plénitude intérieure. L'atmosphère bucolique devient la métaphore d'une pratique poétique au quotidien, à travers le lent déclin des saisons et le mûrissement des mots : « Je sème, je récolte, / J'avance avec la faux affamée d'horizon. » Néanmoins, une torture secrète sommeille au fond de cet espace virginal, lorsque la terre commence à se crisper et que les arbres menacent de se déraciner. Pour Pichette, la poésie représente aussi un signal d'alarme. O. H.

POÈMES OÙ J'EXPRIME MON FOR INTÉRIEUR [*Yong-houai che — Yong huai shi*]. Série de vingt-huit poèmes écrits par le poète chinois Jouan Tsi (Ruan Ji) (210-263). L'auteur exprime son anxiété devant le monde troublé qu'il connut, et son désir d'atteindre le détachement et la pureté ; il s'agit d'une poésie assez abstraite, philosophique, où Jouan Tsi confronte le mysticisme taoïste avec sa pensée formée par le confucianisme et donc engagée dans la société. Il écrivit par ailleurs un poème en prose où il fait l'éloge du philosophe Tchouang tse et de sa liberté d'esprit. J. P.

POÈMES POUR MI. Cycle de neuf mélodies du compositeur français Olivier Messiaen (1908-1992). La version originale pour chant et piano a été composée en 1936, puis orchestrée en 1937. La partie vocale est destinée expressément à un grand soprano dramatique. Les *Poèmes pour Mi* sont le premier des trois grands cycles de mélodies écrits par Messiaen, les autres étant les *Chants de la Terre et du Ciel* (*) et *Harawi, chants d'amour et de mort* (*). Les textes des poèmes (groupés en deux livres, de quatre et cinq poèmes) sont du musicien lui-même ; écrits peu après son premier mariage, ils retracent les méditations de l'époux en face du sacrement du mariage. L'inquiétude, le désespoir de l'époux qui ne peut concilier le christianisme avec l'amour charnel le conduisent, à la fin de chaque livre, au renoncement à la chair.

La musique des *Poèmes pour Mi* fait appel

aux modes, la voix évolue très librement, surtout au point de vue rythmique : il n'y a plus de barres de mesure, mais une rythmique à la fois plus souple et plus persuasive. La partie pianistique est très symphonique, et, au contraire d'un accompagnement traditionnel, dialogue à égalité de rôles avec la voix. — Les *Poèmes pour Mi* ont été donnés en première audition par Marcelle Bunlet et Olivier Messiaen, à Paris en 1937. La version pour chant et orchestre a été exécutée pour la première fois par Marcelle Bunlet et dirigée par Franz André, à Bruxelles en 1946.

POÈMES SANS SENS [*The Book of Nonsense*]. Œuvre de l'écrivain anglais Edward Lear (1812-1888), publiée en 1846 et écrite pour les petits-fils du comte de Derby. Le livre consiste en une série de « limericks », forme de strophes de cinq vers rimés aabba, et déjà employées dans l'*Histoire de seize vieilles merveilleuses* et dans un autre volume de 1820. Les illustrations de l'auteur accentuent l'humour tout spécial de ces jeux de mots et de ces plaisanteries, faits de rien et qui ont pourtant le pouvoir de faire rire. Il est difficile de donner une idée du ton de ces jeux dans lesquels Lear devint maître et qui eurent par la suite d'innombrables imitations en Angleterre. Par exemple, sous la plaisante figure d'un homme à la très longue barbe, dans laquelle nichent des oiseaux, le premier « limerick » inscrit ces vers : « There was an Old Man with a beard, / Who said, "It is just as I feared ! / Two Owls and a Hen, Four Larks and a Wren, / Have all built their nest in my beard !" » [C'était un vieil homme barbu qui disait : / « C'est tout ce que je craignais ! / Une poule et deux chouettes, un roitelet et quatre alouettes, / ont tous construit leur nid dans ma barbe ! »]. Ruskin, avec une curieuse extravagance, disait qu'il aurait mis les *Poèmes sans sens* au premier rang dans la liste de ses cent livres préférés. En fait, on ne peut dire qu'il s'agisse d'un véritable humour, mais d'une très habile faculté de faire des rapprochements étranges, d'user d'invraisemblances et d'impossibilités dans le but de produire des contrastes risibles. — Trad. Éditions G.L.M., 1949 ; Aubier-Flammarion, 1974.

POÈMES SATURNIENS. Sous ce titre parut en 1866, chez Alphonse Lemerre, éditeur des poètes parnassiens, le premier recueil du poète français Paul Verlaine (1844-1896). Cet ouvrage, édité à compte d'auteur, comprend une pièce liminaire, un prologue, vingt-cinq poèmes formant quatre chapitres (*Melancholia, Eaux-Fortes, Paysages tristes, Caprices,* et un épilogue. Dans ses *Confessions,* Verlaine indique qu'il écrivit ces poèmes « saturniens » au lycée, à l'âge de seize ans. On ne doit donc pas s'étonner si la plupart de ces vers ont un écho singulièrement parnassien. Verlaine subissait, à l'époque, l'influence de Leconte de Lisle et de ses disciples, qui prêchaient pour une poésie volontaire, élaborée, impassible, afin d'atteindre à une perfection et à une rigueur dans la forme qui n'admettent aucune faiblesse dans l'expression de la pensée et des sentiments. Aussi le poète affirme-t-il : « Ce qu'il nous faut à nous, c'est l'étude sans trêve, / C'est l'effort inouï, le combat non pareil, / C'est la nuit, l'âpre nuit du travail, d'où se lève, / Lentement, lentement, l'œuvre, ainsi qu'un soleil ! » Ennemi des épanchements lyriques, soucieux de ne pas éparpiller son âme, Verlaine cisèle son vers, manifeste son goût pour une beauté plastique ; mais, malgré cet effort de contrôle, il ne peut s'empêcher de se montrer souvent élégiaque. Des textes comme « Nevermore », « Mon rêve familier », « Chanson d'automne » annoncent déjà le symbolisme et traduisent cette nostalgie de l'amour, cette propension à la rêverie, cette douce et musicale tristesse, cette délicate sentimentalité, qui devaient marquer ses œuvres postérieures. Le thème central qui lui a inspiré ces poèmes est l'influence maligne de la planète Saturne sur ceux qui sont nés sous son signe (les saturniens ont entre tous « bonne part de malheur et bonne part de bile »). En dépit des nombreux emprunts littéraires de Verlaine à Hugo, Baudelaire, Gautier, Leconte de Lisle, il y a, dans ce recueil, un ton, une facture, qui appartiennent incontestablement au grand poète de *Sagesse* (*).

POÈMES STATIQUES [*Statische Gedichte*]. Recueil de l'écrivain allemand Gottfried Benn (1886-1956), publié en 1948. L'homme mystique déteste le devenir, il désire la mer a-historique de l'âme. De même, le poète espère l'extinction des millénaires et rêve de se fondre dans ce qui était avant le commencement. Cet espoir et ce rêve, il les doit aux « cellules orphiques » qui survivent en lui, bien que l'homme en soit inconscient. Un des problèmes cruciaux de Benn est dans cette ivresse contraire à l'activité du cerveau, dans cette vie instinctive et turbulente contraire à l'esprit qui filtre, qui analyse, qui articule. Quoique, d'Héraclite à Nietzsche, le cerveau ait raffiné les capacités de connaissance qui ont formé l'Occident, les « cellules orphiques » sont toujours là et prêtes à se révéler au poète comme au mystique. Ce thème, déjà esquissé dans *Le Ptoléméen* (*), revient vingt ans après dans les *Poèmes statiques.* Benn évoque le paysage grec, et dans la couleur argentée des oliveraies, dans le blanc des magnolias, il réveille les mystères d'Éleusis, les mystères des déesses Déméter et Coré : « Tu es ardent et tu te déchires, tu es le mystique, et d'anciennes choses t'ouvrent ton sang. » Le cycle des premiers poèmes, avec leur fascination pour le corps, la mort, la torture, est abandonné. L'attitude envers la femme, qui dans *Morgue* (*) n'était vue qu'à travers une opération gynécologique, s'est élargie et approfondie ; la femme est désormais partie du grand silence qui bruisse au-delà des mots. Au milieu du destin éternel, elle est corps et âme, abandonnée sans parole, sans nom, sans acte à la magie de l'Éros et du Thanatos. Fermé sur son statisme, devenu signe et forme, le poème exprime et contient les contraires, tel le cercle, qui est à la fois riche de sa fin et de son commencement. Mais entre les extrêmes gîtent la volupté et la douleur, gîte aussi la rédemption qui s'accomplit dans l'autre — dans le « Toi ». Une autre partie de ce recueil contient des poèmes traitant de la race blanche, que Benn appelle la « vie blanche », ou parfois le « Moi blanc ». Benn pense que les peuples blancs en sont arrivés au stade final, que leur cerveau a atteint sa plus haute faculté d'abstraction, et que l'abandon à l'ivresse est le dernier et seul refuge. — Trad. partielle dans *Poèmes*, Gallimard, 1972.

POÈMES SUR LA FRONTIÈRE [*Dikter vid gränsen*]. Recueil de poèmes de l'écrivain suédois Bertil Malmberg (1889-1958), publié en 1935. Ce recueil est sans doute le meilleur de l'œuvre importante de Bertil Malmberg. Cherchant son inspiration dans des ouvrages savants, comme *Le Déclin de l'Occident* (*) de Spengler, et dans des romans de Joseph Mann, Bertil Malmberg peint la situation du monde de son époque dans des vers très beaux mais profondément pessimistes : « Et rien ne nous aide à supporter la vie. / Ni le paradoxe de la croix. Ni les chorales de la foi. / Ni les paroles de la poésie. Ni les plaisirs de la chair. / Ni le drapeau usé de la vérité qu'apporte la science. »

POÈMES SUR L'HISTOIRE [*Yong che che — Yong shi shi*]. Série de huit poèmes écrits par le poète chinois Tsouo Se (Zuo Si, 253 ?-307 ?). Les sujets historiques y sont en fait un véhicule pour exprimer sa propre pensée, où alternent ambition, déception et résignation. C'est un thème déjà utilisé avant Tsouo Se, mais il y excelle tant qu'il influencera de grands poètes postérieurs comme T'ao Yuan-ming et Li Po. Dans une autre œuvre, *Rappels de l'ermite* [*Tchao-yin*], il évoque les différents aspects de la vie retirée, loin des tumultes de la société. J. P.

POÈMES SYMPHONIQUES de Liszt. Œuvres pour orchestre du compositeur hongrois Franz Liszt (1811-1886). Pendant longtemps, Liszt a été catalogué par le grand public comme l'auteur des *Rhapsodies hongroises* (*), le rénovateur de la technique instrumentale, le brillant improvisateur. Toutefois, les œuvres qui l'ont rendu le plus populaire sont loin de compter parmi les plus caractéristiques du génie créateur du musicien hongrois. Liszt, pourtant, s'est consacré toute sa vie aux problèmes de la création musicale ; ses recherches, les *Poèmes symphoniques*, la *Dante-Symphonie* (*), la *Faust-Symphonie* — v. *Faust* (*) —, ainsi que les *Années de pèlerinage* (*) constituent autant d'aboutissements, et sont principalement orientés vers le domaine de ce qu'il est convenu d'appeler la musique à programme. En prenant la défense de ce genre musical, Liszt ne prétend nullement se poser en novateur, mais bien plutôt en continuateur. Il en fait remonter les origines à l'époque classique ; il cite Bach et son *Caprice sur le départ du frère bien-aimé*, les clavecinistes français et leurs compositions aux titres bizarres ; il salue en Beethoven le musicien qui, avec *Egmont* (*), la *Symphonie héroïque* et la *Symphonie pastorale* — v. *Symphonies* (*) de Beethoven —, « a abattu de sa main puissante le premier arbre d'une forêt avant lui inconnue ». Après Beethoven, c'est avec Berlioz que Liszt revendique encore une parenté artistique : il suffit pour s'en convaincre de lire son chaleureux plaidoyer en faveur de *Harold en Italie* (*). Mais cette dernière parenté est moins intime, moins profonde qu'il n'y paraît à première vue, le poème symphonique de Liszt se rapprochant en définitive bien davantage de la musique pure que ne le font les compositions de Berlioz présentant un caractère analogue. Entre ces deux conceptions extrêmes : la musique pure et la musique descriptive, celle de Liszt peut donc être considérée comme tenant le juste milieu, si l'on en juge par la définition qu'en a donnée le musicien lui-même : « La musique est, parmi tous les arts, celui qui exprime les sentiments sans leur donner une application directe, sans les revêtir de l'allégorie des faits contés par un poème. Elle fait briller et revivre les passions dans leur essence, sans être astreinte à en donner une représentation réelle ou imaginaire. » Les douze *Poèmes symphoniques* proposent différentes solutions au problème fondamental auquel s'attaque le musicien, et qui consiste à réaliser la synthèse de l'élément poétique et de l'élément sonore à travers une forme libérée des impératifs de la symphonie classique — dont Liszt condense les divers mouvements en un seul. Dans *Prométhée* [*Prometheus*], le compositeur a voulu traduire en musique l'idée d'une « désolation triomphante » ; et, dans *Orphée* [*Orpheus*], le symbole de la mission de l'art qui tempère et ennoblit les instincts de l'homme, le caractère « sereinement civilisateur des chants qu'irradie chaque œuvre d'art ». L'argument de *Hungaria* est tiré d'un poème qui, envoyé à Liszt en 1840 par le poète Vörösmarty, évoque les luttes, les souffrances et les gloires de sa patrie ; dans *Hamlet,* le compositeur a tenté de traduire la complexité du héros shakespearien, qu'il oppose à la grâce mélancolique d'Ophélie. *Bruits de fête* [*Festklänge*] évoque, sous une forme libre et enjouée, les scènes que suggère son titre. Dans *Mazeppa* (*), dans *La Bataille des Huns* [*Hunnen Schlacht*] et *Tasso, lamento e trionfo*, Liszt joue avec bonheur du contraste qui oppose l'élément lyrique à l'élément dramatique. Un poème de Schiller a inspiré *Les Idéaux* [*Die Ideale*], dont l'architecture est fidèlement calquée sur celle du texte littéraire, lequel figure d'ailleurs sur la partition. *Les Préludes* (*) et *Ce qu'on entend sur la montagne* (*) sont respectivement inspirés de Lamartine et de Victor Hugo ; *Héroïde funèbre* entend évoquer le destin de l'humanité, la contemplation de la douleur, la suprématie de l'esprit sur la matière. À ces douze *Poèmes symphoniques*, Liszt a, en 1881, ajouté un treizième : *Du berceau à la tombe* [*Von des Wiege bis zum Grabe*], assez proche dans sa forme de la *Faust-Symphonie*. Exécuté en un seul mouvement, il comprend trois parties : *Le Berceau*, d'une sereine douceur ; *La Vie, la lutte*, animé, dramatique ; *La Tombe* enfin, qui reprend, différemment exposés, les thèmes des parties précédentes. Avec les *Poèmes symphoniques*, écrits de 1848 à 1881, Liszt a tenté de transposer, sous une forme neuve, les sentiments, les sensations, les états d'âme les plus variés ; s'ils n'atteignent pas tous à la perfection artistique, ils n'en occupent pas moins dans leur ensemble, avec la *Dante* et la *Faust-Symphonie*, une place de choix parmi les œuvres de musique symphonique du XIXe siècle.

POÈMES SYMPHONIQUES de Saint-Saëns. Quatre compositions pour orchestre du compositeur français Camille Saint-Saëns (1835-1921) : *Le Rouet d'Omphale* (1872), *Phaéton* (1873), *Danse macabre* (1875) et *La Jeunesse d'Hercule* (1877). À propos du *Rouet d'Omphale,* Saint-Saëns signale lui-même au début de sa partition : « Le sujet de ce poème symphonique est la séduction féminine, la lutte triomphante de la faiblesse contre la force. Le rouet n'est qu'un prétexte choisi seulement au point de vue du rythme et de l'allure générale du morceau. Les personnes que la recherche des détails pourrait intéresser y verront tour à tour Hercule gémissant dans des liens qu'il ne peut briser, et Omphale raillant les vains efforts du héros. » Le poème débute par un andantino. Le motif du rouet, exposé par les premiers violons et les flûtes, s'accélère, devient insistant avec son rythme obsédant. Puis intervient le thème d'Omphale ; la mélodie se fait voluptueuse, insinuante, ironique : la reine de Lydie, sûre de son pouvoir sur le héros, joue pour lui de toutes les ressources de sa séduction. Soudain lui fait écho, aux cuivres, la voix d'Hercule : puissante, carrée, la mélodie symbolise la révolte du héros – cependant que le thème du rouet reparaît, dominateur. Dompté par son désir, Hercule cède enfin en grondant : après un lourd silence (8 mesures), suivi d'une phrase moqueuse d'Omphale, le rouet reprend son bourdonnement égal, puis, insensiblement, s'assoupit.

Plus impétueux, *Phaéton* est également emprunté à la fable antique. « Phaéton », dit la note rédigée par le compositeur en tête de sa partition, « a obtenu de conduire dans le ciel le char du Soleil, son père. Mais ses mains inhabiles égarent les coursiers. Le char flamboyant, jeté hors de sa route, s'approche des régions terrestres. Tout l'univers va périr embrasé lorsque Jupiter frappe de sa foudre l'imprudent Phaéton. » Le début du poème, maestoso, évoque, aux trompettes et aux trombones, les cavernes de la nuit ; après l'entrée des cordes, qui symbolise le premier rayonnement de l'aurore, voici le thème de la chevauchée, exposé aux cordes et aux harpes, puis repris par les bois. Le char s'élance, au martèlement régulier des sabots de ses coursiers. Mais bientôt éclate, aux cuivres, un chant de triomphe : Phaéton, ivre de sa puissance, s'égare vers l'infini du ciel. Les cors font entendre une majestueuse et angoissante mélodie ; puis c'est une longue descente chromatique, un dernier sursaut où les chevaux se cabrent ; et, dans le grondement des timbales, des cymbales, de la grosse caisse et du tam-tam, le trop orgueilleux Phaéton succombe, foudroyé. Le tumulte s'apaise ; seule une flûte évoque encore, mélancolique, le thème de Phaéton. – Le troisième en date des *Poèmes symphoniques* est aussi le plus célèbre : *Danse macabre* (*), composée à partir d'une chanson inspirée à Saint-Saëns par un poème de Henri Cazalis ; ce morceau aborde un genre nettement romantique ; c'est, des quatre *Poèmes,* le plus « descriptif ». On revient aux sujets mythologiques avec *La Jeunesse d'Hercule,* qui entend dépeindre la personnalité du héros. L'andante sostenuto du début évoque les rêves, les désirs de l'adolescence ; l'allegro moderato précise, aux cordes, la mâle et sereine vigueur du jeune dieu. En vain, dans l'andantino, les nymphes multiplient leurs appels séducteurs : Hercule va céder à la volupté, lorsque retentissent, crescendo, les accents d'une sauvage bacchanale (allegro). Bandant alors ses forces et sa volonté, Hercule dissipe le tumultueux cortège. Son thème reparaît, s'affirme : des travaux surhumains l'appellent ; maître de soi désormais, l'athlète, accompagné de retentissantes fanfares, s'achemine vers son destin. Le maestoso final évoque la fin d'Hercule sur le bûcher, et sa déification. Remarquables par la perfection de leur forme musicale et par leur orchestration savante, les *Poèmes symphoniques* de Saint-Saëns s'adaptent, avec une souveraine aisance, au symbolisme des sujets traités.

POÈMES TRAGIQUES. C'est le dernier grand recueil du poète français Leconte de Lisle (1818-1894), publié en 1884 ; les *Derniers poèmes* (*) ne virent le jour qu'après sa mort. En 1884, Leconte de Lisle est au sommet de la gloire : chef incontesté de l'école parnassienne, il n'a échoué que devant les portes de l'Académie, où il n'entrera qu'en 1886, succédant à Hugo. Le personnage du poète, son art et sa pensée, qu'avaient mis en lumière les

Poèmes antiques (*) et les *Poèmes barbares* (*), se retrouvent ici dans leur intégrité, bien que l'on ne remarque plus cette vigueur qui caractérisait les précédents recueils. Si les poèmes lyriques, tout de grâce, sont plus fréquents (« Les Roses d'Ispahan »), le regret des jours qui ne reviendront plus (« L'Illusion suprême ») se colore d'un sentiment particulier : le tendre visage de l'amour ne fait pas le ciel moins sombre, moins lugubre le monde, et moins désirable la paix des morts. Le pessimisme foncier de Leconte de Lisle, singulier mélange de paganisme, de bouddhisme et de positivisme, se donne ici libre carrière. Les tableaux historiques, remplis de sang et d'horreur, touchent au monde musulman et turc, au monde des romanceros espagnols, au Moyen Âge latin et allemand. « Le Lévrier de Magnus » reflète une puissance extraordinaire, alors que « La Bête écarlate » s'inspire de l'anticléricalisme le plus avoué. Quant à « La Chasse de l'aigle », on peut la considérer comme l'un des chefs-d'œuvre du poète. Le même volume contient *Les Érinyes*, tragédie représentée à Paris le 6 juin 1873, et pour laquelle Jules Massenet composa une musique de scène. L'*Orestie* (*) d'Eschyle y est, non point traduite, mais refaite, condensée, empreinte d'un pessimisme encore plus absolu, plus fataliste. Oreste n'y est plus acquitté par l'Aréopage, mais livré aux Furies. La fatalité antique se confond ici avec l'atavisme, avec une force obscure et innée dans l'homme.

POEMETTI. Recueil de poésies du poète italien Giovanni Pascoli (1855-1912), publié en deux volumes : *Primi poemetti* (1904) et *Nuovi poemetti* (1909). Dans ces deux livres le poète reprend, en les approfondissant, les thèmes principaux — et aussi la forme — du poème épique en tercets qu'avaient adopté Tennyson et Edgar Poe. Dans un décor de Géorgiques nous sont contées les amourettes de Rigo et de Rosa ; mais ce n'est, pour Pascoli, qu'un prétexte à décrire les différents aspects de la vie champêtre au rythme des saisons, à chanter les arbres, les plantes (« Le Vieux Châtaignier »). Beaucoup plus que la mince idylle, ce qui compte, en effet, c'est le lyrisme, c'est la campagne, c'est cette intimité de l'homme avec la nature et les étoiles qui donne au récit une résonance profondément humaine et religieuse. Dans « La Graine », nous assistons à la première rencontre de Rigo le chasseur et de la petite paysanne Rosa. Bientôt, leur amour va germer comme le bon grain pendant l'hiver, pour éclore au printemps (« La Jonchée ») et s'épanouir, l'été, dans le mariage (« La Moisson »). Et cet amour, rustique et délicat, s'épurera chaque jour davantage au contact de la terre et de ses travaux. Un lyrisme très personnel et parfois une grande générosité sociale animent des poèmes comme « La Haie », « Le Pain des pauvres » — petit chef-d'œuvre descriptif —, « Italy » (sur l'émigration italienne à l'étranger) et « Pietole » (virgilienne exaltation du retour à la terre). Ce lyrisme revêt la forme classique, ou bien il s'agrémente (comme dans les *Nuovi poemetti*) de surcharges dans le goût alexandrin. Dans les autres pièces, d'inspiration variée, le poète expose à vif une inquiétude que la nature ne parvient plus à consoler, et ces chants sont parmi les plus populaires de Pascoli : « L'Aquilon », « L'Air du printemps », « Le Parfum des violettes », où surgit le souvenir d'un petit camarade de collège défunt, évocation pleine de charme, où la mort elle-même semble douce. « Les Deux Enfants » et « Les Deux Orphelins », « Sœur Virginie » et « Digitale pourpre » symbolisent respectivement l'amour sacré et l'amour profane, apaisés tous deux par l'idée du trépas. Dans « Le Chêne tombé », « Le Bourdon » et « Le Gui », Pascoli exprime sa conception de la poésie. « Le Livre » et « L'Aveugle » traduisent les incertitudes de notre destin. Citons encore « Le Naufragé », « Le Vertige », « La Brebis égarée », œuvres dans lesquelles, à la manière de Leopardi, le poète fait participer le monde entier à sa souffrance.

PO&SIE. Depuis juin 1977 et au rythme de quatre livraisons annuelles paraît, dirigée par Michel Deguy, aux éditions Belin, une revue dont le titre même fait énigme. « Au milieu du mot "poésie" un homme se gratte la tête et ronchonne », écrivait Éluard. L'esperluette au centre du mot po&sie, mot devenu ainsi idéogramme mystérieux, fait signe vers la question qu'est aujourd'hui à elle-même la poésie. Revue de poésie, *Po&sie* n'aura de cesse d'interroger « l'inquiétude de la poésie sur son essence, le risque de sa dislocation moderne et l'humour qui anticipe sur une réunion ». Il ne s'agira pas tant de présenter des textes de recherche que de donner à lire le mouvement même de la recherche qu'implique tout poème en quête de son improbable essence. D'où cette profusion des directions, des modes et voies d'accès, cette pluralité des voix (anciennes et modernes, étrangères et autochtones, lyriques ou prosaïques...). À travers la masse de ces écrits se laisse pressentir les contours d'un grand corps dont les limites ne se peuvent fixer, une symphonie qui ne cherche pas à masquer les discordances dont elle est tissée. Ouverte à « l'extrême contemporain », la revue fera néanmoins une grande part aux textes qui, depuis le passé, étaient comme en attente de nouveaux possibles. Plus que d'une simple juxtaposition ou confrontation des époques, censées faussement avoir dit le même, il s'agit de déployer l'espace non unifié d'un champ d'écriture inquiété par ses avancées. De même façon la succession des textes proprement poétiques (« jeunes poètes » publiant là pour la première fois, voix plus familières d'auteurs « confirmés ») et des textes de poétique ou d'esthétique n'a pas pour but d'assurer à nouveau le partage convenu des voies mais, au contraire, celui de travailler sur des limites, de les brouiller. Enfin, il faut signaler le vaste travail de traduction laissant entendre la diversité des langues (souvent figurant en regard de la traduction) dans la langue d'arrivée (pour citer au hasard : Paul Celan, Hölderlin, Rilke, Sophocle, Pindare, H.G. Hamann, E. Pound, A. Zanzotto, Mandelstam, Heidegger, K. Reinhardt, mais aussi Clayton Eshelman, Nathaniel Tarn, John Montague...).

Reprenant le projet qu'avec le poète chilien, Gofredo Iommi, Michel Deguy avait réalisé, de 1964 à 1971, autour des sept numéros de la *Revue de poésie, Po&sie* se livre à la tentation (impossible) de décliner « la poésie tout entière ». F. W.

POÉSIE de Andrić. Le nouvelliste et romancier serbe Ivo Andrić (1892-1975, prix Nobel 1961) a fait, surtout dans la première période de sa création, œuvre de poète. Dans les textes datant d'alors, lyriques, douloureux, passionnés, Andrić se préoccupe de métaphysique et de ses rapports avec l'univers. La seconde période (après 1920) et la publication du *Chemin d'Alija Djerzelez* (*) est consacrée aux dilemmes d'ordre moral. L'écrivain qui tout d'abord ne tenait guère compte des véritables possibilités humaines et du perfectionnement qu'on peut introduire dans le monde, considère ses semblables d'un point de vue moins idéal et s'attache à des êtres réels, qui n'ont plus aucun caractère légendaire et mythique. Il s'intéresse alors aux maux d'ordre social, conséquence des mœurs en usage à un moment donné du déroulement historique. Ses œuvres de jeunesse, *Ex ponto* [*Ex ponto*, 1918] et *Inquiétudes* [*Nemiri*, 1920], sont l'expression du bouleversement intellectuel que le conflit mondial avait provoqué. Elles s'insèrent dans les courants littéraires nés d'un monde qui rompait brutalement et dramatiquement avec le passé. *Ex ponto* et *Inquiétudes* sont deux œuvres lyriques en prose, d'une sensibilité exacerbée, où se reflètent toutes les douleurs du monde, et, en quelque sorte, des méditations sur l'âme, l'espoir, la foi, la condition humaine. Ces esquisses lyriques contiennent déjà le potentiel d'émotion et d'idées d'où jaillira plus tard la prose d'Andrić. En résidence forcée dès le début de la Première Guerre mondiale, par le fait de la police austro-hongroise, Andrić écrit son *Ex ponto* en prison. L'intérêt d'*Ex ponto* ne vient pas tant de sa valeur littéraire que de la grande importance que prend cette œuvre si l'on y voit le point de départ de l'activité littéraire d'Andrić avec ses déterminantes personnelles et historiques, à l'origine des formes peu communes de la prose du poète serbe. Andrić écrit dans *Ex ponto* : « Comme toujours, aux heures les plus dures de l'épreuve, je m'aperçois qu'au plus profond de l'âme, sous la dure croûte, et la lie grisâtre des mots vides et des points de vue déformés qui ont tôt fait de trahir, demeure vivant, sans que nous ayons même conscience, le patrimoine éternel sacré de nos ancêtres qui ont déposé leur corps dans les anciens tombeaux et leurs vertus dans nos âmes. » Partant du ton de la confession qu'il adopte dans ses premières créations lyriques, assailli comme il l'est, dans sa marche vers l'objectivité d'un monde complexe, par l'incertitude et par le sentiment qu'il est incapable de s'orienter à travers le monde des réalités objectives, Andrić se voue à la recherche de ce qui constitue l'essence de l'homme de Bosnie, son pays natal, gardien du patrimoine ancestral et des vertus qui sont le fondement de l'âme yougoslave. Pour lui, le présent était en germe dans la nuit des temps les plus reculés, et c'est dans ces cavernes du passé, dans les ténèbres de l'histoire qu'est enfouie la vraie nature du Bosniaque recréée à travers un monde mythique que suscite la vigueur d'une imagination exceptionnelle. Ainsi est née toute une série de nouvelles qui comptent parmi les meilleures œuvres en prose de la littérature yougoslave. — Trad. Des fragments d'*Ex ponto* in *Anthologie de la poésie yougoslave des XIXe et XXe siècles*, Delagrave, 1935.

POÉSIE de Jouve. L'écrivain français Pierre-Jean Jouve (1887-1976) a publié sous ce titre l'édition définitive de son œuvre poétique en quatre tomes : *Poésie I-IV (1925-1938),* paru en 1964, comprend *Les Noces* (*), *Sueur de sang* (*), *Matière céleste* (*), *Kyrie* (*) ; *Poésie V-VI (1939-1947),* paru en 1965 : *La Vierge de Paris* (*) et *Hymne* (*) ; *Poésie VII-IX (1949-1952),* paru en 1966 : *Diadème* (*), *Ode* (*) et *Langue* (*) ; *Poésie X-XI (1954-1965),* paru en 1967 ; *Lyrique* (*), *Mélodrame* (*), *Inventions* (*), *Moires* (*), *Ténèbres* (*).

POÉSIE de Mai Truc. Œuvre en chinois classique du bonze Viên Chiêu (999-1091), publiée en 1715. Tout en continuant à réfléchir sur les notions d'existence et de non-existence, de vacuité, comme ses prédécesseurs, il inaugure une façon de s'exprimer plus concrète, faisant appel à des images de la réalité environnante pour parler du corps — mystique et charnel —, de l'âme, de la sagesse, de la vérité. — Trad. *Littérature des Ly et des Trân*, 1977 ; *Anthologie du jardin des méditations*, 1990. T.-T. L.

POÉSIE de Gregório de Matos. Deux grands auteurs se partagent le baroque brésilien : le père Antônio Vieira pour la prose et Gregório de Matos (1636-1696) pour la poésie. Manuscrite (il était interdit d'imprimer dans la colonie), recopiée sur des feuilles volantes, l'œuvre de ce poète est tombée dans l'oubli jusqu'à la fin du XIXe siècle. Elle ne nous est donc parvenue que de façon très imparfaite.

L'édition en sept volumes organisée par James Amado, *Chronique de la vie de Bahia au XVIIe siècle* [*Crônica do viver baiano seiscentista*, 1968], fait état de nombreuses variantes, et il est permis de douter de l'authenticité de certains textes. Cependant cette œuvre s'organise autour de trois axes : poésie lyrique, religieuse et satirique. Elle est l'expression du conflit entre la foi et la raison, entre l'esprit et les sens. Le poète prône le culte du corps et du plaisir dans un monde où tout est éphémère ; mais à côté de ce carpe diem subsiste la conscience du péché, et vient le repentir. Ainsi, la poésie amoureuse ou même érotique est-elle un mélange de pétrarquisme et de sensualité ; tous les types féminins défilent : nobles, femmes du peuple, noires et surtout métisses. La poésie religieuse est dominée par deux tendances : la confession du péché et la contrition. Parfois, humanisant le sacré, le poète converse avec Dieu et s'en remet à sa divine bonté, ou alors il insiste sur la solitude, la mort, et montre son désabusement, l'homme n'étant que poussière, tout n'étant qu'illusion. Quant à la satire, elle n'épargne aucun élément de la société ; elle étale les vices, les travers, les coutumes des administrateurs, du clergé, de la bourgeoisie citadine, des planteurs, des pseudo-érudits, des nouveaux riches, des mulâtres qui se veulent aristocrates, des prévaricateurs, des esclaves, des femmes de la rue, etc., souvent dans des scènes picaresques. Elle ne s'inscrit pas dans le cadre d'une revendication nationaliste, contre le colonisateur, mais dans la tradition d'une contestation culturelle : les contradictions du présent n'étant pas acceptables, elle exprime une sorte de regret de l'harmonie du passé où chacun était à sa place. Tous les procédés stylistiques du baroque sont au service de cette poésie. Gregório de Matos cultive la métaphore, l'ironie, le paradoxe, l'antithèse, le jeu de mots, de concepts, d'images, et privilégie les expressions sensorielles. Le mètre choisi est souvent l'heptasyllabe (redondilha maior) de la poésie populaire (romance, etc.) ou le décasyllabe (sonnets, etc.). Par ses sonnets, Gregório de Matos se rapproche des poètes de son temps, il imite Camoens, Góngora, Quevedo, etc. La critique l'a d'ailleurs accusé de plagiat, oubliant que l'imitation des grands maîtres était de règle à l'époque. L'étude de João Carlos Teixeira Gomes, *Gregório de Matos, bouche de braise* [*Gregório de Matos o boca de brasa*, Petrópolis, Vozes, 1985], met un point final à cette polémique. Gregório de Matos incorpore à la poésie proverbes et aphorismes et enrichit le lexique de mots tupis et africains. Ainsi, par la langue, tout comme par les portraits de mulâtresses, filles du pays, brésilianise-t-il le baroque d'importation européenne. J. Pe.

POÉSIE de Mesens (1923-1958). Recueil de l'écrivain belge d'expression française E. L. T. Mesens (1903-1971), publié en 1959 et comprenant l'essentiel de son œuvre poétique : *Défense de pleurer* (1923-25), *À perte de vue* (1924-28), *Femme complète* (1924-39), *Alphabet sourd aveugle* (1930), *La Misère humaine* (1930-39), *Rêves et Proses* (1928-54), *Troisième Front* (1942-43), *Mots rares pour salons louches* (1953-58), *À la gloire d'Erik Satie* (1958). Très jeune, Mesens se consacre à la musique sous l'influence de son ami Satie. En 1927, il abandonne la musique et se tourne vers l'expression poétique et la peinture (collages). En 1924, il devient l'un des principaux organisateurs du surréalisme en Belgique, puis se fixe à Londres où il dirige une importante galerie de tableaux et, avec Roland Penrose, le *London Bulletin* (1938-40) dont les vingt numéros publient des poèmes de Breton, Éluard, etc., et des articles sur les grands peintres surréalistes.

Il semble bien que la poésie de Mesens, laquelle relève de l'écriture automatique, du calembour, des associations d'images et de mots, de l'humour, joue avant tout à ne pas savoir, comme s'ingéniant à distancer le lecteur. Dans *Femme complète*, Mesens cherche à plier l'amour à son vertige ; un amour, toutefois, sans image, mince comme une idée, voulant ainsi illustrer le jeu de la conquête « à renouveler sans cesse » : la conquête de l'écolière et de l'espionne, de Sommella et de « celle qui aime trois fois sans oser le dire à personne ». Mais le poème le plus singulier semble *Alphabet sourd aveugle* qu'éclaire magistralement la préface de Paul Éluard : « Arrêtons-nous avant d'assembler les lettres. Au-delà du possible, oublions la lecture, l'écriture, l'orthogaphe — et même la sensation épellation des bègues. La lettre mange le mot comme une ligne droite infinie le dessin. Pure abstraction en soi, elle n'est vraiment concrète et objective que pour ces idiots de la rue qui en ont la perception brute. C'est en considérant cette cécité psychique que Mesens nomme son alphabet sourd aveugle. Ce degré franchi, sachons-lui gré de nous imposer ces belles initiales qui déterminent encore, après les avoir remplacés, l'emblème, le symbole et l'image, ces belles initiales auxquelles succéderont un jour celles d'un langage commun à toutes les sensations — à tous les hommes. » En confrontant sa vie et son œuvre, il demeure que Mesens s'apparente tragiquement à ces êtres d'exception qui, dépassés par eux-mêmes et leur personnage, ne peuvent donner le meilleur dans l'écriture, mais dans le combat quotidien et l'organisation : pouvoirs de l'initiateur.

POÉSIE de Saint-John Perse. C'est sous ce titre que le poète français Saint-John Perse (pseud. d'Alexis Léger, 1887-1975) a publié en 1961 le texte de l'allocution qu'il prononça, lauréat du prix Nobel, le 10 décembre 1960. « J'ai accepté pour la poésie l'hommage qui lui est ici rendu, et j'ai hâte de le lui restituer », dit le poète au seuil de ce discours qui tend en effet à être essentiellement une « défense et illustration » de la poésie moderne. Saint-John Perse constate tout d'abord que la poésie « n'est pas souvent à l'honneur » dans le monde contemporain. « C'est que la dissociation semble s'accroître entre l'œuvre poétique et l'activité d'une société soumise aux servitudes matérielles. » Et le savant lui-même serait soumis à un semblable dédain sans les applications pratiques de la science. Mais, en tant qu'ils se livrent à des activités intellectuelles désintéressées, le poète et le savant posent la même « interrogation », sur un « même abîme » ; « seuls leurs modes d'investigation diffèrent ». À ce propos le poète se demande si en face des thèses de la pensée scientifique moderne on n'est pas « en droit de tenir l'instrument poétique pour aussi légitime que l'instrument logique ». S'il est vain de se demander lequel de ces deux modes de connaissance, scientifique ou poétique, est le plus susceptible d'atteindre son objet, on peut dire du moins que, « aussi loin que la science recule ses frontières, on entendra courir encore la meute chasseresse du poète. Car si la poésie n'est pas, comme on l'a dit, "le réel absolu", elle en est bien la plus proche convoitise et la plus proche appréhension, à cette limite extrême de complicité où le réel dans le poème semble s'informer lui-même ». Mais le problème de la connaissance est dépassé au sein de la poésie en ce sens qu'elle « est d'abord mode de vie, et de vie intégrale ». Inhérente à l'homme, c'est elle qui a produit les religions et : « Quand les mythologies s'effondrent, c'est dans la poésie que trouve refuge le divin. » L'Histoire pourrait dire aux hommes : « La tragédie n'est pas dans la métamorphose elle-même. Le vrai drame du siècle est dans l'écart qu'on laisse croître entre l'homme temporel et l'homme intemporel. L'homme éclairé sur un versant va-t-il s'obscurcir sur l'autre ? » Aussi le rôle du poète est-il d'être la « mauvaise conscience de son temps ». Par la rigueur avec laquelle y sont définis les rapports de l'homme et de la poésie, ce texte, écrit dans une langue qui allie magnifiquement la noblesse du ton à une superbe concision, constitue sans nul doute un document de premier plan pour la compréhension des démarches de la poésie moderne.

POÉSIE de Tan Dà. Œuvre du poète vietnamien (1888-1939), parue en plusieurs recueils associant prose et vers : *Mélanges de Tan Dà* [*Tan Dà Tung van*], édité en 1922, *Le Jeu continue* [*Còn choi*, 1922-24]. Ses poèmes sont également souvent publiés dans plusieurs revues et anthologies. Simples poèmes ou chants poétiques [ca trù], ses vers parlent de l'amour, du moi avec des accents délicats et discrets, son spleen traduit sa solitude devant le temps indifférent, le froid cruel. La nature complice ne suffit pas à lui faire oublier sa dérive, et celle de toute une époque. Pourtant le célèbre poème « Serment devant monts et eaux » [Thê non nuoc], inséré dans le récit du même titre, est un serment d'amour éternel, défiant tout obstacle, un appel magistral et épique à la confiance. Rattaché à l'ancienne école par sa poétique et ses références (style, enseignement confucianiste, bouddhiste et taoïste, atmosphère entre songe et réalité, facture rappelant les lavis de montagnes brumeuses et nuages changeants), il est cependant un romantique par l'épanchement de ses sentiments et par les traits acérés, persifleurs, de ses vers. T.-T. L.

POÉSIE de Thiry (*1924-1957*). Recueil de l'écrivain belge d'expression française Marcel Thiry (1897-1977), publié en 1957 et reprenant : *Toi qui pâlis au nom de Vancouver* (1924), *Plongeantes proues* (1925), *L'Enfant prodigue* (1927), *Statue de la fatigue* (1934), *Proses en vers* (1934), *Commémoration d'Apollinaire* (1935), *Marchands* (1936), *La Mer de la tranquillité* (1938), *Âges* (1950), *Trois longs regrets du lis des champs* (1955), *Usine à penser des choses tristes* (1957), *Au courtier Mordore* (1957), *Not marching now* (1957). Homme de la guerre, du commerce et des voyages, dans un décor qui va du front russe à la Bourse des bois, de l'île Vancouver aux platanes du Midi, des forêts abattues aux spéculations diamantaires, Marcel Thiry est le grand rassembleur de spectacles, d'événements, d'horizons qui incarnent la forme rêvée. En effet, engagé volontaire à dix-sept ans, il fit partie du corps belge d'autos blindées qui, détaché auprès de l'armée russe, combattit en Galicie jusqu'à la révolution et regagna le front de Flandre après un interminable voyage par le transsibérien, puis à travers le Pacifique, les États-Unis et l'Atlantique. Mais, plus que la guerre, cette odyssée à travers des pays inconnus et la découverte de cieux exotiques emplirent d'émois inoubliables le jeune homme de vingt ans. Des années durant, son âme émerveillée conservera le nostalgique souvenir de cette vie d'aventures et de visions fiévreuses, souvent érotiques, que le poète exhalera dans ses premiers recueils. Il faut dire ici les influences de Valéry, Apollinaire, Verlaine, Larbaud, dans cette œuvre ; mais, dès *Toi qui pâlis,* Marcel Thiry a sa personnalité, son rythme, son aristocratie de l'image et de la pensée. « Ton visage de paradis, géographie », voilà bien qui définit les trois recueils (*Toi qui pâlis, Plongeantes proues, L'Enfant prodigue*), sorte de triptyque où souvenirs, regrets, évasions, exotisme s'appellent et se répondent. Marcel Thiry décide de quitter Bruxelles et le barreau. Il retourne vers ses forêts ardennaises. Il vend, achète, court les routes, les banques, jongle avec les chiffres et les tonnages, écrit *Statue de la fatigue,* recueil sombre chantant l'espoir de la spéculation, le mensonge des bilans, l'illusion primitive de l'argent, le faux bonheur de la semaine anglaise. Les rythmes répètent la fièvre des déceptions, de la souffrance, du remords, en images très développées. Lentement, le vocabulaire de la finance entre dans les poèmes. C'est alors que le poète annexe le peuple, amateur de cinéma, au thème d'Orphée. L'homme en casquette s'engouffre dans les salles obscures pour y retrouver ses Eurydice, les « stars ». Comme Larbaud, le poète glisse en songe de la vie à la mort, agi par la loi invisible du rythme. Tout le combat que Thiry mène contre la vie tient dans un seul mot : bonheur. Bonheur situé dans le cadre quotidien du bureau d'export-import, d'où, quand même, on s'échappe. Et d'abord par le songe. Il faut souligner le passage du langage quotidien à la subtilité de la langue poétique. Le mélange du banal et du rare est l'une des grandes ressources du poète. Avec *La Mer de la tranquillité,* la forme de Thiry varie jusqu'à paraître protéenne. Il use de toutes les ressources, semble-t-il, de tous les emprunts, de toutes les adresses qu'ont rassemblés la culture, l'expérience et l'ingéniosité.

Âges se divise en chapitres : « Prose de la nuit du onze mai » (1940), « Prose dans Paris sombré » (1941), « Astrale automobile » (1939), « Inermis » (1940-44), « Château de fleurs » (1918-44), « Jeune fille de la paix » (1945-49), « L'Âge aster » (1948-1949). Le recueil prouve dans ce qu'il a de plus incantatoire que la poésie porte « tout le poids de l'éternelle attente des hommes » à la croisée du rêve et de la réalité qui recueille peut-être l'« héritage de la religion ». Le poète recourt alors au « maître-mot », en créant des couples d'images, âge-aster, instant-acier, oiseau-roch. Mais, si l'on devait présenter Thiry par une seule œuvre, peut-être faudrait-il choisir « L'Anabase platane », admirable poème ouvrant les *Trois longs regrets du lis des champs* que ferment « Prose des forêts mortes » et « Air du wagon postal ». Après avoir chanté la vitesse qui n'a pu rajeunir l'homme, le poète cesse de croire que la fatalité du développement mécanique est une providence. Dans ces trois poèmes qui sont la synthèse d'une vie, l'auteur, attentif à son destin, entend se lever « un ancien vent biblique ». Les bras figés des bûcherons du Nord n'abattent plus les « sapins lucratifs ». Ainsi, les platanes d'une autre anabase apportent-ils l'évangile de la lenteur de vivre. Marcel Thiry, dont l'œuvre évoque quelque édifice d'une asymétrie inoubliable, n'a jamais cessé de reconstruire sa mythologie tout en la réconciliant avec les thèmes éternels.

POÉSIE 1900-1910 [*Stichotvorenija 1900-1910*]. Recueil de poèmes du poète et critique russe Maximilien Alexandrovitch Volochine (1878-1932), publié à Moscou en 1910. C'est un choix assez sévère dans sa première décennie d'activité poétique. Il sera suivi de quelques autres livres : *Anno Mundi Ardentis* (1915-16), et le cycle *Poèmes sur la terreur* [*Stikhi o terroré*] contenu dans l'œuvre en prose *Les Démons sourds-muets* [*Demony gloukhonemye,* 1919]. Un poète et critique extrêmement perceptif avait déjà défini Volochine en 1909 comme « notre jeune esthète enthousiaste ». Les critiques qui ont suivi ont plutôt mis l'accent sur le caractère pictural de sa poésie, qui fait penser aux peintres et poètes impressionnistes. Derrière cette attitude transparaît une personnalité très sensible, surtout face à la nature, en particulier dans le cycle des sonnets qu'il dédie à l'hiver en Crimée, riches en motifs décoratifs mais animés d'une sympathie chaleureuse qui ne peut venir que d'une nostalgie personnelle. Un sentiment analogue anime les poèmes que Volochine consacre au destin historique de la Russie après la Révolution, riches eux aussi de motifs nostalgiques, mais cette fois dans un sens idéologique, comme l'indique le titre de l'un d'entre eux : « La Sainte Russie ». Dans ces poèmes, Volochine cherche à interpréter la Révolution comme une tentative de la Russie de se libérer du joug étranger (ce qui est étonnant, chez un poète dont la culture est surtout occidentale) après les souffrances de la guerre qu'il condamne dans de nombreux poèmes. Puis, en proie à une véritable vision mystique, il se lance aussi dans des considérations contre la guerre civile, estimant que ses propres illusions sur le sens de la Révolution sont désormais caduques face à la réalité. Dans l'impossibilité de se concilier cette dernière, il se tait définitivement comme poète après 1925.

POÉSIE COMPLÈTE (1905-1959). Recueil de l'écrivain belge d'expression française Franz Hellens (pseud. de Frédéric van Ermenghem, 1881-1972), publié en 1959. Le recueil comprend les plaquettes suivantes : *Vers anciens* (1905-16), *Variations sur des thèmes anciens* (1916-18), *Poèmes pour l'eau sombre* (1918), *La Femme au prisme* (1920), *Amis carrés, étroits* (1921), *Éclairages* (1925), *Liturgies* (1949), *Miroirs conjugués* (1950), *Requiem* (1951), *Testament* (1951), *Una* (1952), *L'Œil détaché* (1954), *Vers inédits* (1947-59). La poésie de Franz Hellens ressemble aux visions du rêve qu'il faut saisir dans l'éclair du réveil, sous peine de les voir s'évanouir, et il la conçoit lui-même comme devant s'élever de l'intérieur, non des mots et le moins possible de l'image. Hellens confie d'ailleurs dans ses *Documents secrets* : « Je me décidai à écrire chaque jour ce que j'appelai ma "quotidienne". Dix à vingt lignes, ou moins, sur un sujet quelconque, paysage, figure, pensée abstraite, etc. Il s'agissait de définir l'objet avec des mots, de la façon la plus courte, la plus directe, la plus efficace et en même temps la plus poétique. » Après avoir façonné le rythme de sa voix dans ses premiers poèmes, Hellens commence à être entièrement lui-même dans *Notes prises d'une lucarne,* où la vie semble s'arrêter à la lisière du regard et des choses pour se figer soudainement dans la lenteur du rêve. Il entre alors dans une grande période de fécondité poétique. Entre 1918 et 1926, se succèdent *Poèmes pour l'eau sombre, Éclairages* et surtout *La Femme au prisme* où, en treize poèmes, le poète, à la fois attentif et ébloui, transpose magistralement sa rencontre avec la cantatrice russe Anna Marcowna dans un univers fait de rêve, de lenteur et de cristal. Dans *Miroirs conjugués, Testament, Una,* le poète reconnaît enfin la mort qu'il a transfigurée depuis qu'il a consenti à son propre regard. Si la poésie d'Hellens atteint rarement la perfection des *Réalités fantastiques* (*) ou de *Mélusine* (*), elle est néanmoins le témoin essentiel de son aventure intérieure, dont elle indique chaque jalon.

POÉSIE CRITIQUE. C'est sous ce titre générique que l'écrivain français Jean Cocteau (1889-1963) a publié en 1959 et 1960 un recueil en deux volumes de textes critiques qui fait en quelque sorte pendant au volume *Poésies 1916-1955.* Il s'agit moins de morceaux choisis que d'une introduction à l'œuvre multiple de Jean Cocteau et où l'on trouve l'essentiel de son « credo ». Critiques et autocritiques, analyses, portraits, autoportraits dessinent en filigrane la courbe vivante de son évolution. En 1926, déjà, *Le Rappel à l'ordre* avait procédé à un regroupement identique. Y figuraient des textes que l'on retrouve dans le recueil de 1959 : *Le Secret professionnel* (1922), un art poétique, éloge de la simplicité auquel s'adjoignent des réflexions sur la poésie et le théâtre écrites au côté de Radiguet ; *D'un ordre considéré comme une anarchie* (1923), texte d'une allocution prononcée au Collège de France où Cocteau faisait l'éloge de ses maîtres : Satie, Picasso et Radiguet toujours. *Picasso* (1923), essai sur le peintre qui faisait suite à l'*Ode à Picasso* (1919), tentative pour traduire l'univers du peintre en une autre langue, celle du poète lui-même. À côté de ces textes, d'autres figuraient dans le recueil de 1926 que Cocteau n'a pas jugé bon de reprendre en 1959 : *Le Coq et l'Arlequin,* véritable manifeste publié en 1918 à l'occasion du ballet « Parade » — v. *Théâtre de poche* (*) ; *Carte blanche,* série d'articles parus en 1919 dans le journal *Paris-Midi ;* et aussi *Visites à Maurice Barrès,* récit-charge des rencontres du poète et de l'écrivain au cours de la guerre 1914-18. Dans le premier volume de *Poésie critique,* Jean Cocteau reprend également l'*Essai de critique indirecte,* publié en 1932. La première partie, *Le Mystère laïc,* avait fait l'objet d'une publication isolée en 1928 ; le titre même marque combien Cocteau est alors éloigné des théories parareligieuses de l'art ; il s'agit d'abord d'une méditation sur l'œuvre de Chirico, dont cinq lithographies ornaient l'édition originale, mais en réalité, c'est avant tout un art poétique, celui que suivra le poète jusqu'au bout de sa carrière. Il se résume en ceci : « La poésie, c'est l'exactitude. » Il n'en reste pas moins que la compréhension de l'univers de Chirico n'a jamais été dépassée depuis cet essai. « Des beaux-arts considérés comme un assassinat », qui complète le volume, est une œuvre que, pas plus que la précédente, on ne saurait résumer, et qui continue au fond cet art poétique élaboré dans *Le Mystère laïc.* Dans sa préface, Bernard Grasset dit accueillir par « un acte de foi » une œuvre « qui le déroute ». Et encore : « De la disposition de son âme, Cocteau a fait une esthétique. » L'attitude de l'auteur dans ces deux essais consiste à parler de lui et de son esthétique en ayant l'air de parler d'autre chose, et de faire de la critique en feignant de ne s'intéresser qu'à lui-même. À côté de ces textes célèbres, revus et augmentés de notes, on trouve dans le recueil de 1959 des pages jusqu'ici éparses, moins connues ou inédites : un article daté de 1954 sur Guillaume Apollinaire ; l'avant-propos pour l'édition de 1952 des *Lettres imaginaires* de Max Jacob ; des notes sur Proust extraites d'*Opium* (*) ; la célèbre préface au scandaleux *J'adore* de Jean Desbordes (1928) ; « En toute hâte » (1933), article sur Raymond Roussel. Puis c'est *Le Mythe du Greco* (1943), étude critique sur les rapports de l'homme et de l'œuvre. Jean Cocteau parle de « la pourriture divine » des couleurs du Greco. Tout le texte est composé autour du « Martyre de saint Maurice » que possède José-Maria Sert, c'est-à-dire autour d'un tableau qu'il connaît, qu'il fréquente. Preuve que parlant du Greco, c'est aussi de lui-même et de ses réactions. À l'essai fait suite un sonnet de Góngora traduit par le poète qu'il reprendra plus tard dans *Clair-Obscur* (*). Nous retrouvons également le *Gide vivant* publié en 1952, où Cocteau s'oppose à l'auteur des *Nourritures terrestres* (*). « Sans doute le vrai drame de Gide est de n'être pas poète. Il voulait être l'architecte et le visiteur de son labyrinthe. Il aimait y entraîner les jeunes et s'y perdre avec eux, mais il n'en quittait jamais le fil. » Gide, dans son œuvre, ne livre jamais que la surface de sa conscience déchirée alors que Cocteau, poète, plonge en lui-même. Enfin, c'est le *Jean Marais* publié en 1951, ouvrage qui s'achève sur une série de notules extrêmement précises sur l'acteur dans les différentes pièces et films de Cocteau. Le premier volume de *Poésie critique* s'achève sur un beau portrait de Jean-Jacques Rousseau, publié en 1939 dans un ouvrage collectif.

« Si l'on découvre un jour ma grande spécialité, celle où j'étais seul au monde et incomparable, ce sera le déniaisement des genres. » Rien n'illustre mieux cette vérité de l'auteur du *Testament d'Orphée* (*) que les « monologues » qui forment le second volume de *Poésie critique.* Monologues, car ces Lettres, ces Discours échappent aux lois du genre, aux conventions, pour retrouver leur sens naturel, celui du théâtre, lorsqu'il s'agit d'exposer au public les éléments nécessaires à l'intelligence de la pièce. Au texte liminaire, « Démarche du poète », dans lequel Cocteau définit son art poétique une fois de plus, font suite la *Lettre à Jacques Maritain* (*) (augmentée d'une note) et la *Lettre aux Américains.* Cette dernière fut publiée en 1949 : dans l'avion qui le ramenait d'Amérique où il a passé vingt jours, Jean Cocteau écrit, en style direct, une sorte de bilan de ses réflexions sur l'Amérique ; il confronte l'état d'esprit du Nouveau et de l'Ancien Monde ; quelques pages sur la notion de « décadence » sont les plus pertinentes de cette lettre. À ces deux lettres viennent s'ajouter les *Discours de réception à l'Académie royale de Belgique* et *à l'Académie française* (1955). Le premier constitue un émouvant hommage à la mémoire de Colette, à laquelle Cocteau succédait à Bruxelles. Quant au second, l'auteur a lui-même précisé son intention : « passer des marchandises interdites fut l'objet de mon discours » ; c'est ainsi qu'à deux reprises il cite Jean Genet. Puis c'est le *Discours d'Oxford* prononcé en 1956 alors que le poète vient d'être promu au grade de docteur ès lettres « honoris causa » ; neuf pages de cette œuvre constituent un chef-d'œuvre de biographie résumée : Jean Cocteau et Radiguet, Stravinski, Picasso, Satie, Proust, Gide, le surréalisme et Apollinaire ; enfin le poète s'élève contre la hâte et l'inattention de notre époque, saluant en Oxford une cité où l'on sait encore être attentif. Enfin, les deux derniers discours, inédits l'un et l'autre, furent tous deux prononcés à Bruxelles en 1958. Ce sont le *Discours sur la poésie,* où Cocteau reprend quelques-unes des idées du *Gide vivant* et enfin *Les Armes secrètes de la France.* Une voix humaine, tel est le sentiment que l'on retire de ces confidences publiques où se conjuguent, secret donné à qui veut, la lucidité, le rire, la tendresse et la rigueur.

POÉSIE DE RAHEL (La) [*chirat Rahel*]. Recueil posthume des poèmes de la poétesse israélienne de langue hébraïque Rahel (1890-1931), publié en 1935. Ce volume réunit les quelque cent quarante-quatre poésies de la poétesse parues dans les recueils *Regain* [*safiah*, 1927], *De loin* [*minegued,* 1930] et *Nébo* (1932). Les thèmes qui y sont développés suivent étroitement les étapes de la vie de Rahel, « De moi seulement je savais parler », écrit-elle dans un poème de son dernier recueil. Son œuvre célèbre l'expérience nationale vécue par les pionniers de la deuxième « alyah » retournant à la terre ancestrale. L'expression de ses sentiments patriotiques s'accompagne d'un hymne au travail de la terre qui permet à l'individu juif de se réaliser et de retrouver ses racines. Citons pour exemple le poème « À ma terre ». De nombreuses poésies chantent son amour de la nature et son attachement à certains lieux. Ainsi elle consacre plusieurs poèmes au lac de Tibériade, symbole des jours heureux passés à Deganyah, dont les célèbres « Et peut-être » et « Kinéret ». Néanmoins, son œuvre poétique, loin de se limiter à l'expression de son patriotisme, reflète son destin d'individu face à l'amour, aux désillusions qu'il peut entraîner, à la solitude, à la maladie et à la mort ; le regret de ne pas être mère apparaît dans « Stérile ». La langue de ces poèmes est simple, proche de la langue parlée, émaillée d'allusions à *La Bible* (*). La poétesse s'attache à la valeur symbolique de quelques termes pour l'appliquer à sa propre expérience. Dans le poème « Regain » qui a donné son nom au recueil, elle compare sa propre production poétique au regain des champs décrit dans *La Bible* ; en même temps, il semble qu'elle évoque par cette même image l'événement du retour à la terre d'Israël. Elle se réfère à certains personnages bibliques, dont celui de Rachel auquel elle s'identifie fréquemment dans un désir de retour aux sources. La grande musicalité de ses poèmes, les effets de rythme leur confèrent une harmonie exceptionnelle. Beaucoup d'entre eux ont été mis en musique et jouissent d'une grande popularité en Israël bien qu'ils aient été peu appréciés des critiques littéraires. L. L.

POÉSIE DES KURUCZ [*Kuruc költészet*]. Ensemble de poèmes (anonymes pour la plupart), dus à des soldats, prisonniers ou émigrants hongrois, qui prirent part aux différentes guerres d'indépendance, en particulier celles d'Emeric Thököly et de François II Rákóczi (XVIIe et XVIIIe siècle). Le mot « Kurucz » désignait les paysans qui, au cours de la croisade du XVIIe siècle, s'étaient révoltés contre leurs oppresseurs et avaient adopté la croix [crux] pour emblème ; on a voulu cependant en voir l'origine dans le mot « Kurudsi », terme par lequel les Turcs désignaient les réfugiés, les émigrants et les nomades. La richesse de cette poésie est due surtout à une totale liberté dans le choix des thèmes et à un recours constant à l'improvisation. Les éléments pittoresques apportés par les « labanc » (les partisans de Vienne), qui effectuaient des incursions en terre hongroise, renouvelèrent le contenu réaliste et satirique de ces chants. D'autre part, les chants narratifs sont de loin supérieurs aux anciens chants historiques dont ils relèvent pourtant directement. Qu'il s'agisse de lyrisme ou d'épopée, d'élégies, de marches ou de chansons à boire, de complaintes douloureuses ou de poésies comiques, ces chants révèlent une étonnante variété et la richesse d'expression de l'âme populaire au cours de ces années funestes. Parmi les ballades, une des plus célèbres, « Isaac Kerekes », retrace la lutte d'un paysan qui défend héroïquement ses parents, sa fiancée et sa terre, contre une bande d'assassins ; parmi les élégies, genre qui prédomine, rappelons le « Chant de Rákóczi » et « Après la rosée d'automne » ; parmi les chansons satiriques et bachiques, « Csinom Jankó », etc. Les poèmes les mieux venus sont ceux qui s'inspirent de la figure de Rákóczi, que l'imagination populaire entoura d'un halo de légende et qui fut véritablement, dans la victoire comme dans l'exil, le symbole de tout un peuple. Du point de vue rythmique, les chants des « Kurucz », dont l'accompagnement musical nous est en partie parvenu, marquent également un progrès sur la poésie antérieure, ce qui contribua encore à accroître leur popularité. Bien que la critique des textes ait sérieusement mis en doute l'authenticité des plus beaux de ces chants, cette floraison de poésie populaire demeure, en elle-même, incomparable. Vers la fin du XIXe siècle, le poète et homme d'État hongrois Kálmán Thaly (1839-1909) rassembla la majeure partie des poésies des Kurucz, en ajoutant quelques-unes de sa composition.

POÉSIE DES MAÎTRES CHANTEURS [*Meistergesang*]. Genre littéraire qui fleurit en Allemagne du XIVe au XVIIe siècle et qui est indissolublement lié au nom du poète populaire Hans Sachs (1494-1576), qui l'éleva à la dignité de poésie. À l'époque du crépuscule de la chevalerie, quand la poésie s'écarta des élégances convenues de la vie de Cour et de l'amour courtois pour trouver asile auprès de la bourgeoisie des villes, parmi les artisans des diverses professions, le *Meistergesang* fut, sous de nouvelles apparences, l'héritier du *Minnesang* (*). Déjà au XIIIe siècle, le poète bourgeois, le plus souvent errant, qui s'était formé au chant « par des études spéciales », était appelé « maître » [Meister], par opposition à celui qui était un simple « laïc » sans aucune école. Dès le début du XVIe, des « écoles » particulières firent leur apparition : « confréries de chanteurs » auprès des paroisses, chargées d'embellir, par l'art de la poésie et du chant, les cérémonies sacrées de l'Église. Leurs compositions étaient naturellement religieuses ; l'art d'enseigner consistait essentiellement dans un ensemble de formes particulières auxquelles était attribuée une valeur de beauté. À l'origine, on n'admettait en effet pas d'autres formes de strophes et de mélodies [Tone] que celles qu'avaient déjà consacrées les compositions des grands poètes du *Minnesang*, et pour cela on s'appuyait sur la légende qui voulait que « douze maîtres anciens » aient à eux seuls inventé ces formes et ces mélodies, et fondé la première école au temps d'Othon Ier ; il s'agit avec cette légende bien plus d'une justification symbolique que d'une réalité, ainsi qu'en témoigne le rapport détaillé [*Gründlicher Bericht des Deutschen Meistergesang*, 1571] de Puschmann, dans lequel sont cités, à côté de leurs noms souvent défigurés, Klingsor, Marner et Frauenlob, Walther et Wolfram, etc.

En dehors des « tone » des douze maîtres, il n'y avait pas de salut ; celui qui ne s'y tenait pas était condamné par les « enregistreurs d'erreurs » [Merker] qui étaient assis en face de lui — tout au plus cachés derrière un rideau — tandis que tout autour s'assemblaient les autres auditeurs. Chaque chant [Bar] était constitué par une série de strophes [Gesätze] — généralement trois ou un multiple de trois — dont chacune était composée, comme dans le *Minnesang*, d'une introduction [Aufgesang] — en deux ou trois « Stellen » de même ton — et d'une « coda » [Abgerang] en ton différent selon le choix du chanteur. Le vers, pour correspondre aux modes du chant inspirés du chant grégorien, devait être rythmé en ïambes, et ne pas contenir plus de douze ou treize syllabes. Aussi longtemps que le contenu des compositions demeura exclusivement religieux, les « épreuves et concours de chant » se déroulèrent dans l'église même ; parmi les « Merker », se trouvait le plus souvent un ecclésiastique chargé de contrôler le chant au point de vue de l'orthodoxie des paroles. Puis s'ajouta à cet officiel « Chant d'école » [Schulsingen] ce que l'on appela « Chant de banquet » [Zechsingen] qui se chantait à l'hôtellerie, sur des thèmes profanes, et qui prit un caractère de plus en plus libre, souvent et même volontiers grassement populaire.

La première école semble être née sur les bords du Rhin, au début du XIVe siècle, à Mayence — où Frauenlob (Henrich von Meissen, mort en 1318) fut en compétition avec son rival Barthel Regenbogen ; puis les écoles se répandirent plus ou moins rapidement dans toute la zone rhénane ; à Francfort, à Worms, à Strasbourg, et en même temps aussi en Bavière et en Souabe ; à Nuremberg, à Ulm ; au XVe, du Tyrol à la Silésie, de Fribourg à la Haute Autriche, ce fut toute une compétition de chanteurs ; dans certaines municipalités, on allait jusqu'à céder pour les assemblées poétiques les plus solennelles la salle du Conseil. Seule l'Allemagne du Nord demeura complètement étrangère à ce mouvement. L'on comprend aisément que cette diffusion croissante ait amené avec elle le développement d'une technique de plus en plus compliquée, permettant aux chanteurs de rivaliser d'habileté. Des règles naquirent donc, de plus en plus minutieuses et précises (rimes admises ou prohibées, hiatus, contractions, cadences du vers, rimes intérieures, nombre des syllabes, distribution des accents, manière de chanter, etc.). L'agencement de la forme devint si complexe que, pour plus de commodité et pour une meilleure exécution, il fut consigné par écrit sur une tablette [Tabulatur] que le « Merker » tenait devant lui lorsqu'il suivait le chant. Selon le talent étaient conférés, par la « Zunft » des chanteurs, les grades successifs depuis celui de « ami de l'école » [Schulfreund] jusqu'à celui de « chanteur » [Singer] et enfin celui de « poète » [Dichter].

Mais pour que la poésie — fût-elle de qualité modeste — puisse pénétrer dans le *Meistergesang*, il était nécessaire que tout ce formalisme disparût. Ce fut l'œuvre de Hans Folz (mort en 1515), un barbier et vétérinaire de Worms qui, venu tenter fortune à Nuremberg comme « Chirurgus » et comme « Meistersinger », réussit à démolir toutes ces barrières et prescriptions traditionnelles, demandant au contraire que tout poète fût obligé de créer un nouveau ton et que, dans ce cas seulement, il pût porter le titre de « Meister ». Il ouvrit ainsi la voie à la libre expression du sentiment personnel. Se servant de la réforme de Hans Folz, Hans Sachs put porter ce genre poétique, qui auparavant n'était qu'un passe-temps pour quelques associés, à son plus vif éclat. Il écrivit quatre mille deux cent soixante-quinze « meisterlieder », réalisant deux innovations : au point de vue technique, il divisa les séries de strophes en triades (par ex. un « lied » de quinze strophes en cinq parties de trois strophes chacune), donnant à chaque partie un ton différent, ou bien alternant des tons égaux ; et au point de vue du contenu, il traita non seulement les habituels sujets traditionnels, mais exprima encore et surtout des sentiments personnels, faisant du « Meistergesang » une libre composition. Sous ce dernier aspect, ses « lieder » les plus originaux sont les « Buhlieder » (chants d'amour), qui par leur sincérité et leur vérité s'affranchirent de toute contrainte scolaire. Les « lieder » profanes traitent de sujets historiques (comme Guillaume Tell, Charlemagne, la guerre turque, Luther, Mélanchton) ou bien des contes et légendes, ou encore des préceptes de poésie et des innombrables motifs de nouvelles populaires, de maximes morales, d'exemples, de types comiques et originaux, de personnifications de valeurs morales, etc.

Les deux thèmes fondamentaux de Hans Sachs dans le « Meistergesang » sont le peuple et la morale. Hans Sachs est le premier « Meistersinger » qui ait pris le soin de faire éditer ses lieder ; avant lui, les compositions poétiques des maîtres chanteurs étaient faites sur des feuilles volantes qui se perdaient ou demeuraient la propriété de l'école.

POÉSIE ET CRITIQUE [*Selected Writing : Poetry and Criticism*]. Recueil d'essais critiques publié en 1963 par l'écrivain anglais sir Herbert Read (1893-1968), accompagné d'extraits de son œuvre poétique. Ces poèmes ne témoignent pas d'une inspiration lyrique soutenue. Ils s'apparentent souvent, par les procédés employés, aux produits de l'imagisme et des recherches du néo-classicisme suscité par T. S. Eliot. Dans ses essais critiques, l'auteur s'efforce de valider le romantisme littéraire en s'aidant des trouvailles et des techniques de la psychanalyse pour améliorer la compréhension de l'imagination créatrice de Shelley par exemple. Nous retrouvons là les préoccupations déjà exprimées par Herbert Read dans sa *Défense de Shelley* [*In Defence of Shelley,* 1936] ou ses études sur *Byron* (1951). *Wordsworth* (1949) ou *Coleridge comme critique* [*Coleridge as a Critic,* 1949]. Un essai magnifique est consacré à l'analyse des limitations de la prose de Swift : il explique son économie par le manque d'éloquence spirituelle dû au naturel méfiant et au ressentiment de l'auteur. « Le Surréalisme et le principe poétique » publié pour la première fois en 1936, est une défense du romantisme dans le style de *Raison et Romantisme* [*Reason and Romanticism,* 1926], soutenant que le classicisme, partisan de l'ordre, s'est toujours confondu avec l'oppression et que son contraire est l'expression de la liberté. Pour établir « le statut empirique de l'œuvre d'art », l'auteur revient à sa théorie favorite selon laquelle l'image eidétique préexistant à l'œuvre dans l'esprit de son créateur est un critère plus valable que l'empirisme scientifique. Dans « La Nature de l'art abstrait » (la peinture abstraite étant devenue à ses yeux une autre forme d'académisme) l'auteur réaffirme son désir d'humaniser notre culture et notre économie en mettant à la disposition du peuple les ressources de la technologie. Il s'inquiète de l'étatisme et de la bureaucratisation croissante. Sa solution : un retour à l'art, celui de l'artisan d'abord, qui ne se soucie ni d'abstractions ni d'efficacité purement fonctionnelle. L'auteur prône une « civilisation double dans laquelle l'expérience artistique est parallèle à la compétence technique », fondée sur « la connaissance sensuelle de la réalité », et non seulement sur le rationalisme ou l'empirisme. Critique d'art, auteur d'une vingtaine de traités d'esthétique dont les plus connus sont *La Signification de l'art* [*The Meaning of Art,* 1931] et *L'Art de la sculpture* [*The Art of Sculpture,* 1956], sir Herbert Read s'est toujours efforcé de dépasser les limites d'une « spécialité » pour méditer sur les rapports de l'art et du monde dans *L'Art et l'Industrie* [*Art and Industry,* 1934], ou *L'Art et la Société* [*Art and Society,* 1937]. Avec sa *Philosophie de l'art moderne* [*The Philosophy of Modern Art,* 1952], les essais qu'il a choisi d'inclure dans son dernier recueil représentent la formulation la plus nette de sa pensée. — Trad. *La Philosophie de l'art moderne,* Messinger, 1988.

POÉSIE ET PROFONDEUR. Essai du critique français Jean-Pierre Richard (né en 1922), publié en 1955. Poursuivant l'entreprise entamée l'année précédente par *Littérature et Sensation* (*), ces quatre études s'attachent à explorer, dans les œuvres de Nerval, Baudelaire, Verlaine et Rimbaud, une commune relation au concept de « profondeur ». Non qu'il s'agisse pour l'auteur d'adopter sur chacune un point de vue arbitraire : la profondeur, comme il s'en explique dans la préface, constitue un moment privilégié de l'expérience du monde, d'autrui, de la conscience et du langage, que vécurent tragiquement les quatre œuvres envisagées.

C'est à travers le déploiement d'une « géographie magique » que Nerval rencontre à la fois l'obstacle, l'« abîme » de la profondeur, et ses fructueuses résurgences dans le langage poétique. Baudelaire est sans doute, lui, le poète le plus radical de ce « gouffre » qui l'attire et le hante à la fois, et auquel Rimbaud semblera vouloir opposer le démenti de l'envol, du renouvellement et du « devenir ». Verlaine, enfin, chez qui la sensation se dépossède de toute origine, expérimente la profondeur d'un vide, d'une impersonnalité, d'un « néant positif qu'il nomme fadeur ».

À ces quatre tragédies de la profondeur, un seul remède possible : l'effort du langage pour traverser l'épaisseur, non tant afin de s'en délivrer que pour la concilier au contraire, retrouver en elle un accord avec la pure surface, et rétablir dans les mots cette « eurythmie », cette « paix ondulatoire » où se résolvent les dissonances de l'être et de sa destinée. Effort qui conduit Baudelaire à une « plénitude du langage » sans doute inégalée, comme le montre la remarquable analyse des fonctions du verbe, de l'adjectif et du substantif dans son écriture.

En cette expérience, Jean-Pierre Richard, annonçant par là sans doute une de ses œuvres futures, reconnaît le signe de modernité commun à quelques-uns des poètes contemporains auxquels il consacrera ses *Onze études sur la poésie moderne.* C. D.

POÉSIE ET VÉRITÉ [*Dichtung und Wahrheit*]. Autobiographie de l'écrivain allemand Johann Wolfgang Goethe (1749-1832), divisée en quatre parties (les trois premières écrites de 1811 à 1814, la quatrième entre 1817 et 1830) ; le poète y décrit sa vie depuis sa naissance jusqu'au moment où il attend, à Francfort, le grand-duc de Weimar. Comme ce dernier se fait trop attendre, Goethe part en hâte pour la Suisse ; il passe la nuit à Heidelberg et, au matin, entend sous ses fenêtres le bruit du postillon envoyé par le grand-duc à sa suite. Le poète revient alors sur ses pas et, tout comme *Egmont* (*), on le voit affronter l'avenir, confiant dans son destin : c'est d'ailleurs par une citation empruntée à *Egmont* que le poète termine son autobiographie. Il convient à ce sujet de faire remarquer que les personnages de ses œuvres sont à tel point lui-même qu'il peut toujours passer de la vérité poétisée de sa biographie à la poésie pure de ses créations sans que le moindre décalage intervienne. C'est dire que nous possédons de Goethe deux biographies : d'une part celle, authentique, de *Poésie et Vérité*, des *Annales* (*) et *Voyages* – v. *Lettres de Suisse* (*), *Voyage en Italie* (*) –, des *Conversations avec Eckermann* (*), des *Entretiens avec le chancelier Müller* (*), etc. ; d'autre part, celle qui apparaît dans ses œuvres. D'ailleurs, il faut parfois les réunir, si nous voulons reconstituer sa vie. C'est ainsi que pour son grand amour de jeunesse, Frédérique Brion, fille du pasteur de Sesenheim, nous pouvons nous reporter à quelques poésies lyriques (telles que « Bienvenue et Adieu », où il décrit sa chevauchée de Strasbourg au village voisin) et également aux scènes de Marguerite dans *Faust* (*) ; parallèlement, nous en avons le récit en prose, avec une grande minutie de détails, dans *Poésie et Vérité.* Parfois, certaines lacunes apparaissent dans ses œuvres, c'est-à-dire qu'une aventure importante n'y a pas trouvé place, mais on a grande chance de la trouver au contraire dans son autobiographie. D'autres fois, sa biographie a des lacunes que nous parvenons à combler indirectement, en insérant des passages qui n'ont été conservés que dans son œuvre. Ainsi, pour ses premiers essais au théâtre, sommes-nous beaucoup mieux informés par son *Wilhelm Meister* que par *Poésie et Vérité.* À vrai dire, si nous ne possédions cette double source, nous serions tout compte fait assez mal informés sur la vie du jeune Goethe. On trouvera dans le livre intitulé *La Jeunesse de Goethe* (1912) une grande quantité de petites observations fortuites, réunies d'abord par Bächtold, puis – dans une nouvelle édition – par Morris ; mais, au fond, jusqu'à sa maturité et au moment de sa célébrité, c'est-à-dire jusqu'à son arrivée à Weimar, nous dépendons de ce que lui-même a bien voulu nous confier. Aucun contrôle n'est possible. Les choses sur lesquelles il s'est tu avec intention nous demeureront toujours inconnues ; lui-même, une fois au moins, au moment où s'abandonne Frédérique, confesse qu'il refuse de se souvenir. Goethe « se gardait » de la tragédie, par peur, disait-il, de « se détruire ». De plus, il faut penser que *Poésie et Vérité* a été écrit alors que Goethe adhérait à l'« idéal classique », c'est-à-dire à une époque où il mettait la forme ordonnée au-dessus de tout. Le titre est trompeur : il ne s'agit pas d'une autobiographie romancée, mais d'une interprétation nécessaire du passé en fonction du devenir ultérieur de l'individu Goethe, de sa marche vers son accomplissement. Le dessein et cette perspective expliquent le ton serein qui règne dans le récit que fait un Goethe sexagénaire de sa propre vie. N'oublions pas que c'est un Goethe calme, pondéré, presque olympien, qui raconte les aventures du jeune Titan qu'il fut jadis. Nous sommes loin des « Confessions » du genre de celles de saint Augustin ou de Rousseau. Goethe ne veut ni se diminuer devant Dieu ni se défendre devant une société par qui il se croit persécuté. Ni humilité ni orgueil ; pas le moindre désir de s'exhiber. Sa préoccupation est tout autre : nous montrer (et se montrer à lui-même) l'intime formation (« Bildung ») de son être : d'abord, pour employer le mot d'Aristote qui lui est cher, son « entéléchie », puis ses diverses métamorphoses. Cette œuvre est en quelque sorte le pendant des *Années d'apprentissage de Wilhelm Meister* (*). – Trad. sous le titre : *Vérité et*

Poésie chez Hachette (tome VIII des *Œuvres complètes*, 1903-1912) ; Aubier, 1991.

POÉSIE ININTERROMPUE. Recueil de poèmes de l'écrivain français Paul Éluard (pseud. d'Eugène Grindel, 1895-1952) publié en 1946. De 1940 à 1944 Paul Éluard s'était fait le chantre de la Résistance – v. *Le Livre ouvert* (*) et *Au rendez-vous allemand* (*) – et avait déployé dans la clandestinité une grande activité. C'est au cours de cette période que s'acheva, avec son adhésion au parti communiste, en 1942, une évolution que l'on pouvait suivre depuis *Les Yeux fertiles* (1936) et les poèmes inspirés par la guerre d'Espagne – v. *La jarre peut-elle être plus belle que l'eau ?* (*). Cet « engagement » politique du poète va exercer, à partir de 1945, une influence considérable sur sa production poétique. Le poème le plus important de *Poésie ininterrompue* est sans conteste celui qui donne son titre au recueil et occupe plus de la moitié du volume ; Louis Parrot a pu en dire qu'il était « une somme poétique... le résumé et le survol de toute une œuvre ». « Poésie ininterrompue » contient le récit d'une sorte d'odyssée spirituelle dans laquelle le poète va « de la lumière à la lumière / De la chaleur à la chaleur » et parvient de « degré » en « degré », au point où « les prunelles s'écarquillent / Les cachettes se dévoilent », où « minuit mûrit des fruits / Et midi mûrit des lunes ». C'est alors que le poète et sa compagne ne vivent plus que pour être « fidèles à la vie ».

C'est à ce programme de fidélité à la vie que répond *Le Dur Désir de durer,* recueil publié au cours de cette même année 1946. Le poète est parvenu maintenant à s'assurer du monde : « La capitale du soleil / Est à l'image de nous-mêmes / Et dans l'asile de nos murs / Notre porte est celle des hommes. » Mais cette confiance en la vie est brutalement mise à l'épreuve : le 28 novembre 1946, Éluard perd sa femme, Nusch. Sur l'amour qui l'unissait à sa compagne, il avait écrit la veille, le 27 novembre : « D'aimer, j'ai tout créé : réel, imaginaire, / J'ai donné sa raison, sa forme, sa chaleur / Et son rôle immortel à celle qui m'éclaire. » Ce poème est compris dans *Le temps déborde,* recueil consacré à Nusch et qu'Éluard publia en juin 1947 sous le pseudonyme de Didier Desroches. Le désespoir du poète était alors immense : « Nous avions le sentiment qu'il était tiré vers l'ombre, vers la nuit, par la frêle main d'une Eurydice à jamais perdue. "Je ne me vois pas d'avenir, me disait-il, il n'y a rien devant moi" » (Claude Roy). Pourtant le poète parviendra à surmonter son désespoir et nous trouverons l'écho de cette lutte et de cette victoire dans *Poèmes politiques* (1948) et *Une leçon de morale* (1949). Dans la première partie des *Poèmes politiques,* intitulée « De l'horizon d'un homme à l'horizon de tous », Éluard, mêlant poèmes et commentaires en prose, nous décrit avec une courageuse objectivité, à la troisième personne, ce que fut cette « saison en enfer » au cours de laquelle il fut sur le point de se perdre : « Il devint méchant. Quand il avait envie de pleurer, et il avait presque toujours envie de pleurer, il se sentait le premier venu, ridicule et absurde... Alors, il accablait ceux qui l'aimaient de colères et de perfidies. » Mais, avec le temps : « Un ami, une amie et le monde recommence, et la matière informe reprend corps... De nouveau, les hommes se ressemblent et le malheureux se reprit à leur sourire. » Retrouvant les hommes, il retrouve aussi leur misère et leurs luttes et, du même coup, une nouvelle forme de fidélité à la femme aimée : « Toi qui fus de ma chair la conscience sensible / Toi que j'aime à jamais, toi qui m'as inventé / Tu ne supportais pas l'oppression ni l'injure / Tu chantais en rêvant le bonheur sur la terre / Tu rêvais d'être libre et je te continue. » Les poèmes proprement « politiques » d'Éluard sont surtout consacrés à la défense des libertés grecques et espagnoles. Dans sa préface au recueil, Aragon nous dit qu'avec Éluard poète politique « un point final est mis à quelque chose. Une certaine conception du poète est raccrochée au vestiaire de l'histoire. Rien ne pourra plus faire que la vieille contradiction n'ait été dépassée : le rêve et l'action, le ciel et l'enfer, la poésie pure et la politique ». Le recueil *Une leçon de morale,* publié en 1949, se situe dans la même perspective poétique que les *Poèmes politiques,* s'efforce de convertir le mal au bien et s'insurge « contre toute morale résignée ».

Éluard est ainsi parvenu à retrouver la sérénité et, après la rencontre, en 1949, de la jeune femme qui va devenir Dominique Éluard, il commence à écrire dans un « climat tranquille, apaisé, qui a la majesté du bonheur » (Aragon). C'est ce « climat » qui influence les poèmes de *Pouvoir tout dire* (1951) et surtout ceux du *Phénix* (1951). En 1953 a été publié, posthume, un dernier volume de Paul Éluard, intitulé *Poésie ininterrompue II.* Parmi les poèmes qu'il contient, les moins émouvants ne sont pas ces « Épitaphes » que le poète écrivit peu de temps avant de ressentir les premières atteintes du mal qui devait l'emporter : « J'ai vécu fatigué pour moi et pour les autres / Mais j'ai toujours voulu soulager mes épaules / Et les épaules de mes frères les plus pauvres / De ce commun fardeau qui nous mène à la tombe / Au nom de mon espoir je m'inscris contre l'ombre. »

POÉSIE LA VIE ENTIÈRE. C'est sous ce titre qu'ont été réunies en 1978 les œuvres poétiques complètes du poète français René Guy Cadou (1920-1951). Le titre de ce recueil posthume, *Poésie la vie entière,* qui est aussi celui de la première section (rassemblant les premières œuvres du poète : *Brancardiers de l'aube, Forges du vent, Retour de flamme, Années-lumière, Morte saison, Bruits du cœur* et la pièce de théâtre *Lilas du soir,* composées de 1937 à 1942), est emprunté à l'un des poèmes de *Ma vie en jeu* (1944-1946) ; page emblématique où l'on voit le plus buissonnier des poètes de l'école de Rochefort faire sa communion solennelle et décliner les mots clés de sa profession de foi : le poète de l'Ouest est un homme « avec », en communion universelle avec l'amour, la lumière, la beauté, la nature, mais aussi avec le plus faible, le plus humble, le plus simple (et c'est là sans aucun doute sa coloration chrétienne). Ses poèmes, pour la plupart, rimés et sans ponctuation (« sans camisole »), obéissent à la seule et souveraine liberté du jaillissement créateur, quasi spontané, et sont en relation immédiate avec la vie quotidienne. Poésie de caractère autobiographique qui fait entendre les *Bruits du cœur* (1942), mais sans narcissisme, délibérément tournée et ouverte vers la lumière de ce qui est autre. Chez ce poète du simple et du quotidien dont l'écriture semble si naturelle, comme une fervente improvisation, l'autre ne se situe pas dans quelque ailleurs mythique, mais tout simplement dans *Les Biens de ce monde* (1949-1950) proche et évident ; l'instituteur suppléant croit « à la grandeur des jours bornés et sans histoire » ; c'est pourquoi le poète de Louisfert et de Sainte-Reine-de-Bretagne trouve son inspiration dans la campagne de l'Ouest où il vit ; René Guy Cadou demeure l'ami des humbles ; il célèbre les paysans et les artisans des villages, et reste à l'écoute de leur discrète et exigeante leçon de simplicité : tout un art de vivre, une autre façon de considérer nos rapports les plus quotidiens au temps, à la Terre et aux autres. René Guy Cadou aime les bonnes gens habitant les vieux bourgs de sa Loire natale, le curé de campagne, le facteur comme l'idiot du village, les chemins creux, les bistrots, les écoles... : « Je n'ai pas oublié cette maison d'école / Où je naquis en février dix-neuf cent vingt / Ces vieux murs à la chaux ni l'odeur de pétrole / Dans la classe étouffée par le poids du jardin. » Il célèbre ses parents et ses proches, sa femme, Hélène (*Quatre poèmes d'amour à Hélène,* 1945), mais aussi ses camarades de la première heure, ceux de l'école de Rochefort tout comme ses grands compagnons de voyage (Max Jacob, Pierre Reverdy, Saint-Pol-Roux, Francis Jammes, Jules Supervielle, Jean Follain, Serge Essenine, etc.), bref *Les Amis d'enfance.* On ne saurait réduire cette voix lyrique et mystique à quelque rêverie néo-pastorale ni à quelque angélisme, car René Guy Cadou n'est pas seulement le chantre de notre ancienne société rurale, le colporteur de la sève populaire ; il n'ignore pas l'étendue ni la menace quotidienne du désastre (*Le Diable et son train*), dont il se fait le digne et douloureux témoin en vénérant les héros connus ou inconnus que la barbarie nazie a assassinés. Parole de *Pleine poitrine* (1944-1945), la poésie est pour Cadou la « bonne auberge » d'immenses retrouvailles, la grande récapitulation (ici et maintenant et non dans quelque illusoire éternité) promise par le Dieu incarné dans lequel il croit (« Mais moi je crois en Dieu de toute mon âme mal embouchée de paysan tout simple ») et au travers duquel il aime toutes les choses de la Terre. Le poète rajeunissant les vieux mythes, mêlant ceux des mondes païens et chrétiens, souvent s'identifie au Crucifié, en quête d'un « Dieu toujours nouveau dans le fond de l'étable » ; ainsi se révèlent les deux faces de son visage, nocturne et solaire, quoique la joie l'emporte toujours chez cet « ivrogne de la vie » marchant « au bord du trou ». Effusion, tendresse, chaleur, bonne humeur, salut public : tel fut l'orgueil de Cadou qui sut aimer, chanter, sauver le bonheur de vivre, fût-ce dans le sacrifice, lui qui « n'avait plus que sa joie pour bagage ». Léger bagage lesté de la salutaire trinité que formèrent chez lui la femme, la nature et le Dieu incarné : « Singulière fortune qui allège, héritage de l'avenir et si l'on veut faillite, clé sous la porte d'une maison roulante. »

Y. L.

POÉSIE NAÏVE ET SENTIMENTALE (De la) [*Über naive und sentimentalische Dichtung*]. Essai d'esthétique de l'écrivain allemand Johann Christoph Friedrich von Schiller (1759-1805), publié dans la revue *Les Heures* (*), en 1795, puis, sous le titre actuel, dans les *Écrits mineurs en prose,* tome II, 1800. Cet essai clôture cette période d'activité philosophique au terme de laquelle Schiller, qui avait perdu toute foi en son art, reprit son activité poétique. Selon Goethe, c'est à cet essai qu'est due la distinction qui s'opéra ultérieurement entre poésie classique et romantique. Les principes de la philosophie kantienne sont ici évidents : Schiller les applique à la poésie et fait correspondre, à chaque étape de l'évolution de l'humanité, un développement égal de la poésie. La pureté et la simplicité primitives sont représentées par le poète naïf, qui participe encore de la nature et s'attache à restituer fidèlement celle-ci. Le conflit apporté par la culture trouve son expression dans le poète sentimental, lequel, au lieu d'imiter la nature, lui oppose la représentation de l'idéal. « L'harmonie consciente et indépendante » conçue comme terme du développement de l'humanité constitue le but du futur poète idéal. Mais, comme cet ultime degré ne sera jamais atteint, les deux premiers demeurent les seules manifestations possibles du génie poétique. Ces deux degrés sont dissemblables, mais il existe un concept supérieur qui les englobe et coïncide avec l'idée d'humanité. La distinction entre poésie naïve et sentimentale a son origine dans celle de Herder entre poésie de nature et poésie d'art ; toutefois, loin de conférer la prééminence à l'une ou à l'autre, Schiller conclut que « ni le caractère naïf, ni le caractère sentimental ne réalisent pleinement l'idéal de l'humanité ». Seule leur synthèse permettrait d'atteindre au

« maximum » de la poésie et porterait le beau, qui « d'une part doit concorder avec la nature, de l'autre avec l'idéal », à sa véritable expression. On observe ici, dans le développement de la pensée de Schiller, une symétrie de construction, fondée sur la loi des contrastes, et une rigueur de classification parfois excessive, rançon d'une recherche anxieuse et honnête de la clarté. Il convient toutefois de souligner que la conception de Schiller ne tient aucun compte des conditions historiques : il s'agit là d'une doctrine qui doit être regardée comme une pure philosophie de la poésie. De l'idéalisme éthique de Kant, Schiller est arrivé à l'idéalisme esthétique, et le présent essai demeure comme l'expression du rapport reconnu par l'auteur entre les suprêmes idéaux de l'art et les suprêmes idéaux humains. — Trad. Aubier-Montaigne, 1948.

POÉSIE NOIRE, POÉSIE BLANCHE. Sous ce titre, emprunté à l'un de ses essais rassemblés dans *Chaque fois que l'aube paraît* (*), ont été réunis et publiés en 1954 les poèmes de l'écrivain français René Daumal (1908-1944). La première partie de ce volume reproduit l'unique plaquette de poèmes publiée de son vivant par Daumal : *Le Contre-Ciel* (1936), qui s'était vu décerner le prix Jacques Doucet par Benda, Gide, Giraudoux, Adrienne Monnier, Paulhan, Suarès et Valéry. « Le poète blanc, écrit Daumal, cherche à comprendre sa nature de poète, à s'en libérer et à la faire servir. Le poète noir s'en sert et s'y asservit... De fait, toute poésie humaine est mêlée de blanc et de noir : mais l'une tend vers le blanc, l'autre vers le noir. » Tendue vers le « blanc », la poésie de Daumal met l'art et l'expression verbale au service de la connaissance : elle est dictée par la volonté de signifier et celle de se posséder dans son vrai moi (« Tu feras ce que tu voudras si tu es ce que tu es ») — ce moi qui n'emploie plus le Je par complaisance à l'égard de soi mais pour s'identifier à l'universel et en nommer les pouvoirs ou les voies. Message du voyant à celui qui veut voir, la poésie de Daumal est amicale ; elle ironise l'envolée et choisit les mots et les images pour leur capacité de repère, afin d'orienter celui qui la lira vers le germe lumineux de la vision, au lieu de se contenter de chanter cette vision pour étaler sa puissance ou son charme. Elle se veut donc moins inspirée qu'inspiratrice, et, si sa leçon est parfois abstraite, elle n'est jamais hermétique. Ce qui est en jeu dans sa trame, c'est le désir de se refaire nerf par nerf, pensée par pensée, de se refaire en criant non à ce qui est, car le non, tout en obligeant à prendre conscience, « s'élève, toujours niant, identifiant et reniant, à la compréhension de l'Universel, selon la dialectique ». Et ce non, crié, vécu, hurlé pour faire place nette, jette à la fin l'éclair de vérité, de liberté, qui est le seul sujet autour duquel construire le poème, le poème vêtu d'images que le lecteur dépouillera pour accéder au même à vif.

POÉSIE NON TRADUITE. Œuvre du poète français Armand Robin (1912-1961) en deux volumes (1953 et 1958). On a beaucoup dit que la poésie était intraduisible ; l'œuvre d'Armand Robin, qui prétendit se transformer « en tous les grands poètes de tous les pays de toutes les langues », constitue une singulière exception à la règle. Cette extraordinaire aventure a pris naissance à la veille de la dernière guerre. Robin a réuni (avec quelques-uns de ses propres poèmes) ses premiers essais d'identification avec d'autres poètes dans une plaquette intitulée *Ma vie sans moi* (+) (1940). On trouve là, notamment, « La Flûte de vertèbres » de Maïakovski et « Nuit sur la grandeur » de Rilke. De ces poètes qui le délivrent de sa propre vie et dont il assume le destin, Robin a déclaré : « Eux moi sommes UN. Je ne suis pas face à eux, ils ne sont pas face à moi. Ils parlent avant moi dans ma gorge, j'assiège leur gorge de mes mots à venir. Nous nous tenons son à son, syllabe à syllabe, rythme à rythme, sens à sens et surtout destin à destin. » Jamais pareille entreprise n'avait été menée avec une telle constance et une semblable rigueur. Robin s'est d'abord intéressé surtout à la poésie russe contemporaine. On lui doit de nous avoir fait connaître, outre Maïakovski : Blok, Essenine et Pasternak. Ces quatre poètes ont été réunis par ses soins dans un volume de la collection « Le Don des langues ». Un peu plus tard, dans la même collection, Robin publiait d'admirables poèmes du Hongrois André Ady. C'est l'unique recueil de Robin entièrement consacré à un seul poète. Mais Robin avait juré de ne se laisser arrêter par aucun obstacle de langage : peu à peu, il apprenait tous les langages qui ont cours — et même qui ont eu cours — sur notre planète. Un premier volume de *Poésie non traduite* (1953) rassemble des poèmes qui appartiennent à douze littératures différentes. Il s'ouvre sur des poèmes chinois du VIIIe siècle (de Tou Fou et Li Po) et une œuvre de l'Arabie antique due à Imru'l-qays. Plus loin, nous présentant des poèmes de Gustav Fröding (1860-1911), Robin écrit, renversant plusieurs poteaux frontières : « Ayant bu quelque peu du Verlaine, Virgile chante en suédois. » Du suédois, nous passons au finlandais, puis au néerlandais, avant d'en venir à l'espagnol et à l'italien (très beaux poèmes d'Ungaretti). Le recueil, qui comprend aussi de nouveaux poèmes de Pasternak, s'achève sur la révélation d'un deuxième grand poète hongrois : Attila Joszef. Dans le second volume de *Poésie non traduite* (1958), l'éventail poétique est plus vaste encore. Du côté russe, Remizov figure avec la brûlante confession de *Savva Groudzine*. Côté italien, voici Montale. L'Angleterre est représentée par Sydney Keyes et Dylan Thomas. L'Allemagne, par la somptueuse

« Fête de paix » de Hölderlin. Robin semble avoir éprouvé un plaisir particulier à nous présenter les deux Adam de la Pologne : Mickiewicz et Wazyk. Dans cet Éden d'avant la tour de Babel où il est parvenu, Robin nous dit que tous les poètes parlent une « outre-langue ». Il est permis de penser que cette « outre-langue » est en réalité la langue même de Robin, laquelle est inimitable, heurtée et chantante à la fois, fortement scandée et parfois acrobatique.

POÉSIE PEULE DE L'ADAMAWA. Cet important recueil réunit soixante-deux poèmes, œuvres de six poètes peuls de l'Adamawa, région du Nord-Cameroun à la frontière du Nigeria. Les Peuls constituent une ethnie très originale dont les membres sont dispersés sur toute la bande de l'Ouest africain qui sépare le désert de la grande forêt, depuis le Sénégal jusqu'au nord du Cameroun. Cette expansion et ses limites s'expliquent par le fait que c'est le seul grand peuple de l'Afrique occidentale qui se soit essentiellement consacré, à l'origine, à l'élevage du bétail et ait pratiqué le nomadisme. Généralement, les Peuls se distinguent aussi de leurs voisins par un type physique particulier, remarquable par la finesse de la silhouette et des traits du visage, et par un teint clair tirant sur le rouge cuivré. On pense que leur berceau historique est la vallée du fleuve Sénégal ; l'Adamawa est donc le point fort le plus avancé de leur expansion ; ici, comme en plusieurs autres régions telles que le Fouta Toro au Sénégal, le Fouta Djalon en Guinée, le Macina au Mali et les provinces du nord du Nigeria, ils constituent la principale ethnie et, en tout cas, celle qui détient le pouvoir et le prestige. Cette position de force fut acquise au cours des derniers siècles grâce à une conversion radicale à l'islam suivie par une série de guerres saintes. C'est d'ailleurs en Adamawa qu'on trouve encore les derniers Bororo, ces Peuls vraiment pasteurs et nomades qui ont conservé leurs traditions religieuses antiques et les traits physiques mentionnés plus haut. Ce n'est pas d'eux qu'il s'agit ici, mais de la société sédentaire, urbaine même, des Peuls musulmans, lettrés et érudits, qui écrivent en arabe ou dans leur langue toutes sortes de traités, de chroniques, de prières et de poèmes inspirés par l'islam ; pour la langue peule, ils utilisent un système de transcription tiré de la graphie arabe.

Cet ouvrage réunit des œuvres recueillies sur des manuscrits mais que Lacroix a pu obtenir, pour la plupart, de la bouche même des auteurs. Ces poèmes sont en effet destinés à être déclamés ou chantés plutôt que lus et la forme manuscrite a surtout pour fonction de conserver le texte et de le diffuser. L'auteur du recueil présente en face de la traduction le texte peul transcrit, selon les critères de la linguistique, en alphabet latin ; les notes auxquelles renvoie le texte peul contiennent surtout des informations d'ordre philologique ; celles auxquelles renvoie la traduction commentent le sens des poèmes. L'ouvrage ne sépare pas les œuvres des différents auteurs mais se répartit en chapitres thématiques, tous précédés d'une longue introduction qui rend plus explicite le thème choisi et éclaire la réalité sociale qui lui est sous-jacente. Ces thèmes sont caractéristiques des attitudes et des réactions de cette société, ou du moins de ses couches supérieures auxquelles appartiennent ces poètes érudits.

Le premier chapitre est consacré à la « Société et ses poètes ». Née de l'islam, cette société fortement hiérarchisée justifie sa prééminence par une idéologie paradoxale qui revient à confisquer à son profit une religion universelle et à se réserver ainsi les privilèges politiques, culturels et économiques qui s'y attachent en Afrique occidentale. Bien qu'issus de l'aristocratie, la plupart des poètes doivent cependant compter sur leur art pour s'assurer des ressources suffisantes et une bonne moitié des poèmes se consacrent à la louange de personnages influents et riches, ou de leurs épouses. L'esprit de ces œuvres est donc conservateur et donne une image de la société liée à sa conception idéale, où n'en apparaissent ni les défauts ni les contradictions. Il reflète d'autre part l'idée islamique traditionnelle selon laquelle la littérature ne se justifie que si elle se fait l'auxiliaire de la religion et édifie les fidèles. En conséquence, un autre genre bien représenté est celui des sermons poétiques où sont stigmatisées les erreurs ou la tiédeur du public et dont ce chapitre donne quelques exemples. Le poète peut ici se permettre quelques libertés à l'égard des puissants. Censeur de son temps et distributeur de la renommée, le poète se laisse heureusement parfois aller à évoquer aussi des souvenirs et des sentiments plus personnels ou à chanter de façon désintéressée des femmes aimées ou célèbres par leur rang et leur beauté. Néanmoins, l'atmosphère conformiste de cette poésie fait que l'attention se porte avant tout sur la qualité et l'originalité de l'expression, contraignant ainsi le poète à maintenir le niveau de sa production et à lui garder le caractère d'œuvre littéraire au sens strict.

Une partie importante du recueil (chap. II) est consacrée aux louanges des souverains, les *laamido,* et de leurs fils, ou à des récits qui les flattent. Ici apparaissent maintes allusions historiques et on peut dégager l'idéologie sur laquelle doivent se régler les rapports entre le souverain et son peuple ; on attend de celui-là que, doté d'une puissance relevant du divin, il montre l'exemple d'une foi sans faille et fasse preuve de sagesse, de douceur et de générosité.

Sur ce type de louanges se greffent celles qui sont dédiées aux notables (chap. III), et qui tendent à assimiler ceux-ci aux souverains, quelle que soit leur situation réelle. Bien qu'elles soient avant tout le reflet des intérêts du poète, elles donnent une image riche et

colorée de la société car elles s'adressent aussi bien à des juges, des chefs de village, des lettrés ou des dignitaires, qu'à des commerçants, des bouchers et des tailleurs, ou même à des fonctionnaires de la bureaucratie moderne et à des chauffeurs.

Un thème moins souvent traité (chap. IV), mais révélateur est celui des Européens et des merveilles qu'ils apportent avec eux ; dans la logique de la pensée conformiste évoquée plus haut, leur prestige et leur puissance jouent malgré tout en leur faveur, les faisant soupçonner, bien qu'ils soient chrétiens, de quelque faveur divine.

Les transformations qu'ils ont provoquées, les découpages arbitraires de frontières, l'opposition entre tribalisme et nationalisme, entre les anciens pouvoirs politiques et les nouveaux, de même que les migrations provoquées par les problèmes propres à la « diaspora » peule, sont évoqués dans quelques pièces rassemblées aux chapitres V et VI.

Le dernier chapitre, un des plus fournis et des plus intéressants, est consacré à l'évocation des femmes. Certains poèmes vantent la beauté et les vertus de personnes déterminées ; d'autres au contraire traitent des femmes en général, louant ou décriant leur comportement, jugeant leur sort dans la société et donnant l'opinion des poètes sur la place qui devrait leur y être réservée. Jouissant d'une liberté et d'une considération remarquables, sachant mettre en valeur leur beauté, les femmes peules se voient le plus souvent reprocher leur hypocrisie, leur avidité, leur manque de retenue et leur légèreté. Dans cette dernière partie, l'esthétique propre à la société de l'Adamawa se révèle doublement : par la qualité du style des poèmes, et d'autre part par les nombreux énoncés des critères de la beauté physique et morale. — Trad. Classiques africains, Julliard, 1965.

POÉSIES d'Aimeric de Péguilhan. Aimeric de Péguilhan est un des six troubadours provençaux que Dante cite dans le *Traité de l'éloquence en langue vulgaire* (*). Dante place, en somme, Aimeric parmi les maîtres les plus compétents de la langue vulgaire. Ce jugement n'est pas partagé par la critique moderne, pour laquelle Aimeric est un versificateur fécond, qui ne s'élève guère au-dessus de la plus aimable médiocrité. Quoi qu'il en soit, Aimeric a une grande importance dans l'histoire littéraire italienne du XIIIe siècle : il est un des troubadours qui, dans les dix premières années du XIIIe siècle, franchirent les Alpes : il exerça son influence à la cour d'Azzo VI, d'Aldovrando, d'Azzo VII, ainsi que dans le cercle de Frédéric. Aimeric composa plusieurs fois les louanges de la libéralité d'Azzo VI, plaçant le marquis d'Este parmi les plus grands mécènes de cette époque : à l'occasion de la mort de ce riche seigneur, il composa une complainte remarquable : par ailleurs il dédia plusieurs de ses chansons à la fille d'Azzo, Béatrice, une des plus belles femmes de la Cour, qui mourut religieuse et vénérée comme une sainte. Contre la troupe anonyme, famélique et mordante des jongleurs vulgaires qui infestaient les cours italiennes de l'époque, Aimeric, qui se considère comme faisant partie d'une élite littéraire, tout médiocre qu'il soit, a un sens parfaitement aristocratique et hautain de l'art. Parmi toutes les compositions d'Aimeric, la plus remarquable est peut-être le sirvente qu'il composa lorsque, en l'automne de 1220, Frédéric II de Souabe, âgé de 25 ans, vint à Rome ceindre le diadème impérial. Le sirvente, qui exprime les sentiments du monde des troubadours et du monde courtois italien à l'occasion de cette fête solennelle, fut intitulé par l'auteur lui-même « La Médecine » [Lo Metgia] : ce titre tient au fait que le poète a imaginé de comparer l'homme dont a besoin l'Italie déchirée de ce temps à un « médecin de Salerne » qui viendrait guérir les plaies du pays, métaphore qui se déroule tout au long du poème. Jeune, libéral, beau, bon, courageux, parlant bien et comprenant bien, ce médecin aime Dieu et Dieu le garde de toute erreur. Grâce à lui sont restaurées les vertus chevaleresques déjà affaiblies et gâtées, estime et devoir. Il est permis de considérer Aimeric comme un des troubadours, et parmi ceux-ci, rappelons Glia Cairel et Folchetto da Romano, qui exercèrent une influence directe sur les lettrés du cercle de Frédéric II de Souabe, lesquels furent les premiers à recourir, en matière poétique, à l'italien vulgaire. — Trad. Firmin-Didot, 1818. Ses poésies ont été éditées par W. P. Shepard et F. M. Chambers, Evanston (Illinois), 1950.

POÉSIES d'Alcázar [*Poesías*]. Ce recueil comprend l'ensemble des compositions du poète espagnol Baltasar de Alcázar (1530-1606). Elles n'étaient pour lui qu'un simple passe-temps, mais n'en méritent pas moins une place à part dans l'école sévillane du Siècle d'or. Alcázar ne leur accordait pas plus d'importance que fra Luis de Léon à ses « petites œuvres » — v. *Poésies* (*) —, et jamais il ne les fit imprimer : c'est donc un miracle si elles ont été conservées, mais les manuscrits qui nous sont parvenus contiennent de nombreuses erreurs. Le célèbre peintre Francisco Pacheco, beau-père de Velásquez, qui fit le portrait d'Alcazár, fut le premier à admirer la valeur plastique de ses *Poésies*, et chaque fois qu'il se rendait chez lui, le peintre prenait grand soin de retenir ce qu'il avait pu lire ou entendre. Les diverses copies du manuscrit de Pacheco, aujourd'hui perdu, ont été publiées en 1910 avec leurs variantes sur l'ordre de l'Académie royale d'Espagne par Francisco Rodríguez Marín qui y a joint une étude biographique et critique. Alcázar, dans ses poésies de jeunesse, s'est adonné à la muse érotique, sans cependant sortir des cadres de

la poésie traditionnelle (les stances « À Constanza »). Parfois aussi, à la requête du curé de Los Morales (Séville) dont il était le premier alcade, Alcázar composa des poèmes religieux où son esprit chrétien n'était pas moins à l'aise, mais qui contrastent fort avec la partie la plus connue de son œuvre, d'inspiration épicurienne. Rappelons, entre autres, la belle poésie en doubles strophes de cinq vers, dédiée « À un crucifix », qui renferme le vers fameux « Donde vos tenéis los pies ». Mais ce sont surtout ses poésies joyeuses qui ont fait la réputation d'Alcázar. Nul ne s'abandonne avec plus de grâce aux tourbillons d'une fête, et il sait rendre d'une façon originale la vie de tous les jours dont les poètes, avant lui, avaient fait trop peu de cas. Il excelle, par exemple, dans des poèmes de genre comme « Un souper » dont les moindres détails sont notés avec minutie. Non moins que la plaisanterie, Alcázar sait manier la satire et il a laissé des épigrammes fort connues, qui comptent parmi les meilleures que l'on ait écrites en espagnol. L'originalité la plus marquante de Baltasar de Alcázar réside, néanmoins, dans quelques-uns de ces petits poèmes dont la facture « impressionniste » importe plus que l'idée, et dans lesquels il sait donner tant de piquant aux aspects les plus humbles de la vie.

POÉSIES de Andrade. Le poète portugais Eugénio de Andrade (né en 1923), publie en 1948 un recueil, *Les Mains et les Fruits,* qui lui donne immédiatement une place de premier plan. « Mon pays s'étend de juin à septembre », écrit-il. Un paysage d'été illumine en effet toute sa poésie. La lumière lui permet de capter la fulgurance d'un instant et la chaleur d'épanouir la sensualité de son inspiration. Dans ses poèmes se rencontrent les éléments primordiaux (la mer, le soleil, la terre, l'air) et le corps, lieu essentiel de notre correspondance avec le monde. Le paradis est, à l'évidence, terrestre et l'harmonie ne peut exister que dans une vision fugitive. De cette rencontre entre le monde et le corps naît, dans le poème, un érotisme discret mais constamment présent. L'amour, qu'il soit présent ou passé, se révèle dans un contact physique.

À mesure que l'on avance dans l'œuvre d'Eugénio de Andrade, la part de l'ombre se développe cependant de plus en plus. Il en combat déjà la « prolifération aveugle » dans *Écrits de la Terre* [*Escrita da terra*], recueil paru en 1974. Mais la nostalgie ne trouble pas le rythme et la musicalité du vers. Le poète mêle toujours les éléments et les sens : il touche les couleurs, il entend les odeurs et respire les mélodies. Dans ce recueil, le nom d'un lieu donne le titre de chaque poème : une ville, un jardin, un quartier visité par le poète. Il les évoque avec une attention ardente, dans ce qu'ils ont d'essentiel. Ainsi ouvre-t-il les « minuscules portes de la joie », résistant encore et toujours à la mélancolie qui le « brûle ». À travers ce corps à corps avec des lieux (connus ou inconnus), il livre au lecteur tout à la fois sa passion d'être au monde et cette légère fissure qui apparaît dans la rupture d'un rythme, la dissonance d'un mot, l'amertume d'une image.

Tous les ingrédients de la poésie de Andrade se retrouvent dans *Le Poids de l'ombre* [*O peso da sombra*], publié en 1982 : la lumière, l'ombre, la terre, la mer, l'air. Mais la brûlure se fait plus mordante, l'ombre plus insistante et le corps vieillit : « J'entends courir la nuit par les sillons / du visage. / On dirait qu'elle m'appelle. » Le silence se fait plus pressant plus absolu : « Avec le temps / il finira par venir manger dans ta main / et faire son nid dans ton lit / le silence. » Cependant, là encore on retrouve l'approche physique de la réalité ; le poète ne renonce pas à la splendeur d'être au monde, il semble contraint de poursuivre sa tâche car le « corps sait : de la terre / à l'azur son travail est de brûler ». Une vision fugitive lui garantit l'éternité et la lumière repousse sans cesse la mort, impuissante « quand on a le soleil endormi dans ses bras ».

Le lecteur reconnaît ce même élan vers la lumière dans le recueil *L'Autre Nom de la Terre* [*O outro nome da terra*], publié en 1988. Mais à présent la vieillesse s'installe, la mélancolie est plus marquée (surtout dans les titres des derniers poèmes : « Automne », « Adieu », « Sans toi », « Quand juin reviendra », etc.). Le poète nomme maintenant explicitement la mort, jusqu'alors seulement évoquée, il envisage que cet été-ci puisse être le dernier. Si le désir est encore ardent, il n'ose plus, pourtant, approcher du corps convoité la « lenteur crépusculaire de [ses] doigts ». Mais vibre encore de toutes ses forces l'ardeur inextinguible de capter, dans l'instant, la vie jaillissante.

L'œuvre d'Eugénio de Andrade est « une » et les évolutions notées ci-dessus sont celles — inévitables — du temps qui passe. L'absolue nécessité d'écrire, elle, ne passe pas. Ses poèmes, très courts, rapides comme des moments de parfaite harmonie, sont les lieux où l'osmose entre les éléments, les sens et les mots devient possible. Ces mots, Eugénio de Andrade les travaille comme on travaille la matière : « Faire d'un mot une barque / voilà tout mon travail. » Leur simplicité donne transparence et lumière au vers ; car le poète ne parle pas seulement de lumière, il la crée. Chaque parole est « totale » : elle revêt tous les sens qui lui sont propres. Le critique portugais Eduardo Lourenço le souligne fort bien en parlant de la poésie d'Andrade comme d'un « métaphorisme radical », d'une « image absolue ». Les mots, eux aussi généralement brefs, souvent monosyllabiques, sont coulés dans le vers. Parfois, sans véritable heurt, ils semblent dévier, créant ainsi une légère tension, un infime malaise : « Le désir aérien et lumineux / le douloureux désir aboyait

encore. » Ils révèlent la réalité, forte, enivrante et sans doute dangereuse tant notre rapport à elle est complexe. C'est pourquoi Eduardo Lourenço ajoute que dans la poésie d'Eugénio de Andrade les mots sont des anges « médiateurs resplendissants d'un excès de réalité [...] qui, contemplée, nous détruirait ». Aucun sentimentalisme ne vient ternir la transparence du poème. L'héritage nostalgique et baroque de la poésie portugaise n'a pas marqué Eugénio de Andrade. Son chant, plus méditerranéen qu'atlantique, s'est nourri des Grecs antiques et de la poésie médiévale. — Trad. La Différence, *Les Écrits de la Terre,* 1988 ; *Le Poids de l'ombre,* 1986 ; *L'Autre Nom de la Terre,* 1990. F. Be.

POÉSIES de Arndt [*Gedichte*]. Avec Theodor Körner — v. *Lyre et Épée* (*) — , le poète allemand Ernst Moritz Arndt (1769-1860) est le représentant le plus typique de cette poésie nationaliste qui, aux environs de 1813, devait chanter la haine des Français et exalter les vertus guerrières du peuple allemand. Il ne convient pas de rechercher dans son œuvre un souci de beauté ou de forme, mais plutôt l'impétuosité du souffle et l'efficacité. La représentation typique que le monde, pendant plusieurs décennies, se fit des Allemands, « frisch, fromm und frölich », énergiques, pieux et heureux, relève en partie de ces poèmes très répandus, que chaque fils de la nouvelle Allemagne apprenait par cœur dès sa première enfance. Il s'agit le plus souvent de chants d'une simplicité primitive, rude, élémentaire, mais propres à frapper l'esprit des masses, suggérant également les idées fixes de « perfidie latine », de « servile esprit latin », qui contribuèrent à élargir le fossé séparant les deux peuples voisins. Parmi les plus célèbres de ces poèmes, on retiendra la « Chanson du maréchal Blücher » (1813), le « Chant du Rhin » (1840) — dans lequel éclate, sous diverses formes, la haine envers la France, l'incitation à marcher « vers le Rhin, au-delà du Rhin », « toute l'Allemagne dans la France » (« All Deutschland in Frankreich hinein ! »). C'est, d'ailleurs, à cette même époque que Arndt lançait un de ses manifestes : « Le Rhin, fleuve d'Allemagne et non frontière de l'Allemagne ». D'autres poèmes reflètent en revanche un sentiment de simple religiosité : « Qui est homme ? Qui sait prier... » D'autres encore ont survécu comme chansons d'étudiants et chansons à boire : « L'esprit est fait de feu » et « Apporte-moi le sang des nobles vignes... ». Enfin, la fameuse chanson « La Patrie de l'Allemand » (1813), à laquelle on a reproché un pangermanisme des plus agressifs, du fait qu'à l'interrogation ouvrant le poème « Quelle est la patrie de l'Allemand ? » (1813) elle répond : partout où bat un cœur allemand.

POÉSIES de Bedny. Demian Bedny (pseud. de Efim Pridvorov, 1883-1945) fut l'un des rares poètes russes à avoir publié ses œuvres dans les périodiques révolutionnaires clandestins d'avant 1917. Connaissant admirablement la langue parlée des paysans, il écrivit, encore sous le régime impérial, des *Fables* [*Basni*] qui, empruntant le style de son grand prédécesseur Krylov, faisaient dire aux animaux ce que les hommes n'avaient même pas le droit de penser. Peu soucieux de la forme, il composa durant la guerre civile de 1918-1920 des milliers de vers faciles [*agitki*] pour les besoins de la propagande bolchevique, les paysans retenant mieux ses vers de mirliton écrits sans aucune prétention poétique sur le rythme des chansons populaires [*častuški*], que les slogans plus ou moins pompeux des doctrinaires du parti. Il faut dire aussi que le pseudonyme de l'auteur, « Demian le Pauvre », n'était certes pas étranger à la confiance que les paysans lui accordaient spontanément, comme à un des leurs. Demian Bedny s'est essayé également au théâtre ; toutefois, sa pièce *Les Anciens Preux* [*Bogatyri*], qui tournait en ridicule les héros du folklore russe de l'époque de la conversion de la Russie au christianisme (fin du xe siècle), fut interdite. L'édition complète des *Œuvres* de Bedny comporte vingt volumes (Moscou, 1953-54).

POÉSIES de Bello. On peut diviser en trois genres l'œuvre poétique de l'écrivain chilien d'origine vénézuélienne Andrès Bello (1781-1865). Tout d'abord ces poèmes d'imitation ou traduits : « Les Djinns », « La Tristesse d'Olympio », « Prière pour tous », « Moïse sauvé des eaux », « Fantômes », sous l'influence de Victor Hugo. On lui doit également une traduction en vers du *Roland amoureux* (*). Philologue, Andrès Bello s'est attaché au renouvellement du *Poème du Cid* — v. *Le Cid* (*) —, renouvellement qu'il laissa inachevé. Ce *Poema del Cid* ou *Gesta de mio Cid*, commencé en 1823, est un chef-d'œuvre de science et de goût : c'est par lui peut-être qu'Andrès Bello est le plus connu. Vient enfin la part originale de son œuvre, influencée à la fois par Virgile et Victor Hugo : *Al Campo, El Proscrito, Allocution à la poésie... Aux champs* [*Al campo*] est une sorte d'églogue ; *El Proscrito* manie poétiquement l'humour : le chevalier Azagra, descendant de guerriers, y est aux prises, nouveau Socrate, avec une moderne Xantippe. *Allocution à la poésie* (1823) est, avec ses deux *Silvas*, l'œuvre maîtresse d'Andrès Bello. Dans la première de ces *Silvas*, l'auteur invite la Poésie à abandonner l'Europe pour le monde prodigieux découvert par Colomb. Il vante les beautés grandioses de la nature américaine. Puis il célèbre les faits d'armes de la guerre d'indépendance. Dans *À l'agriculture de la zone tropicale* [*Silva a l'agricultura de la Zona tòrrida*, 1826], il exhorte les Américains à la paix, les engage à changer leurs armes pour des outils d'agriculteurs. Un style riche, haut en couleur, caractérise cette œuvre.

POÉSIES de Benserade. Les *Œuvres* du poète et dramaturge français Isaac de Benserade (1612-1691), publiées après sa mort en 1697, rassemblent, outre ses *Ballets* (*), un choix de poésies qui ont d'abord circulé en manuscrit avant de paraître dans divers recueils collectifs. Poète de cour et de salon, reçu à l'hôtel de Rambouillet puis dans les ruelles précieuses, admis à la cour d'Anne d'Autriche puis de Louis XIV, il compose des pièces galantes adaptées aux diverses circonstances de la vie mondaine, en cultivant tous les genres : sonnets, épigrammes, madrigaux, bouts-rimés, épîtres, rondeaux, stances, etc. En 1648-1649, sa célébrité est attestée par la querelle de son *Sonnet de Job* (*) et du *Sonnet d'Uranie* de Voiture — v. *Poésies* (*) de Voiture. Poète officiel, il reçoit de Louis XIV la commande des *Métamorphoses d'Ovide en rondeaux* (1676) et des *Fables d'Ésope en quatrains* (1678), mais les *Métamorphoses,* en dépit de leur magnifique illustration par Le Brun, Le Clerc et Chauveau, vont ruiner la réputation poétique de Benserade.

A. Gé.

POÉSIES de Blok. Le poète russe Alexandre Blok (1880-1921), le plus éminent des poètes du début du XXe siècle, a lui-même réuni ses œuvres en trois volumes de vers, publiés en 1912 et en 1916, son théâtre (composé de drames lyriques) formant un quatrième volume. Le premier volume de vers, qui réunit les poèmes écrits de 1898 à 1904, est dominé par la noble et belle figure de la « Gente Dame », personnification de la sagesse orientale. On a justement reconnu dans ce thème central l'influence du poète spiritualiste Soloviev. Notons toutefois que le recueil *Ante Lucem* (1898-1900) et les dix premières pièces des *Poèmes de la Belle Dame* [*Stiechi o prekrasnoj dam*] furent écrits avant que Blok ait découvert l'œuvre de Soloviev. C'est donc plutôt à Joukovski et aux romantiques allemands, qui avaient été les inspirateurs de la jeunesse de Blok, qu'il faudrait les rattacher. Soloviev a tout au plus aidé une création propre de l'âme de Blok à prendre forme : la Belle Dame, c'est en effet un rêve d'enfance, une de ces figures pures et virginales qui peuvent subjuguer les âmes adolescentes. Sans doute, la religion s'emparera ensuite du rêve, la Belle Dame deviendra un symbole diffus, autour d'elle s'instaurera un culte : on ne saurait pourtant l'assimiler à la Béatrice de Dante. La religion, ici, n'a d'autre but que de préserver une image qui reste tout humaine, peut-être aussi de retarder l'entrée dans la vie, d'exorciser les terribles démons qui plus tard ravageront l'âme de Blok. La ferveur du poète ne se nourrit point de théologie, mais bien de la présence d'une jeune fille réelle, impatiemment attendue avant chacune des rencontres. En effet rien qui soit ici purement spirituel : que la mystique ne pouvait suffire à Blok, à moins de s'incarner en un être sensible, et par conséquent de se nier, c'est ce que montrera son pessimisme ultérieur, et déjà le sentiment de frustration qui se fait jour à la fin de son premier volume de vers. Déjà Blok s'aperçoit que la Belle Dame, loin de jouer ce rôle de médiatrice qu'il lui avait demandé, l'a éloigné du monde, rendu moins propre à la vie. Blok semble pressentir que son obstination à vouloir incarner l'Absolu (obstination typique de sa patrie) pourrait bien le conduire à la stérilité, comme elle y avait conduit, un siècle auparavant, les maîtres du romantisme allemand. Des signes apparaissent, annonciateurs de troubles : « Le ciel morose est bas, / Il a recouvert l'église / ... / Ma fin prédestinée est proche, / Devant moi, la guerre et l'incendie ! » Les démons sont maintenant bien éveillés, et c'est sans plus trop croire à sa ruse que Blok va se cacher encore quelque temps derrière son beau mythe. À la Belle Dame, dont le poète commence à « douter insolemment », se sont déjà substituées les femmes réelles, celles de la ville moderne et de la rue, qui ne suggèrent plus la Sophia éternelle, mais l'omniprésence du péché. Au troubadour, au chevalier des cours d'amour, va succéder l'homme mûr, tourmenté, cynique et désespéré.

Le deuxième volume de vers, dont les principaux recueils sont : *Les Bulles de la terre* (1904-1905), *Les Violettes de la nuit* (1905-1906), *La Ville* (1904-1911), *Le Masque de neige* (1906-1907) et *Libres Pensées* (1907), nous présente donc un Blok très différent du poète de la Belle Dame. Au romantique s'est substitué un féroce ironiste, un ricaneur désespéré. Blok a quitté les hauteurs spirituelles : il affronte la vie. Dans un premier moment, le monde s'offre à lui dans la fraîcheur printanière des découvertes juvéniles : « Elle a commencé à faire des signes, / Cette terre déserte ! / ... / Tout respire la mesure, / Paresseuse et blanche, / Du printemps. » Ces thèmes sont pourtant traités sans grande originalité : l'âme de Blok était rien moins que bucolique ! Le poète a d'ailleurs reconnu l'incompatibilité radicale du monde matériel et du monde spirituel : son mysticisme blessé l'a rejeté dans la vie moderne et il lance d'ultimes saluts au temple maintenant désert. Quant à la Belle Dame, morte à jamais, elle murmure une dernière fois de très douces paroles : « Alors je provoquais des orages (dit-elle). / Je provoque aujourd'hui, plus brûlants que jamais, / Les sanglots d'un poète ivre / Et le rire enivré d'une catin. » Blok sent bien pourtant qu'il lui faut, pour vivre, se délivrer de ce fantôme : il doit bafouer son ancienne religion, perdre tout regret de sa déesse. Tel sera le but de l'œuvre la plus caractéristique de cette période, un drame lyrique intitulé *Baraque de foire* [*Balagaščik*, 1907] : c'est la fin du culte de la Belle Dame.

Blok dresse sur la scène une sorte de guignol pour enfants, car « le monde est une baraque de foire, un lieu de honte ». Avec une inflexible rigueur, il va s'y moquer de lui-même, bafouer les « mystiques », c'est-à-dire tous ceux qui ressemblent à son image d'autrefois et qui continuent de le hanter. Près de ces mystiques, véritables pantins, se tient un Pierrot triste : ils attendent la Belle, la Bien-Aimée, la Mort. Cette obsession de la Mort, nous la trouvons aussi dans *Le Masque de neige* [*Snežnaja maska*] ; mais elle est ici le prélude à une passion furieuse de la vie sous toutes ses formes, pourvu qu'elle permette l'intensité des sentiments. Blok semble donc délivré par sa *Baraque de foire* : s'il ne regarde plus en arrière, il n'en éprouve pas moins le besoin de donner à sa nouvelle passion un signe sensible, bien charnel cette fois : ce signe sera la Russie. Toutefois, l'échec de la révolution de 1905 ôte au poète tous ses espoirs de rénovation sociale. Il chantera malgré tout sa patrie, mais dans son malheur, dans sa boue, dans les stériles tempêtes qui ravagent son sol et son âme : ce sont alors les paysages urbains de *La Ville* [*Gorod*], les ruelles crasseuses des faubourgs, les plaines fangeuses de la banlieue où errent des chiens décharnés et des femmes saoules, les mansardes où souffrent des malheureux rongés de misère, les tavernes et l'ivrognerie surtout. Le poète s'acharne ici, avec une passion qui prend une incontestable valeur révolutionnaire, à donner la nausée de l'existence quotidienne, de la platitude bourgeoise. Dans les bouges fumeux, apparaît soudain comme un lointain souvenir de la Belle Dame : mais *L'Inconnue*, l'« Étrangère », femme très 1910 avec son grand chapeau à voilette, ses parfums violents, sa vulgarité satisfaite, est cette fois une créature très charnelle. Avec elle cependant, s'introduisent dans la tristesse de la vie moderne tous les prestiges de l'évasion poétique : « Et la soie qui moule son corps, / Et son chapeau orné de plumes noires, / Et sa main étroite cerclé d'anneaux / Respirent d'antiques présages... » L'apparition de l'« Inconnue » répand bientôt en lui une majestueuse sérénité : et ce sont les beaux et simples vers de *Libres pensées*, qui évoquent Pouchkine et marquent une renaissance du lyrisme chez le poète : « Aux amoureux, il faut les soupirs des hommes / À moi, ceux des pins et des lacs / Le lac, la Belle veut des chants, / Que je chante, invisible, l'aurore, / La splendeur des pins et la liberté de l'âme. »

Ainsi, dans *Iambes* [*Iamby*] (1907-1914), l'un des recueils du troisième volume de vers, Blok s'efforce de retrouver sa confiance en la vie. Et c'est aussi l'époque où il compose son drame romantique *La Rose et la Croix* (*), où revit le troubadour de jadis. Ce n'est pourtant, une fois de plus, qu'une éclaircie. La vie du poète n'a point changé : elle se traîne de tavernes en maisons closes, écrasée de dégoût, déchirée parfois par le pressentiment d'une prochaine apocalypse. Blok ne résiste plus à la tragédie : il sait que le monde est « terrible » (*Le Monde terrible* [*Strasnyi mir*], 1914-1916), que tout est fragile et futile. Mais sa révolte a fait place à une indifférence qui sait se contenter de saisir quelques brefs instants de bonheur : « Tzigane, danse, danse ma vie ! / Qu'elle dure longtemps, la danse atroce / Et devant moi, ma vie passe, / Telle une rêverie abjecte, / Insensée, belle et somnolente. » Pourquoi protester, pourquoi agir, pourquoi travailler ? Tout n'est-il pas morne répétition ? Vers 1914, cependant, avec le cycle de *Carmen*, on décèle un de ces brusques éclatements de passion charnelle qui, chez Blok, annoncent toujours quelque rétablissement intérieur. Alors que tout l'a déçu, la Russie seule est restée la fidèle compagne, l'inspiratrice sans cesse retrouvée du poète : et, par l'intermédiaire de la Russie, Blok va rentrer de plain-pied avec la saine humanité. Dans les années qui précèdent la Révolution, on assiste ainsi à une transformation de son art : le poète hermétique de la « Belle Dame », le révolté du deuxième volume de vers atteint ici à une simplicité et à un calme tout classiques. Le vers s'appauvrit, sans doute, mais il gagne en précision et en clarté. Pour la première fois dans son œuvre, Blok s'efface devant les choses. Quelques-uns de ses plus grands poèmes datent de cette époque : *Humiliations* [*Unizenija*, 1911], *Les Pas du Commandeur* (1912) et surtout *Le Jardin des rossignols* [*Solow'inyj sad*, 1915]. Le poète ne fait d'ailleurs qu'illustrer, par sa nouvelle attitude, un mouvement général qui traverse les lettres russes d'alors : on sent partout le besoin de réagir contre le symbolisme, en recréant une poésie proche de la vie courante. La démarche de Blok est parallèle à celle du groupe très actif des « akméistes » (Akhmatova, Goumilev, etc.). Pendant la guerre, où il se montra un pacifiste fervent, Blok travaille à son grand poème, qui ne fut jamais achevé, *Représailles* : comme son ami Bely, il est convaincu que la grande tempête va épurer l'âme de la Russie. Le long désespoir des années 1905-1912, la révolte contre la monotonie accablante de la vie bourgeoise le préparaient à adhérer pleinement au messianisme révolutionnaire qui séduit alors tant d'écrivains russes, en particulier Essenine : c'est dans cet esprit qu'il écrira les deux poèmes mondialement célèbres, *Les Scythes* (*) et *Les Douze* (*), où Blok supplie les nations occidentales de se joindre à la nouvelle Russie, pour éviter la ruine définitive. Mais l'exaltation révolutionnaire, comme toutes celles que connut successivement Alexandre Blok, n'eut qu'un temps : après la fièvre romantique et messianique des premiers jours du communisme, la vie quotidienne reprit. Et Blok mourut, entouré de gloire, mais rongé par ce mal étrange qu'il connut tout au long de sa vie : le « mal de vivre ».

La personnalité d'Alexandre Blok est caractérisée par le surgissement de brusques poussées passionnelles, toujours suivies d'une retombée de l'élan : ces hauts et ces bas de son âme, Blok les a tous exprimés dans son œuvre, qui prend par le fait même la valeur d'une véritable confession. Ainsi le culte de la Belle Dame s'achève dans le ricanement nihiliste de la *Baraque de foire*, l'élan social et patriotique de 1905 dans ce dégoût de l'humanité moderne qui emplit *La Ville*, de même qu'après le puissant enthousiasme de 1917, trois ans à peine plus tard, viendra le découragement. La vie de Blok est donc un échec. Son œuvre est amoindrie par la même absence de volonté ordonnatrice ; mais on ne cessera d'admirer chez Blok le virtuose. Bénéficiant de l'apport linguistique de ses prédécesseurs (un Brioussov, un Annenski, un Viatcheslav Ivanov), il put répandre, autour des thèmes très divers, les feux d'artifice de ses images et de ses rythmes : pour ses contemporains, selon l'expression de Vladimir Pozner, il fut « la poésie même ». Son âme, enfin, est pour nous le plus exact miroir du trouble moral qui déchirait la Russie prérévolutionnaire : Blok est le peintre par excellence des villes de la décadence, où l'intellectualisme sombre dans l'ivrognerie, où tous les hommes, du haut en bas de la société, n'osant plus accueillir l'espérance, cherchent fébrilement toutes les drogues du rêve, de l'indifférence ou de l'oubli. – Trad. quelques poèmes dans Sophie Laffitte, *Alexandre Blok*, Seghers, 1958 ; G. Arout, *Quatre poètes de la Révolution*, Éd. de Minuit, 1967.

POÉSIES de Botev [*Pěsni*]. Recueil des poèmes de Cristo Botev (1848-1876), héros de l'indépendance bulgare, tombé à vingt-huit ans sous les balles turques, à la veille de la libération nationale. La vingtaine de chants dont il se compose, écrits entre 1868 et 1875, et qui évoquent sa vie aventureuse ou sentimentale, suffisent à faire de lui le premier poète de son pays. Impulsif et nerveux, il s'apparente par son romantisme à Pouchkine, à Lermontov et surtout à Byron, qui mourut comme lui pour la liberté. « Liberté et mort héroïque » : ces deux « paroles sacrées » étaient d'ailleurs sa devise de combat, et la liberté telle qu'il la concevait s'étendait à chaque personne, à la nation et au genre humain tout entier. Botev, notamment, exalte les vertus guerrières de ses compatriotes dans le chant inachevé, qu'il a composé à la gloire du voïvode Cavdàr, ou bien il se révolte, nouveau Prométhée, contre un Dieu qui, laissant l'homme dans l'esclavage, protège « les patriarches, les papes et les tsars ». Puis il fait appel à un Dieu de justice, protecteur des esclaves et des souffrants, sans cacher son mépris pour un clergé inique et corrompu. La mort est présente dans la plupart de ses chants (c'est ainsi que, dans « Adieu », il exhorte sa mère à ne pas le pleurer s'il tombe pour une grande cause) et il a même le pressentiment de sa fin prochaine (« ... je peux mourir jeune en traversant le blanc et tranquille Danube »). Botev, cependant, ne renonce pas à la vie : le voici, soudain, imaginant des lendemains de victoire : « Oh alors, mère héroïque ! / Oh cher bel amour ! / Sors de ta maison / Et cours au jardin pour cueillir les plus belles fleurs. » Mais bien souvent il se laisse aller au découragement, au désespoir, s'en prenant tour à tour à l'oppresseur et à ses frères qui ne savent se révolter (« À mon frère », « Dans le cabaret », « À ma mère »). Le héros, enfin, renoncera même à l'amour pour mieux hâter la délivrance de sa patrie (seul fait exception, dans toute son œuvre, le chant qui, sous le titre « À elle », fait allusion à un bref épisode sentimental). La grande variété des rythmes et des rimes témoigne, dans les chants de Botev, d'un merveilleux tempérament poétique. Quelques-uns, en octosyllabes non rimés – les meilleurs peut-être (« Adieu », « Hajduti ») –, avec des répétitions fréquentes, ressortissent essentiellement à la poésie populaire. Et, certes, les vers de Botev contiennent bien, parfois, quelques imperfections techniques, mais qui ne sont rien en regard de leur expression si forte et de leur fraîcheur spontanée.

POÉSIES de Clemens Brentano (1778-1842). Brentano est un des grands poètes lyriques de langue allemande. Cependant, il n'a livré au public que des poésies isolées, sans réaliser son plan d'en faire un recueil. La première édition de son œuvre poétique parut seulement en 1852, à titre posthume. Une édition complète fait toujours défaut. On peut distinguer trois périodes particulièrement fastes pendant lesquelles Brentano bouillonne d'une intense fermentation lyrique : son lyrisme de jeunesse jusqu'à la fin de l'année 1803 date de son mariage avec Sophie Mereau ; sa production lyrique de 1816 à 1818 qui se compose principalement de poèmes inspirés par l'amour pour Louise Hensel et de poèmes marqués par une forte inquiétude religieuse ; enfin les années 1834-35 où la rencontre avec l'artiste peintre Emilie Linder fait naître des poésies d'une émotion poignante. Apparemment souvent simple et naïf, le lyrisme de jeunesse de Brentano est déjà extrêmement élaboré. Il s'inspire de la chanson populaire dont il adopte les strophes et la structure, mais en les élevant jusqu'aux plus hauts sommets de l'art. Utilisant un langage mélodieux et des valeurs acoustiques, Brentano fait de la musique avec des mots. Il ne faut pas s'étonner que Schubert et Schumann aient négligé Brentano, vu la publication tardive de ses poèmes. Mais parmi les grands compositeurs de lieder du XIXᵉ et du XXᵉ siècle, Brahms et Richard Strauss ont été inspirés par lui. Par ailleurs, il est significatif que, dans le *Docteur Faust* (*) de Thomas Mann, ce soit précisément Adrian Leverkühn, artiste compliqué, guetté par la folie, qui mette en musique des poésies de Brentano, aux harmonies imitatives très réfléchies et d'une virtuosité admirable. Brentano commence par puiser son inspiration chez Goethe ainsi que dans le répertoire des poètes courtois. D'emblée, le thème de l'amour, thème central jusqu'à la fin de sa vie, domine la plupart de ses poèmes, souvent intimement lié à une angoisse métaphysique et à une quête religieuse. Il crée de toutes pièces la légende de la *Lorelei* (*) qui, pour bien des poètes allemands (Loeben, Eichendorff, Heine) et français (Nerval, Jean Lorrain, Apollinaire, Maurice Genevoix), devient une figure symbolique des sortilèges de l'Allemagne. Enfin, de son très vif intérêt pour la poésie populaire naît le recueil du *Cor enchanté* (*), composé en collaboration avec son ami Achim von Arnim. Après une période de lyrisme patriotique, de 1809 à 1811, consacrée notamment à la mort prématurée de la reine Louise de Prusse, à la disparition du peintre romantique Philipp Otto Runge, ou bien à la création de l'université de Berlin par Guillaume de Humboldt, il commence une nouvelle phase de son œuvre lyrique par une des confessions les plus douloureuses et les plus hardies, un véritable « de profundis » de son âme mise à nu, le *Cri de l'esclave au printemps* [*Frühlingsschrei eines Knechtes aus der Tiefe*], rédigé en 1816. Il s'y dépeint sous les traits d'un mineur qui se trouve dans une galerie envahie par les eaux, et qui, désespéré, supplie son maître de le sauver. Dans toute cette poésie, il y a une amertume profonde qui se trahit par quelques mots brefs, semblables à des plaintes étouffées. C'est l'œuvre lyrique à laquelle il tient le plus jusqu'à la fin de sa vie, la modifiant et la recopiant à plusieurs reprises de 1816 à 1838. Le lyrisme de Brentano prend un accent véritablement dramatique lorsqu'il fait la connaissance de Louise Hensel. Le monde poétique des vers inspirés par la passion de Brentano pour Louise Hensel s'ouvre sur une des œuvres les plus achevées du poète : *J'ai traversé le désert* [*Ich bin durch die Wüste gezogen*]. Le désert, c'est le lieu de la plus entière solitude où l'homme fait face à son destin. C'est aussi un lieu de cruauté impitoyable où retentissent seulement les cris stridents des hyènes qui flairent des cadavres. C'est enfin, comme dans la terminologie des mystiques, Suso et Tauler par exemple, le lieu de l'éloignement de Dieu. Dans cet univers où tout est absence, fuite, refus ou agression, le poète est à la recherche d'un lien d'amour : aspiration à l'union mystique avec le Divin, désir sensuel aussi d'une union avec la bien-aimée. La double exaltation, religieuse et érotique, est le trait dominant de la poésie de cette période.

En 1834, le lyrisme de Brentano s'épanouit de nouveau par une production soudaine et abondante. Elle a été détruite en partie par Emilie Linder qui ne voulait pas livrer au public des confessions trop personnelles. Les poèmes retrouvés ont été publiés, dans leur forme intégrale et authentique, en 1968 seulement. Il ne s'agit pas uniquement d'aveux autobiographiques mais de textes d'une grande audace visionnaire qui prouvent clairement que la verve lyrique de Brentano n'est pas tarie : son imagination poétique garde une profondeur et une densité remarquables. Il exploite encore une fois toute la gamme des émotions romantiques bien qu'il appartienne alors déjà à une autre époque sans en faire partie réellement. Certains de ses contemporains le croyaient retiré dans un couvent polonais, renonçant à toute activité créatrice. Mais il n'était nullement perdu pour le monde et encore moins pour la littérature. Durant toute son existence, la poésie lyrique a été pour lui une expression naturelle et nécessaire, reflétant ses tourments, ses conflits, ses exaltations et toutes ses intimes contradictions.

E. Tu.

POÉSIES des sœurs Brontë [*Poems by Currer, Ellis and Acton Bell*]. Recueil de poésies anglaises des sœurs Charlotte (1816-1855), Emily (1818-1848) et Anne (1820-1849) Brontë, publié en 1845, sous les pseudonymes respectifs de Currer, Ellis et Acton Bell. Charlotte s'occupa, en 1850, de la publication d'autres poèmes d'Emily et d'Anne. C'est un bref recueil de poèmes lyriques, où le don poétique supérieur et exceptionnel d'Emily trouve souvent la même intensité concentrée qui fait de son roman *Les Hauts de Hurlevent* (*) un chef-d'œuvre. Les meilleures poésies montrent une profonde vitalité qui, privée par les circonstances de toute possibilité de s'épancher, trouve son aliment en elle-même : l'auteur sait donner aux faits les plus minimes une résonance poétique. Cet art, qui lui permet de développer, en partant pour ainsi dire de rien, sa vie intérieure avec une amoureuse acceptation, atteint parfois à une sorte d'héroïsme, dont il faut chercher l'expression parfaite dans celui qui est peut-être le plus beau des poèmes du recueil : « Souvenir ». Une foi instinctive qui n'essaie même pas de se préciser, une tristesse qui trouve son exaltation en elle-même sont les caractères les plus remarquables de la personnalité d'Emily (voir certaines poésies, comme « Une scène de mort » [A Death-Scene] et « Non, couarde n'est pas mon âme » [No coward soul is mine]. De même que ses romans, les poèmes de Charlotte Brontë sont presque tous autobiographiques. Lorsqu'elle exprime ses sentiments et ses émotions, elle trouve parfois des accents sincères et tendres, mais dans l'ensemble, son œuvre de poète est très médiocre. Aujourd'hui, Charlotte Brontë est surtout connue pour ses romans : *Jane Eyre* (*), *Shirley* (*), *Villette* (*) et *Le Professeur* (+). – Trad. *Poèmes (1836-46)* d'Emily, Gallimard, 1963 ; *Poésies* de Charlotte, Musy frères, 1946.

POÉSIES de Bryant [*Poems*]. Dans ce petit volume est recueillie toute l'œuvre en vers du critique et journaliste américain William Cullen Bryant (1794-1878), sauf sa traduction des poèmes homériques. La renommée de ce doyen de la poésie lyrique américaine est due en particulier à *Thanatopsis,* poème élégiaque en vers libres, publié en 1821, lequel se rattache à la tradition des compositions funèbres en vogue à la fin du XVIIIe et dans la première moitié du XIXe siècle. Bryant voit la mort comme participant au continuel devenir de la nature : « La Terre qui te nourrit prendra pour elle-même ce que tu es devenu, pour te reporter de nouveau à la terre et, perdant toute trace humaine, abandonnant ton essence individuelle, tu iras te mêler pour toujours avec les éléments ; tu deviendras le frère de la roche insensible et de l'inerte motte de terre que le rude bouvier retourne avec son soc et piétine. Le chêne étendant au loin ses racines traversera ta poussière. » L'œuvre se termine par une exhortation à vivre de façon à pouvoir approcher la mort « comme quelqu'un qui se roule dans les draps pour s'abandonner à des songes agréables ». Le thème de la mort est d'ailleurs récurrent et les aspects de la nature lui servent de prétexte pour la rappeler, par ex., le gracieux poème : « À la gentiane déchirée » [To the Fringend Gentian] ou « La Mort des fleurs » [The Death of the Flowers]. Malheureusement, trop souvent, il ne peut s'empêcher d'introduire dans ses poèmes des conclusions moralisantes ou didactiques. Bryant doit la renommée durable dont il jouit dans sa patrie, non seulement à *Thanatopsis,* mais au bref poème « À un oiseau aquatique » [To a Waterfowl], publié en 1813, où l'auteur, s'inspirant du vol d'un oiseau solitaire prenant son essor vers le large, à l'heure du couchant, exalte ce courage et cette ténacité à atteindre le but fixé en dépit de l'espace infini à franchir et de la nuit qui vient. L'intérêt du poème est dû non à sa conclusion édifiante, mais à sa simplicité suggestive qui n'est pas sans rappeler certains paysages japonais. Son amour de la nature et son talent descriptif constituent les mérites principaux de ce poète un peu froid, mais harmonieux et agréable, grand admirateur de Wordsworth, dont l'influence d'ailleurs se fait sentir à travers toute son œuvre.

POÉSIES de Burns [*Poems, Chiefly in the Scottish Dialect*]. Recueil de vers, pour la plupart en dialecte écossais, que le poète Robert Burns (1759-1796) fit imprimer une première fois à Kilmarnock en 1786 dans l'espoir de gagner de quoi partir pour l'Amérique. Le succès fut si grand que Burns renonça au voyage et prépara trois autres éditions augmentées de ses œuvres. La première édition renferme entre autres : « La Foire sainte » [The Holy Fair], où l'on voit les pasteurs se succéder en chaire, tandis que dans l'église les vieux sommeillent et les jeunes s'amusent entre eux ; « La Veille de la Toussaint » [Halloween] qui décrit les jeux et réjouissances traditionnels écossais ; « Requête au Diable » [Address to the Devil] où celui qui parle déclare pouvoir, malgré son intempérance, échapper à Satan ; « Le Samedi soir dans la chaumière » [The Cottar's Saturday Night], où la beauté de la vie rustique est exaltée et où Burns chante son amour pour l'Écosse. Le poème « À une souris » [To a Mouse, on turning her up in her Nest with the Plough], qui fut déterrée de son nid par la charrue, exprime toute la délicatesse et la sensibilité de l'auteur, ainsi que celui intitulé « À une marguerite de montagne » [To a Mountain Daisy, on turning one down with the Plough]. Une note humoristique fait son apparition avec le poème dédié « À un pou » [To a Louse, on seeing One on a Lady's Bonnet at Church], écrit après en avoir vu un sur le chapeau d'une dame à l'église. La seconde édition (1787) contient de nouveaux poèmes et une féroce satire : « La Mort et le Dr Hornbook » [Death and Doctor Hornbook] : le narrateur, légèrement ivre, rencontre un soir la Mort qui se plaint de ce que le docteur Hornbook lui fasse concurrence et lui enlève souvent ses proies ; aussi décide-t-elle de le faire mourir ; mais voici qu'une heure sonne au clocher du village ; il est trop tard et tout rentre dans l'ordre. « Histoire vraie », dit l'auteur, pour signifier que la satire du médecin a bien été faite d'après nature. En 1787, également, parut une autre satire, « Prière de saint Willy » [Holy Willie's Prayer], qui faillit provoquer l'arrestation de Burns. Celui-ci, en effet, avait pris le parti d'un de ses amis en butte aux persécutions d'un « ancien » de la paroisse pour avoir, par charité, fait travailler un dimanche un malheureux mendiant. La Prière tourne en ridicule le sombre puritanisme qui régnait alors en Écosse. Un des chefs-d'œuvre de Burns, le célèbre *Tam O'Shanter*, parut en 1790. C'est un conte de deux cents vers environ, tiré du folklore écossais. Tam O'Shanter aime s'attarder à l'auberge les soirs de foire. Une nuit, alors qu'il chevauchait sur le chemin du retour, en chantant pour se donner du courage, il aperçoit une église éclairée et entend de la musique. Curieux, il s'approche et assiste à un sabbat de sorcières et de démons. Au milieu des sorcières, il aperçoit une jeune fille qu'il connaît et l'appelle. L'alarme est donnée ; il n'a que le temps de tourner bride, mais il est poursuivi et n'est sauvé que grâce à son cheval qui laisse sa queue entre les mains de la jeune fille damnée. Une autre œuvre très connue de Burns, *Les Joyeux Mendiants* [*The Jolly Beggars*], cantate avec récitatifs, musique et chœurs, composée en 1785, parut en 1799 en opuscule séparé, puis en 1801 dans les *Poésies attribuées à Burns* [*Poems ascribed to Robert Burns*]. C'est peut-être l'œuvre la plus achevée de Burns. Une bande de gueux est réunie dans une auberge. Un vieux soldat manchot et qui a une jambe de bois raconte sa vie et le chœur de ses compagnons lui donne la réplique. D'autres se lèvent après lui et racontent à leur tour leurs aventures ; parmi eux, une femme vieillissante qui prend la parole pour dire ses malheurs, excite les désirs de deux des convives ; le soupirant évincé ira se consoler, derrière l'étable, en compagnie d'une autre femme. Il y a dans ce poème un allègre mépris de la morale et il y souffle un esprit révolutionnaire qui venait peut-être de France. Les poèmes de Burns sont remarquables par leur spontanéité et leur naturel. Il les composait aux champs, à l'église, à l'auberge, n'importe où, lorsqu'il se sentait en verve. Son inspiration est variée ; elle va du chant d'amour gracieux et tendre à l'âpre satire religieuse ou même politique. — Trad. Delahaye, 1843.

POÉSIES de Camoens. Toute l'œuvre lyrique du poète portugais Luis de Camoens (1525 ?-1580), à l'exception de trois ou quatre compositions, fut recueillie et publiée à titre posthume. À défaut d'un manuscrit autographe, les premières éditions (celles de Lisbonne, 1595 et 1598) durent se référer à des recueils manuscrits de poésie contemporaine, plus ou moins exacts dans le détail et même dans l'attribution des œuvres : si bien que l'on attribua à Camoens des vers composés par d'autres poètes. Les éditeurs, qui se chargèrent des impressions successives, manquèrent à ce point d'esprit critique qu'ils arrivèrent à attribuer à Camoens tout ce qui semblait digne de sa plume, non seulement parmi les compositions anonymes, mais aussi parmi les poèmes dont on connaissait bel et bien les auteurs. Peu à peu, une trentaine d'écrivains du XVIe siècle se trouvèrent spoliés, et leurs œuvres allèrent grossir l'illégitime patrimoine lyrique de l'auteur des *Lusiades* (*). Deux spécialistes insignes, Wilhelm Storck et Carolina Michaëlis de Vasconcellos, résolurent de rendre à chacun son dû et allégèrent de centaines de compositions l'œuvre présumée du poète portugais. Leurs travaux servirent grandement à l'édition critique de José Maria Rodrigues et Afonso Lopes Viveira (*Poésies lyriques de Camoens,* Coïmbre, 1932), dont la valeur critique appelle cependant quelques réserves, et qui a d'ailleurs été dépassée par une édition exécutée d'après des critères judicieux et avec une extrême prudence : celle d'Hernani Cidade (Luis de Camões, *Obras completas,* Lisbonne, 1946-1947, vol. I et II). Les poèmes de Camoens sont inspirés par l'amour, la mélancolie et la douleur ; ce sont tantôt des louanges, tantôt des réflexions morales ou satiriques, des poèmes tantôt descriptifs, tantôt inspirés par des sujets religieux, mythologiques, historiques ou fantastiques. Leurs relations avec la vie de l'auteur, dont nous ne savons presque rien, restent extrêmement obscures : quelques tentatives dans cette direction n'ont abouti qu'à de purs romans : la dernière hypothèse, dans l'ordre chronologique, est celle qui prétend découvrir dans un amour malheureux qu'eût inspiré au poète la princesse Maria, fille de Manuel Ier de Portugal, la clé d'une grande partie des poésies lyriques de Camoens. L'impossibilité quasi absolue où l'on se trouve actuellement de classer les œuvres par ordre chronologique justifie l'ordre habituel des textes qui sont groupés selon leur genre (« redondilhas », sonnets, églogues, odes, sizains, stances, élégies, chansons) ; et comme on n'est pas en mesure de suivre dans le temps l'activité du poète, pour étudier les grandes lignes de son développement et ses différentes phases, l'unique distinction d'ordre critique qui semble valable est celle que l'on peut établir entre les « redondilhas » (poèmes en vers brefs appartenant à la tradition ibérique postérieure aux troubadours) d'une part, et d'autre part ces formes d'art plus raffinées, non indigènes mais recueillies en Espagne, grâce à l'humanisme (les sonnets, les chansons, etc.). En effet, Camoens ne se contente pas d'emprunter les mètres traditionnels de cette poésie savante mais aussi ses thèmes et ses sujets ; de même, il se départit parfois de cette extraordinaire pudeur qui caractérise l'ancienne poésie amoureuse au Portugal, surtout lorsqu'il imite la poésie italienne. Une fois établie la distinction entre ces deux courants qui se différencient à la fois par l'inspiration et la technique, rien ne prouve qu'ils correspondent à deux périodes, l'une marquée par un goût et l'autre par un autre. S'il est permis de supposer que le poète débutant se soit tout d'abord inspiré des « cancioneiros », il est toutefois certain qu'il n'a jamais fait fi des schémas traditionnels, et qu'il les utilisa au cours de sa carrière autant que ceux du classicisme italien ; il n'en reste pas moins que le poète des « redondilhas » semble assez différent du poète qui s'adonna aux autres genres. On s'est également demandé si Camoens était plus lyrique qu'épique, ou si au contraire l'épique l'emportait chez lui sur le lyrique. En fait, *Les Lusiades* et les *Poésies,* notamment les sonnets, présentent le même caractère et les mêmes défauts. Ici comme là, la fantaisie poétique est extrêmement grêle, de sorte qu'il est difficile de trouver un poème lyrique qui soit tout entier ciselé dans le même métal, et une stance qui soit belle d'un bout à l'autre. Ici et là, Camoens montre l'éclectisme de sa manière, et il est tenté d'enchâsser dans ses propres vers les grâces qu'il a empruntées à des modèles (Virgile, Ovide, Horace, Pétrarque, Bembo, le Tasse, Politien, Sannazar, Garcilaso, l'Arioste) ; à travers toutes ces manières on retrouve les mêmes sentiments (le dégoût de soi et de son propre état, la pensée de la mort, les découvertes amères du pessimisme et des désillusions, la délectation morose) plus mélodramatiques que vraiment tragiques ; et l'effort, l'attitude toute cérébrale de Camoens le rangent indiscutablement dans la catégorie des poètes baroques. Du baroque en effet (et il faut entendre ce mot dans son acception la meilleure), Camoens eut le sens de la couleur et de la nature. Ce sont dans les poèmes lyriques, ainsi que dans certaines effusions où se reflète une grande nostalgie et dans des méditations romantiques sur la dignité de la conscience, qu'il faut rechercher les accents les plus justes et les plus prenants du poète portugais. — Trad. *Sonnets de Luis de Camoens*, éd. Michel Chandeigne, 1989.

POÉSIES de Campbell [*Collected Poems*]. Ce recueil anthologique du poète sud-africain d'expression anglaise Roy Campbell (1901-1957) fut publié en deux volumes du vivant de l'auteur (1949, puis 1957). Après sa mort furent également publiées ses traductions (notamment des classiques portugais). Entre autres recueils non anthologiques, Campbell publia *La Tortue flamboyante* [*The Flaming Terrapin*, 1924], *The Wayzgoose* (1928), *Adamastor* (1930), *La Georgiade* [*The Georgiad*, 1931], *Roseaux en fleur* [*Flowering Reeds*, 1933], *Emblèmes mithraïques* [*Mithraic Emblems*, 1936], *Talking Bronco* (1940), *Fils du mistral* [*Sons of the Mistral*, 1941] ; ainsi qu'une traduction en vers de saint Jean de la Croix et un livre de souvenirs, *Souvenir brisé* [*Broken Record*, 1934].

Poète anglais par la langue comme par ses origines, mais attaché passionnément à l'arrière-pays sauvage de l'Afrique du Sud (sa jeunesse fut partagée entre elle et la Rhodésie), Campbell vécut dans l'ambiguïté de ce signe double. Il connut de nombreuses aventures militaires et passa des années de sa vie en France, au Portugal et en Espagne. Pendant la guerre d'Espagne, il combattit du côté franquiste. Il s'engagea dans l'armée britannique en 1939 (en raison de son âge et de sa nationalité sud-africaine, il s'écoula un an avant qu'il fût accepté). Il mourut dans un accident d'auto. Sa vie et ses poèmes s'identifient souvent. On devine à travers ses écrits l'homme qu'il fut. Le poète est intègre, un peu obsédé quelquefois de ses manies, émouvant en cent occasions. Il a célébré les poètes d'Afrique (quoique peut-être lui surtout) : « Vrais fils de l'Afrique sommes-nous / Bien qu'abâtardis de culture / Indigènes et féroces et libres / Comme le loup, le pionnier et le vautour. » Il a montré des chevaux en Camargue : « Dans les grises étendues de l'épouvante / Repaire des mouettes dispersées où rien ne bouge / ... / Leur race n'est pas de ce monde / Eux qui ne hantent que les confins de la terre. » Lui-même, en Afrique du Sud, en Camargue, au Portugal ou à Londres, en temps de paix ou de guerre, était d'un monde antérieur, très ancien. — Trad. d'*Adamastor*, Cahiers de Barbarie, n° 12, Tunis, 1936.

POÉSIES de Carco. Sous ce titre fut réuni en 1939 l'ensemble des recueils de poèmes de l'écrivain français Francis Carco (1886-1958), *Premiers vers* (1904-10), *La Bohème et mon cœur* (1912), *Chansons aigres-douces* (1913), *Petits airs* (1920), *Vers retrouvés* (1910-23), *Petite suite sentimentale* (1923-37). Ces pièces très courtes, où la mélancolie se voile d'un sourire ambigu, se réclament de l'école fantaisiste, fondée au début du siècle par Carco, Tristan Derême, Jean Pellerin, Jean-Marc Bernard et quelques autres jeunes poètes qui s'étaient donné un chef en la personne de P.-J. Toulet. Peu après les *Premiers vers, La Bohème et mon cœur* dévoile cette confidence : « Ah ! je t'aime ! Où donc es-tu, / Ailleurs que dans mes poèmes ? » On y perçoit déjà ce ton très personnel que le poète n'abandonnera plus, où le libertinage des mauvais garçons, alternant avec le bonheur simple des guinguettes, importe moins peut-être que la pluie, ou une persienne qui grince au vent. La même floraison de lilas, de sureaux, de glycines embaume *Chansons aigres-douces* et *Petits airs* qui, notamment, contient « Madrigal », « Villon, qu'on chercherait céans », dédié à Max Jacob, « L'Heure du poète », et « Olga ». Les *Vers retrouvés*, et singulièrement « Compagnons », baignent dans cette même atmosphère de mélancolie et d'humour, de cynisme et de tendresse, avec le décor d'une taverne et le contraste entre la lampe claire et la brume qui sévit à l'extérieur. Quant au poème bien connu « Le Doux Caboulot » (« Le doux caboulot / Fleuri sous les branches »), la parfaite harmonie de ses quatre strophes eut un succès mérité. La *Petite suite sentimentale*, enfin, se situe dans un climat assez voisin de *Jésus-la-Caille* (*), roman du même auteur. Citons, entre autres, « Line », d'une désolation subtile, et « Au son de l'accordéon ». Francis Carco, dans son œuvre rimée, sait toujours garder la note juste et aigre-douce qui lui convient. Sa grande qualité est le naturel : il ne faisait aucune différence entre le poème et la chanson.

POÉSIES de Castilho. Recueil de poésies de l'écrivain portugais António Feliciano de Castilho (1800-1875). Castilho prit part à la révolution romantique, tout en conservant intacte sa formation classique. Dans sa féconde production lyrique, le romantisme ne se révèle en effet que par les sujets qu'il traite. Poète guidé par l'oreille plus que tout autre (il perdit la vue à six ans) et d'une éducation toute rhétorique, Castilho est plus soucieux de la forme que du fond et ne se préoccupe qu'assez peu d'exprimer une expérience intérieure. Cette tendance se révèle dès ses premières œuvres, les vingt et une épîtres poétiques qui forment les *Lettres d'Écho à Narcisse* [*Cartas de Echo a Narciso*, 1821], où le sentimentalisme superficiel des *Héroïdes* (*) d'Ovide se mêle à la pure sensibilité de la *Nouvelle Héloïse* (*) de Jean-Jacques Rousseau. On retrouvera les mêmes contrastes dans le poème *Le Printemps* [*A Primavera*, 1822] où, sur la trame de certaines réminiscences classiques, il compose des tableaux de nature et des peintures idylliques qui, par l'exquise finesse de leur forme, ont appelé la comparaison avec Sappho et Anacréon. Si, dans les poésies d'*Amour et Mélancolie* [*Amor e Melancolia ou a Novissima Heloisa,* 1828], il fait également appel aux effusions lyriques et religieuses du romantisme, à cette sentimentalité exagérée de l'époque, il n'en demeure pas moins que sa prosodie reste étroitement enfermée dans les cadres et les modes traditionnels. C'est une fusion plus équilibrée de l'ancien et du nouveau que nous offre le poème *La Nuit du château* [*A noite do castello,* 1836] : le Moyen Âge, avec ses coutumes chevaleresques, ses fables gothiques, y est évoqué en un langage volontairement archaïque, mais doué d'une grâce harmonieuse et mélancolique. Semblables remarques sont valables pour son poème intitulé : *La Jalousie du barde* [*Os ciumes do bardo,* 1838]. Certains quatrains, par contre, d'une élégance de style remarquable, tirent leur inspiration de thèmes proprement populaires : *A visão, O São João, A noite do cementerio.* La valeur de cette poésie — poésie de transition — tient essentiellement dans ce culte de la forme que Castilho a hérité d'une longue tradition ; en effet c'est seulement dans ce rôle conservateur que doit être cherché le secret de l'influence incontestée que le poète exerça de la mort de Garrett jusqu'à la naissance de l'école de Coïmbre.

POÉSIES de Catulle [*Liber Valerii Catulli*]. Recueil des œuvres du poète latin Gaius Valerius Catullus (né entre 87 et 84 - mort entre 57 et 54 av. J.-C.). Ces poèmes, au nombre de 116 (ou 117), ne suivent pas un ordre chronologique, mais sont groupés selon leur genre et leur structure métrique ; au début et à la fin se trouvent les pièces les plus courtes et les plus légères, tandis que les poèmes érudits, plus importants, forment le corps de l'ouvrage. Celui-ci est dédié à Cornelius Nepos, l'auteur du *Traité sur les grands généraux des nations étrangères* (*), dont le principal titre de gloire serait, d'après Catulle, une *Chronique* universelle, en trois livres, qui ne nous est pas parvenue. La dédicace est suivie de deux poèmes célèbres sur la vie et la mort du « moineau de Lesbie » (1-3) et sur le navire miniature (4), symbole de la vie tourmentée du poète, qui rejoint finalement son port. Les autres pièces du recueil ont des sujets extrêmement variés : l'auteur y parle de ses amis, de ses ennemis, des habitants de Rome ou de la province cisalpine ; mais ils sont surtout consacrés à Lesbie, la femme dont il était tombé amoureux dès son arrivée à Rome. Elle s'appelait en réalité Clodia, et était la sœur du tribun Clodius ; mais Catulle avait changé son nom en celui de Lesbia (en hommage, probablement, à la poétesse Sappho, originaire de Lesbos) en raison de l'intérêt qu'elle portait aux choses de l'esprit et de la poésie, ainsi d'ailleurs qu'à celles de l'amour. Leur liaison, fort orageuse, compta mainte rupture et mainte réconciliation. Et les poèmes, fidèles reflets des états d'âme de leur auteur, sont tantôt des hymnes à la beauté et à la passion, tantôt des considérations désenchantées sur l'infidélité féminine. Mais l'amour ou la satire ne constituent pas les seules sources d'inspiration du poète. Les *Poésies* de Catulle comptent également des odes, des pièces imitées des Alexandrins, des épithalames. Ces derniers, au nombre de deux, ont pour modèle les poèmes nuptiaux des Grecs ; les détails qu'ils évoquent font toutefois allusion à des coutumes typiquement romaines. Dans le premier épithalame (61), jeunes gens et jeunes filles, à la tombée de la nuit, escortent la nouvelle épousée jusqu'à la maison de son mari. À la lueur des torches, ils chantent un hymne en l'honneur d'Hyménée, le dieu qui, d'une tendre vierge, fera une mère féconde. Au milieu d'eux s'avance, d'un pas hésitant, la jeune femme que son époux soulève dans ses bras pour lui faire franchir le seuil du foyer qui sera désormais le sien. Après quoi le cortège se disperse et s'éloigne. Le second épithalame (62) souligne le contraste entre l'allégresse des amis de l'époux et la tristesse des jeunes filles qui accompagnent la nouvelle épousée. L'apparition d'Hesper, l'étoile du berger, est saluée par un concert de louanges et de lamentations, les uns voyant en elle la promesse de joies toutes viriles, et les autres la perte de leur virginité. Mais les accents des mâles l'emportent : l'épouse est confiée à l'époux, et les noces s'accomplissent. Aux épithalames succèdent des poèmes d'inspiration mythologique. Le premier (63) a pour sujet la passion et le malheur d'Attis — voir *Attis* (*). Le second s'intitule *Les Noces de Thétis et de Pélée* (64). Thétis, bien qu'étant une nymphe néréide, accepte d'épouser un mortel, le héros Pélée. Les noces sont célébrées avec faste, les cadeaux offerts aux jeunes époux sont somptueux : le plus remarquable de tous est la pièce d'étoffe pourpre destinée à recouvrir le lit nuptial ; elle est en effet entièrement brodée de motifs évoquant l'histoire d'Ariane, la femme qui, abandonnée par Thésée dans l'île de Naxos, devient l'épouse de Bacchus. Après les mortels, les Olympiens eux-mêmes font leur apparition dans le palais où se célèbrent les épousailles, et prédisent à Thétis et Pélée la vie, les exploits et la gloire d'Achille, qui sera le fruit de leur union. Le troisième poème mythologique, *La Chevelure de Bérénice* (66), est précédé d'une épître dédicatoire à Ortalus (65) : c'est la traduction de *La Boucle de Bérénice* (*) de Callimaque. Les *Poésies* de Catulle comprennent en outre d'assez longs poèmes où domine l'hexamètre (dialogue d'un passant avec une porte, élégie sur la mort d'un frère, remerciements à un ami), ainsi que des « épigrammes », compositions extrêmement concises, se réduisant parfois à quelques distiques ou même à un seul. L'œuvre de Catulle a, de l'avis des critiques les plus compétents, un caractère éminemment autobiographique. Il semble bien que le poète ait voulu chanter ses amours, ses haines, ses préoccupations politiques ou littéraires. Il convient toutefois de faire la part de l'inspiration poétique. C'est dans les poèmes érudits, d'une certaine ampleur, que Catulle, selon certains, donne la mesure de son lyrisme ; plutôt que dans les petits poèmes composés à l'occasion des menus événements de la vie quotidienne : visites, invitations, billets doux, etc. Aux événements qui le contrarient, Catulle réagit en les caricaturant avec vigueur. Les pièces de Catulle, qui expriment tour à tour ou à la fois la joie, la douleur ou la haine (Fénelon, dans sa *Lettre à l'Académie*, a admirablement commenté le plus célèbre distique : « Odi et amo », « Je hais et j'aime... »), ont été groupées par l'auteur d'après des canons purement esthétiques ; ce qui fait leur véritable valeur autobiographique, c'est le fait qu'elles trahissent la révolte du poète contre des lois sociales qu'il estime cruelles pour ses semblables. Cette révolte se solde par un échec sur le plan humain, domestique, sentimental ; et le sentiment de cet échec total accable le poète. Celui-ci accepte la trahison, la jalousie, la maladie, la mort, avec angoisse mais non sans dignité. Bien davantage qu'un roman d'amour, l'édifice savant des *Poésies* de Catulle doit être considéré comme un journal intime, un monologue intérieur d'une exceptionnelle élévation de style et de pensée. — Trad. Belles Lettres, 1949 ; L'Âge d'homme, 1985.

POÉSIES de Cendrars. Les œuvres poétiques de l'écrivain français d'origine suisse Blaise Cendrars (pseud. de Frédéric-Louis Sauser, 1887-1961) ont été réunies en 1944 sous le titre de *Poésies complètes*. Le volume comprend : *Du monde entier* (1919), *Dix-neuf poèmes élastiques* (1919), *La Guerre au Luxembourg* (1916), *Sonnets dénaturés* (1916), *Poèmes nègres* (1922), *Documentaires* (1924), *Feuilles de route* (1924-28), *Sud-Américaines* (1926), *Poèmes divers* (1919-33), *Au cœur du monde* (1919-22). *Du monde entier* se compose de trois longs poèmes : « Les Pâques à New York », « Prose du Transsibérien et de la Petite Jehanne de France » et « Le Panama ou les Aventures de mes sept oncles ». « Les Pâques à New York », écrites en vers assonancés, marquent une date importante dans l'histoire de la poésie moderne, et Apollinaire, le premier, semble bien en avoir subi l'influence. Cendrars a déclaré que c'était en une seule nuit, à New York, en avril 1912, qu'il avait composé les deux cent cinq vers du poème ; quelques mois plus tard, un tirage limité des « Pâques » était publié à Paris. Le poème s'ouvre sur une évocation de la piété médiévale à laquelle viennent bientôt s'opposer les images fiévreuses de la vie new-yorkaise. Le poète recommande à Dieu les miséreux et pousse un cri de révolte contre la toute-puissance de l'argent : « Seigneur, la Banque illuminée est comme un coffre-fort, / Où s'est coagulé le sang de votre mort. » La « Prose du Transsibérien et de la Petite Jehanne de France » (1913) contient le souvenir halluciné du grand voyage en Russie que le poète avait fait dix ans plus tôt. C'est le poème de l'aventure, de la violence, de la vitesse, dans un monde bouleversé par la guerre, où l'on pressent la « venue du grand Christ rouge de la Révolution ». Alors que le « Transsibérien » était le récit d'une course folle vécue par un seul individu, « Le Panama ou les Aventures de mes sept oncles » (1913-14) multiplie le nombre des coureurs d'aventures et des points de vue sur le monde, chacun des sept oncles étant parti à la découverte d'une portion de la planète et ayant connu une destinée particulière. Mais, quelle que soit la fortune rencontrée en route, les oncles ont connu « encore quelque chose / La tristesse / Et le mal du pays ». Un seul y a échappé, c'est l'oncle cuisinier, dont les menus « sont la poésie nouvelle ». Avec les *Dix-neuf poèmes élastiques* (écrits entre 1913 et 1919) Cendrars atteint à une poésie qui rompt complètement avec les règles et les thèmes traditionnels. Dédaignant les signes de ponctuation et donnant l'impression d'une transcription instantanée des événements et des sensations qui assaillent leur auteur, les *Dix-neuf poèmes* accueillent tout un univers agité, passionné, fiévreux : celui des années qui voyaient naître le cubisme, le dadaïsme et le simultanéisme. *La Guerre au Luxembourg, Sonnets dénaturés* et *Poèmes nègres* se situent dans le même climat d'expériences d'avant-garde (qui se manifeste notamment, dans les deux premiers ouvrages cités, par des recherches dans la présentation typographique des poèmes). À partir de 1924, Cendrars entreprend une série de grands voyages, principalement en Amérique du Sud, et commence à rédiger les poèmes qui vont prendre place dans *Documentaires* (d'abord publié, en 1924, sous le titre de *Kodak*), *Feuilles de route* et *Sud-Américaines.* Ces poèmes, souvent très brefs, appartiennent « au genre si décrié des poèmes de circonstance ». Ce sont des « photographies mentales » qui nous restituent, avec une grande fraîcheur, les plus fugitives impressions de route du voyageur. Dans les *Poèmes divers* on trouve un bel « Hommage » du poète à Guillaume Apollinaire qui venait de mourir (novembre 1918). Les *Poésies complètes* se terminent sur des fragments de *Au cœur du monde*, poème écrit en 1917, que Cendrars considérait comme une de ses œuvres les plus importantes, mais qu'il se refusa toujours à publier intégralement. Les fragments publiés chantent le retour du poète dans la ville et la maison qui l'ont vu naître (« Hôtel Notre-Dame ») et contiennent une étrange évocation de la vie prénatale (« Le Ventre de ma mère »). Tant par les terres nouvelles qu'il a annexées à la poésie que par les techniques poétiques qu'il a forgées pour s'exprimer, Blaise Cendrars se situe parmi les plus grands poètes de la première moitié du siècle. Sa poésie, nourrie d'un constant émerveillement devant les êtres et les paysages, est une poésie de constat, de grand arpentage du monde. Mais il y a quelque chose de plus précieux que toutes les merveilles dont nous parle le poète : c'est le ton et l'accent de celui qui nous les conte, cette voix qui nous rend familier, accessible et merveilleux tout ce dont elle parle.

POÉSIES de Chamisso. Français d'origine, allemand de cœur, Adelbert von Chamisso (1781-1838), naturaliste et poète, est surtout connu dans les lettres par sa célèbre *Histoire merveilleuse de Peter Schlemihl* (*) ; mais sa renommée lui vient également de ses poèmes, empreints de romantisme français et allemand, et d'un idéal à la fois aristocratique et libéral. Publiées en 1831, ces poésies relèvent en partie des chants populaires par leur caractère simple et mélodique. Sans se révéler dans ses vers comme un poète créateur et original, Chamisso n'en demeure pas moins un très pénétrant interprète des sentiments d'autrui. Ainsi, dans le bref cycle de neuf poésies intitulé « L'Amour et la vie d'une femme » [Frauen-Liebe und Leben], les sentiments d'amour et de douleur qui constituent la vie féminine sont exprimés sous une forme poétique d'une exquise délicatesse : la musicalité de ces vers a inspiré à Robert Schumann les célèbres *Lieder* (*) de l'op. 42, de même titre. Mais le poème le plus intéressant et le plus expressif est « Le Château Boncourt » [Das Schloss Boncourt], dans lequel le poète, né en France et contraint d'émigrer en Allemagne, rêve à son enfance qui se déroula en Champagne, dans la demeure de ses ancêtres : c'est là une des rares poésies où Chamisso nous parle de lui-même et de sa patrie d'origine. Dans ses croquis et tableaux de genre inspirés de la vie du peuple, l'influence de Béranger, le « poète des humbles », est manifeste : à noter la délicate poésie « La Vieille Lavandière » [Die alte Waschfrau]. En dépit de sa prédilection pour le macabre, Chamisso n'atteint jamais à l'intensité dramatique des « ballades » nordiques. Il s'en approche cependant, en particulier par le caractère effrayant des descriptions, comme dans « La Femme du lion » [Die Löwenbraut]. En revanche, « Le Retour du fils » [Des Gesellen Heimkehr] participe d'un ton plus populaire et plus proche de la romance. Particulièrement populaire est le récit en vers « Le soleil le ramènera au jour » [Die Sonne bringt es an den Tag] auquel ce refrain, sous des formes variées, donne un tour obsédant et dramatique. Maître Nicolas avoue certain jour à sa femme avoir assassiné dans sa jeunesse un marchand juif, qui lui cria avant de rendre son dernier soupir : « Le soleil le ramènera au jour. » La femme confia le secret à ses voisines et le crime finit ainsi par être découvert. Et tandis que Nicolas endure le supplice de la roue, les corbeaux alentour répètent : « Le soleil l'a ramené au jour ! » Parmi les « Légendes populaires allemandes » [Deutsche Volkssagen], la plus connue est celle des « Femmes de Weinsberg » [Die Weiber von Weinsberg], lesquelles, ayant reçu de l'assiégeant la permission de quitter la ville avec ce qu'elles ont de plus cher, sortent en emportant leurs maris sur leurs épaules. — Trad. Flammarion et Aubier-Montaigne (s.d.).

POÉSIES de Chappaz. Avec son titre en oxymore, *Verdures de la nuit* (1945) ouvre le premier cercle de l'œuvre lyrique de l'écrivain suisse Maurice Chappaz (né en 1916), celui de l'émerveillement devant la beauté de la nature, de l'accord profond avec l'univers féminin et la nuit, et du jaillissement de la parole poétique. Trois amples poèmes en vers libres composent ce recueil comme un éloge de la création, de la créature et de son chant, dont la forme, les images et les rythmes sont empruntés à *La Bible* (*) et plus particulièrement à l'Ancien Testament : *Genèse* (*), *Psaumes* (*), *Cantique des cantiques* (*). Le poète choisit d'emblée un lieu d'appartenance au double signe : pays natal, le Valais, entre Rhône et hauts sommets alpins, et pays biblique qui, pour s'accomplir, doit être dit et chanté : « Valais ô pays de la Bible / portant dans ton sein ombreux / semblable à une branche qui verdit / le Rhône / arche remplie d'un miel noir / et du murmure des rochers et des bois ardents / rose d'un sombre soleil... »

Appartiennent à cette louange heureuse *Les Grandes Journées de printemps* (1944), suite de proses poétiques prenant la forme de la lettre, du récit, de la description ou de l'évocation de souvenirs. Course-poursuite de la femme aimée, reine des eaux et des forêts, cette quête onirique entrecroise deux registres : l'autobiographique, avec lieux et personnages bien réels, et le romanesque où la nuit et le cœur conservent leurs mystères et leurs charmes.

Avec le *Testament du Haut-Rhône* (1953), suite de dix proses poétiques, et *Le Valais au gosier de grive* (1960), composé de quatre chants en vers libres, Maurice Chappaz, attentif au pays réel dans lequel il vit et travaille, prend conscience de la transformation brutale du Valais : de terre mythique portée par la Parole, il est en train de devenir pays moderne, proie des terrassiers et des ingénieurs : « Le Valais de bois est à l'agonie. » À cette mutation du Valais correspond une cassure à l'intérieur du poète lui-même. L'espace que le regard et la marche parcouraient avec bonheur s'enfonce dans des ténèbres opaques qui n'ont plus rien à voir avec la nuit reconnue, selon l'expression de Gustave Roud, comme un « magique recours contre la solitude ». La mission du poète est devenue celle du désenchantement : « Nos années appartiennent au Couchant. » D'où un ton pathétique qui s'exprime par des séries d'images violentes construites sur les contrastes les plus absolus, et *Le Valais au gosier de grive,* s'il a perdu le mouvement ample, la respiration tranquille, le rythme du pas, pour faire place à une prosodie heurtée, morcelée, abrupte, est ordonné comme un rituel avec son « antienne des pèlerins » et ressemble à un thrène, « musicale déploration fondée sur le thème d'une double disparition irrévocable », selon la formule de Gustave Roud qui y était particulièrement sensible. La colère et la révolte grondent, et se traduisent par une veine burlesque et profanatrice, dont Maurice Chappaz ne se départira plus : « Mieux aurait valu pour tous les vieux pays / avoir été tués d'une balle / que de croire à la bombance. » Le « venin » de l'ironie s'est substitué au « levain » de la Parole, entre un futur maléficié et un passé révolu : « Voici le pays de l'exil. »

Le Chant de la Grande Dixence (1965), poème méditatif en prose sur les rapports entre le travail, la société et la poésie, évoque la période de l'édification des barrages où Chappaz lui-même a travaillé. L'épopée des constructeurs, que la parole du poète tente de reconstituer, « en ce temps de la Grande Dixence... », tourne court ; le travail tue, il ne sauve pas, et le poète de conclure : « Il faudrait bâtir des barrages comme l'Angelico peignait. » La méditation du poète, qui n'est pas sans rappeler l'*Ecclésiaste*, achève le deuxième cercle de poèmes liés de manière décisive au destin du Valais et annonce la veine pamphlétaire de l'écrivain que ne laisse pas sans voix la métamorphose de son pays : *Les Maquereaux des cimes blanches* (1976).

Par la division intérieure du poète aux prises avec le désenchantement et le sourd travail du négatif, le lyrisme s'est rompu pour se disperser, se fragmenter, s'émietter ; plus aucun lié, aucune suite, aucune composition d'ensemble, mais des scènes, des éclats, des fulgurances. Maurice Chappaz choisit la forme du constat la plus dépouillée et la plus distanciée : un vocabulaire sobre, aux limites de la langue parlée, des vers courts, des poèmes brefs ; les images ont été remplacées par des jeux de mots, des paradoxes et des contradictions. Comptines, refrains et litanies rappellent les mondes archaïques ou préhistoriques de la grâce ou de l'innocence. Les questions seules ont gardé la forme du tourment métaphysique, et la prière se réduit à un verbe-cri.

Tendres campagnes (1966) et *Office des morts* (1966) sont suivis d'un long silence que vient couper un livre subversif : *À rire et à mourir* (1982). Maurice Chappaz le présente ainsi, rendant compte du choix d'une esthétique perturbatrice plus conforme au monde moderne qui va allègrement à sa perte : « ... j'ai chevillé, repris, relu, raturé deux cents pages d'articles-poèmes, tout le chaotique, l'insolite et la foi de ces douze ou quinze dernières années. Les moines placent des crânes dans leurs cellules. Je pourrai vous expliquer : une partie de mon visage a regardé l'autre du dedans ou de derrière, mais en riant. Les larmes devaient venir mais j'ai résisté. » Le rire, avec ses composantes diaboliques, déconstruit aussi bien les émotions que les pensées, le lyrisme que la méditation ; il résout tout avec bruit ; il prépare en anarchiste le « grand soir » et pourrait même, aux dires des philosophes, survivre au néant qu'il appelle de ses vœux. C'est ce rire devant l'unité perdue qui relie les uns aux autres les différents pans de l'œuvre de Maurice Chappaz et clôt le troisième cercle poétique resserré involutivement sur lui-même. Le poète, cependant, observait lucidement, prophétiquement, dans *Le Valais au gosier de grive* : « Ce qu'il a manqué / C'est que quelqu'un dise à temps aux églises / de marcher et de s'en aller. »

D. J.

POÉSIES d'André Chénier. Selon la terminologie traditionnelle, l'œuvre du poète français André Chénier (1762-1794) se répartit en *Bucoliques, Élégies, Poèmes* (*L'Art d'aimer, La République des lettres, Hermès, L'Amérique, Suzanne, L'Invention*), *Odes, Iambes.* Cette nomenclature attestée par l'auteur qui attribuait un sigle spécial à chacun de ses projets, doit être dépassée si l'on ne veut pas vouer à l'étiquetage et à la dispersion une entreprise demeurée inachevée. S'agit-il d'une œuvre ou seulement de ses préliminaires ? Hormis *Le Jeu de Paume* (1791), ode politique, et l'*Hymne* dite « aux Suisses de Chateauvieux » (15 avril 1792), pièce sarcastique de circonstance, Chénier en poésie n'a rien publié de son vivant. La plupart des recueils n'existent qu'à l'état d'ébauche. Même les moins informes, les *Bucoliques* et les *Élégies,* sont loin d'avoir trouvé leur structure définitive. Au nombre des poèmes terminés figurent *L'Invention,* quatre ou cinq « idylles » (*L'Aveugle* est la plus célèbre), près de quarante élégies, une douzaine d'odes (dont la trop fameuse *Jeune Captive*). Certains fragments ont acquis la dignité de chefs-d'œuvre (« La Jeune Tarentine », « Néère », les derniers *Iambes*). Le reste, poussière ou minerai, est rebelle à la mise en ordre : d'où l'extrême difficulté d'éditer André Chénier d'une manière satisfaisante et de le lire congrûment.

Pourtant cette œuvre ne se laisse saisir dans son unité que si on la rapporte aux principes qui la régissent. La notion de « genre » y figure à titre secondaire, les différents modes qu'elle illustre n'étant pas autre chose que les réfractions variées d'un unique foyer lumineux, comme il en est des couleurs à travers le prisme. Ce syncrétisme caractérise la poésie née du sensualisme et dont l'épanouissement correspond au règne de Louis XVI. Une jeune poétique des styles se substitue à la vieille poétique des genres. « Les ouvrages ont une physionomie : ils font connaître non seulement les humeurs et le caractère, mais même la figure », écrit Chénier. Qu'il chante sur le mode bucolique ou élégiaque, satirique ou épique, le vrai poète cède à une « impulsion secrète qui le domine » et fait reconnaître sa voix, unique entre toutes. « L'art des transports de l'âme est un faible interprète ; / L'art ne fait que des vers, le cœur seul est poète. » L'inspiration suppose le métier, mais elle le déborde et le transcende. Chénier n'utilise guère que l'alexandrin à rimes plates mais, comme ses contemporains, il essaie d'en renouveler la prosodie, à l'instar des rythmiques gréco-latines : « Sur des pensers nouveaux faisons des vers antiques. » Entre l'ancien et le moderne, il n'y a point de césure : Chénier ne récuse pas la vénérable doctrine de l'imitation, mais il parle d'une « sorte d'imitation inventrice » (que Faguet appelait « innutrition ») selon laquelle chaque génie s'alimente auprès de ses devanciers, « digère cela à sa façon » et en fait « sa nourriture propre ». D'où cette définition conforme à la logique d'un système matérialiste : « Un poète qui vient après, qui les connaît tous et sait les sentir tous, peut [...] se composer une manière d'après toutes celles-là, une manière à lui [...] Ils l'ont aidé à se faire sa manière qui n'est celle d'aucun d'eux, qui est aussi, tout comme la leur, celle de la nature, originale comme la leur, puisqu'elle est vraie, pittoresque, facile, imprévue, et difficile à imiter. » Un syncrétisme de la pensée accompagne celui des formes dans la constitution de la poésie.

Il ne convient donc pas de distinguer dans l'œuvre de Chénier, comme le faisait encore J. Fabre, des « Vers antiques », des « Pensers nouveaux » et le domaine du cœur. Une osmose relie entre eux les projets dont on s'aperçoit à l'examen qu'ils ont coexisté plutôt qu'ils ne se sont succédé. Dès l'âge de seize ans, l'ardent jeune homme a découvert sa vocation. Il s'exerce en imitant Homère, Virgile, Sapho, Théocrite ; on a conservé quelques échantillons de ces gammes et études. Sa précocité paraît fulgurante. Une boulimie de savoir érudit et la fougue des sens sont les deux sources de son inspiration. Avant vingt ans, il sait ce qu'il veut faire, entame un *Art d'aimer* à l'imitation de l'*Ars amatoria* d'Ovide, ouvre une série « bucolique », fulmine quelques tirades satiriques sur l'indépendance des arts et la servilité des auteurs, rédige des élégies pour son maître Lebrun et pour ses amis, songe à un recueil de pièces amoureuses comme en ont publié Parny et Bertin, rêve d'un poème sur l'Amérique, avatar moderne de l'épopée. Mais il se dissipe et se disperse : « Rien n'est fait aujourd'hui, tout sera fait demain. » Anticipation et procrastination l'habiteront toujours.

Pour son *Ars,* comme il disait, sur un sujet ô combien rebattu, Chénier faisait mieux que calquer Ovide. Avec un discernement remarquable, il visait à une modernité « philosophique » en cherchant à concilier, dans un domaine habituellement voué aux folâtreries, expérience personnelle et réflexion générale sur l'amour à travers les âges, mythologie païenne et anthropologie des Lumières. Chantier primitif, *L'Art d'aimer* a souffert de servir d'entrepôt pour les chantiers suivants, surtout les *Bucoliques* et les *Élégies.* Il avait aussi contre lui de n'être qu'un exercice, brillant mais limité, d'imitation libre et prêtait à confondre inspiration poétique et embrasement érotique.

Les *Bucoliques* et les *Élégies* occupent dans la vie du poète une position centrale, symétrique et synchronique. Il y travaille à peu près continûment de 1780 à 1792. Ces muses sont dévolues à la jeunesse : elles laisseront ensuite la place à des « muses plus austères ». Taillée sur le modèle latin de Properce et de Tibulle, et beaucoup plus libre d'allure que sous Boileau, l'élégie est en plein renouveau vers 1780 : lieu des épanchements et des confidences, elle tend à devenir un journal de l'âme. Chénier dépassera très vite les simples causeries en vers de ses débuts pour entretenir avec ses Muses un dialogue productif : « Par vous la rêverie errante, vagabonde, / Livre à vos favoris la nature et le monde. / Par vous, mon âme au gré de ses illusions / Vole et franchit les temps, les mers, les nations ; / Va vivre en d'autres corps, s'égare, se promène, / Est tout ce qu'il lui plaît, car tout est son domaine. » S'échappant du genre élégiaque, la création poétique devient ainsi « parole essentielle : parole reflétant le monde et, en même temps, le produisant » (G. Picon). Simultanément, Chénier veut surpasser Parny et Bertin dans le jeu à la mode de la poésie-vérité en retraçant la chronique de sa liaison avec « d'Azan/Camille », autrement dit avec la trop galante et très belle Michèle de Santuary, épouse de Bonneuil, sœur cadette de l'« Eucharis » célébrée par Bertin. Mais la pente de son tempérament l'oriente vers une combinaison du réel et du rêve, en marge de la vie quotidienne (voyages, maladies, chagrins). Sous la Révolution, la veine élégiaque inclinera vers le lyrisme de l'ode.

Le chant bucolique, issu de Théocrite et de Virgile, maîtres vénérés, autorise des griseries plus subtiles où l'évasion imaginaire se combine avec l'exigence érudite, quasi archéologique, et avec l'appétit vital : fête des sens et de l'intellect, musique de l'âme, il est sans commune mesure avec le genre pastoral sous sa forme traditionnelle. Le répertoire de référence se dilate à l'infini, allant d'Homère à Shakespeare, du Chi-King à Gessner. Le poète-chercheur plonge dans l'*Anthologie* de Brunck pour reconstituer au deuxième degré une civilisation primitive, grecque pour l'essentiel. Ce ne sont pas seulement curiosités d'antiquaire, c'est désir de remonter aux sources de l'être et de son être. À débiter les *Bucoliques* par morceaux on en détruit la portée. Nœud culturel, fête récréative, réceptacle de fantasmes, chant continu, le recueil s'organisait en un itinéraire poétique à valeur initiatrice : Italie, Sicile, pleine mer, Grèce, Cyclades, autant d'escales où devaient miroiter des images en forme de rêves, fables, mythes, légendes, cortèges et qui menaient l'homme sensible des élans inéduqués du jeune âge (dans un décor surtout sicilien) à la pleine autonomie de la raison (sous un ciel grec). L'idylle de « La Liberté », opposant dans un dialogue de sourds le jeune homme libre et l'esclave, introduisait une dissonance inquiétante dans l'euphorie ambiante à quelques années de la Révolution.

Poète des Lumières mais poète enrayé, tel apparaît Chénier dans *Hermès* et *L'Amérique* où le genre didactique et l'épopée culminent sur les sommets d'un lyrisme « philosophique ». Projets jumeaux et gigantesques dont n'émergent que des ruines. L'*Hermès* au titre emblématique devait en trois chants glorifier le génie de l'homme et l'insérer dans une histoire de la terre et de la société : quelques centaines d'alexandrins subsistent, ainsi qu'une brassée de notes en prose. Dans *L'Amérique,* « poème de douze mille vers » selon l'auteur, dont à peine plus de cent ont été écrits, la découverte du Nouveau Monde, moment privilégié d'une épopée universelle, servait de prétexte à brosser l'odyssée des temps modernes sans exclure aucune extension du sujet. Le superbe « Hymne à la nuit » mis dans la bouche du poète Alfonse « à la fin d'un repas nocturne en plein air » montre du moins au prix de quelle sublimation Chénier était capable d'allier dans un même élan science et poésie, exigence philosophique et extase lyrique. Sur sa lancée, il conçut vers 1786 un poème biblique, *Suzanne,* où se manifestent les tendances ultimes du style Louis XVI, à mi-chemin entre Florian et Laclos, Mme de Genlis et le marquis de Sade. *L'Invention,* de rédaction tardive (entre 1787 et 1791), mettait un terme paradoxal à ces avortements : réflexion sur un concept scolaire dont les Lumières avaient fait un étendard ; de cet exercice courant au XVIIIe siècle, Chénier a su faire, dans ses meilleures envolées, un hymne à la poésie conçue comme « l'invention de l'univers par l'invention d'un langage » (J. Fabre).

Le lyrisme impulsif du poète le rendait impropre aux longs parcours. La Révolution le ramena aux formes brèves de l'ode et de l'iambe où s'épanouirent les deux humeurs dominantes de son tempérament, l'épanchement sentimental et la verve satirique. Son *Jeu de Paume* aux dimensions monumentales est laborieux : l'héroïsation de l'événement vire à la mise en garde. À d'autres les commandes d'un lyrisme officiel ! Suspect caché à Versailles, Chénier rend visite à Françoise Le Coulteux (*Fanny*) : dans les odes qu'elle lui inspire, une timide adoration s'harmonise avec les lignes d'un paysage entre-évoqué sur fond de maladie, de menace et de mort prochaine ; le résultat est d'une émouvante beauté. Avec les *Iambes,* qui prennent le relais de l'*Hymne* « aux Suisses de Chateauvieux », et célèbrent à rebours les fastes révolutionnaires afin de « pétrir dans leur fange » les « bourreaux barbouilleurs de lois », Chénier donne libre cours à la veine satirique dont *La République des lettres* avait été le premier exutoire : dès 1782, il invoquait l'exemple « du fier Archiloque » et de ses « iambes vengeurs ». Jusqu'au pied de l'échafaud, il crie vengeance contre la monstruosité des jacobins et charrie dans un même spasme enragé l'ordure et la sublimité. Fin grandiose, pathétique et dérisoire d'une œuvre vouée à l'inachèvement, que les circonstances de l'histoire et la trempe de l'auteur ont suffi à rendre unique en son genre.

E. Gu.

POÉSIES de Conon de Béthune. De Conon de Béthune, trouvère artésien de la fin du XIIe siècle, il nous reste treize chansons, dont dix au moins peuvent lui être attribuées avec certitude. Conon de Béthune ne fut pas seulement l'un des premiers trouvères français du Moyen Âge ; d'illustre famille, il prit probablement part à la IIIe croisade et joua un rôle considérable au cours de la IVe croisade. Il négocia à Venise, en 1201, les conventions réglant le transport des croisés en Terre sainte ; il assista à la prise de Constantinople en 1204 ; il fut nommé régent de l'empire à la mort de l'empereur Henri (1216). Villehardouin, qui rapporte plusieurs exemples de son éloquence diplomatique et guerrière, dit de lui : « Bon chevalier et sage estoit et bien eloquens. » Les chansons qui nous restent de Conon de Béthune comprennent deux chansons de croisade : « Ahi ! Amors com dure departie » est celle du chevalier qui doit quitter la dame aimée pour servir Notre Seigneur ! Son cœur reste près d'elle, si le corps va être loin. La seconde développe un thème analogue : « Bien me deüsse targier / de canchons faire et de mots et de cant », alors qu'il faut partir, s'éloigner de son amour... Personne n'a autant de mérite que lui, « quar plus dolanz ne se part nul de France ». Le poète fustige durement les barons qui prennent la croix dans un esprit de lucre et de cupidité. Le style des deux chansons de croisade est simple et vigoureux. Les autres chansons de Conon de Béthune célèbrent les motifs obligés de l'amour courtois. Se rapportant vraisemblablement à des amours différentes, elles tracent dans leur ensemble des étapes éternelles de l'amour, depuis sa naissance jusqu'à son déclin : c'est (« Si voirement com chele dont je cant... ; Canchon legiere a entendre... ; Voloirs de faire chançons... ») l'amour que l'on n'ose pas encore déclarer. Dans une autre (« Mout me semont Amours ke je m'envoise... »), le poète commence par nous raconter que l'on s'est moqué à la cour de son français émaillé de mots d'artois. Dira-t-il son amour à celle qu'il aime ? Oui, car on ne peut rien obtenir sans demander. Ensuite c'est la jalousie, les reproches de dureté, de fausseté, de trahison : « Tant ai amé c'or me covient haïr... » ; ou une autre (« Bele douche dame chiere... ») qui se relie curieusement aux chansons de croisade en nous révélant que la fausseté de son amie a été la cause du départ de Conon pour la Terre sainte. L'amertume de la trahison découvre au poète le néant de l'amour : « Morte est Amors, mort sont cil ki amoient... » On ne s'en laissera pas moins reprendre aux filets de l'amour (« Au commenchier de ma nouvelle amor... »). Toutes ses chansons montrent plus de personnalité, plus de naturel, plus d'esprit aussi, que la plupart des chansons de trouvères du Moyen Âge. Les nombreuses touches réalistes, les détails que nous sentons vrais les rendent vivantes, leur donnent un ton de sincérité remarquable, qui fait encore tout leur charme. – Les chansons de Conon de Béthune ont été éditées par A. Wallensköld (Paris, Champion, 1968).

POÉSIES de Coppée. Chantre des humbles, le poète français François Coppée (1842-1908), comme l'a observé Jules Tellier, a touché à « des choses triviales sans devenir jamais trivial lui-même ». Parisien de Paris, sa muse familière, que les symbolistes traitaient de bourgeoise, exalte, sans s'interdire l'humour, les petites gens et les malchanceux des faubourgs ou de la province. *Le Reliquaire* (*) (1866), dédié à Leconte de Lisle, renferme déjà, avec le regret d'avoir flétri les « saintes blancheurs de son âme », les silhouettes, croquées avec une tendre pitié, d'un conscrit, d'un ivrogne, d'une vieille fille. Des aïeules, une orpheline, voire « un bon vieux repris de justice » (« Poèmes divers ») ne sont pas non plus indignes de sa compassion. Deux ans plus tard paraissent *Les Intimités* (1868) : il s'en vend soixante-dix exemplaires, mais bientôt *Le Passant* sera joué à l'Odéon (1869). Désormais célèbre, François Coppée donne les *Poèmes modernes* (1869), qui comprennent des récits en vers comme « L'Angelus », « Le Père » (« Il rentrait toujours ivre et battait sa maîtresse... ») et « La Grève des forgerons » (« Cette fois, le faubourg était las d'avoir faim... »). Il nous présente, dans *Les Humbles* (*) (1872), « Le Petit Épicier de Montrouge » dont la boutique, « sombre, aux volets peints en rouge », exhale « une odeur fade sur le trottoir ». On y surprend aussi, au fin fond des provinces, quelque « maison au parfum de couvent » ou, dans un coin de banlieue, des petits bourgeois au faîte d'une modique félicité : « Ils boivent du cassis, innocente liqueur ! » Après *Promenades et intérieurs* (1875) et *Écrit pendant le siège* (1870) paraît *Le Cahier rouge* (1874). Il contient, entre autres vers de circonstance, ce petit poème finement contrasté (« Gaîté du cimetière ») où nous voyons un joyeux croque-mort du Père-Lachaise, grisé par le printemps, « cueillir de ses doigts noirs, gantés de filoselle / Des bouquets pour sa dame et pour sa demoiselle ». Dans *Olivier* (1876), long récit en vers non exempt de monotonie, le poète désenchanté exprime sa détresse : « Il voudrait bien mourir, ne pouvant plus aimer », et fait ce rêve reposant : « N'avoir qu'un seul amour pendant toute sa vie. » Les *Récits et Élégies* (1878), petits poèmes épiques ou sentimentaux, évoquent, en particulier dans « L'Exilée », l'amour malheureux de Coppée pour une jeune Nordique (« Enfant blonde aux doux yeux, ô rose de Norvège... ») qu'il avait rencontrée aux bords du Léman. Les *Contes en vers et poésies diverses* (1880) sont autant d'imageries inspirées par le bateau-mouche, le régiment qui passe, l'asile de nuit, le jardin du Luxembourg, que dominent ces deux récits, modèles du genre par l'émotion et l'habileté technique : « L'Enfant de la balle » (« Sa mère était concierge et son père souffleur... ») et « La Marchande de journaux ». *L'Arrière-Saison* (1887) est, avec moins de gouaille et plus de tendresse, dans le prolongement des *Humbles*. Ainsi des poèmes tels que « Minutes sentimentales » (« Amour plus que beauté me touche ») ou « Le Bon Lendemain » (« Ma petite amie, allons voir / Les humbles passants dans la rue »). Vinrent enfin *Les Paroles sincères* (1891) et *Des vers français* (1906). Élégiaque par tempérament, mais moins « peuple », sans doute, qu'il ne le voulait paraître, François Coppée, dans le genre mineur, approche parfois de la perfection. Rimeur plein d'astuce, et qui a le scrupule de la forme, il comprit avant bien d'autres que « les choses les plus communes ont une grâce de nouveauté pour qui sait les voir ». Des poésies posthumes (*Sonnets intimes et poèmes inédits, Vers d'amour et de tendresse*, 1927) ont été réunies par son neveu Jean Monval. Très parodié par de jeunes poètes (Cros, Rimbaud, Verlaine, Nouveau), Coppée leur a cependant inculqué le sens de la forme et, après Baudelaire, le goût des sujets modernes.

POÉSIES de Davydov. Recueil de poésies du soldat et poète russe Denis Vassilievitch Davydov (1784-1839). Hussard d'une audace inouïe en même temps qu'habile tacticien, Davydov fut, en 1812, l'inspirateur de la guerre des partisans contre Napoléon, et Tolstoï, dans *La Guerre et la Paix* (*), l'a immortalisé sous le nom de Vasska Denissov. Il s'était fait le coryphée de ses compagnons, hardis et insouciants, noceurs à tout rompre et hommes de cœur. Toute la société russe se délectait des vers prenants, originaux, pleins de vie et de naturel, de cet aède qui aimait le vin, l'amour et la gloire. On apprécie aussi ses élégies et plus encore ses satires, d'une verve parfois irrésistible. Pouchkine prisait fort ses dons poétiques et avouait lui devoir beaucoup dans l'art de versifier.

POÉSIES de Dehḫodā [*Majmu'e-ye aš'ar-e Dehḫodā*]. Recueil des œuvres du poète iranien de langue persane Ali Akbar Dehḫodā (1879-1956), publié en 1956 par Mohammad Mo'in. La poésie persane du début du siècle est inséparable des activités révolutionnaires des constitutionnalistes iraniens, et c'est ainsi que s'explique la présence dans cette œuvre, par ailleurs vouée aux thèmes personnels et mystiques, de nombreux ghazals patriotiques empreints d'une ferveur révolutionnaire. L'élégie sur la mort de Mirza Jahangir Han, étranglé sur l'ordre du shah, en est un des plus beaux exemples par son ton puissant et personnel : « Souviens-toi du cierge éteint, oh ! souviens-toi » [Yad ar ze sam'e morde yad ar ! 1909]. Les autres poèmes politiques de Dehḫodā font place à l'émotion mais aussi à la description des menus faits de la vie quotidienne. Mo'in propose de répartir l'œuvre poétique de Dehḫodā en trois parties : les poèmes dans la tradition classique ; les poèmes du « renouveau », qui comprennent les œuvres politiques et les œuvres en vers libres, généralement d'une très grande originalité, enfin les vers satiriques composés pour la plupart en langue populaire.

L'œuvre de Dehḫodā a marqué toute la poésie moderne de langue persane par son recours à la langue parlée et à des thèmes d'inspiration proprement contemporains. Relativement mince, elle n'en a pas moins brisé définitivement les contraintes d'une tradition devenue à la longue stérilisante malgré sa grandeur passée. Ce fut dans *Sur-e-Esrafil* (*), dont il était rédacteur, que Dehḫodā publia nombre de ses poèmes. Il écrivait lui-même à leur propos : « Souvent, après avoir composé des vers, je les lisais à mes amis ; mais eux, par timidité ou par égard pour moi, se refusaient à les juger. Quant à moi, je ne sais plus très bien si ce que j'ai écrit est de la prose ou de la poésie. Ce sera aux lecteurs d'en décider. »

POÉSIES de Mme Deshoulières. Recueil de la poétesse française Antoinette Deshoulières (1634 ? -1694) publié en 1688 et augmenté de ses œuvres posthumes en 1695. Souvent rééditées avec les poèmes de sa fille (*Œuvres de Mme et de Mlle Deshoulières*), les poésies illustrent les genres et les tons les plus divers, ainsi la veine « libertine », bachique et satirique, le sonnet contre la *Phèdre* (*) de Racine (1677), la parodie des stances du *Cid* (*) (1687) ou les chansons anecdotiques sur les gens de cour. Mais c'est la veine élégiaque et pastorale héritée de *L'Astrée* (*), qui fera sa fortune au XVIIIe siècle : ses églogues et ses idylles (« Les Moutons », « Les Oiseaux », « L'Hiver », « Le Ruisseau ») consacrent une poésie sérieuse qui prône la vie innocente et bucolique des bêtes, loin des passions des hommes que l'ambition et la cupidité ont corrompus. D'inspiration quiétiste, sa pensée se tournera à la fin de sa vie vers la condamnation de la frivolité et une réflexion pessimiste sur l'amour-propre et les caprices de la fortune (« Ode à M. de la Rochefoucauld », « Réflexions diverses »).

A. Gé.

POÉSIES de Desportes. Le poète français Philippe Desportes (1546-1606) est victime de sa réputation : sa vie privée de poète de cour et de favori d'Henri III, son arrivisme, enfin l'énorme fortune que, seul de tous les poètes de son temps, il parvint à accumuler nuisent beaucoup à sa renommée. De plus, pris entre la fin de la Pléiade et les débuts de Malherbe et de son école, il a été si fort et si peu généreusement vilipendé par ce dernier que son nom ne s'en est pas relevé. Certes, il y aurait beaucoup à redire sur le caractère de l'homme et on peut facilement attaquer certaines petites pièces d'un esprit facile et d'un tour d'une élégance bien vaine. Mais Desportes, plutôt qu'un grand poète, est un excellent écrivain en vers. Dans ses pièces légères, dont une au moins devait demeurer longtemps fameuse (la « Villanelle » : « Rosette, pour un peu d'absence »), Desportes annonce les petits poètes du XVIIIe siècle, par sa galanterie un peu fade et conventionnelle, par son charme aux moyens un peu faciles, mais aussi par un style dont on ne peut qu'admirer la parfaite et sèche netteté. Ses satires, qui restent toujours à fleur de sujet, mais qui n'ont pas la moindre acrimonie, laissent assez peu présager celles de son neveu Mathurin Régnier – v. *Satires* (*) de Régnier. Toutefois c'est peut-être dans les « Amours » que Desportes se révèle le mieux lui-même. Et pourtant ces longs poèmes sont des pièces de circonstance et même des commandes des grands. Mais Desportes sait si bien s'identifier avec l'amant dont il n'est que l'interprète que cette situation fausse ne paraît nuire en rien à sa sincérité. Parmi ces grands poèmes, citons, entre autres, les « Amours d'Hippolyte », les « Amours de Diane », et les « Amours de Cléonice ». Les plus fameux sont les « Amours d'Hippolyte », composés de sonnets, de chansons et de stances adressés à Marguerite de Valois, durant les années 1572-1573, au nom d'un gentilhomme inconnu, peut-être Bussy d'Amboise. Les tourments de l'amant qui aspire à l'amour de l'inaccessible princesse y sont animés d'images éclatantes, d'une mâle et noble éloquence. Le style ici est sans cesse élevé sans affectation, parfois même grandiose et surtout d'une limpidité toute musicale, d'une convenance parfaite aux thèmes traités. C'est que Desportes est toujours un remarquable artisan du vers, mais pas seulement un virtuose. S'il est loin d'atteindre à la grandeur de Ronsard, il y a dans ses poésies plus de netteté, plus de clarté, un souci plus simple de la pure musicalité et, si l'on se borne à considérer la facture de ses poèmes, on s'aperçoit qu'il a inventé et appliqué, mais sans en faire une doctrine, les principes mêmes que Malherbe proclamera et dont on lui fera gloire. Hormis les *Psaumes* (*), qui furent publiés à part, la presque totalité des poésies de Desportes virent le jour dans les *Premières œuvres de Philipes Desportes*, dont la première édition remonte à 1573, mais qui connurent plusieurs éditions « revues et augmentées », dont la dernière, de 1607, est considérée comme l'édition classique de Desportes.

POÉSIES de Dierx. Publiées en recueil chez Lemerre en 1889-1890 (*Poésies complètes*), les œuvres du poète français Léon Dierx (1838-1912) avaient précédemment paru en différents volumes, de 1858 à 1879, date à laquelle le poète, alors âgé de quarante ans, mit fin à sa production. D'origine flamande, mais né à l'île Bourbon, ce créole, compatriote et ami d'Heredia, concentre en soi deux nostalgies qui l'orientèrent naturellement, au début de sa carrière, vers le romantisme élégiaque de Lamartine. On retrouve aussi, dans son tout premier livre *Les Aspirations* (1858), l'influence d'Alfred de Musset et même certains des thèmes de ce dernier — v. *Les Nuits* (*). Après une assez longue période de tâtonnements, Léon Dierx adhéra au mouvement du Parnasse et se fit le disciple de Leconte de Lisle. On pourra déceler ensuite une évolution qui, des enchantements pompeux de l'école, le conduira vers les éclats plus durs et dépouillés de Baudelaire. Son œuvre comprend : *Poèmes et Poésies, Les Lèvres closes* (*), *Les Paroles du vaincu, Les Amants*, et une comédie en vers, *La Rencontre*. D'inspiration pessimiste et panthéiste sont les poèmes « Lazare » et « Dolorosa Mater ». Dans le curieux « Stella Vespera », Dierx nous propose, dans la manière de Poe et de Villiers de L'Isle-Adam, le cas pathologique d'un peintre qui devient fou devant l'apparition du modèle inconnu d'un de ses chefs-d'œuvre, portrait longtemps poursuivi d'une femme idéale. *La Rencontre* (1875), poème dramatique, permet à l'auteur de s'exprimer sur son art : angoisses de cet « orgueil vain » qui s'apaisent à se raconter ; volupté de l'analyse de sa souffrance — qui l'emporte parfois sur la réserve parnassienne. Ce drame en outre est une histoire d'amour où Fabien et Tullia, qui se sont trahis, préfèrent à une réconciliation l'exaltante amertume d'un lien idéal et brisé. La contribution de Dierx au troisième tome du *Parnasse contemporain* (*) fit honneur à l'école par la perfection des poèmes qu'il y publia : pièces brèves, sur des thèmes connus, revêtant une unité d'atmosphère qui sera celle du recueil de 1879, *Les Amants*. Ce dernier ouvrage est un hommage à l'amour, que nul blasphème ne vient troubler, exception faite pour « Les Gouffres » et pour les deux poèmes postérieurement intégrés du « Camée » et de « L'Enclume », qui disent les épouvantes du culte de ce dieu. Le poème de savante rêverie intitulé « Corot » fut considéré comme la perle et la clé du volume. Seul l'amour y recrée l'Eden ; ce pays où est entraîné le peintre et poète tient un peu de l'île idéale, devenue en lui synonyme de sa jeunesse. On peut dire de Dierx qu'au milieu des brillants colonisateurs des terres du Parnasse, et malgré le danger d'être éclipsé par eux, il sut se tailler une province et la circonscrire. Un petit volume de poésies posthumes parut chez Lemerre en 1912.

POÉSIES de Donne. Publiée en 1633, soit deux ans après la mort du plus grand des poètes métaphysiques anglais John Donne (1572-1631), la majeure partie de son œuvre poétique a été composée par lui durant sa jeunesse — avant le tournant du siècle, pour sa meilleure part, selon le jugement de son contemporain Ben Jonson ; avant 1615 en tout cas, à fort peu d'exceptions près, c'est-à-dire le moment où il se fait ordonner prêtre et où s'ouvre à lui une carrière glorieuse de prédicateur, après une existence pour le moins tumultueuse et fertile en paradoxes. Pour cette raison, hormis les poèmes de commande, il est difficile d'en dater avec précision les différentes pièces maîtresses, à savoir les *Satires*, les *Élégies* et les *Chansons et Sonnets* [*Songs and Sonnets*], même si celles-ci furent largement diffusées en manuscrits de son vivant et lui valurent immédiatement une grande réputation. Cette immédiateté tient à des caractéristiques formelles et thématiques étroitement liées. Il n'est en effet nullement exagéré de dire que John Donne invente, en partie sans doute en radicalisant certaines tendances et tentatives perceptibles, en partie en puisant largement à des sources médiévales que la Renaissance avait fini par occulter, une nouvelle manière d'écrire de la poésie. Il est d'abord un poète urbain, un « intellectuel » dirions-nous aujourd'hui, qui trouve probablement fades les douceurs bucoliques et qui, nonobstant son habileté à manier le concept et l'étendue de son savoir académique, n'hésite pas à faire appel, de manière très moderne, aux ressources de la langue parlée, une langue à la fois imagée et réaliste comme l'est celle du peuple, généralement bannie de la poésie de cour. De même, il rompt avec les règles en vigueur, celles du sonnet par exemple (les « sonnets » des *Chansons et Sonnets* n'en sont pas), telles que Surrey les avait fixées d'après les modèles italiens et français ; celles, plus généralement encore, d'une prosodie à la cadence harmonieuse dont la strophe (« stanza ») spensérienne avait fourni le paradigme. Si la remarque de Ben Jonson, qui dit un jour que Donne « méritait d'être pendu » pour n'avoir pas respecté l'accent tonique ou métrique, ne s'applique vraiment qu'aux satires, il est vrai qu'il fut un extraordinaire expérimentateur de formes nouvelles : ainsi dans les *Chansons et*

Sonnets a-t-on pu recenser quarante-neuf pièces en stances et quarante-six formes de stances différentes, obtenues en jouant sur le nombre de vers par stance et de pieds par vers, ainsi que sur l'agencement des rimes. Il faut aussi mentionner le recours fréquent aux décasyllabes à rimes plates, ou encore aux enjambements nécessités par l'utilisation d'une syntaxe complexe, faite de longues périodes, c'est-à-dire aux procédés de la rhétorique. Mais c'est justement par ces recherches formelles que Donne se montre tout le contraire d'un formaliste. Car celles-ci, loin de viser à faire rentrer un contenu dans le carcan d'une forme préétablie qui, dès lors, le détermine, sont au contraire orientées – comme toute sa vie sans doute – vers la quête d'une union de la matière et de la forme, du sensible et de l'intelligible, de la chair et de l'esprit, tout en élargissant pour la poésie le champ du dicible. Ces expérimentations formelles sont donc indissociables d'une rupture plus profonde encore, non pas tant avec une thématique traditionnelle de la poésie qu'avec le filtre des conventions dont son époque a recouvert celle-ci. Au premier chef, il y a bien sûr l'amour. Donne prend consciemment le contre-pied de la mode pétrarquisante de son temps qui voulait que toutes les femmes aimées fussent des déesses et des muses inaccessibles et pures. Il n'hésite pas à faire l'éloge du « Changement » [Change, Élégie III], à écrire le premier poème d'amour lesbien en Angleterre, « Sappho à Philaenis » [Heroical Epistle : Sapho to Philaenis], et, d'une manière plus générale, à dire les choses crûment (cf. par exemple l'Élégie XIX, « Le Coucher de sa maîtresse » [Going to bed]). Au regard des *Sonnets sacrés* (*) et des *Hymnes* ultérieurs, on a conclu, un peu rapidement, soit à une rupture dans son œuvre, soit – ce qui n'est d'ailleurs pas contradictoire – à une ascension de la chair à l'esprit et de l'amour humain à l'amour divin, dans une tradition platonicienne réinterprétée à l'intérieur du christianisme. Certes il n'est pas question de nier que Donne connaît cette tradition, dont son arrière-grand-oncle, Thomas More, était lui-même imprégné. Mais, quoi que le poète ait pu dire à ce sujet, il reste permis de penser qu'il y a d'un bout à l'autre de son œuvre moins de contradictions et de changements qu'il n'y paraît. En d'autres termes, la dimension spirituelle est là dès le début, de même que la dimension charnelle demeure présente à la fin – de ce point de vue d'ailleurs la représentation de la mort est aussi réaliste que celle des ébats amoureux –, et c'est de bout en bout qu'il a été un poète « métaphysique », non un libertin converti et touché par la grâce. Donne est, si l'on préfère, un « auteur chrétien » au sens où on peut le dire par exemple de Kierkegaard, si le christianisme est tout autre chose qu'une morale aseptisée pour les craintifs et les bien-pensants. Dès lors on comprend mieux comment il parvient à diversifier, à renouveler, à revivifier une tradition qui, à force d'éthérer l'amour, avait fini par le dessécher et cesser d'en faire ce qu'il demeurait encore chez les troubadours : une puissance active de médiation.

Cet homme de paradoxes, à l'infinie curiosité, dont les contradictions ne sont que les facettes d'une unité jamais atteinte mais toujours projetée, dans la mobilité et les ellipses d'une pensée alerte et d'un art virtuose, n'a guère été compris de la postérité, hormis de certains romantiques peut-être, et ses disciples n'ont guère été à sa hauteur. Il a fallu attendre notre siècle pour le voir réhabilité comme l'un des poètes majeurs de toute la littérature anglaise. – Trad. *Poèmes*, par Jean Fuzier et Yves Denis, Gallimard, 1962. *Poèmes choisis*, par Pierre Legouis, Aubier-Montaigne, 1973. R. Da.

POÉSIES de Droste-Hülshoff [*Gedichte*]. Seul volume publié du vivant de l'auteur, en 1844, rassemblant sous ce titre les poèmes les plus populaires de la poétesse allemande Annette, baronne von Droste-Hülshoff (1797-1848). Bien que la renommée de l'auteur soit liée, en partie, à l'inspiration religieuse, profondément catholique, d'autres recueils posthumes, les *Poésies* demeurent un document hautement poétique, révélant déjà, dans toute leur originalité, les traits caractéristiques de l'art de l'auteur. La plupart des compositions de ce recueil s'attachent à rendre les aspects d'une nature familière et chère au cœur de l'auteur : les paysages de Westphalie, paysages de marais et de landes. « Aspects de la lande » [Heidebilder], tel est précisément le titre de la série la plus importante. On y relève particulièrement la gracieuse idylle « La Maison dans la lande » [Das Haus in der Heide] ; le poème « Les Corbeaux » [Die Krähen], empreint d'un humour savoureux ; « La Pierre du géant » [Der Hünenstein] ; « La Marnière » [Die Mergelgrube], où le sens de l'inquiétant se dissipe dans une joyeuse ironie ; « L'Homme de la lande » [Der Heidemann], sinistre personnification de la brume qui plane sur la bruyère ; et enfin « L'Enfant du marais » [Der Knabe im Moor], dont la suggestive puissance d'évocation rappelle par endroits certaines poésies de Hebbel. Dans l'originalité presque instinctive du style, le sens du mystère cosmique est perçu avec une sensibilité si pénétrante et immédiate, exprimé avec tant de profondeur et une telle harmonie d'accents que la poésie moderne, après l'impressionnisme, est retournée à ces poèmes comme à de lointaines origines. Avec ce groupe de poèmes et le suivant : « Rochers, forêt et lac » [Fels, Wald und See], où le meilleur est constitué par le cycle des « Éléments » [Die Elemente] et « Sur la mousse » [Im Moose], l'auteur amorce ce mouvement de la « Heimatdichtung », autrement dit de la « poésie de pays », de la « poésie régionale », à laquelle se rattachent des poètes et des écrivains comme Stifter, Raabe, Storm, Keller et Fontane, jusqu'à Rosegger, Thoma et Timm Kröger. On trouve également dans ce volume des petits poèmes et des *Ballades* (*) dont les plus connues sont : « La Mort de l'archevêque Engelbert » [Der Tod des Erzbischofs Engelbert], « Le Cri du gerfaut » [Der Geierpfiff] et « Kurt von Spiegel ». – Trad. Aubier-Montaigne, 1955.

POÉSIES de Drummond de Andrade. Les poésies de l'écrivain brésilien Carlos Drummond de Andrade (1902-1987) s'étalent sur plus de soixante ans de création littéraire. Elles parcourent des phases différentes, traversées par la préoccupation formelle et des thèmes récurrents qui se dédoublent, s'intensifient ou s'atténuent selon les moments, déjà en germe dès le noyau initial. Sa première période naît sous le signe de la rupture moderniste, évoluant de la constatation de la vie banale à la perception d'un monde plus vaste. Ainsi, à côté des expérimentations d'avant-garde, il crée un lyrisme du quotidien, où ce qui est tordu, gauche, s'exprime par le grotesque et l'insolite : *Quelque poésie* [*Alguma poesia*, 1930]. La confession biographique de *Marigot des âmes* [*Brejo das almas*, 1934] satirise les mœurs désuètes de sa province natale. Avec *Sentiment du monde* [*Sentimento do mundo*, 1940], l'individualiste outré découvre la solidarité. La maturité installée révèle le parfait artisan au style dépouillé. Un réalisme social pénétrant côtoie la réflexion sur l'écriture et un lyrisme existentiel. Ainsi *José* [1942], symbole de la réification de l'homme seul dans la foule, adopte le langage colloquial. Dans *La Rose du peuple* [*A rosa do povo*, 1945], l'humaniste s'éprend d'historicité et il critique la société moderne et la famille patriarcale. Le tournant proprement métaphysique englobe l'érotisme et la dimension éthique du « gauche » : *Nouveaux poèmes* [*Novos poemas*, 1948], *Claire énigme* [*Claro enigma*, 1951], *Propriétaire de l'air* [*Fazendeiro do ar*, 1954] et *La Vie mise au propre* [*A vida passado a limpo*, 1959]. L'humour s'intensifie et s'intériorise. Un certain classicisme de l'expression ennoblit le vocabulaire et préfère le vers mesuré, souvent rimé. Cette inflexion change de cap avec *Leçon de choses* [*Lição de coisas*, 1962], qui reprend le vers libre, l'expérimentalisme et le ludisme verbal. Ainsi l'écrivain désintègre le mot, fragmente la syntaxe, exploite l'aspect visuel et pratique la réduction du langage. La tendance narrative visible dans la mythologie de la province natale n'est pas sans rapport avec le ressourcement autobiographique, développé surtout dans la série qui commence avec *Boeutemps I et le besoin qui aime* [*Boitempo I e a falta que ama*, 1968], *Gamin d'autrefois* [*Menino antigo, Boitempo II*, 1973], *Les Impuretés du blanc* [*As impurezas do branco*, 1973], *Oublier pour se souvenir* [*Esquecer para lembrar, Boitempo III*, 1979]. Par le biais de l'humour, un moi finalement apaisé désacralise tout et dramatise son anticonformisme, passant en revue ses thèmes les plus chers. C'est l'apogée d'un poète majeur. Sa dernière période traite notamment de la matérialité – des sentiments, du corps, des mots : *La Passion mesurée* [*A paixão medida*, 1980], *Corps* [*Corpo*, 1984], *Aimer s'apprend en aimant* [*Amar se aprende amando*, 1985]. – Trad. *Poésies*, Gallimard, 1990. L. V.

POÉSIES d'Eichendorff [*Gedichte*]. Nombre des plus beaux poèmes du romantique allemand Josef von Eichendorff (1788-1857) sont insérés dans ses romans, en particulier *Pressentiment et temps présent* (*) et *Scènes de la vie d'un propre-à-rien* (*). Toutefois, un recueil rassemblant la totalité de sa production poétique parut du vivant de l'auteur. Eichendorff y apparaît sinon le plus grand, du moins un des plus grands maîtres du « lied » romantique allemand. Ses « lieder » sont si mélodieux et sonores qu'ils semblent pouvoir être chantés sans le secours de la musique. La versification est parfaitement adaptée au contenu du poème : certes, elle n'est pas très variée, mais les thèmes eux-mêmes n'offrent pas une grande diversité. L'univers d'Eichendorff a un caractère de splendeur et de merveilleux que seuls les romantiques allemands surent concevoir et exprimer. Comme dans les tableaux de Kaspar David Friedrich, son compatriote, les personnages imaginaires d'Eichendorff évoluent sous de vastes espaces, dans des nuits illuminées et enchanteresses. Ils ne pratiquent jamais de professions bourgeoises. Sans contraintes, ils s'abandonnent à leurs impulsions et vivent en poètes, en peintres, en chanteurs errants, célébrant religieusement les beautés de la nature. Aucun poème allemand n'a chanté le clair de lune avec plus de recueillement et de douceur que « Es war, als hätt' der Himmel die Erde still geküsst » ou le délicat et tendre « Zwielicht ». L'auteur a groupé lui-même ses poèmes en « Wanderlieder », « Sängerleben » et « Zeitlieder » (seuls poèmes où il prend résolument position devant les problèmes de son époque). Mais Eichendorff n'était pas un poète politique : son univers était purement imaginaire. Vers la fin de sa vie, sa tendance au catholicisme se précisa. C'était là du reste un penchant parfaitement conforme à la conception de la vie propre à l'époque romantique, qui fut fortement attirée par le catholicisme et se complut souvent au mysticisme. Si une série de poèmes fut réunie par Eichendorff sous le titre « Chants spirituels », cette dénomination n'a pas grand sens puisque les poèmes de ce cycle offrent les mêmes caractères que ceux des précédents. Le sentiment mystique y demeure vague, indéterminé. Dans « Sängerleben », Eichendorff nous fait part de sa conception du poète : un être libre, que rien n'oppresse, vagabond, vivant perpétuellement dans un monde de pure beauté et dont le seul but est d'apporter l'idéal et le bien à l'humanité. Eichendorff a enfin composé quelques romances qui ne constituent pas le meilleur de sa production poétique, mais dont une (chantée par Erwine dans *Pressentiment et temps présent*), « In einem kühlen Grunde », est devenue chanson populaire. Les poèmes d'Eichendorff ont été mis en musique par les plus grands compositeurs : Mendelssohn, Schumann, etc. — Trad. Aubier-Montaigne (s. d.).

POÉSIES de Enzensberger. Titre français d'un volume paru en 1966, composé d'un choix de poèmes tirés des trois premiers recueils de l'écrivain allemand Hans Magnus Enzensberger (né en 1929), *Défense des loups* [*Verteidigung der Wölfe,* 1957], *Parler allemand* [*Landessprache,* 1960], *Écriture Braille* [*Blindenschrift,* 1964]. C'est une poésie critique, « radicale » dans la mesure où sa fonction première est de s'insurger contre une certaine culture ouest-allemande, dénoncée à travers ses représentants, ses instruments, ses « valeurs » — *Conjoncture* [*Konjunktur*], *Chances d'amortissement* [*Aussicht auf Amortisation*], *Partenaires sociaux dans l'industrie d'armement* [*Sozialpartner in der Rüstungsindustrie*] —, surtout à travers son langage d'usage, ses « ragots de bistrot pour l'Histoire ». La virulence du premier recueil n'est pas sans rappeler la véhémence expressionniste d'un Gottfried Benn, par exemple : « Rampes de lancement, aumôniers militaires, security risks, / vocables sans prestige, hélas... / Asphodèles / coquelicot et métaphysique, et même urine, / cancer de l'utérus, pour faire moderne / et décanté du bel canto, seraient permis / plutôt que ces ordures occidentales... » (« Patron en or pour réarmement poétique »). Le second recueil inaugure ce qui fait sans doute la singularité du ton de Enzensberger, paradoxe d'un propos « sociologique » et d'une expression « maniériste ». Le jargon quotidien est ici pointé, relevé, travaillé dans une rhétorique fondée sur l'oxymoron, le chiasme, le calembour, la citation détournée : « Qu'ai-je perdu ici, / dans ce pays, / où d'inconscients parents m'ont mis ? / ... J'y suis sans y être / domicile élu en douillette misère / agréable et confortable tombe... / Qu'ai-je à moi ici ? Qu'ai-je à chercher dans ce pays de cocagne... / où tout est en hausse et où rien ne progresse... » Le dernier livre est à la fois plus dépouillé et plus inquiet, dans la mesure où Enzensberger laisse ici transparaître son angoisse devant le temps : « À cent toises sous le sol / à cent brasses sous la mer / se tient celui qui compte / nos secondes de dix à zéro... » (« Compte à rebours »).

Poésie subversive ne signifie pas pour autant poésie propagandiste. « Le lyrisme politique manque son objectif lorsqu'il le vise directement ; le politique doit en quelque sorte s'immiscer dans les fissures des mots, de lui-même, à l'insu de l'auteur » (« Naissance d'un poème »). La dimension utopique du verbe poétique vient de « ce qu'il rappelle ce qui va de soi et qui n'est pas encore réalisé » : « Laisse-moi dans le non-écrit / Vois comme il scintille / Et dans ma tête / l'oiseau sombre à lui-même se dit : "Il dort, / il est donc d'accord..." / Mais je ne dors pas » (« Lachesis lapponica »). Le seul « message » de la poésie de Enzensberger serait « Le Message du plongeur » : « Je suis seul dans les fonds / où nul de vous ni de nous n'a raison / que le coquillage muet... » La poésie est anticipation, fût-ce sous la forme du doute, du refus, de la négation : « Non qu'elle parle d'avenir, mais elle parle comme si l'avenir était possible. » — Trad. Gallimard, 1966. J.-J. P.

POÉSIES de Espriu. La poésie de l'écrivain catalan Salvador Espriu (1913-1985) s'enracine en un lieu mythique : Sinera, transposition de la petite ville d'Arenys de Mar qui est le berceau de sa famille. Les deux premiers recueils, *Cimetière de Sinera* [*Cementiri de Sinera*, 1946] et *Les Chansons d'Ariane* [*Les cançons d'Ariadna*, 1949 pour la première version], sont tous deux consacrés à recréer ce monde disparu, mais le premier le fait sur le mode lyrique, l'autre sur le mode satirique, et cette dualité de ton sera une constante de l'œuvre. Si *Les Heures* [*Les hores*, 1952 et 1955] sont en effet une pure élégie à la fois à des morts bien-aimés — la mère, l'ami Rosselló Pòrcel — et au bonheur enfui de la jeunesse, tant *Mrs Death* (1952) que *Le Marcheur et le Mur* [*El caminant i el mur*, 1954] mêlent lyrisme et satire pour évoquer la misère de la condition humaine et la situation catalane du moment à travers une série de références à l'Antiquité grecque, hébraïque ou égyptienne.

Après l'itinéraire pythagoricien de *Fin du labyrinthe* [*Final del laberint*, 1955], métaphore de cet apprentissage de la mort qui fut toujours la préoccupation centrale d'Espriu, la thématique collective passe au premier plan avec *La Peau de taureau* [*La pell de brau*, 1960]. Elle s'élargit aussi à l'Espagne tout entière, désignée par son nom hébraïque de Sepharad, ce qui assimile implicitement aux Juifs de l'exil les Espagnols de la dictature franquiste. Oscillant d'abord entre « amour et haine, lamentation et rire », s'achevant sur un message d'espoir et une invitation à la lutte, ce recueil marque en Catalogne le début de la poésie sociale et vaut à son auteur un prestige inégalé dans toutes les années 60.

Livre de Sinera [*Libre de Sinera*, 1963] est une méditation intimiste sur le vieillissement, la solitude, le deuil personnel et collectif ; puis c'est à nouveau le peuple espagnol, sa déchéance et ses souffrances qui apparaissent dans *Semaine sainte* [*Setmana santa*, 1971] à travers la Passion des Évangiles et les processions de Semaine sainte. Cependant *Formes et Paroles* [*Formes i paraules*, 1975], libre commentaire à des sculptures d'Apel-les Fenosa, marque le passage à une certaine sérénité, et de nombreux autres poèmes d'hommages écrits depuis les années 50 à des personnalités diverses seront ensuite soit recueillis dans *Pour les bonnes gens* [*Per a la bona gent*, 1984], soit ajoutés aux *Chansons d'Ariane* jusqu'à la version définitive de 1981. — Trad. *Cimetière de Sinera, Les Heures, Semaine sainte*, Corti, 1991 ; *La Peau de taureau, Livre de Sinère*, Maspero, 1969 et 1975 ; *Formes et Paroles*, Adam Biro, 1990.

D. Boy.

POÉSIES d'Essenine. L'œuvre poétique de l'écrivain russe Serguéi Alexandrovitch Essenine (1895-1925) est, avec celle de Maïakovski, la plus remarquable de la période qui suivit immédiatement la révolution d'Octobre. Elle prend place dans un mouvement plus général de réaction contre le symbolisme, de retour au concret, au naturel, animé aussi bien par le groupe acméiste et les futuristes que par les poètes villageois (Kliouïev, Klytchkov) à qui l'on doit rattacher Essenine. Celui-ci, dès ses premières poésies de 1916, s'affirma comme le chantre authentique de la nature, des joies douces et primitives de la campagne russe. On sentait bien qu'il ne s'agissait pas d'un littérateur qui tentait de rafraîchir sa veine avec des évocations rustiques, mais bien d'un véritable paysan, doué d'une facilité prodigieuse touchant au génie. La valeur de cet art est d'abord dans sa spontanéité : aucune culture, aucune règle ne vient maîtriser l'émotion, l'affaiblir, la rabaisser au niveau du langage commun. Pourtant, ce n'est pas seulement folklore ou couleur locale : la richesse des images et des couleurs n'est alors pour Essenine que l'expression toute facile et naturelle de son cœur, qui compatit avec l'âme du moujik russe et avec l'âme de sa terre qui reflète la sienne. Dans des poèmes comme « Transfiguration » (1919), le don d'éveiller la nature, de la rendre vivante, d'en faire un langage humain, de la transfigurer, au sens propre, selon l'exigence d'un naïf hylozoïsme, s'est rarement révélé à un tel point. Comme par l'effet d'une magie, la campagne, le soleil, l'étang, la lune épousent toutes les passions du cœur humain. Une telle réussite eût été impossible si Essenine n'avait été doué d'un extraordinaire talent de créer les plus magnifiques images. Aussi ne recule-t-il devant aucune audace, comparant à une « grenouille d'or » la lune couchée sur un étang, écoutant l'« aboi des nuages », suivant la courbe du soleil qui, « comme une roue, a roulé derrière les monts bleus ». Cet usage des métaphores, assez rare dans la tradition russe, est, chez Essenine, incessant : on peut reprocher à celui-ci de s'y abandonner sans discernement, et plus d'une de ces images est d'assez mauvais goût. Mais c'est là son langage personnel, instinctif, lors même qu'il traduit les choses de l'âme ou de l'intelligence. Ainsi est-il bien symboliste, malgré tout ; mais cette tendance, marquée surtout dans ces poèmes de la première période de sa vie, a des origines religieuses et non littéraires : une puissante foi panthéiste anime alors le poète. Toutes choses lui sont des présences familières, des êtres aimés, un Dieu immensément répandu et tutélaire. Il trouve aussi simple de parler de l'« aurore qui, sur le toit, se lave le museau de la patte comme un petit chien », que d'avouer : « Je prie devant les aubes rouges, je me confesse au ruisseau. » Sans doute, dans « Transfiguration », trouve-t-on, à travers un certain messianisme, l'écho des événements révolutionnaires. Mais il ne doit rien aux nouvelles doctrines : c'est toujours la vieille espérance éternelle du paysan russe, son attente du Dieu nouveau exprimée d'une façon enfantine dans le cadre rudimentaire des travaux de la ferme : « Un nouveau visiteur vient vers nous dans un diable d'équipage. Une jument court dans les nuages » et, « au-dessus du bois, la lune mettra bas un petit chien d'or ». La révolution est donc seulement alors pour Essenine une sorte de revanche de la campagne sur la ville, un retour à la vie libre et champêtre, aux idylles heureuses. Le poème « Inonia » (ou « Saint-Ailleurs ») marque une évolution : si Essenine conserve tout son art de créateur d'images, il montre une fièvre nouvelle, une volonté de s'affronter au monde tout entier, de bouleverser l'univers, dont l'audace, qui bientôt dégénère en pure effervescence verbale, ne laisse pas de cacher le trouble de son cœur : conflit avec sa nature religieuse, déracinement, solitude difficile à supporter, qu'il cherche à oublier en se donnant dans le poème toutes les fantaisies, renversant les lois du monde, de la logique et de la succession des images : « Ma bouche crache le corps du Christ [...] Je lèverai mes mains vers la lune et la casserai comme une noix [...] Je romprai notre mère la terre, en deux, comme un petit pain d'or. » Déception de la Révolution, impuissance à s'adapter aux grandes villes, revanche cherchée dans le pur jeu des mots : ce trouble ira s'accentuant avec les œuvres de la dernière période. Du paysan il ne reste plus que la révolte, mais une révolte stérile. Essenine est devenu le chantre de la bohème littéraire, séparé malgré lui de la vieille Russie traditionnelle, un poète de taverne, aux ricanements sinistres : « Je n'ai pitié peut-être que de moi-même, que des chiens vagabonds. À la taverne, ce chemin m'a conduit tout droit... » ; « Vise-moi cette armée de bouteilles ! Il me faut bien tous ces bouchons pour bien toucher mon âme... » Dans son recueil *Moscou des cabarets*, il s'est séparé définitivement des poètes-paysans. Et pourtant, c'est bien toujours son anarchie naturiste, son rêve bafoué de la vie simple et rustique qui nourrissent la fureur désespérée du « Pays des canailles », poème dramatique écrit en 1922-1923, demeuré inachevé et dont seuls des fragments parurent du vivant de l'auteur. Si la tristesse farouche et impuissante qui emplit les dernières œuvres ne peut laisser insensible, il faut reconnaître que les poèmes de cette époque n'ont pas la fraîcheur des premiers, que le flot des belles images y est moins riche et moins continu. La ville avait vraiment tué le poète-paysan. Cette œuvre considérable reste donc malgré tout à l'état d'ébauche : on y trouve des promesses merveilleuses que les circonstances politiques, une transformation du monde à quoi Essenine ne put jamais s'habituer, ont empêché le poète de tenir. Essenine demeure un grand créateur d'images, comme la poésie russe en a peu connu. Le succès que l'œuvre d'Essenine obtient aujourd'hui encore auprès de la jeunesse russe est une preuve de son admirable vitalité. — Trad. *La Confession d'un voyou,* éd. J. Povolozky, 1922, L'Âge d'Homme, 1983 ; *Requiem,* éd. des Cahiers Libres, 1929 ; S. Laffitte, *Essenine,* Seghers, 1959 ; *Quatre poètes de la révolution,* éd. de Minuit, 1967.

POÉSIES de Fet. L'œuvre poétique de l'écrivain russe Afanasij Fet (1820-1892), publiée de son vivant, se partage en cinq recueils. Le premier, *Le Panthéon lyrique,* parut en 1840. Il contient les œuvres de jeunesse du poète. Le second, *Poèmes d'A. Fet* [*Liričeskij panteon,* 1850], témoigne déjà de la maturité du talent de l'auteur. La troisième édition des poèmes de Fet fut réalisée à l'initiative de Tourgeniev en 1856. Cette édition pose un redoutable problème textologique, dans la mesure où, sur quatre-vingt-quinze poèmes repris du recueil précédent, soixante-huit ont été remaniés à la demande expresse de Tourgeniev. L'édition suivante, de 1863, contient peu de modifications par rapport à la précédente. Suit une interruption de vingt ans, durée de la « retraite » de Fet. Boudé par un public prévenu par une critique hostile, il ne sort de son silence qu'en 1883, en publiant un ouvrage intitulé *Feux du soir, recueil de poèmes inédits* ; puis en l'espace de quelques années se succèdent trois autres recueils portant le même titre de *Feux du soir* [*Večernie ogni,* 1885, 1888, 1891]. En 1892, Fet préparait une édition complète de ses poésies, qu'il n'eut pas le temps de mener à bien. À ses débuts, Fet est un poète plutôt « pictural », attentif à décrire artistiquement des tableaux plastiques, au relief sensuellement accentué. Il surclasse Majkov et Ščerbina dans sa peinture évocative de sujets empruntés à la mythologie antique (« La Bacchante », 1843 ; « Diane », 1847). Mais ce n'est pas par ce trait que Fet s'est distingué parmi les poètes lyriques contemporains. Le « grand » Fet des *Feux du soir* se décèle déjà dans les premiers vers, là où la nature envahit l'âme du poète et lui dicte ce rythme si particulier qui est le chant même de la langue russe, l'harmonie divine dont Puškin disait que le poète devait en être le serviteur. Le héros lyrique de la poésie de Fet s'abîme entièrement dans une nature qui captive souverainement sa sensibilité : la force élémentaire et spontanée de la vie, l'instant fugace dissolvant le « je » lyrique qui ressaisit son unité et sa continuité dans une expression verbale parfaitement maîtrisée. Ce paradoxe d'une poésie qui parvient à exprimer les sensations les plus aiguës de l'existence dans un vers classique et harmonieux s'explique par le parti pris « objectiviste » de Fet qui distancie toujours ses impressions personnelles pour les étudier, les contempler et les exprimer comme un pur « matériel lyrique ». Aussi le « paysage de l'âme » prend-il sous la plume de Fet les traits concrets, « charnels » et colorés des paysages naturels du monde sensible extérieur. La mélodie « verlainienne » soutient cette visée expressive en même temps qu'elle en marque les limites : en effet, fidèle au principe romantique de l'ineffabilité essentielle des sentiments et des mouvements de l'âme, Fet supplée à l'insuffisance du langage par le recours systématique aux puissances irrationnelles de la parole : assonances, rythmes, pauses et rimes concourent à créer un type de diction poétique où le son supplante le sens des vocables. La mélodie se fait le « langage » spontané et délié d'une nature autrement indicible. C'est dans la lyrique amoureuse de sa vieillesse que Fet atteint les sommets de son art poétique : l'émotion refoulée, réprimée et idéalisée par le souvenir se concentre et se condense dans des vers qui ont l'éclat du diamant. Sentiment et pensée fusionnent dans la beauté de l'image poétique, qui se suffit à elle-même, totalement émancipée du joug de la raison commune. Par son aspect paroxystique et musical, la poésie de Fet annonce l'art des décadents et des symbolistes, qui feront d'ailleurs de Fet leur précurseur dans l'exploration des mystères de la nature et de l'âme humaine.

J.-C. L.

POÉSIES de Freiligrath [*Gedichte*]. Premier recueil de poèmes que le poète allemand Ferdinand Freiligrath (1810-1876), publia en 1838. La fascination qu'exerça sur Freiligrath la poésie exotique est fort évidente (et il ne faut voir là qu'une conséquence de son admiration pour les poètes étrangers, tel Victor Hugo, qu'il traduisait avec aisance). Cette première manière nous vaut : « La Course du lion » [Der Löwenritt], « Le Prince maure » [Der Mohrenfürst], ballade divisée en deux parties, qui rapporte l'adieu d'un prince maure à sa bien-aimée avant la bataille. Se fiant à son étoile, le prince commande que l'on prépare un banquet. Mais c'est en vain que la dame attendra : le prince a été fait prisonnier et vendu aux Blancs. La second partie de la ballade, est de loin beaucoup moins dramatique... D'une veine bien supérieure aux autres, la ballade très courte du « Prince Eugène, noble chevalier » [Prinz Eugen der edle Ritter] est sans contredit l'une des meilleures œuvres de Freiligrath. Sur les bords du Danube bivouaquent les soldats du prince Eugène. Un tambour, à l'écart, chante les exploits du prince ; et lorsque pour la troisième fois, il entonne le refrain : « Prince Eugène, noble chevalier », tous reprennent en chœur, de telle sorte que le camp de l'adversaire retentit des louanges adressées au grand chef. Ce même recueil comprend un poème très populaire en Allemagne, « Les Émigrants » [Die Auswanderer], que Freiligrath écrivit en 1832 ; lors de son séjour à Amsterdam, Freiligrath avait pris l'habitude de se promener dans le port et d'observer les paysans qui s'embarquaient, vêtus de ces costumes qu'on leur voit dans la Forêt-Noire. Le poète chante alors le drame de ces déracinés, dont la vue est bien faite pour émouvoir. C'est pour cette première partie de son œuvre, pleine de couleurs chatoyantes et d'une tumultueuse beauté, que nombre de contemporains tels que Brentano et Chamisso, Grabbe et Heine payèrent leur tribut d'admiration à l'œuvre de Freiligrath. Gagné aux idées de Karl Marx, Freiligrath changea totalement de « manière » : c'est alors qu'il publia cette fameuse *Profession de foi*, où s'expriment ses convictions nouvelles. Ce recueil, daté de 1844, est bientôt suivi des poèmes révolutionnaires de *Ça ira*, composés alors que le poète est en exil. La révolution de 1848 est proche : ayant regagné l'Allemagne, Freiligrath est arrêté à Düsseldorf. L'un de ses poèmes : *Les Morts aux vivants* [*Die Toten an die Lebenden*], avait provoqué cette mesure. Relâché peu après, le poète demeura en Allemagne, prenant part aux événements de l'époque. En 1849, il publie un choix de poèmes, sous le titre : *Parmi les gerbes* [*Zwischen den Garben*], que suivent bientôt ses *Nouvelles poésies politiques et sociales* [*Neuere politische und soziale Gedichte*], son œuvre fondamentale, comprenant deux parties, respectivement publiées en 1849 et 1851. Entre autres choses, on y trouve la fameuse poésie des *Morts aux vivants*, hymne révolutionnaire, fougueux et implacable réquisitoire contre tous ceux qui se sont retranchés derrière la tradition ; et les accusateurs sont ceux-là mêmes dont on fit des martyrs. La guerre de 1870 et la victoire allemande, suivie de la fondation du Reich, arrachent au poète un grand cri d'enthousiasme. Le plus populaire des poèmes qui datent de cette époque est « La Trompette de Gravelotte » [Die Trompete von Gravelotte]. Plus tard, quelques œuvres furent réunies assez arbitrairement en un recueil intitulé : *Neueres und Neuestes*, qui embrasse la période de 1840 à 1870.

POÉSIES de Fröding [*Samlade Dikter*]. Sous ce titre fut publié en 1911 le recueil des vers du poète suédois Gustaf Fröding (1860-1911) qui, dès son premier livre *Guitare et Orgue de barbarie* [*Guitarr och dragharmonika*, 1891], avait conquis les lecteurs. Depuis Bellman, la poésie suédoise n'avait pas connu une simplicité de ton, unie à tant de variété dans la prosodie. Dans un pays où la littérature fut toujours réaliste, on prit beaucoup de plaisir à ces petites scènes paysannes, que le poète devait rassembler plus tard avec d'autres compositions dans les *Airs du Värmland* [*Värmländska låtar*]. Les plus populaires furent « Notre prévôt », portrait d'un savoureux réalisme paysan ; « Jan Ersa et Per Persa », croquis mordant de la chicane campagnarde ; « Choix pénible » qui, en le dramatisant un peu, reprend le sujet familier du choix d'un mari, entre un prétendant vieux mais riche et un jeune homme sans fortune, et de la préférence accordée au vieillard, veuf et bossu, tant l'amour des toilettes est grand chez une jeune paysanne. Certains chants bachiques suivent une tradition fort en honneur en Suède. Dans de petites chansons populaires, le poète se plaît à évoquer maintes légendes. Les pièces pastorales tranchent par leur réalisme sur les modèles de la Renaissance ou du XVIIIe siècle, et trahissent l'influence romantique et naturaliste. Fröding se comporte en vrai romantique lorsqu'il parle de la solitude (« Un étranger », « Au lit du malade »), de la brièveté de la joie (« Lifsglädjen »), de notre faiblesse devant le destin (« Världens gång »), ou de l'amour de la patrie lointaine (« Jag ville, jag vore »). Mais cette sensibilité, mêlée de réminiscences de Heine et d'Atterbom, est exempte de toute grandiloquence, étant toujours dominée par un sens des choses très réaliste. Poète idyllique, Fröding n'est point fait pour le sublime, mais il excelle à chanter les petits faits quotidiens. Citons « Le Bal » [Ballen], poème qui évoque avec ironie et minutie quelque soirée dans le cadre d'une petite ville de province. Citons aussi le « Poète Wennerbom », où l'auteur nous montre un vieux poète qui, après être sorti de l'hospice des indigents, s'assied au jardin public avec une bouteille d'eau-de-vie, et dans son ivresse mêle sa voix aux chants des oiseaux. — Trad. partielle, *Poèmes*, Les Belles-Lettres, 1956.

POÉSIES de Froissart. La gloire du chroniqueur a éclipsé en l'écrivain français Jean Froissart (1337 - après 1400) le poète authentique qui connut de son temps la renommée. Froissart, grand voyageur, homme curieux de tout, et s'essayant dans tous les genres, n'a pas composé moins de vingt-cinq mille vers, sans compter son vaste roman en vers, *Méliador*. Son œuvre poétique comprend un grand nombre de ballades, indépendantes (« Ballade pour se bien porter ») ou reliées entre elles par un récit en prose, des lais, des virelais (tel le délicieux virelai de l'orgueillousette : « On dit que j'ai bien manière / D'estre orgueillousette : / Bien affert a estre fiere ä Jone pucelette ») et des rondeaux amoureux, d'un tour assez conventionnel, tels « Aies le coer courtois et honnourable », ou « Ira il dont, Dame, tousjours ainsi ? / Me lairez vous morir en languissant ». Mais sa véritable originalité réside dans les « dittiés », ample composition mi-narrative, mi-lyrique, où le récit en rimes plates est interrompu par des pièces de forme fixe ; citons parmi ces très nombreux dittiés : « Le Paradis d'amour », « L'Orloge amoureus », « Le Joly Buisson de Jonece », « Le Débat du cheval et du lévrier », le « Ditié du Florin ». Mais le plus charmant d'entre ces ditiés est « L'Espinette amoureuse », fraîche évocation des amours enfantines, comme dans le poème : « Plusieur enfants de jone eage / Desirent forment le peage / D'amours payer », dans lequel le poète s'attendrit sur les chastes amours de ses douze ans : « Il y avoit des pucelettes / Qui de mon temps erent jonettes, / Et je, qui estoie puceaus, / Je les servois d'espinceau, / Ou d'une pomme, ou d'une poire, / Ou d'un seul anelet de voire », ou encore les jeux de son temps, en une liste pittoresque qui a inspiré plus tard Rabelais lorsqu'il énumère les amusements qui charmaient l'enfance de Gargantua — v. *Garguanta* (*) et *Pantagruel*. — A. Fourrier a édité *L'Espinette amoureuse* (Paris, Klincksieck, 1963), *La Prison amoureuse* (Paris, Klincksieck, 1974), *Le Joli Buisson de Jonece* (Genève, Droz, 1975), R. S. Baudoin, *Les Ballades et rondeaux* (Genève, Droz, 1978), *Les Dits et les Débats* (Genève, Droz, 1979) ; P. F. Dembowski, *Le Paradis d'amour, L'Orloge amoureus* (Genève, Droz, 1986).

POÉSIES de Gace Brulé. Nous savons très peu de chose de Gace Brulé, chevalier et poète champenois (début du XIIIe siècle). Il était champenois, c'est dire qu'il a vécu dans un milieu où la poésie fleurissait avec Conon de Béthune — v. *Poésies* (*) de Conon de Béthune. Presque aussi célèbre que son contemporain Thibaut de Champagne — v. *Œuvres poétiques* (*) —, il n'a ni son sens musical de la langue, ni sa délicatesse, mais il a de l'élégance et plus de naïveté et de simplicité que son rival, par exemple dans des pièces comme : « Les oisillons de mon païs / Ai oïz en Bretagne. » Des quelque soixante-dix chansons d'amour que nous avons conservées de lui, citons, sur le thème cent fois repris de l'amour courtois, qui fait le fond de tous les poèmes de ce temps, les trois chansons : « Je ne vais pas querant tel délivrance / Par quoi amors soit de moi departie », « De bone amor et de loial amie / Me vient souvent pitiez et remembrance » et surtout « Quant voi l'aube du jour venir, / Nulle rien ne doit tant haïr, / Qu'elle fait de moi departir / Mon ami que j'aim par amour ». Dans ce dernier poème, passant outre les conventions, Gace Brulé exprime, tout uniment, les soupirs de la dame qui, dans son lit, pense à son amant. Mais une des pièces les plus originales de ce trouvère est le « jeu parti », dialogue entre le poète et un chevalier amoureux, qui lui demande ses conseils ; ceux-ci ne varient pas, il faut se soumettre à l'amour, quelque peine qu'on en doive endurer, car, de lui-même, il est une suffisante récompense ; c'est un piteux amant que celui qui, pour en avoir été maltraité, veut abandonner l'Amour. — Les poésies de Gace Brulé ont été éditées sous le titre de *Chansons* par G. Huet (Société des anciens textes français, Paris, 1902) et par H. Petersen Dyggve (Helsinki, 1951).

POÉSIES de García Lorca. L'œuvre poétique de l'écrivain espagnol Federico García Lorca (1898-1936) peut se diviser en deux parties, d'inégale importance : d'une part, trois plaquettes de vers dont le ton relève strictement de la poésie fugitive : *Livre de poèmes* [*Libro de poemas,* Madrid, 1921], *Chansons* [*Canciones,* Malaga, 1927 et Madrid, 1929] et *Poème du Cante Jondo* [*Poema del Cante Jondo,* Madrid, 1931] ; d'autre part, trois œuvres dont la qualité et l'importance ont fait de leur auteur le plus grand poète espagnol moderne : *Romancero gitan* (*), *Le Poète à New York* (*) et *Le Chant funèbre pour Ignacio Sánchez Mejías* (*). Nous ne retiendrons ici que les œuvres mineures. Et tout d'abord le *Livre de poèmes* que García Lorca présente en ces termes : « J'y veux offrir l'image docte de mes jours d'adolescence... » C'est une suite de notations dont la forme rappelle souvent celle de nos rondes villageoises. L'ouvrage vit le jour à l'heure même où l'« ultraïsme » était à son apogée. Encore que Lorca fût sensible à certains mots d'ordre de cette école, il se garda bien d'y adhérer sans réserve. Faire table rase de tout le passé ? Son instinct le porte à se garder de ces outrances. Vaille que vaille, il veut rester en contact avec la tradition classique. Bien lui en prit : faisant ainsi secte à part, Lorca en vint à passer pour un novateur. Ce parti pris s'affirmera dans le recueil intitulé : *Canciones*. Dans ces chansons la mièvrerie ne se donne jamais carrière. Tout y est grâce sous un trait exact et pur. Témoin cette strophe : « Je viens pencher ma tête / à la fenêtre et vois / que le vent, de sa lame, / essaie de la couper. » Cette autre strophe : « Dans le chèvrefeuille / était un ver luisant / et la lune piquait / de son rayon dans l'eau. » Cette dernière strophe : « La fillette au beau visage / cueille toujours ses olives / avec le bras gris du vent / qui la serre par la taille. » Quant au *Poème du Cante Jondo,* il chante humblement la terre andalouse : un bouquet d'arbres, un calvaire, des masures, des animaux et des hommes encapuchonnés que réveille le chant du coq. — Trad. Gallimard, 1954.

POÉSIES de Georges Pisidès. Sous ce titre est réunie l'œuvre poétique du poète byzantin Georges Pisidès, diacre de Sainte-Sophie, qui vécut au temps de l'empereur Héraclius (610-641). Ses travaux sont consacrés à exalter les hauts faits de ce souverain et les grands événements politiques de son règne. On y trouve aussi un tableau de la vie à la cour de Byzance, ainsi que l'écho des nombreuses polémiques philosophiques et théologiques qui l'animèrent. Parmi les poèmes historiques, citons, à titre d'exemple : « Sur l'expédition de l'empereur Héraclius contre les Perses ». Ce poème, assez court, est divisé en trois parties et célèbre, sur le ton de l'épopée, les victoires remportées par Héraclius de 622 à 626. Un autre poème chante la délivrance de Constantinople par l'« invincible Théotokos » (la Vierge Marie), l'oriflamme redoutée des ennemis, en l'occurrence les Avares (626). On trouve également un panégyrique d'Héraclius (« Heracliade »), divisé en deux chants ; il fut composé à l'occasion de la victoire décisive remportée par l'empereur sur Chosroès, roi des Perses, en 628. Toujours dédiées à la gloire du monarque viennent ensuite deux poésies dont la première, « Salut à Héraclius », a été inspirée par son accession au trône (610) ; la seconde est un hymne en l'honneur du retour de la Sainte-Croix que les Perses, après leur défaite, restituèrent à Héraclius ; celui-ci la ramena triomphalement à Jérusalem (630). Citons également un poème de caractère philosophique et religieux : l'« Hexaemeron », l'œuvre la plus remarquable de Georges Pisidès, en deux cents trimètres environ ; il est consacré aux six jours de la création. L'auteur a, certes, largement puisé dans *La Bible* (*), mais aussi dans Aristote et dans les *Histoires* d'Élien. Une version en arménien et une autre en slavon (par Dimitri Zograph en 1385) prouvent que le succès de cette œuvre passa les frontières de l'empire. Parmi les morceaux qui ont trait aux polémiques théologiques, on distingue plusieurs petites pièces : « Sur la vanité de la vie » (inspirée de l'*Ecclésiaste* (*) et dédiée au patriarche Sergius), « Contre Sévère d'Antioche, l'anathématisé » (où l'auteur défend les dogmes et réfute les hérésies des disciples de Sévère), « Hymne sur la Résurrection du Christ » (écrit vers 628), enfin un poème « Sur la vie humaine », le seul rimé en hexamètres imités de Nonnos. Le recueil contient de nombreux épigrammes de valeur (dont un « À soi-même ») sur les thèmes les plus divers, tant sacrés que profanes ; il y en a même un sur la goutte, sujet très fréquent dans les épigrammes du temps. L'épigramme était un genre poétique alors très à la mode. Pisidès connut un réel succès auprès de ses contemporains. Il fut un modèle pour les générations suivantes et demeura le meilleur poète byzantin. Son style est sobre et clair ; son mètre de prédilection, le trimètre, est correct et d'une lecture agréable, bien qu'il s'éloigne déjà beaucoup de la règle des classiques et tende vers le dodécasyllabe byzantin. Naturellement, on trouve aussi des artifices de langage, une certaine prolixité, de la vaine rhétorique, défauts habituels de l'art byzantin. Au point de vue historique, l'importance de ce recueil est considérable : il est seul à relater les grands événements du règne et la vie en ce temps, l'un des plus intéressants dans l'histoire de Byzance. Le chroniqueur Théophane s'en est largement servi.

POÉSIES de Goethe [*Gedichte*]. Le premier recueil complet des poésies de l'écrivain allemand Johann Wolfgang Goethe (1749-1832) porte la date de 1815. Ce fut Goethe lui-même qui se chargea de l'édition : celle-ci comprend les deux recueils qu'il avait publiés en 1789 et en 1806, auxquels il joignit tout ce qui avait paru dans différentes revues. Cette édition ne diffère que par quelques détails de celle qui suivra et qui sera la dernière : l'édition de 1827. Le recueil comprend : *Chants* (*), *Chansons de société* (*), *Ballades* (*), *Élégies* (*), parmi lesquelles nous signalerons les *Élégies romaines* (*), les *Poèmes épigrammatiques* (*), *Les Oracles de Bakis* [*Weissagungen des Bakis*], *Les Quatre Saisons* [*Vier Jahreszeiten*], les *Sonnets* [*Sonetten*], les *Cantates* (*), des *Poésies variées* [*Vermischte Gedichte*], *Les Paraboles* [*Parabolisch*], *Dieu, âme et monde* (*), les *Poésies lyriques* [*Lyrisches*], *La Loge* [*Die Loge*], *Dieu et le monde* (*), les *Xénies* (*), *Inscriptions, souvenirs et messages* [*Inschriften, Denk- und Sendeblätter*], les poèmes dédiés *À divers personnages* (*), ainsi que les pièces consacrées à l'*Art* [*Kunst*]. Un poème, intitulé « Dédicace » [Zueignung], et qui avait déjà été publié dans l'édition de 1789, ouvre le recueil. Goethe y définit ce qu'il entend par poésie : dans un paysage symbolique encore tout baigné de vapeurs d'or, voici se lever un soleil rougeoyant, d'où surgit une forme féminine d'une beauté éclatante, la Vérité. Mais la poésie dans tout ceci ? Rien que ce voile « fait de brumes matinales et de clarté solaire » que lui remet la divine apparition. Puis le recueil débute par les œuvres de jeunesse du poète, toutes comprises dans les *Chants* (*). Goethe y est encore sous l'influence de Gellert et de Klopstock ; il arrive que l'expression y soit embarrassée, l'auteur s'en tenant à des sujets conventionnels qu'il traite le plus souvent sur un mode gracieux et léger. Toutefois, certains poèmes tels que « Le Papillon », « À la lune », « Nuit nuptiale » renferment des accents très personnels et révèlent déjà un tempérament original. La nature y est présentée non pas comme une toile de fond soigneusement peinte, mais bien comme une expérience intime dont le poète nourrit ses heures de solitude et de rêverie. Cependant Goethe ne sort guère du domaine de la sensation immédiate et ne s'embarrasse pas de ces concepts ni de ces sentiments qui feront plus tard tout le prix de sa poésie.

En 1770, s'étant rendu à Strasbourg pour

achever ses études de droit, Goethe y fait la rencontre de Herder. Il est alors âgé de vingt-deux ans, et l'amitié qu'il noue avec le jeune philosophe sera décisive pour toute sa formation intellectuelle. Grâce à Herder qui rassemble alors, en vue de les éditer, les chansons populaires des différents pays d'Europe (« Volkslieder »), il découvre la poésie sous un jour nouveau. Expression spontanée de l'âme du peuple, ces chants lui apparaissent, dans leur fraîcheur première, comme autant de témoignages garantissant l'universalité même de la poésie. De cette découverte, Goethe tirera la conclusion qu'il n'est pas de poésie plus haute et plus vivante que la « poésie spontanée », c'est-à-dire celle que l'on écrit sous l'emprise de l'émotion. C'est là une idée à laquelle il tenait beaucoup, et souvent il y reviendra, lui donnant des développements parfois imprévus. « Mes poèmes, dira-t-il encore, sont tous des poèmes de circonstance ; ils s'inspirent de la réalité, c'est sur elle qu'ils reposent. Je n'ai que faire de poèmes qui ne reposent sur rien. » De cette spontanéité, de cette innocence merveilleuse, les poèmes qu'il adresse à cette époque à Frédérique Brion tirent tout leur charme (voir, par exemple, « Bienvenue et Adieu », composé vers 1773). Mais l'influence de Herder aura encore d'autres conséquences : Goethe agrandira, à son contact, la conception qu'il se fait de l'univers, en étendant ses investigations jusqu'au domaine de l'histoire, qui lui fournira désormais des motifs nouveaux d'inspiration. La poésie, chant de l'homme seul avec lui-même, devient par le fait même le chant de l'humanité tout entière et l'expression accomplie de son destin. Mais voici qu'une contradiction se dessine, qui tient aussi bien à la jeunesse de l'auteur qu'aux conditions du moment : face à l'indigence des moyens que l'homme peut mettre en œuvre, il y a la richesse infinie des désirs qui le tourmentent ; une tension dramatique en résulte, qui trouvera sa résolution momentanée dans l'affirmation pathétique de la personnalité du poète. Brisant toute convention et rejetant toute règle extérieure, Goethe exaltera le génie en révolte contre les dieux et les lois et magnifiera la puissance créatrice de l'homme s'ouvrant des chemins nouveaux : telle sera sa contribution décisive au mouvement tumultueux et passionné du « Sturm und Drang » ; Goethe écrit alors quelques-uns de ses plus beaux poèmes (1773-1774) : « Chant de mai », « Voyage d'hiver dans le Harz », où éclate sa passion pour la nature ; le « Chant de Mahomet », « L'Aigle et la Colombe » qui est comme un prélude au « Chant de Prométhée », où s'exprimera, dans une forme majestueuse et hautaine, l'ivresse d'un jeune dieu en pleine possession de ses moyens. « Ganymède », composé quelques années plus tard (1779), appartient à la même inspiration. Une chose est certaine, c'est qu'à cette époque un poète est né, qui d'un coup va renouveler toute la poésie allemande.

De 1775 – date de son installation à Weimar, où l'a appelé le jeune duc dans l'intention d'en faire son ministre – à 1786, date de son premier voyage en Italie, une évolution irrésistible se fait jour dans la pensée du poète : aux prises avec les exigences de la vie sociale et mondaine, Goethe reconnaît la nécessité d'une règle aussi bien dans l'art que dans la vie. Obligé par ses fonctions de s'occuper de questions administratives, militaires et financières, il conçoit bientôt qu'il est certaines lois inhérentes aux conditions mêmes de l'existence contre lesquelles toute révolte est inefficace, quand elle n'est pas simplement ridicule. Contraint par ailleurs d'entreprendre certaines études scientifiques (géologie, minéralogie, botanique), en vue de répondre à des tâches précises qui lui sont confiées, il verra se développer et se fortifier en lui cet esprit objectif qui deviendra l'un des traits distinctifs de son génie. Une nouvelle conception de l'homme se fait jour dans ses œuvres : cessant de l'opposer aux dieux, Goethe reconnaît en lui quelque chose comme leur frère inférieur. À la passion et au tumulte succèdent la sérénité et la maîtrise de soi. En toute chose apparaît un sens de la mesure, un équilibre qui étonnent. « La Mission poétique de Hans Sachs », publiée en 1776, dans *Le Mercure allemand*, traduit assez bien ce nouvel état d'âme ; s'inspirant de quelque gravure ancienne, Goethe nous a laissé là un portrait du vieux poète en train de rapetasser des chaussures, au fond d'un sombre galetas, cependant qu'un monde printanier, d'une splendeur inattendue, s'épanouit en secret dans son âme. Ouvrant les yeux sur la nature, Goethe la découvre avec les yeux mêmes d'Albert Dürer lorsque celui-ci travaillait au burin l'un de ces inoubliables paysages qui l'ont immortalisé. Le poète atteint ici à un dépouillement extrême ; évitant tout artifice, il se contente de nous décrire le plus simplement du monde le paysage qu'il entrevoit, et cela suffit pour nous enchanter. On retiendra comme non moins significative la pièce écrite à la mémoire de Mielding (1782), maître forgeron du théâtre de Weimar. Collaborateur intelligent et fidèle de Goethe, Mielding seconda l'écrivain dans ses nombreuses expériences théâtrales. Dans un hommage d'une grande émotion, le poète a ressuscité pour nous le visage de cet humble ouvrier qui possédait à fond son métier ; et comment nous le présenter mieux, si ce n'est en l'imaginant sur cette scène dont il régla en maître les jeux de lumière ? Le portrait moral de Goethe à cette époque serait incomplet si l'on ne mentionnait ici l'influence assez surprenante qu'exerça sur lui Mme Charlotte von Stein. Femme d'une grande intelligence, il l'aima de longues années et, sous son égide, conquit progressivement cet apaisement et cette humilité devant les mystères de la vie et de la mort qui devaient lui assurer une vieillesse olympienne.

Mais le chemin que Goethe doit parcourir est encore long, et rien ne devient plus urgent pour lui, aux alentours de 1785-1786, que d'échapper aux obligations particulièrement lourdes que lui suscite son rôle de ministre et de conseiller à la cour de Weimar. Prenant une décision soudaine, il fuit, plus qu'il ne quitte, Weimar, et le 29 octobre 1786 le voici à Rome, dans ce climat méditerranéen qui conservera toujours, pour l'homme du Nord, tant d'attrait. La vie lui apparaît alors comme une aventure pleine de fascination, chargée d'émotions et de promesses. Il découvre le secret de la vie simple, ardente et sensuelle, dont les *Élégies romaines* (*) nous entretiendront. Le poète y chante dans une même incantation la beauté et l'amour. À Rome, « dans l'innocence du Midi », tous les nuages, toutes les brumes, qui pesaient jadis sur son âme, se sont dissipés. Qu'il s'agisse de Faustina, jeune fille romaine née peut-être de son imagination, ou de Christiane Vulpius, sa future femme, qu'il rencontre dès son retour à Weimar, c'est le même amour qui l'enflamme, simple et sensuel, « en dehors du bien et du mal », un amour où l'érotisme le moins apprêté trouve sa raison d'être dans la satisfaction immédiate et totale qu'il dispense. À Rome, il découvre aussi le monde antique, qu'il ne connaissait encore que par les gravures qu'il avait vues chez son père, ou par les musées d'Allemagne : cette révélation n'est pas moins décisive, et le choc qu'il ressent au contact de la beauté antique va profondément modifier sa vie. Le jour, Goethe parcourt la cité en tous sens, admire les vestiges parsemant la Ville éternelle ; le voici dans les musées et les jardins ; à son appel, nymphes et dieux répondent, cachés dans l'ombre des parcs ; et puis, quand vient le soir, il y a Faustina, sa chair dorée, la beauté vivante de son corps, la grâce de ses gestes, la tiédeur de son amour. Que désirer de plus ? On a admiré, dans ces *Élégies* ainsi que dans toutes les œuvres de ce moment exceptionnel, la clarté des descriptions, la transparence des images, la précision du trait. Sollicités par la peinture et la sculpture, les mots acquièrent dans la voix du poète couleur et densité. Un domaine nouveau s'ouvre devant lui : celui du classicisme, et plus rien ne pourra désormais supplanter dans son esprit l'idéal enfin entrevu. En 1790, Goethe écrit à Herder, avec qui il n'a pas cessé d'être en relation, que c'en est maintenant fini pour lui des élégies et que le culte des classiques le porte à cultiver l'épigramme. Tour à tour agressif ou enjoué, piquant ou ému, le poète conçoit l'épigramme comme la forme la plus propre à saisir la vie dans ce qu'elle a de passager, d'inattendu. Les maximes morales y alternent avec les moments de mauvaise humeur ; la pensée s'y exprime sous une forme élégante, avec cette légèreté et cette aisance que donne la maturité. C'est la saveur de la vie qui s'y trouve rendue, avec tout ce que cela comporte de satisfaction pour l'esprit. Toutefois, à la confiance souriante et audacieuse des années précédentes se substitue progressivement un amer pessimisme dont il faut rechercher les causes aussi bien dans la Révolution qui vient d'éclater en France que dans le commerce que Goethe est contraint d'entretenir avec la société de Weimar, société conventionnelle qu'il s'est aliénée du fait de son mariage avec Christiane Vulpius. Goethe ne se laisse point démonter, et pour réagir contre l'emprise toujours plus tyrannique du milieu, travaille à la composition de certaines de ses *Xénies* (*) : par-delà l'allégorie, derrière le voile de la fiction, on retrouve certains personnages bien réels, contre lesquels il dirige ses traits les plus acérés. La satire est parfois violente, et cela tient à la situation assez inattendue de Goethe à cette époque. Personnage important à la cour de Weimar, écrivain connu et déjà regardé comme l'un des maîtres de la littérature de son temps, Goethe, alors âgé de quarante-cinq ans, connaît cependant une sorte de défaveur. Poète classique, il ne trouve ni des acteurs pour jouer ses pièces ni un public pour les soutenir. Les derniers représentants de l'« Aufklärung », Nicolaï en particulier, s'en prennent vivement à lui et engagent la polémique, tandis que les partisans du « Sturm und Drang », mouvement auquel il avait adhéré dans sa jeunesse, lui reprochent son évolution ; il n'est pas jusqu'à son ami Herder qui semble ne plus l'approuver entièrement ; voici qu'enfin la jeune génération des romantiques entre en guerre contre lui.

Tout ce qu'une telle situation recèle d'amertume et de retours sur soi sera fort heureusement compensé pour l'équilibre du génie goethéen par la rencontre, en 1794, de Schiller : une amitié solide et exceptionnelle réunira les deux poètes dans une communion fraternelle d'idées et de sentiments. Chacun d'eux, dans son propre domaine, aidera au triomphe du classicisme, et rien n'est plus intéressant, pour apprécier la bienfaisante influence de l'un sur l'autre, que de parcourir la *Correspondance* qu'ils échangèrent — v. *Correspondance entre Schiller et Goethe* (*). Jusqu'à la mort de Schiller, en 1805, cette amitié ne se démentira point. La poésie de Goethe connaît alors un renouveau exceptionnel. Au contact de Schiller, elle se charge de considérations générales et réalise un équilibre assez rare entre la pensée et les images. C'est l'époque particulièrement féconde des *Ballades.* En une seule année, l'année 1797, Goethe écrivit des pièces aussi importantes que *L'Apprenti sorcier* (*), *La Fiancée de Corinthe* (*), *Le Dieu et la Bayadère* (*) : autant de chefs-d'œuvre d'une renommée universelle. Loin de s'abandonner comme jadis à son inspiration, Goethe est devenu cet artiste, maître de ses moyens et de lui-même, qui se plaît à la « commander », à la gouverner. Il est semblable désormais au Wilhelm Meister des *Années d'apprentissage* (*) : abandonnant les rêves généreux mais imprécis de sa jeunesse, il est un homme d'action dont toutes les ressources tendent à une conquête du réel, du monde visible, dans sa plénitude. À l'exaltation des ténèbres et des contrastes dramatiques tels qu'en présentaient ses poèmes de jeunesse, à la limpidité idéale de ses œuvres nées sous le soleil d'Italie, il substitue désormais la magie de demi-teintes et la vérité du clair-obscur : le poème est conçu à la manière d'un tableau où l'ombre est davantage un effet de la perspective, un moyen de faire plus vrai, qu'une recherche du mystère. Une ironie bienveillante se fait jour ici et là, comme si le poète se sentait pris d'une légère ivresse devant tant de beautés offertes à son regard.

Schiller, son ami, meurt en 1805. Une nouvelle époque commence pour Goethe : le poète va s'effacer devant le penseur, mais son esprit ne fera que gagner en étendue, en clarté et en sérénité. Avec la vieillesse, on verra la raison prédominer sur le sentiment, encore que l'auteur ait conservé une fraîcheur exceptionnelle d'impressions et de sensations. Sensible à la vogue que connut, en 1815, la littérature orientale, Goethe travaille à l'une des œuvres les plus étonnantes qui soit jamais sortie de la main d'un vieillard : *Divan occidental-oriental* (*). On reste confondu de voir à quel point s'établit ici une intime collaboration entre l'érudit et le poète. Maître livre, ayant la forme d'un livre de sagesse, le *Divan* réalise un mélange absolument inédit d'images sensuelles et de maximes morales, de raffinement dans l'expression et de pureté dans le sentiment. Dans une œuvre aussi parfaitement accordée au monde visible, c'est un véritable miracle que rien des profondeurs secrètes de l'âme ne soit sacrifié : cela n'était possible que chez un homme comme Goethe, c'est-à-dire un homme ayant réussi, selon le mot de Berdiaev, à faire accéder à l'« objectif » tout le « subjectif » de son être.

Lors des douze dernières années de sa vie, la poésie de Goethe connaîtra une évolution sensible, assez inattendue en certains de ses aspects : on y voit le panthéisme de sa jeunesse se transformer petit à petit en mysticisme ; parallèlement, la vision « naturaliste » qu'il avait de l'univers, sans s'effacer complètement, laisse la place à une sorte de symbolisme qui le rapproche singulièrement des romantiques. Sur le plan social, cette profonde transformation s'accompagne d'une acceptation résignée de la société à peu près telle qu'elle est ; certes l'individu a résolu les contradictions qui l'opposaient au milieu dans lequel il vivait et pour lequel désormais il travaille, dans l'espoir de le transformer peu à peu : on ne peut toutefois s'empêcher de penser que la solution ici adoptée a quelque chose d'ambigu, qui demanderait à être précisé, et l'on démêle assez difficilement la part d'acceptation raisonnée et valable qui s'y trouve de celle de la résignation pure. La question soulevée n'est autre, en définitive, que celle des rapports de Goethe avec son temps, mieux encore du rapport existant à un moment donné de l'Histoire entre ce qui est possible et ce qui ne l'est point. Quelques vers, empruntés à l'« Élégie de Marienbad » — v. *Trilogie de la passion* (*), disent vers quel état nouveau le poète s'achemine au soir de sa vie : « Au plus pur de notre âme palpite un ardent désir de nous abandonner librement et par gratitude à un être inconnu, plus haut et plus pur, déchiffrant pour nous l'énigme de l'éternel Innommé. » Mais rien ne résume mieux la pensée définitive de Goethe sur la vie et ses mystères, sur la place qui revient à l'homme dans le cosmos et sur la tâche qui lui est assignée que les cinq couplets de « Paroles originelles », publiés en 1820 — v. *Dieu et le monde* — et qui sont en quelque sorte ses dernières paroles.

Prince des poètes allemands, Goethe a donné le jour à une œuvre n'ayant point d'équivalent : génie essentiellement visuel, soucieux de ne pas perdre le contact vers le réel, il a réalisé une admirable synthèse entre le monde des sens et celui de l'âme, sans jamais sacrifier l'un à l'autre, se gardant de l'obscurité comme de la sécheresse. Au langage conventionnel dont se satisfaisait alors la poésie allemande, il a substitué le langage de la nature et de la vérité. En prenant l'homme comme mesure de toutes choses, il a inauguré le règne de la poésie personnelle, mais d'une poésie où la règle corrige l'émotion. Ennemi du subjectivisme romantique, qu'il a dénoncé, sur la fin de sa vie, comme un signe de décadence, il propose à notre désir d'investigation le champ illimité du réel : « Si tu veux gagner les espaces infinis, dira-t-il, agis dans toutes les directions du réel. » Animé d'un farouche mépris pour toute vaine spéculation, dédaigneux de l'introspection cultivée pour elle-même, il nous propose une des solutions les plus heureuses et les plus élégantes aux désirs contradictoires de connaître et de vivre qui se partagent le cœur de l'homme. — Trad. partielle en deux vol., Aubier, 1980-82.

POÉSIES de Goll. Yvan Goll (pseud. d'Isaac Lang, 1891-1950), écrivain français, s'exprimait en trois langues : français, allemand et anglais. Bien qu'auteur d'une œuvre romanesque et dramatique intéressante, Goll est essentiellement poète. Une poésie nourrie par sa vie, par les grandes énergies élémentaires de la passion, par sa condition d'exilé et d'errant, par les drames de son temps, par la richesse infinie de sa sensibilité, par sa perception visionnaire de l'ordre cosmique. Une poésie éclairée de l'intérieur par l'éclat sombre de l'amour et transfigurée par le génie propre de la langue française quand elle est élue par un polyglotte. Goll, d'abord influencé par l'expressionnisme et le lyrisme cubiste d'Apollinaire, pencha très vite pour une écriture plus sobre et plus proche de ce qu'il ressentait vraiment. Dès lors il évolua par cycles. Les *Poèmes d'amour* (1925-1930) — écrits en collaboration avec Claire, son épouse – exaltent une histoire d'amour pleine de grâce et de tendresse (« Au cinq millième soir de notre amour / Je suis encore aussi timide : / Je tache mes gants blancs avec les myosotis »), mais aussi de jalousie et de mort. Hanté par le démon de l'inquiétude et de l'infidélité, Goll compensera l'amour dont il se voyait privé dans des poèmes éblouissants de brièveté et de présence physique : *Chansons malaises* (1934), où l'amour pur, total, instinctif, libéré de toute introspection, éclate dans toute sa magnificence. Mais c'est dans le cycle de *Jean sans terre* (soixante-dix poèmes en trois livres, 1936 ; 1938 ; 1939) qu'on trouve l'expression la plus complète de la tragédie personnelle du poète. Sorte de « ballade d'un mal-aimé » sur un sol perpétuellement étranger, ces poèmes disent l'amertume et la désespérance d'un être toujours exilé « entre la foi et la pourriture, entre le désir et le néant ». Puis c'est l'exil aux États-Unis et le début d'un nouveau cycle marqué par l'incantation magique et l'intensité prophétique : *Le Mythe de la roche percée* (1947) ; *Élégie d'Ihpétonga* (1949) ; *Le Char triomphal de l'antimoine* (1949). S'y mêlent, en un métissage riche d'effusions et d'illuminations, les gratte-ciel et les totems, la vie secrète de la pierre et la beauté tragique de la femme – Indienne aux « seins rongés par les taupes et les comètes », Vénus cubaine ou Lilith fouetteuse d'ellipses des *Cercles magiques* (1951) – symbolisant la souffrance millénaire, la fascination de l'amour et la violence des forces primordiales qui donnèrent naissance au monde et aux hommes. Visions de l'inscrutable, métaphore de l'alchimie poétique autant que quête mystique, ces poèmes sont aussi une tentative pour réduire la différence entre le monde et nous. Odes aux mystères et à l'efficacité du Verbe qui bute cependant sur l'amour en face duquel toute connaissance est vaine. Cet échec, la leucémie qui le ronge et l'expérience de « devoir mourir », il les dira en allemand dans *L'Herbe du songe* [*Traumkraut*, 1951], hallucinante lutte contre la douleur et le temps, qu'enlumine l'éclat nocturne du corps de l'aimée dont la fleur et le parfum dénudent l'invisible jusqu'à le calciner.

R. Bl.

POÉSIES de Goumilev. Parmi les recueils les plus importants du poète russe Nikolaï Stepanovitch Goumilev (1886-1921), il faut compter : *Fleurs romantiques* [*Romantičeskie cvety*, 1908], *Les Perles* [*Žemčuga*, 1910], *Ciel étranger* [*Čužoe nebo*, 1912], *Le Carquois* [*Kolčan*, 1916], *Le Bûcher* [*Kostër*, 1918], *La Tente* [*Šatër*] et surtout *La Colonne de feu* [*Ognennyj stolp*, 1921]. Goumilev est un poète caractéristique des années qui précédèrent immédiatement la révolution d'Octobre. Avec Gorodetski et Akhmatova, fondateur de l'école « acméiste », il s'efforce, par le moyen d'un vers à la perfection rigoureuse dans les formes traditionnelles (qui rappelle ceux de nos parnassiens), d'atteindre à une poésie objective, très proche de la réalité, traduisant avec précision le contour matériel des choses. L'acméisme réagit ainsi contre le symbolisme, mais il continue aussi ce qu'il y avait de plus vivant dans cette dernière école, et Goumilev plus qu'aucun autre acméiste. C'est, en effet, un créateur de mythes grandioses. Il ne dédaigne nullement de se servir de symboles : mais ceux-ci, loin de toute abstraction, ont plus de force que ceux du symbolisme et tendent avant tout à éveiller le besoin d'action, à entretenir l'audace. Le retour à la réalité, c'est d'abord chez Goumilev un retour au majestueux, à l'héroïque. Âme virile de conquérant et d'explorateur, épris d'aventures et de voyages lointains, avec un goût prononcé pour l'exotisme, qui le rapproche de Brioussov, Goumilev aime rêver aux anciennes époques, pleines de fantastiques grandeurs : « Ce n'est pas ainsi que la terre liée / Dispensait autrefois ses sortilèges aux cieux. / On voyait alors de prodigieux prodiges... / Et des miracles miraculeux se consommaient d'eux-mêmes » *(Le Carquois).* Tantôt c'est l'évocation de la Horde d'Or, des jardins de Lahore, avec les « serpents ailés » dans les mystérieux palais orientaux et les jeunes filles à la blancheur laiteuse qu'il voudrait emporter, « entre [ses] bras puissants / Sur [son] lit solennel de prince... » ; tantôt une forêt enchantée, peuplée de géants, de lions et de nains, où les racines sortent de la terre « comme les mains des habitants de la tombe » et où mourut, par une nuit d'orage, « une femme à tête de chat ». Mais Goumilev, en dépit de ses rêves magnifiques, reste marqué par son époque. Poète de la décadence, il laisse parfois échapper « ce cri de l'esprit et cet épuisement de la chair » qu'on trouvera aussi bien chez un Kouzmine – v. *Poésies* (*) de Kouzmine. Inapaisé par les plaisirs communs des femmes et du vin (qu'il évoque avec un réalisme frappant), il conte alors la naissance du sixième sens, instrument de la mélancolie qui poursuit les bonheurs impossibles : « Comme un garçon qui, délaissant ses jeux, / Parfois surprend le bain des jeunes filles / Et que torture un mystérieux désir / Sans qu'il sache rien de l'amour. » De telles sources d'inspiration laissaient peu de place à Goumilev dans la poésie post-révolutionnaire. – Trad. *Poésie russe* (anthologie), La Découverte/Maspero, 1983.

POÉSIES de Gryphius. Les poésies du poète tragique et comique allemand Andreas Gryphius (1616-1664), tout comme ses drames et ses comédies, apparaissent comme une zone lumineuse exceptionnelle dans la désolation qui pesait sur la culture allemande pendant la guerre de Trente Ans. L'époque tragique dans laquelle naquit et vécut ce singulier poète et érudit (il connaissait onze langues) ne permettait pas une vision très optimiste de la vie, et c'est là qu'il convient de le replacer pour comprendre sa négation de tout bien terrestre et la poignante mélancolie de ses poèmes imprégnés d'un profond sentiment religieux. Ce sont des sonnets, des odes (comme les appelait Opitz), des épigrammes. Après un premier recueil intitulé *Le Parnasse renouvelé* [*Erneueter Parnassus*, 1635], Gryphius publia à Leyde deux livres de sonnets : *Sonnets pour dimanches et jours fériés* [*Sonn- und Freytags Sonnete*, 1639]. Avant de mourir, l'auteur a réuni ses œuvres en un seul recueil : *Andreae Gryphii Freuden- und Trauer-Spiele auch Oden und Sonnete* (Breslau, 1663), et en 1698, son fils Christian publia en deux volumes, avec les tragédies et les comédies, l'ensemble de son œuvre. La plupart de ses poèmes pourraient porter le titre de l'ode devenue célèbre comme hymne liturgique : « Vanitas ! Vanitatum vanitas ! », où le poète montre la caducité de toute splendeur terrestre et exhorte les hommes à se réfugier en Dieu, seul bien durable. Ce profond sentiment religieux devant les horreurs de la guerre et du temps caractérise de nombreuses poésies, comme « Adieu » [Abschield], « Caducité » [Vergänglichkeit], « La Mort » [Der Tod], « Aspiration aux cimes éternelles » [Verlangen nach den ewigen Hügeln), et plusieurs sonnets, dont les plus beaux sont : « Au monde » [An die Welt] et « Tout est vanité » [Es ist alles Eitel]. De tempérament grave et méditatif, Gryphius apporte dans ses descriptions une vigueur d'une impressionnante intensité, appelant chaque chose par son nom, sans se soucier d'offenser ou non les princes et autres personnages importants. Le sonnet « Larmes de la patrie » [Tränen des Vaterlandes, 1636] offre des images qui rappellent les visions de l'Enfer dantesque, fouillant les plaies et les tristes conséquences morales de la guerre, l'endurcissement des âmes. Le lugubre poème « Pensées de cimetière » [Kirchhofgedanken] est particulièrement représentatif à cet égard. Les épitaphes pour ses parents et ses amis sont également riches de sentiment et de résignation mélancolique. On admirera enfin le sonnet « Larmes pendant une grave maladie » [Tränen in schwerer Krankheit], où le poète observe sur lui-même le dépérissement du corps. De Gryphius, nous possédons également un long poème en latin, divisé en trois chants, l'*Olivetum*, qui fut écrit à Leyde en 1643-1644, et dont la première édition connue est de 1648. Ce poème en hexamètres a pour sujet la Passion du Christ au mont des Oliviers ; il est caractéristique non seulement du sentiment religieux de l'auteur, fortement influencé par les poètes silésiens, mais surtout de l'influence humaniste que subit le poète à l'université de Leyde et qui se manifeste, en particulier, par l'usage fréquent de personnages appartenant à la mythologie gréco-latine. La poésie de Gryphius n'est certes pas complètement libérée des formules baroques et des « douceurs » qui caractérisent la littérature de l'époque ; mais il s'agit là de détails sans importance, eu égard aux nobles qualités qui le haussent sensiblement au-dessus du niveau littéraire de son siècle.

POÉSIES de Gui II, châtelain de Coucy. Nous savons peu de chose de ce trouvère picard de la fin du XIIe siècle qu'on identifie généralement avec Gui II, gouverneur du château de Coucy, né vers le milieu du XIIe siècle et mort en 1203, au cours de la traversée qui devait conduire les chevaliers de la IVe croisade à Constantinople. Des quelques chansons qui nous sont parvenues de lui, la plus célèbre, sans conteste, est celle qui commence par le vers : « A vos, amant, plus qu'à nule autre gent. » Ce sont les adieux du poète à sa dame, lors de son départ pour la IIIe croisade (1189) : en décasyllabes assonancés, le poète fait ses ultimes recommandations et il regrette ce bonheur que Dieu lui fait si chèrement payer en le lui reprenant. Bien qu'il faille faire la part des conventions courtoises, on ne peut s'empêcher de trouver ici et là une des expressions très simples d'une sincérité indéniable. Plein de fantaisie se révèle le poème dont le premier vers est : « Bien cuidai vivre sans amour », en octosyllabes, encore que le thème de la folie de l'amour et des perfections de la dame y soit des plus banals. Citons enfin trois jolis poèmes en décasyllabes, qui chantent la belle saison et les amours : « Li nouveaux tems et mais et violete, / Et rossignols me semont de chanter », « Quant li estés et la douce saisons / fait feuille et flor et les près raverdir / et li doux chans des menus oisillons », « La douce vois del rossignol sauvage / Qu'oi nuit et jour contoier et tenir ». Ce sont de douces et charmantes chansons, que la beauté du printemps et de l'été arrache au poète et dont l'esprit n'est pas sans annoncer les *Rondeaux* (*) de Charles d'Orléans. Poète plein de délicatesse autant que d'habileté, le châtelain de Coucy fut célèbre en son temps, ce qui lui valut de devenir un héros de roman — v. *Roman du châtelain de Coucy et de la dame de Fayel* (*) —, encore que rien ne laisse supposer que les aventures, qui lui sont prêtées aient réellement été siennes. — Les *Chansons* du châtelain de Coucy ont été éditées par F. Fath (*Die Lieder des Castellans von Coucy*, Heidelberg, 1885, et par A. Lerond, (Paris, P.U.F., 1964) ; plusieurs ont été traduites par J. Dufournet dans *L'Anthologie de la poésie lyrique française des XIIe et XIIIe siècles* (Gallimard, Paris, 1989).

POÉSIES de Guillaume de Machaut. L'œuvre poétique de Guillaume de Machaut ou Machault (1300 env.-1377), poète et musicien originaire de Machault, près de Rethel, chanoine de Reims, secrétaire du roi de Bohême, ne comprend pas moins de quatre-vingt mille vers : ballades, rondeaux, virelais, chansons, lais, complaintes, « dits » allégoriques ou narratifs... Considéré par ses contemporains comme un chef d'école, sa renommée devait pâlir peu à peu jusqu'à l'oubli avant la fin du xve siècle. S'il n'inventa point la ballade et le rondel comme il a été cru, il les perfectionna et il fixa l'attention sur ces formes de poème qui devaient connaître tant de succès au cours des deux siècles suivants. Guillaume de Machaut reprend les anciens thèmes de l'« amour courtois » et les habille à la mode du *Roman de la Rose* (*). La poésie devient la « rhétorique » et ne retrouvera point un grand souffle de lyrisme avant Villon. Cependant, jusque dans ses « dits » les plus rébarbatifs, il est des fragments qui méritent d'être lus. Le « dit » de Guillaume de Machaut est un long poème narratif et didactique, où le poète se met lui-même en scène au milieu de personnages fictifs ou allégoriques, et où sont traités des problèmes d'amour. Dans l'un des premiers qu'il écrivit, le *Dit dou vergier*, antérieur à 1342, le poème proprement dit est précédé de quatre ballades et d'un « prologue » où Nature et Amour offrent au Poète, celle-là, Scens, Rhétorique et Musique, celui-ci, Dous-Penser, Plaisance et Espérance pour l'aider à conduire à bien son dessein ; suit le poème qui est une imitation du *Roman de la rose* : dans le jardin merveilleux, déjà chanté par Guillaume de Lorris et Jean de Meung, le poète a une vision qu'il raconte en exposant les règles du code de l'amour. Plus intéressant, plus personnel, riche de tons réalistes qui lui donnent une certaine vie, le *Jugement du roy de Behaigne* est une sorte de « jeu-parti » développé au goût du jour, où se débat la question de savoir quelle est la plus grande souffrance, celle de la dame à qui la mort a enlevé son amant, ou celle du chevalier trahi par sa dame. Celle du chevalier, décide le roi de Bohême, appelé à trancher le débat. À peu près de la même époque que les précédents, *Le Remède de fortune* est un long « dit » allégorique de plus de quatre mille vers, où le poète raconte son amour pour une dame à qui il n'ose se déclarer. Mais « Espérance » le réconforte ; invité au château de la dame, accepté par elle comme son ami, il se croit délaissé, alors que la dame feint l'indifférence pour ne pas donner prise à la médisance. Au milieu de l'habituel fatras allégorique, les détails de la vie du château, la messe, les repas, les jeux, sont observés avec finesse, décrits avec vivacité.

Le *Dit du lion* est daté de 1342 : le poète pénètre dans un verger merveilleux, défendu par une rivière infranchissable, gardé par un terrible lion ; le nom de sa dame lui en a ouvert miraculeusement l'accès. Le verger s'appelle l'« Épreuve des fines amours » ; seul l'amant sincère y est accueilli. Un vieux chevalier, une dame très belle tenant sa cour au milieu du verger, le lion amoureux de la dame, mais hélas, en butte à la haine des autres bêtes du jardin, révèlent au poète la doctrine de l'amour. Guillaume a campé ici toute une galerie de portraits d'amants, très vivants, qui forme la partie la plus intéressante du poème. Le *Dit de l'alérion* ou *Dit des quatre oiseaux*, de quelques années postérieur au précédent, est encore un traité d'amour de près de cinq mille vers, un véritable art d'aimer, curieusement façonné en forme de traité de volerie. Guillaume raconte ses expériences successives avec un épervier, avec un alérion, avec un aigle, avec un gerfaut, chacun symbolisant un caractère différent de femme. Et la discussion des mérites respectifs d'un épervier encore sauvage ou d'un épervier déjà entraîné sert à décider des avantages en amour de la jeunesse ou de l'expérience de l'aimée. Surchargé d'érudition pédante, de philosophie scolastique et d'allégories fastidieuses, le *Dit de l'alérion* ne laisse pas d'être intéressant pour sa peinture des coutumes et de l'esprit de l'époque.

Parmi les autres « dits » de Guillaume de Machaut, le *Jugement du roy de Navarre*, écrit après 1349, mérite une place spéciale par sa longue introduction décrivant sobrement et efficacement les dramatiques événements de 1348-1349 et la terrible peste qui ravagea l'Europe entière. Citons encore le *Dit de la fontaine amoureuse* (vers 1360). Mais l'œuvre la plus intéressante de Guillaume de Machaut est sans doute le *Voir dit* : Guillaume a alors largement dépassé la cinquantaine ; son renom de poète célèbre, la douceur de ses vers lui ont conquis le cœur d'une noble demoiselle, Peronnelle d'Armentières, qui lui envoie un rondel où elle déclare son amour. « Cele qui onques ne vous vit / et qui vous aime loïamment / de tout son cuer vous fait present / et dit qu'a son gré pas ne vit / quant veoir ne vous puet souvent / cele qui onques ne vous vit / et qui vous aime loïamment... » Guillaume répond, et une correspondance amoureuse s'établit entre le mûr chanoine et la tendre bas-bleu. Le *Voir dit* est une sorte de journal relatant par le menu leurs amours, tendres inquiétudes, rares rencontres, soupirs et regrets. Aventure vécue ou fiction littéraire, le roman de ces amours a un accent de sincérité, une simplicité intime qui nous charment : « Et me fist une ceinture / la plus belle qu'onques Nature / feist puis qu'elle fust créée / ne depues qu'Ève fust fourmée. / Ce fust de ses deulx brasselets / lons et traitis, plus blancs que lès / et parmi mon col les posa / et un petit se reposa. / Et me dit : Mon ami très doux / dites-moi, à quoi pensez-vous ? » Et comment ne pas citer les « litanies » passionnées que le chanoine adresse à son amie ? « Mon cuer, ma seur, ma douce amour / oy de ton ami la clamour / mon cuer, ma seur, ma douce amour / ... / Voy comment pour toy je m'esplour / tari le ruissel de mon plour / mon cuer, ma seur, ma douce amour / Estains de désir la chalour / ... / mets en ton très doux cuer tenrour / mon cuer, ma suer, ma douce amour. » Rappelons, pour terminer, que Guillaume de Machaut fut aussi un musicien célèbre. Ses compositions musicales comprennent des motets, des ballades, des rondeaux, des chansons à une et à plusieurs voix. Il passe pour avoir écrit une messe à cinq parties, chantée à Reims pour le sacre de Charles V. — Les Œuvres de Guillaume de Machaut ont été éditées par Paulin Paris (1875), E. Hoepffner (1908-1921) et V. Chichmaref (1909).

POÉSIES de Jorge Guillén. Toute l'œuvre poétique de l'écrivain espagnol Jorge Guillén (1893-1984) a été recueillie par ses soins sous le titre de *Air nôtre* [*Aire nuestro*, 1968 et 1981]. *Cantique* [*Cántico*, 1928], paru la même année que le *Romancero gitan* (*) de Federico García Lorca, imposa aussitôt le nom de son auteur comme l'un des principaux représentants de la fameuse « génération de 1927 ». Élaboré en plusieurs étapes, le livre compte trois cent trente-quatre poèmes dans l'édition définitive de 1950. *Témoignage de vie* [*Fe de vida*] : telle est la proclamation qui s'inscrit en sous-titre. « Enivré d'être », selon son expression, le poète célèbre la création à partir des réalités les plus immédiates : la lumière, la rue d'une ville, les objets quotidiens, les sensations. Dans ce refus des abstractions ou des vaines métaphysiques, les valeurs de l'être sont exaltées : l'amour, l'amitié, la joie, les instants ou les jours de bonheur, les feuillages d'été ou le frémissement de l'heure qui s'écoule. Cependant, les puissances du « dés-être », toujours à l'affût ou à l'œuvre (la haine, le désordre, le hasard, le chaos, tous les visages de la mort), sont conjurées, exorcisées ou sublimées par une décision irrévocable : « L'agresseur général / Assiège toutes choses. / — Me voici ! Je ne cède pas. / Au démon je ne céderai rien. » Maîtrisé dans une forme exigeante, aux tonalités toujours contenues, le cours poétique s'écoule désormais avec une abondance et une richesse qui forcent l'admiration. *Clameur*, deuxième volume de l'œuvre, comprend trois ouvrages : *Mare magnum* (1957), *... Qui vont déboucher dans la mer* [*... Que van a dar en la mar*, 1960], *À la hauteur des circonstances* [*A la altura de las circunstancias*, 1962]. La trilogie dénonce l'universelle horreur de l'Histoire : la guerre civile, la guerre mondiale, les formes les plus monstrueuses que prend le mal (la destruction atomique, les camps d'extermination nazis...). Le poème prend à son compte, sans exclusive, le destin intégral de l'« homme : carrefour de tourments ». Le conflit des forces adverses qu'au terme de sa vie Freud dénonçait au cœur de la civilisation — Eros et Thanatos — se livre ici au cœur de l'œuvre du poète opposant l'« ordre véritable du poème » aux dérives sinistres du monde. *Hommage* [*Homenage*, 1967], troisième volume, de *La Bible* (*) à Rimbaud, ou d'Homère aux écrivains contemporains, célèbre les grands phares de l'humanité et les chefs-d'œuvre qu'ils ont produits. L'amour, l'amitié, l'admiration : l'inspiration se déploie, en cercles concentriques, selon ces trois principes, pour célébrer la vie dans toutes ses lumières et sa « fraîcheur de fable ». Deux nouvelles séries s'ajoutent à cette trilogie, rassemblée, dès 1968, sous le titre d'*Air nôtre. Et autres poèmes* [*Y otros poemas*, 1973], outre de nombreuses « Gloses » en écho à d'autres penseurs, artistes ou écrivains de tous les pays et de toutes les époques, contient des satires et des épigrammes où l'auteur donne libre cours à une veine mordante ou narquoise où souvent il excelle. *Final* (1981), récapitulation d'une vie en poésie, parachève, en fines variations, la méditation sur le monde et la célébration de l'être, qui constituent le projet essentiel de l'auteur. À l'instar des *Fleurs du mal* (*) de Baudelaire et des *Feuilles d'herbe* (*) de Walt Whitman, Guillén avait voulu produire une œuvre à la fois cohérente dans son dessein et rigoureusement construite dans son exécution. L'essentiel de son œuvre critique est rassemblé en un volume intitulé *Langage et Poésie* [*Lenguaje y poesia*, 1962]. — Trad. Gallimard, 1977. B. Se.

POÉSIES de Guiot de Dijon. De ce trouvère bourguignon du commencement du XIIIe siècle, nous ne savons rien sinon qu'il fut l'auteur, d'après les recueils de chansons du temps, d'un poème fameux, la « Chanson d'outrée », chant de marche des croisés. C'est une chanson à refrain, en vers de sept pieds, qui exprime les douleurs et les angoisses de la dame, restée en France et implorant la protection de Dieu sur son seigneur, parti en pèlerinage : « Sire, aidiez au pelerin / Por cui suis espoentée, / Car felon sont Sarrazin. » De rythme énergique, exprimant des sentiments simples et vrais, cette belle chanson fut longtemps populaire. Sur le thème plus banal du malheureux en amour, Guiot de Dijon nous a laissé une rotrouenge à refrain (« J'ai a nom mescheans d'amors »). Là aussi la vigueur des accents, la clarté du thème, bien dégagé des conventions à peu près inévitables du temps, nous laissent entrevoir une personnalité puissante et originale. — Les poésies de Guiot de Dijon ont été éditées par E. Nissen (Champion, Paris, 1929) et traduites par J. Dufournet (voir *Poésies* de Gui II, châtelain de Coucy).

POÉSIES de Guiraut de Bornelh. De ce troubadour limousin du XIIe siècle, nous possédons soixante-dix-sept poèmes, des chansons pour la plupart, mais aussi des sirventes, tensons, « plaintes » ou pastourelles, notamment une poésie populaire, une « alba » [« Reis glorios »]. Non moins que Peire d'Auvergne, son prédécesseur — v. *Vers* (*) de Peire d'Auvergne —, Guiraut était surnommé de son temps « le maître des troubadours » et, comme lui, il figure dans les florilèges à la place d'honneur. Dante, dans son *Traité de l'éloquence en langue vulgaire* (*), le range, ainsi d'ailleurs qu'il se rangeait lui-même, au nombre des « poètes de rectitude », c'est-à-dire moralisants (d'ailleurs, à un certain moment de sa carrière, Dante a subi très vivement l'influence du troubadour). Dans son « Purgatoire », il devait, il est vrai, donner la palme de poésie à Arnaud Daniel – v. *Chansons* (*) d'Arnaud Daniel – de préférence au « Limousin » (lequel n'est autre que Guiraut, originaire de Limoges). En fait, Guiraut de Bornelh est aussi le poète de l'amour. Ses chansons, généralement composées dans le style troubadour le plus conventionnel, ont parfois une certaine vivacité d'accent : ainsi le poème « Er'ai gran joi » : « L'autre jour, dans le jardin en fleurs où pépiaient les oiseaux, m'est apparu un lis : depuis lors il charme mes yeux et a conquis mon cœur. » Poète moralisant, Guiraut l'est aussi, et non seulement dans ses sirventès, d'inspiration essentiellement morale et politique, mais aussi dans ses chants d'amour, où les deux aspects de son talent alternent, s'entrelacent et se confondent. La morale dont il s'inspire est une morale chevaleresque. Pour Guiraut, en effet, comme pour tous les troubadours, l'amour est bien « un éperon et un guide » en vue d'une vertu plus grande et la beauté des femmes elle-même doit nous y inciter. Guiraut déplore que l'idéal de la chevalerie « soit traîné dans la boue » et que le noble amour que nous devons aux femmes ne soit pas estimé à sa valeur. Il vitupère les avares (« i rics malvatz »), car leur vice est celui que la morale chevaleresque réprouve entre tous. La poésie de Guiraut de Bornelh a donc pour source d'inspiration le déclin d'une vie de cour où le plaisir allait de pair avec une estime réciproque (voir la chanson « Per solatz reveillar »). Pour vivante, cependant, que soit son œuvre, elle n'en est pas moins farcie de proverbes et de sentences à la manière des poètes gnomiques, et en particulier de Marcabrun, mais sans avoir sa violence de langage. Troubadour savant et austère, Guiraut s'élève déjà à la hauteur de l'humaniste et possède un sens jaloux de l'art comme de la technique. Il avait été, dans sa jeunesse, partisan du « trobar clus » – v. *Vers* (*) de Marcabrun – et revendiquait pour le poète le droit de revêtir sa pensée d'une parure choisie, affirmant que ce qui s'éloigne du commun (« sens echartatz ») ajoute du prix à la poésie ; il se vantait de rechercher les termes étranges (« que son tuchs chargat e ple / d'us estranhs sens naturals / e no sabon tuch de cals ») que le premier venu ne saurait découvrir. Guiraut se convertit bruyamment au « trobar leu », c'est-à-dire à une poésie facile et simple, et entreprit de composer des chansons qu'un enfant lui-même pourrait comprendre (« ben esclairatz »). Ce nouvel idéal artistique, le poète l'a défendu dans une tenson où il converse avec un certain Linhaure, son ami, qui pourrait bien être Raimbaut d'Orange, partisan de la poésie hermétique – v. *Vers* de Raimbaut d'Orange (*). Pour appuyer ses dires, le prétendu Linhaure se réfère à la thèse de Dante condamnant Guittone d'Arezzo, lorsqu'il affirme qu'il ne faut jamais perdre contact avec le peuple. Mais Guiraut de répliquer que le seul goût qui compte, c'est le goût du public. Dans ses œuvres, le troubadour a bien montré, du reste, qu'un tel souci n'est pas inconciliable avec la recherche d'une certaine profondeur de pensée et de la dignité dans l'expression. – Les *Poésies,* de Guiraut de Bornelh ont été éditées par A. Kolsen (Halle, 1909).

POÉSIES de Guittone d'Arezzo [*Rime*]. Les textes de l'écrivain italien Guittone d'Arezzo (1230 ?-1294) constituent le recueil le plus imposant de la poésie dite « siculo-toscane » du XIIIe siècle, prolongement de l'expérience des Siciliens (1230-1250). Mais les Toscans se livrent à une réappropriation de toute la culture romane : Siciliens mais aussi poésie d'oc et d'oïl (directement connues et assimilées), d'où le caractère composite mais aussi novateur de cette poésie, et surtout de celle de Guittone. L'œuvre de Guittone, telle que nous l'ont transmise les manuscrits, est divisée en deux parties par la chanson XXV, « Ores l'on va voir si je sais bien chanter » [Ora parrà s'eo savero' cantare] qui marque avec éclat l'abandon de la poésie d'amour pour une thématique religieuse et coïncide avec l'entrée de l'auteur dans le tiers ordre des Chevaliers de Marie (1265). Cette bipartition appelle bien des nuances. En effet, la vocation de moraliste et l'intérêt pour les motifs civiques se font jour au sein même des textes courtois qu'ils contribuent à ancrer dans une société bourgeoise et communale en plein essor. Ces tendances s'épanouissent ensuite dans les vigoureuses chansons politiques (où revit, mais sur des données étrangères à la civilisation féodale, le sirventès occitan) : Guittone inaugure là un genre voué à un grand succès en Italie. Les textes proprement moraux et religieux demeurent, quant à eux, pénétrés du souci du bien public et de la concorde sociale ; on y rencontre aussi des *Laudes* qui ressortissent à la poésie religieuse chantée, d'inspiration franciscaine, très répandue en Ombrie et dans les Marches.

Guittone est donc le principal artisan d'un élargissement de la thématique poétique ainsi que de son « embourgeoisement », sur le plan des valeurs (le poète défend avec énergie, contre le lignage, la noblesse de cœur) comme dans la prédilection pour un lexique et des images puisés dans la langue parlée. Un autre trait original de ses textes lyriques est qu'ils tendent à s'organiser en cycles narratifs (ébauche des futurs *canzonieri* italiens), ce qui leur confère (les conventions courtoises demeurant inchangées) un accent déjà moderne. Il manquait toutefois à Guittone la culture philosophique, ainsi que la capacité d'inventer un discours original : la comparaison de ses poésies lyriques, politiques ou morales avec celles de Dante est, à cet égard, écrasante. Un autre facteur d'unité réside dans le goût jamais démenti pour l'expérimentation technique. En matière de prosodie et de métrique, Guittone est un virtuose à qui l'on doit notamment l'invention du sonnet *caudato* et du sonnet double. Son penchant excessif pour les rimes internes et les jeux paronomastiques l'a fait taxer de « funambulisme ». Dans sa langue voisinent idiomatismes, gallicismes, latinismes, mélange qui lui vaut, dans le traité *De l'éloquence en langue vulgaire* (*) de Dante, l'injuste qualification de poète « plébéien » et « municipal ». C. P.

POÉSIES de Gunther [*Gedichte*]. Publiées en un recueil incomplet en 1723, complété en 1735, ces poésies nous restituent l'âme pleine de contrastes du poète Johann Christian Gunther (1695-1723) qui, en dépit de sa brève existence, de dérèglements, de solitude et de misère, a mérité d'être reconnu comme le plus grand poète lyrique de son temps. Il fut en effet le premier poète véritable et spontané après la période débridée des « Clerici vagantes » — v. *Poésies goliardiques* (*). D'abord sous l'influence du baroque allemand et italien en particulier (pétrarquisme), il se libère de toute entrave conventionnelle pour chanter sa vie et ses expériences personnelles dans des vers musicaux et pleins de fraîcheur. Ce faisant, il inaugurait un genre de « débraillé » qui devait enthousiasmer plus tard le jeune Goethe, lequel l'imita dans les scènes estudiantines de son *Urfaust* – v. *Faust* (*) –, tout en déplorant justement l'incapacité de Gunther à dominer son tempérament, faiblesse qui le conduisait à gaspiller sa vie et son talent. En effet, son existence de poète vagabond fut brève, mais elle a survécu dans une poésie brillante, tout en nuances, de la chanson d'étudiants toujours populaire : « Frères, soyons heureux / Car le printemps est là » [Brüder lasst uns lustig sein / Weil der Frühling währet], à la charmante et mutine « Chanson de la rose » [Rosenlied], qui annonce la fraîcheur et l'aisance des poésies de jeunesse et de circonstance de Goethe. Mais, plus la joie de vivre s'exalte librement, plus le pressentiment de la mort assombrit de son angoisse les petitesses de la vie quotidienne. Une sincérité absolue et une parfaite spontanéité, tels sont les caractères marquants de ces poésies. Mais non sans une contrepartie de réalisme cru et même de vulgarité. Éclectique dans ses premières années, souvent aussi pour gagner sa vie (« On ment parfois pour condescendre à la mode, / et pour la mode je mens aussi » [Man lügt bisweilen nach der Mode / Und nach der Mode lüg' ich auch]), il compose d'abord des poésies de circonstance ; mais par la suite, prenant conscience de sa dignité de poète, il chante sa vie et les tourments de son cœur dans une confession sans réserves ; ses vices, sa luxure, son ivrognerie, ses passions amoureuses. De nombreuses figures féminines sont évoquées dans ces poèmes : Flavie, morte jeune, qui lui inspire des vers de tendre regret ; Éléonore et les vicissitudes de leur amour ; puis c'est une nouvelle passion pour Jeanne Barbara Litmann (Phillis) ; enfin un dernier amour pour « Amarantis », brisé par la mort prématurée du poète. Le poème « À l'Amour » [An die Liebe] est en quelque sorte un adieu à la vie du poète : alors malade et pressentant sa fin prochaine, il trouve des accents de résignation chrétienne et de confiance en Dieu. Jusque chez Leibniz, il découvre le germe d'une pieuse sagesse et, à la différence de ses maîtres de l'époque baroque, Gryphius, Fleming, il ne tremblera plus devant la mort : « Ô esprit las, cesse tes plaintes » [Müder Geist, hör' auf zu klagen] ; mais repoussant toute faiblesse et toute pitié, il invoquera comme Faust les foudres du ciel pour atteindre enfin à la paix.

POÉSIES de Han Mac Tu. Le poète vietnamien Han Mac Tu (1912-1940) laisse une œuvre significative par son inspiration mystique chrétienne. Poète des frémissements charnels, il dit sans vulgarité les invites du désir, comme quand, atteint dans son corps, il sait transformer douleurs et plaies en images incantatoires. Fasciné par la lune, il en fait sa complice, son univers tour à tour noyé de sang, inquiétant, ou rempli de musique céleste, serein. *Paysannes* [*Gái quê*], publié en 1936, parle avec sensualité de l'amour, avec simplicité de la vie champêtre. *Poèmes fous* [*Tho diên*] évoque un amour mort à peine né. Le poète désespéré nous entraîne à travers ses visions sanglantes dans un monde imaginaire, démoniaque, où les mots sont des gouttes de sang laissant s'échapper son âme. Mais, sauvé par une foi ardente en la miséricorde de Dieu et de la Sainte Vierge, il connaît la sérénité dans un *Printemps selon mes vœux* [*Xuân nhu y*], éternel, intemporel, libérateur. *Multiples splendeurs* [*Câm châu duyên*] idéalise un amour impossible, thème repris dans *Union miraculeuse* [*Duyên ky ngô*] et *Assemblée des Immortels* [*Quân tiên hôi*]. T.-T. L.

POÉSIES de Heaney. L'œuvre du poète irlandais Seamus Heaney (né en 1939) comporte, à ce jour, de nombreux recueils dont *Mort d'un naturaliste* [*Death of a Naturalist,* 1966], *Porte vers le noir* [*Door into the Dark,* 1969], *Endurer l'hiver* [*Wintering out,* 1972], *Nord* [*North,* 1975], *Fouille* [*Field Work,* 1979], *L'Île de pèlerinage* [*Station Island,* 1984] et *La Lanterne des cenelles* [*The Haw Lantern,* 1987]. On peut dire, pour simplifier, que la poésie irlandaise est tiraillée entre deux grandes tentations : la tentation du départ et de l'exil (Joyce ou Beckett) et celle de l'enracinement (Synge, Patrick Kavanagh, John Montague ou Heaney). Quel qu'en soit le point de départ, les deux parcours ont tendance à se retrouver en un lieu où la particularité de l'expérience (l'« habitat local » pour reprendre le terme de

Shakespeare, une « quintessence d'énergie » pour Heaney) peut se métamorphoser en centre métaphorique de portée universelle (« quelque chose de plus lumineux », dit Heaney). Même les chemins de l'exil peuvent permettre de retrouver les origines, le Dublin d'*Ulysse* (*) par exemple. Dans la tradition britannique où le particulier est valorisé et semble toujours premier, le parcours d'un poète comme Heaney peut sembler plus évident que celui de Joyce, mais il présente le danger de le faire percevoir par le public comme un poète « régionaliste », décrivant pour les citadins une campagne de pastorale. Car c'est bien dans sa région natale, dans le paysage de l'Ulster, dans une communauté (la minorité catholique) et un langage (l'anglais fortement imprégné d'un substrat celtique) qu'est née la poésie de Heaney. Dans un sens, cette poésie adopte une stratégie d'auto-enrichissement et de survie analogue à celle d'autres communautés persécutées du même type (elles aussi « en exil »), manifestant la nostalgie d'un « avant » meilleur. D'où la revendication de l'authenticité par l'enracinement ; l'utilisation d'éléments dialectaux qui excluent l'occupant (Protestant et/ou Anglais) : un jeu très élaboré avec le silence ; la présentation d'un masque bienveillant qui cache un regard plutôt cruel ; l'établissement d'un rapport complexe et problématique avec la culture dominante (britannique), que l'on peut toujours « critiquer » grâce aux ressources de sa propre culture – *Les Divagations de Sweeney* [*Sweeney Astray*, 1983] – mais aussi en invoquant la poésie d'autres cultures (les poètes, par exemple, de ce qui fut l'Europe de l'Est et en particulier de cet autre pays catholique et constamment divisé : la Pologne) ou de « l'autre grande culture » de langue anglaise, c'est-à-dire pour les Irlandais, les États-Unis (et notamment pour Heaney, Lowell).

On peut considérer que c'est la lecture de l'ouvrage du Danois Glob : *Le Peuple des marais* [*The Bog People*] qui a permis à Heaney dans *Endurer l'hiver* et dans *Nord* d'élargir explicitement son espace propre en l'insérant dans la culture nord-européenne, avec ses rites religieux, ses rites politiques cruels et sa violence. Les différentes « tribus » de cet espace – dont la tribu républicaine – sont depuis toujours à la fois victimes et causes de troubles et de détresses multiples. Le lieu où s'est déroulée l'enfance du poète n'est plus aux marges de l'Europe, il occupe, comme la Méditerranée pour d'autres poètes, une place métaphorique. La cruauté n'est pas celle de l'autre communauté, elle est aussi interne. Ce mouvement peut nous rappeler celui de Yeats, abandonnant le « crépuscule celtique » pour écrire *Responsabilités*. La poésie de Heaney est donc, à un niveau du moins, une poésie politique, d'abord parce qu'elle parle de phénomènes politiques, qu'elle en envisage les sources et qu'elle critique certains choix, mais aussi et surtout parce que, comme toute poésie, elle propose un modèle particulier de « civilité » dont le poème serait l'emblème : enracinement dans le passé et dépassement de ce passé ; écoute de l'autre et recherche forcément solitaire d'une voix absolument unique ; sensualité et rigueur intellectuelle, en un mot « com-passion » – un jeu de rencontres et de refus.

Avec L'*Île de pèlerinage* (1984), Heaney poursuit l'exploration de son passé, mais dans la série de poèmes qui donnent son titre au recueil (une visite/un retour à un haut lieu symbolique de l'Irlande : Lough Derg dans le Donegal), le poète rencontre une série de fantômes dont, précisément, celui de James Joyce qui lui déclare : « Ces histoires de peuple subjugué, c'est un attrape-nigaud/.../on s'y perd plus qu'on ne s'y rachète/en faisant ce qui est convenable. Gardez la tangente. » Ce qui frappe dans les derniers recueils (*La Lanterne des cenelles,* par exemple, où Heaney approfondit les questions de la langue et du signe en général, thèmes qui hantent son œuvre), c'est que le poète réussit précisément à « garder la tangente », non seulement par rapport aux pièges historiques qui le guettent (y compris ceux de la rivalité avec Joyce, de la politique partisane ou encore de son propre statut public de « plus grand poète irlandais depuis Yeats »), mais aussi par rapport à certaines des facilités de son propre idiome.
– Trad. *Poèmes 1966-1984,* Gallimard, 1988.

P. Vo.

POÉSIES de Hebbel [*Gedichte*]. Ce ne fut que lorsqu'il atteignit à la célébrité avec ses drames de jeunesse *Judith* (*) et *Geneviève* (*) que le poète et dramaturge allemand Friedrich Hebbel (1813-1863) parvint à faire éditer ses poèmes à Hambourg. Ce recueil fut suivi d'un second, augmenté, publié par Weber à Leipzig. Mais l'auteur, trop absorbé par son activité de dramaturge, ne put donner qu'en 1857, chez Cotta, une édition définitive de ses poésies, dans le cadre de ses œuvres complètes, édition pour laquelle Hebbel n'adopta pas l'ordre chronologique. Contrairement à la plupart de ses drames, ses poèmes connurent d'emblée un vif succès. Ses premiers grands modèles furent Schiller et Uhland, et plus tard, Goethe. Le langage est noble, mais d'une simplicité voulue, quasi puritaine, d'une grande musicalité. Hebbel excelle surtout dans la ballade et l'épigramme. Les ballades sont souvent empreintes d'un caractère sombre, propre à certains personnages de ses drames de jeunesse. Citons parmi les plus belles : « L'Enfant de la lande » [Der Heideknabe], où nous voyons un enfant rêver que son patron l'envoie porter une somme d'argent à la ville et qu'il est assassiné en cours de route : songe qui deviendra réalité ; « Magie d'amour » [Liebeszauber] qui est une charmante et poétique idylle champêtre ; « L'Enfant à la fontaine »

[Das Kind am Brunnen] qui a conservé une certaine popularité ; mais c'est « Virgo et Mater » qui est peut-être la plus belle et la plus émouvante. Hebbel a aussi évoqué ses souvenirs d'enfance dans des pièces semblables à de petites ballades : « Le Dimanche d'un enfant » [Bubensonntag] et « De l'enfance » [Aus der Kindheit]. Les épigrammes, à l'instar des *Xénies* (*) de Schiller, renferment des pensées sur la littérature, l'art, la morale, des impressions de voyage, et ne sont pas inférieures aux compositions de l'illustre poète. Le lied fut également abordé par Hebbel : « Chanson nocturne » [Nachtlied] fut mis en musique par Schumann ; « Sentiment nocturne » [Nachtgefühl] chante la lassitude morale du poète ; « Sentiment vespéral » [Abendgefühl] est un des plus beaux poèmes de Hebbel, opposant le jour et la nuit dans une paisible rencontre où toutes les douleurs s'effacent jusqu'à ce que la vie ne soit plus qu'une douce berceuse ; « Avertissement » [Mahnung] exhorte à accepter l'heure qui passe en emportant nos joies, car elle nous prépare à surmonter le moment de la mort. Les poèmes de Hebbel sont souvent l'expression d'une douleur vécue. Aux contingences, il rattache toujours le sentiment de l'éternité. La brève aventure amoureuse que rapporte le poème dédié « À une inconnue » [An eine Unbekannte] devient le symbole de la vanité de toute chose terrestre. Ce n'est que devant la beauté pure que Hebbel se libère du poids de sa tristesse ; alors ses poèmes acquièrent une luminosité et une sérénité remarquables.

POÉSIES de Heredia y Heredia [*Poesias*]. Recueil de vers du poète cubain José Maria de Heredia y Heredia (1803-1839), publié à New York en 1825. L'auteur, un patriote condamné à l'exil à vie, célèbre la beauté de son île bien-aimée, la liberté, l'amour ; toutefois, certains poèmes plus importants sont inspirés par les grands événements historiques, ceux en particulier qui ont trait à son Amérique natale. Sa nostalgie de Cuba, la contemplation de la nature lui suggèrent des réflexions philosophiques, qui jamais ne deviennent ennuyeuses ni déclamatoires : son style, vigoureux, reste toujours plastique et brillant. Parmi ses meilleurs poèmes, il convient de citer « Dans le teocalli de Cholula » (un « teocalli » est un temple aztèque en forme de pyramide, au sommet duquel brûlait le feu sacré et s'accomplissaient des sacrifices humains) et l'« Ode au Niagara ». L'admiration qu'il éprouve pour la civilisation précolombienne ne l'empêche pas de jeter l'anathème sur la cruauté des rites anciens : « Muette et déserte pyramide ! Mieux vaut que tu restes déserte encore mille et mille années, et que la superstition à laquelle tu as donné lieu tombe dans un ténébreux oubli. » Les vibrants accords de l'« Ode au Niagara » sont, de l'aveu même de l'auteur, inspirés par l'œuvre byronienne : « Les palmes, hélas ! les palmes délicieuses, qui, dans les plaines de mon ardente patrie, naissent au sourire du soleil, sous un ciel pur se dressent et se balancent au gré des brises océanes. » La luxuriante et lumineuse nature de sa patrie a encore inspiré à Heredia de nombreux et mélancoliques poèmes. Dans *La Comète,* par exemple, sa poésie revêtira un sens cosmique : « Un jour peut-être, sous ton choc terrible, tu détrôneras et pulvériseras les astres, dont les fragments incandescents se rassembleront dans l'éther pour former un nouveau monde. » La majestueuse harmonie de ses vers, la sérénité de son style — mesuré, mais sans froideur — font de Heredia un classique ; mais le sentiment qui l'anime l'apparente déjà aux néoromantiques. Heredia se classe, sans aucun doute, parmi les meilleurs poètes qu'ait produits l'île de Cuba. — Les *Poésies complètes* [*Poesiás Completas*] ont paru à Mexico en 1974.

POÉSIES de Hermlin [*Gedichte*]. Recueil de l'écrivain allemand Stephan Hermlin (né en 1915), paru en 1963, comprenant l'ensemble des poèmes — une cinquantaine environ — publiés jusqu'à cette date par l'auteur. Le premier livre de Stephan Hermlin, *Douze ballades des grandes villes* [*Zwölf Balladen von den grossen Städten*, 1945], demeure sans doute le plus important, le plus éloquent. L'image expressionniste de la ville monstreuse, à la Georg Heym, est ici tout à la fois accueillie et remaniée. Chaos moderne où « toutes les portes béantes cachent derrière elles le meurtre / Aux mains-toiles d'araignée et aux lèvres noires » (« Ballade de notre temps, appel aux villes du monde entier »), où « les corps argentés de nos femmes sont livrés / Sans défense à la honte, qui les dépèce de ses ongles jaunes » (*idem*), où « sans pitié grandit une génération d'acier / À partir de semences de dragon dans le champ brûlé » (« Manifeste aux assaillants de la ville de Stalingrad »), la ville n'en est pas moins, en même temps, le lieu possible d'une « Aurore », d'une résurrection : « Nous serions comme poussière et nos actes / Seraient vains, accomplis pour l'oubli / Si vous ne devenez pas ce qu'en nous approchant, nous cherchions / Géantes : des villes qui ont vu la chute et la résurrection. » La ville comme lieu mythique d'un combat à la fois politique et poétique, lieu « révolutionnaire » par excellence d'une parole militante « qui tend à la main hésitante des armes et des livres » (« La Plaine »). Stephan Hermlin se situe ici ouvertement dans le sillage du surréalisme combattant de Louis Aragon et Paul Éluard. La poésie comme appel à la « résistance », « à chanter sur toutes les places de marché » (« Ballade à chanter pour les bonnes gens », distribuée d'ailleurs sous forme de tract en 1945). Non pas seulement pour triompher « des tortionnaires, des meurtriers », mais de la « Reine Amertume », de la solitude : « Et nous ne sommes plus que fusil et danger et ne sommes plus seuls » (« Ballade du triomphe sur la solitude dans les grandes villes »). Ce qu'il faut, c'est exterminer « le géant sans yeux ».

Il va de soi que le risque majeur, pour ce genre de lyrisme, est de s'obliger un jour à oublier de « résister » pour cautionner un ordre. On sait que Stephan Hermlin n'y a pas échappé. De là, dans *Le Vol de la colombe* [*Der Flug der Taube*, 1952], ses hymnes à Staline ou Wilhelm Pieck. Lorsqu'il prend conscience que la parole poétique, à ce point, se trahit, ne lui reste que le silence. Stephan Hermlin, depuis 1958, n'a plus écrit de poème. Son adieu est signé dans « La Mort du poète », « in memoriam Johannes R. Becher » : « Car à lui n'est jamais donné, ni là-bas, ni ici/Le répit des amers contredits. » J.-J. P.

POÉSIES de Herrera. Le poète espagnol Fernando de Herrera, dit le « Divin » (1534-1597), appartient à cette école « italianisante » de la seconde moitié du XVIe siècle, dont Boscán — v. *Poésies* (*) — et Garcilaso de la Vega — v. *Poésies* (*) — avaient été en Espagne les fondateurs. Orgueilleux et solitaire sévère, en possession d'une culture humaniste très étendue et raffinée, connaissant parfaitement les poètes, même étrangers, de son temps, Herrera est un produit typique de cette deuxième Renaissance qui, par son esprit aristocratique et individualiste, prélude à l'école d'Antequera, dont est issu directement l'hermétisme de Góngora. Ses innovations en matière linguistique, son culte de l'art et de la forme, sa constante insatisfaction d'artiste font de lui un précurseur du poète des *Solitudes* (*). La perspicacité de ses jugements littéraires, dont témoignent ses *Anotaciones a las Obras de Garcilaso* (Séville, 1580), vrai modèle de critique littéraire, en font le prototype de l'écrivain moderne. L'œuvre de Herrera, publiée en partie de son vivant, grâce à une anthologie de ses poèmes qu'il avait lui-même préparée (*Algunas obras de Fernando de Herrera,* Séville, 1582), enrichie vingt-deux ans après sa mort dans l'édition de Francisco Pacheco, beau-père du peintre Velasquez (*Versos de Fernando de Herrera,* Séville, 1619), pose une série de problèmes aux érudits, en raison des différences qu'on relève entre les diverses éditions. La perte, après la mort du poète, du manuscrit définitif qu'il avait préparé pour l'impression, a été comblée en partie par l'édition de Pacheco qui utilisa des carnets et des brouillons échappés au naufrage et, plus tard, par la publication que José Maria Blecua a faite des *Rimas ineditas* (Madrid, 1948), recueil de cent trente poèmes, dont quarante-six absolument inédits. Ce dernier a une importance exceptionnelle, tant par la qualité des pièces qu'il contient que par les nouveaux renseignements qu'il apporte sur la vie sentimentale du poète. Les thèmes fondamentaux de la poésie de Herrera sont l'amour et la patrie ; le sentiment religieux ne vient qu'après et n'est pas très profond. L'idéalisation de la femme aimée, qu'on trouve déjà chez Pétrarque, se transforme chez Herrera en adoration platonique, en vertu de laquelle la femme apparaît aux yeux du poète comme « une splendeur divine de beauté ». Cet amour, qui s'adressait à une femme réelle, doña Leonor de Milán, comtesse de Gelves, a été chanté par le poète dans une série passionnée de sonnets, d'élégies et d'églogues. On a cru discerner trois phases dans l'amour de Herrera pour doña Leonor : une première phase d'imploration passionnée, où le poète, en proie au tourment de son amour, n'a que supplications à l'adresse de sa belle ; une seconde, d'extase et d'ivresse, dès le moment où le poète sait son amour partagé par la comtesse ; une troisième phase enfin, où un brusque changement d'attitude de la part de sa maîtresse le plonge dans l'amertume et le désespoir. La publication des *Rimes inédites* a jeté une nouvelle lumière sur cette aventure et il semble maintenant que la comtesse, après avoir accordé ses faveurs au poète, l'abandonna pour des raisons qui demeurent inconnues. C'est ainsi qu'après avoir chanté les boucles dorées de sa bien-aimée, ses beaux yeux et l'enchantement de sa voix, la neige de sa peau et la pourpre de ses lèvres, Herrera s'abandonne à la plus profonde mélancolie ; il exprime le rêve et l'oubli, la brièveté de l'existence humaine, l'amertume de la solitude. C'est déjà le thème de la déception, cher à l'époque baroque, dont Herrera avec son tempérament romantique apparaît comme un précurseur, sans cesser cependant d'être un classique, un homme de la Renaissance, capable de traduire, en une forme élégante et parfaite, la plus effrénée des passions. Il arrive que celle-ci déborde et imprime à la froideur conventionnelle des modèles classiques une pure chaleur humaine. C'est alors le ton élégiaque et amoureux de certains poèmes, d'un goût romantique, qui n'est pas sans rappeler Garcilaso de la Vega dans ses meilleurs moments. À côté de cette veine amoureuse, qui a mérité à Herrera l'appellation de « divin », on a celle, patriotique et héroïque, beaucoup moins libre, encore qu'elle ne soit pas dépourvue d'une certaine grandeur. Le thème héroïque prend, chez Herrera, des accents prophétiques, auxquels son érudition biblique n'est certainement pas étrangère. La « Canción por la victoria de Lepanto » et la « Canción a don Juan de Austria », consacrées toutes deux au même héros et à la même lutte symbolique de la Chrétienté contre l'Islam, représentent la forme la plus achevée de cette poésie. Elles coïncident d'ailleurs avec l'apogée de la fortune de l'Espagne au XVIe siècle. La « Cáncion por la pérdida del Rey don Sebastián », où le poète chante la sanglante déroute de Alcácer Qebir, est caractérisée par le même ton d'éloquence et d'emphase, que seule son extraordinaire virtuosité poétique parvient à nous faire oublier.

POÉSIES de Herrera y Reissig [*Poesías completas*]. Poésies du poète urugayen Julio Herrera y Reissig (1875-1910), publiées en 1910-1913. Herrera est un des chefs du mouvement littéraire qui, sous l'impulsion de Rubén Darío, donna un nouvel essor à la poésie hispano-américaine. Sans doute avait-on, tout d'abord, retenu davantage les noms d'écrivains comme l'Argentin Leopoldo Lugones, les Mexicains Amado Nervo et Enrique González Martínez, le Péruvien José Santos Chocano, le Colombien Guillermo Valencia, et même le Bolivien Ricardo Jaimes Freyre. Toutefois, à partir de 1920, lorsque se propagèrent en Amérique les tendances de l'« ultraïsme », on rendit pleine justice au poète urugayen dont l'œuvre avait été si neuve pour son époque. Les livres de Herrera, tels qu'ils ont été rassemblés dans l'édition de ses *Poésies complètes* (Buenos Aires, 1942), sont : *Les Pâques du temps* [*Las pascuas del tiempo*], *Les Matines de la nuit* [*Los maitines de la noche*], *Les Extases de la montagne* [*Los éxtasis de la montaña* (*Eglogánimas*)], *Sonnets basques* [*Sonetos vascos*], *Les Parcs abandonnés* [*Los parques abandonados* (*Eufocordios*)], *La Tour du sphinx* [*La torre de las esfinges*], *Les Clepsydres* [*Las clepsidras*] et *Le Collier de Salammbô* [*El collár de Salambo*]. Ces titres ne correspondent pas tous à ceux de l'édition de 1910-1913, mais ils sont plus exacts et plus expressifs. L'œuvre de Herrera, styliste consommé, a pour trait distinctif l'unité. On peut y distinguer, cependant, deux aspects essentiels : l'un, « baroque », d'expression parfois un peu obscure, où le poète fait une certaine part au subconscient (« La vida », la « Desolación absurda » des *Matines de la nuit*) ; l'autre, moins complexe, volontiers bucolique, et ce sont là peut-être ses poèmes les plus durables (par exemple : « Ciles alucinada », 1903, et surtout la série des splendides sonnets ; *Les Extases de la montagne* [deux séries : 1904, 1910] et les *Sonnets basques*). Compte tenu de certaines parties de son œuvre aujourd'hui démodées, Herrera y Reissig demeure un maître de l'image et de la métrique : ses sonnets, notamment, sont d'une perfection achevée.

POÉSIES de Z. Hippius. Les œuvres de la poétesse russe Zinaïda Nikolaevna Hippius (1869-1945) forment la matière de plusieurs plaquettes, qui furent publiées entre 1904 et 1938. Par la perfection de ses vers, l'auteur se rattache au mouvement de renaissance que la poésie russe connut à la fin du XIXe siècle. Ces compositions ressortissent surtout au symbolisme. Quand elle évoque la Providence, l'amour ou les misères de la vie, la poétesse garde toujours un ton juste. Son Dieu est bien plus le Dieu de la liberté que celui de la charité. Pour elle, le monde est foncièrement mauvais, trivial et stupide : elle le condamne donc sans appel. « Nous pardonnerons, et Dieu pardonnera, / Mais le péché ne connaît pas de pardon / Pour soi-même, il se garde ; / Il lave le sang, par son propre sang, / Il ne se pardonne jamais, / Bien que nous pardonnions et que Dieu pardonne. » Femme de l'écrivain russe Dimitri Merejkovski, elle se trouve avoir souvent subi l'influence de ce dernier.

POÉSIES de Hölty [*Gedichte*]. Le poète allemand Ludwig Heinrich Christoph Hölty (1748-1776) mourut trop jeune pour accéder à la gloire qui lui semblait destinée ; mais peut-être, de son vivant déjà, fut-il considéré à tort par ses contemporains comme un des plus grands poètes de l'époque. Hölty fut l'un des fondateurs du « Göttinger Hain », société de poètes dont faisaient partie certains des jeunes universitaires les plus doués de Göttingen, entre autres les frères Stolberg, Miller, l'auteur de *Siegwart,* et Voss, le futur traducteur d'Homère. Tous vouaient une admiration fanatique à Klopstock. Une des tendances dominantes du « Hain » était idyllique, arcadique, et prônait un retour à la simplicité de la vie champêtre. Aussi, ce mouvement s'insère-t-il dans le cadre de la poésie pastorale alors florissante en Europe. Le « Hain » eut sa revue, le célèbre *Göttinger Musenalmanach,* auquel auraient collaboré plus tard Goethe et Schiller. Les poèmes de Hölty ne se distinguaient de ceux de ses condisciples que par une sensibilité plus vive et une plus grande maîtrise du vers. On y retrouve le répertoire de la poésie « gefühlvoll » de l'époque : la jeune fille pleurant sur la tombe de son amie (« Ode an ein Landmädchen »), l'heureux berger attendant sa pastourelle, etc. Dans ce genre, le plus populaire des poèmes de Hölty est « Ub immer Treu und Redlichkeit ». Hölty s'essaya sans grand bonheur à des poèmes bachiques dans le goût du temps. La seule édition correcte de ses œuvres est celle de Karl Halm (1857).

POÉSIES de Hô Xuân Huong. Œuvres de la poétesse vietnamienne Hô Xuân Huong (fin XVIIIe-début XIXe s.), écrites en langue nationale, transcrites et publiées partiellement dans des anthologies, puis entièrement à Saigon en 1936. Originales dans la littérature vietnamienne, ces poésies (au nombre de cinquante environ) d'une belle facture chargées de sens et de sentiments, en apparence dignes et innocents, expriment par leur ambiguïté les idées crues, suggérant des images d'actes amoureux inacceptables pour l'époque. Leur caractère secrètement licencieux peut être interprété comme un défoulement personnel, comme une marque de l'influence du milieu social du temps, quand guerres et troubles favorisent le relâchement des mœurs comme la libération de l'individu. Quoi qu'il en soit, elles sont le manifeste d'une défense de la pénible condition féminine, une satire féroce des milieux corrompus, y compris religieux. Elles constituent un document linguistique précieux montrant l'enrichissement de la langue nationale. L'habileté de l'auteur les rend acceptables dans les programmes scolaires ; mais elles peuvent aussi donner lieu à des conversations grivoises. – Trad. E.F.E.O. 1968.

T.-T. L.

POÉSIES d'Illyés. L'écrivain hongrois Gyula Illyés (1902-1983) est l'une des figures dominantes de la poésie contemporaine de son pays. Écrivain fécond – v. *Ceux des pusztas* (*), *Le Favori* (*) –, traducteur de Racine, Molière, Hugo, Éluard, Aragon, Illyés a publié une quinzaine de recueils de vers, qui constituent une véritable biographie lyrique du poète et de son peuple. Les plus importants sont : *Terre lourde* [*Nehéz föld*, 1928], *Foins alignés* [*Sarjurendek*, 1931], *Trois vieillards* [*Három öreg*, 1931], *Je chante des héros* [*Hösökröl beszélek*, 1933], *Sous des cieux volants* [*Szálló egek alatt*, 1935], *Ordre dans les ruines* [*Rend a romokban*, 1937], *Dans un autre monde* [*Külön vilàgban*, 1939], *Face à face* [*Szembenézve*, 1947], *Poignées de main* [*Kézfogások*, 1956], *Voile penchée* [*Dölt vitorla*, 1965]. Le premier recueil marque une conversion. Après un long séjour à Paris (1921-26) pendant lequel il fréquenta les surréalistes, Illyés renoue avec la tradition réaliste et néoclassique du XIXe siècle hongrois. Issu de la paysannerie, il fait de la vie des humiliés et des révoltés de la terre le thème essentiel de son œuvre. La nature, son inspiratrice principale, lui suggère des métaphores d'une plasticité admirable qui révèlent des beautés insoupçonnées aux villageois, voués à une existence de bête de somme. Guide et porte-parole de sa classe, Illyés poursuit avec un courage constant sa mission ; toujours à l'unisson de la collectivité, au centre des débats de la conscience nationale, il traduit fidèlement et avec lucidité les élans révolutionnaires aussi bien que les crises de pessimisme, qui se succèdent, selon sa conception sereinement païenne, au rythme du flux et du reflux de la vie. Chef de file, dès les années 30, des écrivains « sociographes » dont les enquêtes dénoncent la misère rurale, il joue dans la vie littéraire et publique – directeur des revues *Magyar Csillag* (*) et *Válasz* (*), député du parti paysan en 1947 – un rôle de premier plan. En 1948, cependant, il se retire dans la solitude de sa maison de campagne, près du lac Balaton, pour se consacrer entièrement à son œuvre. Confronté avec lui-même et avec la vieillesse, il note alors dans des monologues dramatiques ses réflexions sur la responsabilité de l'homme qui veut construire une vie digne, message humaniste exprimé dans une langue limpide, nerveuse, concrète, souvent descriptive, dont le dynamisme est assuré par de savants effets prosodiques. – Trad. *Poèmes*, Seghers, 1956 ; *Hommage à Gyula Illyés*, La Maison du Poète, Bruxelles, 1963.

POÉSIES de Jamyn. Poète français et disciple préféré de Ronsard qui le fit nommer secrétaire de la chambre du roi, Amadis Jamyn (1538-1593 env.) étudia les langues classiques avec Dorat et Turnèbe. Fort érudit, il reprit la traduction de l'*Iliade* (*) commencée par Hugues Salel, et mit en vers les treize derniers livres du poème homérique, puis il entreprit la traduction de l'*Odyssée* (*), qu'il abandonna au troisième livre. Cette traduction, qui n'est pas un chef-d'œuvre, indique une certaine maîtrise poétique et fait montre d'une grande rigueur dans la versification. Les œuvres personnelles de Jamyn comprennent des élégies, des sonnets dont certains sont groupés sous un titre commun : *Artémis, Oriane*, quelques grands poèmes comme « Le Poème de la chasse » ; elles virent le jour en deux recueils, le premier publié en 1575, le second en 1584. Sans doute Jamyn manque-t-il d'une forte originalité, sa voix n'est jamais éclatante et rend parfois un son assez monotone. Mais son art délicat, élégant, ne manque, par rapport à celui de la plupart de ses contemporains, ni de naturel ni de naïveté. Chantre des amours, Jamyn a su exprimer, avec un charme insinuant, la volupté de la mélancolie et la mélancolie de la volupté. Parfois dans son dépit un peu frêle, un peu gris, scintillent un vers ou deux qui sont de belles réussites : « Les ombres, les esprits, les idoles affreuses, / Des morts chargés d'offenses errent pendant la nuit ; / Et pour montrer la peine et le mal qui les suit, / Font gémir le silence en longues voix piteuses. »

POÉSIES de saint Jean Damascène. Ce théologien, le plus éminent de l'Église d'Orient (650 ?-754 ?), auteur de la *Source de la connaissance* (*), a également une place de choix dans la littérature byzantine grâce à ses hymnes religieux. La tradition lui attribue l'*Octoïchos*, l'un des livres liturgiques de l'Église grecque contenant des cantiques pour chaque jour de la semaine ; ces chants sont composés d'après les huit tonalités de la musique sacrée. Mais il est à peu près certain aujourd'hui que Jean Damascène n'a été que le réformateur et non l'auteur de l'*Octoïchos*. Tel qu'il nous est parvenu, ce recueil paraît ne renfermer, comme authentiques, que certains « offices du dimanche ». Jean Damascène n'en reste pas moins, dans l'histoire de la poésie religieuse byzantine, le plus notable compositeur de canons, et les siens demeurent parmi les meilleurs. Les plus solennels sont consacrés aux cérémonies de Noël, de l'Épiphanie, de la Pentecôte, de Pâques ; les trois premiers sont écrits en trimètres ïambiques. Il en fit d'autres à l'occasion de fêtes religieuses importantes. On en compte en tout une soixantaine, inspirés pour la plupart de l'œuvre de Grégoire de Nazianze. Les « canons » de Damascène, comme ceux de Cosmas de Jérusalem, ont été exagérément admirés à l'époque ; dans son *Lexique* (*), Suidas ajoute même qu'ils « n'ont jamais pu être comparés, et ne pourront jamais l'être à d'autres, tant que vivront les hommes ». Bien plus, une biographie (en partie légendaire) du saint auteur prophétise, par la bouche d'un vieux moine, que Jean Damascène rivalisera un jour avec les chérubins pour chanter les louanges de Dieu. En réalité, ses « canons » manquent d'élan et de clarté ; ils abondent en artifices de tout genre et en jeux de composition trop voyants. Dans certains, par exemple, les premières lettres de chaque vers sont disposées pour former des acrostiches ou des distiques élégiaques. En outre, il a voulu faire revivre la métrique classique (quantitative) dans la poésie sacrée ; mais comme le sens de la « quantité » était désormais perdu, il n'a pu éviter de commettre une foule d'erreurs qui ne font que confirmer le triomphe de l'« accent ». Jean Damascène n'en a pas moins été un réformateur hardi de la musique religieuse, en modifiant certains signes et en en créant de nouveaux. Son art pénétra jusqu'en Russie.

POÉSIES de Jean de la Croix. Mystique espagnol (1542-1591), Jean de la Croix est unanimement reconnu comme l'un des plus grands poètes de la littérature espagnole. L'expérience mystique, communication immédiate avec Dieu, comporte une part ineffable en résonance intime avec le langage poétique, s'il est vrai que, selon l'aphorisme de Juan Ramón Jiménez, « la poésie est la voix de l'ineffable ». L'œuvre poétique de Jean de la Croix est brève, moins de mille vers en tout ; mais ses formes et ses thèmes sont variés. On la classe habituellement ainsi : cinq poèmes : *Le Cantique spirituel* [*Cántico espiritual*], *La Nuit obscure* [*Noche oscura*], *La Vive Flamme d'amour* [*Llama de amor viva*], *Je sais la source qui jaillit* [*La fonte que mana y corre*], *Le Pastoureau* [*El pastorcico*] ; cinq gloses : *Je vis sans vivre en moi* [*Vivo sin vivir en mí*], *Je suis entré où ne savais* [*Entréme donde no supe*], *En quête d'un amour lancé* [*Tras un amoroso lance*], *Pour toute la beauté* [*Por toda la hermosura*], *Sans arrimage et arrimé* [*Con arrimo y sin arrimo*] ; dix « romances » : neuf sur la Trinité et l'Incarnation, un sur le psaume *Super flumina Babylonis ;* deux « letrillas » : *Du verbe divin* [*Del Verbo divino*], *Somme de la perfection* [*Suma de la perfección*]. Inspirés par *Le Cantique des cantiques,* les trois premiers poèmes, dits « poèmes majeurs », forment un ensemble cohérent et semblent témoigner le plus directement de l'expérience mystique. *Le Cantique spirituel* fut écrit en grande partie (trente et une strophes) dans la prison de Tolède (1578). Les huit dernières strophes furent écrites avant 1584, sans doute à Grenade. Une seconde version ajoute une strophe (la strophe onze) et bouleverse l'ordre de la composition. Écrit quelques mois après l'évasion de prison, le poème *La Nuit obscure* illustre en huit strophes (des « liras » à la manière de Garcilaso de la Vega) un résumé de l'expérience mystique dans ses trois phases, purgation, illumination, union. *La Vive Flamme d'amour* (écrite à Grenade, vers 1585) évoque dans des tonalités de douceur et de souffrance l'union d'amour mystique. Par leur exaltation sensuelle et spirituelle, par la beauté et la délicatesse des images, par l'élan et le frémissement des rythmes, ces trois poèmes composent un tout cohérent qui est le chef-d'œuvre lyrique de Jean de la Croix. Les autres poésies ne déméritent pas auprès de cet ensemble. Le poème sur la source cachée célèbre la victoire de l'espérance sur la nuit. *Le Pastoureau,* allégorie de la Crucifixion, rappelle le christocentrisme foncier de la théologie mystique de Jean de la Croix. Dans les cinq gloses se trouvent reflétés des aspects divers de la vie mystique : le détachement *(Je vis sans vivre en moi),* la nouvelle conscience *(Je suis entré où ne savais),* le seul recours à Dieu *(Sans arrimage et arrimé),* la force du désir *(Pour toute la beauté),* le vertige de l'absolu *(En quête d'un amour lancé).* Écrits en prison, les neuf premiers « romances » sont une synthèse originale de la doctrine chrétienne du salut ; le dernier « romance », également écrit en prison, s'inspire du *Chant de l'exilé* (Psaume 137/138) pour s'achever en louange du Christ. Nourries de toute sa culture religieuse et profane, les poésies de Jean de la Croix, tout en gardant quelques reflets de sa biographie externe, sont l'écho le plus proche de sa religion personnelle avec le Divin. — Trad. José Corti, 1991. B. Sé.

POÉSIES de Juan Ramón Jiménez. L'écrivain espagnol Juan Ramón Jiménez (1881-1958) distribua lui-même, selon trois catégories, son œuvre poétique abondante, effervescente, toujours « en marche », selon son expression, vers une perfection qu'il désespérait de jamais atteindre, sans néanmoins y renoncer jamais. La première étape est celle du « romantisme idéaliste ». Les deux premiers recueils, *Nymphéas* [*Ninfeas*, 1900] et *Âmes de violette* [*Almas de violeta*, 1900], placent leur auteur sous le signe du modernisme, dans le sillage de Ramón del Valle Inclán et de Rubén Darío qui avaient inspiré les titres. Si l'auteur a trouvé la veine d'inspiration secrète et profonde qui sera désormais la sienne, les rythmes emphatiques, le style trop orné ou les tonalités outrées n'expriment pas encore sa véritable voix poétique. *Rimes* [*Rimas*, 1902] laisse mieux pressentir celle-ci, parmi l'émoi des sens ou l'effusion des sentiments. « Une odeur d'encens et de fleurs, une fenêtre donnant sur le jardin, une terrasse avec des rosiers pour les nuits de lune », tels sont, selon le poète, les thèmes d'*Airs tristes* [*Arias tristes*, 1903]. Les pages de Glück, de Schumann et de Mendelssohn qui accompagnent les poèmes de *Jardins lointains* [*Jardines lejanos*, 1904] sont en harmonie avec les tonalités mélodieuses de ce recueil dédié à la mémoire de Henri Heine. Le passion d'écrire, qui caractérise Jiménez, se donne dès lors libre cours en de multiples compositions, où l'on passe insensiblement de l'égotisme douloureux à la contemplation avide du monde, des êtres et, surtout, de la nature passionnément aimée : *Élégies pures* [*Elejías puras*, 1908] ; *Élégies intermédiaires* [*Elejías intermedias*, 1908] ; *Élégies lamentables*, 1910 ; *Ballades de printemps* [*Baladas de primavera*, 1910]. Pour son cœur, le poète ne revendique alors « qu'un seul aliment : la beauté ». C'est elle désormais qui oriente toute sa vie d'écrivain. *La Solitude sonore* [*La soledad sonora*, 1911], en vers alejandrinos, allie de façon suggestive des motifs lunaires et érotiques, dans une symbolique où l'eau joue un rôle majeur : « Par l'eau j'entrais en communication avec le monde. » *Poèmes magiques et dolents* [*Poemas májicos y dolientes*, 1911] exalte les sentiments dans une orchestration superbe de couleurs et de lumières. Les paysages de campagne, idéalisés à la façon de Francis Jammes, inspirent *Pastorales* (1911) et *Mélancolie* [*Melancolía*, 1912]. La femme, les fleurs, les couleurs, tous ces motifs chers au poète sont repris inlassablement dans *Labyrinthe* [*Laberinto*, 1913]. *Platero et moi* [*Platero y yo*, 1914] est l'un des plus beaux livres de Jiménez. Dans une suite de proses poétiques, contant ses déambulations sur son bourricot, le poète évoque les mille événements qui tissent la vie d'un village andalou en proposant tout à la fois, mais sans aucune pesanteur, une méditation profonde sur la condition humaine. Lyrisme et réflexion philosophique s'allient ainsi au cœur du livre qui rappelle *Le Petit Prince* (*) de Saint-Exupéry par sa grâce aérienne et par sa gravité profonde. Ce livre a connu un succès universel. Les *Sonnets spirituels* [*Sonetos espirituales*, 1917], écrits en vers hendécasyllabes et dédiés à Federico de Onis, se placent d'emblée sur le registre de l'âme où tous les thèmes – l'amour, la femme, l'amitié, les saisons, les angoisses ou les passions – viennent se sublimer. Tout au long de ce livre comme, en fait, tout au long de son œuvre, le poète semble poursuivre une secrète autobiographie, comme un dialogue intime et infini avec une part obscure ou cachée de lui-même, qui le hante et qui le fascine. « Après les *Sonnets*, déclarait l'auteur, je vis clairement, et plusieurs critiques virent aussi que ma vie poétique commençait de nouveau. » *Été* [*Estío*, 1916], de la même époque, « journal lyrique inquiet aigu » selon le poète, porte à sa perfection l'art de l'allégorie et de la symbolisation qui est la caractéristique majeure de la poétique de Jiménez. Une autre étape commence alors : celle du « spiritualisme symboliste » où l'essence des choses ou des êtres, plus que leurs apparences ou leurs séductions, oriente la quête poétique. Le *Journal d'un poète jeune marié* [*Diario de un poeta recién casado*, 1917], où alternent les écrits en vers et en prose, est un véritable journal de voyage. Il rapporte le voyage effectué, en 1916, par Jiménez, aux États-Unis pour s'y marier à New York. Modifié en 1948, le titre devint : *Journal du poète et la mer* [*Diario de poeta y mar*]. La mer, en effet, donne son rythme mouvementé à cet album de croquis, à ces mille anecdotes, à l'expression de ces états d'âme, à ces notations disparates, à ces extases de communion avec le cosmos qui composent ce livre, pour lequel le poète eut toujours une prédilection. « Il contient, disait-il, beaucoup de choses que l'on n'a jamais vues. C'est un livre métaphysique. » Un distique célèbre d'*Éternités* [*Eternidades*, 1918] définit alors son art poétique : « Intelligence, donne-moi / le nom exact des choses ! » Plusieurs recueils vont manifester cette aspiration à une « poésie nue » [poesía desnuda] selon une autre expression fameuse de Jiménez. *Pierre et Ciel* [*Piedra y cielo*, 1919] s'ouvre ainsi sur une simple exclamation, qui définit le poème : « N'y touche plus ; / telle est la rose ! » Toute l'inspiration est emportée par cet idéal, en soi irréalisable, de coïncidence entre l'être et le dire. Toujours acharné à parfaire son œuvre, à la remanier, à l'ordonner différemment, à la « revivre » comme il disait, Jiménez publie, en 1922, la *Seconde anthologie poétique* [*Segunda antolojía poética*] qui recueille le meilleur de toutes ses publications antérieures. Le livre eut un immense succès. Dès lors, fidèle à sa devise, « Amour et poésie chaque jour », il poursuit sans relâche l'édification de sa grande œuvre (la Obra) à laquelle il a voué sa vie. *Poésie* [*Poesía*, 1923] et *Beauté* [*Belleza*, 1923] sont ainsi dédiés, de façon apparemment paradoxale, « À l'immense minorité », voulant signifier par là que la voix poétique s'adresse à la plus haute conscience que le lecteur porte en soi. *Chant* [*Canción*, 1936] contient plus de quatre cents poèmes, souvent brefs, libres de toute contrainte formelle, d'une grande beauté, où s'exalte une ivresse de vivre que dément, peu après sa publication, l'éclatement de la guerre civile en Espagne. Ce volume devait inaugurer un ensemble intitulé de façon significative *Unité* [*Unidad*]. Les circonstances interdirent la réalisation de ce projet. Une célébration conjointe de la beauté, de la mort et de l'éternité est au cœur de la troisième étape, dite « métaphysique », de l'itinéraire poétique de Jiménez. *La Saison totale et les Chansons de la lumière nouvelle* [*La Estación total con las Canciones de la nueva luz*, 1946] témoignent d'une conscience intensément religieuse. Dans la « Saison totale », une aspiration d'ordre métaphysique met ainsi en communication directe avec l'être ou la réalité : « ... en moi je contiens le tout élémentaire (la terre, le feu, l'eau, l'air), l'infini », dit la voix du poème. Par le langage, l'auteur voudrait ne plus être poète, mais la poésie même. Cette aventure, d'ordre mystique, de l'esprit se traduit en des poèmes aux formes épurées, aux rythmes maîtrisés, aux intuitions fulgurantes. Une longue composition, d'abord écrite en vers puis en prose, *Espace* [*Espacio*, 1954], inspirée, selon le poète, par une « ivresse rhapsodique » qui s'empara de lui au sortir d'une grave crise, rend compte d'une conscience quasiment prophétique dans son rapport avec le monde. Traitant de la femme, de l'œuvre et de la mort (ce que Jiménez appelait les « trois normes de sa vocation »), la voix poétique semble être celle d'un oracle, dépris de toute contingence. *Animal de fond* [*Animal de fondo*, 1949], repris en 1957 sous le titre de *Dieu désiré et désirant* [*Dios deseado y deseante*], rapporte la rencontre avec « la conscience unique, juste, universelle de la beauté qui est en même temps en nous et hors de nous ». Le poète s'adresse au Dieu immanent en qui il voit « l'essence, ma conscience, celle de tous... » La *Troisième anthologie poétique* [*Tercera antolojia poética*, 1957] précéda le projet de publication de l'œuvre entière de Jiménez sous le titre qu'il souhaitait enfin lui donner : *Destin* [*Destino*]. — Trad. Seghers, 1963 ; José Corti, 1988 ; Aubier 1989 ; José Corti, 1990. B. Se.

POÉSIES de József. Le « poète prolétarien », ainsi fut surnommé par ses contemporains le poète hongrois Attila József (1905-1937), qui dut lutter toute sa vie, non seulement contre la misère, mais aussi contre l'hostilité et l'incompréhension générales. Sa vie est intimement liée à son œuvre. Son père abandonna très tôt sa famille pour émigrer, laissant sa femme, pauvre blanchisseuse, élever avec de grandes difficultés ses trois enfants. Mais le jeune József se révolte vite contre sa condition : à 17 ans, il publie son premier recueil, *Le Mendiant de la beauté* [*Szépség Koldusa*], chaleureusement soutenu par le poète Gyula Juhász. Les recueils dès lors vont se succéder : *Ce n'est pas moi qui crie* [*Nem én kiáltok*, 1925], *Je n'ai ni père ni mère* [*Nincsen apám se anyám*, 1929], *Travaille au lieu de te lamenter* [*Döntsd a töket ne siránkozz*, 1932], révélant un des poètes les plus originaux de la Hongrie moderne. Toutefois, József ne heurtait pas seulement ses compatriotes par sa profession de foi socialiste, mais aussi par ses liens avec le surréalisme dont il fut le représentant majeur dans son pays. Ardeur révolutionnaire et violence de l'image se conjuguent dans ses poèmes, pour proclamer la fin d'une société et l'avènement d'un véritable humanisme. Cette lutte, il la poursuit dans ses essais où il s'efforce de fondre les doctrines de Hegel, de Marx et de Freud. En 1936 enfin, il publie dans le journal *Belles paroles* un manifeste politique réclamant un régime nouveau. Cette activité ne fait qu'accroître autour de lui l'hostilité conformiste et officielle. Dans son dernier recueil de poèmes : *J'ai très mal* [*Nagyon fáj*], il abandonne les grands problèmes pour évoquer les souvenirs douloureux de son enfance. Il devait mourir l'année suivante, poussé à la folie et au suicide par une vie de privations. József demeure comme un exemple de fidélité à soi-même, en dépit de tous les obstacles et de toutes les humiliations ; il exerça une influence considérable sur la littérature hongroise contemporaine et son audience ne cesse de croître. Par l'ampleur de son souffle révolutionnaire et l'originalité de son apport, on le considère, à juste titre, comme le continuateur de Ady. En 1945 ont été publiés ses « Poèmes révolutionnaires », ainsi que des poésies dédiées à sa mère. Relevons dans ce dernier recueil : *À la mémoire d'Ady* [*Ady emlékezete*] où il célèbre le génie impérissable du poète du peuple ; *Socialistes* [*Szocialisták*], poème de combat exhortant les prolétaires à répandre la foi nouvelle, et *Enfin* [*Vegül*], où il retrace les tristesses innombrables de sa vie, ses souffrances, et proclame une fois de plus sa conviction dans l'avènement d'un avenir meilleur réalisé par les hommes. Les *Poésies complètes* de Attila József furent publiées à Budapest en 1938.

POÉSIES de Kassák. L'écrivain hongrois Lajos Kassák (1887-1967) fut ouvrier métallurgiste avant de publier son premier recueil de poème : *Épopée sous le masque de Wagner* [*Eposz Wagner maszkjában*, 1915]. Il entreprit ensuite un long voyage à pied qui le conduisit à Paris, à travers l'Autriche, la Bavière, la Rhénanie et la Belgique, et auquel il consacra une magnifique épopée intitulée : *Le cheval meurt, les oiseaux s'envolent* [*A ló meghal, a madarak kirepülnek*, 1925]. Dès ses débuts, Kassák s'affirme comme le représentant le plus vigoureux de la poésie d'avant-garde. D'abord influencé par le collectivisme de Walt Whitman, il se tourne de plus en plus vers les récentes conquêtes poétiques caractérisées par l'affranchissement du langage des conventions littéraires et sociales comme en témoigne *Le Chant des bûchers* [*A Máglyák énekelnek*], publié à Vienne en 1920. Plus tard, la voix du poète s'assagit, les vers libres s'ordonnent avec un pathétique majestueux autour d'événements dramatiques : *Meeting* [*Népgülés*, 1935]. À l'occasion du cinquantième anniversaire de Kassák, *Ma terre, ma fleur* [*Földem virágom*] rassemble un important choix de ses poèmes ; en 1945, toutes ses poésies sont réunies dans un volume. Une nouvelle et importante sélection de ses poèmes paraît en 1956, après sept années de silence dû à la méfiance des pouvoirs publics envers le poète. Ses derniers poèmes, recueillis dans *Les Feuilles du chêne* [*A tölgyfa levelei*, 1964], évoquent la pureté et la consistance du marbre qui semble toujours avoir été l'idéal de Kassák. « Je traite les mots, comme j'ai traité autrefois le fer et l'acier, a-t-il écrit. Je voudrais doter mes poèmes d'une existence physique, afin qu'ils tiennent tout seuls sur une table, comme des statues. » Peintre, Kassák appartient à l'école constructiviste et la structure de ses tableaux évoque à plus d'un égard celle de ses poèmes. Il s'est efforcé de faire connaître au public hongrois les poètes français de sa génération dont le génie s'apparente au sien, et a traduit notamment les poèmes de Blaise Cendrars. Enfin, dans un album de luxe, contenant les reproductions de cinq peintres contemporains : Max Ernst, Rousseau, Franz Marc, Chagall et Léger, il a dédié un poème à chacun de ces génies. – Trad. *Le cheval meurt, les oiseaux s'envolent,* in revue *LVII,* Bruxelles, 1964 ; *Hommage à Lajos Kassák,* la Maison du poète, Bruxelles, 1964.

POÉSIES de Kerner. La production poétique de l'écrivain allemand Justinus Kerner (1786-1862) se compose de cinq recueils : *Poésies* [*Gedichte*, 1826], *Petits poèmes* [*Dichtungen*, 1834], *Poésies lyriques* [*Lyrischen Gedichte, 1487*], *La Dernière Floraison* [*Der letzte Blütenstrauss*, 1852], *Floraison hivernale* [*Winterblüten*, 1856]. Ce romantique souabe, médecin et fidèle ami d'Arnim, Uhland et Eichendorff, possède en commun avec ces poètes le ton naïf et pur des chansons populaires et figure également dans le célèbre recueil *Le Cor merveilleux de l'enfant* (*), avec la chanson : « Mir träumt, ich läg gar bange. » La richesse de l'imagination et une mélancolie méditative imprègnent ses poèmes, où revient fréquemment le thème de la mort : « Le Passant dans la scierie » [Der Wanderer in der Sägemühle] ou « Éloge du sapin » [Preis der Tanne]. Comme Novalis, il voit dans la mort le remède aux souffrances, exprimant cette pensée dans le beau poème « Plus d'un chant, j'ai conçu dans l'ombre de la forêt » [Whol hab ich manches Lied erdacht / In Waldes Dämmerungen] ou dans la suggestive ballade « Chevauchée de l'empereur Rodolphe vers la tombe » [Kaisers Rudolfs Ritt zum Grabe]. Mais le sentiment de la nature, propre aux romantiques, les joies du vagabondage, l'amour nostalgique de la terre natale n'y font pas défaut. Le caractère mélodieux de ces poèmes a permis souvent de les mettre en musique ou de les chanter, comme la populaire ballade d'« Eberhard à la barbe » [Ballade auf Eberhard im Barte]. Citons enfin la gracieuse romance locale « Le Violoniste de Gmünd » [Der Geiger von Gmünd], où l'auteur manifeste une ironie bienveillante peu compatible avec son penchant ésotérique et mystique, qui lui valut une renommée aussi retentissante que passagère, lorsqu'il publia *La Voyante de Prevorst* [*Die Seherin von Prevorst*, 1829].

POÉSIES de Khodassevitch. L'œuvre poétique de l'écrivain russe Vladislav Felitsianovitch Khodassevitch (1886-1939) forme la matière de plusieurs recueils, lesquels ont été publiés en Russie entre 1908 et 1928. Il faut mentionner surtout : *Par la voie de la graine* (1920), *La Lourde Lyre* (1922) et *La Nuit européenne.* Ce poème qui, par la perfection de la forme, est d'un esprit d'une haute lignée qu'on peut rapprocher de Pouchkine, ne laisse pas, par ailleurs, dans le domaine des sentiments, de faire penser à Tioutchev. Âme tourmentée et malheureuse, il fut déchiré durant toute sa vie, oscillant sans cesse entre une vision du monde pleine d'harmonie et de sagesse et un désespoir sans fond, ce dernier l'emportant sur l'autre toujours davantage. Cette angoisse fondamentale s'exprime jusque dans la cadence de ses vers. La signification même de son œuvre est assez bien indiquée par le titre du recueil, déjà mentionné, qu'il publia en 1920 : « par la voie de la graine », ce qui veut dire, si l'on se réfère aux symboles dont l'auteur aimait à faire usage : par la mort – à la résurrection.

POÉSIES de Klabund. Les principaux recueils de l'écrivain allemand Klabund (pseud. d'Alfred Henschke, 1890-1928) sont : *Aurore* [*Morgenrot,* 1913], *Li-Tai-Pe* (1916), *Irène* (1917), *Le Vagabond céleste* [*Der Himmlische Vagant,* 1919], *Trois coups* [*Dreiklang,* 1920], *Bateau de fleurs* [*Blumenschiff,* 1921], *Le Cœur chaud* [*Das heisse Herz,* 1922], Sonnets [*Sonette,* 1928]. Poète, romancier, dramaturge, essayiste, Klabund vécut le plus souvent à Davos ou dans des maisons de repos. Après la mort de sa première femme, l'Irène de ses poèmes, il écrivit un grand recueil, *Plainte des morts* [*Totenklage*], publié en 1930, parcouru d'un lyrisme sombre. Le critique Kerr découvrit le jeune Klabund, dont il imprima les poèmes dans sa revue *Pan* et qu'il soutint contre le public scandalisé par son œuvre virulente pleine de chaleur érotique. Ses poèmes brûlants, dominés par les tensions d'un lyrisme exalté, respirent l'amour fou de vivre et de la femme et de la nature. La pensée et la poésie orientales lui étaient familières. Il transpose des poèmes chinois et adapte une pièce : *Le Cercle de craie* [*Der Kreidekreis,* 1924]. Entre 1912 et 1928, Klabund écrit trente-six livres. Lyrique et expressionniste, vulgaire et mystique, tous les tons se mêlent ; la veine populaire est primordiale : chanson, ballade, chant, satire, burlesque, farce grinçante. Son style est toujours nerveux, vibrant d'impatience, sans artifices, sobre ou coupant ; sa sensualité, son rythme, l'érotisme de son écriture le rapprochent de Rilke et son ironie mordante, de Heine. Cette poésie du contraste, du mouvement, où les chansons de guerre précèdent des chansons de paix, nous fait découvrir le frémissement sensuel de la nature dans son origine, l'exacerbation du désir, le bouillonnement. Les mythes primitifs, les sources orientales, les éléments sont ses thèmes favoris, où jouent les forces contraires de la vie et de la mort dans une lutte qui pourrait faire penser à Nietzsche. Il cache sa grande sensibilité écorchée par la maladie sous le masque de l'ironie ; un désespoir profond baigne cette œuvre en perpétuel conflit, déchirée par la beauté et l'horreur du monde.

POÉSIES de Kouzmine. Bien qu'il fît partie du groupe des symbolistes, le poète russe Mikhaïl Kouzmine (1875-1938) ne peut être regardé comme un adepte fervent de la nouvelle école ; en trop de points il se sépare de ses compagnons, ne serait-ce que par la netteté de ses visions, la précision et la vérité sensuelle de ses mots, un certain mépris de l'abstraction, le désir enfin de ramener l'univers poétique à une mesure humaine. Dans quelques recueils, *Les Chansons d'Alexandrie* (1906), *Les Rets* (1908), *Lacs d'automne* (1912), *Colombes d'argile* (1914), *Paraboles* (1923), il a épanché son sentiment très vif pour les époques décadentes, en particulier la Grèce alexandrine et le XVIIIe siècle français. Son sentiment le plus profond est toujours la passion des « choses charmantes et fragiles », de la chair « parce qu'elle est corruptible », des frivolités, des émotions d'un instant. Il a mis ainsi une poésie de nuances, de demi-tons, la plus souple peut-être qu'ait connue la Russie, au service des objets les plus modestes, et parfois les plus insignifiants. L'apparente ingénuité dont il se pare n'est bien souvent qu'affectation, luxe d'un grand seigneur rongé par le scepticisme. La simple vérité de la vie ne lui suffit plus. Il aime le factice, le rococo et ne sait rien éprouver sans mêler à son impression quelque réminiscence d'intellectuel et d'artiste. Ses meilleurs poèmes, *Chansons d'Alexandrie,* qui lui valurent une grande renommée, éveillent une trouble complicité : l'amour des réalités simples et brèves y est en effet continuellement excité par le pressentiment d'une prochaine destruction de tout : « Puisque je sais que ces vins seront bus, / Ces parfums évaporés ; / Puisque je sais que ces riches tissus / Seront après des siècles / Réduits en cendres... / En aimerais-je moins / Parce qu'elles sont périssables, / Toutes ces choses-là, chéries et fragiles. » Il n'y a donc, en dépit de sa lucidité, aucune tristesse chez Kouzmine, mais bien plutôt un parti pris de ne point se laisser désespérer, jusque dans l'abandon et le malheur : « Une fleur séchée, une liasse de lettres d'amour, / Le sourire d'un regard, deux rendez-vous heureux. / Le chemin aujourd'hui peut bien être sombre et fangeux ! / Au printemps n'as-tu point flâné sur l'herbe ? » Ainsi cet esprit hypercritique, qui se trouve pour cela privé des grands enthousiasmes, des passions indispensables au génie, parvient-il à une sorte de salut par l'art. — Trad. in *Poésie russe* (anthologie), La Découverte / Maspero, 1983.

POÉSIES de Krleža. Il est convenu d'englober sous ce titre l'ensemble de l'importante production poétique de l'écrivain croate Miroslav Krleža (1893-1981). C'est par la poésie que commence sa carrière littéraire en 1917, avec la parution de ses poèmes *Pan* et *Trois symphonies* [*Tri simfonije*], teintées d'expressionnisme. *Pan* est une composition illustrant certains contrastes dont la vie est prodigue ; on y voit d'une part la nature dans toute sa splendeur offerte aux ébats d'une divinité païenne, de l'autre, le ténébreux rituel d'une procession de jésuites et le « non-sens métaphysique chrétien ». Dans la lutte qui oppose les joies terrestres et la métaphysique chrétienne, ce sont des espérances éternelles de l'homme à la poursuite du beau qui vaincront. Richesse d'expression et accord harmonieux entre le caractère sain et fort de la nature font de *Pan* une des plus grandes réalisations lyriques du poète. *Crépuscule* [*Suton*], qui fait suite, est le naufrage du monde de la lumière peu à peu englouti par la nuit. Le son des cloches crépusculaires provoque les soupirs du dieu Pan dont les élans sont freinés, engourdis par l'approche des ténèbres. *Nocturno* [*Nokturno*] vibre d'un bleu profond et vaporeux, du scintillement des étoiles et du chant d'un rossignol sur un pêcher fleuri. En 1918, outre des légendes dramatiques rassemblées sous le titre de *Rhapsodie croate* [*Hrvatska rapsodija*], Miroslav Krleža publie deux livres de poésie : *Poème I et II* [*Pjesme I, II*] et l'année suivante (1919) : *Poème III* [*Pjesme III*] et *Lyrique*. De cette époque date le « Poème pour un homme mort. » Dans un texte autocritique de 1933, Krleža écrit : « Ce n'est pas par hasard que mon lyrisme est en général un lyrisme empreint de lassitude, d'ennui et de résignation. » « Mais c'est précisément en fouillant mes côtés les plus faibles que se développe dialectiquement en moi une autre face de ma nature et que grandit de plus en plus en moi la volonté de surmonter tout cela, de m'affranchir et de me guérir jusqu'à la guérison complète qui ne sera pas seulement un climat spirituel mais une réalité, et non seulement une réalité personnelle mais la réalité de tout un milieu. » Dans la symphonie poétique intitulée *La Rue un jour d'automne mille neuf cent dix-sept* [*Ulica u jesenje jutro devetsto sedamnseste*], une malheureuse ville est plongée dans un brouillard épais. Les moribonds, le brouillard, les colonnes silencieuses d'ouvriers, autant de détails réalistes qui suscitent l'image sanglante de la guerre où le peuple croate a lutté et peiné pour les intérêts de Vienne et de Budapest, ce qui a profondément éprouvé Miroslav Krleža. Les traces de cette hantise paraissent dans le recueil intitulé *Lyrique de la guerre*. Ici la plupart de ses poèmes sont tachés d'un sang noir, terrible chef d'accusation contre les responsables. Portée par son puissant souffle dramatique et une éloquence peu commune, la poésie de Krleža transforme tout ce qu'elle touche en hyperbole, vision ou mythe. La révolte sociale et l'obsession de la mort éprouvée comme un sentiment collectif autant qu'individuel, tels sont les thèmes dominants de cette poésie fougueuse et pathétique. En 1932 il publie *Le Livre de poèmes* [*Knjiga lirike*] et en 1936 paraissent *Les Ballades de Petritsa Kerempuh* (*), une satire en vers, écrite dans un dialecte croate, dont le héros, frère tragique de Till Eulenspiegel, personnifie les souffrances du paysan croate durant les siècles de domination étrangère. *Les Ballades de Petritsa Kerempuh* ont été composées à partir du folklore de la Croatie et en ayant recours à la poésie orale populaire. Petritsa Kerempuh est un fourbe ingénieux, légendaire dans sa région ; il est presque serf, mais ne se laisse pas accabler par les difficultés de sa condition. Son arme est la malice. Esprit vif, il se moque des féodaux et des bourgeois, mais aussi de sa propre malchance. L'humour de Krleža est plein de fiel et de sarcasmes et s'élève jusqu'aux cris de la révolte. Excellent observateur de la vie paysanne croate, Krleža a condensé les images les plus frappantes du destin de la paysannerie, de ses luttes à main armée, depuis le XVIe siècle jusqu'à la veille de la Seconde Guerre mondiale. Dans la peinture de ce passé malheureux, aucune idéalisation romantique ; Krleža chante la tristesse du paysan croate qui est parti chercher son morceau de pain dans les profondeurs des mines américaines, et du serf qui est parti pour la guerre de Sept Ans afin que l'empereur autrichien puisse dormir tranquillement. En 1937 Krleža publie au autre recueil : *Poèmes dans le noir* [*Pjesme u tmini*]. Parmi les poèmes ayant comme thème l'injustice sociale et la révolution, il faut citer « La Nuit en province » [Noc u provinciji], « Le Vent enflammé » [Plameni vjetar], « La Dame qui visite l'enfant malade de sa bonne » [Godpodja u posjeti Kod bolesnog djeteta svoje sluskinje]. Dans le poème intitulé « Vendredi saint mille neuf cent dix-neuf », Krleža qui a compris la nécessité de la révolution, envisage le sort tragique de celle-ci pendant les années qui suivirent la Grande Guerre. Ce poème « à la mémoire de Karl Liebknecht » se termine par : « Quand pleuvent sur sa tête blasphèmes, pierres et balles, / en ce Vendredi saint noir et brumeux de l'Europe, / quand la terre, cette boule sanglante, s'ébranle / de Pékin jusqu'à Rome, du Transvaal au Kremlin, / l'homme croate allume des cierges mortuaires / et chante, d'une voix éraillée, son chant funèbre : / une tête est encore tombée comme une graine sanglante. / On a encore cloué au grand mât l'amiral. / Mais qu'importe : Voici l'aube : / Internationale. » — Trad. des poèmes « Vendredi saint mille neuf cent dix-neuf », « Poème pour un homme mort », « Poème sur le mont fleuri », in *Anthologie de la poésie yougoslave contemporaine*, Seghers, 1959.

POÉSIES de Laforgue. L'œuvre du poète français Jules Laforgue (1860-1887), mort à 27 ans, révèle cependant une personnalité exceptionnellement riche et féconde. Marqué par toutes les tendances du mouvement symboliste, dont il est un des principaux représentants, Laforgue s'acheminait vers la conquête d'un art personnel. Depuis *Le Sanglot de la terre* (ce recueil, rédigé de 1878 à 1883, ne fut publié, posthume, qu'en 1901), dont la forme — mais non l'inspiration — révèle une prédominance d'influences extérieures, par les chansons populaires et ironiques des *Complaintes* (*) (1885) et de *L'Imitation de Notre-Dame la Lune* (*) (1885), jusqu'aux *Fleurs de bonne volonté* (1888) et aux *Derniers vers* (*) (1890), Laforgue, avec une grande richesse d'invention, souvent une vraie magie verbale, épuise les thèmes favoris de la poésie dite décadente. Il ne cesse d'être poursuivi par un ennui indéfinissable, un sentiment, parfois exacerbé, de la vanité de la vie, de l'amour, de la pensée : trait natif chez lui, qu'est venu accentuer son goût pour les philosophies germaniques, surtout pour Schopenhauer. Rien ne lui est plus familier que la saveur malsaine des rues de ville, le « gaz jaune et mourant des brumeux boulevards », les coins de rue où racolent « les filles aux seins froids », « flairant de l'œil un mâle de hasard ». À la poésie de l'automne, il a apporté les ressources de son art minutieux d'observateur qui ne laisse échapper aucun détail susceptible de rendre plus âcre encore son expérience de la corruption de la vie, des vierges tôt fanées, des maladies qui empoisonnent la jeunesse : quel plaisir il a, dans une bizarre atmosphère de laboratoire, à rappeler « la toux dans les lycées, la phtisie dans les quartiers, la tisane dans les foyers », à froisser dans les sous-bois le « fumier des feuilles mortes » ! Quelle complaisance, pour entonner son hymne à la maladie et à la mort : « Armorial d'anémie ! / Psautier d'automne ! » Amertume vraie ; mais aussi parti pris. Laforgue est empoisonné par les souvenirs d'une enfance timide, refoulée, dont il ne parvient pas à se dégager. Espoirs exagérés, langueurs brûlantes d'une puberté prolongée, toujours plus insupportable avec l'âge, imprègnent les nombreuses pièces qu'il consacre à la jeune fille, à la femme. Celle-ci, rêvée plutôt que possédée, Laforgue, brûlant de désir, ignorant les apaisements que ne lui donnent point des amours vénales, continue de la voir en adolescent. Personne n'a mieux que lui, et, avec une musique plus désespérante, évoqué les ardeurs troubles des nuits de juillet, les désirs vagues des corps jeunes qui s'éveillent : « Ah, spleen des nuits d'été ! Universel soupir, / Miserere des vents, couchants mortels d'automne, / Depuis l'éternité ma plainte monotone / Chante le Bien-Aimé qui ne veut pas venir !... » Faute d'aimer, il ne cesse de penser à l'amour, de méditer sur son impossibilité, dans les termes de la plus confuse philosophie qu'il n'hésite point à introduire dans ses poèmes. Ici encore, la jeunesse de Laforgue n'apparaît que trop clairement : il est encore au collège. Dans une époque si imprégnée de kantisme, il montre le Temps et sa commère l'Espace qui se demandent s'ils ne sont pas les fondements de la Connaissance ! Cette pseudo-philosophie, si elle gâche certaines de ses œuvres, révèle une prodigieuse faculté de passer du plan réel à celui de la pensée et des dons d'analyste qui eussent pu s'affirmer avec la maturité. Laforgue lui-même n'avait-il pas écrit : « Moi, je suis le grand chancelier de l'analyse... »

Cette analyse, qu'il poursuit infatigablement, avec des moyens impropres, le désespère jusqu'au fond de l'âme. Mais il manque à Laforgue, pour être vraiment un « poète maudit », la révolte d'un Rimbaud ou du Tristan Corbière des *Amours jaunes* (*) à qui il doit tant. Qu'il mette en accusation le monde, et l'amour et Dieu, il n'y a là rien d'original, si ce n'est un ton étrange de piété, de nostalgie sensuelle pour cette vie qu'il condamne parce qu'il la sent lui échapper. Quand, tout imprégné par la philosophie de l'Inconscient, il s'efforce de mettre en pièces le monde objectif, il s'épuise vite : il n'a pas, comme il l'aurait voulu, une voix assez forte pour être le « sanglot de la terre ». Et son pessimisme boudeur réussit mieux à décrire quelques objets repoussants, comme les linges souillés d'un hôpital qu'il compare à ceux de l'Église ! Pourtant — et c'est une de ses qualités — il ne se prend pas toujours au sérieux. L'ironie est la dernière ressource de son désespoir ; il lui arrive souvent d'achever ses graves méditations métaphysiques par quelque pirouette comme : « Je fume au nez des dieux de fines cigarettes. » L'ironie, comme la tristesse ou la révolte, joue le rôle d'une défense. Et sa poésie révèle ici un trait accentué de son caractère : de fait, il est victime d'une crainte exacerbée d'être dupe. Aussi peut-on juger qu'il n'est nulle part meilleur que dans ses chansons populaires, goguenardes, mais parfois coupées de plaintes simples et vraies. Dans *Les Complaintes*, Laforgue parvient à triompher de ses manies métaphysiques, il s'abandonne au désordre de son inspiration et saisit au vol les éléments d'un tableau plein de finesse et de mouvement. C'est alors que sa tristesse s'exprime le mieux, mélancolie qui se rapporte bien moins à quelque méditation cosmique qu'aux banalités d'une existence médiocre : « Ah ! que la vie est quotidienne » ; voilà le fond de son désespoir : « Oh ! riches nuits ! je me meurs, / La province dans le cœur ! / Et la lune a, bonne vieille, / Du coton dans les oreilles. » Désir des filles (« deux sous de regards et tout ce qui s'ensuit ») ; envie d'être aimé, peine de ne pas l'être : « Ah ! j'ai du cœur par-dessus la tête, / Oh ! rien partout que rir's moqueurs ! » Laforgue n'est plus, dans ces moments, qu'un grand étudiant sentimental, qui se donne des airs de cynique et ne répugne pas à des farces de carabin. Il est en définitive plus vrai, comme dans le célèbre poème : « Je ne suis qu'un viveur lunaire... » Pourtant, ses poèmes occupent une place exceptionnelle dans la littérature contemporaine : personne comme Laforgue n'a usé et abusé de toutes les ressources du vers libre. Et il suffirait qu'il ait influencé Apollinaire ou T. S. Eliot pour qu'on ne perde pas de vue ce témoin exceptionnel de la poésie fin de siècle.

POÉSIES de Lahuti. Abo-l-Kasem Lahuti (1887-1957), poète de langue persane et révolutionnaire iranien, publia plusieurs recueils de poésie. Peut-être encore beaucoup plus que chez d'autres poètes persans, les vers de Lahuti furent marqués par sa vie et l'on ne peut guère dissocier son activité politique de son activité poétique. Alors que d'autres poètes préparèrent et facilitèrent l'avènement de la Constitution en Iran, Lahuti fut un des rares poètes de cette époque qui alla plus loin et prêcha la révolution sociale. Il se forma politiquement sous l'influence que laissèrent à travers l'Orient la révolution russe de 1905 et surtout celle de 1917. Déjà en 1906 le journal persan *Habl-ol-matin* paraissant à Calcutta publia son premier ghazal, inspiré par la lutte sociale et le désir ardent de la liberté. Ce ghazal lui valut déjà une certaine notoriété. Reprochant aux constitutionnalistes leur attitude germanophile et pro-turque au cours de la Première Guerre mondiale, il s'en sépara. Ne cessant pas d'en appeler à la révolution, après une brève activité de journaliste dans sa ville natale de Kermanshah, il dut s'éloigner et s'installa pour quelque temps à Istanbul. C'est là qu'il dirigea avec 'Ali Nowruz, à partir du printemps 1921, un périodique en persan où il publia de nombreux poèmes, avant d'être réhabilité par le shah Ahmad, dernier de la dynastie des Qajars. Lors du soulèvement de Mirza Kučik Ḫan, Lahuti se joignit à ce dernier et occupa avec ses partisans la ville de Tabriz. Mais lors de la liquidation du mouvement, Lahuti dut s'exiler. Il gagna l'U.R.S.S. et se fixa dans la République socialiste soviétique du Tadjikistan, la langue tadjik étant une des langues iraniennes et très proche du persan. Il y continuera ses activités littéraire et politique, ne séparant presque jamais l'une de l'autre. Son œuvre appartient donc aussi bien à la littérature tadjike.

Dans son œuvre poétique Lahuti a consacré une place importante à la femme. Un recueil de vers intitulé *À la jeune fille iranienne* [*Bedoħtar-e Iran*] fut commencé à Istanbul en 1918. On y lit : « Ne mets plus jamais ce voile », ou encore dans le poème « À mon camarade sous le voile » il exprime l'idée que tous les domaines de la vie sociale doivent être accessibles à la femme : condition primordiale à l'égalité réelle et à l'accomplissement de sa tâche initiale, la plus importante : l'éducation des enfants. Le poète pense que la libération de la femme ne peut naître que de la révolution sociale. C'est la révolution qui brisera une fois pour toutes les chaînes qui l'entravent. En 1946 Lahuti publie à Moscou son *Divan,* en persan, et écrit une élégie « Le Kremlin » [Kreml], restée célèbre comme une des meilleures élégies de la poésie classique persane. Le caractère vigoureux de sa poésie, une sincérité rare chez ses contemporains, la grande variété des mètres ingénieux et des formes poétiques mais aussi sa prédilection pour le langage de chaque jour qui le rend accessible à tous, enfin le point de vue révolutionnaire toujours présent chez lui font de Lahuti une des grandes figures de la poésie.

POÉSIES de Larbaud. Recueil de poèmes de l'écrivain français Valery Larbaud (1881-1957), appartenant à l'ensemble intitulé *A. O. Barnabooth. Ses œuvres complètes, c'est-à-dire un conte, ses poésies et un journal intime,* publié en 1913. Composés entre 1902 et 1908, les poèmes de Larbaud paraîtront pour la première fois à cent exemplaires en 1908 chez Vanier (où l'auteur avait fait paraître en 1901 une traduction de Coleridge), sous les deux titres, l'un pour la presse, l'autre en librairie, de *Poèmes par un riche amateur,* et du *Livre de M. Barnabooth précédé d'une vie de M. Barnabooth par X. M. Tournier de Zamble.* La fiction du personnage de Barnabooth et de son secrétaire est dans cette première édition poussée à l'extrême, sans aucune volonté de tromperie, la mystification étant trop manifeste, et la diffusion confidentielle. Après la suppression d'une quinzaine de poèmes, et la réécriture de certains autres, l'ensemble, fortement remanié, paraît de façon définitive en 1913, sous le nom d'auteur de Valery Larbaud, présenté comme un exécuteur littéraire, prolongeant ainsi la fiction de 1908. Cette nouvelle édition fut surtout marquée par l'ajout du *Journal intime de Barnabooth,* estompant quelque peu les *Poésies* dans l'œuvre de Larbaud. Prose, journal et poésie : on insistera pourtant sur la cohérence de l'ensemble du Barnabooth, d'où provient une grande partie de son charme et de sa drôlerie, de son ambiguïté aussi. Ainsi les *Poésies* jouent-elles sur la double paternité Barnabooth / Larbaud. De la première, et ce fut là volonté délibérée, le recueil tire une liberté de ton, une provocation, voire un cynisme qui fut reproché, surtout en 1908 (« Je suis un riche, naturellement bon et vertueux »), bref la création d'un personnage écran à qui l'on peut faire tout dire, et qui sera à la fois ridicule, amoureux et poète. De là un style qui rappelle la fin du XIXe siècle, et des inventions qui, en 1908-1913, n'auront rien à envier à quelques plus illustres poètes, encore à venir à cette date — on voudra bien se souvenir qu'avant 1914 la poésie française n'est pas encore placée sous le signe de la grande liberté. De la seconde, et en la sublimant à l'échelle du milliardaire, le recueil tire ces images nées d'un tour de l'Europe et d'un voyage en Algérie, traduites dans un lyrisme vers-libriste qu'on a souvent et à raison rapproché de Walt Whitman, tant il est vrai que l'influence du poète américain fut réelle sur le grand lecteur qu'est Larbaud. Celui-ci n'hésite pas à employer anglicisme et hispanisme, qui vont dans le sens de son cosmopolitisme, le jeu des pastiches drôlement menés ajoutant à la confusion. Le recueil, dans sa version de 1913, est divisé en deux parties, *Les Borborygmes* (vingt-six poèmes) et *Europe* (douze poèmes) qui forment une sorte de catalogue d'impressions de voyages, une tentative de captation du mouvement, du souvenir des femmes et des nostalgies d'enfance, du plaisir d'évoquer des noms propres. L'expression d'une poésie quelque peu décapante fut affirmée par Larbaud qui se voulait, comme nous l'apprend une de ses conversations avec Léon-Paul Fargue, le « successeur de Laforgue, de Rimbaud et de Walt Whitman ». Mais, tout en gardant à l'esprit l'humour d'une telle déclaration, on n'oubliera pas ici la saveur de ses poésies, un plaisir que Larbaud a su rendre rare. Il n'écrira plus de poèmes, sauf à de rares exceptions, après *A. O. Barnabooth* (*). V. W.

POÉSIES de La Tailhède. Œuvre du poète français Raymond Gagnabé de La Tailhède (1867-1938), publiée en 1926. Outre des poèmes précédemment édités, ce recueil rassemble deux livres d'odes, des hymnes, des sonnets, les « Premières poésies », le « Tombeau de Jules Tellier », le poème « La Métamorphose des fontaines ». Chacune de ces pièces atteste un parti pris de culture classique et d'hellénisme. La Tailhède, fervent disciple de Moréas, auquel il dédie la plupart de ses poèmes, « fidèle à la prosodie traditionnelle et au culte du passé littéraire de la France », ami de Charles Maurras en collaboration de qui il composa un *Débat sur le romantisme,* s'attacha dans son œuvre à la seule rigueur d'expression pour évoquer, dans la froide lumière des « friperies mythologiques », soit la vertu des Anciens (« En ma lyre accordée éclate assez la preuve / Que je puis des anciens égaler la vertu »), soit l'héroïsme de leurs modernes suiveurs (« Il me semble que j'erre en un Hadès brumeux / Et qu'il n'existe pas de vivants hormis ceux / Qu'anime mon regard, que mon esprit dénombre... »). Citons, pour mémoire, l'« Ode triomphale à la gloire de Jean Moréas », composée à l'occasion du dixième anniversaire de sa mort ; l'« Éloge d'Athènes », qui nous restitue une Grèce singulièrement inanimée ; les hymnes « Pour la couronne », « Pour la victoire », « Pour la gloire », où se mêlent à la faune olympienne les figures de Moréas et de Du Plessis ; « Les Triomphes », qui sont ceux de la Tailhède lui-même (« Je suis resplendissant comme les nuits sans lune, / J'ai la noblesse et la vaillance des héros ») ; enfin « La

Métamorphose des fontaines », poème savant sur les divinités agrestes.

POÉSIES de Lautréamont. Cette œuvre de Lautréamont (Isidore Ducasse, 1846-1870) ne fut connue partiellement qu'en 1891, puis dans sa totalité en 1920 ; Ducasse avait cependant fait imprimer deux plaquettes en 1870, qui contenaient respectivement la première et la deuxième partie de cette œuvre. Œuvre d'un des esprits les plus lucides et les plus étranges de son temps, *Poésies* se pose délibérément comme un déni des *Chants de Maldoror* (*). Si ces derniers sont la « revanche de l'irrationnel, l'affirmation des forces obscures, l'explosion volcanique de nappes souterraines incandescentes », il n'en demeure pas moins vrai qu'ils furent, consciemment, élaborés par un poète « en voie de formation », qui propose au lecteur, avec cynisme, d'assister à cette étrange parturition. De ce travail, Isidore Ducasse sortit Lautréamont. « Non seulement les six chants n'étaient pas dans sa tête [au moment où il les entreprit], mais cette tête n'existait pas encore, et le seul but qu'il pouvait avoir, c'était cette tête lointaine, cette espérance... » L'homme écrit, mais inversement l'écriture enfante l'homme. La démarche de l'esprit créateur est ici consciemment soumise au contrôle de la création elle-même. Il y a réaction de l'une sur l'autre. L'« ouvrage en cours » puise, au fur et à mesure que s'explique l'artisan dans sa propre éclosion, les raisons de se poursuivre. Poème et poète, liés dans cet effort de lucidité suprême, défiant d'ailleurs constamment le lecteur, aboutissent à une véritable transposition de personne, qui ne se reconnaît plus et s'étonne de l'étrangeté de la métamorphose. À cette « méthode » d'exaspérée délivrance succède immédiatement l'apologie du joug contraire, l'assouvissement à la plus « éhontée » banalité. Suprématie de l'irrationnel, exaltation des forces du mal et de rébellion, les *Chants,* en donnant le jour à Lautréamont, l'amènent le plus logiquement du monde, puisqu'il s'agit d'être excessif, à se renier pour se rejoindre finalement dans la rupture, « non pas un reniement portant sur le sens des mots ou sur les mots seuls, mais une négation véritable, un sacrifice à toute sa personne, pour rejoindre, glorifier et assurer le froid mouvement de la raison impersonnelle ». Il est impossible de ne pas considérer les *Poésies* comme l'expression la plus authentique de Ducasse, au même titre que *Les Chants de Maldoror,* malgré leur complète antinomie. Au « non » absolu des *Chants* succède le « oui » absolu, à la révolte, une théorie du conformisme. Et cela avec « une telle volonté de simplification, et un tel cynisme qu'il faut bien que cette conversion ait un sens ». « Poésie I » passe en revue le nihilisme et la révolte de son époque, qui est le romantisme. « Les gémissements poétiques de ce siècle ne sont que des sophismes. » Et d'énumérer rageusement « les perturbations, les anxiétés, les dépravations, la mort, les obscurités, le lugubre, les préfaces insensées... », qui sont les thèmes chers aux insoumis d'alors. On a dit que la meilleure explication des *Chants de Maldoror* nous était donnée par les *Poésies* : « Le désespoir, se nourrissant avec un parti pris de ces fantasmagories, conduit imperturbablement le littérateur à l'abrogation en masse des lois divines et sociales, et à la méchanceté théorique et pratique. » Le remède à ce mal, Lautréamont le trouve — ou le donne — dans un conformisme forcené, et, désespérément, il s'écrie : « Avec ma voix et ma solennité des grands jours, je te rappelle dans mes foyers déserts, glorieux espoir. » Il est temps de réagir contre les « têtes crétinisantes » (dont il se vantait d'être dans les *Chants*) et d'instaurer la « poésie de tous », qui n'est pas la tempête, mais un « fleuve majestueux et fertile ». Après une violente invective contre les « dadas de bagne » que sont les héros romantiques, stigmatisant le contresens de la description de la douleur et de la violation du devoir prônées par les « Grandes-Têtes-Molles », le poète propose une sorte de poésie morale, pacifiante et éminemment didactique. C'est « Poésie II ». Quelle sera-t-elle ? Il lui faut d'abord un code, un règlement disciplinaire, qui se présente naturellement sous forme d'aphorismes, de maximes paradoxales, exaltant la raison, la bonté et la sagesse (« Je remplace la mélancolie par le courage, le doute par la certitude, le désespoir par l'espoir, la méchanceté par le bien »). Il s'agit de restaurer l'homme dans sa dignité, bafouée à jamais par Maldoror, de bête noble. Une inquiétante apologie de la raison s'étale avec la sérénité voulue : « L'homme est certain de ne pas se tromper [...] Les grandes pensées viennent de la raison [...] L'analyse des sentiments prime sur les sentiments [...] Les tragédies, les poèmes, les élégies ne primeront plus. Primera la froideur de la morale. » Autant de folies outrageusement « raisonnables », nécessaires cependant à équilibrer la déraison lucide des *Chants.* Une mystérieuse volonté d'expiation fait que Ducasse se charge lui-même, au terme de l'expérience la plus irrationnelle, de chaînes « plus lourdes que celles dont il voulut se libérer ». Le parti pris est évident. Il n'en est pas moins sincère. L'homme est désormais « vide d'erreurs », « rien ne l'abuse ». Dieu lui-même, en la personne incontestée d'Élohim, « plutôt froid que sentimental », apparaît comme le souverain maître du bien et du mal — entendons du mal surtout. Il importe de lui prouver attachement et reconnaissance en « consolant l'humanité ». Le poète, enfin, qui a « le droit de se considérer au-dessus des philosophes », jouera dans cette science future le rôle de mentor qui lui revient. Car il s'agit d'une science : « La science que j'entreprends est une science distincte de la poésie. Je ne chante pas cette dernière. Je m'efforce de découvrir sa source. » Que de revendications dans cette soumission !

Tel est l'étrange et nouveau bréviaire du révolté Ducasse. Le conformisme, a-t-on dit, est une des tentations nihilistes de la révolte. Mais, à ce point, il devient insolite. D'une sincérité incontestable – part faite au rôle à jouer, à la résonance cabotine et tragique du ton –, les *Poésies* conserveraient peut-être ce tour impersonnel qu'elles ont cherché et ne solliciteraient guère l'adhésion du cœur, n'étaient quelques cris qui échappent au poète, singulièrement celui de la fin à propos de la mort : « Tant que mes amis ne mourront pas, je ne parlerai pas de la mort », affirmation que, d'ailleurs, en un dernier « haussement d'épaules », il s'empresse de rendre dérisoire. Si la lecture des *Chants de Maldoror* « est un vertige », celle des *Poésies* est proche d'un serrement de cœur. On croit avoir tout dit – déjà – de Lautréamont ; on continuera néanmoins de creuser ce mystère, car lui-même – il s'agissait de l'homme en général, mais combien plus de Lautréamont en particulier – n'a-t-il pas affirmé une fois pour toutes : « Rien n'est dit » ?

POÉSIES de Lely. Ce volume regroupe en une œuvre unique (première édition 1969) tous les recueils antérieurs, sans cesse repris et corrigés, de l'écrivain français Gilbert Lely (1904-1985). L'édition définitive (1990) comprend *Ma civilisation (Arden ; Le Fiancé inquiétant ; Le Château-Lyre)* ; *La Folie Tristan* (du manuscrit d'Oxford, devenu un magnifique poème de 756 octosyllabes qui en dégagent la grâce, en enhardissent le mouvement et en accroissent la vigueur et l'émotion) ; *L'Épouse infidèle ; La Parole et le Froid,* ainsi que des poésies sotadiques (érotiques) : *Kidama Vivila ;* un poème dramatique : *Solomonie la Possédée,* et *Clio, Sotadès, Charcot.* Nue sous la langue, royale sous le diadème de l'évidence, la poésie de G. Lely, dans sa concision diamantine, a la beauté d'un testament de lumière. Sise à même l'ensellure frémissante des mystères de l'Éros, elle veut « vêtir les ossements dispersés de l'amour » de la chair baptismale et tactile d'une langue incorruptible. Exaltation réciproque de l'instinct et de l'esprit, de la lucidité et de l'extase, incessamment remaniée – « chaque phrase vingt fois récrite / Parce qu'il n'est rien d'ineffable au prix d'un long acharnement » – elle célèbre les signes qui fondent « sa » civilisation... avec ses hauts lieux, ses dates majeures, son iconographie charnelle et sa géographie désirante. Emblème d'une vie hantée par l'ombre de Sade – ange tutélaire, aïeul médiateur et tremplin vertigineux – l'œuvre de Gilbert Lely, comme écrite à même la peau, fascine à la façon d'un enfer enluminé aux couleurs du paradis. R. Bl.

POÉSIES de Lemay. Les dix volumes de poèmes publiés par l'écrivain canadien d'expression française Pamphile Lemay (1837-1918) marquent une transition importante dans l'histoire de la littérature canadienne. Dans son épopée des *Vendanges* (1875), Lemay se montre encore très soumis à l'influence romantique à laquelle il avait été initié dans le cénacle d'Octave Crémazie. Comme ce dernier, il a le goût des grandes épopées de la Nouvelle-France et chante les combats des Européens et des Iroquois : il y réussit assez mal et le souffle de sa poésie manque de puissance pour les grandes fresques épiques. Le recueil des *Gouttelettes*, publié en 1904, témoigne d'une évolution radicale : ces cent soixante-quinze sonnets, dont certains sont parmi les meilleurs de la poésie canadienne, découvrent un visage tout différent de l'auteur ; entre les deux œuvres, Lemay a compris que l'épopée n'était pas accordée à son caractère. D'autre part, sous l'influence nouvelle des parnassiens, et surtout de Heredia, il montre un beau souci de perfection dans la forme. Ses tableaux religieux, inspirés par l'*Ancien Testament*, sont encore, il est vrai, peu émouvants : Lemay s'attache trop aux détails extérieurs du récit de l'Écriture, qu'il transpose sans la transfigurer. Son vrai domaine est celui des scènes familières : descriptions de travaux rustiques, peintures de la vie domestique et de la nature canadiennes, évocations de bruits de cloches, d'hymnes et de cantiques où il unit intimement le profane et le sacré dans un profond sentiment de la terre et des morts. Lemay n'a pas abandonné, en effet, l'inspiration patriotique qui lui avait dicté son épopée des *Vendanges* : mais, au lieu de s'attaquer à des thèmes trop vastes, il crée, à la mesure du sonnet et à propos de petits événements, tantôt des portraits pleins d'émotion (« Champlain »), tantôt de véritables drames (« Le Château bigôt »). Avec *Gouttelettes*, le poète a ainsi trouvé sa voie véritable, qu'il suivra encore avec bonheur dans *Les Épis* (1914), animés par la même inspiration noble et morale, toujours soumise aux tours les plus naturels. Ces *Poésies*, dont on peut dire qu'elles renferment l'essentiel des traditions familiales, nationales et religieuses du Canada, donnèrent un ton nouveau à une littérature jusqu'alors peut-être trop esclave des grands thèmes patriotiques.

POÉSIES de Lenau [*Gedichte*]. Recueil de vers du poète allemand Nicolas Lenau (1802-1850), publié en 1832, puis en 1840 et en édition posthume (édit. définitive) en 1851. La poésie de Lenau est éminemment nostalgique, et mêle à un sentiment douloureux de la vie et du monde les thèmes fondamentaux de la nature, de l'amour, du doute en matière de religion, de l'amour de la musique enfin. Le sentiment de la nature suscite chez le poète de pittoresques évocations. Sa vie vagabonde lui ouvre des perspectives infinies : les steppes et les plaines de la Hongrie de son enfance, où, dans *L'Auberge de la Puszta* (*), l'image du cheval qui se profile à l'horizon se mêle à celle des nuées de l'orage, tandis que l'éclaircie vient apaiser l'anxiété du tzigane faisant avec la femme aimée une courte halte à l'auberge. Le tzigane est un personnage cher à Lenau, et nous le retrouvons dans « Les Trois Tziganes » [Die drei Zigeuner] (1837), musiciens vagabonds, symboles d'une sagesse à laquelle le poète aspire. La lointaine Amérique, où Lenau se rendit mais dont il revint déçu, lui inspira les poèmes « Au Niagara », « Forêt vierge », « Trois Indiens ». Mais cette nature lui demeurait étrangère et il ne retrouve ses meilleurs accents qu'avec les « Chants de la forêt » (1844). Le pessimisme, qui gouverne l'œuvre de Lenau, répond au goût romantique du poète pour la « volupté de la souffrance ». Il tire en outre son origine d'une crise religieuse datant de l'adolescence. Lenau nous dit qu'après avoir perdu la foi et la paix du cœur il ne connut plus dès lors qu'une suite d'amours malheureuses. Ce double thème amoureux et religieux lui dicta « La Chapelle de la forêt » (1828). Lotte Gmelin, la fiancée qu'il ne put épouser, lui inspira les « Chants des joncs » (1832). C'est également de cette période que date la célèbre ballade « Le Postillon » [Der Postillion], poème qui inspira nombre de peintres et dessinateurs. L'atmosphère magique d'une nature évoquée dans ses aspects nocturnes et ses rapports mystérieux entre morts et vivants y dépasse le romantisme conventionnel du sujet. Il faut également rattacher à la crise religieuse le poème « Savonarole » (1837), volet d'une trilogie jamais complétée, consacrée à l'exaltation de la liberté religieuse et tirée de l'étude des Pères de l'Église et des mystiques. Le poète, alors attiré par le christianisme, l'écrivit sur les instances de son ami Martensen et de Sophie von Löwenthal. La passion de Lenau pour cette dernière, qui dura dix ans, jusqu'en 1844 — année qui marque le début de sa folie —, ne fit qu'accroître son pessimisme. Le sentiment désolé de la solitude, qui arrache des larmes au héros du « Fugitif polonais » (1834), se muera par la suite en un sombre désespoir, jusqu'aux derniers poèmes, datés de septembre 1844 : « Regard dans le torrent » et « Pur néant », où la vie est qualifiée de « vaine errance ». Lenau montre plus d'une affinité avec les premiers romantiques (Schelling en particulier) dont il partage le sentiment de la nature. Il subit, en outre, l'influence de Goethe, Eichendorff et même Byron. Mais son inspiration n'en demeure pas moins originale et très personnelle. « Épris de musique... malade de musique, lié au monde par des rapports musicaux », le poète reste toujours un visionnaire, comme en témoigne sa poésie traversée d'éclairs et riche en mythes de toutes sortes. Il arrive que cette primauté accordée à la musique le porte à se satisfaire de simples improvisations, d'où les inégalités que l'on relève dans son œuvre. Néanmoins, lorsque Lenau conserve la pureté de son style, il atteint à des accents proprement admirables qui n'ont rien perdu de leur vigueur. — Trad. *Poèmes et poésies*, chez Savine, 1892 ; Aubier-Montaigne, 1969.

POÉSIES de Liliencron. Les poésies de l'écrivain allemand Detlev von Liliencron (1844-1909) parurent en plusieurs volumes et obtinrent, vers la fin du XIXe siècle, un très vif succès en Allemagne et à l'étranger. À la publication de son premier volume : *Chevauchées d'un aide de camp* (*), l'auteur avait presque atteint la quarantaine, s'étant jusqu'alors entièrement consacré à sa carrière d'officier de cavalerie. L'essentiel de sa production poétique ne pouvait donc que s'inspirer de la vie militaire, dont il décrit les aspects les plus variés. D'autres recueils suivirent : *Poésies* [*Gedichte*, 1889], *Le Passant de la lande et autres poésies* [*Der Heidegänger und andere Gedichte*, 1890], *Poésies nouvelles* [*Neue Gedichte*, 1893], *Combat et jeux* [*Kampf und Spiele*, 1897], *Proie multicolore* [*Bunte Beute*, 1903], *Bonne nuit* [*Gute Nacht*, 1909]. Les meilleurs poèmes de Liliencron sont les plus courts (douze, huit et même quatre vers) : un mort dans un champ de blé, la tombe d'un inconnu, un champ de bataille sous la lune, la charge, autant de tableaux impressionnistes où le poète fixe, en quelques traits évocateurs, le meilleur de ses expériences et de ses souvenirs. Les spectacles de la nature ont également inspiré Liliencron, et en particulier l'âpre paysage de son Holstein natal avec sa population humble, pauvre et taciturne, cimentée par une foi et des sentiments frustes mais profonds, toute une humanité dont le poète se fait l'interprète. L'amour est loin d'être oublié dans ces poèmes : l'amour à la hussarde, s'entend, et autres subtilités. Plus tard, un brin de sérénité viendra tempérer cette verve. On retrouve le lyrisme de ce recueil dans les *Nouvelles de guerre*.

POÉSIES de López Velarde [*Poesías completas*]. Les poésies du Mexicain Ramón López Velarde (1888-1921) comprennent trois recueils : *Le Sang dévot* [*La sangre devota*, 1916], *Sens dessus dessous* [*Zozombra*, 1919] et *Le Son du cœur* [*El son del corazón*, 1931]. Malgré la brièveté de sa vie et de son œuvre, cet écrivain a exercé sur la poésie sud-américaine moderne — notamment sur les Argentins Silvina Ocampo et Ricardo E. Molinari — une influence incontestable. Compte tenu des différences de genre et d'époque, on peut dire de lui, comme de Juan de Alarcón, dramaturge mexicain du XVIIe siècle, qu'il a puissamment contribué à donner un accent américain à la littérature de langue espagnole : de là ce ton discret, voilé, et plus précisément mexicain qui lui est propre, cette « couleur crépusculaire » de tant de ses poèmes où se reflète l'âme nationale (ainsi, dans « Suave patria », sa poésie la plus célèbre, dont les strophes ont le velours de la mélancolie). Poète plus régional que national, López Velarde excelle à exprimer le charme de la province mexicaine avec ses odeurs, ses lumières et ses musiques étouffées. Il s'attache moins au pittoresque extérieur qu'à l'intimité des gens, des bêtes et des choses. Quant à la forme proprement dite, son originalité consiste surtout dans l'imprévu de ses traits et ses subtiles dissonances.

POÉSIES de Luis de León [*Poesias*]. Recueil de compositions lyriques du poète et mystique espagnol Luis de León (1527-1591), publié en 1631 par les soins de Francisco de Quevedo qui voyait en elles un modèle d'art classique, d'inspiration sincère, pouvant être opposé aux déviations intellectuelles du « cultisme » triomphant. Ces *Poésies*, présentées dans le même ordre que les manuscrits autorisés par l'auteur, se divisent en trois parties : 1) des compositions originales ; 2) des traductions plus ou moins fidèles du latin (églogues de Virgile, odes d'Horace et une élégie de Tibulle), du grec (une ode de Pindare) et de l'italien (chansons et sonnets de Pétrarque, de Bembo, etc.) ; 3) les versions — et quelquefois de larges paraphrases — d'une vingtaine de *Psaumes* (*) et de quelques chapitres du *Livre de Job* (*). Mais c'est surtout dans ses propres poèmes qu'apparaît la personnalité de Luis de León. Ce sont les recueillements, les libres méditations d'une âme qui se réfugie, loin du monde, dans les vérités éternelles. Liberté et spiritualité : voilà, en effet, ce qui caractérise l'œuvre poétique de ce frère augustin. Et la liberté, c'est pour lui le pouvoir de réaliser l'ordre intérieur auquel, d'instinct, nous aspirons, cet ordre qui préside aux harmonies de la nature, à la sérénité des cieux, à la grandeur infinie de toute chose créée. C'est ainsi que, chez Luis de León, l'églogue virgilienne ou l'épicurisme à la manière d'Horace le cèdent bientôt à un chant plus profond : celui d'une âme éprise de paix, dans le silence de la nature. De cet ordre, de cette harmonie, le poète, en son cœur, perçoit le rythme secret, écoute la musique sans paroles, et ses yeux voient se dessiner dans le ciel le rire innombrable des étoiles. Ses poèmes les plus suggestifs (« La Vie de retraite » [Vida retirada], « La Nuit sereine » [Noche serena], « À Francisco Salinas », « À Felipe Ruiz », etc.) sont des modèles de composition, de clarté cristalline, où l'image reflète toutes les nuances d'une pensée que la foi illumine. Une nostalgie aussi haute a pour suprême aboutissement la vision de Dieu, cause première de tout, révéré en lui-même et aussi dans la personne de son Fils. Ainsi furent composés ces poèmes d'un mysticisme ardent et joyeux, consacrés à la Vierge, à la communion des saints, à l'Ascension, où la soif de connaître fait place au règne de l'amour. — Trad. Éd. du Seuil, 1946, puis *Poésies complètes*, trad. de Bernard Sesé, éd. Obsidiane, 1985.

POÉSIES de Lulle. L'attention que l'on porte à l'œuvre poétique du catalan Raimond Lulle (Ramón Lull, 1235-1315) est relativement récente. Ses vers, en effet, comme ceux de saint Jean de la Croix, ont longtemps pâti de la gloire échue au théologien et au mystique. De même que Menéndez y Pelayo découvrit en 1881 le poète carmélitain, c'est à Milà y Fontanals que l'on doit la révélation tardive des poésies de Lulle, qui composa « en bell catalanesc » des poèmes simples et émouvants. La critique moderne — en particulier Alòs Moner (*Poésies*, Barcelone, 1925) — lui attribue seize compositions, de tons et de mesures différents, mais toutes imprégnées d'une profonde religiosité. Il est probable, cependant, que le futur théologien mystique avait déjà composé des poésies profanes avant sa conversion, survenue en 1265, vers sa trentième année. Cette opinion, exprimée par Sugranyes de Franch dans *La Personnalité poétique et mystique du bienheureux R. Lull* (« Nova et Vetera » — I, 1942), paraît d'autant plus vraisemblable que, dès 1275 environ, date à laquelle parut le « Plan de Nostra Dona Santa Maria », Raimond Lulle, dans ce domaine, avait déjà atteint à la perfection. Il est aussi à peu près certain que ce savant — le premier « scolastico popolare » qui ait employé une langue néo-latine dans les traités de théologie et de philosophie —, donna également l'exemple lorsqu'il écrivit ses poèmes, non plus en provençal comme c'était l'usage, mais en catalan. Les poèmes de Lulle sont de trois sortes : les poésies lyriques dans le genre troubadour (« A vòs, Dona Verge Santa Maria », « Sènyer vers Deus, rei gloriòs ») ; les compositions en mètres épiques français (« Desconhort », « Plant de Nostra Dona ») ; celles enfin dont le rythme est populaire, comme le « Dictat de Ramon ». C'est une œuvre sincère, spontanée, d'une tendresse primitive et comme jaillie des profondeurs médiévales, encore que le poète ne réussisse pas toujours à dépasser le stade d'une inspiration trop exclusivement cérébrale. Souvent, Lulle — en cela semblable à Jacopone da Todi — demande à la forme poétique de donner un contour plus net à des pensées de théologie ou de philosophie. Mais l'élan lyrique emporte tout dans des poèmes comme « Il Cant de Ramon », cette confession émouvante dans laquelle, humblement, il se dépeint « hom vell, paubre, menyspreat ». Une autre fois, le franciscain, si ardent pour la conversion des Sarrasins, se désole d'être incompris par les chefs de la Chrétienté : son chant, alors, se fait mélancolique. À d'autres moments, le vieux philosophe, revenu aux tendresses de l'enfance, s'écrie avec émotion : « Ô Jesùs, en Betlemnat, / tu es home deificat / e es Dèus hominificat. » Dans le « Plant de Nostra Dona

Maria », la passion douloureuse et sincère de Lulle aurait brossé un poignant tableau des souffrances de la Madone, n'était cette complaisance excessive qu'il met à conter ce récit. En revanche, l'émotion est souveraine, sans la moindre trace de didactisme, dans les compositions suivantes : la « Medicina de pecat », l'« Aplicaciò de l'Art general », les « Proverbis » et « Lo Concil », composé à l'occasion du concile de Vienne de 1311. Aux œuvres poétiques proprement dites de Lulle, il convient d'ajouter *Le Livre de l'ami et de l'aimé* (*), qui forme la cinquième partie de son roman *Blanquerna* (*). Ce dialogue mystique entre l'âme et Dieu, qui tendrement se déroule en un fabuleux paysage d'Orient, est peut-être le chef-d'œuvre du poète.

POÉSIES d'Antonio Machado. L'œuvre du poète espagnol Antonio Machado (1875-1939) s'est constituée entre le tout début du siècle et la Seconde Guerre mondiale. *Solitudes* [*Soledades*] est le premier recueil, publié en 1903, par le jeune écrivain imprégné aussi bien de la lecture des classiques espagnols que des symbolistes français, notamment Verlaine, pour qui il eut une vénération. Le livre est le reflet du « modernisme » triomphant (couleurs, tonalités, musique, thèmes) inauguré par Rubén Darío, idole d'une minorité choisie, « le maître incomparable de la forme et de la sensation », comme dit Machado. Juan Ramón Jiménez rend compte avec ferveur de ce premier livre. Allégé de treize compositions, augmenté de nouveaux poèmes, modifié par endroits, ce livre reparaît en 1907 sous le titre de *Solitudes. Galeries. Nouveaux poèmes.* [*Soledades. Galerías. Otros poemas*]. Voulant se démarquer de l'empreinte excessive du « maître incomparable », le poète cherchait ainsi sa voie : « Je pensais que l'élément poétique n'était pas le mot pour sa valeur phonique, ni la couleur, ni la ligne, ni un ensemble de sensations, mais une profonde palpitation de l'esprit ; ce que met l'âme, si elle met quelque chose, ou ce qu'elle dit, si tant est qu'elle dise quelque chose, avec sa propre voix, en réponse animée au contact du monde. Et je pensais même que l'homme peut surprendre quelques paroles d'un monologue intime, en distinguant la voix vivante des échos inertes ; qu'il peut aussi, en regardant en soi-même, apercevoir les idées cordiales, les universels des sentiments. » C'est dans cette veine de l'introspection intimiste, souvent nostalgique ou dolente, que sont écrites les plus belles compositions du livre : « Dans l'atmosphère de l'après-midi / flotte cet arôme d'absence / qui dit à l'âme lumineuse : jamais, / et au cœur : attends » (VII). « Et le démon des songes ouvrit le jardin enchanté / de l'hier. Qu'il était beau ! Avec quelle splendeur le passé / suggérait le printemps / quand le fruit pendait à l'arbre d'automne, / misérable fruit pourri, / qui dans son trou amer / garde caché le ver ! » Dans la tradition du *Cancionero* (*) populaire médiéval, sous l'influence plus immédiate de Bécquer, mêlée à celle du symbolisme français, le poète invente un univers original, moins par ses thèmes que par le réseau d'images qui s'y dessine : les villes mortes, le soir (*la tarde*), les jardins et les parcs, l'eau des fontaines ou des étangs, le chant des enfants, les galeries et les chemins perdus... Les demi-teintes, les couleurs vives ou délicates, les tonalités alternées de lumière et d'ombre composent avec bonheur des paysages ou des décors à la frontière de l'âme ou du réel. L'intuition lancinante du mystère présent au cœur des êtres et des choses, plus accentuée à ses débuts, restera la marque permanente du lyrisme de Machado. Il s'agit, comme il dit, d'écouter « la voix vive, non les échos inertes ». C'est cette attention à l'expression, ou aux manifestations de l'Être, au sens métaphysique du terme, qui donne ainsi à ce poète sa gravité et son originalité dans la célébration des deux thèmes majeurs, la mort et l'amour, dont il ne cessera d'être hanté. *Champs de Castille* [*Campos de Castilla*], publié en 1912, répond au vœu que Machado exprimait dès 1904 : « ... Je ne puis accepter que le poète soit un homme stérile, fuyant la vie pour se forger chimériquement une vie meilleure ou jouir de la contemplation de soi-même ; ne serions-nous pas capables de rêver les yeux ouverts à la vie active, la vie militante ? » « L'essentiel castillan », selon l'expression du poète, oriente l'inspiration. Les hautes terres de Soria, les paysages ou les habitants de la Castille, souvent projetés dans la perspective de l'histoire nationale, avec ses grandeurs et ses déboires, donnent lieu à de superbes et puissantes compositions emportées par un souffle épique : « Sur les bords du Douro », « Par les terres d'Espagne », « Le Dieu ibère », « Rives du Douro », « Les Chênes », « Terres de Soria ». Si l'idéologie de la « génération de 1898 » se reflète parfois dans ces poèmes, l'exaltation poétique et la qualité esthétique dépassent de beaucoup la conjoncture historique. « La Terre d'Alvargonzález », long « romance » de plus de sept cents vers, évoque l'histoire tragique d'une famille de paysans, doublée d'une méditation sur le mystère ou la malédiction du mal au cœur de l'homme. L'édition définitive de *Champs de Castille* (1917) contient d'autres compositions sur l'Andalousie, d'un ton plus acerbe ou plus violemment satirique sur les retards ou les travers d'une société écrasée par le poids de la tradition : « Du passé éphémère », « Complaintes des vertus et stances sur la mort de don Guido », « Le Lendemain éphémère ». La série des « Proverbes et Chansons » révèle un nouveau versant où le poète va se complaire souvent avec bonheur, celui de la poésie abstraite ou philosophique, en écho avec ses écrits en prose. Le livre s'achève par divers « éloges », à Giner de los Ríos, Ortega y Gasset, Rubén Darío, Unamuno... *Nouvelles Chansons* [*Nuevas Can-*

ciones], publié en 1924, repris et augmenté dans les éditions ultérieures des *Poésies complètes* (1928, 1933, 1936), est un recueil hétéroclite. Des compositions inspirées par le paysage ou le folklore d'Andalousie alternent avec des poèmes plus abstraits ou méditatifs, notamment dans la nouvelle série des « Proverbes et Chansons ». La partie intitulée « D'un chansonnier apocryphe » (1924-1936) s'accroît au cours des rééditions des *Poésies complètes.* Aux thèmes antérieurs s'ajoutent, en vers ou en prose, des méditations sur l'amour, le néant, l'altérité, le cosmos. Dans les « Ultimes lamentations d'Abel Martín » ou les « Chansons à Guiomar », les accents personnels, passionnés ou tragiques, prédominent. Il en est de même dans les « Poésies de la guerre ». Dans cette exaltation des combattants ou la lamentation accompagnant l'évocation des horreurs de la guerre se détache l'admirable élégie sur la mort de García Lorca, composée peu après l'assassinat du poète par les franquistes. « Ils ont tué Federico / quand la lumière apparaissait. / Le peloton de ses bourreaux / en face n'osait regarder... » Le thème de l'enfance, présent dès les premiers poèmes de jeunesse, se prolonge ici dans « La Mort de l'enfant blessé ». Reconnu d'abord comme une grande figure du symbolisme en Espagne, Antonio Machado fut ensuite considéré comme le chantre des valeurs de la génération de 1898, exaltant l'essence de l'Espagne. Pendant la guerre civile et l'après-guerre, on vit en lui la plus haute conscience poétique de son temps. Les dernières générations de poètes espagnols marquent une certaine distance à son égard. En fait, Antonio Machado, à l'instar de Juan Ramón Jiménez, a désormais pris place parmi les auteurs classiques de la littérature espagnole. — Trad. Gallimard, 1980. B. Se.

POÉSIES de Manuel Machado. Comme son frère Antonio Machado, l'écrivain espagnol Manuel Machado (1874-1947) se consacra surtout à la poésie. Ses deux premiers recueils, écrits en collaboration avec Enrique Paradas, sont le reflet d'une vie de bohème : *Tristes et Joyeux* [*Tristes y alegres*, 1894] et *Etcétera* (1895). Héritier du Parnasse et du symbolisme français, le modernisme littéraire espagnol va trouver en Manuel Machado un interprète délicat, célébrant aussi bien la vie parisienne que son Andalousie natale dans de nombreux recueils : *Âme* [*Alma*, 1902], *Caprices* [*Caprichos*, 1905], *La Fête nationale* [*La Fiesta nacional*, 1906], *Apollon. Théâtre pictural* [*Apolo. Teatro pictural*, 1911], *Chant profond* [*Cante hondo*, 1912], *Séville et autres poèmes* [*Sevilla y otros poemas*, 1919]. Une note plus grave s'exprime dans *Ars moriendi* ou *Phénix* [*Phoenix*, 1936]. Ses derniers recueils sont d'inspiration patriotique ou religieuse : *Heures d'or* [*Horas de oro*, 1936], *Cadences de cadences* [*Cadencias de cadencias*, 1942] et *Horaire* [*Horario*, 1947]. Il écrivit aussi, avec son frère Antonio, quelques pièces de théâtre : *Malheurs de la fortune ou Julianillo Valcárcel* [*Desdichas de la fortuna o Julianillo Valcárcel*, 1926], *Juan de Mañara* (1927), *Les Lauriers-Roses* [*Las Adelfas*, 1928], *La Lola s'en va aux ports* [*La Lola se va a los puertos*, 1929], *La Cousine Fernande* [*La prima Fernanda*, 1931], *La Duchesse de Benameji* [*La duquesa de Benamejí*, 1932], et enfin *L'Homme qui mourut à la guerre* [*El hombre que murió en la guerra*], qui demeura inachevé.

B. Se.

POÉSIES de Malherbe. Les odes, stances et sonnets du poète français François de Malherbe (vers 1555-1628) ont circulé de son vivant sous forme de copies ou de plaquettes et feuilles volantes imprimées, et surtout dans des recueils collectifs. L'un d'eux, en 1626, consacre la renommée de l'auteur : il contient soixante et une pièces rigoureusement choisies et ordonnées thématiquement, œuvres spirituelles, pièces encomiastiques à la gloire des grands, poèmes amoureux, divertissements de cour, consolations et épitaphes, le tout étant clos par une chanson ; telle est la seule édition préparée par Malherbe lui-même. Le caractère traditionnel de cette structure ne la prive pas de toute signification. D'emblée, le livre s'ouvre par le chant le plus grave, le sujet le plus grand, le dialogue avec le divin. Cette dignité la rend propre à la célébration des personnages royaux : « Et qui peut nier qu'après Dieu, / Sa gloire qui n'a point d'exemples, / N'ait mérité que dans nos temples / On lui donne le second lieu ? » Au temple de la parole, le poète est le grand prêtre : comme il en appelle à la foi des croyants, il convoque la ferveur nationale — représentée par le pronom « nous » omniprésent dans ses odes — et lui donne à contempler, incarné dans un héros, le mouvement de l'Histoire résumé en une vaste antithèse : « Ô que du siècle de nos pères / Le nôtre s'est fait différent. » Aux couleurs mythologiques du passé — temps barbare des hydres et des titans malfaisants — correspond le ton indigné du juge. À l'opposé, le présent, ancré dans le réel historique, est jugé plein de promesses : le poète devient prophète d'un âge d'or ; pour décrire celui-ci, il trouve les formes d'un lyrisme puissant ou les grâces du chant pastoral. Jamais il ne se départ d'une élévation noble et grave : la vigueur des cadences, la ciselure des formules, ramassées et éclatantes, ont frappé l'imagination des contemporains et n'ont pas manqué de susciter d'innombrables pastiches et copies plus ou moins adroits. Il s'agit de disposer le lecteur à admirer, dans un même temps, la grandeur de la matière du poème et l'adéquation de l'expression à son objet. Le poète et le prince sont ainsi placés dans une relation de stimulante émulation. « Quels doctes vers me feront avouer / digne de te louer ? » Le poète ne se contente pas de cette bienséante humilité, il excite la vertu et la valeur guerrière du prince en exaltant son appétit de gloire, car la gloire est l'objet de son chant ; plus la geste est éclatante et plus le chant est attiré vers sa perfection, seuls lauriers dignes du héros. Par cette nécessaire réciprocité, Malherbe redonne tout son sens à la poésie officielle qui, sans s'avilir, se présente comme un auxiliaire précieux de la monarchie.

Si la poésie panégyrique est plutôt de l'ordre de l'affirmation, de la profération oraculaire, la poésie d'amour, en cela plus proche des consolations, se caractérise souvent par une rhétorique délibérative. On trouve moins d'aveux enflammés que de débats sur les thèmes traditionnels : « faut-il aimer ? », « faut-il rester fidèle à une cruelle ? » Malherbe ne bannit pas totalement les antithèses et les hyperboles pétrarquisantes, il prend parfois le rôle du vassal d'une souveraine dédaigneuse (« Je ne saurais brûler d'autre feu que du sien »), mais il préfère un langage plus simple et direct en harmonie avec un amant plus mâle, qui, lorsqu'il recourt aux figures, choisit la métaphore militaire : « Enfin cette Beauté m'a la place rendue / Que d'un siège si long elle avait défendue : / Mes vainqueurs sont vaincus : ceux qui m'ont fait la loi / La reçoivent de moi. » L'amoureux malherbien ne parle généralement pas, en suppliant, pour se faire plaindre, mais en conquérant, pour convaincre, et dans « convaincre », il pense « vaincre ».

Mais en préparant le recueil de 1626, le poète a cherché à imposer une image faussement uniforme de sa production. Lui qui semble ne regarder que vers le sublime a, semble-t-il, composé des vers égrillards que les éditeurs hésitent à lui attribuer. S'il ne croit pas au génie, c'est que son écriture naît d'une lutte perpétuelle, poésie de la tension. Sa première œuvre importante, *Les Larmes de saint Pierre* (1584-1587), est déjà symptomatique à cet égard. La facture baroque saute aux yeux par l'emploi ostentatoire de figures outrées : « C'est alors que ses cris en tonnerres s'éclatent ; / Ses soupirs se font vents qui les chênes combattent... » Pourtant l'analyse révèle une architecture impeccable, subtilement élaborée. Plus tard, c'est la rigueur parfaite qui prévaut, mais les tendances baroques perdurent, ne serait-ce que dans ce goût de l'hyperbole si adroitement utilisé et justifié par le poète officiel. L'emphase, la boursouflure, est chez lui un risque constant qu'il s'efforce de calculer au plus juste, de domestiquer en élan sublime. Comme le dit Ponge, « tout finalement tient à cette fougue, cet enthousiasme, les rênes tenues en main et plutôt courtes » — v. *Pour un Malherbe* (*) de Francis Ponge. D'autres angles de vue révéleraient des tensions semblables. Ainsi cette poésie, que Chénier décrit comme « froide et vive » et à qui l'on reproche communément, depuis les romantiques, son insensibilité, naît à peu près dans la tourmente de l'angoisse de Pierre, rongé par le remords, et se referme sur la béance d'une plaie ouverte tandis que le « je » du texte s'identifie étroitement à la personnalité de l'homme écrivant, qui déplore sa faiblesse, son impuissance. Entre les deux, il est vrai, le poète de cour célèbre, d'une manière impersonnelle, la paix et l'ordre politique restaurés, mais sous le ton assuré l'inquiétude perce quelquefois, sous le prophète, l'homme hanté par l'instabilité de l'Histoire ; d'autre part, la poésie didactique, si froide soit-elle, ne révèle-t-elle point, au-delà du lieu commun, comme une hantise de la mort ? Il importe enfin de souligner la diversité de cette œuvre du point de vue des formes strophiques et du mètre. S'il est le maître de l'alexandrin lent et grave, il sait aussi, en virtuose, faire danser les syllabes sur des vers courts et des rythmes rapides. L. D.

POÉSIES de Mallarmé. Sous ce titre, le poète français Stéphane Mallarmé (1842-1898) avait préparé une édition de ses poèmes (à l'exclusion des vers de circonstance) qui ne parut qu'après sa mort, en 1899, chez l'éditeur belge Edmond Deman. Le gendre du poète, le docteur Bonniot, devait, en 1913, donner une édition nouvelle, complétée de plusieurs inédits, mais l'édition Deman reste la seule conforme aux intentions de Mallarmé. Ces poèmes, dont la date de composition varie entre 1862 et 1898, ont subi souvent, notamment pour les plus anciens, de nombreuses modifications. L'étude comparée des différentes versions (l'exemple le plus spectaculaire est celui du *Pitre châtié*) permet de saisir ainsi l'évolution de la pensée poétique de Mallarmé, et l'évolution de son écriture dans le sens d'une densité toujours plus grande. Bien qu'il soit difficile de parler de composition rigoureuse, le recueil a bien un commencement et une fin : il s'ouvre sur un *Salut* qui fait de l'aventure poétique une véritable odyssée et trouve son écho dans l'avant-dernier poème (« À la nue accablante tu... »), et se ferme symboliquement sur « Mes bouquins refermés... ». Le recueil s'organise en outre autour d'*Hérodiade* (*) et de *L'Après-Midi d'un faune* (*), qui occupent une position charnière entre les poèmes de jeunesse (1862-1865) et, à l'exception de *Sainte*, ceux de la maturité (1868-1898). Cette place centrale souligne l'importance de ces deux poèmes majeurs, directement liés à la grande crise de 1866. Il y a, dans l'œuvre de Mallarmé, un avant-*Hérodiade* et un après-*Hérodiade*. Les poèmes que Mallarmé écrit à Sens et à Londres, de 1862 à 1863, et ceux qu'il compose à Tournon, dans le courant de l'année 1864, sont d'inspiration baudelairienne, aussi bien par les thèmes que par le vocabulaire. *Le Guignon*, au début du recueil, donne ainsi le ton de cette première inspiration où la malédiction poétique mêle le tragique et le dérisoire. De Baudelaire, Mallarmé retient avant tout le spleen et la hantise du néant, auxquels il tente d'échapper par un idéalisme forcené et par là même voué à l'échec *(Le Sonneur, L'Azur)*. De cette impasse métaphysique et esthétique, héritée des *Fleurs du mal* (*), « Las de l'amer repos... » (justement placé en épilogue des poèmes publiés en 1866 dans *Le Parnasse contemporain*) dit assez le désir de sortir en faisant le vœu d'un art plus artisanal, mais c'est l'élaboration d'*Hérodiade*, dans les années 1865-1866, qui va déterminer chez Mallarmé une rénovation intellectuelle et esthétique radicale : c'est « en creusant le vers » d'*Hérodiade* que le poète découvre le néant, qui n'est plus simplement un thème romantique hérité de Baudelaire, mais qui se révèle comme l'unique réalité ou ce « Rien qui est la vérité », au regard de quoi Dieu, l'âme, la poésie même ne sont que mensonges. *Hérodiade*, où Mallarmé dira s'être mis tout entier sans le savoir, reflète donc quelque chose de ces tourments spirituels. Cette scène apparaît en effet, à travers le monologue d'une Hérodiade forcée par la nourrice dans ses retranchements, comme la recherche désespérée d'un secret qui n'est plus dans le ciel religieux de l'enfance, mais qui se trouve enfoui au plus profond de l'être. Quant à *L'Après-Midi d'un faune*, commencé peu après *Hérodiade* au gré d'une alternance saisonnière, mais profondément modifié à la lumière des découvertes de 1866, il présente l'envers lumineux de la révélation hérodiadéenne à travers un autre monologue, celui du faune musicien, figure du poète devenu le chantre de la fiction. Là où le faune originel affirmait une volonté de prise sur la réalité (« J'avais des nymphes ! [...] Où sont-elles ? [...] Je les veux ! »), le faune de 1876 n'exprime plus que le vœu d'un art de la transposition : « Ces nymphes, je les veux perpétuer. »

Le deuxième versant de l'œuvre mallarméenne s'ouvre alors sur deux poèmes, *La Chevelure...*, qui reprend la leçon hérodiadéenne d'une vérité non plus extérieure, mais intime (« L'Ignition du feu toujours intérieur »), et *Sainte*, écrit dès 1865 mais publié seulement en 1883 et qui patronne désormais la poésie « Musicienne du silence ». De *Toast funèbre*, écrit en hommage à Théophile Gautier, et qui évoque le nouveau devoir du poète, devoir de transposition idéale du réel, à *Prose* pour des Esseintes qui évoque la naissance de cette vocation nouvelle ; de la série des *Éventails*, des *Chansons* ou des *Petits Airs* à celle des *Tombeaux* (de Poe, de Baudelaire, de Verlaine) ou des *Hommages* (à Wagner, à Puvis de Chavannes, à Vasco de Gama) qui disent le destin du poète (« Tel qu'en lui-même enfin l'éternité le change »), toujours, sur le mode majeur ou le mode mineur, la poésie mallarméenne met en œuvre une réflexion de la poésie ou de l'acte d'écrire. Le poème emblématique de cette réflexion est évidemment le sonnet en -ix, (« Ses purs ongles très haut... ») dont la première version, datant de 1868 (c'est le premier poème écrit par Mallarmé après la crise d'*Hérodiade*), s'intitulait *Sonnet allégorique de lui-même*, et que le poète définissait comme « un sonnet nul se réfléchissant de toutes les façons ».

Par la beauté d'un vers qui ne doit plus grand-chose à l'éloquence ou au lyrisme romantiques ; par un art de la suggestion et de la transposition qui s'éloigne tout autant du réalisme parnassien ; par la densité d'une écriture qui ne vise rien de moins qu'une rééducation de la lecture — non pas la lecture linéaire et purement instrumentale du journal, mais une lecture proprement poétique qui soit en même temps une prise de conscience des ressources du langage —, les *Poésies* de Mallarmé ont eu une influence décisive sur l'évolution de la poésie, et ont en tout cas imposé l'idée d'une poésie difficile ; elles ont fait aussi de cet héritier émancipé de Baudelaire, avant les découvertes saussuriennes, un des pères de la modernité. B. Ma.

POÉSIES de Mandelstam. L'ensemble des vers du poète russe Ossip Mandelstam (1891-1938), quelque 400 courtes pièces disposées en quatre recueils, dont deux seulement ont paru du vivant de l'auteur et les deux autres trente ans après sa mort, constitue sans nul doute l'une des œuvres poétiques les plus pures, les plus denses, les plus puissantes du XXe siècle.

« Mandelstam n'a pas de maître, s'étonnait Anna Akhmatova, je ne sais rien d'analogue dans la poésie universelle... qui dira d'où nous est venue cette divine harmonie que l'on appelle les vers de Mandelstam ? »

Passé les balbutiements de l'adolescence, Mandelstam débute en 1908 par une poétique du vague et de l'impalpable, héritée de Verlaine : nature morte, réalité évanescente que fixent quelques rares contours. Mais Mandelstam connaît déjà Villon par cœur et n'a aucun mal en 1912 à rompre radicalement avec un symbolisme sur le déclin : le brouillard se déchire et découvre une réalité tridimensionnelle acceptée avec joie et reconnaissance. Le poète choisit le matériau le plus dur, le plus statique, la pierre, qui donne le titre à son premier recueil, publié en 1913 à compte d'auteur — *La Pierre* [*Kamen'*]. Ici plus rien d'indécis : « Le bâtisseur dit : je construis, donc j'ai raison. » Conjurer le néant, remplir le temps, peupler l'espace, telle est la tâche du poète. Tout est matière à poésie : l'architecture, bien sûr, de Notre-Dame de Paris à l'Amirauté de Saint-Pétersbourg, les hauts faits de la civilisation, mais aussi tout ce que la modernité apporte de neuf : le casino, le tennis, le cinéma, le tourisme, voire le football. Fini les romances sans paroles, c'est « le mot en tant que tel » qui est la pierre angulaire dans sa plénitude polysémique et polyphonique. Rythmes nerveux, sonorités pleines, stylet sculptural, les vers de *La Pierre* révèlent un artiste accompli auquel on peut reprocher le caractère anthologique de l'ensemble, la minceur apparente de certains thèmes, la discrétion du sujet lyrique.

L'approfondissement ne tarde pas à venir : *Tristia*, paru à Berlin en 1921 à l'insu de l'auteur, semble antithétique du premier recueil : à l'exploration du monde en surface succèdent la descente aux enfers, l'amour-passion porteur de mort, la révolution destructrice, le mot que l'on oublie ou qui avorte. L'ode cède la place à l'élégie : *Tristia* est un vaste poème d'adieu aux beautés d'antan, à Saint-Pétersbourg qui se meurt, à l'Europe qui s'entre-déchire, aux libertés qui se perdent, à l'institution religieuse qui s'écroule. La vision du temps s'intériorise : les époques et les pays s'interpellent familièrement, le destin personnel s'insère dans l'histoire, l'anamnèse poétique ramène à la surface les couches profondes, enfouies, du temps. Le poète accède à une souveraine disponibilité : « Il ne me reste qu'un seul souci sur terre, / Un souci d'or : porter le poids du temps. » La voix de Mandelstam s'amplifie, devient balbutiante (le mot rôde autour de l'objet qu'il veut nommer), magique, incantatoire.

Mais les temps s'assombrissent : « On ne peut respirer et le firmament grouille de vermines. » Dans un cycle d'une vingtaine de poésies (1921-1925), Mandelstam évoque la cassure du siècle. Le langage menacé se raidit, trouve refuge dans le discours translogique. Parallèlement le sujet lyrique est contraint de s'affirmer dans sa non-contemporanéité mais aussi dans sa précarité quotidienne. Ce dédoublement entraîne un tarissement total de l'activité poétique pendant cinq ans.

La muse de Mandelstam se réveille à la faveur d'un voyage en Arménie : les horreurs de la collectivisation dissipent toute ambiguïté. Mandelstam engage sa poésie dans un combat à mort avec le pouvoir. Dans les *Vers de Moscou* [*Moskovskie stikhi,* 1930-1934] il a conscience de « parler au nom de tous avec une telle puissance / Que la voûte buccale en devient voûte du ciel ». La tension de tout l'être exige une poétique nouvelle : *Entretien sur Dante* (*). Tous les poèmes, dans la diversité de leurs thèmes et de leurs intonations, tour à tour graves ou espiègles, tragiques ou badins, terre à terre ou philosophiques, sont sous-tendus par le sacrifice suprême auquel Mandelstam se prépare. Dans sa souveraine liberté il choisit lui-même le moment de non-retour : en novembre 1933 il lit à une dizaine d'amis sûrs des distiques goyesques qui dénoncent Staline. L'exil, qui suit l'arrestation inéluctable, emmène ce citadin-né au fin fond de la Russie, à Voronej, où va s'élever un extraordinaire chant du cygne, à la fois tragique et serein. Le dénuement est total, mais le poète ne se sent pas « brisé » pour autant, « tout juste amplifié ». La magnificence des terres noires, des plaines enneigées, les valeurs impérissables de la civilisation universelle, les illuminations mystiques (vision de la Sainte-Cène) sont chantées dans un langage en permanence renouvelé. Dans les trois *Cahiers de Voronej* [*Voronežskie tetradi*] une nouvelle étape semble franchie : les associations deviennent plus rapides, les métaphores plus inattendues, les innovations rythmiques et phonétiques encore plus hardies. Mandelstam proclame le triomphe de l'esprit sur la mort en se servant des registres les plus contrastés : d'une violence fulminante dans les « Vers au soldat inconnu » ou d'une transparence diaphane dans l'évocation des femmes qui sont les premières « à accompagner les morts et à accueillir les ressuscités ».

Étonnamment divers et un, engagé jusqu'au bout dans l'Histoire mais aspirant au ciel, ébloui par la beauté de la nature et des œuvres humaines, Mandelstam est allé aussi loin que possible, peut-être plus loin que tout autre poète, dans le rachat du temps, authentifiant sa parole poétique par le martyre. Aussi a-t-il pu écrire, sans orgueil comme sans emphase, peu de temps avant de mourir dans un camp de Sibérie : « Le monde, grâce à moi, verra clair. » — Trad. *Tristia et autres poèmes,* Gallimard, 1982 ; *Poèmes.* N. S.

POÉSIES de Maragall [*Poesies*]. Sous ce titre a été recueillie (en 1912) la production lyrique du grand poète catalan Juan Maragall (1860-1911) : *Visions et Chants* [*Visions i cants,* 1900], *Les Dispersées* [*Les disperses,* 1904], *Là-Bas* [*Enllá,* 1906], *Séquences* [*Seqüencies,* 1911], etc. Primitifs, et jaillis du plus profond de l'âme, ces poèmes ne doivent rien à la rhétorique et sont la sincérité même. Pour Maragall, en effet, la poésie est moins un métier qu'un « balbutiement divin », mystérieux, et la suprême ivresse qui prête à toute chose les couleurs de l'irréel. Dès les premières œuvres du poète, on perçoit cette magie de transfiguration que possèdent à ses yeux les doux paysages méditerranéens : et plus ils seront beaux et purs, plus exaltant sera le prodige. Ainsi, dans les poésies intitulées *Pyrénéennes* [*Pirenenques*] (« Étendu bien à mon aise sur le sol / j'aime à contempler le pré tout vert sous le ciel tout bleu... »), Maragall chante la haute montagne aux cimes virginales, le berger solitaire, les troupeaux sous la neige ; sa muse très humaine compatit aux malheurs des humbles : c'est ainsi que, dans sa fameuse poésie de « La Vache aveugle » [La vaca cega], il s'apitoie sur le sort d'une pauvre bête malade et inutile (« Cognant sa tête contre les arbres / à tâtons vers le ruisseau / chemine la vache solitaire. / Elle est aveugle... »). Cette contemplation franciscaine de la nature se confond, pour Maragall, avec l'idée de Dieu et l'image de Notre-Dame, chère aux montagnards catalans : « Chant en l'honneur de la Vierge de Núria » [Goigs a la Mare de Déu de Núria], « À la Vierge de Montserrat » [A la Mare de Déu de Montserrat]. Poète de la haute montagne, Maragall est aussi le chantre de la mer et des rivages de son pays, si riants dans la saison où les amandiers sont en fleur. De cette rêverie amoureuse, une spiritualité se dégage : « Chant spirituel » [Cant espiritual]. Au poète apaisé l'harmonie du monde semble alors d'une telle évidence qu'il se demande comment le bonheur céleste pourra jamais dépasser la splendeur du monde : « Seigneur, s'exclame Maragall, si le ciel est si beau quand il se mire dans votre paix et dans notre regard / que pourrez-vous donc nous donner dans l'autre vie / Ah, comme je les envie, mes yeux, promis à une telle vision !... / Et cependant, je crains tant la mort ! / Avec quels nouveaux sens me ferez-vous voir / le ciel azuré par-dessus la montagne, / la mer immense et le soleil partout scintillant ? / Donnez la paix à mes sens / et je ne verrai d'autre ciel que cet azur ! » Le poète, dans son ivresse mystique, en vient même à ne plus séparer le monde terrestre du monde divin et, comme saint François, il éprouve devant l'harmonie des choses d'ici-bas comme un avant-goût de la béatitude céleste. Outre cette poétique de la nature où s'épanchent son lyrisme et sa dévotion, Maragall se distingue par l'expression délicate et tendre qu'il sait donner à l'amour et à l'amitié. Mentionnons aussi les poèmes patriotiques, d'une gravité si religieuse, et ceux, de caractère légendaire, qui composent une grande partie du recueil. Ces petits poèmes, qui doivent beaucoup aux « Lieder » germaniques, sont inspirés de légendes du folklore catalan, celles notamment de don Juan de Serrailonga et du « Comte Arnaud » [El comte Arnau]. Dans ce dernier poème, Maragall a repris le thème du *Féroce chasseur* (*) de G. A. Bürger ; un cavalier condamné, en expiation d'une vie dissolue, à monter à cheval toutes les nuits pour l'éternité, retourne auprès de sa femme, et les deux époux ont alors l'entretien le plus pathétique. À la même légende se rapportent les amours sacrilèges du comte Arnaud avec Adalaisa, la jolie abbesse du couvent de Saint-Jean. Ces récits dramatiques transmis par le Moyen Âge ont donné naissance à l'une des plus belles poésies de la littérature catalane moderne.

POÉSIES de March. Recueil de cent vingt-huit poésies en langue catalane, composées surtout d'hendécasyllabes répartis en strophes de huit vers, du chevalier valencien Auzias March (1397-1459), qui vivait à la cour d'Alphonse le Magnanime. On y discerne, comme dans toute la littérature catalane de cette époque, l'empreinte des troubadours provençaux ; mais, chez March, cette ressemblance ne va pas au-delà du décor et du vocabulaire propres à l'amour chevaleresque. Ce poète a subi fortement l'influence de la scolastique, ce qui donne à ses œuvres une portée philosophique et chrétienne. Ses sentiments, ses passions, il les soumet à une analyse souvent impitoyable, qui donne naissance à une forme de lyrisme profondément originale. Il exprime avec poésie les cas de conscience les plus complexes, met en vers des maximes d'Aristote, de saint Thomas ou de saint Bernard, à moins qu'il n'ait recours aux distinctions subtiles en matière de sentiments, telles que les a codifiées Andrea Capellano dans son *De amore*. Parfois aussi, ce lyrisme reçoit de Dante ou de Pétrarque un discret renfort. D'une telle poésie, l'axe central est l'amour : il commande les grands conflits et les contradictions morales avec lesquels, sur un plan très élevé, le poète se trouve aux prises. Ce qui importe avant tout, c'est le salut de l'âme, et ce problème est inséparable de celui de l'amour. Pour March, en effet, la femme n'est pas cette entité sublime que chantèrent les troubadours — v. *Chansons* (*) de Montanhagol —, c'est un être de chair qui encourt les feux de l'enfer et peut conduire la personne aimée jusqu'à la damnation. Dès lors, la question se pose de savoir si l'on éprouve un amour faux ou véritable et si, dans cette passion, les sens n'ont pas plus de part que le cœur. Quand il s'adresse à sa « dame », le poète la désigne seulement par les mots « senhal » et « plena de seny » (« avisée »). L'aimée vient-elle à mourir, alors il se demande avec angoisse si elle n'est pas, par sa faute à lui, en enfer. Mais bientôt il s'aperçoit que son amour ne cesse de croître en se purifiant et que la sensualité est vaincue. Un profond sentiment religieux imprègne ces poésies, dont la plus haute expression est le célèbre « Cántico espiritual », dans lequel March adjure Dieu de le délivrer par une mort immédiate qui serait pour lui le salut : n'est-il pas présentement en état de grâce ? Mais aussi, dans le même temps, très humainement, il se demande s'il trouvera jamais le courage de regarder la mort en face. Dans cette émouvante confession, l'anecdote se réduit à peu de chose. Rappelons, toutefois, de vivantes scènes : celles, par exemple, où, devenu fauconnier royal, le poète demande un faucon à Alphonse le Magnanime. Notons encore le poème en l'honneur de Lucrèce d'Alagno, maîtresse du roi. Le style d'Auzias March, le plus souvent sec et rude, se ressent des difficultés qu'il éprouve à plier sa pensée aux rigueurs de la métrique : aussi le tient-on parfois pour un auteur difficile et obscur. On retiendra également les imprécations magnifiques dans lesquelles il évoque ceux qui meurent d'amour : « O vós mesquins qui sots terra jaeu / del colp d'Amor ab lo cos sangonent, / e tots aquells qui, ab cor molt ardent, / han bé amat, prec / vos no us oblideus ! / Veniu plorant, ab cabell escampats, / obert los pits, per mostrar vostre cor, / com fon plagat ab la sageta d'or / ab que Amor plaga els enamorats. » Auzias March, enfin, a exercé une grande influence sur les poètes du « Siècle d'or » : Boscán, Garcilaso de la Vega, Hurtado de Mendoza, Gutierre de Cetina, Fernando de Herrera et quelques autres. – Trad. Barcelone, 1912-1914.

POÉSIES de Marot. L'œuvre du poète français Clément Marot (1496-1544) comprend un très grand nombre de pièces presque toutes fort brèves et dans tous les genres. Elle fit l'objet de nombreuses publications séparées ; de son vivant, Marot ne publia qu'un seul recueil homogène, *L'Adolescence clémentine*, à Paris en 1532, complété par une *Suite* en 1534, dans laquelle il rassembla toutes ses œuvres de jeunesse ; les autres recueils parus de son vivant ne sont que des éditions collectives, dans lesquelles il regroupa toutes les œuvres écrites au moment de leur publication : ce sont les *Œuvres de Clément Marot,* publiées à Lyon chez Dolet et chez Gryphius en 1538, et les *Œuvres de Clément Marot,* également à Lyon, 1544 ; dans cette dernière édition, les poèmes ne sont plus présentés chronologiquement, mais classés par genre. En fait, les œuvres poétiques de Marot sont intimement mêlées à sa vie et c'est chronologiquement qu'il convient de mentionner ses principaux poèmes. Fils du poète et homme de cour Jean Marot, qui appartient au groupe des « grands rhétoriqueurs », il fut, dès son enfance, destiné à la Cour, où il devait prendre la succession de son père. Il est donc normal que les premières pièces que nous ayons de lui soient dédiées aux grands. La première œuvre publiée était destinée au roi, François Ier, et lui fut offerte par le jeune poète lui-même : c'est *Le Temple de Cupido fait et composé par maître Clément Marot, facteur de la Royne.* C'est une longue description allégorique de plus de cinq cents vers, par laquelle Marot se rattache tout naturellement à la tradition du Moyen Âge. L'idée du poème provient du *Roman de la Rose* (*), elle avait déjà été utilisée par les prédécesseurs directs de Marot, Jean Lemaire de Belges dans son *Temple de Vénus* et Molinet dans son *Temple de Mars.* Marot se distingue encore assez mal ici de ses antécédents ; ce sont les mêmes gracieusetés de style, les mêmes allégories laborieuses, les mêmes longueurs. Marot revint à la charge à plusieurs reprises en adressant au roi de petites pièces dans le style alors à la mode ; telle est en particulier la très charmante « Petite Épistre au Roi » de 1519, écrite en rimes « équivoquées », c'est-à-dire formant calembours, à la manière de Guillaume Cretin ; l'Épître se termine sur cet appel : « Ce rithmailleur qui s'alloit enrimant, / Tant rithmassa, rithma et rithmonna, / Qu'il a congneu quel bien par rithme on a. » Et telle est bien la tactique de Marot à cette époque : il accable le roi et son entourage de petites pièces en vers, d'un style délié, aisé, plein de charmes ; il écrit sur ses gages qu'on ne lui verse pas, sur l'état où il voudrait bien figurer pour être sûr de recevoir une pension. Les pièces plurent, Marot fut agréé ; en 1519, il fut nommé valet de chambre de Marguerite d'Angoulême, duchesse d'Alençon, sœur du roi, qui devait devenir par la suite reine de Navarre et fut toute sa vie la protectrice de Marot et son élève. Dans sa nouvelle charge, Marot écrit plus que jamais et les petites pièces galantes et gracieuses se succèdent ; ne citons que la plus connue d'entre elles, « À Madame d'Alençon pour estre couché en son estat » (c'est-à-dire pour être compté au nombre de ses domestiques). Parfois, cependant, il donne dans le genre sérieux, c'est lorsqu'il compose des pièces de commande, telle la belle ballade de 1521, « De l'arrivée de monseigneur d'Alençon en Haynault », toute proche de la musique chorale des polyphonistes du temps.

À partir de 1526, le ton change ; c'est que commence, pour l'aimable poète de cour, une existence hérissée de difficultés. Marot a joué à l'esprit fort et il s'en repent. Accusé d'avoir « mangé le lard en carême », il est arrêté et emprisonné au Châtelet. Tout aussitôt, Marot adresse à son dévoué ami, Lyon Jamet, l'« Épitre » fameuse où, sous la forme d'un charmant apologue, celui du lion et du rat, il le supplie de venir à son secours. C'est à juste titre que cette épître est une des œuvres les plus célèbres de Marot ; tout y est, la verve primesautière, l'aisance parfaite de la versification, les amusantes inventions verbales, le pittoresque et la clarté de la langue. L'épître produisit d'ailleurs son effet ; Jamet s'avisa de ce que le Parlement avait enjoint aux évêques de poursuivre les hérétiques et fit réclamer le coupable par l'évêque de Chartres. C'est dans une prison plus douce, en fait une auberge, l'hôtellerie de l'Aigle, que Marot attendit le retour de son protecteur, le roi. C'est là qu'il composa son grand poème, *L'Enfer,* lequel ne fut publié à l'étranger qu'en 1539, en France en 1542, par les soins d'Étienne Dolet qui l'accompagna d'une Préface. Avec *L'Enfer,* poème allégorique, nous voyons immédiatement les progrès que Marot a faits depuis cet autre poème allégorique, *Le Temple de Cupido.* Tout est concret ici et vécu. L'Enfer, c'est le Châtelet dont Marot venait de sortir : « Si ne croy pas qu'il y ait chose au monde / Qui mieux ressemble un Enfer très immunde. » Voici le poète dénoncé, arrêté, conduit devant la porte de la prison. Il y rencontre Cerberus (le portier), puis Minos (probablement le prévôt de Paris, Gabriel d'Allègre) ; il aperçoit un tas grouillant de serpents (les procès), dont il détaille les différentes formes ; il s'émeut des cris qu'il entend, de ceux qu'on met à la question : « J'en ay veu martyrer / Tant que pitié m'en mettoit en esmoy. / Parquoy vous pry de plaindre avecques moy. / Les innocens qui en tels lieux damnables / Tiennent souvent la place des coupables. » Le voici enfin devant Rhadamantus, auquel il prête un discours plein d'hypocrisie et d'artifices ; puis vient son plaidoyer, fort intéressant en ce qu'il est un « curriculum vitæ » en vers et un exposé de ses idées. Tout ce qu'il a acquis, depuis qu'il est en France (Marot est né à Cahors, donc en pays de langue d'oc), c'est la connaissance de la langue française, « ès grands courts estimée / Laquelle en fin quelque peu s'est limée. / Suyvant le Roy Françoys premier du nom. / Dont le savoir excède le renom. /C'est le seul bien que j'ay acquis en France / Depuis vingt ans, en labeur et souffrance ». François Ier, de retour à Paris, fait élargir le prisonnier et celui-ci écrit aussitôt un « Rondeau parfaict [c'est-à-dire deux fois refermé sur lui-même] à ses amys après sa délivrance ». C'est à cette époque qu'il rencontre Anne (probablement Anne d'Alençon, nièce de sa protectrice, Marguerite d'Angoulême), à qui il dédiera tant de jolis vers, entre autres : le rondeau « de sa grand'amye », le dizain fameux « D'Anne qui lui jecta de la neige », « À Anne tancée pour Marot », « Du Moys de May et d'Anne ». C'est aussi à cette époque que, par suite de la mort de son père, Marot devient valet de chambre du roi, charge dont il éprouva longtemps de grandes difficultés à se faire verser les gages, ce qui nous vaut nombre de petites pièces. L'actualité encore inspire ses meilleures pièces de cette époque, entre autres la fameuse épigramme : « Du lieutenant criminel et de Semblançay » et l'élégie XXII : « Du riche infortuné Jacques de Beaune, seigneur de Semblançay », la « Déploration de Messire Florimond Robertet, la Mort à tous les humains », inspirées toutes trois d'événements qui avaient frappé l'opinion publique. En 1527, nouvelles difficultés avec la justice ; Marot est enfermé à la Conciergerie pour avoir délivré un prisonnier qu'emmenaient les archers, d'où l'épître « Au Roy, pour le délivrer de prison », qui narre d'une manière plaisante la mésaventure dont s'estime victime le poète. Marot fut aussitôt relâché. En 1531, nouvelles difficultés : cette fois le poète a été volé et il le raconte au roi dans une épître pleine de malice et d'esprit (« Au Roy, pour avoir esté dérobé ») ; mais l'année 1532 amène de plus graves tracas. Marot est de nouveau poursuivi pour n'avoir point observé le Carême, et il faut un ordre de François Ier pour empêcher son arrestation. Cependant l'activité littéraire de Marot est très grande à cette époque ; il publie *L'Adolescence clémentine* en 1532 ; de cette époque, il faut signaler, à côté des très nombreux poèmes de cour, des élégies, des épigrammes, enfin l'édition de Villon que Marot donne en 1533. Mais l'affaire « des placards » (17-18 octobre 1534), dans laquelle il se trouve impliqué, interrompt la carrière du poète. Il est obligé de fuir et se réfugie à Ferrare. Il ne revient en France qu'en 1536, après son abjuration solennelle. De cette période de l'exil, nous avons de nobles épîtres, où Marot se disculpe des accusations portées contre lui et où il demande seulement à participer à ce mouvement de renaissance devenu si puissant grâce à la protection éclairée de François Ier : ce sont en particulier l'épître « Au Roy, du temps de son exil à Ferrare » (1535), et l'épître « À Monseigneur le Dauphin, du temps de son dict exil ». À son retour, accueilli avec beaucoup de bienveillance par le roi et ayant repris sa place, Marot glorifie les membres de la famille royale qui ont toujours manifesté pour lui tant de bienveillance (c'est le « Dieu gard à la court »). L'« Églogue au Roy soubs les noms de Pan et de Robin » est une nouvelle requête de Marot contre ses ennemis qui ne désarmaient pas. Cette pastorale, qui est probablement de 1539, présente sous le couvert de la mythologie (Pan est le Roi, Robin n'est autre que Marot) un portrait du poète qui est demeuré célèbre : « Sur le printemps de ma jeunesse folle, / Je ressemblois l'arondelle qui vole / Puis çà, puis là : l'asage me conduisoit, / Sans peur ne soing, où le cueur me disoit. » Mais, à partir de 1539, Marot, tout occupé de la traduction des *Psaumes* (*), abandonne les pièces légères et tout ce qu'il écrit a dorénavant un ton grave auquel il ne nous avait pas habitués. Puis, c'est de nouveau l'exil, cette fois à Genève, et la mort solitaire à Turin en 1544.

Outre deux grands poèmes, *Le Temple de Cupido* et *L'Enfer*, nous possédons de Marot une très grande quantité de petites pièces, allant de l'élégie au rondeau : soixante-cinq épîtres (dont nous avons noté les principales au passage) ; vingt-sept élégies, en fait des épîtres galantes ou des requêtes de courtisan, à l'exception de la très noble et très prenante élégie XXII sur Semblançay (où Marot retrouve l'inspiration de Villon) ; quinze ballades, pièces de circonstance souvent pleines de verve ; quatre-vingt rondeaux où Marot s'affirme un des maîtres du genre ; cinquante-quatre étrennes, sortes de madrigaux adressés à des dames de la Cour et qui sont parmi les pièces les plus faibles de l'auteur ; deux cent quatre-vingt-quatorze épigrammes, petites merveilles de concision tantôt maligne, tantôt indignée (témoin l'épigramme sur Semblançay) ; quarante-deux chansons, dix-sept épitaphes toujours ironiques ; trente-cinq cimetières ou épitaphes sérieuses ; cinq complaintes ou élégies funèbres. C'est donc dans tous les genres que s'est essayé Marot, du moins dans tous les petits genres ; à la fois les genres qu'il a hérités du Moyen Âge, au travers des « rhétoriqueurs » : rondeaux, ballades et complaintes qu'il tenta de rénover ; et les genres antiques qu'il a contribué, avant la Pléiade, à remettre à la mode : épîtres (il a créé des modèles inégalables par leur naturel, la parfaite aisance de l'expression), élégies, églogues, dans lesquelles il reste un peu embarrassé, épigrammes où par contre il excelle (Voltaire et les poètes du XVIIIe siècle ne feront pas mieux). Ainsi, presque sans s'en rendre compte, Marot a été un inventeur ; non seulement il a remis en usage des genres usés ou oubliés, mais il y a chez lui une recherche constante de rythmes nouveaux qui annonce déjà la Pléiade ; toutefois, ses recherches ne prennent jamais l'allure théorique et doctrinale qu'elles prendront plus tard. Il est avant tout sensible à la musique de la phrase et il se rapproche singulièrement de la musique de son temps. Certaines de ses œuvres sont de véritables mélodies, et si quelques-unes d'entre elles seulement ont été mises en musique, presque toutes procèdent d'une certaine atmosphère musicale et souffrent d'en être détachées. C'est pourquoi Marot ne surcharge pas la langue de mots ou d'expressions inventés ou encore empruntés aux langues anciennes et étrangères, comme Ronsard par exemple ; il écrit dans la langue traditionnelle de son temps, mais il contribue largement à l'épurer, à la rendre plus fluide, plus souple. Surtout il sait se servir avec une merveilleuse adresse de toutes les ressources qu'elle lui offre et tirer d'elle des accords imprévus de timbre et d'accent, des effets de rencontre et de surprise. À cela se joint une très grande liberté de syntaxe, qui ne lui est d'ailleurs pas particulière — c'est celle de son temps — mais qui donne une impression d'aisance et de spontanéité qu'on ne retrouvera plus qu'avec les *Fables* (*) de La Fontaine. Marot n'a pas créé de mètres nouveaux ; son vers favori est le plus ancien des vers français, le décasyllabe, avec la césure très marquée sur la quatrième syllabe, mais il l'assouplit par le rejet, l'enjambement, en y déplaçant les accents prosodiques, au point qu'il le rend apte à traduire tous les tons, du plus plaisant au plus grave. Ce ne sont pas seulement des formes poétiques que Marot a empruntées à ses devanciers, mais aussi le goût, surtout dans ses premières poésies et dans ses poésies de cour, des allégories, des formules, des plaisanteries verbales. Il s'en détachera assez vite, mais jamais complètement. Avant toute autre chose, Marot a voulu plaire et il y a parfaitement réussi, non seulement de son temps, mais d'une manière exceptionnellement continue du XVIe siècle à nos jours. Il n'est pourtant pas seulement un « gentil poète ». Par la Cour et les humanistes qui la fréquentaient, il est entré en contact avec le grand courant de la Renaissance et il s'est laissé entraîner par cette soif de savoir, ce respect des œuvres de l'esprit qui caractérisent les contemporains de François Ier, à commencer par le roi lui-même. Bien que son éducation n'ait pas été très approfondie, il se mit à traduire Virgile et Ovide, Martial et Érasme ; il ne connut ni le grec ni l'hébreu, mais se risqua à paraphraser Lucien et à traduire les *Psaumes.* Il ne devint cependant jamais un humaniste. Il s'est contenté de célébrer cette résurrection des sciences et des arts, d'apporter sa contribution à cette lutte contre l'ignorance et contre l'ascétisme des siècles précédents ; il a été le chantre de cette joie de vivre, de cette insouciance, de cette confiance en la nature humaine qui marquent l'époque. Mais il a été aussi un poète authentiquement religieux et parfaitement informé des enjeux des débats théologiques de son temps.

Par son absence de prétentions, par la perfection aisée de son expression, Marot est demeuré un modèle. Son influence a subi une éclipse après la période de 1520-1540, pendant laquelle il a fait des disciples, à commencer par sa protectrice, la reine de Navarre ; car la Pléiade, à ses débuts, condamna durement ses procédés. Du Bellay, dans la *Défense et illustration de la langue française* (*), dit, à propos de ses poésies, qu'il a « toujours estimé la poésie française être capable de quelque plus haut et meilleur style ». Bientôt, cependant, les jugements, même de Du Bellay et de Ronsard, devinrent plus nuancés et plus équitables. Toutefois, ce sont surtout les grands classiques du XVIIe siècle qui remirent Marot en honneur et, cette fois, pour longtemps. La Fontaine vante son aisance, Boileau son élégance et sa nouveauté, La Bruyère signale que « Marot, par son tour et son style, semble avoir écrit depuis Ronsard : il n'y a guère entre ce premier et nous que la différence de quelques mots ». La Bruyère touche ici du doigt une des raisons majeures de l'audience ininterrompue dont ont bénéficié les *Poésies* de Marot ; alors qu'il est souvent besoin d'un lexique pour lire les poètes de la Pléiade, la langue de Marot, bien qu'elle ait gardé le pittoresque, la verdeur de la langue du XVIe siècle, est déjà classique. Depuis le XVIe siècle, chaque époque a pris de Marot ce qui lui plaisait et l'a loué et admiré à sa façon.

POÉSIES de Marsman. Ces poèmes de Hendrik Marsman (1899-1940), l'un des plus grands poètes néerlandais contemporains, réunis dans le IVe tome de ses Œuvres complètes, parurent en 1938, sous le titre : *Verzen*, et comprennent principalement : *Penthesilea* (1925), *Paradise Regained* (1927), *Femmes blanches* (1931) et les sombres poèmes de la fin, dont *Porta Nigra* (1934), où planent déjà le pressentiment et l'appel de la mort. Influencé par l'expressionnisme allemand et nettement en avance sur le lyrisme de ses contemporains, Marsman exercera longtemps une influence décisive sur les jeunes poètes néerlandais. L'une de ses plus belles œuvres : « Matin de septembre ensoleillé », réalise parfaitement la définition que Marsman donne de la poésie : « Royaume plus calme et plus durable que celui où nous vivons, elle a, pour la vie humaine, plus de valeur que la plus belle invention technique. » Son style, puissamment rythmé, fut qualifié aux Pays-Bas de « vitalisme », qui ne signifiait pas tant richesse de vie qu'aspiration à vivre à une époque incertaine et menacée. Ses poèmes, souvent inspirés par un réel sens cosmique de l'univers, prennent un rythme ample et majestueux ; l'auteur semble jongler avec les étoiles et les espaces infinis.

POÉSIES de Matić. Poète, essayiste et romancier serbe, Dušan Matić (1898-1980) commence réellement son activité littéraire après avoir fait ses études de philosophie en Sorbonne et à Belgrade, par un essai philosophique : *La Vérité en tant que construction* [*Istina kao konstrukoija*, 1922]. Il y étudie le problème de la vérité dans la philosophie pragmatique, et c'est là que nous trouvons esquissés certains thèmes qui deviendront plus tard les principales préoccupations de la pensée de Dušan Matić aussi bien en poésie que dans ses *Essais.* C'est tout d'abord la méfiance envers tout système intellectuel clos : autrement dit la conviction que l'esprit est tout d'abord liberté et création : « Pour le décrire, pour en exprimer le mécanisme intérieur, les termes de l'"action" sont plus propices que celui de "représentation" qu'emploie ordinairement l'intellectualisme. » Jeune professeur dans un lycée de Belgrade, Dušan Matić s'intéresse surtout à la psychologie du rêve et de l'oubli, autrement dit aux manifestations concrètes du dynamisme intérieur de l'esprit étudié dans son premier essai. Il était tout à fait naturel que ce philosophe à tel point assidu à saisir le concret dans son opposition à toute forme intellectualiste préétablie se tournât un jour vers la création immédiate, directe : aussi Matić fut-il un des fondateurs du groupe des « treize surréalistes de Belgrade ». Dans une des premières manifestations collectives du surréalisme belgradois, l'almanach *L'Impossible* (*), à côté de sa réponse à l'enquête : « La Gueule de la dialectique » [Čeljusti dijalektike], dans laquelle il avait formulé certaines des prémisses de la philosophie du surréalisme, Matić publia, accompagné de quelques brillants collages, le poème « La Pêche trouble en eau claire » [Mutan lov u bistroj vddi]. Bien qu'il se soit révélé avec cette œuvre poète original et de grande valeur, il fallut attendre cependant jusqu'à 1954 son premier recueil de poèmes. Comme la plupart des surréalistes, il donnait plus d'importance alors à l'action, qu'elle soit littéraire ou sociale, qu'à l'écriture.

Bagdala (1954), qui porte le nom d'une colline proche de Kruševać, où Matić passa son enfance, n'est cependant pas seulement un recueil de vers ; l'œuvre présente une originale juxtaposition de textes en prose et en vers, où nous découvrons et le journal d'une création littéraire et le journal d'une époque riche en événements qui ont nécessairement dû laisser leurs traces dans l'imagination du poète tourné vers la vie concrète. Puisque *Bagdala* suit le développement d'une poésie qui va des premiers textes des années 20 jusqu'aux vers accomplis des années 30, 40 et 50, il est naturel que nous y trouvions une abondance de thèmes que l'on peut difficilement résumer. Cependant l'un d'eux est véritablement central et fondamental, celui de la veille volontaire, de la vigilance et de la lucidité à l'heure où les autres s'abandonnent au sommeil. Au thème de la nuit cher aux romantiques et aux surréalistes, Matić donne un accent franchement nouveau, comme c'est le cas avec « Dans la nuit une fenêtre s'est allumée » [U noci upallo se prozor] du recueil *Bagdala :* « Que je dorme ? Non. Que je veille / tard jusqu'à la nuit la plus tardive », ou dans le poème « L'Œil non somnolent » [Nedremljivo oko] du recueil *L'Éveil de la matière* [*Budjenje materije*, 1959] : « Tu es debout / Tu veilles / Tu gardes le secret dont tu ne sais pas le nom / Tu sais seulement qu'il est sacré. » On pourrait dire que Matić a choisi d'être cet « œil non somnolent » du poète qui ne succomberait à aucune illusion, et même pas à cette illusion, combien séduisante, du rêve, où bien des hommes croient que se dissimule la précieuse semence de l'inspiration poétique. Bien que Matić s'affirme ici comme le poète de l'esprit à l'état de veille, dont la lucidité contribue seulement à la pureté de l'inspiration, sa poésie garde l'enchantement des souvenirs, du songe, des rêveries, une chaude mélancolie d'homme qui sait déjà de quelle manière se déroulent les choses dans la vie, mais qui sait les voir aussi bien dans leurs répétitions que dans leur irréductible « irrépétition » [neponovljivosti], comme c'est le cas avec « La Mer » [More]. Dans sa poésie un lyrisme lucide dit : « Tu dors, beauté dense de l'été / tu mûris au cœur du mois d'août / comme une femme ayant compris que l'amour n'est que / cendre mais inépuisable, flamme que le premier souffle attise / et le second souffle éteint / et le troisième souffle attise encore. » Dans « Seule chante la flamme secrète » [Samo peva tajni plamen] du recueil *L'Éveil de la matière*, on trouve aussi : « Ne cherche pas l'os / Mais la chair ardente qui l'habille, par une pensée suffoquée, / et frissonne parfois d'une lueur rose. » La « Berceuse pour les morts qui n'ont pas plus de vingt ans » [Uspavanka za poginule kroji nemaju vise od dvadeset godina], du même recueil, nous découvre non seulement le lyrisme spécifique de Matić, mais aussi la forme particulière de sa poésie : c'est le poème de l'homme qui veille adressé à celui qui dort (là, quelque part, peut-être au côté du poète, peut-être au-delà du mur, peut-être quelque part au loin), et que seule la nuit par son silence et son obscurité rapproche du poète. Il est à remarquer que Matić, alors que les romantiques et les surréalistes avaient introduit la catégorie du rêve, et Baudelaire celle du gouffre, introduit dans sa poésie la catégorie de l'état de veille, chose que seul un philosophe était capable de faire. — Trad. « La Pêche trouble en eau claire » in *Le Surréalisme au service de la révolution*, 1933 ; deux poésies, « La Mer » et « Demain », in *Anthologie de la poésie yougoslave contemporaine*, Seghers, 1959 ; La Différence, 1984.

POÉSIES de Matos Paoli. Depuis ses débuts, la poésie de l'écrivain portoricain Matos Paoli (né en 1915) crée un lien entre la poétique et la politique, entre les expressions les plus érudites et les voix les plus populaires, entre la foi et la croyance chrétienne et l'angoisse et le cauchemar du dérèglement mental. Ce poète militant qui publie son premier recueil, *Signe des larmes* [*Signario de lágrimas,* 1931], reflet du deuil vécu lors de la perte de sa mère, chante dans *Chardon laboureur* [*Cardo labriego,* 1937] la condition pénible du paysan et de l'ouvrier portoricains pendant la Grande Dépression. Avec *Habitant de l'écho* [*Habitante del eco*] et *Théorie de l'oubli* [*Teoria del olvido*], tous deux de 1944, sa poésie devient progressivement autobiographique et montre une tendance encore plus marquée au lyrisme. Après *Chant à Porto Rico* [*Canto a Puerto Rico,* 1952], écrit pendant un séjour à Paris, le poète exprime ses angoisses lors de son emprisonnement pendant la révolution nationaliste d'octobre 1950 dans *La Lumière des héros* [*Luz de los héroes,* 1954], sa foi chrétienne dans *Créature de la rosée* [*Criatura del rocio,* 1958], et son désespoir existentiel et sa vision philosophique dans *Chant de la folie* [*Canto de la locura,* 1962]. Les thèmes essentiels de la poésie de Matos Paoli sont déjà exposés dès ses premiers recueils. Il continue à les développer dans d'autres nombreux recueils comme les dix *Chansonniers* [*Cancioneros*] où il dévoile sa maîtrise du sonnet.

La poésie de Matos Paoli puise ses sources dans la tradition lyrique espagnole classique, s'inspirant de Garcílaso, Gongora, des mystiques du Siècle d'or, de l'approche romantique de Bécquer, du purisme de Juan Ramón Jiménez, ainsi que du renouveau défendu par les poètes dits de la génération de 1927, comme Salinas, Aleixandre, García Lorca et Jorge Guillén. Elle accepte les positions de l'avant-garde de l'entre-deux-guerres sans pour autant oublier l'hermétisme tel qu'on le voit dans l'œuvre de Stéphane Mallarmé et de Paul Valéry, poètes qu'il a découverts lors de son séjour parisien en 1947. Chant à la vie et à la mort, à la foi, à l'amour, à la réflexion et à l'action et l'engagement politique, cette poésie montre une maîtrise des diverses formes poétiques, dans la structure des strophes et des mètres, parfois traditionnels, parfois entièrement libres. Chant total à la liberté de l'homme, cette poésie est également un chant au devenir historique de son pays. — Quelques poèmes de Matos Paoli ont été traduits en français et publiés dans *Porto Rico : une littérature nationale,* Revue *Europe,* août-septembre 1973.

POÉSIES de Maynard. L'œuvre poétique de François Maynard (ou Mainard, 1582-1646), poète français, fut publiée en recueil définitif en 1646. Des éditions antérieures et partielles, dont celle surtout de 1626, nous connaissons entre autres le grand poème pastoral en cinq chants *Philandre,* roman en vers dans la manière du *Sireine* d'Urfé, que Maynard composa pour plaire à la reine Margot dont il était le secrétaire. Mais ce poème date d'avant la « conversion » du poète à la réforme de Malherbe, entre 1606-1607. Le recueil de 1646 contient : des sonnets, des épigrammes, quelques épitaphes et chansons, des odes. La multiplicité et la diversité des sources du poète sont déroutantes. Il emprunta à tout le monde : aux Latins (Horace, Ovide, Catulle, Lucain, Martial, Juvénal, Sénèque), aux Italiens (l'Arétin, Sansovino, Ludovico Dolce, Fulvio Testi), aux Français (Du Bellay, Ronsard, puis Malherbe et ses contemporains). Par ses imitations, son habileté de copiste et de traducteur, sa faculté d'adaptation, il a pillé tout ce que sa profonde science des lettres a pu lui fournir. Le résultat en est généralement brillant, le texte de départ étant méconnaissable. À peine élève de Malherbe, il s'essaie dans le genre où son maître s'était acquis sa réputation, et compose l'*Ode pour célébrer les bienfaits du règne d'Henri IV* (1608 ou 1609). Pourtant il n'excelle pas dans le lyrisme élevé. Il n'y a de vraiment remarquable dans ses grandes odes que quelques passages où il traduit, d'une manière sincère, sa propre personnalité, où il fait vibrer les accents d'une émotion spontanée et intime. Du sonnet, dont les quatorze vers constituent en somme une strophe un peu ample, le talent de demi-lyrique du poète s'accommode à merveille. Mais c'est aux épigrammes et à quelques portraits satiriques (Le Soldat, Le Méchant, Le Magistrat, Le Nouvelliste, Le Théologien, Le Poltron) qu'il a donné le plus de lui-même. Il est visible que Maynard a voulu devenir, comme il s'appela lui-même, l'« Épigrammatiste de France ». Son style a la pureté et la clarté qu'exigeait impérieusement Malherbe. Sa phrase est de construction naturelle (il ne se permet plus les anciennes et traditionnelles inversions) ; l'indépendance syntaxique du vers, qui fut une de ses plus patientes recherches, évitant l'enjambement, aboutit à des suites entières de vers détachés : « Nos beaux soleils vont achever leur tour ; / Livrons nos cœurs à la mercy d'Amour ; / Le temps qui fuit, Cloris, nous le conseille. » Pour les épigrammes, elles sont presque toutes en octosyllabes, dont le rythme alerte s'accorde avec l'esprit de ce Gascon enjoué et cruel ; voir son « Épitaphe pour un ivrogne » : « Passant, qui t'es icy porté, / Scache qu'il voudrait que son ombre / Eut dequoy boire à ta santé », ou cette adresse « À une ancienne maîtresse » : « Vous seriez l'objet de mes vœux. / Si vous n'aviez qu'autant d'années / Qu'il vous est resté de cheveux. »

POÉSIES de Meléndez Valdés [*Poesías*]. Les œuvres du poète espagnol Juan Meléndez Valdés (1754-1817), éditées pour la première fois en 1785, sont généralement considérées comme une des œuvres les plus fines et les plus typiquement espagnoles de son temps. Le livre fut à deux reprises réédité, avec de nouveaux poèmes, mais le meilleur de Meléndez Valdés se trouvait déjà dans le recueil de sa jeunesse.

Ce sont des « Odes anacréontiques » [Odas Anacreonticas], des « Rondeaux » [Letrillas], des « Idylles » [Idilios], des « Romances » d'inspiration souvent sensuelle et d'une musicalité caressante. De cette poésie — mineure, mais pleine de grâce et de mouvement — le thème sera, par exemple, une toilette, les fossettes d'un visage, ou bien encore la vendange, la pluie dans la campagne, des bergeries imitées d'Anacréon. Il excelle dans ce genre conventionnel de la bucolique fin XVIIIe siècle et sait éviter les pièges de l'ennui, gardant toujours une grande légèreté de touche. Cependant, sous l'influence de l'austère poète Jovellanos, Meléndez voulut cultiver une muse plus grave : telle est l'origine des « Élégies » [Elegias], des « Épîtres » [Epístolas] et des « Discours » [Discursos] en vers hendécasyllabiques, où la tendre nature de Meléndez semble s'être un peu forcée. Mais si le poète fut loin d'atteindre à la grandeur souhaitée, du moins a-t-il frayé le chemin aux romantiques. Sous l'apparente frivolité de Meléndez Valdés battait un cœur passionné : ce cœur inspira les meilleurs poèmes composés sous l'influence de Jovellanos, mais hélas, ils sont comme perdus parmi d'ennuyeux discours à tendance moralisatrice. Toutefois la couleur préromantique de certaines élégies comme « Le Départ » [La Partida] ou de certaines romances comme « Doña Elvira », intéresse encore aujourd'hui. Non moins goûtés sont ses poèmes d'inspiration scientifique, où il célèbre Newton, Galilée.

POÉSIES de Sophia de Mello Breyner Andresen. Bien qu'elle ait écrit nombre de nouvelles, *Les Contes exemplaires* [*Contos exemplares,* 1962], *Histoires de la terre et de la mer* (1984), et d'admirables contes pour enfants, l'écrivain portugais Sophia de Mello Breyner (née en 1919) reste avant tout un poète ; ces récits sont en fait des proses poétiques. Citons ses principaux recueils : *Jour de mer* [*Dia do mar,* 1947], *No tempo divino* (1962), *O Cristo cigano* (1961), *Livro sexto* (1962), *Dual* (1972), *O nome das coisas* (1977), *Navigations* [*Navegaçôes,* 1983]. Lumière, vent, soleil, mer sont les éléments de ses poèmes, espace et éclairage où l'auteur peut donner toute ampleur à sa quête de l'absolu, à sa résistance à l'injustice, à sa morale exigeante et à son espérance. Ces éléments terrestres reflètent l'élément divin : « C'est à travers toi que mes fleuves cheminent comme des veines / Jeune taureau au front court dans le secret silence du bois / Sur tes épaules terribles repose le midi / Du divin célébré dans le terrestre. »

Une force, sans doute puisée dans la foi chrétienne ou dans la passion qu'elle a pour les Grecs anciens, habite ses vers, sensuels, traversés, comme le souligne Jorge de Sena, par le « sens aigu du tragique de la vie » qui, selon elle, ne peut être qu'un « cri jeté / Dans la violence du soleil de midi ». — Trad. *Méditerranée,* La Différence, 1981 ; *Navigations,* La Différence, 1988.

F. Be.

POÉSIES de Meyer. Parues en partie en 1864, 1867 et 1870, elles furent pour la plupart remaniées et intégralement publiées par l'écrivain suisse allemand Conrad Ferdinand Meyer (1825-1898), dans l'édition définitive de 1882. Elles furent classées en neuf groupes, dont les quatre derniers sont constitués par les *Ballades* (*) ; les cinq premiers sont : « Antichambre » [Vorsaal], « Heures » [Stunden], « Sur les monts » [In den Bergen], « Voyage » [Reise], « Amour » [Liebe]. Cette classification n'est pas très heureuse ; il eût été plus intéressant de laisser à ces poésies leur ordre chronologique. Alors que les *Ballades* sont en réalité de petits récits en vers et en ont la technique par le réalisme de la représentation, la poésie purement lyrique s'élève au-dessus de la technique même : l'âme s'y révèle non plus derrière le voile d'un récit, mais à travers le symbole créé par une instinctive pudeur et, à travers ce symbole, atteint à l'universalité. Les poésies de Meyer peuvent être considérées comme les premières compositions du symbolisme allemand. Elles témoignent en outre de la puissance harmonieuse avec laquelle le poète savait concilier la profondeur de la pensée allemande avec la maîtrise latine de la forme, l'imagination nordique, le sentiment de la nature typiquement suisse, le scepticisme français en face des vicissitudes de la vie. Si les poèmes de jeunesse sont encore un peu prolixes et touffus, bien vite ils se condensent et revêtent une forme soignée et bien définie. À cet égard on peut confronter les deux versions des poèmes qui furent remaniés par l'auteur tels que « La Fontaine romaine » [Der römische Brunnen]. Leur charme tient plus au relief qu'à la couleur ou la mélodie. Les éternels problèmes de la vie y sont, avec une grande subtilité, symbolisés dans les phénomènes de la nature : dans « Vol de goélands » [Möwenflug], le poète, en voyant se refléter dans l'eau les ailes des oiseaux annonciateurs de tempêtes, constate combien il est difficile de distinguer le réel de l'apparence, et se demande anxieusement s'il ne vit pas dans l'illusion et le rêve. Dans « Rumeurs de la nuit » [Nachtgeräusche], c'est la vague terreur des puissances occultes qui s'exprime, cherchant refuge dans les sons familiers : l'aboiement d'un chien, le tintement des heures, ou dans les voix mystérieuses du silence, comme la respiration d'une jeune femme, le murmure d'une source, le coup sourd d'une rame, jusqu'à ce moment où, d'un seul coup, arrive le sommeil. L'âme tourmentée du poète ne demande que peu de chose à la vie : seulement « un peu de joie » pour guérir ses douloureuses blessures (« Abendwolke » ; « Requiem »). L'union de l'humanité et de la nature est gracieusement symbolisée dans « Les Raisins de la Valteline » [Die Veltlinertraube], où le poète exprime le désir d'être ce grain de raisin qu'une bouche vermeille effleurera pour apaiser sa soif. Le plus souvent, Meyer chante le charme enchanteur des sommets, le pouvoir qu'a la montagne d'élever l'âme (« Encore une fois » [Noch einmal]). Son voyage en Italie a inspiré à Meyer de très beaux poèmes, dont les plus parfaits dans leur symbolisme sont peut-être « La Fontaine romaine » et « Sur le Grand Canal ». Les poèmes d'amour sont rares ; les seuls vraiment réussis sont dédiés à « Une morte », la jeune fille aimée dans sa prime jeunesse : « Einer Toten », « Lethe ». Sa haute conception de la mission du poète, Meyer l'eut en commun avec Schiller, son grand modèle, auquel il dédia son poème : « Les Funérailles de Schiller » [Schillers Bestattung] : il y exprime sa stupeur méprisante devant l'indécente sépulture ; mais un inconnu, enveloppé d'un ample manteau, suit le cercueil : « C'était le génie de l'humanité ! »

POÉSIES de G. Mistral. La poétesse chilienne Gabriela Mistral (1889-1957) a publié un grand nombre de poèmes dont certains furent réunis en recueils. Les premiers, *Les Sonnets de la mort* [*Los Sonetos de la Muerte*], lui furent inspirés par le suicide de son fiancé. On remarque particulièrement les pièces intitulées « Prière » et « Interrogation ». Ce recueil valut à leur auteur d'être distinguée aux jeux Floraux de Santiago du Chili en 1914. Puis Gabriela Mistral fit paraître de nombreuses poésies dans des revues et des journaux. En 1922, l'Instituto de las Españas de New York réunit l'ensemble de ces poésies dans un recueil intitulé *Désolation* [*Desolación*] qui connut un immense succès. La même année, le poète fut invité par le gouvernement du Mexique. Elle se rendit dans ce pays et y fonda une école qui porte son nom. Le ministre mexicain de l'Instruction publique lui ayant demandé d'écrire des poèmes destinés aux enfants, Gabriela Mistral accepta avec enthousiasme cette proposition car, depuis l'époque où elle enseignait dans les petites écoles du Chili, elle avait consacré la plus grande partie de sa vie aux enfants. Telle est l'origine de ses charmantes *Rondes d'enfants* [*Rondas de niños*], qui parurent en 1923. Elle y peint avec passion l'amour maternel, et l'on comprend qu'elle n'a pu se consoler de la disparition tragique de son fiancé qu'auprès des enfants qu'elle a compris en les éduquant. Après avoir voyagé en Espagne, en Italie et aux États-Unis, Gabriela Mistral publia *Nuages blancs* [*Nubes blancas*] et *Tendresse* [*Ternura*]. Après avoir publié *Tala,* elle reçut la consécration internationale en obtenant le prix Nobel en 1945. Son œuvre est à la fois chrétienne et sociale. En effet, elle s'est inspirée de *La Bible* au début de sa carrière littéraire. Puis elle a subi l'influence de Rubén Darío. Mais elle se créa bientôt un style à elle, et c'est alors qu'apparaît une teinte de socialisme dans ses poèmes lorsqu'elle décrit son pays ou qu'elle traduit la pitié qu'elle éprouve pour les pauvres. Enfin, son œuvre est dominée par son amour, amour des enfants, amour douloureux des *Sonnets de la mort,* amour de l'humanité. Parmi ses poèmes, l'on doit citer *Ruth, L'Attente inutile* [*La espera inútil*]. *À l'oreille du Christ* [*Al oido del Cristo*], *L'Enfant seul* [*El niño solo*], *Hymne à l'arbre* [*Himno al árbol*]. — Trad. *Poèmes,* Gallimard, 1946 ; *Poèmes choisis,* Stock, 1946 ; *Désolation,* Nagel, 1946 ; *D'amour et de désolation,* La Différence, 1989.

POÉSIES de Molinet. L'écrivain français Jean Molinet (1435-1507), chanoine de Valenciennes, historiographe de la maison de Bourgogne et bibliothécaire de Marguerite d'Autriche, n'est pas seulement l'auteur d'une *Chronique* qui fait suite à celle de Georges Chastellain et porte sur les années 1474-1506 — v. *Histoire de France* (*) — « l'Histoire sous les premiers Valois » ; il occupe, parmi les grands rhétoriqueurs, une place considérable par son esprit fort gaulois, son talent étourdissant de versificateur, sa fantaisie débridée. À côté de ses œuvres littéraires en prose : *Le Roman de la Rose moralisé, L'Art de rhétorique,* art poétique traitant surtout des points les plus vains de la technique du vers comme c'était l'usage à l'époque ; à côté de ses œuvres théâtrales : *Le Mystère de Saint Quentin* et une *Passion* « en rime franchoise », il nous a laissé de nombreux poèmes de circonstance, pièces religieuses, parodies familières et de pure virtuosité, réunies dans un recueil, *Les Faitz et les Dictz.* Il ne faut pas trop prendre au sérieux ses recherches sur la rime batelée, léonine ou équivoque : il s'agit là de divertissements d'où ne sont exclues ni la bouffonnerie ni une verve pleine de jeunesse. Lorsque Molinet veut être grand, il peut se hausser au ton le plus grave et le plus noble comme dans ce « Testament de la guerre », où l'indignation, proche déjà de celle qui engendrera *Les Tragiques* (*) d'Agrippa d'Aubigné, le soulève au-dessus de lui-même. Maintes fois apparaissent dans ses vers, à côté de latinismes pédants et alambiqués, des mots expressifs, des trouvailles savoureuses, et jusqu'à cette préciosité si pittoresque dont useront et abuseront les poètes de l'école lyonnaise. — *Les Faitz et les Dictz* ont été publiés en trois volumes par Noël Dupire dans la Société des anciens textes français (1936-1939).

POÉSIES de Mörike [*Gedichte*]. Recueil de poèmes de l'écrivain allemand Eduard Mörike (1804-1875), publié en 1838. Le meilleur en est fait de textes écrits en 1824 et tirés du *Peintre Nolten* (*). C'est moins la passion qu'un secret tourment qui les anime. Poète attiré par les « petites choses », Mörike aborde le monde avec une humilité qui confère à son œuvre un tour presque confidentiel. Ce caractère se fait surtout sentir dans « Le Vieux Coq du clocher » [Der alte Turmhahn], où est évoquée la vie quotidienne et paisible d'un pauvre curé de campagne. Dans « Idylle du lac de Constance », on décèle une sorte d'ironie bienveillante. Mörike, ici, joue en virtuose de la prosodie allemande. Plusieurs de ces poèmes furent mis en musique par Hugo Wolf. Le recueil obtint du reste un vif succès – Trad. Aubier, 1944.

POÉSIES de Moro. Le poète péruvien César Moro (pseud. d'Alfredo Quíspez Asín, 1903-1956) a écrit presque toute son œuvre en français. On peut y distinguer trois phases. Plutôt trois moments, d'ailleurs, que trois manières. D'un bout à l'autre, le même souci de l'image et une égale urgence, quelque chose d'emporté dans l'expression. Mais des variations de rythme aussi bien que d'effets. Indubitablement surréaliste, la première (« Un geste d'adieu sans retour / Parmi les beaux mythomanes / Couronnés de fleurs / Sous leurs chapeaux de paille semblables au Quirinal à six heures du matin / Quand on vient dire aux gardes / Ou à la reine / Ou à une domestique de cette femme / Quel sale temps de merde de vache / Le soleil atroce veut se lever... ») ; comme d'un surréaliste qui aurait relu Baudelaire, la seconde (« Sur gage de lieu / Dans l'immuable / Tourne à tout vent / L'été / La nuit / Le temps d'ouvrir / Les yeux / L'aide de la lune / Parcourt le marbre / Au front d'oiseaux ») ; au-delà du surréalisme piqué de Mallarmé, la troisième (« Dioscures tailledouce / Vaticinateurs / À l'urne funéraire / Relaps / En chair et en os / Hélant hélas si diurnes / La nuit / À écailles à griffes / À plumes... »). Des titres : *Ces poèmes...* (1930-36, publ. 1987) ; *Le Château de Grisou* (1940-42, publ. 1943) et *Pierre des soleils* (1944-46, publ. 1980) ; *Amour à mort* (1949-50, publ. 1957). Le seul livre en espagnol de Moro : *La Tortue équestre* [*La tortuga ecuestre*] (1938-39, publ. 1957) est rapidement devenu un des livres maîtres des jeunes générations poétiques hispano-américaines : longue « lettre d'amour », d'un Amour majuscule, dans une langue à la fois cérémonielle et cataclysmique. A. C.

POÉSIES de Muset. Parmi les poètes français du XIIIe siècle, Colin Muset, trouvère champenois qui composa vers 1230, occupe une place tout à fait à part. C'était un ménestrel errant de château en château, obligé de faire appel à la générosité de ses protecteurs. Muset traite des thèmes de la poésie courtoise sans grande conviction, avec plus d'élégance et d'habileté professionnelle que de passion. Où il excelle, c'est quand il nous peint sa vie libre, soumise à toutes sortes de hasards, mais qu'il aime. Ses petits poèmes semblent improvisés directement à même une joie fugitive, un sentiment de bien-être momentané qu'il éprouve. Citons par exemple : « Ancontre le tens novel / Ai le cuer gai et inel », où, saisi de la gaie « reverdie » du printemps, le poète « veut faire un triboudel », c'est-à-dire une chanson dont le refrain sera : « Triboudaine et triboudel ». Toute joie lui est agréable, le doux chant des oiseaux comme les joyeuses assemblées, les chants et danses de la jeunesse, et Colin Muset lance l'anathème contre celui qui boude son plaisir : « Deus confonde le musel / Ki n'aime joie et baudor. » Ailleurs, il chante, avec quel charme, ses amours de passage : « Sorpris sui d'une amorette / D'une jone pucelette. » Puis il pense à l'hiver qui va venir, il va lui falloir trouver un château, habité de gens aimables et bien garni de victuailles. Enfin, dans le poème : « Sire cuens, j'ai vielé / Devant vous, en ostre osté ; / Si ne m'avez riens doné / Ne mes gages acquité : / C'est vilanie. » Colin Muset, après avoir fait honte au seigneur qui l'a laissé partir l'escarcelle vide, lui peint la scène de son retour au foyer, après ses longues tournées de ménestrel. Sa femme l'attend : que son sac soit « de vent farsie », elle lui reproche sa négligence : « En quel terre avez esté / Qui n'avez riens conquesté ? » S'il revient « le sac enflé » et lui « bien paré de robe grise », « elle lui rie par franchise, / ses deus braz au col me lie ». Pleine de verve et d'entrain, la poésie de Colin Muset séduit et charme ; ce vagabondage, cette bonne humeur qui ne se dément jamais nous font directement entrer dans les confidences d'un être simple et sincère, qui sut trouver en tout son plaisir. Elle nous donne en même temps un très vivant aperçu sur les mœurs du temps. – Les *Chansons* de Colin Muset on été éditées par J. Bédier (Champion, Paris, 1938) et traduites par J. Dufournet – v. *Poésies* (*) de Gui II de Coucy.

POÉSIES de Musset. L'œuvre du poète français Alfred de Musset (1810-1857) n'est pas séparable de sa vie, et surtout du drame sentimental provoqué par sa liaison orageuse avec George Sand. Dans le cours de son expression poétique, ce drame marque une coupure assez nette : par l'expérience de la douleur, initiant Musset aux sentiments éternels de la nature humaine, il l'obligea à hausser son art à une hauteur morale que ses poésies précédentes ne laissaient pas deviner : Musset ne put en effet se délivrer de son chagrin qu'en le sublimant, dans un véritable salut par l'art, et ce furent les célèbres *Nuits*, qui sont le meilleur de son œuvre et l'excluent du nombre des poètes mineurs parmi lesquels Sainte-Beuve l'avait un moment compté. Mais rien n'annonçait cet autre Musset, celui d'après 1833, dans l'adolescent qui se produisait à dix-huit ans dans le cénacle romantique de Hugo, de Vigny, de Sainte-Beuve : ses poésies d'alors, réunies dans les *Contes d'Espagne et d'Italie* (*), étonnèrent et émerveillèrent parce qu'elle disaient tout le printemps d'un romantisme flamboyant, léger, fantaisiste, narquois, animé par les mille pirouettes d'une imagination débridée. Autour de sujets scabreux : tromperies, adultères, jalousies, meurtres, mêlés aux voluptés d'un jeune dandy, Musset créait l'atmosphère d'une Espagne et d'une Italie d'opéra-comique. Il n'était pas allé voir ces pays de près : son Italie ressemble pourtant un peu à celle de Stendhal, véritable Italien celui-ci, et c'est bien la terre chaude des sensations fortes, des passions violentes, de l'énergie. Comme il le dit lui-même dans « Au lecteur », Musset restera longtemps cet adolescent qui ne se lassait pas de sentir et d'aimer, s'ennuyait dès qu'un certain équilibre apportait un peu de paix dans son âme. Pour le moment, il ne sait et ne veut que rire, et c'était là quelque chose de nouveau dans le romantisme, qui signifiait d'ailleurs que le mouvement avait bien triomphé. Quel contraste entre la façon tout ironique d'un Musset et la solennité pathétique d'un Hugo, ou la fière mélancolie d'un Vigny ! La célèbre « Ballade à la Lune » est une plaisanterie savante, qui ne vise pas seulement les vieux classiques, mais les romantiques eux-mêmes, et ceux-ci le comprirent bien, qui affectèrent désormais de prendre Musset pour un « amateur ». La lune était un des thèmes favoris des poètes de la nouvelle école ; mais Musset y trouve l'occasion d'une parodie du romantisme nébuleux, avec ses longues énumérations, ses comparaisons forcées, ses évocations infernales, ses appels souvent déplacés à l'éternité et à l'infini. Et c'est aussi, combien plus légère et spontanée que celle de Hugo dans ses *Odes et Ballades* (*), une imitation de Ronsard et des acrobaties prosodiques de la Pléiade, avec leur syntaxe archaïque, leurs inversions et les évocations des déesses lumineuses de l'Antiquité dans le style du XVIe siècle.

Il arrive aussi que Musset reprenne sans originalité les thèmes du romantisme sentimental, comme dans « Le Saule » (1830), où un jeune homme mystérieux et fatal, déguisé en moine, s'introduit dans le couvent où l'on a enfermé une jeune fille qu'il a séduite, mais n'y parvient que pour recueillir le dernier soupir de sa maîtresse. Rien de bien personnel, ici, si ce n'est la douce et musicale mélancolie de l'« Invocation à l'étoile du berger », imitée d'ailleurs d'Ossian, et dont le ton fait contraste avec le reste du poème qui est un conte dramatique, comme *Don Paez* (*) et « Portia ».

C'est un ton entièrement neuf que nous trouvons dans les *Poésies nouvelles*, recueil qui comprend les œuvres écrites de 1835 à 1852 et publiées pour la plupart dans *La Revue des Deux Mondes* (*). Si l'on met à part *Rolla* (*), qui pour le sujet et le héros se rattache aux *Premières poésies* et nous montre un Musset attendant encore fiévreusement quelque rédemption par l'amour, on peut distinguer dans ce recueil deux grands cycles : le premier est profondément marqué par le drame qu'a vécu Musset au terme de sa liaison avec George Sand. C'est le Musset des *Nuits* (*), effrayé du spectre de sa jeunesse (« Nuit de décembre »), qui tantôt cherche un recours dans l'art (« Nuit de mai »), tantôt s'efforce désespérément de retrouver l'amour et lui sacrifie son génie (« Nuit d'août »), tout en exhalant d'amères rancœurs contre sa maîtresse infidèle (« Nuit d'octobre ») : un poète des grandes douleurs qui, avec l'élégie, atteint le sommet de son art. La « Lettre à Lamartine » (1836), où l'on trouve la classique allégorie du laboureur, plut assez peu à son destinataire, froissé sans doute de voir Musset mettre sur le même plan la tapageuse liaison de Venise et sa passion pour Elvire. Musset conte ici comment il attendit vainement sa maîtresse, un soir de carnaval, perdu au milieu d'une foule railleuse et frivole, insensible à sa peine. C'est encore le thème de la découverte de la douleur : « Je me suis étonné de ma propre misère / Et de ce qu'un enfant peut souffrir sans mourir... » Déjà, pourtant, il s'inquiète de la mobilité de son cœur : il a cru être pris par une passion divine, éternelle, il s'aperçoit qu'il oublie. Au milieu de son désespoir, il se rappelle les chants de l'autre poète, qui réveillent en lui les émotions religieuses. Ainsi le poème, à travers l'exemple du grand aîné, ébauche un passage de la douleur à l'espérance. Musset commence à guérir. Dans les « Stances à la Malibran », écrites la même année, à la mort de la jeune actrice, Musset rejoint pourtant l'inspiration de la « Nuit d'août » : à l'amour, il a voulu un moment sacrifier son art ; de même la Malibran, pour être la pure voix du génie, a rejeté l'aide des techniques du métier, elle s'est abandonnée aux caprices épuisants de l'inspiration et, comme Musset, elle a trouvé son châtiment, car « c'est tenter Dieu que d'aimer la douleur ». L'œuvre est parfaitement romantique, par son identification du génie et de l'amour (« Ce que l'homme ici-bas appelle le génie, / C'est le besoin d'aimer, hors de là tout est vain »), par l'admiration qu'il n'accorde, chez l'artiste, qu'au brusque jaillissement de la passion toute pure, de la « voix du cœur qui seule au cœur arrive ». « L'Espoir en Dieu » (février 1838) achève la grande période lyrique commencée avec la « Nuit de mai » et montre bien l'effort de Musset pour dépasser sa détresse amoureuse dans la foi chrétienne. C'est toujours cependant un chrétien sans la foi que l'on retrouve, balancé entre un épicurisme qui le dégoûte et un jansénisme qui l'effraie. La perfection chrétienne n'est-elle pas trop haute ? « Mon seul guide est la peur, mon seul but est la mort. » Dégoûté du plaisir et de la science humaine, il cherche une certitude qui comblerait son cœur rongé par le doute. Et Musset de risquer une sorte de pari pascalien : « Si le ciel est désert, nous n'offensons personne ; / Si quelqu'un nous entend, qu'il nous prenne en pitié ! » — « Souvenir » (février 1841) achève dans la paix retrouvée le cycle de George Sand. Invité dans une maison où il avait passé des moments heureux avec sa maîtresse, Musset se sent à nouveau envahi par l'amour. Mais ce ne sont plus des plaintes déchirantes ni d'agressives rancœurs : la passion s'est, avec le temps, transfigurée dans la mémoire, atteignant à la sérénité : « Je me dis seulement : À cette heure, en ce lieu, / Un jour, je fus aimé, j'aimais, elle était belle. / J'enfouis ce trésor dans mon âme immortelle / Et je l'emporte à Dieu... » Mêlant la nature aux élans du lyrisme, ce poème rempli de religiosité et composé dans un rythme calme et sobre qui traduit le repos de l'âme, effort pour élever une liaison mondaine au rang d'un amour immortel, peut être comparé au « Lac » et à la « Tristesse d'Olympio ».

Mais déjà reparaît un autre Musset, plus libre, plus français, qui rappelle celui des *Premières poésies.* C'est lui qui demande « À une fleur » (1838) : « As-tu pour moi quelque message ? / Tu peux parler, je suis discret. / Ta verdure est-elle un secret ? / Ton parfum est-il un langage ?... » Ce ton, tour à tour galant, frivole et satirique, marque un second groupe de poèmes, qui ont le grand intérêt de nous faire pénétrer les idées littéraires de Musset. « Dupont et Durand » (juillet 1838), dialogue plein de verve dirigé contre le romantisme sentimental et idéologique, met en scène un poète au front ossianique qui, sur trente ans de sa vie, en a passé dix à chercher vainement un éditeur. Durand se fait gloire de n'avoir jamais écrit un livre en bon français, et c'est pour Musset une occasion de se gausser de la « germanolâtrie » de ses contemporains romantiques. Quant à Dupont, l'autre bohème, il a la sincérité de se présenter ainsi : « Ruminant de Fourier le rêve humanitaire... / Délayant de grands mots en phrases insipides, / Sans chemise et sans bas, et les poches si vides / Qu'il n'est que mon esprit au monde d'aussi creux, / Tel je vécus, râpé, sycophante, envieux. » Mais ce lamentable gueux a au moins un projet, et c'est pour Musset l'occasion de brosser le tableau le plus amusant des utopies sociales de l'époque : c'est le tableau d'un sceptique, où Lamennais, Fourier, Enfantin sont pris à partie. Dans « Une soirée perdue » (1840), Musset constate avec tristesse le discrédit où est tombé Molière : « J'étais seul l'autre soir, au Théâtre-Français... » Comme il regrette le grand classique dont il aime le naturel, l'« amour pour l'âpre vérité », et qui lui apprend « comme le bon sens fait parler le génie » ! Jamais peut-être Musset ne s'est emporté plus fort contre le goût de son époque, perçant à jour les grandes flammes romantiques dont la défiance pour l'« antique franchise » lui semble une preuve « que nous manquons de cœur ». Lui-même pourtant ne laisse pas d'être romantique, lorsqu'il parle de la « tristesse » de Molière et voit dans ses œuvres moins des comédies que des drames pessimistes. Même ferveur classique dans « Silvia » (décembre 1839), agréable délassement à la manière de Boccace, précédé d'un salut à La Fontaine, « fleur de sagesse et de gaîté », dont on exalte le caractère très français. Dans « Sur la paresse » (décembre 1841), Musset s'affirme hautement comme un disciple de Mathurin Régnier : quel champ le vieux maître eût trouvé pour sa verve dans ce XIXe siècle que Musset juge si mauvais, avec « le grand fléau qui nous rend tous malades, le seigneur Journalisme et ses pantalonnades », « le règne du papier, l'abus de l'écriture, qui d'un plat feuilleton fait une dictature », « nos mœurs, qui se croient plus sévères, parce que nous cachons et nous rinçons nos verres... » Musset, dans un éblouissement de formules spirituelles, ne se lasse point de dénoncer vices et ridicules. Il peut se demander s'il existe encore des satiristes, son poème prouve assez qu'il en fut un, de génie. Mais l'enfant terrible, malgré ses plaintes et ses colères, appartient bien à son temps : la profession de foi littéraire d'« Après une lecture » (1842) suffit pour nous en convaincre. Musset peut réagir contre l'esprit de cénacle, demander une poésie « pour tous » et s'écrier « Vive le vieux roman, vive la page heureuse / Que tourne sur la mousse une belle amoureuse !... / Vive le mélodrame où Margot a pleuré », rien n'est plus romantique que la théorie qu'il expose et à laquelle il est loin, d'ailleurs, d'être toujours resté fidèle : « Mon premier point sera qu'il faut déraisonner », posséder une cœur capable de s'émouvoir à tout propos, « plus fou qu'Ophélia de romarin coiffée, / Plus étourdi qu'un page amoureux d'une fée... », savoir vivre dans le mystère, évoquer des fantômes, entendre une voix éplorée murmurer dans les sources, mais aussi bien goûter l'amour frais et chaste et se livrer tout entier à l'attrait de l'infini. Qui ne saura point tout cela pourra barbouiller, raturer : « grand homme, si l'on veut ; mais poète, non pas ».

La valeur du recueil est surtout dans les élégies : le « Souvenir », proche de Lamartine, mais surtout les *Nuits*, création incomparable où Musset donne au genre la nuance la plus personnelle. Après ces sommets, atteints immédiatement après la rupture avec George Sand, il faut bien constater une chute dans l'art de Musset ; mais le contraste qui oppose aux *Nuits* « Dupont et Durand » ou « Après une lecture » montre bien la riche et diverse inspiration du poète, et les deux âmes qui, jusqu'à la fin, ne cessent de se disputer en lui, le menant tour à tour à des perfections différentes, mais qu'il parvient à rendre compatibles. De toute manière, soit qu'il s'abandonne au lyrisme, soit qu'il se moque dans la satire, Musset rompt ici radicalement avec le romantisme assez factice de ses premières années.

POÉSIES de Nadson. Recueil de vers du poète russe Semen Jakovlevitch Nadson (1862-1887), qui obtint un succès foudroyant comme en témoignent ses nombreuses éditions. Emporté par la phtisie à l'âge de vingt-cinq ans, l'auteur, qui par ailleurs fut malheureux toute sa vie, a su trouver des accents propres à émouvoir toute la jeunesse russe de l'époque. Certes ses poésies pèchent souvent du côté de la forme et usent de certains effets plutôt faciles. Mais il ne faut pas oublier que la poésie russe avait perdu alors le culte de la perfection. Autrement dit, le mauvais goût était alors monnaie courante (la merveilleuse renaissance ne viendra que vers la fin du siècle). Il reste que Nadson est devenu le porte-parole de toute une génération. Celle-ci s'est reconnue dans ces brèves poésies, dans lesquelles se cherchait une âme d'une émouvante pureté, accordant sa propre douleur à celle de tous ses semblables, en sachant toucher le fond même de la condition humaine. – Trad. in *Anthologie des poètes russes* (Grasset, 1911) et *Les Lyriques russes* (« La Renaissance du Livre », 1921).

POÉSIES de Nelligan. Œuvre poétique d'Émile Nelligan (1879-1941), poète canadien d'expression française, publiée en 1903. Nelligan fut frappé de folie à l'âge de 18 ans. Sa poésie pourrait être celle d'un Français exilé au Canada : on n'y trouve aucun des grands thèmes patriotiques et nationaux tant exploités par la génération précédente, mais l'exotisme, le rêve, le désespoir des poètes français. Baudelaire, parnassiens et symbolistes furent toute la nourriture spirituelle de ce jeune anarchiste. Émile Nelligan, s'il leur doit beaucoup, reste pourtant très personnel : son inspiration rencontre la leur. C'est un vrai poète maudit, le seul qu'ait compté le Canada ; c'est aussi le plus grand poète de son pays. Très tôt blessé par la vie, rebelle aux études comme à tout devoir de l'existence, génie méconnu par ses parents, Nelligan a subi une longue agonie spirituelle, tourmentée par une incurable tristesse et soulagée par le seul recours aux rêves nostalgiques de l'enfance. Son ennui de vivre touche à l'obsession ; il est triste à propos de tout ; et si parfois il se laisse aller à composer des chansons alertes, comme « Le Mal d'amour », il éprouve le besoin, sur le mode de l'humour noir, de mêler de sombres pensées à la fête. Comme tant de symbolistes, il est le poète de l'automne. Sans cesse « (son) cœur brisé râle son agonie ». Mais il est aussi le poète du rêve, des voyages mystérieux, aux destinations imprécises, qui plaisent à son esprit mal formé et miné par la névrose : « Ma pensée est couleur de lunes d'or lointaines... » Surtout, son cœur est lourd des regrets de l'enfance, et Nelligan se plaît à évoquer les images coloriées, le monde magnifique qu'elles laissaient deviner ; mais maintenant « J'aperçois défiler, dans un album de flamme / Ma jeunesse qui va, comme un soldat, passant / Au champ noir de la vie, arme au poing, toute en sang ! » Et l'adolescent pleure sa jeunesse, sa vie déjà perdues, comme s'il avait le pressentiment de sa folie prochaine. Dans le poème « La Romance du vin », son chef-d'œuvre, il se confesse tout entier : sa tristesse invincible, son mépris — qui n'est qu'une crainte – de la foule, son désir de gaieté, ses rêves de gloire, sa douleur de ne pas se sentir admiré, aimé : « C'est le règne du rire amer, et de la rage / De se savoir poète et l'objet du mépris, / De se savoir un cœur et de n'être compris / Que par le clair de lune et les grands soirs d'orage... » Proche de Baudelaire par le goût du morbide, de Verlaine par son art de la musicalité des mots, de Heredia par sa prédilection pour le vocable rare. Émile Nelligan apparaît comme un artiste très doué.

POÉSIES de Nerval. Longtemps, l'œuvre poétique de l'écrivain français Gérard de Nerval (1808-1855) a été sinon oubliée, du moins très dédaignée par la critique universitaire : les contemporains l'avaient à peu près méconnue et Sainte-Beuve parlait avec détachement du « gentil Nerval » : il restait l'homme des érudits et des poètes, qui se gardèrent bien de négliger ses découvertes. La manière dont Nerval avait lui-même publié son œuvre poétique favorisait quelque peu cette mésentente : aucun recueil publié de son vivant et il faudra attendre le sixième et dernier tome des *Œuvres complètes* en 1877 pour voir enfin réunis ces poèmes dont les plus grands étaient éparpillés en appendice des œuvres en prose : les *Odelettes* à la fin de *La Bohème galante, Les Chimères* (*) à la fin des *Filles du feu* (*). La première œuvre de Nerval avait été pourtant un recueil de vers, bien mauvais il est vrai : le pindarisme scolaire, sans hardiesse, des *Élégies nationales et Satires politiques* (1827) ne présente aucune originalité : Nerval, comme presque toute sa génération, y apparaît comme un fervent du mythe napoléonien, du Napoléon de 1793 et des Cent-Jours, fils de la Révolution, ennemi du parti prêtre et des jésuites. Bien académique, cependant, le ton des odes qu'il compose alors pour célébrer son grand homme ! « Les Bardes bien longtemps le rediront encore / Jusqu'à ce qu'un mortel, favorisé des cieux / Le chante sur un luth sonore... » Les maîtres de Nerval, ce sont alors Casimir Delavigne et Béranger. D'une tout autre valeur, bien qu'elle date de la même année et qu'elle ait été commencée sur les bancs du lycée Charlemagne, nous apparaît la traduction de *Faust* (*), qui fit l'admiration du vieux Goethe, et dont certaines parties seulement sont en vers. Berlioz les mit en musique et ce *Faust* valut au jeune auteur une immense popularité. Dans la célèbre ballade du *Roi de Thulé* (*), le traducteur a su rendre la naïveté de la vieille poésie germanique et son symbolisme fantastique et sentimental, représenté ici par la « coupe d'or au flot amer ». On passera rapidement sur les traductions que Nerval fit des *Poésies allemandes de Klopstock, Goethe, Schiller, Burger...,* (1830), dont l'intérêt est grand cependant pour l'influence de l'Allemagne rêveuse, métaphysique et sentimentale sur notre romantisme, pour en arriver aux petites pièces publiées vers 1835, la plupart dans les *Annales romantiques,* et reprises à la fin du volume de *La Bohème galante* (1855), où l'on remarque les premiers signes véritables du génie poétique de Nerval. Inspirées de Ronsard, les *Odelettes rythmiques et lyriques* reflètent l'existence de dandy brillante et assez cossue que Nerval, bénéficiaire d'un héritage familial, menait alors impasse du Doyenné en compagnie de Gautier et d'Arsène Houssaye. Aucune atmosphère n'était plus dédaigneuse des grandes douleurs romantiques. C'est une saveur de Renaissance et quelque lumière échappée de la Pléiade, qui se dégagent de ces pièces que Nerval rimait avec une grande facilité, et dont il se souciait si peu que la plupart furent perdues. Si le mètre des « Papillons », de « Sainte-Pélagie » rappelle exactement celui des poètes de la Pléiade, si le petit poème d'« Avril » pourrait être de Ronsard, sa troublante imprécision le rattache bien à la sensibilité contemporaine. Dans les « Cydalises », où il chante les jeunes maîtresses, saisies par la mort alors qu'elles ont vécu à peine, mais sauves ainsi du délaissement et de la douleur, Nerval fait pressentir le Verlaine des *Fêtes galantes* (*) : « Où sont nos amoureuses ? / Elles sont au tombeau... » Ces vers et ceux de « Fantaisie » (« Il est un air pour qui je donnerais /Tout Rossini, tout Mozart, tout Weber... ») firent fongtemps le plus clair de la célébrité de Nerval comme poète. « Fantaisie », parmi ces pièces légères, nous touche particulièrement par son thème, qui deviendra plus tard une des obsessions de la folie de Nerval : au gré de la rêverie suscitée par un vieil air « languissant et funèbre » surgit un château Louis XII et une étrange dame « blonde aux yeux noirs, en ses habits anciens... / Que dans une autre existence peut-être, /J'ai déjà vue / Et dont je me souviens ! ». Nostalgie des vies antérieures, qui prendra une ampleur cosmique dans le recueil des *Chimères* et que Baudelaire retiendra — v. « La Vie antérieure », dans *Les Fleurs du mal* (*) —, de même que dans son sonnet des « Correspondances » (*), il donnera la théorie d'un nouveau symbolisme dont ici déjà Nerval fait usage, un simple son pouvant devenir le signe de tout un monde spirituel. L'un et l'autre doivent d'ailleurs au Sainte-Beuve de *Vie, poésies et pensées de Joseph Delorme* (*), à l'exemple duquel Nerval esquisse de brèves scènes d'intimité, légères évocations d'une journée d'hiver aux Tuileries avec un souvenir de commencement d'amour (« La Cousine »).

Si Nerval n'avait publié que les *Odelettes,* il ne serait pourtant qu'un poète mineur (gracieux, sans plus, comme disait Sainte-Beuve). Son vrai titre de gloire, qui lui donne une place exceptionnelle dans la littérature française et fait de lui le plus profond des romantiques, ce sont les quelques sonnets des *Chimères,* publiés à la fin des *Filles du feu* en 1854, un an avant son suicide. En plein romantisme, Nerval rompait avec cette poésie oratoire par laquelle un Hugo continuait la grande tradition classique. Le monde visible, ici, n'est plus séparé de cet univers invisible plein de brumes, de rêves mystiques ou amoureux que suggèrent les dieux morts des humanités antiques ou les amantes perdues ou délaissées : le poète réussit le miracle de traduire le songe qui le poursuit en images aux contours fort nets, tout en gardant pour lui seul la clef des correspondances : poésie de l'éternel, extase toute païenne d'une émotion ramassée en un court poème, qui arrache l'auditeur à lui-même. Cette œuvre, où tout est secrètes harmonies et qu'on dirait écrite sous la dictée de quelque « démon », est peut-être l'exemple le plus parfait de poésie pure que possède notre littérature : dans « Delphica » (1843), au milieu de souvenirs italiens, pourra bien paraître une jeune fille, elle sera tout juste nommée et autour d'elle s'ordonnera non un thème logique et suivi, mais une magie, un sortilège incantatoire où tout l'effet poétique jaillit des seuls sons. Certaines pièces (« El Desdichado », « Artemis », par exemple) sont si obscures qu'on ne cessera jamais sans doute de tenter des exégèses, toutes également vaines, de leur signification : par le prestige de simples mots privilégiés, elles emportent l'adhésion : « prince d'Aquitaine », « ténébreux », « luth constellé », « soleil noir », et Nerval a lui-même appuyé sur l'aspect mystérieux de cette œuvre, écrite, dit-il, en état de « rêverie supernaturaliste ». Il fut donné à Nerval, par sa maladie, de vivre de la manière la plus totale cette expérience du dédoublement qui hanta le romantisme allemand dont il fut un des fervents : dans son rêve, il atteint à un monde de réminiscences, d'aventures vécues par lui-même bien des siècles avant sa naissance terrestre. Les femmes qu'il a aimées (et Aurelia ne cesse de le hanter) se tranfigurent en êtres mythiques, Mélusine, la reine de Saba, parfois en une seule figure symbolique (« Artemis »), exemplaire unique des diverses incarnations de l'Éternel Féminin, « Bijou enlevé à la Dea Syria, à la déesse multiforme », dira Maurice Barrès, parlant de ce dernier poème. Comme la plupart des romantiques, Nerval éprouvait vivement le besoin d'une foi nouvelle, mais, désintéressé de la politique, il ne pouvait verser dans le messianisme social de Sand, de Michelet, de Lamartine ; et, trop marqué par une formation anticléricale, initié à la vaste religiosité naturiste de l'Allemagne, il ne pouvait songer à revenir purement et simplement au christianisme. Toute sa vie d'ailleurs, il s'intéressa aux illuministes — v. *Les Illuminés* (*). Avec *Les Chimères,* conduites sur un mode prophétique, il entrera en communion avec tous les cultes, visitera tous les sanctuaires, rendra la vie aux prophéties de la Sybille, aux héros et aux sages de l'Antiquité : « Ils reviendront ces Dieux que tu pleures toujours ! / Le temps va ramener l'ordre des anciens jours ; / La terre a tressailli d'un souffle prophétique... » (« Delfica »). Rien de chrétien, par conséquent, dans l'intense religiosité qui embrase la plupart de ces poèmes. Si Nerval évoque en cinq sonnets « Le Christ aux Oliviers » (1844), c'est, selon les leçons de la tradition ésotérique, par l'image d'un Dieu sacrifié, rongé de doutes et qui, devant ses amis ingrats qui le trahissent en dormant, découvre le néant de Dieu lui-même : « Tout est mort ! J'ai parcouru les mondes ; / Et j'ai perdu mon vol dans leurs chemins lactés... / En cherchant l'œil de Dieu, je n'ai vu qu'un orbite / Vaste, noir et sans fond... » Il est incontestable que l'art de Nerval doit beaucoup à la folie : c'est elle qui introduit le poète, pour le perdre, dans les régions les plus obscures de l'âme. Toutefois, *Les Chimères* sont le fruit amer de ces moments de lucidité au cours desquels Nerval parvint à projeter hors de lui les noirs démons qui le hantaient. Car il demeure vrai que si cette poésie doit à la folie, elle est aussi une défense contre elle ; dans ces œuvres qui, plus que toute autre, révèlent la face nocturne de l'âme, on ne laisse pas de sentir malgré tout cette tenace aspiration vers la lumière. Sans cesse les paysages brûlants de soleil y alternent avec les plus noirs abîmes. Même dans « El Desdichado » (le déshérité), la pièce la plus désespérée du recueil, les rêves infernaux se mêlent aux réminiscences de *Sylvie* (*), aux souvenirs lumineux de l'amour : « Dans la nuit du tombeau, toi qui m'as consolé, / Rends-moi le Pausilippe et la mer d'Italie, / La fleur qui plaisait tant à mon cœur désolé, / Et la treille où le pampre à la rose s'allie... » Dans « Mytho » (1854), l'on remarque un contraste analogue : l'atmosphère lourde de la première strophe du sonnet s'apaise dans les derniers vers : « ...Toujours, sous les rameaux du laurier de Virgile, / Le pâle Hortensia s'unit au Myrte vert... » Si les *Odelettes* purent aider les parnassiens à revenir vers une poésie plus immédiate, c'est par *Les Chimères* que Nerval est devenu une des figures dominantes de la poésie contemporaine. La ferveur, autour de ce recueil, n'a cessé de croître. Comme Nerval, fortifié encore par la leçon d'Edgar Poe, Baudelaire s'efforcera de faire tenir toute l'émotion poétique dans un bref poème. Des *Chimères*, les symbolistes retiendront surtout un certain goût du mystère, des visions nuageuses, des figures imprécises à l'allure antique. Mais la vraie postérité de Nerval va d'Arthur Rimbaud à différents courants de la poésie française du XXe siècle.

POÉSIES de Nguyên Công Tru. Poésies de l'homme d'État et poète vietnamien Nguyên Công Tru (1778-1859), écrites en langue nationale, plusieurs fois éditées partiellement dans des études générales, transcrites et éditées en 1983. Elles peuvent être classées en trois groupes correspondant à des étapes de sa vie d'étudiant pauvre, de sa carrière mouvementée d'homme d'État, et de sa retraite. Les plus réussies sont celles destinées au chant : « Gens de lettres » [Ke si], véritable profession de foi, malgré son conservatisme, ne manque, par exemple, pas d'élan épique. Même s'il fait parfois l'éloge d'une sorte d'épicurisme, il montre généralement beaucoup de courage dans l'adversité, de persévérance, autant de leçons pour une vie dans la dignité. Le style toujours soigné et équilibré, sans trop de références historiques, le rythme lié au chant, donnent à ses compositions une cadence de déclamation, lançant comme un défi qui résonne aux quatre points cardinaux. Le ton ironique et extravagant pour parler de soi n'est pas de morbide désespoir, mais de légère amertume face aux revers de la fortune.

T.-T. L.

POÉSIES de Nouveau. Le poète français Germain Marie Bernard Nouveau (1851-1920) a laissé une œuvre relativement mince, mais substantielle, publiée en grande partie posthume et souvent d'après des manuscrits non originaux. La première édition d'ensemble, présentée dans un ordre chronologique, a paru à Paris, chez Gallimard, en 1953 (2 volumes) sous le titre : *Œuvres poétiques.* Elle comprend : *Premiers vers* (Poèmes 1872-1878, dont quelques-uns parurent dans des revues littéraires au su de l'auteur) ; *Dixains réalistes* (qui firent partie d'un recueil collectif, publié à Paris sous le même titre, Librairie de l'Eau-Forte, 1876) ; *Notes parisiennes* (petits poèmes en prose, contemporains des *Illuminations* [*] de Rimbaud) ; *La Doctrine de l'amour* (publiée du vivant de l'auteur, mais à son insu, par l'éditeur Larmandie, qui en donna deux éditions à tirage très restreint, l'une en 1904, sous le titre *Savoir aimer*, l'autre en 1910, intitulée les *Poésies d'Humilis.* Une édition posthume parut en 1924 chez Messein : *Germain Nouveau. – Poésies d'Humilis et vers inédits*) ; *Valentines* (Messein, 1922) ; *Derniers vers* (où figurent entre autres les poésies parues en 1949 chez Pierre Cailler, à Genève, sous le titre *Le Calepin du mendiant*) ; *Ave Maris Stella* (brochure publiée par l'auteur, à Aix, en 1912 et reprise sous le titre d'*Ex-Voto* dans l'édition Messein des *Valentines*). Une édition complète des œuvres a été donnée par Walzer dans la bibliothèque de la Pléiade en 1980. L'œuvre de Germain Nouveau, si elle eut, du vivant même de l'auteur, des admirateurs de qualité, n'atteignit jamais cependant une large audience et ce furent surtout les surréalistes qui remirent ce grand poète à sa vraie place, entre Verlaine et Rimbaud. Ce silence, on pourrait penser que Nouveau lui-même en fut responsable : il se refusa très tôt à publier ses vers, voulut poursuivre en justice l'éditeur qui avait publié à son insu *La Doctrine de l'amour*, et détruisit lui-même une grande partie de ses manuscrits (en outre, de nombreux calepins, qu'il bourrait de vers et de croquis dans la dernière période de sa vie, ne nous sont pas parvenus). Rimbaud pourtant, qui adopta une attitude sous certains aspects analogue, n'en accéda pas moins à une délirante célébrité posthume. Mais c'est justement dans l'hypertrophie même du mythe rimbaldien qu'il faut voir la raison du silence, entretenu autour de Nouveau, compagnon de bohème du plus choyé des « poètes maudits ». La vie significative de Nouveau ramène en effet la fameuse destinée rimbaldienne à des proportions plus normales, éclaire l'œuvre des deux poètes et la restitue dans sa seule qualité humaine, proprement poétique. Et sur ce plan-là, où ne jouent pas les catégories, où tout, sur un fond de rumeur, s'organise et s'orchestre en vertu de la qualité du chant, Nouveau fait entendre une voix incomparable. Né dans le Var, à Pourrières, Germain Nouveau arrive à Paris en 1872 et fréquente les cafés littéraires où il acquiert bientôt une certaine notoriété. Il se lie avec Richepin, Cros, Ponchon, Forain, Delahaye. Il répudie comme eux les parnassiens : Baudelaire et Mallarmé sont ses maîtres. Période d'influences et d'échanges dont témoignent la « Chanson du mendiant » et « Sonnet d'été », qu'il signe P. Néouvielle. En 1873 et 1875, il séjourne deux fois à Londres en compagnie de Rimbaud, puis de Verlaine. Il compose alors une série de poèmes d'une rare qualité, d'un accent personnel, mais qui procèdent d'une même facture, des mêmes sources d'inspiration que celles de ses deux amis, à telle enseigne qu'on attribuera plus tard certaines de ses poésies à Rimbaud. Violence de l'expression et du sentiment, puissance et richesse verbale, tourments de la chair et de l'esprit caractérisent des poésies telles que « Rêve claustral », « Janvier », « Les Hôtesses », « Saintes femmes », « Mendiants », « Toto », « Ciels », « En forêt » ; c'est de la même période que datent les pastiches des *Dixains réalistes.* Entre-temps, son patrimoine s'épuise et il se livre à de menus travaux littéraires. En 1878, à la suite semble-t-il d'une crise morale consécutive à la visite de la maison natale de saint Benoît Labre, Nouveau rompt avec la bohème, devient employé au ministère de l'Instruction publique. Il mène alors une vie rangée, collabore au *Gaulois* et au *Figaro*, mais surtout compose le meilleur de son œuvre : *La Doctrine de l'amour*, poèmes d'inspiration mystique à la gloire du Christ et de la Vierge, qu'il achève en 1881 et signe du nom d'Humilis. Animée d'un souffle large et solennel, mais brûlant d'une vive sensualité, *La Doctrine* confond la Nature, le Verbe et Dieu dans une même fête visionnaire. En 1883, nouvelle période d'instabilité : le poète abandonne le ministère, se rend à Beyrouth, puis revient à Paris où il fait la connaissance d'une certaine Valentine Renault, personne énigmatique qui lui inspire son recueil des *Valentines.* Ce recueil, qui commence par des chansons et des romances rappelant les *Chansons pour elle* (*) de Verlaine et constituant parfois de belles réussites verbales (« Les Lettres », « Cru »), se hausse jusqu'à l'hermétisme, jusqu'aux éclats et à la violence de la pure passion (« L'Âme », « Les Baisers »). De 1886 à 1891, Nouveau retrouve le calme et occupe un poste de professeur de dessin au lycée Janson-de-Sailly. Mais une soudaine crise de mysticisme lui vaudra d'être interné un été durant à Bicêtre. Dès lors, il va mener une vie chrétienne d'humilité et d'ascèse rigoureuse qui durera trente ans, entrecoupée de voyages et pèlerinages à pied en Belgique, en Espagne et en Italie. Il ne vivra plus que de charité ; vagabond en guenilles, il regagne la Provence et mendie à la porte des églises ; il n'en continue pas moins à écrire des vers dont il remplit ses calepins et qu'il signe du nom de Laguerrière. En 1911, il retourne s'établir à Pourrières dans une vieille masure, où on le trouve mort, le 4 avril 1920. À l'instar des artistes les plus marquants de la fin du siècle (et de Villon aussi qu'il admirait), l'œuvre de Nouveau est intimement liée à sa vie, non comme un reflet, mais à titre d'événement personnel, d'acte efficient. À une telle conception de la poésie, la société refuse ou presque le droit de vivre, et le poète, renvoyé à sa solitude, à son exigence de vérité, à sa liberté impuissante, n'a de choix qu'entre deux absolus complémentaires : l'ivresse des sens ou la mortification de la chair. Nouveau vécut cette alternative de façon extrême, tout compromis engendrant les petites compromissions auxquelles, semble-t-il, se condamna Verlaine. Et renoncer à ce dilemme, c'est renoncer à la fonction de poète, de démiurge, aussi bien qu'à l'anéantissement mystique : c'est se contraindre à s'utiliser tant bien que mal dans l'ordre social, en s'efforçant de faire oublier et d'oublier qu'on est un poète : ce fut le cas de Rimbaud. Nouveau, lui, opta pour le renoncement chrétien. Mais tout comme Rimbaud, fidèle à sa vérité, il ne put que s'identifier aux hors-la-loi, à sa situation de poète.

POÉSIES de Ostayen [*Gedichten*]. Recueil du poète belge d'expression flamande Paul van Ostayen (1896-1928), publié en 1933. Dans la tradition de la poésie symboliste, van Ostayen cherche à atteindre un effet de suggestion poétique par la seule répétition et variation de mots, rendus expressifs par la place qu'ils occupent dans le vers et par le jeu des sonorités. Van Ostayen tend ainsi à une forme qui serait musicalité pure, la signification n'ayant qu'une importance secondaire. Il a eu des admirateurs et des imitateurs dans la littérature flamande contemporaine.

POÉSIES de Paul Diacre. Les poésies de cet historien latin, bénédictin lombard de noble lignée (720 ?-799), qui vivait à la cour de Charlemagne, sont, sous leur aspect modeste, d'une grande originalité. Elles se composent, pour la plupart, de vers de circonstance à la louange des ducs lombards, ou adressés à des courtisans, ainsi que d'une correspondance rimée avec Pierre de Pise. Mais aux hyperboliques flatteries de ce grammairien qui le comparait à Homère et à Virgile, Paul répondait en quelques mots d'esprit où se dissimulaient son humilité et sa lassitude de la vie de cour. Ce dialogue de deux hommes de lettres qui font assaut de finesse, de préciosité, de métaphores et de réminiscences classiques, nous renseigne sur le ton qui régnait alors et laisse déjà présager l'élégance et la gentillesse des tensons provençaux. Paul Diacre avait aussi un talent particulier pour l'épitaphe en vers, et il a exalté avec émotion la mémoire des jeunes guerriers qui « tombent parmi les écussons et les armes ». D'une lyrique douceur est le poème adressé à sa nièce Sophie : à ce propos, on peut regretter le trop petit nombre de ses écrits familiers, si harmonieux et riches d'inspiration, où Paul montre son âme à nu. Citons encore une touchante élégie de Paul à Charlemagne pour obtenir la libération de son frère prisonnier, des poèmes tout imprégnés de paix intérieure, dédiés à d'autres moines, ainsi que certaines descriptions très senties de la nature, en particulier son éloge du lac de Côme. Paul excellait enfin à composer des fables (« Le Lion malade et le Renard » — d'après Ésope —, « Le Veau et la Cigogne »), genre fort prisé à la cour de Charlemagne où brillèrent également Alcuin et Théodulphe d'Orléans. Les poésies religieuses de Paul Diacre (« Élégie en l'honneur de saint Benoît », etc.) ne valent pas toujours ses poésies profanes. On lui attribue non sans vraisemblance un hymne célèbre à saint Jean-Baptiste.

POÉSIES de Paulin de Nole [*Carmi*]. Ce recueil de poésies de l'écrivain latin saint Paulin de Nole (Meropius Pontius Paulinus, 354 ?-431), auquel est due, plus qu'à ses *Lettres* (*), la réputation de leur auteur, comprend de nombreux poèmes, assez divers par le contenu, l'importance et la valeur. Même à travers les jeux de la rhétorique et les raffinements de la forme, auxquels saint Paulin, qui suivit les leçons des meilleurs maîtres de la Gaule, ne renonça jamais, l'auteur laisse apparaître la sincérité et la profondeur de la foi qui le conduisirent à abandonner une vie facile de profits et d'honneurs, et qui lui procurèrent une si grande renommée parmi les chrétiens de son temps. Sa poésie est un assez bon exemple pour montrer quel était le contraste qui, à cette époque, opposait christianisme et culture classique. On en mesurera toute l'importance, surtout si l'on examine les lettres en vers qu'échangèrent Paulin et le plus grand de ses maîtres, Ausone, le fameux rhéteur gallo-romain. Aux expressions pleines d'amertume d'Ausone, qui se lamente d'avoir perdu l'élève dans lequel il avait placé ses plus grandes espérances, Paulin répond par deux lettres, de style très varié, dans lesquelles, surtout dans la première, il exprime la profonde affection qui le lie et le liera même après la mort à son maître, mais qui ne peut étouffer en lui la dévotion au Christ. La vraie poésie, selon Paulin, ne peut être consacrée qu'à la religion, puisque la poésie mythologique, sous le couvert des artifices de la forme, dissimule la vérité. Un important groupe de poésies de saint Paulin est dédié à saint Félix, patron de l'auteur ; nous en possédons quatorze. L'auteur raconte des épisodes de la vie du saint ainsi que ses miracles ; il y décrit aussi les cérémonies qui furent célébrées en son honneur, l'église enfin que lui, Paulin, avait fait reconstruire ainsi que les peintures qui l'ornaient. Le poète y exprime ses craintes d'une invasion de l'Italie par les Goths, mais aussi sa joie, une fois que fut conclue la paix entre Latins et Barbares. Ces poèmes sont intéressants, non seulement à cause de l'art du poète, qui réussit à rendre son sujet varié et plaisant, mais encore par les éléments biographiques qu'ils contiennent. Notons, pour terminer, le mélange de la forme toute païenne et de l'esprit profondément chrétien de l'épithalame pour Julien et Titia, composé en 403 ; du « Prompempticon » pour Nicétas, évêque de Dacie, écrit en strophes saphiques, ainsi que de la « Consolation » adressée à Pneumation et Fidèle pour la mort de leur petit Celsus, dans laquelle le poète rappelle, avec une plainte émue, son fils unique, mort lui aussi alors qu'il était encore enfant. Paulin compte, avec Prudence, parmi les plus grands poètes chrétiens et parmi les premiers écrivains qui aient appliqué consciemment les formes traditionnelles à la poésie essentiellement chrétienne. — Trad. Alfred Poizat, *Les Poètes chrétiens... du IVe au VIIe siècle*, Lyon, 1962.

POÉSIES de Peire Cardenal. Peire Cardenal (1180-1278), le plus grand troubadour provençal de la période albigeoise, a exprimé violemment, dans ses poèmes, la révolte de sa conscience devant les horreurs sanguinaires de la croisade menée par Folquet de Marseille et Simon de Montfort. Si quelques-uns de ses chants sont d'inspiration misogyne comme ceux de Marcabrun — v. *Vers* (*) de Marcabrun —, les plus fameux ont un caractère satirique et moral. Contempteur implacable de la société de son temps, il fustige sans merci les ordres religieux et le clergé séculier, auxquels il associe les Français envahisseurs qui, sous prétexte d'écraser l'hérésie, avaient semé dans le Midi la ruine et la mort. Mais c'est surtout au clergé qu'il s'en prend, avec un réalisme fougueux qui annonce déjà *Le Roman de la Rose* (*). « D'une ambition et d'une cupidité sans bornes, les clercs, écrit-il, vont à la conquête du monde avec l'aide de

Dieu et du diable, en prêchant et faisant commerce d'indulgences » (« Un sirventès fatz »). « Jadis, c'étaient les rois, les ducs, les comtes qui gouvernaient le monde, mais aujourd'hui, ce sont les clercs, et ils ne tolèrent pas que l'on échappe à leur domination » (« Li clerc si fan pastor »). « Comme sur une charogne le corbeau et l'épervier, prêtres et frères prêcheurs foncent sur le riche. Ils forcent son intimité et, dès qu'il tombe malade, lui arrachent une donation » (« Tartarassa ni voutor »)... « Pour de l'argent, point de criminel qu'ils n'absolvent ; ils donnent une sépulture à l'usurier et la refusent aux misérables qu'ils laissent à l'abandon » (« Tan vei lo segle »). Ce poème vengeur, qui dénonçait si violemment les excès d'un clergé corrompu, exposa son auteur aux foudres de l'Inquisition. Cependant, pour anticléricale qu'elle soit, l'inspiration de Peire Cardenal s'alimente souvent à une source profondément religieuse. Une de ses chansons en l'honneur de la Vierge (« Vera Vergena Maria ») est d'une douceur et d'une grâce émouvantes. — Les *Poésies* de Peire Cardenal ont été éditées par R. Lavaud (Toulouse, 1957) et Ch. Camproux (Montpellier, 1970).

POÉSIES de Petöfi [*Összes költeményei*]. Poète lyrique, poète épique, poète combattant, Sándor Petöfi (1823-1849) est le grand poète national hongrois. Mort à vingt-six ans, les armes à la main, dans la lutte pour l'indépendance de son pays, il retrace dans ses poésies non seulement toute sa vie, mais aussi celle de son peuple, au point que l'ensemble de son œuvre se présente sous le double aspect d'une autobiographie et d'une épopée. Étudiant, puis tour à tour soldat et comédien ambulant, poète vagabond parcourant son pays en tous sens, toujours l'attirera la chaleur du foyer dont il dira, mieux que quiconque, la douceur et la paix retrouvées. Mais son destin était ailleurs : sa patrie souffrait trop sous la botte autrichienne pour qu'il pût songer à rester en place. Dès 1843, son œuvre retentit des aspirations qui agitent son peuple. Très vite contraint de quitter Budapest, Petöfi se rend à Debrecen, en 1844. De ce lieu d'exil, il s'adresse à sa mère pour lui dire l'amour infini qu'il lui porte (« Au loin »), se gardant bien de dire ses souffrances d'acteur vagabond. Dans les poésies de cette époque apparaît, pour la première fois, un sens très aigu de la mort, comme seuls le possèdent ceux qui se savent appelés à mourir jeunes. Mais rien ne saurait briser l'optimisme profond de sa nature. À l'encontre des poètes romantiques de son pays, qui chantaient les montagnes sombres et leur terre de désespoir, Petöfi découvre l'« Alföld », la plaine hongroise aux aspects merveilleux et changeants, peuplée de brigands et de bergers. Non content de la décrire, il l'élève jusqu'à la hauteur d'un symbole et en fait comme un étendard de la patrie, comme l'emblème de la liberté. De cette terre qu'il découvre tel un pays promis, il fera se lever un vol d'indépendance nationale.

Poète lyrique, Petöfi a laissé quelques chants qui sont parmi les plus populaires et les plus beaux de la langue hongroise. S'étant épris d'un amour idéal pour une jeune fille morte dans la gloire de ses vingt ans, Etelka Csapó, il écrira de douloureuses et brûlantes élégies pour la tombe d'Etelka, telles que *Les Feuilles de cyprès* [*Ciprus lombok Etelka sirjáról*]. L'amour contrarié, qu'un peu plus tard il devait vouer à Berta Mednyánsky, lui inspira un autre recueil d'élégies, non moins émouvantes : *Les Perles d'amour* [*Szerelem Gyögyei*]. Mais, chez un artiste tel que Petöfi, le lyrisme amoureux ne peut entrer en contradiction avec cette part de l'homme qui lui fait croire en un avenir heureux et meilleur ; aussi ne sera-t-on pas surpris de le voir chanter, en même temps que ses amours, sa passion de la liberté et de la justice. Son œuvre se charge, à mesure que les temps de la colère approchent, d'imprécations toujours plus audacieuses. Il est à ce point conscient des forces sociales contradictoires qui tiraillent son peuple et le projettent en avant, qu'il écrit ces paroles prophétiques, où le poète et l'homme d'action se reconnaissent mutuellement : « Lorsque le peuple régnera dans la poésie, il sera près de régner également dans la politique. C'est cela, la tâche du siècle ; c'est pour cela que luttent tous les cœurs nobles qui en ont assez de voir combien de millions d'êtres souffrent le martyre, à seule fin d'assurer à quelques milliers d'individus une existence d'oisifs jouisseurs. » Douceur ou révolte, toute la gamme des sentiments se fait jour avec « Mes chansons » [Dalaim]. Dépouillant toujours plus son langage, il compose une des odes les plus sublimes qui soit sortie de sa plume, l'ode à la liberté universelle : « Une pensée me tourmente... », où, prévoyant sa fin prochaine sur le champ de bataille, il exalte le sort de tous ceux qui sont morts et qui mourront encore pour la liberté de leur pays et du monde. Le mois de janvier de l'année 1847 est pour lui des plus important : il compose à cette date deux poèmes dont le retentissement social est considérable, car on y sent déjà l'odeur de la poudre et du canon : « Palais et chaumière » et la « Chanson des chiens » (c'est-à-dire des esclaves) à laquelle il oppose la « Chanson des loups », les partisans de la liberté. À partir de 1848 — si l'on excepte les magnifiques poèmes d'amour qu'il dédie à sa jeune épouse Juliette Szendrey —, c'est désormais la passion politique qui l'emporte sur tout autre sentiment. L'heure de l'action, tant attendue, est enfin là et la poésie désormais se confond avec l'action et la rythme, quand elle ne la précède pas. Le 15 mars éclate dans les faubourgs de Pest la révolution nationale : à la tête de la jeunesse s'emparant de la ville, voici, le front ceint de lauriers, le jeune Petöfi conduisant l'insurrection. Le jour même paraissent les premiers ouvrages qui n'aient pas eu à subir le visa injurieux de la censure impériale et, parmi eux, se trouve le *Chant national* (*) hongrois, composé deux jours plus tôt par le poète (« Debout, Hongrois, la patrie nous appelle »). De ce jour jusqu'à sa mort, le 31 juillet 1849, à Segesvar, la voix du poète ne fait plus qu'un avec celle de son peuple : une poésie profondément optimiste, simple et accessible à tous, et cependant de la plus pure inspiration, tel sera le chant dernier du poète. Citons pour mémoire : « Le 15 mars 1848 », « À la nation », « République », « Révolution », « 1848 » ; enfin les nombreux poèmes dédiés à la gloire du général polonais Joseph Bem. Poète national par excellence, Petőfi est aussi une grande figure de la poésie universelle et c'est, n'en doutons point, pour avoir su exprimer au mieux les aspirations de son peuple qu'il occupe cette place exceptionnelle dans la poésie européenne du XIXe siècle.

POÉSIES de Philès. L'œuvre du poète byzantin Manuel Philès (1275-1345) fut aussi variée qu'abondante. L'auteur, qui naquit à Éphèse et vécut à Constantinople au temps des Paléologue (mais sans jamais occuper de charges importantes à la cour), a été l'un des écrivains les plus féconds de la littérature byzantine. Son mètre préféré fut le vers dodécasyllabique, qu'il utilisa avec un sens parfait de la mesure ; il ne se servit du pentédécasyllabe — généralement employé dans la poésie de nature politique – qu'assez rarement. Pour nous, ce qui nous intéresse le plus dans son œuvre, ce sont les nombreux poèmes qui brossent un tableau de son existence et qui dépeignent les milieux qui l'entourent. Une monodie iambique, écrite pour l'historien Georges Pachymère, nous apprend par exemple que, dès sa jeunesse, l'auteur jouit de l'amitié et de l'enseignement du grand érudit. Nous savons aussi, toujours grâce à ses poésies, qu'il s'est rendu une fois en Russie pour négocier le mariage d'une princesse byzantine, ainsi qu'en Perse, en Arabie et en Inde. Il rapporte qu'il fut en mauvais termes avec l'empereur (on ne sait au juste lequel), si bien qu'il fut mis au cachot pendant un certain temps. Il s'étend aussi sur l'état précaire de sa bourse, et cela avec un grand luxe de détails. Ses poèmes sont pleins de ses lamentations sur la faim, la soif, le froid qu'il endure. On le voit présenter des requêtes aux puissants personnages ; il demande tout ce dont il a besoin, même les plus humbles objets, s'exprimant en termes flatteurs, déférents, parfois avec une humilité obséquieuse, et remercie ensuite ses bienfaiteurs en vers dithyrambiques. Certains poèmes sont dédiés à des dignitaires de la cour impériale ou de l'Église. D'autres sont destinés à fournir des consolations à l'empereur en telle ou telle circonstance. Il en est enfin qui ne sont que de courtes épîtres, conçues pour accompagner un envoi de livres. Un poème important au point de vue historique et littéraire est celui intitulé *Histoire d'amour*, composé en fait par Andronic Comnène Doucas Paléologue. En somme, on trouve dans cette partie de son œuvre un tableau intéressant de la vie à la cour des Paléologue, particulièrement pour ses aspects politiques et la peinture des mœurs.

Une autre partie groupe des poèmes précieux pour la connaissance des arts figuratifs du temps : description de peintures et de sculptures religieuses, d'églises, d'ex-voto, d'objets du culte, de médailles, d'une statue équestre de Justinien, d'une statue en marbre de saint Georges se trouvant dans le monastère de Manganon, d'une représentation allégorique des douze mois, etc. Il faut encore mentionner les notes sur des illustrations du roman *Barlaam* et *Josaphat* (*). Quelques poèmes sont consacrés à des sujets religieux ; d'importance variable, ils sont composés à l'occasion de fêtes, en l'honneur de saints, pour célébrer un dogme chrétien. S'y rattache aussi la version en trimètres ïambiques (de si mauvais goût) du célèbre *Hymne acathiste* (*). D'autres compositions ont un caractère plus littéraire, notamment trois dialogues imités de Lucien. Le premier, l'*Éthopée dramatique*, qui a comme personnages Esprit et Philès, est un panégyrique de Jean Cantacuzène, ministre de l'empereur. Le second est un poème de condoléances, sans doute à l'occasion de la mort de l'un des fils d'Andronic Paléologue (1321) : le père, la mère, la femme et un serviteur du défunt viennent tour à tour devant la tombe et s'y répandent en longs et plaintifs discours. Le dernier est intitulé *Dialogue entre un homme et une âme* ; il s'agit vraisemblablement d'un autre poème de condoléances ; un homme dialogue avec l'âme, puis avec l'épouse du mort. Philès a écrit également un poème didactique de deux mille quinze dodécasyllabes, *Sur la nature des animaux*. Non seulement il décrit des animaux réels, mais aussi des bêtes imaginaires telles que la licorne, l'onocentaure, et complète le tout par des récits fabuleux. Il fit, en outre, une *Brève description de l'éléphant* en trois cent quatre-vingt-un trimètres et consacra une pièce, *Sur les plantes*, à parler de l'épi, de la vigne, de la rose, du grenadier, etc. Philès est un poète fécond non sans élégance et dont le charme se manifeste surtout dans les petites compositions.

POÉSIES de Piron. L'œuvre poétique de l'écrivain français Alexis Piron (1689-1773) se ressent des défauts communs à la poésie de son siècle : poésie sans poésie, selon la boutade de Lanson. Piron, avec plus d'humour que de sincérité, car il s'estimait meilleur poète que Voltaire, son ennemi préféré, se présente dans la préface de sa *Métromanie* (*) comme l'un de ces hommes nés, non pas « sous l'astre qui forme les vrais poètes [...] mais sous cet astre pestilentiel [...] qui fait qu'on a la fureur d'être poète ». Il se justifie plaisamment devant la société, pour laquelle il n'a point « labouré, bâti, calculé, médicamenté, plaidé, jugé, prêché ni combattu : n'ayant fait pour elle en un mot que des vers ». Pourtant, de ces vers dont une grande partie peut sans regrets tomber dans l'oubli, on peut dire avec Sainte-Beuve que « les gens de goût qui vont au butin dans ses œuvres feraient volontiers de ses épigrammes, de ses contes et de ses bons mots une anthologie qui serait trop courte, mais exquise ». Ses bons mots et ses épigrammes ont amusé ses contemporains, fait pâlir ses victimes, et nous amusent encore ; Grimm a dit de lui qu'il « était une machine à saillies, à épigrammes, à traits [...] Personne n'était capable de soutenir un assaut avec lui [...] M. de Voltaire craignait [sa rencontre], parce que tout son brillant n'était pas à l'épreuve des traits de ce combattant redoutable ». Ses *Œuvres complètes*, recueillies après sa mort par son ami Rigouley de Juvigny (Paris, 1776), réunissent, à côté de son *Théâtre*, plusieurs volumes d'épîtres, d'épigrammes, de contes, de fables, de satires, de poésies diverses. De l'œuvre badine, voire libertine, à la poésie sacrée de sa vieillesse, il a touché à toutes les cordes de la lyre. Une malheureuse *Ode à Priape*, qui contient moins de perversité que de gaillarde obscénité verbale, écrite un soir de bamboche pour amuser les convives, colportée sous le manteau et ressuscitée au moment opportun, persécutera Piron tout le long de son existence. Près de trente ans plus tard, auteur célèbre, Piron se présente à l'Académie qui refuse même d'examiner sa candidature, toujours à cause de l'*Ode* funeste. Et comme le roi l'année suivante veut imposer son admission, l'évêque de Mirepoix exhume une fois de plus l'*Ode à Priape :* le roi n'insiste pas et compense l'immortalité manquée par une pensée sur sa cassette. Piron septuagénaire, dans une épître au comte de Saint-Florentin *(La Quenouille unique et merveilleuse)*, imagine que les Parques elles-mêmes lui parleront de son *Ode*. Et lorsque Piron, sur la fin de sa vie, cultivera la poésie sacrée en écrivant ses paraphrases des *Sept psaumes de la pénitence* et du *De profundis*, où ne manquent pourtant pas les beaux vers, l'abbé de Voisenon, avec une méchanceté de confrère doublée au surplus par son amitié pour Voltaire, dira que, « si dans l'autre monde on se connaît en vers, ce *De profundis* empêchera Piron d'entrer au Ciel, comme son *Ode* à Priape l'a empêché d'entrer à l'Académie ». Nombre de poésies de Piron sont des poèmes de circonstance et conservent peu d'intérêt. Mais il est des fables, des épîtres, des romances, des chansons charmantes, aisées, gracieuses, spirituelles ; quelques-uns de ses contes, souvent licencieux, sont amusants et se laissent lire sans ennui encore aujourd'hui : tel *Le Moine bridé*, histoire d'un cordelier devenu cheval pour la rémission de ses péchés, petit conte satirique plein de finesse. Piron excelle dans les épigrammes : bouffonnes, cruelles, drôles ; Voltaire et l'Académie sont deux de ses cibles préférées. Pour Sainte-Beuve, « l'épigramme étant son vrai talent, il y aurait à lui assigner son rang dans ce petit genre ; il y est moins agréable, moins facile, moins simple que Marot ; moins travaillé et moins artificieux que Rousseau. Il se rapproche de Saint-Gelais dans le genre libre ; dans l'épigramme littéraire, il est souverain, et ce qui le distingue, c'est une certaine vigueur et hauteur dans laquelle Lebrun seul l'a égalé ou même surpassé ». Persuadé que Voltaire ne désarmerait jamais contre lui, il avait préparé d'avance trois épigrammes en réponse à celles que Voltaire aurait pu faire sur lui après sa mort. Et l'épitaphe qu'il s'était choisie est une dernière épigramme et pas la plus mauvaise : « Ci-gît Piron, qui ne fut rien / Pas même académicien. »

POÉSIES [*Poesie*]. Recueil en dialecte milanais du poète italien Carlo Porta (1775-1821) publié en 1826. Porta est le plus important représentant d'une poésie dialectale qui pouvait se prévaloir à Milan d'une solide tradition et qui assume un net caractère moral et social sous l'impulsion des Lumières. L'auteur dénonce les vices et les privilèges de l'aristocratie, la misère matérielle et morale des déshérités, et nous offre de grandioses caricatures de prêtres observés de son poste de bureaucrate chargé de payer pensions et bénéfices. Parmi les plus célèbres de ces satires des mœurs, citons « Le Choix du chapelain » [La nomina del Cappellano], « La Prière » [La preghiera] et « Les Disgrâces de Giovanni Bongee » [Le desgrazi de Giovanni Bongee]. Ailleurs, il défend le romantisme et tourne en dérision les champions du classicisme, ainsi dans le poème héroï-comique « Pour le mariage du comte Gabriele Verri » [Per el matrimoni del sur Cont Don Gabriel Verr]. Le dialecte assure à ses poèmes un ton intentionnellement antiacadémique et tranchant.

POÉSIES de Pouchkine. Dès ses années de lycée, le poète russe Alexandre Sergueïevitch Pouchkine (1799-1837) vécut dans une atmosphère propice à la ferveur poétique. Comme la plupart de ses condisciples, il écrivit donc tout jeune de nombreux vers, mais déjà marqués par le génie. Sans doute y trouve-t-on beaucoup d'influences et, d'abord, celle du XVIIIe siècle français, parfois La Fontaine, Voltaire, et surtout Parny, qui ne cessera d'attirer Pouchkine, soit directement, soit par la médiation de Batiouchkov. Le jeune homme s'inspire aussi de Joukovski (« Le Chantre ») et, encore lycéen, publie dès 1814 ses premières œuvres dans *Le Messager d'Europe*. En 1815, ses « souvenirs de Tsarskoïé-Sélo », où l'on trouve de belles évocations de la nuit, déchaînèrent l'enthousiasme de Derjavine, et l'auteur reçut les encouragements des plus grands écrivains russes. Au sortir du lycée commence la première grande époque de l'art de Pouchkine, celle des années de Saint-Pétersbourg, de 1817 à 1820. Époque romantique, pleine de fièvre et d'agitation, de vibrant enthousiasme pour tous les plaisirs, pour toutes les formes de la vie, au cours de laquelle fut composé un chef-d'œuvre : *Rouslan et Lioudmila* (*), qui causa, à juste titre, une immense sensation. Dès ce moment, Pouchkine s'affirme comme le premier poète russe. S'il reste encore marqué par l'influence française, abordant dans de nombreuses poésies les thèmes de Parny : l'amitié, l'amour et ses infidélités, invocations à la muse, tristesse et solitude, il fait pourtant figure de jeune chef romantique et de poète « engagé ». Ses chansons politiques révolutionnaires sont largement répandues dans la société et attirent l'attention par leur violence : dans « Le Village » (1818), par exemple, Pouchkine fait le procès du servage et ne craint pas de s'en prendre au tsar lui-même, appelant de tous ses vœux « la belle aurore de la liberté ». Mais une ode aussi agressive tomba entre les mains du sévère gouverneur de Pétersbourg, et Pouchkine fut exilé à Kichinev. Ce séjour dans le Sud encore à demi-sauvage, dans l'isolement de toute société cultivée, au contact de peuplades et de coutumes étranges, barbares et primitives, ne manqua point de faire souffrir Pouchkine : c'est pourtant, de 1820 à 1826, une des périodes les plus riches de sa vie, celle où il reçoit, dans le décor le plus romantique, l'appel byronien vers l'évasion et l'exotisme. Pouchkine se donne tout entier à Byron, il identifie son âme à celle du grand Anglais, qu'il sait cependant traduire d'une manière personnelle, en accord avec la tradition nationale russe. Rêves d'évasion, espérance d'un retour à la vie primitive et pure, découverte qu'un tel retour est chimérique : telles sont les leçons du Sud, que Pouchkine exprime admirablement dans les œuvres qui ont pour cadre les montagnes sauvages des rives de la mer Noire ou les steppes infinies de Bessarabie et d'Ukraine : *Le Prisonnier du Caucase* (*), *Les Tziganes* (*), *La Fontaine de Bakhtchisaraï* (*), « Les Frères brigands ». La mort de Napoléon, en 1821, lui inspire une ode qui traduit assez bien les sentiments éprouvés alors par toute la jeunesse européenne. Pouchkine, libéral, ne saurait oublier le césarisme de Bonaparte, et il célèbre, comme une manifestation divine, « la malédiction des peuples qui a volé / Comme un tonnerre sur les pas du tyran ». Mais Napoléon, c'est aussi le « favori de la victoire », l'« exilé de l'univers » : « Il a montré / Au peuple russe sa haute destinée ; et du sombre exil / A légué au monde l'éternelle liberté. » Pouchkine n'oublie point ses ferveurs et ses rancœurs politiques. Mais il laisse aussi s'épancher son lyrisme en des poésies excellentes : « La Muse », le « Chant d'Oleg ». « Ovide » marque déjà une évolution nouvelle : Pouchkine se sépare de Byron, ne croit plus guère à l'exotisme et, près de la tombe du poète latin, en Tauride, il rêve, comme Ovide, de rentrer dans sa patrie. Ayant obtenu d'aller s'installer dans sa terre de Mikhaïlovskoé, près de Pskov, il adresse avant de partir, en 1824, un dernier salut aux flots qui avaient été le miroir de son âme tourmentée et tumultueuse : « Adieu, libre élément ! Pour la dernière fois, tu agites tes vagues bleues et tu brilles de ta fière beauté devant moi. / Limite désirée de mon âme ! Que de fois, j'errai sur ton rivage, tranquille, assombri ou fatigué par de secrets desseins » (« À la mer »). À Mikhaïlovskoé, Pouchkine, rabroué, dénoncé par ses propres parents, connaît un grand abattement : pourtant, auprès de sa vieille nourrice, il découvre avec ravissement les vieux contes populaires russes, avec leurs sentiments puissants et primitifs — v. *Le Tsar Saltan* (*) —, qui accentuent son goût romantique pour le passé et lui inspirent sa fameuse tragédie de *Boris Godounov* (*). L'influence de Shakespeare se mêle maintenant à celle de Byron et la supplante : tout en continuant son chef-d'œuvre, *Eugène Onéguine* (*), commencé en 1823, Pouchkine écrit de courts poèmes, remarquables pour leurs évocations réalistes de la campagne russe, comme « Le Comte Nouline », parodie de la *Lucrèce* (*) de Shakespeare : c'est un sujet maigre, une « bluette », comme les aimait l'auteur. Le comte Nouline, voyageur de passage, essaie de séduire une châtelaine qui l'a hébergé en l'absence de son mari. La dame le gifle, et le séducteur, honteux, n'a plus qu'à se retirer. Dans la conspiration des décembristes, Pouchkine perd beaucoup de ses meilleurs amis : mais, réfléchissant à leur tragédie, il s'aperçoit que sa fièvre révolutionnaire d'autrefois s'est bien calmée. Il s'ennuie, demande et obtient sa grâce du nouveau tsar.

Avec cette rentrée dans le monde, en 1826, commence une troisième grande période ; Pouchkine, réintroduit dans la société la plus brillante, cherche à satisfaire ses passions longtemps brimées, en courant après tous les plaisirs, tous les amours et en savourant sa gloire. Dans les nombreuses poésies qu'il compose alors, l'influence française a presque disparu. Pouchkine s'attelle aussi à des besognes de traductions en vers (la *Guzla* de Mérimée qu'il prend pour d'authentiques chants monténégrins, serbes et croates), d'adaptations de pièces étrangères : de *Mesure pour mesure* (*), de Shakespeare, il tire le poème d'« Angelo ». Il ne sent pas moins que son inspiration faiblit, que la jeunesse s'éloigne, que les fastes du monde ne comblent pas son cœur assoiffé d'idéal : « Je vois mes années perdues dans l'indolence, dans des fêtes bruyantes / Dans la folie d'une liberté funeste... » ; et deux fantômes, femmes autrefois aimées, le viennent visiter, à la fois comme des remords et comme une espérance de la mort libératrice : « Deux ombres charmantes, deux anges, / Qui me furent autrefois donnés par le destin... / Tous deux me parlent dans une langue morte, / Des mystères de l'éternité et du tombeau. » Il est tourmenté aussi par l'image de la folie : « Ô mon Dieu, garde-moi de la démence, / J'aime mieux le bâton du mendiant, / J'aime mieux l'effort pénible. » Le vrai est que sa délicatesse et les exigences impérieuses de son génie lui rendent insupportable l'existence superficielle de la société où il évolue. Bien romantique, il n'a pas perdu le goût de la solitude. Fuir, se réfugier dans la tour d'ivoire, dans la retraite intérieure de l'art, c'est tout l'idéal, irréalisable, que chérit alors Pouchkine. Il achève pourtant son *Poltava* (*), continue *Eugène Onéguine* et trouve, pour exprimer son découragement grandissant, des hymnes admirables où le thème de la mort revient souvent. Dans cette sombre période, il y a pourtant deux éclaircies, assez brèves : en 1830, le choléra contraint Pouchkine à se retirer à Boldino, dans la campagne. Il peut enfin se livrer à ses visions intérieures, aux pures émotions du spectacle de la nature : « Que le ciel est paisible ! / L'air est tiède et serein ; lauriers et citronniers / Embaument dans la nuit ; une lune éclatante / Brille dans la profonde obscurité bleuie... » D'un second voyage au Caucase, Pouchkine rapporte aussi de belles poésies lyriques où, une dernière fois, il caresse ses rêves de fière solitude : « À une Kalmouke », « Le Don », « Delibache », « Un couvent sur le Kazbek », « Le Caucase ». Et surtout son âme peut maintenant se réfugier dans l'image d'une fiancée : « Je suis triste, je suis allègre ; claire est ma tristesse. / Ma tristesse est pleine de toi. / De toi seule... » Il faut pourtant rentrer parmi les hommes, qui demanderont au poète sans rien lui donner. Le renoncement, la résignation à ne trouver de joie qu'en l'art, nulle part Pouchkine ne les a mieux exprimés que dans son sonnet « Au poète » : « Poète, ne fais aucun cas de l'amour des foules... / Tu es roi ; vis seul. Suis la voie libre, / Où t'entraîne ton esprit indépendant, / En perfectionnant les fruits de tes chères rêveries / Et sans demander de récompense pour tes nobles exploits. » Conseil difficile à tenir, et les années de Pouchkine, après son mariage, tout entières absorbées dans des travaux de commande et des œuvres de prose, ne concernent plus la poésie.

Dans sa vie posthume, Pouchkine est resté solitaire : il n'a eu en Russie, depuis sa mort, aucun égal, aucun rival. D'emblée, comme par une grâce, dès ses premières poésies de collégien il atteignait à la perfection, et *Rouslan et Lioudmila*, écrite à dix-neuf ans, est un chef-d'œuvre digne des plus grands. La beauté de cette poésie est intraduisible dans une langue étrangère. Mais l'exemple de Pouchkine est universel : il est peut-être, avec Goethe, le seul génie à avoir pleinement concilié romantisme et classicisme ; les grandes découvertes romantiques : sens du mystère, de notre dépendance vis-à-vis des forces obscures, nostalgie infinie que cette dépendance éveille en nous, Pouchkine accepte tout cela. Mais il traduit cette inspiration dans la forme la plus précise, par les images les plus exactes, avec la discrétion la plus délicate. Ses courts poèmes sont comme des points de perfection, d'équilibre, qui défient la faiblesse humaine ; et c'est pourquoi Pouchkine devait, comme Goethe encore, rester sans postérité. – Trad. *Œuvres poétiques*, 2 vol. L'Âge d'Homme, 1981 ; *Le Talisman*, L'Âge d'Homme, 1988.

POÉSIES de Prešeren [*Poezije*]. Recueil du grand poète slovène Francè Prešeren (1800-1849), publié en 1846. Parmi les nombreuses éditions qui suivirent, les plus importantes sont celle de 1866, établie par les soins de Fran Levstik, avec une introduction de Josip Stritar, et celle de 1938, établie par Fran Kidrič. La première partie du recueil contient des poésies lyriques, surtout d'inspiration amoureuse et d'une grande délicatesse de sentiment, dont les plus notables sont : « À la corde » [Strunam], « Sous la fenêtre » [Pod oknom], « Ordres » [Ukazi], « La Force du souvenir » [Sila Spomina], « Marin » [Mornar] et la « Mère illégitime » [Nezakonska mati], glorification de l'amour maternel. Parmi les ballades et les romances, la plus importante est « Rosamonde de Turjak » [Turjaška Rozamunda], histoire d'une jeune fille qui incite son fiancé à ravir la belle Leila pour comparer sa beauté à la sienne et qui est vaincue dans cette joute. « Le Style nouveau » [Nova Pisarija] est une satire inspirée en partie des *Pédants* d'Alfieri, sur les mœurs littéraires slovènes. Notons encore le poème épique et lyrique intitulé « Le Baptême sur la Save », qui raconte la conversion des Slovènes au christianisme, en y mêlant l'histoire de l'amour malheureux de Črtomir et Bogomil. L'amour inspire aussi « Exhumation » [Prekop], « Cœur gardé » [Neiztrohnjeno srce], « Pêcheur » [Ribič]. Le thème de la renonciation à l'amour terrestre revient à plusieurs reprises : dans les sept « Ghazel » [Gazele], dans les « Sonnets de la douleur » [Sonetje nesreče] et dans la « Couronne de sonnets » [Sonetni venec]. Ces derniers, dédiés à Julia Primic, sont peut-être les meilleurs poèmes de Francè Prešeren. Fortement influencée dans la forme par la manière de Pétrarque, son œuvre reflète la culture occidentale et latine, favorisée et alimentée par l'amitié de l'auteur pour Matija Čop, romaniste, germaniste et grand philosophe slovène qui, avec Prešeren, a ouvert à son peuple le monde latin.

POÉSIES de Quintana [*Poesías*]. Sous ce titre parurent en 1788, 1802, 1813 et 1821 les compositions lyriques de l'écrivain espagnol José Quintana (1772-1857). Formé à l'université de Salamanque où il connut les poètes Jovellanos et Meléndez Valdés, l'auteur appartient, par son style, au néo-classicisme, mais les romantiques l'avaient en grande estime.

Fervent de l'idéal encyclopédique, il s'enthousiasma pour le progrès et exalta de modernes découvertes (comme le vaccin) sans s'interdire, néanmoins, de chaleureuses digressions sur la vierge Amérique et les vertus de l'homme à l'état de nature. Telle est également sa manière dans l'« Oda a la Imprenta », où il fait aussi l'éloge de la liberté de pensée ; dans « El Panteón del Escorial », poème inspiré par la haine de la tyrannie et de l'obscurantisme que symbolisent, selon lui, Charles Quint et Philippe II ; de même, dans l'« Oda a Padilla », à la gloire du fameux « comunero » castillan, révolté contre son souverain. L'inspiration patriotique, cependant, fait le fond de l'ode « A la batalla de Trafalgar » et du poème « Al armamento de las provincias españolas » (1808), inspiré par l'invasion de l'Espagne. On doit également à Quintana quelques poésies de circonstance, intéressantes du point de vue social, et une série de compositions sur l'amitié ; mais le poète demeure surtout comme un porte-parole véhément des masses opprimées, et ses vers, d'une fermeté toute classique, reflètent déjà les premières lueurs du romantisme.

POÉSIES de Racine. Les tragédies de l'écrivain français Jean Racine (1639-1699) font généralement oublier les poésies qu'il écrivit pendant près de quarante ans. Il faut dire que Racine lui-même semblait préférer qu'on les oubliât puisque, s'il publia les poésies à la louange du roi, grâce auxquelles il espérait, sinon devenir poète officiel, du moins gagner quelque pension, une fois tourné vers le théâtre, il ne donna plus au public que ses poésies chrétiennes. Comme ces poésies se rattachent étroitement aux circonstances de la vie de leur auteur, nous adopterons ici l'ordre chronologique pour en donner un bref panorama. Il y a peu à dire sur les premiers essais poétiques du jeune Racine : les billets à Antoine Vitart, les quelques poèmes où il célèbre des événements familiaux, les élégies chrétiennes en latin : « Ad Christum », « In avaritiam », « Laus hiemis », ne sont que des travaux d'élève et pas tellement doué. La première pièce de quelque importance, qui ne fut pas publiée d'ailleurs du vivant de Racine, est une suite de sept odes, intitulée « Le Paysage ou les Promenades de Port-Royal-des-Champs » ; c'est un émouvant hommage à cette sainte maison où Racine reçut son éducation, mais il y a dans ces vers une imitation constante de la poésie latine, qui limite leur intérêt à n'être que documentaire, bien qu'on y trouve parfois une grâce, une sincérité d'accent qui ne va pas sans rappeller Théophile de Viau.

Vient ensuite une série de poésies officielles ; avec « La Nymphe de la Seine à la reine », composée à l'occasion du mariage de Louis XIV avec l'infante Marie-Thérèse, Racine, appuyé par Chapelain, fit son entrée dans le monde des lettres. Malgré une musicalité certaine et qui a déjà trouvé son juste ton, ce poème, par son imitation des Anciens et des poètes officiels du temps, par l'observance des conventions très strictes qui présidaient à ce genre poétique, manque d'originalité et de souffle. « La Nymphe de la Seine » fut publiée pour la première fois en 1660 et connut deux réimpressions du vivant de l'auteur. La faiblesse du fond, la banalité de l'expression sont encore plus marquées dans l'« Ode sur la convalescence du roi », imprimée en 1663 et « La Renommée aux Muses ». Il faut mettre à part la belle « Idylle sur la paix », bien postérieure (elle est de 1685), qui fut mise en musique par Lulli et exécutée lors d'une fête donnée au château de Sceaux par le marquis de Seignelay. La diversité des rythmes, la souplesse de la versification convenaient admirablement à la musique, et cette courte pièce est une véritable réussite. Toutefois on comprend bien que la fonction qui convenait à Racine auprès de Louis XIV n'était pas celle de poète ; l'historiographie était plus proche de ses goûts et de ses capacités — v. *Précis historique des campagnes de Louis XIV* (*). Les quelques pièces qui datent de l'époque de la création des tragédies sont des épigrammes ; elles sont loin d'avoir le mordant des *Lettres à l'auteur des « Hérésies imaginaires »* (1665).

Mais où Racine se révèle un très grand poète, c'est dans ses poèmes spirituels, dont les premiers datent de sa jeunesse et les derniers de la fin de sa vie. Les « Hymnes traduites du bréviaire romain » parurent pour la première fois dans le *Bréviaire romain* de Le Tourneux, mais, au témoignage de Louis Racine, elles auraient été écrites à l'époque de Port-Royal. Toujours est-il que c'est en effet à cause de leur couleur janséniste qu'elles furent condamnées avec le *Bréviaire*. Comme les « Hymnes » de Racine ne sont pas signées dans ce recueil, les identifications qu'on en a faites sont incertaines. Celles qui lui sont attribuées témoignent d'une grande liberté à l'égard du texte latin ; Racine s'y montre aussi grand poète chrétien que Corneille. Quatre « Cantiques spirituels » virent le jour en 1694 (ce sont donc les dernières œuvres de Racine), avant l'*Abrégé de l'histoire de Port-Royal* (*). Les « Cantiques » furent chantés devant Louis XIV, la même année, sur une musique de Moreau. Tous inspirés par des textes sacrés, les quatre « Cantiques » sont consacrés, le premier « À la louange de la Charité », le second au « Bonheur des justes » et au « Malheur des réprouvés » ; le troisième à la « Plainte d'un chrétien sur les contrariétés qu'il éprouve au-dedans de lui-même », le quatrième traite des « Vaines occupations des gens du siècle ». Ce sont et ce ne sont que des prières ; ici le poète s'efface entièrement derrière la nécessaire banalité des sentiments, le caractère conventionnel de la langue ; mais ce qu'il semble perdre par là, il le regagne par la pureté de l'harmonie, le caractère vraiment sacré de l'expression qui se plie entièrement à ce qu'elle veut exprimer. La plupart des poésies qui ne virent pas le jour du vivant de leur auteur furent publiées par son fils, Louis Racine ; une autre édition plus complète fut imprimée en 1808 ; enfin toutes ces pièces, et même celles d'une attribution incertaine, comme les « Stances à Parthénice », furent rassemblées en 1950 dans l'édition des *Œuvres complètes* publiée par R. Picard (Paris, Gallimard, Bibliothèque de La Pléiade).

POÉSIES de Raimbaut de Vaqueiras. L'œuvre poétique du troubadour Raimbaut de Vaqueiras (1157 ?-1210) a vu presque entièrement le jour en Italie où il était descendu, pauvre jongleur, à la conquête de la fortune. Accueilli à la cour de Montferrat, il entre dans les bonnes grâces du marquis Boniface, dont il devient l'ami fidèle et le confident jusqu'à la mort. Raimbaut, fait chevalier, accompagne son maître à la croisade qui devait valoir au marquis la dignité, ou peu s'en faut, d'empereur d'Orient, et il était, dit-on, à ses côtés dans le combat où Boniface trouva la mort (1207). Raimbaut est, avec Peire Vidal — v. *Sirventès* (*) de Vidal —, de ces troubadours venus au-delà des Alpes, qui furent les premiers à répandre le goût de la poésie courtoise parmi les princes et dans la bourgeoisie, avec le plus grand succès. Son lyrisme est conforme à la tradition des troubadours avec, toutefois, une certaine complaisance pour le genre populaire. De toutes ses œuvres, on remarquera surtout le poème « Le Char de triomphe » (El Caross), qu'il composa entre 1200 et 1202 en l'honneur de Béatrice, fille du marquis Boniface. Pour louer sa gente dame, le poète, apres maintes allusions à la politique italienne du temps, imagine que les plus jolies rivales de Béatrice, rassemblées autour de son char, sont éclipsées par sa beauté : double triomphe de la jeunesse et de la vertu. Citons également le dialogue avec Alberto Malaspina, si intéressant du point de vue documentaire et dans lequel deux interlocuteurs échangent les injures les plus féroces — v. *La Dispute* (*) de Malaspina ; les poèmes composés en Orient, d'une si émouvante sincérité (« No m'agrad'inverns ni Pascors » et spécialement « Atlas undas que venetz sur la mar ») ; l'impétueux « Chant de la croisade », écrit lors de l'assemblée de Soissons au cours de laquelle Boniface avait été désigné comme chef du mouvement. Un autre chant de Raimbaut, mais qui échappe à la tradition lyrique des troubadours, c'est celui que l'on pourrait appeler l'« Épître héroïque », mais, contrairement aux épîtres en vers que composa, par exemple, un Arnaud de Mareuil — v. *Chansons* (*) d'Arnaud de Mareuil — dont l'amour était le thème sous un aspect didactique, celle de Raimbaut se rattache à la tradition épique, comme le révèle la forme métrique qui est la rime unique des chansons de geste. L'épître est divisée en trois parties de longueur inégale, dont chacune comporte une rime unique (« at », « a », « as »). Et, bien qu'il s'agisse d'un récit historique, le ton ne laisse pas d'émouvoir en raison, précisément, des allusions que fait le poète à sa vie personnelle : il énumère les bénéfices qu'il doit à la libéralité de son seigneur, et les chevauchées qu'ils ont faites de compagnie, brossant ainsi un tableau passionnant de leurs aventures. Et sans doute Raimbaut a-t-il soin, comme c'était l'usage chez les jongleurs, de demander au marquis d'être une fois encore généreux à son égard. La grandeur des souvenirs et l'exaltation des mérites de Montferrat font de cette épître une des plus belles œuvres de la littérature provençale. Un autre poème de Raimbaut, et qui est pour beaucoup dans sa réputation, est le célèbre entretien « avec une dame génoise ». Le poète la supplie de répondre à son amour mais, sans pitié, la belle le repousse. Les stances où parle Raimbaut sont en provençal, celles qu'il adresse à sa dame sont en génois, et comme cet « Entretien » fut écrit sans aucun doute avant avril 1194, ces stances sont un des plus anciens exemples que l'on possède de l'italien vulgaire mis par un lettré au service de l'art. Il est notamment un passage du plus haut intérêt pour l'histoire littéraire : ce sont les cinq stances, uniques en leur genre, dans lesquelles, à la variété des rimes, vient s'ajouter celle des langues. La première stance est provençale, la seconde italienne, la troisième française, la quatrième gasconne ; la cinquième est en galicien et en portugais. À la fin du poème, les cinq langues reparaissent toutes, chacune représentée par un distique où s'expriment les diverses nuances de l'amour : soumission, inquiétude, abandon ou désespoir. – Les *Poésies* de Raimbaut de Vaqueiras ont été éditées par J. Linskill (La Haye, 1964).

POÉSIES de Raimon de Miraval. Du troubadour provençal Raimon de Miraval (né dans la seconde moitié du XIIe siècle en Languedoc et qui mourut après 1229, exilé en Espagne), on connaît trente-huit chansons, cinq sirventès, deux tensons et une épître, constituant un ensemble d'une valeur assez modeste. C'est seulement à partir de 1190 qu'il eut sa période la plus féconde. Avec une froide élégance, Raimon, déjà vieux, ressasse les lieux communs de la poésie courtoise. Néanmoins, on retrouve dans ses vers un écho des désordres suscités, dans le midi de la France, par l'hérésie albigeoise, événements tragiques dont il avait été le témoin et la victime. Ces allusions mises à part, les poèmes de Raimon sont le plus souvent des exercices sans vie, avec cependant un souci de la recherche formelle à quoi se reconnaissent les grands troubadours. Adversaire décidé de l'hermétisme (le « trobar clus »), il vante la simplicité d'une chanson qui n'aspire qu'à être claire, et donne les siennes en exemple. Condamnant le mauvais goût, « je chante seulement, dit-il, quand cela me plaît, et dans une forme facile, sans recourir aux artifices d'une technique compliquée ». Cependant, malgré les fréquentes allusions qu'il fait à son talent et à ses succès, Raimon est simplement considéré aujourd'hui comme un littérateur habile. Ses chants, en effet, étaient le fruit d'une convention à son déclin. Conventionnelles sont, notamment, ses imprécations contre les femmes, lorsque, par exemple, il se demande si elles n'ont pas une instinctive préférence pour les méchants... et non moins, les serments qu'il adresse à sa dame quand il assure qu'un amant sage doit renoncer à comprendre le comportement de sa maîtresse, ou qu'elle peut être à la fois cruelle et vertueuse. Raimon renoncera finalement à l'aimée, à toutes les femmes et à l'amour, c'est alors — alors seulement — que, sans souci des artifices littéraires, sa sincérité apparaît : « De ma dame, écrit-il, que j'ai si constamment adorée, je ne veux plus rien croire : ni adulations, ni hommages, ni prières, ni chants... tant elle est perfide ! Mais, de trompé devenu trompeur, à ma peine je me résigne. Maintenant que je la sais coupable, comment pourrais-je obéir à ses caprices ?... Que chacun reprenne donc sa liberté... Maintenant je ne veux plus penser qu'à moi seul. Ce marché ne valait-il pas mieux qu'une querelle ?... Grâces soient rendues à ma courtoise sagesse : joyeux ou triste, je suis toujours prêt à chanter et à rire. » Dans l'œuvre tout en grisaille de Raimon de Miraval, c'est sans doute le passage le mieux venu. — Quelques pièces ont été éditées par A. Kolsen (Florence, 1939) et par P. Andraud (Paris, 1902).

POÉSIES de Rigaut de Barbezieux. De ce troubadour saintongeais, qui vivait à la fin du XIIe et au début du XIIIe siècle, il nous reste à peine une dizaine de poésies coulées dans le moule traditionnel. Poète curieux, Rigaut versifie avec soin : tantôt précieux, tantôt franchement désinvolte, mais sans personnalité véritable. Si quelque image, parfois, brille au début de son chant, c'est pour s'éteindre aussitôt, car sa muse est le plus souvent discursive, fatigante et compliquée. Privé de toute vie intérieure, Rigaut s'embourbe dans des formules usées, et c'est en vain qu'il recourt à des innovations assez factices. Ce qu'il y a chez lui de vraiment expressif, ce sont les *Bestiaires,* sortes de manuels de zoologie où sont rassemblés les noms d'animaux réels ou fantastiques dont il commente, non sans quelque effort, les allégories. L'amour, dit-il, est semblable au faucon qui tombe sur sa proie et au tigre qui, lorsqu'il se mire, ne songe plus à son tourment. Ainsi le poète, quand il fixe celle qu'il adore, n'oublie-t-il pas pour un temps sa douleur ? Puis, évoquant le lion qui devient furieux à la vue de son lionceau né sans un souffle de vie, mais qui, de sa seule voix, parvient à le ranimer, Rigaut supplie sa dame de guérir son chagrin, car le poète, dit-il encore, n'est pas comme l'ours qui, plus on le bat, mieux il se porte. Moins suggestives en général que bizarres, les trouvailles de Rigaut plaisaient beaucoup cependant, et elles trouvèrent maints imitateurs parmi les poètes italiens provençalisants de la première école et du XIVe siècle, spécialement par Chiaro Davanzati. — Trad. Imp. Texier, 1908. Les poésies de Rigaut de Barbezieux ont été éditées par Chabaneau-Anglade (*Revue des langues romanes,* Montpellier, 1919), A. Varvaro (Bari, 1960) et M. Braccini (Florence, 1960).

POÉSIES de Rimbaud. L'œuvre en vers du poète français Arthur Rimbaud (1854-1891) parut en partie du vivant de l'auteur, dans différentes publications, telles que : *La Revue pour tous, Lutèce, La Plume* et *La Vogue*. La première édition d'ensemble, intitulée *Reliquaire. Poésies*, parue chez Genonceaux avec une préface de Rodolphe Darzens, fut publiée en 1891, à l'insu de l'auteur qui agonisait alors à l'hôpital de Marseille. Elle fut suivie en 1895 d'une édition posthume, chez Vanier, *Poésies complètes*, préfacée par Paul Verlaine. Par la suite, les « Poésies » figurèrent dans les éditions des *Œuvres* (Mercure de France, édition établie par Berrichon, 1898 et 1912) et des *Œuvres complètes* (Éditions de la Banderole, 1922). De nombreuses éditions des *Poésies* et des *Œuvres*, complétées et corrigées, ainsi que des publications partielles, se sont succédé depuis, notamment à l'occasion du centenaire de la mort du poète, en 1991. À dix ans, Arthur Rimbaud étonnait ses professeurs et ses condisciples du collège de Charleville par sa précocité d'esprit et la véritable maîtrise qu'il manifestait dans ses compositions en vers latins. Mais c'est en 1869, avec « Les Étrennes des orphelins », poème manifestement inspiré de Victor Hugo, que le poète adolescent amorce l'évolution fulgurante qui allait le porter en trois années aux confins de l'expérience poétique et renouveler du même coup les horizons de la poésie occidentale. On peut dire de son œuvre qu'elle est un exemple de poésie vécue, conception moderne de la création artistique, pressentie par certains romantiques et dont Baudelaire constitue la première incarnation. Aussi ne peut-on dissocier la vie et l'œuvre d'Arthur Rimbaud, sa démarche intime et son comportement. 1870 marque l'éveil de son génie poétique : Rimbaud s'est lié d'amitié avec un jeune professeur aux idées révolutionnaires, Georges Izambard, qui devient son confident et le guide dans ses lectures. Ses premiers poèmes s'inspirent certes de Victor Hugo et des parnassiens, mais vibrent déjà d'une ardeur et d'une liberté de langage qui dépassent l'exercice littéraire : il écrit « Le Forgeron », « Bal des pendus », « Le Châtiment de Tartuffe », « Vénus Anadyomène », « Les Reparties de Nina », « À la musique » et envoie à Théodore de Banville « Ophélie », « Soleil et Chair »,

« Sensation » et « Première Soirée ». Chacun de ces poèmes marque une étape vers l'expression synthétique de la sensation, du sentiment et de la pensée : le caractère déjà visionnaire, mais encore discursif et mythologique des premiers vers, cède le pas à un réalisme de plus en plus marqué, à une expérience toujours plus personnelle qu'accompagne une originalité croissante de langage. Rimbaud s'assimile les poètes de son temps pour mieux les contredire et brûle les étapes. La guerre de 1870, qui éclate pendant l'été, vient faire coïncider un bouleversement extérieur avec la révolte intime du poète adolescent. Le 29 août, Rimbaud fait une première fugue à Paris, où il espère assister à la chute du gouvernement impérial, connaît diverses péripéties, retourne à Charleville et s'en échappe de nouveau, dix jours plus tard. À pied, il gagne la Belgique, où il essaie en vain de se faire engager par la rédaction d'un journal de Charleroi, et erre alors de Bruxelles à Douai. Les œuvres de cette période sont empreintes d'un accent de revendication politique et sociale rare parmi les poètes de l'époque. Mais la révolte est encore dissociée ou du moins alterne avec les épanchements purement lyriques : les paysages, les émotions et les événements traversés se reflètent ainsi tour à tour dans « Au cabaret vert », « Le Buffet », « Rêvé pour l'hiver », « Ma bohème », « Rages de Césars », « L'Éclatante victoire de Sarrebrück », « Le Dormeur du val », « Le Mal », « Les Effarés », « Roman », « Morts de Quatre-Vingt-Douze... ». Rimbaud regagne Charleville, et le mois de janvier 1871 se passe en lectures : œuvres des socialistes français, romans du XVIIIe siècle et ouvrages d'occultisme : contre les tenants de la culture en chambre et de la pensée peureuse, il écrit alors le poème satirique « Les Assis ». Mais l'ampleur et la violence de ses espoirs de rédemption sociale ne font que souligner plus cruellement pour lui sa solitude et son impuissance d'adolescent. Le 25 février, il gagne Paris une troisième fois, passe une quinzaine de jours dans le plus complet dénuement et revient à pied à Charleville en traversant les lignes ennemies. C'est à cette époque qu'il aurait rédigé un « Projet de Constitution communiste » qui ne nous est pas parvenu ; il écrit aussi « Oraison du soir », « Les Douaniers », « Chant de guerre parisien » : ses vers se font rageurs et d'une allégresse méprisante. À la déception des espoirs populaires qu'il avait faits siens, il va répondre par une affirmation de soi aux ambitions démesurées : puisque l'écriture est sa seule arme, il va tenter de la doter d'une efficacité jamais atteinte.

Le 13 mai, il adresse à Izambard une lettre dans laquelle il expose sa conception de la poésie, conception qu'il développe quelques jours plus tard dans la célèbre *Lettre du voyant* (*). Il s'engage désormais résolument sur les chemins de la révolution intérieure et traverse une violente crise d'anticléricalisme. De nombreux poèmes vont jalonner sa quête de lucidité : « Mes petites amoureuses », « Accroupissements », « Les Poètes de sept ans », « Les Pauvres à l'église », « L'Orgie parisienne », « Le Cœur volé », « Les Mains de Jeanne-Marie », « Les Sœurs de charité », « Les Chercheuses de poux », « Les Premières Communions », « L'Homme juste », « Ce qu'on dit au poète à propos de fleurs » et le fameux sonnet « Voyelles », naïf essai d'alchimie verbale, de magie intuitive. Cette floraison de poèmes baigne dans une atmosphère à la fois familière et surnaturelle : le poème devient en quelque sorte un « objet » subjectif. Mais ces caractères ne trouveront leur pleine affirmation qu'avec *Le Bateau ivre* (*), chant d'enfance permanente, hymne barbare et somptueux de délivrance et d'amertume, de fin et de commencement. Par l'entremise d'un nouvel ami, Bretagne, Rimbaud entre en contact avec Paul Verlaine qui l'incite chaleureusement à venir le retrouver à Paris. Les premiers mois de 1872 voient Rimbaud mener une existence libre et déréglée de « bohème », en compagnie de poètes amis de Verlaine, dans les cafés du Quartier latin : de cette époque datent les sonnets érotiques connus sous le titre « Les Stupra » et les pastiches de l'« Album zutique ». En mars, pour permettre à Verlaine de se réconcilier avec sa femme, Rimbaud retourne à Charleville où il écrit « Comédie de la soif », « Larme », « La Rivière de cassis », « Fêtes de la patience », « Jeune ménage », « Mémoire », « Chanson de la plus haute tour », « Michel et Christine », « Entends comme brame », poèmes qui ont en commun un tour elliptique, à la fois obscur et spontané, où la versification atteint une souplesse et une liberté rarement dépassées, où les mots échappent à l'organisation traditionnelle du discours, où le poète enfin s'efforce de noter l'ineffable et met en pratique les principes énoncés dans la *Lettre du voyant*. Mais, sur les instances de Verlaine, Rimbaud regagne Paris au mois de mai. Deux mois plus tard, il décide de partir pour la Belgique, tandis que Verlaine abandonne sa femme pour le suivre. Ils se rendent alors tous deux en Angleterre, où Rimbaud compose ses derniers poèmes en vers : « Est-elle aimée », « Âge d'or », « Éternité », « Fêtes de la faim », « Ô saisons, ô châteaux », et commence à écrire les poèmes en prose des *Illuminations* (*). Après les fugues et la période d'exploration extérieure marquée par les exercices d'après nature des premiers poèmes en vers, après la volonté d'exploration intérieure, de conscience extralucide, amorcée par *Le Bateau ivre*, le temps est venu pour Rimbaud de dresser une sorte de bilan. Vers la fin de 1872, il quitte brusquement Verlaine et regagne Charleville. Il a dix-huit ans et un passé déjà chargé de luttes pour et contre soi, d'arrachements et de renouvellements successifs ; la synthèse de son expérience de poésie en acte, de dialectique vécue, il la donnera, au cours de l'année suivante, avec *Une saison en enfer* (*).

POÉSIES de Rückert. Le poète allemand Friedrich Rückert (1788-1866) publia en 1814, sous le pseudonyme de Freimund Reimar, des *Poésies allemandes*, dont le meilleur est constitué par les *Sonnets cuirassés* [*Geharnischte Sonette*], deux cycles de vingt-quatre et vingt sonnets, dans lesquels l'auteur entend faire œuvre patriotique et réveiller le sentiment national. Bien que rappelant, dans leur expression et leur esprit, le « Gute Zeichen » de Friedrich Schlegel et certaines pensées des *Discours à la nation allemande* (*) de Fichte, ces sonnets atteignent à une réelle originalité de forme lorsqu'ils reflètent le tourment passionné du poète devant les hontes infligées à sa patrie. Le style en est concis, nerveux, haché même, avec parfois des accents religieux et des recours à la mythologie classique. — Avec *Les Roses d'Orient* [*Oestliche Rosen*], recueil publié en 1822, Rückert abordait un genre tout différent : il s'agit là d'une paraphrase de poèmes orientaux, de Hafiz en particulier, où l'auteur se révèle un virtuose de la langue allemande, usant d'un langage poétique, gracieux et raffiné. On peut rattacher ce recueil au *Divan occidental-oriental* (*) de Goethe, mais Rückert n'avait certes pas l'intention d'entrer en compétition avec une œuvre aussi profonde et austère. Un sentiment de profonde sérénité, comme dans le poème « Tu es le calme » [Du bist die Ruh'], mis en musique par Schubert, alterne avec une vigoureuse allégresse qui rappelle les chansons populaires, conférant à l'ensemble une diversité qui ne nuit pas à l'unité de l'œuvre. — En 1834 paraissait le recueil *Le Printemps de l'amour* [*Liebesfrühling*], qui rassemblait des poèmes publiés séparément en 1822-1824. Quelque trois cents sonnets y retracent les étapes principales d'un amour saisi à travers les sentiments de l'amant et de l'aimée. Disciple de Goethe, comme on peut le voir dans le poème que la musique de Schumann rendit célèbre : « Ô mon cœur, ô mon âme » [Du meine Seele, Du mein Herz], Rückert ne parvient pas toujours cependant à dissimuler ce que sa forme a de schématique et son langage de recherché. Il n'atteint que rarement à de véritables accents poétiques, mais des pièces comme « Il vint à travers la pluie et la tempête » [Er ist gekommen in Sturm und Regen] ou certaines imitations de chansons populaires, telles que « Ô douce mère, je ne puis filer » [O süsse Mutter ich kann nicht spinnen], seraient passées à la postérité même si Schumann et de nombreux autres compositeurs ne les avaient mises en musique. — Entre 1836-1839 enfin parut un recueil de poèmes didactiques, en alexandrins : *La Sagesse du brahmane* [*Die Weisheit des Brahmanen*]. Rückert a voulu embrasser ici l'ensemble des manifestations de la vie humaine, les rapports de l'homme à Dieu, lequel se révèle dans la nature et l'Histoire. Comme dans *Les Roses d'Orient*, l'auteur a adopté un cadre oriental pour exprimer sa pensée, mais l'exotisme n'est qu'un artifice transparent. Toutefois, le caractère quasi mystique du langage correspond à l'inspiration du recueil : celle d'une âme ayant accédé à la paix avec soi-même, avec le monde et avec Dieu.

POÉSIES de Rueda. L'œuvre lyrique de l'écrivain espagnol Salvador Rueda (1857-1933) s'étend sur un grand nombre de volumes, depuis *Notations brèves* [*Renglones cortos*, 1880] jusqu'au *Poème du baiser* [*El poema del beso*, 1932], sans compter maintes poésies qui n'ont pas été rassemblées. Encore qu'une telle abondance nuise quelque peu à la qualité de son œuvre, Rueda — l'un des poètes les plus personnels de son temps — n'en a pas moins exercé une grande influence sur l'évolution de la poésie espagnole et sur son renouvellement rythmique. Son intense « colorisme » suffirait à le définir, tant il contraste avec la manière de ses devanciers immédiats. Toute l'exubérance de la terre andalouse imprègne cette poésie naïve, rustique, sensuelle, où foisonnent les fraîches images, les descriptions piquantes, les griseries mythologiques et méditerranéennes, ce brio, enfin, qui fait pardonner au poète des effets trop mécaniques, un goût parfois incertain, une culture superficielle. Non moins que la couleur, ce qui retient, chez Rueda, c'est son souci de la musicalité : il a consacré au rythme un ouvrage qui est plein de ferveur panthéiste : le poète y revendique même l'invention du dodécasyllabe où il était passé maître. Quoi qu'il en soit, c'est toujours la nature qui inspire Salvador Rueda, et pas seulement dans ce qu'elle a de plus poétique, car, volontiers, il se fait le peintre de ses aspects les moins exaltants, ressemblant ainsi au Zorrilla des dernières années. L'apparition de Rubén Darío, qui devait se faire un si grand nom dans la poésie espagnole, éclipsa la réputation de Rueda, son camarade de jeunesse : il serait injuste, cependant, de sous-estimer la profonde originalité de Salvador Rueda, ses innovations rythmiques et l'influence qu'il a exercée jusqu'au début du XXe siècle.

POÉSIES de Rutebeuf. On connaît de Rutebeuf, le plus grand, le plus attachant, le plus « moderne » des poètes français du XIIIe siècle, une soixantaine de poèmes appartenant à tous les genres, sauf à la poésie épique et à la poésie amoureuse. Son œuvre se situe chronologiquement entre la première partie du *Roman de la Rose* (*) et sa continuation par Jean de Meun ; il connaît, il imite parfois Guillaume de Lorris, et Jean de Meun subit son influence, mais Rutebeuf, qui innove dans l'esprit comme dans la forme, avec une personnalité puissante, reste un phénomène isolé. Sa vie nous est peu connue. Peut-être naquit-il en Champagne, comme peut le faire supposer une phrase de son *Dit de l'Herberie* (*). Il vécut à Paris, pauvre ménestrel ; il écrivit parfois sur commande pour d'illustres protecteurs, parmi lesquels le roi Saint Louis, Thibaut roi de Navarre, le comte de Poitiers, complaintes funèbres ou vies de saint. À côté d'un « miracle » destiné à quelque communauté pieuse, il composa, pour la foule des badauds, pitreries, dits ou fabliaux pleins de verdeur ; toujours tirant le diable par la queue et jouant aux dés ses maigres deniers. Sa pensée est élevée lorsqu'il aborde les grandes questions de son temps ; et l'expression est robuste, éloquente, heureuse ; mais sa fantaisie ne perd jamais ses droits et, comme les chansonniers de nos jours, il aime les calembours et les jeux de mots. Doué d'une verve satirique étonnante, il l'exerce sur les grands et les petits depuis le roi et le pape jusqu'au vilain ; et, dans la partie la plus prenante de son œuvre, sur sa propre misère, sur sa vie déréglée, avec une fantaisie pittoresque, une ironie sans amertume, un sourire mélancolique profondément émouvants. Les derniers événements dont il parle remontent à 1285 et l'on pense que sa mort peut se situer peu après cette date. Rutebeuf fut profondément religieux, en dépit de son inconduite et des railleries acerbes qu'il adressa, non à l'Église, mais à ses représentants indignes. Il mit en vers deux vies de saints : *La Vie de sainte Marie l'Égyptienne,* remaniement de l'œuvre d'un trouvère antérieur, raconte la folle jeunesse de « cele qui lors n'estoit pas sage », ainsi que sa repentance et sa vie de pénitence dans le désert. La deuxième, la *Vie de sainte Élisabeth de Hongrie,* fut traduite du latin par le poète, pour la reine Isabelle de Navarre. De nombreux poèmes de Rutebeuf chantent avec une tendresse naïve la « doulce Dame » : l'*Ave Maria,* commentant les paroles de la prière à Marie ; le *Dit de Notre Dame ;* la *Chanson de Notre Dame,* beau cantique taillé sur le modèle des chansons d'amour ; le *Dit des neuf joies de Notre Dame,* où le poète chante les louanges de la Vierge en de ferventes litanies, et ses « neuf joies », de la Conception à l'Assomption. Dans tel de ses chants pieux *(Ave Maria)* perce le poète satirique qui n'est jamais absent, même dans les *Complaintes* écrites pour commémorer la mort d'illustres personnages *(Complaintes du comte de Nevers, du roi de Navarre, du comte de Poitiers, d'Anceau de l'Isle-Adam)* ou plaidant pour la croisade *(Complainte de Jofroi de Sergines, Complainte de Constantinople,* et surtout les deux *Complaintes d'outre-mer ; Dispute du croisé et du décroisé)* ou pour la guerre de Charles d'Anjou dans les Deux-Siciles *(Dit de Pouille ; Chanson de Pouille).* Toutes ces dernières appartiennent véritablement à la satire, qui trouve des traits, une couleur, une verve remarquables. La satire de Rutebeuf s'exerce aux dépens des innombrables ordres religieux poussés comme des champignons : « Tant d'ordres avons ja / ne sais qui les sonja ains Diex tel genz n'onja / ne il ne sont s'ami. / Papelart et beguin / ont le siecle honi ! » *(Chanson des ordres) ;* les béguines se disent filles de Dieu : « Diex a nom de filles avoir / Mais je ne puis onques savoir / que Diex eüst fame en sa vie ! » *(Les Ordres de Paris) ;* et le roi les protège ! « Sa parole est prophétie ; / s'ele rit, c'est compaignie ; / s'ele pleure, devotion ; / s'ele dort, ele est ravie ; / s'el'songe, c'est vision ; / s'elle ment, non creiez mie ; » « mais n'en dites se bien non : / li Rois ne sofferroit mie » *(Dit des Béguines).* Tous les ordres en prennent pour leur compte : les ordres mendiants (« humilité a bien grandi »), les frères, les moines de Cîteaux et ceux de Prémontré qui sont blancs par-dehors et noirs par-dedans : et les nonnains qui voyagent trop et parfois partent deux et reviennent quatre *(La Vie du monde).* Les franciscains trouvent parfois grâce devant Rutebeuf (le *Dit des Cordeliers*), mais non les dominicains (le *Dit des Jacobins, Le Pharisien, La Discorde de l'Université et des Jacobins,* le *Dit de l'université de Paris*). Rutebeuf épouse la controverse de l'Université contre les dominicains : et lorsque l'adversaire de ceux-ci, Guillaume de Saint-Amour, est exilé, il en prend hardiment la défense *(Complainte de maistre Guillaume de Saint-Amour),* ne craignant pas de dire leur fait au pape et au roi en les menaçant de la colère divine. En d'autres poèmes satiriques, Rutebeuf s'élève contre les désordres de la cour papale (le *Dit d'Hypocrisie*), sa simonie ; et contre l'avarice, l'égoïsme des clercs comme des laïcs : prélats, moines, avocats, juges, marchands ; nobles et vilains *(L'État du monde ; Les Plaies du monde ; La Vie du monde* ou *Complainte de sainte Église).* Bornons-nous à mentionner deux poèmes allégoriques, le *Dit de Renart le Bestourné* et *Le Voyage de paradis.*

L'œuvre dramatique de Rutebeuf comprend le *Miracle de Théophile* (*). C'est, avec le *Jeu de saint Nicolas* (*) de Bodel d'Arras, tout ce qui nous reste du théâtre sérieux du XIIIe siècle. En opposition à ce pieux drame, un monologue, destiné à être dit et mimé par un acteur, le *Dit de l'Herberie* (*), est pétillant de verve bouffonne. La gaîté, l'aisance, la verdeur aussi du *Dit de l'Herberie* se retrouvent dans les fabliaux de Rutebeuf ; ce sont des contes en vers, assez prestement enlevés, moins grossiers que la plupart des fabliaux de l'époque, plus littéraires, parmi les meilleurs que nous ait laissés le Moyen Âge. Il y a un véritable « miracle de Notre Dame » raconté, l'*Histoire du sacristain et de la femme du chevalier,* à qui le diable inspire un amour coupable et qui s'enfuient ensemble en emportant le trésor du couvent et les économies du chevalier. Poursuivis et mis en prison avant d'avoir eu le temps de pécher, ils retrouvent leur esprit et invoquent Notre Dame, qui oblige le diable à réparer le mal. Au lendemain, le chanoine sacristain et la dame se réveillent dans leurs lits, le trésor est à sa place, deux diables sont enfermés dans la prison. L'évêque, consulté, obtient des diables l'aveu de leur échec. Il y a le *Dit du frère Denyse,* qui raconte comment le paillard frère Simon avait fait recevoir en religion Denyse, innocente jeune fille déguisée en jeune garçon et comment, la ruse découverte, frère Denyse redevient jeune fille et se marie, sans qu'il en coûte au coupable autre chose que le soin de pourvoir à la dot. Mentionnons encore : *La Dame qui fit trois tours autour du moustier,* la nuit, pour apprendre si l'enfant qu'elle aura sera garçon ou fille (c'est du moins ce qu'elle fait croire au mari, alors qu'elle sort d'entre les bras du prêtre, son amant) ; le *Testament de l'âne :* le prêtre qu'il a fidèlement servi pendant vingt ans l'a enseveli en terre bénite ; l'évêque, indigné de cette profanation, cite l'impie à comparaître. Le prêtre se défend : l'âne, dit-il, a gagné vingt livres, sou à sou, pendant son honnête existence, qu'il a léguées à l'évêque pour son salut. Et c'est ainsi que l'âne demeura chrétien. *Le Pet au vilain* est une joyeuse histoire expliquant comment les vilains, déjà exclus du paradis, l'ont été également de l'enfer ; le sujet sera porté à la scène deux siècles plus tard par André de la Vigne dans sa *Farce du meunier* — v. *Moralités* (*).

Un dernier fabliau *(Ci encomence de Charlot le Juif qui ch.. en la pel dou lievre)* a comme protagoniste Charlot le Juif, un ménestrel comme Rutebeuf, qui se venge « vilainement » de la rétribution dérisoire de ses services lors d'une noce à Vincennes à laquelle l'auteur a également participé. De ce même Charlot et du Barbier, autre ménestrel, parle Rutebeuf dans *La Dispute de Charlot et du Barbier de Melun :* nous arrivons là à la partie la plus personnelle de l'œuvre de Rutebeuf, la plus attachante, celle où il nous montre sa pauvre vie, ses compagnons de misère et de ribote, l'espoir toujours déçu d'un jour meilleur. Nous voyons l'auteur rencontrer Charlot et le Barbier dans la rue, se disputant, alors qu'il va jouer du côté de Saint-Germain-l'Auxerrois, plus tôt que d'habitude, car il n'aime pas se lever matin. Comme ils se traitent mutuellement de tous les noms, ils en appellent à Rutebeuf qui devra les départager. Mais comment dire lequel des deux est le meilleur ? C'est à peine s'il pourrait décider lequel est le « moins pire », des deux compagnons qu'il connaît depuis toujours. Ses compagnons ? Ce sont ces ribauds de la place de Grève (le *Dit des ribauds de Grève),* qui pour un dur hiver se prépare : « Ribaut, or estes vous a point : / li arbre despouillent leurs branches / et vous n'avez de robe point. » C'est Brichemer, qui lui doit de l'argent (le *Dit de Brichemer*) et qui le paie de promesses ; mais Rutebeuf ne lui en veut pas : « quar de promesse m'a fait riche », plaisante-t-il, désabusé. Sa vie ? C'est son mariage absurde avec une femme vieille, laide et pauvre *(Le Mariage Rutebeuf)* : « L'esperance de l'endemain / ce sont mes festes. » Mais cette espérance est toujours déçue, car la malchance le persécute ; il ne voit plus que d'un œil, et mal ; sa femme est malade, pas un sou pour l'enfant qui est en nourrice, pour le propriétaire qui réclame le loyer, pour chauffer le logis vide (car les meubles sont partis), pas de crédit, plus d'amis *(La Complainte Rutebeuf).* Il avait un protecteur ; il l'a perdu : « J'avoie un boen ami en France, / or l'ai perdu par mescheance. / De totes pars Dieu me guerroie, / de totes pars pers je chevance ! » *(La Prière Rutebeuf).* Ne sachant plus que faire, il s'adresse au roi en une supplication poignante sous la blague : « Sire, je vos fais a savoir : / je n'ai de quoi du pain avoir » *(La Pauvreté Rutebeuf).* Finit-il sa vie dans un cloître, en un silence volontaire, comme pourrait le faire supposer *La Repentance Rutebeuf ?* Le poète est épouvanté, en revoyant sa vie si mal employée. Il ne rimera plus. Mais n'est-il pas trop tard pour le repentir ? Non, si Notre Dame veut l'assister. Et Rutebeuf, en une strophe émouvante où le sourire du vieux ménestrel se nuance d'une tendresse infinie, abandonne « (à) cele en qui toz biens resclaire » le soin de son âme : « Fisicien n'apoticaire / ne me peuvent doner santé » ; « Je sai une fisiciene / que a Lions ne a Viene, / ne tant come li siecles dure, / n'a si bone serurgiene. / N'est plaie, tant soit anciene, / qu'ele ne netoie et escure, / puisqu'ele i veut metre sa cure. / Ele espurja de vie obscure / la beneoite Egypciene, / a Dieu la rendi nete et pure. / Si com c'est voirs, si praigne en cure / ma lasse d'ame crestiene ! » — Les *Œuvres* de Rutebeuf ont été éditées par E. Faral et J. Bastin (2 vol., Picard, 1959-1960) et traduites par Jean Dufournet (Champion, 1979, et Gallimard, 1986) et par M. Zink (Bordas, 1989).

POÉSIES de Saint-Amant. Le poète français Marc-Antoine Girard, sieur de Saint-Amant (1594-1661), a bénéficié d'une renommée précoce, qui précède la première édition de ses *Œuvres* (1629) et qui s'explique par des impressions partielles — « L'Arion » (1623), « La Solitude » (1627) — et par une circulation manuscrite de ses poèmes. Cette réputation a été fortifiée par ses relations avec les Grands : Gaston d'Orléans, le comte d'Harcourt, le duc de Retz, autant que par ses succès dans la confrérie des « Goinfres » (qui fréquente les tavernes dépeintes dans « Les Cabarets ») et dans la bohème littéraire, où il côtoie Faret, son préfacier, Molière d'Essertines, dont le spectre apparaît dans « Les Visions », Marolles, Boisrobert et Théophile de Viau, pour les *Œuvres* duquel il écrivit une ode liminaire, en 1621.

L'édition originale de 1629 comporte 4 668 vers, c'est le plus long et le plus séduisant volume de ses *Œuvres,* qui donne une idée exacte de son originalité poétique et de la variété de sa création. Faret, dans sa préface, souligne la mobilité et la plasticité de l'imagination de Saint-Amant : « Son esprit paroist sous toutes les formes », et ce dernier, dans son avertissement, vante « une diversité qui peut-estre ne sera pas trouvée désagréable ». Au début se trouvent des pièces célèbres comme « La Solitude » ou « Le Contemplateur », rêveries éveillées devant une nature foisonnante, en perpétuelle métamorphose, habitée de figures mythologiques ou bibliques, de chimères grotesques ou inquiétantes, animée par une perpétuelle variation de points de vue qui épouse la multiplicité des choses et l'inconstance du monde, et transfigurée par une subtile alchimie qui mêle la contemplation, le songe et la fantaisie en une fête baroque de l'imagination. Suivent trois « petits essais de poème héroïque » : « Andromède », la « Métamorphose de Lyrian », « Arion », qui retrouvent l'enchantement du merveilleux ovidien. C'est vers le fantastique et l'effroyable qu'entraînent ensuite « Les Visions » avec des accents « surréalistes », non sans dérive vers une folie parodique proche de celle mise en scène par Cervantès, tandis que « La Pluie » ou « La Nuit » séduisent par la plénitude des sensations suggérées. Des poésies amoureuses d'inspiration pétrarquiste voisinent plus loin avec « La Jouissance », poème magnifiquement épicurien. Toute une partie intitulée « Raillerie à part » ouvre enfin sur une veine burlesque éblouissante quand le grotesque se repaît de laideur dans « La Chambre du débauché », ou quand il se nourrit de fraîcheur rabelaisienne, dans « Le Fromage » ou « La Vigne ». L'art de Saint-Amant reste, à travers ses incessants renouvellements, toujours aussi savoureux.

La *Suite des Œuvres*, de 1631 et la *Seconde partie des Œuvres,* de 1643 renouent avec cette verve expressive et sensuelle dans « Le Melon » ou « Le Canta », sans négliger les « Caprices » comme « Le Passage de Gibraltar » où se complaît la liberté créatrice de Saint-Amant. Il s'y ajoute une admirable poésie descriptive, alliant les couleurs des saisons aux reliefs des paysages : de « L'Hiver des Alpes » à « L'Automne des Canaries ». Précurseur du burlesque – dans « La Rome ridicule » (1643) ou l'« Albion », épopée satirique contre l'Angleterre (1649) – et de son contraire, le style héroï-comique (dans une « Épistre » de 1644), Saint-Amant exploite toutes les ressources d'un vocabulaire varié et coloré, et détourne parodiquement une culture classique bien plus riche qu'on ne l'a dit. Celle-ci s'exprime d'ailleurs directement dans les idylles héroïques qui suivront, « La Généreuse » (1658), dédiée à la reine de Pologne, qui comporte un intéressant songe prophétique, et surtout le « Moïse sauvé » (*) (1653) où la recherche du merveilleux chrétien combine un exotisme surprenant avec une ingéniosité toute littéraire, de type mariniste.

Cette poésie moderne, originale bien que tributaire de sources antiques, espagnoles, et surtout italiennes (Berni, Marino), alliant étrangeté et fantaisie, cultivant le mélange des tons et l'esthétique de la surprise capricieuse, avec un sens réel de l'harmonie du vers et de la strophe, méritait la réhabilitation entreprise par Théophile Gautier dans *Les Grotesques* (*) (1844), Sainte-Beuve et Remy de Gourmont, avant que Jean Rousset ou Gérard Genette et toute la critique moderne soulignent sa richesse baroque, sa luxuriance sensuelle et la joie qui l'anime.

P. Ro.

POÉSIES de Schéhadé. C'est sous ce titre que l'écrivain libanais d'expression française Georges Schéhadé (1910-1989) a rassemblé en 1952 la majeure partie de son œuvre poétique (publiée à partir de 1938 en plusieurs plaquettes). À ces recueils s'ajoutent *Poésie Zéro ou l'Écolier sultan*, publié en 1950, mais regroupant des poèmes de jeunesse, et *Rodogune Sinne*, publié en 1947. Le premier recueil s'ouvre sur ces vers : « D'abord derrière les roses il n'y a pas de singes / Il y a un enfant qui a les yeux tourmentés. » Avec les poètes, il suffit d'une phrase où les mots sonnent d'une façon toute neuve, où ils se groupent d'une façon jamais vue. Aucun travail d'écrivain, nul effort ne mènerait à cette perfection qui ne relève que d'une certaine grâce. *Poésies I*, jusqu'en ses dernières lignes : « Ah ! réveillez-moi en appelant la servante / Du nom de nos mères », tenait les promesses du début, on pourrait presque dire de l'« affiche », car le poème liminaire est un peu comme une réclame brillamment peinturlurée sur le fronton d'un petit théâtre bizarre. La baraque de Pétrouchka n'est pas loin. Tout comme entre Laforgue et Debussy, on relève justement à cet endroit des affinités entre le poète et le musicien : l'écriture de Schéhadé, comme celle de Stravinski, va du chant pur à la note stridente et à la pirouette inattendue, sans mépriser le couplet désinvolte, ni se refuser une pitrerie. L'une des traditions de l'Orient les plus authentiquement vénérables veut que le langage, à la source des temps, ait été le don d'une communication mystique faite à l'homme. Pour le Libanais Schéhadé, il y a une valeur absolue à découvrir les mots en les maniant avec précaution. La dimension divine du langage est d'ailleurs indirectement affirmée par le poète lui-même lorsqu'il lui advient d'utiliser parfois ce langage à des fins mystérieusement prophétiques : « Je vous ai annoncé un grand oiseau de douleur / Au soleil d'or des mois punis. » *L'Écolier sultan*, le premier recueil du poète, est le livre d'une enfance ingénue mais savante, un tour rusé avec des cartes naïves. Ce sont des pirouettes, mais des vertiges. Un lancer de filet dans une eau mince, et la poésie, surprise, reste aux mailles. *Rodogune Sinne* est au foyer des images. C'est un cinéma de jeunesse obtenu par des moyens candides. Tout est substitution de plans animés et de murmures. De jeunes images délivrent leur fraîcheur, les caractères sont à peine esquissés, les événements adviennent selon les lois les plus secrètes. Mais déjà est dressé le décor du mythe. Toute vie est un miracle et un songe, une image pour un instant sauvée de l'anéantissement par l'éclat.

POÉSIES de Schiller. L'importance de l'œuvre dramatique de l'écrivain allemand Friedrich von Schiller (1759-1805) n'a pas repoussé au second plan sa production poétique. Poète « sentimental » par excellence, il s'efforça constamment d'imposer au « pathos » impétueux de ses effusions juvéniles la maîtrise de l'expression et du sentiment, souci qui trouvera son expression achevée dans les poèmes philosophiques et le genre lyrique le plus proche du drame, la ballade. L'année 1785 – date à laquelle il fit la connaissance de Christian Gottfried Körner et de ses amis –, et l'année 1794 – début de son amitié avec Goethe –, sont deux dates fondamentales dans la production poétique de Schiller. Elles partagent son œuvre en trois périodes : jusqu'en 1785, de 1785 à 1794, après 1794 ; division qu'adopta Körner pour l'édition posthume en trois volumes. Schiller avait personnellement donné deux éditions de son œuvre poétique (1800-1803 et 1804-1805), chacune en deux volumes, le premier volume renfermant les meilleurs poèmes, le second reflétant en revanche des soucis d'ordre pécuniaire et se composant de poèmes réunis sans ordre et souvent hâtivement remaniés. Toutefois, dès 1803, Schiller projetait une édition de luxe chez Cotta, dans laquelle il devait ranger ses poèmes par genres, en quatre livres : Chansons, Ballades, Poésies philosophiques, Épigrammes ; dessein que la mort empêcha, mais qui fut suivi dans la grande édition « Säkularausgabe » de ses œuvres. L'essentiel des poésies de jeunesse est contenu dans l'*Anthologie de l'année 1782* (*), premier volume de vers publié par l'auteur. Schiller y cherche encore son équilibre entre la passion et certaines préoccupations morales ; le style accuse l'influence de Klopstock, Wieland, Haller et Bürger, mais laisse déjà présager une forte personnalité poétique. On y trouve des poésies élégiaques, satiriques, des vers célébrant l'amitié ou l'amour (« À Laure »). Entre 1782 et 1785, la production dramatique l'emporte sur la poésie : on relève cependant trois poèmes qui achèvent la période juvénile et annoncent la poésie philosophique de sa maturité : « Libre pensée de la passion » [Freigeisterei der Leidenschaft, 1784], intitulé plus tard « La Bataille » [Der Kampf], s'inspire de l'amour malheureux du poète pour Charlotte von Kalb et illustre le conflit intérieur entre passion et devoir. Le deuxième, « Résignation » (1784), développe le thème du renoncement sous la forme d'une méditation déjà fort éloignée de l'événement personnel qui l'a provoquée. Enfin, le célèbre *Hymne à la joie* [*Lied an die Freude*, 1785], qui remonte aux débuts de son amitié avec Körner, développe l'idée que la joie, comme l'amour, est la loi suprême du monde. Tant en raison de sa forme – une sorte de récitatif alternant avec un chœur –, que de son contenu, ce poème fut choisi par Beethoven comme texte pour la quatrième partie de sa *Neuvième Symphonie* – v. *Symphonies* (*) de Beethoven.

En 1788, au milieu de ses travaux scientifiques, philosophiques et historiques, Schiller écrit ses premières « Poésies philosophiques » [Gedankenlyrik], sorte de poésie de la pensée ou de spéculation poétique, réalisant cette fusion de la poésie et de la philosophie si caractéristique de la littérature classique allemande, de Goethe et Schiller à Hölderlin et à Nietzsche. Le premier grand poème philosophique de cette époque, *Les Dieux de la Grèce* [*Die Götter Griechenlands,* 1788], est comme un cri de regret et de nostalgie, célébrant l'harmonie à jamais perdue du monde grec. Cet hymne, qui révèle pour la première fois le culte porté par l'auteur à l'Antiquité classique, bénéficie d'une structure rigoureuse et harmonieuse. Le comte Stolberg en ayant critiqué l'inspiration profondément païenne, Schiller répondit, en 1789, par un autre grand poème : *Les Artistes* [*Die Künstler*], dans lequel il affirme que les voies de la beauté conduisent également à la moralité et que l'œuvre d'art, sous sa forme symbolique, reflète la vérité et exprime une idée divine. La première partie du poème illustre l'influence civilisatrice de l'art sur l'homme ; la deuxième en montre les effets à travers les grandes époques historiques de l'Antiquité, de la Renaissance et du « siècle des Lumières » ; il ne fait pas de doute pour Schiller que l'harmonie et la beauté élèvent l'homme vers Dieu et que la mission de l'artiste rejoint par là même celle du prêtre.

Après une interruption de quelques années, consacrées à des ouvrages de philosophie et d'esthétique, Schiller revint, en 1795, à la poésie avec une riche floraison de poèmes philosophiques, inspirés de ses entretiens avec Goethe et de ses propres méditations esthétiques, empreintes d'esprit kantien ; l'image poétique y est toujours, explicitement ou non, déterminée par l'idée. Ces poèmes célèbrent la beauté et sa valeur rédemptrice ou traitent de l'évolution historique de l'humanité. « La Poésie de la vie » [Die Poesie des Lebens] exhorte à ne pas négliger la beauté des apparences dans la recherche de la vérité. « Le Pouvoir de la poésie » [Die Macht des Gesanges] exalte le pouvoir de la musique, qui élève l'homme à la « dignité de l'esprit » et le ramène à l'innocence du bonheur originel. « Pégase sous le joug » [Pegasus im Joch] est un intermède humoristique opposant la poésie ailée à la prose pédestre. Dans « Le Partage de la Terre » [Die Teilung der Erde], on voit Jupiter réserver dans l'Olympe sa place au poète qui, perdu dans la contemplation du ciel, est arrivé trop tard pour le partage des biens matériels. Dans cette série de poèmes, le plus remarquable est sans aucun doute « Les Idéaux » [Die Ideale] : le poète y fait ses adieux aux exubérances de la jeunesse ; de toutes ses aspirations il ne lui reste désormais que deux valeurs : l'amitié et l'ambition ; mais il se résigne en pensant que la conscience de ses propres limites est une source de force. « L'Idéal et la Vie » [Das Ideal und das Leben] était considérée par Schiller comme sa meilleure poésie : tandis que chez les dieux règne une éternelle harmonie, l'homme doit choisir entre « le bonheur des sens et la paix de l'âme » ; et afin de ne pas se perdre dans la sensualité, il doit se tourner vers l'idéal ; mais, alors que dans le royaume de l'idéal la loi et la volonté sont en harmonie, dans la vie il faut lutter pour résoudre l'antagonisme ; celui qui remporte cette victoire atteint à la parfaite harmonie et sera, comme Hercule, accueilli dans l'Olympe. Le poème « Dignité des femmes » [Würde der Frauen] est à rapprocher de l'essai que Schiller a consacré à la *Grâce et la dignité* — v. *Esthétique* (*) de Schiller : exaltant le rôle de la femme, qui est d'apprendre à l'homme, souvent entraîné par l'ardeur de l'action, à respecter les lois de la vie, le poète lui fixe pour mission de surmonter le dilemme entre sens et raison, entre liberté et discipline, par une fusion harmonieuse de la grâce et de la dignité. Bien que ce poème ait été écrit en hommage à sa jeune femme, Lotte, il est empreint d'un ton bourgeois et pédagogique qui suscita les sarcasmes romantiques. « L'Enfant qui joue » [Der spielende Knabe] nous montre un enfant que sa mère éloigne et protège des réalités trop crues de la vie et chez lequel revit l'élément innocent et divin, la nature intacte de l'Arcadie. « La Plainte de Cérès » [Die Klage der Ceres) est un rappel à l'impératif catégorique kantien. La composition la plus célèbre dans ce genre est « La Promenade » [Der Spaziergang] : du souvenir d'une promenade de Stuttgart à Hohenheim (1794), le poète s'élève à une sorte d'histoire de la culture, de la forêt vierge à la préciosité raffinée des parcs rococo, appelant de ses vœux une nature simple dont il voit la réalisation dans le parc à l'anglaise. Parallèlement à cette évolution, Schiller décrit celles de la société humaine, de l'état de nature aux saines productions de la civilisation, aux aberrations de cette dernière, pour revenir enfin à la simplicité des lois naturelles à travers la reconstitution consciente de l'harmonie entre la nature et l'homme. Wilhelm von Humboldt voyait dans ce poème un abrégé poétique de l'histoire universelle. « La Fête d'Eleusis » [Das Eleusische Fest, 1798] retrace également, grâce à des images et des symboles particulièrement expressifs, l'histoire de la civilisation humaine, avec une sympathie marquée pour l'antiquité classique. On retrouve la même sympathie dans une autre promenade à travers les villes de l'antiquité, « Pompei und Herkulanum », où l'auteur affirme que la mission de la génération moderne est de ressusciter les formes du passé classique. « L'Enfant étrangère » [Das Mädchen aus der Fremde) représente la poésie dispensant ses dons aux bergers, autrement dit aux âmes simples, et offrant les plus beaux de ses trésors aux amants. « Attente » [Erwartung] exalte la beauté éternelle dans des strophes harmonieuses.

La forme préférée de Schiller dans ses poèmes philosophiques est le mètre classique, l'hexamètre ou le distingue ; ce dernier, dans sa dualité d'hexamètre et de pentamètre, répond parfaitement à la nature dialectique de la pensée philosophique de l'auteur. C'est sous cette forme que naquirent les *Xénies* (*), écrites en collaboration avec Goethe, pour l'*Almanach des Muses* (*) de 1797. Plus calmes et plus générales sont les « Tablettes votives » [Votivtafien], autre recueil de distiques. Mais le genre poétique dans lequel excella Schiller, ce sont les Ballades — v. *Contes et Ballades* (*) — qui, dans leur liberté de structure, constituent un pas vers le réalisme. 1797 est la grande année des ballades, publiées en 1798 dans l'*Almanach* dit « des ballades » et auxquelles vinrent s'en ajouter d'autres au cours des cinq années suivantes. À la période des ballades succèdent enfin les poèmes philosophiques des dernières années, auxquels se mêlent divers poèmes de circonstance : « Chanson du punch » [Punschlied], « Faveur du moment » [Gunst des Augenblicks], « Aux amis » [An die Freunde], concessions à la « société » de Weimar. Dans ses derniers poèmes philosophiques, Schiller renonça au mètre classique pour adopter une strophe de chanson plus simple et plus musicale ; une exception toutefois est à signaler : c'est « Naenie » [« Nänie », 1799], qui est en distiques élégiaques et que Brahms mit en musique : le poète y pleure le déclin de la beauté que nul ne peut ici-bas rendre éternelle. « Les Paroles de la foi » [Die Worte des Glaubens], une des poésies les plus connues, affirme une foi inébranlable en la liberté, en la vertu et en Dieu. La charmante poésie « Espérance » [Hoffnung] est très populaire : l'homme, se sentant créé pour autre chose, plante l'espérance « même sur sa tombe ». Toutefois, c'est avec *Le Chant de la cloche* (*) que la poésie philosophique de Schiller atteint à sa plus haute expression : dans sa structure polyphonique, cette œuvre est peut-être le plus grandiose monument de la poésie allemande ; c'est en tout cas le chef-d'œuvre de Schiller. — Trad. Durand, 1858.

POÉSIES de Shlonsky [*Poémoth*]. Recueil publié en 1955, du poète israélien d'origine russe Avraham Shlonsky (1900-1973), qui est avec Altermann — v. *Les Plaies d'Égypte* (*) — le chef de file de la jeune poésie israélienne et l'une des figures essentielles de la vie intellectuelle d'Israël. Ces *Poésies* dont il n'a paru que le premier tome rassembleront toute l'œuvre de Shlonsky. L'influence du symbolisme, tant russe que français, est très sensible, mais le contenu du message de Shlonsky tient essentiellement dans un sentiment très profond de la « renaissance » du peuple juif et de son renouvellement après le retour tant désiré sur le sol ancestral. Le poète donne à son exaltation une expression poétique dominée par les recherches formelles et les innovations stylistiques. Shlonsky a également fait œuvre de créateur en traduisant notamment de façon exemplaire *Hamlet* (*), *Le Roi Lear* (*), *Eugène Onéguine* (*), *L'École des femmes* (*), et *Tartuffe* (*).

POÉSIES de Silva [*Poesías*]. Ce recueil de poésies du poète colombien José Asunción Silva (1865-1896) est une œuvre posthume, puisqu'il fut publié à Barcelone en 1908, après le suicide de son auteur. Silva est un des initiateurs les plus décidés du « modernisme » en Amérique du Sud. Avec lui la poésie abandonne l'emphase, qui est le propre de la tradition espagnole, pour se tourner résolument vers les grandes expériences poétiques dont la France avait été la véritable instauratrice. Ses premiers vers, qui remontent à 1882, sont des imitations de Musset, qu'il a connu à travers Bécquer : tristesses, nostalgies, langueurs lunaires ; mais déjà certaines audaces sensuelles et l'amour des solutions poétiques extrêmes annoncent une personnalité à part. Les pathétiques interrogations à la Musset : (« Étoiles, lumières songeuses / prunelles inertes / pourquoi vous taisez-vous si vous êtes vivantes ? ») se compliquent d'attitudes décadentes qui font déjà pressentir Rubén Darío : « Un baiser vaut mieux qu'une élégie et, mieux qu'une chanson sur de vagues accords, une bouche rose qui sourit. » Le poète a trouvé dans Baudelaire et dans Verlaine l'expression qui convient le mieux à sa sensibilité raffinée. Sa vision poétique tend à se libérer de toute entrave psychologique pour se résoudre en musique pure. Mais il y a encore certains de ses poèmes dont la ligne mélodique apparaît comme séparée du sentiment qui l'a fait naître. L'art du poète est pleinement achevé dans le fameux *Nocturne* [*Nocturno*], publié en 1895, qui est le poème lyrique le plus connu de l'Amérique du Sud et celui qui eut la plus grande influence sur l'orientation de la poésie nouvelle : « Une nuit / une nuit toute pleine de murmures, de parfums et de musiques d'ailes... » La décomposition lente, fatale de la beauté et, d'une façon générale, de toutes les choses par le temps fut un autre thème favori de J. A. Silva. Les vers de *Gouttes amères* [*Gotas amargas*] exhalent un cynisme ironique devant la mort.

POÉSIES de Slauerhoff. L'œuvre poétique de Jan Jacob Slauerhoff (1898-1936), médecin de la marine néerlandaise, romancier et poète, forme les trois premiers tomes de ses *Œuvres complètes* (1940-1941). On y trouve un reflet de la nature tourmentée de ce perpétuel émigrant, dont l'œuvre s'apparente à celles de Rimbaud et de Tristan Corbière. Le style désinvolte, la négligence voulue, le ton très personnel où le cynisme se mêle à la sensualité, exercèrent un grand prestige sur les générations suivantes. La première partie de ses poésies s'intitule *D'après Samain* et comprend quelques strophes écrites en français : « À vau-l'eau », « Égarement », « Moment de lassitude », suivies de groupes de poèmes tels que : « Archipel », « Saturne », « Eldorado », « Extrême-Orient » et « Sérénade », dont la pièce intitulée « Le Passé » débute par ces vers : « Je songe à l'île où je ne reviendrai plus / Si étroite qu'elle se distingue à peine de la mer / Au petit village que je ne nommerai pas / Enfoui derrière une digue, sous ses arbres / Et à la femme auprès de qui je ne reviendrai plus. » Les voyages lointains fournirent à Slauerhoff une source inépuisable d'inspiration : ses images ont un relief saisissant mais, sous les ciels les plus divers, c'est toujours lui-même et ses tourments que confesse ce poète éminemment subjectif.

POÉSIES de Solomós [Τὰ ἁπαντα]. Le recueil des poésies du poète grec Dionysios Solomós (1798-1857), édité par son ami Polylas (1er volume des *Œuvres complètes*, Athènes, 1948), comprend tout ce qu'on a pu retenir de la production fragmentaire et incomplète du plus grand des poètes hellènes, en dehors de ses écrits en prose et des poésies en langue italienne. Le poète, ayant passé ses années d'études en Italie, échappa aux artifices de la langue savante — la langue des gens cultivés — et qui s'opposait à la langue populaire ; et, quand il s'est agi pour lui d'écrire en grec, il n'hésita pas à choisir précisément la langue des chansons populaires que Fauriel introduisait en France à cette même époque. Ce recueil comprend, tout d'abord, de petites chansons de genre populaire et des poésies de circonstance ; le poète y est encore à la recherche de son instrument d'expression linguistique et métrique ; ce n'est qu'une longue et laborieuse conquête poursuivie à travers l'expérience des poètes italiens. Notons cependant plus d'ampleur et une certaine intensité dans l'« Empoisonnée » et l'« Ode à une nonne », pièces d'une grande originalité, inspirées par une authentique émotion. « L'Hymne à la liberté » (1824) est l'œuvre la plus fameuse de Solomós ; mis en musique par Manzanaros, il devint l'hymne national hellénique et fut traduit en français à plusieurs reprises ; la Liberté, après une longue nuit de servitude, se redresse et secoue de leur torpeur les fils de la Grèce qui se jettent chaleureusement dans la lutte, en dignes émules de leurs ancêtres, les héros de l'Antiquité ; la Liberté désigne alors dans la Discorde sa plus dangereuse ennemie et invite les Hellènes à la fraternité dans la conscience du caractère sacré de leur lutte. L'« Hymne » est peut-être plus célèbre qu'il ne le mérite. Il est en effet d'une longueur inhabituelle (158 quatrains), passablement rhétorique et déséquilibré dans sa construction, souvent incertain sur le plan de la langue et de la métrique. Il comporte toutefois des images inattendues, des comparaisons frappantes, des tableaux hardis, enfin un rythme noble et plein de dignité. L'« Ode sur la mort de Byron », de même inspiration, est très inférieure. Les poésies fragmentaires qui complètent le recueil furent composées à une époque où le poète était plongé dans l'étude de l'esthétique de Schiller et de Hegel. « Lambros » est un poème romantique, voire mélodramatique : dans le camp grec auquel appartient Lambros, valeureux guerrier enflammé par l'idéal de la liberté, une jeune fille déguisée vient révéler une embuscade tendue par les Turcs ; Lambros la séduit, mais découvre bientôt qu'il s'agit de sa propre fille ; il l'emmène au bord d'un lac, où elle se tue. Lambros cherche dans la prière un soulagement à son remords et à son angoisse ; mais les ombres des trois autres enfants qu'il a abandonnés lui barrent le passage, si bien qu'il se jette enfin lui aussi dans le lac. Marie, la mère des malheureux enfants, perd la raison et se tue. Les fragments de « Nicéphore Briennios » sont négligeables ; on ignore le sujet du poème intitulé « Le Crétois », les quelques vers que nous en possédons chantent avec une douceur et une vigueur rarement atteintes. Les fragments de « Porphyra » marquent une des étapes importantes que Solomós a franchies dans la conquête de son expression, de même que *Les Assiégés libres* (*). En dehors des poésies satiriques, il traduisit des poèmes de Métastase, de Pétrarque et de Schiller. – Trad. *L'Hymne à la liberté* (imprimerie Hennuyer, 1880) ; *Proses et Poèmes*, intr. et trad. R. Levesque, Athènes, 1945 ; consulter aussi l'ouvrage de P. Lascaris : *Solomós* (Imprim. Durand, 1946) et *Éloge de Foscolo et autres textes*, Institut français d'Athènes, 1957.

POÉSIES de Sordello. Sur la personnalité de Sordello de Goïto (né vers 1200 – mort après 1269), troubadour italien, nous possédons trois sortes de témoignages. Au dire d'un vieux biographe, c'était un gentil troubadour au physique agréable, mais « mont truans e fals vas domnas e vas los barons ab cui el estava ». Ayant ravi Cunizza, comtesse de San Bonifazio, sœur d'Alberto et d'Ezzelino, seigneurs de Romano (et cela, pour complaire à Ezzelino lui-même), il séduisit ensuite Otta de Strasso et dut quitter la marche de Trévise. Réfugié en Provence, il demande protection au comte Raimond Bérenger IV, s'éprend d'une belle Provençale et compose de jolies chansons en l'honneur de cette « douce ennemie ». À en croire cet ancien chroniqueur, Sordello serait donc un de ces aventuriers comme il s'en rencontrait dans la bohème des troubadours. Mais on possède un bref de Clément IV, en date du 22 février 1261, dans lequel ce pape reproche à Charles d'Anjou (gendre de Raimond Bérenger) qui venait de conquérir le royaume de Sicile et des Pouilles, son ingratitude envers ses alliés les barons provençaux, réduits à vivre comme des mendiants. Et Clément IV fait cette allusion au troubadour : « Ton chevalier Sordello languit à Novare : il eût fait bon te l'attacher, s'il ne t'avait déjà rendu service... » Un autre document intéressant est cette lettre du 5 mars 1269, dans laquelle Charles d'Anjou fait don à son fidèle Sordello de plusieurs châteaux, dans les Abruzzes, en récompense des loyaux services qu'il lui a rendus. Sordello était ainsi devenu un personnage de premier plan et, dans des documents officiels provençaux de l'époque, il est qualifié de « dominus ». Il y a enfin une grandiose évocation de Sordello dans le VIe chant du « Purgatoire » de Dante : le troubadour y est dépeint, « sur la haute rive de l'anti-Purgatoire, dédaigneux et immobile dans l'attitude d'un lion... » ; pour Dante, il symbolise « la plus sublime des affections humaines : l'amour pour la terre natale ». Le véritable Sordello est donc bien le chevalier, noble et austère conseiller des princes, auquel font allusion le bref pontifical et la lettre de Charles d'Anjou. Quant à son œuvre (quarante-cinq compositions lyriques et un petit poème didactique, l'« Ensenhamen d'onor »), elle est d'un ton élevé qui ne rappelle en rien le ravisseur de Cunizza et le séducteur d'Otta. Ses chansons d'amour s'apparentent aux poèmes idéalistes de Guilhem Montanhagol – v. *Chansons* (*) de Montanhagol. Le troubadour supplie sa dame de lui refuser « tout ce qui serait contraire à son honneur ». À quoi reconnaît-on une honnête femme ? C'est, répond Sordello, que « personne n'ose lui demander son amour ». Plus connue que les poésies d'amour est la *Complainte sur la mort du sire de Blacas* (*), poème lyrique fier et enflammé, dans lequel Sordello adjure princes et rois de se nourrir du cœur d'un tel brave pour acquérir du courage. D'un très noble idéal est empreint également l'« Ensenhamen d'onor », recueil de préceptes du bien-vivre. Dans son *De vulgari eloquentia*, Dante a rendu hommage à Sordello, non seulement pour ses vers, mais aussi pour avoir apporté d'heureux enrichissements au langage poétique.

POÉSIES de Spire. Édition définitive (1959) d'un choix de poèmes du poète français André Spire (1868-1966), comprenant des extraits de *Versets* (1908), *Vers les routes absurdes* (1911), *Poèmes juifs* (1908) et *Le Secret* (1919). Ce recueil, divisé en trois parties, comprend : 1) des poésies datant de 1905 à

1908, inspirées par les massacres de Juifs ; 2) les « Nouveaux Poèmes juifs » (1908-1918) ; 3) le poème « À la nation juive », écrit en juin 1918 à l'occasion du passage à Paris d'une mission qui se rendait en Palestine pour secourir des sionistes. Juif français de l'Est, né à Nancy, André Spire affiche volontiers les liens qui, dans son esprit, unissent la Lorraine et Israël : aussi ces deux thèmes alternent-ils fréquemment dans son œuvre. Tantôt sa « tête brûlante », sa « tête blessée » aspire à se reposer dans la douceur française des fiévreuses inquiétudes hébraïques (et ce drame, il l'a exprimé avec charme dans les quelques vers de « Jardins ») ; tantôt, son instabilité prenant le dessus, il se donne lui-même ce conseil : « Visite d'autres champs, d'autres vergers, d'autres pays / Dès que tu en aimeras un, fuis-le bien vite. » Puis s'adressant « À la France », ce pays adorable, il lui demande : « Toi qui absorbas tant de races / Veux-tu m'absorber à ton tour ? » Il n'est pas rare non plus que l'ironie s'impose à lui pour fustiger, par exemple (« Assimilation »), quelque juif christianisé. Foncièrement juive, la poésie d'André Spire l'est beaucoup plus par le sentiment – qui peut aller jusqu'à la violence – que par un goût des sujets bibliques. Une de ses œuvres les plus significatives à ce sujet est, ainsi que « Pogromes », « Écoute, Israël ! », qui se termine par un appel aux armes. Le poète y reproche véhémentement à ses coreligionnaires de louer dans l'inaction l'Éternel, leur trace un programme où éclate son ardeur sioniste, puis les adjure de « reforger les socs de [leurs] vieilles charrues / En brownings élégants qui claquent d'un bruit sec ». Ces vers, qui expriment la foi du fondateur de la ligue des « Amis du sionisme », ne doivent pas faire oublier certains petits poèmes de ton plus familier. Du point de vue métrique et phonétique, l'œuvre d'André Spire, vers-libriste convaincu, porte la marque des savantes recherches auxquelles le poète se livra, sous l'influence d'un grand linguiste, l'abbé Rousselot, « pour essayer de se former un vers fidèle aux réalités sonores » – v. *Plaisir poétique et plaisir musculaire* (*).

POÉSIES de Storm [*Gedichte*]. L'ensemble de la production poétique de l'écrivain allemand Theodor Storm (1817-1888) est contenu dans le volume de *Poésies* qu'il publia en 1852 (5e édit., revue par l'auteur, en 1885). En 1843, Storm avait déjà publié, en collaboration avec les frères Tycho et Theodor Mommsen, un *Livret de chants des trois amis* [*Liederbuch dreier Freunde*], dont il ne conserva que quelques poèmes. Les chansons populaires allemandes, l'œuvre d'Eichendorff, de Heine et de Mörike exercèrent une forte influence sur le jeune poète, mais Storm dégagea bientôt sa personnalité. Celle-ci se caractérise par la spontanéité du sentiment et l'absence de toute recherche formelle. Comme dans ses *Nouvelles* (*), qui firent sa popularité, Storm se révèle essentiellement réaliste. Sa grande inspiratrice fut la nature, avec les paysages sévères et sombres de son Schleswig-Holstein natal : « La Ville » [Die Stadt] ; « Plage » [Meeresstrand] ; « Ermitage » [Abseits]. Ailleurs, il s'attache à restituer le charme des saisons et des mois : « Automne » [Herbst] ; « Une nuit de printemps » [Eine Frühlingsnacht], traité en forme de ballade. Ses poèmes de Noël sont célèbres : « Le Serviteur Rupert » [Knecht Ruprecht], « Chant de Noël » [Weihnachtslied] ou encore « La Veillée de Noël » [Am Weihnachtsabend]. Les poèmes d'amour occupent une place importante dans son œuvre, à commencer par les gracieux poèmes à sa passion de jeunesse. Berta von Buchau, la douce Élisabeth de sa nouvelle *Immensee* (*) : « Jeune amour » [Junge Liebe], « Amour de mendiant » [Bettlerliebe], etc., ainsi que les poèmes insérés dans la nouvelle elle-même. Viennent ensuite les poèmes pour Dorothée Jensen (à « Frau Do » qui devint sa seconde femme), parmi lesquels « Hyacinthes » [Hyazinthen] frappe par son ardeur sensuelle. En revanche, les poèmes dédiés à sa première femme, Constance, sont empreints de calme et de douceur : « En automne » [Im Herbst], « Réconfort » [Trost], etc. dans lesquels l'auteur chante un amour serein, brutalement interrompu par la mort. La mort est d'ailleurs un thème qui revient fréquemment dans son œuvre poétique : son premier poème lui fut inspiré par la mort de sa sœur : « À une morte » [Einer Toten], et il écrivit encore sur la fin de ses jours « Un mourant » [Ein Sterbender], dans lequel un vieillard affronte courageusement la mort. La patrie, sa petite patrie du Schleswig-Holstein, et la guerre d'indépendance du Danemark lui inspirèrent des poèmes patriotiques, dénués toutefois d'intentions politiques : « Pâques » [Ostern], « Tombes sur le côté » [Gräber an der Küste], « Épilogue » [Ein Epilog], etc. Quel que soit le genre poétique abordé, Storm demeure toujours fidèle à lui-même, conscient de ses limites et répondant pleinement aux exigences qu'il s'était lui-même fixées : « Pour moi, la poésie la plus parfaite est celle qui agit immédiatement sur les sens et, seulement à travers eux, sur la pensée ; un effet naît de l'autre, comme le fruit de la fleur. »

POÉSIES de Strachwitz [*Gedichte*]. Les poésies complètes de l'écrivain allemand Moritz Strachwitz (1822-1847) comprennent les premiers poèmes qu'il publia sous le titre *Chants d'un ressuscité* [*Lieder eines Erwachenden*, 1842], les *Nouvelles poésies* [*Neue Gedichte*, 1847] et *Venise* [*Venedig*]. En 1877, Weinhold en donna une édition, mais la meilleure est celle de Elgter (1912). Ce recueil renferme des ballades et des poèmes. Ces derniers sont en quelque sorte une protestation contre la nouvelle poésie. En effet, l'auteur, farouchement aristocratique, disciple de Herder, entend ramener la poésie à ses origines héroïques, en l'arrachant à la « mentalité de boutiquiers » propre au libéralisme. Ces divers poèmes se ressentent trop de l'influence de Platen, Uhland et Geibel, et pèchent par excès de sentimentalisme et de verbalisme. En revanche, les ballades sont plus expressives et originales, en particulier *Le Cœur de Douglas* [*Das Herz von Douglas*], la plus célèbre des poésies de Strachwitz, dans laquelle l'auteur retrace l'exploit légendaire du preux chevalier lord Douglas, qui s'en alla porter en Terre sainte le cœur de son souverain, Robert Ier Bruce, roi d'Écosse, et trouva une mort glorieuse en luttant contre les infidèles.

POÉSIES de Lörinc Szabó. Le poète et traducteur hongrois Lörinc Szabó (1900-1957) appartenait à ce qu'il est convenu d'appeler la seconde génération d'écrivains groupés autour de la célèbre revue littéraire *Nyugat* (*). Il publia en 1922 son premier recueil de poèmes intitulé *Terre, Forêt, Dieu* [*Föld, Erdö, Isten*] qui se caractérisait par le rationalisme et l'intellectualisme. Szabó ne voit pas le monde à travers le miroir des sentiments, pour lui la vie est une somme de faits et de mouvements infinitésimaux. Cette vision dépouillée, en quelque sorte ascétique, de la vie, n'est toutefois qu'une façade : elle cache un poète déchiré, en rupture de ban, écrasé par les conditions de vie inhumaines de la grande ville, profondément conscient des problèmes sociaux de la Hongrie des années vingt. Mais dans son univers poétique, la révolte reste toute morale : au lieu d'aboutir à l'action, elle favorise — grâce à la contemplation d'un esprit qui s'émerveille facilement — une sorte de sagesse philosophique, un bouddhisme professé avec une certaine coquetterie. Cette attitude, insuffisamment ancrée, conduit dans les années trente à des crises bien plus profondes et, finalement, à un stoïcisme du désespoir auquel se mêlent la volonté de croire et la recherche d'idéaux. Le seul remède à cet état d'âme pénible est, selon le poète, le cynisme et l'indifférence. Son recueil de poèmes intitulé *Paix séparée* [*Különbéke*] résume l'évolution de Szabó. De 1936 à 1945, Szabó suit une voie fort sinueuse, qui fait parfois de lui le porte-parole du nationalisme. Il proclame alors que la guerre peut être salutaire pour la nation hongroise. Après la guerre, il eut quelque peine à trouver sa place dans la société nouvelle. Une sorte d'obstination, dictée par la peur, un orgueil pudique, une réserve mal comprise caractérisent alors son attitude. Cependant dans son recueil *Musique de cigale* [*Tücsökzene*] publié en 1957, il semble avoir retrouvé un certain équilibre : les mosaïques qui composent ce long poème ne constituent pas tant l'histoire d'une vie que la description d'un paysage intérieur, qui obéit à ses propres lois. Né d'un repli sur soi exceptionnel, d'un véritable immobilisme de l'âme, *Musique de cigale* est un chef-d'œuvre d'introspection. En 1956 parut son chef-d'œuvre, *La Vingt-Sixième Année* [*A huszonhatodik dir év*], véritable requiem lyrique, composé de cent vingt sonnets, écrits à l'occasion de la mort de la femme que Szabó aima pendant vingt-cinq ans. Cet événement bouleversant replonge le poète dans l'univers des douleurs réelles. La poésie de Lörinc Szabó appartient au courant analytique et intellectuel de la littérature hongroise du XXe siècle : une syntaxe tourmentée, une ardeur contenue, mais toujours prête à éclater, telles sont les principales caractéristiques de son œuvre poétique. Szabó a donné par ailleurs une œuvre très importante de traducteur avec ses versions hongroises de la *Ballade du vieux marin* (*) de Coleridge, des *Fleurs du mal* (*) de Baudelaire et de nombreux poèmes de Hugo, Rimbaud, Verlaine, Schiller, Heine, Burns, Keats, Shelley, Poe, Shakespeare, etc.

POÉSIES de Tahureau. L'écrivain français Jacques Tahureau (1528 ?-1555) est surtout connu, en tant que poète, pour son double recueil de 1554, les *Premières poésies* et les *Sonnetz, odes, et mignardises amoureuses de l'Admirée.* Il faut y ajouter quelques pièces de vers publiées en 1555 avec son *Oraison... au Roy,* et divers poèmes non recueillis à l'époque (voir l'édition critique de Trevor Peach, Genève, 1984). Ces poèmes, 197 au total, témoignent d'une étonnante variété de développements et de structures poétiques, Tahureau s'étant essayé à la poésie encomiastique et satirique, à la poésie à sujet moral et littéraire, et à la poésie amoureuse, aux registres léger, pétrarquiste et érotique. Il a pratiqué le sonnet, l'ode (même pindarique), l'épigramme, la chanson, l'élégie, l' « épître ». Parmi les poésies amoureuses, qui ont surtout attiré la critique, remarquons d'abord celles de type « pétrarquiste ». Ici, il peut être maladroit, il peut tomber dans le factice, mais ses meilleurs poèmes se distinguent par une délicieuse sensualité. À cet égard, Tahureau est sans doute l'émule de Ronsard, bien qu'en général il lui manque ce talent d'étoffer le pittoresque poétique qui est propre au chef de la « Brigade ». En revanche, il connaît bien la valeur du rythme, des sons, des rimes, de l'harmonie enfin, dans la création de l'atmosphère poétique. C'est la note élégiaque, « spontanée », souvent courtoise, qui est l'aspect le plus saillant de l'inspiration pétrarquiste de Tahureau, laquelle se révèle au mieux peut-être dans l'expression du thème de l'amoureux dans la nature. Ailleurs, dans les poésies légères et érotiques, on remarque une certaine note médiévale et un érotisme espiègle et plus rarement sensuel. Parmi les poésies graves, on constate tel développement satirique préfigurant les *Dialogues* (*) de 1555, surtout dans le domaine amoureux, et tel parti pris littéraire qui se démarque du courant contemporain (dans le débat « nature-art », Tahureau est nettement du côté de la « nature »). Les réflexions morales de Tahureau, tâtonnantes en 1554, plus développées en 1555, sont d'un caractère épicurien, comme elles le seront dans les *Dialogues,* mais revêtent souvent une forme négative qui rappelle *L'Ecclésiaste* (*) : vanité des hommes, instabilité des choses, mais avec comme toile de fond une morale de la constance et un sens aigu de la dignité humaine. T. P.

POÉSIES de Tetmajer [*Poezje*]. Publiés en 1930, ces quatre volumes renferment le meilleur de l'œuvre du Polonais Kazimierz Tetmajer-Przerwa (1865-1940). Cet auteur est par-dessus tout un poète ; au temps de sa pleine maturité, c'est-à-dire au début du siècle, il apparaît comme le plus grand chantre de la Pologne. La richesse de ses images révèle un homme épris de beauté, plein de mélancolie et sensible à la vanité des choses. Chacun de ses états d'âme trouve à s'exprimer, sans emphase : l'amour, l'ivresse et la nature. Sa vision de la Grèce et de l'Italie (« Soleil », « Capri », « Salerne », « Portici », « Herculanum », etc.) est pleine de lumière. Mais, ce que le poète chante le mieux, c'est le massif montagneux de la Pologne, les Tatras, « où le cœur peut vraiment se perdre dans l'infini ». Un soupçon de tristesse assombrit pourtant cette évocation montagnarde : le grandiose, en effet, engendre toujours quelque nostalgie. Dans cette œuvre multiple et complexe qui englobe toute la production d'un homme, l'on trouve d'autres poèmes d'inspiration historique, religieuse ou politique, sans parler de certains fragments de tragédies et des traductions d'Homère. Mais la partie la meilleure et la plus importante de l'œuvre est celle dans laquelle le poète a exhalé sa tristesse, son amour, sa soif de bonheur, dans des poèmes d'une exquise perfection.

POÉSIES de Thérèse de Jésus [*Poesías*]. Les poésies attribuées à sainte Thérèse (Teresa de Cepeda y Ahumada, 1515-1582), mystique espagnole, si elles ne figurent pas à la toute première place dans la production lyrique de son siècle, ont du moins valu à l'immortelle prosatrice du *Château intérieur* (*) un renom justifié par leur grâce spontanée et leur naturel. À défaut du célèbre sonnet *Au Christ crucifié* (*) dont on lui conteste la paternité, les poèmes suivants sont sans aucun doute de sainte Thérèse : 1) « Vivo sin vivir en mí » [Je vis, mais sans vivre en moi-même] ; 2) « Vivo ya fuera de mí » [Si je vis, c'est hors de moi-même] ; 3) « Oh hermosura que excedéis ! » 4) « Hermana porque veléis » [Puisqu'il faut, ô ma sœur, vous montrer vigilante] ; 5) « Pues nos dáis vestido nuevo » [Puisque vous nous donnez un vêtement nouveau] ; 6) « En las internas entrañas » ; 7) « Vuestra soy, para vos nací » [Je suis à vous, moi qui par vous ai reçu l'être] ; 8) « Quien os trajo aquí doncella ». De même, nous pouvons, avec Vicente de la Fuente, attribuer presque sûrement à sainte Thérèse les poésies qui commencent ainsi : 1) « Alma, buscarte has en mí » [Où dois-tu te chercher, mon âme ! C'est en moi] ; 2) « Ya toda me entregué y dí » ; 3) « Si el padecer con amor » ; 4) « ¡ Oh grande amadora ! » ; 5) « Hoy ha vencido un guerrero » ; 6) « Dichoso el corazón enamorado » ; 7) « Todos los que militáis » [Vous qui luttez ici-bas] ; 8) « ¡ Oh qué bien tan sin segundo ! » ; 9) « Pues que nuestro esposo » [Puisque notre Époux nous veut en prison] ; 10) « Pues el amor » [Puisque l'amour suprême] ; 11) « ¡ Ah pastores que veláis ! » [O pasteurs qui veillez] ; 12) « Caminemos para el Cielo » [Marchons vers le ciel] ; 13) « Cruz, descanso sabroso de mi vida » [Croix, repos savoureux de ma vie abattue]. Quant aux « villancicos », bien connus et d'une facture si heureuse : « Este niño viene llorando » et « Vertiendo está sangre », leur attribution à la sainte semble assez discutable. Enfin, quelques compositions ont été perdues, dont il ne subsiste que les premiers vers. Toutes les poésies de sainte Thérèse sont écrites en mètres courts, conformément à la tradition du Moyen Âge, à l'exception d'une seule (« Dichoso el corazón enamorado »), composée selon les règles de la métrique italienne de la Renaissance. Cependant on n'est pas certain que le poème en question soit de sainte Thérèse : l'auteur du *Château intérieur*, en effet, n'a jamais recouru à ce rythme dans les compositions qui lui sont attribuées sans conteste. Les poésies de sainte Thérèse sont toutes d'inspiration religieuse et de provenance populaire. Destinées, pour la plupart, à être chantées aux fêtes de Noël et des saints, ou à l'occasion d'une prise de voile, l'auteur, suivie de la communauté, en accompagnait elle-même l'exécution à l'aide de petits tambours et de sifflets qui ont été conservés, ou simplement en battant des mains. Mais il arrivait aussi que le thème d'inspiration fût plus élevé, à ces instants, par exemple, où sainte Thérèse était guidée par « la fuerza del fuego que en sí tenía », ou encore dans la merveilleuse et célèbre poésie « Vivo sin vivir en mí ». — Trad. Lethielleux, 1914.

POÉSIES de Thomas [*Collected Poems*]. Recueil de poèmes de l'écrivain anglais Edward Philip Thomas (1878-1917) dont la première édition remonte à 1920. Mais l'édition de référence des cent quarante-quatre textes qui forment l'œuvre poétique de Thomas date de 1978. En octobre 1913, Edward Thomas fait une rencontre décisive : celle du poète américain Robert Frost, qui va lui dévoiler ses dons de poète. En effet, Thomas, qui voulait vivre de sa plume, gagnait difficilement sa vie en produisant presque exclusivement des essais de commande sur l'Angleterre, ou de petites monographies. Frost y décèle immédiatement un poète, et persuade Thomas d'écrire des vers. Dès la seconde moitié de 1914, Edward Thomas « entre en poésie ». Il lui reste moins de trois années à vivre, et il n'écrira que cent quarante-quatre poèmes. C'est l'époque où naît le mouvement georgien qui entend revitaliser le goût du public pour la poésie, et qui regroupe des personnalités aussi diverses que Yeats, De Da Mare, Hardy et Housman. La description de la campagne anglaise est le ferment de cette nouvelle école. Edward Thomas, qui ne revendiqua pas l'appartenance à cette aventure esthétique (il n'en eut sans doute pas le temps), est pourtant représentatif de cette poésie georgienne [Georgian verse]. Rejetant le sentimentalisme, le romantisme ou le symbolisme, la poésie de Thomas privilégie une nature objective qui parle au poète dans ses éléments les plus simples : fleur, feuillage, ruisseau, tonnerre... L'homme n'est pas absent de ce règne, mais il y est saisi comme fragment de cette totalité, un instant mis en évidence par le poème. Edward Thomas marque la diversité de la nature en variant les formes et les rythmes de ses textes ; il passe fréquemment de la ballade au poème bref, d'une scansion ample à une cadence rapide, alterne descriptions et méditations, selon le thème autour duquel s'organise le poème : chant de la grive, murmure argentin de la source, méditation dans la combe, bruit morne de la pluie nocturne... Mais cet enchâssement dans le monde campagnard n'est pas un pur et serein accord avec ce monde. Si les georgiens sont souvent graves, mais d'une douce gravité, Thomas, lui, est sombre et mélancolique — parfois même désespéré. Sa poésie récuse tout bucolisme pour ne chercher dans la campagne anglaise qu'un refuge contre le monde moderne. La nature n'est cependant pas un arrière-fond devant quoi le poète se met en scène, s'extasiant de tout ou se lamentant sans cesse ; elle est, par sa force et son mystère, par les interrogations qu'elle suscite, un recours au mal de vivre. La Grande Guerre, qui tuera le poète, et l'obsession contemporaine de l'écologie lui donneront raison. — Trad. Granit, 1993.

F. B.

POÉSIES de Tiouttchev [*Stihotvorenija*]. Fédor Ivanovitch Tiouttchev (1803-1873) est généralement considéré, avec Pouchkine, comme le représentant d'une poésie russe vraiment classique ; cependant, il est des critiques qui voient en lui le premier des symbolistes russes. Ses poésies sont au nombre d'environ trois cents, et furent publiées pour la première fois en édition complète en 1868. Le contenu de la plupart d'entre elles est philosophique, une cinquantaine seulement sont d'inspiration politique. Dans celles-ci, le poète s'adresse tantôt aux peuples esclaves en les incitant à s'unir à leur mère, la Grande Russie, tantôt il célèbre les grands événements historiques de son époque, tels que les mouvements révolutionnaires de 1848 et la guerre franco-prussienne de 1870. Dans les poèmes de Tiouttchev, on peut remarquer l'influence de son contemporain et ami Heine, et surtout celle de Goethe (le poète russe passa environ trente ans en Allemagne) ; un large panthéisme, une adoration sans bornes de la nature, le mépris pour la vanité de l'homme, considéré comme un élément qui « détonne » dans la création, en sont les caractéristiques. « L'homme étant un rêve malade de la Nature », le poète nous conseille de maudire notre Moi et de chercher à nous fondre dans l'âme universelle. Il y a ici une anticipation évidente des courants de sagesse hindoue qui inonderont l'Europe quelques années plus tard. De son désir de pénétrer dans l'univers cosmique naît, chez l'auteur, l'aspiration au Chaos créateur, qui est l'esprit de la Nature et dont, au fond de l'âme humaine aussi, on retrouve toujours une parcelle, quelque chose qui n'est pas sans laisser pressentir l'inconscient de Freud. C'est d'ailleurs sous la forme d'une tempête soudaine de cet inconscient que le poète imagine la passion : réveil, en nous, de cet élément secret qui tend au Chaos natif, la mort. C'est pourquoi dans la mort aussi, Tiouttchev découvre une beauté particulière ; à ce sujet, rappelons que les deux femmes qu'il aima moururent dans ses bras. « Mon cœur désire les tempêtes », écrit-il ; pour lui, la mort et les grands bouleversements de l'histoire sont une source d'inspiration nouvelle et élevée. Souvent, le poète renverse les barrières séparant le chaos primitif qui sommeille au fond de notre âme du chaos qui règne sur l'Univers ; alors sa poésie s'enrichit de singuliers effets que nous pourrions appeler aujourd'hui « impressionnistes ». — Trad. Au Sans Pareil, 1922 ; L'Âge d'homme, 1987.

POÉSIES de Trân Khâm. Œuvre du roi et poète vietnamien (1258-1308), écrite en chinois (une partie a été traduite en vietnamien et publiée en 1988). Certaines de ces poésies traitent de sujets d'actualité : tantôt le danger imminent de l'invasion mongole, tantôt le retour victorieux des combattants ; ce sont aussi des poèmes de réceptions ou des réponses versifiées aux ambassadeurs chinois. Tous témoignent une confiance inébranlable dans la victoire finale, donnant ainsi le ton à l'expression. D'autres plus nombreux parlent de la nature à travers la vision d'un bouddhiste zen. Tout y paraît serein, simple mais nimbé d'une impression d'irréalité. Mouvement-immobilité, songe-réalité, existence-non-existence se mélangent et se transforment en une perception simultanée ; mais finalement la vie et sa beauté concrète, réelle, l'emportent. Vingt-cinq de ses poèmes sont réunis dans le *Recueil des poèmes du pays viet* [*Viêt âm thi* *tâp*] en 1459, première anthologie poétique vietnamienne, due à Phan Phu Tiên et Chu Xa. T.-T. L.

POÉSIES de Tvardovski. C'est en 1936 que le poète soviétique Alexandre Tvardovski (1910-1970) publia simultanément à Smolensk et à Moscou son premier grand poème *Le Pays Mouravia* [*Strana Mouravia*] – pays idyllique, où la terre n'appartient pas à la communauté et que le paysan laboure librement. Le paysan Morgounok, parti à la recherche de ce paradis perdu a quitté son kolkhoze. Type du paysan probe, travailleur et astucieux, Morgounok subit durant son voyage maints avatars et voit de près les séquelles de l'inhumaine et humiliante exploitation, à laquelle la paysannerie russe avait été soumise avant la Révolution. Il est témoin de la lutte sanglante, sournoise et sans merci qui oppose les tenants de l'ancien régime à la paysannerie acquise aux idéaux révolutionnaires. Convaincu de la stérilité de sa quête d'un bonheur individuel et égoïste, Morgounok décide de retourner au kolkhoze de son village natal. Un vers léger, délié, organisant spontanément les formes du langage populaire, l'émotion fixant les instants passés d'une enfance attachée à la campagne russe, belle et déshéritée, d'où Tvardovski tire toute son inspiration, font le charme et la valeur du *Pays Mouravia.*

En 1937 paraît le deuxième recueil de poésies de Tvardovski suivi d'un autre en 1939 et le poète se voit attribuer le prix Lénine de littérature, rarement décerné à l'époque. La même année, Tvardovski, qui a terminé ses études, est appelé sous les drapeaux. C'est pendant la campagne de Finlande que Vassili Terkin, le célèbre héros de ses poèmes, voit le jour. Les chapitres successifs du poème du même nom ont été lus par Tvardovski devant les combattants au fur et à mesure de leur création à partir de 1942. *Livre du combattant Vassili Terkin* [*Vassili Terkin, Kniga pro Boitza*], relatant les exploits de ce deuxième classe aussi modeste que courageux et plein de ressources, n'a été publié dans son intégralité qu'en 1946. À peu près à la même époque paraissaient d'autres poèmes de guerre de Tvardovski : « Le Front du Sud-Ouest » [Jugo-zapadniï Front], « Les Poésies de la guerre » [Stihi o voïne], « Ballade de Moscou » [Ballada o Moskve], « La Maison du combattant » [Dom Bojca], ainsi que la première version d'un poème « La Maison sur la route » [Dom ou Dorogui]. « La Maison sur la route » évoque les jours cruels de l'occupation et de la déportation. Sans jamais se départir d'une certaine pudeur de sentiment et d'expression, Tvardovski parle des faits vécus. Son poème, d'une facture sobre, témoigne d'un profond humanisme, d'un sens poétique qui ne se dément jamais, et qui se nourrit de la tradition littéraire dont le naturel ne s'oppose pas à la finesse psychologique et artistique. Les événements réels sont autant de prétextes pour traduire une vision optimiste de la vie, basée sur la profonde confiance du poète dans l'homme, porteur de l'aspiration universelle au bonheur. Cette philosophie qui trouve le sens de la vie dans la lutte pour un avenir plus humain, est amplement illustrée par les exploits de Vassili Terkin. C'est incontestablement ce personnage qui a valu à Tvardovski sa grande popularité.

Terkin est porteur des vertus du peuple dont il est issu et ses exploits touchent directement ses compatriotes combattants. Ne manquant ni de noblesse, ni de malice, il s'adapte à toutes les situations du combat. Courageux et astucieux dans l'accomplissement de son devoir, Terkin est avant tout humain et fraternel. Son sens de l'humour l'empêche d'être cocardier. Héros, Terkin ne s'éloigne de la norme que par les effets de ses vertus guerrières qui en fin de compte tournent invariablement à son avantage. Dans ce poème dont l'humour n'est jamais absent, le poète rappelle cet universel partage d'attributions qui veut que les villes soient abandonnées par les troupes et reconquises par les généraux. La narration poétique entraîne l'imagination dans les situations les plus émouvantes, nées d'une guerre sans merci, qui par l'excès de sa cruauté a dressé tout le peuple face à l'envahisseur. Le vers de *Vassili Terkin* est aussi aisé et naturel que musical, et souvent proche du chant folklorique russe.

Entre 1950 et 1958, Tvardovski écrit l'œuvre satirique qui circule clandestinement à partir de 1957 dans le milieu de l'intelligentsia russe. Le poème *Vassili Terkin dans l'autre monde* [*Vassili Terkin na tom Svete*] ne reçoit l'imprimatur qu'en 1963. Il semble que la version publiée ait été quelque peu édulcorée. Entretemps, en 1960, paraît le poème de Tvardovski *Au-delà des lointains* (*). *Vassili Terkin dans l'autre monde* célèbre le fameux personnage de Tvardovski. Le même petit gars héroïque et astucieux est cette fois aux prises avec des difficultés d'un ordre particulier. S'il avait accepté sans récriminer les aspects les plus durs et les moins justifiables de la vie au front, il n'en va pas de même dans cet « autre monde » où le bureaucratisme, l'endoctrinement, l'injustice, l'inefficacité et le culte de Staline révoltent Terkin. « Il est la loi et le drapeau. / Pour les vivants le père. / Il les gouverne sans repos, / Et nous aussi, sous terre. / Et bien avant de disparaître, / Vassili, le sais-tu ? / À sa personne, notre maître, / Élève des statues... » La satire de Tvardovski, parfois mordante, n'est pas haineuse, et toute son œuvre est traversée par cette veine lyrique qui vient de l'amour de l'homme. « Soldat, qui vois-tu là soudain ? / L'ami tombé au front jadis ? / C'est si pénible sans copains, / Sur terre et même au Paradis. » Le copain retrouvé apprend à Vassili Terkin qu'il existe deux au-delà dont l'un est bourgeois. Dans l'au-delà prolétarien les formalités habituelles ne sont pas abolies et Terkin est obligé à se soumettre à une enquête sur ses origines. « Répondons en grands caractères / Aux questions : Primo, mon grand-père : / Il cultivait, étant âgé, / Sur son lopin de blé, du seigle, / N'allait jamais à l'étranger, / Aucun contact, était en règle... / Il ignorait comment grandir, / Comment toujours se surpasser, / Prenant de l'âge, je dois dire, / Que mon grand-père raccourcissait. » L'injustice est aussi l'apanage de l'autre monde, car « ... le soldat, toujours, partout / Est le fautif, répond de tout, / Du caporal, de sa carence, / Du gars avare à l'intendance, / De ce qu'il n'a pas eu assez / De gnôle quand il fut blessé, / Fautif aussi parce qu'il gèle / Et que l'épreuve est trop cruelle... / Fautif à cause de l'obus / Qui explosa trop près du but, / Fautif enfin dans l'autre monde, / Où des vivants les morts répondent. » Tvardovski est conscient de parler au nom des « combattants plongés dans le dernier sommeil », qui rêvent : « Que les générations futures / Ne viendront plus grossir les rangs, / Et puisque les canons se turent / Fini la gloire dans le sang ! » et d'exprimer les aspirations des vivants ; « ... au moyen de mon récit, / J'ai combattu pour une idée : / De mettre, si je réussis, / Tous les sujets à ma portée... » Dans le dernier vers de son poème de quatre cent cinquante strophes, le poète avoue qu'il « supputait les divergences de jugements et d'opinions ». La brève et poignante évocation des camps de concentration qui se trouve dans le poème n'a pas empêché le Théâtre de Satire de Moscou de porter *Vassili Terkin* à la scène en 1965. Le succès fut considérable, mais la pièce a été retirée de l'affiche la veille du 23e congrès du parti. (Poèmes traduits par L. Dicky.) – Trad. *Vassili Terkin dans l'autre monde,* L'Âge d'homme, 1980.

POÉSIES de Vajda. Le poète hongrois János Vajda (1827-1897) est une des personnalités littéraires marquantes de la génération qui suivit la révolution de 1848. Ses parents le destinaient à l'état ecclésiastique, mais il préféra s'en aller vagabonder avec une troupe de comédiens ambulants ; il revint bientôt à une vie plus rangée et accepta un poste de fonctionnaire. Il publia ses premiers poèmes dans des journaux, mais sans grand succès ; enfin, en 1857, il fonde un journal littéraire, *Le Monde des femmes* [*Növilag*], et se consacre dès lors entièrement à la littérature. L'essentiel de sa production poétique est rassemblé dans ses *Poésies,* recueil publié à Budapest en 1895 et réédité en 1910. L'inspiration de Vajda est profondément marquée par une farouche misanthropie et un pessimisme de la meilleure veine romantique. Cet individualiste exacerbé proclame d'ailleurs hautement son égocentrisme : s'il n'atteint pas le bonheur qu'il mérite, c'est qu'il est en butte à la méchanceté et aux persécutions d'autrui. Nourri d'ambitions prométhéennes, il ne peut rien faire d'autre, sinon se laisser ronger par sa vaine révolte. De là un penchant marqué pour les grandes envolées lyriques et une certaine ampleur visionnaire. Il écrivit également des poèmes d'amour : *Les Chansons de Gina* [*Gina dalok*] et des poèmes patriotiques, dont les plus beaux et les plus célèbres sont : « Les Veilleurs » [Virrasztok] et « Chansons lusitaniennes » [Luzitan dalok]. Ces deux poèmes sont allégoriques : le premier fut écrit à la suite de la reddition de Vilagos, le deuxième flétrit les lâches et les hypocrites qui firent des concessions aux Habsbourgs. Vajda écrivit également des drames : *Ildiko* et *Le Fils du roi* [*Bela kiralyfi*], ainsi que des romans : *Le Roman d'Alfred* [*Alfred regenye*] et *Les Rencontres* [*Talalkozasok*] ; mais il demeure avant tout un poète. Son écriture, particulièrement originale, tranchait sur celle de ses grands prédécesseurs, Arany, Petöfi et les poètes de l'école « populaire » ; il exerça en outre une profonde influence sur Ady et les poètes de la génération suivante. Toutefois, malgré son originalité, l'art de Vajda est imprégné des grandes tendances de son époque et on retrouve dans cette œuvre des échos de Byron, Victor Hugo, Leopardi, Petöfi et Vörösmarty.

POÉSIES de Valente. Avec ses deux premiers livres *En guise d'espérance* [*A modo de esperanza*] (prix Adonaïs 1955) et *Poèmes à Lazare* [*Poemas a Lazaro*] (prix de la Critique 1960), le poète espagnol José Angel Valente (né en 1929) s'est tout de suite placé parmi les poètes les plus prometteurs de sa génération. Si son écriture reflète alors une esthétique commune aux poètes de l'époque – refus des sortilèges métaphoriques, ton du langage parlé, préoccupation pour les problèmes humains les plus quotidiens –, il va se distinguer très vite de ses contemporains en ce que, dès 1955, toute son œuvre sera écrite hors d'Espagne (Angleterre, Suisse, France) jusqu'au début des années 80. Déjà préfigurée par le cadre provincial de l'enfance (« Nous vivions, Messieurs en province / ou à la périphérie, comme on dit... »), cette situation d'exil non pas subie, comme ses aînés, mais, sinon choisie, du moins acceptée, l'amène à se pencher sur ce qu'il quitte : un espace – l'Espagne provinciale – et un temps – celui de la guerre civile, des années noires de l'après-guerre – qui furent ceux de l'angoisse. Obsessionnellement reviendront longtemps dans son œuvre les images d'une enfance et d'une adolescence confisquées par la guerre et la répression. On comprend, dès lors, à quel point écrire lui fut, comme pour d'autres, une entreprise de salut personnel, une tentative de fuite d'un milieu délétère et stérilisant. Par-delà les poètes officiels, la lecture d'Unamuno, de Machado, de Juan Ramón Jiménez l'y aida ; celle aussi, précoce et toujours approfondie par la suite, des grands mystiques et en particulier de Jean de la Croix ; puis, peu à peu, celle des poètes de la génération de 27 – de Cernuda, surtout, dont l'influence se fait sentir dans *La Mémoire et les Signes* [*La memoria y los signos*, 1965] – et de leurs contemporains hispano-américains : Huidobro, Vallejo, Borges, Neruda... Le passage à l'étranger, à vingt-six ans, ne fit qu'élargir cette ouverture aux littératures étrangères : anglaise, française, italienne, allemande, grecque, comme en témoignent les traductions de Donne et de Keats, de Péret, de Montale, de Cavafy...

Prise de distance, donc, avec un monde politique, social et littéraire refermé sur lui-même, par une poésie dont la vigueur transgressive commence à s'affirmer nettement à partir de 1968 environ, *Présentation et Mémorial pour un monument* [*Presentación y memorial para un monumento*, 1969], *L'Innocent* [*El inocente*, 1970], pour culminer avec un remarquable recueil de proses, *La Fin de l'âge d'argent* [*El fin de la Edad de Plata*, 1973]. Parallèlement à ce travail de sape et de déconstruction des langues de bois et discours répressifs et totalitaires de tous bords, Valente ne cesse d'approfondir une démarche poétique qui fait de l'expérience mystique, de l'expérience poétique et de l'expérience érotique les trois manifestations d'une seule et même expérience. Auteur d'essais incisifs sur la poésie contemporaine : *Les Mots de la tribu* [*Las palabras de la tribu*, 1971], sa réflexion critique se tourne donc à cette époque vers la tradition mystique : *La Pierre et le Centre* [*La piedra y el centro*, 1983]. Comme sa poésie qui, de *Intérieur avec figures* [*Interior con figuras*, 1976] à *Le chanteur n'apparaît pas* [*No amanece el cantor*, 1992], en passant par *Material Memoria* (1978), *Trois leçons de ténèbres* [*Tres lecciones de tinieblas*, 1980], *Mandorle* [*Mandorla*, 1982], *L'Éclat* [*El fulgor*, 1983] et *Au dieu sans nom* [*Al dios del lugar*, 1989], en un étonnant approfondissement, sans égal dans la poésie espagnole d'aujourd'hui, fait de l'écriture une expérience des limites, de retour à cette origine où toute parole ne cesse de s'engendrer. – Trad. *L'Innocent* suivi de *Trente-sept fragments*, Maspero, 1978 ; *La Fin de l'âge d'argent*, Corti, 1992 ; *Intérieur avec figures*, Unes, 1987 ; *Material Memoria*, Unes, 1985 ; *Trois leçons de ténèbres*, Unes, 1985 ; *Mandorle*, Unes, 1992 ; *L'Éclat*, Unes, 1987 ; *Au dieu sans nom*, Corti, 1992 et *La Pierre et le Centre*, Corti, 1991. J. An.

POÉSIES de Valéry. Recueil de toute l'œuvre poétique de l'écrivain français Paul Valéry (1871-1945), à l'exception toutefois de « L'Ange » qui parut en édition séparée en 1946. Il contient *Album de vers anciens* (*), *La Jeune Parque* (*) et *Charmes* (*). À cet ensemble ont été ajoutés « Pièces diverses de toute époque », *La Cantate du Narcisse*, écrite pour le compositeur Germaine Tailleferre, et deux mélodrames : *Amphion* et *Sémiramis*, dont Arthur Honegger écrivit la musique et qui furent représentés au Théâtre national de l'Opéra, en 1931 et 1934. À l'exception des deux mélodrames, toutes ces œuvres sont composées en vers réguliers. Alors que les poèmes de l'*Album de vers anciens* sont encore d'une facture sensiblement mallarméenne, avec *La Jeune Parque* et *Charmes* Paul Valéry prend réellement possession de lui-même et retrouve l'instrument classique du vers, celui de Racine et de Malherbe. Nous retrouvons en ces œuvres les thèmes chers à l'auteur de *Monsieur Teste* (*) : le refus de l'abandon à ce qui n'est pas pure conscience de soi et de l'œuvre. Dans une certaine mesure, Narcisse, la Jeune Parque et même Sémiramis appartiennent, dans l'œuvre du poète, à une même famille mythologique. Ils incarnent une méditation assez libre sur des motifs présocratiques, tels que ceux de Parménide concernant l'être et le non-être. L'orgueil est le ressort apparent de la psychologie de ces personnages, qui ont en commun la volonté de refus à tout ce qui n'est pas eux-mêmes. Chacun d'eux vise à atteindre le comble de l'être, pour s'y maintenir face au néant. Paul Valéry ne sort pas tout à fait des propositions que Mallarmé avait assignées à ses propres recherches en composant *Hérodiade* – v. *Poésies* (*) de Mallarmé. « Sémiramis » illustre parfaitement ce point de vue. Sans doute ce « mélodrame » n'est-il pas, dans l'œuvre de son auteur, l'essai le mieux réussi : le poète a cédé, dans cette œuvre de commande, à cet orientalisme qui, à la fin du XIXe siècle, fit la réputation d'un Gustave Moreau. Son importance tient en ceci que Valéry y a dessiné son thème de telle sorte qu'il apparaisse immédiatement, dans cette espèce d'évidence exigée par le déroulement d'une action dramatique et scénique. Au retour d'une campagne glorieuse, la reine Sémiramis remarque, parmi les captifs, un roi dont la beauté la frappe et qu'elle invite à partager sa couche. Celui-ci, croyant l'avoir soumise, se joue d'elle et la bafoue dans son orgueil. Elle le tue. Au dernier acte, sur une tour de son palais, elle chasse les astrologues qui la louent : elle ne veut être louée que par elle-même. Le soleil apparaît, elle le célèbre : « À présent / je me coucherai sur la pierre de cet autel, et je prierai le soleil, bientôt dans toute sa force, qu'il me réduise en vapeur et en cendres, afin que moi-même et de l'instant / se dégage cette colombe que j'ai nourrie de tant de gloire et de tant d'orgueil. » Elle s'étend sur la pierre d'autel. Elle devient elle-même la présence humaine du soleil. Entourée d'une vapeur légère qui la dérobe aux yeux, elle disparaît. L'autel vide brille au soleil.

C'est à l'unité intacte et inviolable que ces figures nous convient. Toutefois Paul Valéry conçoit cette unité dans un rapport singulier avec l'univers cosmique. Il l'oppose à ce mystère qu'elle doit égaler et tenter de percer, tout en connaissant qu'elle ne le pourra pas. Dans cette confrontation, l'unité de l'être se dissout pour ainsi dire fatalement, et par l'effet de sa propre volonté. On peut dire de Valéry ce qu'il disait de M. Teste, qu'il est un « mystique sans dieu ». Le néant n'est pas, pour Valéry, l'aspiration vers le bas, vers le monde de l'informe et du non-réalisé : il est l'être en extase dans son scintillement extrême, l'être qui se réalise dans le non-être de la pure conscience, au regard de laquelle toutes les apparences sont égales. Le symbole, par excellence, est le soleil qui en est la présence immobile et éternelle à son zénith. Le soleil est conscience, et complice du serpent : « Soleil ! Soleil !... Faute éclatante ! / Toi qui masques la mort, Soleil ! / ... Tu gardes les cœurs de connaître / Que l'univers n'est qu'un défaut / Dans la pureté du non-être ! » Ainsi l'être est faute suprême contre la divinité, mais faute nécessaire, car désir de percer le mystère. Sans ce désir, il ne serait pas. Nous serions réduits à l'animalité pure. De ce point de vue, « L'Ébauche d'un serpent » aurait pu s'intituler « Éloge d'un serpent ». Cette idée est reprise, en mineur, dans « La Jeune Parque et le philosophe », sous le couvert d'une fable où le poète s'amuse à pasticher La Fontaine : « Et vous partageriez le pur destin des bêtes / Si les dieux n'eussent mis, comme un puissant ressort, / Au plus intime de vos têtes, / Le grand don de ne rien comprendre à votre sort. »

On a reproché à Paul Valéry l'obscurité de sa poésie. Cette obscurité, cependant, tient beaucoup moins à l'expression qu'à la pensée elle-même. La langue de Valéry, en poésie, est pure autant que celle de Malherbe et de Racine. La syntaxe en est claire et les images ne se superposent pas comme dans les dernières œuvres de Mallarmé. Le déroulement d'une pensée, déjà austère par elle-même, déroute seule le lecteur non prévenu. Mais Valéry maintenait comme une nécessité la difficulté de lecture : il pensait que la clarté, sans inquiétude, est vaine et que la poésie a quelque droit à être obscure puisque la vie elle-même est une énigme. Un reproche plus sérieux pourrait cependant être ici esquissé : Valéry, qui a toujours refusé le didactisme en poésie (au nom des principes de la poésie pure), y cède assez souvent, notamment dans telles odes de *Charmes.* Il n'est pas exclu pourtant qu'il n'ait voulu vérifier lui-même par l'absurde cette loi qu'il avait mise en évidence : « Dans les vers, tout ce qui est nécessaire à dire est presque impossible à bien dire. »

POÉSIES de Garcilaso de la Vega. Les œuvres du poète espagnol Garcilaso de la Vega (1503-1536) furent publiées en 1543 à la suite de celles de Boscán Almogáver par la veuve de celui-ci (*Las obras de Boscán y algunas de Garcilaso de la Vega*). Cet ouvrage connut vingt-deux éditions en diverses langues au cours du XVIe siècle. Ce n'est qu'en 1569 que l'on commencera à publier à part les œuvres de Garcilaso avec des notes de « Brocense » (1574), de Herrera (1580), Tamayo de Vargas, Azara, etc. et des corrections, car le texte de 1543 — reproduit par Keniston — contient plusieurs erreurs. À part trois odes en latin et huit compositions en octosyllabes, comportant surtout des poésies de circonstance (une, entre autres, écrite pour le mariage de doña Isabel Freyre), le rythme en est le mètre italien : soit trente-huit sonnets, cinq chansons (« canciones »), deux élégies, une épître, trois églogues, sans compter trois lettres dont une seule, adressée à doña Gerónima Palova de Almogáver, présente quelque intérêt littéraire, et que Boscán publia dans sa traduction du *Parfait courtisan* (*). C'est Boscán, stimulé par Andrea Navagero, ambassadeur de Venise auprès de l'empereur, qui introduisit les formes italiennes dans la poésie espagnole : aussi trouvons-nous son nom à côté de celui de Garcilaso à l'origine de la splendide floraison lyrique des XVIe et XVIIe siècles (Garcilaso, fray Luis de León, saint Jean de la Croix, Herrera, Góngora, Lope de Vega, Quevedo). La grande inspiratrice de Garcilaso était, croit-on, une Portugaise, Isabel Freyre. Venue en Castille (1526) avec doña Isabelle de Portugal, la fiancée de l'empereur, elle aurait rencontré le poète à Séville où furent célébrées les noces impériales. Selon une hypothèse assez fragile, Isabel aurait eu un autre soupirant en la personne de Sa de Miranda, introducteur au Portugal du vers hendécasyllabique. Nous ne savons rien des amours de Garcilaso et d'Isabel. Celle-ci, qui avait épousé (vers 1528) Antonio de Fonseca, mourut à la naissance de son troisième fils, et le poète a fait maintes allusions émues à l'événement. Garcilaso vécut longtemps à Naples, où il avait été exilé pour avoir favorisé le mariage de son neveu avec Isabel de la Cueva, union qui déplaisait à l'empereur. Là, il rencontra l'humaniste espagnol Juan Ginés de Sepúlveda, ainsi que Juan de Valdés. Parmi les Italiens, il se lie d'amitié avec Tansillo, et ce sera entre eux un fructueux échange d'influences littéraires. Au nombre de ses autres relations ou amitiés, figurent Mario Galeota, Girolamo Seripando, Placido di Sangro, Onorato Fascitelli (ce dernier ayant envoyé les poésies latines de Garcilaso à Pietro Bembo, le cardinal répondit par une lettre de louanges au poète espagnol). Citons en outre Antonio Telesio, à qui Garcilaso dédia une ode en latin ; Scipione Capece, Girolamo Borgia, Cosimo Anisio (ces deux derniers lui ont dédié, l'un son *De bellis italicis* ; l'autre deux épigrammes latines) et Giulio Cesare Caracciolo, destinataire du sonnet XIX. En Espagne, il s'était entretenu avec fray Severo Varini, précepteur du duc d'Albe. À Naples, il fréquente la société des grandes dames, telles que la marquise della Padula, Maria di Cardona, Caterina di Sanseverino. C'est pour Violante di Sanseverino qu'il aurait écrit le poème « À la fleur de Gnide » [A la flor de Cnido].

Pour Garcilaso, l'italianisme ne se borne pas

à l'adoption d'une forme métrique : sa culture, ses amitiés étaient profondément italiennes, et elles ont marqué ses dernières œuvres. Garcilaso imite systématiquement, outre les anciens, les poètes modernes, voire contemporains. Dans la seconde églogue, par exemple, il a fidèlement traduit de longs fragments de la prose de Sannazaro. L'œuvre de Garcilaso — si l'on excepte ses poèmes octosyllabiques — porte l'empreinte des chansons castillanes qui se distinguent par une sobriété nerveuse, la tendance allégorique, la résignation au destin, le goût de l'intimité, les jeux de mots, etc. Garcilaso subit également, à cette époque, l'influence du Valencien Ausias March — v. *Poésies* (*) de March —, dont la muse grave sait trouver d'expressifs accents. Dès avant ses premiers essais à l'école de l'Italie, il s'était efforcé, au prix de mille difficultés, d'assimiler la poésie de Pétrarque : peu à peu, telle une douce marée montante, le pétrarquisme devait finir par s'imposer. Cette période de transition au carrefour de deux arts dura jusqu'à la fin du séjour de Garcilaso à Naples. L'influence purifiante de Pétrarque augmentera son goût pour les Grecs et les Latins, pour les beautés de la nature et de l'églogue. Chez Garcilaso, la maîtrise de la forme donne à son vers une résonance encore plus intime et plus humaine : et c'est en cela que le poète, si proche de nous, peut être qualifié de moderne. Ses plus émouvants accès sont ceux de la « Première Églogue », dans laquelle il a chanté son amour et sa douleur, se plaignant de l'aimée qui l'abandonne, puis versant des larmes sur sa tombe. Le souvenir de doña Isabel et de son trépas prématuré emplit le sonnet XXV (« Oh ! hado esecutivo en mis dolores... »), qui compte parmi les plus beaux. Cette intensité de l'émotion, le poète ne la retrouve plus lorsqu'il se fait le porte-parole d'un autre amant (ainsi, dans le poème, très beau il est vrai, intitulé « Canción quinta »). La « Deuxième Églogue », ample et dramatique, est moins réussie cependant que les autres. Garcilaso de la Vega exerça son influence sur toute l'Espagne. Au Portugal, Camoens lui doit beaucoup, et sa mort y fut pleurée par Sa de Miranda. — Trad. et préface de Paul Verdevoye, Aubin, 1947.

POÉSIES de Vielé-Griffin. L'œuvre de Francis Vielé-Griffin (1864-1937), un des représentants les plus marquants du mouvement symboliste français, est dégagée de tout préjugé de chapelle littéraire. L'inspiration y coule abondante, diverse, spontanée. Mais, pour trouver son expression naturelle, Vielé-Griffin dut faire violence aux règles de la prosodie traditionnelle, aux formes durcies des Parnassiens. Il lui fallait libérer le vers, laisser aller la rime « au seul gré du tact poétique ». Dans ses premiers recueils, *Cueille d'avril* (1886) (qu'il ne fit jamais réimprimer) et *Les Cygnes* (*) (1887), il est encore à la recherche de lui-même, entravé dans le vers parnassien, s'efforçant de conquérir sa liberté. Il y parvient avec *Les Joies* (1889), où pour la première fois il emploie le vers libre, dont il fut, avec Kahn, le plus fervent partisan : la simplicité qu'il recherchait, il l'a trouvée dans les chansons populaires. Il leur emprunte un refrain ou des thèmes qu'il commente en symboliste : ainsi la simple émotion née du chant d'un oiseau devient un hymne à la joie de la terre, le chant animal s'étant fait symbole, « portail de Vie ouvert et spacieux, Vers les jeunes moissons ». Vielé-Griffin éprouve une joie amoureuse à la contemplation de la nature ; les rives de la Touraine l'inspirent surtout : *La Clarté de vie* (*) (1897) célèbre le printemps calme et lumineux dans cette province, le retour des saisons, l'année « sous sa robe douze fois neuve ». La Touraine n'est pas seulement pour le poète la source de joie, elle est aussi une consolatrice, lorsque l'âge vient. Ce sont toujours des paysages heureux que dessinent les vingt-trois petites pièces qui forment le recueil *La Partenza* (1899), mais le bonheur se nuance d'une note d'inquiétude, et le ton acquiert une gravité nouvelle : contre la tristesse qui lance vers lui quelques pointes, le poète a cependant un recours. Dans l'art qui chante la nature, il trouve une possibilité d'éterniser sa jeunesse, de participer à l'éternité du monde : les hommes, et lui-même, peuvent vieillir, la Touraine est toujours jeune (« Les siècles te sont donnés. Nous n'avons que des heures »). Vielé-Griffin peut se plaire à la poésie populaire, s'inspirer d'elle, il reste avant tout un artiste, et un artiste symboliste. Dans *La Lumière de Grèce* (1912) et *Les Voix d'Ionie* (1914), tout en continuant à user du refrain populaire, il transfigure en larges symboles la réalité et la légende. Son amour enthousiaste de la vie s'exprime avec une belle ampleur : et s'il mêle le rêve à la réalité, jamais il ne se laisse aller à quelque intellectualisme hermétique et toujours éprouve le besoin de rafraîchir les traits du symbole aux images les plus familières.

POÉSIES de Vivien. Les *Poésies complètes* de Renée Vivien (pseud. de Pauline Mary Tarn, 1877-1909), poétesse française de naissance américaine, furent éditées à Paris en 1923-1924 et comprennent une vingtaine de plaquettes publiées de son vivant. Les plus connues sont *Études et Préludes* (1901), *Cendres et Poussières* (1902), *Brumes de fjords* (1902), *Du vert au violet* (1903). Il faut y ajouter plusieurs recueils posthumes, *Dans un coin de violettes, Le Vent des vaisseaux* (1910), *Haillons* (1910), *Vagabondages* (poèmes en prose, 1917). D'un charme morbide, son inspiration relève singulièrement de Baudelaire. Ce dernier chanta toute sa vie les beautés du tribadisme. Elle rêva d'être Sappho (ou « Psappha ») au point de se faire construire une maison à Mytilène. « Je ne crois pas, disait Charles Maurras, à la luxure de cet ange... Elle est morte de n'avoir pas aimé, non d'avoir trop aimé. » Ainsi faite la part, non négligeable chez Renée Vivien, de l'attitude et des artifices littéraires, il reste d'elle des vers dont quelques-uns, fort beaux, rendent un son des plus personnels. Sans doute, dans cette œuvre de fièvre où l'exquis voisine avec l'article de mode, cueille-t-on trop de lotus, d'hyacinthes ou d'asphodèles ; mais de ses penchants la poétesse fait un aveu qui ne manque pas de beauté : « Certaines d'entre nous ont conservé les rites / De ce brûlant Lesbos doré comme un autel ; / Nos compagnes, aux seins de neige printanière, / Savent de quelle étrange et suave manière / Psappha pliait naguère Atthis à son vouloir. » Avec complaisance elle évoque « ce verger lesbien qui s'ouvre sur la mer », opposant « aux laideurs masculines » « le sororal amour fait de blancheurs légères... » ; mais, chemin faisant, elle trouve des accents tels que ceux-ci : « J'aime tout ce qui change et qui trompe et qui fuit. / Mon rire est inconstant autant que la fortune, / Et je mens, car je suis la fille de la nuit. » En bref, ce voyage à Lesbos est finalement, pour la poétesse, une déception où le rêve grec s'estompe dans les brumes de son Angleterre natale.

POÉSIES de Voiculescu [*Poezii*]. C'est sous ce titre que parut à Bucarest en 1944, sous les auspices de la Fondation royale pour la littérature et l'art, un volume d'œuvres du poète roumain Vasile Voiculescu (1884-1963). Ce recueil est composé de poèmes puisés dans toute l'œuvre de Vasile Voiculescu, de 1916 à 1939, et choisis par l'auteur ; il est sous-titré *Édition définitive*. On y trouve, dans l'ordre chronologique, la majeure partie des recueils publiés entre les deux guerres : *Poésies-1916* [*Poezii-1916*], où déjà s'affirme son traditionalisme, précède *Du pays du bison* [*Din tara Zimbrului*], suite de poèmes composés pendant la Première Guerre mondiale et publiés en 1918, et *Mûrissement* [*Pargă,* 1921] qui est le premier volume de *Poèmes de la terre* (c'est à cette époque que Voiculescu, collaborant à la revue littéraire *La Pensée* [*Gândirea*] aux côtés de Vintila Horia et de Ion Pillat, s'affirma comme chef de file des traditionalistes, contre les symbolistes comme G. Bacovia). Suivent les célèbres *Poèmes avec des anges* [*Poeme cu Îngeri,* 1927], parmi lesquels se trouvent « L'Ange de la chambre » (Ingerul din odae) et « Ange ajourné » (Inger amânat) qui sont probablement les plus achevés, et *Destin* qui parut en 1933 et consacra la célébrité de Vasile Voiculescu. Enfin, *Montée* [*Urcus,* 1937] est suivi des *Entrevisions* (*), recueil de poèmes classés dans l'ordre alphabétique où on trouve « L'Androgyne » [Androginul] et « Requiem ».

Dans toutes ces poésies, la langue de Voiculescu est très difficile, parfois même un peu obscure et rebutante ; c'est dans *Mûrissement* qu'il emploie pour la première fois un vocabulaire mystique fortement imprégné de ces termes slavons et archaïques qu'on retrouvera dans toute la production postérieure. Les *Poèmes avec des anges* sont peut-être le meilleur de son œuvre ; entrecoupées de poèmes d'inspiration profane, les longues compositions mettent en scène l'assemblée angélique de l'Église orthodoxe et les thèmes du péché, de la mort, de la gloire et du remords. C'est cependant dans *Destin* que la langue de Voiculescu, hiératique et pure, prend toute sa signification et place l'auteur parmi les plus grands poètes roumains contemporains. Le volume de *Poésies* est le dernier paru du vivant de Vasile Voiculescu.

POÉSIES de Voiture. Les œuvres poétiques de l'écrivain français Vincent Voiture (1597-1648), nées des circonstances de sa vie mondaine, n'ont été recueillies qu'après sa mort dans l'édition des *Œuvres de M. de Voiture* (Paris, 1650, in-4°) qu'en donna son neveu, Martin de Pinchesne. Elles comprennent des épîtres en vers, des sonnets, des stances, des madrigaux, des épigrammes et des rondeaux. Comme ses *Lettres* (*), elles permettent de mieux comprendre le rôle que joua Voiture dans la société lettrée de son temps. Fils d'un marchand de vins d'Amiens, fournisseur de la Cour, Voiture ne dut qu'à son esprit de faire une carrière mondaine des plus brillante et de régner véritablement sur la société élégante de son temps. Protégé dès sa jeunesse par les grands, contrôleur général de la maison de Gaston d'Orléans, maître d'hôtel du roi, il fut chargé de nombreuses missions en Italie et en Espagne, qui lui permirent de se pénétrer, sans intermédiaire, de la culture alors si brillante de ces deux pays. C'est en 1625 qu'il fut introduit par Chaudebonne à l'Hôtel de Rambouillet. Là, le prestige de son esprit en fit un des principaux personnages. Voiture entrait à l'Hôtel de Rambouillet à l'époque où cette petite société de lettrés avait besoin de se renouveler. Catherine de Vivonne, marquise de Rambouillet — l'« incomparable Arthénice », la « Cléomire » du *Grand Cyrus* (*) —, avait réuni autour d'elle et recevait dans la fameuse « chambre bleue » ce que Paris comptait de plus marquant dans le domaine de l'esprit ; des hommes d'État et des grands seigneurs, comme Richelieu, le cardinal de La Valette, la duchesse de La Trémoille, des écrivains comme Malherbe, Racan, Conrart, Vaugelas, Chapelain, Segrais. Mais les influences qui s'excercent alors sur l'Hôtel sont diverses : elles vont de Malherbe, à d'Urfé et à Marino. Peu après l'entrée de Voiture, le cercle s'élargit ; l'attrait qu'il exerce, le rôle qu'il joue deviennent de plus en plus marquants. Parmi les hôtes de cette nouvelle période, signalons le duc d'Enghien (qui devait devenir le Grand Condé), La Rochefoucauld, le duc de Montausier, qui épousera la fille de la marquise, la fameuse Julie d'Angennes, Mlle de Scudéry, Ménage, Benserade, Cotin,

Rotrou, Scarron, Godeau, académicien et évêque de Grasse ; Corneille, Bossuet (tout jeune alors) y paraissent. Le roi du cénacle, le centre de ce cercle, ou — comme disaient les habitués de la « chambre bleue » — « l'âme du rond », c'est incontestablement Voiture. C'est lui qui organise les divertissements ; parties de campagne, bals masqués ; c'est lui qui préside à la lecture des œuvres des membres du cercle, joute où prenaient part aussi bien les grands seigneurs que les poètes crottés. Pendant plus de vingt ans, Voiture fut l'animateur de cette société, son amuseur, il avait les idées les plus cocasses et les réalisait avec la complicité de tous ; il était toujours complaisant, toujours aimable. Mais ce n'est pas seulement parce qu'il savait les amuser que Voiture régnait sur les habitués de l'Hôtel de Rambouillet ; il était le maître de bon goût de cette société, ses jugements étaient sans appel ; ses œuvres, ses lettres et ses poésies étaient des modèles inégalés. Il était d'ailleurs fort exigeant et redouté autant qu'admiré, impertinent parfois, mais qui eût osé en prendre ombrage ? Ce n'est qu'en se replaçant dans ce contexte historique qu'on peut juger de ses poèmes. Puisant dans les lieux communs du langage pétrarquiste, son badinage spirituel et galant tourne en jeu d'esprit les multiples circonstances de la vie mondaine. Seulement, il ne faut pas juger ces poèmes en soi, mais en comparaison de ceux que composaient à la même époque les assidus de l'Hôtel ; il faut aussi tenir compte du fait qu'ils n'étaient nullement destinés à la publication, qu'ils étaient faits pour être lus dans un petit cercle, qu'ils sont étroitement liés à une circonstance précise, à une atmosphère donnée qu'il faudrait ressusciter pour en saisir la saveur. Telles sont, par exemple, les « Stances sur une dame dont la jupe se releva lorsqu'elle tomba d'un carrosse dans la campagne », ou les « Stances pour une jeune fille qui avait les manches de sa chemise retroussées et salies ». En revanche, le charme certain de plusieurs pièces ne s'est pas encore évaporé, telles sont « Le poète et la Reine » (adressée à Anne d'Autriche), où Voiture s'émeut, avec sincérité mais quelque indiscrétion, au souvenir de l'amour de la reine pour Buckingham ; la chanson « Notre aurore vermeille » dont la première strophe est fort gracieuse ; « La Belle Matineuse » où les trouvailles abondent. Tout le charme de ses pièces tient dans la facilité, la fantaisie, la finesse du tour, l'art d'amener le trait ou la chute, la justesse, parfois surprenante, des images et des métaphores. Deux pièces doivent être mises à part : c'est d'une part, la magnifique « Épître à Monseigneur le Prince sur son retour d'Allemagne » (1645-1648), à la fois noble et familière, dans laquelle le poète s'adresse au duc d'Enghien (le futur Grand Condé) pour le supplier de ne plus s'exposer dans ses campagnes et fait un parallèle entre la mort glorieuse sur les champs de bataille et la mort « laide, tremblante et froide », qui vient vous trouver dans votre lit. Là, Voiture sait à merveille se dégager des froides allégories, il est simple, naturel et cependant plein de grandeur. On comprend que Voltaire ait fort admiré cette pièce et qu'il l'ait imitée. Le « Sonnet d'Uranie » passe pour le chef-d'œuvre de Voiture. Certes, la forme est parfaite, mais ce n'est qu'un badinage où l'esprit seul parle et dans lequel le cœur n'a point de place. Cette pièce est surtout célèbre par la bataille littéraire à laquelle elle donna lieu après la mort de Voiture, lorsque certaine coterie lui opposa le *Sonnet de Job* (*) de Benserade. L'Hôtel de Rambouillet, qui avait perdu son « âme », ne survécut guère à Voiture ; dès sa mort, commença la décadence, et cependant l'admiration pour l'auteur des *Lettres* et des *Poésies* ne disparut pas avec lui. La Fontaine, Mme de Sévigné reconnurent en lui un grand poète.

POÉSIES de Walther von der Vogelweide. L'œuvre poétique du poète allemand Walther von der Vogelweide (1170 ?-1230 ?) comprend des « Lieder » (chansons) et des « Sprüche » (maximes, sentences, épigrammes). Élevé à la cour de Vienne, dont le poète attitré était Reinmar le Vieux de Hagenau, auteur de *Poésies d'amour courtois* (*), Walther von der Vogelweide fut, dans sa jeunesse, un disciple du Minnesang traditionnel. Bientôt, toutefois, sa personnalité s'affirma : il s'insurgea contre les conventions, les préjugés alors en honneur dans les cours des puissants. Se tournant vers la politique, il composa des poèmes dans lesquels il célébrait ou admonestait les princes du temps. Contraint, en raison de l'hostilité du duc Léopold, successeur du duc Frédéric de Babenberg, de quitter en 1198 la cour de Vienne, il mena dès lors une existence errante, dont on peut suivre les différentes étapes dans les « Sprüche ». Très vivantes, ces compositions reflètent à la fois les événements de la vie du poète et ceux de l'histoire même de l'Empire. Walther tantôt y exprime son amertume à l'égard de l'injustice du duc Léopold (« Mir ist verspart der saelden tor »), tantôt y déplore le sort de l'Empire après la mort d'Henri IV (« Ich saz ûf eime steine »), tantôt s'y réjouit du couronnement de Philippe de Souabe ; le cycle de poèmes intitulé « Heptade » traduit l'indignation du poète devant les intrigues d'Innocent III et du clergé ; ailleurs, Walther remercie en termes chaleureux le jeune Frédéric II de Sicile, qui lui a fait don d'un petit fief longtemps convoité. Parmi les « Sprüche » les plus célèbres, il convient de citer la série de trois poèmes (« Kaisersprüche ») adressés par Walther à l'empereur guelfe Othon IV de Brunswick (rappelons que celui-ci, excommunié par Innocent III pour avoir tenté d'annexer le royaume de Sicile à la couronne impériale, avait, en 1211, convoqué la Diète à Francfort, où Walther s'était rendu). Le poète y prend chaleureusement le parti d'Othon, qui représente à ses yeux la puissance impériale, et y flétrit l'intrusion du pape dans le domaine temporel. Le premier des « Kaisersprüche » salue le retour d'Othon dans sa patrie et l'assure de la fidélité des princes allemands ; dans le second, le poète exhorte l'empereur à entreprendre une croisade en Terre sainte ; dans le troisième enfin, il aborde et définit les problèmes de politique intérieure qu'Othon aura à résoudre pour réaliser l'unité de l'Empire germanique. Composés par un homme étroitement mêlé à la vie politique de son temps, les « Sprüche » constituent des documents d'une grande valeur.

Les « Minnelieder » présentent un autre aspect de l'œuvre poétique de Walther von der Vogelweide. Débordant les cadres rigides que la tradition avait assignés aux minnesinger, le poète introduit dans ses chants d'amour une sensibilité nouvelle. Pour lui, l'amour possède une indéniable valeur morale. C'est à Walther von der Vogelweide que remonte la notion d'« amour sacré » et d'« amour profane » (« hohe Minne » et « niedere Minne », celui qui élève l'homme, et celui qui l'avilit). Cette notion abolit pour le poète les préjugés sociaux : vertueuse et aimante, une fille de condition modeste est à ses yeux l'égale d'une reine, ainsi qu'il le déclare expressément dans le lied intitulé « Herzeliebez Frouwelîn ». Une des compositions les plus gracieuses et les plus fraîches de Walther est le célèbre « Sous les tilleuls » [Unter den Linden], dans lequel une jeune femme du peuple évoque, avec une pudeur exquise, les joies qu'elle a éprouvées dans les bras de son amant, sous le feuillage de l'arbre témoin de leur rencontre. En plaçant cette poésie — une « Frauenstrophe » — dans la bouche d'une femme, le poète a pu se permettre une certaine liberté dans l'expression des sentiments amoureux : la coutume du temps voulait en effet qu'une poésie prononcée par un homme usât de termes infiniment plus modérés, afin de ne point manquer aux règles de la courtoisie. « Sous les tilleuls », dont la mélodie avait été composée par Walther lui-même, a inspiré de nombreux musiciens, dont le dernier en date est Ferruccio Busoni. Les « Minnelieder » de Walther von der Vogelweide ont pour caractéristique la fraîcheur ; certains d'entre eux toutefois sont marqués par un humour d'une qualité assez particulière, qui tend à travestir l'idéal en parodie (cf. le lied « Dô der sumer komen was »). Le sentiment religieux est, en outre, une des principales sources d'inspiration du poète — notamment vers la fin de sa vie. Le célèbre lied « Hélas, où se sont dissipés tous mes ans ? » [Owê, war sint verswunden elliu mîniu jâr ?] — le dernier semble-t-il, qu'ait composé le poète — est empreint d'une poignante mélancolie. Tout ce qui naguère lui était familier lui paraît étranger désormais : ses montagnes natales, ses anciens compagnons de jeux, la nature qu'il aimait. Sur le plan politique, ses espoirs ont été déçus : la lutte s'éternise entre l'empereur et la papauté. Partout il n'entrevoit que vanité. Une espérance cependant lui reste : celle de pouvoir, en combattant avec les croisés en Terre sainte, atteindre, à l'heure de sa mort, aux béatitudes célestes. Sur cette méditation s'achève la carrière mouvementée du poète, le plus universel peut-être de toute l'Allemagne.

POÉSIES de Whittier [*Poems*]. Recueil de vers de l'écrivain américain John Greenleaf Whittier (1807-1892), publié dans l'édition de Cambridge en 1894, et qui rassemble tous les textes importants (les œuvres complètes comprennent plus de vingt volumes). Whittier, comme Longfellow, est l'une de ces gloires défuntes qui représentent pour le lecteur moderne une curiosité historique plus qu'un phénomène littéraire. Poète prolixe, mais peu exigeant, il écrivait de lui-même en 1833 : « Je peux fabriquer des rimes aussi machinalement qu'un maçon empile des briques. » Nombre de ses œuvres poétiques ont un caractère polémique et se réfèrent à des événements ou à des personnages de l'époque. Certains d'entre eux ont cependant conservé une certaine vigueur. C'est le cas du poème « Ichabod », publié en 1849, où Whittier exprime, au moyen de références bibliques, la désillusion de l'Amérique lorsque Daniel Webster (1782-1852), homme politique universellement respecté en Nouvelle-Angleterre, adhéra au compromis signé avec les États du Sud qui faisait obligation aux États du Nord de livrer tout esclave fugitif. Mais ce sont surtout les ballades que nous pouvons encore lire avec plaisir : dans « Le Petit Va-Nu-Pieds » [The Barefoot Boy], Whittier retrouve la veine populaire de son modèle, Burns, et sait intégrer aux codes de la ballade des souvenirs d'enfance paysanne. De même, on trouve nombre d'éléments autobiographiques dans le poème qui, pour beaucoup, représente son chef-d'œuvre : « Les Prisonniers de la neige » [Snow-Bound, 1866]. L'argument en est mince : une famille passe une partie de l'hiver bloquée dans sa ferme par d'abondantes chutes de neige. Mais Whittier a su évoquer avec retenue et chaleur la vie de la ferme en hiver, à mi-chemin entre la prison et le refuge. Whittier n'est jamais meilleur poète que lorsqu'il sait éviter le sentimentalisme ou l'emphase, et trouver la simplicité de l'épure, comme dans « Je l'ai raconté aux abeilles » [Telling the Bees, 1860] ou « Abraham Davenport » (1866).

POÉSIES de Wordsworth [*Poems*]. Recueil de vers du poète anglais William Wordsworth (1770-1850), publié en 1807 ; puis en 1815 dans une nouvelle édition comprenant les *Ballades lyriques* (*) et les *Mélanges* de l'auteur plus quelques poèmes (« Including Lyrical Ballads, and the Miscellaneous Pieces of the Author, with Additional Poems »). Dans cette édition, Wordsworth classa ses poésies par catégorie : poèmes inspirés de ses souvenirs d'enfant, œuvres de jeunesse, etc. Une édition définitive revue par l'auteur parut en 1849-50 : *Petits poèmes ou Mélanges* [*Minor or Miscellaneous Poems*]. Parmi les compositions les plus célèbres, il faut rappeler : « Elle était un rêve de délices » [She was a phantom of delight, 1804] ; « J'allais à l'aventure seul comme un nuage » [I wandered lonely as a cloud], que l'on trouve aussi sous le titre « Narcisses » [Daffodils, 1804] ; « La Moissonneuse solitaire » [The Solitary Reaper], écrite entre 1803 et 1805 ; « Au coucou » [To the Cuckoo, 1802] ; « Écrit sur Westminster Bridge » [Composed upon Westminster Bridge, 1802]. Ces pièces furent publiées en 1807. Notons également : « C'est une magnifique soirée » [It is a beauteous evening] ; « Le monde est trop pour nous » [The world is too much with us] ; le sonnet « Sur la disparition de la république de Venise » [On the Extinction of the Venetian Republic], à propos du traité de Campoformio ; les sonnets à caractère politique ou patriotique, inspirés par les guerres napoléoniennes, tels qu'« Aux hommes du comté de Kent » [To the Men of Kent], dans lequel on retrouve le thème du « Caractère de l'heureux guerrier » [Character of the Happy Warrior], écrit à la nouvelle de la mort de Nelson ; le groupe des poèmes dédiés à Lucy vers 1799 : le plus célèbre est certainement « Elle demeurait près des sentiers où ne passait personne » [She dwelt among the untrodden ways], etc. Le recueil contient également la célèbre « Ode sur les pressentiments de l'immortalité » [Ode on Intimations of Immortality from Recollections of Early Childhood]. Dans ce poème, Wordsworth évoque ses impressions d'enfant. Partant du postulat platonicien selon lequel la connaissance est une réminiscence, il médite sur la disparition progressive du souvenir divin qui imprègne la vie de l'enfant. Il faut retrouver la « sympathie originelle » de l'homme et de la nature. C'est là que sont les sources de la véritable inspiration. Le sentiment de la nature est l'élément fondamental des poésies de Wordsworth. Dans la solitude, les détails les plus infimes révèlent au poète la présence d'un être formidable, indestructible et immuable. Les divers aspects de la nature le confondent et le pénètrent de la vénération qui inspira les plus anciennes poésies. On comprend dès lors que Wordsworth ait jugé l'enfant plus apte à pénétrer le mystère du monde. On comprend qu'il ait choisi pour personnages d'humbles rustres chez qui les passions trouvent une expression directe. Rien n'illustre mieux cette conception que le conte en vers *Peter Bell* [*Peter Bell, a Tale in Verse*], écrit en 1798 et publié en 1819. Le héros de ce conte est un potier, un être dénué de sensibilité, vivant au milieu de la nature et pourtant fermé à ses mystères. Mais un événement exceptionnel fera soudain de lui un autre homme. Alors qu'il s'apprêtait un jour, sur la rive de la Swale, à voler un âne, il s'aperçoit que l'animal est en train de regarder fixement un cadavre flottant à quelque distance de la berge : le cadavre de son maître. Peter enfourche alors la monture pour aller annoncer la nouvelle à la famille du noyé. C'est au cours du trajet que se produit en lui un profond revirement et que son âme s'éveille enfin au monde. Certains passages de ce poème parurent grotesques aux contemporains de l'auteur et suscitèrent diverses parodies, entre autres celle de Shelley, *Peter Bell III*.

Wordsworth tente d'user en poésie du langage courant. Son style, tout entier voué à la recherche du terme concret, paraît sobre et même dépouillé. Entre 1798 et 1805, il avait adopté un style plus orné. Mais bientôt à l'artiste se substitua le philosophe prêcheur, et le sentiment de la nature ne se traduisit plus dans son œuvre en expressions immédiates et sensibles, mais en interprétations toujours plus réfléchies et discursives, ainsi qu'en témoignent des poèmes tels que *Le Prélude* (*) et *L'Excursion* (*). — Trad. choix de *Poésies*, Les Belles Lettres, 1961.

POÉSIES de Yušij. Recueil du poète iranien de langue persane Nimā Yušij (1897-1960). Dans des temps où aucun poète en Iran n'osait s'écarter de la tradition poétique, il y eut néanmoins plusieurs essais de réajustement de l'expression poétique aux réalités nouvelles. À l'encontre de Bahar qui tout en acceptant des sujets nouveaux gardait en général la forme classique, Yušij rompit avec la prosodie mathématiquement précise et s'exprima dans des formes éloignées de tout héritage persan. De l'avis commun ce ne fut qu'une tentative pour s'exprimer pleinement. Au dire de son traducteur français, Roger Lescot, c'est là justement la grande importance de « la révolution poétique amorcée par Nimā Yušij » qui « rejette l'imagerie traditionnelle, les conventions sentimentales et mystiques d'une poésie millénaire, comme le langage qui en était le véhicule ». Nimā Yušij, dans un style inédit mais brûlant, épanche les « tourments de son cœur d'homme devant la vie, l'amour, la nature, les peines des humbles, la fuite du temps ». De sa première œuvre poétique *Conte pâle* [*Qesse-ye rang-paride*], écrite en 1920, jaillit une poésie dont les éléments s'étaient accumulés, un à un, pendant des siècles à l'intérieur des formes de plus en plus figées de la poésie classique ou pseudo-classique. Il serait erroné d'envisager l'œuvre poétique de Nimā Yušij hors de l'évolution générale et continuelle de la poésie persane. Elle n'en est qu'une étape, mais une étape importante. Néanmoins, elle fut pendant longtemps en butte à diverses attaques, les uns reprochant à Nimā son abandon du vers classique, les autres son formalisme. Dans la lettre qu'il adressa vers 1950 au poète Sin Partow, publiée aussitôt à Téhéran, Nimā Yušij soutient que la prosodie et la rime ne sont pas l'essence de la poésie et qu'il y a des textes rimés et prosodiques qui ne font pas partie de la poésie. Une fois reniée la manière traditionnelle, Nimā expose sa théorie de l'harmonie de la phrase poétique, basée sur l'accent « émotif », donc semblable à celle de la poésie européenne. Toujours dans la même lettre il soutient, à juste titre, qu'il a été le premier défenseur du vers libre en Iran. À côté de son œuvre la plus connue, *Afsaneh* (*), il faut citer *La Famille du soldat* [*Hanevade-ye sarbaz*], publiée en 1925, des poèmes dispersés dans les différentes publications, et d'autres restés encore inédits. Les quatrains de Nimā Yušij ont été publiés en 1960 à Téhéran. Dans *La Prison* [*Mahbas*], il décrit d'une manière puissamment expressive le sort tragique du paysan persan.

POÉSIES 1943-1970 [*Le poesie*]. Anthologie poétique de l'écrivain italien Pier Paolo Pasolini (1922-1975). Essentiellement connu en France comme cinéaste, critique et polémiste, Pasolini est d'abord, en Italie, un poète, bien que subsiste à propos de cette définition une relative ambiguïté, l'auteur des *Cendres de Gramsci* ayant, tout autant que les néo-avant-gardes, mais par des moyens fort différents, remis en cause la notion même de poésie. Au dynamitage de la langue italienne que les néo-expérimentalistes (*gruppo 63, novissimi...*) pratiquèrent avant les « années de plomb » (celles du terrorisme armé), Pasolini, tout en adoptant parfois quelques-unes de leurs techniques (collages, interventionnisme politique et culturel), ne cessa de s'opposer. Mais le caractère souvent spectaculaire du personnage public que fut Pasolini a longtemps occulté l'originalité de sa tentative poétique, nœud de maintes tensions et de maints déchirements : dès son premier recueil en langue italienne, *Le Rossignol de l'Église catholique* [*L'Usignolo della Chiesa cattolica*, 1943-49], apparaît la contradiction entre une spiritualité « primitive », attachée à un état natif antérieur à tout idiome dominant, et un esthétisme marqué par les influences souterraines de D'Annunzio et de Pascoli. Contradiction ravivée par les hésitations linguistiques : en effet, les tout premiers poèmes publiés par Pasolini, qui avaient séduit le grand critique Gianfranco Contini, étaient écrits en frioulan, le dialecte maternel devenu pour le poète langue « pure », exprimant sans édulcoration la beauté violente et brute de la vie. Ce culte d'une vitalité qui plus tard se fera « désespérée » entretiendra, jusqu'à la mort de Pasolini, de rudes conflits avec les données plus idéologiques de son engagement. Dans un tel contexte, le passage du dialecte à la langue italienne représenta une « trahison » des origines, mais aussi un secret acquiescement à l'impossibilité pour l'écrivain d'exprimer une réalité, matérielle ou politique, sans s'éloigner d'elle dans un réseau de formes et de sens. Être fidèle aux journaliers du Frioul en lutte contre les grands propriétaires comme aux adolescents des « borgate » romaines, tout en devenant un important poète italien, tel est le dilemme pasolinien. Entre subversion et mélancolie, immédiateté de l'engagement et secrète aspiration à la monumentalité, s'offre en cinq recueils et quelques inédits (nombreux sont encore les poèmes à découvrir) un des parcours poétiques les plus fascinants qui soient, un des plus acrobatiques aussi.

L'enseignement à Bologne du critique d'art Roberto Longhi, puis la découverte du sous-prolétariat romain furent deux expériences capitales du jeune Pasolini, et leur juxtaposition donne bien la mesure de ses conflits. Le scandale de la paupérisation et le culte voluptueux des corps, de leur grâce atroce, élèvent, dans *Les Cendres de Gramsci* [*Le ceneri di Gramsci*, 1957], un « autre » chant, loin de l'élégance hermétique alors prépondérante et de ses recherches néo-symbolistes. Domine le sentiment d'une religiosité aussitôt critiquée par une pensée marxiste refusant toute transfiguration. Admirable situation d'échec où les figures de Piero della Francesca pourront dialoguer avec les exclus du « boom » économique, comme dans les poèmes du recueil suivant, *La Religion de mon temps* [*La religione del mio tempo*, 1961], qui évoquent la nostalgie du *poemetto*, le poème long de la tradition italienne, et se souviennent aussi des sons et cadences des poètes provençaux du Moyen Âge, tandis qu'une implacable série d'épigrammes apporte un contrepoint d'une rare violence. S'acharnant à détruire le mythe « bourgeois » de l'élection poétique, Pasolini aboutit pourtant à un nouveau lyrisme, très éloigné des expérimentations pratiquées par maints poètes italiens de ces années-là.

Dans *Poésie en forme de rose* [*Poesia in forma di rosa*, 1964], la fulgurance de l'intuition, la rage explosive des images menacent à tout moment de détruire la cohérence formelle. Une nette poussée de désespoir et d'autodestruction communique à ces poèmes une constante fièvre. Ce qui, dans *La Religion de mon temps*, donnait naissance à un rapt polémique, se retourne ici, au plus profond, contre le poète lui-même : la première section du recueil, hantée par le pouvoir des mères et l'amour fusionnel, dit cette quête éperdue de « corps sans âme » pour qui ne peut s'arracher à l'étreinte maternelle, cette ivresse des banlieues romaines vécue par un poète coupable. Tout le recueil vibre de l'affrontement entre intellect et sensualité. Mais *Poésie en forme de rose* est d'abord le livre de la désillusion et de l'erreur, de l'impossibilité d'échapper aux pièges et aux impasses de la pensée politique, le livre de l'automutilation : « Je regarde avec un œil sage / comme une image les préposés au lynchage. / J'observe mon propre massacre avec le tranquille / courage du savant. »

Dans sa recherche constante d'une réalité

que la poésie puisse rejoindre, qu'elle puisse « être », Pasolini ne découvre que le chaos : celui de la fragmentation irrémédiable du monde moderne, du désarroi croissant qu'exprime la multiplicité des techniques et des discours, celui surtout d'un acte initial meurtrier. La confusion idéologique qui le gagne lui fait soudain percevoir avec acuité combien le monde contemporain fut responsable de la mort des « borgate » et de leur impossible culture primitive, de la mort de tout microcosme où les corps soient encore langage et la matière un système de signes. Ce sont les poèmes de *Transhumaniser et Organiser* [*Trasumanar e organizzar*, 1971], au titre gramscien, qui diront en longues laisses haletantes, en collages incertains parcourus de fulgurantes intuitions, ce désastre à l'horizon de toute pensée. Maria Callas, à laquelle Pasolini adresse quelques-uns des plus beaux poèmes de ce recueil sinistré, y devient l'improbable prêtresse d'un rituel mort : « À la place de l'Autre / il y a pour moi un vide dans l'univers / un vide dans l'univers / et de là tu chantes. » La désagrégation de l'ultime saison pasolinienne semble dessiner la figure énigmatique de ce « nouveau type de bouffon » qu'il aura peut-être été. – Trad. (partielle) Gallimard, 1990. B. Si.

POÉSIES ALLEMANDES [*Deutsche Poemata*]. Recueil de vers du poète allemand Paul Fleming (1609-1640), publié en 1642 par les soins d'Adam Olearius (vers 1599-1671), célèbre voyageur et orientaliste danois, ami de l'auteur avec lequel il se rendit en Perse en 1635-1637. Fleming est un élève d'Opitz, mais il lui est supérieur ; tout en observant strictement les règles du « législateur de la poésie allemande », ses vers ont une plus grande simplicité et une plus grande légèreté d'expression. Ils ont aussi une plus grande musicalité, et cela tient peut-être à ce qu'il avait fréquenté la « Thomasschule », célèbre maîtrise de Leipzig où plus tard enseigna Jean-Sébastien Bach. Un grand nombre de ces poèmes sont dédiés à ses amis disséminés de par le monde qu'il parcourut comme attaché d'ambassade en Russie et en Perse, entre 1633 et 1635. À Riga, il connut le duc d'Holstein et s'éprit d'Elsa Niehausen, amour malheureux qui lui inspira ses plus beaux vers. Ils sont dédiés à « Salvie » ou « Basile », et sont presque toujours des acrostiches sur le nom de l'aimée. Une des plus connues est celle qui est adressée au « Cœur fidèle », « trésor inestimable » qui console de toutes les peines ; à la fin de chacune de ses strophes la ritournelle très connue reprend : « Car je connais un cœur fidèle. » Parmi d'autres poèmes qui ne sont pas personnels, mais religieux ou patriotiques, il faut noter les sonnets « Contre ceux qui ne sont allemands que de nom », « À notre mère l'Allemagne » et l'émouvant « Éloigne-toi de moi, je ne suis qu'un grand pécheur ». La gloire d'Opitz était encore trop grande pour qu'un de ses disciples puisse l'éclipser. Ce n'est que dix ans après sa mort qu'on reconnut le mérite de Fleming, et ses vers, ses psaumes surtout, devinrent très populaires. Ces derniers sont encore chantés aujourd'hui dans les églises évangéliques. Le plus connu est « À la manière du Psaume VI », exaltation de la Providence. Fleming mourut à trente et un ans et composa lui-même son épithaphe : « Pourquoi m'inquiéter de mon dernier soupir ? Rien en moi ne compte, excepté ma propre vie. »

POÉSIES ARABO-ANDALOUSES. Sous cette dénomination, on désigne l'ensemble des poèmes composés en langue arabe dans l'Espagne musulmane au cours des huit siècles que dura la domination de l'Islam sur la péninsule Ibérique. On la désigne également sous le nom de « poésie arabe occidentale », car son prestige s'étendait à l'Afrique du Nord et à la Sicile. Elle revêt deux aspects principaux : la poésie de type classique ; la poésie des « zagial » et des « muwàshshahât ».

Poésie de type classique. Cette poésie, influencée par l'Orient islamique, se conforme strictement aux règles de la prosodie arabe des temps pré-islamiques, et son évolution reflète à peu près celle de l'esthétique orientale. Au moment où la poésie arabe d'Orient commença à exercer son influence sur celle de l'Espagne, elle était en pleine ferveur « néo-classique » (Abū Tammām, Al-Būhturī, Al-Ma'arri, Al-Mutanabbī). Les grands classiques pré-islamiques et ceux de l'époque Ommeyade étaient étudiés cependant avec ardeur dans les écoles, et c'est à « al-Andalus » (Andalousie) que l'on doit les meilleures éditions classiques de toute la littérature arabe. Cette question de l'influence réciproque des poésies arabo-andalouse et orientale est, aujourd'hui encore, âprement discutée. Alors que H. Pérès voit dans la poésie arabo-andalouse les réactions d'une sensibilité purement hispanique, un Lévi-Provençal la considère au contraire comme l'apprentissage philologique d'un peuple aussi peu familiarisé avec l'arabe classique que le furent les Latins de la décadence avec les grandes poètes romains. Sans doute, la vérité réside-t-elle entre ces deux extrêmes, mais on n'en aura pas la confirmation avant que soient menées à bonne fin les méthodiques études comparatives, aujourd'hui à peine ébauchées. Les poètes arabo-andalous sont extrêmement nombreux, et cela s'explique par la prédominance absolue, à cette époque, de la poésie arabe sur les autres genres. Presque tous les musulmans espagnols cultivés écrivaient en vers, et le culte de la poésie s'étendait à peu près à toutes les classes sociales. Durant la période des deux émirats (de 711 à 929), non seulement les gens du peuple – qu'ils fussent fidèles ou frondeurs –, mais à plus forte raison les princes de la dynastie Ommeyade, leurs magnats et leurs généraux cultivaient la poésie, sans compter tous les rimailleurs aux gages du pouvoir ou des factions. Qui sait si la découverte de nouveaux manuscrits ne fera pas surgir quelque figure comparable à celle de Ghazàl (mort en 964) qui fut ambassadeur à Byzance. Sous le califat ommeyade de Cordoue (xe siècle), cependant, les mieux doués parmi les poètes ne sont pas des talents de premier ordre. Ibn Abd-Rabbīh (mort en 940) est plus connu comme érudit ; Ibn Hānī (mort en 972) abandonna l'Espagne pour les cours nord-africaines ; Ibn Farag de Jaén, auteur de la première grande anthologie andalouse, est dépourvu de génie. Avec Almanzor, la poésie brille d'un nouvel éclat, notamment avec Al-Ramadi, écrivain d'une grande spontanéité. C'est aussi l'époque où vécurent Abu'Amir Ibn Shuhayd (992-1034) et Ibn Hazm (994-1064), le grand philosophe, auteur d'un célèbre traité sur l'amour *(Le Passage de la colombe).* Le xɪ^e siècle est le siècle d'or de la poésie lyrique arabo-andalouse : les princes — particulièrement les Abbādites de Séville — se disputent les poètes, et ceux-ci sont les arbitres de la vie nationale. Ces poètes sont — outre le « roi » de Séville al-Mu'Tadid et surtout son fils al-Mu'Tamid (1068-1091) — Ibn Zaydūn de Cordoue (1003-1070), auteur de la *Qasida en num,* le plus admirable poème d'amour arabo-espagnol ; Ibn'Ammâr de Silves (mort en 1084), grand aventurier ; Ibn al-Labbānah, Ibn al-Haddād, etc. L'avènement des Almoravides, d'abord incultes et dominés par les Alfaqī, interrompt cette splendide floraison : les grands poètes dédaignés (Ibn Bassām et Ibn Hāqān) se tournent vers l'Orient et exhalent leur nostalgie du passé. En province, néanmoins (surtout à Valence), la poésie connaît encore de beaux jours avec Ibn Hafājah, l'Aveugle de Tudela et Ibn Baqì. Sous le règne des Almohades (1146-1269) — époque de splendeur pour les sciences, la mystique et la philosophie —, la poésie, peu originale il est vrai, reprend ses droits (nommons, par exemple, le juif Ibn Sahl, de Séville). La migration se poursuit, néanmoins, qui entraîne — l'un à Tunis, l'autre en Orient — ces deux maîtres de la culture arabo-andalouse ; Ibn al-Abbār et Ibn Said. Mais déjà la décadence s'annonce : notamment chez Ibn al-Hatīb (1313-1374) et son disciple Ibn Zamrak (1333-1393), poète archaïsant du royaume de Grenade, dont les poésies décorent les murs de l'Alhambra. La poésie lyrique arabo-andalouse s'est exercée dans tous les genres : peu profonde quant aux idées, mais d'une rare perfection de forme, dont la rigueur, parfois, tombe dans le conventionnel. Elle abonde en toutes sortes de poèmes : poèmes d'amour — tantôt platoniques (« udhri »), tantôt d'une sensualité ardente —, poèmes bachiques, descriptions, parfois très originales, de la nature et de la vie courante, pièces de circonstance (dithyrambes ou satires), épigrammes et élégies, traités politiques, relatifs à la guerre, ou mystiques, tel le poème du grand Ibn Árabi de Murcie. Mais, comme tout l'art arabe, cette poésie aboutit souvent à une stylisation excessive. Quant au poème épique, il est inexistant.

Zagial et muwàshshahāt. Outre la poésie de type classique, conforme au modèle de la « qasida » orientale monorimée, il existe dans l'Espagne musulmane une poésie à strophes ayant pour caractéristique essentielle un refrain, et appelée « muwàshshahāt » (de « wishàh », ceinture de deux rangs de perles et rubis) si elle est écrite en arabe littéraire et selon les règles de la poésie classique ; ou « zagial » (cantilène ; en espagnol : « zéjel ») si elle est écrite en arabe vulgaire. Il semble bien que dans ce refrain, dont les « muwàshshahāt » juifs espagnols anciens, imités des arabes, conservent quelque vestige, on avait coutume d'inclure des phrases entières dans le dialecte roman espagnol que nous appelons « mozárabe ». À ce propos, quelques orientalistes ont cru trouver l'origine de la poésie en strophes arabo-andalouse dans certaines innovations métriques apportées à la prosodie classique par des poètes orientaux comme Abū Nuwās — v. *Diwan* (*) d'Abu Nuwās. Ribera, quant à lui, en tenait pour une origine romane antérieure à la venue des musulmans. Quoi qu'il en soit, c'est par erreur que l'on fait remonter cette forme de poésie à Mohamed ibn Mahmūd, le poète aveugle de Cabra, ou à Muqaddam ibn Muafa, lui aussi originaire de cette ville (ces deux personnages n'en forment d'ailleurs peut-être qu'un seul). Ce nouveau genre était méprisé par les premiers anthologistes, qui le jugeaient trop populaire, mais de nombreux poètes l'avaient adopté. La liste n'a pas encore été dressée de tous les fragments parvenus jusqu'à nous des anciens « muwàshshahāt ». On peut affirmer cependant qu'il en subsiste un petit nombre datant du xɪ^e siècle et qui connurent leur apogée sous les Almoravides, avec Ibn Quzmān, Ibn al-Hatīb et Ibn Zamrak. Extrêmement populaire dans les pays d'Orient, la poésie en strophes arabo-andalouse fut adoptée par toutes les littératures romanes. La langue castillane regorgea très vite de « zagial » pleins de vie, beaucoup plus originaux que les « muwàshshahāt », qui s'apparentent au type classique. Une place à part doit être faite au génial Ibn Quzmān, de Cordoue (mort en 1160), dont les inimitables « zagial », d'inspiration gaillarde et pleins d'humour, fourmillent d'historiettes savoureuses où fleurit le coq-à-l'âne. Aussi son *Diwan,* dont il n'a été conservé qu'une copie orientale, est une des œuvres les plus difficiles de toute la poésie du Moyen Âge. La poésie des « zagial » et des « muwashshahāt » — en elle-même déjà si importante — a, en outre, donné naissance à la thèse dite « thèse arabe », selon laquelle la poésie arabo-espagnole a exercé une influence directe sur la formation de l'école lyrique des troubadours provençaux. C'est ainsi que Julián Ribera a soutenu, dans un discours fameux, que l'on trouve dans la poésie lyrique andalouse la « clef mystérieuse » qui nous donne le secret de toutes les formes poétiques qu'a revêtues le lyrisme au Moyen Âge. Cette opinion, Ribera devait la porter jusqu'à ses dernières conséquences en ce qui concerne, par exemple, la musique médiévale. Plus tard, il s'est même demandé s'il ne convenait pas de voir dans l'amour platonique arabe un précédent de l'amour courtois et du « dolce stil nuovo » italien. Cette polémique a fait couler beaucoup d'encre dans le monde savant, et, si la thèse arabe ne rallie pas tous les suffrages, du moins a-t-elle de chauds partisans parmi les romanistes spécialisés.

POÉSIES BRÈVES de Bridges [*Shorter Poems*]. Recueil de vers du poète anglais Robert Bridges (1844-1930), publié en 1894, et considéré comme le meilleur de son œuvre. Traditionaliste, nourri de culture classique, épris des poètes grecs dont il s'efforça d'imiter la métrique, Bridges parvient dans ce recueil, et en particulier dans l'« Ode à la Paix » [Ode on Peace], à donner à la strophe alcaïque une forme quasi parfaite. Aussi, a-t-on pu le considérer comme un poète alexandrin. Sa pensée est résumée en quelque sorte dans les deux strophes de « Toutes les choses belles » [All Beauteous Things] : « Amant de toutes choses belles, je les cherche et les adore ; Dieu ne peut recevoir plus haute louange, et l'homme, en ses jours fugitifs, s'en trouve honoré. – Moi aussi, je veux créer et retirer joie de mon œuvre, même si demain elle n'était considérée que comme les mots vides d'un songe, surnageant au réveil. » En effet, la plupart de ses poèmes chantent la beauté et les plaisirs de la vie. Et si parfois le ton se voile de tristesse (« Pour la mort d'un enfant » [On a Dead Child]), il n'en demeure pas moins empreint de sérénité. Certains poèmes (« J'ai aimé les fleurs qui se fanent... » [I have loved flowers that fade]) pourraient être attribués à quelque anonyme compositeur de chansons de l'époque élisabéthaine. On a reproché à Bridges un excès de mesure, un détachement trop facile, mais nul n'a mis en doute la réelle sensibilité poétique de son tempérament, caractère qui explique et justifie le plus souvent le raffinement de son œuvre.

POÉSIE SCALDIQUE. Ainsi appelle-t-on la poésie que pratiquèrent les anciens Scandinaves, à partir du VIIIe siècle, semble-t-il. Le scalde était le poète « de cour » (entendons qu'il faisait partie de la « mesnie », la maison, la suite) d'un chef ou d'un roi qui le payait pour qu'il chantât ses hauts faits et fût, en quelque sorte, son historiographe. Cette poésie, conventionnelle donc, demeure à ce jour la plus sophistiquée, la plus élaborée qu'ait jamais connue l'Occident tant avant que depuis. Elle suffit, à elle seule, à rendre dérisoires les accusations de barbarie portées contre le Nord ancien (« viking » !). Elle ne laisse pas de poser de nombreux problèmes à la recherche.

D'abord à propos de ses origines, qui sont mal connues. Diverses théories se sont affrontées à ce sujet, qui paraissent pourtant plus ou moins abandonnées maintenant : tout donne à croire que les anciens Germains pratiquaient une poésie, inconnue de nous depuis fort longtemps, et que le « long vers » germanique utilisé dans des textes allemands continentaux ou anglo-saxons et fondé avant tout sur l'allitération et l'accentuation, ait été le lointain ancêtre des réalisations scaldiques. On a voulu faire appel à des influences irlandaises, ou latines (les hymnes métriques), on a voulu aussi établir des manières d'équivalences entre le travail extrêmement fouillé du bois et du métal dont étaient capables les vikings et la façon dont est ciselée la langue noroise dans ces poèmes. Il est raisonnable de dire qu'il en est allé, de cette poésie, comme, précisément, des grandes réalisations artisanales ou artistiques du Nord : à partir du long vers germanique ancien et en raffinant sans cesse sur la forme, on a pu aboutir au « dròttkvaett » scaldique.

Par chance, nous sommes assez bien renseignés et sur l'évolution de ce genre, à partir d'un certain moment, et sur ses caractéristiques. Le Nord s'est doté, assez tôt sans doute, d'une poésie dite eddique du nom de l'*Edda poétique* – voir *Edda* (*) – qui, pour être beaucoup plus simple que la scaldique, en présente déjà les principaux traits : il n'y a pas de différence de nature entre poésies eddique et scaldique, seulement un degré d'élaboration beaucoup plus poussé dans cette dernière. Et si nous sommes si bien renseignés sur son compte, c'est grâce à l'*Edda* dite *en prose* de Snorri Sturluson (1178-1241). Ce grand chef islandais rédige vers 1220 un manuel, une Poétique destinée à inculquer aux jeunes scaldes les rudiments de leur art. Comme celui-ci ne se conçoit pas sans la sollicitation incessante et donc une parfaite connaissance de la mythologie ancienne, Snorri fait une présentation en forme de la religion de ses lointains ancêtres *(Gylfaginning),* après quoi il justifie les deux principales figures de style que doit utiliser la poésie scaldique, les *heiti* (synonymes) et les *kenningar* (métaphores), ceci dans les *Skàldskaparmàl ;* enfin, il recense, en donnant un exemple chaque fois, la bonne centaine de mètres qui s'offrent à la virtuosité des scaldes, dans le *Hàttatal.* Ouvrage inestimable sans lequel nous manquerions des indispensables assises pour pénétrer les secrets d'un art abscons de nature, et qui, de plus, nous donne des échantillons d'un bon nombre de grands poèmes scaldiques. Avant d'étudier la versification elle-même, disons que le scalde peut composer une simple strophe ou *visa,* (puisque cette poésie, autre originalité, est de type strophique) souvent de circonstance, mais qu'en général, il a le choix entre divers types de poèmes : la *dràpa,* qui comporte un ou des refrains et qui est laudative ou héroïque, le *flokkr,* moins noble, qui n'a pas de refrain, le *tal* qui est une énumération, de type généalogique en général, etc. Quant au but visé, il varie, bien entendu : s'il est purement laudatif, le poème est dit chant de louanges, *lofkvaeđi,* mais il peut aussi bien, selon une vénérable tradition indo-européenne, décrire de beaux objets (boucliers par exemple comme fait le plus ancien scalde connu, le Norvégien Bragi Boddason dans sa *Ragnarsdràpa,* IXe siècle), et même, chose exceptionnelle dans une littérature qui s'interdit de parler à la première personne et de faire part de ses états d'âme, exprimer les sentiments du poète, lequel, nouvelle originalité, n'est pas anonyme. Aussi existe-t-il un genre de poèmes amoureux (où s'illustre un scalde islandais du Xe siècle, Kormàkr Ögmundarson). À l'inverse, la magie dicte la catégorie des *nìđvisur* dont un parfait exemple est donné par le scalde Egill fils de Grimr le chauve, au chapitre 56 de la saga qui porte son nom. Restent les innombrables *lausavisur* ou strophes de circonstance qui émaillent la plupart des sagas et peuvent viser tous les buts possibles.

Mais, nous l'avons déjà dit, l'intérêt majeur de cette poésie tient à ses caractères techniques qui en font une merveille de complexité. Nous étudierons rapidement ici le dròttkvaett qui est le mètre principal dans lequel s'expriment les scaldes, quoiqu'il admette d'innombrables variantes. Il doit obéir à des règles : de métrique, de vocabulaire et de syntaxe. Une strophe en dròttkvaett doit comporter huit lignes elles-mêmes organisées en deux temps égaux de quatre lignes chacun, chaque « moitié » (helmingr) ainsi obtenue répétant plus ou moins l'autre, avec variations, mais à condition de constituer une unité syntaxique et de sens. Les lignes (plutôt que les « vers ») sont normalement de six syllabes chacune, supportant trois accents qui portent obligatoirement sur des syllabes longues, compte tenu du fait qu'une syllabe longue peut être remplacée par une courte accentuée suivie d'une longue, ou par deux brèves, ou par une brève suivie d'une longue non accentuée, auquel cas le nombre des syllabes peut augmenter. Règle intangible : l'avant-dernière syllabe de chaque ligne doit être longue et accentuée. Principe fondamental : deux lignes (appelées globalement un *visuorđ* ou un « long vers ») sont liées par une allitération consonantique ou vocalique (toutes les voyelles allitèrent indifféremment entre elles) à trois temps, dont la « clef » est fournie par la première syllabe accentuée de la seconde ligne : « mörg là dyr i dreyra / dròtt sem Àleifr potti ». En outre, dans chaque ligne, figure une « rime intérieure » [innrim] c'est-à-dire, en vérité, un retour de graphie (une voyelle, quelle qu'elle soit, suivie d'une ou plusieurs consonnes identiques) : dans l'exemple donné plus haut, *yr - eyr* et *ott - ott.* Bien entendu, toutes sortes de variantes sont possibles sur chacun des points qui viennent d'être envisagés. Ainsi, de vraies rimes finales, à la française, peuvent également se rencontrer.

En second lieu intervient le vocabulaire. La règle est de ne jamais nommer êtres et choses par leur nom, peut-être en vertu d'origines religieuses de cette poésie et donc de tabous verbaux. Il faut donc substituer au mot un *heiti* (appellation) qui est une sorte de synonyme, comme de dire *hlif* (protection) pour bouclier, ou une *kenning* (connaissance), une sorte de métaphore ou de périphrase à deux termes (au minimum) liés par un rapport de dépendance : la bouche sera la demeure des disputes, le dieu Þòrr, le géant de la viande des boucs (parce qu'il a tué ses boucs pour les manger), etc., selon un schéma : le x... de la n... de la z... du y, etc. On devine que, de la sorte, on peut obtenir de surprenants effets qui sont souvent d'une grande beauté poétique.

Reste que, le vieux norois étant une langue fortement infléchie (déclinaisons et conjugaisons), l'ordre des mots est tout à fait libre, les termes d'une proposition pouvant se répartir selon le besoin tout au long des huit lignes d'une strophe en dròttkvaett. De la sorte, tout l'effort du lecteur ou auditeur revient à essayer de restituer cet ordre normal ainsi bouleversé, puis à déchiffrer les figures de vocabulaire, pour aboutir au sens. On aura noté que la plupart des procédés évoqués sont en définitive de nature musicale, ce qui fait que la déclamation de ces poèmes était peut-être de nature chantée ou hurlée, et que quelques moyens que nous avons perdus aidaient l'auditeur à interpréter l'énoncé.

Sans aller, comme Snorri Sturluson, jusqu'à attacher aux poèmes scaldiques une valeur historique certaine, il est clair qu'ils peuvent souvent avoir une qualité de témoins qui les rend précieux pour l'historien. Notons aussi, pour finir, que nous avons conservé les noms de bon nombre de grands scaldes, presque tous Islandais puisque l'Islande semble s'être fait une spécialité de ce genre à partir du Xe siècle. Soit, après les Norvégiens Φjòđòlfr des Hvinir et Eyvindr Skàldaspillir, les Islandais Einarr Helgason skàlaglamm, Ùlfr Uggason, Hallfređr Ottarsson vanđraedaskàld, Sigvatr Φòrđarson et surtout, le plus grand sans doute, Egill Skallagrimsson dont, en particulier, *Irréparable perte des fils* [*Sonatorrek*], où il déplore la mort de ses deux fils bien-aimés, compte parmi les grands chefs-d'œuvre poétiques du Moyen Âge. — Trad. Gallimard, 1964.

R. Bo.

POÉSIES COMPLÈTES de Betjeman [*Collected Poems*]. Sept recueils ont été publiés par le poète anglais John Betjeman (1906-1984) : le premier en 1931, le dernier en 1960 (une autobiographie intitulée *À l'appel des cloches d'Oxford* [*Summoned by Bells*]). Ces sept recueils ont fait l'objet d'un choix établi en 1948 (les *Selected Poems*, révisés dix ans plus tard), qui lui-même aboutit aux *Poésies* *complètes* (1958, avec une réédition augmentée en 1962). Betjeman est probablement le poète anglais le plus populaire des années soixante en Angleterre même. Dans une certaine mesure, cette popularité doit être attribuée à ses causeries de télévision, et aussi à la divertissante qualité de son autobiographie – sortes d'évocations en roue libre.

Betjeman est un Anglais conforme à l'illustre cliché tautologique relevé par Gustave Flaubert : « anglais : très anglais ». À l'intérieur de cette convention, déjà pour tant de gens déroutante, le poète est très particulier : anglican dévot avec un faible pour les joueuses de tennis, historien de l'architecture et amoureux de topographies, pasticheur des classiques et barde local. Son audience va de la plus populaire à la plus ésotérique. Un de ses exégètes a pu comparer son œuvre aux ballades de Kipling, aux inventions verbales du charmant pitre du « non-sens » Edward Lear, enfin à l'intimité saugrenue éprouvée par Huysmans devant des lieux du folklore parisien aujourd'hui englouti. Un poète considérable tel que Auden fait place à Betjeman dans son panthéon privé. Tout cela est bien troublant mais, en attendant que la postérité porte jugement sur ce qui, considéré dans la masse, semble être une dominante de pièces d'occasion, en attendant la vie passe dans ces poèmes, la vie qui est en effet un peu partout mais qui se singularise ici dans des noms de lieux.

Peut-être ne serait-on pas loin d'une description juste si l'on pouvait imaginer un Jacques Prévert conservateur (on ne le peut pas). Ce qui fait Betjeman conservateur n'est pas tant une adhésion politique, mais une haine du monde moderne dans sa manifestation visible : supermarchés, objets en plastique, cantines d'entreprise, etc. L'autre volet de ce qui est par essence conception sentimentale est une nostalgie déférente ou amusée envers un passé largement imaginaire. On devine aussi une ambivalence des sentiments. Il n'y a pas d'ailleurs de ligne frontière idéale et strictement tracée entre ce qu'il aime et ce qu'il n'aime pas. Et comment aimons-nous ce que nous aimons ? C'est là une question que nous fait cet esprit taquin.

Dans la variété de ses styles, Betjeman est vivace, dispersé, spontané, versatile, idiosyncratique, bavard. Sa force est de précipiter et mêler, inextricables, le lyrisme et l'humour dans une seule poésie.

POÉSIES COMPLÈTES de Frost [*Complete Poems*]. Recueil de l'œuvre poétique du poète américain Robert Lee Frost (1874-1963), publié en 1949, plusieurs fois réimprimé et mis à jour, l'édition de 1963 étant pratiquement définitive. Les dix recueils suivants sont ici réunis : *Testament d'un garçon* [*A Boy's Will*, 1re éd. 1913, en Angleterre, 2e éd. 1915 aux U.S.A.], *Au nord de Boston* [*North of Boston*, 1914] ; *Vallée dans la montagne* [*Mountain Interval*, 1916], *New Hampshire* [*New Hampshire*, 1923] ; *Le Ruisseau de l'Ouest* [*West-running Brook*, 1928] ; *Un pas de plus* [*A Further Range*, 1936] ; *Arbre des ancêtres* [*A Witness Tree*, 1942] ; *Un masque de raison* [*A Masque of Reason*, 1945] ; *Une herbe nommée spirée* [*Steeple Bush*, 1947] ; *Un masque de pitié* [*A Masque of Mercy*, 1947]. À parcourir ainsi l'œuvre complète de celui qui fut pendant quelque trente ans une sorte de poète officiel de son pays, universellement reconnu (au point que les critiques, pourtant modérées, de Malcom Cowley et de Leonard Trilling firent scandale), enseigné de son vivant dans les écoles, on retire l'impression que dès son cinquième volume de vers, en 1928, Frost avait dit tout ce qu'il avait à dire. Dans les poèmes publiés en volume de 1936 à 1947 – mais dont beaucoup sont plus anciens, et remontent aux années de la grande Dépression –, le poète semble vouloir s'efforcer de penser, de dire son mot sur les grandes questions politiques, philosophiques, voire religieuses (en particulier dans les deux pièces de théâtre en vers publiées en 1942 et 1947), et il le fait avec une gaucherie manifeste et appliquée. En revanche, l'horizon du Frost qui conquit la célébrité dès son second volume, après avoir commencé sa carrière politique à près de quarante ans, était infiniment plus limité, mais dans ces limites, le ton était à la fois original et plus profondément sincère. L'expérience qu'avait derrière lui ce poète né tardivement était celle d'un paysan malgré lui. Ce qui l'avait obligé à accepter de devenir exploitant agricole dans une ferme du New Hampshire, c'était en effet l'échec complet de ses tentatives universitaires. De la sorte, de 1899, date de la « sortie » d'Harvard où il n'avait obtenu aucun diplôme, à 1912, date du départ pour l'Angleterre, où il devait résider pendant trois ans, Frost dut vivre à la campagne, et en campagnard. Ces douze années furent décisives : images, thèmes, climat poétique, la poésie de Frost, quand elle est bonne, doit tous ses éléments à cette période de la vie du poète. On comprend, dès lors, que si ses premières œuvres ont été d'emblée applaudies pour leur « américanisme », c'est d'un « américanisme » singulièrement restreint qu'il s'agit ici. Rien de commun avec l'« américanisme » profondément conscient et profondément national d'un Walt Whitman. L'Amérique de Frost est celle des petits paysans – variété humaine en voie d'extinction – de la Nouvelle-Angleterre, travaillant un sol souvent avare sous un climat dur, vivant sous l'emprise d'une éducation et d'une culture puritaines. De ce cadre étroit, la poésie de Frost, réaliste en son fond dès le premier recueil en dépit d'un romantisme vague et passablement banal (« Ma peine, quand elle est avec moi / croit que ces jours assombris de pluies automnales / sont aussi beaux qu'aucun jour puisse être »), va donner à voir une série d'images, parfois fugitives, brèves comme si elles tendaient au haï-kaï, va donner à entendre les conversations familières, restituer les scènes habituelles. À défaut d'une philosophie, terme que certains critiques américains ont pourtant employé ici, mais qui sonne faux dès qu'on veut l'appliquer à Frost, ces images et esquisses de la vie paysanne débouchent souvent sur les préceptes élémentaires d'une manière d'art de vivre dans ces conditions-là. Aussi bien, plusieurs de ces poèmes pourraient être qualifiés de fables. (« La Route que l'on n'a pas prise » ou « La Nuit d'hiver d'un vieillard » dans *Vallée dans la montagne,* par exemple). Même si nulle moralité n'est exprimée, le rythme lent, voire pesant, des poèmes-images, les paroles des poèmes-conversations ou récits suggèrent cette éthique de résignation, de labeur et de joies tranquilles et simples cueillies dans la contemplation d'une certaine nature, d'une nuit d'hiver, d'un « bout de neige » dans le poème qui porte ce titre par exemple. C'est là que l'inspiration de Frost trouve ses meilleurs accents. Ou bien dans l'idylle campagnarde relativement longue (« Érable » – c'est l'étrange prénom donné à une fille pour quelque mystérieuse raison – et « Le Manche de hache », « La Sorcière de Coos » dans *New Hampshire,* « Une domestique aux domestiques », « La Mort du journalier » dans *Au nord de Boston* pour ne citer que quelques titres), ou bien dans le court poème. C'est à cette dernière catégorie qu'appartiennent quelques-uns des poèmes les plus célèbres de Frost, ceux qui sont déjà devenus, à leur manière, tout aussi classiques que « Mignonne, allons voir si la rose... » pour un Français. C'est par exemple le fameux « Arrêt dans les bois par un soir de neige » de *New Hampshire,* qui demeure le recueil peut-être le plus caractéristique de Frost : « Mon cheval doit juger étrange / que je m'arrête en un lieu éloigné de toute ferme / juste entre les bois et le lac gelé / par le soir le plus sombre de tout l'hiver. / Il fait sonner le grelot de son harnais / pour demander si ce n'est pas une méprise. / Les seuls autres sons que l'on entende, c'est le souffle / d'un vent léger, et le bruissement des flocons laineux. / Les bois sont attirants, sombres et profonds, / mais j'ai des engagements à tenir, / et encore des milles à parcourir avant d'aller dormir, / Des milles à parcourir avant d'aller dormir. » D'apparence souvent prosaïque, courant en somme à ras de terre, vivant et se développant à l'écart de toute recherche d'avant-garde, de toute innovation ou raffinement formels, la poésie de Frost s'est imposée surtout par son accent singulier ; ce souffle court, parfois comme retenu ou suspendu, dans les récits notamment, parfois interrompu ou brisé net, n'en a pas moins séduit des dizaines de milliers de lecteurs. Même la tonalité de tristesse sourde qui est commune aux cinq premiers recueils n'a fait qu'augmenter sa force de séduction. On est en droit de voir dans Whitman, William Carlos Williams ou Vachel Lindsay des poètes d'une tout autre envergure, et plus représentatifs de la poésie américaine dans ce qu'elle a de profondément typique, de plus original ; on ne saurait pour autant nier ou négliger le phénomène Frost, ni sa réussite. – Trad. Quelques poèmes de Frost ont été traduits par Jean Prévost dans *L'Amateur de poèmes,* Gallimard, 1940 ; d'autres dans *Robert Frost,* Seghers, 1964.

POÉSIES COMPLÈTES de Larkin [*Collected Poems*]. Recueil du poète anglais Philip Larkin (1922-1985) publié en 1988, contenant un très grand nombre d'œuvres de jeunesse restées inédites. En dépit de la qualité certaine de nombreux poèmes des deux premiers recueils : *Le Bateau qui voguait vers le nord* [*The North Ship,* 1945] et *Les Moins Trompés* [*The Less Deceived,* 1955], notamment de ce dernier, ce sont essentiellement les deux recueils suivants, *Les Mariages de la Pentecôte* [*The Whitsum Weddings,* 1964] et *Hautes fenêtres* [*High Windows,* 1974], qui ont assuré la grande réputation de Larkin en Angleterre.

La poésie des débuts de Larkin a été formée par les poètes de l'entre-deux-guerres (Yeats, Dylan Thomas, Auden) dont l'influence se fait sentir dans *Les Moins Trompés.* Avec ces « ancêtres » – leur langage et leurs thèmes – Larkin aura des rapports troubles tout au long de sa vie. Mais c'est la lecture de Thomas Hardy, dont en outre il partageait le profond pessimisme, la voix « lyrique », la mélancolie réelle, et une apparente « modestie » formelle, qui devait lui permettre de recentrer sa voix sur son expérience personnelle. Il est cependant tentant de voir en Larkin un poète qui reflète les différentes crises que subit la Grande-Bretagne entre 1945 et 1965. Ainsi, « At Grass », ce poème célèbre qui évoque d'anciens chevaux de course, parlerait à un premier niveau de la mélancolie, de l'« échec » de la vie du poète, mais pourrait également servir d'élégie à une Grande-Bretagne digne mais déclinante, se retrouvant dans les marges de l'Europe après deux siècles de pouvoir et de conquête. La force de l'œuvre de Larkin réside dans la violence des ambivalences qui la hantent. Son attachement profond à la Grande-Bretagne coexiste avec un mépris scandalisé pour l'état actuel de son pays. L'horreur devant l'étroitesse d'esprit de sa propre classe – ses valeurs et ses goûts – coexiste avec le sentiment que cette classe, par sa modestie même, est gardienne de l'honnêteté, du refus de l'extravagance, de la « civilité ». Son mépris pour la sexualité va de pair avec une fascination évidente, trouble et parfois perverse. Un réel don pour l'« épanchement spontané d'une émotion profonde » coexiste avec une méfiance profonde envers le romantisme qui est précisément à la source de la valorisation de l'expression de ces sentiments. Le travail de bibliothécaire universitaire (qui est le sien), donc de gardien du savoir et de la culture, va de pair avec la valorisation de l'« intellectuellement moyen » [middlebrow], le refus de la généralisation et de l'ambition intellectuelle (qualifiée de « prétention » qui est une constante du protestantisme britannique. La nostalgie d'un monde articulé autour de la religion coexiste avec un mépris pour l'enthousiasme religieux, et sa réticence devant l'enthousiasme avec une grande admiration pour l'exubérance des musiciens de jazz noirs de l'époque du « vieux style ».

Ces ambivalences créent peut-être la grande force des poèmes les plus réussis comme « Church Going ». Ici Larkin se met en scène comme un touriste timide et maladroit descendant de sa bicyclette (le personnage rappelle le Prufrock de T. S. Eliot) pour visiter une église, vestige d'une culture religieuse morte (« going » signifie « qui s'en va » ; « church going » « visiter les églises » et « assister à l'office »). Le poème est hanté par le goût pour les ruines et la solitude qui sont au cœur du romantisme, mais ce qui le distingue, ce qui le rend unique, c'est une ironie ricanante dont les cibles sont multiples et ambiguës et qui sert de contrepoint à l'expression (authentique) de l'émotion : « Montant au lutrin, je parcours quelques versets / grandioses et impérieux, et prononce / "Ici se termine" beaucoup plus fort que je l'aurais voulu. / Les échos ricanent brièvement. » Cet extrait met en relief la qualité essentielle de la parole de Larkin, sa volonté de restreindre le langage poétique, d'éviter les résonances historiques – l'ironie sur l'archaïsme de « ici se termine » [*Here endeth*] prononcé trop « fort » – ou la poésie de la traduction anglaise de la Bible, source de tant de « sublime » ; il souligne également la volonté de ridiculiser la position prophétique du poète romantique déclamant du haut de son lutrin, tout cela au nom d'une retenue extrême, presque puritaine. Cette dimension « négative » du langage a souvent été critiquée par les contemporains de Larkin qui le considèrent comme le simple reflet et le défenseur de tout ce qu'il y a de plus médiocre, de plus insupportable dans la tradition anglaise. Il est possible néanmoins de le lire autrement et d'insister sur le fait que, si son œuvre est hantée par la nostalgie de l'univers pré-« moderne » (le romantisme tardif), ce désir-là coexiste avec une stratégie d'ironie et même, parfois, de violence langagière qui heurterait profondément les goûts esthétiques de lecteurs qui auraient aimé un Walter De la Mare. – Trad. partielle sous le titre *Church Going*, Solin, 1991. P. Vo.

POÉSIES COMPLÈTES de D. H. Lawrence. L'écrivain anglais David Herbert Lawrence (1885-1930) réunit ses *Poésies complètes* [*Collected Poems*] en 1928. Cette édition rassemblait le contenu, revu et corrigé, de sept recueils parus précédemment : *Poèmes d'amour et autres poèmes* [*Love Poems and Others*, 1913], *Amores* (1916), *Vois ! Nous en sommes sortis !* [*Look ! We Have Come Through !* 1917], *Nouveaux poèmes* [*New Poems*, 1918], *Lauriers* [*Bay*, 1919], *Tortues* [*Tortoises*, 1921], *Oiseaux, bêtes et fleurs* [*Birds, Beasts and Flowers*, 1923]. L'édition posthume s'enrichit des poèmes parus dans quatre autres recueils : *Pensées* [*Pansies*, 1929], *Orties* [*Nettles*, 1930], *Derniers poèmes* [*Last Poems*, posth. 1932] et *Le Vaisseau de la mort et autres poèmes* [*The Ship of Death and Other Poems*, posth., 1933]. Lawrence avait réparti ses poèmes en « rimés » et « non rimés », distinction assez fallacieuse puisque les deux se trouvent partout mêlés dans les cinq premiers recueils. Dès l'âge de vingt ans, Lawrence avait tenté d'écrire des poèmes de forme traditionnelle mais, comme il l'explique dans sa Préface aux *Poèmes complets*, il fallait que puisse s'exprimer sans contrainte son « démon » et c'est dans le vers libre, sous l'influence de Whitman et des poètes « imagistes », qu'il allait se révéler. Dans cette poésie moderne, fluide, rythmée par des répétitions, la dynamique de l'image conditionne la structure. Des configurations mouvantes de métaphores tentent de saisir dans ce qu'elles ont de vivant la force d'une émotion, le cheminement aventureux d'une pensée ou l'intensité d'une vision. L'écrivain préfère la sincérité à la perfection prosodique, le mélange à la pureté du style. Il passe constamment d'une langue recherchée à un registre familier, du lyrisme à l'ironie, de la vision à la diatribe. L'écriture poétique de Lawrence doit sa vigueur et sa modernité à ce côté expérimental et non poli.

Ses premières œuvres, fort inégales, parfois mièvres, sont très autobiographiques et lyriques. Il s'y inspire beaucoup de poètes fin de siècle dont Swinburne, et un peu des « imagistes » auxquels il fut associé dans les années 1912-13. Néanmoins, il y a là quelques remarquables poèmes en dialecte qui rappellent ceux de Hardy. Avec *Vois ! Nous en sommes sortis !* poèmes de la passion et des vicissitudes de la vie conjugale, l'écriture commence à s'émanciper. L'originalité de Lawrence éclate dans son insolite bestiaire *Oiseaux, bêtes et fleurs*, où il dépasse la problématique des relations personnelles pour situer cet animal sexué qu'est l'homme dans son contexte cosmique. Il nous fait entrer au cœur du monde non humain que constituent la faune et la flore terrestres, dont il saisit le moindre tressaillement, réflexe ou parfum. Rechercher les racines de l'être pousse le poète à retourner aux racines de la culture, aux grands archétypes et aux grands mythes. Cette tendance s'accentue dans les superbes poèmes de la fin tout préoccupés d'une mort-renaissance, comme « Le Vaisseau de la mort » ou « Phénix ». L'absence de fini d'un certain nombre de ses œuvres ne peut faire oublier que nul mieux que Lawrence n'a su célébrer la poésie du monde obscur de nos origines, de la vie organique, des éléments et le destin tragique des êtres sexués en quête d'une problématique unité. — Trad. Aubier, 1976 ; La Différence, 1989. G. Roy.

POÉSIES COMPLÈTES de Salinas [*Poesías completas*]. Recueil complet et posthume, publié en 1955, de l'œuvre poétique du poète, auteur dramatique, romancier et critique espagnol Pedro Salinas (1892-1951), figure marquante du groupe post-moderniste. Ces poèmes, d'une grande concentration intime et d'une extrême rigueur quant à l'expression, font la part égale à l'amour et au spiritualisme le plus épuré. Partagé entre le monde extérieur et le monde transcendant, Salinas, s'il répond à l'appel de la matière (« No hay poeta entero si le falta el don de la sensualidad »), n'en poursuit pas moins une quête anxieuse de l'absolu qui forme le thème central de son œuvre, avec une curiosité marquée pour les zones de mystère et d'ombre. (Ainsi ces vers de « Eau dans la nuit » [Agua en la noche] où l'aimée répond à l'amant : « Point ne te dirai : / je suis sur tes lèvres, / baiser te donne, / mais non pas clartés ».) *Présages* [*Presagios*, 1923], son premier recueil, préfacé par Juan Ramón Jiménez, fut suivi de *Vêpres de la joie* [*Víspera del gozo*, 1926], poèmes lyriques et narratifs en prose : *Sûr hasard* [*Seguro azar*, 1929] ; *Fable et Signe* [*Fábula y signo*] ; *La Voix qui t'est due* [*La voz a ti debida*, 1933], grand poème de l'angoisse humaine ; *Amour en l'air* [*Amor en vilo*, 1933] ; *Raison d'aimer* [*Rázon de amor*, 1936], remaniement de *Amour en l'air*, publié quelques mois avant la participation du poète à la guerre civile espagnole dans les rangs républicains. À la même époque, Salinas publia des éditions particulièrement soignées de saint Jean de la Croix et Louis de Grenade. Aux États-Unis, Salinas, qui ne devait jamais revoir l'Espagne, publia : *Le Contemplé* [*El Contemplado*, 1946], inspiré par le petit homme hispanique perdu dans la mer Caraïbe, et le dernier poème de ce recueil (« ... Una mirada queda, si pasamos / ¡ Que ella, la fidelísima, contemple, / tu perdurar, oh Contemplado eterno ! ») est comme la préfiguration de la mort de l'auteur, qui repose, face à la mer, dans l'île de Porto Rico ; *Poésie mêlée* [*Poesia junta*, 1942], réédition des recueils parus jusqu'en 1936, et *Tout devient plus clair et Autres poèmes* [*Todo más claro y otros poemas*, 1949], inspiré par l'angoisse et la douleur, le dernier ouvrage de vers qui ait vu le jour du vivant de Salinas. On lui doit également *Confianza* (poèmes posthumes). — Trad. *La Voix qui t'est due*, par B. Sesé, Le Calligraphe, 1982.

POÉSIES COMPLÈTES de Soupault. Le poète français Philippe Soupault (1897-1990) a réuni sous ce titre général, en 1937, ses poésies écrites entre 1917 et 1937. Dans *L'Histoire d'un Blanc,* Philippe Soupault raconte comment, en 1917, sur un lit d'hôpital, il découvrit la poésie : « Je ne sais pourquoi une phrase tourna dans ma tête. Elle faisait un bruit d'insecte. Elle insistait. Quelle sale mouche ! Cela dura deux jours. Je pris un crayon et je l'écrivis. Alors quelque chose que je ne reconnus pas éclata. » La grande aventure était commencée. Par Apollinaire il connut Breton, puis Aragon, Tzara, Éluard, etc. ; par leur action dadaïste d'abord, surréaliste ensuite, ces hommes devaient remettre en cause tous les moyens d'expression. Leur démarche est étroitement liée à la guerre, à ses bouleversements. Les premiers poèmes de Soupault situent, dans un style clair et immédiat, sa vision d'un monde d'où la logique est absente, *Aquarium* (1917), *Rose des vents* (1920). C'est l'intégration dans la poésie des objets du monde contemporain. Sa rencontre avec Breton, sa collaboration avec celui-ci aux *Champs magnétiques* (*) vont mettre en évidence, chez le poète, la nécessité de recourir de façon plus systématique à l'utilisation d'images produites par la pensée délivrée. C'est l'écriture automatique dont Soupault fera le moyen même de sa poésie. Son apport personnel réside dans la simplicité de son langage, dans la spontanéité exempte d'emphase ou de joliesse qui émane de ses poèmes. Son œuvre est déchirante de pureté et toujours basée sur de riches combinaisons sonores où fourmillent les allitérations. La simplicité n'exclut pas l'insolite et le merveilleux qui, chez Soupault, donnent naissance à de puissantes métaphores. Son utilisation du rythme simple de la répétition permet à la pensée de s'épanouir pleinement : *Georgia* (1926), *Bulles Billes Boules* (1930), *Il y a un océan* (1936). Ce monde illogique cache sous une désinvolture une profonde gravité : *Sang Joie Tempête* (1934) reflète l'inquiétude de l'homme marchant dans un monde menacé par la guerre. *Étapes de l'enfer* (1934) chante la réalité de la nuit en nous faisant partager l'affreuse lucidité de l'homme face au temps qui l'emporte.

POÉSIES COMPLÈTES de Stevens [*Collected Poems : 1954*]. Ce recueil publié pour son soixante-quinzième anniversaire par le poète américain Wallace Stevens (1879-1955) contient l'essentiel des onze volumes de poèmes qu'il avait déjà donnés. Le premier, *Harmonium,* parut en 1923. Après un long silence, *Idées d'un ordre* [*Ideas of Order,* 1935] fut suivi principalement par *Le Trèfle du hibou* [*Owl's Clover*, 1936], *L'Homme à la guitare bleue* [*The Man with the Blue Guitar and Other Poems,* 1937], *Notes pour une fiction suprême* [*Notes for a Supreme Fiction,* 1942], *Esthétique du mal* (titre original en français, 1944) et *Les Aurores de l'automne* [*The Auroras of Autumn,* 1950]. L'existence disciplinée et régulière de l'assureur Stevens ne se reflète dans sa poésie qu'à travers un certain amour de l'ordre. Son œuvre représente un courant d'influences qui a coulé pendant trois décades dans la poésie américaine. Séduit par l'impressionnisme et l'esthétisme fin de siècle, découvert par Harriet Monroe en 1914, accueilli par le groupe de *Others* et le salon de Mabel Dodge, Stevens s'enferma vite dans sa retraite de Hartford. De là vient peut-être l'atmosphère un peu raréfiée de ses premières œuvres, pleines d'objets précieux, de visions somptueuses, de décors ordonnés, où les techniques impressionnistes apparaissent dans la texture même du vers. Ses dons formels et sa maîtrise de la langue ne doivent cependant pas cacher la vocation spirituelle de Stevens : son imagination est un instrument de connaissance métaphysique. Non content de considérer et de décrire des objets, si beaux soient-ils, il les inscrit dans le contexte de l'ordre du monde. « Dimanche matin » illustre de manière frappante cette façon d'insérer l'individu dans l'univers : la femme qui jouit de la chaleur du matin sans penser au repos dominical passe peu à peu (grâce à des images nées des objets qui l'entourent pour les métamorphoser) à une méditation en rapport avec le jour du Seigneur, la pensée de la mort limite son plaisir ; le sens de sa vie se borne à ses propres expériences ; la mort sans lendemain est aussi la « mère de la beauté » puisque c'est dans le « vieux chaos du soleil » où nous vivons que nous appréhendons la beauté pathétique de l'instant. Le poète nous rend sensibles à la tragédie du monde. Il apporte « non une solution, mais une défense » contre celle-ci. L'imagination se révèle en effet capable de « percevoir le normal dans l'anormal, et dans le chaos son contraire ». Dans « L'Empereur de la crème glacée », deux images clés — le cadavre sur le lit et les desserts dans la cuisine — liées par la bizarrerie de l'expression, le rythme allègre et les termes frivoles créent une impression semblable : « Le seul empereur est celui de la glace », le seul pouvoir est celui de l'instant qui passe. La pomme qui, comme le crâne va pourrir dans le sol, fournit un symbole exact de la mort dans « Le Monocle de mon oncle ». Parfois l'étrangeté du langage a pour but de nous contraindre à examiner les mots afin d'en élucider l'ambiguïté : « Çà et là, pourtant, un vieux matelot / Ivre et qui dort dans ses bottes / Attrape des tigres / Par temps rouge » (« Désillusion à dix heures »). L'absence de signification des derniers vers nous fait remettre en question la réalité du monde pour en montrer le chaos.

« Le Comédien comme lettre C », l'une des plus belles réussites de Stevens, résume sa préoccupation constante : le conflit entre le monde de la réalité et celui de l'illusion créatrice. Six sections de quatre pages retracent les aventures symboliques du poète, navigateur et colon, dans un univers dont la variété le déconcerte et l'épuise. Cette odyssée représente « les hésitations de l'esprit entre l'expérience sensuelle et son interprétation imaginative » (Hoffmann). D'abord pris dans un « monde sans imagination », Crispin est renouvelé par la mer et les « Orages du Yucatan » donnent à ses sens en éveil la soif de nourritures terrestres. Il choisit contre la lune (symbole de l'imagination), le feu du soleil (symbole des sens) et découvre que la connaissance ultime est imaginative. Ayant fondé une colonie en Caroline, il découvre aussi les limites de l'imagination et la fable du navet exprime son doute philosophique. Cette épopée de l'esprit traitée dans un style rhétorique vibre d'une sensibilité neuve grâce au contraste entre la forme et le sujet (la découverte des aspects sensuels de la nature comme manifestation du destin). Par ses préoccupations et sa forme, la poésie de Wallace Stevens rappelle parfois celle de Paul Valéry. Par son désir de définir l'imagination, Stevens rejoint par ailleurs les symbolistes français dans *Esthétique du mal.* Son originalité réside dans sa capacité de percevoir avec passion et d'ordonner ses émotions. Virtuose musical, maître de l'allitération (« Coq bantam dans la pinède »), magicien qui évoque la beauté opulente et exotique, capable d'employer les mots les plus rares avec la précision la plus satisfaisante, Stevens a souffert de la réputation d'esthète, d'orfèvre du vers, née de ses premiers succès. Ce n'est pas un partisan de l'art pour l'art. Il a de la poésie une conception proprement philosophique : « Le sujet de la poésie est la vie. Elle laisse son empreinte sur tout ce qu'elle touche, sa vertu unit les choses les plus disparates, emploie le connu pour produire l'inconnu [...] aidant ainsi les hommes à vivre [...] Mon intention est d'exprimer ce que, sans définition particulière, chacun sait être la poésie [...] Je suis plutôt porté à négliger la forme. L'essentiel est d'être libre, quelle que soit la forme employée. »

POÉSIES COMPLÈTES de Tomlinson. [*Collected Poems*]. Recueil de l'œuvre poétique du poète anglais Charles Tomlinson (né en 1927), publié en 1985 et 1987. Les poèmes de ce recueil constituent l'essentiel des volumes que Tomlinson avait déjà donnés — notamment *Relations et Contraires* [*Relations and Contraries,* 1951], *Voir c'est croire* [*Seeing is Believing,* 1958], *Un paysage habité* [*A Peopled Landscape,* 1963], *Ainsi va le monde* [*The Way of the World,* 1969], *Écrit sur les eaux* [*Written in Water,* 1972], *L'Entrée et autres poèmes* [*The Way In and Other Poems,* 1974], et *Annonciations* [*Annunciations,* 1989] — et révèlent une œuvre d'une grande homogénéité. Cette poésie est profondément enracinée dans une tradition anglaise qui remonte à la fin du XVIIIe siècle et qui se manifeste aussi bien chez Wordsworth que chez Ruskin ou dans la poésie de D. H. Lawrence. C'est une poésie visuelle et visionnaire, centrée comme souvent dans la poésie anglaise, sur la singularité irremplaçable des choses et, comme dans l'œuvre du peintre Constable – v. son excellent « Une méditation sur John Constable » –, sur des lieux souvent « vides » où l'homme est le témoin solitaire des subtiles métamorphoses du monde. L'univers de Tomlinson est un univers mobile, composé essentiellement de lumières, de clartés, de textures, et de nuages. C'est la qualité, la précision du regard (qui rappelle celui de Gerard Manley Hopkins), la disponibilité profonde du regard actif du spectateur (poète et lecteur), qui servent à la fois d'ascèse pour celui-ci et de garantie contre l'envahissement du pittoresque (« L'Observation des faits »). Comme dans le monde oriental – qui l'intéresse –, regarder le monde ouvre à la discipline méditative qui donne accès à ce qui serait le cœur de l'univers, cœur qui relèverait d'un « blanc » transcendantal, jamais tout à fait glacé, car vivant. C'est dans le cœur des objets que gît la « vie immobile » [still life] (qui n'est aucunement une « nature morte ») qu'il s'agit de découvrir, une « présence » semblable à celle que Cézanne avait perçue dans la montagne Sainte-Victoire (« Cézanne à Aix »).

Mais plus que le but de sa recherche, c'est le processus qu'elle implique, la matérialité même de ses poèmes, la voie conduisant à ce but qui nous intéressent chez Tomlinson. Dans son « Traversant le lac Chessango à la nage » (1969), la natation devient l'emblème de ce processus, un contact éminemment physique avec un élément transparent, un univers naturel étranger (ici les États-Unis) qui est glacé, autre, mais sans hostilité, et qui relève d'une échelle temporelle qui dépouille le poète. La seule trace fragile (« un lieu dans l'eau ») que laisse ce contact (le poème) est le nouveau baptême (purification) du langage qui « se referme » dans le sillon du poète et du lecteur – eux aussi « guéris » par le soulèvement, l'allongement, de l'image : « Sa main pénètre et transperce pour atteindre cet espace/dont hérite le corps, créant un lieu/dans l'eau, une possession qu'il faut abandonner/volontairement à chaque brasse. L'image qu'il a déchirée/se referme derrière lui, se cicatrisant, se soulevant et s'allongeant/.../solitaire, il perd son nom au cours de ce baptême, où seul le Chenango porte un nom/dans une langue perdue qu'il commence à interpréter... » Le mouvement du nageur est également mimé dans l'élaboration de la syntaxe, dans le lexique quelque peu abstrait et latin, dans la présence rituelle d'allitérations qui donnent du poids à un rythme très souple. Mais la démarche du poète se manifeste surtout dans l'utilisation subtile du passage à la ligne, dans la « modestie » de sa voix (le refus de la « possession »), et dans un certain decorum qui marquent chez Tomlinson une triple opposition : à l'excès romantique ; au modernisme et à sa remise en cause radicale du langage et du monde ; et aux poètes britanniques de l'immédiat après-guerre (« The Movement », Amis, Wain, etc.) dont l'univers est perçu comme médiocre et provincial. Les difficultés de l'entreprise ambitieuse de Tomlinson (l'état parfaitement visionnaire est rarement atteint, le poète se trouve toujours « en chemin »), l'aspect traditionnel de son univers formel et une réticence marquée envers le monde contemporain (politique et littéraire), si elles marginalisent le poète, manifestent aussi un « scrupule » qui lui fait retrouver une tradition religieuse fort ancienne (recherche d'un paradis visionnaire perdu) dont on trouve des traces dans les titres mêmes de ses recueils : *Voir c'est croire* et *Annonciations.* P. Vo.

POÉSIES COMPLÈTES de Wildenwey [*Samlede digte*]. Recueil du poète norvégien Herman Wildenwey (1886-1959), publié en 1957. L'auteur y a réuni les poèmes publiés au cours de cinquante ans, depuis le volume intitulé *Feux de camp* [*Nyinger*, 1907], qui lui avait valu le surnom de « séducteur de la jeunesse » tant il avait soulevé d'enthousiasme parmi les jeunes d'alors. Poète aux rythmes allègres et musicaux, Wildenwey n'a cessé de chanter l'amour et la nature, l'attachement au sol natal et à une philosophie de la joie de vivre. La simplicité et la beauté de ce chant ont attiré une foule de lecteurs et Wildenwey a toujours joui d'une vaste popularité en Norvège.

POÉSIES D'ANDRÉ WALTER (Les). Recueil de vers de l'écrivain français André Gide (1869-1951), publié à Paris en 1887. Plus de quarante ans après (1930), l'écrivain l'évoquait en ces termes : « Je relis avec plaisir certaines de ces poésies que je redonne avec les *Cahiers.* Je les écrivis presque toutes en moins de huit jours, peu de temps après la publication des *Cahiers*, ce qui explique leur titre et cette attribution à un André Walter imaginaire, encore que celui-ci fût déjà mort en moi. Même il ne me paraît pas que l'André Walter des *Cahiers* eût été bien capable de les écrire, je l'avais déjà dépassé. » Cette complaisance envers soi-même et ces « alanguissements de phrases » que Gide a reniés se retrouvent, cependant, quelque peu dans les *Poésies.* On y relève des « ma chère » qui font époque et des morbidesses symbolistes (« Nous, nous regardions le long de la mousse / Gésir nos pauvres petites ombres pâles »)... Mais, en dépit de ces peaux mortes, la poésie jaillit des profondeurs : étouffement, attente, inquiétude ; on voit poindre déjà, avec beaucoup de bonheur dans l'expression et dans le rythme, les thèmes majeurs de ce problème « avant tout moral » que Gide ne cessa de se poser, des *Cahiers d'André Walter* (*) à *L'Immoraliste* (*). L'ennui pousse sa plainte (« S'il nous faut vivre encore parmi / ces in-folio, ça va devenir monotone »). En perspective, pourtant, que de « maux de tête » et de « fausses aurores » ! Car cette fugue que l'on projetait, ce sera une sortie manquée. Après avoir rêvé de « promontoires » (« Falaises ! d'où l'on croit qu'on va voir autre chose ! ») et cédé à l'invitation au voyage, Gide, désorienté, fredonne : « Nous avons dû nous tromper de route / Quelque part et les autres ne nous ont pas avertis. » Sans doute, il y a des éclaircies, tel ce poème en prose (X) où furtivement les âmes se rejoignent, mais sans se départir pour autant de leur mystère (« Tu m'as dit : Écoute ! je crois / Nos âmes très mystérieuses / Peut-être qu'elles sont heureuses / Et que nous ne le savons pas »). Du seul point de vue de l'art, le recueil abonde en petits chefs-d'œuvre discrets — ainsi, le poème VII, intitulé « Polders », dans lequel Gide se complaît à l'harmonieuse confusion de la terre et de l'eau.

POÉSIES DE JEUNESSE de Rilke [*Frühe Gedichte*]. Titre définitif que le poète allemand Rainer Maria Rilke (1875-1926) donna au recueil des poèmes qu'il écrivit dans sa jeunesse, et dont une partie avait paru pour la première fois en 1899 sous le titre *Pour ma joie* [*Mir zur Feier*]. Une atmosphère crépusculaire imprègne ce volume : le poète laisse flotter son âme au gré de ses sensations et de sa fantaisie. Il voudrait s'identifier aux choses et c'est avec béatitude et angoisse qu'il se demande s'il n'est pas le pâle bouleau qui frissonne au vent d'avril. Son lyrisme transfigure le paysage : le long de l'allée, les roses lui paraissent s'apprêter à accueillir l'hôte qui s'avance : la Nuit, cette nuit au sein de laquelle elles s'en vont dormir. Poète de l'instant, Rilke est à la poursuite du temps qui s'écoule ; qu'il parvienne à en fixer au moins un battement, et son vers n'est plus que transparence ou opacité. Il n'est pas jusqu'à cette figure humaine qui se dresse dans le paysage de « Faubourg » qui ne devienne, dans sa poésie, un élément pictural et plastique : « Le berger s'appuie / sombre, énorme / au dernier réverbère. » Créatures de rêve, plutôt que personnes vivantes, telles sont les jeunes filles qu'il a rencontrées au cours de son voyage en Toscane et qu'il a évoquées dans de nombreux poèmes d'une douceur séraphique : « Chants de jeunes filles » [Mädchenliede] ; « Figures de jeunes filles » [Mädchengestalten] ; « Prières des jeunes filles à Marie » [Gebete der Mädchen zur Marie]. Pure image poétique également, l'ange qui fait son apparition dans les « Engellieder » et qui veille, la nuit, sur l'enfant. Avec le court poème qui clôt le volume, un accent nouveau retentit : le poète, donnant enfin un nom à l'Inconnu vers lequel il n'a cessé de tendre à travers l'âme des choses, prononce pour la première fois le nom de Dieu : « N'attends pas que Dieu descende vers toi et qu'il te dise : Je suis... » L'enchantement de ces poèmes de jeunesse relève, à vrai dire, plus de la musique que de la poésie même. — Trad. : quelques poèmes ont été traduits chez Émile-Paul, 1941 ; choix dans *Œuvres II*, Le Seuil, 1972.

POÉSIES DE LI T'AI-PO AVEC COMPLÉMENTS ET DIVISION PAR CATÉGORIE. C'est ainsi que s'intitule l'édition par Kou Yun-p'eng de l'œuvre complète du poète chinois Li Po [Li Bai] ou Li T'ai-po [Li Taibo] (701-762). Cette œuvre comprend plus de mille poèmes et une soixantaine d'écrits en prose. Une petite partie de ces poèmes sont écrits sur une prosodie ancienne quand le poète voulait exprimer une pensée plus traditionnelle. Beaucoup sont composés sur des mélodies dont ils reprennent le ton. Parmi ceux-ci, le plus célèbre évoque la route montagneuse qui relie les provinces du Chen-si et du Se-tch'ouan, dont il donne une vision fantastique en mêlant réalisme et mythologie. Li Po a su donner dans cette œuvre la dimension de l'imaginaire aux paysages, que l'on retrouve aussi par exemple dans son poème « Chant d'adieu en parcourant en rêve le mont T'ien-lao ».

Outre des poèmes de circonstance comme en écrivaient tous les lettrés — par exemple pour prendre congé ou remercier un ami —, les plus célèbres poèmes de Li Po expriment avant tout son attitude personnelle devant la vie, comme « Pensée nocturne », « En buvant seul sous la lune », que tous les Chinois connaissent par cœur. À la différence de Tou Fou, dont la poésie est très ouvragée et dont les thèmes sont souvent sociaux, le rêve, les pensées errantes, l'esprit taoïste et le bouddhisme chan (zen) occupent ici une grande place. La nature était déjà un thème favori de ses prédécesseurs, mais aucun avant lui n'avait su si bien en rendre la beauté sauvage et impressionnante. La boisson revient souvent dans son œuvre comme la drogue qui permet de s'affranchir des entraves de la perception rationnelle afin d'accéder à une union avec les éléments du paysage, à une fusion avec la montagne, et ainsi de retrouver une idée essentielle du taoïsme : il n'y a pas la nature d'un côté et l'homme de l'autre, l'un et l'autre au contraire sont parties intégrantes d'un ensemble plus vaste, l'univers qui les englobe en un tout.

L'œuvre de Li Po se caractérise donc aussi bien dans l'expression que dans l'inspiration par la spontanéité, ce qui explique qu'il ait utilisé un langage très simple. Ses références à l'histoire et à la mythologie sont évidentes et n'ont rien des allusions savantes de beaucoup d'autres poètes chinois. Il est beaucoup plus direct que la plupart de ses contemporains ou des auteurs postérieurs.

Li Po tient dans l'histoire de la poésie chinoise celle que Tchouang tse occupe dans celle de la prose. Ce sont les deux grands écrivains qui ont donné forme littéraire à la pensée taoïste et ont fourni de ce fait l'une des plus grandes contributions de la Chine à la pensée en général. Car ce n'est que parce que le taoïsme est sous-jacent à des chefs-d'œuvre comme ceux de Tchouang tse et de Li Po qu'il a pu devenir un langage universel, et que, malgré les siècles et les différences culturelles, il nous séduit tellement aujourd'hui.

L'imagination créatrice de Li Po le classe à part dans l'histoire littéraire et lui a valu l'admiration de la postérité. Le seul autre poète qui a le même sens du fantastique, à la limite même de la folie, est Li He, mais celui-ci, mort très jeune, n'a pas fait une œuvre aux facettes si variées. – Trad. partielles sous les titres : *Florilège*, Gallimard, 1985 ; *Sur notre terre exilé,* La Différence, 1990. J. P.

POÉSIES DES TS'IN, HAN, WEI, TSIN ET DES DYNASTIES DU NORD ET DU SUD [*Qin, Han, Wei, Jin, Nan-bei chao shi*]. Anthologie poétique chinoise comportant des œuvres écrites aux Vᵉ et VIᵉ siècles. Grâce à cet ouvrage nous est en particulier parvenue une partie de l'œuvre poétique de Sie Ling-yun (Xie Lingyun, 385-433). Dans les premiers poèmes de cet auteur, écrits lors d'un exil sur la côte, la description des paysages traduisait sa déception et son ressentiment. Quand il put revenir dans sa propriété, son œuvre fut fortement marquée par le bouddhisme, car il fréquenta alors des bonzes et participa même à la traduction d'un soutra. Puis, quand il fut en butte aux accusations à la fin de sa vie, sa poésie s'imprégna d'amertume. Avant lui, le paysage figurait certes dans la poésie chinoise, mais à titre d'images ou comme décor, et il est considéré comme le créateur de la poésie de paysage, celui-ci devenant pour la première fois le véritable sujet du poème. J. P.

POÉSIES DE THOMAS ROWLEY [*Rowley Poems*]. Recueil de vers composés par le poète anglais Thomas Chatterton (1752-1770), et qu'il attribua à un poète imaginaire du XVᵉ siècle. Nombre de ses contemporains, dont Horace Walpole, crurent Chatterton qui prétendait avoir découvert cet ancien manuscrit par hasard. D'autres comprirent tout de suite qu'il s'agissait d'une supercherie. L'étrange recherche de ce garçon de dix-huit ans, qui tenta de ressusciter la langue ancienne, fut étudiée avec soin par T. Tyrwhit, qui, après le suicide de l'auteur, les publia en 1777. Mais la question resta incertaine pour beaucoup, jusqu'au magistral travail de Skeat (1875) sur l'œuvre de Chatterton, qui montra, sans qu'il puisse subsister le moindre doute, que l'œuvre ne pouvait être que de lui. Mis à part le scandale et l'intérêt provoqués par la falsification et par le fait que des hommes célèbres s'étaient laissé prendre à la supercherie, il reste l'œuvre, qui est pour une large part celle d'un vrai poète. Que cette œuvre soit d'un tout jeune homme qui se suicida – il fut pris plus tard comme symbole par les romantiques et notamment choisi par Vigny pour être le protagoniste d'un de ses drames, *Chatterton* (*) – n'est sans doute pas sans avoir influé sur sa renommée. Tout imprégnées d'esprit romantique, on peut dire que ces poésies sont le premier symptôme de ce grand courant. Elles narrent, avec une imagination vigoureuse, des histoires simples, sous une forme qui rappelle celle des anciennes ballades anglaises. Et elles restent poésie, même lorsque après les avoir dépouillées de leur forme antique, ainsi qu'on l'a fait plusieurs fois, elles apparaissent nettes, claires, comme des tableaux. « La Ballade de la Charité », qui traite d'une manière romantique la parabole du bon Samaritain, est certainement l'un des plus célèbres poèmes du recueil. – Trad. Desessart, 1839.

POÉSIES DIVERSES. Sous ce titre, le poète français Georges de Brébeuf (1618-1661) réunit en 1658 la plupart de ses poésies qui avaient circulé dans les salons et les milieux lettrés, et dont certaines avaient été publiées dans des anthologies de ce temps. La partie la plus notable est constituée par les *Entretiens solitaires*, sorte de méditation morale où l'auteur donne libre cours à l'expression de sa foi chrétienne. Le ton marque de la conviction, l'écriture recherche une certaine austérité. En cela, Brébeuf modifie un peu sa manière par rapport aux autres poésies, et à ses ouvrages antérieurs de traductions en vers, où il privilégiait les effets de brio. Ces poèmes caractérisent Brébeuf comme un poète lyrique. Ils mêlent les procédés à la mode dans les cercles précieux et mondains, et une recherche d'écriture marquée par la vigueur des images et des rythmes. De fait, Brébeuf est un des plus habiles versificateurs de cette époque où régnait l'art de maîtriser les ressources du vers : il est capable de parcourir des gammes qui vont de l'épique à l'épigramme. Ses *Poésies diverses* correspondent, par leur variété, à l'ensemble de son œuvre, où le burlesque voisine avec la traduction sur le ton héroïque de *La Pharsale* (*). A. V.

POÉSIES DOCUMENTAIRES COMPLÈTES. En 1954, l'écrivain français Pierre Mac Orlan (1882-1970) a rassemblé dans ce recueil, que sans doute il tenait pour choix définitif, des plaquettes de différentes époques ainsi titrées : *Inflation sentimentale, Simone de Montmartre, Abécédaire pour Pascin, Chansons de charme pour faux nez, Quelques films sentimentaux, Poèmes en prose.*

Dès *Inflation sentimentale,* la part de ce qui est anachronique, et par conséquent conservé pour nous et ceux qui nous suivront, s'avoue à travers des apparitions d'époque : « La Reine Dactylo », « Le Jazz infernal » et les regrets accompagnateurs : « Le Confort social » qui abolira le décor. Il y a encore les éléments de prophéties datées puisque l'on finit par une apocalypse révolutionnaire : des marins du type « cuirassé Potemkine » envahissent le salon de la sous-maîtresse où des bourgeois sablent le champagne, et... les tableautins de ces temps ne manquent, bien entendu, pas ; voici ce qui doit être une évocation du bois de Boulogne vers 1920 : « Les Bilitis d'un jour sans pain / se mêlent dans la limousine / ronflant en douce et feux éteints », le vers octosyllabe étant celui que ce poète préfère. Dans les vers « libres », quelquefois surgissent de grandes images de sauvagerie : l'odeur de « l'amour dans les maisons closes / est celle des marais chéris des iguanodons ». Aux anachronismes se mêle la vie ancienne : compagnons de Villon, Gardes-Françaises.

Dans *Simone de Montmartre,* ce sont des marins d'Amérique, des boxeurs, des mecs, se débattant dans un aquarium agrandi (« ouvert toute la nuit »). *Abécédaire* est une pièce courte, dédiée au peintre Pascin. *Chansons de charme pour faux nez* montre Manouches et Gitans, et rappelle le destin de Gérard de Nerval. *Quelques films sentimentaux* fait réapparaître le sournois brigand établi à Rouen, dix fois évoqué dans cette œuvre ; et ici : « Il déroulait la nuit / comme un film d'hypothèses. » Dans la même partie du livre figure la très belle « Ballade de la protection » : « Souvenez-vous, Seigneur, ô Lord du temps passé / Quand vous m'accompagniez dans les prairies fanées / De Bagatelle, ornées de rousses gigolettes / À tiges bien tournées, revêtues de bas noirs. / Vous conduisiez mes mains pour que je les bénisse / Ces pauvres innocents des bienfaits judiciaires, / Ces gibiers de prison, ces pauvres orphelins, / Ces minables crétins au visage éphémère. / O Lord, c'est vraiment vous qui conduisiez mes mains. »

On pourra dans ces vers s'arrêter plus ou moins à la part de l'anecdotique, mais Mac Orlan s'y tient d'emblée et de bout en bout quelques tons au-dessus du petit monde. Fugitivement, oiseusement, on pense à Cendrars, Salmon, Jacob. Des poèmes en prose, substantiellement, complètent le livre. Ce sont des croquis citadins que la nuance sournoise ou fantastique illumine. L'étrangeté est d'y découvrir des textes qui, à leur façon sauvage, semblent annoncer Michaux.

POÉSIES D'UN VIVANT [*Gedichte eines Lebenden*]. Poèmes de l'écrivain allemand Georg Herwegh (1817-1875), publiés en deux volumes en 1841 et 1843. Ces poèmes, qui firent sensation en Allemagne, furent écrits en Suisse où l'auteur avait dû s'exiler pour des raisons politiques. Le titre se réfère ironiquement aux aristocratiques *Lettres d'un défunt* du prince Pückler Muskau. Il s'agit de chants révolutionnaires composés de vers et de refrains simples et faciles. Herwegh n'avait ni beaucoup de profondeur, ni une grande originalité, mais ces lacunes devaient justement lui permettre de toucher le cœur populaire. C'est surtout la force de la passion qui frappe dans ces poèmes, comme par exemple dans le célèbre « Appel » [Aufruf] où le poète invite les Allemands à s'armer de crucifix pour conquérir leur liberté. La liberté constitue d'ailleurs le motif essentiel de son œuvre. Heine qualifia Herwegh d'« alouette de fer » [eiserne Lerche], le louant d'avoir su parler directement au cœur et à la volonté en vue d'inciter à l'action. Déjà, dans le deuxième volume et surtout dans les recueils suivants, la qualité poétique faiblit et la popularité de l'auteur cessa complètement après 1849, lorsque Herwegh, qui avait pris la tête d'un mouvement révolutionnaire ouvrier dans le duché de Bade, dut s'exiler à nouveau tandis que ses partisans tombaient victimes de la répression. Parmi les derniers poèmes, le seul qui atteignit une certaine audience fut la « Marseillaise des travailleurs ». Un dernier recueil fut publié à titre posthume en 1877. Une édition commentée des *Poésies d'un vivant* fut publiée en 1905 par Marcel Herwegh.

POÉSIES ÉCOSSAISES [*The Minstrelsy of the Scottish Border*]. Recueil de ballades écossaises, rassemblées par l'écrivain écossais Walter Scott (1771-1832) et publiées en trois volumes dont les deux premiers parurent en 1802 et le troisième en 1803. Walter Scott, qui aimait la poésie lyrique allemande – il avait même traduit la *Léonore* (*) de Bürger –, fut conduit à étudier les sources de cette poésie, c'est-à-dire les anciennes *Ballades de la frontière* (*) et les vieilles chansons écossaises groupées dans l'ouvrage de Percy, intitulé *Reliques de l'ancienne poésie anglaise* (*). Scott a rénové cet ouvrage, en confrontant les textes différents retrouvés sur d'anciens manuscrits et en y ajoutant parfois de ses propres compositions qui ont une réelle valeur : telle est « Glenfinlas », ballade écrite en 1799. Scott s'est inspiré de ces ballades dans certains de ses poèmes narratifs : *Le Lai du dernier des ménestrels, Marmion, La Dame du lac* (*), *Le Lord des îles* (*). – Trad. Perrotin, 1835.

POÉSIES ÉROTIQUES de Parny. Dans l'œuvre du poète français Évariste Désiré de Forges, vicomte de Parny (1753-1814), les *Élégies* ont été injustement négligées si l'on considère la vulgarité satirique de *La Guerre des dieux anciens et modernes* (*). Publiées d'abord sous le titre de *Poésies érotiques*, qui déplaisait à Sainte-Beuve (car il ne rendait pas la délicatesse de la composition), ces poésies sont un hommage exquis à la grâce féminine. Une belle créole, Éléonore, que le poète aima lors d'un séjour dans son île natale, devait lui suggérer ces poèmes d'une fraîcheur tout idyllique. Divisées en quatre livres, les *Poésies* traduisent certains états d'âme en de subtiles variations pleines de mélancolie. La poésie de Parny est, plus que de la passion, un écho plaintif d'amour, et elle se donne comme l'idéal de la jeunesse au temps de Louis XVI. Parmi les compositions les plus élégantes et les mieux travaillées, au milieu de tant de petits tableaux purement XVIIIe siècle, il faut citer « Le Lendemain » (« Enfin, ma chère Éléonore »), « Les Paradis », dans lesquelles s'exprime, en même temps qu'une douce effusion du cœur, une tendre galanterie. Quelques madrigaux qui disent, en de petits billets pleins de désir et de langueur, l'attente, valent par leur mélodie et leur finesse. Le désir idyllique d'une paix intérieure, loin des luttes et des chagrins, lui dicta ses meilleurs poèmes : « Fragment d'Alcée », qui n'est que volupté et douceur, « Plan d'études » et « Projet de solitude ». Le second livre (avec « Le Refroidissement », « À la nuit », « À mes amis ») présente une psychologie pénétrante qui fait revivre un roman d'amour dans son expression la plus pure. Le souvenir de la femme aimée revient avec insistance dans le troisième livre (« Les Serments » et « Réflexion amoureuse »), où le poète rêve de tenir, comme autrefois, entre ses bras Éléonore. Dans la dernière partie de l'œuvre, l'esprit s'apaise et se laisse envahir par une quiétude nostalgique, par un amour empreint d'une subtile amitié, sans tourment et sans douleur. D'une inspiration ténue, ces poésies sont plus le fruit d'un travail accompli avec amour qu'une œuvre spontanée écrite dans le feu de la passion. Mais l'auteur connaissait bien les classiques ; et avec une grâce et une pénétration d'esprit qui annoncent déjà la nouvelle poésie, surtout celle de Lamartine, il a su admirablement décrire un moment fugitif et cependant sincère de son âme.

POÉSIES ET AUTRES ÉCRITS d'Hallgrímsson [*Ljódmaeli og önnur rit*]. Sous ce titre a été réuni (édition de 1847 et de 1883) l'ensemble de l'œuvre littéraire de l'écrivain islandais Jónas Hallgrímsson (1807-1845). Quelques-unes de ces compositions reflètent la douleur du poète à la vue de son peuple courbé sous le despotisme danois : ce peuple, qui a connu un passé glorieux, vit aujourd'hui dans la misère. Et le poète d'évoquer, en de somptueuses descriptions, la vie primitive de l'Islande, jadis libre, vivante, concentrée autour de l'Allthing (« Island » ; « Allthing hid nyia » ; le « Chant de Hulda » ou « Huldul-jód »). Il se plaît aussi à mettre en vers des légendes antiques, qu'il transpose dans un climat nostalgique. Avec « L'Île de Gunnar » [Gunnarshólmi], il débute par la description d'un paysage d'Islande au crépuscule et en souligne le caractère grandiose et idyllique. Sur ce fond paraissent deux cavaliers ; ce sont deux déserteurs. Jetant un regard en arrière, l'un d'eux, Gunnar, ne peut supporter de quitter pour toujours sa patrie, préférant y mourir plutôt que de vivre ailleurs. Hallgrímsson écrivit aussi, sous l'influence d'Andersen, quelques contes fabuleux et une nouvelle inachevée, « À la récolte du lichen » [Grasaferd].

POÉSIES ET BALLADES de Swinburne [*Poems and Ballads*]. Titre de trois volumes (ou séries) de poésie de l'écrivain anglais Algernon Charles Swinburne (1837-1909), publiés respectivement en 1866, 1878 et 1889. La première de ces séries eut un succès retentissant, succès de scandale, surtout, à cause de la façon dont le poète exprimait sa conception de la femme : femme fatale comme Vénus dans le petit poème de la *Laus Veneris* (*), ou comme Faustine, comme Hérodiade, Cléopâtre et les autres reines orientales qui défilent dans *Le Masque de la reine Bersabée* [*The Masque of Queen Bersabe*] ou encore comme Dolorès, Notre-Dame-de-la-Douleur — v. *Dolorès* (*) — que le poète invoque en une litanie qui est une sadique profanation. *Anactoria* (*) contient les gémissements lascifs de Sappho. « Le Triomphe du Temps » [The Triumph of Time] rend un son plus humain : inspiré par l'amour impossible du poète pour Jane Faulkner, c'est un adieu pathétique à la vie morale entrevue comme un rêve impossible. Citons encore *Phèdre* (*), court poème dramatique ; « Itylus », chant funèbre où Swinburne confond, comme d'autres avant lui, deux personnages mythologiques, inspiré des *Métamorphoses* (*) d'Ovide ; « La Lépreuse » [The Leper] ; « Le Jardin de Proserpine » [The Garden of Proserpine], harmonieuse évocation de l'au-delà. Trois poèmes : « Un chant en temps d'ordre » [A Song in Time of Order], « Un chant en temps de révolution » [A Song in Time of Révolution] et « À Victor Hugo » [To Victor Hugo], présagent déjà les sujets politiques que Swinburne abordera dans ses *Chants d'avant l'aube* (*). La Seconde et la Troisième Série (« Second and Third Series ») ont moins de notoriété ; la seconde contient cependant une belle ode à la mémoire de Charles Baudelaire, « Ave Atque Vale », et « Un jardin abandonné » [A Forsaken Garden] où le poète reprend quelques sujets traités dans le recueil précédent. La poésie de Swinburne, dans les premières séries surtout des *Poésies et Ballades,* est érotique et sensuelle. La musicalité extraordinaire des vers devait séduire les contemporains et valoir au poète une place de premier plan. — Trad. Savine, 1891 ; partielle dans *Poèmes choisis,* José Corti, 1990.

POÉSIES ET FANTAISIES de Günderode [*Gedichte und Phantasien*]. Premier recueil, publié en 1804, de vers et de proses, de la poétesse allemande Karoline von Günderode (1780-1806), surnommée la Sappho du premier romantisme allemand pour son talent et sa destinée tragiquement achevée par un suicide. Cette série de textes parut sous le pseudonyme de Tian, mais tous furent par la suite réédités, avec d'autres œuvres déjà publiées ou inédites, sous le titre de *Poésies* [*Dichtungen*] dans l'édition posthume de 1857. Certaines de ces pièces lyriques, plus particulièrement mélancoliques, figurent dans l'ouvrage que Bettina Brentano consacra à sa malheureuse amie. Les vers, qui révèlent surtout l'influence de Novalis et de Schleiermacher, sont intéressants et offrent tous les caractères du premier romantisme allemand. Les compositions en prose témoignent par contre de ce goût pour l'orientalisme alors en vogue et sont assez fades.

POÉSIES GOLIARDIQUES. La poésie goliardique, ou poésie des « clercs vagabonds », était composée par ces étudiants qui, au Moyen Âge, allaient d'une université à une autre, soit dans le but de suivre les leçons des maîtres les plus réputés du temps, soit par le simple goût de la vie errante et libre. Cette sorte de poésie, écrite en latin, nous a été transmise par certains recueils du XIIIe siècle (quelques-uns même du XIVe) qui, tous, comprennent presque exclusivement des poèmes du XIIe siècle : le recueil des *Carmina burana* (manuscrit de l'abbaye de Benediktbeuern, à présent à la bibliothèque de Munich), celui de sir Arundel (British Museum), celui du Vatican, celui de Bâle, etc. Le plus connu est celui de la bibliothèque de Munich : les *Carmina burana* font partie des connaissances littéraires de toute personne cultivée et ne sont pas réservées aux spécialistes. La matière de ces « poésies goliardiques » est très diverse : d'une part, une mordante satire du clergé, visant plus particulièrement la Curie romaine, mais s'attaquant aussi aux évêques, aux prêtres et aux moines ; d'autre part, l'exaltation de la nature, de l'amour, de la joie, de la vie insouciante dans les tavernes, du vin, du jeu de dés, etc. C'est donc une poésie profane, parfois même extrêmement sensuelle, à la gloire des plaisirs charnels et mondains poursuivis et goûtés avec une insatiable avidité. En somme, elle se situe complètement en dehors de l'inspiration que l'on a crue — et que l'on croit trop souvent encore — dominante au Moyen Âge : une inspiration toute spirituelle, mystique, ascétique, reniant la vie de ce monde, aspirant à l'au-delà, troublée par des préoccupations métaphysiques. À ceux qui la découvrirent, la poésie goliardique apparut comme la première manifestation de l'esprit et des tendances qui devaient conduire au grand renouveau de la Renaissance italienne (XVe siècle) : Burckhardt, par exemple, attribua une origine italienne à toutes les poésies goliardiques, alors qu'elles sont généralement l'œuvre de poètes français et allemands (surtout rhénans). Ces textes ont fait l'objet d'importantes études à partir des premières années du XIXe siècle : les Duméril, les Wright, les Grimm, les Schmeller, les Giesebrecht furent les premiers à s'intéresser à cette littérature. Le goût du romantisme les y poussait ; la poésie goliardique paraissait, en effet, dans la culture européenne, comme la première manifestation de l'esprit « populaire », « laïque », « profane », qui allait s'affirmer lentement ; œuvre de clercs, certes, mais de clercs « défroqués » qui s'éloignent consciemment des traditions de l'Église, qui s'opposent à elles pour se faire les interprètes du peuple. Leurs œuvres, comme celles des troubadours — malgré leur forme et leur contenu parfois savant —, furent rattachées par les critiques romantiques non pas à la littérature religieuse, mais à la tradition populaire, libre et naïve. Du reste, trois siècles avant le romantisme, les protestants s'étaient déjà intéressés à la poésie goliardique, en retenant surtout le caractère anticlérical ; ils l'avaient tirée du silence et de l'oubli pour la répandre en diverses publications. En 1556, Mathias Flacius Illyricus publiait à Bâle son *Varia doctorum piorumque vivorum de corrupto ecclesiae statu poemata,* recueil de poèmes goliardiques. Le titre indique clairement quelles sont les tendances qui ont frappé l'éditeur : dans les violentes diatribes des goliards contre la Curie romaine, insatiable, vorace, et contre le clergé catholique, dissolu et mondain, il a vu une anticipation des thèmes anticatholiques les plus répandus chez les Réformés. Ainsi, le « chant défroqué » des goliards était-il offert aux protestants à titre d'édification. Des huguenots avant la lettre, que les goliards ?

Quoi qu'il en soit, notons que les « clercs vagabonds » étaient considérés comme insoumis, formant une secte révolutionnaire et dangereuse, frisant l'hérésie, rebelles à l'ordre et à la discipline de l'Église ; et, à maintes reprises, les papes du XIIIe siècle fulminèrent l'interdit contre eux. D'après les délibérations des conciles, et selon les écrivains religieux de ce même siècle, ils semblent former une classe à part, un groupe cohérent, une secte. « Nous avons décidé — décrètent les Pères du concile de Rome de 1231 — que les clercs ribauds, notamment ceux qui se prétendent de la famille de Golias, seront tondus et rasés à la diligence des évêques, archidiacres, officiers et doyens, afin qu'il ne demeure sur eux nulle trace de la tonsure religieuse ; et que ceci s'accomplisse sans scandale, ni péril. » Les termes sont à peu près identiques dans les « actes » du concile de Château-Gontier (1231). Les mots « De familia Goliae » semblent bien se référer à une « secte », voire à une espèce d'« ordre ». C'est d'ailleurs à titre de membres d'une secte que les goliards sont considérés dans les « actes » du concile de Salzbourg, de la fin du XIIIe siècle. Ces mêmes textes rangent les « clercs vagabonds », non seulement dans la catégorie des pires débauchés, mais bien mieux, au rang des bandits : bandits dangereux, canailles ne reculant devant aucun crime afin de se procurer les moyens de vivre largement : « Ils s'en vont nus en public, dorment dans les fournils, fréquentent les tripots, les mauvais lieux, les courtisanes, se nourrissent par le crime, emploient la violence contre les monastères, les églises, les clercs. » Parfois encore, on les qualifie de « bouffons », de « jongleurs », c'est-à-dire d'aventuriers et de fieffés libertins. Ce dernier point de vue, prouvé par d'authentiques documents, a été l'objet d'une interprétation en faveur au XIXe siècle ; les goliards ont été considérés comme de pauvres étudiants, des clercs défroqués qui gagnaient leur subsistance en exécutant tours et jongleries devant les hautes classes du clergé ; de même qu'il y avait eu des jongleurs laïques qui faisaient le divertissement des cours seigneuriales et chantaient des poèmes en langue vulgaire, il y aurait eu des jongleurs-clercs rimant des chants en latin pour les grands dignitaires de l'Église. Cette interprétation se fonde aussi sur une étymologie qui a été proposée pour le mot « goliard » ; il dériverait de « gosier » (« gula ») et aurait un sens péjoratif. Les goliards seraient donc des « gloutons » : gloutons avides des plaisirs procurés par la bonne chère en général, mais avides aussi de tous les plaisirs qu'offre le monde, tels étaient en effet ces clercs-ménestrels qui réjouissaient les cours et les assemblées ecclésiastiques. On a proposé une autre étymologie : goliard proviendrait de Goliath, le géant de *La Bible* (*), que tua David. Ce nom aurait été ainsi synonyme de rebelle, d'ennemi de Dieu ; on y aurait vu le symbole de l'esprit diabolique, semeur de désordres et de troubles. D'autres commentateurs, tout en retenant cette étymologie, ont vu en Goliath l'incarnation de la force brutale, mais généreuse, qui tendait à purifier l'Église, à la débarrasser de ses hontes, de ses souillures, et qui fustigeait la corruption, les infamies et les innombrables faiblesses dont témoignait le clergé. Cette étymologie rejoignait surtout le point de vue protestant et anticlérical. En fait, il est vraisemblable que les deux acceptions se soient peu à peu confondues : dans le goliard, le Moyen Âge a dû voir à la fois le « glouton » et le disciple de Goliath, c'est-à-dire l'insoumis, le violent. De là, cette expression que l'on trouve dans les actes synodaux : « de familia Goliae ». C'est d'ailleurs à un certain Golias, symbole de tout un monde, que sont attribués, dans nombre de recueils, les poèmes goliardiques les plus violemment satiriques et anticléricaux.

La critique du XIXe siècle a cru identifier ce Golias légendaire, maître et modèle des goliards avec Abélard, l'hérétique, celui que saint Bernard, dans son rude langage, appelait le « nouveau Goliath ». En réalité, Abélard n'a rien à voir avec tout ceci. Nous connaissons aujourd'hui les noms exacts des auteurs qui composèrent les poèmes attribués à ce fameux Golias. Il s'agit de poètes fort connus au XIIe siècle ; quelques-uns sont célèbres encore pour d'autres raisons et occupent une place marquante dans la littérature de ce siècle ; citons notamment : Hugues, primat d'Orléans ; l'Archipoète de Cologne ; Gautier de Châtillon, l'auteur de l'*Alexandréide* – v. *Alexandre* (*) –, Serion de Wilton, Philippe le Chancelier. Ces auteurs ont été, avec les troubadours provençaux, les premiers poètes du monde moderne. Leurs œuvres, bien que toujours rattachées très étroitement à la tradition de la scolastique classique, représentent presque une insurrection contre l'académisme majestueux du temps. C'est la création, consciente et raisonnée, de nouvelles formes d'art, plus libres, plus alertes, plus vraies. En d'autres termes, la poésie latine du XIIe siècle, qui fut appelée « goliardique », est l'expression d'un grand mouvement littéraire de renouveau qui, peut-on dire, vient doubler celui des troubadours. Mais ces poètes latinisants du XIIe siècle paraissent cependant moins audacieux que les Provençaux du XIe et du XIIe : en effet, ces derniers, tout en utilisant avec habileté les divers modes traditionnels, ont osé se libérer du latin, langue de rigueur dans toute œuvre littéraire ; les goliards, eux, lui sont restés fidèles, quoique leur latin soit devenu plus alerte, plus souple, plus moderne que celui qu'employaient les écrivains du temps de Charlemagne ou de celui d'Othon. Il est impossible d'entendre complètement la poésie goliardique si l'on n'approfondit pas la question du renouveau culturel et artistique qui marqua les XIe et XIIe siècles ; il faut rejeter catégoriquement la position prise par les critiques protestants ou romantiques ; il faut cesser de penser, d'une part, que l'esprit anticlérical de cette littérature en soit la tendance dominante et, d'autre part, que l'élément populaire soit forcément le trait distinctif de la poésie goliardique. La satire anticléricale ne constitue que l'un des thèmes de leur poésie, et n'en est pas le plus nouveau. Quant au style de celle-ci, il est indiscutablement littéraire. Il est même malaisé de découvrir la véritable essence des poèmes qui nous ont été conservés dans les divers recueils si l'on se contente, comme l'ont fait les critiques du XIXe siècle, de les attribuer à un monde naissant : celui des « clercs errants », qui fréquentaient tour à tour les universités fondées au XIIe siècle. La poésie goliardique doit être reclassée dans son cadre naturel : la tradition littéraire de la scolastique médiévale ; et si elle révèle un profond renouveau de cette même tradition, elle ne manifeste aucune tendance insolite et délibérément révolutionnaire. Elle a pu être portée de ville en ville, d'université en université, par des clercs vagabonds, mais elle n'est pas leur œuvre... La paternité en revient à de grands érudits du monde de l'enseignement ; ils emploient certes des expressions nouvelles, mais procèdent étroitement de la tradition littéraire de la scolastique. Du reste, les recueils goliardiques que nous avons cités ne sont pas chose inédite dans l'histoire de la littérature médiévale et se rattachent, au contraire, à une très ancienne coutume.

À l'époque qui précéda celle dont nous nous occupons, c'est-à-dire au XIe siècle, il existait déjà un recueil de poèmes semblables (le manuscrit se trouve à la bibliothèque de Cambridge). Bien qu'il soit dû à un copiste anglo-saxon, une grande partie des pièces qu'il renferme est d'origine rhénane. Il s'agit de quarante-neuf poèmes rythmés, en forme de séquences, mais dont le sujet est parfois profane. Il en est qui sont accompagnés de « neumes » pour la notation musicale. Parmi ces quarante-neuf pièces, certaines sont empruntées à des auteurs classiques, à Stace, à Virgile, à Horace ; d'autres sont de petites compositions narratives où l'on retrouve l'esprit et le style des *Fabliaux* (*). Celles qui n'ont pas un motif religieux ont généralement l'amour pour thème. Deux d'entre elles, composées par des Véronais du xe siècle, sont très connues : *O admirabile Veneris idolum* et *Jam dulcis amica venito.* Le recueil de Cambridge, à son tour, ressemble, tant par sa forme que par son contenu, à d'autres manuscrits plus anciens. Le plus antique de tous est celui de Saint-Gall, du VIIIe siècle, puis viennent tous ceux compris entre le VIIIe et le XIe siècle, réunis dans les grands centres culturels de l'Occident, à Vérone, Fulda, Saint-Martial de Limoges, Trèves, Bamberg. Il existe, entre ces divers livres, certaines analogies que nous n'avons pas à recenser ici. Disons seulement que quelques poèmes ne se trouvent parfois que dans un seul recueil, étant sans doute fruits d'un terroir, tandis que d'autres sont repris dans plusieurs ; ces derniers révèlent de la sorte les communications existant entre les divers centres, ou mieux, la similitude profonde des milieux où circulait cette littérature : milieux intellectuels que dominait une culture classique. Il semble même que les recueils aient été destinés à grouper des textes issus des universités : d'abord, des exercices de clercs parfaitement réussis et jugés dignes d'être conservés et transmis comme exemples pour les classes futures, comme sujets de lectures, de dissertations ; puis, sans doute aussi, des extraits de textes empruntés à des maîtres illustres, érudits en pleine maturité d'esprit, véritables poètes parfois ; ces extraits étaient recueillis pour intéresser les amateurs de poésie et pour servir de modèles aux « apprentis » afin qu'ils puissent polir leur style. Exercices d'élèves et modèles transmis par les maîtres, tels étaient donc, à l'origine, les textes « plaisants » du mode narratif que l'on trouve dans les recueils. Ce sont autant d'exemples de ce style « familier » qui était l'objet d'études non moins méticuleuses que le style « sublime » du grand lyrisme, de la vraie tragédie. Le style « familier » s'appelait aussi style « élégiaque » à cause de sa métrique, et les « comoediae elegiacae » ne sont, en effet, que de brefs récits imités des anciennes comédies.

En somme, la poésie goliardique entendue comme « création pure » du XIIe siècle ne constitue que l'un des nombreux mythes forgés par le romantisme. Un lyrisme en tout point semblable ressort de l'entière tradition scolastique et toute la poésie rythmée en latin, qui fleurit au sein du clergé, même dans le haut Moyen Âge, a mêlé sujets profanes et sujets religieux. Le thème de l'amour y domine largement et les passages vulgaires, « plaisants », ou même obscènes, ne manquent pas. À cette époque, il n'y a jamais eu de démarcation bien nette entre le sacré et le profane ; quant à l'allure désinvolte de nombreuses poésies, n'oublions pas que les cérémonies burlesques faisaient partie intégrante de la vie des universités pendant tout le Moyen Âge, au Latran comme à Fulda, à Reichenau comme à Saint-Gall. Même les écoles religieuses avaient leurs divertissements et leurs parties de plaisir ; il suffit de rappeler la « Cornomanie », fête que célébrait la « Schola cantorum lateranensis » le samedi après Pâques. La satire anticléricale n'est pas, non plus, l'apanage du XIIe siècle : on la retrouve dans tout le Moyen Âge. Quant à la femme et à l'amour, il suffira de rappeler le recueil de Ripoli, composé uniquement de poèmes érotiques écrits un siècle avant les *Carmina burana.* Répétons-le donc une fois encore : la poésie goliardique, en tant que reflet d'un esprit entièrement nouveau, est une légende forgée par les romantiques. Il n'y a de neuf, en elle, qu'une modification des tendances, du goût, un ton plus nettement antiacadémique ; ce n'est cependant pas une rébellion franche et consciente contre la tradition. Notons enfin que les auteurs du XIIe siècle, plus que leurs devanciers, peuvent être qualifiés de véritables poètes qui ont su parfois s'exprimer avec élégance et créer de puissantes images. *Les Poésies des goliards* ont été traduites et présentées par O. Dobiache – Rodjesvensky.

Chez les romantiques, le mythe a été alimenté sans doute par le fait que certaines vieilles poésies goliardiques comme le *Gaudeamus igitur* (*) (« Brüder, lasst uns fröhlich sein », de Günther) ont été insérées dans les *Kommersbücher* allemands ; ces livres sont des recueils de chants d'origines diverses composés dès le XVIIIe siècle pour la « joyeuse harmonie » des « Tischgesellschaften » et des « Kommers » (du latin « commercium »), assemblées d'étudiants qui se réunissent pour boire et chanter. Le plus vieux recueil connu est le *Studentenlieder* (sans accompagnement musical) du « Magister » C.V. Witzleben ; il renferme soixante-trois chansons, certaines fort anciennes, d'autres plus récentes, quelques-unes de l'auteur même ; vingt-huit seulement sont de vrais « Trinklieder », mais Witzleben souhaitait que son livre « s'accrût tout seul avec le temps ». En fait, il fut repris par d'autres et augmenté. En 1801 déjà, W. Schreider complétait le *Kommersbuch* par une partition pour piano destinée aux *Melodien der besten Kommerslieder.* Le premier recueil qui porta effectivement le titre de *Kommersbuch* fut celui de Gustav Schwab, réalisé à Tübingen en 1815 sur l'initiative de l'Association estudiantine « Romantika » : *Neues deutsches allgemeines Kommers-und-Liederbuch.* C'est le véritable *Kommersbuch* romantique tant par le choix des textes que par leur style. Il eut, pendant des dizaines d'années, un retentissement national en dépit des nombreux recueils qui suivirent jusqu'en 1848 ; certains, comme ceux des « Burchenschaften », de tendance nettement patriotique et exaltant la liberté, finirent par être déclarés « un danger pour l'État » et interdits, officiellement du moins. Tous connurent une nouvelle vogue au temps de Bismarck lorsque, favorisées par le climat patriotique du moment, « Körperschaften » et « Verbindungen » d'étudiants prirent un grand essor. Après la proclamation de l'Empire, Müller von der Werra, en 1875, intitulait fièrement son recueil *Kommersbuch universel du « Reich »* [*Allgemeines Reichskommersbuch*]. Ce recueil (revu et corrigé dans les éditions ultérieures par les soins de M. Rauprich, F. Dahn, O. Reinecke) eut un très vif succès. Mais le XIXe siècle fut surtout l'ère du romantisme et de la bourgeoisie, de telle sorte que le recueil favori du public, celui qui fut le plus goûté il y a peu d'années encore, portait le nom bien romantique et significatif de *Lahrer Bibel* (ce qui veut dire : « Bible de Lahre » — petite ville du duché de Bade où il fut édité). Son vrai titre est : *Allgemeines deutsches Kommersbuch ;* réalisé par l'éditeur Schenenburg, avec la collaboration des compositeurs Friedrich Silcher et Friedrich Erk, il parut pour la première fois en 1858. On y sent bien l'esprit de la vieille cité de Heidelberg, celui de la « Burschenschaft » à laquelle avaient appartenu Scheffel et Reuter ; et le vénérable Arndt ne dédaigna pas d'en composer la Préface. C'est en définitive dans la *Lahrer Bibel* qu'à peu près toutes les associations d'étudiants trouvèrent le reflet de leurs aspirations. Des éditions sans cesse revues et augmentées se succédèrent sans arrêt ; la 135e, qui parut en 1925, par les soins d'Eduard Heyck, contient plus de huit cents chants : c'est une sorte de « Corpus » dans lequel chaque groupement peut faire son « choix » selon ses propres tendances. Quoi qu'il en soit, la « poésie goliardique » médiévale n'a plus grand-chose de commun avec tout ceci.

POÉSIES LATINES de Roswitha. Recueil de huit poèmes, premier ouvrage littéraire de Roswitha (935 env.-973 env.), religieuse allemande du couvent de Gandersheim. Ce sont, pour la plupart, des transcriptions en vers d'anciennes légendes célèbres dans le monde chrétien. L'auteur composa d'abord, avec une dédicace à la docte Gerberge, nièce d'Othon Ier, maîtresse de Roswitha et supérieure de Gandersheim, les petits poèmes suivants : « Histoire de la Nativité et des entretiens admirables de l'Immaculée, mère de Dieu » (vingt-deux distiques et huit cent cinquante-neuf hexamètres), tirée de l'Évangile dit de saint Jérôme, que la critique moderne nomme évangile apocryphe du pseudo-Matthieu : « L'Ascension » (cent cinquante hexamètres), dérivée, selon l'auteur, d'un texte grec traduit en latin par l'évêque Jean ; « Le Martyre de saint Gangolphe » (trois cent un distiques), compilé à partir d'une narration en prose mal identifiée ; « Le Martyre de saint Pélage, notre contemporain » (qui eut lieu à Cordoue en 925) (quatre cent treize hexamètres), composé sur la foi du récit d'un pèlerin cordouan de passage à Gandersheim et, peut-être, d'après la *Vie de Pélage* du prêtre Raguel ; « Chute et conversion du grand vicaire Théophile » (quatre cent cinquante-cinq hexamètres), tirée de la version latine faite par Paul, diacre de Naples (876 env.), d'un texte d'Eutychès (VIe siècle) et considérée par certains érudits modernes comme l'une des plus anciennes transpositions poétiques de la légende de *Faust* (*). À cette première série de cinq poèmes, Roswitha ajouta par la suite trois compositions également accompagnées d'une humble dédicace en vers à Gerberge : « Histoire de la conversion inespérée d'un jeune serviteur du comte Protère opérée par saint Basile » (deux cent soixante-quatre hexamètres), légende dérivée d'un épisode de la vie apocryphe de saint Basile, attribuée à Amphiloque et traduite en latin au IXe siècle ; « Le Martyre de saint Denis » (deux cent soixante-six hexamètres), versification de la *Vie de saint Denis* écrite par Hilduin (IXe siècle), dans laquelle l'apôtre de France et l'Aréopagite sont confondus en une seule personne ; « Le Martyre de sainte Agnès, vierge et romaine » (quatre cent cinquante-neuf hexamètres), avec un prologue à la louange de la chasteté, inspiré d'une œuvre du pseudo-Ambroise. Enfin, vers 962, Roswitha rassembla en un seul recueil ces huit légendes, les offrant à un public plus large en dehors du petit cercle de son couvent, et les faisant précéder d'une préface en prose où elle renouvelle l'expression de sa reconnaissance à ses supérieures. En fait, si on ne peut dire de l'auteur qu'elle fût dénuée de talent, il lui manqua indubitablement, de son propre aveu, cette technique habile du vers, à laquelle elle semble s'être refusée, s'attachant surtout à un patient travail d'élaboration. — Trad. Chaix, 1854.

POÉSIES LYRIQUES DE JOÃO MÍNIMO [*A lírica de João Mínimo*]. Poèmes de l'écrivain portugais João Baptista Almeida Garrett (1799-1854), publiés en 1829 à Londres. Ils se divisent en trois livres : le premier contenant 19 poèmes, le second 16 et le troisième 17, précédés d'une curieuse préface où l'auteur attribue la paternité des pièces de ce recueil à un certain João Mínimo. Ce dernier, fils de paysans ayant conquis des grades à l'université, aurait alors entrepris de voyager à l'étranger. Las de courir, il revint dans sa patrie, et, réduit à la misère, il aurait alors accepté une place d'aide-sacristain, à l'église des sœurs d'Odivelas. Mais, pendant la nuit, João Mínimo étudiait et écrivait. Garrett imagine avoir rencontré un jour le poète près du sépulcre du roi dom Dinis, et par la suite être devenu son ami. Mais voici que l'aide-sacristain lui expédia, un beau matin, une caisse contenant ses œuvres et une lettre d'adieu : il quittait le Portugal pour toujours et le faisait héritier du peu qu'il possédait, le laissant libre de publier ses œuvres, mais seulement avec le nom sous lequel il était connu à Odivelas, c'est-à-dire celui de João Mínimo, et non le véritable. Garrett aurait choisi et fait publier les meilleures poésies du recueil. Cette présentation ingénieuse n'est qu'un prétexte pour attaquer violemment la décadence générale du Portugal et surtout celle de la poésie. Les trois livres de poésies sont le fruit de la jeunesse de Garrett, qui ressentait encore les effets de l'éducation familiale du XVIIIe siècle. Les thèmes traités sont le plus souvent la patrie, la liberté, l'amour. Le patriotisme du poète est sincère et naïf ; l'amour pour la liberté est enthousiaste, absolu ; l'amour pour la femme n'est guère qu'imagination candide et lamentations fort conventionnelles.

POÉSIES NOUVELLES d'Ady [*Uj versek*]. Recueil de vers du poète hongrois Endre Ady (1877-1919), publié en 1906. Ce recueil, qui révélait un art profondément original, suscita les plus vives polémiques, non seulement en raison du renouvellement total de la métrique qu'il apportait, mais surtout de l'attitude non conformiste adoptée par l'auteur. En effet, dans le poème d'introduction « Je suis le fils de Gog et de Magog », Ady se proclame fils du peuple, ce peuple dont les ancêtres, conduits par Arpád, s'étaient établis dans le pays mille ans plus tôt. Mais le temps a défait les vertus antiques et le poète, qui a cherché refuge à l'Occident, s'apprête à reconquérir sa patrie, apportant avec lui les chants des temps nouveaux, la vraie poésie hongroise. Balayant conservateurs et petits esprits, il entend vivre et œuvrer pour les temps qui viennent, porter la guerre enfin au cœur des rêves domestiqués et faire de l'amour lui-même une « bataille de baisers » (« Nuits sur la lande »). Pour lui, la Hongrie est un pays de mort ; le célèbre « Alföld » de Petöfi sent le cadavre et ce peuple, depuis des siècles, a oublié de vivre. Ici, tout ce qui est grand et noble est condamné d'avance (« Le Poète de Hortobágy », « Pendant les guerres de Hongrie »). Mais si la vie parisienne exerce sur Ady un profond attrait, il demeure spirituellement rivé à sa terre, écartelé entre l'Occident et l'Orient, chargé des fautes et des vertus de sa race. Et c'est en Occident qu'il veut mourir, loin des yeux de ses ennemis, au plus profond de la forêt des maisons de pierre, comme jadis les réfractaires de son pays allaient se réfugier dans les forêts. Chantre de la vie, de la plénitude de vie, Ady en arrive à une conception dionysiaque, thème qu'il développera dans *Sang et Or* (*), proche de la mythologie nietzschéenne. Chez lui, tout sentiment est avant tout un combat et ses rapports avec Dieu s'expriment eux-mêmes en termes de conflit. La Hongrie refusa d'abord de se reconnaître dans cet extrémisme : elle n'y retrouvait pas son idéalisme et fut effrayée par la foi impérieuse et impudente que le poète lui imposait. En réalité, l'œuvre d'Ady s'insère plus directement dans l'histoire de l'esprit hongrois que l'œuvre de Nietzsche dans celle de son peuple, par la violence des réactions, son élan désespéré vers l'avenir, sa nécessité perpétuelle de dépassement et de rachat. — Trad. Stock, 1946.

POÉSIES PHILOSOPHIQUES d'Ackermann. Recueil de poésies lyriques de l'écrivain français Louise Ackermann (1813-1890), publié à Paris en 1874 avec les *Premières poésies* et une préface autobiographique. Le volume fut réimprimé en 1877 avec un appendice dans lequel la poétesse se défend d'avoir subi l'influence du pessimisme allemand et déclare ne pas avoir attendu les paroles de Schopenhauer pour prendre position. L'auteur fait preuve d'un pessimisme absolu ; elle ne voit dans le monde aucune raison d'être et ne craint la mort que parce qu'elle ne répond pas à son anxiété de savoir : « J'ignore ! Un mot, le seul par lequel je réponde / Aux questions sans fin de mon esprit déçu ; / Aussi quand je me plains en partant de ce monde, / C'est moins d'avoir souffert que de n'avoir rien su. » La vie est douleur et tourment, désir inapaisé de vérité : l'homme souffre du contraste qu'il forme avec la nature implacable (« La Nature à l'homme » et « L'Homme à la nature ») et la mort la plus affreuse n'est qu'un soulagement à tant de maux (« Le Déluge »). L'amour lui-même n'est qu'illusion (« Paroles d'un amant ») ; les massacres de la guerre sont un symbole du mal qui couvre la terre (« La Guerre ») ; pour toute l'éternité pèse sur le genre humain l'énigme d'une vérité recherchée en vain. L'inspiration de Mme Ackermann, exprimée avec une énergie intense et grave, peut la classer à la suite de la poésie parnassienne, en particulier de Leconte de Lisle ; mais ce qu'on y retrouve surtout, ce sont, déformés par une méditation âpre et poussée jusqu'à l'athéisme, les sujets de Vigny sur la désespérante immobilité de l'existence et sur le destin inutile qui attend l'homme.

POÉSIE VERTICALE [*Poesía vertical*]. Ensemble de l'œuvre poétique de Roberto Juarroz, poète argentin, né en 1925. Quand il publie, en 1958, son premier recueil, Juarroz lui donne ce titre qui ne variera plus dans la suite que par un numéro d'ordre, au fur et à mesure des parutions. En 1963, *Seconde poésie verticale* [*Segunda poesía vertical*]. En 1965, *Troisième* ; en 1969, *Quatrième* ; en 1974, *Cinquième poésie verticale*. En 1976, l'ensemble est repris dans un volume unique auquel est adjointe une *Sixième poésie verticale*. De *Septième poésie verticale* (1982) jusqu'à la *Douzième* (1990), les volumes se succèdent. Entre-temps avait paru une importante sélection tirée des tomes I à IX, sous le même titre : *Poésie verticale – grande anthologie* [*Poesía vertical – antología mayor*]. Une pareille unité de ton d'un bout à l'autre d'une œuvre est surprenante. Elle est d'autant plus forte qu'aucun des poèmes de Juarroz n'a de titre, mais seulement un numéro dans chaque recueil. Cette insistance dans l'anonyme a un sens. La parole poétique prend ici naissance dans le sans-nom, sans-visage, et s'y attache obstinément.

Dès le premier recueil, la direction est donnée. Elle sera « verticale », ira vers le fond, dans un mouvement propre à atteindre la face cachée des choses et parfois leur abîme. « Oui, il y a un fond. / Mais c'est le lieu où commence l'autre côté. / Symétrique de celui-ci, / peut-être celui-ci répété, / peut-être celui-ci et son double, / peut-être celui-ci. » La « verticalité » questionne le même, mais autrement, questionne l'autre dans le même. À propos de tout, de l'instant, d'une pensée, du moindre événement, Juarroz interroge le monde et nous-mêmes pris en lui, dans l'illusoire sécurité. Il en montre l'insolite, le défait subtilement dans son image, dans son endroit rassurant, comme pour en dénuder la trame. Un autre monde apparaît alors, qui est et qui n'est plus le monde, mais son reflet dans le vertige. Cortazar parle à ce propos d'« invention d'être ». Juarroz y atteint par une inversion fréquente des termes de l'expérience commune, soumis à une sorte de jeu dialectique qui les vide peu à peu de leur sens, laissant place à un suspens que la poésie seule habite. On pourrait parler ici d'abstraction lyrique, ou fantastique à la Borges. Mais c'est, comme il arrive chez Borges, une abstraction qui fait retour au concret et puissamment l'éclaire. Subversive en son fond, la poésie de Juarroz a un effet stimulant, qui modifie le regard. Son pouvoir est dévoilant, proche de celui de la pensée, mais dans le chant, le rythme, l'incantation verbale qui sont le fait de la poésie seule. C'est une poésie de pensée, métaphysique non par ses thèmes seulement, mais dans son étoffe même de poésie. Poésie de l'« asombro » (étonnement, stupeur), d'autant plus efficace qu'elle est servie par une expression limpide. La langue de Juarroz est sobre et d'une transparence cristalline, presque sans images. Les images sont dans la pensée. Et finalement dans les mots, autrement investis, eux-mêmes « verticaux », dressés seuls et nus, dans le vertige. – Trad. Fayard, 1980 ; nouvelle édition augmentée, 1990. R. M.

POÈTE (Le) [*Shiin*]. Roman de l'écrivain coréen Yi Munyŏl (né en 1948), publié en 1991, et complété par quelques épisodes publiés en 1992 dans la revue *Hyŏndae munhak*. Ce texte se présente comme la biographie romancée et expliquée de Kim Sakkat (1807-1863 ?), poète vagabond qui, après s'être vu interdire toute carrière de fonctionnaire à la suite de la trahison de son grand-père, excella autant dans la poésie chinoise que dans la scatologie la plus crue. À travers cette figure, Yi Munyŏl bâtit une sorte d'autobiographie en creux, destinée à pallier les insuffisances de son roman *L'Époque du héros* [*Yŏngungshidae*, 1984], qui faisait déjà figure d'autobiographie. Il s'agit pour lui d'une part de réévaluer ses relations avec son père passé en Corée du Nord, et de définir sa place dans un monde littéraire prompt à mépriser les autodidactes et les indépendants, comme Kim Sakkat et lui-même. – Trad. Actes Sud, 1992. Pa. Ma.

POÈTE À NEW YORK (Le) [*Poeta en Nueva York*]. Œuvre, en partie posthume, du poète espagnol Federico García Lorca (1898-1936), publiée à Mexico en 1940. Un court séjour à New York, en 1930, a eu sur l'œuvre de Lorca d'importants retentissements : la découverte de l'Amérique, le choc ressenti devant cette civilisation moderne, si différente de l'Espagne encore primitive telle qu'elle apparaît dans la plupart de ses poèmes, l'attirance et certain vertige devant les sensations innombrables proposées par la vie du Nouveau Monde accompagnèrent en effet l'initiation au surréalisme que Lorca recevait alors de son ami Salvador Dalí. Assez indifférent à la doctrine, Lorca fait siennes aussitôt les découvertes techniques du surréalisme (images magnifiques et stupéfiantes, rapprochements insolites des mots, etc.) : ainsi sa poésie se renouvelle, abandonnant une grande part des thèmes populaires, s'enrichissant d'images subtiles, parfois hermétiques, mais d'une grandeur incontestable. Certains poèmes de ce recueil furent publiés dans des revues du vivant de Lorca, les autres ne parurent qu'après sa mort. Les deux pièces les plus célèbres sont l'« Ode à Walt Whitman » et l'« Ode au roi de Harlem ». L'étrange portrait de Whitman montre combien, en dépit des transformations de son expression poétique, Lorca, après sa découverte de l'Amérique, est resté profondément espagnol, paysan et primitif. Sans doute est-il fasciné par New York, ville de « fil de fer et de fange », et l'évocation de la cité géante, parcourue par « des troupeaux de bisons poussés par le vent », donne au poème un rythme d'une ampleur extraordinaire. C'est bien cependant sous la figure d'un géant rustique, d'un dieu riant de quelque fête dionysiaque, que Lorca s'est représenté Whitman, immense statue allongée sur les rives de l'Hudson. Et, curieusement, de la ville trop moderne, c'est un hymne à la vie saine et sauvage, une poésie de l'épi de blé qui s'élèvent : « New York de boue, / New York de fils métalliques et de mort : / Quel ange portes-tu caché sur la joue ? / Quelle voix parfaite dira les vérités du blé ? / Qui dira le songe terrible de tes anémones salées ? » Alors paraît le poète, comme la fleur la plus exubérante de la simple nature : « Pas un seul instant, ô vieil et beau Walt Whitman, / Je n'ai cessé de voir ta barbe emplie de papillons, / Ni tes épaules de drap élimées par la lune, / Ni tes cuisses d'Apollon, virginal, / Ni ta voix comme une colonne de cendre ; / Vieillard beau comme la brume, / Qui gémissait comme un oiseau, / Le sexe traversé d'une aiguille. » L'audace de ces images peut faire considérer parfois le poème de Lorca comme immoral : en fait, c'est la protestation robuste, contre un monde inhumain, de la vie forte et généreuse. On pourra retrouver la même inspiration dans l'« Ode au roi de Harlem », personnage fantastique, qui, « avec une cuillère / Arrachait les yeux des crocodiles / Et frappait le derrière des singes... ». S'élève ensuite la frénésie nègre, comme la luxuriance d'une danse sacrée : « Les Noirs pleuraient, confondus / Entre des parapluies et des soleils d'or. / Les mulâtres étiraient des gommes / Anxieux d'atteindre le torse blanc, / Et le vent ternissait des miroirs / Et brisait les veines des ballerines. » L'œuvre s'achève par la soudaine explosion de la rumeur sauvage, primitive, plus forte que la rigidité mathématique de la grande ville : « Hélas ! Harlem menacé par une foule de vêtements sans tête ! / Ta rumeur m'arrive... » Jamais peut-être on n'a mieux exprimé l'inhumanité qui couve sous les grands édifices de la civilisation, et qui est à la fois pour eux une menace de désastre et la plus sûre ressource de vie. La rencontre de Lorca est pathétique, parce que Lorca était justement l'être le moins fait pour découvrir New York. Aussi admirera-t-on la manière avec laquelle il sait traduire la magie colorée de la grande ville, allant aussitôt à l'essentiel, à la tragédie des forces naturelles trop brimées par les lois de l'existence collective. — Trad. *Ode à Walt Whitman,* édit. G.L.M. (1938) et *Ode au roi de Harlem,* aux « Cahiers du Sud » (1er semestre 1945). Traduction Pierre Darmangeat, Gallimard, 1961.

POÈTE ASSASSINÉ (Le). Recueil de nouvelles de l'écrivain français Guillaume Apollinaire (1880-1918), publié en 1916. La première donne son titre au livre. Croniamantal, fils d'un musicien wallon et d'une femme enrichie par la galanterie et le jeu, morte à sa naissance, a été nourri par un baron français et élevé par un humaniste hollandais. Poète et dramaturge, il a pour ami un peintre, l'oiseau du Bénin, et s'éprend de la dansante Tristouse Ballerinette. Devenu célèbre, il est quitté par elle et la poursuit à travers l'Europe jusque dans un étrange couvent en Moravie ; il revient en France au moment où un savant allemand nommé Tograth a déchaîné une persécution contre les poètes ; à Marseille, Croniamantal, lynché par la foule à laquelle se joint Tristouse, subit le sort d'Orphée. Le dernier chapitre est l'apothéose du poète, auquel l'oiseau du Bénin sculpte une statue en creux, une « profonde statue en rien, comme la poésie et comme la gloire ». Avec les lieux, les événements et les personnages de sa propre vie, Apollinaire a ainsi composé une biographie fantasmatique structurée par un ensemble de mythes que domine l'identification christique. Le texte est modelé par le jeu permanent sur les formes du langage, sur l'onomastique et la toponymie ; il est tour à tour lyrique, cocasse et satirique. Plusieurs des nouvelles suivantes contiennent aussi des éléments d'autobiographie, soit par le contenu des épisodes, soit par l'évocation des sites. La plus longue, « Le Roi-Lune », est un conte fantastique dans lequel le narrateur, lors d'une véritable descente aux enfers, visite la demeure souterraine où continue à vivre, conformément à la légende, le roi Louis II de Bavière ; il y connaît des expériences d'abolition du temps et de l'espace qui correspondent aux tendances les plus profondes d'Apollinaire. Dans la dernière nouvelle, « Cas du brigadier masqué c'est-à-dire le poète ressuscité », les principaux personnages du recueil réapparaissent autour du poète, ressuscité pour participer à la guerre et y enfanter, de son front blessé, une « Minerve triomphale ». Par son architecture solide, quoique non immédiatement perceptible, par sa richesse thématique et par la qualité de l'écriture, ce livre est un des chefs-d'œuvre d'Apollinaire. M. B.

POÈTE ET L'AUTOCRATE À TABLE (Le) [*The Poet of the Breakfast Table, The Autocrat of the Breakfast Table*]. Suite d'essais romancés de l'écrivain américain Oliver Wendell Holmes (1809-1894), publiée en 1857. C'est de toutes les œuvres de Holmes la plus significative, et à ce titre elle valut à son auteur d'être souvent comparé à Charles Lamb. Douze personnes, qui hantent la même pension et qui ont toutes une activité distincte, conversent autour de leur table d'hôte. Il en résulte douze entretiens sur des questions de caractère général que soulève certain personnage appelé l'Autocrate. L'auteur évoque en outre l'idylle qui se noue entre ce dernier et une jeune institutrice. Leur mariage mettra un terme à ces fameuses conversations, le couple ayant décidé de faire un voyage en Europe. Avec un tel argument, il est facile d'imaginer la diversité des questions traitées, surtout si l'on tient compte de la vaste culture scientifique et littéraire de l'écrivain. (On sait que

Holmes fut médecin et enseigna l'anatomie.) Étant au surplus le fils d'un pasteur, il avait une solide formation religieuse et s'intéressait à toutes les questions théologiques de son temps. Tout comme Lamb, notre auteur excelle à traiter, avec un humour débonnaire, les questions les plus diverses. Sauf à noter qu'il est loin de posséder cette grande connaissance du cœur humain qui est le propre de Lamb. N'oublions pas, en effet, que Holmes est l'héritier direct des puritains, un homme de science désireux de résoudre des problèmes et de mettre en pratique ses préoccupations humanitaires. Dans ce livre, il fait alterner avec le récit des épigrammes des jeux de mots et quelques poésies sérieuses, parmi lesquelles il faut citer « Le Nautile » [The Chambered Nautilus], célèbre autant pour l'élégance du style que pour la haute leçon de morale qui s'en dégage. — Trad. Gautier, 1889.

POÈTE ET PAYSAN [*Dichter und Bauer*]. Opérette en trois actes du compositeur autrichien Franz von Suppé (1820-1895), représentée à Vienne en 1846. Dans la petite auberge d'un village des Alpes arrive le poète Ferdinand Rümer qui, dans le calme reposant de l'endroit, espère trouver un réconfort à sa douleur : il vient d'être abandonné par sa maîtresse. Il s'y éprend de la gracieuse Lisa, fille de l'aubergiste, qui semble disposée à abandonner pour lui son fiancé, Conrad, un jeune paysan du village. Mais, cependant, Herminia, la maîtresse du poète, repentante et désireuse de reconquérir son ami, est partie à sa recherche, accompagnée d'un gentilhomme âgé, qui aspire à sa main et qui, par amour pour elle, la suit malgré sa fatigue. Après avoir rejoint Ferdinand, Herminia ne tarde pas à se réconcilier avec lui, ceci au grand dépit du vieillard amoureux. Mais ce dernier retrouve une de ses anciennes amantes, avec laquelle il réussit facilement à se consoler. Lisa, ayant obtenu le pardon de Conrad, se décide à préférer le paysan au poète. De telle sorte qu'après divers épisodes sentimentaux et comiques, tout malentendu se dissipe, tout caprice est abandonné, et les trois couples retrouvent leur accord primitif. La trame scénique de l'opérette est des plus légère, et même un peu stupide. Mais les nombreuses chansons fraîches et pleines de mélodie qui l'accompagnent en font l'une des opérettes les mieux venues de ce compositeur si populaire. La brillante ouverture est particulièrement célèbre.

POÈTE ET SON OMBRE (Le). Recueil de textes de l'écrivain français Paul Éluard (1895-1952), publié en 1963. Ces textes pour la plupart inédits furent écrits entre 1920 et 1952. Ce recueil, présenté et annoté par Robert D. Valette, est divisé en quatre : « Proverbes », « Mains et visages suivis de quelques écrits sur l'art », « L'Évidence poétique suivie de quelques invectives », « Appels ». À travers de nombreux documents tels que photos, fac-similés, dessins, etc. et à travers les textes, apparaît Éluard « parfaite innocence verbale » mais aussi esprit diversement créateur. Il y apparaît en poète qui voit le monde, qui le sait et qui, ainsi que dans *Donner à voir* (*), dit ce qu'il sait, ce qu'il croit, ce qui est vrai. La transfiguration poétique, tranquille et sûre d'elle, est un face-profil dont il tente de réunir les deux phases dans une évidence immédiate et intuitive. Éluard apparaît aussi comme un redoutable polémiste. Il attaque avec violence et verdeur les dieux de son temps : Malraux, Cocteau, Valéry, ces marchands d'ordre ; il les fustige, les méprise, les ridiculise... Cocteau « bête puante », Valéry « prédestiné ridicule ». Il dénonce aussi l'aberration d'un patriotisme nationaliste et impérialiste, proclame l'horreur du colonialisme, et du pouvoir fort, de sa justice retranchée derrière sa cécité, et sa bonne conscience. Comme esthéticien aussi, il est libéral. Il ne peut y avoir de règle dans l'art, créé ou vu, il ne peut y avoir que des différences et ces différences s'annulent entre le subjectif et l'objectif. L'artiste, quel qu'il soit, peintre, sculpteur, donne sa vue du monde, ce qui est vrai. Le comprendre ? La barrière qui sépare les individus peut tomber dans cet entrecroisement de vérités, l'objet et le sujet étant destinés l'un à l'autre.

POÈTE REGARDE LA CROIX (Un). Volume de prose d'inspiration religieuse que l'écrivain français Paul Claudel (1868-1955) publia en 1935. C'est une méditation sur le mystère de la Croix, méditation nourrie des textes de l'Ancien et du Nouveau Testament qui s'y rapportent. Considérant que l'Église tire ses origines de la mort du Christ, et que toute la liturgie repose sur cet événement, l'auteur cherche à se représenter le visage du Sauveur dans sa simplicité sublime. De là, il tente de rendre intelligibles les formes et les symboles, les vérités et les dogmes grâce auxquels l'Église perpétue le drame sacré. Après une méditation d'ordre général, le poète étudie, vivifiées par l'amour, les Sept paroles prononcées par le Christ sur la Croix ; puis il évoque « Le Cri suprême », « La Descente de croix » et « La Descente aux enfers ». L'originalité de l'exégèse et la portée de l'apologétique que tente ici Claudel s'imposent avec une évidence peu commune. Dans la dernière partie du livre, le poète adresse au Christ différentes prières : pour les peuples séparés de Lui, tout d'abord, puis pour les siens, pour lui-même enfin.

POÈTES (Les). Poème de l'écrivain français Louis Aragon (1897-1982), publié en 1959. C'est d'abord une évocation discontinue d'un certain nombre de poètes, Omar Khayyam, Hölderlin, Verlaine, Pouchkine, plus longuement Marceline Desbordes-Valmore (« Le Voyage d'Italie »), Nezval (« Prose de

Nezval »), Desnos (« Complainte de Robert le Diable »), Carco (« Quai de Béthune »), Maïakovski (seconde partie du « Discours »), Antonio Machado (« La Halte de Collioure »), Dassoucy (« Les Amants de la place Dauphine »), le surréalisme commençant (« Quatorzième arrondissement »). Mais, plus que des poètes eux-mêmes, c'est du pouvoir étrange de la poésie qu'il s'agit, de ce perpétuel recommencement du monde et de l'histoire à travers l'invention des rythmes et des images. À proprement parler, de ce qu'est au fond, de ce que traduit ou trahit cette opération apparemment prétentieuse où s'inventent sans cesse de nouveaux langages. Dès le Prologue, il nous est dit : « Celui qui chante se torture / Quels cris en moi quel animal / Je tue ou quelle créature / Au nom du bien au nom du mal / Seuls le savent ceux qui se turent / Je ne sais ce qui me possède... » Mais la dernière partie, « Le Discours à la première personne », nous ramène au poète du XXe siècle pris entre lui-même (« Je n'en aurai jamais fini de cet enfantement de moi-même... ») et l'histoire d'aujourd'hui (« Dans cette demeure en tout cas anciens ou nouveaux nous ne sommes pas chez nous »), pour s'achever par un appel à ceux qui vont venir, aux jeunes poètes (que dessine « La Nuit des jeunes gens »), aux écrivains futurs : « Le drame il faut savoir y tenir sa partie et même qu'une voix se taise / Sachez-le toujours le chœur profond reprend la phrase interrompue / Du moment que jusqu'au bout de lui-même le chanteur a fait ce qu'il a pu... » L'œuvre marie le vers libre, les vers comptés de dix-huit à vingt syllabes, les octosyllabes, les alexandrins, les passages en prose, voire des dialogues ou des commentaires (« Je lui montre la trame du chant ») où ne manquent pas, côte à côte avec le lyrisme, l'humour et l'ironie sur soi-même.

POÈTES DRAMATIQUES ANGLAIS DU TEMPS DE SHAKESPEARE [*Specimens of English Dramatic Poets who lived about the Time of Shakespeare*]. Anthologie des dramaturges « élisabéthains » accompagnée de notes critiques de l'écrivain anglais Charles Lamb (1775-1834) et publiée en 1808. Sont représentés dans cette anthologie : Thomas Kyd, Christopher Marlowe, John Marston, Thomas Middleton, Cyril Tourneur, John Webster, John Ford, Philip Massinger, Beaumont et Fletcher, Ben Jonson et autres. À une époque où seules les œuvres de Ben Jonson et celles de Beaumont et Fletcher étaient connues du grand public, Lamb fut le premier à révéler les incontestables beautés des dramaturges moins célèbres, dans cette vaste production qui va des origines du drame moderne anglais à la fermeture des théâtres en 1642. Ses brefs et savoureux commentaires éclairent ces extraits et encouragent le lecteur à se reporter au drame d'où ils sont tirés. Les notes les meilleures sont celles concernant certaines scènes de Webster, *Le Docteur Faust* – v. *Faust* (*) – de Marlowe, *Le Cœur brisé* (*) de Ford. Il est rare que Lamb ne vise pas juste et ne pousse pas son analyse jusqu'au bout comme c'est le cas pour le jugement défavorable qu'il porte sur *Tamerlan le Grand* (*) de Marlowe, dont les boursouflures de langage l'empêchèrent de découvrir combien le personnage central de l'œuvre incarnait parfaitement l'esprit de la Renaissance. Quelquefois son jugement est trop indulgent, comme pour le prologue de la seconde partie d'*Antonio et Mellida* (*) de Marston. Mais, malgré ses lacunes et ses défauts, cette œuvre de Lamb marque une date importante dans la critique romantique et dans l'histoire de la fortune du drame anglais.

POÈTES ET ÉCRIVAINS D'ITALIE [*Poeti e scrittori d'Italia*]. Choix de textes critiques du philosophe et critique italien Benedetto Croce (1866-1952). On sait que Croce a toujours évité de composer une véritable *Histoire de la littérature italienne*, car le fameux théoricien de l'*Esthétique comme science de l'expression et linguistique générale* (*) a toujours soutenu la nécessité de traiter des arguments par monographie et non pas par une véritable histoire. Mais Floriano Del Secolo et Giovanni Castellano purent facilement réunir, en 1927, après avoir sélectionné les nombreux essais que Croce a consacrés à la littérature italienne, une ample anthologie critique de ses écrits, intitulée *Poètes et écrivains d'Italie*. L'œuvre, établie suivant l'ordre chronologique, comporte des pages qui sont parmi les plus subtiles de ce critique. Elle présente, dans son ensemble, des personnalités telles que Léonard, Galilée et Cuoco. Elle discute aussi de la littérature espagnole du XVIIe siècle en Italie et de la littérature dialectale qui en a été la conséquence. Ceci a permis à cette œuvre de dépasser les limites habituelles de ces sortes de traités, d'une manière vraiment efficace. Les différents essais de *La Littérature de la nouvelle Italie*, publiés en 1914 et 1915, fournissent, en un travail bien ordonné, un développement particulier. La célébrité qu'ont obtenue ces écrits de Croce relatifs à D'Annunzio, Verga, Pascoli et Fogazzaro est due à leur caractère polémique et au fait qu'ils représentent la première affirmation de la critique italienne. Croce a, généralement, examiné de fort près cette production littéraire, qui va de l'unité italienne jusqu'au XXe siècle, et qui est très étendue mais parfois oubliée. On a ajouté deux volumes (en 1939 et en 1940) aux quatre volumes de cette œuvre qui avait paru en de nombreux feuilletons dans la *Critica*. Ces deux derniers volumes traitent des auteurs mineurs de la même période et, en particulier, confirment les jugements antérieurs portés à leur sujet. Ils traitent aussi d'écrivains plus récents, tels que Pirandello, Deledda, Gozzano, Panzini et Gaëta.

POÈTES MAUDITS (Les). Essai critique du poète français Paul Verlaine (1844-1896), paru pour la première fois en 1883 dans la revue littéraire d'avant-garde *Lutèce* (dirigée par Léo Trézenic) ; publié en volume chez Vanier en 1884 et en 1888. Les « poètes maudits » de 1883 et 1884 n'étaient que trois : Tristan Corbière, Rimbaud et Mallarmé ; dans l'édition de 1888, ils sont au nombre de six : les trois cités, Marceline Desbordes-Valmore (dont Verlaine devait la connaissance à Rimbaud), Villiers de L'Isle-Adam et enfin le « pauvre Lélian », « celui qui aura eu la destinée la plus mélancolique », c'est-à-dire Verlaine lui-même. Par « poètes maudits », Verlaine entend les vrais poètes, les « poètes absolus » (c'est ainsi qu'il les appelle dans son avant-propos), inconnus de son temps. On peut, dit-il, reprocher à Corbière ses irrégularités ; mais « les impeccables ce sont tels et tels. Du bois, du bois et encore du bois. Corbière était en chair et os tout bêtement ». Chez Rimbaud (que, rappelle-t-il pudiquement, « nous avons eu la joie de connaître »), il exalte « l'immortelle royauté de l'esprit, de l'âme et du cœur humains ; la grâce et la force et la grande rhétorique » niées par nos pittoresques, nos étroits naturalistes de 1883. De Mallarmé, il reprend l'éloge qu'il en avait déjà fait dans le « Voyage en France par un Français » (1880) et où il disait que, « préoccupé, certes ! de la beauté, il considérait la clarté comme une grâce secondaire et, pourvu que son vers fût nombreux, musical, rare, et, quand il le fallait languide ou excessif, il se moquait de tout pour plaire aux délicats, dont il était, lui, le plus difficile ». L'essai de Verlaine occupe, dans l'histoire littéraire moderne, une place extrêmement importante. En 1883, si Verlaine commençait à être connu, les noms des poètes dont il parlait étaient ignorés ou oubliés. Les poèmes de Corbière, de Mallarmé et surtout ceux de Rimbaud, dont les célèbres « Voyelles » et *Le Bateau ivre* (*), qu'il citait à l'appui de son fervent éloge, furent une révélation pour le public. Leur célébrité date de là ; elle devait être consacrée l'année suivante par la parution d'*À rebours* (*), où Huysmans fait figurer les œuvres de Corbière, de Mallarmé et de Verlaine parmi les préférées de son héros Des Esseintes (non Rimbaud parce que, expliquera Huysmans plus tard, il n'avait encore rien publié à cette époque). C'est ainsi que naquit ce « décadentisme » auquel le mouvement symboliste se rattache directement.

POÈTES NZAKARA. Après une brillante introduction, Eric de Dampierre présente une quarantaine de poèmes qu'il a recueillis de la bouche de vingt-neuf poètes de l'ethnie Nzakara, du Haut-Oubangui en République centrafricaine. Les poètes Nzakara sont des chanteurs et des musiciens. Des photographies les montrent vêtus de guenilles, une expression savoureuse sur le visage, accroupis et tenant entre leurs jambes leur petite harpe à cinq cordes. Ils apprennent leur art auprès des poètes accomplis de la génération précédente. Ils en vivaient jadis sans jamais être de simples griots dévoués à la louange de quelque puissant. Leur pauvreté était le signe de leur indépendance et ils n'hésitaient pas à vitupérer ou à railler les chefs. Bien que tous soient maintenant obligés de cultiver pour vivre, une quarantaine d'entre eux continuent à pratiquer sur les quelque cent vingt qui survivent encore. Les Nzakara savent distinguer ces vrais poètes des baladins, des bouffons et autres chansonniers qui n'en sont que la caricature.

Leurs poèmes, les *bia,* se chantent le soir ; souvent les poètes jouent en duo, alternant leur chant, harpes et mélodies accordées. Leur langue est pleine d'archaïsmes, d'expressions hermétiques, d'ellipses et d'altérations saisissantes. Bien que le genre soit certainement le fruit d'une très longue tradition, le fait que chaque poète, au lieu d'apprendre par cœur et de répéter les textes de ses prédécesseurs, utilise les ressources de sa science pour improviser toujours de nouvelles paroles est le gage d'une constante actualité ; ces œuvres reflètent donc des problèmes et une situation actuels.

Pour comprendre les thèmes évoqués ou suggérés plutôt que traités, il faut savoir que les Nzakara formaient autrefois un grand peuple, constitué en un État à la tête duquel régnait un souverain assisté d'une aristocratie, de fonctionnaires recrutés dans le commun et d'une armée constituée de tous les jeunes hommes astreints au service militaire obligatoire. Des traditions nationales prestigieuses et une histoire séculaire ponctuée par de nombreux exploits guerriers faisaient la fierté des Nzakara. Mais, à la fin du XIXe siècle, l'irruption des Arabes d'abord, puis des Belges et des Français fut ressentie beaucoup plus cruellement qu'ailleurs et provoqua une rapide décadence qui s'exprima surtout par une chute tragique de la natalité et par l'emprise de plus en plus voyante de maladies débilitantes. Cette réaction est à mettre en relation avec la philosophie traditionnelle qui distingue le mal venant de l'homme, tel que la sorcellerie, et qu'on peut neutraliser, grâce au devin par exemple, de celui, plus mystérieux, qui se présente comme une menace permanente émanant du destin du monde en sa totalité. C'est ce mal qui intéresse le poète et dont il ne peut guère que se faire l'écho en se lamentant et en raillant tour à tour, usant d'un humour qui, à la limite, n'est que pour lui-même. Le poète, cependant, ne parle pas qu'en son propre nom ; au cours de son chant il se fait, sans transitions, la voix des uns et des autres, recrée des dialogues, cite des phrases historiques, parle pour les morts, parle même pour les femmes, puis revient soudain à ses propres préoccupations.

Ces poèmes n'ont en fait ni commencement ni fin ; chacun constitue plutôt une séance de chant et se présente ici sous la forme d'une suite de versets dont il est souvent difficile et parfois impossible de retrouver le fil conducteur. L'effet poétique se trouve moins dans le développement d'un thème que dans la juxtaposition rapide et brutale de cris du cœur, de citations historiques, de proverbes, de voix de divers protagonistes, d'anecdotes savoureuses, de formules banales ou stéréotypées et de questions aux résonances profondes. Le fil conducteur qui a stimulé l'improvisation serait plutôt à rechercher dans la situation spécifique créée par la réunion autour du poète.

Ainsi dans le poème de Bala, *Kanzia, l'homme de cour, Kanzia est mort !*, c'est manifestement la présence d'une femme blanche qui inspire le poète : il la salue puis fait dialoguer un vivant, lui-même, avec les morts devenus inaccessibles mais qui le chargent de la saluer tout en se lamentant que le destin et la mort la leur interdisent à jamais. Mais le poète lui, qui est vivant, qui n'a plus accès à ses morts dont les plus illustres, comme celui qu'il cite, sont morts par le fait des Blancs, peut-il espérer ? Non, il se résigne ; ces morts ont été si inutiles qu'il ne peut même pas en espérer quelque compensation. Le destin l'humilie ; sa liberté est celle du rat dans la gueule d'une vipère ; il ne lui reste plus qu'à regarder vers le pays des morts.

Le thème de la mort qui gagne est partout présent ; il est lié au thème de la faim, comme dans le poème de Koulassi, *Quelle nourriture a-t-on donc refusée à la mort et donnée à la vie ?* Inversement, la nourriture est liée à l'amour des femmes ; mais elles vous négligent, vous laissent, vous affament ; des portraits spirituels et précis en recensent les nombreuses variétés : « celle qui a le sentiment flasque », la coquette et paresseuse qui ne vous donne à manger que sa beauté, la femme mièvre, la fille négligée qui ne cesse de s'esclaffer, etc. L'amante est appelée « mère » mais elle vous abandonne toujours par sa mort ou par son refus ; il arrive que le poète évoque des moments privilégiés (« Viens, ébattons-nous, comme un fer de hache dans un plat de bois », Guitagba dans « Belle femme, la faim me noue »), mais c'est pour faire mieux ressortir aussitôt la dérision de ce monde où tout se perd, ce monde dont le maître est la mort (« Tu me repousses pour prendre un homme là-bas sous la terre ! » ibid.). — Trad. Classiques africains, Julliard, 1963.

POÉTIQUE. Sous-titrée « revue de théorie et d'analyse littéraires », paraissant régulièrement à raison de quatre livraisons annuelles depuis 1970, l'austère et savante publication des éditions du Seuil aura été le témoin du renouveau et des mutations des études littéraires en France. C'est avant tout — d'où le titre de la revue repris d'une tradition qui va d'Aristote à Valéry — un souci de la chose littéraire, dans sa « littérarité », trop souvent ramenée par l'Université à des préoccupations historiques ou érudites, voire livrée aux impressions subjectives ou idéologiques des « critiques », qui va être à l'origine de la fondation de cette entreprise. Les dangers du dogmatisme lié à toute visée théoricienne vont être évités grâce à une très grande ouverture aux multiples voies d'approche et d'exploration du champ littéraire. « Poétique *ouverte* », c'est-à-dire ne présupposant pas son objet comme déjà constitué (la littérarité dépasse la littérature tout comme la poétique ne se réduit pas à la poésie), en quête des formes à venir qui se cherchent dans et contre la tradition, la revue s'attachera à analyser toute « oblitération de la transparence verbale ». Vaste champ qui conduira la publication à ne négliger ni les recherches linguistiques (avant tout la sémiotique post-saussurienne — il serait possible, à partir des articles parus, de dessiner une histoire des avancées et reculs du structuralisme en théorie littéraire — mais aussi, plus récemment, la pragmatique et les théories de l'énonciation) ni les approches philosophiques, formalistes, rhétoriques, grammaticales, psychanalytiques... Cette ouverture théorique se marquera aussi par un appel aux recherches pratiquées hors de France — sans exclusives, même si l'on doit noter une prépondérance des recherches pratiquées en langue anglaise. La variété des auteurs et sujets étudiés (des plus généraux : la lecture, la théorie des genres, les rapports entre philosophie et littérature..., aux plus techniques : la narratologie, l'intertextualité, la grammatextualité...), la multiplicité des angles d'approche, leur dialogue, tous ces aspects seront maîtrisés grâce à une équipe homogène regroupée autour des fondateurs (Tzvetan Todorov — qui a quitté la revue en 1988 —, Hélène Cixous et Gérard Genette) et dirigée par Michel Charles. Il faut noter aussi que depuis ses origines la revue publie parallèlement une collection d'ouvrages qui ne cesse d'approfondir et d'enrichir au fil des ans les recherches critiques en France. F. W.

POÉTIQUE d'Aristote [*Περὶ Ποιητικῆς*]. Œuvre du philosophe grec Aristote (384-322 av. J.-C.), écrite vers 344 et dont il ne nous est parvenu qu'un fragment. L'expression grecque « poiesis » embrasse un domaine plus vaste que notre « poésie » : elle s'applique à toute la création artistique en général, conçue, selon la tradition réaliste grecque, comme une imitation de la réalité sensible. Mais une difficulté surgit alors : celle de concevoir l'art comme une valeur spirituelle, c'est-à-dire renfermant une valeur idéale. Platon, dans *La République* (*), avait nié la spiritualité de l'art ; dans *Ion* (*), il avait défini l'art comme le produit mystérieux d'une sorte de délire, d'une folie d'origine divine. Sa conception métaphysique permet à Aristote de lever le doute platonicien sur la nature de l'art : la « forme » étant d'après lui immanente à l'objet, même une imitation de la réalité sensible peut posséder une signification spirituelle, du moment qu'elle tend à exprimer l'aspect formel de cette réalité ; or, tel est précisément le caractère de l'imitation artistique. Ayant ainsi défini le concept de « poiesis », Aristote établit une distinction entre les genres considérés en général : « L'épopée et le poème tragique, comme aussi la comédie, le dithyrambe et, pour la plus grande partie, le jeu de la flûte et le jeu de la cithare sont tous, d'une manière générale, des imitations ; mais ils diffèrent entre eux de trois façons : ou ils imitent par des moyens différents, ou ils imitent des choses différentes, ou ils imitent d'une manière différente, et non de la même manière » (1447 *a*). C'est ainsi que tout en discernant très clairement l'unité de l'art en tant que tel, Aristote pose le problème des genres d'un point de vue technique et empirique. La majeure partie du long fragment qui nous est parvenu est consacrée à la tragédie et à l'épopée, qu'Aristote, avec tous les Grecs, considérait comme l'art par excellence, et à la comédie. Les trois éléments fondamentaux de la poésie : la tendance à l'imitation (sœur de cette soif de connaître qui produit les sciences), l'harmonie et le rythme sont innés dans l'homme ; ils ont donné naissance à l'épopée et, par l'introduction du dialogue, à la tragédie et à la comédie. Six éléments caractérisent la tragédie : l'intrigue, les caractères, le style, le spectacle, la musique. De tous, le plus important est l'intrigue qui, imitant la réalité, est le seul objet propre de l'art poétique ; c'est donc à elle qu'Aristote consacre surtout son attention. L'imitation, on l'a vu, est une réalité spirituelle dans la mesure où elle s'applique à la « forme » ; or, comme la forme est l'élément proprement rationnel de l'expérience, toute l'analyse aristotélicienne de l'intrigue se déroule sur un plan strictement rationnel. Ce qui possède une forme est un Tout, c'est-à-dire une chose qui a un commencement, un milieu et une fin ; une totalité finie et séparée des autres. De plus, « le bel animal et toute belle chose composée de parties supposent non seulement de l'ordre dans ces parties, mais encore une étendue qui n'est pas n'importe laquelle, car la beauté réside dans l'étendue et dans l'ordre » (1450 *b*) ; le principe de la limitation des dimensions et de l'harmonie des parties d'une œuvre d'art est la première loi de la Poétique aristotélicienne ; les événements doivent se suivre avec vraisemblance et nécessité, de manière à former un tout harmonieux et cohérent. La seconde loi est celle de l'« unité », dont les théoriciens de la Renaissance et de l'époque classique déduisirent, d'une manière assez arbitraire, les célèbres règles de l'unité de temps, de lieu et d'action. C'est dans l'unité que se trouve la différence fondamentale entre narration poétique et narration historique ; alors que celle-ci est une suite empirique d'événements contingents, l'autre résulte d'un choix d'événements significatifs rattachés les uns aux autres par le lien d'une nécessité absolue, de manière à former un enchaînement tel qu'en changeant une partie de place, ou en la supprimant, on en vienne à changer ou à bouleverser l'ordre général. C'est une conséquence du fait que « la poésie est plus philosophique et d'un caractère plus élevé que l'histoire ; car la poésie raconte plutôt le général, l'histoire, le particulier » (1451 *b*) ; l'histoire expose ce qui est, la poésie ce qui devrait être. Quant à sa valeur morale et éducative, il n'est pas vrai que la tragédie suscite et attise les passions, comme le croyait Platon ; étant donné leur reproduction objective sous une forme universelle, elle en provoque au contraire la « catharsis » ou purification : idée par laquelle Aristote annonce la théorie de la nature objective et désintéressée des sentiments esthétiques qui, ébauchée par saint Augustin, sera développée par Kant. La division de la tragédie en différentes parties (aujourd'hui on dirait « actes ») ne présente désormais qu'un intérêt médiocre ; elle est moins importante à nos yeux que la théorie des caractères, où l'on retrouve également les lois de la vraisemblance et de la nécessité (cohérence). Les considérations qui suivent ont trait à la métrique, à la stylistique et à la rhétorique. Le fragment s'interrompt au début de l'exposé sur l'épopée, qui ne fait en substance que répéter ce que l'auteur avait déjà dit au sujet de la tragédie. L'importance historique de cet ouvrage a été immense : on peut le considérer comme le « manifeste » du classicisme ou du rationalisme esthétique de toutes les époques : l'art est imitation de la beauté, considérée comme l'aspect formel, idéal, de la réalité sensible. — Trad. Les Belles-Lettres, 1932, Le Seuil, 1980 ; Le Livre de poche, 1990.

★ Dans l'Antiquité, la *Poétique* d'Aristote inspira l'*Art poétique* (*) d'Horace (par endroits presque calqué sur elle). Au Moyen Âge, Averroès la paraphrasa et la commenta, et Hermann l'Allemand donna, en 1265, une version latine de ce commentaire. Mais, d'une manière générale, les théories esthétiques d'Aristote n'exercèrent au Moyen Âge aucune influence. Elles n'en eurent pas davantage auprès des humanistes qui étaient essentiellement des platoniciens, ni auprès des philosophes et des artistes de la première moitié du XVIe siècle.

★ En revanche, à partir de la seconde moitié de ce siècle, la *Poétique* d'Aristote exerça sur la pensée critique et esthétique une influence décisive. C'est à l'humaniste italien Francesco Robertelli (ou Robertello, 1516-1567), professeur à l'université de Pise, qu'on doit la première interprétation de cette œuvre d'Aristote. L'ouvrage de Robertelli, intitulé *Commentaire au livre d'Aristote sur l'art poétique* [*In librum Aristotelis de arte poetica explicationes*], publié à Florence en 1548, comprend la traduction latine du texte d'Aristote et une série de gloses sur chaque passage. Se fondant sur la doctrine du philosophe grec, Robertelli reconstruit les lois générales qui régissaient les œuvres d'art de l'Antiquité et formule, à son tour, un certain nombre de règles auxquelles les artistes modernes doivent selon lui se conformer. Un des points les plus intéressants soulevés par Robertelli a trait à la nature de la tragédie. Celle-ci est en effet une représentation vigoureuse des passions, y compris les plus malfaisantes. Un tel spectacle n'est-il pas capable d'entraîner vers le mal les esprits de ceux qui le contemplent ? Et Robertelli de rappeler ici la notion de la « catharsis » qu'on trouve chez Aristote, et en particulier ce qu'il dit au sujet de la tragédie qui, « par la pitié et la terreur, libère l'homme de tels sentiments ». Cette définition devait soulever d'innombrables discussions pendant toute la Renaissance et devenir un des canons littéraires de la Contre-Réforme catholique. Traitant ensuite de l'épopée, Robertelli conclut à la valeur philosophique de la poésie ; en raison de sa valeur universelle, elle touche à la vérité de bien plus près que l'histoire. Les principes de la *Poétique* aristotélicienne, détachés de leur application concrète à la littérature et notamment à la tragédie grecque, acquièrent ainsi la valeur de règles applicables à l'art de toutes les époques. D'autre part, si Robertelli témoigne, en raison de sa formation rhétorique, d'un certain penchant pour les beautés purement formelles de l'œuvre d'art et pour le plaisir qu'elles procurent, son livre annonce déjà le moralisme rigide de la Contre-Réforme. L'art poétique sera désormais considéré comme un guide pour l'artiste, et ses préceptes comme des règles universelles, antérieures à la création artistique elle-même.

★ L'année qui suivit la publication du *Commentaire* de Robertelli, Bernardo Segni (1504-1558) traduisit, ou plutôt paraphrasa, en toscan, la *Poétique* et la *Rhétorique* d'Aristote ainsi que le *Commentaire* de Robertelli.

★ L'auteur italien Vincenzo Maggi (mort en 1564) publia à Venise, en 1550, ses *In Aristotelis librum de poetica communes explicationes* ; c'est une interprétation rigoureusement catholique de l'esthétique d'Aristote. À travers une analyse subtile, mais non dépourvue de sophismes, des textes, il parvient à la formulation d'une doctrine moraliste de l'art ; il renie ainsi toute la doctrine humaniste et marque un retour aux conceptions artistiques du Moyen Âge.

★ Cette nouvelle esthétique se trouve également formulée dans l'*Art poétique* [*Arte poetica*] de Minturno. Ancien platonicien, Antonio Sebastiani da Minturno (mort en 1574) participa au concile de Trente et se convertit à un aristotélisme modéré. Son œuvre, publiée en 1563, se compose de quatre dialogues entre l'auteur et des personnages de son temps ; on y commente Pétrarque et on y explique la nature de la poésie sur la base des principes énoncés par Aristote, Horace et d'autres auteurs classiques. Peu conséquent avec lui-même, l'auteur y réaffirme néanmoins ce qu'il avait dit du temps de son platonisme dans son *Poète* [*Poeta*], à savoir que l'artiste ne se propose pas de dispenser un enseignement moral, mais uniquement d'amuser.

★ *La Poétique* [*Poetices libri septem*] de Jules-César Scaliger (Giulio Cesare Scaligero, 1484-1558), humaniste italien qui s'installa en France, publiée en 1561, représente le premier exposé systématique de la nouvelle doctrine esthétique, élaborée par les penseurs italiens de la seconde moitié du XVIe siècle. Elle se divise en sept livres. Dans le premier, « Historicus », l'auteur examine les diverses formes et genres de compositions poétiques et cherche à préciser ce qu'il faut entendre par poésie, en quoi celle-ci se distingue de la science et de l'histoire. À la différence de l'historien, le poète ne raconte pas seulement ce qui est, mais aussi ce qui n'est pas de manière qu'il paraisse vrai ; c'est donc un imitateur et en même temps un créateur, un « second dieu ». Le deuxième livre, « Hylé », traite de la matière de la poésie, c'est-à-dire des vers, de leurs éléments, des différents mètres, du rythme. Le troisième, « Idée », examine les sujets que traitent les poètes, les figures de rhétorique et, en général, tout ce qui peut être matière de poésie. Le quatrième, « Parasceve », traite des caractères de l'expression. Le cinquième, « Criticus », établit un parallèle entre les poètes grecs et latins ; grand adversaire d'Érasme, Scaliger proclame la supériorité des seconds sur les premiers, de Virgile qu'il trouve élégant et raffiné, sur Homère qui lui paraît rude et grossier. Le sixième livre, « Hypercriticus », contient une histoire de la poésie latine ; le dernier, « Epinomis », reprend quelques points déjà développés auparavant, et donne notamment des règles précises pour la composition des tragédies. L'œuvre de Scaliger eut un retentissement considérable ; elle contribua à faire connaître en France la nouvelle doctrine esthétique élaborée par les Italiens ; Boileau s'en inspira largement dans son *Art poétique* (*).

★ La *Poétique d'Aristote vulgarisée et exposée* [*Poetica d'Aristotele vulgarizzata e sposta*] de l'auteur italien Ludovico Castelvetro (1505-1571), publiée en 1570, constitue la dernière tentative d'exposer et de commenter la doctrine esthétique d'Aristote. Castelvetro se montre toutefois moins servile à l'égard d'Aristote que ses contemporains ; tout en respectant son autorité, il ne se borne pas à paraphraser sa pensée ; il cherche à en déduire une théorie de l'art poétique. Un des points les plus intéressants de son œuvre a trait à ce passage du chapitre IX de la *Poétique*, qui avait déjà donné tant de mal aux commentateurs de la Renaissance : la fonction du poète n'est pas de représenter les choses telles qu'elles furent en réalité, mais telles qu'elles auraient pu être, d'après les lois de la vraisemblance et de la nécessité. Reprenant et développant ces idées, Castelvetro observe que le poète, du fait justement qu'il ne se soucie pas de ce qui est, est censé posséder une acuité et une subtilité plus grandes que l'historien, étant donné qu'il est bien plus difficile d'imaginer le possible que de retracer le réel. Plus loin, à propos de la poésie dramatique, il systématise et formule la célèbre théorie de l'unité de temps et de lieu qui devint depuis une des règles fondamentales du théâtre.

★ La *Poétique* [*Poetica*] du philosophe italien Francesco Patrizi (1529-1597), publiée à Ferrare en 1587, représente en revanche une critique de l'esthétique aristotélicienne, que l'auteur considère non seulement comme nuisible à la formation du goût des artistes et du public, mais contraire à la doctrine de l'Église. L'erreur d'Aristote, et encore plus de ses partisans, est de n'avoir considéré que quelques œuvres, notamment les tragédies grecques de son temps, et de les avoir prises comme modèles pour énoncer des règles ayant une valeur générale ; il convient donc de mettre fin à sa tyrannie ; il faut énoncer de nouvelles règles d'art poétique en se fondant, non seulement sur les œuvres des Anciens, mais sur toute l'histoire de la littérature. Son livre se divise en deux parties. Dans la première, il examine les origines de l'histoire de la poésie et donne en appendice un véritable répertoire des poètes et de leurs œuvres ; dans la seconde, il traite du délire poétique, dans lequel il voit, en bon platonicien, la véritable source de la poésie.

★ Le philosophe et réformateur calabrais Tommaso Campanella (1568-1639) est également l'auteur d'un *Art poétique,* qu'il acheva d'écrire en 1613 et qu'il publia en 1638 dans la quatrième partie de sa « philosophie rationnelle » sous le titre : *Poeticorum liber unus juxta propria principia.* La poétique, dit-il, est « l'art instrumental du sage » qui s'en sert pour dispenser d'une manière agréable, facile, et à l'insu du lecteur paresseux et ignare, le vrai et le bon. L'artiste atteint ce but « par le rythme et par les exemples ». Étroitement liée à la rhétorique conçue comme art de la persuasion, « la poétique est comme une rhétorique imagée et presque magique » ; elle utilise un langage métaphorique propre à étonner et à plaire. L'art est donc toujours quelque chose d'instrumental ; il a pour but l'utilité et non le plaisir, bien qu'il ait toujours le plaisir pour conséquence. Passant à l'examen de la doctrine aristotélicienne de la « mimésis », Campanella observe que l'imitation n'est pas l'apanage de la poésie, mais de tous les arts humains : « Tout art est imitation de la nature et la nature n'est que l'art de Dieu immanent aux choses. »

L'influence de la *Poétique* d'Aristote ne se limita pas au XVIe siècle, elle fut à la base de la conception classique de la poésie — v. *Art poétique* (*) de Boileau — et surtout de la tragédie française au XVIIe et au XVIIIe siècle. C'est contre cette conception classique née de la *Poétique* que devaient se révolter Lessing — v. *Laocoon* (*) — puis, au XIXe siècle, les romantiques français, en créant le drame romantique — v. *Préface de « Cromwell »* (*) de Hugo.

POÉTIQUE de La Mesnardière. Cet ouvrage de l'écrivain français Hippolyte-Jules Pilet de La Mesnardière (1610-1663), publié en 1639, ne prétend nullement à l'originalité puisqu'il se présente comme une « paraphrase » de la *Poétique* (*) d'Aristote — il suit de près le texte grec en commentant ses obscurités et en l'adaptant, lorsque cela paraît nécessaire, à la civilisation contemporaine — et comme une vulgarisation de *La Poétique* (*), en latin, de Scaliger. Rivalisant avec les théoriciens italiens, il s'oppose particulièrement à Castelvetro, qui fait du plaisir du spectateur le but principal de la tragédie. Avant d'Aubignac, il systématise les notions étroitement liées de « bienséance » et de « vraisemblance », notions clés de la doctrine classique. Dans la lignée de Malherbe, il entend restaurer la poésie tragique dans sa plus haute dignité.
L. D.

POÉTIQUE CRITIQUE [*Kritische Dichtkunst*]. Traité de poétique du critique suisse d'expression allemande Jacob Breitinger (1701-1776), publié à Zurich en 1740, en même temps que le *Traité critique du merveilleux* (*) de Bodmer. Il s'inscrit en partie contre un traité analogue de Gottsched : *Essai d'une poétique critique* (*), paru en 1730. Il comprend deux parties : « Poétique critique, où la description poétique est considérée dans ses rapports avec l'invention et se trouve expliquée par les exemples les plus célèbres choisis parmi les anciens et les modernes » et « Poétique critique, où la peinture poétique est envisagée sous le rapport de l'expression et de la couleur ». Suit un « Traité critique sur la nature, les buts et l'emploi des comparaisons, accompagné d'exemples tirés de l'œuvre des plus célèbres stylistes anciens et modernes ». Le livre, comme le dit Bodmer dans sa Préface, part du thème, cher aux Suisses, de la poésie considérée en tant que peinture poétique, supérieure à la peinture par ses fins didactiques et sa « continuité ». L'idée originale de Breitinger est de tenir le « neuf » pour générateur de merveilleux et de libérer ce dernier des étroites limites où l'avait enfermé Gottsched, en laissant à l'imagination une liberté absolue dans le domaine de la création poétique. C'est d'ailleurs le sixième chapitre : « Du merveilleux et du vraisemblable », qui constitue le point central de l'ouvrage. Parmi les conceptions originales, on peut relever celles qui ont trait à l'idéalisation, par le truchement de la poésie, des êtres terrestres et des choses quotidiennes. Toutefois – et Goethe qui tenait cependant Bodmer pour un « homme bon, cultivé et intelligent » nous en avait averti –, même les plus justes intuitions ne purent atteindre à leur plein développement, car elles ne dépassèrent jamais les limites du moralisme de leur auteur, qui tint toujours les Fables d'Ésope pour la plus haute expression de la poésie. La seconde partie de la poétique traite de la technique poétique (choix des mots, style, construction du vers, etc.). L'intérêt de cet ouvrage, que l'on peut situer par affinité auprès des *Réflexions critiques sur la poésie et la peinture* (*) de Du Bos, est désormais purement historique.

POÉTIQUE DE DOSTOÏEVSKI (La) [*Problemy poetiki Dostoevskogo*]. Œuvre du philosophe et théoricien russe de la littérature Mikhaïl Bakhtine (1895-1975), publiée en 1929 (titre initial : *Problemy tvorčestva Dostoevskogo*) et rééditée, avec des modifications importantes, en 1963. Bakhtine reconnaît dans l'œuvre de Dostoïevski un modèle esthétique fondamentalement nouveau, issu de l'éclatement du rapport auteur-personnages. Ce rapport, calqué sur le couple sujet-objet de la connaissance, se traduit dans la prose par la nette prééminence de la « voix » du narrateur sur les voix de ses personnages. Selon les canons traditionnels, celles-ci ne devraient pas s'affirmer dans le discours direct, mais plutôt se soumettre, en tant que parole citée ou mentionnée, aux positions de l'auteur-démiurge. Si les écrits de Dostoïevski ne nous apparaissent pas comme des blocs taillés dans un vaste monologue cohérent, c'est, d'après Bakhtine, parce que les personnages y trouvent une liberté d'expression certaine. Le grand romancier russe concevait ses héros comme de véritables interlocuteurs avec lesquels il dialoguait « sur une base paritaire ». Cette « égalité » des voix propre au roman dostoïevskien n'a pas toujours été perçue comme un principe esthétique original. Nombreux ont été ceux qui, déroutés par tant de « démocratie », ainsi que par l'éclipse de l'instance suprême du narrateur, ont dû exprimer leur inaptitude à localiser le centre organisateur de cet univers. La pluralité des visions et la multiplicité des centres de narration résistent en effet à toute tentative de réduction. Pour Bakhtine, le trait caractéristique des romans de Dostoïevski est leur « polyphonie », c'est-à-dire la coexistence des mondes multiples (à la place du système de référence unique, propre aux traditions « monologiques » du roman) et l'interaction des consciences, avec leurs « voix équipollentes ». Les statuts civils, les positions sociales et les caractères d'un Ivan Karamazov, d'un Raskolnikov ou d'un Mychkine n'intéressaient que très peu l'écrivain. Seule la conscience que ces personnages pouvaient avoir de leurs mondes et d'eux-mêmes est représentée dans le roman, avec pour conséquence une interpénétration des points de vue telle que tout effort d'établir une vision objective des événements est voué à l'échec. Dépourvu d'objectivité, le monde dostoïevskien n'est pas pour autant envahi par la subjectivité. Car la polyphonie affecte également le soliloque, le transformant en une « dialogie intérieure ». Des phénomènes réputés bizarres, fréquents chez Dostoïevski, comme le dédoublement, la gémellité, les métamorphoses des personnages et même les conversations avec le diable sont expliqués par le biais de cette notion. Avec les développements sur la « perception dialogique du monde » et sur la « nature dialogique du mot », Bakhtine transgresse le cadre de la théorie littéraire, pour esquisser une doctrine philosophique du « dialogisme ». – Trad. Seuil, 1970 ; L'Âge d'homme, 1970 (*Problèmes de la poétique de Dostoïevski*). M. Ga.

POÉTIQUE DE LA PROSE. Essai de théorie littéraire du critique et linguiste français Tzvetan Todorov (né en 1939), publié en 1971, puis sous une forme abrégée, augmentée des *Nouvelles recherches sur le récit*, en 1978. De la première édition de son livre, Tzvetan Todorov n'a retenu que les études consacrées à l'analyse du récit. C'est dire que cette « poétique » est centrée cette fois sur les problèmes que pose la narration. Neuf « corpus » définissent le champ d'investigation : le roman policier, l'*Odyssée* (*), *Les Mille et Une Nuits* (*), le *Décaméron* (*), le *Graal*, les nouvelles de Henry James, *Notes d'un souterrain* (*) de Dostoïevski, *Cœur des ténèbres* (*) de Joseph Conrad, *Adolphe* (*) de Benjamin Constant.

Fidèle aux méthodes déjà expérimentées dans l'*Introduction à la littérature fantastique* (1970), qui sont celles du structuralisme appliqué aux objets littéraires, Todorov s'attache à classer et à décrire les genres et les fonctions du récit. On peut distinguer, selon les œuvres envisagées, deux perspectives. D'un côté les récits archétypiques (l'*Odyssée*, le *Décaméron*, *Les Mille et Une Nuits*, le *Graal*, le roman policier) ; de l'autre les récits d'auteurs (Henry James, Dostoïevski, Conrad, Constant). Démonter le fonctionnement des premiers, c'est nous donner les moyens de comprendre celui des seconds. Ainsi, l'*Odyssée* nous enseigne-t-elle d'abord qu'il n'est pas de « récit primitif », que la « perversion » est au contraire inscrite à l'origine du genre. *Les Mille et Une Nuits* font apparaître ce que Todorov nomme les « hommes-récits ». Le fait que chaque nouveau personnage signifie une nouvelle intrigue laisse entrevoir le trait essentiel d'une anthropologie de la narration : son infinitude. Infini et complexe, le récit s'apparente en somme à toutes les activités symboliques. Dans cette mesure, il autorise à son propos l'établissement d'une « grammaire », laquelle sans doute contribuera à éclairer la grammaire universelle de toutes les activités symboliques. Todorov s'en tient, quant à lui, à énoncer quelques principes « grammaticaux » apparus à la lecture du *Décaméron* (parties du discours, voix, modes et aspects du récit) et propres à l'élaboration d'un appareil descriptif. Cette connaissance du récit, il est des textes qui la comportent en eux-mêmes, telle la *Quête du Graal* (*), ouvrage anonyme du XIIIe siècle dans lequel les actions sont immédiatement commentées et interprétées dans un sens littéral et dans un sens allégorique. C'est la question de l'herméneutique qui est ainsi posée, et à laquelle répondent, de façon magistrale, les études consacrées aux auteurs. La dernière d'entre elles, appuyée sur *Adolphe*, propose de l'ensemble du livre une sorte de synthèse en même temps qu'elle ouvre heureusement la réflexion — poursuivie depuis par d'autres — sur « la lecture comme construction ». C. D.

POÉTIQUE DE LA RÊVERIE (La). Avec cet ouvrage publié en 1960, le philosophe français Gaston Bachelard (1884-1962) complète l'importante série d'études consacrées à l'imagination poétique, qui va de *La Psychanalyse du feu* (*) à *La Poétique de l'espace* (*). Cette fois, ce ne sont plus les objets de la rêverie, mais la rêverie elle-même dans son mécanisme, dans ses modalités, qui est en cause. C'est ici encore la méthode phénoménologique — « école de naïveté », dit l'auteur — qui est utilisée, afin d'élucider le processus de la rêverie, que la psychanalyse, faisant porter tous ses efforts sur le rêve, a laissé de côté. Pourtant la rêverie « nous donne le monde d'une âme » ; l'image poétique « porte témoignage d'une âme qui découvre son monde, le monde où elle voudrait vivre. Où elle est digne de vivre ». Leur étude seule peut permettre d'édifier une « phénoménologie de l'âme ».

L'ouvrage débute sur des considérations très personnelles, des « rêveries sur la rêverie », divisées en deux parties : « Le Rêveur de mots », qui fixe des « pensées vagabondes » sur le genre des mots et leur signification, à propos de la différenciation qu'établit le langage entre la rêverie (féminin) et le rêve (masculin), « Animus » - « Anima », où le philosophe, reprenant la distinction établie par Jung entre ces deux principes dialectiques de la psychologie des profondeurs, montre qu'elle s'applique parfaitement à l'objet de son étude : « La rêverie est sous le signe de l'anima. Quand la rêverie est vraiment profonde, l'être qui vient rêver en nous c'est notre anima. »

C'est vers l'enfance que nous ramène le plus souvent la rêverie, mais vers l'enfance rêvée, vers les « images aimées » conservées dans un coin de la mémoire, car « l'enfance dure toute la vie ». Le chapitre consacré aux « Rêveries vers l'enfance » constitue une « ébauche d'une métaphysique de l'inoubliable ». Le plaisir qui naît de la rêverie est, contrairement à celui du rêve, un plaisir conscient, actuel. Le rêveur nocturne ne peut énoncer un « cogito », « le rêve de la nuit est un rêve sans rêveur, alors que le rêveur de rêverie garde assez de conscience pour se dire : "C'est moi qui rêve la rêverie" ». Lorsque celui qui s'abandonne à la rêverie s'est détaché du quotidien, du souci, il s'ouvre au monde et le monde s'ouvre à lui, il devient un « rêveur de monde ». La rêverie aide à habiter le monde, à habiter le bonheur du monde.

S'appuyant sur des exemples puisés aux meilleures sources, chez les grands écrivains, chez les poètes, Bachelard mène à bien ici une véritable réhabilitation de la rêverie, qui est un retour à l'essentiel, une espèce d'hygiène de l'âme. Souplesse et rigueur de l'analyse, appliquées au presque inanalysable, font la valeur de ce livre, un des plus personnels, un des plus profonds qu'il ait écrits.

POÉTIQUE DE L'ESPACE (La). Cet ouvrage du philosophe français Gaston Bachelard (1884-1962), publié en 1957, clôt le cycle qui commence avec *La Psychanalyse du feu* (*) et, en même temps, en élargit l'horizon. Après avoir analysé les images poétiques nées de la méditation spontanée sur les quatre éléments, Bachelard en arrive à définir ici l'image poétique comme ayant un dynamisme propre, relevant d'une « ontologie directe » ; l'étude objective qu'il a menée à bien à travers les cinq livres précédents doit être complétée par une étude de la « transsubjectivité », grâce à laquelle peut seulement s'expliquer le pouvoir de l'image sur d'autres âmes que celle de son créateur. Cette étude se doit d'être phénoménologique, c'est-à-dire de saisir le « départ de l'image dans la conscience individuelle ». La poésie apparaît bien en fait comme une « phénoménologie de l'âme » ; l'image comme un « devenir d'expression, un devenir de notre être », c'est ici l'expression qui « crée de l'être ». Telle est la thèse que le philosophe s'apprête à soutenir dans ses ouvrages suivants — v. *La Poétique de la rêverie* (*) —, ici le domaine de l'enquête où elle s'applique est limité à ce que Bachelard appelle l'« espace heureux », c'est-à-dire l'espace possédé, défendu contre les forces adverses, l'espace aimé, et tout d'abord l'espace intime, l'espace refuge, la maison qui, à travers la rêverie et l'œuvre des poètes, apparaît comme un véritable principe d'intégration psychologique du monde au moi, la maison avec ces lieux divers, diversement valorisés : la chambre, la cave, le grenier. La maison c'est à la fois l'origine, la maison natale et l'avenir : la maison rêvée. Procédant du contenant aux contenus qui sont encore des contenants, Bachelard étudie ensuite les « maisons des choses », le tiroir, le coffre, l'armoire qui « portent en eux une sorte d'esthétique du caché ». Deux chapitres consacrés au « Nid » et à « La Coquille », ces deux « refuges du vertébré et de l'invertébré », analysent les rêveries humaines d'intimités imaginaires, aériennes, posées à la fourche des branches ou durement incrustées comme le mollusque dans la pierre qu'il sécrète. Avec « Les Coins », il explore ces cachettes où l'enfant se blottit, se crée à lui-même sa petite maison au sein de la grande, et il nous montre que les plus grands écrivains n'ont pas dédaigné ce thème. « La Miniature » et « L'Immensité intime » développent la dialectique du petit et du grand telle qu'elle apparaît dans la poésie et conduisent le philosophe à exposer de manière toute personnelle « La Dialectique du dehors et du dedans », enfin, déduite des images des poètes, une « Phénoménologie du rond ». Ici encore la subtilité tout en nuances de Bachelard, son attention extrême à la parole écrite l'amènent à découvrir, sous la surface des mots, des images, la résonance qu'ils ont au plus profond de nous-mêmes et par là à mettre au jour les structures de notre inconscient.

POÉTIQUE MUSICALE. Sous ce titre, le compositeur russe Igor Stravinski (1882-1971) publia un important recueil de conférences prononcées à l'université de Harvard (États-Unis) en 1939. Divisée en sept chapitres, la *Poétique musicale,* malgré les controverses souvent inutiles qu'elle souleva, demeure un lumineux manifeste non point du néo-classicisme, comme on le dit souvent, mais d'une conception particulièrement élevée de l'art musical, de sa naissance à son action sur le public. Faisant litière, avec esprit, de l'enragé besoin d'étiquettes dont fait preuve la critique, Stravinski dégage d'abord les notions de spéculation, d'ordre et d'artisanat qui lui paraissent présider à la naissance d'une œuvre. Ainsi s'élève-t-il contre des conceptions erronées de la « liberté créatrice », réévaluant du même coup les antagonismes traditionnels entre classicisme et romantisme. Citant, à juste titre, Baudelaire, il introduit un fructueux distinguo entre l'habitude (académique) et la tradition (source de toute démarche créatrice). S'estimant « classique », après avoir rejeté l'épithète « révolutionnaire » qu'on lui accordait au début du siècle, Stravinski peut manier sa plus cinglante ironie contre Wagner et le drame lyrique, fort d'un magnifique aphorisme d'André Gide : « L'œuvre classique est belle en fonction de son romantisme dompté. » Chopin et Weber sont ainsi dressés contre les désordres littéraires (et de nature extra-musicale) de Berlioz, Wagner et autres Richard Strauss, produits typiques de la « décadence du chant ». Un chapitre célèbre, et particulièrement savoureux, est consacré aux « Avatars de la musique russe ». Remarquant que la musique de son pays n'est guère appréciée que pour son pittoresque, Stravinski regrette que peu de créateurs russes se soient haussés au-dessus du cosmopolitisme (opposé à l'universalisme) et surtout que la plupart restent misérablement enfermés dans un « nationalisme » de plus en plus bêlant, spécialement depuis l'instauration du régime soviétique. Pour réactionnaire que soit sa position, Stravinski n'en a pas moins le mérite d'éclairer sans ironie facile les paradoxes d'une politique artistique inadmissible. Un chapitre consacré aux exécutants montre, évidemment, la même exigence à l'endroit de ceux de qui dépend la vie même du « faire musical ».

L'intérêt de ce texte magistral n'a pas faibli, aujourd'hui que beaucoup de critiques désorientés croient mettre l'auteur en contradiction avec lui-même en faisant allusion à sa conversion au dodécaphonisme ou à son voyage dans une U.R.S.S. fraîchement déstalinisée. Si Stravinski, en effet, rend un hommage ambigu à Schoenberg, il n'a jamais exclu dans la *Poétique musicale* le retour aux spéculations sérielles : simplement son tempérament l'oriente évidemment plus vers l'art de Webern (lequel était pratiquement inconnu en 1939) que vers le style lourdement teinté de wagnérisme de son illustre rival. Ainsi la *Poétique musicale* éclaire-t-elle aussi bien *Le Sacre du printemps* (*) que le récent *Threni* — v. *Œuvres religieuses* (*) — et demeure-t-elle une référence (écrite avec beaucoup de maîtrise) pour tout admirateur de Stravinski. — Trad. Plon, 1952.

POETRY. A Magazine of Verse. Cette revue littéraire américaine fut fondée en octobre 1912 par la femme de lettres Harriet Monroe (1860-1936), qui la dirigea jusqu'à sa mort. Dans un premier numéro demeuré célèbre, le but de la revue était ainsi défini : sauver la poésie « le seul des beaux-arts qui ait à pourvoir à sa propre existence », tout en demeurant « libre de toute alliance avec une classe sociale ou une école littéraire donnée ». Il n'y avait donc pas de véritable doctrine, si ce n'est que la littérature constitue un ensemble de valeurs à préserver. Mais, plus que par le désir de sauver une civilisation chère au poète Ezra Pound (l'un des piliers de la revue depuis sa fondation jusqu'en 1922), c'est la publication de vers de premier ordre qui fit la valeur de *Poetry.* Dans le numéro de mai 1913, Pound définit le mouvement imagiste : précision de la description, absence totale de rhétorique, richesse des thèmes, lien du contenu avec l'actualité — telles sont les principales caractéristiques de cette renaissance anglo-saxonne opposée à la tradition littéraire victorienne. Pound cependant décrivit *Poetry* comme un « magazine modéré qui imprime quelques bons poèmes de notre époque à côté d'un tas d'idioties ». À côté de pièces conventionnelles de William Moody ou Arthur Ficke, les « bons poèmes » étaient en fait la primeur de Yeats, Tagore, Vachel Lindsay, T. S. Eliot, Carl Sandburg, et plus tard Wallace Stevens. Les rapports de Pound et d'Harriet Monroe furent souvent orageux, mais la revue connut une longévité rare et publia un véritable capital culturel malgré ses compromis successifs entre le goût du jour et la littérature d'avant-garde. Selon William Carlos Williams, « sans *Poetry* le poème, comme le pigeon sauvage, serait resté parmi nous seulement sous la forme d'un souvenir officiel ». Non contente d'offrir au public américain les trouvailles des mouvements d'avant-garde nord-américains et étrangers, Harriett Monroe publia elle-même de la poésie un recueil d'essais critiques, *Les Poètes et leur art* [*Poets und Their Art,* 1926], et son autobiographie, *Une vie de poète* [*A Poet's Life,* 1937]. Les textes les plus importants et les plus originaux de *Poetry* ont été réunis en 1932 dans une anthologie, *La Nouvelle Poésie* [*The New Poetry*], préparée par Harriet Monroe et Alice Corbin Henderson.

POIDS DU CIEL (Le). Essai de l'écrivain français Jean Giono (1895-1970), publié en 1938, le plus long qu'il ait écrit. Datant d'une période où l'écrivain privilégiait l'abondance et l'expansion, le livre, d'apparence très libre mais en fait d'une composition rigoureuse, comprend trois parties. La première s'ouvre sur un réquisitoire d'une extrême violence contre l'homme moderne, celui des grandes villes et de l'âge industriel, et contre les dictatures de droite comme de gauche ; puis vient en contrepartie l'éloge de l'artisanat rural. La seconde est en trois volets. Dans le premier alternent l'évocation d'un cargo soviétique en mer Noire (avec apparition d'une gigantesque raie phosphorescente), et d'un train dans la steppe russe, et celle, grandiose, de la nuit s'étendant sur la terre au fur et à mesure de sa rotation ; le second fait vivre Marseille de midi à deux heures, par une série de dialogues, de collages d'actualité (par exemple titres de presse ou extraits des procès de Moscou), d'interventions de grands hommes du passé, écrivains, peintres, musiciens, d'Homère à Beethoven, le tout dans une manière simultanéiste inspirée de Dos Passos ; Giono ne s'est jamais autant qu'ici penché sur les aspects immédiats de la vie de son temps, qu'il anime grâce à un renouvellement radical de sa technique d'écriture. Dans le troisième volet, il tente de faire sentir, en s'éloignant à toute vitesse de la terre par la pensée, la présence et la nature du cosmos. Un exposé parfois un peu didactique est allégé par des développements sur la musique, en particulier celle de Mozart, et par des incursions d'une incroyable audace dans une science-fiction onirique : Giono imagine des univers où la vie est entièrement gazeuse ou entièrement solide (fleuves de granit où nagent des truites de granit) ; ou encore il fait de l'astronomie imaginaire en décrivant les fleuves lunaires en train de se déverser sur la Terre. La troisième partie, plus brève, permet à Giono d'exprimer son message : un appel à l'homme en tant qu'individu, qui seul peut « faire son compte », à égale distance de l'horrible et belliqueux monde moderne et du froid inhumain des espaces infinis de la matière. Malgré quelques longueurs, le livre atteint par moments un des sommets du lyrisme gionien dans ce qu'il a de plus vigoureux.

POIDS DU TEMPS (Le) [*L'enorme tempo*]. Récit-journal de l'écrivain italien Giuseppe Bonaviri (né en 1924), publié en 1976 mais écrit en grande partie en 1955 à Mineo et terminé seulement en 1961 à Frosinone. Dans la grande tradition du néoréalisme, il s'agit d'un journal de bord du jeune médecin Giuseppe Bonaviri qui fait ses premières armes dans la ville de son enfance. Constat sec : quatre ans après Carlo Levi (le récit démarre en 1949), le Christ n'est toujours pas arrivé à Mineo. Une mentalité prérationnelle habite les esprits et confine les autochtones dans un monde magique régi par la misère, les mères et les rites chtoniens. Le jeune médecin et sa jeune science ne peuvent qu'échouer face à ce bloc immuable. Le journal est aussi une enquête qui n'est pas sans rappeler parfois *Les Paroisses de Regalpetra* (*) (1956) de Leonardo Sciascia par la précision ponctuelle des renseignements qu'elle nous fournit sur l'organisation et la vie du bourg. — Trad. Denoël, 1980.

P. R.

POIGNÉE DE CENDRE (Une) [*A Handful of Dust*]. Roman de l'écrivain anglais Evelyn Waugh (1903-1966), publié en 1934. Le titre, emprunté à *La Terre vaine* (*) de T. S. Eliot (« Je te montrerai la peur dans une poignée de poussière »), annonce un roman sérieux, contrastant avec la fantaisie dont regorge *Grandeur et Décadence* (*). Dans cette comédie qui finit mal, l'innocent pris dans les machinations d'un monde très réel se trouve véritablement terrassé. Lady Brenda Last ne peut plus supporter l'ennuyeuse existence rurale et le manoir néo-gothique qui symbolisent pour son époux la respectabilité familiale et l'orgueil aristocratique. Elle entreprend, pour se divertir, de flirter avec un jeune homme sans intérêt ni envergure, et finit par détruire son mari. Ce ne sont ni Beaver ni Brenda qui intéressent le romancier, mais la décadence de l'époux, Tony, qui résulte de l'égoïsme irresponsable de sa femme plus que de sa méchanceté. Le ton est extraordinairement détaché ; Waugh voit dans cet adultère une manifestation typique de la vie anglaise et méprise les cercles et les personnages qu'il décrit. Le lecteur qui tente de découvrir la réalité de cette union et les raisons de sa désintégration se heurte à la neutralité et au silence de l'auteur. L'art de Waugh consiste ainsi à nous faire accepter, comme réels, des personnages et des conflits, des positions morales et une intrigue qui sont à peine esquissés. Au-delà d'une description fort précise des phénomènes, il n'y a pas de profondeur, donc pas de sentimentalité. Tony Last est à la fois généreux et absurde ; ses illusions le trahissent autant que son épouse, si bien que sa décadence jusqu'à sa disparition dans une expédition d'explorateurs au Brésil demeure purement pathétique. L'auteur joue le rôle d'un chroniqueur intelligent, signalant avec humour, mais sans dresser de diagnostic, les symptômes du mal social de notre époque. — Trad. Grasset, 1947 ; Bourgois, 1988.

POIGNÉE DE MÛRES (Une) [*Una manciata di more*]. Roman de l'écrivain italien Ignazio Silone (pseud. de Secondo Tranquilli, 1900-1978), publié en 1952. Dès les premières pages, nous retrouvons le climat brûlant de *Fontamara* (*), *Le Pain et le Vin* (*), *Le Grain sous la neige* (*). Dans un coin sauvage et misérable des Abruzzes, quelques familles possèdent ancestralement la terre, unique forme de richesse. Par la violence et la ruse, avec la complicité de tous les pouvoirs successifs, elles maintiennent à travers les âges leur domination sur les paysans pauvres, sur les « cafoni » qui forment une classe à part. L'écrivain parle comme l'un d'eux, les décrit sans complaisance, ignorants, tarés, mais non pas passifs, car le moindre d'entre eux garde à tout instant le sentiment obstiné de son droit et la certitude religieuse que le temps de la justice apparaîtra un jour. Si dans cette Italie méridionale chère au cœur de Silone s'étaient affrontés, dans les romans précédents, le parti du « Grand sorcier » et les idéalistes indéfectiblement et indomptablement attachés à la liberté, dans *Une poignée de mûres* s'opposent, au lendemain de la libération, le P.C.I. qui, de clandestin et de persécuté, est devenu persécuteur, et les hommes qui restent épris de droiture, de liberté, de respect pour la dignité humaine. Le drame se noue lorsque certains membres du Parti, fidèles à leur premier idéal, doivent s'arracher à ce qui fut leur raison de vivre au temps de la lutte contre le fascisme. La même inquiétude spirituelle que dans *Le Pain et le Vin* chemine à travers le livre pour devenir à la dernière page sinon une croyance, du moins un espoir en une intervention supérieure dans le cours des événements humains. — Trad. Grasset, 1953 ; 1984.

POIL DE CAROTTE. L'œuvre la plus connue de l'écrivain français Jules Renard (1864-1910), publiée en 1894. Douloureuse figure d'un jeune garçon que sa mère n'aime pas et qui, chez lui, est la victime de ses frère et sœur et de tous. Poil de carotte n'est pas, à proprement parler, un enfant martyr, un héros de la bonté malheureuse, car son triste sort l'a rendu rusé, sournois, menteur même, prêt à se défendre comme il peut. Il est plein de sentiments qu'il ne sait pas extérioriser, et quand il s'y efforce, maladroit et sot, il ne peut qu'exciter l'hilarité. Il trouve quelque réconfort auprès de son père, qui est lui aussi une victime et qui ne montre qu'à peine son affection à son fils, mais celui-ci la sent et s'en réjouit. L'auteur ne raconte pas l'histoire du garçon (le livre reste assez vague dans le temps) : il nous campe son personnage à l'aide de rapides croquis, très poussés et mordants, tantôt mêlés de poésie triste, ou animés par un réel et intense sentiment de la nature, tantôt cruellement ironiques, amers, accentués par une épigramme finale. De ces tableaux successifs se dégage un portrait d'une vérité inoubliable ; auprès de lui, voici M. Lepic, le père, sérieux, distrait, résigné ; voici la mère avec sa méchanceté triste, pas heureuse elle non plus ; voici enfin le frère et la sœur béatement égoïstes, leur maison et le petit coin de province où ils vivent. C'est sa propre expérience, sa propre tristesse, que Renard a mises dans ce livre ; et cette pauvre figure d'enfant devient comme le symbole même de l'âme humaine, essentiellement bonne, avide d'affection, mais incapable de s'ouvrir, suffoquant dans son amertume et sa solitude.

De ce volume, Renard a tiré une pièce en un acte, du même nom, représentée à Paris le 2 mars 1900. La figure du père y est mise au premier plan ; il y apparaît plus ouvert, plus humain, plein de sagesse, d'une tristesse résignée qui le rapproche de son fils avec lequel il noue une amitié consolante et virile. Le héros a seize ans, ce qui fait mieux comprendre l'idée de suicide qui, dans le livre, n'est qu'une velléité passagère. L'adaptation scénique est vigoureuse. Les traits de caractère sont presque les mêmes que ceux décrits dans le livre, plus marqués peut-être ; pleins de vérité, ils font pénétrer dans le mystère de l'âme grise. Cette œuvre, d'une réelle intensité dramatique, est l'une des meilleures de tout le théâtre naturaliste.

POIMANDRÈS [Ποιμάνδρης]. Recueil de textes que la tradition attribue à Hermès Trismégiste (nom que les Grecs donnaient au dieu égyptien Thot). Il renferme les œuvres les plus importantes de la littérature hermétique, née sous l'influence des néo-pythagoriciens et comprenant des écrits dus à des philosophes inconnus, qui furent conservés religieusement par la suite comme ayant été révélés par la divinité. Il s'agit d'une vingtaine d'œuvres en prose écrites à des époques diverses et groupées sous le même titre, celui de la première et la plus ancienne du recueil ; celle-ci est, à son tour, tout ce qui nous reste d'une autre série de textes plus importante et plus complète. Vient d'abord la relation d'une vision où Nus-Poimandrès expose à Hermès certaines théories sur Dieu et la nature ; c'est la partie la plus intéressante du recueil. Parmi les autres, il importe de mentionner des dialogues entre Hermès et Asclépios (Esculape) sur le vrai bien, la connaissance, etc. ; ceux entre Hermès et Thot sur la divinité, la transformation de toutes choses (la mort) ;

un discours au peuple où il est prouvé que le pire mal pour les hommes est d'ignorer la divinité, etc. Ces textes paraissent remonter à la fin du IIIe siècle ap. J.-C. Ils n'exposent aucune doctrine précise et parfois même renferment des concepts contradictoires. L'un des principaux est l'idée du dualisme platonicien qui reconnaît un antagonisme entre la divinité, bonne et parfaite, et la matière, source de mal ; mais, contrastant avec ce thème fondamental, on relève par ailleurs la marque d'un panthéisme d'inspiration stoïcienne. L'homme en vient à occuper dans l'univers une position intermédiaire entre la divinité et le monde sensible, puisque son corps est né de la matière et que son âme, pour une grande part, est issue de la divinité. La nature, ainsi que la raison d'être du monde ne peuvent être comprises que par des individus doués du « νούς », qui visent à la connaissance du divin et y parviennent en s'élevant au-dessus des sensations, par l'extase. La connaissance de Dieu procure le bonheur parfait ; l'âme humaine, une fois qu'elle aura connu de multiples et nouvelles purifications, pourra retourner au Ciel d'où elle émane. Telles sont les principales idées que l'on trouve développées dans ce recueil : elles se rattachent en majeure partie à la philosophie grecque (aux néo-platoniciens, principalement), à des croyances mystiques ainsi qu'à des superstitions populaires correspondant à des nécessités pratiques particulières. Ces textes sont intéressants en tant qu'ils montrent la diffusion, au sein du peuple, des doctrines platoniciennes, mêlées à des éléments empruntés aux pythagoriciens, aux stoïques, aux sectes orphiques et syriaques. Leur caractère hermétique leur valut d'être considérés par certains comme des textes sacrés ; ils furent également très étudiés au Moyen Âge et plus tard, au temps de l'humanisme, par les académies néo-platoniciennes de Florence. — Trad. Belles-Lettres, 1946, 7e tirage en 1991.

POINGS SUR LES I (Les). Publié en 1955, ce volume réunit plusieurs recueils du poète français d'origine russe Paul Valet (pseud. de Georges Schwartz, 1905-1987) : *Sans muselière* (1949), *Poésie mutilée* (1951), *Comme ça* (1952), *Matière grise* (1953). Des mots qui cognent, font mouche, fusent en geysers aveuglants de lucidité ; des mots qui clament la nécessité vitale du combat contre toutes les duperies — celles des apparences, du verbe endimanché, des mots d'ordre, des paradis de toutes sortes, du cartésianisme. Un chant réduit à l'éclat de la voix, à la fibre émotive de sa violence, au dénuement de son écho. Une écriture constamment cabrée pour mieux dénoncer l'insupportable réalité des guerres, de l'univers concentrationnaire et de tous ces « enterrés vivants qui hurlent à la mort » dans les sables de notre mémoire. Acte incantatoire en même temps qu'« énorme gerbe de plaies sauvages » destinés à nous ouvrir les yeux, à nous aider à débusquer tous les mensonges, à arracher tous les masques. Une parole abrupte (« Il faut serrer le mot / Comme un oiseau / Le plumer vivant / Le vider saignant ») qui cerne la souffrance de l'homme écartelé entre l'infini de ses aspirations et le fini des formes sociales. Une parole de médecin qui assume « la misère de l'homme et la crasse du siècle », qui voit ses semblables comme des survivants ou des écorchés de planches anatomiques. Une parole qui excise de son ironie tranchante, condamne toutes les manifestations scandaleuses de l'humaine nature, stigmatise le gouffre vertigineux qui sépare la vie intérieure de la réalité que propose le progrès scientifique. Un réquisitoire qui se prolonge au fil d'une œuvre salutaire mais qu'on ne peut impunément recevoir tant son questionnement aigu et lancinant mêle accent prophétique, ricanement et générosité. « Mettre les poings sur les i / Ce n'est plus de la poésie / C'est beaucoup plus grave. » Car sous les imprécations sardoniques et les sentences les plus coupantes perce la bonté d'un homme écartelé entre souffrance spirituelle et terreur sacrée, extraordinairement humain quand, à l'occasion, il se contredit pour mieux asseoir la certitude que, plus encore que la signification, c'est la parole qui compte, l'éclair de voyance qui jaillit du heurt des contraires et érige le chaos surmonté en morale. R. Bl.

POINT CARDINAL (Le). Récit de l'écrivain français Michel Leiris (1901-1990), publié en 1927. Le rideau tombe ; un mot se lève ; on est pris dans la cage circulaire. Qui parle et qui griffe les murs ? Le sang n'est pas du sang : rien que des mots qui coulent, et qui ont froid, tels glaçons sur la nuque. Un voyage a commencé, qui tourne en rond. La vie est ronde et blanche. Parfois les jambes ouvertes de la femme y écrivent un seuil : on va sortir enfin, mais ce n'est que chute au creux d'un tourbillon, circulaire lui aussi. On rêve de lézarde ; on voit de la suie blanche et des nuages de sel gemme ; on dérive sur un courant où chiffres et lettres font des scies mystérieuses. Le monde, cependant, est toujours lisse sous la main. D'ailleurs, qui parle en ce théâtre sinon l'écho renvoyé autour du cercle. Le sexe devrait faire fondre la cage, il n'y fait pleuvoir qu'images forcenées et désir et colère : envie de rompre, de traverser, de se traverser soi-même. Mais à la fin on reste seul avec la voix, et l'on se demande toujours qui parle ? « Alors... tous mes sens s'émoussèrent en même temps que mon cerveau, et c'est après avoir subi cette malemort et m'être à jamais séparé des artifices menteurs de l'esprit que j'eus l'ultime perception de mes membres qui se dispersaient — vraie Jéricho réduite en poudre par l'amour d'une voix —, tandis que mon être véritable se dégageait, prenant aux yeux de l'ombre l'apparence d'un échafaudage fragile de lettres, prêt à crouler, lui aussi, au moindre souffle. »

POINT DE LENDEMAIN. Nouvelle de l'écrivain français Vivant Denon (1747-1825), publiée en 1777 sous les initiales « M.D.G.O.D.R. » dans *Mélanges littéraires ou le Journal des dames,* édités par Dorat, de sorte qu'on a quelquefois attribué le texte à ce dernier. La deuxième édition, publiée séparément en 1812, avec d'assez nombreuses variantes, est généralement retenue aujourd'hui. « J'aimais éperdument la comtesse de *** ; j'avais vingt ans, et j'étais ingénu ; elle me trompa, je me fâchai, elle me quitta. J'étais ingénu, je la regrettai ; j'avais vingt ans, elle me pardonna : et comme j'avais vingt ans, que j'étais ingénu, toujours trompé, mais plus quitté, je me croyais l'amant le mieux aimé, partant le plus heureux des hommes. » Cet incipit mérite sa célébrité, d'autant que tout le récit est ciselé avec la même précision. Mme de T..., amie de la comtesse, a un amant qu'elle aime avec passion et un mari dont elle veut détourner les soupçons sur un tiers. Ayant rencontré le narrateur par hasard seul à l'Opéra, elle l'invite sur-le-champ dans son château à la campagne. Salons magnifiques, jardins en terrasse dominant la Seine, bancs de gazon... : « La nuit était superbe ; elle laissait entrevoir les objets, et semblait ne les voiler que pour donner plus d'essor à l'imagination. » Le charme de la promenade au clair de lune entraîne les confidences, puis les baisers, puis les désirs. Un petit pavillon écarté est le lieu d'une scène érotique, qui se répète dans un cabinet du château au décor particulièrement suggestif. Au lendemain de cette douce et folle nuit, émaillée dans les intervalles de conversations médisantes et spirituelles, Mme de T*** congédie le narrateur devant son mari tranquillisé et accueille son amant, désormais bienvenu au château, sans rire ni rougir. « Je montai dans la voiture qui m'attendait. Je cherchai bien la morale de toute cette aventure, et... je n'en trouvai point. » Ainsi s'achève, sans un mot inutile, un récit qui entrelace joliment l'ingénuité (prétendue) du narrateur, la peinture du plaisir, et l'évocation d'un caractère de femme sensuelle, audacieuse, parfaite comédienne et d'une suprême élégance. C. B.

POINT DE VUE EXPLICATIF DE MON ŒUVRE [*Synspunkiel for min Forfattervirksomhed*]. Œuvre du philosophe danois Søren Aabye Kierkegaard (1813-1855), achevée en 1849, mais rédigée entre 1841 et 1848 et publiée à titre posthume par son frère à Copenhague, en 1859. Kierkegaard lui-même considérait cet écrit comme mettant un point final à son activité littéraire. Il doit son importance au fait qu'il ferme tout un cycle de la production de l'auteur. Plus intéressant encore à cet égard que le *Point de vue* est peut-être le chapitre du *Post-Scriptum aux Miettes philosophiques* (*) où il traite de son activité d'écrivain (écrits littéraires publiés sous un ou plusieurs pseudonymes). Indépendamment de son intérêt autobiographique, le *Point de vue* est également significatif par l'attitude polémique et hostile qu'y prend Kierkegaard à l'égard des formes actuelles du christianisme ; sous cet aspect, il se rattache à des écrits plus anciens tels que *L'École du christianisme* (*), *Pour un examen de conscience de l'époque actuelle* [*Til Selvprovelse*, 1851]. Kierkegaard s'élève contre le christianisme de ces « milliers d'hommes », qui ne nomment Dieu que pour blasphémer, et ne se disent chrétiens que parce qu'ils sont « officiellement » reconnus comme tels. La chrétienté n'est pas le christianisme : introduire celui-ci dans celle-là « est une entreprise au-dessus de nos forces ». Un christianisme d'État, officiel, n'est qu'un leurre, une habitude à l'usage des masses, un ensemble d'actes extérieurs, indifférents et mécaniques. Il lui manque l'angoisse de ceux qui craignent de ne pas être parfaitement chrétiens, et l'aiguillon qui les pousse à le devenir. Le *Point de vue* est l'un de ces ouvrages qui permettent de classer Kierkegaard comme un rénovateur du protestantisme primitif et comme un précurseur de cette « théologie de la crise » que fit prévaloir Barth et ses disciples. – Trad. L'Orante, 1971, t. 16 des Œuvres complètes.

POINT DU JOUR. Ouvrage publié en 1934 par l'écrivain français André Breton (1896-1966). Ce volume regroupe un certain nombre d'articles et études précédemment publiés en revue ou en plaquette, et dont la composition s'étale de 1924 à 1933. Dans l'*Introduction au discours sur le peu de réalité* (de 1927), Breton parle admirablement du fétichisme humain qui veut absolument croire « que c'est arrivé » et face auquel le poète se trouve contraint de répondre par l'apologie de l'aventure intérieure et du mystère, par l'injonction de lâcher la proie pour l'ombre. Puis c'est le court « Refus d'inhumer », où Breton salue la mémoire de Loti, Barrès et France : « l'idiot, le traître et le policier ». Dans « Légitime défense » le poète s'explique sur l'adhésion des surréalistes au programme communiste, « la seule force avec laquelle on puisse compter ». Puis ce sont quelques notes à propos de *Capitale de la douleur* (*), d'Éluard, des « Expositions X et Y », de *La Femme 100 têtes*, de Max Ernst, et de la première exposition de Salvador Dali. Dans un texte paru en 1930, « La barque de l'amour s'est brisée contre la vie courante », l'auteur reprend certaines des réflexions de « Légitime défense ». C'est le suicide de Maïakovski qui en est le prétexte, car il met à nouveau à l'ordre du jour le problème des rapports qui existent, chez l'homme le meilleur, entre l'assurance qu'il donne de son dévouement inconditionnel à la « cause » qui, entre toutes, lui paraît juste – en l'espèce, ici, la cause révolutionnaire – et le sort qu'en tant qu'être humain, être particulier, lui fera la vie. Une fois de plus, Breton nie la possibilité d'existence d'une poésie ou d'un art « susceptible de s'accommoder de la simplification outrancière des façons de penser et de sentir ». Viennent ensuite quelques réflexions inspirées par une enquête menée par *L'Esprit français* sur les rapports du travail intellectuel et du capital, une réponse à M. Rolland de Renéville au sujet d'un article publié dans *La Nouvelle Revue française* (*) sous le titre « Dernier état de la poésie surréaliste », quelques fragments d'une conférence prononcée sous les auspices de l'Association des écrivains et artistes révolutionnaires à la salle du Grand-Orient, une introduction aux *Contes bizarres* (*) d'Achim d'Arnim, un texte sur Picasso, et enfin la préface rédigée par Breton pour l'album *Man Ray* (1934). Pour clore ce volume, André Breton nous livre encore quelques réflexions au sujet du « Message automatique », à la suite d'une expérience survenue en septembre 1933. Cette fois, il oppose l'écriture automatique des surréalistes à celle, mécanique, des spirites ; pour ces derniers, il s'agit de dissocier la personnalité psychologique du médium, alors que le surréalisme se propose d'unifier cette personnalité. « Le propos du surréalisme est d'avoir proclamé l'égalité totale de tous les êtres humains normaux devant le message subliminal, d'avoir constamment soutenu que ce message constitue un patrimoine commun dont il ne tient qu'à chacun de revendiquer sa part. »

POINTS DE REPÈRE. Recueil d'essais du compositeur français Pierre Boulez (né en 1925), publié en 1981 (2e édition : 1985). Reprenant un titre annoncé au cours des années 50, puis abandonné au profit de *Relevés d'apprenti* (*), l'ouvrage rassemble la plupart des articles écartés de ce premier recueil, le texte des conférences autrefois destinées à compléter *Penser la musique aujourd'hui* (*), ainsi que les nombreux écrits parus entre 1963 et 1979, à l'exception de ceux ayant trait aux débuts de l'I.R.C.A.M. (Institut de recherche et de coordination acoustique/musique). L'ensemble est ordonné en trois parties : « Imaginer » regroupe les essais esthétiques, notamment les cours de Darmstadt qui devaient constituer la suite de *Penser la musique aujourd'hui* ; « Regards sur autrui » réunit des études critiques sur les compositeurs dont Boulez a été amené à diriger les œuvres durant la majeure partie de sa carrière de chef d'orchestre (notamment Wagner, Mahler, Debussy, Schoenberg, Stravinski et Berg) ; « Itinéraire rétrospectif » jette les bases d'une réforme des institutions musicales à partir des expériences acquises depuis l'époque du *Domaine musical.* Conçu comme suite et complément aux *Relevés d'apprenti* et *Penser la musique aujourd'hui*, *Points de repère* rassemble davantage de textes de réflexion sur le répertoire et l'évolution du contexte culturel dans laquelle s'inscrit la musique du XXe siècle que les ouvrages précédents, où les écrits théoriques et techniques prédominaient. Ce recueil rend ainsi compte de la diversité des tâches auxquelles le compositeur a dû s'astreindre avant d'obtenir les moyens de créer un centre de recherches à la mesure des ambitions qu'il formulait dès le tournant des années 60.

R. Pi.

POISSON-CHAT [*The Catfish Man*]. Roman de l'écrivain américain Jerome Charyn (né en 1937), publié en 1980. Amateurs de boîtes de conserve et de détritus divers, « dieux de la gadoue » de la petite rivière du Bronx, les poissons-chats sont les fétiches et les bons génies des rejetons des Juifs polonais qui habitent le quartier de Crotona Park, près de Manhattan. Et puis, comme Jerome Charyn, le jeune narrateur de cette autobiographie transparente, les poissons-chats se cachent et font le mort lorsqu'ils sont menacés. *Poisson-chat* est une vaste tentative de remémoration d'une enfance passée parmi les immigrés juifs fraîchement arrivés d'Europe, les Noirs pauvres, les voyous et les bandes ethniques des quartiers voisins. Ce livre foisonnant, généreux, plein de tendresse pour le Bronx d'il y a un demi-siècle et pour ses habitants, évoque une *Recherche du temps perdu* (*) désopilante, dont les héros s'appelleraient Blackjack Sid, Irwin Polatchek ou encore Jack le Violoneux. Intelligent mais mauvais élève, fragile et rêveur, le narrateur s'entiche de Lilian, une voluptueuse harpiste avec qui il découvrira les plaisirs de l'amour ; il fréquente aussi les clubs de musculation pour développer ses biceps, il se prend de passion pour les échecs en étudiant la vie de Paul Morphy, né à La Nouvelle-Orléans en 1937, joueur génial au destin tragique. Puis Jerome dévore les romans de Dostoïevski tout en découvrant les joies du ping-pong avec « petit Paul », la star du Riverside Tennis Club.

La nostalgie rêveuse du narrateur le rapproche parfois du *Bartleby* (*) de Melville. Mais c'est la joie de vivre qui irrigue de bout en bout ce roman d'apprentissage truculent, plein de verve et d'humour, où le « réalisme magique » de l'auteur donne une dimension onirique aux innombrables tribulations du jeune Jerome et de ses comparses. Par ailleurs, on peut lire *Poisson-chat* comme un fascinant document, et presque un reportage, sur la vie d'une communauté d'immigrés dans la banlieue de New York aux alentours de la Seconde Guerre mondiale. – Trad. Le Seuil, 1982.

B. M.

POISSON-SCORPION (Le). Récit de l'écrivain suisse d'expression française Nicolas

Bouvier (né en 1929), publié en 1981. Les chroniques de l'auteur genevois portent en général le témoignage de pérégrinations heureuses : ici, c'est la face noire du voyage qu'il dévoile. Échoué dans une auberge minable d'une bourgade de l'île de Ceylan, le narrateur du *Poisson-Scorpion,* terrassé par la solitude, la chaleur et la maladie, y croupit pendant plusieurs mois sans trouver la force de repartir ; de nouveaux déboires l'amèneront cependant à prendre le bateau en direction du Japon. Cette expérience d'un dépouillement total, tant matériel que moral, et qui ne va pas sans malaises et hallucinations, est livrée rétrospectivement comme une initiation à la transparence et à l'effacement, seuls à devoir guider celui qui veut voyager. Parallèlement à cet enseignement d'ordre quasi éthique, qui s'apparente à celui dispensé par certaines pages de Michaux, le récit offre un tableau pittoresque de la petite ville où se défont les derniers vestiges de trois ou quatre colonisations successives. Des incursions dans l'univers naturel (les insectes, en particulier, sont une source perpétuelle d'étonnement) alternent avec des portraits bien campés et des évocations de situations à la limite du fantastique.

Les teintes plutôt sombres de l'ensemble sont allégées par les ressources de l'écriture de Bouvier : à tout moment, des remarques ironiques ou des échappées humoristiques relativisent les détails tragiques de ce séjour (qui dérive ainsi du côté de Céline). En outre, le récit est en partie calqué sur les modèles littéraires de l'âge baroque, qui s'accordent à l'atmosphère de l'île ; ses éléments anecdotiques sont constamment amplifiés par des allusions littéraires ou des mises en perspective qui prennent appui sur des symboles universels, notamment sur le mythe d'Ulysse.

Par sa nature même, *Le Poisson-Scorpion* est davantage une méditation d'ordre existentiel qu'une chronique de voyage au sens strict du terme. Les soucis qui s'y expriment, les intuitions précaires qui le traversent, et qui constituent les notes éparses de la conception du monde de Bouvier, reviennent en sourdine dans le reste de son œuvre, mais sont au cœur de ses poèmes intitulés *Le Dehors et le Dedans* (1982), puis de *Journal d'Aran et d'autres lieux* (1990), où l'écrivain leur oppose toutefois, en contrepartie, des visions plus sereines.

D. Ma.

POISSON SOLUBLE. Texte poétique publié en 1924 par l'écrivain et poète français André Breton (1896-1966). Cet ouvrage complétait la première édition du premier *Manifeste du surréalisme* (*), dont il constituait une sorte d'illustration. C'est cependant dans *Les Vases communicants* (*) que l'on trouve le mieux exposé le secret de l'écriture de *Poisson soluble* : « Comparer deux objets aussi éloignés que possible l'un de l'autre, ou, par toute autre méthode, les mettre en présence d'une manière brusque et saisissante demeure la tâche la plus haute à laquelle la poésie puisse prétendre. En cela doit tendre de plus en plus à s'exercer son pouvoir inégalable, unique, qui est de faire apparaître l'unité concrète de deux termes mis en rapport et de communiquer à chacun d'eux, quels qu'ils soient, une vigueur qui lui manquait tant qu'il était pris isolément. Ce qu'il s'agit de briser, c'est l'opposition toute formelle de ces deux termes ; ce dont il s'agit d'avoir raison, c'est de leur apparente disproportion qui ne tient qu'à l'idée imparfaite, infantile, qu'on se fait de la nature, de l'extériorité du temps et de l'espace. Plus l'élément de dissemblance immédiat paraît fort, plus il doit être surmonté. C'est toute la signification de l'objet qui est en jeu. » *Poisson soluble* obéit exactement à cette méthode. On y retrouve jusqu'à la machine à coudre de Lautréamont : « Dans la craie de l'école, il y a une machine à coudre. » Il faut prendre acte de cette référence expresse au concret et à la nature. On peut être d'accord toutes les fois où il est question de briser une opposition formelle entre les mots, mais ces fois-là seulement. Les mots ne valent rien par eux-mêmes et, n'existant efficacement que dans la mesure où ils sont signes d'une réalité à laquelle ils renvoient, ne peuvent être tout s'ils ne reflètent d'abord quelque chose qui existe en dehors d'eux. Il est peu probable que l'on gagne souvent à ce jeu du hasard préconisé par Breton, et qui rappelle l'attente candide des enfants inscrivant au petit bonheur des chiffres quelconques sous leur addition et espérant que l'opération se trouvera néanmoins juste au bout de ce compte fantaisiste. Mais de l'enfant, il faut remonter une fois de plus au primitif qui attache, on le sait, un pouvoir magique aux mots, le monde étant transfiguré par ce que Freud a appelé la « toute-puissance des idées ».

POISSONS ROUGES. En 1936 furent réunis et traduits en français sous ce titre différents textes de l'essayiste, poète et critique italien Emilio Cecchi (1884-1966). Ce recueil d'une trentaine de nouvelles ou essais extraits de quelques-uns des livres de l'auteur déjà parus : *Poissons rouges* [*Pesci rossi,* 1920], *L'Auberge du mauvais temps* [*L'Osteria del cattivo tempo,* 1927], *Quelque chose* [*Qualche cosa,* 1931], *Mexique* [*Messico,* 1932], et de fragments encore inédits à l'époque, reflète toutes les nuances de la pensée de l'écrivain et son art, essentiellement moderne et personnel, aussi différent du futurisme qu'éloigné de D'Annunzio. L'ouvrage, divisé en sept parties — « Souvenirs et Impressions », « Bêtes », « Orient et Occident », « Intérieurs et Paysages », « Angleterre et Hollande », « Mexique », « Le Dernier Message » —, tient, à la fois de la réalité et du rêve : poème en prose, relation de voyage ou trait humoristique. Le regard pénétrant de Cecchi perçoit souvent « ce que les autres ne peuvent ou ne savent pas voir : ainsi en va-t-il dans « Venise mineure », ou encore, lorsque, visitant au Mexique « La Résidence de Cuernavaca » où séjournèrent l'empereur Maximilien et l'impératrice Charlotte, il s'écrie : « Pâles larves romantiques, elles avaient pris la nature mexicaine, magnifique et féroce, pour les parcs de Versailles et de Vienne. » Dans « Orient et Occident », le conteur prend prétexte d'un élégant petit cheval de bronze sur un meuble de laque qu'il suffit de déplacer légèrement pour le transformer « en une hideuse chimère » : et voici amorcé un parallèle entre les conceptions orientale et occidentale des choses, les uns voyant du sublime là où les autres discernent du monstrueux. Mais l'originalité la plus certaine d'Emilio Cecchi en quelques-uns de ces écrits d'une concision exemplaire, c'est, outre son intuition de la poésie intime que recèlent les apparences, un sens de l'infini grâce auquel, par exemple, il comprend d'instinct que « la goutte d'eau contient la mer » et que « dans une goutte de sang il y a toute l'histoire universelle de l'homme ». Cette distance du particulier à l'universel n'est nulle part plus aisément franchie que dans « Poissons rouges », soudaine méditation sur la matière devant un bocal, alors que l'écrivain attend son café au comptoir d'un bar : « Ils étaient prisonniers — ces poissons rouges — mais ils avaient apporté en prison l'infini. » « De profil, c'étaient de petits rougets et des sardines pourprées. De face, c'étaient de vieux monstres rechignés de l'époque des Han ; de moroses dragons millénaires. » C'est à la même veine subtile que ressortit la nouvelle intitulée « Le Dernier Message ». Cette histoire d'un serpent blessé sur la route par la roue d'une auto, mais qui survivra contre toute attente, illustre à merveille la coexistence mystérieuse, chez les êtres et dans les choses, de l'apparent et du secret. — Trad. Gallimard, 1936.

PÔLE SUD [*Sydpolen*]. Publié en 1913, cet ouvrage de l'explorateur norvégien Roald Amundsen (1872-1928) narre les diverses péripéties de la première expédition qui atteignit le pôle Sud. Le 14 janvier 1911, au terme d'une traversée de 30 000 km, le « Fram », à bord duquel Nansen avait déjà parcouru l'océan Glacial arctique, mouille dans la baie des Baleines, à la limite de la barrière de Ross. L'expédition se compose de neuf hommes et de cent seize chiens de trait. Le printemps (qui, dans l'hémisphère austral, correspond à l'automne de nos régions) se passe à établir des relais et des dépôts de vivres sur la route du pôle ; l'été est consacré à la construction d'une hutte et de diverses grottes de neige, dénommées la Maison du Fram (« Framheim »). Après une première tentative, qui échoue en raison de la rigueur encore excessive de la température, une expédition composée de quatre hommes et de cinquante-deux chiens attelés à quatre traîneaux quitte la base, le 20 octobre, sous la direction d'Amundsen et, après avoir traversé la barrière, arrive à skis au pied de la chaîne de la Reine Maud, haute de plus de 4 000 mètres. La chaîne une fois franchie, l'expédition, après une marche de deux semaines environ, plante au pôle le drapeau norvégien — précédant ainsi de près d'un mois l'expédition Scott, de triste mémoire. Le voyage de retour s'effectue dans des conditions exceptionnellement favorables ; et, le 26 janvier 1912, les explorateurs rejoignent « Framheim », après avoir parcouru en 99 jours seulement les quelque 3 000 km que représentent l'aller et le retour. Durant ce laps de temps, un autre groupe de trois hommes, accompagnés de deux traîneaux, atteignait pour la première fois la terre du Roi-Édouard-VII, que Scott, en 1902, n'avait fait qu'entrevoir. L'ouvrage possède une rare qualité humaine, qui rend éminemment évocatrices les descriptions du paysage polaire, et celles de la vie commune à « Framheim » ou sous la tente. Certaines pages, consacrées aux souffrances et à l'héroïsme obscur des chiens — précieux et fidèles auxiliaires des explorateurs — sont particulièrement émouvantes. Dans *Pôle Sud,* Amundsen se révèle écrivain de talent : il a su faire d'une expérience vécue un récit agréable et vivant.

POLEXANDRE. Œuvre de l'écrivain français Marin Le Roy de Gomberville (1600-1674), publiée pour la première fois en 1619. Ce roman d'héroïsme, d'aventures et d'amour, l'œuvre la plus intéressante de son auteur, eut en son temps un succès considérable et obtint l'estime des meilleurs : Guez de Balzac y voyait « un ouvrage parfait en son espèce » et La Fontaine avouait l'avoir lu « vingt et vingt fois ». Polexandre a atteint une île mystérieuse, près des Canaries, où règne une princesse d'une ravissante beauté, Alcidiane. Polexandre en tombe aussitôt amoureux : mais un corsaire portugais, qui a lui aussi découvert l'île mystérieuse, enlève la confidente et l'amie d'Alcidiane. Polexandre s'élance à sa recherche : mais il a oublié, dans sa hâte, qu'on ne pouvait retrouver l'île mystérieuse après l'avoir quittée. Il erre donc à travers les mers, chevalier servant d'Alcidiane, pourchassant les mortels innombrables qui osent aimer cette princesse. L'œuvre de Gomberville est des plus intéressantes pour l'histoire littéraire : Polexandre est une nouvelle figure du type traditionnel de chevalier errant, redresseur de torts par amour désintéressé de sa dame, frère de Lancelot et d'Amadis. Toutefois, à la différence des précédents, il ne combat presque jamais sur terre et passe sa vie à courir les océans : de multiples batailles navales l'opposent aux corsaires, il rencontre des habitants de toutes les contrées de la terre, il pénètre dans des régions où jamais un héros de notre littérature n'était encore entré : Maroc, Sénégal, Tombouctou, Danemark, Mexique... *Polexandre* est ainsi le premier livre de notre littérature qui ait accordé une place importante au souci de la couleur locale : Gomberville, grand lecteur de récits de voyages, décrit avec précision non seulement les usages de la mer, mais les pays, les personnages et les mœurs exotiques. Les lieux de l'action sont peints d'une façon réaliste et non plus fantastique, comme c'était jusqu'alors la tradition du genre : Gomberville consacre aux mœurs des Incas de nombreuses pages chargées de toute l'érudition du temps. Il est ainsi le premier écrivain à avoir introduit l'histoire et la géographie dans le genre romanesque : s'il servit de modèle aux romans pseudo-historiques de La Calprenède et de Mlle de Scudéry, il est aussi l'ancêtre du roman d'aventures. L'héroïne Alcidiane préfigure les précieuses, développant une subtile casuistique du sentiment et imposant à ses amants une soumission extrême.

POLICRATICUS [*Policraticus, sive de nugis curialium et vestigiis philosophorum*]. Ouvrage de l'humaniste et historien d'origine anglaise et d'expression latine Jean de Salisbury (Johannes Saresberiensis, 1110/20-1180) qu'il composa après avoir pris part, pendant de nombreuses années, à la vie de la cour de Londres, en sa qualité de conseiller de l'archevêque de Cantorbéry. Dans le prologue, il regrette les douze années perdues parmi les « nugae » qui lui ont fait négliger ses chères études de philosophie. Thomas Becket, chancelier du royaume, auquel l'œuvre est dédiée, l'avait poussé à chercher dans l'étude un réconfort. L'œuvre est tout imprégnée d'enthousiasme pour le monde de la culture, pour les « litterae » qui franchissent les barrières du temps et de l'espace ; qui unissent les hommes de différentes générations et de nations lointaines, qui couvrent ceux qui s'y intéressent, tour à tour, de gloire ou d'infamie. « Les lettres sèchent nos larmes lorsque nous sommes dans la douleur, elles restaurent nos forces après le travail ; elles font dans la misère la joie du pauvre, elles enseignent au riche la modération. Lire et écrire quelque chose d'utile est le meilleur moyen de s'affranchir des passions, de se faire fort contre le malheur. De toutes les occupations humaines, il n'en est pas de plus douce, ou de plus utile... En présence de telles joies, tous les plaisirs du monde ne sont qu'amertume. » L'ouvrage débute par un examen des « nugae » de la vie de cour : la chasse, la musique, les spectacles, les superstitions, l'astrologie. « L'Esprit Saint a dit que la vie de l'homme sur la terre est une bataille. S'il avait considéré notre temps, il aurait dit sans aucun doute qu'elle est une comédie. » Mais ce qui rend particulièrement intéressante cette première partie du *Policraticus,* ce n'est pas seulement la langue qui imite les classiques, le fonds d'érudition, l'amour passionné du monde classique, c'est aussi l'intérêt subtil qu'il porte à l'humanité dans toutes ses manifestations, et cette façon d'être est chose nouvelle pour son époque. Le *Policraticus* offre également une certaine importance dans l'histoire des doctrines politiques, où il exerça une grande influence jusqu'à saint Thomas et même après lui. Au quatrième livre, traçant les grandes lignes de sa conception de l'État, l'auteur commence par examiner le rapport entre le pouvoir laïc et le pouvoir ecclésiastique, pour en arriver à déterminer les fondements de l'autorité du prince. L'un des aspects les plus caractéristiques de sa pensée est la théorie du tyrannicide, auquel il semble avoir consacré une autre œuvre, le *De exitu tyrannorum.* S'il est vrai que le roi tient son pouvoir de Dieu, le tyran qui manque à sa mission divine est l'image de Lucifer. Et le peuple, qui a le devoir d'obéir au roi comme à un ministre divin, a le droit de juger et de tuer le maître qui vient à manquer à son devoir. L'État, d'après Jean de Salisbury, est semblable au corps humain : les pieds représentent le peuple qui féconde la terre par son labeur ; les bras sont les guerriers qui, armés, défendent la patrie ; les yeux et les oreilles symbolisent les magistrats ; la tête est le roi. Mais le corps ne vit pas sans âme, et l'âme est représentée par la religion, par l'intermédiaire de ses ministres et en premier lieu du pape. « Le prince est le ministre des prêtres et il leur est inférieur. » La loi divine trouve dans le prince l'intermédiaire par lequel elle agit. Le prince, donc, a la même tâche que celle qui revient à la raison, intermédiaire entre Dieu et la nature. Mais, à côté de cet effort en vue d'insérer dans l'ordre surnaturel un ordre rationnel, nous trouvons toujours, chez Jean de Salisbury, ce vif sens de l'humain qui le caractérise, par exemple lorsqu'il insiste sur le rôle du peuple, des paysans : « Si l'on veut que l'État soit resplendissant de santé et de force, il faut que les membres supérieurs se consacrent au bien des membres inférieurs. » C'est précisément cette humanité qui fit tant apprécier le *Policraticus,* aussi bien au Moyen Âge qu'à la Renaissance. – Le *Policraticus* a été édité par Cl. Webb (Oxford, 1909).

POLIORCÉTIQUE [Τὰ *τακτικά*]. Traité d'art militaire de l'écrivain grec Énée, appelé le Tacticien (IVe siècle av. J.-C.). Dans ce traité, un des plus intéressants de ce genre, s'affirme la profonde compétence d'Énée dans le domaine de la tactique militaire. L'auteur, capitaine des Arcadiens, examine, au début de son ouvrage, les moyens les plus aptes et les plus utiles pour défendre les villes assiégées par l'ennemi et suggère une méthode, un véritable code chiffré, pour relier entre elles les milices assiégées et les troupes se trouvant au-delà du cercle des assiégeants. L'auteur donne ensuite des renseignements très détaillés sur les formations des troupes se trouvant en contact avec l'ennemi, au moment où le combat va s'engager. Énée, qui soutient la formation qu'on appelle l'« ordre par phalanges », n'en est pourtant pas moins enthousiaste de la nouvelle « tactique oblique » qui, à cette époque-là, finit par s'imposer, en devenant le modèle d'ordre de chaque bataille. Examinant les décisions qui doivent être prises par le chef au moment du combat, l'auteur parvient à des conclusions très personnelles sur la diligence et la perspicacité, qualités indispensables pour ce qu'on appelle à notre époque le « secret militaire », non seulement en vue d'éviter des pièges et des surprises, mais surtout pour prendre l'ennemi au dépourvu, en échappant à sa vigilance. Par exemple, il affirme que les messages doivent être cousus dans les plis des vêtements, cachés entre les semelles des courriers ou bien encore dans la doublure de la selle de leur monture. Cet ouvrage a une grande importance à cause de ces conseils et d'autres relatifs à l'intendance. Énée puisa largement dans les ouvrages de Xénophon et de Thucydide, mais il groupa les différents renseignements en une synthèse très ordonnée, faisant de son livre un précis qui devint une des sources les plus autorisées pour les écrivains militaires des époques ultérieures. – Trad. « Se vend chez Pissot », 1757 ; Les Belles Lettres, 1967.

POLITIQUE d'Aristote [Πολιτικά]. Œuvre du philosophe grec Aristote de Stagire (384-322 av. J.-C.), qui nous est parvenue incomplète et dans un certain désordre. Aristote y développe sa théorie de l'État ; il s'oppose à la fois au communisme intellectualiste de Socrate et de Platon, aux sophistes qui faisaient de l'État le résultat d'une convention passée entre les hommes, en même temps qu'à la thèse individualiste et cosmopolite des cyniques. Pour lui, l'État (πόλις) est la plus haute forme de société ; et si même il est précédé dans le temps par d'autres êtres ou entités, au moins d'un point de vue absolu précède-t-il l'individu, la famille et le village, puisque ni l'homme seul ni ses associations ne se suffisent, tandis que l'État seul vaut par soi (αὔταρκας) et réalise dans sa perfection les fins auxquelles famille et village tendent. L'homme est donc par nature un « animal politique ». Puisque l'État est composé de familles, il convient d'examiner les éléments de la famille qui sont : le mari et la femme, le père et les enfants, le maître et les esclaves. Aristote traite d'abord des rapports entre maître et esclave et voit dans l'esclavage un élément essentiel, qu'on ne peut supprimer, de l'économie, « étant donné, dit-il, que les navettes ne tissent pas d'elles-mêmes la toile ». Et non seulement la différence entre celui qui commande et celui qui doit être esclave est pour lui naturelle et juste, mais il pense encore que celui qui est esclave l'est par nature. Il y a pourtant des hommes libres devenus esclaves à la suite d'une guerre, cette constatation introduit la notion d'un esclavage purement légal : c'est pourquoi, en dernier ressort, la différence entre l'homme libre et l'esclave est celle de la vertu et du vice. L'autorité du maître et celle de l'État diffèrent en ceci que cette dernière s'exerce sur des êtres libres. Vient ensuite l'étude de la chrématistique, art d'acquérir les richesses (l'usure et le commerce y sont condamnés comme contraires à la nature) ; l'étude de l'autorité qui s'exerce sur les êtres libres de la famille, femme et enfants. Dans le cas de l'épouse, l'autorité, toutes réserves faites sur la différence entre homme et femme, est semblable à celle d'un gouvernement républicain ; dans le cas des enfants, à celle d'une monarchie. Le naturalisme, qui a guidé jusqu'ici Aristote, le conduit maintenant à de graves problèmes d'éthique et de pédagogie, ainsi qu'à une minutieuse critique de la théorie de Platon selon laquelle – v. *La République* (*) – il devrait y avoir dans les deux classes supérieures communauté de biens et d'enfants et mariages d'État. L'auteur passe ensuite à la définition du vrai citoyen, qui n'est pas tel parce qu'il réside dans la cité (qui est l'État), ou qu'il y jouit du droit, par exemple, d'intenter un procès, mais parce qu'il participe à la justice et à la magistrature. La vertu du citoyen est donc de savoir obéir et commander. Artisans et marchands ne peuvent être citoyens d'un État parfait, car la vertu politique réclame des loisirs. Dans un État, la souveraineté est le fait du gouvernement. Et les gouvernements et les constitutions ne peuvent être que de trois types, puisque la souveraineté ne peut être exercée que par un seul homme, ou par quelques-uns, ou par beaucoup : c'est ainsi que nous avons la monarchie, l'aristocratie et la république, auxquelles correspondent, par dégradation, la tyrannie, l'oligarchie et la démocratie. La république est en quelque sorte la synthèse de l'oligarchie et de la démocratie : elle en écarte les inconvénients et en garde les avantages, l'équilibre y étant rétabli par une classe moyenne. On ne peut décider laquelle des trois formes non dégénérées est la préférable : il faut tenir compte des caractères de chaque peuple. Mais, de peuples adaptés à la tyrannie ou aux autres formes dégénérées, il n'y en a pas, car ces formes sont contraires à la nature. Les États ont trois fonctions : délibérer, administrer, juger. Grosso modo, c'est la distinction moderne des trois pouvoirs législatif, exécutif et judiciaire. L'impérialisme est justifié dans des nations qui, telles que la grecque, sont placées par nature au sommet de la civilisation et peuvent donc commander aux barbares. Mais nulle autre forme de domination n'est légitime. Pour la plus grande vertu des individus, il est nécessaire que ce soit l'État, et non l'individu, qui ait la charge de l'éducation. L'étude préalable qu'il fit de la constitution de cent cinquante-huit États, grecs ou barbares, a permis à Aristote de donner à son œuvre une universalité telle que sa lecture en est, aujourd'hui encore, des plus instructive. – Trad. Les Belles Lettres, 1960-1989 ; Vrin, 1970 ; Flammarion, 1990.

POLITIQUE (Le) [Πολιτικός ἢ περὶ βασιλειας]. Dialogue du philosophe grec Platon (428 ?-347 ? av. J.-C.). Il appartient, comme le *Parménide* (*), le *Sophiste* (*) et le *Théétète* (*), à ce groupe de dialogues où l'auteur a exposé sa critique de la doctrine des idées. L'œuvre fait suite en quelque sorte au *Sophiste* et nous y voyons Socrate aux prises avec un Éléate, qu'il appelle l'Étranger. La discussion sur l'art ou la science politique est conduite selon la plus stricte méthode dialectique. Par une suite de « divisions » minutieuses, parfois paradoxales, l'Étranger parvient à ranger l'homme politique parmi ceux qui détiennent une science ; cette science a ceci de particulier qu'elle s'exerce sur les hommes, qui sont une part de l'espèce animale, précisément les « bipèdes sans cornes ni plumes ». Selon l'Étranger, il convient tout d'abord de distinguer le roi du berger. Alors que ce dernier nourrit son troupeau, le roi se contente d'en prendre soin, il le gouverne. Les hommes eurent bien un berger : mais il était de nature divine, quand l'humanité était sous le pouvoir direct des dieux. C'est au roi qu'il appartient de gouverner ; encore faut-il distinguer entre un gouvernement accepté par le peuple et la tyrannie. Mais cette distinction ne suffit pas : il faut encore distinguer l'art politique des autres arts qui lui sont liés de même que, pour définir l'art du tisserand, on doit le séparer de ses arts subalternes, filature, cordage, etc., afin d'aboutir à l'art d'entrelacer trame et chaîne, qui est un art de mesurer. Mesurer, c'est définir une perfection, un juste milieu, comme fait précisément la recherche dialectique. Revenant à la politique, l'Étranger entend distinguer de la politique proprement dite tous les arts accessoires, tels que l'étude des biens, des aliments, de la vie économique ; ainsi que les arts factices du magicien et du sophiste. Quant aux formes du gouvernement, elles sont au nombre de cinq : la « monarchie », qui peut se dégrader en « tyrannie », l'« aristocratie » dont la corruption est l'« oligarchie », la « démocratie ». Mais une science aussi difficile que la politique ne peut se pratiquer en démocratie. Il faut la remettre à un seul homme, ou à très peu. Ce qui importe est le bien des sujets, et le roi peut toujours changer la loi dans ce but. Dans un gouvernement parfait, d'ailleurs, la loi n'aurait pas de sens. Par ailleurs, la dire immuable ne ferait que freiner le progrès. Tous les gouvernements des hommes étant imparfaits, la loi y est utile pour protéger les sujets de l'arbitraire. Le mieux est donc d'observer les lois, qui sont au moins le fruit de l'expérience et du savoir : ce qui revient à condamner la tyrannie et l'oligarchie, dévouées à l'arbitraire. Entre toutes les institutions actuellement possibles, la meilleure est la monarchie réglée par des lois et la pire est la tyrannie. De la politique, qu'il a aussi distinguée de la stratégie, de l'art de parler et de celui de juger, l'Étranger affirme qu'elle doit harmoniser les vertus contraires et les développer... Dans ce dialogue, comme déjà dans le *Sophiste,* Socrate se contente de présider, tandis que l'Éléate mène la discussion, qui est à vrai dire, tant sont dociles les contradicteurs, une sorte d'exposé dogmatique. La forme littéraire du *Politique* est sévère, entièrement subordonnée au raisonnement dialectique, sauf quand Platon expose le mythe de l'humanité primitive placée sous la garde du berger divin. – Trad. Les Belles Lettres, 1935 ; Gallimard, 1943.

POLITIQUE TIRÉE DES PROPRES PAROLES DE L'ÉCRITURE SAINTE (La). Ouvrage du prédicateur et théologien français Jacques-Bénigne Bossuet (1627-1704), commencé en 1678-1679, en même temps que le *Discours sur l'histoire universelle* (*), alors que Bossuet était précepteur du dauphin. C'est, en effet, à l'usage de son royal élève que Bossuet entreprit ce cours de politique, qui devait compléter le cours de philosophie de l'Histoire qu'était le *Discours.* Mais ces leçons ne furent pas publiées et restèrent à l'état d'ébauche. Sans doute, Bossuet fort occupé par ses controverses avec les protestants, et nommé peu après à une nouvelle charge, celle d'aumônier de la dauphine, n'eut-il pas le temps d'achever son travail. Il le reprit cependant en 1693 ; ces leçons devaient servir à l'éducation du duc de Bourgogne, fils du dauphin, dont le disciple de Bossuet, Fénelon, était le précepteur. Mais la querelle du quiétisme survint alors qui amena la brouille entre les deux prélats et arrêta *La Politique.* L'évêque de Meaux y revint encore en 1700, toutefois il la laissa inachevée à sa mort. *La Politique* fut publiée en 1709 par son neveu, l'abbé Bossuet ; il semble bien que la part de l'éditeur ait été considérable dans les cinq derniers livres de l'œuvre ; en revanche, les six premiers livres paraissent être entièrement de Bossuet lui-même. Sans doute, ce n'était pas la première fois qu'on essayait de trouver dans *La Bible* (*) des directives pour le gouvernement des hommes : mais les préoccupations de Bossuet, en entreprenant cet ouvrage, étaient assez particulières et assez attachées aux circonstances. Il se proposait de mettre en garde son élève contre les nouvelles théories issues, en particulier, des penseurs anglais, Hobbes et Locke, et hollandais, Spinoza et Grotius. De plus, la récente Révolution anglaise avait montré le danger des idées subversives qui s'étaient répandues depuis le milieu du siècle. À l'État laïque, prôné dans certains pays protestants, Bossuet veut opposer la monarchie très chrétienne et absolue. C'est pourquoi, dès le début du Livre premier (« Les

Principes de la société parmi les hommes »), dans la première proposition de l'article premier : « L'homme est fait pour vivre en société », il affirme : « Les hommes n'ont plus qu'une même fin et un même objet, qui est Dieu. » C'est Dieu qui est l'origine de la société. De cette affirmation liminaire, découleront la charité réciproque (IIe Proposition : « L'amour de Dieu oblige les hommes à s'aimer les uns les autres »), la fraternité universelle (IIIe Proposition : « Tous les hommes sont frères » et IVe Proposition : « Nul homme n'est étranger à un autre homme »), le devoir de s'entraider, la communauté même d'intérêts, qui sont les fondements et les moyens essentiels des sociétés humaines. Au Livre II, Bossuet passe aux origines et à la nature de l'autorité. Sans doute, il n'exclut nulle forme de gouvernement : tout gouvernement est légitime pourvu qu'il dure, et il établit en principe qu'il faut respecter le gouvernement du pays où l'on se trouve. La position de Bossuet sera loin d'être aussi libérale quand il s'agira de ses controverses avec les protestants. D'ailleurs, dans *La Politique*, Bossuet affirme nettement la supériorité de « la monarchie héréditaire de mâle en mâle et d'aîné en aîné ». Aux livres III, IV, V, l'auteur explique « La Nature et les propriétés de l'autorité royale ». Le Livre VI développe « Les Devoirs des sujets envers le prince » ; les Livres VII et VIII, « Les Devoirs du prince envers les sujets ». Dans les livres IX et X, seront traités « Les Secours de la royauté », c'est-à-dire la guerre, les finances, les impôts, les conseils, le choix des ministres, des agents et des conseillers du roi. Ainsi, en partant de principes très simples, c'est tout l'édifice de la monarchie que Bossuet passe en revue. Il est bien évident qu'il ne faut pas appliquer à la lettre l'affirmation du titre : il était impossible naturellement de tirer, des institutions politiques des Hébreux, toutes les directives nécessaires au fonctionnement d'un système aussi complexe que la monarchie française. En réalité, Bossuet, s'appuyant sur une connaissance très sûre de l'Écriture sainte, après avoir lu les théoriciens politiques du temps et considéré le déroulement de l'Histoire, a établi un système politique, en prenant pour modèle la monarchie de Louis XIV. Il a ensuite cherché dans *La Bible* les citations qui viennent étayer ses vues. Mais si, pour lui, la monarchie est la forme idéale du gouvernement et la meilleure monarchie, la monarchie absolue, puisque Dieu est maître unique et absolu ; s'il considère, sincèrement, Louis XIV, à bien des égards, comme le modèle des souverains, Bossuet insiste, comme il l'avait fait dans son admirable sermon sur « Les Devoirs des rois » — v. *Sermons* (*) de Bossuet —, sur les obligations des souverains et sur le fait qu'ils seront obligés de rendre à Dieu un compte très sévère de toutes leurs actions. Le roi est soumis à la raison ; s'il ne lui obéit pas, il ira à sa perte. Ainsi la raison et Dieu limitent le pouvoir du roi et garantissent le bonheur du peuple. En fait, le pouvoir du roi n'est pas son caprice, c'est l'obéissance à ses deux maîtres exigeants, la raison et Dieu.

POLONAISES de Chopin. C'est avec le compositeur polonais Frédéric Chopin (1810-1849) que commence le nationalisme musical ; nourri de valeurs humaines et politiques, il ne répond pas à la recherche d'un style, mais à l'évocation d'une patrie lointaine. Exilé luimême, Chopin créait et jouait des compositions spécialement pour un groupe d'exilés polonais à Paris qui se réunissaient chez lui. À la différence de la populaire mazurka, qui est une simple fleur des champs, la polonaise est la danse de l'aristocratie, cette aristocratie de Pologne où le seigneur, souverain et père de ses paysans, accumule dans son château tout ce qui peut orner et embellir l'existence. De ce passé chevaleresque et fastueux, les *Polonaises* sont un rappel et surtout une idéalisation. Leur forme — une danse à 3/4 au rythme très marqué — avait déjà eu un emploi fréquent dans l'art musical, mais Chopin seulement sut en raviver le schéma par toute la nostalgie de l'exilé, par l'élan belliqueux et frémissant du rebelle. Ses premières compositions en ce genre sont loin de l'aspect qu'il leur donna plus tard et s'approchent parfois de la polonaise pré-wébérienne, ni brillante ni fastueuse, mais plutôt tendre et caressante. Telle est la première de l'op. 71, en ré mineur (1827), huitième des éditions communes, où l'énergie du rythme est atténuée ; les raretés harmoniques propres aux *Nocturnes* (*) n'en sont pas absentes, et pas même leur accompagnement typique à grands arpèges. L'op. 71 nº 2, en si bémol majeur (1828), d'une gaieté et d'une insouciance juvéniles, et l'op. 71 nº 3, en fa mineur (1828), où apparaît le rythme caractéristique de la polonaise, bientôt submergé par des ornements et de brillantes fioritures, complètent cette triade de *Polonaises posthumes*. La première de l'op. 26, en ut dièse mineur (1836), est, elle aussi, subjective et tendre plutôt que chevaleresque et pompeuse. Dans les deux suivantes seulement, Chopin élabore le type de la polonaise chorégraphique et brillante, célébrant les anciennes splendeurs de la noblesse. L'op. 26 nº 2, en mi bémol mineur, est appelé parfois la « Sibérienne » ou « de la révolte », probablement à cause de son début contenu et tortueux, qui grandit de manière menaçante ; tandis que la lumineuse *Polonaise* op. 40 nº 1, en la majeur (1840), est dite « militaire » ; et, pour une fois, le titre surajouté correspond bien à la nature de la composition. Chopin a dû dépouiller son inspiration de toute subtilité harmonique, se limitant à la recherche d'accords sonores. Le caractère et la vie sont surtout confiés à la vivacité martiale du mouvement rythmique, c'est-à-dire au facteur musical le plus élémentaire et primitif. Le contraste de timbres entre les sonorités profondes et le registre le plus aigu du clavier est un nouveau moyen qui commence à être efficacement employé et le sera surtout à partir de la *Polonaise* suivante, op. 40 nº 2, en ut mineur. Il résulte de tout cela une composition plus brillante qu'héroïque, plus pompeuse que vibrante, plus décorative que passionnée. La féodalité polonaise, avec son faste orgueilleux, bruyant et bariolé, y est évoquée parfaitement : caste qui porte l'épée mais ne combat pas, qui se complaît à la vue de ses ors et de ses brocarts, mais reste sourde à la détresse de son peuple. De cette *Polonaise* op. 40 nº 1, l'entrée en matière, qui veut être vigoureusement martiale, passera telle quelle dans la grande valse de *Faust* (*) de Gounod.

Avec l'op. 44 en fa dièse mineur (1841) et l'op. 53 en la bémol majeur (1843), Chopin porte la forme de la polonaise à sa plus haute expression, révélant, en lui-même, des possibilités insoupçonnées. Nous sommes dans le climat de l'*Étude* en ut mineur dite « Révolutionnaire » — v. *Études* (*) de Chopin — climat romantique d'amour de la patrie et de la liberté. Ici, la polonaise subit encore une dernière transformation : la vieille Pologne aristocratique et féodale disparaît, remplacée par la nouvelle Pologne du romantisme, la Pologne opprimée et rebelle des exilés et des conspirateurs. Le chevaleresque devient épique, le martial se fait héroïque. Et, tandis que les valeurs de sentiment deviennent plus nobles et sincères, la forme musicale acquiert une perfection définitive. À la sonore prolixité des polonaises brillantes, il est remédié de deux manières : soit par la symétrique concision de forme de l'op. 53, soit par l'ampleur de perspective de la *Polonaise en fa dièse mineur*. Celle-ci est fort longue et abonde en répétitions, mais elle a de la grandeur. Les thèmes ont besoin d'un champ large pour s'étendre, et leur répétition devient une nécessité de l'esprit. À la moitié du morceau fleurit une mazurka, une des plus belles de Chopin : au milieu de tant de résonances guerrières se détachent encore mieux sa tendresse, sa douceur pathétique. Mais la plus prodigieuse expression héroïque de Chopin reste la célèbre *Polonaise* op. 53 *en la bémol majeur*, où la violence passionnée de ses sentiments révolutionnaires reçoit le sceau d'une perfection de forme inégalable : équilibre et proportion, élan rythmique sauvage, rudesse retentissante des harmonies, tout est en accord avec l'inspiration tumultueuse et élevée. Elle se compose de six éléments, lesquels donnent naissance à neuf épisodes (A). Une page d'introduction (mesures 1-16), avec une expression de tension croissante, conduit (B) à l'entrée éclatante du thème principal — celui qui terminera la pièce — exposé en deux reprises de 16 mesures chacune. Un membre de transition (C) de 8 mesures (49-56) d'harmonies sonores et stridentes, parmi lesquelles étincellent encore quelques fragments du motif principal, mène à une brève mélodique (D), elle aussi de 8 mesures (57-64), de caractère majestueux et solennel, à laquelle fait suite (E) la reprise du thème B (mesures 65-80). Deux mesures (81-82) de forts accords arpégés annoncent l'épisode central (F) où, sur le célèbre et prodigieux roulement d'octaves basses — tel un piétinement retenu de chevaux, un défilé de colonnes en marche — s'épanouit, scandé d'accords énergiques, un chant de guerre et de révolte, passant d'une pénombre étouffée à la pleine lumière du fortissimo. Cet épisode, en deux reprises, s'étend sur un ensemble de 40 mesures ; vient ensuite une page de transition (G), qui élabore de nouveau, en 10 mesures (120-129), des fragments des motifs précédents, et en obtient un effet de dissonances éclatantes analogue à celui du membre C. Sur la mesure 130 fleurit, pour 26 mesures, un épisode (H) mélodique et tendre, où une longue et fragile cantilène s'égrène sur le clavier, jusqu'au moment où le morceau se conclut par la double reprise de l'ardent thème principal (B). La légende raconte que, durant la composition de cette polonaise, Chopin crut voir la pièce où il se trouvait s'emplir peu à peu d'une foule de chevaliers et de princes magnifiquement armés ; l'hallucination eut une telle intensité qu'il dut s'enfuir. La *Polonaise-Fantaisie*, op. 61, également en la bémol majeur (1846), appartient à la dernière période de Chopin. Cette dernière polonaise relève d'une conception vaste et variée ; on y remarque certaines raretés harmoniques, ainsi qu'un accompagnement arpégé, et une richesse peu banale de fioritures ornementales. Le finale se colore d'une certaine allure grandiose à la Liszt, ce qui confirme l'opinion selon laquelle, dans ses dernières années, Chopin se serait tourné avec intérêt vers la grande floraison du romantisme allemand.

POLTAVA. Poème en trois chants de l'écrivain russe Alexandre Sergueïevitch Pouchkine (1799-1837), publié en 1828. C'est le cadre historique de la grande lutte nationale de Pierre le Grand contre le roi de Suède Charles XII que Pouchkine a choisi pour conter ici une typique histoire d'amour romantique. La jeune Marie, fille de Kotchoubey, un fidèle serviteur du tsar, s'est éprise du vieux Mazeppa, l'hetman des Cosaques. Pour aller vivre avec lui, elle s'enfuit de la maison paternelle. Kotchoubey veut se venger de cet outrage, mais Mazeppa, pour se débarrasser de lui, l'accuse de trahison et le fait enfermer et torturer dans son château. En fait, c'est au contraire Mazeppa qui s'apprête à nouer des intelligences avec les ennemis du tsar. L'évocation des ultimes débats de sa conscience forme une des scènes les plus puissantes du poème : au cours d'une nuit dramatique, le vieux Mazeppa, incapable de trouver le sommeil, erre autour de son château, harcelé par de sinistres ombres. Tout à coup des cris traversent le silence : c'est la plainte de Kotchoubey qu'on torture une dernière fois avant de l'exécuter. Avertie quelques moments avant le supplice, la tendre Marie n'aura pas le temps de sauver son père. La bataille de Poltava s'engage, et Pierre le Grand met les armées de Charles XII en déroute. Le traître Mazeppa est lui aussi acculé à la fuite : Marie revient alors vers lui, une dernière fois. Est-elle folle ou toujours amoureuse ? Pouchkine s'est gardé de donner à cette scène un accent trop réel. Marie supplie Mazeppa de la laisser partager son malheur. Mais soudain le voile tombe : elle le voit enfin tel qu'il est, vieillard hideux et sanglant, et elle s'éloigne de lui, dans un sauvage éclat de rire. — Trad. *Œuvres poétiques*, t. 1, L'Âge d'Homme, 1981.

POLYEUCTE. Tragédie en cinq actes et en vers de l'auteur dramatique français Pierre Corneille (1606-1684), représentée sur la scène du théâtre du Marais dans les premiers mois de 1643. Elle fut éditée sous le titre de *Polyeucte, martyr, tragédie chrétienne,* en octobre 1643 avec une dédicace à la reine régente (Anne d'Autriche). Après *Cinna* (*), Corneille aborde un genre nouveau avec la tragédie sainte. Les sources de *Polyeucte*, nous les connaissons d'autant mieux qu'il a pris soin, dans l'édition de sa pièce, de traduire sous le titre d'« Abrégé du martyre de saint Polyeucte, écrit par Siméon Métaphraste, et rapporté par Surius », l'histoire de Polyeucte telle qu'elle est rapidement contée par l'hagiographe byzantin. En voici la substance : sous l'empereur Décius, un gentilhomme arménien, nommé Polyeucte, conçut en fréquentant le chrétien Néarque une admiration profonde pour le christianisme. Avant même d'avoir reçu le baptême, il résolut de mériter le Ciel en faisant un acte méritoire et il brisa les idoles des dieux païens. L'édit de l'empereur était formel. On arrêta le sacrilège, bien qu'il fût un personnage de haut rang. Malgré les supplications de son épouse Pauline et de son beau-père Félix, il se refusa à faire amende honorable et on le conduisit au supplice. Corneille, afin que ses lecteurs puissent « démêler la vérité d'avec ses ornements », cite également les autres auteurs qu'il a consultés ; c'est en particulier le cardinal Baronius, dont les *Annales de l'Église* (*) ne contiennent qu'une mention plus sommaire encore de Polyeucte. En fait, Corneille n'a reçu de ses sources que quatre noms et une situation ; il a créé de toutes pièces un personnage essentiel celui de Sévère, ajoutant ainsi quelques « ornements », c'est-à-dire qu'il a fait, d'une histoire somme toute banale de martyr, un des chefs-d'œuvre du théâtre français. Une fois sa tragédie terminée, l'auteur, avant de la livrer aux comédiens, en donna lecture aux habitués de l'Hôtel de Rambouillet. Les amis de la marquise formaient alors comme le tribunal du bon goût et Corneille tenait beaucoup à avoir l'approbation de ce cénacle. L'accueil fut assez froid, on applaudit par bienséance, mais Voiture fut chargé de prévenir l'auteur avec toutes sortes de circonlocutions que sa pièce « n'avait point réussi comme il le pensait et que surtout le christianisme avait extrêmement déplu ». Les délicats étaient choqués de voir porter la religion à la scène ; Godeau, académicien et évêque de Grasse, fit remarquer que l'Église avait toujours blâmé des excès comme ceux de Polyeucte qui entraînaient nécessairement des représailles. En conclusion, on engageait Corneille à ne pas faire représenter *Polyeucte*. Il passa outre et la première représentation fut un triomphe comme lui-même, si mesuré dans ses appréciations, le déclare dans son « Examen » (« le succès a été très heureux »).

L'action se passe à Mélitène, capitale de l'Arménie. Polyeucte, gendre du gouverneur de cette province, a été converti secrètement au christianisme par son ami Néarque, et celui-ci le presse de recevoir immédiatement le baptême. Mais le néophyte hésite encore. Marié depuis quinze jours seulement à Pauline, il ne veut point la quitter même un instant, car celle-ci s'alarme de toutes ses absences ; elle a fait, en effet, des rêves sinistres qui se rapportent à son époux. Cependant, malgré ses supplications, Polyeucte se décide et, sans faire savoir à sa femme la cause de son départ, s'échappe et suit Néarque (scènes 1 et 2). À la scène 3, Pauline, restée seule avec sa confidente Stratonice, lui explique les causes de son inquiétude. Autrefois, à Rome, elle fut aimée du chevalier Sévère et l'aimait de retour. Nul, en vérité, n'était plus digne d'elle, « mais que sert le mérite où manque la fortune » ? Le prétendant pauvre fut évincé ; il partit combattre les Perses et Pauline a entendu dire qu'il venait de mourir dans une bataille. Pauline, elle, a dû accompagner son père dans son gouvernement ; là, elle a dû épouser Polyeucte, et son « devoir » s'est transformé en amour. Épouse aimante, elle est troublée par des songes, où elle retrouve la figure de Sévère ; cette nuit même, elle a rêvé que Sévère se dressait devant elle, « la vengeance à la main, l'œil ardent de colère ». Une assemblée de chrétiens jetait Polyeucte aux pieds de Sévère et Félix lui-même perçait d'un poignard le sein de son gendre. Depuis ce rêve, Pauline vit dans l'angoisse et elle attend que de terribles événements se produisent d'un instant à l'autre. Mais Félix, affolé, survient ; il apporte une extraordinaire nouvelle : Sévère n'est pas mort, il est devenu le favori de l'empereur, il arrive à Mélitène, sous prétexte d'y offrir un sacrifice, mais probablement surtout pour demander la main de Pauline, dont il ignore le mariage. Pauline est atterrée, une partie de ses présages se réalise. L'effroi de Félix a d'autres causes : il craint la colère de Sévère et il se reproche amèrement « de n'avoir point aimé la vertu toute nue ». Seule sa fille peut lui éviter les plus graves ennuis, il faut qu'elle voie Sévère, qu'elle lui parle. Il obtient à grand-peine de Pauline son accord. Dès le début de l'acte II, l'envoyé de l'empereur paraît. Il se réjouit de retrouver Pauline, son ami Fabian détruit aussitôt ses espoirs : Pauline est mariée : « Hélas, elle aime un autre ; un autre est son époux ! », s'écrie Sévère, mais il ne peut blâmer ce choix, Polyeucte est digne de Pauline, avec une admirable générosité, il s'incline sans murmurer ; il ne se reconnaît pas le droit de la blâmer et, s'il s'apitoie sur son triste sort, il est décidé à s'effacer. Il ne demande qu'une faveur, celle de voir pour la dernière fois celle qu'il aime. L'entrevue entre les deux anciens amants est pleine de franchise et de dignité. Pauline ne songe pas à dissimuler qu'elle n'a épousé Polyeucte que pour ne pas déplaire à son père, mais qu'elle aime son époux. Elle avoue, avec une pudeur touchante, que Sévère ne lui est pas devenu insensible. Quant à Sévère, s'il ne peut cacher son ardeur, il la réprime. Tous deux sont les esclaves de leur devoir et ils lui resteront fidèles. La suite des événements devrait rassurer Pauline : Sévère a promis de ne pas s'attaquer à Polyeucte et celui-ci revient (scène 4), en compagnie de Néarque, sain et sauf, mais elle demeure inquiète. À peine a-t-elle quitté la scène que Polyeucte, qui « sort du baptême », déclare à Néarque qu'il va se rendre au sacrifice qui se prépare et qu'il y renversera les idoles. Néarque, pour l'éprouver, feint de reculer devant cette folle entreprise ; mais quand il voit Polyeucte décidé à se rendre seul au sacrifice, il ne cache plus son enthousiasme et ils s'élancent tous deux vers le temple : « Allons, cher Polyeucte, allons aux yeux des hommes / Braver l'idolâtrie et montrer qui nous sommes : / Puissé-je vous donner l'exemple de souffrir. / Comme vous me donnez celui de vous offrir ! » (scène 6). À l'acte III, nous retrouvons Pauline, ses pressentiments ne la quittent pas ; toutefois, elle était loin de s'attendre à la nouvelle que Stratonice vient lui apporter, haletante. Elle lui annonce que son époux est « un traître, un scélérat, un lâche, un parricide ». Il s'est moqué hautement des cérémonies païennes dans le temple et, avant qu'on ait pu le retenir, il s'est précipité comme un furieux sur les images des dieux qu'il a brisées. Un tel forfait semble à Stratonice impardonnable mais, à sa grande surprise, Pauline bouleversée proclame qu'elle prendra la défense de Polyeucte jusqu'au bout. Elle va trouver son père (scène 3). Félix n'est pas disposé à la clémence : s'il a jusqu'à présent épargné son gendre, ou plutôt celui qui n'est plus digne de ce « doux nom », ce n'est que pour l'éprouver. Polyeucte doit assister au supplice de Néarque ; s'il faiblit et abjure, il sera gracié. Sinon, Félix le châtiera comme il le doit, car « Quand le crime d'État se mêle au sacrilège, / Le sang, ni l'amitié n'ont plus de privilège. » On apprend que Polyeucte, naturellement, n'a pas cédé. Il a regardé le martyre de Néarque d'un œil froid. Aussi Albin, confident de Félix, qui a assisté au supplice tâche-t-il de le fléchir. Mais Félix lui répond : « Je déplore sa perte, et, le voulant sauver, / J'ai la gloire des dieux ensemble à conserver ; / Je redoute leur foudre, et celui de Décie ; / Il y va de ma charge, il y va de ma vie. / Ainsi tantôt pour lui je m'expose au trépas, / Et tantôt je le perds pour ne me perdre pas. » Mais avant de le faire conduire au supplice, il demande qu'on lui amène son gendre (scène 5). À l'acte IV, Polyeucte est dans le palais : il s'épouvante à la pensée qu'il va se trouver en face de Pauline et demande qu'on cherche Sévère à qui il a un secret à confier. Puis, dans d'admirables « stances » qui sont le sommet de la pièce, Polyeucte proclame son mépris du monde : « Source délicieuse, en misères fécondes, / Que voulez-vous de moi, flatteuses voluptés ? / Honteux attachement de la chair et du monde, / Que ne me quittez-vous quand je vous ai quittés ? / Allez, honneurs, plaisirs qui me livrez la guerre : / Toute votre félicité, / Sujette à l'instabilité. / En moins de rien tombe par terre : / Et comme elle a l'éclat du verre, / Elle en a la fragilité. » Décie y est traité de « tigre altéré de sang » et Polyeucte prophétise la victoire pacifique du christianisme. Il ajoute : « Et je ne regarde Pauline / Que comme un obstacle à mon bien. » Mais Pauline paraît. Elle supplie Polyeucte de faire un geste, au nom de sa gloire, de sa dignité de gentilhomme et de gendre du gouverneur, au nom surtout de son amour : « Vous n'avez point ici d'ennemi que vous-même » ; Polyeucte n'a qu'un instant de faiblesse, il se ressaisit ; non seulement il est décidé à ne point abjurer, mais il se refuse même à jouer la comédie de l'abjuration. Si Pauline l'aime comme elle le dit, qu'elle se convertisse et le suive ; sinon qu'elle épouse Sévère. Et à la scène 4, Polyeucte confie sa femme au favori de l'empereur puis il se retire, emmené par les gardes. Polyeucte sorti, Sévère accepterait bien le legs singulier qu'il lui a fait, mais Pauline, qui ne cache pas son trouble, lui réplique : « Je crains de trop entendre, / Et que cette chaleur, qui sent vos premiers feux, / Ne pousse quelque suite indigne de tous deux. / Sévère, connaissez Pauline tout entière. » Elle le prie seulement d'intervenir en faveur de son époux. Sévère, toujours généreux, est prêt à le faire ; païen fort tiède, il donne toute son estime aux chrétiens (scène 5). Nous apprenons, à l'acte V, que l'intervention de Sévère est restée sans résultat ; Félix y a vu un piège pour éprouver sa fidélité à l'empereur. Malgré Albin, qui tente encore de sauver Polyeucte, il veut que son gendre se soumette ou périsse. Il tente encore cependant (scène 2) de le fléchir ; il feint de vouloir se convertir, puis le menace. Polyeucte reste inébranlable. Il résiste une fois de plus aux assauts de Pauline. En public, il fait sa profession de foi et demande encore à Pauline de marcher avec lui au supplice. Ce n'est pas au-devant de la mort qu'il va, mais vers l'éternité, vers « la gloire ». Les scènes 4, 5 et 6 de l'acte V ne sont qu'un épilogue ; Polyeucte n'est plus, mais son martyre produit des miracles. Les yeux de Pauline s'ouvrent tout à coup : « Je vois, je sais, je crois, je suis désabusée ; / De ce bienheureux sang tu me vois baptisée ; / Je suis chrétienne enfin. » Félix, durement semoncé par le favori de l'empereur, s'aperçoit enfin que ses lâchetés ne lui servent de rien, et, dans un élan qui surprend, il embrasse à son tour la foi chrétienne. Quant à Sévère, il promet de tenter de fléchir l'empereur, injustement courroucé contre les chrétiens.

Si exceptionnelle que nous paraisse cette tragédie sainte, elle n'est en aucun cas une création isolée dans la production dramatique du XVIIe siècle, et ne constitue pas un cas d'espèce dans l'œuvre même de Corneille. Auprès des élèves des jésuites — et Corneille, avec beaucoup d'autres, était de ceux-là —, la tragédie sainte (en latin) était un véritable genre, pratiqué par les meilleurs professeurs des collèges, dont les œuvres circulaient à travers tout le réseau des collèges de la Compagnie. En outre, dès 1638, Baro, que connaissait bien Corneille, avait fait représenter un *Saint Eustache* sur la scène de l'Hôtel de Bourgogne, et, à peu près en même temps que *Polyeucte*, un autre *Saint Eustache* (de Desfontaines) et un *Martyre de sainte Catherine* (de La Serre) avaient été représentés et publiés. Ce contexte n'explique pas cependant pourquoi, tout ancien élève des pères jésuites qu'il était, Corneille a pu choisir le sujet de *Polyeucte*, d'autant qu'il connaissait bien le milieu dévot et qu'il devait savoir qu'en faisant monter par des comédiens professionnels sur une scène profane une tragédie sainte il tentait un pari risqué. L'approbation sans réserve qu'il avait obtenue pour Cinna ne le mettait pas à l'abri d'un retour des contestations, semblables à celles qu'il avait subies lors de la querelle du *Cid* (*), et, dans une moindre mesure, lors des discussions concernant le dénouement de sa tragédie *Horace* (*). Si Corneille a tenté ce pari, c'est qu'il y était poussé par la nature même de la dramaturgie qu'il avait inventée depuis *Le Cid* : la dramaturgie de l'acte exceptionnel, si exceptionnel qu'il court toujours le risque d'être jugé invraisemblable pour les contemporains, et ce, alors même qu'il est historique. Or, avec *Cinna*, il avait justement trouvé un moyen d'échapper aux critiques d'invraisemblance : en graciant contre toute attente les conjurés, Auguste accomplit un acte extraordinaire qui transgresse les lois ordinaires de la vraisemblance. Mais cet acte étant un acte de clémence, son caractère extraordinaire est inscrit dans les caractéristiques mêmes de la clémence. En somme, le geste d'Auguste est en soi une action invraisemblable. Mais c'est une action invraisemblable qui redevient vraisemblable du fait de la nature elle-même exceptionnelle de la vertu de clémence qui la sous-tend. C'est une action invraisemblable qui reste dans le cadre de la vraisemblance, et qui est donc inattaquable. Il constitue le meilleur exemple de ce que les théoriciens de l'époque nomment la « vraisemblance extraordinaire ». Vertu la plus haute du plus haut idéal humain qu'est le héros magnanime, la clémence, telle qu'elle est incarnée par Auguste dans *Cinna*, est donc à l'origine de l'acte le plus admirable qui soit. Du moins dans l'ordre profane ; dans cet ordre, impossible d'aller plus haut. Et l'on conçoit aisément que le catholique Corneille, entraîné par sa poétique de l'admiration à faire accomplir par ses héros des actions toujours plus remarquables, n'ait pu donner comme successeur à Auguste que Polyeucte : seul le héros chrétien l'emporte en magnanimité sur le plus admirable des héros profanes ; seul un saint peut avoir un comportement qui serait jugé invraisemblable chez tout autre homme ; seul un homme animé de la grâce divine peut accomplir des actes qui redeviennent vraisemblables sans cesser d'être extraordinaires. Comme le geste de clémence d'Auguste, les actions de Polyeucte ressortissent exactement à ce vraisemblable extraordinaire que préconisaient sans trop y croire les théoriciens et que Corneille a toujours poursuivi.

Aussi, tandis que les critiques littéraires ne pouvaient qu'approuver la nouvelle tragédie de Corneille, les dévots, qui condamnaient l'idée même de théâtre profane, furent-ils particulièrement choqués de le voir accueillir les choses de la religion. Pour eux, le compromis rêvé par Corneille entre l'esthétique du plaisir et la morale chrétienne — compromis qui permet d'imaginer qu'on puisse faire une œuvre d'art séduisante à partir d'un sujet chrétien — était inacceptable, surtout lorsque l'intrigue osait mêler amour humain et amour divin. Mais l'ensemble du public lui-même, qui fit un triomphe à la pièce, a mal compris (et jusqu'au XVIIIe siècle) le projet de Corneille : il s'est intéressé avant tout à l'intrigue amoureuse et au drame purement humain de Pauline, Sévère et Polyeucte, sans voir que l'histoire des amours de Pauline et de Sévère, aussi touchante et délicate que celles des bergers de la pastorale contemporaine, est inséparable de l'histoire de Polyeucte, dont l'héroïsme serait inconsistant s'il ne s'inscrivait au cœur de l'histoire d'amour. Corneille, dans son « Examen de *Polyeucte* », qu'il rédigea plus tard, définit assez justement le style de *Polyeucte* en le comparant à celui de ses autres tragédies : « Le style n'en est pas si fort, ni si majestueux que celui de *Cinna* (*) et de *Pompée* (*) ; mais il a quelque chose de plus touchant » ; ajoutons qu'il est souvent d'une beauté qui force l'admiration ; les fameuses « Stances » sont un des plus beaux morceaux de tout le théâtre de Corneille et une des plus belles pièces de poésie religieuse de tout le XVIIe siècle.

★ La tragédie de Corneille a donné naissance à plusieurs œuvres musicales. La première en date est l'opéra en trois actes de Gaetano Donizetti (1797-1848), dont la représentation fut interdite à Naples par le gouvernement des Bourbons et qui vit le jour finalement à Paris, en février 1840, dans une adaptation française de Scribe. La partition est solidement construite et semble par ses accents dramatiques annoncer les œuvres de Verdi ; mais des difficultés d'exécution font que cette œuvre n'est pas souvent représentée.

★ Parmi les autres œuvres inspirées par *Polyeucte*, la plus connue est l'opéra du compositeur français Charles Gounod (1818-1893), représenté à Paris en 1878. *Polyeucte* appartient à la dernière période créatrice du musicien qui n'est plus dominée par l'élan, le bonheur d'expression, qui avaient caractérisé la période de *Faust* (*). *Polyeucte* ne connut d'ailleurs, en son temps, qu'un succès d'estime. Signalons enfin la musique de scène d'Edgard Tinel (1854-1912) et l'ouverture *Polyeucte* de Paul Dukas (1865-1935), composée en 1891.

POMMES D'OR (Les) [*The Golden Apples*]. Recueil de nouvelles de l'écrivain américain Eudora Welty (née en 1909), publié en 1949. Les nouvelles du livre forment un tout, chacune s'attachant à présenter la vie ou un épisode de la vie d'un des habitants de la petite ville imaginaire de Morgana, Mississippi, un peu dans la tradition de *Winesburg-en-Ohio* (*) de Sherwood Anderson. L'originalité c'est qu'ici l'intention n'est pas directement réaliste. Le désir de Welty est plutôt de créer une mythologie, ou tout du moins de donner une épaisseur folklorique à l'univers d'une bourgade de province. Le projet est donc à la fois ambitieux et ironique. Welty nous présente King MacLain et Snowdie MacLain, leurs fils jumeaux Ran et Eugene, les Rayneys... Avec parfois beaucoup de subtilité, parfois un peu moins, l'auteur raconte leurs aventures, les rattachant à des épisodes de la mythologie grecque ou à des récits folkloriques irlandais et américains. L'intermittent King MacLain, mari séducteur et toujours absent, ne peut qu'évoquer le galant roi des dieux, occupé par ses multiples désirs. Ici et là apparaissent, travestis, Persée, Ulysse, Léda, Atalante, Danaé...

La première histoire du recueil parle de rencontres amoureuses et de la naissance de jumeaux, la dernière — qui se passe des années plus tard — parle de la mort et l'enterrement d'une vieille dame tandis que sa fille évoque une image centrale à sa vie et aux préoccupations d'Eudora Welty. Son professeur de piano avait accroché à son mur un tableau représentant Persée brandissant la tête de Méduse : un héros, une victime. Autour de cette image complexe et non explicitée, on doit pouvoir saisir la problématique de Welty : l'horreur, la victoire sur celle-ci, la mort, le morcellement du corps, sa mutilation, le regard, la sidération... Parfois la méthode allusive, fragmentée, décentrée, symbolique de Welty sert son propos, parfois non. C. Gr.

POMPÉE. Tragédie en cinq actes de l'auteur dramatique français Pierre Corneille (1606-1684), représentée pour la première fois à la fin de 1643, quelques mois après *Polyeucte* (*), et qui fut éditée en 1644 sous le titre *La Mort de Pompée*. La pièce est dédiée « à Monseigneur l'éminentissime cardinal Mazarin » auquel, dans son épître dédicatoire, Corneille présente ainsi son personnage : « Je présente le grand Pompée à votre Éminence, c'est-à-dire le plus grand personnage de l'ancienne Rome au plus illustre de la nouvelle. » *Pompée* est précédé d'un « Remerciement à Monsieur le cardinal Mazarin » et d'une Préface où Corneille, comme à l'accoutumée, indique ses sources ; cette fois, elles sont multiples, c'est tout d'abord *La Pharsale* (*) de Lucain, dont il a traduit et inséré quelques vers dans sa tragédie, c'est Velleius Paterculus et bon nombre d'autres historiens latins. Le héros qui donne son nom à la pièce n'y paraît pas, mais l'événement dramatique par excellence est la mort de Pompée, et toute l'intrigue consiste dans les délibérations qui précèdent son assassinat et l'arrivée de César qui le venge. Après la bataille de Pharsale, Pompée en fuite va aborder en Égypte et y chercher un asile. Quand le rideau se lève, nous sommes dans le palais de Ptolémée, roi d'Égypte ; celui-ci, qui régnait avec sa sœur Cléopâtre par la grâce de Pompée, a réussi à l'évincer du pouvoir et, par là, il a tout à craindre de Pompée ; mais ce qu'il redoute surtout, c'est la venue de César qui suit son adversaire. Ptolémée se range à l'avis de son ministre Photin : il faudra faire assassiner Pompée dès son arrivée en Égypte. À l'acte II, le meurtre a été accompli, mais Cléopâtre effraie son frère, en lui faisant comprendre que César qui l'aime serait bien capable de la rétablir sur le trône. Ptolémée se voit entraîné par les circonstances dans une série de crimes : « Si Cléopâtre vit, s'il la voit, elle est reine. » Mais, réplique Photin : « Si Cléopâtre meurt, votre perte est certaine. » Cléopâtre sera donc épargnée. Mais César a débarqué et Ptolémée est allé s'humilier à ses pieds, lui présentant la tête de son rival assassiné. César se détourne avec horreur de cette tête coupée ; il était prêt à pardonner et il menace Ptolémée de sa vengeance.

À l'acte IV, tandis que l'on assiste pour la première fois à une entrevue entre César et Cléopâtre, et que, héros romanesque, il lui fait l'offre de sa main en lui promettant d'épargner la vie du roi Ptolémée, Cornélie, veuve de Pompée, et, à ce titre, toujours ennemie de César, le prévient d'un complot contre lui auquel on a tenté de l'associer : sa haine de César s'est effacée provisoirement devant sa générosité romaine et son désir de voir le sang de son époux vengé par César. À l'acte V, la bataille entre les Romains et les Égyptiens de Ptolémée a eu lieu. On apprend que, malgré les efforts de César pour épargner la vie du roi lui-même, il a péri courageusement. César rend à Cornélie sa liberté, malgré sa promesse de continuer à le combattre, et à Cléopâtre son trône. La pièce se termine sur l'annonce pour le lendemain d'une double pompe : le couronnement de Cléopâtre et les funérailles officielles de Pompée.

On voit que cette tragédie à fin heureuse, malgré la conformité apparente de son dénouement avec celui de *Cinna* (*) — annonce de l'apothéose d'un héros romain et liesse populaire à l'occasion du triomphe des souverains animés par la justice —, ne contredit pas le titre original de la pièce. Après que la mort de Pompée a plané sur tout le déroulement de la tragédie, l'apaisement de ses mânes qui accompagne le triomphe de César et de Cléopâtre n'empêche pas Cornélie de se livrer à de funestes prophéties sur le destin de César. Ainsi toute cette tragédie est placée sous le signe de la mort : non seulement les affrontements politiques entre les Égyptiens — la politique bassement machiavélique des mauvais conseillers de Ptolémée ne peut s'élever au-dessus de la disparition physique des adversaires — et les Romains généreux, affrontements qui font la matière de l'intrigue, mais même la relation amoureuse entre César et Cléopâtre, dont Cornélie sait bien qu'elle causera la mort de César. Par là, cette intrigue, considérée comme accessoire par certains critiques, n'est pas seulement un sacrifice à l'esprit de galanterie qui triomphait dans la société mondaine et les grands romans contemporains. Si Corneille a montré un César aussi soumis à sa dame que Pyrrhus le sera à Andromaque chez Racine — v. *Andromaque* (*) de Racine —, ce n'est pas pour satisfaire à une partie de son public. Pour des esprits pénétrés de la tradition historique romaine, comme on l'était au XVIIe siècle, Cléopâtre n'est pas une femme ordinaire : c'est celle qui fera écrire à Pascal quelques années plus tard : « Le nez de Cléopâtre : s'il eût été plus court, toute la face de la terre aurait changé » ; c'est celle qui suscite les passions funestes. Aussi Corneille a-t-il expressément imaginé, avant la rencontre entre César et la reine, une rencontre avec Antoine, dont celui-ci revient ébloui — « Ses yeux savent ravir, son discours sait charmer, / Et si j'étais César, je la voudrais aimer » (III, 3) —, préfiguration de sa propre perte entre les bras de l'Égyptienne. Tels sont les deux éléments, la mort constamment en marche et l'amour absolu et funeste, qui contrebalancent heureusement les longues tirades politiques dont Corneille était si fier (« Ce sont sans conteste les vers les plus pompeux que j'aie faits ») et qui plaisaient tant aux contemporains. C'est cette rhétorique politique qui a induit une progressive désaffection pour une pièce que le XVIIe siècle considérait comme une des quatre plus belles de Corneille. On l'appréciera aujourd'hui à sa juste valeur si on la lit de la manière dont G. Couton nous invite à le faire dans son édition de la Pléiade (1980) : « Cette tragédie, qui est une quête amoureuse, un beau déploiement d'éloquence romaine, est aussi — et c'est son aspect le plus remarquable — une longue et fastueuse cérémonie funéraire. » G. F.

POMPES FUNÈBRES. Le prétexte de ce roman, publié en 1947 par l'écrivain français Jean Genet (1910-1986), est la mort, sur le pavé de Paris, d'un jeune résistant que l'auteur aimait. Cette mort, comment l'accepter, comment n'en pas souffrir ? De très beaux livres ont traité, d'une tout autre manière il est vrai, ce thème de la disparition d'un être cher. Il n'est pas étonnant que Genet, à sa façon, y soit venu. Son œuvre entière témoigne d'une révolte de la sensibilité contre ce qui l'a blessé. Et ce qui blesse le plus, c'est la mort quand on la rencontre et, le reste du temps, le mal. Avec celui-ci chacun compose comme il peut. On ferme les yeux, on se fait une raison. Pour Genet, s'endurcir est le seul moyen de se protéger. Quelques-uns y réussissent assez facilement, ou tout à fait. Ce sont les personnages qu'il admire. Certains en sont arrivés à un tel degré de perfection que leur « sainteté » les met à part, leur confère un sombre éclat un peu inhumain. De cette sorte est ici le bourreau berlinois. Il a réussi ce tour de force : devenir un fonctionnaire de l'assassinat. Et il vit tranquille, dans un appartement bourgeois, avec son jeune amant. Celui-ci, Érik, est un garçon très doué. Déjà, au moment où le bourreau entra dans son existence, il était nazi. Déjà, il commettait de menus larcins. Après son « dépucelage », il s'intéresse au travail de son ami, lui demande des détails sur l'exécution du jour. La guerre vient à point pour parachever une éducation commencée sous d'aussi heureux auspices. Beau et blond, fort de sa force et de celle des armes, vêtu, ainsi qu'il sied à sa dureté idéale et à sa souveraine indifférence, d'étoffe noire et de cuir, il a, aux yeux du jeune débutant encore bien tendre qu'est Riton, le charme irrésistible des héros. Pauvre Riton ! Pour lui (comme pour beaucoup de ces adolescents sur le sort desquels Genet s'est penché avec tant de compréhension et d'amour) chaque étape à franchir, chaque marche à monter exige un douloureux effort. Mais le résistant ? dira-t-on ; tout cela n'a aucun rapport avec lui. Bien plus, on pousse l'impudence jusqu'à se complaire à ne nous parler que de ses adversaires, de cette racaille qui est responsable de sa mort. Eh bien oui. Il ne s'agit pas de lui, pas même exactement de la peine que sa fin prématurée a causée à l'auteur, mais de la gymnastique mentale à laquelle ce dernier s'est adonné pour essayer d'endormir sa douleur. *Pompes funèbres* est un livre complexe, provocant, un peu outré parfois, où les scènes et les détails crus ou horribles sont accumulés. Mais il répond à une exigence profonde. Il est écrit dans une langue souple et chatoyante où le plus extrême réalisme et le plus extrême lyrisme se conjuguent avec bonheur.

PONCE DE LÉON. Comédie en trois actes de l'écrivain allemand Clemens Brentano (1778-1842), écrite en 1801, pour participer au concours institué par Goethe et Schiller dans les *Propylées* (*), et destiné à couronner toute « comédie d'intrigue » d'un jeune auteur allemand, qui fasse réellement preuve de « liberté d'esprit ». La pièce de Brentano fut refusée comme celles de tous les autres concurrents ; mais, bien que ne répondant pas aux termes du concours, le caractère pétillant de son esprit et les complications raffinées de l'intrigue lui confèrent encore un tour de gaieté et de vivacité juvénile. Ponce de Léon, jeune, hardi et assailli de bonnes fortunes, pourrait briser bien des cœurs si le sien ne se consumait d'amour pour Isidora, jeune beauté qu'il n'a jamais vue, sinon en rêve et au su d'un récit. Tout à sa chimère, il dédaigne l'amour de Valérie, qui n'a d'yeux que pour lui. Sur ces entrefaites, Sarmiento, vaillant officier qui s'en revient des Flandres après vingt ans de campagnes, arrive incognito dans la petite ville. Prêtant une oreille bienveillante à la rumeur publique et aux confidences des protagonistes, il apprend bientôt que Valérie aime Ponce, que celui-ci ne vit que pour Isidora, et qu'enfin Porporino, brave garçon recueilli par le père de Valérie, mais dont on ignore les origines, brûle d'amour pour cette dernière. Autrement dit, une brochette d'amours malheureuses qu'il se propose de mener à bonne fin, grâce à d'astucieux stratagèmes. Et ce miracle, il l'accomplira en une seule nuit, en déguisant ses personnages. Ponce et un sien ami, feignant d'être des pèlerins blessés, se font introduire dans la villa d'Isidora ; Valérie, mise au courant de l'intrigue, se déguise en Mauresque pour mieux surveiller Ponce ; mais elle finira par laisser Ponce à Isidora et acceptera la main du brave et fidèle Porporino, donnant ainsi satisfaction à son père, au cours d'une scène délicieuse et touchante, qui s'achève sur la célèbre chanson : « À Séville, à Séville ». Enfin Sarmiento — véritable « deus ex machina » —, non content de dévoiler les dessous de l'affaire, révèle publiquement son identité : il n'est autre que le père d'Isidora et de Porporino. Le personnage de Ponce est en quelque sorte le reflet psychologique de l'auteur, de son esprit inquiet, impulsif et indécis ; Valérie constitue l'élément proprement dramatique, le seul personnage ayant une densité humaine : âme de la pièce, la pureté de ses sentiments se manifeste à tout instant dans le dialogue ainsi que par de ravissantes chansons. Dans sa fraîcheur d'œuvre de jeunesse, cette comédie est encore d'une lecture agréable, mais la refonte qu'en donna Brentano en 1814 à Vienne, sous le nouveau titre de *Valérie ou la Ruse paternelle* [*Valeria oder Paterlist*] et dans le nouvel esprit réaliste bourgeois, pesa tant et si bien sur le tour gracieux de la version primitive que la pièce subit un bruyant échec dès la première représentation.

PONEYS SAUVAGES (Les). Œuvre de l'écrivain français Michel Déon (né en 1919), publiée en 1970. Ce roman, plein de bruit et de fureur mais de facture très classique, a pour moteur une course effrénée au bonheur qui mènera l'un des protagonistes, Georges Saval, aux quatre coins de la planète. On y assiste aux allées et venues, aux départs et aux retrouvailles, de quatre jeunes gens aux caractères romanesques que lie une solide amitié, des débuts de la dernière guerre aux années 60. Un autre personnage, le « poète » Cyril Courtney, tué en 1940, apparaît peu de temps, mais imprégnera de sa présence toute la suite du récit. L'auteur, prétendant à l'authenticité, et appuyant son propos d'une correspondance imaginaire, raconte avoir connu ces hommes à Cambridge en 1938 et se met lui-même en scène depuis son « balcon de Spetsaï », île grecque où il se retrancha pour écrire. Mais on pourrait aussi imaginer que Georges, le journaliste, soit un second alter ego de l'écrivain, évoquant un autre aspect de sa personnalité. Fresque humaine et historique en même temps, toute la vie politique européenne depuis les débuts de la Seconde Guerre mondiale y défile sous nos yeux à travers les aventures mouvementées des quatre « héros ». La plupart des questions qui se posent aux hommes et aux sociétés de notre époque y sont peints, de la douleur des militants aux yeux soudain dessillés, en passant par les contradictions dans lesquelles les journalistes se débattent jusqu'au drame du commerce des armes vendues par les pays riches aux pays pauvres, sans oublier de douloureux conflits de générations.

On y retrouve, à peine atténuées, les idées « réactionnaires » de ce « hussard » de droite qui fut en son jeune temps secrétaire de rédaction de *L'Action française*, grand ami de Charles Maurras et ne perd pas une occasion de stigmatiser à sa façon le « déclin de l'Occident ». Pour échapper à ces misères, la plupart des personnages de ce roman trouveront leur salut, suivant en cela la voie tracée par l'auteur, dans une sorte de retraite à l'écart du monde des hommes, à la recherche de la sagesse. N. Ro.

PONSONBY (Les) [*Daughters and Sons*]. Dans ce roman, publié en 1937 par l'écrivain anglais Ivy Compton-Burnett (1892-1969), le lecteur rencontre dès l'abord : une grand-mère de quatre-vingt-quatre ans, sa fille qui vit pour son frère une passion presque incestueuse, ce frère qui publie des romans à succès, la gouvernante que la grand-mère croit être l'auteur de ces romans. La grand-mère supplie alors son fils d'épouser la gouvernante (afin que l'argent reste « dans la famille »). Or les romans sont écrits, en réalité, par la petite-fille (la propre fille du signataire des livres). Il s'ensuit des aventures qui côtoient ici et là l'esthétique du mélodrame, mais dans lesquelles des leçons de mauvaise conduite sont insérées avec une vivacité lucide. On retrouve dans ces pages la rare aptitude de l'auteur à montrer les manœuvres des personnages avec une obstination que rien n'altère ou ralentit. Des monstres tissent leur toile avec l'impassibilité des antédiluviens. En même temps, ils sont d'une époque et d'un pays (la fin du règne de Victoria, ou les débuts d'Édouard VII). Le mobile suprême est toujours l'argent, mais il faut garder les apparences. La tribu se perpétue, avec ses vices et ses cancers. À le montrer, Galsworthy, dans sa série des Forsyte, échouait en partie (en raison d'un point de vue ambigu) ; mais cette romancière, sur le même terrain, triomphe. — Trad. Gallimard, 1967.

PONT DE LA RIVIÈRE KWAÏ (Le). Roman de l'écrivain français Pierre Boulle (1912-1994), publié en 1958. Comme dans beaucoup d'autres de ses livres, l'auteur s'est inspiré ici des années qu'il a vécues en Asie, comme planteur de caoutchouc en Malaisie, puis comme combattant des Forces françaises libres en Birmanie et en Indochine. L'action se déroule en 1942, quand les Japonais eurent envahi la Malaisie et qu'ils obligèrent des milliers de prisonniers britanniques à construire une voie ferrée dans la jungle de Birmanie et de Thaïlande. Cinq cents d'entre eux sont amenés près de la rivière Kwaï, pour y édifier un pont à un point stratégique capital. Le colonel Nicholson, militaire d'une rigueur absolue, fidèle aux valeurs que dicte l'honneur, et qui commandait l'unité, s'était rendu sans résistance après la capitulation. Mais, devant la brutalité des Japonais, il exige l'application à la lettre des conventions internationales sur les prisonniers de guerre. Les Japonais se trouvant incapables de construire convenablement le pont, ils laissent au colonel anglais la direction des opérations. Avec l'aide du capitaine Reeves, qui est ingénieur, et celle du commandant Hughes, parfait organisateur, ils se mettent au travail. Ce pont sera leur œuvre et démontrera, selon Nicholson, la supériorité des Blancs sur les Jaunes. Ils se prennent complètement au jeu et réussissent à bâtir, dans les délais impartis, un pont qui devient l'objet de tous leurs soins, leur seule et unique obsession, qui tourne presque à la folie. Ils font travailler leurs hommes au-delà même de leurs forces, dans des conditions épouvantables. Cependant, à Calcutta, où sont basées les troupes anglaises qui continuent la guerre, les services spéciaux décident de détruire leur ouvrage. Cette mission est attribuée à trois agents de la fameuse « Force 316 », appelée aussi « Plastic & Destructions Co Ltd ». Parachutés dans la jungle près de la frontière de Birmanie, ils montent une opération de sabotage du pont le jour de son inauguration. Mais le colonel Nicholson, lors d'une inspection, s'aperçoit que le pont est miné. Il donne l'alerte aux Japonais... Pierre Boulle invente dans ce roman une situation hautement paradoxale : d'abord un colonel qui pousse le sens du devoir si loin qu'il finit par le nier, et qui en vient presque à combattre contre son camp. Puis la construction extravagante d'un pont par des Anglais que d'autres Anglais veulent faire sauter, chacun des protagonistes aspirant à la perfection : les uns pour construire le pont, les autres pour le détruire. Le piège de cette logique absurde se referme sur lui-même en un dénouement cruel qui nous interroge sur la portée de l'effort humain ; celui-ci ne réside peut-être que dans sa « qualité intrinsèque », comme le dit le capitaine Warren, seul rescapé de cette fable dont fut tiré un film célèbre.

J.-É. M.

PONT DE LONDRES (Le). Ce roman de l'écrivain français Louis-Ferdinand Céline (1894-1961) fait suite à *Guignol's Band* (*). Ayant quitté Paris précipitamment en 1944, l'auteur perdit le manuscrit qu'il crut détruit et qui ne fut publié qu'après sa mort, en 1964. À la fin de *Guignol's Band*, le jeune Ferdinand, errant à Londres, avait rencontré un certain Sosthène de Rodiencourt qui l'avait alléché avec de mirifiques promesses. Comme on pouvait s'en douter, il ne les tient pas. Le fameux voyage au Tibet est remis sine die. Au lieu d'aller y amasser une fabuleuse fortune, Sosthène et Ferdinand s'installent chez un colonel en retraite, qui se passionne pour les masques à gaz. Passion encouragée par les autorités qui ont ouvert un concours destiné à primer les inventions valables. Il s'agit de travailler d'arrache-pied, d'autant plus que les conditions du concours sont draconiennes. Les candidats masqués devront passer un moment en tête à tête avec différents gaz savamment sélectionnés. Les blessés légers recevront quelques livres en guise de consolation. Les blessés graves, une indemnité un peu plus conséquente. Ceux qui sortiront de l'épreuve indemnes seront submergés de commandes. Mais quant aux morts, c'est tout juste si on les enterrera gratuitement. Le colonel et Ferdinand se regardent de travers parce que celui-ci refuse bien haut de s'intéresser aux masques et aux gaz et entend se borner à faire les courses. De plus, il s'est rendu coupable d'un larcin et si, contrairement à ce qu'il craignait, on ne le livre pas à la police, on marque sans ambages qu'on n'a en lui qu'une confiance modérée. Mais il y a une nièce. Toute jeune (quatorze ans), blonde, mutine, adorable. Ferdinand en tombe éperdument amoureux, comme il ne l'a jamais été. Pour elle (et ne l'oublions pas, pour le gîte et le couvert, libéralement offerts et d'excellente qualité), il n'hésite pas à rester, malgré ses appréhensions qui sont aussi vives que vagues. Un soir, une sarabande véritablement démoniaque vient l'interrompre alors que, descendu avec elle au jardin, il lui contait fleurette. Le colonel et Sosthène, ayant voulu essayer leur attirail, ont respiré un gaz qui rend fou. Ils transforment le laboratoire en champ de bataille. Ils éparpillent et écrabouillent avec volupté tout ce qui leur tombe sous la main. Ce qu'ils ne piétinent pas, ils le jettent par la fenêtre. Le lendemain, dégrisés, ils décident courageusement de repartir de zéro. Ferdinand et la petite Virginia, nantis d'un pécule approprié, sont chargés de faire la tournée des fournisseurs. Mais le jeune homme retrouve d'anciennes connaissances, et ils font celle des grands-ducs. Ce n'est que l'aube venue qu'ils rentrent, flapis et les mains vides. La nièce reçoit, devant les domestiques assemblés, une magistrale fessée. Pour son compagnon commence une vie douillette, mais ennuyeuse. Il n'ose plus l'approcher, lui parler. Il n'ose même plus la regarder parce que la tristesse qu'il lit sur son minois le désole. Du matin à minuit, Sosthène et le colonel tripatouillent avec ardeur le nouveau matériel qu'ils se sont procuré. Ils ne paraissent qu'aux repas. Mais, à mesure qu'il voit se rapprocher la date fatidique, un découragement de plus en plus profond gagne Rodiencourt. Les nuits où il n'est pas trop fatigué, il s'acharne à exécuter des danses sacrées pour inciter un dieu à venir en lui. Il tente de les séduire les uns après les autres. Tous restent sourds. Mais soudain, miracle, il en tient un. Avec lui, il va... Quoi faire, au juste ? Il est perplexe. Quoi ? Téléphoner des insultes à quelques personnages qu'il n'aime pas. C'est maigre. Finalement, il va danser en pleine rue, aux abords de Trafalgar Square. Il a dit à Ferdinand que la foule allait le suivre, l'acclamer, le porter au pouvoir, faire la paix. Naturellement, il n'arrive qu'à provoquer un embouteillage monstre et à déchaîner les rires et les cris d'abord, la police ensuite. Le visage tuméfié, la jambe raide, il rentre piteusement au bercail, soutenu par Ferdinand qu'une mauvaise surprise attend. Virginia est enceinte. Sur ces entrefaites, le colonel disparaît. Les jours passent sans qu'il donne signe de vie. Ferdinand décide alors de fuir au loin, emmenant Sosthène et la nièce. Il entre en pourparlers avec un capitaine au long cours, mais celui-ci n'accepte de prendre que lui. Ni « old gaga » ni « young girl ». Lui seul. Le jeune homme a trop envie de partir pour que les scrupules l'arrêtent. Mais son destin en a décidé autrement. Dans un café du port, il rencontre la bande de putains et de maquereaux qu'il fréquentait avant de s'acoquiner avec Sosthène. Et, après une nuit d'orgie, le trio, à petites étapes, regagne la confortable demeure du colonel.

Réduit de moitié, ce roman serait un chef-d'œuvre. Sa bouffonnerie est loin, en effet, d'être sa seule qualité. On y trouve aussi un mélange particulièrement heureux de connaissance désabusée des hommes et de fraîcheur. Sauf Virginia, qui allie à l'innocence de l'insouciance une enfantine et miraculeuse douceur, tous les héros de cette histoire se montrent égoïstes, mais plutôt par faiblesse que par méchanceté. La dureté de la vie, si elle ne l'excuse pas, explique cette faiblesse. Céline la comprend trop bien pour la blâmer. Veules, mous, inconscients, emportés, grotesques, ces pauvres gens cherchent comme ils peuvent à survivre, à se procurer un peu de tranquillité et de joie. Ils ne résistent pas à l'attrait d'un café-crème. Bravement, l'auteur en prend son parti. Il en rit. Et le rire est chez lui l'alibi de l'indulgence, le déguisement de la tendresse et de la pitié. Dommage, vraiment, que, manquant lui aussi de rigueur, il ait trop cédé à sa verve. Toutes les scènes gagneraient à être écourtées. S'il les prodiguait moins, on apprécierait encore plus sa truculence, sa gouaille, l'inimitable saveur de son langage.

PONT DE PIERRE SUR LA ROSSITZA (Le) [*Rossenskiat Kamen most*]. Recueil de nouvelles de l'écrivain bulgare Angel Karalijčev (1902-1972), publié en 1945. La nouvelle qui donne son titre à ce recueil, et qui en est la plus réussie, fait allusion à une vieille légende selon laquelle, pour qu'une construction soit solide, il faut y « emmurer » l'ombre d'un être humain. Manol, le jeune maître maçon dont la renommée est grande dans toute la région, doit construire un pont de pierre sur la rivière Rossitza. Mais, avant de mourir, son père lui a demandé d'y « emmurer » l'ombre de sa bien-aimée, Milka. Manol n'y peut rien, la demande de son père étant sacrée pour lui. Toujours d'après la croyance populaire, celui ou celle dont on a « emmuré » l'ombre, meurt à brève échéance. Cette fois encore, la légende n'est pas démentie. Milka s'éteindra le jour de l'inauguration du pont. Et à partir de ce moment, Manol, tourmenté par le remords, dépérit. Gravement malade, il reste au lit pendant trois ans, sans espoir de guérison. Son secret l'étouffe, mais en le confiant enfin à sa mère, il a l'impression de se libérer d'un lourd fardeau. Malheureusement, sa mère est impuissante à l'aider car telle est l'image de la fatalité. Dans une autre nouvelle, « L'Appel du tombeau », Karalijčev abandonne le monde des légendes pour décrire la disparition tragique d'un paysan pendant les années troubles qui succédèrent à la chute du gouvernement démocratique de Stamboliiski, en 1923. Beaucoup d'autres nouvelles rappellent d'ailleurs d'une manière ou d'une autre certains événements politiques de triste mémoire qui se déroulèrent en Bulgarie. Avec sa maîtrise incomparable, son sens de la précision et de la justesse des situations,

Karalijčev est l'un des meilleurs prosateurs bulgares contemporains. C'est aussi un excellent connaisseur des mœurs et des traditions populaires, et il s'en est souvent servi comme thème.

PONT DU ROI SAINT-LOUIS (Le) [*The Bridge of San Luis Rey*]. Roman de l'écrivain américain Thornton Wilder (1897-1975), publié en 1927. Œuvre d'imagination, ce roman, qui reçut le prix Pulitzer et rendit célèbre son auteur, affecte le ton de la chronique et de la biographie pour nous livrer, à travers les destinées de cinq personnages, une méditation sur le sens de la vie et les valeurs humaines. La leçon toutefois est donnée sans qu'il y paraisse, et c'est justement la réussite de ce livre que de passer insensiblement du romanesque à la signification philosophique, comme si la pensée naissait seulement de la transparence des faits ou de leur conjonction.

« Un vendredi, vers midi – c'était le 20 juillet 1714 –, le plus beau pont de tout le Pérou se rompit et précipita cinq voyageurs dans le gouffre qui se creuse au-dessous. » Ainsi débute le livre. Un franciscain témoin de l'accident, frère Juniper, pense que, s'il y a un plan quelconque dans l'univers, il doit pouvoir le définir en étudiant dans le détail chacune des cinq existences interrompues brusquement par cet « acte de Dieu », et hausser ce faisant la théologie au rang de science exacte. Le narrateur se propose aujourd'hui la même étude, mais découvrira-t-il ce que frère Juniper ne sut pas voir, « la source même au sein de la source » ? La première victime, doña Maria, marquise de Montemayor, est l'auteur d'une correspondance qui est devenue, depuis sa mort, l'un des sommets de la littérature espagnole ; de son temps, elle passait seulement pour une excentrique un peu folle, dont la bonne société de Lima se moquait volontiers. Ses lettres à sa fille, doña Clara, témoignent de sa passion pour cette enfant, qui la dédaignait, et pour la distraction de laquelle elle devint cette observatrice aiguë des faits et des travers de son époque faute de pouvoir lui faire accepter autrement son amour. (Wilder se réfère en secret pour la peindre à Mme de Sévigné.) Doña Maria, qui périt au retour d'un pèlerinage où elle était allée prier pour l'heureuse délivrance de sa fille enceinte, était accompagnée par Pépita, une jeune orpheline que l'abbesse Maria del Pilar lui avait donnée pour suivante. Pépita, consumée d'amour pour sa « Mère en Dieu » et se croyant mise à l'écart par elle, mourra sans savoir quel amour répondait au sien, et quels projets formait à son sujet l'abbesse éblouie par sa jeune maturité. La troisième victime, Estéban, était, comme son frère jumeau Manuel, un enfant trouvé. Les deux frères, taciturnes et liés par leur ressemblance qui appelait souvent la raillerie, n'avaient d'autre sens à leur vie que leur profonde affection l'un pour l'autre. Devenus scribes, ils furent employés un jour par la Périchole, et Manuel tomba amoureux de l'actrice, Estéban découvrant alors ce secret que « même dans l'amour le plus parfait, l'un des deux aime moins profondément que l'autre ». Tombé malade, Manuel meurt bientôt, et Estéban reste seul et désespéré. Après avoir voulu mourir de solitude, il se préparait peut-être à partir sur la mer quand il périt en passant le pont juste au moment où celui-ci se rompt. La quatrième victime, l'oncle Pio, a mené une vie d'aventures en Espagne avant de venir au Pérou. Là, il a servi le vice-roi, animé la vie intellectuelle de Lima, et deviné surtout le talent de la Périchole, qu'il a formée, éduquée, lancée. Avec elle et à travers elle, il a cherché la perfection du théâtre, tout en l'aimant d'un amour absolu et désintéressé. Maintenant que la Périchole a renoncé à la scène et ne veut plus le voir, il est allé la surprendre chez elle pour la supplier de lui confier le jeune don Jaime, l'un des enfants qu'elle a eus du vice-roi, pour qu'il assume son éducation. La Périchole ayant finalement accepté, c'est alors que l'oncle Pio et don Jaime traversaient le pont pour rentrer à Lima qu'ils ont été précipités dans le vide. La dernière partie du roman revient à frère Juniper et à son travail, qui dura six ans et aboutit à un livre qui le fit condamner au bûcher. Frère Juniper mourut en souriant, et, comme il était très aimé, sa mort effectua des conversions dans la foule qui assistait à son supplice. Quant à l'abbesse Maria del Pilar, résignée à n'avoir pas de successeur, elle continua sa tâche avec amour, car qu'importe qu'une œuvre soit continuée ou non pourvu qu'elle tende avec détachement à la perfection.

Ce très beau roman à l'écriture discrète et sans effets ne plaide sans doute que pour un sens de la vie que ces phrases résument : « On nous aimera un temps, puis nous serons oubliés. Mais cet amour se sera suffi à lui-même, car toutes les impulsions d'amour retournent à cet amour qui les a créées. Le souvenir lui-même n'est pas nécessaire à l'amour. Il existe un pays des vivants et un pays des morts, et l'amour est le pont, la seule chose qui survive, la seule qui ait un sens. » — Trad. Albin Michel, 1929.

PONTIQUES (Les) [*Epistulae ex Ponto*]. Recueil de lettres en vers, écrites par le poète latin Ovide (Publius Ovidius Naso, 43 av. J.-C.-17 apr. J.-C.), pendant son exil sur la mer Noire (Pont-Euxin), et succédant aux *Tristes* (*). Dans les trois premiers livres, l'ordre n'est pas chronologique, ni par correspondants ni gouverné par des symétries (Froesch). Ici les noms des destinataires, amis ou grands personnages, ne sont pas tenus cachés. Dans le quatrième livre, on trouve des élégies qui remontent aux premiers temps de l'exil du poète. L'ensemble est, plus que *Les Tristes*, riche en détails concrets évocateurs de la vie romaine. – Trad. Garnier, 1937 ; Les Belles Lettres, 1977.

PONTONS BRITANNIQUES (Les) [*The British Prison Ship*]. Poème de l'écrivain américain Philip Freneau (1752-1832), écrit en 1780 et publié à Philadelphie en 1781. Freneau s'était embarqué, le 25 mai 1780, à Philadelphie sur l'« Aurore », à destination de Sainte-Croix (qu'il appelle Santa Cruz), dans les îles Vierges. Le lendemain, au large du cap Henlopen, le navire fut capturé par la frégate britannique « Iris », équipage et passagers faits prisonniers et dirigés sur New York, où ils furent internés sur des pontons, dans des conditions inhumaines. Tombé malade, Freneau fut transporté sur un navire hôpital, le « Hunter », qu'il décrit comme un véritable abattoir, avant d'être échangé au bout de deux mois contre des prisonniers britanniques. Ce sont ces événements tragiques qui fournissent la matière de ce poème de sept cents vers environ, divisé en trois parties – la capture, les pontons, l'hôpital –, animé d'un profond lyrisme émotionnel et vibrant d'anglophobie.

C. F.

PONT TRAVERSÉ (Le). Texte de l'écrivain français Jean Paulhan (1884-1968), publié en 1921. C'est l'un des plus hermétiques et des plus beaux de l'auteur. Cette suite de neuf rêves (« Les Paroles transparentes », « Agrèfe », « Le Village obscur », « Le Panier de singes », « La Fausse Reconnaissance », « La Promenade rapide », « La Jeune Fille dans la forêt », « Les Nifis », « Le Pont traversé »), symbolisant l'histoire d'une rupture et la quête du personnage en allé, cerne la réalité du songe qui, tel le langage, renvoie une image inversée de nous-même. Le silence doit sa signification à la proximité du langage dont il révèle l'absence. « Les Paroles transparentes » racontent admirablement un rêve où le rêveur sent à ses paroles quelque défaut qui les rend transparentes au bruit. Le rêveur en conclut qu'il ne suffit pas d'inventer ses paroles ; elles demandent aussi une sorte de ton pour être entendues. « Ce ton vient souvent de lui-même, en le cherchant on ne le forme pas tout à fait. » Ainsi, l'accent, le mouvement, l'attitude de la parole peuvent se séparer de la parole et lui sont plus nécessaires que le matériel verbal lui-même. Et l'homme qui ne parle pas semble chercher plutôt à garder en l'absence des mots leur seule force de présence, à l'écart de la voix, son inflexion même.

POPOL VUH [*Livre des traditions*]. Ce très important document historique, littéraire et religieux concernant le peuple Maya-Quiché (Mexique méridional, Yucatan, Guatemala), peut être considéré comme la bible d'un peuple qui, avant Christophe Colomb, fut parmi les plus civilisés du Nouveau Monde. Écrit dans la langue quiché, en caractères latins (1557), on l'a longtemps attribué, à tort, à un certain Diego Reynoso. Il fut découvert à Santo Tomás Chichicastenango, à la fin du XVIIe siècle, par le frère Francisco Ximénez (mort en 1730) qui le traduisit en espagnol. Par la suite et jusqu'à nos jours, de nombreuses traductions parurent en anglais, en allemand, en espagnol et en français. L'ouvrage, qui comprend les exposés de onze traditions du peuple Maya-Quiché, nous renseigne sur : 1) la cosmogonie Quiché et ses concordances avec celle des Toltèques quant à la création du monde et des êtres vivants, ainsi qu'aux grands cataclysmes ; 2) la légende des divinités malfaisantes : Gukup Cakix et ses fils Zipacná et Capracán, qui faisaient surgir les volcans, mais qui furent tués par Junajup et Ixbalamqué, deux jeunes gens pleins de savoir et de bonté ; 3) les entreprises légendaires des Ajup au pays de Xibalbá et les premières invasions Toltèques au Guatemala ; 4) la magnifique histoire de la princesse Ixquic, mère de Junajup et Ixbalamqué, tous deux nés mystérieusement ; leurs noms sont d'ailleurs devenus les symboles des deux races rivales qui se disputent la possession du pays ; 5) les prodiges accomplis par ces deux frères et leur voyage à Xibalbá, région pleine de pièges et de périls où le premier d'entre eux trouva la mort ; 6) la résurrection de Junajup et sa victoire finale sur les seigneurs de Xibalbá ; 7) l'apparition des célèbres chefs des familles Maya ; Balam Quitzé, Balam Akap, Majucutaj et Iqui Balam ; leurs pérégrinations sur les rives de l'Usumacinta et leurs luttes sans merci contre la nature et les hommes ; 8 et 9) la conquête des monts Jacaguitz où fut inauguré le culte du Soleil, et la très belle légende d'Ixtaj et d'Ixpuch, les deux jolies filles qui tentèrent de séduire les nouveaux dieux. Les 10e et 11e traditions ont trait au voyage que des chefs Maya firent en Orient et à l'histoire du peuple Quiché jusqu'à la conquête et aux destructions ordonnées par l'inexorable Pedro de Alvarado en 1524. – Trad. Maisonneuve, 1925 ; Payot, 1954 ; Le Castor astral, 1987.

PORCHE DU MYSTÈRE DE LA DEUXIÈME VERTU (Le). Quatrième cahier de la XIIIe série des *Cahiers de la quinzaine* (*) de l'écrivain français Charles Péguy (1873-1914), paru en octobre 1911. Dans le projet de l'auteur, le *Porche* devait être le second d'une suite de mystères conçus comme un vaste développement de la première *Jeanne d'Arc* de 1897. Le lien du *Porche* avec le *Mystère de la charité de Jeanne d'Arc* – v. *Jeanne d'Arc* (*) –, publié l'année précédente, est en fait des plus ténus : l'œuvre n'est plus centrée autour de la sainte, et seul le personnage (commun aux deux poèmes) de Mme Gervaise rappelle le plan primitif. La forme même du drame est abandonnée : dès le début, par le truchement de Mme Gervaise, commence un monologue de Dieu, qui durera plus de deux cents pages ! La deuxième vertu, c'est l'espérance : « La foi que j'aime le mieux, dit Dieu, c'est l'espérance ! » Et Péguy de nous décrire la petite Espérance, s'avançant entre ses deux grandes sœurs (la Foi et la Charité) qui la tiennent par la main ; mais « les aveugles ne voient pas au contraire / Que c'est elle qui entraîne ses grandes sœurs ! ». L'Espérance en effet, c'est l'enfance. Le bûcheron, qui travaille dans la forêt, pense sans cesse à ses enfants, qui le remplaceront un jour, et l'homme rude s'émeut : la vision sensible des enfants se transforme alors en une évocation intérieure, le rêve, si souvent repris par Péguy, de sa propre enfance perdue et de l'enfance du monde, thème qui atteindra plus tard sa plénitude dans *Ève* (*). Les plus belles paroles de Dieu, ce sont, plantées en notre cœur « comme un clou de tendresse », les trois paraboles de l'Espérance : celle de la brebis perdue, celle de la drachme retrouvée, celle de l'enfant égaré. Et Péguy n'en finit point de s'exalter de la merveilleuse grandeur de la créature, à qui il est donné de couronner ou de décevoir l'attente divine. Dieu fait donc à l'homme une place d'honneur ; et, parmi les hommes, il réserve la meilleure place aux hommes de France. Le dogme de l'Espérance vient ainsi, assez curieusement, nourrir la constante préoccupation de Péguy depuis 1905 : un naïf et admirable nationalisme mystique. Dieu, dit Péguy, préfère la « douce France », sa « plus noble création ». Peuple de « bons jardiniers... de fins jardiniers, depuis quatorze siècles qu'ils suivent les leçons de mon Fils » ; mais aussi et surtout, peuple de l'Espérance, car il faut bien, dit Dieu, « qu'il se soit fait quelque accointance entre ce peuple et cette petite Espérance ». Il existe en effet une manière propre d'espérer, qui est la manière française et que Péguy avait déjà définie dans le cahier intitulé *Louis de Gonzague* : avoir l'espérance, répète-t-il ici, ce n'est point s'agiter, c'est connaître le danger tout en gardant la paix intérieure, se préparer à la mort et continuer les travaux et les jeux quotidiens, c'est, la nuit, savoir prendre son repos. C'est alors que Dieu entonne un magnifique hymne à la Nuit, devenu célèbre : « Ô Nuit, ô ma fille la Nuit, la plus religieuse de mes filles... résidence de l'Espérance. »

Sous la transposition poétique, on reconnaît aisément dans ce poème les thèmes essentiels de la mystique catholique. Péguy leur donne une note personnelle : son naïf orgueil s'exalte à la pensée que l'homme est capable de faire attendre Dieu. De plus, on peut dire que cette œuvre marque le point culminant du nationalisme mystique français, qui remonte aux origines de la monarchie. On admirera avec quelle aisance Péguy donne, sans les altérer, aux dogmes les plus complexes du christianisme la plus familière tournure : il fait, selon l'expression de Daniel Halévy, parler Dieu comme un « vieux patriarche assis devant sa ferme ». Ce Dieu en effet (c'est par là d'ailleurs que la religion de Péguy peut soulever des réserves dans les milieux de stricte orthodoxie) est par-dessus tout soucieux de la terre : il semble que la France, les paroisses françaises deviennent ici l'instrument par excellence du Saint-Esprit — bien plus que l'Église elle-même. Par son thème, le *Porche* est un « chef-d'œuvre unique dans la littérature de tous les temps » (Romain Rolland).

PORGY AND BESS. Opéra en trois actes du compositeur américain George Gershwin (1898-1937), d'après le livre de Du Bose Heyward. Dans cet ouvrage qui met en scène des Noirs américains de La Nouvelle-Orléans, Gershwin a fait appel au folklore noir. Il a mêlé aux rythmes de jazz les nostalgiques mélodies des *Blues* et des harmonies empruntées à Debussy, Stravinski, Moussorgski et même Gustave Charpentier. Le spectacle met sous les yeux un village comme il doit en exister dans la banlieue de Charleston. Le dramatique amour de Porgy et de Bess est noyé dans une gangue de vie, et le principal personnage de la pièce est peut-être cette foule que l'on sent vivre derrière les volets clos des masures ou que l'on voit durant toute la représentation déambuler, indifférente en apparence, à l'action. Gershwin a voulu capter cette innocence, cette sensualité, cette gentillesse, cette peur qui luttent éternellement dans l'âme des Noirs. L'orgie est toujours prête à naître, la violence à éclater, mais le plus souvent tout s'achève par une pirouette désinvolte. Au premier acte, dans un faubourg de Charleston, par une belle soirée d'été, Bess apparaît suivie de son ami, le géant ivrogne Crown. Sportin Life, marchand de drogue, observe la jeune femme ; Porgy, un pauvre infirme, la couve des yeux. Au cours d'une partie de dés, Crown assassine son adversaire ; il s'enfuit et Bess se réfugie chez Porgy. Ce sont alors les funérailles de la victime, avec les chants rituels et l'arrivée d'un policier blanc qui arrête un innocent. Quelques semaines plus tard, Bess a décidé de rester auprès de Porgy, malgré Sportin Life qui la tente avec sa drogue et ses promesses de vie fastueuse à Harlem. Bess reste indifférente et, sur les instances de son nouvel époux, part pour un pique-nique avec ses compagnes. Au deuxième acte, Sportin Life essaie de transformer le pique-nique en orgie. Bess danse sur un rythme échevelé ; mais subitement, à l'instant où il faut partir, Crown surgit et entraîne Bess dans les fourrés de la forêt. Une semaine plus tard, Bess reparaît délirante chez Porgy. Celui-ci s'affole. Mais le médecin sauvera la jeune femme qui craint le retour de Crown. À cet instant, une tempête se lève et dans les rafales de vent, Crown arrive, menaçant : mais il apprend qu'un bateau est en perdition au large : il va à son secours. Au troisième acte, Crown se glisse dans la maison de Porgy ; mais l'infirme, plus leste cependant que son adversaire, le tue d'un coup de couteau. La police vient l'interroger. Pendant son absence, Sportin Life persuade Bess que son époux est condamné à la prison perpétuelle, et Bess désespérée suivra le séducteur. Mais huit jours après, Porgy rentre chez lui ; il faut lui dire la fuite de Bess. Porgy, impassible, demande sa voiture à chèvre et part pour entreprendre un lointain voyage à la recherche de sa bien-aimée. L'orchestration de la partition de Gershwin est assez sommaire ; il s'agit plus d'une musique d'atmosphère, d'une musique de film, que d'une musique d'opéra traditionnel. Toutefois, Gershwin traite les chœurs avec infiniment de soin ; certains ensembles, notamment ceux des marins, sont écrits dans un style qui rappelle celui de Moussorgski. La Berceuse du premier acte, les negro-spirituals funèbres, les récitatifs qui font passer insensiblement du parler au chanter, introduisent dans le théâtre lyrique des éléments neufs que personne jusqu'ici n'a recueillis. Car l'influence du jazz est restée très limitée dans la musique classique et Gershwin n'a pas encore eu d'héritiers. La première représentation fut donnée à Boston le 30 septembre 1935.

PORISMES (Les) [Περὶ τῶν Πορισμάτων]. Ouvrage de géométrie du mathématicien grec Euclide (365?-300? av. J.-C.), qui nous est parvenu sous la forme d'un résumé dû à Pappus d'Alexandrie (fin du IVe siècle). Au cours du XIXe siècle, Chasles, en s'appuyant sur ce résumé et sur des études précédentes, put reconstituer avec une vraisemblance satisfaisante l'ouvrage perdu d'Euclide. Le terme « porisme » avait dans l'Antiquité une double acception : il signifie « corollaire », et par ailleurs il définit, dans les ouvrages de Pappus et d'Euclide, des théorèmes incomplets exprimant certaines relations entre des grandeurs variables. L'ouvrage d'Euclide est, suivant la définition qu'en donne Pappus, « une ingénieuse collection de nombre de choses utiles pour la résolution des problèmes les plus difficiles. De ces porismes la nature nous offre un nombre d'espèces illimité ». Dans *Les Porismes,* les relations entre grandeurs variables suivant des lois définies sont déterminées au moyen de figures dont les dimensions et la position dérivent des hypothèses formulées. *Les Porismes,* divulgués en une traduction latine de Commandino en 1589, ont eu une influence considérable sur l'œuvre des géomètres modernes, dont Snellius, Désargues, Descartes et Pascal lui-même. — Trad. Mallet-Bachelier, 1860.

PORNOGRAPHIE (La) [*Pornografia*]. Roman de l'écrivain polonais Witold Gombrowicz (1904-1969), publié en 1960. Un fou peut-il dominer les êtres soi-disant normaux, mettre en mouvement leurs instincts et sentiments refoulés ? Gombrowicz, cet écrivain que passionnent avant tout les aspects multiples, inavoués, souterrains du jeu psychologique, nous donne une réponse affirmative. Les fils du drame qu'il présente se nouent en Pologne sous l'occupation allemande, dans une propriété de campagne. L'homme clé en est Frédéric, intelligent, cultivé, apparemment un être supérieur, en réalité un dément possédé par la passion de plier son entourage à ses idées, théories et projets. Évidemment, pour réaliser ses plans il dispose de conditions idéales. Le pays est en pleine guerre et, dans cette atmosphère, les principes, les règles établies perdent leur poids. L'homme commet alors des actes que normalement il n'aurait pas commis. Frédéric profite donc de cette occasion pour catalyser les subconscients. Et tous suivent docilement ses consignes subtiles et perfides, se laissent prendre au filet de son jeu pervers. Amélie, femme profondément croyante, soudain se déchaîne et s'attaque à un petit voleur ; Henia et Charles cèdent à l'attrait sexuel qu'ils exercent l'un sur l'autre, bien qu'Henia aime sincèrement son fiancé ; Charles accepte de tuer Slemian, Hippolyte consent à ce meurtre ; Waclaw, bien qu'épris de Henia, perd confiance en elle et se laisse emporter par la jalousie ; enfin, le narrateur, surpris et excité, participe activement à ces événements. Sous l'influence de Frédéric, la morale, les principes inculqués par la religion et les traditions, tout se désintègre. Il ne reste que la « pornographie ». C'est-à-dire les actes gratuits, fonctionnels, basés uniquement sur les instincts. Ce déchaînement pornographique fait la joie d'un fou. Mais lui aussi, poussé par son jeu, ne résiste plus. Il tue le petit voleur. Ainsi se referme ce cercle d'actions et réactions insensées et inutiles. Gombrowicz, que l'aveuglement de la bête humaine fascine, en tire parti pour créer ici un univers inoubliable. — Trad. Julliard, 1962.

PORPORINO ou les Mystères de Naples. Roman de l'écrivain français Dominique Fernandez (né en 1929), publié en 1974 (prix Médicis). « La liberté finit là où commencent les déterminations individuelles », « la sagesse et le bonheur ne commencent que là où finit la conscience de son propre statut ». Dès l'entrée du roman, nous sommes fixés sur les thèmes qui en tissent la trame : sexe, économie, liberté, bonheur, raison. Roman du XVIIIe siècle écrit par un auteur contemporain, *Porporino* en adopte les artifices : un avertissement de l'éditeur explique la découverte dans un château de Heidelberg du manuscrit d'un castrat napolitain. Fernandez reprend les feintes de Laclos, mais pour narrer d'heureuses liaisons qui n'en sont pas moins tragiques. Les mémoires de Vincenzo del Prato (dit Porporino) que sa belle voix enfantine et la pauvreté de ses parents destinèrent à la castration, célèbrent Naples des années 1770, ses fêtes de l'esprit, sa culture, son art et témoignent de cette « douceur de vivre » dont Talleyrand regrettait la disparition avec le triomphe des idéaux de la Révolution française. Naples attire alors les deux Europes éclairées que Fernandez confronte : celle de la gratuité autant aristocratique que populaire, celle de la citoyenneté et du progrès, franc-maçonne et bourgeoise. Le prince de Sansevero, génial inventeur d'inutilités souvent pratiques, lady Hamilton, Casanova, Mozart, Antonio Perocades croisent sur la scène des personnages fictifs, participent au débat pour ou contre les castrats tandis que ces derniers plongent dans l'extase leurs auditeurs, imposent l'extravagance de leurs caprices de vedettes et ravagent les cœurs des hommes et des femmes par les amoureuses passions qu'ils suscitent, surtout le délicieux et indifférent Feliciano auquel personne ne résiste. Roman d'aventures et d'amour, roman économique et philosophique : *Porporino* embrasse la totalité de la condition humaine. La manière dont on considère et vit la sexualité exprime une métaphysique, entretient des liens étroits avec l'économie. Rationnelle, celle-ci exige une stricte morale familiale, refuse le gaspillage : sexe et argent produisent, thésaurisent. Véritable « école du Sud » où le lecteur reconnaîtra les analyses de Fernandez sur Naples et la Sicile, *Porporino* s'achève dans cette Allemagne romantique que les personnages de *L'Amour,* roman publié en 1986, quittent pour l'Italie... Y. P.

PORTE (La) [*Mon*]. Roman de l'écrivain japonais Sôseki Natsumé (1867-1916), publié en 1910. *La Porte* est l'histoire d'une vie conjugale ; l'intrigue en est volontairement très simple et presque banale, elle n'a en fait ni commencement ni fin. Sôsuke et O Yone sont mariés depuis plusieurs années, ils ont eu plusieurs enfants, tous sont mort-nés, ils commencent à vieillir. Sôsuke sait que sa carrière de petit fonctionnaire n'évoluera pas, que toujours ils vivront dans une aisance précaire. Sachant que le monde ne leur apportera plus rien, Sôsuke et O Yone vivent à l'écart, et tout ce qui les attache à l'existence est leur union, pleine de compréhension et d'indulgence réciproque, tissée de discrétion et de délicatesse. Sôsuke aurait pu espérer mieux de la vie, mais il a été dépouillé par un oncle de l'héritage paternel ; il n'a pas su se défendre et s'est résigné à son sort. Le quotidien monotone mais plein de dignité des deux époux n'est troublé que par une maladie de O Yone et surtout par la présence de Koroku, jeune frère de Sôsuke, venu se réfugier chez lui lorsque la famille de son oncle, malgré ses engagements, a cessé de lui payer ses études. Koroku ne peut comprendre la résignation de son frère dans laquelle il ne veut voir qu'égoïsme. En fait, tout l'intérêt du roman repose sur la peinture, minutieuse et d'une admirable justesse, de la vie intime d'un couple. Sôseki Natsumé s'affirme dans cette œuvre comme un extraordinaire psychologue de l'intimité, du quotidien, et est réellement incomparable. – Trad. Éditions P. Picquier, 1987.

PORTE DÉVERGONDÉE. Publié en 1965, ce recueil de l'écrivain français André Pieyre de Mandiargues (1909-1991) comprend quatre récits : « Sabine », « La Grotte », « Le Théâtre de Pornopapas » et « Le Fils de rat ». Fort joliment trouvé, le titre général définit l'ouvrage à merveille. Le dessein de l'auteur, en effet, est d'entrouvrir ou plutôt de laisser s'entrouvrir une de ces portes qu'on prend bien soin de garder jalousement fermées, quand on a le souci de rester raisonnable et respectable. Porte qui débouche sur ce qu'on nomme mauvais lieux, mais reconnaissons avec Mandiargues que l'expression ne se justifie guère et que le bon ou le mauvais, comme pour toute chose, est l'usage qu'on en fait. Ces lieux sont divers. Parfois, on nous introduit dans la froideur moderne d'un motel, où l'anonymat des vestibules et des chambres, la lisse blancheur des salles de bains inspirent une sourde mais violente envie de barbouiller sur toutes ces surfaces trop nettes, trop brillantes et trop nues du chaud et du coloré, même si pour cela il faut se servir de son propre sang. La tentation de le répandre ainsi s'installe en maîtresse dans l'âme de la jeune Sabine, désespérée par la conduite du lieutenant Luque qui, ayant usé d'elle une nuit, s'est montré mufle à leur second rendez-vous. Les endroits, pour lesquels le nouvelliste a une préférence marquée et où il nous conduit le plus souvent, n'ont toutefois avec cet impersonnel confort que l'analogie lointaine et presque purement théorique de se prêter aux vagabondages de l'esprit et du corps. Ce sont généralement des bistrots, des estaminets et des gargotes, dont il rend avec un grand luxe de détails savamment choisis la trouble atmosphère. Tel est le « Sarcophage », rue du Pas-de-l'Ânesse, où « des parfums musqués et des relents de transpiration féminine se mêlent à une fumée où l'odeur du tabac noir domine celle du tabac blond ». L'air un peu égaré, un certain Denis y vient s'asseoir devant un verre de liqueur et détaille les putains qui, debout ou vautrées sur un banc, attendent qu'un homme leur fasse signe. Il finit par en retenir une qui convient à son désir, passe marché avec elle. Mais l'extase qu'il recherche n'est pas une extase ordinaire... Tel est aussi, « peluche grenat, sofa aux ressorts rompus, coussins grumeleux, plateaux de cuivre oxydé, tapis râpés, odeur d'anis, de café turc et d'huile chaude », ce bar de Salonique où Antonin Bisse retrouve un maquereau nommé Criton, expert en machines à sous, qui l'emmène, à travers les terrains vagues, les canaux endormis et saumâtres et les voies ferrées à moitié rouillées du port, jusqu'à un bateau-citerne aménagé en théâtre de dernière zone. Dans ce théâtre, un public enfantin et grossier rit à des numéros simplistes dont le plus apprécié est incontestablement celui de Pornopapas, qui mime à sa façon la légende d'Œdipe. Telle est, enfin, la taverne vénitienne où un homme et sa belle compagne dînent de poisson : « muges dont les flancs bleutés portaient sous un hachis de persil et d'ail les marques du gril », anguilles, calamars, queues de langoustines et crabes mous qui, frits, se mangent en entier, branches de céleri et citron. Nul doute que ce plat, convenablement saupoudré de sel puis dégusté avec une tranche de polenta blanche et une bouteille de vin sec, ne constitue un régal, et il semblait que les satisfactions de la bouche dussent « incliner la soirée vers le bonheur ténu de la souvenance » quand parut un bien pauvre homme que chacun raillait et repoussait en l'appelant fils de rat. Cela piqua la curiosité du couple de touristes ; ils lui sourirent ; ils obtinrent qu'il leur raconte sa triste et singulière histoire. Avec elle s'achève ce succulent petit livre, que Mandiargues, remarquablement conscient de ce que son œuvre représente et signifie, a du reste présenté lui-même dans une très séduisante Préface, et qu'on ne saurait trop recommander au lecteur curieux de la vie et du rêve.

PORTÉE DES TROIS DOCTRINES (La) [*Sangô shiiki*]. Sans doute la plus connue et, de nos jours encore, la plus lue des œuvres du moine bouddhique japonais Kûkai (774-835). Ce texte fort court (cinquante-six pages dans la traduction française), composé d'une préface et de trois discours dans lesquels chaque protagoniste défend sa religion ou sa doctrine philosophique, est une confrontation des trois grands systèmes de pensée de l'Extrême-Orient : le confucianisme, le taoïsme et le bouddhisme. On en connaît deux rédactions, somme toute assez peu différentes, dont la première, datée de 797, fut écrite alors que Kûkai n'avait pas vingt-quatre ans. La préface contient quelques renseignements sur la vie et l'itinéraire spirituel de l'auteur et les discours, prononcés par le confucianiste Poil de Tortue, le taoïste Néant du Vide et le bouddhiste Dénomination Provisoire (dont les arguments l'emportent), sont de très bonnes introductions à chacun des systèmes.

L'ouvrage est rédigé en chinois classique, dans un style rythmé au vocabulaire exubérant, chargé d'allusions à la littérature chinoise ancienne. Tant pour son contenu que l'on pourrait dire propédeutique que pour ses qualités littéraires modèles, le *Sangô shiiki* a été lu attentivement et abondamment commenté au Japon. De facture très originale, il devrait cependant être comparé de près avec *À la recherche de l'homme* [*Yuanren-lun*] du moine chinois Zongmi, l'exact contemporain de Kûkai. — Trad. et commentaires dans *La Vérité finale des trois enseignements,* Poiesis, 1985. J.-N. R.

PORTE ÉTROITE (La). Roman de l'écrivain français André Gide (1869-1951), publié en 1909. C'est un récit d'une suave sérénité, profondément senti, presque une confession du protagoniste, Jérôme. Ayant perdu son père dès l'enfance, il grandit sous la tendre tutelle de sa mère et d'une vieille amie de la famille. Une délicate intimité le lie à deux jeunes cousines, filles de son oncle Bucolin, et un amour précoce s'éveille en lui pour l'aînée, Alissa. La chère ambiance familiale, si fermée et si austèrement puritaine, est bouleversée par la fuite scandaleuse de Mme Bucolin. Alissa en est affectée plus que tous les autres et, à partir de ce moment, ses sentiments religieux prennent une intensité particulière ; son âme tend à s'évader vers une spiritualité de plus en plus détachée du monde. L'amoureux Jérôme la suit dans cette atmosphère raréfiée, non sans une ombre d'anxieuse inquiétude. Bien qu'Alissa aime son cousin de toutes ses forces, le suive dans ses études et vive avec lui dans une intimité profonde, Jérôme croit voir, avec une douleur silencieuse, la jeune fille refuser de s'unir à lui. L'intervention de leur ami d'enfance, Abel (fils du pasteur Vautier), qui pousse le jeune homme à arracher une décision à Alissa, provoque une crise pénible. Abel se croit aimé de la jeune sœur d'Alissa, Juliette, alors que celle-ci se révèle, à son tour, amoureuse de Jérôme. Alissa prend ce prétexte pour se sacrifier. Mais, même plus tard, quand Juliette guérie et résignée est devenue la placide épouse d'un vigneron et une heureuse mère de famille, Alissa résiste à sa passion ; elle se mure dans un état d'âme où, dit-elle, elle se sent si spirituellement proche de l'aimé qu'elle peut renoncer à sa présence physique. Jérôme a deviné son sacrifice et en est désespéré ; mais lui aussi a grandi dans les mêmes pensées et n'a pas la force d'arracher Alissa à cette voie. Détruite par sa tragédie intérieure, la jeune fille trouve la mort. Ses lettres, intercalées dans le récit, et quelques pages de son journal intime, que le jeune homme retrouve, montrent quel fut son tourment intérieur : « Seigneur ! nous avancer vers vous, Jérôme et moi l'un avec l'autre, l'un par l'autre ; marcher tout le long de la vie comme deux pèlerins dont l'un parfois dise à l'autre : "Appuie-toi sur moi, frère, si tu es las", et dont l'autre réponde : "Il me suffit de te sentir près de moi..." Mais non ! la route que vous nous enseignez, Seigneur, est une route étroite, étroite à n'y pouvoir marcher deux de front. » Il est facile de trouver dans ce récit une condamnation des excès inhumains de la morale puritaine. Mais Gide, écrivain, évite ici de prendre parti. Il respecte au fond cette « évasion vers le sublime », tout en en soulignant l'inhumaine cruauté. Il ne faut pas oublier que le drame se joue sur cette pathétique indécision de Jérôme, aussi incapable d'égaler Alissa dans sa difficile vertu que de l'attirer à lui en suivant l'exemple de son cousin Abel qui, lui, a « choisi », en publiant très jeune un livre fort scandaleux intitulé : « Privautés ». Comme dans les autres souvenirs de Gide – v. *Si le grain ne meurt* (*) –, le sujet du récit est pour une large part autobiographique. L'auteur a trouvé toutes les données de ce drame imaginaire dans le climat de sa propre adolescence et évoque ces thèmes d'une plume infiniment délicate avec une impartialité austère. Il renonce à tout jugement et se borne à mettre en lumière la valeur idéale et la simple humanité du récit. Le style y est incomparablement limpide et pur ; c'est sans doute le récit le plus parfaitement classique de Gide.

PORTE MANDELBAUM (La) [*The Mandelbaum Gate*]. Roman de l'écrivain anglais Muriel Spark (née en 1918), publié en 1965. C'est son œuvre la plus longue et la plus ambitieuse. Barbara, personnage autobiographique, mi-juive, mi-anglaise, fait un pèlerinage en Terre sainte et, malgré le danger, cherche à rejoindre en Jordanie Harry, l'amant qu'elle voudrait épouser, bien qu'elle soit catholique et lui divorcé. Avec Suzy Ramdez, une jeune Arabe affranchie, et son frère Abdul, le diplomate Freddy Hamilton, célibataire et poète, l'aide dans cette tâche avant d'être frappé d'amnésie. L'intrigue, aux personnages multiples et hauts en couleur, tient de l'opéra bouffe. Tortueuse, procédant par ellipses et retours en arrière, elle est aussi la métaphore d'une quête d'identité, de Dieu et du salut, à travers l'imbroglio d'une réalité humaine où tout n'est qu'apparences trompeuses, duplicités et contradictions. Barbara, vierge sage pour ses amis, a un amant. Mais quelle n'est pas sa surprise de trouver Ricky, lesbienne refoulée, venue la poursuivre jusqu'en Jordanie, dans le lit de Joe Ramdez, l'escroc, l'agent double. Le temps d'une nuit, Freddy découvre dans les bras de Suzy que « la vie c'est l'amour » mais s'empresse de l'oublier. Comme ses ancêtres anglais, Barbara n'existe que dans le choc des contraires : « impérialistes anarchistes [...], croyants sceptiques ». La violence seule est indubitable. Même dans la paisible Angleterre, la mère de Freddy se fait assassiner par sa gouvernante. Les Églises, établies à l'image des sanctuaires qu'elles se disputent, ont d'incertaines fondations. Malade, c'est en elle-même que Barbara fait d'abord retraite. Dieu, dans le sermon qu'elle entend au saint-sépulcre, est le « Deus absconditus », auquel rien, surtout pas les sentiments, bien trop ambigus, ne donne accès, sinon une foi, une espérance. Face à un tel monde, Barbara, passant outre au respect catholique de la lettre, affirme la responsabilité que chacun a de soi. Elle décide d'épouser Harry. Mais finalement la malveillance de Ricky aide à l'annulation du mariage. Le libre arbitre permet ainsi ce pari pascalien, où l'être, reculant devant le « trou de terre vide révélé par la pierre roulée », choisit Dieu avec qui « tout est possible », et s'arrache à la désespérance. C'est aussi s'arracher au nihilisme hédoniste et charmeur mais quasi suicidaire d'Abdul et de Suzy, au trou sans fond de la maison de Jéricho, qui rappelle celui des toilettes où Freddy s'est libéré de sa mère abusive en y jetant les lettres qu'il lui destinait, au gouffre de la mort, de la psyché amnésique, de la folie peut-être. Lorsque, à la lueur rouge du soleil couchant, Freddy retrouve le brûlant souvenir de Suzy, la légèreté des patineurs sur la glace « sombre et blanche » semble conjurer en un magnifique oxymore la menace d'un engloutissement. – Trad. Buchet-Chastel, 1968.

T. V.

PORTES DE LA LUMIÈRE (Les) [*Cha'aré Ora*]. Exposition systématique de cabale théosophique du cabaliste espagnol (castillan) Joseph Gikatila (1248-1325 ?), publiée en 1559. Cette œuvre est un des grands classiques, aux côtés du *Zohar* (*), de la cabale des sefirot de la fin du XIIIe siècle. Elle est écrite dans un assez bel hébreu médiéval au style fleuri où alternent prose rimée et rhétorique savante. L'auteur y expose la fonction de chacune des dix sefirot, émanations divines issues de l'Infini, qui constituent la manifestation personnelle et anthropomorphe de la divinité. Il décrit aussi la structure androgyne du monde des anges et insiste sur la dimension métaphysique de l'histoire d'Israël. La connaissance de ces sefirot, identifiées aux divers noms prêtés à Dieu dans *La Bible,* permet de donner aux prières une efficacité maximale, puisque l'objet de chaque supplique correspond à une sefira particulière vers laquelle il faut savoir faire monter sa demande en lui faisant traverser les sphères des démons et des anges accusateurs qui tentent de lui faire obstacle. L'exégèse symbolique de très nombreux versets offre au lecteur le moyen de découvrir les racines bibliques de la terminologie et des concepts cabalistiques. Une présentation progressive du système des sefirot donne à cet ouvrage un caractère didactique qui en fait une excellente introduction à cette discipline de pensée. Un résumé en a été fait en latin par Paul Riccius en 1516, et un commentaire en hébreu de Mathattias Délacrout au début du XVIe siècle accompagne la plupart de ses rééditions.

Ch. Mop.

PORTES DE LA SAINTETÉ (Les) [*Cha'aré Qedoucha*]. Traité d'ascèse et de piété mystique du cabaliste juif d'origine italienne Hayim Vital (1542-1620). Les trois premières parties furent publiées à Livourne en 1734, la quatrième à Jérusalem en 1988. Cet ouvrage est un manuel pratique qui expose la méthode pour atteindre le degré de la prophétie. Il comprend des éléments importants puisés dans l'œuvre d'Abraham Aboulafia, le chef de l'école de cabale extatique. Aux exercices de concentration et d'isolement silencieux, de purification et de stimulation de l'imagination visionnaire, il ajoute la contemplation des combinaisons de lettres et l'évocation de noms divins ésotériques, dont de longues listes sont fournies. Le but est de s'élever progressivement à travers les cinq formes de réalisation spirituelle : le rêve prémonitoire, la visite du prophète Élie, l'entretien avec les anges, la consultation des âmes des justes, la réception de l'Esprit saint. Une partie importante de l'œuvre, celle qui fut le plus souvent publiée, peut être considérée comme un traité d'éthique cabalistique. Celui-ci comprend un exposé général des principes de la cabale théosophique du *Zohar* (*) et une description détaillée des fonctions psychologiques de l'âme. Des développements sur la signification et la portée cosmique des observances religieuses occupent une place importante dans cet ouvrage, où se rencontrent piété populaire et mysticisme élitiste en une synthèse originale. Ch. Mop.

PORTES DU PARADIS (Les) [*Bramy raju*]. Roman de l'écrivain polonais Jerzy Andrzejewski (1909-1983), publié en 1960. Ce roman se compose de deux phrases : l'une est longue de cent cinquante-huit pages, l'autre n'a qu'une ligne. Voilà une des particularités de ce livre. Mais elle n'est pas la seule. Hanté depuis ses débuts littéraires par le problème du renoncement et du sacrifice que l'homme consent au nom d'une foi, Andrzejewski évoque ici le cas du comportement de la masse transportée par un élan religieux. Voici donc une foule dense, composée de jeunes pour la plupart, qui, chantant des cantiques et portant des croix et des dais, avance serrée, épaule contre épaule, à travers la France en se dirigeant vers Jérusalem où elle veut libérer le tombeau du Christ. Elle est entraînée par un jeune berger, Jacques de Cloyes, qui croit avoir reçu cette mission du Seigneur. Les croisades officielles ayant échoué, c'est lui qui, entouré d'innocents et de purs, accomplira la sainte tâche. En apparence tout n'est que dévouement noble et sublime : les chants religieux, les croix, la foi ardente, le sacrifice de la vie, un idéal élevé. Mais en réalité ? Un vieux moine avance péniblement à la tête des pèlerins et confesse, tour à tour, les jeunes. Maud, Robert, Blanche, Alexis lui disent la vérité ou des mensonges, mais tous avouent un fait : ce n'est pas l'idée de « faire grâce et charité à Jérusalem » qui les a poussés à participer à la croisade ; c'est tout simplement l'amour le plus humain et le plus charnel qui les a fait se suivre les uns les autres. Et quand Jacques, ce symbole apparent de la pureté, confie qu'il a lancé son appel poussé par son amour pour le comte de Blois et de Chartres, le moine, révolté, tente d'arrêter les pèlerins. Mais il sera renversé et piétiné par les milliers de pieds qui avancent sans pouvoir s'arrêter. La phrase interminable du roman non seulement rend admirablement le mouvement continu de la marche, non seulement souligne l'interdépendance des faits, mais aussi crée une atmosphère lourde, pesante, qui enveloppe, en faisant un ensemble inextricable, cette foule portée par la foi, mais indifférente, et ces individus tragiquement déchirés par leurs problèmes personnels. Il n'y a rien de commun entre les désirs des individus et ceux de la masse. Et pourtant, extérieurement, ils ne font qu'un. Andrzejewski dit : « Dans la prison de sa chair et de son esprit, l'homme cherche désespérément et en vain une issue, mais il n'y a pas d'issue, c'est en vain qu'il s'agrippe aux apparences d'un salut, il ne peut s'oublier que dans la violence, une violence déparée d'illusions, nue et noire comme la haine... » Ce roman dévoile le fond obscur de l'âme humaine mais ne tend pas à abaisser les êtres. Il se penche sur les faits qui dans leur incompréhensible enchaînement transforment le sens de nos actes. – Trad. Gallimard, 1961.

PORTEUSE DE PAIN (La). Roman de l'écrivain français Xavier de Montépin (1823-1902), publié en 1884. C'est, sur un ton apitoyé, le récit des malheurs sans nombre advenus à Jeanne Fortier, la jeune veuve d'un mécanicien à l'usine Labroue, mort d'un accident de travail en laissant deux enfants. Nommée gardienne de la fabrique, elle refuse de refaire sa vie avec Jacques Garaud, contremaître plein d'avenir mais sans scrupule, qui lui annonce dans une lettre qu'il va faire fortune. En réalité, il est mûr pour le crime, assassine l'ingénieur Labroue, lui vole le secret d'une invention, ainsi qu'une grosse somme d'argent, et, avant de s'enfuir, met le feu à l'usine, non sans faire en sorte que l'on soupçonne la jeune veuve d'être responsable du sinistre. Garaud, que l'on croit mort dans les flammes, change de nom et devient, en Amérique, un puissant magnat de l'industrie. Quant à Jeanne, elle connaît la prison, puis, devenue momentanément folle, est hospitalisée à Bicêtre ; mais un jour, déguisée en religieuse, elle s'enfuit de la maison centrale de Clermont et se rend à Paris où elle gagnera sa vie comme porteuse de pain. Dès lors, un meilleur destin va venger l'innocente. Garaud est démasqué grâce à la fameuse lettre jadis adressée à Jeanne, et dans laquelle il laissait percer ses intentions criminelles. La porteuse de pain retrouve sa fille et son fils qui, devenu un brillant avocat, plaide lui-même au procès qui réhabilite sa mère : « J'ai bien souffert, conclut l'héroïne de ce roman naïf, mais aujourd'hui, c'est le paradis : Dieu est bon ! »

Ce classique aux innombrables rééditions (notamment en feuilleton) et aux multiples adaptations cinématographiques marque une étape significative dans l'histoire de la littérature populaire : l'apparition du « roman de la victime », volontiers mélodramatique et résolument conservateur. Le style en est simple, l'idéologie sans surprise : Montépin met une indéniable aisance de composition au service du grand public. Aux figures surhumaines de Féval ou de Ponson du Terrail succède ainsi l'héroïsme des sentiments : Jeanne Fortier conduit sa réhabilitation à l'aide de ses seules armes, courage et honnêteté ; rouage social, elle fait moins triompher sa cause que celle de la légalité et de la moralité.

PORTNOY ET SON COMPLEXE [*Portnoy's Complaint*]. Roman de l'écrivain américain Philip Roth (né en 1933), publié en 1969. C'est un livre fascinant, drôle, plein d'énormités, féroce, qui dénonce les effets pervers d'une éducation faite d'interdits et qui désacralise l'image de la mère juive.

Allongé sur un divan, Portnoy, commissaire adjoint à la promotion de l'homme, à la mairie de New York, raconte à son psychanalyste le détail de son enfance et de ses premières expériences sexuelles. Le premier chapitre est consacré à la présentation de la mère, Sophie, mère omniprésente et castratrice, objet de sa fixation œdipienne. C'est elle qui le harcèle de reproches et de mises en garde contre le monde extérieur, c'est elle qui l'accable de son amour étouffant. Portnoy n'a pas trouvé auprès de son père, petit courtier en assurances, être faible, pathétique, et dont les angoisses et les frustrations se manifestent par une constipation chronique, l'image forte dont il avait besoin... Il en veut à ce père, qu'il aime pourtant, de se laisser dominer par sa femme et par ses employeurs, de ne pas se conduire comme un « mensch ».

Portnoy a besoin de s'affirmer, d'affirmer sa virilité menacée par l'amour maternel. La libération, pour lui, passe par la sexualité et l'érotisme. C'est d'abord dans la masturbation effrénée — en cas d'urgence une pomme évidée, une tranche de foie fera l'affaire ! — que va s'épuiser la libido de ce « Raskolnikov de la branlade ». Puis il se lance à la conquête des jeunes filles chrétiennes, des « schikse ». Sa première expérience est un échec : terrifié à l'idée d'attraper, comme le lui avait dit sa mère, la syphilis, il se trouve impuissant devant Bubble, la fille complaisante d'un mafioso.

Devenu un personnage important à la mairie de New York, il s'est trouvé une maîtresse, Mary Jane Reed, alias la Gueunon, dont les performances dépassent toutes ses espérances. Les partenaires suivantes, Kay Campbell alias la Citrouille, et Sarah Abbot Maulsby, dont les origines remontent aux Pères Pèlerins et à l'aristocratie de Boston, acceptent elles aussi de se soumettre à ses désirs les plus pervers sans que jamais il puisse trouver satisfaction. Chaque conquête féminine est une tentative de libération de l'emprise maternelle, mais chaque transgression, bien loin de le libérer, ne fait que renforcer son sentiment de culpabilité. Sa dernière aventure, cette fois-ci avec une Juive, une Israélienne, se solde aussi par un véritable fiasco. Le roman se termine donc sur un constat d'échec : Alex n'a pas réussi à se libérer de son complexe.

C'est donc vers son psychanalyste qu'il se tourne pour exorciser par le verbe sa culpabilité liée à ses impulsions sexuelles. Cette confession n'est pas pour autant une analyse mais un récit d'un grand comique, comique qui jaillit de la distance que prend le narrateur par rapport au vécu de son expérience. Cette distanciation transforme en comédie, en vaudeville, le calvaire de Portnoy. — Trad. Gallimard, 1970. C. L.

PORTRAIT (Le) [*Portret*]. Récit de l'écrivain russe Nikolaï Vassilievitch Gogol (1809-1852), publié en 1834. *Le Portrait* fait partie de la série de récits communément désignés sous le nom de « récits de Saint-Pétersbourg », leur action se déroulant dans cette ville, où ils furent d'ailleurs composés. Gogol fit, par la suite, insérer ce récit parmi les *Arabesques* (*), dans l'édition de ses Œuvres complètes. Dans *Le Portrait*, fantaisie macabre qui trahit l'influence de Hoffmann, un jeune peintre de talent fait l'acquisition d'un tableau représentant un vieillard au regard singulier, presque vivant. Pendant la nuit, le vieillard descend de son cadre et, s'étant rendu auprès du jeune peintre, exhorte ce dernier à quitter les voies de l'art pour faire une carrière brillante et lucrative en portraiturant des personnages influents de la ville. Séduit par cette idée, le jeune homme devient un peintre à la mode, et, rapidement, fait fortune. Mais au bout de quelques années, il est hanté par le remords d'avoir trahi son idéal artistique et, jaloux de ceux de ses confrères qui ont pu s'accomplir, achète les meilleures toiles de la ville pour pouvoir les lacérer et les détruire. Il sombre enfin dans la folie et meurt. Peu après, on retrouve, exposé dans une galerie, le portrait maléfique, dont l'histoire nous est contée. Le vieillard qu'il représente n'est autre que l'Antéchrist, incarné en la personne d'un usurier, et responsable de la ruine et de la mort d'innombrables personnes. Cet usurier, au seuil de la mort, avait fait faire de lui un portrait, auquel il avait transmis une partie de son effroyable pouvoir. Sur ces entrefaites, le sortilège — qui devait durer cinquante ans — prend fin ; et, devant l'assistance pétrifiée de stupeur, l'effigie du vieillard disparaît de la toile, sur laquelle on n'aperçoit plus qu'un paysage fort médiocre. Gogol n'est pas toujours à l'aise dans le genre fantastique. Si, dans certains passages, l'auteur, manifestement, se force pour donner à son récit le caractère de « diablerie », la langue et le style, en revanche, ont l'incomparable pureté qui caractérise l'art de Gogol. — Trad. Gallimard (Folio), 1979.

PORTRAIT DE DORIAN GRAY (Le) [*The Picture of Dorian Gray*]. Unique roman de l'écrivain irlandais Oscar Wilde (1854-

1900), publié dans la revue américaine *Lippincott's Monthly Magazine* en 1890, puis en un volume en 1891. Ce n'est pas le moindre des paradoxes de cette œuvre qu'elle ait été sévèrement condamnée par les puritains de l'époque quand son propos peut paraître éminemment moral. Ainsi le héros éponyme du livre est-il un jeune aristocrate anglais qui, jaloux d'un portrait qu'un ami peintre, Basil Hallward, a fait de lui, exprime le souhait que le jeune homme du tableau vieillisse à sa place et voit son vœu exaucé. Au fil des ans, le portrait s'enlaidit de tous les péchés commis par Dorian Gray, et celui-ci, qui y voit sa conscience et le reflet de son âme, finit par se suicider en croyant anéantir son double accusateur. Si l'on peut y voir le procès de l'esthétisme défendu par son auteur, la préface que celui-ci y ajouta en mars 1891 nous invite toutefois à une lecture polysémique du roman, lui-même construit autour de la dualité et de la réflexion. Le personnage de lord Henry Wotton, qui révèle Dorian à sa propre noirceur plutôt qu'il ne le corrompt, incarne l'attrait d'une vie débarrassée de toute sentimentalité et dominée par les seules considérations esthétiques. Son double inversé, Basil Hallward, qui a fait de Dorian Gray son idéal et dont le désir homosexuel est à peine masqué, n'est pas moins responsable de la chute de Dorian Gray, qui, à l'instar de son créateur, s'insurge contre l'idéalisme. Ainsi Wilde écrivait-il : « Basil Hallward est ce que je crois être ; lord Henry ce que le monde croit que je suis ; Dorian est ce que je voudrais être en d'autres temps, peut-être. » Dédoublement toujours, au suicide de Dorian fait écho celui de Sybil Vane, une jeune actrice dont il s'est épris : Dorian périt pour avoir préféré l'illusion de l'art à la vie, Sybil meurt pour avoir choisi de vivre l'amour plutôt que de l'incarner. Conte fantastique et parabole, *Dorian Gray* est autant une pierre angulaire des débats éthiques et esthétiques de son époque qu'un texte sans âge sur les rapports qu'entretiennent le bien et le beau, l'art et la vie, l'âme et le corps. Si Wilde y rend un hommage ambigu aux décadents français en faisant d'*À rebours* (*) de Huysmans le livre qui, de l'aveu même de l'auteur, corrompt Dorian Gray, Mallarmé lui retourne le compliment en lui écrivant : « J'achève le livre [*Le Portrait de Dorian Gray*], un des seuls qui puissent émouvoir, vu que d'une rêverie essentielle et des parfums d'âmes les plus étranges s'est fait son orage. Redevenir poignant à travers l'inouï raffinement d'intellect, et humain, en une pareille perverse atmosphère de beauté, est un miracle que vous accomplissez et selon quel emploi de tous les arts de l'écrivain ! » — Trad. Albert Savine, 1895 ; Gallimard, 1992. V. BÉ.

PORTRAIT DE FEMME (Un) [*Portrait of a Lady*]. Roman de l'écrivain américain Henry James (1843-1916), publié en 1880. C'est son œuvre la plus célèbre parce qu'elle possède de quoi intéresser le lecteur le plus superficiel en même temps que le lecteur le plus exigeant. James y conte, en effet, les aventures d'une jeune fille attrayante qui affronte la vie avec confiance, obtient quelques jolis succès et s'attire mainte sympathie assez honnête. Toutefois trop de vanité finit par lui tourner la tête. Elle connaît alors le malheur, tente de s'en sortir, puis se soumet, par devoir, à la triste vie qu'elle s'est créée elle-même. Isabelle Archer, l'héroïne, s'étiole dans sa morne maison d'Albany, quand sa tante, femme riche et extravagante qui se nomme Mrs. Touchett, vient lui proposer quelque voyage en Europe. Isabelle accepte avec d'autant plus de joie qu'elle pourra ainsi se soustraire à la cour trop assidue que lui fait le jeune Gaspar Goodwood, un garçon auquel la jeune fille n'entend point sacrifier sa liberté. La première étape de ce voyage est l'Angleterre. Elle arrive dans la luxueuse maison de campagne qu'habitent le mari de Mrs. Touchett, ainsi, d'ailleurs, que son fils, Ralph. D'emblée ce dernier sympathise avec la jeune fille que sa beauté, sa simplicité et son intelligence rendent des plus attrayantes. Davantage : étant tombé amoureux d'elle, et se sachant atteint d'une maladie incurable, Ralph se garde bien d'en souffler mot à la jeune fille. Un de ses amis, lord Warburton, jeune homme plein d'avenir, vient, lui aussi, à s'éprendre d'Isabelle et lui demande aussitôt sa main. Mais notre héroïne aspire trop à faire son voyage en Europe pour répondre le moins du monde à ce désir. Le vieux Touchett étant mort, elle hérite de la moitié de sa fortune. Elle ignore que la générosité de son oncle est due à l'intervention de Ralph. En amoureux fort désintéressé, Ralph a tenu, par ce biais, à offrir à Isabelle une vie plus large dans tous les domaines. Pourtant la richesse sera nuisible à Isabelle, car elle la mettra en contact avec une certaine Mme Merie, aventurière de son métier dans toute la force du terme. Pour assurer le bien-être de la fille qu'elle a eue de son amant, Gilbert Osmond, elle fait en sorte qu'Isabelle le rencontre et s'éprenne de lui. Abusée par l'air noble et digne sous lequel Osmond cache un effroyable cynisme, Isabelle tombe éperdument amoureuse de lui. Passant outre à l'avis de Mrs. Touchett et de Ralph, elle l'épouse aussitôt. Hélas, elle s'apercevra vite de son erreur. Bien que par orgueil elle ne veuille pas se l'avouer, elle finira par se confier à Ralph agonisant, qui l'a fait appeler pour s'entretenir avec elle une dernière fois. À Londres, elle retrouve son ancien amoureux Gaspar Goodwood. Bien qu'elle se rende compte qu'elle pourrait trouver chez lui le refuge auquel son cœur aspire en vain, elle n'en retourne pas moins chez son indigne mari, le sens du devoir n'allant pas ici sans un certain goût du malheur. — Trad. Stock, 1933.

PORTRAIT DE GROUPE AVEC DAME [*Gruppenbild mit Dame*]. Roman de l'écrivain allemand Heinrich Böll (1917-1985), publié en 1971. Au centre de l'histoire, le personnage énigmatique de Léni Pfeiffer, née Gruyten, quarante-huit ans, qui, après une enfance relativement bourgeoise et un mariage éphémère – il dura trois jours, en 1941 – avec un sous-officier de carrière, vit aujourd'hui seule et presque sans ressources dans l'immeuble qui l'a vue naître. « L'auteur ne dispose d'aucun moyen d'investigation personnelle et directe sur la vie physiologique, psychique et amoureuse de Léni, mais il a tout, abolument tout entrepris pour obtenir à son sujet ce que l'on appelle une information objective (ses informateurs seront même nommément désignés en temps opportun !) » : une écriture pseudo-documentaire, donc, qui ironise sur ses propres procédés. Les témoins qui seront cités seront, par définition, évidemment de faux témoins (faut-il s'en offusquer, comme l'a fait une partie de la critique, prompte à relever les inconséquences narratives ?). Par leur bouche parle Böll lui-même, qui dessine à travers le personnage fascinant de Léni un certain idéal d'humanité, sur toile de fond de l'histoire de l'Allemagne contemporaine. À la fois réservée, « presque taciturne », et sensuelle – « une sensualité directe, prolétarienne, presque géniale » –, Léni incarne une immédiateté, une authenticité qui la placent au-delà de toutes les conventions et hypocrisies sociales et lui donnent la force de traverser toutes les épreuves de la vie – « et l'on peut dire à coup sûr, pas seulement du point de vue financier, que Léni est plutôt mal lotie » – en restant fidèle à elle-même, sans amertume ni repentir. Telle une « belle âme » moderne, elle ne suit jamais que sa propre « nature », envers et contre tous (dans sa relation avec Rahel, la nonne juive, ou encore avec Boris, le prisonnier de guerre russe qui reste le seul amour de sa vie, avec les travailleurs turcs, etc.). Une hagiographie ? Le narrateur, en tout cas, refuse d'en être contrit : « Il se rend fort bien compte que le lecteur, jusqu'ici plus ou moins patient, commence à se demander : cette Léni seraitelle donc parfaite ? Réponse : presque. » *Portrait de groupe avec dame* vérifie très exactement ce que Böll appelle l'« esthétique de l'humain ». Le romancier va ici jusqu'au bout de son principe selon lequel l'individu est la mesure de l'Histoire. Il est réservé au personnage de la femme d'incarner une forme de résistance, traduite éventuellement en des gestes minuscules – Léni offrant du café à un prisonnier russe sans se laisser intimider par la présence autour d'elle de nazis convaincus –, qui, bien que totalement apolitique, n'en prend pas moins une dimension révolutionnaire, au sens le plus élevé du terme. Léni Pfeiffer partage avec Katharina Blum ce même « génie » (sic). Le roman fut adapté au cinéma dès 1977 par Alexander Petrovic. – Trad. Le Seuil, 1973. J.-J. P.

PORTRAIT DE L'ARTISTE EN JEUNE CHIEN [*Portrait of the Artist as a Young Dog*]. Cet ouvrage, publié en 1940 par l'écrivain anglais Dylan Thomas (1914-1953), se compose d'une suite de récits autobiographiques traités en forme de « nouvelles » ; son intérêt essentiel est de nous faire pénétrer directement dans l'univers intérieur de l'enfance du poète, univers dont l'imagerie commandera toute son œuvre. À côté des souvenirs proprement dits se développe parallèlement une prise de conscience du corps dont la description rendue particulièrement vivante par une sensibilité hypertendue suffirait à faire l'originalité du livre. À chaque nouvelle découverte (amour, camaraderie, alcool), le corps se précise, gagne en présence et devient pour Thomas une « aventure et un baptême » tandis que son imagination trop vive lui donne perpétuellement l'« impression d'être un voyeur ». Ainsi s'élabore une perception absolument charnelle de l'univers dont la connaissance, ou la rencontre, se traduira toujours par un bouleversement physique et une brutale éruption d'images, traits caractéristiques de la poésie de Thomas dont ces « nouvelles » nous donnent la clé. – Trad. Éditions de Minuit, 1947 ; Le Seuil, 1970.

PORTRAIT DE L'ARTISTE EN JEUNE HOMME [*A Portrait of the Artist as a Young Man*]. Roman de l'écrivain irlandais James Joyce (1882-1941), publié en 1916. Il s'agit d'une œuvre majeure de l'écrivain, longuement élaborée. Le point de départ en fut un court essai, « A Portrait of the Artist », que l'auteur proposa à la toute nouvelle revue irlandaise *Dana*, au début de 1904 : essai très dense, composé en un week-end, où il faisait le point de sa position au regard de sa vocation comme de son milieu. Le refus du rédacteur en chef conduisit Joyce à développer son texte en un véritable roman, *Stephen le Héros* (*), dont il écrivit un millier de pages dans les deux ans qui suivirent. L'abandon de ce manuscrit et la décision de le reprendre dans un style radicalement nouveau coïncident, dans l'été de 1907, avec un moment décisif de sa vie et de son œuvre : le retour à Trieste après une tentative malheureuse d'installation à Rome, la naissance de son second enfant, Lucia, mais aussi l'achèvement du recueil de *Dublinois* (*) par la composition de la nouvelle « Les Morts ». Le projet sera donc, dit-il, de récrire *Stephen le Héros* en cinq chapitres. Joyce n'en dit pas plus, mais il apparaît clairement que l'idée dramatique, avec laquelle il avait joué dans divers articles, conférences ou fragments inédits, est présente à l'arrière-plan. Il va s'agir moins de mettre en scène que de mettre en acte(s) une histoire personnelle que le manuscrit précédent avait présentée sous une forme discursive, souvent apologétique et didactique. On pourrait dire, pour simplifier, que ces actes visent un Acte qui est celui de l'écrivain, l'acte d'écriture, et ces actes successifs n'en seraient que le parcours petit à petit balayé et balisé. L'art de Joyce sera de mener de front, en fait, deux parcours en un : le premier, de l'ordre de la biographie réaliste, l'autre en quelque sorte spirituel et éthique. Le premier est constitué par l'histoire du jeune Stephen Dedalus, depuis ses premiers souvenirs d'enfance jusqu'à la fin de ses années d'étudiant, prélude à son départ d'Irlande. L'atmosphère familiale chaleureuse sert de contrepoint nostalgique au (trop) jeune pensionnaire des jésuites, bon élève et un peu souffre-douleur de ses aînés. Mais les vacances de Noël ne sont pas le plaisir sans mélange de retour à l'Éden : c'est la découverte, autour de la table familiale, des contradictions offertes par les adultes lorsque la politique devient polémique. Le retour définitif au foyer et l'entrée au collège (toujours jésuite) apportent d'autres démentis concrets au rêve, au premier chef le déclin des fortunes familiales, inexorablement scandé par les changements d'adresse. L'Université, l'enseignement que le héros y reçoit et les amitiés (amoureuses ou non) qu'il y noue perdent assez vite leur lustre. La société, pas plus que la cellule familiale, n'offre de perspective d'épanouissement et d'expression personnelle. C'est que l'une et l'autre ont été tout au long le théâtre d'une réévaluation des valeurs. La référence éthique est présente dès les premières pages : est-ce bien, est-ce mal d'embrasser sa mère ? Les camarades de classe, là-dessus, le taquinent cruellement et le troublent. Parnell est-il le héros sauveur de l'Irlande, ou bien, comme le dit tout à coup l'Église, un homme « perdu » par le péché (de la chair...) ? Et les Pères eux-mêmes ? Sont-ils sans péché ? On voit bien que non. Mais alors, à qui se confessent-ils ? Et leurs voix, leurs prescriptions sont discordantes. Elles sont même marquées de duplicité, ils sont capables de rire entre eux de ces enfants qui ont cru à leurs paroles, en fait à leur parodie de justice. Leur connivence avec le siècle, quelles en sont les limites ? Un parfum de simonie flotte dans l'air, auquel se mêle parfois l'« odor di femina ». Car finalement ce Bien et ce Mal si difficiles à délimiter, dont il est si difficile de trancher, s'incarnent... bel et bien dans la Femme, Vierge, Dame courtoise ou prostituée sordide. Stephen tente d'articuler quelques éléments d'une esthétique où se rencontrent Platon, Aristote, Plotin, saint Thomas. Mais il finit par reconnaître : « Lorsque nous en arriverons aux phénomènes de la conception artistique, de la gestation, de la reproduction artistiques, j'aurai besoin d'une terminologie nouvelle, et d'une nouvelle expérience personnelle. » Cette nouvelle expérience est double : c'est d'une part la rupture avec l'Irlande, ses pesanteurs idéologiques et politiques. L'Europe, où la vie intellectuelle et artistique est si vivante, l'appelle. On sent bien, ici, que Joyce, à travers Stephen, parle de lui-même et de ses désirs. Mais les données autobiographiques ne doivent pas faire oublier l'autre face de l'expérience, qui est celle de l'écriture même : le livre est scandé par les tentatives de l'écrivain : dès la deuxième page, conjurant la menace de punition, il en retourne les termes en deux petites strophes. Plus tard, ce sera la tentative pour écrire un poème « À E... C... », la petite fille dont la rencontre l'a ému (épisode dont le souvenir ponctuera le texte du roman) ; puis la composition d'une « Villanelle de la tentatrice » ; et enfin la rupture que constitue le journal intime des dernières pages, où le sujet s'exprime enfin directement, sans recours au masque romanesque, mêlant rêves et rencontres, et s'ouvrant à l'à-venir : oui, l'œuvre est une ouverture, posant les conditions et les axes de développement des écritures ultérieures. La continuité est certaine avec *Ulysse* (*), dont les premières pages ont en fait été arrachées au *Portrait*. Oui, cette première composition, où Joyce a joué sur les ruptures et en même temps sur les échos, les reprises, les déplacements, cette exploration des conditions de l'énonciation prépare le voyage à travers l'univers de la parole que constitue *Ulysse*. — Trad. La Sirène, 1924 ; Gallimard, 1943. J. Au.

PORTRAIT DE L'ARTISTE EN JEUNE SINGE. Œuvre autobiographique de l'écrivain français Michel Butor (né en 1926), publiée en 1967. Le livre est présenté par l'auteur lors de sa publication comme relevant d'un genre musical, le « capriccio ». Si le « caprice », en littérature, désigne un « petit ouvrage le plus souvent fantasque et bizarre, mais exécuté avec verve » (Bescherelle), le terme musical sert à désigner originellement une pièce instrumentale de style contrapuntique. La construction extrêmement élaborée du fragment d'autobiographie qui est la matière de l'œuvre donne l'illusion de la plus grande liberté.

Le sujet du livre est la narration d'un séjour que fit Michel Butor comme lecteur au château de Harburg, sur les rives de la Wornitz, alors qu'il était étudiant ; il rédigea le texte à la demande de ses amis, de Georges Lambrichs, Georges Perros, Georges Raillard, à qui il est dédié : « pour mes Georges ». Selon un système constant dans l'œuvre de Michel Butor, le récit procède par amplification : le temps et l'espace s'accroissent, une guirlande de sept châteaux se met en place, sept rêves séparent huit journées, la semaine se dilate en sept fois sept jours. Le nombre sept sert de base numérique à l'organisation des descriptions, rappelant le système de la gamme, mais aussi celui du partage médiéval du savoir, en quatre art des choses et trois des mots.

Le titre est un hommage à James Joyce : *Portrait de l'artiste en jeune homme* (*), et à Dylan Thomas : *Portrait de l'artiste en jeune chien* (*). L'autoportrait que dresse ici

Michel Butor renvoie à la notion de l'alchimiste comme « singe de la nature », et à celui de l'écrivain : « En Égypte, le dieu de l'écriture, Thot, était souvent représenté par un singe. » L'auteur figure ainsi dans son activité littéraire, qui est de transmutation, en même temps qu'il raconte une partie de son existence (« C'était avant mon départ pour l'Égypte... ») et rend intelligible la nécessité intérieure de ce voyage (« ... comment aurais-je pu ne pas m'embarquer pour l'Égypte ? »). Telles sont les phrases initiales et finales de l'ouvrage. L'auteur expose son atelier et sa méthode de travail. Adolescent, il imite comme un singe ; mais écrivant, agissant en artiste, il voyage dans le monde des minéraux, dans celui des astres, et compose ce savoir selon des séries de correspondances. Si l'ouvrage constitue un portrait de l'artiste en alchimiste, c'est que l'alchimiste est l'adepte d'un art langagier des correspondances, si bien que la figure de l'alchimiste est une image de l'individu élaborant son langage. Le rappel de l'organisation sérielle des jours, des astres, des parties du corps, des minéraux est justifié par la mission qui a été confiée à l'adolescent : il doit transmettre de Paris au château d'Harburg un ouvrage d'alchimie. Son destinataire a construit une demeure qui lui ressemble ; il faut, pour la comprendre, réveiller ce langage enfoui, trop tôt délaissé. Ce faisant, le narrateur renoue avec son origine, avec celle de son nom qui s'associe à mobile. Le nom de Butor (« couvre les rues de Budapest, où il signifie " mobilier " ») ne désigne plus une personne au terme de cet auto-*Portrait de l'artiste en jeune singe* mais un type d'écriture, un mode de fonctionnement de l'esprit qui consiste à amplifier, assembler, architecturer. Il s'agit de l'auto-radio-graphie d'un esprit en cours de fonctionnement. J. Rou.

PORTRAIT DE MONSIEUR POUGET. Œuvre de critique religieuse de l'écrivain français Jean Guitton (né en 1901), publiée en 1941 et reprise partiellement en 1954 sous le titre *Monsieur Pouget.* Disciple et fils spirituel de M. Pouget, Jean Guitton, tout en gardant son originalité et son talent propres, confirme cette filiation avec respect et nous la restitue avec minutie. On s'étonna, lors de la publication de ce livre, que notre siècle pût encore cacher de tels personnages. En effet, prêtre de Saint-Lazare, retiré dans la solitude de sa cellule de la rue de Sèvres, et aveugle, M. Pouget avait touché d'une émotion profonde tous ceux qui l'avaient approché. Né en 1847, près de Saint-Flour, il appartenait à une famille de cultivateurs. Il s'instruisait seul, et devant les surprenantes dispositions qu'il montrait, on le fit entrer à quinze ans au petit séminaire de Saint-Flour. Il songeait à un ordre religieux, hésitait entre les jésuites et les lazaristes. Il choisit ces derniers. Il enseigna et dirigea. Passionné de botanique, il compromit sa vue à multiplier les examens au microscope. Mais *La Bible* (*) fut son étude inlassable. Hébraïsant de premier ordre, aux jours mêmes de sa cécité, ses citations et ses références de mémoire demeuraient parfaites. L'enseignement qu'il en donnait, sage et mesuré, parut suspect de hardiesse, à une époque encore timorée. On le lui interdit sans qu'il murmurât. Il n'y avait d'ailleurs jamais d'amertume en lui, parce que jamais il n'avait travaillé pour la publication, mais pour la vérité seule, et toute pure. M. Pouget puisa même dans son infirmité un rajeunissement ; il s'éleva à des hauteurs de pensée et de vie qu'il n'aurait peut-être jamais atteintes autrement. Retiré dans sa maison, il continua d'y méditer jusqu'à sa mort, qui survint en 1933. L'érudition la plus vaste, l 'intelligence la plus lucide, voilà bien ce qui caractérise et définit M. Pouget. Profondément attaché au livre fondamental de sa religion, il l'a étudié en mêlant au souci d'une stricte orthodoxie toutes les ressources de la science contemporaine. Informé de toutes les connaissances humaines, depuis les mathématiques jusqu'aux langues orientales en passant par l'histoire profane et sacrée, il se laissait aller à ses digressions, porté par le désir insatiable de s'instruire et d'instruire en même temps. Par là s'explique son action sur les jeunes gens, sur les êtres d'intelligence tels qu'Emmanuel Mounier, Jacques Chevalier, Henri Bergson, qu'il orienta vers le christianisme sans l'y mener tout à fait.

Cette œuvre répond à la volonté de Jean Guitton de se faire lire des doctes et aussi de ceux qui n'ont pas de culture spéciale. L'importance et l'actualité de son témoignage le classent parmi les représentants les plus éminents de l'école de philosophie chrétienne. Il apporte dans ce domaine des vues personnelles et fécondes afin d'harmoniser le christianisme avec les exigences légitimes de la pensée moderne. L'œuvre de Jean Guitton sait plaire en enseignant, parce qu'elle ne se détache jamais de la vie concrète et parce qu'elle s'ouvre sur l'expérience intérieure par les voies les plus familières du récit, du portrait ou de la conversation.

Dans *Dialogues avec Monsieur Pouget,* deuxième œuvre de critique religieuse publiée en 1954, Jean Guitton ressuscite M. Pouget pour le faire parler sur le Christ des Évangiles, la pluralité des mondes habités, l'avenir de notre espèce. Dans ce livre, comme dans le précédent, Jean Guitton, lucide et clair, ajoute à ses mérites d'exégète ceux du littérateur.

PORTRAIT DES VALAISANS EN LÉGENDE ET EN VÉRITÉ. Récit de l'écrivain suisse Maurice Chappaz (né en 1916), publié en 1965. Maurice Chappaz a choisi de faire le portrait des Valaisans en deux temps : les « Images intérieures » d'abord, composées principalement d'anecdotes et d'histoires, de scènes et de reparties, destinées à faire voir et comprendre sur le vif les traits essentiels caractérisant le peuple du Valais – vignerons, paysans et montagnards, qu'accompagnent non sans distance ni malice les prêtres et les avocats – et son mode de vie ancestral ; les « Images d'Épinal » ensuite, qu'il construit comme les trois piliers d'une société archaïque, en voie de mutation cependant, dont il est le témoin et le porte-parole : les femmes, le clergé et les présidents, c'est-à-dire les hommes politiques. Il réserve une dernière « image » à l'ivrogne, comme un double énigmatique du poète. Et son livre de s'achever comme une comptine : « Soûls, mourants et contents ! Mon livre est fini. »

Pour composer son récit, Maurice Chappaz puise à deux sources que caractérisent deux tons différents. La veine populaire permet au conteur de conjuguer la tradition orale avec la connaissance historique, d'allier légende et vérité, distance et adhésion, le passé et le présent, le permanent et le mouvant. Le patois, comme une puissante voix légendaire, fonctionne d'abord comme une page d'authenticité (telle est la saveur du Valais originel) ; puis comme une langue sonore et vigoureuse, en adéquation avec les héros anonymes ou célèbres de ses histoires, liés viscéralement à la terre ; enfin, comme l'irruption d'une altérité irréductible, celle qu'incarnent très précisément les idiots de village, ces « saints obscurs », selon l'expression déférente de Chappaz. En préambule, l'auteur a noté : « Je n'ai pas eu peur d'être trivial car j'ai macéré dans le patois, ses grosses astuces et sa saveur sans détour [...] Franc comme *La Bible* ou comme Rabelais, ou comme Freud ? »

La source autobiographique, elle, introduit divers registres subjectifs : d'un côté les souvenirs de l'auteur « enregistrés, transformés, pendant des dizaines d'années », les expériences vécues, la saga familiale ; de l'autre, la présence de l'écrivain comme un porte-parole subversif : exilé de l'intérieur, anarchiste, réfractaire, ivrogne, aussi proche de l'absolu que du néant, ou encore témoin ironique d'un présent forcément déchu et sans promesse. Deux sources, deux tons qui, ne s'harmonisant guère, s'affrontent, se heurtent et jouent de leurs dissonances. « Pour être dans la vérité, écrit Maurice Chappaz dans *La Tentation de l'Orient,* il faudrait peut-être se voir déjà perdu. »

Le *Portrait des Valaisans* annonce la veine héroï-comique et burlesque du *Match Valais-Judée* (1968), bataille sauvage où les saints et les héros du pays affrontent les prophètes et les rois de l'Ancien Testament. Dans cette course folle qui prend les aspects d'une croisade contre le monde moderne et ses méfaits : tourisme industriel, expansion aveugle, mépris non seulement de la nature mais de la culture paysanne, c'est le Diable qui marque le plus de points. Profanation et truculence, verve et drôlerie, Chappaz s'en sert pour dire le désastre, la déréliction et la fin de l'espèce humaine : « À Sion qui n'est pas Sion en Judée, nous restons seuls nous autres. » Maurice Chappaz met ainsi sa plume au service d'un combat contre notre « société de dévoration » qu'il exècre parce qu'elle tue la vie. Ainsi sa vulnérabilité et sa lucidité éclatent-elles comme un rire tragique au-dessus de nos têtes.

Dans *Les Maquereaux des cimes blanches* (1976), Maurice Chappaz laisse éclater sa colère. Humour noir et paradoxes permettent de dénoncer en peu de mots les désastres naturels aussi bien que l'hypocrisie officielle ; dramatisation et extrapolation, de montrer en de brefs tableaux d'une violence extrême les étapes quasi bureaucratiques d'une apocalypse sans révélation : « Ils prennent aussi la neige ?/ Ils prennent aussi la neige. » D. J.

PORTRAIT DES VAUDOIS. Récit de l'écrivain suisse d'expression française Jacques Chessex (né en 1934), publié en 1969. Du printemps à l'hiver, de la résurrection pascale à la fête des morts, Chessex fouille, dans *Portrait des Vaudois,* ses racines ancestrales, et décline l'alphabet mythologique de son pays, nouant à l'imagerie collective sa propre vision du monde. Il révèle le canton de Vaud dans sa permanence paysanne, avec ses héros (souvent minables, vieux, ivrognes ou vagabonds) et ses boucs émissaires (les Italiens et les catholiques) ; ses autorités (le pasteur et l'armée) et ses anges tutélaires (l'institutrice et la sommelière) ; son histoire aussi, marquée par les souvenirs de la reine Berthe ou des Bernois, et ses hauts lieux, de l'asile des fous de Cery à la pinte de village ou à la plaine céréalière du Gros-de-Vaud. Les symboles et les nourritures liés à la terre sont à foison : veau, vache et fumier, cochon et saucisson, vigne, vin, blé et patates ; la géographie du sol détermine la nature profonde de tout un peuple, ses atavismes et ses réflexes, jusqu'aux moindres détails de sa vie quotidienne.

Le tableau fait la part large à la description lyrique des paysages pris entre les premières crêtes du Jura et les rives du Léman, pour s'achever toutefois en autoportrait ; l'irruption de la figure archétypale du père suicidé, dans le dernier chapitre, liée à la hantise panique de la mort, annoncent les thèmes obsessionnels de *L'Ogre* (*) et de *Judas le Transparent* par exemple.

Le sentiment d'empathie qui commande cette appréhension d'un univers particulier, investi d'une forte charge affective, traverse également *Les Saintes Écritures* (1972), où Chessex soumet à son interprétation passionnée les écrivains suisses français dont il se sent proche. Les essais consacrés à *Maupassant et les autres* (1983) et à *Flaubert ou le Désert en abyme* (1991) procèdent d'une même démarche critique faite d'adhésion, que seules entraînent des affinités déclarées.

Le style du *Portrait,* baroque et truculent,

riche en énumérations hautes en couleur et en images insolites, émaillé parfois d'accents du cru, contraste avec le ton et les tournures classiques, inspirées de *La Nouvelle Revue française* (*), qui caractérisent les œuvres de jeunesse de Jacques Chessex, placées sous l'autorité de Jean Paulhan. Cette saveur terrienne, qui bouillonnera dans *Carabas* (1971), n'est pas sans rappeler la veine bourguignonne de l'écrivain romand Charles-Albert Cingria, auquel Chessex a consacré un essai paru en 1967. Comme l'auteur de *Florides helvètes,* le romancier pratique ici avec bonheur l'art de l'anecdote et du portrait cocasse, tout en faisant alterner — et c'est là son signe distinctif — la remarque humoristique et le détail sanglant.

D. Ma.

PORTRAIT DU COLONISÉ précédé d'un PORTRAIT DU COLONISATEUR. Ce premier essai de l'écrivain tunisien naturalisé français Albert Memmi (né en 1920), publié à Paris en 1957, marque indéniablement une date importante dans l'histoire de la sociologie de la colonisation. Démontrant en ces pages combien « la relation coloniale enchaîne colonisateur et colonisé dans une espèce de dépendance implacable » (préface à l'édition de 1966), Albert Memmi analyse de façon claire et rigoureuse l'ensemble des rapports de « dominance-sujétion » les unissant, en un « duo » complémentaire et ambigu. Pour être complète, une étude de l'oppression coloniale ne peut pas, selon Memmi, se limiter aux seuls rapports économiques et politiques (c'est là ce qui distingue cet essai de ceux de Sartre et Fanon sur le même sujet) ; elle doit aussi s'intéresser aux rapports humains, affectifs : si le dominé balance constamment entre haine et mimétisme, voire admiration inavouée pour son oppresseur, celui-ci, souvent peu convaincu de la légitimité de sa situation, y demeure néanmoins attaché par les privilèges qu'elle lui confère, s'efforçant de se donner bonne conscience en vantant simultanément les mérites de son action et les démérites du colonisé, dont il a brossé volontiers un « portrait mythique ». Albert Memmi propose d'appeler « complexe de Néron » cette attitude, qui tend à la néantisation du colonisé, sans toutefois conduire à un anéantissement qui mettrait fatalement un terme au système dont profite le colonisateur. Aussi la relation concrète entre dominant et dominé en cache-t-elle une seconde, plus idéelle, s'exprimant en termes de besoin, de désir souvent inconscient, entre dépendant et pourvoyeur.

L'étude de telles conditions de dominance et de dépendance sera par la suite étendue au Juif (*Portrait d'un Juif*, 1962, et *La Libération du Juif*, 1966) puis au Noir, au prolétaire, à la femme et au domestique dans *L'Homme dominé* (1968). Cet ensemble — que vient théoriser *La Dépendance* (1979) — composant, selon les termes de l'auteur, autant de « gammes pour ce grand livre sur l'oppression [...] que je n'achèverai peut-être jamais, mais vers lequel j'avance chaque jour un peu ».

G. Du.

PORTRAIT DU JOUEUR. Roman de l'écrivain français Philippe Sollers (né en 1936) publié en 1985. Ce roman, sorte de pérégrination dans le passé, dans l'enfance, entrecoupée de séquences au présent, ce journal de bord à la manière de Gombrowicz où le roi s'expose ouvertement pour mieux se protéger, cet écrit, le plus autobiographique de Sollers, pourrait être caractérisé comme son roman le plus « classique ». Une question nous tient en haleine dès le début : le moi de Sollers, personnage principal, succombera-t-il ? S'écroulera-t-il ? Se liquifiera-t-il sur cette terre ? : « Des tonnes de mélancoliques. Des lacs de psychanalystes. Des fleuves de névrosés. Des rivières d'hystériques. Des cataractes de pervers. Des océans de maniaco-dépressifs. » Ce Proust qui remonte le temps, déguisé en don Quichotte, ce carnet de Mémoires incrusté d'instantanés se lit comme un conte de fées. Partout des dragons. Partout des monstres. La maison paternelle à Bordeaux détruite ; à sa place, le supermarché Suma. C'est par là que commence le voyage. Le *Portrait du joueur* est l'anabase sollersienne dans un monde Suma-risé. Le voilà dans le « secteur pour enfants : bateaux, chemins de fer, avions, cabines de cosmonautes, camions, jeux électroniques... » ; avant, c'était là que se trouvait la chambre à coucher des parents. Suma, Suma... nous venons de réaliser la pyramide planétaire, le rêve le plus poussé des pharaons, le tombeau où chacun côtoiera pour l'éternité l'idylle de la jeunesse increvable. L'enfance et la jeunesse... c'est à ces sirènes redoutables du temps présent que Sollers oppose la plus grande résistance, et, si subsistent par endroits quelques gisements de nostalgie, leur rayonnement émotionnel est stoppé par les plaques successives de lucidité. D'autres dragons suivent : en premier lieu celui de l'oubli hante la partie « légale » de la France pour son comportement pendant la Seconde Guerre mondiale — Sollers avait, selon les dates du roman, sept ans en 1945 ; puis ce sera l'école ; l'armée ; la maison d'édition. Partout la haine pour ce sécessionniste, ce sudiste incorrigible. Partout la rage instinctive pour cet oiseau bariolé. S'isoler ? Échapper ? Choisir d'autres voies ? Impossible. Enfermé comme il est dans l'ŒUF, comme d'ailleurs nous tous — « police, parti, armée, banque, syndicat, université, médias, famille, Église, école : appelons ça l'ŒUF : l'œil unifié fraternel » — il ne lui reste qu'à creuser au cœur de cet œuf pour accéder à sa liberté. Inventer son jeu à lui, au beau milieu de ce grand jeu complètement truqué. Prenons par exemple sa vie érotique. Une femme (l'épouse) en marge de la narration, engloutie dans sa « nature », dans sa légitimité, dans sa capacité à enfanter. Une deuxième, qui ne pense qu'à détrôner la première. Une troisième sans aucune particularité. Des monstres et encore des monstres, agglutinés pour rendre la coquille de l'œuf compacte, incassable. Une quatrième, enfin, Sophie – clin d'œil à l'inspiratrice de Novalis ? à la Sophie des gnostiques ? –, entre en scène. « Quand je lui ai demandé quelle était pour elle l'action la plus érotique, elle m'a répondu aussitôt sans hésitation : "mentir". Elle se trouble intérieurement de sa duplicité. » Sophie, docteur à la vie professionnelle dense, mariée, polie, attentive, réservée, organise et détaille à l'avance, dans les lettres qu'elle envoie à Sollers, leurs rencontres amoureuses. Son sac à main, torpille d'obscénités, l'accompagne au bureau, au restaurant, partout. Sophie : docteur Jekyll en permanence. Le mensonge « bien protégé » sous le manteau. Cohabitation joyeuse, euphorique. Le mensonge comme âme de la vérité ; autrement dit, l'autoportrait de Sollers. L. Pr.

PORTRAIT D'UN INCONNU. Roman de l'écrivain français d'origine russe Nathalie Sarraute (née en 1902), publié en 1948. « Ils devaient jouir de tout cela, elle et le vieux, tous les deux enfermés là sans vouloir en sortir, reniflant leurs propres odeurs, bien chaudement calfeutrés dans leur grand fond de Malempia. » Ce que Nathalie Sarraute s'attache à décrire dans ces pages, ce sont les rapports d'un couple banal, un vieux père et sa fille plus très jeune non plus, dont tous les gestes sont épiés par un troisième personnage, un narrateur inquiétant qui joue le rôle de « corps conducteur » à travers lequel passent tous les courants dont l'atmosphère est chargée. Un anti-roman, écrit Sartre dans sa Préface. Oui, en ce sens qu'il n'y a pas à proprement parler d'« histoire », pas de péripéties, pas d'intrigue et, plus curieusement encore peut-être, pas de vision, pas de vision irradiante mais « roman, tout de même, par rapport à *Tropismes*, puisqu'il y a ici organisation d'une discontinuité, rassemblement d'éléments centrifuges » (Gaëtan Picon) – v. *Tropismes* (*). Fragments, parcelles, glissements, lambeaux, plus noblement « Une vision protoplasmique de l'univers » : « Les tentacules qui sortaient d'elles déjà, les petites ventouses qui sucent, qui palpent, les effleuraient à peine... » Et plus loin : « ... Elles les regardaient qui glissaient tout près d'elles sans les voir, fixant dans le vide leurs yeux élégamment inexpressifs et froids de carpes, se dirigeant avec sûreté, loin d'elles, guidées par de mystérieux, d'indécelables courants. » Une sorte de dérive, de « Vie dans les plis », selon l'expression de Michaux, qui érige l'angoisse, une angoisse larvaire, fade, sirupeuse, grouillante, en genre de l'être. Et c'est là un spectacle atroce, d'autant plus insoutenable qu'il reste plus feutré, plus neutre. Un spectacle ? Non, pas vraiment un spectacle, plutôt une saisie, la saisie d'un délabrement, mais ouaté, futile, anodin, d'un non-dit qui se dérobe sous l'apparente facilité du langage. Là s'illustre la dialectique sarrautienne d'un « non-nommé qui oppose aux mots une résistance et qui pourtant les appelle, car il ne peut exister sans eux ».

PORTRAITS CONTEMPORAINS. Portraits par le critique français Charles Augustin Sainte-Beuve (1804-1869), publiés en 1846 et, dans une nouvelle édition refondue et augmentée, en 1869-1871. Ce sont des témoignages critiques sur des écrivains contemporains. Sainte-Beuve, tout en reconnaissant les liens qui l'unissent à ses contemporains, entend faire preuve, avant tout, d'une absolue indépendance d'esprit. L'analyse des œuvres de Lamennais et de Quinet, de Montalembert, de Barante et de Thiers indique suffisamment l'intérêt que l'auteur porte aux recherches de l'érudition, aux études philosophiques ainsi qu'aux idées politiques. Mais le livre, toujours remarquable par la précision de ses informations et la clarté de leur expression, par la finesse de l'analyse et l'acuité de son jugement, est essentiellement littéraire. Des pages sur Musset, Balzac, Delavigne, Parny alternent avec d'autres sur Fauriel, Constant, Xavier de Maistre, Töpffer, Mérimée. On y trouve aussi des paroles admiratives et des observations très fines sur Leopardi. Les œuvres de Hugo, Lamartine et George Sand font l'objet d'études particulièrement intéressantes. Certaines pages paraissent cependant assez ternes et minces par comparaison avec celles, si denses, des *Lundis* – v. *Causeries du lundi* (*) ; le plus grand intérêt de ces portraits vient de l'importance donnée pour la première fois, dans l'interprétation des caractères, aux attitudes spirituelles et aux sujets artistiques du temps de Sainte-Beuve. Même dans les pages consacrées à des personnages oubliés aujourd'hui (comme, par exemple, Ch. Magnin, Mlle Bertin, J.-V. Le Clerc), Sainte-Beuve nous intéresse encore à cause des rapprochements subtils qu'il fait avec des grands auteurs pour expliquer des problèmes littéraires et des questions d'érudition ; ces pages ont donc une importance notable comme documents historiques et elles sont aussi parfois l'unique témoignage qui nous soit resté sur certaines œuvres aujourd'hui introuvables.

PORTRAITS DE FEMMES. Sous ce titre, le critique français Charles Augustin Sainte-Beuve (1804-1869) réunit, en 1844, une série d'études de différentes natures, mais se proposant toutes la tâche difficile d'arracher leur secret à certaines âmes féminines connues et d'en évoquer la personnalité. « Mme de Sévigné » est plutôt une étude littéraire, un essai resté célèbre par la sûreté avec laquelle Sainte-Beuve aborde un sujet déjà très simplement traité par la critique traditionnelle ; il sut ranimer la discussion grâce à de nouvelles observations, d'une rare finesse : d'où un portrait psychologique d'une perfection rarement dépassée. Vient ensuite l'étude sur « Mme de Staël », remarquable par l'art avec lequel l'auteur a su découvrir, derrière la position littéraire de l'écrivain, ses partis pris et ses théories, une sensibilité de femme qui avait souvent été mise en doute, et souvent même injustement combattue. Le portrait de « Mme Roland » a son intérêt historique et nous montre la liberté d'esprit de Sainte-Beuve devant les événements de la Révolution. De la même époque, on peut lire le portrait de « Mme de Rémusat ». Certains portraits nous ramènent au XVIIe siècle ; laissant de côté toute critique littéraire, l'auteur a voulu simplement évoquer une délicate figure de femme amoureuse ou l'histoire d'un grand amour digne d'être appelé « romantique ». « Mme de Krüdner » est une étude assez poussée sur le mysticisme de la célèbre inspiratrice du tsar Alexandre Ier, qui fut surnommée la « nymphe égérie de la Sainte-Alliance ». Dans toutes ces études (il convient de rappeler, parmi d'autres, celle consacrée à Mme de La Fayette), Sainte-Beuve a voulu nous donner des portraits, au sens le plus exact du mot, ne se bornant pas à un examen du seul personnage, mais poussant ses investigations dans l'époque, les relations, l'ambiance, dans les influences et les jugements, de façon à faire, petit à petit, l'historique de la société dans laquelle l'une ou l'autre de ces femmes ont vécu. On reconnaît le Sainte-Beuve de *Port-Royal* (*) dans cette façon minutieuse et attentive qui fait alterner les détails savoureux et les rapides regards synthétiques, dans ce soin à décrire les rapports entre les faits et le monde spirituel, et ceux de la vie mondaine et la vie intérieure. Dans *Portraits de femmes,* plus même que dans *Port-Royal,* le style est alerte, vivant ; il garde toujours cette précision discrète qui est le meilleur du génie de Sainte-Beuve.

PORTRAITS IMAGINAIRES [*Imaginary Portraits*]. Ouvrage en prose de l'écrivain anglais Walter Horatio Pater (1839-1894), publié en 1887. Quatre textes se trouvent réunis : relevant à la fois de la critique et de la fiction ils témoignent tous d'une rare élégance de style. « Un prince des peintres de cour » [A Prince of Court Painters] évoque la vie d'Antoine Watteau (1684-1721), ce grand artiste qui, selon notre auteur, a su rendre mieux que personne la vie frivole du XVIIIe siècle français parce qu'il ne pouvait la considérer qu'avec mépris et convoitise tout ensemble. « Denys l'Auxerrois » nous transporte vers le déclin du Moyen Âge français : on y voit un adolescent beau comme le jour qui, las de souffrir de son époque, finit par incarner l'esprit de la Renaissance. « Sébastien Van Storck » est le portrait d'un jeune homme en qui se résument les courants philosophiques et artistiques du XVIIe siècle hollandais. Il s'arrache à l'abstraction métaphysique, en sacrifiant sa vie pour sauver un enfant de la noyade. Le quatrième et dernier texte : « Le Duc Carl de Rosenmold » [Duke Carl of Rosenmold] emprunte son décor à l'Allemagne : le héros est mis à mort par des soudards avec sa maîtresse, et cette mort même symbolise la fin de la vieille Allemagne romantique ; désormais l'esprit militaire régnera sans partage sur tout le pays. Dans l'avant-propos de sa belle traduction française (Stock, Paris, 1930), Philippe Neel observe justement : « Chacun des héros de Pater est un timide ou plutôt un solitaire qui répugne à l'action, redoute le monde et se réfugie dans le rêve. Peintre ou philosophe, prince ou vagabond, ils attendent tous un nouvel âge d'or, l'avènement d'une perfection éthique ou formelle. » Tout le pathétique réside ici dans le contraste de ce qu'ils sont et de ce qu'ils eussent été vraiment si leur destin ne s'était mis à la traverse. Ajoutons que, féru de la perfection, Walter Pater remit cent fois cet ouvrage sur le métier. « Tout comme Flaubert, dit encore le traducteur, il se penche sans répit sur sa phrase, il l'affine et s'efforce par vingt ajustements, substitutions et précisions, d'y faire tenir plus de couleur, plus de musique et plus de parfum. » Toutefois, la connaissance de l'âme humaine reste l'objet essentiel de sa quête. — Trad. Stock, 1930 ; Bourgois, 1985.

PORTRAITS INTIMES DU XVIIIe SIÈCLE. Ouvrage historique des écrivains français Edmond (1822-1896) et Jules (1830-1870) de Goncourt, publié en 1856 (première série) et 1858 (seconde série). Recherchant la vérité et la vie dans une époque que dénaturaient encore trop de préjugés, les Goncourt nous présentent, avec nombre de documents inédits, des épisodes historiques, tels que l'enfance de Louis XV sous l'égide de l'abbé d'Olivet. Ils font revivre de nombreux personnages avec leurs caractéristiques d'hommes du monde : le comte de Clermont et Mme Geoffrin, Piron et Beaumarchais, Louis XVI et Mlle de Romans, la Camargo, Watteau, Théroigne de Méricourt, Mme du Barry, etc. Ils nous présentent diverses personnalités marquantes du « siècle des Lumières », avec une méthode sûre et rigoureuse, mettant en relief le côté caractéristique de leur vie spirituelle, leurs aventures sentimentales et leurs crises morales, la part qu'ils prirent au gouvernement. La véritable originalité de l'œuvre consiste dans la façon décidée, subtile et consciente, avec laquelle ils réhabilitent le XVIIIe siècle : dans chacun des actes de la vie de leurs personnages et dans chaque affirmation de la liberté humaine, les Goncourt se complaisent à rechercher les manifestations d'une civilisation qui ne pouvait mourir, surtout au milieu du contraste existant entre les aspirations à la liberté proclamée par les philosophes et les servitudes effectives et encore presque féodales d'une grande partie de la nation.

PORTRAITS LITTÉRAIRES. Ce recueil de portraits du critique français Charles Augustin Sainte-Beuve (1804-1869) fut publié en édition définitive en 1862-1864. Sous le même titre, en 1844, avaient été publiés les essais, remaniés, du volume intitulé *Critiques et portraits littéraires* daté de 1832 (2 vol. en 1844 ; 3 vol. en 1862-1864, auxquels furent ajoutés les *Derniers portraits littéraires*). Cette œuvre évoque seulement des écrivains disparus. Chaque article contient des réflexions sur des lectures, en se gardant de toute polémique. C'est ainsi que Sainte-Beuve parle de Théocrite, Boileau, Corneille, La Fontaine, Racine, Diderot, Molière, Prévost, Chénier, montrant chez les uns la recherche du beau dans un climat de pur classicisme, et chez les autres la part qu'ils prennent aux luttes de leur époque. Dans les pages consacrées à des penseurs, tels que Cousin et Jouffroy, à des hommes de lettres comme Nodier, Fontanes et Joubert, le critique montre sa perspicacité en plaçant des auteurs et des œuvres très divers dans une même atmosphère spirituelle, évaluant dans chacun de leurs témoignages ce qui est dû à l'inspiration du moment ou ce qui, au contraire, atteint sa grandeur propre par rapport à la tradition française. Sainte-Beuve affirme donc ainsi ses qualités d'analyste et de psychologue, observant finement les traits de caractère particuliers à chacun des auteurs traités. À ce point de vue, les pages sur Benjamin Constant et Mme de Krudener sont exemplaires. Mais celles où Sainte-Beuve parle de lui-même sont d'un plus haut intérêt encore, et peuvent utilement servir à ceux qui voudraient donner une biographie spirituelle de l'auteur. C'est ainsi que, dans une phrase devenue célèbre, le critique déclare qu'il fait l'« histoire naturelle » de la critique, qu'il « herborise » dans les œuvres des auteurs ; et de fait il est vraiment « un naturaliste de l'esprit » dans cette œuvre où il a effleuré les sujets les plus variés avec son élégance coutumière, tout en restant soucieux de cette beauté antique dont il se fit un idéal.

PORTRAITS-SOUVENIRS. Œuvre de l'écrivain français Jean Cocteau (1889-1963), publiée en 1935 et composée d'une série d'articles parus dans *Le Figaro* du samedi, de janvier à mai 1935. Cocteau raconte ici sa vie – et celle du monde des lettres et des arts – dans les années 1900-1914, et ce faisant il invente un genre, le portrait-souvenir, c'est-à-dire que peignant un visage, une attitude, il les traite en « révélateurs » capables de faire surgir l'essentiel d'une époque et d'une mythologie intérieure. Ainsi chaque nom épelé mobilise la mémoire, puis plus profondément la pensée qui logea derrière les images du temps perdu, de telle sorte que le souvenir s'élargit jusqu'à l'âme des choses, suscitant dans le moment de leur rappel une méditation sur le sens qu'elles continrent. Cocteau d'ailleurs accompagne son texte de dessins dont la forme rappelle sa méthode d'écriture, et la précise : ce sont de rapides esquisses dont les traits ne délimitent pas seulement une forme, mais donnent un sens à l'espace qu'ils hachurent, y font surgir l'âme d'un mouvement, d'une attitude.

L'adolescence, le lycée, le souvenir bouleversant de l'élève Dargelos – ce personnage idéalisé dans *Les Enfants terribles* (*) et qui fut l'un des mythes de Cocteau –, la mode, les monstres sacrés : Isadora Duncan et Mounet-Sully, Sarah Bernhardt et De Max ; les écrivains : Catulle Mendès et Léon Daudet, Anna de Noailles et Edmond Rostand, Gide et Colette, les lieux où se cristallisèrent des rencontres, les grands visages d'alors viennent se détacher sur la trame d'une vie dès le premier instant vouée au succès et à la « chance ». Le style de Cocteau épouse, comme à l'ordinaire, une certaine vitesse intérieure, qui n'est pas seulement concision, mais manière inégalable d'immobiliser en éclair l'essentiel, et de le fondre parmi les mots. Quant à la leçon (car Cocteau, il ne faut pas l'oublier, médite constamment la leçon du vécu pour régler son lendemain) tirée de cette jeunesse brillante, elle tient sans doute dans cette phrase : « Le succès me donnait le change, et j'ignorais qu'il existe un genre de succès pire que l'échec, un genre d'échec qui vaut tous les succès du monde. »

PORT-ROYAL de Montherlant. Pièce en un acte de l'écrivain français Henry de Montherlant (1896-1972), publiée et représentée en 1954. *Port-Royal* achève la « trilogie catholique » de Montherlant qui comprend par ailleurs *Le Maître de Santiago* (*) et *La Ville dont le prince est un enfant* (*).

La scène se passe au monastère de Port-Royal, faubourg Saint-Jacques, à Paris, en août 1664. L'autorité entend faire signer aux religieuses de Port-Royal un formulaire « qui condamne toutes les idées », c'est-à-dire les résolutions jansénistes, « sur lesquelles ce monastère a été réformé ». La pièce débute à l'instant où un représentant de l'assemblée des évêques incite les religieuses à renier les règles qui font de leur couvent « un lieu maudit [...] qui rend maudit tout ce qui y touche ». Les religieuses refusent de se plier et de signer le formulaire. La pièce s'achève après que l'archevêque de Paris, venant d'essuyer un refus définitif de la part des religieuses, leur annonce les mesures qui seront prises contre elles. Elles seront sacrifiées à la paix du royaume et de l'Église.

Cette œuvre, dont l'action extérieure est extrêmement resserrée, montre essentiellement les mouvements d'âme de quelques religieuses, en particulier sœur Angélique et sœur Françoise. Son sujet, dit Montherlant, est le parcours que fait une âme conventuelle vers un certain événement dont elle prévoit qu'il créera en elle une crise de doute religieux, et par ailleurs le renversement d'une autre âme conventuelle qui, sous l'effet du même événement, passe d'un état à l'état opposé. La sœur Françoise est mise, à l'improviste, devant « la lumière ». La sœur Angélique s'achemine, d'un cours logique et prévu, vers « les portes des ténèbres ». *Port-Royal* est un drame de l'injustice dans lequel la vérité humaine et la vérité historique se confondent dans un style et un rythme particuliers que le dépouillement des dialogues, le resserrement extrême de l'action, la noblesse et la vigueur de la langue ne font qu'accentuer. De même, la construction simple vient renforcer et mettre en évidence le côté cruel et injuste des circonstances déterminées par des états d'âme d'une rare complexité. La psychologie des personnages est minutieusement approfondie et analysée. Ce sujet, peut-être le plus difficile qu'ait traité Montherlant, permet à l'auteur, par sa grandeur et sa noblesse, de donner libre cours à une fermeté et une rigueur poétique tout à fait exceptionnelles, dont Jacques de Laprade a dit : « L'état d'âme des protagonistes et le spectacle fastueux et grotesque que nous donnent leurs accusateurs s'opposent de façon saisissante : cette pièce est comme une marche funèbre [...] qui accompagne la sœur Angélique jusqu'au seuil de la grande nuit. »

PORT-ROYAL de Sainte-Beuve. Ce monumental ouvrage de l'écrivain français Charles Augustin Sainte-Beuve (1804-1869) peut être considéré comme son chef-d'œuvre. Il parut de 1840 à 1859. C'est dès 1834 que Sainte-Beuve conçut la pensée d'une étude méthodique de Port-Royal, mais les premières manifestations de ses sympathies port-royalistes paraissent remonter à 1828. Il semble que ce soit Lamennais qui ait spécialement encouragé Sainte-Beuve dans cet ordre de travaux et cela dès 1831. Plus tard, il ne cessa de le pousser dans cette voie. Il est évident que cette étude répondait à certaines nécessités intimes : Sainte-Beuve était alors en proie à des tourments à la fois sentimentaux et religieux. Très proche du christianisme, Sainte-Beuve s'était de plus en plus éloigné de Rome, mais il s'était détaché aussi du christianisme de Lamennais. À cet égard, l'attitude de Port-Royal le satisfaisait entièrement, qui jugeait Rome si librement. Un autre besoin le poussait, et non moins impérieux, celui de comprendre l'histoire des idées et des sentiments, de connaître intimement la personnalité des grands créateurs. Et par là *Port-Royal* se rattache à toute son œuvre de critique. Enfin, avec *Port-Royal,* il semble que Sainte-Beuve ait compris qu'il pouvait réaliser une œuvre à sa portée, y utiliser au mieux ses capacités. À vrai dire, jusqu'à ce qu'il se mette à ce grand travail, Sainte-Beuve n'a pas encore trouvé sa voie. Journaliste, au *Globe,* dès l'âge de vingt ans, et déjà critique littéraire, il s'est cru poète et a publié en 1829 *Vie, poésies et pensées de Joseph Delorme* (*) et en 1830 *Les Consolations* (*). Mais le succès n'a pas répondu à son attente et il s'est tourné vers le roman. *Volupté* (*) (1834) ne fut pas non plus une réussite. On y trouve déjà exposées, sous le couvert du personnage d'Amaury, les raisons de l'attachement de Sainte-Beuve pour Port-Royal : « Après mon désappointement dernier dans les guides turbulents de ma vie extérieure, j'étais le plus avide encore à me créer des maîtres invisibles, inconnus, absents ou déjà morts, humbles eux-mêmes et presque oubliés, des initiateurs sans bruit à la piété et des intercesseurs ; je me sentais leur disciple soumis, je les écoutais en pensée avec délices. Ainsi je fis alors pour M. Hamon... » (M. Hamon est un des « solitaires » de Port-Royal). Plus loin Sainte-Beuve ajoute : « J'appris bientôt en détail l'histoire de l'abbaye de Port-Royal des Champs, et l'impression fut grande sur moi, d'un si récent exemple des austérités primitives. » Ainsi, c'est parce qu'il n'a pu trouver dans le christianisme de son temps ce qu'il y cherchait que Sainte-Beuve s'est tourné vers une forme éteinte de ce christianisme. Dès sa conception, l'étude que Sainte-Beuve se proposait s'élargit : conçu d'abord comme une étude d'histoire littéraire — il se proposait de définir l'influence de Port-Royal sur les grands écrivains classiques, et en particulier sur Pascal d'abord, sur Racine, Boileau, et accessoirement Mme de Sévigné —, *Port-Royal* devint insensiblement une vaste fresque non seulement de l'histoire des idées, mais de l'histoire de la société française au XVIIe siècle. D'année en année, Sainte-Beuve se sentait davantage pris par ce sujet qui coïncidait si bien avec ses besoins personnels comme avec ses talents d'écrivain et de critique. Mais le temps lui manquait, il était toujours pris par de multiples travaux alimentaires, ses démarches pour se procurer un poste régulier qui lui assurât le nécessaire furent vaines. Enfin, au cours d'un voyage en Suisse, il eut l'occasion de s'ouvrir à un de ses amis du désir où il était d'avoir de longs loisirs qu'il pourrait consacrer à l'achèvement de sa monumentale histoire. Peu de temps après, il reçut, de l'Académie de Lausanne, la proposition d'y venir faire un cours sur Port-Royal. En août 1837, Sainte-Beuve s'installait à Lausanne avec sa bibliothèque janséniste et ses notes. Il y demeura jusqu'au mois de juin 1838, travaillant avec acharnement, écrivant chacune de ses leçons (il en avait trois par semaine), décidé d'ailleurs à tirer de ce cours un livre. Quand il rentra à Paris, la première version de *Port-Royal* était achevée. Le premier volume de l'ouvrage parut au mois d'avril 1840, chez l'éditeur Renduel. Cependant le sixième et dernier volume ne parut qu'en 1859, chez Hachette. Comment pouvaient s'expliquer de pareils délais de parution pour un ouvrage qui était achevé dans sa première version dès 1839 ? Sans doute Sainte-Beuve avait-il été repris par d'autres tâches, mais le véritable retard provenait de sa conscience d'écrivain. Pendant près de vingt ans il compléta, amenda, corrigea sans relâche ses leçons, et il ne les livra au public que lorsqu'elles approchèrent de la perfection. *Port-Royal* devait d'abord comprendre quatre volumes, il en comprit finalement six. Ces six livres correspondent aux divisions intérieures de l'œuvre.

Au Livre premier, « Origine et renaissance de Port-Royal », Sainte-Beuve remonte aux raisons qui ont rendu nécessaire la réforme de la règle religieuse et la renaissance de la vie de prière et de contemplation, entreprises par la mère Angélique Arnauld, aidée de sa sœur, la mère Jacqueline Arnauld. C'est pour lui l'occasion de nous donner un tableau magistral de l'état moral et intellectuel de la société française dans les premières années du XVIIe siècle et de nous tracer, en une inoubliable galerie de portraits, la physionomie d'une de ces familles de robe qui constituaient un des éléments les plus solides de la société du temps. L'évocation des figures des deux religieuses, celle de saint François de Sales qui fut quelque temps directeur de la communauté, est des plus nuancées et des plus vivantes. C'est un autre climat que nous restitue le Livre deuxième, consacré au « Port-Royal de M. de Saint-Cyran » ; la réforme de la communauté de moniales est maintenant chose acquise ; avec la nomination de l'abbé de Saint-Cyran, homme austère et intransigeant, qui fut, de son vivant et après sa mort, l'âme même de Port-Royal, commence une ère nouvelle. Avec la brusque conversion de M. Le Maître, se forme à côté de Port-Royal une nouvelle communauté, d'hommes cette fois, ceux qu'on appellera les « solitaires », convertis laïcs qui pratiquent une existence de piété, d'austérité et de travaux intellectuels. Sainte-Beuve est très attentif à nous les faire connaître, un à un, avec leurs particularités, avec leur manière personnelle de participer à l'œuvre de Port-Royal ; c'est ainsi que revivent devant nos yeux les frères de M. Le Maître, M. de Séricourt et M. de Sacy, M. Lancelot, M. Singlin. Mais c'est aussi l'époque des premières difficultés avec le monde extérieur. L'*Augustinus* (*), de l'évêque d'Ypres, Jansénius, ami de Saint-Cyran, est condamné ; Saint-Cyran lui-même est inquiété. *De la fréquente communion* (*) d'Antoine Arnauld paraît alors et les port-royalistes, ou, comme on les appelle déjà, les jansénistes, commencent à être considérés comme vaguement hérétiques. Saint-Cyran est emprisonné, puis libéré, et il meurt entouré de la dévotion de toute la communauté. Mais de nouveaux solitaires entrent à Port-Royal, son influence se répand parmi les gens du monde, parmi les écrivains. Second coup de tonnerre, M. de Sacy est arrêté et passe deux ans à la Bastille. Maintenant la persécution est ouverte. C'est alors qu'apparaît le génial polémiste qui devait faire triompher la cause de Port-Royal, sinon dans les événements, du moins dans les esprits : Pascal. À l'auteur des *Provinciales* (*) Sainte-Beuve consacre un livre entier, le troisième, et ce livre est une des pièces maîtresses de l'œuvre. L'historien, avec une minutie, une sympathie de tous les instants, scrute l'homme et l'œuvre, il s'étend sur les origines familiales et spirituelles, il s'efforce d'éclairer, et avec quelle perspicacité, le contexte vécu de l'œuvre qu'il nous a laissée. Ce n'est plus seulement Pascal qu'il ressuscite sous nos yeux, à l'aide de détails exacts et de commentaires d'une rare profondeur, ce n'est pas seulement l'incarnation la plus haute de la pensée du XVIIe siècle, c'est le génie de tous les temps. Le Livre quatrième est plus spécialement consacré aux méthodes d'éducation de Port-Royal, aux « Petites Écoles », où se formèrent Racine et l'abbé de Rancé, où professèrent Lancelot et Le Nain de Tillemont. Peut-être Sainte-Beuve est-il encore plus à l'aise pour nous parler de ces vies modestes, toutes de dévouement, consacrées à l'esprit, des vies exemplaires, comme il eût aimé que la sienne le fût. Le Livre cinquième traite de « La Seconde Génération de Port-Royal » ; pour Sainte-Beuve, c'est déjà l'« automne de Port-Royal », c'est pourtant l'époque de Nicole et d'Arnauld ; mais le jansénisme est maintenant irrémédiablement troublé par les polémiques avec l'extérieur ; à certains égards, Pascal, quoique beaucoup moins qu'Arnauld, est un peu responsable de cette décadence ; en répondant à ses adversaires, il s'est abaissé jusqu'à eux. Avec le Livre sixième, c'est, avant les persécutions et alors que l'influence janséniste était au maximum de son extension et triomphait sur la scène avec les derniers chefs-d'œuvre de Racine, l'irrémédiable décadence. Sainte-Beuve désolidarise la cause de Port-Royal de celle du jansénisme. Celui-ci n'en représente plus qu'une image déformée, coupée de ses sources, et Port-Royal finit avec les grands hommes qui l'ont créé et qui l'ont maintenu. En terminant, Sainte-Beuve imagine ce qu'eût été la société française, l'histoire des idées, si Port-Royal s'était maintenu : il lui semble que son influence leur eût donné plus de solidité, cette solidité « qui a surtout manqué depuis à nos mobiles et brillantes générations françaises ». Au terme de cette longue étude, Sainte-Beuve définit son attitude à l'égard de ceux avec lesquels il a si longtemps vécu. S'ils vivaient, s'ils étaient de retour sur terre, il viendrait les saluer « et comme par devoir, et aussi pour vérifier en eux l'exactitude de mes tableaux, mais je ne serais pas leur disciple » ; et il ajoute : « Ce que je voudrais avoir fait du moins, c'est d'amener les autres, à votre égard, au point où je suis moi-même :

concevoir l'idée de vos vertus et de vos mérites en même temps que de vos singularités, sentir vos grandeurs et vos misères, le côté sain et le côté malade (car, vous aussi, vous êtes malades) ; en un mot, à force de contempler vos physionomies, donner et sentir l'étincelle, celle même qu'on appelle divine, mais une étincelle toujours passagère, et qui laisse l'esprit aussi libre, aussi serein dans sa froideur, aussi impartial après que devant. »

Sainte-Beuve a dit lui-même de son livre à la fin de sa vie : « Mon livre de *Port-Royal* est le livre le plus approfondi et le plus personnel de ceux que j'ai faits ; et c'est là, à y bien regarder, qu'on me trouvera tout entier, lorsque je suis livré à moi-même et à mes goûts. » En effet, on trouve dans *Port-Royal* l'expression des élans et des contradictions de l'homme, son goût de la vie intellectuelle et même contemplative, son aspiration à la rigueur, son désir de la foi. Mais *Port-Royal* est aussi une œuvre émouvante en soi, et, ne craignons pas de le dire, séduisante. Insensiblement, aidé par un style coulant, mais nuancé, juste, mesuré, Sainte-Beuve nous entraîne dans la familiarité de ces personnages si pittoresques, mais aussi tellement nobles, tellement élevés au-dessus des contingences, et si retranchés, si intransigeants avec eux-mêmes, exigeant toujours d'eux le meilleur et le plus difficile. Insensiblement, nous partageons leurs préoccupations, nous nous élevons jusqu'à eux sans que jamais ils soient abaissés jusqu'à nous. *Port-Royal* est un prodige né de la sympathie, d'une double sympathie, celle que Sainte-Beuve éprouve lui-même, celle qu'il réussit à faire naître chez son lecteur. Replacé à sa date dans l'histoire littéraire, *Port-Royal* est sans doute le chef-d'œuvre de la critique au XIXe siècle, mais de cette critique qui ne pouvait être pratiquée que par Sainte-Beuve et disparaître avec lui ; c'est à coup sûr un des plus beaux livres du XIXe siècle.

POSITIONS ET PROPOSITIONS. Dans cet ouvrage en deux volumes, l'écrivain français Paul Claudel (1868-1955) a rassemblé un certain nombre d'articles et d'études très différents par les sujets et par les dates auxquelles ils furent écrits. Le premier volume parut en 1928, le second en 1934. C'est surtout aux questions littéraires et aux rapports entre religion et littérature qu'est consacré le premier volume. Il s'ouvre sur une longue étude, « Réflexions et Propositions sur le vers français », dans laquelle Claudel remonte aux origines du langage pour définir, respectivement, le vers mesuré et le vers rimé ; c'est ensuite un tableau de la poésie française, d'une rare pertinence, appuyé sur d'intéressantes considérations psychologiques : « S'il y a un trait du tempérament français particulièrement frappant [...] c'est ce que j'appellerai le besoin de nécessité. » Le Français « a besoin de justifier devant lui-même chacun de ses actes » ; il « s'est toujours senti actionnaire d'une société dont chaque membre doit des comptes à tous les autres ». D'où procèdent des vues fort originales sur la versification classique, et sur la progressive désintégration du vers jusqu'à Mallarmé. En fait, ce long et minutieux examen conduit Claudel à condamner le vers régulier et à affirmer : « Tout ce qu'il y a en français d'invention, de force, de passion, d'éloquence, de rêve, de verve, de couleur, de musique spontanée, de sentiment des grands ensembles, tout ce qui répond le mieux en un mot à l'idée que depuis Homère on se fait généralement de la poésie, chez nous ne se trouve pas dans la poésie, mais dans la prose. Les grands poètes français... s'appellent Rabelais, Pascal, Bossuet, Saint-Simon, Chateaubriand, Honoré de Balzac, Michelet. » Cette étude est datée de Tokio, 1925. Assez proche par le sujet et par le ton est la « Lettre à l'abbé Bremond sur l'inspiration poétique », à propos de ses deux livres : *Poésie pure* (*) et *Prière et Poésie.* Les autres articles du livre n'ont pas la même importance, ce sont des pièces de circonstance : une conférence prononcée à Florence en 1925 sur la « Philosophie du livre » qui contient de suggestives comparaisons entre le mot, dans les langues occidentales et dans les langues extrême-orientales, ainsi que des considérations fort originales sur la typographie ; une « Préface aux œuvres d'Arthur Rimbaud », « mystique à l'état sauvage » ; une « Introduction à un poème sur Dante », l'« Ode jubilaire pour célébrer le six centième anniversaire de la mort de Dante » ; un bref article sur l'aventure mallarméenne intitulé « La Catastrophe d'*Igitur* » — v. *Igitur* (*) ; enfin des notes sur le « Théâtre catholique ».

C'est plus particulièrement à la foi et même à la théologie que sont consacrées les études de la deuxième série de *Positions et Propositions* qui s'échelonnent de 1910 à 1934. Hors quelques conférences prononcées aux États-Unis, la plupart des articles de ce volume sont des lettres, lettres à des ecclésiastiques ou à des convertis, lettres à des femmes du monde pour leur expliquer quelque point de dogme : à la baronne P[ierlot] sur le mal et la liberté, lettre à madame E. sur le péché originel, lettres à madame A. E. M[eyer] sur la Création, l'Incarnation et la Transsubstantiation. À côté du Claudel apôtre et chantre de l'Église, nous découvrons un Claudel subtil théologien, dans « La Physique de l'Eucharistie » ; un Claudel critique d'art, « Lettre à Alexandre Cingria sur les causes de la décadence de l'art sacré », « Note sur l'art chrétien » ; enfin un Claudel architecte religieux avec son grandiose et fantastique « Projet d'une église souterraine à Chicago ». Le second volume de *Positions et Propositions* nous fait pénétrer assez avant dans le substrat même de l'œuvre de Claudel ; il est loin toutefois d'avoir l'intérêt du premier, où sont exprimées des vues fortes et très personnelles sur la poésie, particulièrement dans « Réflexions et Propositions sur le vers français » qui est une manière d'art poétique, au sens propre, beaucoup plus que l'œuvre intitulée justement *Art poétique* (*).

POSSÉDÉE (Une) [*Iszony*]. Roman, publié en 1947, de l'écrivain hongrois László Németh (1901-1975). Ce roman, qui traite de l'incompréhension mutuelle entre époux à travers l'histoire du mariage tragique de la fille d'un fermier appauvri, Nelli Kárász, et du riche paysan Sándor Takaró, prend place parmi les grands romans psychologiques de la littérature universelle. Nelli, qui plaît à Sándor, jeune homme d'un tempérament vif et gai, se sent plutôt attirée par le frère de celui-ci, le grave et taciturne Imre. De la ville lointaine où il poursuit ses études agricoles, Sándor envoie à Nelli lettre sur lettre sans jamais recevoir de réponse. Cependant, la mort de son père met Nelli dans une situation telle qu'elle est obligée d'épouser Sándor Takaró. La lune de miel passée, les deux tempéraments s'affrontent : aux assauts amoureux de Sándor, insatiable, Nelli oppose une résistance orgueilleuse. Pour parvenir à ses fins, Sándor comble sa femme d'attentions, l'installe en ville, l'introduit dans la « bonne société », organise des réceptions pour lui fournir l'occasion de déployer ses dons de maîtresse de maison, mais rien n'y fait. En désespoir de cause, Sándor s'adonne à la boisson et se console avec la domestique. Nelli retourne auprès de sa mère : son mari la supplie de revenir. Nelli, enceinte, accepte. Le jeune médecin de la ville poursuit Nelli de ses assiduités. Ne se débarrasserait-elle pas de son mari en cédant au docteur ? Un épisode tragique tranche le problème : en voulant se défendre contre les violences de son mari ivre, Nelli l'étouffe sous son oreiller. Appelé aussitôt, le docteur comprend tout, mais promet de ne rien dire pour mieux disposer ensuite de la jeune femme. Mais Nelli est intraitable : elle se condamne irrémédiablement à la solitude. Ce roman de Németh est considéré comme un des chefs-d'œuvre de la littérature hongroise contemporaine. La fierté, l'intransigeance, la solitude de Nelli l'apparentent aux héroïnes des mythologies. — Trad. Gallimard, 1964.

POSSÉDÉS (Les) [*Besy*]. Roman de l'écrivain russe Fedor Mikhaïlovitch Dostoïevski (1821-1881), composé en 1870. Cette œuvre, l'une des plus importantes de l'auteur, fut écrite en exil, au milieu de grandes difficultés matérielles, et d'abord dans une intention polémique et pamphlétaire. Plus encore que de rivaliser avec son adversaire Tourgueniev qui, le premier, avait abordé le problème du nihilisme dans *Pères et Fils* (*), il s'agissait pour Dostoïevski de combattre les révolutionnaires du type Netchaev. De là le thème du roman : une conspiration politique dans une ville de province, et la façon dont sont peints les personnages, avec une grande partialité, comme des êtres médiocres et veules, dépourvus de tout trait humain susceptible d'éveiller une sympathie. Mais comment Dostoïevski eût-il pu se limiter au genre, assez court, du pamphlet ? Le problème du nihilisme devait éveiller en lui de profondes résonances : n'avait-il pas été un révolutionnaire, mêlé à une conspiration, condamné à mort en 1849, gracié au pied même de l'échafaud pour être ensuite déporté pendant plusieurs années ? C'est donc en partie contre lui-même, contre une tentation à laquelle il a succombé, qu'il écrit son livre. En 1870, Dostoïevski a surmonté cette tentation, mais c'est moins par une sagesse politique que par un idéal religieux. On comprend alors que son interprétation du nihilisme soit essentiellement mystique : Dostoïevski n'attaque pas seulement une doctrine, mais toutes les puissances obscures de l'âme russe, mises en branle, détournées de leur voie droite par l'idéologie révolutionnaire venue d'Occident. Ainsi s'explique le titre du livre qui est, exactement, *Les Démons*, plus véridique que le titre habituel de la traduction française : le problème de cette œuvre concerne en effet bien moins tels ou tels individus qu'un peuple tout entier. Les personnages sont bien des « possédés », puisqu'ils semblent prisonniers d'une puissance mystérieuse qui les pousse à commettre des actes dont ils seraient par eux-mêmes incapables. Mais quel est le secret de leur âme, sinon les démons impersonnels, véritables acteurs, entre les mains desquels les hommes ne sont que des marionnettes ? Aucune œuvre de Dostoïevski n'est plus difficile à lire que celle-ci, par la confusion et l'obscurité qui enserrent tous les personnages, par ses lacunes et surtout l'extrême complexité de sa trame. Elle s'achève sur une série de catastrophes symboliques dont on voit mal le lien réel avec le reste de l'action. Aussi n'est-ce point de l'intrigue que le livre tire sa valeur : l'intrigue n'est qu'un prétexte pour nous faire découvrir des hommes, des caractères et des idées. Il s'agit moins d'un roman que d'un étrange essai de métaphysique religieuse et politique, et dans l'œuvre de l'auteur seuls *Les Frères Karamazov* (*) peuvent rivaliser avec *Les Possédés* pour la richesse du contenu idéologique. On peut ici isoler deux thèmes essentiels, dont le rapport n'est pas toujours très clair : un thème romantique, centré sur l'un des principaux héros, Stavroguine ; et un thème proprement politique, la conspiration des nihilistes.

Le personnage de Stavroguine est indépendant du message proprement politique et de la critique du nihilisme contenus dans *Les Possédés*. Il aurait plutôt dû trouver sa place dans cette « Vie d'un grand pécheur » que Dostoïevski rêva d'écrire, sans y parvenir jamais. Pendant longtemps, on vit malaisément le sens de ce personnage, dont on sentait cependant qu'il occupait dans l'œuvre la place essentielle : cette difficulté venait de ce que le premier éditeur de Dostoïevski avait refusé de publier, par crainte d'un outrage aux mœurs publiques – car on y trouvait le récit du viol d'une petite fille –, un texte qui devait suivre le chapitre 8 de la IIe partie. Ce texte a été rendu public bien plus tard, sous le titre de *Confession de Stavroguine* et, dès lors, la figure de ce dernier s'est éclairée. Stavroguine est un personnage absolument original, créé de toutes pièces par le romancier. Riche, noble, point dénué tout à fait de grandeur d'âme, c'est le type de l'aristocrate décadent, séparé de la vie populaire, incapable de s'engager pleinement dans aucun de ses actes. La faculté d'être passionné, le ressort de la foi, quel que soit l'objet de cette foi, voilà ce que Stavroguine a perdu et qui le rend désormais inapte à toute action. Il est devenu opaque à lui-même, et surtout, prisonnier de son âme absolument tranquille et silencieuse, que ne peut plus émouvoir aucun des appels naturels de la vie. Pour lui, tout se résout en un éternel « à quoi bon ? ». Il ne lui reste alors que l'artificiel, l'horrible, le sordide, tout ce qui change de la vie ordinaire. « Toutes les fois que je me suis trouvé au cours de mon existence dans une situation particulièrement honteuse, excessivement humiliante, vilaine, et par-dessus tout ridicule, celle-ci a toujours excité en moi, en même temps qu'une colère sans bornes, une incroyable volupté. » C'est pourquoi il a épousé, alors qu'il est beau, séduisant et qu'il aime les femmes, une boiteuse imbécile et ignoble ; c'est pourquoi il savoure la honte d'un soufflet qu'il vient de recevoir, ou violera une petite fille en la laissant ensuite se pendre, sans rien essayer pour l'en empêcher. « J'étais ennuyé de vivre, jusqu'à l'hébétude », dit-il ; ce n'est pas en effet l'ignominie pour elle-même qui lui plaît, mais seulement l'intense sensation qu'elle lui procure, « l'enivrement d'une conscience torturée par sa bassesse ». La lutte sociale, pour Stavroguine, n'est donc rien d'autre qu'une distraction de l'ennui. Il n'a pas plus la foi révolutionnaire que la foi chrétienne. C'est pourtant à ce sceptique que Verkhovenski, le véritable chef de la conspiration révolutionnaire, veut offrir l'univers. Il a rêvé de faire de Stavroguine le tsarevitch Ivan, le Grand Usurpateur, et voudrait créer une légende autour de celui à qui il a voué une sorte d'amour diabolique : « Vous êtes le soleil, dit-il à Stavroguine, et je suis votre ver de terre. » Comme Verkhovenski est pourtant différent ! Il reste quelque chose d'humain chez Stavroguine, dont le mal, poussé sans doute à l'extrême, n'est pourtant pas substantiellement différent de celui de tous ces décadents qui commençaient à envahir la littérature européenne à la fin du romantisme. Verkhovenski, lui, nous apparaît comme un être incontestablement doué d'une puissance surnaturelle, comme un véritable démon. Satanique, il l'est par sa haine de toute beauté et de toute générosité, et Dostoïevski nous le montre « insensible à tout ce qui est vivant, enthousiaste et passionné, quand il s'agit de ses propres imaginations » ; il l'est par ce besoin d'idolâtrie qu'il reporte sur Stavroguine : par son goût des âmes, car « sa » révolution ne consiste nullement en pillages, en réformes de la propriété ou de la société, mais essentiellement en un bouleversement moral ; il l'est enfin par une certaine affectation de renoncement : Satan aime à se cacher, et de même Verkhovenski affecte de s'effacer toujours derrière Stavroguine.

C'est pourtant lui qui règne, et par les moyens qui conviennent à sa possession : sans peine, il a persuadé les membres de l'organisation que le groupe n'était qu'un élément d'une immense conspiration révolutionnaire, que lui-même était en relation avec les plus hauts personnages du Comité directeur. Mais le secret de sa puissance, c'est surtout d'avoir entraîné tous les conspirateurs à se suspecter mutuellement. Il faut bien dire, en effet, que ces nihilistes, en face des personnalités d'un Stavroguine et surtout d'un Verkhovenski, ne sont que de pauvres loques : certains tout simplement mous et hésitants comme Virguinski ; d'autres, déchets de la société comme le capitaine Lebiadkine, un ivrogne qu'on utilise pour diffuser les proclamations, mais qui pourra aussi se révéler comme un traître ; d'autres enfin tartuffes, comme Lipoutine, petit fonctionnaire tyrannique, qui étudie le socialisme de Fourier, mais continue à toucher ses rentes et professe l'athéisme en public, en tenant toute sa famille dans la hantise de l'Enfer. D'âme aussi médiocre, mais plus intéressant parce qu'il se prend pour un doctrinaire, est Chigalev, type de l'utopiste orgueilleux et borné, persuadé que toutes les spéculations des siècles passés sont sans valeur et que lui seul tient la clef de l'organisation du bonheur pour l'humanité. Son projet est d'une simplicité ridicule, mais qui ne laisse pas d'être dangereuse : il suggère, comme solution définitive, de partager l'humanité en deux parties inégales. Un dixième des hommes jouirait d'une liberté absolue et exercerait sur les neuf autres dixièmes une autorité sans limites. Les autres devraient renoncer à toute individualité, devenir pour ainsi dire un troupeau, et, par une soumission sans bornes, ils arriveraient, au moyen d'une série de régénérations, à l'état d'innocence première. De telles folies ne sont pas pour effrayer nos nihilistes et, si certains protestent contre les théories de Chigalev, d'autres parlent froidement d'anéantir tous les hommes non cultivés ou de couper cent millions de têtes, solution que Verkhovenski semble prêt à soutenir. Après avoir commis plusieurs coups de main sous l'impulsion de Verkhovenski, ces pauvres êtres commencent à perdre courage et envisagent les conséquences éventuelles de leurs actes. Verkhovenski leur affirme alors qu'un des leurs, Chatov, s'apprête à dénoncer toute la bande. Chatov est, dans tout le roman, le seul personnage vraiment sympathique et l'on comprend vite qu'il n'est que le porte-parole de l'auteur. Comme Dostoïevski, il s'est laissé entraîner au libéralisme mais, comme Dostoïevski encore, il en a été sauvé par le mysticisme et se trouve maintenant amené à renier et à combattre son passé. Il lui appartient de faire la critique des idées révolutionnaires. Chatov est un homme du peuple, alors que Stavroguine n'est qu'un snob et Verkhovenski un bourgeois, un intellectuel enfermé dans sa logique. Telle est bien en effet l'explication du nihilisme athée que nous donne Dostoïevski : l'athéisme, à ses yeux, n'est qu'un produit importé d'Occident, le fait de quelques déracinés devenus étrangers à leur patrie. À la révolution, ce n'est pas exactement Dieu qu'oppose Chatov, mais la réalité séculaire de l'âme nationale, l'idée du messianisme russe : la Russie est restée un peuple enfant, vierge des contaminations de la civilisation occidentale. Elle est bien toujours, seule entre toutes les nations, le peuple choisi entre tous pour renouveler le monde. Et Chatov prophétise l'Apocalypse, l'orage purificateur, où le peuple russe, grâce à ses éléments demeurés intacts et fidèles, se vengera des doctrinaires qui ont voulu le soumettre aux idéologies venues d'Occident. Cette jeunesse éternelle du peuple russe, rien ne saurait l'exprimer mieux que la belle scène qui précède la mort de Chatov : la femme de celui-ci, qui a été la maîtresse de Stavroguine, revient pourtant dans son foyer pour accoucher. Chatov l'accueille avec une sorte d'adoration religieuse et, quand l'enfant naîtra, ce sera pour lui comme une révélation du perpétuel renouvellement de la vie, et la certitude de la défaite des faux logiciens. La même nuit, Chatov est convoqué par les révolutionnaires et assassiné ; par ce crime, Verkhovenski espère en effet raffermir la cohésion du petit groupe. Mais l'attentat à peine commis, la folie s'empare d'un des meurtriers, Liamchine qui, soit par un réflexe d'humanité, soit par faiblesse d'âme, veut tout avouer à la police. Verkhovenski, pour égarer les soupçons, décide un membre du groupe, Kirilov, à endosser la responsabilité totale : Kirilov, en effet, est depuis longtemps décidé à se suicider. Le suicide n'est pas, pour lui, un acte banal de désespoir, c'est la conclusion logique de ses réflexions métaphysiques, de son athéisme radical. « Si Dieu n'existe pas, je suis Dieu », dit Kirilov. Mais l'homme n'a inventé Dieu que pour pouvoir vivre sans se tuer : la peur de la mort, la peur de l'au-delà sont les deux grands préjugés sur quoi repose notre idée de Dieu. Il s'agit, pour Kirilov, de supprimer chez l'homme la souffrance et la peur, et, par le suicide conscient et volontaire, de « prouver » que l'humanité peut se surmonter elle-même et devenir Dieu ! L'image de Kirilov est vraiment belle et l'une des plus imposantes des *Possédés ;* cet athée radical se trouve être, avec Chatov, le personnage le plus chrétien du livre. Car ce n'est pas seulement pour lui-même que Kirilov se suicide, mais pour initier les autres hommes à la liberté totale. Et son acte, qui n'a rien à voir avec l'acte gratuit de Lafcadio — v. *Les Caves du Vatican* (*) de Gide —, car Kirilov n'agit que pour des motifs strictement religieux, prend ainsi l'aspect d'une imitation à rebours de la Croix. En fait, Kirilov ne surmonte point l'absurdité de la vie et, ayant tué Dieu, il ne peut supporter cette absence.

En envisageant tour à tour ces êtres déséquilibrés, tourmentés par Dieu bien plus que par la réforme de la société, on comprend assez bien que *Les Possédés* aient surpris les contemporains de Dostoïevski. Les radicaux, naturellement, condamnèrent l'auteur, passé si violemment à la réaction. Mais le grand public lui-même voyait mal le lien qui pouvait exister entre ces « démons » et les libéraux des années 1860-1870 : Dostoïevski avait pourtant bien insisté sur ce point, en créant deux personnages ridicules et ignobles, Verkhovenski père, littérateur sentimental, pleurnichard et grandiloquent, et le « grand écrivain » Karmasinov qui, par veulerie, a mis sa plume au service des nihilistes, Russe européanisé, occidentaliste, où il était facile de reconnaître une horrible caricature de Tourgueniev, qui s'en indigna. Le vrai est que dans *Les Possédés* la première intention, toute pamphlétaire, a été bientôt submergée et altérée par la vision mystique et prophétique de l'auteur : Dostoïevski a fait moins une peinture de types révolutionnaires, bien qu'on puisse trouver dans *Les Possédés* quelques traits annonçant les chefs bolcheviques, qu'une plongée dans les bas-fonds de sa race et de toute âme humaine. Ce n'est pas le drame russe, fixé dans telle ou telle époque de la Révolution, c'est la tragédie universelle et éternelle de l'athéisme. — Trad. Jean Chuzeville, Gallimard, 1934 ; Boris de Schloezer, sous le titre *Les Démons*, Bibliothèque de la Pléiade, 1955.

POSSESSION DU MONDE (La). Essai de l'écrivain français Georges Duhamel (1884-1966), publié en 1919. Écrit pendant la Première Guerre mondiale, ce livre est une suite de dix méditations : I « L'Avenir du bonheur » ; II « Richesse et Pauvreté » ; III « La Possession d'autrui » ; IV « À la découverte du monde » ; V « Introduction à la vie lyrique » ; VI « Douleur et Renoncement » ; VII « Les Réfugiés » ; VIII « La Recherche de la grâce » ; IX « Apostolat » ; X « Essai sur le règne du cœur ». Cet ensemble est écrit pour convier les hommes à la recherche de tout ce qui peut « alléger la détresse actuelle et future des mondes », à la recherche « des mobiles d'intérêt qui subsistent, pour l'âme, dans une existence harcelée de difficultés, de périls et de déceptions ». Georges Duhamel nous invite à honorer plus que jamais les ressources incorruptibles de la vie intérieure. Purement spirituelle, la conquête, ici, comporte l'union la plus étroite avec la vie quotidienne et avec les joies que peuvent procurer ses jeux, ses spectacles, ses vicissitudes. Sites, visages, caractères, autant de richesses inestimables pour qui s'avise d'en recueillir les signes chez soi ou chez autrui et d'en composer son trésor intime. Si la destruction, le désordre, la mort interrompent le dialogue familier que chacun poursuit avec la meilleure partie de lui-même, le présent demeure avec tout ce qu'il contient de profond, d'impérissable. La simplicité de l'auteur, la sincérité de son émotion, son style dépouillé et ferme, tout cela confère à son livre une chaleur touchante.

POST-SCRIPTUM AUX « MIETTES PHILOSOPHIQUES » [*Afsluttende uvidenskabelig Efterskrift til de « Philosophiske Smuler »*]. Ouvrage du philosophe danois Søren Aabye Kierkegaard (1813-1855), publié en 1846. L'auteur attribue la paternité de cette œuvre, qui a pour titre exact : *Post-scriptum définitif et non scientifique aux « Miettes philosophiques »*, à Johannes Climacus, comme il l'avait déjà fait pour les *Miettes philosophiques* (*). Le thème des *Miettes* se retrouve dans le *Post-Scriptum* : mais ici la signification chrétienne du problème philosophique central apparaît avec évidence, alors que dans les *Miettes* elle était présentée sous une forme allusive et voilée. En outre, dans le *Post-Scriptum*, la position antihégélienne de l'auteur se manifeste d'une manière plus précise et opiniâtre, à travers une polémique violente et irrévérencieuse, mais extraordinairement précise. Kierkegaard voit dans l'hégélianisme une sorte de « jeu de domino », une manière adroite de disposer les diverses « pièces » du système philosophique, par exemple les concepts de l'amour, de la foi, de l'action, mais sans qu'il soit question d'aimer, de croire, ou d'agir à proprement parler. L'hégélianisme est pour lui une évasion de la vie, une « philosophie à l'usage des professeurs et des docteurs » qui, par une sorte de sorcellerie, transforme la vie réelle en une existence fantomatique, et s'imagine, avec sa catégorie du « dépassement », avoir banni la poésie et la religion comme des espèces inférieures. Les hégéliens sont des gens qui connaissent tout, mais ne se connaissent pas eux-mêmes, car ils craignent, en acceptant leurs propres limites individuelles, de perdre de vue la réalité universelle. La « protestation existentielle » de Johannes Climacus s'élève contre la fuite de l'individu devant le réel, et tend à rappeler à chaque « être particulier » sa mission éthique et religieuse. — Trad. Gallimard, 1941 ; L'Orante, 1977, t. 10 et 11 des Œuvres complètes.

POSTHOMÉRIQUES (Les) [Τὰ μεθ' Ὅμηρον]. Épopée en hexamètres de quatorze livres, l'unique œuvre conservée du poète grec Quintus de Smyrne (IIIe siècle apr. J.-C.). On ignore quel fut le succès de ce poème dans l'Antiquité. Des poètes comme Nonnos, Triphiodore ou Musée semblent l'avoir connu. Au XIIe siècle, Eustathe et Tzetzès le citent dans leurs commentaires à l'*Iliade* (*). On perd ensuite trace du poème jusqu'à ce que, vers le milieu du XVe siècle, le cardinal Bessarion en redécouvrît un manuscrit en Calabre.

Teinté de philosophie stoïcienne, le poème des *Posthomériques* est la meilleure suite de l'*Iliade* qui nous soit conservée. Commençant sans invocation à la Muse et enchaînant directement sur les funérailles d'Hector qui concluaient le poème d'Homère, *Les Posthomériques* chantent tous les événements qui nous mènent au pillage de Troie et au retour malheureux des Grecs. Loin de dire la victoire grecque, *Les Posthomériques* mettent en scène une nouvelle génération de héros qui ne sont plus à l'image de leurs pères : c'est finalement tout le système de valeurs de l'*Iliade* qui se trouve remis en cause dans ce poème qui doit être considéré comme bien plus qu'un simple exercice scolaire. — Trad. sous le titre *La Guerre de Troie ou la Fin de l'Iliade,* À l'enseigne du pot cassé, 1928 ; *La Suite d'Homère,* Les Belles Lettres, 1963-69.

D. Bou.

POSTILLON DE LONGJUMEAU (Le). Opéra-comique en trois actes du compositeur français Adolphe Adam, livret d'Adolphe de Leuren et Léon Brunswick. Créé à l'Opéra-Comique en 1836. L'action se déroule en 1756 : le postillon de Longjumeau, Chapelou, auditionne le soir de ses noces devant le directeur de l'Opéra, le marquis de Courcy, qui l'emmène à Paris pour y faire carrière. Il abandonne ainsi sa jeune femme Madeleine. Dix ans plus tard, le postillon, devenu un ténor célèbre sous le nom de Saint-Phar, cumule les aventures sentimentales. Alors qu'il s'apprête à épouser une certaine Mme de Latour, on l'accuse de bigamie. Mais il n'a pas reconnu en celle qu'il veut prendre pour femme sa légitime épouse, enrichie par un heureux héritage. Tout finit par s'arranger. L'ouvrage, souvent mélancolique, est dominé par l'importance du rôle de ténor léger confié au postillon, avec deux airs qui sont restés célèbres : « Oh ! qu'il était beau, le postillon de Longjumeau... » et « Assis au pied d'un hêtre... ». A. Pâ.

POT-BOUILLE. Dixième volume, publié en 1882, des *Rougon-Macquart* (*), du romancier français Émile Zola (1840-1902). Il se déroule presque entièrement à l'intérieur d'une maison bourgeoise, nouvellement bâtie rue de Choiseul, pendant de la grande maison ouvrière de *L'Assommoir* (*). Zola en fait le symbole de la petite bourgeoisie dont il entreprend une satire volontairement caricaturale et particulièrement amère : belle façade, vestibule et escalier luxueux, mais derrière les belles portes d'acajou luisant, quelle pot-bouille, quelle « cuisine de tous les jours terriblement louche et menteuse sous son apparente bonhomie », quelles ordures dans la cour intérieure de l'immeuble où les bonnes déversent détritus et révélations honteuses sur leurs maîtres !

Celui qui lève le voile, c'est Octave Mouret. Le jeune calicot arrive du Midi pour faire fortune à Paris. Un parent de sa famille, l'architecte diocésain Campardon, lui a loué une chambre à l'étage des bonnes. Le bel Octave séduit toutes les femmes de l'immeuble. Du haut en bas, il ne découvre que ménages désunis, ménages à trois, adultères, chasses au mari, luttes féroces autour d'héritages, misère morale et matérielle qu'on cherche à masquer, conduites honteuses comme celle du conseiller à la cour d'appel, Duverdy, qui mène une lamentable liaison avec une fille, Clarisse, veut se tuer parce qu'elle l'abandonne, se rabat sur la bonne des Josserand, « ce torchon d'Adèle ». Celle-ci met au monde, dans sa mansarde, un enfant dont il est le père tandis que dans son salon il se félicite d'avoir fait condamner une ouvrière misérable qui a laissé mourir son nouveau-né. Seule Mme Hédouin, patronne du magasin de nouveautés Au Bonheur des Dames, échappe à la plume vengeresse de Zola. Elle habite d'ailleurs hors de la maison. Femme modèle, raisonnable et active, elle propose à Octave un mariage qui est une véritable association : elle a reconnu ses qualités de vendeur, d'audace et d'imagination.

Pot-Bouille est un roman suscité par l'actualité : il prend position sur les problèmes de l'éducation des filles sur lesquels on légiférait. C'est aussi un règlement de comptes après les scandales soulevés par *L'Assommoir* (*) et *Nana* (*), une mise en question roborative de la « morale des convenances ». C. Be.

POTEAUX D'ANGLE. Livre de proses de l'écrivain français d'origine belge Henri Michaux (1899-1984). Il existe trois livraisons de ce texte (1971, 1978 et 1981) qui s'enrichira successivement de développements nouveaux. Bref volume cependant, composé de courts textes : fragments, quasi apophtegmes, préceptes, conseils moraux, diagnostics cruels et froids, fables... Derrière le flux des vagues successives, il est toutefois possible d'être sensible à une sorte d'élargissement (non exclusif d'un dégrisement croissant) des propos. L'espace délimité par les poteaux sont ceux « du dedans », entre le « je » et le « je », le monde extérieur n'étant qu'un prétexte pour oublier ce qui se passe là où nous sommes. La première phrase du texte donne le ton : « C'est à un combat sans corps qu'il te faut te préparer, tel que tu puisses faire front en tout cas, combat abstrait qui, au contraire des autres, s'apprend par rêverie. » Cette lutte sera intestine, elle aura pour but de nous permettre de conserver en nous tout ce à quoi nous ne tenons pas ordinairement et qui cependant est l'essentiel de notre être. Il nous faut désapprendre, oublier, nous déposséder de nos forces. « Non, non, pas acquérir. Voyager pour t'appauvrir. Voilà ce dont tu as besoin. » Le chemin vers soi-même passe par le désencombrement de tout ce qui nous leste d'un poids auquel tout nous porte à croire qu'il est préférable au vide. Ascèce quasi mystique où les préceptes vont contre le monde et ses mirages. Chemin difficile car étayé d'aucune des ressources qui font que d'habitude nous « allons ». « Il faut un obstacle nouveau pour un savoir nouveau. Veille périodiquement à te susciter des obstacles. » Au fond de l'insoumission à ce qui de nos penchants a été dévoyé par le monde réside le faible espoir d'un salut. « Ne laisse pas " toi " te gagner. » Mais ce combat va s'élargir au monde, à la culture : « Né dans une époque de ratés, profites-en, si tu n'as pas honte. Ils se reconnaissent en toi. Ce n'est qu'une époque. » Compromis, oubli de soi dans le travail, la culture, les réalisations font de l'époque un lieu qu'à fréquenter nous risquons de nous perdre, de nous avilir. Le rêve, les instants rares, les rythmes lents, nos irrégularités — tout ce que l'histoire interdit — sont ici chances de vie non mutilée. « Descends, oui, descends en toi, vers cet immense rayonnage de besoins sans grandeurs. » Aucune des valeurs positives du temps présent ne peut permettre de trouver ce point intérieur où l'individu pourra commencer par lui-même. Ces leçons d'austère sagesse, adressées à un « toi » qui est aussi bien le lecteur que celui qui en est l'auteur, portent aussi sur l'écriture : « Plus tu auras réussi à écrire (si tu écris), plus éloigné tu seras de l'accomplissement du pur, fort, originel "désir", celui, fondamental, de ne pas laisser de trace. » Leçon d'effacement, d'allègement. Seul importe non pas tant ce qui pèse le plus mais ce qui, inapparent, libère l'esprit, l'existence : « Retour à l'effacement / à l'indétermination. » F. W.

POTIER D'ÉTAIN (Le) ou le Potier politicien [*Den Politiske Kandestober*]. Comédie en cinq actes de l'écrivain danois Ludvig Holberg (1684-1754), dont la première représentation eut lieu à Copenhague en 1722 ; l'œuvre figure encore aujourd'hui au répertoire danois. Herman von Bremen, potier à Hambourg, néglige son métier et sa famille ; il n'a d'intérêt que pour la politique, dont il discute à perte de vue avec d'autres orateurs de café. Sa femme, excédée, est obligée de recourir aux coups pour mettre un terme à ses interminables « réunions politiques ». En proie à ses rêves de grandeur, le potier ne réagit point. Quelques aristocrates et quelques bourgeois, agacés par cette attitude, décident de lui jouer un tour : ils lui annoncent qu'il vient d'être élu maire de la ville. Cette élection semble normale à Herman, qui s'empresse de jouir des honneurs qu'elle lui vaut. Pendant qu'il change son nom en « von Bremenfeld » et qu'il choisit la livrée de son aide, promu laquais pour l'occasion, sa femme s'empresse de chercher un professeur de français pour leur fille et refuse de recevoir d'anciennes amies. L'allégresse d'Herman est éphémère. Il apprend bientôt à ses dépens que l'art de gouverner ne s'improvise pas. Un avocat prétend s'adresser à lui en latin, un maître chapelier l'oblige à lire une longue supplique, au moment où d'autres artisans le harcèlent, afin que justice leur soit rendue. Le nouveau maire, en proie au chantage et aux tentatives de corruption, est épouvanté, humilié, désespéré et il songe à se pendre lorsqu'il apprend que l'affaire n'était qu'une farce. De soulagement, il tombe à bras raccourcis sur son épouse, qui se lamente sur les honneurs perdus. Plus besoin de feindre désormais, puisqu'il suffit d'être potier ! Et sa fille, Engelke, peut enfin épouser son cher Antoine, qu'Herman méprisait autrefois. « Quand le potier devient maire, c'est un peu comme si le maire se faisait potier ! » Telle est la morale de cette comédie, l'une des meilleures de Holberg par la vivacité des dialogues et le naturel des personnages. — Trad. *Le Potier d'étain,* dans *Théâtre choisi d'Oehlenschlaeger et de Holberg,* Didier, 1881 ; *Le Potier politicien* chez Gautier, 1891 ; *Théâtre de Holberg, Vingt-deux comédies,* Munksgaard, 1955.

POTOMAK (Le). Précédé d'un « Prospectus 1916 » et suivi des « Eugène de la guerre 1915 », ce roman fut publié en 1919 par l'écrivain français Jean Cocteau (1889-1963), puis réédité en 1924 en une édition définitive en partie originale. Cet ouvrage fut rédigé au cours des années 1913-1914. Au premier coup d'œil, il donne l'impression de n'avoir pas été composé, d'être fait de bouts et de morceaux, de textes épars, de séries de dessins sans rapport avec le texte. Mais il faut mettre l'accent sur l'unité tout interne qui le dirige : il rend compte minutieusement de la crise contre soi-même qui tourmenta et purifia Jean Cocteau au moment de la guerre, avec la précision, la vérité de la poésie. Aussi bien ce livre prendrait-il légitimement place parmi les œuvres de poésie : mais s'il est vrai que le roman autobiographique (ce que celui-ci est avant tout et par tous les moyens) est proche de la poésie en ce qu'il met en lumière les profondeurs intimes de l'écrivain, alors l'équivoque est levée. Notons la part importante réservée au dessin dans ce roman. La suite des « Eugène » en occupe le tiers et poursuit une aventure abstraite avec les moyens réservés d'abord à la notation sur le vif. On sent que ces monstres graphiques ont été dictés au poète par les mêmes « parlementaires de l'inconnu » qui le contraignaient à inventer le monstre écrit qu'est le « Potomak », exposé dans une cave place de la Madeleine. L'auteur y descendra en compagnie de personnages allégoriques : Persicaire, Argémone. On n'analyse pas plus cette Descente aux Enfers qui tient du roman noir, du dialogue philosophique, de la confession lyrique que ne s'analyseront plus tard les mirages d'*Orphée* (*).

En 1940, Jean Cocteau publie *La Fin du Potomak.* Ce livre est, comme le premier, une autobiographie intérieure avec tout ce que cela suppose de ruptures, de retours, de développements dans la forme. Le « Potomak », monstre gélatineux porteur de poésie, mythe des deux ouvrages qui portent son nom, visible en 1913, est devenu, en 1939, invisible. De 1913 à 1939, le « Potomak » n'a cessé d'envoyer des ondes (entendez la poésie), mais en 1931 il avait cessé d'être visible. « De ce Potomak et de ses malaises, une œuvre était née. Des lignes, des lignes, des lignes. Et je devais écrire une pièce nouvelle. Et j'étais parti pour l'écrire. Et je ne pouvais pas l'écrire. Et quelque chose m'obstruait. Et ce quelque chose s'échappe. Et ce quelque chose est ce livre ! 1913-1939. Je boucle la boucle. Je ne retournerai pas dans la salle où le vide s'expose. » Car si le « Potomak » est devenu invisible, même absent il continue de délivrer des messages. Le poète attend de ces messages un espoir. « Il fallait savoir que le monstre occupait l'estrade et que cet invisible se nommait Potomak. » On voit encore le poète (l'oiseleur) aux prises avec le monde qui l'entoure : la princesse Fafner, Argémone l'incrédule, insensible aux ondes du Potomak, et Persicaire, sensible lui, qui devient ici, curieusement, une réincarnation de Raymond Radiguet.

Ces deux livres sont, de la jeunesse à l'âge mûr, bien évidemment du même homme. Toutefois le style de l'allégorie n'est plus le même. Dans le premier, la quête de soi n'était confiée qu'à des impulsions instinctives. Ici, l'apologie du néant laisse l'esprit souverain et seul. Ces deux livres, résolument ésotériques et solitaires, ont eu l'étrange destin de précéder des bouleversements collectifs que rien n'égale dans l'histoire. Il faut peut-être voir en ce phénomène quelque analogie, comme si l'instinct des poètes était en rapport direct avec celui qui force les animaux à se cacher pour mourir.

POUDRE AUX YEUX (La). Comédie en deux actes de l'auteur dramatique français Eugène Labiche (1815-1888), représentée pour la première fois à Paris sur le théâtre du Gymnase-Dramatique le 19 octobre 1861. C'est une remarquable satire de la petite bourgeoisie sous Louis-Philippe. Les personnages y sont tourmentés par un furieux désir de paraître et, en fait d'ingéniosité, les femmes se montrent bien supérieures aux hommes. Au Ier acte, Mme Malingear et le docteur Malingear, médecin dépourvu de clientèle, s'interrogent sur les intentions d'un aimable jeune homme, Frédéric Ratinois, qui vient « tapoter leur piano » plusieurs fois par semaine et faire des duos avec leur fille unique, Emmeline. Mis en demeure de légitimer sa conduite, le jeune homme annonce la visite prochaine de ses parents. Cependant, M. et Mme Ratinois ont trouvé bon d'user d'un subterfuge pour ne pas s'engager avant d'avoir une sérieuse connaissance de leurs gens. Les Malingear en sont informés par Emmeline qui tient l'avis de Frédéric. C'est ainsi que Mme Ratinois, dépêchée en reconnaissance, prend le prétexte d'un appartement à louer pour s'introduire dans la famille. Ce sont alors des vantardises sans fin, une mise en scène des plus cocasses, Mme Malingear ayant persuadé son mari qu'il fallait éblouir les futurs beaux-parents. On feint qu'Emmeline ait reçu les leçons des peintres et musiciens les plus illustres. Peu après, M. Ratinois vient en consultation, d'ailleurs fort inquiet de n'être pas malade. Les inventions de Mme Malingear laissent pantois Malingear lui-même : lettre d'une duchesse imaginaire dont Ratinois écoute bouche bée la lecture, entrée d'un chasseur qui passe pour un domestique de la maison, irruption d'un fournisseur dont le rôle est de se faire prendre pour un client. Ratinois et Mme Ratinois sont consternés. Retirés du commerce (Ratinois était confiseur et madame tenait la caisse), ils ont un train de vie modeste. Enfin Mme Ratinois, sans défense elle aussi devant le démon de la vanité, décide son mari « à faire des sacrifices » provisoires autant que nécessaires. À l'acte II, l'arrivée de l'oncle Robert, riche marchand de bois, tout dévoué à la famille mais qui porte des boucles d'oreilles, risque de compromettre l'effet des mesures prises par les Ratinois. On l'escamote à temps. Les uns et les autres ont lourdement grevé leur budget en louant des voitures, en prenant une loge aux Italiens. C'est de part et d'autre une surenchère étourdissante, jusqu'au dîner commandé chez le grand traiteur Chevet, que Ratinois se dispose à offrir aux Malingear, tandis que Mme Ratinois bat les environs pour avoir, elle aussi, un chasseur, et qui plus est, un nègre. Enfin les imprudents se trouvent pris à leur propre piège. Lorsqu'on en vient à discuter de la dot, les uns et les autres exigent qu'elle soit en rapport avec les ressources qu'ils se supposent mutuellement. Les mères, grisées par ce luxe d'un temps qui répond à tous leurs rêves, endoctrinent leurs maris et les poussent à se montrer inflexibles. En dépit de l'amour des jeunes gens, les relations vont être irrémédiablement rompues. Mais l'intervention de l'oncle aux boucles d'oreilles vient rendre aux pères quelque jugement. Ils s'accusent, ils accusent leurs femmes et dévoilent toute la supercherie. Enfin délivrés de l'inconfort où ils se sentaient, les Ratinois, les Malingear et l'oncle Robert s'acheminent vers la salle à manger, avec une bonne humeur qui, cette fois-ci, n'est pas feinte.

Dans cette pièce où l'ingénue est niaise à souhait, les femmes minaudières et tyranniques, les hommes soucieux de dignité extérieure et assujettis à leur tendre « moitié », il n'est point de trait qui ne soit rigoureusement juste, de repartie qui ne montre l'envers des personnages faits de conventions, de naïveté, de faux bon sens et du désir de s'élever au-dessus de ridicules qu'ils croient attachés à la seule apparence. Les feintes grossières, les réflexions à part, les revirements à vue donnent au dialogue un tour bouffon dont l'effet est irrésistible. Il semble qu'avec *Le Voyage de Monsieur Perrichon* (*), *Le Chapeau de paille d'Italie* (*), *Les Vivacités du capitaine Tic*, *La Poudre aux yeux* soit un des chefs-d'œuvre de Labiche.

POUGATCHEV [*Pugačëv*]. Poème dramatique, en huit tableaux, de l'écrivain russe Serguei Essenine (1895-1925), publié en 1921. Essenine est alors considéré comme le chef de l'« école imaginiste », en réaction contre le futurisme et le symbolisme. Paysan, il a été le poète des paysans et des champs. Dans *Pougatchev,* il a voulu exalter la révolte des « moujiks » contre les grands propriétaires terriens. L'action se déroule au XVIIIe siècle, sous le règne de Catherine : le Cosaque Emelian Pougatchev fomente une insurrection des populations de la Volga. Tous les détails ont été soigneusement mis au point : d'accord avec ses compagnons, il doit se faire passer pour le défunt tsar Pierre, assassiné sur l'ordre de Catherine. Cependant, exaspérés par la tyrannie des fonctionnaires, les Kalmouks s'enfuient en direction de l'Asie et viennent grossir les rangs des insurgés. La révolte gronde, les têtes coupées des propriétaires garnissent les arbres, les portes et les piques. Mais les forces régulières reprennent la situation en main ; et, sentant le vent tourner, les compagnons du faux tsar livrent Pougatchev à ses ennemis. Pougatchev, tout d'abord, ne peut croire qu'il a été trahi par les siens ; avec mélancolie il se rappelle sa jeunesse, le parfum des champs qui l'ont vu naître : « Mon Dieu ! / L'heure est-elle vraiment venue ? / Est-il possible que tu succombes sous ton âme / Comme sous un fardeau ? / Hier encore, il semblait, il semblait... / Mes chers... chers ! Mes bons ! » Et sur ces mots désenchantés s'achève le poème. Pougatchev, comme Essenine lui-même, rêve d'un paradis pour les travailleurs de la terre. Très près de notre époque, le personnage ressemble à son créateur, tant par le côté brutal et déréglé de son caractère que par l'amour qu'il porte aux choses des champs. Déçu dans ses espoirs, Essenine jette un dernier regard sur le passé : il est le nouveau Pougatchev, le paysan qui, venu à la ville en croyant y trouver des compagnons de lutte, se sent trahi par eux. — Trad. chez Povolozky, avec *La Confession d'un voyou,* 1923 ; rééd. L'Âge d'Homme, 1983.

POULPES (Les). Roman de l'écrivain français Raymond Guérin (1905-1955), publié en 1953. C'est, après *L'Apprenti* (*) et *Parmi tant d'autres feux* (*), le troisième volume de la grande fresque romanesque entreprise par Guérin sous le titre général d'*Ébauche d'une mythologie de la réalité*. Alors que les précédents volumes décrivaient l'éducation d'un homme (M. Hermès) et le laissaient au seuil de la maturité, celui-ci ne décrit que des hommes mûrs, mais jetés dans une situation qui est la négation ou plutôt la dérision de leur maturité : la captivité en Allemagne entre 1940 et 1944. D'emblée ce dérisoire apparaît dans les noms sous lesquels se désignent les prisonniers, et qui ne sont pas des noms propres mais exclusivement des sobriquets : le Grand Dab (M. Hermès), Thorax d'Ajax, la Globule, Domisoldo, Tante Pitty, Cornette-Bif, Chienne-de-Vie, Marie-Madeleine, Frise-poulet, le Folliculaire, Petite Voiture, etc. — sobriquets qui les dépeignent physiquement ou moralement en les dépersonnalisant. Livrés à l'arbitraire et comme émasculés par la vie du camp, les prisonniers réagissent par un goût curieux du travestissement : travestissement du langage d'abord, qui donne un argot coloré mais négateur à l'exemple des sobriquets ; travestissement de l'ordre social, qui aboutit à l'organisation d'une société qui est comme l'image inversée de la société normale (un peu comme au Moyen Âge la messe de l'âne était une sorte d'inversion de la messe véritable) ; travestissement enfin de tous les rapports humains, qui reflète le côté larvaire de la condition du prisonnier. Et c'est l'un des aspects singuliers de ce livre que la peinture de ce recours naturel au travesti et à l'inversion (assez rarement sexuelle bien que beaucoup de prisonniers en miment l'attitude), comme si tel était spontanément pour l'homme le moyen de s'exprimer au sein d'un univers où la privation de la liberté rend toutes les valeurs dérisoires. Par ailleurs, ce gros roman recompose pour nous ce qui constituait la vie quotidienne d'un camp : l'obsession de la nourriture, la promiscuité à l'intérieur des baraquements, les appels, les corvées, les tentatives d'évasion, les brimades, les rapports avec l'ennemi (qui a lui aussi son sobriquet, les Tordus), la propagande du régime de Vichy, qui voudrait faire de cette abjection journalière une héroïque régénération (sobriquet de Pétain : le Vieux Baveux). Mais il ne s'agit jamais d'un reportage ou d'une simple description : les phrases ont le rythme même de cette vie, et elles sont, dirait-on, tissées de sa substance, si bien que le texte se présente comme une transposition verbale de l'univers du camp, et qu'il en communique les effets au lecteur à travers un étonnant délire qui, par le désespoir, la lassitude, l'indifférence, conduit peu à peu à la désagrégation morale. Conscience à vif au milieu de cet univers, le Grand Dab (M. Hermès) refuse tous les accommodements pour en boire jusqu'à la lie la nauséeuse abomination, et quand l'Épilogue nous le montre rendu à la liberté, il lui est impossible d'oublier les « poulpes » — c'est-à-dire les forces hideuses que la société ne cesse d'engendrer pour avilir l'homme et le museler chaque jour davantage. Maintenant, pour lui, « tout n'était toujours et partout, tout ne serait désormais toujours et partout que cauchemar et fantasmagorie ».

Dans sa note liminaire, Guérin insiste sur le fait que ce livre est, avant tout, un « livre de dérision totale, dérisoire même dans sa plus abrupte inspiration », mais ce qui frappe également le lecteur c'est l'extraordinaire puissance du verbe capable de faire surgir de ce tableau amer et implacable un chant épique — de transformer le dérisoire en épopée de la dérision.

POUPÉE (La). Roman de l'écrivain français Jacques Audiberti (1899-1965), publié en 1956. Cadre : une Amérique latine d'opérette. Un pays, situé quelque part entre le Pacifique et l'Atlantique, la cordillère et la pampa, est gouverné, naturellement, par un dictateur. Comme beaucoup de ses confrères, ce dictateur est colonel. Il a décrété que le pays serait un « jardin public ». Il a construit des stades. Il se passionne pour une autoroute dont le ruban avance de dix mètres par jour. Il est très lié avec les Américains (du Nord). Il entretient des relations tout à fait amicales avec le capitaliste numéro un du coin, propriétaire de la moitié des mines et de quelques autres bagatelles. Avec la femme de ce brave homme, une antipathique Marion, divorcée et redivorcée, il entretient des relations plus qu'amicales. Dans ce pays, il y a un savant, Democrito Palmas. C'est peut-être le seul, mais il est grand. Il a trouvé le moyen de tout reproduire à volonté, sans effort, grâce à la magie moderne d'une formule mathématique. Rien ne l'empêcherait, par conséquent, de fabriquer, sans aucune matière première, sans aucun travail, autant de canons qu'on voudrait. Mais cette idée ne l'enthousiasme pas. Heureusement pour lui, personne, sauf Marion, ne le lui demande. Et encore, cette unique enquiquineuse y met de la grâce et de la douceur. Il est clair comme de l'eau de roche qu'il pourrait la satisfaire à meilleur compte. Cela aussi, il le dédaigne. Ce qui l'intéresse, c'est de s'amuser, de faire une curieuse expérience, de réaliser un rêve. Il crée un double de la dame et, quittant sa propre enveloppe charnelle, va animer celle-là. Il saura ainsi ce que c'est que d'être une femme et si (cette question le préoccupe depuis longtemps) les seins paraissent lourds ou légers. Un dictateur, un capitaliste et un savant, ce n'est pas assez pour constituer un pays, même en Amérique du Sud. Il y a aussi des étudiants. Naturellement ils préparent une révolution. Elle aura lieu demain. Le colonel sera assassiné à l'hippodrome. Mais un certain Gant de crin, homme qui aime assassiner, flanque tout par terre en expédiant prématurément le dictateur dans l'au-delà. La révolution est fichue. Le cabinet déjà désigné restera à tout jamais un cabinet fantôme. À moins que... Eh oui ! trouver un sosie. Justement on en a un sous la main : l'étudiant qui (les coïncidences ont leur charme) devait être l'assassin. On le prend par les sentiments. On le maquille, on lui met une casquette, un foulard et des lunettes. Le tour est joué. Trop bien joué : l'étudiant, bien conseillé par une jeune fille qui s'intéresse à lui (et qui est la fille du capitaliste) cède à la tentation de ne pas se laisser assassiner. Colonel on l'a promu, colonel il restera. Une fois de plus, rien n'a changé sous le soleil. Le savant, qui profitait de son physique de jolie femme pour exalter les foules en chantant et en dansant aux couleurs de la liberté, est au même moment trahi par son invention. Celle qu'il habitait n'était qu'une poupée. Elle se démantibule et il doit reprendre sa vieille peau triste. Contée sans précipitation, sur le ton apparent de la banalité, cette œuvre vient à nouveau questionner la réalité et se heurter à la mort.

POUPÉE (La) [*Lalka*]. Roman de l'écrivain polonais Bolesław Prus (pseud. d'Aleksander Głowacki, 1847-1912), paru en 1890. Journaliste, l'auteur était mieux placé que personne pour observer la vie sociale de son pays au lendemain de la fameuse insurrection manquée de 1863. Dans ce roman qui se passe à Varsovie aux environs de 1880, il étudie de près les différentes classes de la société polonaise. Ce qui, en soi, était une innovation, les écrivains polonais n'ayant cherché jusque-là leur inspiration que dans la peinture des mœurs paysannes ou provinciales. L'action de ce roman est assez complexe en raison de diverses intrigues. Son héros est un riche marchand nommé Stanilas Wokulski. Esprit éminemment pratique, mais en même temps idéaliste, il incarne certainement nombre de tendances chères à l'auteur lui-même. Bien qu'il dépense des trésors d'énergie et d'intelligence, il n'arrivera pas à briser le mur de préjugés qui sépare de la bourgeoisie l'aristocratie polonaise. Le nœud de l'intrigue, ce sont les efforts que déploie ce Wokulski en vue de conquérir la jeune comtesse Isabelle Lencka, dont il est fort amoureux. Mais l'étroitessse d'idées de cette dernière, ainsi que son manque de scrupules, rendent sa tâche fort difficile. Au vrai, ce n'est guère qu'une poupée. Il réussit à attirer son attention, mais non à éveiller chez elle le moindre sentiment vrai. Autour de ces deux héros évoluent nombre de personnages qui brassent des idées et soulèvent tous les problèmes brûlants de l'époque envisagée : les rapports internes aux classes dominantes, ainsi que les rivalités qui opposaient, les uns aux autres, les divers éléments ethniques dont se composait la population de Varsovie : Polonais catholiques, Russes orthodoxes et juifs. La tournure originale de son esprit, son humour très fin et une grande richesse d'observation ont permis à l'auteur de faire de *La Poupée* le plus beau roman de mœurs de la littérature polonaise du XIXe siècle. — Trad. Éditions mondiales, 1962.

POUR C. RABIRIUS [*Pro C. Rabirio perduellionis reo ad Quirites oratio*]. Parmi les *Discours* (*) consulaires de l'écrivain latin Cicéron (106-43 av. J.-C.), qui, tous, furent prononcés en 63, la plaidoirie pour Rabirius compte parmi celles qui eurent le plus grand succès du point de vue purement politique. Ce Rabirius était accusé par Labianus d'avoir tué, 37 ans auparavant, le tribun Saturnin. Le but de l'accusation était d'attaquer, à travers Rabirius, la caste sénatoriale et consulaire et de saper son autorité. En gagnant le procès, Cicéron réaffirma la nécessité pour l'État d'user des pleins pouvoirs lorsque sa sécurité est menacée. C'est ainsi que, contre les entreprises révolutionnaires de Catilina, Cicéron fut contraint d'user de moyens extrêmes, afin de pouvoir mettre fin à la menace d'un coup d'État. Dans ce discours, Cicéron fait passer au second plan l'accusation elle-même, le meurtre en question datant de trop loin pour passionner l'opinion. Mais cela permettait au grand orateur de faire un discours sur la politique générale, et c'est sur elle que Cicéron avait mis l'accent de toutes ses forces. — Trad. Les Belles Lettres, 1949.

POUR INTRODUIRE LE NARCISSISME [*Zur Einführung des Narzissmus*]. Œuvre de l'écrivain et psychanalyste autrichien Sigmund Freud (1856-1939), publiée en 1914. Ce texte prend acte de la nécessité d'introduire le concept de narcissisme dans la théorie « métapsychologique » des processus inconscients (le terme étant signalé chez Freud dès 1909). Il s'agit donc, autant que d'une introduction *au* concept de narcissisme, de l'introduction *du* narcissisme — concept élaboré par la sexologie allemande (le terme fut inventé par Näcke en 1899) — dans la psychanalyse. Le narcissisme, en allusion au mythe grec de Narcisse notamment évoqué par Ovide — v. *Métamorphoses* (*) —, désignait, à l'époque où Freud s'en empare, une perversion par laquelle le sujet « traite son corps propre comme un objet sexuel ». Resitué dans le contexte de la psychosexualité et de la libido, la notion doit être élargie et spécifiée : on retrouve en effet des « traits de comportement narcissique » dans des contextes variés (notamment l'homosexualité), au point qu'il y a lieu de lui faire une place « dans l'évolution sexuelle normale de l'homme ». C'est ce pas que franchit la psychanalyse : thèse d'un « narcissisme primaire et normal ». Il y aurait lieu de postuler un investissement de la libido sur le moi [Ichlibido] qui serait ensuite dérivée vers les « objets » [Objektlibido]. Phénomène patent aussi bien dans les psychoses où la libido se retire des objets du monde extérieur (schizophrénie) que dans le mode de penser des peuples dits primitifs où règne la « toute-puissance des pensées ». C'est en suivant, par la clinique, l'observation de cette forme d'« amour de soi », soustrayable à la réalité, que Freud introduit une modification majeure à la conception consignée en 1905 dans les *Trois essais sur la théorie sexuelle* (*). La libido ne se définit plus exclusivement par son contenu objectal, mais par le Moi, cette instance de refoulement — qui constitue un véritable sujet narcissique. Cela ouvre notamment une perspective sur la dimension inconsciente de l'amour : le choix d'objet suppose notamment une « surestimation » [Uberschätzung] qui procède du fait paradoxal que l'amoureux réinvestit dans l'objet de sa « passion » l'amour dont il s'aimait lui-même à l'origine, avant le renoncement sous la pression de la réalité. Le narcissisme serait à placer entre l'autoérotisme et la découverte de l'objet. Mais c'est par là même une dimension chronique du rapport à l'objet, quoique, sur le plan économique, l'investissement narcissique du Moi se solde par un appauvrissement de l'investissement d'objet.

L'enjeu de cette innovation est, en confrontation avec la conception de Jung (*Métamorphoses et symboles de la libido*), de penser à la fois le rôle du Moi — dont l'émergence requiert une « action psychique » propre — et celui de la libido. Le narcissisme est en effet proprement un « Éros du moi », « complément libidinal à l'égoïsme ». Il en fournit donc une image saisissante, celle d'un « animal protoplasmique », envoyant des « pseudopodes » sur les objets et les ramenant à lui : tels seraient les « investissements d'objets », émanations de cette source.

La structure de l'écrit procède du projet de Freud. Après une première section, consacrée à la « justification de l'introduction du narcissisme » — conformément aux considérations précédentes —, une seconde section examine à la fois les difficultés d'une telle initiative et les perspectives inédites qu'elle ouvre, non seulement sur la psychopathologie, mais sur la « vie amoureuse de l'homme ». Ainsi se dégage un choix de type narcissique : on aime ainsi ce qu'on est soi-même, ce qu'on fut, ce qu'on eût aimé être ou la personne qui est une partie de soi — en opposition au choix d'objet « par étayage » qui oriente l'amour vers l'autre qui donne les soins (mère) ou protège (père). Le narcissisme devient donc, paradoxalement, raison d'aimer : le narcissisme attribué à l'enfant aussi bien qu'à la femme avide d'être aimée, ou bien encore au grand félin et au fauve, au grand criminel ou à l'humoriste, crée cette fascination, par personnes interposées, qui commémore le narcissisme primitif.

La troisième et dernière section va tirer les conséquences majeures de l'introduction du narcissisme au plan de la topique du Moi. C'est l'« auto-estime du Moi » qui rend possible le refoulement. Il s'agit en effet d'expliquer pourquoi tel sujet refoule tel désir qu'il estime inadmissible, alors qu'il reste indifférent à tel autre. Cela suppose qu'« il a érigé en lui un idéal ». Cette « formation d'idéal » procède du narcissisme primitif qui jouit des prérogatives du Moi-plaisir de l'enfance. C'est cette instance du « Moi idéal » qui fait office de censure, au sens de contrôle social. C'est ainsi que la « honte » manifesterait l'autoréprobation, le Moi dérogeant à l'idéal qu'il s'est arrogé à l'origine. Sur ce point, Freud dame en quelque sorte le pion à la théorie d'Alfred Adler de la « protestation virile » : là encore, c'est sur le terrain libidinal que l'essentiel se joue, à condition de comprendre la fonction narcissique du processus. Texte jalon de l'évolution de la métapsychologie freudienne, ouvrant la voie à *Au-delà du principe de plaisir* (*), cet essai trouvera des retombées importantes dans la conception freudienne du social. L'« idéal du Moi » introduit dans la troisième section sera précieux pour la « psychologie collective » : c'est en effet la constitution d'un idéal du Moi collectif qui rendrait compte du fonctionnement des institutions — Église, armée (*Psychologie collective et analyse du Moi,* 1921). Mais, au-delà même de la psychanalyse stricto sensu, ce texte rend possible une élaboration du thème du narcissisme qui, non fortuitement, traverse toute la littérature. La psychanalyse permet ainsi de comprendre que l'aventure de Narcisse, condamné selon la mythologie à s'éprendre de sa propre image pour n'avoir pas su répondre à l'amour de l'autre (punition de la déesse Némésis du refus de la nymphe Écho), et à prendre racine devant cet amour impossible, symbolise un véritable problème structurel du rapport « spéculaire » du moi à lui-même. Par cet essai, Freud élève donc le mythe de Narcisse à sa dimension métapsychologique. — Trad. P.U.F., 1969. P.-L. A.

POUR LA CHRONIQUE DE GRIESHUUS [*Zur Chronik von Grieshuus*]. Nouvelle du romancier et conteur allemand Theodor Storm (1817-1888), publiée en 1883-1884, dans laquelle l'écrivain traite de l'hérédité en tant que facteur déterminant dans le destin d'une race. L'action se passe au XVIIe siècle ; nous sommes transportés dans un château situé sur une lande désertique du Schleswig. Les héritiers du château sont des frères jumeaux, Heinrich et Detlev : si Heinrich est très impulsif et violent, mais foncièrement bon et généreux, Detlev, au contraire, est d'un naturel si hautain et renfermé que personne ne parvient à l'approcher. Après la mort du père, Heinrich épouse une jeune fille de condition sociale très inférieure à la sienne. Son frère voit là une mésalliance et cherche à humilier la jeune femme par tous les moyens. Finalement, il lui adressera une lettre à ce point cruelle et offensante que la jeune femme, dans sa frayeur, accouchera prématurément sous l'effet de l'affront enduré. Elle mourra d'une hémorragie en donnant le jour à une petite fille. Le mari, à demi fou de douleur, demande à Detlev une explication et, emporté par la colère, tue son frère, puis disparaît. L'enfant est élevée par les grands-parents ; plus tard, elle se mariera, aura un fils, puis mourra, elle aussi très jeune. Rolf, le jeune garçon, réunit toutes les qualités de ses ancêtres : la grandeur d'âme et la beauté de sa grand-mère, le tempérament violent et le courage de son grand-père. Son père, militaire, le fait élever dans son domaine à Grieshuus.

Un jour s'y présente un vieillard, à l'allure fière, qui demande à être embauché comme garde-chasse et le devient. Une étrange et vive sympathie lie de suite le petit Rolf au vieillard qui lui enseigne à monter à cheval. Il lui enseigne également les jeux et les exercices de gymnastique et lui apprend ainsi à dominer ses mouvements de violence. Rolf aime le vieillard de toute son âme. Les années passent. Rolf devient un homme et entre dans l'armée. La guerre contre la Russie éclate, et, comme l'ennemi approche jusqu'aux environs de Grieshuus, Rolf se voit confier la mission de surveiller un pont situé à quatre heures à peine du château. On apprend sur ces entrefaites que les Russes se sont encore rapprochés et ont sans doute l'intention d'attaquer le poste de Rolf avec des forces supérieures aux siennes. Il faut aviser le jeune homme dans les délais les plus brefs. C'est une nuit de tempête, on doit chevaucher à travers un bois épais et infesté de loups, sans doute déjà occupé par l'ennemi. Personne ne s'offre, excepté le garde-chasse qui part dans la nuit terrible et sombre. On attend anxieusement. À l'aube arrive une charrette sur laquelle est étendu le corps inanimé de Rolf. Le vieillard, durant la folle chevauchée, a eu une syncope et n'a pu rejoindre Rolf à temps. Les Russes ont ainsi pris le poste pendant son sommeil, et tous les soldats ont été tués. Plus tard, le père de Rolf et ses amis désespérés trouvent le cadavre du garde-chasse dans le bois. En l'examinant, ils découvrent avec une immense surprise que c'est Heinrich, le grand-père de Rolf. Il n'avait pu résister à la nostalgie de sa terre, de son petit-fils, dernier rejeton de sa race, sang de son sang ; il avait préféré vivre comme un serf sur cette terre qu'il n'aurait autrement jamais plus habitée. Cette nouvelle est une des plus suggestives et puissantes de l'auteur par la noblesse de langage, la densité des couleurs et la description passionnée des personnages, caractères renfermés et contenus, pleins d'une violence primitive et domptée. — Trad. Aubier, 1954.

POUR LA CONNAISSANCE PHILOSOPHIQUE. Œuvre du philosophe français Gilles-Gaston Granger (né en 1920). Dans ce livre, publié en 1988, l'auteur de *Pensée formelle et sciences de l'homme* aborde une question que ses recherches antérieures appelaient naturellement. En se proposant de « philosopher sur la philosophie », Gilles-Gaston Granger entend en effet poser la question de la « connaissance » philosophique, comme il avait antérieurement posé la question de la « connaissance » scientifique, en particulier pour les sciences de l'homme. Certes, l'histoire de la philosophie fournirait plus d'une réponse à une semblable question. Mais Granger a de bonnes raisons de penser que la démarche mise en œuvre dans ses travaux antérieurs lui permet de la poser à nouveaux frais. « Nous voulons aborder la question du savoir philosophique non pas dans l'esprit du métaphysicien, déclare-t-il, mais dans l'esprit de l'épistémologue. Ce ne sont que des formes de connaissance qu'il nous faudra comparer. » En ce sens, *Pour la connaissance philosophique* marque une étape nouvelle et nécessaire dans le développement d'un projet dont la signification est claire. Conformément à une ligne que l'on pourrait dire kantienne, l'épistémologie comparative de Granger devait, dans un second parcours, aborder la question de la philosophie et tenter d'établir en quoi, sans se confondre avec la science, elle appartient bien à la connaissance.

Pour claire qu'elle soit, la question n'en paraîtra certes pas moins étrangère aux tendances ou au goût du jour. Elle l'est en effet. La conviction qui s'y exprime anime la plupart des travaux de Granger qui, à l'image de Kant ou de Carnap, s'est toujours interdit de mélanger les racines de l'art et de la philosophie. Mais la philosophie n'est pas une science. Elle ne peut pas être une science, contrairement à une ambition certes fort répandue. Elle ne « dit » ni le vrai ni le juste et ne peut élaborer des « modèles » des phénomènes. En revanche, le travail de la « forme » et du « contenu » qui en constitue la tâche consiste à « organiser des significations ». Il s'agit au demeurant d'une idée centrale du livre. En partant d'un examen de la connaissance sensible pour passer à une étude de la rigueur mathématique qui se prolonge dans une réflexion sur la connaissance qualitative, puis sur les vraies et fausses sciences, Granger parvient à dégager l'ensemble des traits qui confèrent à la philosophie un visage différent de celui de la science, tout en partageant avec elle un « air de famille », au sens wittgensteinien. La thèse qu'il est ainsi amené à défendre, par des voies comparatives, consiste à présenter la philosophie comme une « connaissance sans objet ». Les concepts philosophiques sont des métaconcepts qui visent l'insertion d'une expérience dans une totalité virtuelle. La thèse considérée, telle qu'il nous faut la résumer, se singularise notamment en ceci que, inspirée d'une réflexion sur la science, elle renvoie dos à dos l'attitude de ceux qui, en philosophie, prennent volontiers congé de la rationalité, celle de ceux qui prônent un retour aux choses, ou de ceux qui croient pouvoir enfermer le philosophe dans un univers linguistique, sans penser qu'il n'est en fin de compte que celui d'une langue donnée... parmi d'autres.

J.-P. C.

POUR LANCELOT ANDREWES [*For Lancelot Andrewes : Essays on Style and Order*]. Recueil d'essais critiques publié en 1928 par l'écrivain anglais Thomas Stearns Eliot (1888-1965). Le sous-titre « Essais sur le style et l'ordre » indique l'évolution des intérêts de l'auteur qui avait consacré à « la poésie et la critique » son recueil *Le Bois sacré* (*). La préface contient la fameuse définition qu'Eliot donna de lui-même : « classique en littérature, royaliste en politique, anglican en religion ». Il omit cette préface lorsque quatre de ces essais furent recueillis avec six autres études pour former, en 1936, les *Essais anciens et modernes* [*Essays Ancient and Modern*]. C'est que cette formule mettant sur le même plan les trois termes ne correspondait plus à l'importance croissante que prenait à ses yeux le dernier.

À côté de développements sur le thème de l'ordre — assimilé au classicisme comme dans les *Essais choisis* (*) — le recueil contient un important chapitre sur « Baudelaire à notre époque » [Baudelaire in our Time]. L'auteur distingue cinq générations littéraires qui sont en gros celles de Baudelaire, de George Eliot, d'Oscar Wilde, de Shaw et d'Eliot lui-même. La « tradition », sautant une génération sur deux, élimine pratiquement à ses yeux George Eliot et Bernard Shaw. L'auteur emploie ici « tradition », ce terme clé de ses écrits critiques, dans des acceptions diverses, tantôt littéraires tantôt historiques, pour conceptualiser ce qui n'est souvent qu'un goût personnel. Comme l'indique le titre du recueil, Eliot tente en effet d'établir la réputation littéraire de l'archevêque Lancelot Andrewes, auteur de sermons comparables à ceux de son contemporain John Donne. Selon Eliot, les sermons de Donne sont inférieurs parce qu'ils contiennent des erreurs doctrinales et manquent de discipline spirituelle. Il érige ainsi, au nom de l'unité synthétique du contenu et de l'expression, des critères moraux justifiables en critères esthétiques par un glissement discutable pour aboutir à des conclusions peu valables. Ce mélange de la religion et de la littérature, qu'Eliot introduit à cette étape de son développement dans la notion même de tradition, va constituer l'originalité, mais aussi l'ambiguïté souvent regrettable de ses conceptions critiques.

POUR LA SAINTE RELIGION DES CHRÉTIENS [*Ὑπὲρ τῆς τῶν Χριστιανῶν εὐαγοῦς θρησκείας πρὸς τὰ τοῦ ἐν ἀθέοις Ἰουλιανοῦ*]. Ouvrage d'ardente polémique composé par saint Cyrille (élu patriarche d'Alexandrie en 412 et mort en 444) « contre l'empereur Julien ». Migne, dans sa *Patrologie grecque* (*), le désigne d'ailleurs sous le titre *Contra Julianum imperatorem ;* on le connaît aussi sous le titre *Défense du christianisme.* Entre 362 et 363, Julien l'Apostat avait eu l'idée d'écrire trois livres « contre les Galiléens » et, à soixante-dix ans de là, précisément en l'an 433, saint Cyrille en faisait une réfutation en trente livres. Il était depuis vingt ans patriarche d'Alexandrie et on le nommait le « Pharaon d'Alexandrie ». On possède actuellement les dix premiers livres complets et seulement des fragments des autres. Les dix premiers contiennent la réfutation du premier livre de Julien l'Apostat et l'étude des rapports historiques et théologiques existant d'une part entre le judaïsme et le paganisme et, d'autre part, entre le christianisme et le judaïsme ainsi qu'entre le christianisme et le paganisme. En attaquant la religion chrétienne, Julien l'Apostat s'était efforcé de prouver que le christianisme n'était qu'un hébraïsme dégénéré, contaminé par des infiltrations et des déformations païennes. Saint Cyrille réfute minutieusement les thèses de l'empereur et cite de lui de si nombreux passages qu'il a été possible à un critique sagace, Neumann, de reconstituer en quelque sorte les textes que l'auteur se proposait de combattre. Le style de saint Cyrille ne s'écarte pas des règles tracées par les apologistes des IIe et IIIe siècles : en effet, le patriarche d'Alexandrie a repris une à une les accusations portées par l'Apostat contre la foi et le culte des chrétiens. Son ouvrage est dédié à l'empereur Théodose II.

POUR LE BAPTÊME DE NOS FRAGMENTS [*Per il battesimo dei nostri frammenti*]. Recueil de poèmes du poète italien Mario Luzi (né en 1914), publié en 1985. Ce livre manifeste une conscience aiguë de la fragmentation du monde en micro-éléments proliférants qu'interprètent des pensées qui sont elles-mêmes des micropensées immédiates, aussitôt annulées et remplacées par d'autres en fonction des nécessités dévorantes de notre modernité. Le sens s'impose à l'esprit en un éclair et non plus comme auparavant par un travail d'assimilation lent et progressif. Le moule des longues laisses sera donc cassé pour des pièces, le plus souvent brèves, qui font défiler un kaléidoscope où les portraits de femmes et d'amis côtoient ceux de lutteurs et de boxeurs en pleine action ; où l'évocation de la Chine au moment de « la bande des quatre » précède et suit les allusions au terrorisme des années 70 en Italie avec comme point culminant l'assassinat d'Aldo Moro (« ce sac / effrondré de chair déjà noire ») en 1978 ; où l'évocation des « Crete » (ces collines argileuses de la région d'Asciano), paysage mental de l'auteur, accompagne celle de la Lucanie ou de l'Ombrie. À l'intérieur même du poème, la cohésion est brisée par des voix dialogantes où les principes mâle et femelle

(« lei » et « lui ») s'affrontent en une dialectique serrée. Parfois des plages de sérénité sont ménagées, surtout lors de l'évocation du « grand code » de la nature. Souvent Luzi invoque la langue, évoque la nécessité d'en retrouver la pureté perdue, le Verbe qui l'habite, insiste sur l'urgence de travailler à sa nécessaire régénération. On connaissait déjà chez Luzi la recherche du sens qui se dérobe ; ici le poète campe au cœur de la quête, dans une alternance de moments contradictoires, de retournements de sens, d'inversions de rôles. Pourtant demeurent comme les traces d'une démarche : elles apparaissent dans la progression du volume qui recompose une figure idéale du voyage dans la grande tradition dantesque, de l'enfer à la salvation. – Trad. Flammarion, 1987. P. R.

POUR LE PIANO. Suite pour piano du compositeur français Claude Debussy (1862-1918), formée de trois pièces (« Prélude », « Sarabande », « Toccata ») écrites de 1896 à 1901 et créées à Paris en 1902. C'est la première œuvre pour piano importante et complètement originale de Debussy. Les deux morceaux le plus typiquement pianistiques, le « Prélude » et la « Toccata », ouvrent un genre d'écriture pour cet instrument qui reviendra plus tard dans la production pianistique du maître, une écriture qui se rattache à la tradition des clavecinistes français des XVIIe et XVIIIe siècles, de Scarlatti et de Bach. Mais ce n'est qu'à un point de vue purement formel que ces pages semblent se référer à tout un ensemble de formules chères aux maîtres du clavecin : limpides et scintillants arpèges souvent divisés entre les deux mains, trilles, entrelacs polyphoniques ténus et à peine marqués, le tout réalisé en vue d'une technique du clavier particulièrement vive et colorée. Au-delà de cette complaisance d'écriture, il y a la substance plus intime de la musique, qui a désormais tous les caractères du style debussyste, même si l'on n'y trouve pas les atmosphères sonores languides et vaporeuses qui sembleraient plus particulières à l'auteur. Ici, c'est tout un crépitement de sons clairs et cristallins, constituant un aspect de la langue pianistique chez Debussy, telle qu'elle sera encore représentée, plus tard, par « Les Jardins sous la pluie » – v. *Estampes* (*) –, par « Mouvement » – v. *Images* (*) –, « Tierces alternées » – v. *Préludes* (*). La « Sarabande », d'une élégance sévère et somptueuse, d'une tristesse solennelle, sépare, de son mouvement lent, de la richesse de ses harmonies, les deux mouvements vifs de la suite, le « Prélude » et la « Toccata ». Pareille gravité, noble et mélancolique, se retrouvera dans certaines pièces que Debussy composera par la suite.

POUR L'INVALIDE [*Ὑπὲρ ἀδυνάτου*]. Plaidoyer de l'orateur grec Lysias (440 ?-360 ? av. J.-C.), l'un des plus célèbres et des plus appréciés qu'il ait composés. La futilité de la cause est compensée par un grand art qui est bien personnel à l'orateur. Celui-ci a brossé, avec une rare finesse, un tableau merveilleusement vivant. Ce qui nous émeut encore, c'est le portrait fidèle de l'accusé, citadin type, Athénien à l'esprit simple, plein de bonhomie néanmoins et de finesse (c'est lui qui devait lire le texte préparé pour sa défense). Notre homme, un invalide original que toute la ville devait connaître, courtois, doux, spirituel, et qu'un accusateur voulait priver de la pension que lui accordait l'État, accuse à son tour : il accuse ce monde d'oisifs et de bavards qui, sur les places publiques et dans les rues, s'occupe des affaires des autres sous prétexte de sauvegarder l'État et qui, imbu d'un orgueil méprisable, croit mériter la reconnaissance du peuple. Lysias se plaît à décrire la vie de son client, la douceur de ses mœurs citadines. Certes, il ne montre guère ses connaissances juridiques (mais la cause, il est vrai, n'avait aucun fondement juridique). Ce qui ressort ici, c'est son humour léger, sa culture. En somme, on se trouve en présence d'un discours élégant sur un sujet intéressant. L'auteur voulait certainement faire œuvre d'artiste plus que de juriste ; il savait aussi qu'en présentant au public une plaidoirie qui mettait en valeur ses dons les plus certains il atteindrait la réussite escomptée. – Trad. Belles Lettres, 1926.

POUR L. MURENA [*Pro L. Murena*]. C'est le dernier des *Discours* (*) consulaires, prononcé en 63 par l'écrivain latin Cicéron (106-43 av. J.-C.). Le consul désigné, Lucius Murena, était accusé par Servius Sulpicius et par Caton d'avoir truqué les élections. Pour faire débouter des accusateurs aussi influents, Cicéron emploie l'arme du ridicule ; il raille l'acharnement et la pédanterie avec lesquels ces personnages interprètent la loi. Il est intéressant de noter que l'homme, qui dix ans plus tard sera à Rome le philosophe le plus éminent et le plus grand compilateur d'œuvres philosophiques, use de toute sa dialectique pour tourner en dérision penseurs et moralistes. – Trad. Les Belles Lettres, 1947.

POUR LUCRÈCE. L'écrivain français Jean Giraudoux (1882-1944) ne devait jamais voir jouer cette pièce que la compagnie Madeleine Renaud-Jean-Louis Barrault créa au théâtre Marigny, en 1953, neuf ans après sa mort. Aix, autrefois ville de l'amour, ne respire plus depuis l'arrivée de l'honnête procureur Blanchard et de Lucile, sa belle et vertueuse épouse, dont l'aversion pour l'impureté va jusqu'à la répulsion physique. Grâce à elle, les maris trompés découvrent la trahison de leurs compagnes, et la « maffia des femmes » est démasquée. Paola, l'épouse infidèle d'Armand, perd l'amour de son mari. Elle décide de se venger. Une nuit, Lucile se réveillera dans une chambre inconnue sans comprendre ce qui lui est arrivé. Paola lui apprend qu'elle a été la maîtresse consentante de Marcellus, ce séducteur qu'elle méprise tant. Révoltée, Lucile découvrira pourtant la haine, l'amour et le remords. Provoqué en duel par Armand, Marcellus mourra. Le procureur est convaincu par Barbette l'entremetteuse de l'infidélité de sa femme. Pour ne pas trahir son innocence, Lucile s'empoisonne sans savoir qu'il s'agissait d'une supercherie inventée par Paola, avec la complicité de Barbette.

Lucile est la sœur d'une autre héroïne giralducienne : *Judith* (*). Judith découvrait l'amour par Holopherne. Lucile découvrira avec horreur qu'elle aime Marcellus. Sans avoir la froideur de l'héroïne romaine, Lucile en a conservé l'innocence et l'impitoyable intégrité. Elle en mourra. Si sa dignité hautaine la fait parler dans le style altier des tragédies antiques, d'autres personnages plus proches de nous s'y opposent et s'entre-déchirent.

POUR MILON [*Pro T. Annio Milone oratio*]. Fameuse plaidoirie — v. *Discours* (*) — de l'écrivain latin Cicéron (106-43 av. J.-C.), qui remonte à l'an 52. Il s'agissait d'un homicide : Milon avait tué Clodius, un ennemi personnel de Cicéron. Les plébéiens, rendus furieux par l'assassinat de leur tribun, envahirent la Curie et l'incendièrent au milieu d'un grand tumulte. C'est donc dans ces circonstances dramatiques que Cicéron assuma la défense de Milon, mais la présence des troupes chargées du maintien de l'ordre par Pompée décontenança Cicéron, qui ne put empêcher la condamnation de Milon. Le texte publié a été rédigé après coup. Cicéron commence sa plaidoirie en s'excusant de l'émotion qu'il ressent ; puis il se met à réfuter les accusations de ses adversaires. Certes, Milon a avoué ; certes, il a tué Clodius, mais il l'a tué en tant qu'homme privé et non en tant que magistrat, c'est-à-dire sans vouloir porter le moindre tort à l'État ; et cela est d'autant plus facile à prouver qu'il avait agi en état de légitime défense. C'est dire que Milon ne mérite aucun châtiment. Davantage, il devrait être récompensé pour avoir fait disparaître cet homme si néfaste pour l'État que fut Clodius. Le *Pro Milone* est une des plus éloquentes plaidoiries du grand orateur ; il y donne libre cours non pas tant à son amitié pour le coupable qu'à sa haine envers le mort. Par le choix des arguments et l'habileté de ses développements, par son appel aux émotions, cette plaidoirie passe à juste titre pour un des plus beaux morceaux de rhétorique que l'on puisse imaginer. — Trad. Les Belles Lettres, 1949.

POUR P. QUINCTIUS [*Pro P. Quinctio oratio*]. C'est le premier des *Discours* (*) de l'écrivain latin Cicéron (106-43 av. J.-C.), qu'il prononça à l'âge de vingt-cinq ans. Il a son origine dans un procès de droit privé. Au cours d'une action judiciaire, Quinctius s'était trouvé lésé. Un créditeur avait occupé une de ses terres, puis se l'était fait adjuger. Cicéron démontra que non seulement le créditeur n'avait pas le droit d'occuper la terre mais aussi qu'il ne l'avait jamais occupée effectivement. Ce discours, le plus ancien que nous ayons conservé de Cicéron, nous révèle la puissante énergie de l'orateur, dont le génie naturel ne s'était pas encore soumis à un contrôle vigilant ni à des études méthodiques. — Trad. Les Belles Lettres, 1934.

POURPRE [*Purpur*]. Recueil de nouvelles de l'écrivain suédois Per Hallström (1866-1960), publié en 1895. Per Hallström est un des grands auteurs suédois des années 1890. Il a publié des romans, des poèmes, des pièces de théâtre, des traductions, notamment de Shakespeare. Mais c'est dans la nouvelle qu'il excelle. En 1894, il publia son premier recueil : *Oiseaux égarés* [*Vilsna fåglar*], qui fut bien accueilli par le public. L'année suivante, le recueil *Pourpre* confirma sa vocation de nouvelliste. Le pourpre est la couleur préférée de Hallström, mais c'est, selon l'auteur lui-même, le pourpre d'un coucher de soleil vu du fond de la mer. Les nouvelles de ce recueil sont des nouvelles « noires », colorées par le pessimisme de Schopenhauer ; « Le Faucon » [Falken] est sans doute la meilleure. L'histoire se passe au Moyen Âge. Un pauvre garçon au service d'un châtelain s'éprend de son faucon blanc et réussit à dresser l'oiseau. Mais le châtelain se venge en appliquant la vieille loi selon laquelle tout voleur de faucon de chasse subirait l'horrible supplice d'avoir la poitrine dévorée par l'oiseau affamé. Les autres nouvelles de ce recueil sont peut-être moins cruelles mais aussi tragiques.

POUR P. SESTIUS [*Pro P. Sestio*]. Discours de l'écrivain latin Cicéron (106-43 av. J.-C.), prononcé en 54, en faveur de Sestius. Ce dernier était accusé de violence, pour s'être employé excessivement peut-être au retour d'exil de Cicéron, pendant son tribunat. Le discours est précédé d'une *Enquête sur le témoin Publius Vatinius* [*In P. Vatinium testem interrogatio*], qui se préparait à témoigner contre Sestius. Lorsque Cicéron eut démontré la mauvaise foi de Vatinius, il n'eut pas de peine à faire acquitter son client. Ce procès fut d'autant plus célèbre que de fameux orateurs, entre autres Hortensius, siégeaient avec Cicéron au banc de la défense. — Trad. Les Belles Lettres, 1969.

POUR Q. ROSCIUS, le comédien [*Pro Q. Roscio comoedo*]. Plaidoyer extrêmement habile inséré dans les *Discours* (*) de l'écrivain latin Cicéron (106-43 av. J.-C.) et prononcé en 67. Il fait partie des discours préconsulaires. Roscius, associé à un certain Fannius, a instruit dans la profession d'acteur un esclave, qui est tué par Flavius. À titre de dédommagement, Roscius reçoit personnellement un terrain de Flavius. Mais Fannius exige la moitié de la valeur du terrain. À propos de ce paiement surgissent des contestations, d'où le procès. Le discours nous est parvenu mutilé. Il montre toutefois que Cicéron a dépassé le stade de sa technique juvénile, devenue plus savante et soignée après les études accomplies à Rhodes sous la direction de maîtres célèbres. — Trad. Les Belles Lettres, 1934.

POUR QUI FAIT-IL BON VIVRE EN RUSSIE ? [*Komu na Rusi žit' horošo*]. Poème de l'écrivain russe Nikolaï Alekseïevitch Nekrassov (1821-1877), écrit de 1865 à 1876 et publié inachevé. On y trouve l'expression la plus aiguë du pessimisme de Nekrassov, mais le poème est aussi une de ses œuvres poétiquement les plus riches. Sept paysans se mettent en chemin pour trouver qui vit bien en Russie. Ils interrogent des prêtres, des propriétaires, des paysans, tous ceux qu'ils rencontrent. C'est une suite de descriptions des conditions misérables du pays et de ses habitants parmi lesquels on trouve toutefois des âmes inspirées par de profonds idéaux. La conclusion est que personne ne vit bien en Russie, mais en tout cas qu'il existe dans le pays des forces idéales qui illuminent la voie de son avenir. Cette vision prophétique atténue le pessimisme de la conclusion. Par sa description de nombreux caractères et des conditions de vie du pays, le poème a la valeur d'un témoignage historique et social.

POUR QUI SONNE LE GLAS [*For Whom the Bell Tolls*]. Roman (au titre tiré d'un poème de John Donne exprimant la solidarité universelle) publié en 1940 par l'écrivain américain Ernest Hemingway (1899-1961). Cette œuvre, qui peut passer pour la somme de l'idéalisme des intellectuels des années trente et de leur besoin d'engagement et de rachat, fut le premier grand succès populaire de son auteur qui, justement, passait pour s'y « racheter » de son ancienne réputation de cynisme. Le livre a pour cadre la guerre d'Espagne. Robert Jordan s'est engagé dans l'armée républicaine et, comme on l'a chargé de faire sauter un pont stratégique, il a rejoint un maquis dans la région de Ségovie. Ce maquis est dominé par la figure de Pilar, incarnation de l'Espagne et de sa volonté de liberté. Les hommes : Pablo, mari de Pilar, Augustin, Fernando, le Gitan, Rafael et Andrès, sont des personnages secondaires. Mais il y a aussi Maria, une jeune fille que Pilar a sauvée après qu'elle eut été violée par les franquistes. Jordan partage la vie du maquis et tombe amoureux de Maria. La mort plane. Pilar, Jordan et Maria la sentent toute proche. Il leur faut donc vivre en quelques jours toute la vie. L'amour suspend le temps, la solitude et la mort ; il tire de leur proximité une intensité bouleversante qui ouvre le fond du corps, de la nature et des choses. Les franquistes cependant attaquent et déciment le maquis voisin. Jordan comprend que faire sauter le pont ne servira à rien, toutefois l'état-major décide l'offensive. Jordan accomplit sa mission mais se casse une jambe au cours de l'opération. Il ordonne aux autres de fuir et reste seul à la lisière de la forêt. Il attend l'ennemi. Il voudrait vivre mais il accepte sa mort parce qu'elle servira quand même à quelque chose. Cette fois, Hemingway a renoncé à la sécheresse efficace qui lui était habituelle. Ses pages versent dans un lyrisme qui, s'il nous restitue parfois le mouvement même de la « condition humaine » dans le jeu de l'amour et de la mort, aboutit trop souvent au romantisme sentimental. — Trad. Gallimard, 1944.

POURQUOI BÉNERDJI S'EST-IL TUÉ ? [*Benerci Kendini niçin öldürdü ?*]. Ce long poème dramatique du poète turc Nâzim Hikmet (1902-1963), publié en 1932 en Turquie, est construit comme un scénario dans lequel les vers alternent avec la prose et où le dialogue et les indications scéniques mêmes ont une teneur poétique. Il s'agit de la vie et de l'action politique d'un militant révolutionnaire indien, Bénerdji, qui dans la première partie du poème est accusé, à tort, de trahison par ses camarades ; son meilleur ami Somadeva lui jettera la pierre qui va le blesser au front (au sens propre et au sens figuré). Il est sur le point de se suicider quand il découvre que l'auteur de la véritable traîtrise est une jeune Anglaise dont il était amoureux ; appartenant à l'Intelligence Service, celle-ci avait dénoncé tout le monde sauf Bénerdji ; il la tuera. Dans la seconde partie, Somadeva, malgré l'insupportable souffrance que lui cause une maladie grave, ne renonce pas à l'action politique et y laisse sa vie. Dans la troisième partie, de la prison où il se trouve détenu, Bénerdji dirige la révolution. Mais, une fois libéré, il met fin à ses jours pour ne pas entraver le dynamisme de l'action révolutionnaire. Mêlant au romantisme révolutionnaire et à son intransigeance morale des descriptions dont l'ensemble forme de grandes fresques historiques et sociales, ceci avec beaucoup de liberté et d'audace, le poète compose une œuvre où se décèle une résonance particulière dans l'histoire de la poésie turque.

POURQUOI DES PHILOSOPHES ? Essai de l'écrivain français Jean-François Revel (né en 1924), prix Fénéon. Publié en 1957, il a été réédité en 1976, en un seul volume avec *La Cabale des dévots* (1962) qui en constitue une suite. Philosophe de formation — il a publié une *Histoire de la philosophie occidentale* (3 vol., 1968-70) —, Revel juge la philosophie trop importante pour qu'on la confie aux philosophes professionnels et officiels. D'emblée, il s'attaque au parti pris de la spécificité d'une technique et d'un vocabulaire qui interdiraient l'exercice de la philosophie au profane et qui conduit en fait à une « prison verbale ». Second défaut fatal à la philosophie : le « réemploi des vieux concepts faillis en les faisant passer pour neufs », voire révolutionnaires, preuve non de la validité des concepts ou du pouvoir explicatif du discours mais de la « nature presque exclusivement idéologique de la philosophie ». Celle-ci n'est plus qu'un bavardage mondain pour « publics bourgeois dans les sociétés de consommation ». Dernier défaut : l'esprit de système qui mue la philosophie apte à « parler de tout » en entreprise totalisante, sinon totalitaire, du « tout dire ». Revel déboulonne les statues de quelques papes de la philosophie : Heidegger, Husserl, Merleau-Ponty, Lacan et reconnaît l'origine de la « débilité » philosophique en France dans la mainmise de l'Université sur une discipline si nécessaire à tous qu'elle ne saurait être confisquée par les représentants d'un prêt-à-penser médiatique ou officiel. Y. P.

POURQUOI DIEU S'EST FAIT HOMME [*Cur Deus homo*]. Traité en forme de dialogue du théologien latin saint Anselme de Cantorbéry (1033/34-1109), dans lequel l'influence de saint Augustin est évidente et avouée. En ce qui concerne les rapports de la foi et de la raison, tout en reconnaissant que la foi doit être conforme aux principes de la raison, et qu'elle doit être illustrée et défendue par des motifs rationnels, il affirme nettement la primauté de la foi, seule celle-ci procurant la science et la sagesse dont l'homme a besoin pour vivre dignement « credo ut intelligam ». C'est dans cette perspective que saint Anselme entend donner ici une illustration ou une justification rationnelle des principaux dogmes de la foi chrétienne : la sainte Trinité et l'Incarnation. Le *Cur Deus homo* en effet, dans sa première partie, contient les objections mises en avant par les infidèles contre la doctrine chrétienne, pour refuser d'admettre l'Incarnation ; les réponses données par saint Anselme et les motifs pour lesquels, sans Jésus-Christ, il est impossible à l'homme d'assurer son salut. Dans la seconde partie, il est démontré que l'homme, créé en fait par Dieu pour jouir d'une béatitude éternelle, aussi bien dans son âme que dans son corps, ne pouvait y atteindre, sinon grâce aux mérites d'un Homme-Dieu, qui, en mourant, put ressusciter de la mort et être le premier des Bienheureux. Cette démarche de pensée fut accusée de « rationalisme », en ce qu'elle tend à démontrer par la raison la vérité des dogmes de la foi. Si on les observe de près pourtant, les raisons données par saint Anselme sont des raisons de convenance et non de nécessité ; ce sont des motifs par lesquels l'esprit humain reconnaît la science divine dans les dispositions regardant la rédemption de l'homme ; pour rendre à Dieu l'honneur qui lui est dû, compromis par le péché originel, il était nécessaire d'offrir à Dieu une réparation proportionnée à la dignité de la personne offensée, une réparation d'une valeur infinie, laquelle ne pouvait être donnée que par un Homme-Dieu. C'est pourquoi dans son dialogue saint Anselme parle de la gravité de la faute et de la nécessité de la réparation, de la noblesse de l'homme et de la béatitude à laquelle il aspire, de la fécondité de la réparation accomplie par Jésus-Christ, et enfin de la manière dont les fruits de la rédemption sont appliqués à l'homme pécheur, pour lui redonner, ici-bas, la grâce surnaturelle, et ensuite la béatitude éternelle. – Trad. Cerf, 1963.

POURQUOI SOMMES-NOUS AU VIETNAM ? [*Why Are We in Vietnam ?*]. Roman de l'écrivain américain Norman Mailer (né en 1923), publié en 1967. Le livre est un roman d'initiation dans la tradition américaine. Mailer y continue également l'exploration de ses thèmes favoris : le pouvoir, sa nature et sa source, son influence sur la société humaine. Au centre de l'histoire se trouve une voix qui dit s'appeler D. J. Il semble cependant difficile d'identifier le narrateur puisque la même voix moqueuse se donnera au cours du livre des identités différentes : celle d'un Noir de Harlem qui, sous l'effet de la drogue, se prend pour un riche héritier texan, celle d'un disc-jockey, celle d'une « conscience expirante », d'une « constellation nerveuse qui vient d'être exécutée », etc. Cette indétermination de la voix narrative permet, en tout cas, un foisonnement de tons, une diversité de registres extraordinaires.

D. J., en admettant qu'il soit un riche adolescent texan, part avec son proche ami Tex accompagner son père dans une chasse à l'ours en Alaska. Telle trame ne peut que rappeler, bien sûr, la nouvelle très connue de Faulkner « L'Ours ». La vision de l'initiation au monde sauvage présentée par Faulkner ne peut évidemment pas être, vingt-cinq ans plus tard, celle de Mailer, écrivain juif de Brooklyn, pour qui la dichotomie nature/civilisation, si chère à la littérature américaine, n'a pas de sens. Chez Mailer, il n'y a pas de vieux sage pour initier aux lois de la vie sauvage ; l'homme saccage les beautés, les ressources, la vie animale, fait fi des mystères ; et le livre s'en donne à cœur joie pour nous montrer des parties de chasses monstrueuses, une technologie grotesque et meurtrière, des caricatures d'êtres humains. Cependant Mailer suggère que cette compulsion au gâchis et au désastre ne vient pas de l'homme mais qu'elle est présente dans la nature elle-même, suscitée par elle.

Ce n'est pas la seule ambiguïté du roman, qui rétablit quelques mythes, mais sur le mode satirique. L'auteur se moque, par exemple, du grand thème de l'innocence masculine dans les espaces vierges, mais, en même temps, exalte l'amitié entre D. J. et Tex. Les deux garçons, abandonnant leurs armes, s'enfonceront seuls en direction du pôle et parviendront jusqu'« au bord » (encore un thème mailerien) là où ils pourront recevoir la parole de Dieu. Celui-ci apparaîtra sous la forme d'un grand animal tentateur qui voudra entraîner D. J. encore plus au nord pour mourir. Devant la résistance de ce dernier, il lui soufflera le message suivant : « Que ma volonté soit faite, va et tue. » Purifié par le grand désert blanc, devenu homme, répondant à l'appel, D. J. partira exalté pour la guerre du Vietnam : « Vietnam, peau de balle ».

Cette fantaisie de chasse à l'ours, rebrodée d'un rêve de violence et de sexualité, semble mettre une fois de plus en scène ces forces anarchiques mystérieuses, ces énergies de désordre que Mailer considère comme les moteurs de toute chose. – Trad. Grasset, 1968.

C. Gr.

POUR SALUER MELVILLE. Récit de l'écrivain français Jean Giono (1895-1970), publié en 1941. Conçu d'abord comme une simple préface à la traduction de *Moby Dick* (*) de Herman Melville, faite par Giono, Lucien Jacques et Joan Smith, le texte a pris de l'ampleur jusqu'à former un petit livre séparé, paru en même temps que *Moby Dick*. Il se présente comme une biographie de Melville, bourlingueur, aventurier, déserteur, romancier. Mais Giono lui prête une aventure totalement imaginaire, qui remplit près des trois quarts du livre. Il imagine que, étant allé en Angleterre en 1849, Melville y fait un voyage en diligence, et rencontre une jeune femme, Adelina White, qui connaît son œuvre. Mariée comme lui, elle fait de la contrebande de blé pour nourrir les Irlandais affamés ; elle est donc elle aussi en révolte contre le monde. Ils vivent côte à côte pendant trois jours, platoniquement, sur les routes et dans les auberges, sans aller au-delà des conversations et des silences en commun. Il lui dévoile l'essentiel de son être : cette lutte avec l'ange qui est le lot de l'artiste. Sans se le dire, ils s'aiment, et leur « brève rencontre » illumine leur existence. Mais ils vont se séparer à jamais. On devine qu'Adelina va mourir de tuberculose, probablement sans avoir lu ce *Moby Dick* que Melville a écrit en pensant à elle, car c'est pour lui l'histoire d'un homme qui combat contre Dieu en sachant qu'il sera vaincu. L'écrivain passe le reste de sa vie, sans nouvelles d'elle, dans un désespoir presque total. Magnifique histoire d'amour, où Giono, sans le dire, prête à Melville plusieurs de ses propres traits d'homme et de créateur, le texte marque aussi le début d'un tournant dans l'œuvre du romancier : en particulier sous l'influence de Stendhal, se refusant à continuer à « faire du Giono », il renonce aux longues descriptions lyriques. Il suggère plus qu'il ne dit, il analyse subtilement des sentiments délicats, et se contraint à ne pas élever la voix : son chant acquiert dès lors une nouvelle sorte de justesse.

POUR S. ROSCIUS D'AMÉRIE [*Pro Sex. Roscio Amerino*]. Un des plus fameux *Discours* (*) de l'écrivain latin Cicéron (106-43 av. J.-C.), prononcé en 80, en faveur de Roscius. Le père de ce dernier avait été traîtreusement assassiné et ses assassins, protégés par le gouvernement de Sylla, accusaient le fils de parricide. Cicéron n'eut pas de mal à démasquer la machination. Au péril de sa vie, il parvint à sauver un innocent. L'abus des figures de style et des citations littéraires trahit un orateur qui cherche encore sa voie. – Trad. Les Belles Lettres, 1934.

POUR UNE ESTHÉTIQUE DE LA RÉCEPTION. Recueil d'essais du critique allemand Hans Robert Jauss (né en 1921), extraits de divers ouvrages, dont *Rezeptionästhetik* (1975 et réunis pour l'édition française en 1978). Héritier de l'historicisme allemand, attentif aux développements les plus récents de la théorie littéraire, Jauss s'est donné pour tâche de fonder à nouveau l'histoire de la littérature — qui dissociait l'interprétation historique de sa source, l'expérience immanente — en donnant leur vraie place à l'expérience esthétique et à la réception des œuvres. Les formalistes russes avaient distingué la « littérarité », défini son historicité propre, mais ignoré sa nécessaire liaison avec le processus plus général de l'histoire. Ne peut-on unir le littéraire et le non-littéraire sans pour autant abolir l'esthétique ? Jauss énonce sept thèses fondamentales : « L'historicité des œuvres repose sur l'expérience de leur réception par des lecteurs. Son étude passe par celle de l'horizon d'attente du premier public. Un des critères d'historicité est l'écart entre l'attente et l'œuvre nouvelle. On y perçoit la question à laquelle l'œuvre répond, en la déplaçant, et on mesure ainsi la diversité des interprétations engendrées jusqu'à aujourd'hui. Les œuvres entrent dans des "séries littéraires", fruits de leur réception passive et active. On peut alors entreprendre des coupes synchroniques dans une évolution littéraire, et faire apparaître des articulations historiques. Enfin l'expérience esthétique contribue à modifier les normes sociales. » Ces thèses sont développées dans plusieurs essais d'une grande érudition. « Petite apologie de l'expérience esthétique » combat l'ambivalence à l'égard de la jouissance de l'œuvre dans la tradition académique. Jauss discerne le travail d'une libre « conscience imageante » à travers les trois catégories « aristotéliciennes » de poïèsis, aisthèsis, et catharsis – accrues de la « fonction de construire » (Valéry), le passage au plan de la communication se faisant par l'« identification ironique » d'un lecteur à la fois libre et authentiquement engagé dans la quête esthétique. Un exemple d'évolution sur le long terme est donné par une belle étude, « La Modernité dans la tradition littéraire et la conscience d'aujourd'hui », où il livre « ironiquement » à l'histoire la notion la plus rebelle, mais aussi livre l'histoire aux questions du présent, comme le montre sa discussion nuancée des thèses de Benjamin sur Baudelaire. La postface à *De l'Iphigénie de Racine à celle de Goethe* actualise la méthode : l'œuvre authentique a une « virtualité de sens » ; toute tradition n'est qu'une sélection dans ces virtualités. Pour revenir à l'œuvre comme événement, il faut prendre conscience de ce choix. Mais réactualiser l'œuvre en ce qu'elle a de virtuel, donc d'agissant, c'est aussi montrer son influence sur les normes sociales. L'œuvre, en sa forme, a des effets propres. Entre elle et sa réception interviennent d'autres horizons de la vie sociale. Quand les deux systèmes (fondus dans l'expérience esthétique) se clivent à nouveau, une distance critique apparaît, qui modifie la norme. Dans le dernier texte, « La Douceur du foyer », au titre baudelairien, Jauss, à travers une coupe synchronique (l'année 1857), montre ainsi la transmission et la transgression d'une norme bourgeoise par le lyrisme. Le travail de Jauss, révélé à un large public en 1975, répondait à une attente. Sa brillante défense de l'histoire lui a rallié les esprits savants autant que ceux épris de la « chose littéraire ». Lecteur de Hegel et de Kant, héritier de Husserl, il ne néglige pas d'autres approches plus récentes (théorie de l'inconscient, du signe). Il aura eu le grand mérite de revivifier en profondeur le lien entre l'histoire et la théorie de la littérature.

F. L.

POUR UN MALHERBE. Essai publié en 1965 par l'écrivain français Francis Ponge (1899-1988). Cet ouvrage regroupe différents textes écrits de 1951 à 1957. Le « concert de vocables » dont parle Ponge à propos de Malherbe, ce concert de « sons significatifs », magique par sa précision, peut « donner à jouir à ce sens qui se place dans l'arrière-gorge : à égale distance de la langue et des oreilles ». Et nous comprenons mieux pourquoi Ponge a si constamment refusé de se laisser traiter de poète. La Parole l'intéresse davantage que la Poésie. Il tend, non à la complainte musicale, non à la fulguration hasardeuse, non au regret poétique, mais à cette perfection qui devient son propre sujet. Il peut parler dans *Pour un Malherbe* de cette « parole douée d'une force ascensionnelle, ardente, fugueuse, et qui monte tout droit malgré le mouvement baroque, hélicoïdal des flammes ». Ainsi, un poète moderne inventant à mesure, tout en tenant compte des règles et des censures de son goût, peut-il aussi louer, en raison même du nihilisme et du renversement des valeurs qu'il a vécus, un fondateur de la langue française. Ponge a raison de penser que tout poète doit abolir les valeurs dans le même temps qu'il les révèle. C'est d'ailleurs pourquoi l'humour est chez lui si important. Mais il y a aussi l'enthousiasme. La parole reste ; elle dicte ces phrases énergiques : « Il faut révéler, élaborer, raffiner, abolir », ces phrases étranges qui annoncent sans doute un esprit nouveau. Ponge souhaite un monument. Aux vers de Malherbe : « Qu'en dis-tu ma raison ? Crois-tu qu'il soit possible / D'avoir du jugement et ne l'adorer pas ? » il ajoute : « Mais cette raison, qu'est-ce ? sinon plus exactement la Réson, le résonnement de la parole tendue, de la lyre tendue à l'extrême. » Et enfin : « La corde sensible, c'est la qualité différentielle. » Nous voilà revenus à certains vers de *Proêmes* (*) qui s'éclairent d'une signification nouvelle : « Poète vêtu comme un arbre / Parle, parle contre le vent / Auteur d'un fort raisonnement. » Toute l'ambition de Ponge est là présente. Depuis les « raisons de vivre heureux » jusqu'à ce paradis des « raisons adverses », cette raison qui est « raison » et « réson ». C'est la raison faite instrument de la forme, une raison farouche et savante, qui n'accepte sa leçon que du monde muet, à la fois temporelle et intemporelle, et qui s'élève assez haut pour, changée en acte, être indestructible.

POUR UN NOUVEAU ROMAN. Œuvre critique de l'écrivain français Alain Robbe-Grillet (né en 1922). En réunissant, en 1963, différents articles et études sous le titre : *Pour un nouveau roman,* Robbe-Grillet avait à la fois conscience de lancer une nouvelle provocation, et de prendre certaines précautions. Précautions de dire que, contrairement à ceux qui y voyaient un complot organisé contre le rationalisme cartésien et le roman naturaliste réunis, il n'y avait pas, il n'y avait jamais d'« école du nouveau roman », mais l'apparition concomitante, et fortuite, d'un certain nombre d'écrivains (Nathalie Sarraute, Michel Butor, Claude Ollier et quelques autres) qui « cherchent de nouvelles formes romanesques, capables d'exprimer (ou de créer) de nouvelles relations entre l'homme et le monde ». Pourquoi les jeunes romanciers seraient-ils condamnés à imiter leurs prédécesseurs, à se couler dans le même moule ? Pourquoi ce qui est admis, et encensé, en peinture par exemple, serait-il péché en littérature ? Et Robbe-Grillet d'énoncer, avec une certaine solennité, cette évidence dérangeante : « La fonction de l'art n'est jamais d'illustrer une vérité — ou une interrogation — connue à l'avance, mais de mettre au monde des interrogations (et aussi peut-être, à terme, des réponses) qui ne se connaissent pas encore elles-mêmes. »

Dans ce livre — de circonstance, rappelons-le —, il énumère ses romanciers (de Flaubert à Beckett, en passant par Kafka, Joyce, Roussel ou le Camus de *L'Étranger* (*), le Sartre de *La Nausée* (*), et qualifie de « notions périmées », par exemple, le personnage, l'histoire, l'engagement, ou la classique opposition de la forme et du contenu. Pour constater, tout simplement, que le monde a changé. Autrefois, « tout — emploi systématique du passé simple, et de la troisième personne, adoption sans condition du déroulement chronologique, intrigues linéaires, courbe régulière des passions, tension de chaque épisode vers une fin, etc. — visait à imposer l'image d'un univers stable, cohérent, continu, univoque, entièrement déchiffrable [...] L'écriture romanesque pouvait être innocente ». Bien sûr, Robbe-Grillet sait que ce n'est pas aussi simple. Mais il vit, avec Flaubert, un renversement total du statut et du rôle du roman. « Raconter est devenu impossible. » Le romancier n'a plus qu'une certitude vacillante, celle de son roman, la seule qu'il puisse proposer au lecteur, non lui imposer. Même si le roman garde une forme, un « contenu », une « histoire », qu'on trouve après tout aussi bien dans *Le Voyeur* (*) que dans *La Jalousie* (*), chez Marguerite Duras comme chez Nathalie Sarraute.

Assurément une lecture par trop immédiate de *Pour un nouveau roman,* qui faisait disparaître non seulement le personnage et l'intrigue, mais même l'auteur, a caricaturé ce petit livre, qui était le moment d'un combat littéraire, la reconnaissance d'un tournant — pris cent ans avant, dès *Bouvard et Pécuchet* (*) — dans l'histoire du roman. Alors Robbe-Grillet, quinze ans après, attaque sans ménagements : « Chacun sait que désormais la notion d'auteur appartient au discours réactionnaire — celui de l'individu, de la propriété privée, du profit — et que le travail du scripteur est au contraire anonyme : simple jeu combinatoire qui pourrait être à la limite confié à une machine. » On reconnaît là une description, à peine exagérée, de certaines théories de la production littéraire des années 70. Et Robbe-Grillet d'ajouter, non sans mélancolie : « J'ai moi-même beaucoup encouragé ces rassurantes niaiseries. » Il n'en reste pas moins que *Pour un nouveau roman* a marqué, en son temps, une césure forte dans l'appréhension, et la compréhension, d'une nouvelle idée sur les romans, et d'une nouvelle activité romanesque.

J.-J. B.

POUR UN TOMBEAU D'ANATOLE. Sous ce titre, Jean-Pierre Richard a publié, en 1962, un manuscrit du poète français Stéphane Mallarmé (1842-1898), dont celui-ci ne mentionna jamais l'existence et qui, comme tous les papiers qu'il laissait à sa mort, devait, selon ses recommandations ultimes, être détruit. C'est, en notes brèves, phrases déchiquetées, indications furtives, l'ébauche de l'œuvre que le poète projetait de dédier à son fils Anatole, mort de maladie à l'âge de huit ans (1879). Tout porte à croire que ces notes furent écrites peu après l'événement, comme si, à l'horreur de la disparition, Mallarmé avait répondu par la souffrance atroce d'en exaspérer en lui la conscience et d'en méditer, aussitôt, la signification. Cette méditation, telle que la reconstitue Jean-Pierre Richard, s'inscrit dans la perspective d'une pensée agnostique, qui écarte fermement l'idée d'une survie personnelle et fait de la mort le point culminant de tout destin spirituel. La dialectique de la présence et de l'absence a pour fin l'instant « de foudre » où les contraires se dépassent dans l'unité de leur suprême affrontement. La rêverie mallarméenne immobilise l'esprit parvenu au sommet de sa courbe, au point d'hésitation entre l'ascension et la chute. Pour lui, alors, briller, s'éteindre, c'est tout un : l'extase où se révèle la transcendance s'identifie au vertige de l'anéantissement. Une telle conscience de la fin fut épargnée au petit malade qui, donc, en ce sens, n'est pas mort. Au père incombe la tâche d'assumer en toute lucidité l'agonie du fils. Si le père survit au « mourir » ainsi pris en charge et profondément entendu, c'est pour soustraire l'enfant à la zone indécise où l'événement l'a placé, et l'éterniser. Mais la volonté de cacher au mourant l'imminence de sa fin n'est-elle pas sacrilège ? En le tenant dans l'ignorance, le père n'a-t-il pas commis envers son fils un inexpiable crime, ne lui a-t-il pas volé le sens de sa disparition ? Ce doute affreux, inséparable de tout espoir de salut, est au centre du débat. Pour que sa tentative de sauvetage spirituel ait un sens, il faut que Mallarmé nie avec force que la mort ait eu lieu : le fils s'est résorbé dans l'essence paternelle, le « germe » de son être fut « repris en soi ». Il n'y eut que « transfusion / changement de mode d'être, voilà tout ». Mais cette résorption n'implique nullement l'abolition de la personne du fils. Bien au contraire, libéré par la corruption du corps, le fils, esprit pur, peut « régner en nous, survivants / ou en la pureté absolue sur laquelle le temps pivote et se refait (jadis Dieu) / état le plus divin ». Si, du vivant de son fils, le père rêvait de lui léguer la tâche immense qu'il avait conçue mais qu'il désespérait de mener lui-même à bien, il reçoit en retour, à la mort de l'enfant, son propre legs — mais enrichi de la « merveilleuse intelligence filiale » —, en sorte qu'il lui appartient à nouveau de construire l'œuvre, le grand œuvre, avec cette « lucidité » qu'est en lui la présence du petit disparu. Ainsi s'accomplit, en une infinie réciprocité, la divinisation du fils par le père et du père par le fils — ce que Mallarmé nomme l'« hymen ». Ici devrait être élucidée la notion essentielle de « fiction » : en vertu d'un processus mis en évidence par le poète, le fait absolu de la mort, devenant souvenir, rejoint l'illusoire où se complaisait tout d'abord le rêve de la survie ; parallèlement, ce rêve, d'illusoire, devient absolu. « Il y a *irréalité* dans les deux cas. » Mais en quoi la survie de l'enfant est-elle un absolu, si seule l'abrite la mémoire de ses parents ? En maints passages du manuscrit, Mallarmé semble lier le sort posthume de son fils à l'achèvement du *Livre* (*). Faut-il en conclure que le poète mettait tout son espoir dans la lumière qui s'attacherait à son nom ? Ainsi, celui qui défiait, au-delà de son temps, la postérité même, aurait exposé le meilleur de lui-même aux vicissitudes d'une gloire purement temporelle ? C'est oublier que l'éternité, telle que Mallarmé la conçoit, est aussi étrangère à la notion terrestre d'une durée indéfinie qu'à cette même notion transposée selon la croyance religieuse à un autre monde. Mais toute exégèse est ici récusée par le silence en quoi se résorbe le chant funèbre du poète. « Hugo [...] est heureux d'avoir pu parler, moi cela m'est impossible. » Le scandale de la mort engendre une révolte, c'est-à-dire une pensée. Or, dans la mesure où penser la mort est tenter de la comprendre et où la comprendre revient, en dernière analyse, à l'admettre, le père se découvre complice de la puissance qui lui ravit son enfant. Quelles que soient les perspectives ouvertes par cette méditation, il manquera toujours au poète l'aveu, le consentement du principal intéressé. Un même mouvement engage le survivant à opérer une tentative d'éternisation et le ramène, dès que se précisent les chances de succès, à l'évidence matérielle du tombeau, au fait irrévocable de la disparition. Mallarmé rêva d'accomplir en lui, par le truchement d'une œuvre, l'homme que son fils eût été et de « faire cela sans crainte de jouer avec sa mort ». C'est finalement cette crainte qui prévalut.

POUSSE-POUSSE (Le) [*Louo-t'ouo siang-tse – Luotuo xiangzi*]. Ce roman est considéré comme le chef-d'œuvre de l'écrivain chinois Lao Cheu (1899-1966). Publié en 1936 en plusieurs livraisons dans la revue *Le Vent de l'univers*, c'est certainement l'un des romans où l'auteur s'attache avec le plus de tendresse à décrire sa ville natale, Pékin, et à en faire entendre la musique, puisqu'il use largement du dialecte pékinois. On y trouve aussi une « peinture sociale » qui ne se prive ni de précisions ni de pessimisme, quant à la condition, au métier et au destin du personnage principal – et de ceux qui l'entourent. Le tireur de pousse de Lao Cheu se voit implacablement mené de mal en pis au fil du récit, qui ménage très habilement sa progression dramatique. Outre son ton imprégné d'humour, on peut remarquer de ce roman qu'il est sans doute l'une des plus belles réussites de la littérature chinoise du XXe siècle, si l'on mesure seulement cette réussite à l'aune de l'impact et de la fortune qu'a encore l'image du dos du « pousse-pousse », courbé sous l'effort, la sueur, et le poids d'un sort misérable. – Trad. Robert Laffont, 1973.

POUSSIÈRE [*Dusty Answer*]. Roman publié en 1927 par l'écrivain anglais Rosamond Lehmann (1901-1990). Judith Earle est une jeune fille de dix-huit ans qui vit solitaire entre un père érudit, affectueux et distant, et une mère frivole et mondaine. Le grand événement de sa vie fut la rencontre avec « les enfants d'à côté », Mariella Fyfe et ses quatre cousins. Judith les a tous aimés ; puis ils ont cessé de venir ; il y a eu la guerre. Par le jardinier, Judith a su que Charlie, celui qu'elle préférait, avait épousé Mariella, puis qu'il avait été tué au front. Un jour, la grande maison se rouvre : les voici tous, sauf Charlie, laissant Mariella veuve avec un fils. Qui aime Judith ? Est-ce Roddy, impérieux, séduisant et fermé ? Est-ce Jennifer, une étudiante rencontrée à Cambridge ? Mais Tony lui vole Roddy et Géraldine Jennifer... Poussière... Pourtant il faut vivre, revoir les enfants d'à côté. Martin voudrait l'épouser, Julien l'aime, elle aime Roddy. Un dernier espoir, un dernier rendez-vous avec Jennifer ramène Judith à Cambridge. Mais Jennifer ne viendra pas, et c'est Roddy qu'elle entrevoit, définitivement perdu, au côté de Tony. Il n'y a plus rien à désirer. Le cercle de la jeunesse est bouclé, quelque chose d'autre va commencer où Judith n'aura plus besoin que d'elle-même. C'est tout l'art de Rosamond Lehmann que de peindre, avec une exactitude émue, les souffrances si aiguës des enfants et des adolescents. C'est à l'intérieur des âmes qu'elle prend place, c'est de là, de ce point de vue tout subjectif, qu'elle voit les autres personnages. Le romanesque consiste en cet écart entre le réel et l'image qu'en forme le héros. Peu à peu, au cours de ce lent apprentissage qu'est la vie, cet écart diminue. Le jour où il devient nul, le héros pénètre dans le monde des choses telles qu'elles sont et le romanesque s'évanouit. La qualité essentielle de *Poussière* est la poésie, cette poésie particulière qui est propre à la fois aux peintres de l'école anglaise, à Shakespeare et à Dickens, d'abord faite de mystère et de rêve, mais aussi imprégnée d'un profond sentiment de la nature. Il n'est pas jusqu'au titre, emprunté à un vers de Meredith, qui ne vienne nous éclairer. – Trad. Plon, 1928.

POUSSIÈRE DE SOLEILS (La). Pièce en cinq actes et vingt-quatre tableaux de l'écrivain français Raymond Roussel (1877-1933), publiée en 1926. Cette pièce nous permet de suivre une course au trésor. L'action se situe dans une Guyane française peu réaliste et nous y voyons un héritier à la poursuite d'une cassette qu'un oncle misogyne a cachée et que bien des gens voudraient retrouver. Les rebondissements de l'intrigue tiennent dans une série de renseignements que livrent de curieux personnages, lesquels, en rapportant tels faits, gestes ou paroles du mort, semblent livrer des clefs imprévues qui permettent peu à peu aux chercheurs d'éclaircir l'énigme à résoudre. On a dit que Roussel essayait d'intéresser le spectateur à un théâtre sans action, mais aussi bien qu'il voulait renouveler les prestiges du Châtelet en présentant une féerie sous forme de rébus. Une fantaisie très originale se déploie dans cette œuvre qui cesse d'être déroutante dès qu'on en admet les règles. La pièce fut représentée en 1926 à la Porte-Saint-Martin et provoqua un véritable scandale.

POUSSIÈRE POURPRE [*Purple Dust*]. Pièce en trois actes, publiée en 1951 par l'écrivain et dramaturge irlandais Sean O'Casey (1884-1964). *Poussière pourpre* n'est pas, comme certains l'ont cru ou feint de le croire, une satire des « caractères britanniques ». Cyril Poges et Basil Stoke, hommes d'affaires anglais, sont aux prises avec des ouvriers et paysans irlandais : Anglais et Irlandais doivent alors être mis entre parenthèses, car la lutte qui se livre, ici, de façon plaisante, n'est rien d'autre que celle d'un peuple contre ses exploiteurs. Il reste que l'exploitation impérialiste est, au niveau des comportements, plus spectaculaire que la traditionnelle exploitation capitaliste. Elle est aussi plus précaire ; et c'est pourquoi Poges et Stoke ont moins de chance encore en Irlande qu'ils n'en auraient dans un quelconque Devonshire de sauver, même provisoirement, leur coûteux « retour à la nature ». Ayant si peu de part, et si peu de droits, à leur « culture nationale », comment ne seraient-ils pas écrasés par la richesse historique et légendaire d'un peuple qu'ils ignorent plus encore que le leur ? Ce que O'Killigan et ses compagnons opposent aux « maîtres », c'est en fait qu'il s'agisse de Parnvell ou de la reine Maeve, la réalité vivante et inéluctable d'un peuple face aux oppresseurs sans visage. Ici : guerre d'Espagne et lutte pour l'Indépendance irlandaise, guerriers mythologiques et héros nationaux, évoqués pêle-mêle et non sans humour, c'est tout simplement ce que Poges et Stoke ignorent, et qui peu à peu les engloutira, comme la rivière en crue engloutit le faux domaine « Tudor ». *Poussière pourpre* a été créée à Londres en 1954, au Croydon Theatre, et reprise au Mermaid Theatre en 1962. — Trad. L'Arche, 1963.

POUVOIR DES CLÉS (Le) [*Potestas clavium*]. Œuvre du philosophe russe Léon Chestov (1866-1938), publiée en 1928, en France, dans une traduction de Boris de Schloezer. « Y en eut-il un seul parmi les philosophes qui admît Dieu ? », telle est la question que se pose Chestov, pour aussitôt répondre qu'à l'exception de Platon, qui admettait Dieu « à moitié », tous les autres philosophes, d'Aristote à Hegel, en passant par Spinoza, n'admettent que la sagesse, c'est-à-dire la raison, et sont convaincus que Dieu n'existe pas. Chestov fera donc le procès de la philosophie, parce qu'il oppose, quant à lui, à la connaissance rationnelle, à la pensée qui se veut une science et qui hait la vie, la croyance religieuse qui est dans son absurdité même le seul fondement possible de l'existence. Bien entendu, il ne s'agira pas de reprendre contre les athées les preuves de l'existence de Dieu. Rationnelles, elles ne sont que le masque de l'athéisme, et le Dieu de Chestov n'est pas celui de saint Thomas ou de Descartes, il est le « Dieu d'Isaac, le Dieu d'Abraham, le Dieu de Jacob ». Seul dans les temps modernes, Nietzsche a su poser le problème de la foi et mesurer les conséquences de ce meurtre de Dieu que les hommes (et les prêtres aussi) ont commis. *Le Pouvoir des clés,* ces clés qui ouvrent, selon l'Évangile, le royaume des cieux, est entre les mains des philosophes athées, et de l'Église qui a mis, comme l'a dit aussi Dostoïevski dans *La Légende du Grand Inquisiteur* — v. *Les Frères Karamazov* (*) —, sa raison à la place de Dieu. Et le monde risque de périr, si la vieille foi, celle des hommes « qui cherchent en gémissant », ne vient à se réveiller. Ainsi procède la pensée de Chestov. Elle ne se développe pas systématiquement (la clarté étant tout le contraire de ce qu'il cherche), mais plutôt dans une suite de méditations qui viennent, les unes à la suite des autres, approfondir et réaffirmer les mêmes propositions. La plus significative de ces méditations a Socrate pour objet. Socrate est allé, semble-t-il, au bout des possibilités humaines. Il s'est proposé un but immense, unique en son genre. Dieu a créé l'univers. Mais Socrate a créé le bien qui a plus de valeur que l'univers ; et depuis Socrate les hommes cherchent dans le bien les sources de ce qui est réel et renoncent, pour suivre le bien, à l'univers créé par Dieu. Saura-t-on abandonner la voie de Socrate ? Tertullien, par contre, et son « Certum est quia impossibile » (cela est certain parce que c'est impossible), qui est un défi absolu à la raison, est le prototype de ces hommes qui sont parfois prêts « à échanger joyeusement toutes les vérités et toutes les essences éternelles pour le temporaire et le transitoire », à abandonner toutes les « vérités » pour renaître dans la vérité de Dieu. Il faut choisir entre la connaissance et la foi, entre l'arbre de la science du bien et du mal, et l'arbre de vie. Quand il écrivait *Le Pouvoir des clés,* Chestov ne connaissait pas encore Kierkegaard, si proche pourtant de ses vues, et auquel il consacra par la suite un très beau livre. Comme lui cependant, il combat en faveur de l'exception, de la subjectivité infinie, du tragique, et avec lui, ainsi qu'avec Nietzsche et Dostoïevski qu'il cite sans cesse ; on peut le classer au nombre des initiateurs de la philosophie de l'existence. *Le Pouvoir des clés* s'achève par une critique de la philosophie de Husserl, tentative rationaliste que Chestov tient pour exemplaire. — Trad. Flammarion, 1966.

POUVOIR DES SANS-POUVOIR (Le) [*Moc bezmocných*]. Essai de l'écrivain et homme d'État tchèque Václav Havel (né en 1936). Écrit en 1978, un an après la naissance de la Charte 77, *Le Pouvoir des sans-pouvoir* tente de formuler les règles de la « vie dans la vérité » par opposition à la « vie dans le mensonge », institutionnalisée par l'idéologie communiste. Par rapport aux dictatures traditionnelles, le post-totalitarisme des années 70 en Tchécoslovaquie est moins brutalement « physique » (donc moins spectaculaire) parce que plus solide, plus acceptable également, et ainsi, d'une certaine manière, plus pervers, plus définitif encore. L'État post-totalitaire, cet espace de grisaille, résignation et apathie, n'a en effet rien de commun avec les dictatures classiques : on ne tue plus, on torture rarement, on tient à l'image d'une société paisible et équilibrée. Le post-totalitarisme dispose en plus d'un atout considérable et inquiétant : il représente le seul régime contemporain qui, sans avoir recours à la notion de sacrifice individuel, propose à l'individu – pour peu qu'il renonce à sa conscience et à son sens de responsabilité – un mode d'emploi de sa vie sociale et une réponse claire et durable à toute situation – lui offrant ainsi abri et protection contre tout imprévu, aussi bien sur le plan matériel qu'existentiel. En contrepartie, l'individu n'est tenu que de « participer », au besoin, à la « lutte idéologique », le plus souvent de façon purement symbolique. Quel peut être alors, dans ce contexte, le concept (voire le principe même) de l'opposition ? Par essence, les dissidents constituent une caste dans une société monolithique : et de la caste au ghetto il n'y a qu'un pas. Le seul lien entre les dissidents et leurs sympathisants potentiels – c'est-à-dire la société jusqu'ici apathique et apparemment stérile – consisterait, note Havel, dans le besoin commun d'un « redressement moral » : en fait, tout acte de non-implication sociale est déjà, en tant que signe de non-conformisme, un geste d'opposition, une tentative de vivre « dans la vérité ». Au terme de « résistance passive », fortement discrédité précisément depuis le début de la « normalisation » qui a suivi l'occupation du pays en 1968, Havel préfère la notion de « vie indépendante », ou encore celle de « cité parallèle ». Ayant pour seul objectif de rétablir – « parallèlement » – les rapports sociaux et humains, la solidarité et la dignité, la « cité parallèle » n'aspire aucunement à renverser les structures existantes : ceci étant, elle n'en est pas moins porteuse d'un conflit inévitable dans la mesure où toute coexistence avec le pouvoir en place est, à long terme, impossible. Il n'y a que deux possibilités, conclut Havel : ou bien le post-totalitarisme se révélera comme le fruit de l'aspiration profonde de la majorité de la société et le monde rejoindra les visions d'Orwell – v. *1984* (*) –, ou bien la « vie indépendante » s'affirmera et fera naître des tensions sociales qui aboutiront à la fin du régime.

Sans doute le plus élaboré des essais politiques de Havel, *Le Pouvoir des sans-pouvoir*, circulant en samizdat, a largement contribué à la prise de conscience d'une partie des intellectuels tchèques et slovaques. – Trad. in *Essais politiques*, Calmann-Lévy, 1989.

P. O.

POUVOIRS DE LA PAROLE (Les). Second volume des « Essais et notes » de l'écrivain français René Daumal (1908-1944), publié en 1972, faisant suite à *L'Évidence absurde* – v. *Chaque fois que l'aube paraît* (*). Après avoir animé *Le Grand Jeu* (*) avec Gilbert-Lecomte, Daumal s'est orienté dans une voie résolument spirituelle marquée par l'influence de la philosophie orientale, en particulier la métaphysique hindoue, dont les grands textes ont été reconnus en Occident, grâce notamment à des esprits savants comme Toussaint, Renou et Guénon. Ce recueil couvre la période qui va de 1935 à 1943 (c'est-à-dire la fin de la vie du poète), et comprend des articles qui ont paru à l'époque – pour la majorité d'entre eux – aux *Cahiers du Sud* (*) et à *La Nouvelle Revue française* (*). Jusqu'à la fin de sa vie, Daumal aura été fasciné par les doctrines et les récits de l'Inde, et il aura pris soin de sélectionner avec sérieux parmi les productions des orientalistes. À propos de cette tradition philosophique, il récuse la notion d'ésotérisme. Le titre qui a été choisi pour l'ensemble des articles donne une idée de la volonté qu'avait Daumal de débusquer, dans la masse des documents traduits et disponibles pour un érudit occidental, le point de convergence de ces doctrines, à savoir que l'art poétique hindou – et, par-delà, l'art poétique en général – vise à une très haute connaissance, rétablit l'équilibre de l'homme à partir d'une pratique de l'écoute intérieure. Daumal montre que ces traités sont composés avec une grande rigueur, et qu'on peut en tirer des règles très précises quant à l'esthétique de la création verbale : si l'on se souvient que notre langue trouve là sa source, rien d'étonnant alors à ce qu'elle y ait puisé aussi le pouvoir de créer avec les mots. Rien n'est laissé au hasard, et il en ressort que le poète hindou ayant reçu un enseignement supérieur doit poursuivre un but qui élève l'art au-dessus de lui-même, lorsqu'il est parvenu à en faire l'expression la plus haute de l'esprit. Daumal cherche en quelque sorte à transposer les leçons de ce travail dans sa propre expérience, et dans l'approche qu'il tente de faire, avec des moyens bien sûr différents, de l'essence de la parole poétique. Et il en arrive à cette conclusion digne des grands mystiques : « On ne connaît pas la parole par le moyen des mots, mais par le silence. » Par cette confrontation avec l'« autre pôle » (Malraux), René Daumal entend faire la synthèse des expériences fondamentales, par-delà le gouffre qui sépare les cultures. O. H.

PRABODHACANDRODAYA [*Le Lever de la lune de la connaissance*]. Drame indien en sept actes, composé par Kṛṣṇamiśra (deuxième moitié du XIe siècle). C'est le plus ancien des drames allégoriques indiens qui soit parvenu jusqu'à nous dans son entier, alors que nous possédons des fragments d'un drame allégorique antérieur de mille ans à celui-ci (découverte faite, en 1911, à Turfan, Turkestan oriental). Avec le *Prabodhacandrodaya,* nous entrons dans le cycle des drames allégoriques composés en étroite liaison avec les doctrines de l'hindouisme, cette religion synthèse dans laquelle se fondirent le védisme et le brahmanisme antiques et le bouddhisme, plus récent. Les personnages de ce drame sont des abstractions personnifiées. Le roi Discernement [Viveka], qui est en guerre avec son frère Erreur [Moha], désire s'unir à nouveau avec son épouse, Révélation [Upaniṣad]. Comme on sait, de cette union naîtront Connaissance [Prabodha] et Science [Vidyā], qui détruiront la progéniture d'Erreur. Ce dernier, aidé de ses enfants, met tout en œuvre pour s'y opposer. Sa famille, c'est, avant tout, Instinct sexuel [Kāma] et son épouse, Volupté [Rati] ; c'est Hypocrisie [Dambha], Ego [Ahamkāra], etc. ; c'est, enfin, leurs alliées, les Hérésies, parmi lesquelles prédomine Matérialisme [Lokāyata]. Aux côtés de Discernement apparaissent : sa sœur, Sérénité d'esprit [Sānti], avec Compassion [Karunā], Foi [Shraddhā] et Bienveillance [Maītri], ainsi qu'Amour de Dieu [Viṣṇubhakti]. Le choc entre les deux armées est évoqué avec force ; il se termine par la destruction du Matérialisme et des autres Hérésies. L'antique prophétie s'accomplit : Discernement et Révélation engendrent Connaissance et Science ; le premier noue des liens étroits avec Âme [Purusha], tandis que ses père et mère se réfugient auprès d'Amour de Dieu. Bien que ce drame, par son contenu doctrinal, soit composé surtout pour exalter le triomphe de la vraie doctrine moniste (vishnuïste) et de la foi, tant sur l'erreur en général que sur les hérésies en particulier, il est exempt de pédantisme. Dramatique à souhait, il nous offre des personnages bien dessinés, un dialogue des plus vifs et qu'assaisonne par endroits un brin de satire. C'est pourquoi cette œuvre demeure très appréciée des classes cultivées de l'Inde. – Trad. Institut d'Asie, 1974.

PRAGMATISME (Le) [*Pragmatism : a New Name for some Old Ways of Thinking ; Popular Lectures on Philosophy*]. Cet ouvrage, publié en 1907, est un recueil de conférences données par le philosophe américain William James (1842-1910) en 1906-1907. De toutes ses œuvres, c'est celle qui se rapprocherait le plus d'un exposé systématique du pragmatisme – du grec « pragma » qui signifie action ; mot employé pour la première fois en 1878 par l'Anglais Charles Peirce dans son fameux article *Comment rendre nos idées claires* (*), où il soutenait que pour développer une idée il suffit de déterminer le comportement qu'elle est susceptible de susciter. Ce principe, repris vingt ans plus tard par James, ne tarda pas à connaître une immense popularité. Plus précisément, le terme de pragmatisme ne s'applique qu'à ce courant qui, dans les dix dernières années du siècle passé, gagna l'Europe, grâce surtout à James et à Dewey. James part du principe qu'aucun des systèmes philosophiques proposés jusqu'à nos jours n'est satisfaisant, puisque l'empirisme est inhumain et irréligieux, et que le rationalisme néglige le caractère concret du monde réel. « Aucune théorie n'est une transcription absolue de la réalité » ; toutes sont utilitaires, ce sont des formes mentales d'adaptation à la réalité, plutôt que des révélations et des réponses à quelque énigme posée par la divinité. Le pragmatisme est la seule philosophie qui soit à la portée de l'homme, puisque notre démarche dans la voie de la connaissance est à chaque pas aiguillonnée et orientée par nos préférences, nos intérêts, nos besoins. C'est pourquoi, au lieu de prendre comme critère de vérité un principe intellectuel et rationnel tout à fait impersonnel, James adopte une philosophie qui correspond à nos besoins et à nos aspirations. D'après les principes pragmatistes, on ne saurait écarter une hypothèse si ses conséquences sont utiles à la vie ; ainsi, dans notre mode de penser, le vrai, comme le juste, n'est que ce qui est opportun dans notre mode d'agir. La vérité d'une idée n'est par une propriété de l'idée ; la vérité « survient » à une idée : celle-ci devient vraie, elle reçoit sa vérité des événements. La philosophie ne constate donc pas le vrai, mais le crée ; « Nous recevons le bloc de marbre, mais nous sculptons nous-mêmes la statue. » On conçoit que, dans ces conditions, James n'ait vu dans l'histoire de la philosophie qu'un conflit entre des tempéraments individuels, du « délicat » (rationalisme) au « barbare » (empirisme). Plutôt qu'à une cohérence absolue, le pragmatisme vise donc à amortir les chocs entre les diverses doctrines. Il aurait pu être une forme de gnoséologie biologique, qui aurait vu dans la connaissance une simple forme d'adaptation vitale ; mais il a visé plus haut et a voulu élever le critère pratique au rang de critère objectif. C'est pourquoi le pragmatisme se traduit en un humanisme dont la nuance varie selon l'idéal de vie des divers philosophes qui le prônent. Chez James, il a pris la couleur d'un spiritualisme essentiellement dynamique et progressif. – Trad. Flammarion 1911 (avec une introduction de Bergson).

PRAGUE AUX DOIGTS DE PLUIE [*Praga s prsty deště*]. Recueil du poète tchèque

Vítězslav Nezval (1900-1958), publié en 1936. Après un bref passage par la poésie « prolétarienne » et surtout par le « poétisme », Nezval épouse logiquement et spontanément le surréalisme (il fréquente ses amis français, Breton, Éluard, Soupault, etc. ; il dirige le groupe surréaliste tchèque de 1934 à 1938, dont font partie le théoricien K. Teige, le poète Biebl, les peintres Toyen, Štyrský, etc.), publiant alors les recueils : *Le Manteau de verre* [*Skleněný havelok*, 1932], *Cinq doigts* [*Pět prstů*, 1932], *Billet de retour* [*Zpáteční lístek*, 1933], *La Femme au pluriel* [*Žena v množném čísle*, 1936], *Le Fossoyeur absolu* [*Absolutní hrobař*, 1937]. *Prague aux doigts de pluie* évoque l'atmosphère, le charme de la vieille capitale sous tous ses aspects et à toutes les heures du jour et de la nuit : ses panoramas, églises baroques, ruelles, places, placettes, coins perdus, châteaux, parcs, auberges... ; le présent se mêle au passé, le quotidien au fantastique, la réalité au rêve ; Prague est au poète une occasion, un prétexte pour débrider son imagination enivrante ; c'est une confusion, un pot-pourri d'images et d'associations, de lumières et d'ombres, d'éblouissements et de visions, où ne manquent pas ses énumérations habituelles, des traits de facétie, l'écriture automatique. C'est une aventure et une fête en hommage à la ville aimée, à son esprit, à son génie spécifique, enchanteur et multiple. Voir aussi *Edison* (*) et *Manon Lescaut* (*). — Trad. partielle, Éditeurs français réunis, 1960.

PRAIRIE (La) [*The Prairie*]. Roman de l'écrivain américain James Fenimore Cooper (1789-1851), publié en 1827 ; c'est le cinquième livre d'une longue suite d'aventures où le romancier américain a peint la vie des États-Unis au temps de la marche des pionniers vers l'Ouest. Cette série est communément appelée les « Contes de Bas-de-Cuir », du surnom donné au personnage principal, Natty Bumppo, qui porte de longues guêtres en cuir de daim. Par ordre de composition, ces cinq livres se présentent de la façon suivante : *Les Pionniers* (*) (1822), *Le Dernier des Mohicans* (*) (1826), *La Prairie* (1827), *Le Lac Ontario* (*) (1840), *Le Tueur de daims* (*) (1841). Mais, dans l'ordre chronologique des aventures qu'ils relatent, *Le Tueur de daims* est le premier livre de la série. Y font suite *Le Lac Ontario, Le Dernier des Mohicans, Les Pionniers* et enfin *La Prairie.* Dans ce dernier récit, Cooper reprend son personnage Natty Bumppo à l'âge de près de quatre-vingt-dix ans, ce qui ne l'empêche pas d'être encore en possession de tous les moyens requis pour être un parfait « homme des frontières » dans les immenses plaines de l'Ouest américain. Il est toujours accompagné de son fidèle chien Hector, et il n'a pas quitté son merveilleux fusil qu'il appelle Killdeer (« Tue-daim »). Errant dans la prairie, il trouve sur sa route un convoi d'émigrants conduit par un personnage rébarbatif, Ishmael Bush. Ce dernier est accompagné de son beau-frère, Abiram White, une crapule, et d'un naturaliste, le docteur Obed Battins. Le convoi comprend en outre une prisonnière qui a été cachée par la bande dans un chariot couvert. Avec sa servante Ellen Wade, on trouve encore le chasseur d'abeilles Paul Hover, son amoureux. Grâce à Natty Bumppo, le convoi évite de justesse un raid d'Indiens et poursuit sa route vers un lieu où il sera enfin en sûreté. Le hasard lui fait rencontrer Duncan Uncas Middleton, jeune soldat en qui Natty Bumppo a la joie de reconnaître le descendant d'un de ses anciens amis, Duncan Heyward. Le soldat, qui est en mission, apprend à Natty Bumppo qu'il est aussi à la recherche de sa fiancée, qu'il a perdue. Celle-ci, doña Iñès de Certavallos, a été kidnappée par des bandits qui espèrent toucher une rançon. Le jeune homme découvre bientôt que la personne qu'il cherche n'est autre que la prisonnière du convoi que conduit Ishmael. Et il l'enlève avec la complicité et l'aide infatigables de Natty Bumppo. Accompagné de la servante de doña Iñès et de son amoureux, le petit groupe qui fuit le convoi des émigrants ne tarde pas à tomber entre les mains de perfides Indiens Sioux. Ils ne réussiraient probablement pas à se tirer de leur triste situation sans une attaque heureuse des Pawnee, autre tribu d'Indiens, bons ceux-ci, qui les libèrent. À la fin du livre, quand tous ses amis auront trouvé un sûr refuge auprès des soldats du jeune Middleton, le héros de *La Prairie* et de tant d'autres aventures voit approcher sa fin. Il accepte calmement le décret du destin et meurt en paix, au milieu de ses amis blancs et des bons Indiens Pawnee qu'il aimait comme ses frères. De mérite inégal, ce livre a surtout été admiré pour les qualités d'invention dont sait faire preuve Cooper. Si le style n'est pas toujours celui d'un bon écrivain, on ne saurait nier que le récit tient parfaitement le lecteur en haleine. — Trad. Gosselin, 1827 ; Presses de la Cité, 1989.

PRAIRIES D'OR (Les) [*Murūj al-dhahab*]. Somme historico-géographique de l'écrivain et voyageur arabe al-Mas ʿūdī (fin IXe siècle ? - vers 956). L'ouvrage se compose de quatre parties d'inégale longueur ; la première, consacrée au récit de la création du monde et à l'évocation des grandes figures de la tradition prophétique monothéiste, n'est pas sans rappeler les *Récits sur les prophètes* (*) d'al-Thaʿlabī, malgré un ton plus littéraire. La seconde, se fondant pour une part importante sur la *Géographie* de Ptolémée — v. *Traité de géographie* (*) —, traite « des terres, des mers, des fleuves, des montagnes et des sept climats ». La troisième retrace l'histoire des nations étrangères, tant anciennes, tels les Perses, les Assyriens, ou les Grecs hellénistiques, que modernes : Chinois, Indiens, Byzantins, mais aussi Esclavons [Saqāliba], Francs [Ifranj], Galiciens [Jalāliqa] et Lombards [Nawkabard]. Une longue transition, consacrée aux Arabes de l'époque antéislamique, et notamment à leurs croyances et à leurs pratiques magiques et divinatoires, introduit la quatrième partie, qui constitue à elle seule plus de la moitié du total, et qui présente une sorte de chronique des événements remarquables de l'empire musulman, de la naissance de Mahomet jusqu'au règne du calife abbasside al-Muṭī ' (944-946). Cet ordre, cela dit, est tout théorique : al-Mas 'ūdī, comme tous les lettrés arabes de cette époque, ne déteste rien tant que le didactisme besogneux, et compose son ouvrage comme une table de banquet oriental, combinant savamment des plats aux saveurs et aux textures aussi variées que possible. Aussi la digression, qu'elle soit poétique ou gastronomique, philologique ou zoologique, joue-t-elle un rôle central dans son art d'écrire. Et, s'il se fonde souvent sur une information plus vaste que sérieuse, s'il développe une conception de l'histoire basée sur le goût du pittoresque et de l'anecdote plus que sur une analyse critique des sources – chose qu'Ibn Khaldūn, dans ses *Prolégomènes* (*), ne devait pas lui pardonner –, son remarquable talent de conteur fait des *Prairies d'or* l'un des ouvrages les plus plaisants de la littérature arabe classique. – Trad. Geuthner, 1962-89.

J.-P. G.

PRATIQUE DE LA VOIE TIBÉTAINE [*Cutting Through Spiritual Materialism*]. Essai du lama tibétain Chögyam Trungpa (1939-1987), publié en 1973. Le livre est constitué par une quinzaine de causeries données en septembre 1970 et au printemps 1971 au centre de méditation Karma Dzong, fondé par Chögyam Trungpa à Boulder dans le Colorado, pour des « étudiants » qu'il considère comme sincères, mais confus, noyés dans ce qu'il appelle un « matérialisme spirituel ». Le début du livre est une entreprise de purification spirituelle de ce matérialisme, de l'auto-illusion et des chemins de traverse. Puis est présentée la « voie tibétaine » tantrique de l'illumination et de la libération. Il n'y a point dans ce petit livre, comme dans le reste de l'œuvre de Tungpa, quoi que ce soit de nouveau dans un domaine par définition traditionnel. Son génie est dans le ton, franchement occidental, qu'a su prendre le maître pour s'adresser à des élèves américains dépourvus la plupart du temps de connaissances et d'expérience religieuses. L'enseignement de Trungpa a rencontré d'autant plus de succès que très peu de lamas ont réussi à franchir l'obstacle de la langue et de l'acculturation après l'exil général qui les a frappés en 1959. – Trad. Seuil, 1976.

J.-P. L.

PRATIQUE DU THÉÂTRE (La). Publié en 1657, cet ouvrage de l'écrivain français François Hédelin, abbé d'Aubignac (1604-1676), est, d'après l'auteur lui-même, nouveau et « très nécessaire », car il s'occupe non de définir des règles théoriques, mais d'enseigner la manière de les respecter : signe d'un déplacement du champ des débats sur l'écriture dramatique entre les années 1630, où les doctes luttent pour imposer les règles, et les années 1650, où la contestation n'existe plus guère que dans la pratique ; preuve aussi que depuis Malherbe l'idée du « métier » et de ses difficultés très concrètes s'est imposée. Mais s'il faut beaucoup d'art, il importe surtout d'apprendre à le cacher : « Et quoi qu'il en soit l'auteur, il les doit manier si dextrement qu'il ne paraisse pas seulement les avoir écrites. » Cet art de la dissimulation imposant le faux comme vrai aux yeux et à l'esprit du spectateur, d'Aubignac le nomme « vraisemblance », en quoi il voit « le fondement » du poème dramatique. La production de cette illusion dépend de deux facteurs principaux : les « convenances », qui requièrent la conformité du discours (forme/fond) des personnages avec leur identité (définie essentiellement par l'âge et la condition sociale) et avec le cadre spatio-temporel dans lequel ils sont placés ; ensuite l'unité de l'œuvre, l'action, « la plus simple possible », doit former « un tout bien ordonné par une juste liaison de toutes les parties qui la composent ». Ce dernier point est sans doute le plus original de *La Pratique.*

L. D.

PRATIQUE DU VOL [*Practica de vuelo*]. Œuvre du poète mexicain Carlos Pellicer (1899-1977), publiée en 1956. On a souvent parlé de Carlos Pellicer comme d'un poète « objectif », d'un « chasseur d'images » parce que dans son œuvre on trouve la description d'un monde extérieur brillant et magnifique, d'une nature resplendissante : celle de son pays, le Mexique. « Pellicer eut toujours des yeux ; et l'on suppose même un cœur », a écrit Alfonso Reyes. Une telle appréciation est incomplète, car Pellicer est aussi un homme tourné vers lui-même. La nature n'est pour lui que le moyen de manifester une énorme joie de vivre, une foi religieuse profonde, un optimisme qui n'exclut pas la connaissance de dilemmes humains. *Pratique du vol* est un livre révélateur. Son titre parle déjà d'une aspiration surnaturelle et, au fur et à mesure qu'on pénètre dans ce monde lyrique, somptueux, plein de formes et de couleurs, d'éloquence, de sensibilité, on se rend compte que l'amour de la nature n'est qu'une des formes que prend l'amour de l'humanité. Il semble qu'on puisse dire que le sujet de *Pratique du vol* est d'ordre religieux. Chaque poème enferme un chant à la fois joyeux et mystique, spontané et soigneusement construit. Ici, Pellicer n'est ni trop baroque ni, comme le sont d'autres poètes de sa génération, trop grave. Il est vraiment le maître des mots, qui lui servent pour édifier une poésie solide, ayant quelques reflets surréalistes, et où sont invoquées simultanément la nature et la grâce.

PRÉAU (Le). Premier roman de l'écrivain français d'origine suisse Georges Borgeaud (né en 1914), publié en 1952. *Le Préau* fait largement appel aux ressources d'une autobiographie légèrement déplacée dans l'univers de la fiction. Roman d'entrée dans la vie, roman de formation, d'initiation, il combine les thèmes mélancoliques de l'adieu à l'enfance, de la perte, avec ceux de l'éveil des sensations, les consolations exaltées de la religion, les plaisirs de l'intelligence, de la musique, l'épreuve de vérité de l'écriture, les amitiés...

Résumée à grands traits, la narration du héros-narrateur, Maurice Passereau, suit fidèlement une chronologie personnelle qui s'étend sur quelques années et traverse l'adolescence. Elle est fragmentée en plusieurs périodes liées à des lieux distincts : la ville (Lausanne), le collège de Saint-Maurice tenu par les Pères, le placement dans la famille du pasteur Renaud, les années à Auboranges chez les Beausire, le retour à Saint-Maurice, et les pages finales à l'Arche, dans les montagnes valaisannes. À chaque lieu son épreuve : l'histoire du *Préau* est celle d'une conscience qui s'éveille et se mesure au monde. La ville est liée à l'identité, à la conscience du nom ; le collège à l'épreuve de la séparation et à la découverte du catholicisme ; le séjour chez le pasteur Renaud à l'épreuve du rejet et de l'hostilité ; tandis que chez les Beausire le jeune Passereau goûte à la liberté, à l'ivresse de la nature, des jardins, et connaît les troubles de la sensualité. François Nourissier a très finement observé que les lieux du roman correspondaient à une sorte de géographie « à la Proust » et se séparaient en deux côtés, un côté valaisan et catholique, un côté vaudois et réformé dans l'espace desquels le héros se déplace, non sans heurts. On pourrait ajouter que ce roman forme ainsi, en quelque manière, une synthèse par la géographie des deux tendances littéraires romandes : l'introspection protestante, la fusion contemplative dans la lignée de Rousseau et du poète Gustave Roud (à qui le roman est dédié) d'une part, et la sensualité catholique, telle qu'elle a pu apparaître chez un Charles-Albert Cingria.

Le territoire littéraire où prend place ce premier roman est très occupé et semble, en soi, peu original, aussi bien n'est-ce pas à une quelconque nouveauté que ce roman doit sa fortune critique, mais à des qualités d'écriture et de sensibilité qui en ont fait un des classiques de la littérature romande. F. Wa.

PRÉ AUX CLERCS (Le). Opéra-comique en trois actes, poème de Planard, musique du compositeur français Hérold (1791-1833). Hérold qui, en 1827, occupait les fonctions de directeur du chant au Théâtre de l'Opéra et contribua à assurer le succès du *Comte Ory* (*) de Rossini et de *Robert le Diable* (*) de Meyerbeer, ne se laissa influencer ni par l'esthétique italienne, ni par le lyrisme germanique. Il créa un genre purement français et écrivit une musique fantasque, légère, gracieuse et spirituelle. Le style conserve une fraîcheur et une spontanéité qui font oublier son allure conventionnelle. Le thème du livret du *Pré aux Clercs* est emprunté à la *Chronique du règne de Charles IX* (*) de Prosper Mérimée. En 1830, sous le règne du roi citoyen, la Renaissance était à la mode et le public appréciait ce mélange de raffinement et de férocité qui lui semblait caractériser le siècle des Valois. Au premier acte, le rideau se lève sur un décor campagnard. Girot, patron d'un cabaret, célèbre ses fiançailles avec Nicette, filleule de la reine Marguerite. Entre Mergy, ambassadeur du roi de Navarre, qui se rend à Paris pour ramener en Béarn la reine Marguerite et chante sa joie de retrouver à la cour de France son amie d'enfance la comtesse Isabelle. Mais il apprend par Cantarelli, un officier italien, que le colonnel des gardes, Comminges, met tout en œuvre pour obtenir la main d'Isabelle. Au deuxième acte, Mergy arrive au Louvre, au milieu d'un bal masqué. Marguerite veut servir les amours de Mergy et d'Isabelle. Elle use de la complicité de Cantarelli, qui a tôt fait de persuader Comminges que l'ambassadeur du Béarn est épris non d'Isabelle mais de la reine. Comminges se moque insolemment de la folle prétention de Mergy très offensé des propos de son rival. Isabelle reste muette de stupeur et s'évanouit : Mergy provoque Comminges en duel. Au troisième acte, Isabelle et Mergy viennent de se marier secrètement dans la chapelle du Pré aux Clercs, en même temps que Girot et Nicette. Comminges apparaît soudain et tire son épée. Les archers séparent les deux gentilshommes qui s'éloignent pour poursuivre leur combat. Isabelle se désespère : Comminges n'a-t-il pas la réputation d'être le plus redoutable bretteur du royaume ? Alors Mergy revient victorieux et la noce reprend joyeuse et brillante, tandis qu'un bateau glisse sur la Seine emportant le corps de Comminges. Différents airs de cette partition connaissent encore un certain succès : « Les Rendez-Vous de bonne compagnie », « Jours de mon enfance », « Que j'aime ces ombrages », « L'heure nous appelle », ont une verve, une jeunesse qui ont valu à l'ouvrage tout entier d'être repris fastueusement à l'Opéra-Comique le 16 mars 1949. *Le Pré aux Clercs* fut créé à l'Opéra-Comique le 15 décembre 1832. Hérold avait consacré ses dernières forces pour l'achever et en mener à bien les répétitions. Ce 15 décembre, il connut le plus unanime et le plus complet triomphe de sa carrière ; mais il ne devait pas lui survivre et mourut, emporté par la phtisie, le 19 janvier 1833.

PRÉCEPTEUR (Le) ou les Avantages de l'éducation privée [*Der Hofmeister oder die Vorteile der Privaterziehung*]. Tragicomédie de l'écrivain allemand Jakob Michael Reinhold Lenz (1751-1792), parue en 1774, jouée pour la première fois en 1778. Friedrich Läuffer, fils d'un pasteur, étudiant en théologie, doit accepter, en attendant une hypothétique prébende, un poste de précepteur chez les von Berg, une famille aristocratique de Prusse-Orientale. Pour tenter de se concilier ses maîtres dans sa nouvelle et précaire situation, Läuffer s'efforce d'adopter les manières et les critères de valeur de la noblesse, mais il ne parvient pas à désarmer la morgue et la sécheresse de cœur auxquelles il se heurte. Le drame se noue lorsqu'il déshonore la fille du commandant von Berg, Augustine (Gustchen), qui lui cède parce qu'elle se croit délaissée par le cousin qu'elle aime, Fritz von Berg. Bientôt, Gustchen attend un enfant et sombre dans la mélancolie. Läuffer s'enfuit du château. Il est recueilli et abrité par Wenceslas, l'instituteur du village, un cuistre qui profite de l'occasion pour exercer sur l'ex-précepteur une emprise morale insupportable et ridiculement déclamatoire. Lorsque Läuffer apprend la nouvelle (d'ailleurs fausse) du suicide d'Augustine, il est pris de remords et se châtre pour expier son crime. La pièce se termine par un happy-end délibérément factice. Läuffer, malgré la mutilation qu'il s'est infligée, épouse une jeune paysanne venue suivre les cours d'instruction religieuse qu'il dispense sous la férule de Wenceslas. Quant à Gustchen, elle finit par épouser Fritz von Berg, qui pousse la complaisance jusqu'à reconnaître le fils qu'elle a eu de Läuffer. Lenz a utilisé dans cette intrigue un fait vrai contemporain et n'a même pas changé le nom de la famille dans laquelle il s'est produit. Le réalisme grinçant de la pièce est bien dans la veine du « Sturm und Drang », version paroxystique du préromantisme allemand. Mais *Le Précepteur* va bien plus loin que les autres pièces allemandes de l'époque dans sa critique sociale, dont la vigueur est systématiquement renforcée par l'utilisation du grotesque et de la parodie. L'aliénation raillée par Lenz est conçue en termes rousseauistes. Läuffer incarne typiquement l'homme éloigné de la nature au point de ne pouvoir assurer sa survie psychique qu'en la mutilant de façon atroce pour satisfaire aux conventions répressives qu'il a intériorisées. L'aliénation psychologique est liée à l'aliénation sociale : Läuffer est un intellectuel famélique, cas nullement exceptionnel à une époque où existait déjà dans les Allemagnes un prolétariat universitaire d'origine petite-bourgeoise sans débouchés possibles au sein d'une société d'ordres qui perpétuait les cloisonnements. Lenz ne se contente pas de dénoncer l'arrogance de la noblesse et la servilité lamentable de la petite-bourgeoisie. Son message comporte un aspect programmatique : il invite la bourgeoisie à mettre en œuvre des réformes et se prononce en particulier pour la création d'écoles publiques où les enfants des nobles, des bourgeois et des paysans se retrouveraient en concurrence, premier pas en direction d'une société moins inégalitaire, qui opérerait ainsi le rapprochement des différentes strates de la population. Du point de vue de la technique dramatique, la nouveauté de la pièce réside dans la mise en place d'intrigues connexes en contrepoint, dont la finalité semble être de fournir un commentaire à l'action principale. Bertolt Brecht a rendu hommage à la modernité de cette pièce en en faisant jouer une version remaniée (1950), éditée en 1951. – Trad. Aubier-Montaigne, 1963 ; L'Arche, 1972.

P. V.

PRÉCIEUSE PORTE [*Had I A Hundred Mouths*]. Recueil de nouvelles de l'écrivain américain William Goyen (1915-1983), publié, posthume, en 1984. Ces dernières nouvelles marquent un tournant important dans la manière de l'écrivain texan. La certitude d'une fin prochaine – il souffrait d'une leucémie – l'amena à un effort ultime pour tenter d'aller voir au plus loin en lui-même et d'accéder ainsi à sa propre vérité car, comme ses romans d'ailleurs, les nouvelles de Goyen posent sans répit des questions essentielles : Qui suis-je ? Pourquoi tant de douleur ? Comment me sauver, me délivrer de mon fardeau de ténèbres ? Si ligoté par mes travers, comment aller enfin tout droit ? Comment prendre mon essor et m'envoler par-delà la multitude des obstacles ? La fin d'« Arthur Bond » est, à cet égard, exemplaire. Goyen s'identifiait totalement à ce personnage tourmenté par un ver dans la cuisse qui lui faisait commettre les pires méfaits : « La vie d'Arthur Bond, qui se perpétue dans mon esprit, m'a amené à me poser des questions sur son compte et à le voir sous un jour agréable, comme une espèce de saint qui serait dans mon esprit, une sorte d'ange [...] Est-ce que le ver était le ver de Dieu ? »

Comme certains passages d'*Arcadio* (1983), son dernier roman, les ultimes nouvelles de Goyen ne livrent pas facilement leur secret même si elles se lisent et coulent aisément. L'écrivain nous raconte une histoire apparemment bien ancrée dans le réel par de multiples détails réalistes, voire franchement crus. Une intrigue nous conduit, ainsi que les personnages, d'un point à un autre. Il se passe bien quelque chose, et pourtant l'événement majeur a lieu sur un autre plan ; l'explosion et le choc se produisent très loin dans le sous-sol en même temps qu'au-dessus de notre tête, en plein ciel. En basque, « goyen » signifie « là-haut ». À notre insu, l'écrivain travaille sur des plans très divers, il mène de front plusieurs récits, dont le plus visible, le plus évidemment lisible, n'est pas le plus intéressant. Par-delà les décryptages habituels, on peut dire que les meilleures nouvelles de Goyen sont des récits initiatiques véritablement inspirés.

Sa quête spirituelle apparaît dès son premier recueil – *Le Fantôme et la Chair* [*Ghost and Flesh,* 1952] –, clairement affirmée dans la longue nouvelle qui clôt le livre et s'intitule « Une forme lumineuse ». Cette volonté de trouver la lumière par-delà les pièges de la nostalgie, de l'obsession sexuelle, de l'angoisse et de l'instabilité ne se démentira jamais. *Arcadio* (1983) s'ouvrira d'ailleurs sur l'évocation d'un tableau intitulé « La Lumière du monde ». Cette peinture de Holman Hunt représente Jésus qui porte une lanterne et frappe dans la nuit à une porte à moitié scellée par le lierre. Sous des formes diverses, toutes les nouvelles du *Fantôme et la Chair* disent l'union et, surtout, la lutte entre le corps et l'esprit en vue d'une ultime et vraie délivrance. La phrase est riche et ample, et la langue imagée est souvent celle de l'est du Texas ; Goyen se sert beaucoup de son terroir d'origine, mais sans tomber jamais dans le régionalisme.

On retrouve les mêmes tendances profondes dans *Zamour et autres nouvelles* [*The Faces of Blood Kindred,* 1960] où, à l'exception de « Savata », tous les textes sont – peu ou prou – autobiographiques. L'anecdote souvent douloureuse, comme dans « Un peuple d'herbe », « Le Cheval et la Phalène de jour » ou « Le Géranium », dépasse vite le simple souvenir pour accéder à une autre dimension, à un plan plus subtil et universel, voire mystique. Il en va ainsi dans la magnifique nouvelle « Vieux bois sauvage ». On a souvent l'impression qu'écrire ces textes a permis à William Goyen de se hisser à un nouveau point de vue, supérieur : à une alchimie de l'écriture qui fait entendre d'autres voix et ménage de nouveaux accès. « Une forme sur la ville » (dans le recueil homonyme qui réunit trois nouvelles en français) illustre parfaitement ce propos. Le narrateur rêve qu'il s'élève au-dessus du chaos de la foule et de ses plus bas appétits. Il grimpe en haut d'un mât et accède à une petite plate-forme où une sorte de stylite – Jean de la Hune – était resté sous une tente pendant quarante jours, la durée du déluge.

Dans ses nouvelles, Goyen tente d'ordonner ce qui a été abîmé, travesti, pour tenter de reconstituer le « cœur du mystère », c'est-à-dire son propre cœur. Sans en être lui-même conscient, cet écrivain est un initiateur.

P. Re.

PRÉCIEUSES RIDICULES (Les). Comédie en un acte du dramaturge français Molière (Jean-Baptiste Poquelin, 1622-1673), représentée pour la première fois à Paris sur la scène du Petit-Bourbon, le 18 novembre 1659. Il n'y avait qu'un an que Molière, après douze ans de pérégrinations en province (1646-1658), était rentré à Paris ; depuis son retour, il occupait, concurremment avec la troupe italienne de Torelli, la salle du Petit-Bourbon, qu'il devait quitter un an plus tard pour s'installer, cette fois à titre définitif, dans la salle du Palais-Royal. Le programme qu'il présentait au public comprenait à la fois des tragédies et des farces. En novembre 1659, Molière lança une nouvelle pièce, *Les Précieuses ridicules*, qui fut jouée en même temps que *Cinna* (*). Dès la seconde représentation, la foule accourut au Petit-Bourbon. La Grange nous apprend que Molière lui-même fut surpris par ce succès qui « passa ses espérances », et il ajoute : « Comme ce n'était qu'une pièce d'un seul acte qu'on représentait après une autre de cinq, il la fit jouer le premier jour au prix ordinaire. Mais le peuple y vint en telle affluence et les applaudissements qu'on lui donna furent si extraordinaires qu'on redoubla le prix dans la suite : ce qui réussit parfaitement à la gloire de l'auteur et au profit de la troupe. » En moins d'un an, elles furent représentées quarante-deux fois au Petit-Bourbon, ce qui, pour l'époque, représentait une véritable performance. La troupe alla souvent en visite présenter la pièce à la Cour et dans les salons ; pour son compte le roi la vit trois fois. *Les Précieuses ridicules* furent éditées l'année suivante (1660) ; c'était la première pièce de Molière qui fût publiée. Dans sa Préface, l'auteur ne cachait pas son inquiétude de voir son texte imprimé : il craignait qu'à la lecture la comédie ne perde de son intérêt, car « une grande partie des grâces qu'on y a trouvées dépendent de l'action et du ton de la voix ». En effet, la présence de l'acteur Molière devait grandement contribuer au succès des *Précieuses*. Nous savons par Mlle Desjardins que Molière poussait à la charge le personnage de Mascarille qu'il jouait ; il ne craignit pas de porter un accoutrement ridicule pour faire rire : « Sa perruque était si grande qu'elle balayait la place à chaque fois qu'il faisait la révérence, et son chapeau si petit qu'il était aisé de juger que le marquis le portait bien plus souvent dans la main que sur la tête ; son rabat pouvait s'appeler un honnête peignoir, et ses canons semblaient n'être faits que pour servir de cache aux enfants qui jouent à cligne-musette. »

Quelles sont les origines des *Précieuses ridicules* ? C'est à coup sûr, en premier lieu, l'observation ; Molière avait rencontré dans ses longs voyages nombre de femmes qui se distinguaient étrangement par l'affectation de leurs manières et de leur langage. La préciosité, dont l'action sur la société avait été salutaire au début et qui constituait, en soi, une réaction bienfaisante, était tombée chez celles que Molière lui-même appelait les « fausses précieuses » dans l'amphigouri et le ridicule. Les disciples provinciaux de la « Chambre bleue » exagéraient jusqu'à l'outrance les afféteries de leurs modèles. Il est très probable que Molière avait rencontré, à Montpellier, ce cercle de pédantes vaniteuses dont parlent Chapelle et Bachaumont dans leur

Voyage en Languedoc (*), à la même époque ; qu'à Lyon il avait fréquenté ce « Cercle des femmes » que le sieur Chappuzeau, ami de la troupe de Molière, présenta dans un petit ouvrage qui porte ce titre et en sous-titre « Entretien comique » — v. *Le Cercle des femmes* (*) de Chappuzeau. Une autre influence incontestable est celle exercée sur Molière par un auteur alors fort à la mode, l'abbé de Pure, qui avait publié en 1656 un roman en quatre volumes : *La Prétieuse ou le Mystère de la ruelle* (*), dont on avait tiré une pièce qui fut jouée aux Italiens. Somaize, le principal accusateur de Molière, nous dit, en parlant de cette pièce qui a été perdue : « Ce sont deux valets tout de même, qui se déguisent pour plaire à deux femmes et que leurs maîtres battent à la fin ; il y a seulement cette petite différence que, dans la première, les valets le font à l'insu de leurs maîtres, et que, dans la dernière [celle de Molière], ce sont eux qui le leur font faire. » En rapprochant ce que nous savons de la pièce de l'abbé de Pure et du livre de Chappuzeau, on n'est pas loin d'obtenir l'intrigue des *Précieuses*. Cependant on peut dire que Molière a fait une œuvre originale. L'abbé de Pure était bien plus l'ami et le flatteur des Précieuses que leur détracteur. Chappuzeau s'en prenait moins à la préciosité qu'à la vanité nobiliaire. Ni l'un ni l'autre n'avaient pensé ni osé cette attaque audacieuse et directe.

Deux jeunes seigneurs, La Grange et Du Croisy, recherchaient en mariage la fille et la nièce du bourgeois Gorgibus. Une entrevue vient d'avoir lieu, mais elle n'a point satisfait les jeunes gens. Les demoiselles, qui sont un « ambigu », c'est-à-dire un mélange de « prude et de coquette », ont fait les « renchéries » et ont traité avec impertinence leurs prétendants qu'elles ne trouvent point assez à la mode. Ceux-ci, fort irrités, se retirent ; et La Grange jure de se venger avec l'aide de son valet Mascarille, « une manière de bel esprit ». À la scène 3, le bonhomme Gorgibus, que cette rupture désole, mande auprès de lui les deux demoiselles. Leur réponse est péremptoire : Comment des filles spirituelles et savantes pourraient-elles épouser des hommes qui ne connaissent rien de la Carte du Tendre — v. *Clélie, histoire romaine* (*) — et ne se modèlent pas sur les héros du *Grand Cyrus* (*) ? Leur prétention exaspère le bon bourgeois qui leur donne à choisir entre le mariage et le couvent, car il ne peut plus les supporter chez lui. Mais on annonce aux deux précieuses la visite du marquis de Mascarille attiré, prétend-il, par leur renom de bel esprit. Mascarille se met aussitôt à leur débiter mille compliments aussi fades qu'alambiqués, que les petites bourgeoises prennent pour argent comptant. Il promet de les introduire dans cette société précieuse où elles brûlent d'être admises ; il vante son propre mérite littéraire, en récitant quelques vers ridicules dont il détaille les beautés, leur fait admirer l'élégance de ses dentelles et de ses rubans. La joie des Précieuses est à son comble quand on introduit un ami de Mascarille, le vicomte de Jodelet (Jodelet était le plus fameux farceur français avant Molière), « un brave à trois poils », venu présenter ses hommages. Les deux compères font assaut de sottise, de bouffonnerie et de vantardise, en racontant leurs exploits guerriers et en faisant constater les « furieuses plaies » qu'ils leur ont values. Les jeunes filles n'y tiennent plus, tout heureuses de converser avec des héros qu'on dirait sortis des livres de Mlle de Scudéry. Ce n'est qu'un rêve, et le réveil est brutal. La Grange et Du Croisy se précipitent dans le salon au moment où on se préparait à danser et bâtonnent leurs laquais. Les malheureuses, rouges de honte de s'être laissé jouer par des valets, doivent encore supporter les reproches indignés de Gorgibus qui maudit « romans, vers, chansons, sonnets et sonnettes » et les envoie « à tous les diables ».

Sur le plan dramaturgique, *Les Précieuses ridicules* sont une synthèse entre la comédie burlesque, la farce traditionnelle et la comédie italienne. Au premier chef, en effet, *Les Précieuses* retiennent la trame d'une des comédies de Scarron que Molière a le plus souvent montée, *L'Héritier ridicule* — v. *Jodelet ou le Maître-Valet* (*) : comment un personnage se venge d'une jeune fille en la faisant séduire par un valet bouffon qui, déguisé, la prend par où elle pèche (l'amour de la richesse chez Scarron, l'attente d'un amant noble, romanesque et précieux chez Molière). Elles en retiennent aussi ce qui fait l'essence du burlesque littéraire, la dérision parodique des comportements et du langage. En même temps, en ne conservant de la comédie en cinq actes que le tour joué à un personnage trop facilement aveuglé par un déguisement, Molière faisait de sa pièce une véritable farce. Enfin, en dédoublant le jeu de la tromperie (deux précieuses, donc deux valets, Mascarille et Jodelet, devenus marquis de Mascarille et vicomte de Jodelet), il ne faisait pas qu'étoffer une intrigue un peu mince, il retenait la leçon de la comédie italienne, où les valets sont maîtres du jeu et impriment le rythme de leur activité inlassable à l'action de la comédie : les incessants dédoublements d'un même valet rusé dans *Le Médecin volant* (*) sont passés du plan du jeu de scène au plan de la conception de la pièce elle-même et ce malgré la substitution du valet ridicule à l'espagnole au valet rusé à l'italienne. À cette première innovation, Molière a joint l'invention d'un nouveau rapport de la comédie au réel. Car si toute comédie prétend jouer le rôle d'un miroir de la société, force est de constater que depuis la comédie cornélienne c'est toujours la même facette qui est montrée — la jeunesse aristocratique —, sans souci de réalisme. Or non seulement Molière a placé ses *Précieuses* dans un milieu bourgeois, mais surtout il a retrouvé — et porté plus loin — l'esprit de la comédie-miroir en faisant la satire d'une fraction de ce milieu et en s'appuyant sur son esthétique du naturel. Car le naturel de Molière consiste à prêter à chacun sa langue. Et c'est ce principe de la juste langue de chacun qui fonde la satire des *Précieuses*, où de petites bourgeoises provinciales se piquent de parler un langage qui, lorsqu'il n'est pas exagéré, n'est pas ridicule en soi, mais qui, en l'occurrence, ne leur convient pas. Ainsi *Les Précieuses* marquent le véritable début de la carrière de Molière ; dès cette pièce, il montre ce qu'il sera pour ses contemporains, « un législateur des bienséances du monde », comme l'appelle Voltaire dans *Le Siècle de Louis XIV* (*).

PRÉCIS DE DÉCOMPOSITION. Essai de l'écrivain roumain de langue française Emil Michel Cioran (né en 1911), publié en 1949. Ce premier livre écrit en français n'a pas rompu avec l'esprit baroque des ouvrages précédents de Cioran. L'écrivain n'a pas encore adopté la concision de l'aphorisme, mais dans cet essai virulent et provocateur s'orchestrent tous les thèmes obsédants de l'œuvre : mal et salut, histoire et décadence, religion et sainteté. Rarement ont été dénoncés avec tant de vigueur le mal d'être homme, la malédiction de la conscience destructrice et l'immoralité des philosophes qui esquivent la vie en la théorisant. Le « penseur d'occasion » auquel s'identifie l'auteur préconise une autre démarche, procédant des « crispations de la chair » autant que d'une saisie immédiate bergsonienne, qui réhabilite le corps et la durée : « Une indigestion n'est-elle pas plus riche d'idées qu'une parade de concepts ? » suggère-t-il.

Exercices négatifs, le titre initial, mettait l'accent sur le caractère thérapeutique d'un ouvrage qui prône les vertus du cynisme. Le ton de ce livre atteint dans la violence une démesure qui s'atténuera dans les œuvres ultérieures. Il est prophétique, presque nietzschéen. Cioran confessera plus tard qu'il s'attribuait alors une mission, en dépit du titre d'anti-prophète qu'il se donne ici. Les figures de rhétorique abondent ; invectives, harangues, prières se succèdent sans exclure d'inattendus instants poétiques. Le *Précis* relève d'une métaphysique négative fondée sur la prééminence du non-être, où « l'être n'est qu'une prétention du rien » soumis aux lois de la dégradation. Autrement dit, l'histoire de l'être se confond avec celle du mal qu'un penseur digne de ce nom ne doit pas contourner. Le mal trouve à s'incarner dans cet « animal paradoxal », « toujours séduit par le démon de l'inédit » que son appétit de savoir et de pouvoir mène infailliblement à l'autodestruction. Ce qu'il prend soin de dissimuler — la conscience dans cette perspective n'est que ruine de l'âme — en entretenant cette « vertu d'esclave » qu'est l'espoir. À celui-ci, Cioran oppose la lucidité comme « pourrissoir des certitudes », l'idéal d'un « être totalement imperméable à l'espérance » qui « serait plus puissant que Dieu ».

C'est pourquoi l'anti-prophète se met en quête des ressources de l'autodestruction afin « d'expectorer cet univers » qu'il maudit en vertu du principe que « la vie serait intolérable sans les forces qui la nient ». L'homme hyperconscient, l'homme de la décadence n'a que le pouvoir d'anéantir la vie. À moins qu'il ne refuse le temps à la manière des saints. Pour échapper à son enfer terrestre, il ne voit que deux solutions, « l'imbécillité ou la sainteté ». Mais faute de pouvoir suivre les exercices spirituels édictés par les religions, il s'adonne à des exercices d'insoumission. S. J.

PRÉCIS DE PHILOSOPHIE MORALE [*Epitome philosophiae moralis*]. Œuvre du réformateur allemand Philippe Mélanchton (1497-1560), publiée en 1538. Même au plus vif de sa polémique avec Érasme sur le libre ou le serf-arbitre, Luther avait soutenu que la volonté humaine est libre de suivre la raison « dans les choses naturelles » et de s'adonner aux vertus civiles même si celles-ci n'ont rien à voir avec le plan de la grâce et du salut. Le champ de ces vertus naturelles est celui que les théologiens de la Réforme réservent à la morale rationnelle ou scientifique distincte de la vie chrétienne ou morale théologique. C'est dans cette perspective que se situe le fameux traité de Mélanchton, qui fut pendant deux siècles le manuel de morale des écoles allemandes. Cette morale est un renouvellement, à travers les Pères de l'Église et Cicéron, de la pensée d'Aristote et des stoïciens. Son fondement est la « lumière naturelle » de la raison, donnée par Dieu à chaque homme pour qu'il distingue immédiatement et universellement le bien. Mais, puisque la lumière naturelle est troublée par le péché, Dieu a dû la ranimer par la promulgation du Décalogue, qui n'est rien d'autre que l'expression de la loi naturelle. Une telle identification, acquise déjà dans la pensée médiévale, est le fondement de l'éthique rationnelle de la Réforme, et le trait d'union de la morale et de la théologie. Elle fait de Mélanchton le premier théoricien, chez les protestants, du droit naturel.

PRÉCIS DE PSYCHOLOGIE de James [*Principles of Psychology*]. Ouvrage de psychologie positive du philosophe américain William James (1842-1910), publié en 1891. L'auteur lui-même le présente ainsi : « Ce livre admet qu'il existe un monde extérieur, que les états de conscience peuvent être connus comme ils peuvent se connaître entre eux, que les pensées et les sentiments existent, et qu'ils sont les véhicules de la connaissance ; que la psychologie, une fois qu'elle a établi les relations empiriques entre les diverses formes de pensée et de sentiment et les conditions imposées par le fonctionnement du cerveau, ne peut aller au-delà en tant que science ; que, si elle le fait, elle devient métaphysique. » C'est pourquoi ce livre rejette aussi bien la théorie associationniste que la théorie spiritualiste. « De la doctrine de l'association, dira encore l'auteur, j'ai conservé [...] le concept d'"objet pensé", ou de "processus cérébraux qui s'associent". Tous mes efforts ont visé à présenter en une science naturelle de la pensée un "modus vivendi" permettant de réconcilier les écoles les plus diverses sur la base commune du fait. » Pourtant, dix ans après la publication de l'ouvrage, l'auteur ajoutait qu'il s'était chaque jour davantage convaincu de la difficulté de parler de psychologie sans y introduire « quelque doctrine philosophique proprement dite ». Après avoir décrit les fonctions du cerveau et leur évolution en relation avec celle des centres nerveux, et étudié le fondement physiologique de l'habitude en liaison avec la plasticité de la matière nerveuse, la nature des automatismes, la théorie des minima psychiques, il aborde l'étude de l'esprit au moyen de l'introspection : le courant de la pensée sous forme personnelle, continue, rythmée, sélective ; la conscience de soi et ses facteurs constitutifs (le moi empirique ; le moi social ; le moi spirituel ; rivalité et hiérarchie entre les diverses personnalités qui forment le moi ; la théorie suivant laquelle « rien n'explique et rien ne garantit » l'existence d'une âme-substance ; la théorie associationniste et la théorie transcendantale ; les changements de personnalité ; les facultés de médium). Suivent des études sur l'attention, l'activité conceptuelle (immuable à travers des états d'âme différents), la différenciation et la relation, l'associationnisme (vrai pour les objets pensés, et non pour les idées) et des lois. Le premier volume s'achève sur deux chapitres ; la « Perception du temps » et la « Mémoire », sa physiologie et sa pathologie. Le second volume étudie les différentes phases du processus de la connaissance : la sensation, la perception : perception de l'espace ; perception de la réalité (le sentiment de notre vie est l'expérience fondamentale ; et pour ce qui est de la réalité des différents mondes — ceux de la sensation, de la science, des rapports entre les « idoles » de la tribu, des opinions individuelles du monde supranaturel et mythologique, de la folie —, chacun choisit celui qui lui convient le mieux, puisque « tout ce qui excite et stimule notre intérêt est réel » ; solution pragmatiste du conflit réalisme-idéalisme) ; le raisonnement, l'instinct, les émotions (où trouve place la fameuse théorie de l'auteur selon laquelle « des modifications corporelles accompagnent immédiatement la perception des faits émotionnels », l'émotion n'étant que la « prise de conscience desdites modifications ») ; la volonté, la liberté de la volonté, l'hypnotisme, etc. Les *Principes de psychologie* marquent une étape dans la critique, inaugurée par Kant, des anciennes méthodes scientifiques. Ils ont modifié toute l'orientation des études psychologiques, et indirectement et jusqu'à un certain point, les tendances philosophiques ; ils représentent une tentative d'accorder la tradition classique, les analyses associationnistes, les spéculations psychogénétiques, les conceptions biologiques et pathologiques, en dépassant leur caractère unilatéral et en attribuant à chacune la part qui lui revient dans la synthèse finale. Cette œuvre fit triompher en psychologie le « point de vue fonctionnel » ; elle assimila la science de l'esprit aux disciplines biologiques, en traitant la pensée et la connaissance comme des instruments de la lutte pour l'existence. — Trad. en version abrégée, Marcel Rivière, 1921.

PRÉCIS HISTORIQUE DES CAMPAGNES DE LOUIS XIV depuis 1672 jusqu'en 1678. Pendant que paraissaient sur le théâtre ses tragédies, l'écrivain français Jean Racine (1639-1699) avait reçu des pensions et il avait été honoré de diverses charges : trésorier de France au bureau des finances de Moulins, gentilhomme ordinaire du roi, conseiller du roi ; en 1673, il entrait à l'Académie française, mais ce n'est qu'après *Phèdre* (*) qu'il fut nommé historiographe du roi, en même temps que Boileau, charge qui lui permit de quitter le théâtre (1677). Cette charge n'était pas, en effet, comme les autres une sinécure. Louis XIV avait l'intention de faire rédiger par une équipe d'écrivains l'histoire officielle de son règne. Racine prit fort au sérieux sa nomination. C'est qu'elle était avant tout la réalisation de ses ambitions. Toujours est-il que « les deux poètes [Racine et Boileau], résolus de ne plus l'être, ne songèrent qu'à devenir historiens ; et pour s'en rendre capables ils passèrent d'abord beaucoup de temps à se mettre au fait et de l'histoire générale de France et de l'histoire particulière du règne qu'ils avaient à écrire » (*Mémoires* (*) de Louis Racine). Nous avons conservé quelque trace de la préparation de Racine : ce sont les analyses des ouvrages des Anciens sur l'art d'écrire l'histoire, en particulier les extraits qu'il fit de l'ouvrage de Lucien : *De la manière d'écrire l'histoire* (*) et du traité de Denys d'Halicarnasse : *Archéologie romaine* (*) ; ce sont aussi de multiples notes sur les campagnes du roi, les personnages de la Cour. La charge d'historiographe supposait que le titulaire suive les campagnes qu'il devait raconter ; c'est ce que fit Racine seul dès la campagne de 1677 ; puis en 1678 Racine et Boileau suivirent la campagne de Gand. Par la suite, Boileau ne put quitter Paris pour raisons de santé, mais Racine suivit le roi dans toutes ses campagnes et écrivit durant ce temps à Boileau pour le tenir au courant des événements. Tous ces travaux devaient aboutir à l'histoire du règne de Louis XIV, qui ne vit jamais le jour. Racine, d'après des témoignages contemporains, en aurait composé plusieurs morceaux ; mais les manuscrits auraient péri dans un incendie. En fait, nous n'avons que deux œuvres historiques officielles de Racine, ce sont : le *Précis historique* et la *Relation de ce qui s'est passé au siège de Namur*, ainsi que quelques *Notes et Fragments*.

Le *Précis historique* ne fut publié qu'en 1730, il était alors attribué à Pellison ; une nouvelle édition, en 1784, le rendit à Racine. Cette attribution (à Racine et à son confrère Boileau) est d'ailleurs attestée par une source digne de foi, le *Journal* (*) de Dangeau. Le *Précis* est un récit assez sec des campagnes de Louis XIV pendant la guerre de Hollande, puis pendant la guerre contre la puissante coalition rassemblée autour de Guillaume d'Orange, guerre qui devait aboutir à la paix de Nimègue (1678). C'est donc d'une période historique bien délimitée qu'il y est traité ; cependant, il n'est presque pas question dans le *Précis* de la politique qui joua pendant ces années un rôle au moins égal à celui des armes ; le *Précis* n'est que le récit des campagnes rapides, foudroyantes, de Louis XIV et surtout des différents sièges qu'il entreprit souvent en personne. Rien d'original ni de personnel ici, pas même de vues historiques ; c'est le modèle de l'histoire officielle : les pertes françaises sont insignifiantes, les défaites sont à peine mentionnées, l'accent est mis continuellement sur la part personnelle prise par Louis XIV dans les opérations.

Il en va de même avec la *Relation de ce qui s'est passé au siège de Namur*, imprimée par ordre du roi et sans nom d'auteur en 1692, réimprimée dans l'édition que Louis Racine fit des œuvres de son père en 1747 sous la rubrique des « Ouvrages attribués à Jean Racine ». On a beaucoup contesté cette attribution ; sans doute parce qu'on était surpris, et même choqué, de voir Racine si préoccupé de science militaire, si féru du jargon des ingénieurs. C'est oublier que, dans ses lettres à Boileau, Racine fait preuve de la même science. Le siège de Namur est une des grandes opérations de cette guerre de sièges que Louis XIV menait contre la puissante coalition de la Ligue d'Augsbourg. Déjà, Louis XIV ne possédait plus l'armée triomphante du début du règne et, s'il tenait devant ces puissants ennemis, c'était plus par leurs dissensions que par sa force propre. On ne s'en douterait guère en lisant la *Relation* : ce ne sont que faits d'éclat, offensives victorieuses, ennemis aux abois. Le récit demeure parfaitement impersonnel, à tel point qu'il ne semble pas que Racine, cependant témoin oculaire, se soit servi de ses souvenirs et de ses notes qui nous ont été conservées. Mais ce qui nous surprend davantage, c'est, tout comme dans le *Précis*, le style, lui aussi parfaitement impersonnel, noble sans doute mais monotone, à peine supérieur au style de la *Gazette*, où Racine a d'ailleurs puisé nombre de renseignements. Au moins ces deux œuvres ont le mérite de nous montrer un aspect de Racine qu'on oublie trop souvent et que lui-même, à cette époque de sa vie, préférait à celui qu'on connaît.

PRÉDESTINATION (De la) [*De praedestinatione*]. Traité de théologie du philosophe et théologien irlandais d'expression latine Jean Scot Érigène (810 ?-878 ?) ; probablement ecclésiastique, l'auteur passa la plus grande partie de son existence en France où il fut professeur à l'école du palais de Charles le Chauve. Ce traité, antérieur à sa célèbre traduction des œuvres mystiques du pseudo-Denys l'Aréopagite, fut composé par Érigène en 851, sur la requête de l'évêque Hincmar de Reims ; il complète son œuvre capitale *De la division de la nature* (*), où ce sujet n'avait pas été abordé. Gotteschalk croyait à une double prédestination : celle des élus destinés à la félicité éternelle et celle des réprouvés voués à la damnation. L'exposé de telles opinions avait donné le signal d'une mêlée générale entre les théologiens de l'époque. Aux esprits bornés, attachés aux formules étroites de la prédestination, Scot répond, avec les néoplatoniciens, que la vraie révélation n'est que la vraie philosophie, que par conséquent toutes les expressions que nous rapportons à Dieu n'ont qu'une valeur métaphorique, et que la « prédestination » n'est rien d'autre que Dieu lui-même. Il n'est en Dieu que prédestination des justes, puisqu'il ne peut y avoir prédestination au « châtiment », pas plus qu'au péché, qui est pure négation ; comme est pure négation le châtiment du péché, c'est-à-dire le regret du pécheur de ne pas avoir atteint son but, la béatitude à laquelle il aspire. Le péché porte en soi son propre châtiment, et le pécheur est l'auteur de son propre malheur. Scot fait consister les peines de l'enfer dans l'absence éternelle de béatitude et dans le feu lui-même, quatrième élément du monde et gloire pour les bienheureux. Le traité se rattache, par certains côtés, au livre « Du retour en Dieu » dans le *De divisione naturae*. Au fond de la philosophie de Scot, on trouve une pensée panthéiste mêlée d'éléments pélagiens, néo-platoniciens et augustiniens. Des évêques et des écrivains se dressèrent contre ses théories, et les conciles de Valence (855) et de Langres (859) condamnèrent le traité.

PRÉFACE DE « CROMWELL ». Célèbre manifeste que, au moment de se jeter dans la bataille pour le drame romantique, l'écrivain français Victor Hugo (1802-1885) publia en tête de son drame *Cromwell* (*), qui ne fut d'ailleurs jamais représenté. Dès sa parution en 1827, la *Préface de « Cromwell »* fut considérée par la jeune école dramatique comme son manifeste. Ce n'est pas d'ailleurs que les idées, les théories que Victor Hugo expose ici soient nouvelles. Déjà Mme de Staël, dans sa *Littérature* (*) parue en 1800, avait répandu dans le public lettré le goût et le désir d'une forme dramatique plus libre que la tragédie classique, forme qui s'inspirerait de Shakespeare, de Goethe et de Schiller. August Wilhelm Schlegel dans sa *Comparaison entre la « Phèdre » de Racine et celle d'Euripide* (1807) avait donné une place de premier plan au théâtre lorsqu'il s'était agi d'engager la bataille contre le classicisme. Les journaux du temps, en discutant à leur apparition les pièces nouvelles, ne manquaient pas d'indiquer aux auteurs la voie à suivre pour renouveler le théâtre. Enfin, Stendhal avait traité la question dans une brochure d'une importance capitale, *Racine et Shakespeare* (*). Outre ces déclarations d'ordre théorique, ce nouvel esprit venait de se manifester en pratique dans le *Théâtre de Clara Gazul* (*) de Mérimée. Il n'en restait pas moins que le Théâtre-Français fermait obstinément ses portes à toute nouveauté, et qu'aucune déclaration n'avait encore été faite qui résumât les nouvelles tendances, qui revendiquât avec éloquence les droits de la poésie. C'est ce qu'entreprit Hugo. Il fit de sa préface une machine de guerre, tumultueuse, bourrée de paradoxes, habillée d'un style magnifique : une bombe qui toucha à la fois le public et les auteurs. Il entend tout d'abord replacer le théâtre dans l'histoire de l'évolution de l'esprit humain. La poésie s'est éveillée au monde avec l'homme même ; cette première forme fut toute lyrique, elle tendait à exprimer l'extase devant les beautés de la nature, l'adoration pour le Créateur. À cette phase méditative succède une phase active : l'homme agit, construit, se bat, la poésie devient épique. Alors que *La Genèse* (*) est un vaste poème lyrique, Homère c'est l'épopée. Toute l'Antiquité est dominée par l'épopée : la poésie lyrique grecque découle de l'épopée, elle est épique ; il en est de même de la poésie dramatique des Grecs : « Tous les tragiques anciens détaillent Homère. Mêmes fables, mêmes catastrophes, mêmes héros. Tous puisent au fleuve homérique. C'est toujours l'*Iliade* (*) et l'*Odyssée* (*). Comme Achille traînant Hector, la tragédie grecque tourne autour de Troie. » On voit ce qu'a de contestable un tel exposé ; ni du point de vue de l'histoire générale, ni du point de vue de l'histoire littéraire, il ne se justifie. Cependant, du point de vue polémique, de pareilles simplifications sont de bonne guerre. Mais, poursuit-il, l'avènement du christianisme a révélé à l'homme sa dualité, lui a donné le sens du dialogue intérieur ; l'homme est rentré en lui-même ; son cœur est désormais partagé entre les vertus qu'il doit pratiquer, les vices qu'il lui faut combattre. Sans doute, ici, Hugo se souvient-il de la thèse, exposée par Chateaubriand dans *Le Génie du christianisme* (*), selon laquelle l'analyse des sentiments et des passions aurait reçu du christianisme à la fois des éléments nouveaux et, ce qui est plus important encore, une méthode nouvelle ; il n'en reste pas moins que l'application de cette thèse au théâtre est extrêmement suggestive. C'est la raison pour laquelle le théâtre est devenu psychologique, et de ce point de vue Racine, Shakespeare et Goethe sont supérieurs par leur profondeur et leur complexité aux Grecs. L'erreur des classiques, pour Hugo, est d'avoir séparé deux genres complémentaires, la tragédie et la comédie : le théâtre est un, le drame a pour objet la vérité. Victor Hugo le définit : la résurrection de la vie dans sa totalité. Il n'y a donc aucune raison de séparer les passions nobles des ridicules, le rire des larmes, le beau et le laid, le sublime et le grotesque. C'est à la réunion de ces contraires que doit se consacrer le théâtre moderne (« La poésie complète est dans l'harmonie des contraires »).

Ce souci de liberté va très loin, puisque Victor Hugo proscrit radicalement les unités classiques de temps et de lieu ; quant à l'unité d'action, sans laquelle il n'y a pas de cohérence possible, elle ne sera pas abolie, mais renforcée par la nécessité d'une unité plus intime, tout intérieure — celle qui, du point de vue psychologique, est le pendant de l'unité d'action —, l'unité « d'impression ». De même, s'il convient de conserver l'alexandrin, vers dramatique par excellence, il faut l'assouplir, lui donner de la couleur en permettant des libertés de versification prohibées depuis deux siècles, telles que l'enjambement, le déplacement de la césure ; toutefois il convient de « rester fidèle à la rime, cette esclave-reine, cette suprême grâce de notre poésie » ; par contre, il faut fuir la tirade : c'est le personnage qui doit parler et non, par sa bouche, l'auteur. Cette préoccupation centrale du mélange des genres aboutira donc à une forme théâtrale qui unira le « style noble » et le « style familier ». Cependant on ne s'arrêtera pas à cette fusion du comique et du tragique : le nouveau théâtre ne sera pas seulement dramatique, il sera également lyrique, épique, moral et surtout historique ; il sera véritablement un art complet, utilisant toutes les ressources de la poésie. On le voit, la théorie est ambitieuse, et on comprend que certains contemporains aient eu conscience, en lisant ce manifeste, qu'une nouvelle ère du théâtre s'ouvrait. Toutefois, il ne faut pas négliger le fait que Victor Hugo prêchait pour son saint. S'il recommande l'emploi de l'alexandrin, c'est bien un peu parce qu'il se savait un virtuose de ce mètre ; s'il soutient le théâtre historique, c'est qu'avec *Cromwell* il s'engageait dans une voie qu'il ne devait pas quitter ; c'est donc un peu pour le théâtre qu'il se proposait d'écrire dans l'immédiat qu'il lance son manifeste. De la *Préface de « Cromwell »*, le théâtre romantique devait tirer sa définition, son élan, mais aussi ses limites : il sera un théâtre en vers et un théâtre historique. La prose sera réservée aux drames, aux comédies réalistes, puis naturalistes, qui, en marge, tenteront une réforme plus radicale du théâtre. Ce sont peut-être ces limitations qui empêcheront le théâtre romantique de produire ces grandes œuvres révolutionnaires qu'il semblait promettre. Peu après, c'est en se dégageant partiellement de cette optique que Delavigne construira ses œuvres. Avec le recul du temps, le théâtre romantique, tel qu'il est défini avec beaucoup de talent et d'éclat par Hugo dans sa *Préface de « Cromwell »*, ne semble pas avoir eu tellement plus d'importance que la tentative de réforme que fut la « comédie larmoyante ». Lorsque Hugo voudra faire, pour lui-même, un nouveau théâtre, il s'éloignera délibérément des principes qu'il avait fixés en 1827 et il intitulera cette œuvre dramatique *Théâtre en liberté* (*).

PRÉFÉRENCES. Tout entier consacré à la littérature, ce recueil de critiques et d'essais de l'écrivain français Julien Gracq (né en 1910) a été publié en 1961. Le titre laisse entendre que les hommes et les œuvres dont l'auteur parle sont ceux pour lesquels il a une affection particulière. Toutefois, une question essentielle le préoccupe : la situation des lettres contemporaines. Des deux textes qui traitent ce problème, le plus célèbre est *La Littérature à l'estomac* (*). Dans l'autre, Gracq met en évidence une caractéristique de notre époque, la coexistence de deux courants de qualité. Avant son apparition au milieu du XIXe siècle, l'histoire n'offre, semble-t-il, aucun exemple de ce phénomène. Mais le fait est qu'il y a maintenant des révolutionnaires et des classiques, que Joyce n'efface pas Gide ni Céline. Comment expliquer que les uns et les autres trouvent des lecteurs intelligents, doués de goût et de sensibilité, résolument ennemis du médiocre ? Gracq pense (et l'idée mérite d'être retenue) qu'il faut rattacher cette coexistence de deux familles d'écrivains à celle de deux cultures : l'une basée sur le latin et le grec et l'autre qui les ignore. L'obsession de la technique est un second trait que Gracq note comme typique de notre temps. Observant que celle-ci se justifie seulement dans la mesure où elle sert à « mettre en valeur un tempérament », il se plaint de ce qu'elle dépasse souvent son objet, au point d'étouffer ce qu'elle devait canaliser. Dans « Les Yeux bien ouverts », il nous entretient de ses rêveries qui, bien que revenant toujours sur les mêmes thèmes, sont pour lui « un printemps imaginatif ». Partir en voyage, considérer d'un lieu éminent une vaste étendue de terre, se faufiler dans une chambre un instant désertée par son occupant habituel, voilà les choses qui l'émeuvent profondément et dont ses songeries d'abord, ses livres ensuite, sont nourris. Quant à ses penchants littéraires, ils le portent surtout vers les romantiques et les surréalistes. Plus précisément, il trouve un charme profond et un vif intérêt aux *Mémoires d'outre-tombe* (*) (ce qui ne l'empêche pas de surnommer Chateaubriand le « grand paon »), au *Penthésilée* (*) de Kleist (qu'il a librement traduit), au *Beatrix* (*) de Balzac (roman qu'il juge dostoïevskien), aux *Diaboliques* (*) de Barbey d'Aurevilly (qu'on n'apprécie que si on sait l'écouter, car son art, souligne-t-il, était celui d'un conteur), aux poèmes de *Poisson soluble* (*). N'oublions pas que Gracq avait déjà écrit et publié en 1947 une excellente brochure intitulée *André Breton, quelques aspects de l'écrivain* où nous lisons : « L'usage du langage chez Breton marque l'achèvement d'une résolution véritable : non seulement le mot souligné s'incorpore désormais étroitement à la phrase qu'il irradie souvent d'un bout à l'autre, lui confère seul son sens supérieur et son achèvement, mais encore il y représente le passage d'un influx galvanique, d'une secousse nerveuse qui la vivifie et la transfigure, il y porte tous les caractères d'une véritable sublimation. » Enfin, Gracq nous parle avec admiration de Poe, de Rimbaud et de Lautréamont, ces hommes de génie qui rompirent si radicalement avec leur milieu. Ces choix montrent qu'il se fait de la littérature une conception noble, voire un peu hautaine. Les réalistes et les rationalistes lui paraissent limités, il leur préfère les auteurs qui ont tenté d'aller au-delà, de saisir la réalité intime, trouble et presque indicible des êtres et de la vie. Créateur avant d'être essayiste, il s'est lui-même attelé, dans ses œuvres, à cette tâche ambitieuse. Outre qu'il abonde en aperçus originaux et en analyses nuancées et précises, ce livre permet de le mieux comprendre.

PRÉFET YIN (Le) [*Yin sien-tchang – Yin xianzhang*]. Recueil de nouvelles de la romancière chinoise Tch'en Jo-si (née en 1938), publié en 1976 à T'ai-pei. Sous une forme fictionnelle qui veut avoir valeur de témoignage, l'auteur y raconte l'histoire de paysans, étudiants, professeurs, prisonniers, dockers et intellectuels envoyés à la campagne durant la « révolution culturelle ». Dans *L'Anniversaire de Tsing-tsing* [*Tsing-tsing te cheng-je*] (ou *Le Président Mao est un œuf pourri* [*Mao-tchou-si che ke houai-tan*]), une fillette de quatre ans et son amie sont accusées d'avoir prononcé un slogan contre-révolutionnaire. *Keng-eul à Pékin* montre comment un célibataire accumule les déceptions amoureuses pour des raisons uniquement politiques. La nouvelle qui donne son titre au recueil enfin retrace la montée de la haine meurtrière des gardes rouges, lorsqu'ils prennent pour cible de leurs slogans et des dénonciations forcées un vieux fonctionnaire provincial. – Trad. *Le Préfet Yin et autres histoires de la révolution culturelle*, Denoël, 1980. V. L.

PRÉJUGÉS [*Prejudices*]. Titre de six recueils de chroniques données par l'écrivain américain Henry Louis Mencken (1880-1956) à la revue *The American Mercury* (*) depuis 1924. Journaliste, romancier, critique musical, Mencken est un des maîtres de l'humour américain, mais la verve, chez ce descendant d'émigrants allemands, est traversée de flammes polémiques, comme en témoignent ses deux grands ouvrages : *La Langue américaine* (*) et *Un livre de préfaces* (*). En cette époque de conformisme qui précédait la grande crise de 1929, Mencken partait en guerre contre tous les « tabous » de ses contemporains. Antidémocrate, antichrétien, antipuritain surtout, il commence ici par se demander comment il peut bien être américain et vivre encore dans un pays rongé par l'hypocrisie. Il est vrai qu'on lui laisse la liberté de malmener tout son soûl les dieux du Panthéon national, de dénoncer les fanatiques du Ku-Klux-Klan, de dégonfler le bluff publicitaire d'Henry Ford, d'étaler, avec une richesse rabelaisienne d'expressions où s'entremêlent le latin, le grec, l'argot et le meilleur anglais, les méfaits de la corruption politique, de l'intolérance religieuse et de la standardisation sociale et morale. Ces *Préjugés* ont marqué une date ; ils ont éveillé les États-Unis à l'esprit critique. — Trad. partielle Boivin, 1929.

PRÉLUDE (Le) [*The Prelude*]. Poème autobiographique en quatorze livres de l'écrivain anglais William Wordsworth (1770-1850), commencé en 1799 et terminé en 1805, mais publié après sa mort en 1850. Il devait servir d'introduction au grand poème intitulé *Le Reclus* [*The Recluse*], dont Wordsworth n'écrivit qu'une partie : *L'Excursion* (*). Il relate les étapes du développement de son caractère et de son génie poétique : l'enfance, l'école ; l'épisode de la promenade nocturne en barque est célèbre, livre I, vers 357-400 : « Un soir d'été, conduit par elle, je trouvai... » [One summer evening, led by her, I found...] ; les années à Cambridge, la première visite à la France et dans les Alpes ; le séjour en France durant la Révolution (il passe sous silence cependant ses relations avec Annette Vallon), et ses réactions devant ces diverses expériences. Les versions du poème antérieures à l'édition de 1850, qui reproduit le texte définitif, ont été publiées en 1926 par le professeur de Selincourt. — Trad. *Le Prélude ou la Croissance de l'esprit d'un poète,* Aubier, 1949.

PRÉLUDE, ARIA ET FINAL. Triptyque du compositeur français d'origine belge César Franck (1822-1890). C'est à la fin de sa vie que Franck écrivit la plupart de ses œuvres pour piano. Si ces partitions sont destinées au piano, elles sont en fait souvent pensées pour l'orgue ; on y retrouve sans cesse des effets de sonorité, des artifices techniques, qui peuvent sembler plus aisés à réaliser sur un pédalier que sur un clavier. *Prélude, aria et final* date de 1887. La première audition fut donnée le 12 mai 1888 par sa dédicataire, Mme Bordes-Pêne, à la Société nationale. Le Prélude, en mi majeur, se compose d'une simple et longue phrase mélodique, calme, soutenue, qui se répète d'abord en ut dièse mineur pour revenir en fa majeur, après une courte transition en fa majeur. Une brève introduction prépare l'entrée du célèbre thème de l'Aria, admirable par sa simplicité, sa sérénité, sa noblesse et sa force expressive. Ce thème se développe entre les tonalités de la bémol majeur et de la bémol mineur, se pare de multiples couleurs, et meurt sur un long arpège. Le Final utilise deux thèmes nouveaux : d'abord un motif haletant, expressif, tourmenté, puis une phrase éclatante en la bémol. Après un rappel de la mélodie de l'Aria, le second thème fait l'objet d'un développement qui s'achève par un fortissimo, où, à la partie principale, apparaît le thème du Prélude. Alors tout se calme, après cette apothéose, et l'ouvrage s'achève dans la sérénité, le calme sur d'ultimes accords vaporeux. Cette œuvre marque une date importante dans l'histoire de l'évolution de la forme sonate. César Franck y pose nettement les principes de la forme cyclique qui, par le retour des mêmes thèmes, tend à donner une unité d'inspiration aux œuvres musicales et non plus seulement une unité architecturale comme dans la sonate classique. Cette doctrine servira d'ailleurs de postulat à la doctrine de la Schola Cantorum, dont Vincent d'Indy fut le grand organisateur si César Franck en fut l'âme.

PRÉLUDE, CHORAL ET FUGUE. Triptyque pour piano du compositeur français d'origine belge César Franck (1822-1890). La première audition en fut donnée le 24 janvier 1885, à la Société nationale, par sa dédicataire, Marie Poitevin. Franck avait composé cette partition, l'année précédente, en même temps qu'il achevait son poème symphonique *Les Djinns* (*) et qu'il jetait sur le papier la première ébauche de ses *Variations symphoniques* (*). L'ouvrage, parmi les plus beaux de Franck, fut bien accueilli, malgré l'originalité de sa conception qui eût pu dérouter le public académique de la Société nationale. Franck avait tout d'abord pensé écrire un Prélude et une Fugue, reprenant ainsi une formule transcendée par Jean-Sébastien Bach, et abandonnée depuis la mort de l'illustre Cantor de Leipzig. Puis, lui vint l'idée d'un troisième thème de facture lyrique qu'il destina à servir d'enchaînement entre le Prélude et la Fugue. Ainsi naquit le Choral qui domine toute cette partition d'une grande richesse d'inspiration. Le Prélude en si mineur débute par l'exposé à la tonique de son thème unique, repris à la dominante au terme d'une longue phrase où le sujet de la Fugue est déjà timidement esquissé. Le Choral en trois parties utilise deux thèmes très opposés de caractère. Le premier, très expressif, n'est autre que le sujet de la Fugue définitivement mise au point. Le second, qui est le thème propre du Choral, se développe avec une sereine majesté en ut mineur. Une période en mi mineur permet de revenir au ton initial de l'ouvrage. La Fugue, enfin, reprend donc le premier thème du Choral, lui fait subir diverses transformations. Puis, après une brève cadence, réapparaissent successivement le thème du Prélude, le thème fondamental du Choral et, se greffant sur ces motifs, la Fugue revient à sa simplicité initiale. L'ouvrage, d'une très grande beauté, se termine par une brillante péroraison en si majeur.

PRÉLUDE, FUGUE ET VARIATION. Triptyque pour orgue du compositeur français d'origine belge César Franck (1822-1890), composé entre 1860 et 1862, et dédié à Camille Saint-Saëns. Vincent d'Indy, le fidèle disciple de Franck, a voulu justement y voir comme l'embryon des formules musicales que son maître mènera à leur pleine réalisation dans ses dernières œuvres pour piano, comme *Prélude, choral et fugue* (*) ou *Prélude, aria et final* (*). Franck en fit un arrangement pour piano et harmonium, tandis que le grand pianiste Harold Bauer en faisait un pour piano seul. Le principe cyclique, c'est-à-dire du thème que l'on retrouve, est déjà fortement implanté dans cette œuvre. Le thème atteint au sublime. Cette ardeur, ce chant séraphique si caractéristique de Franck s'y montrent dans tout leur relief. Nous pourrions voir dans *Prélude, fugue et variation* comme une voix prophétique des œuvres suivantes, plus frêle, moins assurée, plus jeune en un mot, mais tout aussi spontanée dans son inspiration et peut-être aussi profonde.

PRÉLUDES de Chopin. Composés en grande partie pendant le séjour du compositeur polonais Frédéric Chopin (1810-1849) dans l'île de Majorque (hiver 1838-1839), et publiés en 1839 avec une dédicace au facteur de pianos Camille Pleyel, ami du compositeur, les *24 Préludes*, op. 28, sont des pièces brèves (une par tonalité) répondant à ce titre de façon très libre. La musique ne contient, en effet, aucun rappel de forme du prélude des anciennes suites instrumentales ; il ne s'agit pas non plus de « morceaux destinés à être joués en manière d'introduction à d'autres morceaux » (Liszt). Ce sont des préludes poétiques ; en d'autres termes, des moments d'inspiration saisis dans leur plus fraîche vérité immédiate et confiés à la page écrite sans aucun intermédiaire académique. Des notes, dirait-on, mais en excluant du terme toute idée d'insuffisance ou d'inachèvement. D'après leur caractère expressif, on peut les diviser en trois catégories principales. Un premier groupe tend à exprimer des sentiments romantiques de tragique désespoir, des sursauts de révolte. Ce sont notamment : le n° 8, en fa dièse mineur, dans lequel sont combinés trois éléments rythmiques d'une réalisation technique difficile ; le n° 12, en sol dièse mineur, vision de sabbat ; le n° 14, en mi bémol mineur, qui rappelle le final de la *Sonate* op. 35 ; le n° 16, en si bémol mineur, sorte de « course à l'abîme », tragique et bouleversée ; le n° 18, en fa mineur, le n° 22, en sol mineur, dont l'« impulsion tempétueuse est agitée d'un accent de révolte » (Cortot) ; et le n° 24, en ré mineur, ardent, dramatique et grandiose. — D'autres préludes se rassemblent sous le signe d'une tristesse désolée et profonde ; tels sont le n° 2, en la mineur, qui, par ses harmonies douloureusement dissonantes, a suscité de nombreux commentaires ; le n° 4, en mi mineur, où une plainte mélodique très pure s'élève au-dessus d'un morne fond d'accords qui, note par note, désagrègent les harmonies et en préparent d'autres plus sensibles, plus pénétrantes encore, au moyen d'une imperceptible chute chromatique ; le n° 6, en si mineur, moment de nostalgie élégiaque, où la pathétique ligne mélodique est confiée à la basse, tandis que la main droite scande de lents accords ; le n° 13, en fa dièse majeur, passe insensiblement d'une expression de paix sereine à cet accent de tendresse mélancolique dont Chopin a pénétré — involontairement à ce qu'il semble — le mode majeur ; le n° 15, en ré bémol majeur, qui semble être l'objet du fameux récit de George Sand ; il aurait été composé dans la solitude du couvent abandonné que Chopin et elle-même habitaient à Valdemosa, sous l'impression obsédante du bruit produit par la chute monotone d'une goutte d'eau ; le musicien voyant, dans un état d'exaltation presque morbide, surgir et défiler devant lui des ombres d'anciens moines ayant jadis demeuré dans ce couvent. De fait, la structure de ce prélude, d'une complexité inhabituelle, évolue d'une expression de douce mélancolie à une hallucinante vision de mort ; quant aux treize mesures du *Prélude n° 20*, en ut mineur, elles sont absolument funèbres. — Ce sont des images de grâce sereine et de fraîcheur charmante qu'évoquent, au contraire, les *Préludes n° 3*, en sol majeur, brève et enchanteresse arabesque sonore ; le n° 5, en ré majeur, d'aspect un peu schumannien ; le n° 7, en la majeur, courte ébauche de mazurka, enclose en seize mesures, tel un joyeux souvenir de la patrie ; le n° 10, en ut dièse mineur, frais, vif, capricieux. Le n° 11, en si majeur, est plein d'une pudique grâce féminine ; le n° 17, en la bémol majeur, à l'aspect mendelssohnien d'une romance sans paroles, et le n° 21, en si bémol majeur, semblent, en revanche, rappeler les moments d'une délicieuse et pure idylle de jeunesse ; le n° 19, en mi bémol majeur, tout frémissement, impatience, et le n° 23 en fa majeur joignent à leurs autres mérites celui d'être deux belles pages de virtuosité pianistique. D'aucune de ces catégories ne se rapproche le *Prélude n° 9*, en mi majeur, solennel, grandiose et prophétique. Les *Préludes* de Chopin par leur diversité d'écriture, par le choix des couleurs expressives et leur richesse harmonique, apparaissent comme une des œuvres les plus profondes et les plus spontanées qu'aient écrites Chopin. Aux *24 Préludes* op. 24 s'ajoutent un *Prélude* op. 45 en ut dièse mineur et un *Prélude* posthume en la bémol majeur.

PRÉLUDES de Debussy. Vingt-quatre pièces pour piano, réunies en deux livres en 1910 et 1913. En donnant un titre à ses *Préludes,* le compositeur français Claude Debussy (1862-1918) a voulu établir un rapport entre son œuvre et une image, une localité, le vers d'un poète, qui complètent le sens lyrique de la musique, à condition cependant de ne pas les forcer et de ne pas vouloir en tirer des précisions descriptives. Après les *Estampes* (*) et les *Images* (*), les qualités de création et de style de Debussy, qui désormais est en possession de l'écriture pianistique, la plus parfaite et la plus raffinée, atteignent à une singulière perfection. Un fragment de sculpture grecque antique, existant au musée du Louvre, a inspiré le premier prélude, « Danseuses de Delphes ». C'est une page de concision lapidaire, enfermée dans une harmonieuse forme strophique. Il est légitime de penser que la parfaite eurythmie de cette pièce a été suggérée à Debussy par les rapports équilibrés des profils du marbre antique : une lente succession de mouvements qui se composent et se suivent avec une gravité triste, et le sentiment religieux et secret d'un passé très éloigné qui revit pour un instant dans notre imagination. — Après les amples visions des « Sirènes » de *Nocturnes* (*) et de *La Mer* (*), nous retrouvons, sans « Voiles », une évocation de cette mer que Debussy aimait plus que tout autre aspect de la nature. Ici aussi, il y a des rapports purement visuels qui se transposent en termes de sons ; mais c'est l'imprécision rêveuse de l'espace infini de la mer qui a le plus évidemment frappé l'imagination du compositeur ; il en résulte une page faite entièrement de touches harmoniques, suggérant un sentiment d'immobilité, d'inertie estivale, de paix infinie. Cette impression d'immobilité provient, techniquement, d'un ample usage de la gamme par tons entiers. — L'image du vent qui semble courir à ras de terre, sur une plaine sans fin, a inspiré le troisième Prélude, « Le Vent dans la plaine ». Ce sont des arpèges et des trilles uniformes et serrés, des dessins mélodiques se mouvant dans les limites de quelques notes voisines. — Le quatrième Prélude, « Les sons et les parfums tournent dans l'air du soir », au rythme souple et sans heurt, a les mouvements doux et tendus d'une valse lente, bien qu'un véritable temps de danse ne se dessine jamais pleinement. L'idée vient du célèbre poème de Baudelaire, dont Debussy a tout particulièrement retenu deux vers : « Les sons et les parfums tournent dans l'air du soir : Valses mélancoliques et langoureux vertige ! » — Des abîmes d'émeraude et de cobalt, des vertes pentes de collines enchâssées entre mer et ciel : ce sont « Les Collines d'Anacapri », hommage à cette admirable synthèse de paysage méditerranéen qu'est l'île de Capri ; page violente et enflammée, pleine de sensualité dans son thème de tarentelle et dans le lent épisode central qui évoque une chaude chanson napolitaine. — En revanche, le paysage hivernal de « La neige danse » — v. *Children's Corner* (*) — reparaît dans le sixième Prélude « Des pas sur la neige » ; avec lui revient ce sentiment d'intimité recueillie qui s'élève comme une défense de nous-mêmes. — Le septième Prélude est une forte pièce pour piano, de mâle vigueur dans les sonorités et les dessins : « Ce qu'a vu le vent d'ouest », vent océanique apportant des fantômes de livides et apocalyptiques marées atlantiques. Transportée sur le clavier en une succession de dramatiques contrastes, on peut la considérer presque comme une glose du « Dialogue du vent et de la mer » — v. *La Mer* (*). — Puis, sur la bruyère en fleur, est assise la blonde jeune fille d'une chanson écossaise de Leconte de Lisle, d'où Debussy tira le titre de son huitième Prélude, « La Fille aux cheveux de lin ». Une mélodie d'une suave tendresse y domine, enveloppée d'un reflet de féminité pure et candide :

Dans la « Sérénade interrompue », c'est encore l'Espagne nocturne de « Soirée dans Grenade » *(Estampes)* et d'« Iberia » *(Images).* Sur un pizzicato de guitare se trace une mélodie frêle et timide, au rythme délicat et hésitant, tel un appel discret, à mi-voix, vers une fenêtre qui ne se décide pas à s'ouvrir. — La « Cathédrale engloutie » est, de nouveau, une grande page de musique, comparable à certaines des plus belles *Images* pour piano, par l'ampleur chantante de sa substance musicale :

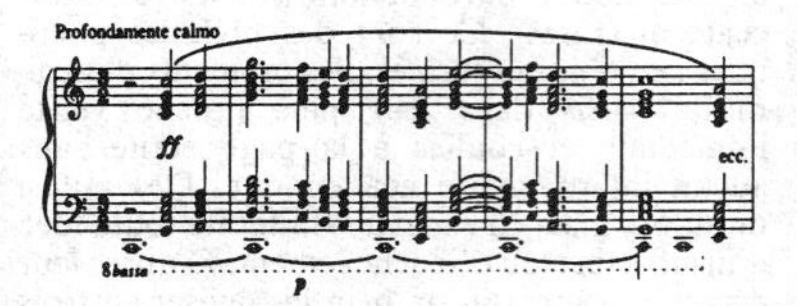

Une vieille légende bretonne dit que la cité fabuleuse d'Ys fut recouverte par les vagues de l'océan, et avec elle sa cathédrale. Aux jours de tempête, les flèches les plus hautes de l'église émergent des creux les plus profonds des ondes ; les jours calmes, au matin, des gouffres de la mer s'élèvent le son de ses cloches et, du cœur de ses nefs, les échos des chants sacrés. — « Danse de Puck », d'inspiration shakespearienne, est d'une légèreté aérienne, tantôt s'attachant à quelque tendre coloration de sentiment, tantôt vibrant d'allégresse purement physique : sistres de feuilles, clochettes de fleurs, violons dont les cordes sont des fils d'araignée, c'est le monde enchanté du *Songe d'une nuit d'été* (*). – Deux paillasses du théâtre de Variétés anglais, tour à tour désossés et bondissant comme des balles de caoutchouc, ou tendres jusqu'aux larmes sous leur masque de paradoxale souffrance, ont inspiré « Minstrels », le douzième Prélude du premier livre. Il est construit sur le rapport entre les deux extrêmes sentimentaux : un morcellement de figures sonores et rythmiques qui, s'étranglant tout à coup dans un roulement de tambour, trouvent issue en une phrase pathétique et sensuelle ; puis c'est un nœud à la gorge, la grimace devient tragique, et l'éternelle larme coule sur la face masquée du pitre.

Certains *Préludes* du deuxième livre tendent à une atmosphère musicale plus raréfiée, d'un hermétisme parfois et d'une concision remarquables. Ce sont, en général, ceux qui s'inspirent de paysages ; tout rappel naturaliste s'y dissout et la vision se résume en une délicate fragilité. La musicalité est moins expansive, mais plus creusée en profondeur, réduite à une expression essentielle et plus intense. Tel est le cas de « Brouillards », simples volumes évanescents de sonorités ; de « Feuilles mortes », page automnale pleine de tristesse, tantôt somptueuse comme les frondaisons rougeoyantes des arbres mourants, tantôt aérienne comme l'hésitante et morne chute des feuilles ; de « Bruyères », marqué d'une mélancolie chagrine. – Les quatrième et huitième Préludes, « Les fées sont d'exquises danseuses » et « Ondines », s'inspirent des fabuleuses et insaisissables créatures de l'air et de l'eau : deux pages parmi les plus fragiles que Debussy ait écrites, où le son se dématérialise et devient souffle d'air, jeux d'ondes et d'ombres. – Une des pages de piano les plus importantes parmi ces *Préludes* est « La Terrasse des audiences au clair de lune », dont le titre fut tiré d'une correspondance de l'Inde envoyée par René Puaux (dans *Le Temps* de 1912), où il était question d'une semblable terrasse existant dans un palais indien. Debussy, frappé de l'hermétique association de mots, composa ce prélude aux sonorités délicates et raffinées, d'une grande tendresse de sentiment. – « Canope » est le réflexe poétique qu'éveille dans l'esprit la contemplation d'un objet archéologique, rêverie sur une ancienne urne funéraire égyptienne. – Le neuvième Prélude est tiré d'une réminiscence de Dickens, « Hommage à S. Pickwick Esq. P.P.M.P.C. (c'est-à-dire « Esquire, Perpetual President, Member Pickwick Club »). C'est une page ironique et pittoresque, analogue au sixième Prélude qui retrace une figure de variétés, « General Lavine excentric ». – Un autre titre de prélude vient d'une carte postale de Grenade que Debussy avait reçue de Manuel de Falla et qui figurait la « Puerta del Vino » ; c'est une Habanera sanglante et violente, faite de sonorités âcres, parfois voilées de langoureux accents évoquant des milieux douteux des faubourgs. – Le second livre des *Préludes* se clôt par deux morceaux de bravoure du clavier. Le onzième est une véritable étude technique de « Tierces alternées », musique pure libérée de toute image étrangère, qui met en jeu et modèle une suggestive matière sonore : la poursuite alternée de tierces d'une main à l'autre. – Le dernier prélude, « Feux d'artifice », est une espèce de somme de toutes les attitudes pianistiques chères à Debussy : arpèges fluides, effleurés sur les touches blanches et sur les touches noires, sonorités assourdies en opposition à d'autres, pleines de stridences ; une orgie de toutes les trouvailles les plus éclatantes que Debussy ait faites au piano. À la dernière mesure retentissent les premières notes de la « Marseillaise » et l'évocation des feux d'artifice se précise : c'est la nuit du 14 juillet.

PRÉLUDES de Liszt. Troisième des douze *Poèmes symphoniques* (*) du compositeur hongrois Franz Liszt (1811-1886) ; composé en 1854, c'est le plus célèbre et le plus souvent exécuté. Les *Préludes* sont inspirés d'un passage des *Méditations poétiques* (*) de Lamartine : notre vie n'est-elle pas une série de préludes au chant inconnu dont la mort donne la première note, la plus solennelle ? Construite selon un procédé cher à Liszt et qui consiste à alterner, en les opposant, les épisodes contemplatifs et les épisodes tumultueux, l'œuvre se distingue par la vigueur ou la grâce de ces thèmes. Fidèle à son modèle, Liszt a successivement évoqué l'amour, aurore de l'existence, la douleur humaine, la nature consolatrice, la lutte enfin, dans laquelle l'homme prend une conscience pleine et entière de sa propre valeur.

PRÉLUDES de Messiaen. Œuvres pour piano du compositeur français Olivier Messiaen (1908-1992). Le recueil des *Préludes* a été écrit en 1929 et comprend huit pièces. On peut y déceler, suivant Messiaen lui-même, une influence debussyste assez marquée, en même temps que la naissance d'un style nouveau, dont le compositeur définira plus tard les lois dans son ouvrage théorique *Technique de mon langage musical* (1944). Ce debussysme du reste n'est point servile. Il traduit une parenté esthétique fondée sur une certaine volupté sonore, un goût sensuel des agrégats raffinés, mais ne s'exprime cependant pas à proprement parler par des emprunts directs à la technique d'écriture debussyste. Cette sensualité harmonique recourt déjà à l'emploi des « modes à transpositions limitées » qui formera l'une des bases fondamentales du système de Messiaen, et d'une façon plus générale au principe exposé au début de son ouvrage théorique par

Messiaen : « C'est une musique chatoyante que nous cherchons, donnant au sens auditif des plaisirs voluptueusement raffinés. » L'écriture, souvent très chargée à la lecture, reste d'une remarquable clarté à l'audition et d'une délicatesse extrême.

Le premier prélude, « La Colombe », en donne une illustration simple et très émouvante. Aux courtes séquences mélodiques formées de motifs linéaires à l'unisson ou d'accords parallèles, se superposent, sur une troisième portée, deux brefs appels, broderies d'accords perlés, qui situent avec tendresse et suavité le climat poétique de cette courte pièce. À l'inverse de Debussy, Messiaen fait précéder les œuvres de leur titre, qui évoque à lui seul l'intention musicale et la volonté de suggestion du compositeur. Se succèdent ainsi : « Chant d'extase dans un paysage triste », de forme tripartite, basé sur un thème « lent et triste » aux intervalles (quartes, secondes augmentées) caractéristiques ; « Le Nombre léger » superpose une mélodie délicate à un accompagnement « vif et léger » d'accords alternés, et conclut sur le thème présenté en canon avec batteries intercalées. Puis viennent « Instants défunts », « Les Sons impalpables du rêve », au sinueux et continu dessin d'accords en doubles croches qui forme la trame quasi immatérielle du morceau, « Cloches d'angoisse et larmes d'adieu » qui évoque parfois l'atmosphère du *Gibet* de Ravel – v. *Gaspard de la nuit* (*) –, « Plainte calme », et enfin « Un reflet dans le vent » qui développe, après une introduction où sont rassemblés certains éléments rythmiques de l'accompagnement et un bref motif tumultueux et haché, une mélodie raffinée dont les alternances avec le motif initial forment le corps du développement, jusqu'à la conclusion où s'affirme fortissimo le premier thème.

Malgré certaines préciosités de langage, littéraire et musical, ce recueil est très significatif de la remarquable maîtrise d'écriture du tout jeune Messiaen d'alors et laisse déjà en bien des moments apparaître ce que sera le style des œuvres maîtresses des années suivantes.

PRÉLUDES de Rachmaninov. Le compositeur russe Sergueï Rachmaninov (1873-1943) écrivit un assez grand nombre de *Préludes* pour le piano. Le premier prélude en ut dièse mineur devait acquérir une grande popularité. Ce prélude date du printemps 1893 et faisait partie d'une suite de cinq pièces pour piano dédiées à Arenski : Elégie, Prélude, Mélodie, Polichinelle et Sérénade. L'ensemble formait l'opus 3. Le succès du Prélude fut tel que Rachmaninov eut la surprise de s'entendre appeler à l'étranger au cours de ses voyages Monsieur Ut Dièse Mineur. En 1903, Rachmaninov composa une série de dix *Préludes* op. 23 et qu'il avait dédiés à son cousin et professeur, le grand pianiste Alexandre Siloti. Le succès de ces *Préludes* fut assez grand, surtout le cinquième, en sol mineur (alla Marcia), mais n'atteignit cependant pas celui du premier, ce qui ne laissait pas d'étonner Rachmaninov qui les considérait comme de la « meilleure musique ». Enfin, en 1910, Rachmaninov composait les treize derniers *Préludes,* op. 32, qui devaient compléter son ensemble de vingt-quatre *Préludes.* Si ces compositions sont fort inégales, certaines n'en sont pas moins remarquables. Elles reflètent toutes les idées techniques du grand pianiste que fut Rachmaninov, la grandeur de son jeu, cette technique souple et puissante ; le contenu musical relève souvent d'un lyrisme sincère et d'un sentiment très émouvant. Certaines ont même une envolée exceptionnelle. On ne peut mieux définir l'art du Prélude qu'en citant ce que Rachmaninov en disait lui-même : « La musique pure à laquelle appartient le Prélude peut suggérer ou créer chez les auditeurs un certain état d'âme ; mais son rôle fondamental est de leur procurer un plaisir intellectuel par la variété et la beauté de sa forme. »

PRÉLUDES de Scriabine. Le compositeur russe Alexandre Nicolaïevitch Scriabine (1872-1915) a écrit de nombreux préludes pour piano répartis dans divers recueils portant les numéros d'opus respectifs : 2, 11, 13, 15, 16, 17, 22, 27, 31, 33, 35, 37, 39, 48, 67. En général, le prélude de Scriabine conserve, dans son aspect extérieur, le caractère traditionnel de composition brève, presque celui d'une improvisation qui servirait de prélude, sans pourtant que quelque autre morceau doive nécessairement suivre. Mais cette forme, apparemment ténue, peut en réalité contenir des tons d'expression et de couleur plus variés, ce dont le recueil des *Préludes* (*) de Chopin nous donne la preuve ; c'est d'ailleurs le précédent immédiat et le modèle de Scriabine, au point de vue technique tout au moins, son inspiration embrassant des horizons bien différents. Publiés à différentes époques, les *Préludes* de Scriabine représentent divers moments de l'évolution artistique du compositeur : ainsi, dans ceux de l'op. 2, on note une forme très simple, presque élémentaire, tandis que, dans les suivants, les aspects spécialement harmoniques et techniques se développent, et parfois se compliquent avec un égal bonheur. Le recueil op. 11 présente une importance particulière : il se compose de vingt-quatre *Préludes* dans toutes les tonalités, dans le même ordre que celui du recueil de Chopin (d'abord les tonalités sans altérations à la clef, puis celles avec des dièses, dans l'ordre croissant de sol majeur à fa dièse majeur, puis celles avec des bémols, dans l'ordre décroissant de mi bémol mineur à ré mineur). L'influence du grand musicien polonais, loin de se borner à cet élément extérieur, s'étend à d'autres bien plus substantiels. On peut dire que, par un côté ou par un autre, elle est sensible dans tout le recueil ou presque (les affinités tombant parfois justement au milieu des morceaux de tonalité correspondante) ; cette influence en devient excédante dans certains passages de caractère dramatique, surtout dans le nº 18 en fa mineur (où est évidente l'imitation de celui en sol mineur de Chopin) ; par contre, là où elle est absente, il semble que manque le principal soutien, comme par exemple dans l'étude nº 7 en la majeur, si vide. Cette influence est d'ailleurs souvent dissimulée ou voilée habilement, et la personnalité de Scriabine se manifeste toujours, au moins dans les dessins rythmiques, dans la recherche d'une atmosphère vague et impalpable, d'où il ne naît peut-être pas une expression artistique profonde, mais cependant une délicatesse de dessin et de couleurs qui peut attirer et émouvoir. Quant au côté technique, il faut noter les contrastes rythmiques entre les deux mains : très fréquents sont ceux de « trois notes pour deux » ; parfois, d'autres combinaisons rythmiques sont recherchées, comme dans le nº 16 en si bémol mineur, où le rythme de 5/8 alterne continuellement avec celui de 4/8. Les passages dramatiques sont généralement les plus pauvres ; le nº 15, en ré bémol majeur, est cependant gracieux, avec de simples dessins mélodiques de tierces à la main gauche, intégrés ensuite à un chant de la main droite. Le recueil présente dans son ensemble un caractère d'unité et un intérêt du point de vue de la composition. Dans d'autres recueils de *Préludes* de Scriabine, nous assistons au développement de tendances plus impressionnistes et futuristes, comme dans l'op. 74, qui contient encore de brefs passages pleins d'harmonies obscures et dissonantes. Dans l'ensemble, on peut dire que Scriabine accuse un certain nombre de tendances qui sont loin de se fondre en une véritable synthèse artistique et il en résulte une aspiration assez peu précise qui conduit à la raréfaction plutôt qu'à l'idéalisation du sentiment.

PRÉLUDES ET FUGUES pour orgue de J. S. Bach. Le compositeur allemand Johann Sebastian Bach (1685-1750) écrivit un très grand nombre de *Préludes et fugues* pour l'instrument qui était sien et qu'il affectionnait particulièrement. Il semble cependant que, seuls, quatre des grands *Préludes et fugues* furent écrits par le Cantor à Leipzig ; ce sont ceux en ut majeur BWV 531, si mineur BWV 544, mi mineur BWV 548 et mi bémol majeur BWV 552. Le docteur Schweitzer a admirablement analysé l'esprit et la facture de divers *Préludes et fugues*, quand il écrit : « On pourrait aller jusqu'à dire que c'est le rapport de proportion entre l'esprit italien et l'esprit allemand qui détermine la personnalité d'un prélude ou d'une fugue. » De fait, dans les *Préludes et fugues*, on peut déceler de nombreuses influences. Tout d'abord, une influence italienne : celle de la forme, puis une influence de l'esprit allemand et des prédécesseurs de Bach, tels Buxtehude et Böhm. Lorsque l'influence de ces deux derniers est prépondérante, nous assistons à une véritable détente et à un sentiment beaucoup plus libre, beaucoup plus fantaisiste, plus improvisé. C'est dans cette catégorie que l'on peut ranger les quatre grands *Préludes et fugues* cités plus haut. Il y a de grands élans dramatiques dans ces œuvres et certains éclats de passion tout à fait remarquables. Certaines des fugues n'ont pas été composées pour le prélude qui les précède. Certains *Préludes et fugues*, au contraire, forment un tout organique qu'il est impossible d'analyser séparément ; ainsi les quatre œuvres de Leipzig. Par contre, le prélude et la fugue en la majeur BWV 536 et le prélude et la fugue en fa mineur BWV 534, le prélude et la fugue en ut mineur BWV 546 ont été probablement écrits séparément. Notons aussi les très beaux *Huit petits préludes et fugues* pour orgue que J. S. Bach composa dans un but didactique à l'intention de ses élèves organistes. Un très beau prélude en mi bémol et la superbe fugue qui lui est destinée respectivement ouvrent et terminent le grand recueil des *Chorals* (*).

PRÉLUDES ET FUGUES POUR PIANO de Chostakovitch. Œuvre du compositeur soviétique Dimitri Chostakovitch (1906-1975). La musique russe du XIXe et du XXe siècle n'offre aucun exemple de compositions d'un caractère aussi formel et rigoureux que les deux cahiers de vingt-quatre *Préludes et Fugues* de Chostakovitch. Le Groupe des Cinq en particulier a toujours éprouvé pour la fugue, base fondamentale de la musique occidentale, un manque d'intérêt ou même un mépris marqué. La libre inspiration de ces musiciens peu férus des règles et des techniques formelles européennes, et d'ailleurs peu « savants » en cette matière, les incitait plutôt à chercher dans la tradition nationale, populaire, dans le substrat musical spécifiquement russe les sources de leur inspiration. La démarche de Chostakovitch est donc particulièrement neuve et courageuse à plus d'un titre lorsque l'on garde présentes à l'esprit les critiques acerbes dont il était encore à l'époque l'objet de la part des milieux officiels artistiques soviétiques. À l'instar de la plupart des compositions pour clavier de J.-S. Bach, qui pour Chostakovitch demeure le guide unique et suprême, ce recueil se veut d'abord didactique : son but est d'initier le public profane aux structures inhabituelles de l'art contrapuntique et d'ouvrir aux interprètes de nouveaux horizons dans le domaine de la technique instrumentale et de l'interprétation ; néanmoins on ne trouve point dans cette œuvre de rigueur inutilement austère. Les règles formelles s'y concilient admirablement avec un caractère authentiquement russe, populaire ou romantique parfois, en particulier dans les *Préludes.*

La construction n'en reste pas moins très précisément établie, tant dans le plan d'ensemble du recueil, dont les différentes pièces suivent exactement le cycle traditionnel des quintes, que dans l'articulation de chaque prélude et fugue. Deux procédés principaux en règlent l'enchaînement : soit on les trouve étroitement soudés par des liens thématiques semblables ou un caractère musical très homogène, esquissé dans le prélude et développé dans la fugue, soit au contraire d'un caractère volontairement contrasté, d'où l'expression tire une puissance et un intérêt accrus. — Les vingt-quatre *Préludes et Fugues* furent donnés en première audition à Leningrad par la pianiste Tatiana Nikolaïeva, en décembre 1952. Ils comptent depuis comme l'un des éléments essentiels du répertoire pianistique contemporain.

PREMIER ACCROC COÛTE DEUX CENTS FRANCS (Le). Recueil de nouvelles de l'écrivain français d'origine russe Elsa Triolet (1896-1970), publié en 1944 et couronné par le prix Goncourt. La nouvelle qui donne son titre au recueil raconte une aventure : celle de la Résistance, et, dans la Résistance, celle, on le devine, de l'auteur. Il y a deux visages de la Résistance : celui de Juliette Noël ou de Louise Delfort, qui risquent leur vie chaque fois qu'elles sortent ou prennent le train ; celui d'Alexis Slavski, peintre célèbre, qui ne pense qu'à sa peinture, et hait d'instinct tout ce qui l'empêche de poursuivre son œuvre. La Résistance n'empêche pas l'amour certes ; et même il semblerait qu'elle permette des moments sublimes, propices à l'amour. Si bien qu'il est alors facile à l'auteur de montrer cette difficulté d'aimer qui se trouve dans tous ses livres.

Juliette Noël, dans « Les Amants d'Avignon », joue le jeu de l'amour, sans y croire, avec Célestin, un des responsables de la Résistance, tout en continuant les difficiles liaisons qu'on lui a confiées. Mais le jeu, qui peu à peu cesse d'être un jeu, doit s'arrêter devant les menaces qui se précisent. Il faut se séparer. « Alexis Slavski », nouvelle qui a les dimensions d'un petit roman, met en scène un peintre ne vivant que pour sa peinture et décidé à continuer son œuvre malgré la guerre. Alexis Slavski fuit donc Paris pour Lyon, où toutes sortes de difficultés l'irritent et le gênent. Il partage sa vie avec Henriette, un ancien modèle de Montparnasse. Il ne peut se passer d'elle et le voudrait bien cependant. Ainsi, dans les Basses-Alpes, il fait la connaissance de Catherine, grande dame lyonnaise. C'est l'amour violent et passionné. Henriette le fera échouer. Catherine part pour l'Amérique, désespérée. Mais lui, avec Henriette, part pour un village au bord du Rhône, où ils rencontrent Louise Delfort, transformée en une ravissante jeune femme ; elle s'est lancée dans l'aventure de la Résistance, qui lui a déjà coûté dix-huit mois de camp de concentration, dont elle s'est évadée. C'est donc le guet des nouvelles de Londres, le départ de Louise, impatiente de s'y remettre, le sauvetage par Alexis d'un « gars de la relève » évadé. Puis vient la certitude de la victoire ; mais Louise a été prise et fusillée. Tout naturellement, ce court roman est suivi des carnets intimes de Louise Delfort (« Cahiers enterrés sous un pêcher ») : elle a vécu son enfance en Russie, mais en France furent ses premières tentatives pour trouver l'amour. Celui, mauvais, de Gaston, celui, éblouissant, de Jean, dans la Résistance comme elle. Enfin, après la mort de Louise, c'est le « Premier accroc », le premier débarquement, vite suivi d'un second « accroc » en Provence. La victoire est pour demain : les maquis s'équipent et l'on y sent vibrer l'enthousiasme.

PREMIER AMOUR [*Pervaja ljubov*]. Récit de l'écrivain russe Ivan Sergueïevitch Tourgueniev (1818-1883), publié en 1860. C'est une des œuvres de Tourgueniev où l'on remarque le plus le pessimisme un peu romantique de ce peintre des hommes « inutiles » et des amours inachevées. Un adolescent, Vladimir, pendant les vacances d'été, s'éprend d'une très belle jeune fille, coquette et capricieuse, qui habite de l'autre côté de son jardin. La jeune fille, Zénaïde, réunit fréquemment chez elle ses nombreux adorateurs ; elle s'amuse à les rendre jaloux et leur fait faire une quantité de sottises. Mais un jour, elle rencontre le père de Vladimir, homme beau et autoritaire, et ne peut lui résister. Une nuit, Vladimir épie un rendez-vous que se sont donné, dans le jardin, Zénaïde et son père ; après avoir appris la vérité, il croit devenir fou de douleur. Mais le temps et la reprise de ses études guérissent sa blessure, et il se délivre bientôt de l'ensorcellement de ce premier amour. Quant à son père et à Zénaïde, ils sont tous deux frappés par un sort tragique : le premier meurt d'une attaque d'apoplexie, laissant à son fils une lettre où il l'exhorte à se garder de l'amour ; Zénaïde, qui s'est mariée entre-temps, meurt peu après en couches. Dans ce récit, Tourgueniev se propose de représenter l'amour comme une maladie, un désordre organique qui frappe les hommes de différentes manières, selon leur tempérament et leur âge. Dans *Premier amour,* cette maladie est étudiée avec une grande pénétration psychologique et en même temps avec une extrême délicatesse de teintes, de telle sorte que le caractère en soi assez scabreux du sujet, la rivalité entre un père et un fils, se trouve fort atténué. — Trad. Gallimard, 1984.

PREMIER CERCLE (Le) [*V Kruge pervom*]. Roman de l'écrivain russe Alexandre Soljenitsyne (né en 1918), écrit en 1955-58 et publié en Occident en 1968. C'est du premier cercle de l'enfer dans *La Divine Comédie* **(*)**

de Dante qu'il s'agit ici, le cercle où se trouvent les âges de l'Antiquité qui n'ont pas péché, mais qui ne connaissent pas la révélation chrétienne. Soljenitsyne, en choisissant ce titre, indique l'ampleur qu'il confère à cette œuvre, dont l'action se déroule à l'intérieur d'une prison-laboratoire, comme celle où il séjourna lui-même. Beaucoup de personnages sont d'ailleurs empruntés à la réalité, et on reconnaît la trame de la vie de Soljenitsyne, en particulier l'épisode du divorce demandé par sa femme. La charachka n'est que le premier cercle, mais elle conduit, est reliée par mille fils aux autres cercles, jusqu'au neuvième, le plus terrible selon Dante. Les trois jours de l'action se passent dans l'espace restreint de la prison, mais avec des incursions dans le monde « libre », qui en fait vit dans la peur ou bien dans le confinement volontaire, comme fait le Tyran, terré dans sa salle voûtée où il ne travaille que la nuit : Staline. Son monologue de vieillard soupçonneux et insatisfait occupe trois chapitres hypnotisants pour le lecteur.

Un fil central relie les deux univers, le carcéral et le monde de la peur extérieure, c'est le fil de l'arrestation du diplomate Volodine qui « trahit » son pays, dont la voix est analysée par les spécialistes du laboratoire d'acoustique de la prison, pour le compte de leurs maîtres, et en particulier du ministre de la Police Abbakoumov. Dans une première variante, édulcorée, Volodine trahit par pitié : il téléphone au médecin de sa famille qu'il ne doit pas voir des savants américains en visite à Moscou, ni leur remettre un médicament de sa fabrication, car cet acte de collaboration scientifique sera interprété comme une trahison et la police va l'arrêter. Selon les lois naturelles de la société non stalinienne, il n'y a là aucune trahison, et Volodine ne fait que répondre à l'impulsion naturelle d'un homme d'honneur. Dans la variante « aiguisée », celle de la version définitive, Volodine téléphone à l'ambassade américaine et révèle que les époux Rosenberg sont des espions soviétiques, et cette variante, où Volodine « trahit » bel et bien le pays qu'il sert, pose un problème autrement profond et tragique, auquel le Moyen Âge et en particulier saint Thomas d'Aquin se sont beaucoup intéressés, le problème du tyrannicide. En somme Volodine, dans l'atmosphère artificielle des cercles de l'élite soviétique qu'il fréquente, et où l'on reconnaît en particulier une caricature de l'écrivain Simonov, cherche aveuglément les voies de la justice et du bien, et c'est cette quête qui le rapproche des prisonniers, qui dans leur prison-laboratoire sont confrontés au même problème moral du tyrannicide ; car ces savants qui travaillent pour leurs maîtres injustes, et peuvent gagner ainsi une liberté anticipée, savent qu'ils travaillent à renforcer leurs chaînes. Nerjine, le principal personnage, qui est en quête de la vérité depuis son enfance, troublé qu'il a été par les premiers grands procès iniques de l'année 1930 qui ont marqué le début du « tocsin muet » que son oreille perçoit dans l'histoire, choisira en définitive le refus de collaborer, et repartira, en compagnie d'un ami, dans les cercles plus infernaux du système, c'est-à-dire vers les camps de travaux forcés, comme Soljenitsyne lui-même.

Les savants réunis dans la prison-laboratoire, et à qui est accordé un jour de repos qui coïncide avec le Noël occidental, sont comme enfermés dans une arche intemporelle, où le temps ne compte plus, où ils osent penser librement, affranchis des liens de la famille et de la société, et peuvent atteindre, comme les sages de l'Antiquité, à la suprême indifférence des stoïciens. Nerjine est flanqué de deux compagnons, l'un le communiste Roubine (son prototype est le germaniste Kopelev), plein de faconde, tourmenté par les persécutions que, jeune « komsomol », il a fait subir à un village russe, l'autre au visage émacié d'ascète, aux bizarreries intransigeantes, Sologdine (dont le prototype est Dimitri Panine). À gauche du quêteur de vérité, l'homme de progrès marqué par le remords, à droite l'homme de la chevalerie, tout préoccupé par l'exploit personnel. Cette triade représente symboliquement l'histoire de la pensée russe, marquée par le duel fratricide des occidentalistes et des slavophiles. Mais leur dialogue tantôt platonicien, tantôt véhément ne suffit pas à Nerjine, parce qu'il ne voit pas la vérité dernière jaillir dans leurs joutes intellectuelles. Aussi s'adresse-t-il à deux personnages qui symbolisent l'un le peuple, l'autre l'art, le concierge aveugle Spiridon, le premier, n'a rien compris au tourbillon de l'histoire, qui, comme Tiourine dans *Une journée d'Ivan Denissovitch* (*), l'a emmené en Allemagne puis fait condamner pour trahison. Il a subi : sa « vie enchevêtrée », ses « passages sans fin d'un camp à l'autre » sont pour Nerjine une énigme. « Tout cela se rejoignait-il par la vérité tolstoïenne selon laquelle il n'y a ni justes ni coupables ? » Eh bien non, car Spiridon a sa maxime, sa solution à tout l'« enchevêtrement de l'Histoire » : « Le chien-loup a raison, l'ogre pas ! » Ce qui veut dire que l'homme ne peut pas se transformer en bête, que pour rester homme il doit cesser d'être rapace. Quant au peintre, il montre à Nerjine un tableau mystérieux qu'il peint en cachette des maîtres de la prison, lesquels lui commandent des portraits léchés de leurs épouses ; il s'agit d'une représentation de *Parsifal* au moment où il aperçoit le château du Saint-Graal. « Le cavalier ne regardait pas l'abîme aux pieds de son cheval. Ahuri, stupéfait, il regardait, très loin devant nous, tout ce haut de ciel embrasé d'une gloire orange et or qui émanait du soleil ou d'on ne sait quelle source plus pure encore, au-delà du château. » Ce qu'aperçoit le chevalier, c'est l'image même de la perfection, cette certaine essence qui est le noyau de l'homme, son moi, qu'il peut ignorer des années durant, mais qui revient se manifester avec force aux temps forts de sa vie.

Un des thèmes majeurs dans ce microcosme clos de la prison est l'imaginaire : dans la charachka, chaque cœur russe se libère intérieurement en dilatant son imaginaire spatial. Dans une tout autre tonalité l'écrivain André Siniavski traitera le même problème dans *Une voix dans le chœur* (*). Dans le visage noble, christique de Sologdine, il y a la Russie ; dans le visage doux et qui ressemble à Essenine, le poète qu'aime par-dessus tout Nerjine, il y a la Russie. Dans les tableaux de paysages à la puissance contenue, cachée, retenue, cryptée même, que peint Kondrachov, il y a la Russie, une Russie pleine de feu sous un manteau d'humilité. Le roman a pour centre géométrique un chapitre sur l'espace russe, un simple bosquet rythmant l'immense espace ondulé de la Russie centrale, face à quoi le diplomate qui ne connaît que l'Europe compartimentée des « petites Suisses » s'exclame : « C'est donc cela la Russie, c'est bien cela ? demandait-il tout heureux ; et en plissant les yeux il contemplait l'espace. »

Ce grand récit sur la fortification de l'âme en prison est surtout extraordinaire par la vaste respiration poétique et philosophique qui l'anime, le soulève : les valeurs s'y inversent toutes, c'est l'espace réduit de la geôle qui communique avec l'espace immense de la perfection, alors que la société dite libre se rabougrit, se fige de peur. Ce retournement quasi philosophique, mais qui prend aussi des expressions mystiques, est également baigné d'une formidable ironie, secoué d'un rire libérateur qu'on trouve dans les grandes scènes de parodie du roman, comme le procès soviétisé du prince Igor que les détenus s'amusent à imaginer.

Ce roman est le modèle même du roman polyphonique, tel que l'a défini Soljenitsyne dans une interview, en empruntant le mot et la notion au philosophe et historien de la littérature Mikhaïl Bakhtine. Il empoigne chaque personnage par l'intérieur, avec l'imagination de son réel intérieur, spirituel, et il organise un vaste dialogue des âmes. Les très nombreuses allusions à l'Antiquité, en particulier à Épicure et aux stoïciens, nous amènent à penser que son centre même est la libération intérieure du sage stoïcien – il s'inspire aussi de La Boétie, et de son *Discours de la servitude volontaire* (*). « La matière ni le corps ne faisaient plus parler d'eux. L'esprit de l'amitié virile et de la philosophie planait sous la voilure arquée du plafond. Peut-être était-ce là cette félicité qu'avaient essayé vainement de définir et de proposer tous les sages de l'Antiquité. » L'exploit qui est l'idéal de Sologdine est un exploit de refus, de non-participation au mal, qui n'a pas encore tout à fait la coloration chrétienne qu'il prendra ultérieurement dans l'œuvre de Soljenitsyne. Mais l'idée d'une réalité iconique, qui se reflète à certains moments dans les visages des hommes et qui les extrait de l'histoire, est déjà là. Il s'agit du plus fascinant des romans de Soljenitsyne, et d'une des grandes œuvres européennes sur le thème de la fortification du moi contre la prison du temps. Le temps libéré par le travail créateur, affranchi des aléas du quotidien mesquin, le temps de la prison acceptée et sublimée, qu'ont étudié et loué Silvio Pellico, Stendhal ou Dostoïevski, est la véritable matière du livre, et il se transmue ici, grâce à la prison, en image de l'éternité. – Trad. Robert Laffont, 1958 ; Fayard, 1982. G. N.

PREMIÈRE CHRONIQUE GÉNÉRALE d'Alphonse X le Sage [*Primera crónica general*]. On désigne généralement sous ce titre la *Estoria de España,* une compilation exécutée vers 1270, sur l'ordre d'Alphonse X le Sage (1221-1284). Cet ouvrage, dont deux manuscrits sont conservés à la bibliothèque de l'Escurial, a été édité en 1906 par Menéndez Pidal [*Primera crónica general Estoria de España que mandó componer Alfonso el Sabio y se continuaba bajo Sancho IV en 1289*]. Il s'inspire d'auteurs classiques (Suétone, Ovide, Justinien, Lucain, etc.) ou médiévaux (saint Isidore de Séville, Vincent de Beauvais) et de chroniqueurs arabes et chrétiens comme Lucas de Tuy, Rodrigo Ximénez de Rada (à ces deux derniers, notamment, sont redevables Jofre de Loaysa, Juan Gil de Zamora, Bernardo de Brihuega, Martín de Córdoba, auteurs présumés de plusieurs chroniques). Comme il est d'usage chez les historiographes du Moyen Âge, ces chroniques remontent jusqu'aux traditions bibliques et nous conduisent des fils de Japhet jusqu'à la mort de Fernando « el Santo » (XIIIe siècle), non sans passer en revue les différents peuples (grecs, africains, romains, vandales) qui dominèrent la Péninsule. Selon Menéndez Pidal, seule la première partie – qui se termine à la mort de Rodrigue, le dernier roi goth (commencement du VIIIe siècle) – aurait été écrite sous le règne d'Alphonse. La seconde, où sont utilisées les chansons de geste, daterait du règne de Sanche IV. La *Primera crónica general* comprend, entre autres, la *Crónica abreviada* de l'Infant Juan Manuel (1282-1349 ?) et la seconde *Chronique générale de 1344* [*Crónica general de 1344*], reproduction de la *Primera,* qui contient, en outre, l'histoire des règnes d'Alphonse X, Sanche IV, Ferdinand IV et Alphonse XI jusqu'à l'année 1340 ; la *Chronique de Castille* [*Crónica de Castilla*], composée sur l'instance d'Alphonse XI, et qui aboutit à la mort de Ferdinand IV ; la *Chronique particulière du Cid* [*Crónica particular del Cid*] du XVe siècle (refonte de la *Crónica general de 1344*) dont les principales sources sont : le *Poème du comte Fernán González, Le Cid* (*), *Les Sept Infants de Lara* (*), etc. La *Primera crónica general,* imprimée pour la première fois à Zamora en 1542 sous la direction de Florián Ocampo, est devenue, avec la *Tercera crónica general,*

general, une source inépuisable pour le théâtre du « Siècle d'or ». D'un style vif et poétique, malgré l'extrême pauvreté de la syntaxe, elles abondent en maximes et sentences où déjà s'affirme un stoïcisme typiquement espagnol.

PREMIÈRES JOIES (Les) [*Pervye radosti*]. Roman de l'écrivain soviétique Constantin Fedine (1892-1977). C'est le premier volume, publié en 1945, d'une trilogie romanesque. Comme dans les œuvres précédentes du même auteur, l'histoire contemporaine est le thème central. Le couple d'amoureux dont sont ici décrites les « Premières joies » vit à Saratov, vers 1910. Après l'échec de la révolution de 1905 et un inévitable temps d'arrêt, le mouvement révolutionnaire a peu à peu retrouvé son élan, tandis que la réaction politique continue à sévir. Ce sont surtout les jeunes qui, sensibles à l'injustice sociale et séduits par le côté romanesque de la clandestinité, s'engagent dans la voie de la révolution. L'étudiant Cyrille Izvekov, fils d'une pauvre institutrice, aime Lisa Mechkova dont le père appartient à la riche bourgeoisie de Saratov. En dépit de l'opposition de son père, Lisa est prête à suivre le jeune homme ; mais elle ignore que Cyrille, sous l'influence du vieux révolutionnaire Ragozine, a adhéré à une organisation politique clandestine. Lors d'une perquisition nocturne, la police découvre chez le jeune homme des tracts subversifs : Cyrille est arrêté et, après une longue détention, déporté en Sibérie. Ragozine, recherché par la police, disparaît à temps. Quant à Lisa, elle est désespérée et croit sa vie finie ; et c'est avec résignation et indifférence que, sur l'ordre de son père, elle épouse un jeune et richissime marchand. Ce mariage est un échec ; mais la jeune femme ne se rend pleinement compte de son erreur que le jour où elle reçoit une lettre de Cyrille et comprend qu'elle n'avait jamais cessé de l'aimer. Autour de ces jeunes héros gravitent des personnages secondaires qui sont fort bien dessinés : Pastozkhov, auteur dramatique renommé, indifférent à tout ce qui n'est pas l'art pur ; Zvetoukhine, acteur de talent, qui fait courir tout Saratov et qui rêve de fonder un théâtre populaire. Ainsi est introduit dans le roman le thème de l'art dramatique. À côté des jeunes bourgeois à qui le théâtre offre une évasion, l'auteur nous montre de futurs comédiens issus du peuple, telle la jeune Anotchka, fille d'un misérable bateleur de la Volga, que la scène attire irrésistiblement. Il y a un grand charme dans cette peinture de la vie provinciale avec ses traditions séculaires, dont l'auteur lui-même originaire de Saratov, a gardé des souvenirs pittoresques. Contrairement aux premières œuvres du romancier – *Les Cités et les Années* (*) et *Les Frères* (*) –, dont l'originalité de composition et de style avaient retenu l'attention de la critique, ce roman est très simplement construit, et la technique de Fedine, ici, ne s'écarte pas de la tradition réaliste. Du roman furent tirés une pièce de théâtre et un film. – Trad. Éditeurs français réunis, 1949.

PREMIER LIVRE DE PIÈCES DE CLAVECIN. Œuvre du compositeur français Louis Claude Daquin (1694-1772), publié à Paris en 1735. Ce grand virtuose, filleul et élève d'Élisabeth-Claude Jacquet de La Guerre, réputé pour ses improvisations dont le tout-Paris raffolait, publie son *Premier livre* en 1735. L'école française de clavecin en est alors à son apogée. Les deux grands maîtres de l'époque ont déjà publié pour cet instrument : François Couperin, quatre livres (entre 1713 et 1730) et Jean Philippe Rameau, trois (entre 1706 et 1731). On retrouve leur marque dans les œuvres de Daquin qui, bien que moins profondes, ont une très grande élégance. Les mélodies, très ornées, tournent sur elles-mêmes en des thèmes courts. De nombreuses pièces descriptives (dont l'hirondelle, le coucou), souvent sous forme de rondeaux, mettent en valeur la fantaisie et la virtuosité du musicien.
D. Ja.

PREMIER LIVRE D'ORGUE contenant une messe et les hymnes des principales festes de l'année. Œuvre du compositeur français Nicolas de Grigny (1672-1703) publiée à Paris en 1699. Une seconde édition paraît chez Ballard en 1711, et ce n'est qu'en 1904 que la première édition moderne du *Livre d'orgue* voit le jour. Étrange silence autour d'une œuvre capitale dans l'histoire de la musique française, et pourtant reconnue à sa juste valeur par Jean-Sébastien Bach, qui en recopia intégralement les feuillets en 1713. Nicolas de Grigny s'alimente au double courant de la tradition grégorienne, austère et rigoureuse, et de la tradition populaire et dramatique, plus souple et profane. Ses pièces (offertoires, récits, dialogues, fugues) sont écrites dans un langage tonal et harmonique très riche. Il a l'art de commenter les thèmes de plain-chant, et sa ligne mélodique se développe dans une luxuriante application d'agréments. Son lyrisme s'inspire de l'opéra italien. Au moment où l'art instrumental prend son autonomie par rapport à l'art vocal et où le grand orgue de tribune intervient en soliste, l'œuvre de Nicolas de Grigny contribue, avec celle de François Couperin, à établir le renom de l'école française. D. Ja.

PREMIERS CHANTS [*Primeiros cantos*]. Recueil de vers du poète brésilien Antonio Gonçalves Dias (1823-1864), publié en 1846. Son thème essentiel est l'exil. Métis, plus indien que blanc, l'écrivain est un des plus grands poètes du Brésil. En des octosyllabes d'une grande harmonie, sa muse populaire exalte la beauté de la terre natale ; son nom symbolise le renouveau de l'école romantique brésilienne, profondément pénétrée d'« indianisme » et affranchie de la pédante imitation des classiques portugais. Les meilleures compositions de *Premiers chants :* « Chanson de l'exil » [Cancão de exílio] et « Nostalgie » [Saudade], donnent la mesure de son talent. Comme tous les primitifs, il décrit avec une extrême simplicité ses tourments éphémères. Il arrive que son inspiration se hausse jusqu'à l'angoisse de l'éternel. Témoin ces vers : « J'aime le ciel azuré comme le triste silence des ruines / la fraîcheur du soir et le silence de la nuit / Je veux demeurer seul avec mon Dieu / en une béatitude magique. » L'esprit de Novalis comme celui de Hölderlin, dont les œuvres avaient très vite été traduites au Brésil, ont sans doute influencé Gonçalves Dias dans le petit poème qui s'intitule « Tristesse » et dans ce refrain du « Chant d'exil » : « Ma terre a ses palmiers / où chante le sabia [petite grive brésilienne] / Notre ciel a plus d'étoiles / nos jardins ont plus de fleurs / nos forêts ont plus de vie / et nos cœurs plus d'amour. » Ces vers traduisent assez bien cette extase véritablement romantique du poète devant la nature.

PREMIER SONGE [*El sueño* ou *Primero sueño*]. Poème de l'écrivain mexicain Sor Juana Inés de la Cruz (vers 1650-1695), publié en 1692 à Séville (Espagne). Dans la *Réponse à sœur Philotée de la Croix* (*) (1er mars 1691), Sor Juana mentionne cet ouvrage de près de mille vers (silva, combinaison de vers heptasyllabiques et hendécasyllabiques) comme le seul qu'elle ait écrit « pour son plaisir ». Peut-être savait-elle qu'il était sur le point d'être édité par ses amis espagnols, dans un deuxième tome de ses œuvres. Cette mention est unique, et l'on ignore la date et les circonstances de la composition du *Songe*, tout en y voyant à coup sûr une œuvre de maturité (après 1680) qui suffit à immortaliser la religieuse mexicaine.

Son premier biographe (1700), le père jésuite Diego Calleja, a résumé l'œuvre en ces termes : « Il faisait nuit ; je m'endormis. Je rêvais que je voulais d'un seul coup comprendre toutes les choses dont se compose l'Univers. Je ne fus même pas capable de distinguer un seul objet par ses catégories. Désillusionnée [desengañada], le jour se levant, je m'éveillai. » Sommeil du cosmos, sommeil des hommes ; l'âme se croit délivrée de la chaîne corporelle, tente de prendre son essor, mais l'intuition, comme le raisonnement n'apportent que déception. Elle se compare à Phaéton, puis se voit surprise par le glorieux lever du jour.

En fait le sexe de l'écrivain n'apparaît, comme une signature de tableau, qu'à la dernière lettre du poème, un adjectif au féminin (« éveillée » [despierta]). Ce texte philosophique pourrait sembler absolument intemporel, indépendant de l'identité de l'auteur, puisque n'importe qui est susceptible de ressentir un appétit de connaissance. John Donne est anglais jusqu'à la moelle. La Sor Juana du *Songe* est-elle vraiment mexicaine ? En tout cas, chez elle, l'appétit de connaissance est à la fois inextinguible et fort mal comblé : elle habite une triple prison, le sexe, le couvent, l'étroite orthodoxie espagnole surveillée par l'Inquisition. Elle devait soupçonner qu'il se passait en Europe des choses qui l'auraient intéressée. Phaéton fait figure de modèle, lui qui « décide d'éterniser son nom dans sa ruine » (vers : 801-2). La volonté de connaître, même sans espoir de réussite, c'est la dignité de l'homme.

En réalité, la forme même du poème en fait un acte de connaissance, de connaissance poétique. Les catégories philosophiques, de même que les (nombreuses) références érudites et mythologiques, sont celles de l'Antiquité méditerranéenne. Et Sor Juana utilise un procédé qui est bien daté, celui du poète andalou Góngora : « Pyramidale, funeste, de la terre... », ainsi commence le *Songe*. L'hyberbate latine est introduite dans la syntaxe espagnole qui, elle, ne connaît pas les déclinaisons. Le lecteur doit décrypter. Son rapport au langage est changé. Góngora, dans sa *Première solitude* — v. *Solitudes* (*) —, avait mis ce procédé au service d'une poésie superbement sensuelle. Avec Sor Juana, à l'inverse, nous pénétrons dans des constructions mentales. L'âme est seule dans un voyage qui n'est ni prémonitoire, ni onirique, ni véritablement initiatique puisqu'il n'aboutit qu'à l'échec. Les divers modèles tirés de la littérature antique (*Songe de Scipion* (*) de Cicéron, etc.) sont subvertis. Cette solitude, cet échec accepté sont l'aspect radicalement moderne du poème. Seules une mention de l'aigle de saint Jean (vers 681) et une allusion très discrète au Christ, sommet de la création (vers 698-704) rappellent une foi chrétienne qui ne résout pas la question philosophique fondamentale.

Les pyramides qui peuplent le *Songe* rappellent Hermès Trismégiste. Dès 1934, le critique allemand Karl Vossler avait signalé comme sources du poème les œuvres d'un admirateur d'Hermès, Athanase Kircher (1601-1680), en particulier *L'Œdipe d'Égypte* (*). Dans *Sor Juana Inés de la Cruz ou les Pièges de la foi*, ouvrage incontournable, mais assez subjectif, le poète Octavio Paz consacre un long développement aux éléments « hermétiques » dans le poème, et va jusqu'à le comparer à une gravure fort énigmatique d'Albert Dürer, *Melencolia* ! Un siècle et demi sépare les deux œuvres, et la lecture de la tradition hermétique qu'elles supposent semble bien différente, philosophique dans le premier cas, littéraire dans le deuxième. Disons que Sor Juana est rationaliste en solitaire, et à sa manière, mais rationaliste quand même. — Trad. Gallimard, 1987 (précède *Le Divin Narcisse*). M.-C. B.

PREMIERS POÈMES. Sous ce titre ont été réunies, en 1948, les œuvres poétiques de l'écrivain français Paul Éluard (pseud. d'Eugène Grindel, 1895-1952) écrites entre 1913 et 1921. Le volume s'ouvre sur quelques poèmes des années 1913-1918, poèmes d'amour, amour qui ne se referme pas sur lui-même mais, au contraire, met le poète en communication avec l'univers : « Un seul être » « A fait fondre la neige pure, / A fait naître des fleurs dans l'herbe / Et le soleil est délivré. » Vient ensuite *Le Devoir et l'Inquiétude* (1917), groupe de poèmes directement inspirés par l'expérience de la guerre, par la misère de la guerre : « Rien n'est plus dur que la guerre l'hiver », par la révolte : « On nous enseigne trop la patience, la prudence — et que nous pouvons mourir », par la mort d'un camarade : « Ils t'ont laissé au bord d'un gouffre / Maintenant, ils sont bien seuls. » Pourtant dans ces poèmes qui, parfois, furent écrits dans la tranchée, l'espoir n'est pas absent, et pour être fragile n'est que plus émouvant : « Et nous gardons aux amoureuses / Cette fidélité précieuse / Entre toutes : l'espoir de vivre. » Et la foi en un avenir meilleur s'affirme : « Je mènerai mon enfant / Partout où je n'ai pas été. » Aussi, en 1918, les *Poèmes pour la paix* sont-ils le chant d'un homme qui reprend possession de la vie et de la joie. *Les Animaux et leurs hommes, les Hommes et leurs animaux* (1920) se situe dans la même ligne poétique ; l'auteur déclare dans sa Préface : « Essayons, c'est difficile, de rester absolument pur. Nous nous apercevrons alors de tout ce qui nous lie. » Le « langage déplaisant qui suffit aux bavards » doit être transformé en « un langage charmant, véritable, de commun échange entre nous ». Les poèmes qui suivent répondent à ce programme et expriment une affectueuse complicité avec un monde heureux et rieur. Dans ces premières œuvres des années 1913-1920, apparaissent déjà une grande partie des caractéristiques que nous retrouverons dans la maturité du poète : légèreté et familiarité du ton, simplicité des images et sincérité de l'inspiration, surtout concision et art de suggérer beaucoup en peu de mots.

Les Nécessités de la vie et les conséquences des rêves (1921) marquent une étape importante dans l'évolution du poète. Ces poèmes sont marqués par l'appel à l'irrationnel, à l'inconscient, par l'emploi de complexes recherches verbales. Maintenant : « Il n'est pas question d'existence impossible. » Le surréalisme, qui va s'épanouir dans *Capitale de la douleur* (*), a fait irruption dans l'univers de Paul Éluard.

PREMIERS PRINCIPES (Les) [*First Principles*]. C'est l'œuvre capitale du philosophe anglais Herbert Spencer (1820-1903), publiée en 1862, la première d'un cycle consacré à l'exposé des théories évolutionnistes de l'auteur, et qui comprend, outre le présent livre, *Principes de biologie* (*), *Principes de psychologie* (*), *Principes de sociologie* (*) et *Principes d'éthique* (*). On y distingue deux parties, l'une négative, l'autre positive. Dans la première, l'auteur montre les limites du savoir humain et l'impossibilité de parvenir à une connaissance absolue. Mais pour poser tout savoir comme relatif, nous devons admettre un absolu. Cette constatation permet, selon Spencer, de réconcilier science et religion. Nous possédons donc une conscience indéterminée d'une vérité absolue, produite par la persistance en nous de « quelque chose » qui survit aux changements des rapports, et une conscience déterminée d'une réalité relative, qui n'est sentie comme telle que par rapport à un absolu. Analysant les vérités premières, c'est-à-dire les axiomes de la physique et les vérités générales a priori, Spencer se demande si ces vérités acquises représentent cette synthèse universelle que recherche la philosophie : il répond par la négative, car les lois en question ne s'appliquent qu'aux phénomènes concrets et sont des vérités analytiques, incapables de nous conduire à la synthèse de la pensée. Il faut donc chercher une formule qui exprime ce qui est commun à tous les phénomènes partiels du processus cosmique et nous donne l'élément commun de l'histoire de tous les phénomènes concrets. Or, tous les phénomènes concrets sont caractérisés par la matière et le mouvement ; aussi la loi concrète doit-elle nous fournir la formule des échanges ininterrompus de la matière et du mouvement. L'histoire de chaque être, depuis l'instant où il sort du monde de l'imperceptible jusqu'à celui où il y retourne, est marquée par deux processus opposés : tout d'abord un regroupement d'éléments diffus dans la matière, au cours duquel chacun perd ses mouvements propres ; puis une dissolution, où la matière se disperse et où chaque élément retrouve son mouvement propre. La loi se ramène donc à ces processus parallèles d'intégration et de désintégration : le premier (évolution) consiste en une perte de mouvement et une intégration de la matière ; le second (dissolution) en une reprise de mouvement et une désintégration de la matière. C'est d'après ces principes que Spencer construit son système et parvient à cette définition de l'évolution : l'évolution est une intégration de matière, accompagnée d'une dispersion de mouvement, au cours de laquelle la matière passe d'un état d'homogénéité indéterminé et incohérent à un état d'hétérogénéité déterminé et cohérent, cependant que le mouvement comprimé subit une transformation parallèle. Ces premiers principes du système évolutionniste fourniront à Spencer la base de tous ses développements ultérieurs. — Trad. Alcan, 1939.

PREMIERS PRINCIPES, APORIES ET RÉSOLUTIONS (Des) [*Áporíai hai* *luseis perì trytyn arhyn*]. Œuvre principale du philosophe grec (né vers 470-480) Damascius, l'un des derniers philosophes antiques. Le décret de Justinien (529), interdisant l'enseignement aux philosophes païens, le dépouille de sa fonction de scholarque de l'école d'Athènes : il s'exile dans les années suivantes (532), avec Simplicius et Isodore, chez Chosroès, roi de Perse, chez qui il ne reste d'ailleurs que deux ou trois ans. Tels sont à peu près tous les renseignements biographiques que nous possédons sur lui. Son œuvre principale, les *Principes*, est une sorte de commentaire du *Parménide* (*) de Platon. Les hypothèses du *Parménide* de Platon sur l'Un ont, dans l'histoire de la philosophie grecque, suscité maints commentaires. Tout au long de son livre, Damascius discute la pensée de Proclus, le dernier commentateur du *Parménide* avant lui. Le livre est difficile, à la fois à cause du caractère défectueux de la traduction manuscrite que de l'obscurité de la pensée de l'auteur. On peut dire qu'il n'a pas encore été étudié d'une manière satisfaisante. Pourtant il mériterait de l'être, tant pour sa signification dans l'histoire de la philosophie que pour sa valeur propre : en effet, d'une part, il représente la fin, au sens d'achèvement et aussi de mort, du néoplatonisme et de la philosophie antique et en révèle par une sorte de passage à la limite toutes les implications ; d'autre part, il a sa pensée personnelle bien ferme, souvent très neuve et très profonde. Le livre contient une multitude de renseignements sur les néoplatoniciens : Plotin, Porphyre, Proclus, Jamblique, sur maintes traditions comme l'orphisme et le chaldaïsme. Tout en restant fidèle à la tradition du néoplatonisme, comme paganisme pieux, Damascius sait retrouver le sens de l'unité de la vie spirituelle cher à Plotin, par-delà les hiérarchies sclérosées de Proclus. La partie la plus admirable du livre en est le début, consacré à la démonstration de l'inconnaissabilité du premier principe. Rarement la pensée humaine a pris conscience avec autant d'acuité de ses propres limites. Damascius n'est dupe d'aucun mot, même pas du mot inconnaissable. Si le principe est véritablement principe, il doit être libre de toute relation avec le tout. On ne peut donc ni le nommer, ni le concevoir, ni le penser. Le nommer « inconnaissable » serait encore paraître savoir quelque chose de lui. « Inconnaissable » n'exprime que l'état de notre esprit : nous ne pouvons atteindre que nous-mêmes et le vide de nos pensées si nous voulons penser à lui. Nous ne pouvons que démontrer notre incapacité d'en parler. L'appeler « néant » serait encore une détermination. La pensée humaine se heurte donc à sa propre contradiction, puisqu'elle se réfère sans cesse à un principe de tout, et que ce principe ne peut être pour elle qu'un néant absolu : le principe de toute explication, de toute connaissance correspond en fait à un état d'ignorance totale de la pensée. On sent que Damascius ne peut se détacher de la vertigineuse angoisse du néant absolu dont la seule propriété, dit-il, est la subversion complète de notre raison. Damascius est ici l'héritier d'une longue tradition, non seulement grecque mais orientale ; ce qui est admirable chez lui, c'est la fermeté de sa critique, la logique implacable avec laquelle il affirme la transcendance radicale de l'absolu. — Trad. Leroux, 1898 ; Les Belles Lettres, 1986-89 ; Verdier.

PREMIERS PRINCIPES MÉTAPHYSIQUES DE LA SCIENCE DE LA NATURE [*Metaphysische Anfangsgründe der Naturwissenschaft*]. Œuvre du philosophe allemand Emmanuel Kant (1724-1804), publiée en 1786. Il faut, pour la comprendre, se reporter à la *Critique de la raison pure* (*), parue cinq ans auparavant (1781), laquelle posait les principes qui déterminent : a) l'entendement dans ses jugements ; b) la volonté dans ses actions. À partir de ces principes, il devait être possible de construire le système de la raison pure, c'est-à-dire la nouvelle métaphysique critique, divisée en deux parties : métaphysique de la nature et métaphysique des mœurs. La première partie de ce vaste programme fait l'objet de l'œuvre qui nous occupe. Mais en réalité, alors que la *Critique* contient l'énoncé des problèmes, c'est-à-dire la partie géniale et créatrice de la philosophie de Kant, la nouvelle œuvre n'offre que des déductions et des développements d'un intérêt plus limité. La connaissance conceptuelle « a priori » de la nature est possible grâce à l'application qu'y reçoivent les lois de l'intuition pure spatio-temporelle, c'est-à-dire grâce aux mathématiques. « Chaque doctrine de la nature n'a en elle de science authentique que ce qu'elle contient de mathématiques. » Le reste est notion empirique. Pour Kant, qui reflète l'état des sciences à son époque, la mathématique n'est, en règle générale, applicable qu'à la mécanique ; en sorte que les *Premiers principes métaphysiques de la science de la nature* traitent uniquement de la théorie du mouvement des corps et se proposent de la déduire rigoureusement des lois de l'expérience phénoménologique. Que pouvons-nous dire a priori du mouvement ? C'est la question que pose l'ouvrage. Divisé en quatre parties, il établit quatre disciplines : la phoronomie, science du mouvement relatif d'un point mathématique ; la dynamique, qui voit dans la matière la résultante de deux forces antagonistes : la répulsion et l'attraction ; la mécanique, qui se base sur l'inertie de la matière et étudie la transmission du mouvement ; la phénoménologie, qui établit comment notre conscience arrive à se représenter le mouvement. Dans l'ensemble, Kant déploie dans cette œuvre un effort constructif imposant, auquel ne correspond pas toutefois un contrôle critique suffisant. — Trad. Alcan, 1891 ; Vrin, 1952 ; Gallimard, 1984.

PREMIER TESTAMENT [*Prvni testament*]. Long poème, publié en 1940, de Vladimír Holan (1905-1980), l'un des plus grands poètes tchèques de ce siècle. Holan s'inscrit dans la plus noble tradition de la poésie tchèque, méditative, métaphysique et jalonnée par les noms de Mácha, Zeyer, Březina, Hora, Halas et Zahradníček. Pour exprimer la complexité de l'existence entre l'être et le néant, entre le temporel et l'éternel, ses crises, ses drames et ses tragédies, ce « poète sombre, poète apocalyptique » (comme il se caractérise lui-même) invente sa propre poétique, son langage spécifique, difficile, hermétique, fait de néologismes, de déformations, de cryptogrammes, de métaphores audacieuses ; il est vrai que ses maîtres sont Mallarmé, Valéry, Rilke. *Premier testament* se compose de onze parties, et évoque deux voyages : le premier est réel, apparent ; le poète reçoit une missive d'une femme jadis aimée ; il prend le train, arrive devant la maison, entre... Le second voyage, qui se déroule parallèlement, est tout à fait différent : c'est par le souvenir un retour dans le passé, dans sa jeunesse, ce temps hors du temps — et c'est le voyage vrai, fondamental, dont le temps est éternel, car « le poète y place son rêve de la pureté et de la vérité de la vie » (Černý). En fait, ce parallélisme d'itinéraires est un affrontement entre le temps naturel qui s'écoule et le temps dans lequel il existe authentiquement — et cet affrontement est fatalement douloureux, tragique, provoquant une méditation sur le monde et le temps, la vie et la mort, la malédiction et la transcendance. V. P.

PREMIER VOYAGE AUTOUR DU MONDE (Le) sur l'escadre de Magellan [*Relazione del primo viaggio intorno al mondo*]. Œuvre du navigateur et écrivain italien Antonio Pigafetta (entre 1481 et 1490 ?), publiée en 1522 dans une traduction française faite probablement d'après le manuscrit qui se trouve à l'Ambrosienne et sur lequel furent établies les éditions postérieures. C'est notre principale source d'information sur le premier tour du monde accompli par Ferdinand Magellan (Fernão de Magalhães, 1480-1521). L'expédition, dont le but était d'atteindre les Moluques et d'entreprendre le commerce espagnol des épices, qui était jusqu'alors l'apanage des Portugais, partit de Séville le 10 août 1519 ; après avoir atteint, dans l'Amérique méridionale, la latitude de Rio de Janeiro, elle se mit à la recherche d'un passage vers l'océan Pacifique en explorant avec soin tous les contours de la côte sud-américaine jusqu'au port de Saint-Julien, où elle s'arrêta pour hiverner. Après une sanglante révolte de l'équipage et la perte d'un vaisseau, elle découvrait une issue vers le sud (l'actuel détroit de Magellan) et, en prenant cette voie grâce à l'obstination de Magellan contre l'avis d'une bonne partie de ses compagnons, elle trouvait finalement le passage cherché ; débouchant sur le Pacifique le 28 novembre 1520, elle entreprit de le traverser en diagonale. Ce fut une longue et terrible traversée ; après toutes sortes de souffrances et de difficultés — ayant touché les îles Mariannes, qu'ils appelèrent « îles des larrons » à cause de la rapacité de leurs habitants —, les explorateurs découvrirent un archipel, les actuelles Philippines, qu'ils dénommèrent archipel Saint-Lazare. Parmi les chefs indigènes de ces îles, certains les accueillirent avec amitié et il y en eut même un qui se laissa convertir sur-le-champ au christianisme ; mais d'autres leur témoignèrent de l'hostilité et l'un d'eux, particulièrement féroce, poussa les siens à massacrer les Blancs : dans la bataille, Magellan lui-même, qui était resté en arrière pour permettre à ses hommes de se sauver sur les chaloupes, fut massacré avec beaucoup d'autres (27 avril 1521). Les survivants, ayant abandonné un vaisseau, continuèrent — bien qu'ils n'eussent plus de chefs expérimentés — à explorer les Philippines, puis touchèrent Bornéo et atteignirent finalement les Moluques le 8 novembre 1521 ; là, bien accueillis par les indigènes, ils chargèrent leurs vaisseaux d'épices. À la nouvelle qu'une expédition portugaise se préparait à marcher contre eux et comme une voie d'eau s'était déclarée dans le vaisseau amiral, la « Trinidad », l'expédition se divisa. Des deux vaisseaux qui restaient, l'un, la « Trinidad », réparé, partit dans la direction de l'isthme de Panama ; mais après avoir parcouru moins de cinq cents lieues, il fut forcé par la faim et par les vents contraires de revenir aux Moluques, où il se heurta à l'expédition portugaise ; les Portugais l'incendièrent et s'emparèrent de l'équipage, dont une partie put regagner sa patrie après d'innombrables péripéties. Quant au navire intact, la « Vittoria », parti des Moluques le 21 décembre 1521, il traversa péniblement l'océan Indien, doubla après mille difficultés le cap de Bonne-Espérance et atteignit enfin, le 8 septembre 1522, le port d'où il était parti plus de trois ans auparavant : il avait parcouru environ 14 460 lieues et accompli le premier tour du monde par mer. Cette expédition eut une importance historique : non seulement elle découvrit le passage entre l'Atlantique et le Pacifique et démontra, quoique d'une manière encore vague, l'immensité du Pacifique ; mais encore elle confirma la justesse du projet de Christophe Colomb, qui voulait atteindre le Levant en naviguant vers le Ponant. La relation laissée par Pigafetta — un des survivants qui revinrent avec la « Victoria » — nous révèle un homme d'une discrète culture et d'une vive curiosité ; elle est du plus grand intérêt par l'exactitude quasi scientifique — surprenante pour l'époque — des observations qu'il fit dans les pays explorés, à tous les points de vue, tant sur la faune et la flore que sur la météorologie, sur les mœurs, les langues et les institutions politiques. — Trad. Delagrave, 1888.

PRÉPARATIFS DE NOCE À LA CAMPAGNE [*Hochzeitsvorbereitungen auf dem Lande*]. Les divers cahiers posthumes de l'écrivain tchèque d'expression allemande Franz Kafka (1883-1924), que Max Brod a réunis sous ce titre, sont très proches du *Journal* (*) mais ne lui appartiennent pas directement, car, tout en contenant un certain nombre d'observations datées, ils sont surtout composés de textes qui font partie intégrante de l'œuvre, qu'il s'agisse de récits (plus ou moins inachevés), de notations autour des thèmes habituels ou d'esquisses de travaux futurs. L'intérêt de ce volume est de nous permettre de saisir sur le vif l'inspiration même de Kafka et de nous découvrir le cheminement de son écriture. La nouvelle qui ouvre le livre, et qui lui a donné son titre, est probablement l'une des premières œuvres de Kafka et sans doute la plus ancienne dont le manuscrit nous ait été conservé ; son texte bourré de lacunes porte déjà la marque de cet univers singulier où tout s'accorde pour traquer le « personnage ». « Les Méditations sur le péché, la souffrance, l'espoir et le vrai chemin » se composent d'une suite de cent neuf aphorismes réunis et classés par Kafka lui-même ; le dernier — qui peut situer le ton de l'ensemble — indique peut-être la méthode ou l'« espoir » de Kafka : « Il n'est pas nécessaire que tu sortes de ta maison. Reste à ta table et écoute. N'écoute même pas, attends seulement. N'attends même pas, sois absolument silencieux et seul. Le monde viendra s'offrir à toi pour que tu le démasques, il ne peut faire autrement, extasié, il se tordra devant toi. » Les « Huit in-octavo » et les « Cahiers divers et feuilles volantes » (deux cent cinquante pages) sont parsemés de notations sur les événements de la vie courante, mais ces notations se limitent à quelques mots et Kafka avait pris le soin de les écrire en caractères minuscules pour souligner leur peu d'importance. L'essentiel de ces cahiers consiste en récits d'imagination (les plus achevés ont pris place dans les volumes mis au point par Kafka ou ses éditeurs) et en considérations philosophiques, mais on y relève aussi des projets divers : lettres, listes de titres et plans de lecture. Max Brod a joint à ce volume la célèbre *Lettre au Père* [*Brief an den Vater*], que Kafka rédigea en 1919 mais n'adressa jamais, bien qu'il l'ait réellement écrite pour son destinataire. Cette lettre est le plus vaste essai autobiographique qu'ait entrepris Kafka, et il semble bien qu'elle nous fournisse à la fois la clé de sa vie et celle de son œuvre. L'importance de ce document n'est pas tant dans la rigueur du réquisitoire que dans cette volonté de toucher les extrêmes à laquelle ne cessa d'obéir Kafka et qui lui fit écrire un jour : « Dans le combat entre toi et le monde, assiste le monde. » — Trad. Gallimard, 1957.

PRÉPARATION DE L'ÂME À LA CONTEMPLATION (De la) [*De praeparatione animi ad contemplationem*]. Traité de morale et de mystique du théologien Richard de Saint-Victor (1110-1173), moine écossais de l'abbaye de Saint-Victor de Paris, disciple puis successeur d'Hugues au priorat. Après *De la Trinité* (*), qui est son œuvre fondamentale et la plus originale dans le domaine spéculatif, ce traité est, avec *De la grâce contemplative* (*) qui le complète, l'œuvre de Richard qui est le plus souvent étudiée. Il explique dans ce livre comment l'âme doit se préparer à la contemplation, en réfrénant ses passions et en recherchant la vertu. L'auteur y compare les joies matérielles aux joies spirituelles ; y traite de la pudeur (spirituelle), de ses manifestations, de son utilité et de sa beauté, des mauvaises inclinations, de la vertu qui devient défaut si elle n'est pas contenue par la modestie, de la contemplation suprarationnelle, de la valeur de la parfaite connaissance de nous-mêmes ; enfin il dit combien il est difficile d'interpréter les visions qui s'offrent à notre esprit par la révélation divine. Les réflexions de Richard sur la Transfiguration de Jésus telle qu'elle est annoncée dans les Écritures par Moïse et Élie ne manquent ni de profondeur ni de sagesse. Il tient pour suspecte « toute révélation qui n'est pas annoncée par *La Bible* (*) : « Si tu te crois parvenu aux sommets de l'esprit..., s'il te semble déjà voir le Christ transfiguré, ne crois pas aveuglément ce qu'en lui tu vois ou entends, sans te reporter au témoignage de Moïse ou d'Élie [la tradition]... Pour suivre la vallée ou gravir la montagne, j'admets le Christ sans témoins, mais non pas au sommet, ni dans sa lumineuse révélation. Tant que le Christ m'instruit des choses extérieures ou de ce qui fait partie de mon être intime, je reçois son enseignement, car je puis le vérifier par ma propre expérience ; mais quand mon esprit est ravi, quand il s'agit des choses célestes, alors, devant le vertige dû à une telle splendeur, je n'admets pas le Christ sans le témoignage des Écritures. » Ce traité est un exemple de mystique catholique et des ressources que la paraphrase des Écritures offrait aux docteurs et mystiques de ce temps.

PRÉPARATION ÉVANGÉLIQUE [Εὐαγγελικὴ προπαρασκευή]. Ouvrage apologétique de l'évêque et écrivain grec Eusèbe de Césarée (260/65-337/41 environ), écrit pour relever les chrétiens des accusations lancées par les païens. Ces griefs sont énumérés dans le premier livre et complétés par ceux des juifs. Parmi les arguments d'ordre historique tendant à prouver que l'avènement de Jésus-Christ a confirmé les prophéties bibliques, il faut mentionner la thèse selon laquelle la « pax Augusta », instaurée par l'Empire romain (qui délivra le monde civilisé de l'état de guerre perpétuel), a seulement constitué l'ébauche de la venue d'une nouvelle universalité humaine. Ainsi le christianisme revendiquait la mission civilisatrice de Rome. Faisant suite à cette introduction, les quinze livres de l'ouvrage sont consacrés à démontrer que ce n'est pas sans raison valable que les chrétiens ont abandonné le culte des divinités nationales, pour adorer le dieu des juifs. Et comme cette accusation est faite par les païens, Eusèbe se sert, pour les combattre, de leurs propres affirmations ; son œuvre devient ainsi un vaste recueil d'extraits empruntés aux écrivains païens pour démontrer l'insuffisance des religions nationales. Les deux premiers livres sont réservés à l'étude de la cosmogonie et de la théologie des gentils (particulièrement des Phéniciens, des Égyptiens et des Grecs), et le troisième à l'interprétation des mythes théologiques. Dans le quatrième, qui a trait à la religion, Eusèbe s'efforce de prouver que les dieux des païens n'étaient autres que les génies du mal. Les cinquième et sixième livres parlent des oracles et du problème du déterminisme, tandis que le septième et le huitième sont consacrés à l'étude de la religion et de la philosophie hébraïque et précisent les raisons qu'ont les chrétiens de s'en tenir aux Saintes Écritures. Les derniers livres enfin mentionnent les relations existant entre les Grecs et les Juifs. L'auteur soutient que les premiers avaient une connaissance parfaite de l'antique civilisation juive et qu'ils y auraient puisé nombre de leurs prétendues découvertes. Un long passage est entièrement réservé à Platon, qui se serait largement inspiré, dans ses spéculations, des livres de Moïse et des Prophètes. Eusèbe s'attache même à démontrer le caractère essentiellement chrétien de sa philosophie. Quant aux deux derniers livres, ils sont occupés par les systèmes philosophiques postérieurs à Platon. Outre l'originalité féconde de certaines de ses conceptions, cet ouvrage est remarquable par la vigueur de sa doctrine et par le trésor que représentent les nombreux passages empruntés aux auteurs les plus divers, ce qui fut l'une des raisons de son succès. — Trad. sans nom d'éditeur, 1842 ; Le Cerf, 1974 sqq.

PRÉS (Les) [*Prata*]. Œuvre encyclopédique de l'historien latin Suétone (75 ?-150 ?) qui devait comprendre une vingtaine de monographies, mais seuls nous en sont parvenus des fragments, en grec et en latin : « Les Rois » [De regibus], en trois livres, traitant de la monarchie dans le monde ancien ; « Les Offices » [De institutione officiorum] concernant les charges publiques ; « L'Histoire des jeux » [Ludicra historia], en trois livres, où il est question des divertissements chez les Grecs, des spectacles et jeux publics chez les Romains, de la scénographie, des combats de gladiateurs, etc. ; « Le Calendrier romain » [De anno Romanorum] ; « L'Histoire naturelle » [De naturis rerum] ; « Les Signes » [De notis] ; « L'État selon Cicéron » [De Ciceronis re publica], plaidoyer en faveur du rôle politique de ce grand homme ; « De l'habillement » [De genere vestium]. Dans le livre « Injures et obscénités » [De maledicis et obscenis verbis] sont passées en revue toutes sortes d'expressions outrageantes alors en usage. Plus importants étaient les deux livres intitulés « Rome » [De Roma], histoire de la cité depuis les origines, et de ses coutumes. D'autres monographies avaient trait aux « Degrés de parenté » [De propinquitate], aux « Synonymes » [Differentiae sermonum], aux « Imperfections du corps » [De vitiis corporalibus] ; il y avait en outre un chapitre traitant « De choses variées » [De rebus variis]. De tout cela se composaient *Les Prés,* cette moisson de documents divers dont devait se servir l'auteur de *La Vie des douze Césars* (*).

PRESCRIPTION CONTRE LES HÉRÉTIQUES (De la) [*De praescriptione haereticorum*]. Traité de l'apologiste et théologien latin Tertullien (env. 150-après 220) ; cet ouvrage fut composé vers l'an 200, deux ou trois années après la fameuse *Apologétique* (*). Dans le droit romain, on refusait à l'adversaire le droit d'exposer ses propres arguments sur la base d'une question antérieure préjudicielle déjà définie. Tertullien use d'une semblable procédure à l'égard des hérétiques. Il est inutile d'entendre leurs arguments et il est vain de les réfuter, puisqu'un grand nombre de preuves antérieures montrent qu'ils n'ont pas le droit d'être écoutés plus avant. Les hérésies ne doivent pas nous étonner, puisqu'elles ont été annoncées à l'avance par le Christ ; leur but est d'affermir la foi des croyants. Parodiant un passage de Cicéron, Tertullien affirme : « La curiosité de savoir cède la place à la foi, et la vaine gloire au salut. » Désormais, la première exception juridique est que « nous ne devons pas permettre aux hérétiques d'usurper le droit de faire appel aux Écritures ; nous devons même éviter de nous mêler à eux ». La véritable et importante question est de savoir quel est le dépositaire de la foi chrétienne, et à qui appartiennent les Écritures. La réponse est claire et, avec elle, on en vient à la seconde exception : le Christ envoya ses apôtres, qui fondèrent des communautés et des Églises dans toutes les villes ; de celles-ci les autres ont reçu par la suite la transmission de la foi, pour devenir des Églises apostoliques, filles des Églises fondées par les apôtres. Dans la mesure où une doctrine correspond à celle professée par les Églises apostoliques, elle est vraie, car elle exprime ce que les Églises apprirent des apôtres, ceux-ci du Christ, et le Christ de Dieu. Si une doctrine n'est pas en correspondance avec celle des Églises apostoliques, elle doit être, sans discussion, répudiée. Comment est-il admissible en effet que Pierre, « pierre sur laquelle l'Église fut bâtie », ou Jean, qui reposa sa tête sur le cœur de Jésus, aient pu ignorer sa doctrine, spécialement après la descente de l'Esprit Saint, qui leur enseigna « toutes choses » ? On ne peut admettre, comme certains l'ont insinué, que les apôtres n'aient pas tout transmis aux Églises, et qu'il y ait un évangile caché : l'hypothèse est contredite par les paroles mêmes des apôtres. Troisième exception juridique, le témoignage des Églises habilitées pour découvrir la vraie doctrine. Quelques-unes se trompèrent, mais elles furent remises dans la vérité par les apôtres. On ne peut croire que toutes les grandes Églises se soient trompées de façon à former une foi unique. Si quelques hérétiques prétendent que l'ancienneté de leur doctrine est apostolique, qu'ils publient donc la liste de leurs évêques depuis les apôtres jusqu'à nos jours, comme l'Église de Smyrne, qui peut se vanter d'avoir eu à sa tête Polycarpe placé là par Jean, et celle de Rome, Clément ordonné par Pierre. Quatrième exception juridique : la conduite, le désordre, le manque d'organisation, l'impudence des femmes, qui se sont introduites dans tous les offices du culte ; les prédications inconsidérées plus faites pour pervertir les catholiques que pour convertir les païens. La seule unité chez les hérétiques est le schisme ; et ils la cultivent avec les mages, les astrologues et les philosophes. Ils ont banni la crainte de Dieu, et ils ont perdu Dieu. Tandis que l'*Apologétique* a une valeur qui se limite à la période des persécutions extérieures, cette œuvre contre les hérétiques, conduite d'une façon brillante, une fois acceptés les postulats théologiques sur lesquels la démonstration se fonde, a une valeur exceptionnelle. Son idée fondamentale est celle d'une vérité objective, transmise en bloc de siècle en siècle, et liée à la continuité de la succession apostolique ; par là, cette œuvre est en contradiction absolue avec les théories qui estiment que la vérité est constamment à recréer et à redécouvrir par chacun au cours d'une expérience religieuse intérieure. — Trad. Le Cerf, 1957.

PRÈS DE LA TERRE [*Blizo do zémista*]. Recueil d'essais de l'écrivain bulgare Boyan Bolgar (né en 1907), publié en 1939. Ce livre porte en sous-titre : « Livre pour la patrie » [Kniga za rodinata]. Comme dans ses *Mosaïques parisiennes* [*Parijki Mosaiki,* 1933], Bolgar prend prétexte d'impressions de voyage pour méditer à son gré. Ainsi à côté de magnifiques descriptions de la mer, il nous livre sa conception de la vie. Très fin observateur, rien ne lui échappe, mais il ne parle de ce qu'il voit que pour interroger, se demander par exemple : Qu'est-ce que la liberté ? ou quel est le but de la vie ? Amoureux de la nature, il y retrouve les racines du passé de son peuple, et il en tire par ailleurs un culte de la grandeur et de la beauté. Pour lui, la « règle » ne peut se découvrir qu'au niveau de l'existence quotidienne, et l'histoire n'est pas dans l'événement, mais dans le flot profond qui court au-dessous de lui. Bolgar parle du bien et du mal en athée, du corps et de l'esprit, du dédoublement auquel est en proie l'homme moderne. Il rêve du retour à la nature et d'une vie simple, mais c'est pour constater que nous sommes tout aussi incapables de changer que de voyager, puisque nous traînons partout ce que nous sommes. Bolgar a écrit de nombreux romans, mais c'est dans l'essai qu'il a trouvé la forme qui lui a permis d'exprimer le mieux son talent.

PRÈS DU CŒUR SAUVAGE [*Perto do coração selvagem*]. Roman de l'écrivain brésilien Clarice Lispector (1920-1977), publié en 1944. Ce roman, le premier de l'auteur, fut écrit lorsqu'elle avait 17 ans. Le livre reçut un accueil enthousiaste de la critique. La jeune romancière fut considérée comme une révélation et son œuvre comme un tournant dans l'histoire du roman brésilien. Le titre est une citation de Joyce, mais cette citation était tout ce qu'elle connaissait de lui, à l'époque.

Le récit est centré sur un personnage féminin, Joana, présenté tour à tour de l'extérieur et de l'intérieur. Le texte est divisé en deux parties de longueur égale. La première est constituée de pensées, sensations et souvenirs divers, apparemment rattachés les uns aux autres par libre association. Un mince fil narratif s'ébauche : l'enfance de Joana auprès de son père, après la mort de sa mère ; la vie de l'enfant chez sa tante, qui ne la comprend pas ; la puberté et la découverte du corps ; la relation privilégiée avec un professeur. Ces épisodes alternent avec des incidents de sa vie d'adulte : son quotidien de femme mariée mais pas vraiment liée avec Otavio, la liaison de celui-ci avec une ex-fiancée, Lidia. La deuxième partie comporte plus de narration et a un déroulement plus linéaire. Joana se sent presque heureuse avec son mari, mais elle rencontre Lidia, qui est enceinte ; elle retrouve le professeur, qui la déçoit ; elle devient la maîtresse d'un homme rencontré dans la rue. Finalement, elle rompt avec les hommes du présent et de la mémoire, pour se retrouver seule et prête à tout recommencer.

Les événements sont loin de constituer l'essentiel de l'art romanesque de Clarice Lispector. Ils ne sont que les jalons d'une quête : quête d'identité, de connaissance, de langage. Un chapitre intitulé « La Femme et la voix » occupe la place centrale du roman. Il s'agit d'une femme quelconque, sans histoire, mais qui impressionne Joana par sa voix, laquelle, tout en ne disant rien, disait le « principal » : qu'« elle était vivante », « une vie qui coulait sans cesse dans un corps ». Cette voix la trouble et l'humilie parce que elle-même n'a pas cette unité profonde : « Elle avait toujours été deux, celle qui savait superficiellement et celle qui était vraiment, profondément. » Unir celle qui pense (qui parle) et celle qui est, telle est l'ambition de Joana. L'existence vécue coule, l'existence pensée est une série d'instants déconnectés. Les questions ici posées, de façon intuitive, sont les grandes questions de la philosophie : être et être là, penser et sentir, le moi et l'autre, le réel et le langage. Un leitmotiv traverse tout le roman : le tic-tac de l'horloge qui, dès les premières lignes du texte, est mis en relation avec le bruit de la machine à écrire du père, sur un fond de silence. Moment privilégié d'harmonie qu'il faut retrouver, réconciliant le langage écrit et le temps vécu, sans angoisse de mort. Pour y arriver, il faudrait trouver les mots « vrais » : « les mots venus d'avant le langage, de la source, de la source même ». Ce labeur occupera l'auteur jusqu'à la fin de sa vie. — Trad. Plon, 1954 ; Des femmes, 1982.

L. P.-M.

PRÉSÉANCES. Roman de l'écrivain français François Mauriac (1885-1970), publié en 1921. Dans un collège fréquenté par les fils des grands négociants en vin d'une ville qui n'est pas nommée, mais dont chacun devine le nom, X est tenu à l'écart et en ressent de l'humiliation. Ce n'est pas que sa famille soit dénuée de fortune, mais sa fortune ne saurait la classer, provenant du bois, du drap, et non du vin qui seul anoblit. X décide d'opposer à la ligue des « Fils » une ligue de l'intelligence et lie partie avec Augustin. La lutte s'engage ; un double but est poursuivi : humilier les Fils et piquer la jalousie de l'un d'eux, Harry Maucoudinat et l'amener à épouser la sœur de X, Florence. X est bien décidé à se servir d'Augustin, quitte à le renier par la suite. Cependant, Florence est sensible au charme du jeune homme ; et, tandis que X arrive à ses fins, et marie sa sœur au fils Maucoudinat, celle-ci, ses ambitions satisfaites, n'en éprouve qu'indifférence et sombre dans un ennui déprimant. Elle se prend à regretter cette ardeur qui émanait d'Augustin ; elle voudrait retrouver l'ami perdu, en vain. Douze ans passent. Florence, en qui la semence de sincérité jetée par Augustin a fructifié, est complètement guérie du snobisme ; mais cet affranchissement, elle le pressent, ne doit être qu'une étape. De sourdes aspirations la travaillent. Faute d'un guide, elle se jette dans les aventures amoureuses. Craignant de perdre ses relations, son frère la sermonne, lui rappelle la stratégie déployée en commun. Florence ne veut rien entendre ; elle veut Augustin. Au moment précis où X amène à sa sœur un faux Augustin qu'elle veut bien prendre pour celui qu'elle désire, on introduit le véritable Augustin, vieilli, chauve, misérable, que Florence se refuse à reconnaître. Entre le faux et le vrai, elle n'hésite pas, elle choisit celui qui ressemble à son souvenir. Après le divorce, l'internement de Florence, le frère de celle-ci se réfugie dans le souvenir de ce « sel » que détenait Augustin et que nul n'a pu lui rendre. C'est sur cette aspiration au salut que se termine cet étonnant roman, touffu, compliqué, véritable débauche d'imagination qui ne va pas sans quelques invraisemblances.

PRÉSENCE TOTALE (La). Essai du philosophe français Louis Lavelle (1883-1951), publié en 1934. Lavelle y expose, de façon simple, sa conception fondamentale : son dessein est de nous montrer que le vrai caractère de la pensée n'est pas de nous placer en face du monde en nous séparant de lui, mais bien plutôt de nous établir en lui. Ainsi devons-nous concevoir l'être comme le tout, et non comme le résultat des données des sens. S'il est le tout, s'il est, autrement dit, toujours intérieur à lui-même, nous devons le dire spirituel. Il est le fondement unique de toutes les existences séparées, et l'absolu dont tous les phénomènes, comme tous les concepts, ne sont que des analyses. Il n'est pas pour autant une abstraction, bien au contraire il contient toutes les choses et se réalise en s'actualisant en elles dans la mesure même où celles-ci — ses parties — le ressentent comme leur fin. Il n'est pas statique donc, mais coïncide avec l'activité, dont il est la fin. Il est l'acte, étant le terme de tout l'agir, c'est-à-dire de l'agir infini. Il est le sujet, étant l'objet de toute la pensée, c'est-à-dire de la pensée infinie. Et il est la tension même de l'esprit, le pur exercice de la pensée et la pensée même comme achevée. L'être est donc objet et sujet à la fois, il est le terme absolu de notre pensée aussi bien que le fondement de chaque existence. C'est pourquoi nous pouvons le définir présence totale. C'est seulement dans la mesure où nous sentons cette présence et quand chacun de nous communique avec elle, que nous pouvons communiquer entre nous. Et aussi bien, être présent à nous-mêmes, c'est inscrire sans cesse notre être particulier, notre tension propre, dans une présence objective, dans un être. La conscience, le je, est ce dialogue. C'est notre consentement à être, notre acte, qui est cet acte unique par lequel l'être se réalise. Dans la dernière partie, qui s'intitule « La Présence retrouvée », l'auteur reprend les conséquences ultimes du motif dominant de toute l'œuvre. Si le caractère de la pensée est de nous établir dans le monde, la raison profonde en est la philosophie : s'établir dans le monde, c'est en effet le recréer, parce qu'il n'est pas une somme, mais une unité qui, comme telle, reste vive dans chaque partie qui se recrée en tant qu'acte pur qui pense la totalité.

PRÉSENT DES DEUX IRÂQS (Le) [*Tuhfat al-Iraqeïn*]. Poème [masnavi] du poète persan Afdal al-Dîn Khâqâni (1126-1199). Le poète compose son unique masnavi lors de son premier pèlerinage à La Mecque, entrepris en 1156-57. C'est le premier livre de voyages persan écrit sous la forme d'un poème, et sans doute l'œuvre la plus originale de Khâqâni.

Le poème est divisé en cinq « discours »

[maqalas] : le premier consiste essentiellement en doxologies ; le deuxième est autobiographique ; le troisième décrit Hamadân, l'Irâq, Baghdâd ; le quatrième dépeint La Mecque, et le cinquième Médine. Dans cette œuvre, la transformation poétique de la réalité semble dominer : le soleil, par exemple, est requis de montrer à l'auteur le chemin de La Mecque. De plus, autour du sujet sacré se déroulent toutes sortes de louanges profanes. M.-H. P.

PRÉSIDENT (Le). Roman de l'écrivain belge d'expression française Georges Simenon (1903-1989), écrit en octobre 1957 à Noland et publié l'année suivante. Après une existence passée dans les plus hautes sphères de l'État, Augustin, ancien président du Conseil, s'est retiré dans sa propriété des Ebergues, près de Bénouville, en Normandie. Il n'est plus entouré que par des domestiques, une secrétaire dévouée, Mlle Milleran, une infirmière revêche, Blanche, et quelques policiers chargés de le protéger et d'éloigner les intrus. Et tandis que la tempête fait rage sur la Manche, les difficultés rencontrées dans la formation d'un nouveau gouvernement destiné à être dirigé par Chalamont, son ancien chef de cabinet, permettent à cet ultime représentant de la vieille garde politique, une légende entrée de son vivant dans les manuels d'histoire, d'évaluer une dernière fois son influence. C'est que Chalamont l'a trahi, vingt ans plus tôt, en dévoilant à son beau-père, banquier, l'imminence d'une dévaluation monétaire destinée à sauver les finances du pays, et qu'il possède, outre des aveux écrits signés de sa main, des documents compromettants sur divers politiciens, notamment ceux qui étaient engagés dans la course au maroquin ministériel. Au cours de ces longues heures, ponctuées par les alertes de santé, ce vieux serviteur de la nation, dont l'allure rappelle à la fois Aristide Briand et Georges Clemenceau, se remémore les épisodes de sa vie publique ou privée, toute sacrifiée à la raison d'État. Mais l'espoir de voir Chalamont venir lui demander son accord s'avère vain. Paris se passera de son avis. Sans trop de risques puisque, ses proches le trahissant depuis longtemps, sa secrétaire a transmis ses documents compromettants à la Sûreté pour les faire reproduire.

Dès lors, la perte de tout pouvoir politique, et surtout l'approche de la mort, dans un isolement absolu, lui ouvrent les yeux à la vanité des choses. Il n'est plus qu'un vieillard à ses derniers jours, habité par des « vérités provisoires » conquises à force de tâtonnements, mais gagné par une sérénité dépourvue de toute illusion. Alors que la plupart des romans de Simenon montrent les effets de l'évolution chaotique de l'économie et de la politique sur les petites gens, entre les deux guerres, *Le Président* évoque, à la faveur d'une remise en question provoquée par la maladie d'un homme célèbre, comme dans *Les Anneaux de Bicêtre* (*) (1963) ou *Les Volets verts* (1950), certains dessous peu ragoûtants de la vie politique française, sous la IIIe République, notamment les luttes d'influence ou la corruption. Cette dénonciation du monde politique apparaît dans *Maigret chez le ministre* (1955) et surtout dans *Les Gens d'en face* (1933), un réquisitoire contre le régime stalinien. — Une adaptation cinématographique du *Président* a été réalisée par Henri Verneuil en 1960, avec Jean Gabin dans le rôle principal. Al. B.

PRESQUE-SONGES / SAIKY-NOFY. Recueil de poèmes de l'écrivain malgache Jean-Joseph Rabearivelo (1903 ou 1901-1937), publié en français en 1934 et dans sa version bilingue en 1960. La première édition (chez Henri Vidalie, à Tananarive) indiquait en sous-titre : « poèmes transcrits du hova par l'auteur », ce qui suggérait l'existence d'une version première en « hova », c'est-à-dire en malgache des Hauts-Plateaux. La réédition de 1960 (publiée à Tananarive pour célébrer le poète dans l'enthousiasme de l'indépendance recouvrée) révélait effectivement une double version, malgache et française, de chaque poème. *Presque-Songes* apparaît donc comme un recueil authentiquement bilingue. L'examen des manuscrits devait confirmer ce qu'indiquaient certaines déclarations du poète : il s'agit moins d'une traduction de poèmes d'une langue (le malgache) vers une autre (le français) — ou l'inverse — que d'un travail conjoint et dialectique sur chacune des deux versions développées en parallèle.

Les premiers lecteurs de *Presque-Songes* furent surpris par la nouvelle poétique qu'y déployait Rabearivelo (ils la qualifièrent de « surréaliste »). En fait, le poète malgache jouait sur le passage d'une langue à l'autre, de l'oral à l'écrit, d'une culture traditionnelle à la modernité littéraire. Il tire d'heureux effets — que le recueil suivant, *Traduit de la nuit* (*), devait amplifier — du transfert en français de procédés propres à l'ancien genre malgache oral du « hain teny » : retournement, rebondissement, étagement, superposition à l'infini des métaphores. J.-L. J.

PRESQUE UNE VIE [*Quasi una vita*]. Œuvre de l'écrivain italien Corrado Alvaro (1895-1956) publiée en 1950. Ce « journal littéraire », particulièrement estimé par les lettrés d'au-delà des Alpes, a pu être comparé au *Journal* (*) de Gide, bien qu'il en diffère profondément par sa forme. Alvaro ne se soucie pas de relater les événements quotidiens. Les problèmes ou les mœurs de l'époque — par exemple le fascisme italien, la vie berlinoise, qu'Alvaro, correspondant de presse, a bien connue dans les dernières années de la république de Weimar — ne se reflètent qu'indirectement dans *Presque une vie*. On ne doit pas non plus chercher dans ce volume des confidences sur la vie privée de l'auteur ni des expériences systématiques d'analyse intérieure. Il s'agit plutôt d'un carnet de notes prises sur le vif. Chasseur d'images, attentif à toute impression un peu singulière survenue au hasard de conversations, de rencontres – et surtout de rencontres féminines –, Alvaro se sert de son journal pour recueillir, avec une étonnante sincérité dans ses réactions, les éléments d'œuvres futures, romans, nouvelles ou essais. – Trad. légèrement abrégée, Amiot-Dumont, 1955.

PRESQU'ÎLE (La). Recueil de nouvelles de l'écrivain français Julien Gracq (né en 1910), publié en 1970. Il rassemble « La Route », roman inachevé écrit en 1955, « La Presqu'Île », et « Le Roi Cophétua », dont André Delvaux a tiré un film intitulé *Le Rendez-Vous à Bray* (1971). « *La Route* » évoque un moment de transition, de rupture ; passage d'une civilisation à une autre, fin d'un monde qui s'achève de sa propre usure, cette route mystérieuse traverse l'histoire en même temps qu'elle franchit l'espace hostile. L'humanité barbare en chemin vers son ultime nuit allume ses derniers feux, et se prépare au long voyage que la mort lui a préparé depuis toujours. Dans « La Presqu'Île », Gracq nous raconte comment un homme, pris au piège de l'attente, finit par se dissoudre dans le paysage ; la femme qu'il attendait est restée de l'autre côté, et il ne sait plus comment l'atteindre, prisonnier qu'il est de son rêve gelé par la mort : « La vie est ailleurs, très loin. Ici, on repose. » Simon s'engloutit dans la mer comme on s'abandonne au sommeil le plus profond, avec cette sensation curieuse qu'il nous sera désormais impossible d'en revenir ; il a beau s'arrêter souvent pour reprendre ses esprits et se persuader qu'il est encore vivant, il perçoit le monde comme étant ce « quelqu'un derrière la fenêtre qui vous tourne le dos, qui regarde ailleurs ». La femme aussi devient chez Gracq l'instrument de cette fatalité, ce regard détourné qui nous plonge vers le néant, et il fait d'elle la métaphore du temps destructeur.

La présence féminine se solde en quelque sorte par l'élimination physique du personnage masculin, à moins qu'elle soit l'instrument – à la fois angélique et diabolique – de quelque métamorphose à l'intérieur même du récit, comme dans la nouvelle qui clôt le recueil, et sans doute la plus énigmatique : « Le Roi Cophétua ». L'histoire se passe à l'automne 1917, très exactement le jour de la Toussaint, c'est-à-dire encore une fois à un moment de rupture historique. Le narrateur se rend à l'invitation d'un ancien ami qu'il avait connu avant la guerre. En arrivant chez cet ami, dont l'absence plane telle une aile dangereuse pendant toute la scène, il se retrouve seul en tête à tête avec une mystérieuse femme. Il ignore jusqu'au bout l'identité et les motivations de celle qui va incarner bientôt la figure noire du destin ; elle sera la reine de l'amour et de la mort, l'initiatrice d'un rituel où les ombres tiennent les rôles principaux, ainsi que dans le tableau qui donne son titre au récit : *Le Roi Cophétua,* et éclaire rétroactivement de sa lumière sombre le funeste rendez-vous de Bray. Le tableau dit par avance l'échange amoureux entre le narrateur (le roi Cophétua de la peinture) et la servante. Les personnages de la fiction sont pour ainsi dire poussés à pénétrer dans le tableau, afin d'accomplir l'alliance au Jour des Morts. O. H.

PRESSE (La). Ce journal, fondé le 1er juillet 1836 par Émile de Girardin (1806-1881), est, avec *Le Siècle,* l'ancêtre des grands quotidiens à bon marché, destinés à un large public. Girardin qui, dès 1831, avait lancé le *Journal des connaissances utiles,* a donné cette définition de *La Presse :* un organe « qui occupe parmi les journaux français la place du *Times* en Angleterre et qui assiste le gouvernement sans être dans la dépendance d'aucun cabinet ». Esprit essentiellement réalisateur, il souhaitait se placer dans toute la mesure possible en dehors de la politique, et créa la technique du quotidien moderne dans lequel l'administration et la publicité jouent un aussi grand rôle que la rédaction. Sans être le moins du monde révolutionnaire, Girardin déclenche une véritable révolution en opposant à des journaux de parti, réservés à un petit nombre de lecteurs, la conception alors toute neuve d'une presse à deux sous (au lieu de quatre) destinée au grand public. Cette liberté de la presse dont la victoire n'est alors que théorique, il entreprend, malgré une législation restrictive, de la faire passer dans les faits et, pour compenser le prix trop faible de l'abonnement, développe au maximum la réclame et les annonces. Cette réforme radicale du journalisme quotidien, il la réalise par ses propres moyens. Son but est, du reste, national et moral tout autant que commercial ou industriel : « Ce que *La Presse,* surtout, ne veut pas être ou paraître, affirme Girardin, c'est un journal au rabais. » Ainsi entend-il se mettre au service de l'esprit non moins que du bien-être. Après trois années d'existence, au cours desquelles les pires obstacles lui ont été opposés, Girardin, rédacteur en chef et co-gérant de *La Presse,* repart sur de nouvelles bases, en association avec le banquier Dujarrier. À partir de ce moment, le tirage du journal ne cessera de monter, passant progressivement de 18 483 exemplaires à 63 000 en 1848. À la veille de la révolution de 1848, Girardin, maître du moment, sans participer toutefois à la « campagne des banquets », inaugure sa fameuse rubrique « une idée par jour ». Son mot d'ordre est alors « confiance », puis il entre en lutte contre le gouvernement provisoire lorsque le général Cavaignac rétablit le cautionnement naguère exigé des journaux. Le 25 juin 1848, il est emprisonné à la

Conciergerie et mis au secret. *La Presse,* qui avait été suspendue, reparaît au début d'août, Girardin est le premier à poser la candidature du prince Louis-Napoléon à la présidence de la République, mais il ne tarde pas à déchanter et, lorsque éclate le coup d'État du 2 décembre 1851, il se réfugie à Bruxelles. Rentré en France le 5 mars 1852, il reprend la direction du journal qui, tombé à 12 000 exemplaires, remonte à 43 000. « Conservateur progressiste », Girardin ne s'attache à aucun parti, mais, s'il ne se rallie pas à l'Empire, si ses articles lui valent parfois des avertissements, son opposition n'est jamais systématique. En 1856, le journal risquant d'être supprimé, Girardin vend sa cogérance et sa part de propriété de *La Presse* à Moïse Milhaud, futur fondateur du *Petit Journal,* qui devient rédacteur en chef ; puis le journal passe successivement aux mains d'A. Nefftzer (1856-1857), Alphonse Peyrat (1857-1858), Ad. Guéroult (4 fév. - 4 mars 1858), au banquier Solar, associé de Mirès (1859), à Arsène Houssaye et à Peyrat (1860). Le 4 décembre 1862, Girardin reprend la direction de *La Presse,* avec Rouy, Peyrat et Houssaye, et met désormais son espoir dans l'Empire libéral. Le 21 février 1866, il rompt avec Rouy et, le 2 mars suivant, fonde *La Liberté.* Tributaire des intérêts de Mirès, et dévouée à l'Empire libéral, *La Presse* suspend sa publication pendant la Commune, reparaît sous la direction de La Guéronnière et de J. Cohen, avec une teinte bonapartiste, tout en tolérant la République, puis défend les idées conservatrices sous les directions de Robert Mitchell (1873), Marius Topin et Debrousse.

La formule appliquée par *La Presse* — et aussi par *Le Siècle* de Dutacq, qui s'était inspiré des idées de Girardin — fut, avant la fin de 1836, adoptée par quatre journaux. Précurseur de la presse moderne, et politique clairvoyant, Émile de Girardin ne négligea rien pour donner à son journal un grand lustre littéraire, et ses feuilletons (articles de critique ou romans) étaient justement réputés. Alexandre Dumas y publia ses récits de voyages, Balzac *La Vieille Fille* (*), Lamartine ses *Confidences* (*), George Sand l'*Histoire de ma vie* (*), Théophile Gautier, puis Paul de Saint-Victor y signaient le feuilleton dramatique. Enfin, d'octobre 1848 à juillet 1850, parurent, à intervalles irréguliers, les *Mémoires d'outre-tombe* (*) de Chateaubriand. Citons aussi les noms de Victor Hugo, Eugène Sue, Gérard de Nerval, Ernest Feydeau, Alphonse Karr, Paul Féval, Léon Gozian, Charles Monselet, Gustave Planche, Frédéric Soulié, etc., sans oublier les brillants courriers de Paris du « vicomte de Launay » (Mme de Girardin, née Delphine Gay)... « Aucun journal, écrit Hippolyte Castille, n'a au même degré réussi à captiver l'attention publique. *La Presse* a été quelque chose de plus qu'un journal, elle a été un spectacle. C'était une sorte de théâtre où l'on montrait des idées. »

PRESSENTIMENT ET TEMPS PRÉSENT [*Ahneng und Gegenwart*]. Roman de l'écrivain allemand Josef von Eichendorff (1788-1857), composé en 1810-1812, publié en 1815. Comme les autres auteurs de « Bildungsroman », dans la construction et le dessin de ses personnages, Eichendorff s'inspire du *Wilhelm Meister* — v. *Les Années d'apprentissage* (*) et *Les Années de pèlerinage de Wilhelm Meister* (*) — de Goethe, mais le milieu où il les situe et les situations qui s'y développent sont purement romantiques. On retiendra en particulier les descriptions de vastes paysages, semblables à ceux que l'auteur avait pu contempler autour du manoir familial de Lubowitz, en Silésie. Le roman retrace en quelque sorte symboliquement la propre formation intellectuelle du poète, ses premières aspirations et ses premières déceptions. Le jeune comte Frédéric, au terme de ses études universitaires, effectue un voyage sur le Danube et fait la connaissance d'une femme extrêmement belle dont il s'éprend aussitôt. Pendant la nuit, au clair de lune, ils échangent un baiser furtif ; mais le lendemain matin, lorsque Frédéric veut revoir sa compagne, il découvre que celle-ci est partie et tente en vain de la retrouver. Ses recherches le mènent dans une auberge louche où il tombe aux mains d'une bande de brigands : sur le point d'être tué, il est miraculeusement sauvé par une adolescente venue à son secours. Blessé, il s'évanouit. Quand il reprend ses esprits, il se retrouve dans un lit somptueux ; à ses pieds est accroupi un jeune garçon, modèle de beauté, qui lui dit s'appeler Erwin et qui, dès cet instant, ne le quittera plus, de même que la douce et tendre Mignon suit Wilhelm Meister dans le roman de Goethe. Le château où Frédéric a été conduit appartient au comte Léonce, tempérament d'imaginatif, de poète, et à Rose, sœur de ce dernier. Avec ravissement, Frédéric reconnaît en Rose la jeune femme aimée. Une idylle s'ébauche, mais Frédéric est bientôt déçu. Il noue en revanche une forte amitié avec Léonce, en compagnie duquel il effectue de longues randonnées autour du château. À cette occasion, ils sont pendant quelque temps les hôtes de la famille d'une certaine Julie. Mais comme les parents de cette dernière ont l'intention de la marier à Léonce, celui-ci s'enfuit. La belle Rose quitte le château pour aller habiter la capitale. Toujours sous son charme, Frédéric la suit et participe avec elle à la vie des milieux intellectuels (dans lesquels Eichendorff a représenté, non sans ironie, la société littéraire de Heidelberg) ; là, il rencontre la comtesse Romana, femme bizarre, mais particulièrement belle et intelligente, douée d'une brillante culture. Romana s'éprend de lui. À quelque temps de là, toujours plus dégoûté de la fatuité de Rose, mais incapable d'aimer Romana, Frédéric se décide enfin à quitter la ville et à s'engager dans l'armée pour prendre part à la guerre qui a éclaté entre-temps. Après une première bataille, il retrouve son gai camarade Léonce, blessé et amoureusement soigné par Julie ; la jeune fille lui a révélé son amour et il est désormais résolu à l'épouser. Retournant par hasard dans l'auberge où les bandits l'avaient attaqué, Frédéric y trouve une adolescente en train de chanter. À peine a-t-elle reconnu Frédéric qu'elle s'enfuit ; mais, quelques instants plus tard, celui-ci voit apparaître Erwin, disparu à l'improviste un mois plus tôt après avoir assisté à certaines effusions particulièrement affectueuses de Frédéric envers Rose. Erwin est gravement malade : sur le point de mourir, il rassemble ses dernières forces et indique à Frédéric certain château où il pourra obtenir des révélations sur sa vie. Ce n'est qu'après sa mort que Frédéric découvre que le présumé Erwin n'était qu'une jeune fille, celle-là même qui l'avait sauvé des brigands et qui, par amour pour lui, s'était déguisée en homme pour vivre à ses côtés. Profondément touché, Frédéric part à la recherche du château indiqué par Erwin, en compagnie de Léonce et de Julie. Il le trouve enfin, au sommet d'une montagne dénudée ; et dans le châtelain, il reconnaît son propre frère, Rodolphe, qui avait abandonné dans sa jeunesse le toit paternel pour suivre une belle Italienne, Angelina, que Frédéric avait également aimée. Maintenant, il mène une existence solitaire dans son burg, ironique et railleur, entouré d'une cour de personnages à demi fous. Angelina est morte en lui laissant une fille qui a disparu depuis longtemps et dont Rodolphe n'a plus rien su. Frédéric devine qu'il s'agit là d'Erwin. Mais lui-même désormais est trop déçu par la vie : toutes ses longues pérégrinations l'ont ramené en définitive à son point de départ, au sein de sa famille. Après le mariage de Léonce, Frédéric entre dans les ordres et s'enferme pour toujours dans ce même couvent. Ce roman est essentiellement lyrique et son intrigue, naïvement romantique, n'est pas sans présenter certaines incohérences ; mais les diverses situations déterminées par l'action sont senties et menées avec une délicatesse de touche et de couleur qui leur conserve aujourd'hui encore quelque intérêt. En fait, on y peut déceler une mythologie intime, dont les manifestations littéraires se prolongent au siècle suivant. *Pressentiment et temps présent* compte au nombre des œuvres les plus marquantes du deuxième romantisme allemand. À noter les nombreux poèmes, parmi les meilleurs de l'auteur – v. *Poésies* (*) –, insérés dans le texte.

PRÉTENDANTS À LA COURONNE (Les) [*Kongsemnerne*]. Drame de l'écrivain norvégien Henrik Ibsen (1828-1906), écrit et publié en 1863. Dans la Norvège divisée du XIIIe siècle, qui sera roi ? Deux hommes sont en présence. Haakon est le roi établi. Mais le jarl Skule conteste ses droits à la couronne en laissant entendre qu'Haakon n'est qu'un bâtard. Juga, la veuve du roi précédent, jure que son fils est légitime et, pour l'établir publiquement, elle se soumet à l'épreuve du feu dont elle sort indemne. Skule doit s'incliner : les droits du sang, la puissance divine se sont prononcés pour Haakon. Skule intrigue alors pour qu'Haakon épouse sa fille : le roi y consent, par raison d'État, bien qu'il soit amoureux d'une autre jeune fille. Mais Margrete, la fille du jarl, loin de se faire l'espionne de son père auprès d'Haakon, s'attache passionnément à son mari. Nommé garde des Sceaux, Skule ne réussit, tant il commet de sévices, qu'à s'attirer la haine du peuple et la sévérité royale. Il va confier ses rancœurs à l'évêque Nicolas, fourbe, attiré par toutes les intrigues : le prélat révèle à Skule qu'il existe une lettre qui, en dépit de l'épreuve du feu, pourrait remettre en question tous les droits d'Haakon à la couronne. Mais l'évêque meurt, en présence d'Haakon et de Skule, après avoir brûlé le parchemin dont il n'a pas révélé le contenu. Skule, estimant qu'il possède désormais autant de droits au trône qu'Haakon, entre en rébellion ouverte contre le pouvoir légitime. Mais Peter, son fils, n'ayant pas hésité, pour gagner le peuple à leur cause, à dérober l'arche vénérable de saint Olaf, Skule est mis au ban du pays et condamné à mort comme sacrilège. Tout le monde, même sa fille Margrete, approuve la sentence. Skule, abandonné, errant, comprend alors que le Destin protège Haakon : il se résigne et, pour ne pas charger le roi de la responsabilité de sa mort, il se tue au moment d'être pris. Bien que le décor de la pièce soit d'une imagination puissante, *Les Prétendants à la couronne* marquent dans l'œuvre d'Ibsen une transition d'un art historique vers l'art psychologique : ce ne sont point les tumultes de la Norvège médiévale qui occupent ici le premier plan, mais l'affrontement des deux puissances essentielles du cœur humain, symbolisées par Haakon et par Skule. Haakon est l'homme de la lumière, l'élu des dieux, il aspire à la puissance par génie naturel, parce qu'il possède l'autorité née, et non par ambition. La royauté est pour lui un sacerdoce qu'il sert avec un entier désintéressement et une forte confiance dans la Providence. Le jarl Skule forme avec lui un contraste absolu : à force d'ambition, il devient inhumain. Non qu'il manque des qualités qui feraient de lui un grand homme d'État : « Vous êtes né pour être tout près du roi, lui dit-on, mais non pour être roi vous-même. » Il est en effet la proie d'un trouble intérieur, d'une perpétuelle hésitation et n'est point, comme Haakon, en naturelle harmonie avec les lois du monde. C'est un personnage très ibsénien, alors qu'Haakon suggère beaucoup plus Bjørnson. – Trad. Plon, 1934.

PRÊTEUR D'ENFANT (Le) [*Ko wo kashiya*]. Œuvre de l'écrivain japonais Uno

Kôji (1891-1961), publiée en 1923. Le récit a pour cadre le Tôkyô des années 20 : une mer de maisons basses qui s'étend toujours davantage, des constructions de bois qui disparaissent aussi vite qu'elles surgissent. C'est un roman des petites gens et de l'existence menacée. Sazô a passé la cinquantaine ; il a perdu sa femme depuis longtemps ; il a exercé tant de métiers qu'il ne peut les dénombrer. Il s'est associé avec un homme plus jeune qui, lui aussi, vivait seul, élevant son garçon de quatre ans, Taiichi. Pour tout bien, ils ont une machine à coudre. Sazô rachète à bas prix des chutes de drap, dont son compagnon fait des chaussons pour enfants. À ce moment, les chaussures de caoutchouc se répandent sur le marché et en peu de temps ruinent leur commerce. Son ami meurt. Il envisageait de se marier, mais quand Sazô essaie de retrouver la personne concernée qui habitait dans un faubourg éloigné, il apprend qu'elle « est partie ». Il multiplie les recherches, mais en vain. Il recueille l'enfant et se résout à son tour à « partir ». Il s'établit dans un quartier de divertissement, où il tient un éventaire de sucreries.

Le malheur fait irruption sans qu'on y prenne garde, et sous une forme si inattendue que le premier mouvement du lecteur est de sourire. Une femme des environs invite chez elle le garçonnet qui jouait dans la ruelle et l'emmène à la ménagerie. Puis, de temps en temps, elle vient « l'emprunter » ; le soir, il rentre avec un jouet et une pièce d'argent. Bien après, Sazô apprendra que cette prostituée se fait accompagner de l'enfant pour pouvoir mieux échapper à la surveillance de la police. Certaines de ses compagnes l'imitent ; puis arrive O-Mino, la femme qui devait épouser le père de Taiichi, et qui a échoué, elle aussi, dans ce quartier. Les unes et les autres rivalisent de ruse : pour un rien naissent, avivés par la misère, les conflits et les passions. Dans ce brouillard de l'existence, l'affection de Sazô, bourru et timide, est une lumière vacillante, mais sa bonté est aussi sa faiblesse ; il sombre peu à peu dans le silence et l'inaction, paralysé par un sentiment obscur de culpabilité. O-Mino rêve d'être la mère de l'enfant, elle se fait appeler par lui « maman », et cette idée, qui lui était venue un soir d'ivresse, devient une obsession. Cependant d'autres parents, ayant entendu parler de cet étrange commerce, viennent supplier Sazô d'accepter leurs enfants. Il interdit à Taiichi de sortir, mais celui-ci s'ennuie. Son regard, ses réactions ne sont plus ceux de son âge. Un matin, il disparaît.

Uno Kôji devait affirmer par la suite avoir appris de la bouche d'un ami que de tels « prêts » d'enfants se pratiquaient dans le quartier d'Asakusa, et qu'à partir de cette indication il avait imaginé toute l'histoire. Il se souvient de sa propre enfance : très tôt il avait perdu ses parents et avait habité chez un oncle, dans la « venelle des dix maisons » qu'il décrivit dans le texte intitulé *Ôsaka* : y vivaient côte à côte d'honnêtes gens, des joueurs, des prostituées et une vieille entremetteuse. C'est là qu'il fit l'apprentissage du monde, et la plupart de ses romans se déroulent dans ce fouillis de la grande ville. Mais, à la différence de Nagai Kafû, Uno ne cherche pas à décrire les mœurs ou la société. Il ne s'intéresse qu'aux réactions de ses personnages, il vit pour eux. Pleins de bonne volonté mais inconscients, dévoués mais incapables de décision, ils échouent dans ce qu'ils entreprennent. Le cœur s'assombrit, les années passent, une vie s'use et se désagrège. La phrase avance, sinueuse ; de multiples virgules l'interrompent, la parsemant de silences et d'hésitations. Le romancier ne peut détacher son regard de ces êtres faibles et proches, il suit chacun de leurs gestes, épouse leurs réactions contradictoires. Sa voix trahit tour à tour la sévérité et la pudeur. Pour saisir ces mouvements du cœur, il élimine tout mot prétentieux et ne garde que des tournures concrètes, souvent naïves. Et la présence de l'enfant jette une lumière étrange sur le monde des adultes. Sous ses apparences excentriques, le récit se poursuit selon un rythme calme, le lecteur s'y laisse entraîner et, à mesure qu'approche la fin, il est envahi par un sentiment de tristesse, de compassion et d'apaisement qui peut seulement se comparer à l'émotion purificatrice qu'apporte le spectacle d'une tragédie.

PRÉTEXTES. « Réflexions sur quelques points de littérature et de morale » de l'écrivain français André Gide (1869-1951), publiées en 1903. Elles marquent une prise de position vis-à-vis de la culture contemporaine, quoique tout système en soit absent aussi bien dans la façon d'envisager les problèmes que dans le mode de polémique. Dans deux conférences sur l'influence en littérature, l'auteur note la valeur de l'exemple dans l'art et dans la vie : le véritable disciple est celui qui agit par lui-même, sans copier le maître ; le summum de l'art est d'atteindre non une grandeur factice, mais une simplicité assez profonde pour en paraître plate et banale. L'influence ne crée pas, mais elle éveille, et en dehors de toute filiation illusoire ; les vrais restaurateurs d'une tradition sont les hérétiques et les rebelles. Pour l'amour d'un art qui n'ait d'autre fin que lui-même, suivant en cela les idées de l'esthétique symboliste, Gide combat les théories de Barrès, particulièrement celles de son roman *Les Déracinés* (*), parce que toute exigence nationaliste assujettit la pensée à des lois qui ne sont pas les siennes propres. Notons l'importance de certaines considérations sur la jeune littérature vis-à-vis de la découverte intégrale de l'homme : l'exaltation de Nietzsche et de Dostoïevski (XIIe lettre à Angèle), considérés comme de grands Européens, initiateurs d'une nouvelle ère dans l'histoire de l'esprit. À côté de quelques réflexions particulières sur Henri de Régnier et sur la traduction intégrale des *Mille et Une Nuits* (*) par le Dr Mardrus, il faut noter certaines considérations sur la poésie de Francis Jammes et, parmi les pages « in memoriam », celles sur Mallarmé et sur Oscar Wilde. L'expérience du maître et la vie de l'auteur du *Prince heureux* (*) sont évoquées avec amour et sans préjugés pour leur signification dans la formation même de l'écrivain. Les *Nouveaux Prétextes*, seconde série d'essais, furent publiés en 1911. Gide y continue à combattre le moralisme et le nationalisme abstrait de Maurras, de Barrès et de leur école. Riche de l'expérience symboliste et inspiré par la vision des gens et des pays entrevus au cours de ses voyages à travers l'Europe et en Afrique, Gide soutient que l'artiste doit connaître la vie dans tous ses aspects pour avoir le droit d'en parler. Il s'ensuit que son œuvre ne doit connaître aucune retenue, parce qu'elle révèle une expérience dont les hommes profiteront, encore même la condamneraient-ils (exemple : la vie et l'œuvre d'Oscar Wilde). Ce recueil s'ouvre également par deux conférences sur l'évolution du théâtre et sur l'importance du public, qui peu à peu cherche à s'élever à une compréhension plus raffinée des valeurs créatrices. Dans sa polémique avec Barrès, Gide défend la liberté de l'artiste et prend fait et cause pour un amour de la patrie, qui ne tire pas sa force des nécessités ethniques ou des traditions, mais des liens humains et de la contemplation du monde. La littérature, par son caractère d'universalité, réagit contre tout prétexte d'étouffement. Elle est un sondage perpétuel ; l'artiste nouveau doit comprendre le futur dans ses aspects énigmatiques et parfois paradoxaux ou diaboliques. En négligeant cette preuve d'extrême sincérité, l'artiste trahit son devoir. Quelques pages d'un « Journal sans dates » sont à retenir ; on y trouve des impressions de voyage, particulièrement en Espagne, des réflexions littéraires et des observations sur l'homme ; ce « Journal de bord » (comme l'appelle l'écrivain) contient en outre une évocation émouvante de la mort de Charles-Louis Philippe. Jusque dans les articles occasionnels sur divers livres de Jules Romains et de Francis de Miomandre, de Jean Giraudoux et de Léon Blum, l'idée essentielle de l'auteur est que l'œuvre d'art ne doit rien prouver ; qu'un véritable artiste, si cela est nécessaire, va à l'encontre de toutes les tendances : il faut abolir toute préoccupation étrangère à la beauté et à l'art et ne point se contenter de vaines répétitions. Ces volumes de Gide sont indispensables à la compréhension de ses principes esthétiques : en effet, ses réactions devant tel ou tel problème contemporain éclairent les motifs de son activité d'écrivain, souvent apparemment contradictoire et obscure.

PRÉTIEUSE (La) ou le Mystère des ruelles. Ce volumineux ouvrage que l'abbé De Pure (1620-1680), écrivain et historiographe français, publia en quatre volumes de 1655 à 1658 est déconcertant : loin d'être simplement satirique, il constitue un véritable document sur les activités et les préoccupations des cercles précieux que l'abbé fréquentait. L'auteur propose, sur un ton volontiers énigmatique, voire mystificateur, le récit de cette « secte nouvelle, la plus aimable qui fut jamais » parce que exclusivement féminine. Il récuse toute définition de la prétieuse et renvoie à un « corps (qui) est un amas de belles personnes » toutes particulières. Si la communauté précieuse ne manque pas de ridicules, ses individualités apparaissent toutes dignes d'estime. On a pu considérer que le salon de Mme de la Suze était la clé de ce roman de mœurs, mais l'auteur a l'habileté de ne pas situer trop précisément sa description. Il apparaît lui-même sous des noms divers : Philonime, puis, alternativement, Gélasire, Gélaste et peut-être Tanatime. Il endosse un rôle de badin un peu sceptique qui oppose le bon sens et la voie du juste milieu à ses interlocutrices. Ponctuée de rires, l'œuvre est placée sous le signe de la conversation enjouée. À la fin du livre I, les dames évoquent ce livre de la *Prétieuse* qui les représente et concluent qu'il n'y a pas lieu de s'aigrir contre une satire qui n'offense personne.

L'abbé dresse une carte de la préciosité et esquisse des typologies galantes. Ainsi distingue-t-il les différentes beautés et les pratiques de coquetterie : sont répertoriés « l'Amour vénal d'oui » qui exige de l'argent en échange de froideurs, « l'Amour coquet de non » qui joue le mépris et l'indifférence, « l'Amour craintif de mais » qui retarde l'échéance au nom du qu'en-dira-t-on, et enfin « l'Amour simple d'hé bien » qui s'abandonne plus simplement. L'ouvrage contient aussi un « Dictionnaire des ruelles » pour servir à l'intelligence des traits d'esprit, tons de voix, mouvements d'yeux, véritable sémiologie galante qui comporte en particulier une typologie du sourire (celui de l'œil gracieux, du faux semblant, de la dent blanche, du dédain).

L'œuvre reflète les discussions des salons précieux, notamment à propos du bel esprit. La conversation requiert « le vif, le prompt, l'ardent ». On trouve un discours pour la bonté et contre la colère, une histoire à clés, celle de Polixène, Loine et Mélasère, qui ouvre une réflexion sur la jalousie. En matière littéraire sont développés un éloge de Corneille et de Chapelain ainsi qu'un portrait de Boisrobert. Aracie fait une critique virulente de l'histoire qui manie trop rarement « l'agréable avec le vrai » et un éloge du roman, citant *Cléopâtre* (*) de La Calprenède et *Le Grand Cyrus* (*) de Madeleine de Scudéry.

L'abbé De Pure se fait enfin l'écho de la révolte des précieuses contre l'arbitraire masculin, reproduisant leur plaidoirie contre les excès de l'autorité paternelle et les mariages d'intérêt, pour une répartition des droits et devoirs entre époux, voire pour le droit au divorce, et — de manière plus subversive encore — pour le mariage à l'essai et les maternités librement consenties. D. Be.

PRÊTRE AU TEMPLE (Le) [*A Priest to the Temple*]. Œuvre de l'écrivain anglais George Herbert (1593-1633), publiée en 1652. À certains égards, on peut considérer cette série de réflexions sur la vie du prêtre comme faisant suite au recueil de poésies *Le Temple* (*). Dans cette œuvre en prose, Herbert fixe les règles de la vie d'un pasteur exemplaire. L'homme qui a choisi le sacerdoce doit mener une sainte vie, se montrer juste, prudent, tempérant, courageux, pondéré. Chaque jour, il doit consacrer quelques instants à la prière et à la méditation. Il a mission d'enseigner le catéchisme, de prêcher, de convertir les incroyants et même les adeptes d'une autre confession. Herbert juge que la chasteté est préférable à l'état de mariage ; toutefois, il conseille au pasteur de se marier, car il aura affaire à de jeunes femmes. Mais qu'il choisisse son épouse pour ses vertus et non pour sa beauté ; que sa demeure soit un modèle d'ordre et de simplicité ; qu'il observe le devoir de l'hospitalité. Mieux encore, le pasteur doit rendre visite à ses paroissiens, surtout s'ils sont malades ou malheureux. C'est à lui de les guider, de les conseiller et même de les soigner en cas d'urgence. Ce traité a le mérite d'être l'un des premiers livres dans la littérature anglaise à offrir une description détaillée et concrète des caractères humains. P. H.

PRÊTRE DE NÉMI (Le). Œuvre du philosophe français Ernest Renan (1823-1892), publiée en 1885. Cette pièce, caractéristique de la dernière période de l'œuvre de Renan, peut être divisée en cinq actes : elle n'est pourtant pas destinée au théâtre. L'appréciation de Renan : « Dialogue philosophique » en donne le genre exact. La situation générale de l'action évoque évidemment la situation de la France vers 1880 : Albe, d'abord vaincue par Rome, a guéri ses blessures et songe à la revanche. Dans la cité le parti de l'aristocratie, qui pousse à la guerre, s'oppose au pacifiste Titius, représentant de la bourgeoisie modérée et des classes moyennes. Entre ces deux clans rivaux, le prêtre Antistius, refusant de céder aux passions, s'attirera la haine des uns et des autres. Nul doute que Renan ait voulu se représenter lui-même dans ce personnage central : Antistius est bien le savant généreux qui a « foi au triomphe définitif du progrès religieux et moral ». Sa foi est un déisme assez vague, large, un spiritualisme qui voudrait dégager la religion des anciennes cérémonies sanglantes, des superstitions grotesques, et instituer une morale vraie, fondée sur la raison. Ainsi, prêtre du temple de Diane, près du lac de Némi, refuse-t-il d'obéir à la coutume qui lui commande de tuer son prédécesseur ; ou d'immoler les ennemis vaincus pour attirer sur la ville la faveur divine. En peu de temps, il s'est attiré la haine de tout le monde : modérés et extrémistes, aristocrates et bourgeois. Mais la guerre avec Rome a commencé : le prêtre ne veut pas donner les oracles favorables qu'on lui demande, car il sait bien que Rome, plus puissante, doit emporter la victoire. Il revient cependant sur sa décision, sous la pression des nobles qui lui montrent qu'il est indispensable, pour le bien de la cité, de tromper la foule. Le prêtre de Némi n'a pas réussi pour autant à renouer les liens avec la société dont il fait partie : ce prophète du progrès la gêne. Au cours d'une émeute, Antistius est assassiné. Les vieux rites sont restaurés : mais il en faudrait plus pour sauver Albe qui est bientôt vaincue par Rome. Le sens de cette œuvre est assez ambigu. On y trouvera d'abord ce ton de mélancolie résignée et de découragement qui emplit les derniers livres de Renan — à qui semble plaire assez l'attitude de prophète incompris du vulgaire. Mais aussi bien *Le Prêtre de Némi* pourrait constituer une sorte de réflexion de Renan sur lui-même, sur son œuvre passée dans ses rapports avec la politique, et continuer la méditation de *La Réforme intellectuelle et morale* (*) : « Je voulais améliorer l'homme, je l'ai perverti », dit Antistius. Et, à la même époque, dans son *Histoire du peuple d'Israël* (*), Renan s'efforçait de soumettre la religion à la patrie et dénonçait les dangers qu'un prophète peut faire courir à la cité menacée.

PRÊTRE MARIÉ (Un). Roman de l'écrivain français Jules Barbey d'Aurevilly (1808-1889), publié en 1865. Par goût du contraste, l'atroce histoire est contée dans un salon parisien par un gentilhomme normand qui l'avait entendue bien des années auparavant de sa nourrice. Jean Sombreval avait été prêtre, avant la Révolution française : par la suite, il avait à Paris quitté la soutane, s'était donné tout entier à la science et avait même épousé la fille de son maître, un célèbre chimiste. Revenu dans son pays natal, il y achète un vieux château pour pouvoir y vivre, avec sa fille, les dernières années de sa vie. Mais il soulève un grand scandale parmi l'humble population, très attachée à la religion et à la superstition : pour ceux-là, il est toujours resté « l'abbé Sombreval », un renégat ; et à l'horreur éveillée par son apostasie s'est ajoutée l'histoire de son mariage qui a fini par se divulguer : sa femme avait toujours ignoré qu'il avait été prêtre, et l'ayant appris durant sa grossesse, elle en avait été bouleversée, au point d'en mourir en donnant le jour à une fille, Calixte. Cette dernière a hérité des angoisses de sa mère une névrose inguérissable et un étrange signe sur le front, l'empreinte d'une petite croix qu'elle cache habituellement sous un ruban rouge. Depuis lors, Sombreval ne vit que pour sa fille qu'il idolâtre et qu'il espère guérir par sa science ; mais elle, toute vouée à la religion, consacre sa vie à l'espoir de ramener son père à la foi. Déjà, dans le pays, la superstition a poussé les gens à la haine et seules l'angélique charité du curé, confesseur de Calixte, et la gigantesque stature de Sombreval qui intimide peuvent éviter les pires violences. Le scandale augmente lorsqu'on apprend qu'un jeune noble, Néel de Néhou, conquis par la céleste beauté de la « fille du prêtre » a conçu pour elle une vive passion, négligeant sa propre fiancée, fille d'un vieil ami de son père qui lui est promise depuis des années. Néel, d'âme infiniment noble et chevaleresque, parvient à toucher le cœur de Calixte ; mais celle-ci a secrètement fait des vœux de religieuse et ne peut aimer le jeune homme que « comme un frère ». Ce dernier ne veut pas renoncer cependant et trouve un allié en Sombreval, lequel ignore tout des vœux de sa fille et espère que le mariage la guérira de sa maladie. Ces trois êtres qu'un amour profond lie se débattent en vain dans une inextricable situation. À la fin, Sombreval, désespérant de guérir sa fille par un autre moyen, accomplit pour elle le plus grand sacrifice dont il soit capable : il feint d'être touché par la grâce et retourne à la prêtrise. Mais sa généreuse imposture ne tarde pas à se révéler à Calixte, et la malheureuse qui ne peut supporter ce choc, en meurt. Sombreval, qui arrive trop tard pour pouvoir la sauver, se noie, fou de désespoir, dans l'étang de Quesnay, entraînant avec lui le cadavre de sa fille. Pour obéir à la suprême volonté de la morte, Néel épouse sa fiancée, mais aussitôt après son mariage, il s'enrôle dans l'armée et, trois mois plus tard, se fait tuer dans une bataille. La présence obsédante des eaux mortes et des scènes nocturnes accentue l'impression laissée par cette œuvre, dominée par l'idée du Mal. Ce roman se présente dans un style brillant et précis, ardent et à la fois minutieux, qui captive l'imagination du lecteur avec la violence d'une hallucination. En dépit de son arbitraire, l'œuvre est d'une telle puissance d'invention qu'elle s'impose comme un des écrits les plus saisissants du XIXe siècle français.

PREUVES DE L'INIMITABILITÉ (Les) [*Dalā'il Al-'i'ǧāz*]. Traité de rhétorique du linguiste d'expression arabe 'Abd al-Qāhir al-Ǧurǧāni (1009-1078), publié en 1903. La question de l'inimitabilité du *Coran* (*) a été au centre des débats théologiques qui ont opposé les théologiens musulmans Mu'tazilites et Ash'arites. À travers les arguments et réfutations se dégage peu à peu l'idée que ce qui caractérise de façon unique un texte (y compris *Le Coran*), c'est la manière spécifique dont l'agencement [naẓm] des éléments du signifiant [lafẓ] exprime le signifié [ma'nā]. Dans son livre sur *Les Preuves de l'inimitabilité*, al-Ǧurǧāni franchit un pas décisif en dépassant les considérations générales dans lesquelles se cantonnaient ses prédécesseurs pour établir de façon méthodique et analytique le catalogue des ressources que la langue arabe met à la disposition de ses utilisateurs pour réaliser des agencements significatifs. Ces ressources se ramènent, en dernière analyse, à ces atomes de forme et de sens que sont les structures grammaticales de base de la langue. Tout texte, depuis le plus trivial jusqu'au plus sublime, n'est autre que la réalisation d'une des possibilités de combinaison qu'autorisent ces structures de base. L'étude du style d'un texte n'est plus alors que la patiente mise en évidence de l'utilisation qui y est faite des ressources de la langue. Cette entreprise analytique et rationnelle sera poursuivie par les disciples d'al-Ǧurǧāni. D.-E. K.

PRIAPÉES [*La Priapea*]. Recueil de sonnets, publié en 1541, de l'écrivain italien Niccolò Franco (1515-1570), aventurier des lettres, connu surtout pour sa violente satire contre l'Arétin. Dans ces sonnets — au nombre de deux cents environ — écrits en haine des poètes maniérés et des pétrarquistes, Franco imagine que Priape, dieu des jardins et symbole de la fécondité, exerce sa verve triviale aux dépens des puissants du jour. Sa raillerie impudente et grossière n'épargne aucun travers, aucun vice, fût-il des plus répugnants. À l'occasion, il ne craint pas de prendre pour cible le pape lui-même, de s'attaquer à la piété de la poétesse Vittoria Colonna, imitatrice de Pétrarque, et souhaite de survivre à l'Arétin afin de pouvoir, dans ses vers, le célébrer à sa façon. Ces sonnets agressifs et d'une licence effrénée, où se mêlent la dénonciation et la scatologie, ont cependant une curieuse valeur documentaire et renferment des allusions à Paul III et à Charles Quint.

PRIÈRE (De la) [*De Oratione*. Περι είχης]. Dans le sixième livre de son *Histoire ecclésiastique* (*), Eusèbe consacre, à celui qui apparaissait comme le grand maître de la théologie chrétienne, le Grec Origène (185-252/3), de très abondants développements biographiques. C'est surtout grâce à lui que nous connaissons dans ses moindres détails la vie mouvementée d'un auteur à qui, après saint Clément, l'école catéchistique alexandrine dut le meilleur de son lustre et de sa renommée. Selon Épiphane, Origène aurait bien écrit quelque six mille livres. Cette affirmation démontre du moins combien les esprits furent frappés par la puissance créatrice du grand maître. Saint Jérôme, en revanche, atteste que le catalogue des œuvres d'Origène, rapporté par Eusèbe dans sa *Vie de saint Pamphile,* qui ne nous est pas parvenu, comportait deux mille manuscrits. Une petite partie seulement de cette immense production nous a été conservée, dans un texte qui n'est plus, en majeure partie, celui de l'original grec, mais celui de la transcription latine. Et comme les traducteurs, tant Jérôme que Rufin, se préoccupèrent toujours de tempérer la saveur si téméraire de l'exégèse et de la pensée d'Origène, il nous est difficile aujourd'hui de déterminer si les versions sont fidèles à l'original ou ne sont que des transcriptions édulcorées. Dans la vaste production d'un maître aussi intimement mêlé à la vie liturgique de l'Église à laquelle il appartenait, il ne pouvait manquer de figurer, comme il était de règle dans l'ancienne littérature chrétienne, un traité consacré à la prière. L'œuvre du vieil apologiste Tertullien lui-même comportait un commentaire de l'oraison que le Christ nous enseigna, le *Pater Noster.* Origène à son tour dicta son traité *Sur la prière.* Du fait qu'il nous renvoie au commentaire de la *Genèse* (*), dont nous connaissons la date, nous pouvons penser que ce traité fut composé après 231. Dédié à Ambroise, le généreux mécène d'Origène, et à sa conjointe, l'ouvrage se compose de deux parties et comprend dans l'ensemble trente chapitres. Les dix-sept premiers (1re partie) sont consacrés à la prière entendue comme expression typique de la foi religieuse, le chrétien recherchant dans la prière le moyen d'une communication constante avec Dieu. La deuxième partie (du chap. 18 à la fin) commente, phrase par phrase, l'Oraison dominicale. Le théologien et l'exégète se muent, dans ce traité, en maître persuasif de vie dévote, retirant, surtout dans l'analyse du *Pater Noster,* des paroles de la prière dominicale, quantité d'aperçus édifiants qui révèlent dans sa véritable nature le caractère mystique de l'école alexandrine. — Trad. Gabalda, 1932.

PRIÈRE ALPHABÉTIQUE [*Azbučna molitva*]. C'est le premier essai poétique, non seulement de la langue bulgare, mais de tout le monde slave. Œuvre de l'évêque de Preslav Constantin (IXe siècle), disciple de saint Méthode, c'est une prière écrite en vers de douze pieds, et dont la première lettre de chaque vers est une lettre de la langue cyrillique, disposée suivant l'ordre alphabétique. Il faut noter que c'est justement à des fins liturgiques que l'alphabet avait été créé, peu auparavant, par les apôtres slaves Cyrille et Méthode. Cette œuvre constitue un précieux document linguistique.

PRIÈRES de Moursili II. Sous ce titre sont recueillies quelques prières que le roi hittite Moursili II (1356-1319 av. J.-C. env.) adressa à la divinité de son pays pour le délivrer d'une terrible peste qui le dévastait depuis plus de vingt ans. Si le roi, dans ces prières, se déclare innocent de tout péché, il reconnaît par contre la faute commise par son père, Souppilouliouma, qui a transgressé un traité. Il cherche, en outre, à persuader les dieux de faire cesser la peste : différents arguments sont mis en œuvre à cet effet, ils vont des considérations strictement rationnelles jusqu'à cet argument « ad hominem » : si les dieux persistent à maintenir ce fléau, ils risquent de souffrir eux-mêmes de la faim, parce que tous les prêtres sacrificateurs mourront et que, de ce fait, tous les sacrifices cesseront. Ces prières sont intéressantes à la fois par la vivacité du style et parce qu'elles mettent en évidence le ton familier avec lequel le roi s'adressait aux dieux. — Trad. *Hymnes et prières hittites,* 1980.

PRIÈRE SUR L'ACROPOLE. Un des textes les plus connus du philosophe français Ernest Renan (1823-1892). Il fait partie des *Souvenirs d'enfance et de jeunesse* (*) (1883). Ce sont des pages inspirées par la visite que l'auteur fit au Parthénon après le fameux voyage qu'il avait effectué en Palestine en l'année 1860. Devant l'Acropole, Renan éprouve pour la première fois la complète révélation du génie grec, de cet idéal de beauté divinement raisonnable qui a guidé la vie entière d'un peuple. Sa culture typiquement médiévale, son âme mystique et rêveuse de Nordique lui donnent la sensation d'être un « barbare », qui est arrivé à grand-peine et par la grâce de Pallas Athéné à la vision de la beauté antique. Il comprend maintenant, d'un seul regard, les deux grands sommets de l'âme et de la pensée humaine : le miracle de la Grèce antique, qui grâce à son harmonieux développement permet à notre raison d'atteindre naturellement le sens du divin à travers la beauté, et le miracle du christianisme, où le sens du surnaturel, par sa mystique, imprègne l'être humain par-delà la claire raison. Le style de Renan s'élève dans ces pages brillantes et lumineuses jusqu'au ton oratoire ; il y perd un peu de cette légèreté et de cette délicatesse qui caractérisent ses autres œuvres, apparemment plus négligées, mais en réalité plus pures et plus près de l'absolue perfection.

PRIMAT DU LOGOS (Du) [*Vom Vorrang des Logos*]. Œuvre publiée en 1939, dans laquelle le philosophe italien Ernesto Grassi (1902-1991) systématise sa tentative de retranscription de la philosophie heideggérienne dans les termes actualistes de la philosophie de Gentile. Grassi inaugure ainsi sa recherche dans le champ des études humanistes en se demandant si la pensée et la tradition italiennes originaires trouvent un véritable espace de confrontation dans la réflexion conduite par la philosophie allemande sur ses propres rapports avec la pensée antique. L'introduction de l'ouvrage a emblématiquement pour titre : « Présupposés historiques des rapports entre philosophie allemande et philosophie italienne ». C'est dans la première partie intitulée « Le Problème du primat du logos » que Grassi instaure son dispositif spéculatif ; et en particulier dans les paragraphes 4 et 5 :

« Le Néant et la logique du pensé » et « Le Dévoilement du néant ». Ce dispositif est encore approfondi dans la troisième partie intitulée « La Détermination du logos dans le dialogue entre philosophie allemande et philosophie italienne », et en particulier dans le deuxième chapitre (« Dialogue avec le concept dialectique de vérité dans la philosophie italienne. La Critique de la logique du pensé chez Gentile ; La Pensée pensante »). Ici, la rencontre avec Heidegger s'opère encore à partir de l'idéalisme gentilien. C'était déjà le cas de textes antérieurs comme *Développement et signification de l'école phénoménologique* (1929), *La Question de la métaphysique immanente de M. Heidegger* (1930), *De l'apparaître et de l'être* (1933), *La Question du néant dans la philosophie de M. Heidegger* (1937) : mais là c'était au point de provoquer une réduction drastique de la problématique heideggérienne de *Être et Temps* (*) (1927) au dispositif actualiste. Tout en maintenant un caractère d'opportunité et de soin dans ses analyses, Grassi « traduisait » Heidegger – l'« être-là » [Dasein], le « souci » [Sorge], etc. – dans le vocabulaire actualiste. Ici, la confrontation porte plus essentiellement sur la question « logique » du logos concret et de la vérité – et le « débat-dialogue » [Auseinandersetzung] entre Gentile et Heidegger y est beaucoup plus profond. Au point que, même si Heidegger tentera par tous les moyens de faire la sourde oreille aux questions fondamentales soulevées par Grassi, transformant ce dialogue en « dialogue de sourds » (entre l'Allemagne et l'Italie, entre latinité et germanité), il n'en sera pas moins amené, et aussi loin qu'en l'année 1943, à tenter de se justifier dans ses textes d'une impossible contamination de sa « pensée essentielle » par l'« actualisme » gentilien. On pourrait finalement se demander si l'apparent échec de l'entreprise menée par Grassi n'est pas plutôt un échec apparent ou du moins un demi-échec. Car, en 1946, c'est encore Grassi qui confrontera Heidegger à la question de l'« humanisme latin » en éditant sa célèbre *Lettre sur l'humanisme* [*Über den Humanismus*] publiquement adressée à Jean Beaufret. Deux mois seulement après la fin de la guerre – et à peine plus de trois ans après les accusations portées par Rosenberg contre l'« humanisme latinisant » de Heidegger –, Grassi, accompagné par Enrico Castelli, mais grâce aussi à la médiation des forces françaises (et américaines) d'occupation, parvient à joindre Heidegger dans sa *Hütte* du *Schwarzwald*. Ce dernier lui livrera le texte qui devait immédiatement être publié en Suisse parallèlement au texte de Eugenio Garin, *L'Humanisme italien. Philosophie et vie civile à la Renaissance* [*Der italienische Humanismus. Philosophie und bürgerlisches Leben in Renaissance*, 1947]. *Du primat du logos* marque ainsi le fondement d'une revendication permanente de l'« irréductibilité » de la tradition humaniste, et de manière générale de la « pensée latine », au schème heideggérien d'une « grécité » fondamentale de la philosophie occidentale ; et Grassi pensait alors en apporter la preuve spéculative effective par la mise en évidence de la proximité certaine, et de l'« intertraductibilité » possible, des *corpus* « Gentile » et « Heidegger ». Il faut enfin noter que s'engageait là une question interminable et tragique pour notre siècle que Heidegger n'aura de cesse d'affronter dans le détour toujours différé : celle du véritable enjeu politico-philosophique d'un « combat » pour ou contre l'humanisme historique renaissant et italique, où s'est jouée l'histoire de l'une des oppositions essentielles du nazisme au fascisme, trop facilement confondus à la suite des historiens allemands : car les deux « constantes » de la constitution d'un discours de type nazi sont : un caractère violemment « antiromain » ; un certain « antihumanisme » (l'humanisme étant, et à juste titre, considéré comme d'origine « römish ») au fondement même d'un privilège « exclusif » de la « grécité ». C'est cette carte latine que Grassi tenta indéfectiblement de jouer philosophiquement avec Heidegger dans l'espoir (déçu) d'un dialogue véritablement philosophique.

C. Al.

PRIMITIFS FLAMANDS (Les) [*Early Netherlandish Painting : Its Origins and Character*]. Essai en deux volumes de l'historien d'art allemand Erwin Panofsky (1892-1968) publié en 1953. Né des « Charles Eliot Norton Lectures » données en 1947-48, cet ouvrage associe interprétation iconographique et analyse de style (suivant un modèle d'abord élaboré pour traiter de l'art italien) pour donner une analyse iconologique des primitifs flamands dont Max Friedländer avait entrepris la recension exhaustive. Ce sera pour Panofsky l'occasion d'élucider un passage essentiel dont Van Eyck et ses proches furent les artisans : les attributs et les symboles ne sont plus placés dans la composition comme autant de signes explicites, mais comme des objets parmi d'autres, qui peuvent avoir valeur de symboles indirects, comme écho de la vérité théologique dans la création. Ce système du « symbolisme déguisé », né du besoin de réconcilier la nouvelle tendance au naturalisme avec la tradition chrétienne, persistera jusqu'au XVIIe siècle. Dans la peinture flamande primitive, il s'appliquait à tous les objets de façon systématique, qu'ils soient ou non créés par l'homme. *L'Annonciation* de Van Eyck possède à cet égard une valeur emblématique : elle a lieu à la porte d'une église, mi-romane, mi-gothique, mais cohérente sur le plan visuel. L'incarnation de la peinture devient alors transfiguration. – Trad. Hazan, 1992.

P.-E. D.

PRINCE (Le) de Guez de Balzac. Œuvre de l'écrivain français Jean-Louis Guez de Balzac (1597-1654), publiée en 1631. À son retour d'Italie où il avait suivi le cardinal de la Valette, Balzac s'était déjà rendu célèbre par ses *Lettres* (*). Il fut accueilli comme un triomphateur et recherché de tout le monde élégant et lettré ; Richelieu, en particulier, fit tout ce qu'il put pour s'attacher un aussi précieux esprit. C'est probablement dans le milieu de la cour, qu'il ne fréquentait plus guère cependant après 1624, que Balzac conçut son projet d'écrire ce livre ; peut-être lui fut-il plus ou moins directement commandé. On raconte qu'ayant entendu citer par un gentilhomme l'indignation d'un de ses amis, alors prisonnier des pirates barbaresques, provoquée par les insultes qu'on prodiguait devant lui au nom de Louis XIII, Balzac aurait eu l'idée de consacrer sa plume à retracer le bonheur de la France de vivre sous un sceptre aussi glorieux que celui de ce roi. Bien que *Le Prince* prétende à quelque généralité et que le nom du roi n'y figure pas, c'est en fait une peinture idéalisée de Louis XIII, héros digne de l'Antiquité. Pleine d'harmonie et d'une grande rigueur, cette œuvre contribua, au moins autant que les *Lettres,* à fixer la langue et constitue un des plus beaux monuments de la prose française. Les idées politiques de Balzac ne sont d'ailleurs pas indifférentes, elles sont la parfaite expression de l'esprit de son temps.

PRINCE (Le) de Machiavel [*Il principe*]. Œuvre de l'écrivain italien Machiavel (Niccoló Machiavelli, 1469-1527), assurément la plus lue et la plus discutée, la plus exaltée et la plus dénigrée, de la littérature politique de tous les temps. Elle fut écrite de juillet à décembre 1513, dans la villa (appelée l'« Albergaccio ») de Sant'Andrea in Percussina, près de San Casciano, où Machiavel s'était retiré depuis le mois d'avril, après être tombé en complète disgrâce auprès des Médicis, les nouveaux maîtres de Florence. Il faut en chercher le motif occasionnel dans les rumeurs qui se répandirent au début de l'été sur les projets du pape Léon X en vue de créer un État au profit de ses neveux Julien et Laurent de Médicis ; ces rumeurs incitèrent Machiavel, inquiet du destin de Florence et de l'Italie, et désireux d'exprimer sa pensée mûrie pendant tant d'années d'expérience politique, à interrompre son commentaire sur Tite-Live — v. *Discours sur la première décade de Tite-Live* (*) — pour écrire ce nouveau et plus bref traité. Le 10 décembre, dans une lettre restée célèbre à son ami Francesco Vettori, il l'annonça en ces termes : « J'ai composé un opuscule, *De Principatibus*, où je creuse de mon mieux les problèmes : ... ce que c'est que le principat ; combien d'espèces il y a ; les principautés, comment on les acquiert ; comment on les conserve ; comment on les perd. » (« Ho composto uno opuscolo *De Principatibus...* disputando che cosa è principato, di quale spezie sono, come e' si acquistono, come e' si mantengono, perché e' si perdono... »). Plus tard, en 1516, il plaça en tête de son traité une dédicace à Laurent de Médicis, mais jamais il ne retoucha son texte. *Le Prince* est une œuvre qui est sortie d'un seul jet de l'esprit de son auteur, et les tentatives de quelques savants pour distinguer des phases successives dans son élaboration se sont révélées vaines. Le titre n'en fut pas définitivement arrêté par Machiavel : il l'appelle tantôt *Des principautés* [*De Principatibus, De' Principati*] (*Discours*, 1. II, chap. I), tantôt *Du prince* [*De Principe*] (*ibid.*, 1. III, chap. XLII) ; ses amis et les copistes des premiers manuscrits dirent aussi *Des principautés.* Mais la tradition a préféré adopter *Le Prince* [*Il principe*], soulignant par là la place importante que tient dans l'ouvrage le portrait même du chef de l'État. L'œuvre ne fut jamais publiée du vivant de l'auteur ; la première édition parut en 1532 à Rome, chez Antonio Blado, et à Florence, chez Bernardo Giunta. Ce traité, fort bref, comprend vingt-six chapitres ; l'enchaînement logique en est d'une extrême rigueur, et le plan se développe sans interruption ni digressions. Dans les neuf premiers chapitres, qui répondent à la question : « Combien d'espèces il y a de principautés et par quels moyens elles s'acquièrent ? », sont étudiés les divers processus de constitution des principautés ; le chapitre X traite de la capacité générale d'un État à lutter contre un ennemi extérieur, tandis que le chapitre XI est consacré à un type particulier de principauté, les États de l'Église, pour lesquels sont sans valeur les lois qui régissent la vie des autres États. Pour être plus précis encore, dans les chapitres III à V est étudiée la conquête de nouvelles provinces par un État déjà formé et organisé, alors que les chapitres VI à IX étudient la formation « ex novo » d'une principauté quelconque (comme celles de François Sforza et de César Borgia). Avec les chapitres XII à XIV, on entre dans les grandes questions générales qui concernent la vie intérieure de l'État et qui se résument bientôt en une seule : l'organisation des forces armées. C'est ici que Machiavel, après avoir développé sa critique âpre et mordante des milices mercenaires et des troupes auxiliaires, après avoir durement et même injustement condamné les princes italiens de son temps, s'efforce de montrer la nécessité pour un État d'avoir des « armées nationales » [armi proprie], qui soient « composées de sujets, de citoyens ou de serviteurs mêmes du prince » [composte o di sudditi o di cittadini o di creati tuoi] : « Les mercenaires ne valent rien et sont fort dangereux ; et si un homme veut s'appuyer sur les forces mercenaires, il ne sera jamais soutenu fermement, car elles sont désunies, ambitieuses, sans discipline, déloyales... ; en temps de paix, tu seras pillé par eux ; en temps de guerre, par les ennemis. La cause de cela est qu'ils n'ont d'autre amour... qu'un peu de gages, ce qui n'est pas suffisant à faire qu'ils veuillent mourir pour toi » (chap. XII). Une fois l'organisation militaire établie, Machiavel ne voit plus d'autres réformes générales à introduire dans l'État, les problèmes économiques, financiers, etc., restant très loin de sa pensée. Aussi passe-t-il à l'examen des questions relatives à la personne même du prince, aux moyens dont il doit user pour se maintenir au pouvoir, aux qualités qu'il doit posséder. Les chapitres XV à XXIII sont donc consacrés exclusivement au portrait du prince. L'analyse de Machiavel est, dans cette partie, du plus grand réalisme. Lui-même a pleinement conscience de dire des choses que personne n'a jamais osé dire quand, au chapitre XV, attaquant les philosophes et les écrivains qui « se sont imaginé des Républiques et des Principautés que jamais l'on ne vit ni connut dans la réalité », il affirme vouloir « écrire des choses profitables à ceux qui l'entendront », et pour cela « suivre la vérité effective de la chose » (« andare drieto alla verità effettuale della cosa ») plutôt que « l'imaginer » (« alla immaginazione di essa »). Et voici maintenant les préceptes contenus dans le chapitre XVI : mieux vaut être tenu pour parcimonieux et ne pas gaspiller les richesses de l'État que de passer pour généreux et d'accabler ses sujets d'impôts ; ceux du chapitre XVII : mieux vaut être cruel quand il le faut qu'inutilement miséricordieux ; mieux vaut être craint et respecté qu'aimé et insuffisamment respecté. Voici surtout les fameux préceptes du chapitre XVIII, le plus discuté et le plus critiqué de l'ouvrage : il est nécessaire pour le prince de savoir être renard et lion en même temps ; il est nécessaire pour lui de ne pas observer la parole donnée lorsque cette observance tourne à son détriment et qu'ont disparu les motifs qui l'ont fait donner (« quando tale osservanzia li torni contro e che sono spente le cagioni che la fecion promettere ») ; il est nécessaire de paraître miséricordieux, fidèle, humain, sincère, pieux, mais de savoir aussi ne pas l'être ; il est nécessaire, en somme, de « ne pas s'éloigner du bien si cela est possible mais de savoir entrer dans le mal si cela est nécessaire » (« non partirsi dal bene, potendo, ma saper intrare nel male, necessitato »). Tout cela parce que, dans les actions des hommes et surtout des princes, « on considère la fin ». Que le prince fasse donc en sorte de vaincre et de maintenir l'État : les moyens seront toujours jugés honorables et loués par tous. Enfin, dans les chapitres XXIV à XXVI, on en arrive aux rapports directs de l'ouvrage avec la situation italienne du moment. Comme il l'a été dit, c'est la possibilité de nouvelles combinaisons politiques en Italie qui poussa Machiavel à écrire *Le Prince ;* on trouve donc à la fin du traité, resté jusque-là de caractère théorique et général, l'examen des causes qui ont fait perdre leurs États aux princes d'Italie (chap. XXIV) ; puis une analyse de la fortune pour savoir s'il est possible ou non à l'énergie et à l'habileté de l'homme d'y résister (chap. XXV) ; enfin la conclusion, selon laquelle il est présentement possible à un prince prudent et « vertueux » — c'est-à-dire capable — de créer un État nouveau et fort, qui puisse garantir l'Italie contre les invasions des « barbares », en balayant la « domination barbare » des Français et des Espagnols (chap. XXVI). Et le traité s'achève sur les vers de Pétrarque tirés du poème « Ô mon Italie ! » [Italia mia] : « Vertu contre furie / Armes prendra, et tôt la défera, / Car ès cœurs d'Italie / Vaillance antique est encore et sera » [Virtù contro a furore / Prenderà l'arme, e fia el combatter corto ; / Ché l'antico valore / Nell'italici cor non è ancor morto]. C'est donc sur un cri de passion, sur une imploration douloureuse et angoissée à un « rédempteur » de l'Italie, que se clôt le traité qui, durant vingt-cinq chapitres, avait eu au contraire la froide clarté d'un raisonnement implacablement sûr. Machiavel ne pense pas encore à l'unité politique de l'Italie ; le nouveau prince qu'il appelle devrait prendre la tête du combat contre l'étranger, mais en réalité il ne dominerait directement qu'un État fort, probablement situé en Italie centrale. Malgré tout, l'invocation de Machiavel demeure à travers les siècles comme l'une des plus puissantes expressions de l'esprit national italien. Par ailleurs, *Le Prince* représente l'expression la plus nette et la plus limpide qu'on ait jamais formulée d'une pensée strictement politique. Ici, tout est « politique » ; toute autre considération, morale ou religieuse, est mise de côté. Le « devoir être », autrement dit l'aspiration à une vie plus haute, cède la place à l'« être », c'est-à-dire à la considération de la réalité. Le « politique » est ici ressenti presque instinctivement d'une manière si immédiate et si forte qu'il ne permet d'entendre nulle voix, hormis celle de l'intérêt de l'État. L'État à son tour se confond avec la personne du prince, et, subissant une opération anthropomorphique, est ramené à la mesure d'une personne humaine ; ainsi, l'intérêt de l'État et l'intérêt de son chef ne font-ils qu'un. Cette opération rend encore plus serrée et plus convaincante l'unité de pensée du traité ; les normes théoriques trouvent une illustration immédiate et complète dans quelques figures de grands princes : Ferdinand le Catholique, roi d'Aragon, François Sforza, César Borgia. De là vient également la force extraordinaire du style, dépouillé et concis, la plasticité des expressions. Car, au point de vue littéraire, *Le Prince* est un chef-d'œuvre, l'un des grands chefs-d'œuvre de la prose italienne. L'œuvre, bientôt traduite dans la plupart des langues et répandue dans toute l'Europe, connut une énorme popularité, comme peut-être n'en eut jamais aucune autre ; c'est surtout pendant la seconde moitié du XVIe et la première moitié du XVIIe siècle qu'elle fut l'objet d'accusations et d'invectives extrêmement violentes. En elle parut se résumer ce qu'on a appelé le « machiavélisme » ; aussi souleva-t-elle l'indignation de tous les adversaires de la doctrine en question. – Trad. Flammarion, 1980 ; Gallimard, 1980 ; Griffon d'Argile, 1984 ; Garnier, 1987.

PRINCE CHARMANT NÉ D'UNE LARME (Le) [*Făt-Frumos din lacrimă*]. Légende du poète roumain Mihail Eminescu (1850-1889), publiée en 1870. Une impératrice, qui désespérait d'avoir un enfant, voit ses vœux exaucés en buvant une larme miraculeuse de la Vierge. Devenu grand, l'enfant part en guerre contre un empereur, auquel il se liera par la suite d'une profonde et éternelle amitié par le serment des « frati de cruce », autrement dit en mêlant son sang au sien. Puis le prince livre un combat contre une sorcière qu'il finit par vaincre, grâce à l'aide que lui donne Ileana, la fille même de la sorcière, dont il est tombé amoureux. Son ami l'empereur aimant de son côté la fille d'un sorcier, Gennaro, il part pour enlever la belle, y parvient ; mais rejoint par le sorcier, il est successivement transformé en cendre et en ruisseau. Il reprendra figure humaine grâce à la venue de Jésus et de saint Pierre sur la terre, et parviendra alors à enlever la jeune fille avec un cheval enchanté, pour la conduire enfin à l'empereur ; mais là, il trouve son amie Ileana devenue aveugle pour l'avoir trop pleuré. La joie et les soins parviennent cependant à redonner la vue à la jeune fille et la légende s'achève sur de doubles noces. Cette œuvre est très importante du fait qu'elle marque un retour de la littérature roumaine aux sources du folklore. L'auteur a su donner à son sujet un climat hautement poétique, qui rappelle les productions européennes, mais avec des éléments nationaux caractéristiques.

PRINCE CHRÉTIEN ET POLITIQUE (Le) [*Idea de un príncipe político cristiano representada en cien empresas*]. Ouvrage politique de l'écrivain espagnol Diego de Saavedra Fajardo (1584-1648), publié en 1640 à Münster (pour la première fois, croit-on), réédité avec adjonction de nouveaux passages en 1642 à Milan ; on lui donne aussi le titre plus court d'*Emblèmes politiques* [*Empresas políticas*]. Cette œuvre s'insère dans cette vaste littérature de la Renaissance ayant pour thème le gouvernement idéal et dont les précédents étaient *Le Prince* (*) de Machiavel, *Les Six Livres de la République* (*) de Bodin, *La Raison d'État* de Botero et, quant à la façon symbolique de traiter le sujet : *Les Emblèmes* d'Alciat. L'auteur y examine, du point de vue moral, la conduite du prince dans toutes les circonstances de la vie. Profond connaisseur de *La Bible,* dit-il, familiarisé avec le serpent de métal, le veau d'or, le lion de Samson et autres symboles, il se plaît à proposer à l'esprit humain les plus hautes vérités à travers une présentation symbolique ; c'est pourquoi en cent « empresas » dont chacune, dans l'édition définitive, est ornée d'un dessin et précédée d'une épigraphe latine, sont illustrées toutes les modalités suivant lesquelles un prince chrétien peut dignement remplir son rôle. Évitant le ton de la polémique, Saavedra Fajardo affirme la nécessité pour un prince d'être véritablement chrétien. Ce prince ne doit pas se laisser guider par la raison d'État, ni se laisser aller à une politique soumise à son seul caprice ou à des guerres trop souvent suscitées par l'ambition et la soif du pouvoir. D'autre part, celui qui a le véritable esprit de gouvernement se doit de protéger les lettres et les arts et de manifester par sa bonté cet intime sentiment religieux qui est la prérogative divine de son pouvoir. À plus forte raison, il ne devra pas favoriser les croyances stupides, les superstitions, ni croire aveuglément aux programmes politiques abstraits uniquement fondés sur des théories philosophiques ; les unes comme les autres étant néfastes à une sage administration du gouvernement. Le prince devra bannir les intrigues de cour et jusqu'aux ruses trompeuses de la diplomatie, car à travers celles-ci il risquerait d'oublier le bien de ses sujets et d'abaisser la politique à n'être qu'un simple rapport d'intérêts et un jeu d'habiles ambassadeurs. En somme, au moyen d'exemples symbolisés par les emblèmes et illustrés par diverses épigraphes, Saavedra Fajardo envisage les actes de gouvernement d'un prince d'un point de vue purement didactique, ce qui donne au traité un ton inégal et scolaire. De plus, les thèses de l'auteur ne sont pas dénuées des contradictions où l'entraîne un anti-machiavélisme de principe. – Trad. La Compagnie des marchands libraires du palais, 1668.

PRINCE CONSTANT (Le) [*El principe constante*]. Comédie dramatique en vers et en trois journées, composée en 1629 par l'écrivain espagnol Pedro Calderón de la Barca (1600-1681) et comprise dans la *Primera parte de comedias de don Pedro Calderón de la Barca, etc.* (Madrid 1636). Le héros de la pièce est l'« Infant Saint », Fernand de Portugal, frère de don Enrique, tombé aux mains des Marocains après la désastreuse expédition de Tanger (1438), et qui mourut en captivité. Calderón, tout en s'inspirant de la *Chronique du Saint Infant* du frère João Alvares, aumônier et compagnon de prison du prince, a profondément modifié la physionomie de l'Infant portugais qu'il fait ressembler au Romain Regulus, et il a imaginé pour la fin un dénouement du plus grand effet théâtral et poétique. Au début de la campagne, Fernand capture Muley Hassan, un des plus valeureux généraux du roi de Fez ; mais, apprenant que le prisonnier, épris de la fille de son roi, redoute qu'en son absence elle en épouse un autre, il le libère immédiatement sans exiger de rançon. Peu après, une puissante armée marocaine attaque les Portugais qui sont mis en déroute : l'Infant est à son tour fait prisonnier, mais les Marocains le traitent avec une grande générosité, dans l'espoir que sa personne servira d'échange pour le rachat de Ceuta, conquise par les Portugais. Le feu roi du Portugal ayant, sur son lit de mort, donné des instructions à ce sujet, don Enrique débarque au Maroc pour négocier l'échange. Mais Fernand ne permet pas que son frère conclue la négociation, car, dit-il, « je ne puis céder ce qui n'est pas à moi : une cité chrétienne appartient à Dieu seul... » L'Infant, dès lors, n'est plus qu'un esclave et il mourra, après avoir refusé tout adoucissement à son sort. La pièce s'achève sur un mythe grandiose : les Portugais débarquent en force sur la terre africaine, et l'ombre du Saint Infant dirige sur eux un flambeau qui les éclaire jusqu'à la victoire. Le motif dominant de l'œuvre, c'est l'exaltation du héros qui combat et souffre au service de sa foi, trouvant en elle la force de donner librement sa vie sans regret et sans plainte. Mais un second motif cher à l'auteur — v. *La vie est un songe* (*) — se mêle au premier ; c'est celui de l'inconstance du sort et de la vanité de toute chose, qui donne aux caractères et aux événements une portée universelle. *Le Prince constant* est considéré, même en dehors de l'Espagne, comme l'une des meilleures comédies dramatiques de Calderón. La traduction allemande de Schlegel eut, notamment, un énorme succès. — Trad. Didier, 1873.

PRINCE DE HOMBOURG (Le) [*Prinz von Homburg*]. Tragédie en vers, en cinq actes, chef-d'œuvre de l'écrivain allemand Heinrich von Kleist (1777-1811), représentée en 1810. Le jeune officier Frédéric, prince de Hombourg, est somnambule. Au cours de la première scène, on le voit surpris dans cet état étrange par les gens de la Cour, qui s'approchent de lui avec une curiosité mêlée de mépris, puis s'éloignent précipitamment. En se retirant, sa fiancée, Nathalie, laisse tomber un de ses gants que le prince recueille. À son réveil, il voit le gant et en demeure si troublé qu'il écoute à peine les ultimes recommandations données pour la bataille qui va se livrer entre les Brandebourgeois et les Suédois. Au moment décisif, le prince transgresse donc ces dispositions, mais remporte néanmoins la victoire. Le voici le héros du jour et, en même temps, coupable d'une désobéissance. Le grand électeur de Brandebourg, chef de l'État et de l'armée, qui est l'oncle de Frédéric, tient à ce que l'indiscipline de son neveu soit punie de manière exemplaire. Stupeur du prince de Hombourg, d'abord agité, puis terrorisé à l'idée de la mort. Si le tragique de Corneille consiste dans la lutte intérieure entre deux passions, ce drame prussien est nettement cornélien. L'une des passions de Frédéric est l'amour de la vie. Mais lorsque, devant les supplications générales et les puissantes interventions, le grand électeur remet la décision suprême entre les mains du coupable, Frédéric prend le parti de l'État contre lui-même. C'est alors seulement qu'il devient le héros parfait. Les yeux bandés, il se voit conduire à la mort qu'il a acceptée ; mais, quand il relève son bandeau, il voit, comme dans la première scène, la Cour réunie autour de lui, pour son apothéose et ses noces avec Nathalie. L'œuvre est construite avec une simplicité classique dans la graduation de l'action et dans les péripéties qui se greffent autour du fait principal. L'ensemble est un mélange singulier d'esprit prussien et de romantisme, c'est-à-dire d'ordre, de mesure, de dureté, d'attachement au devoir et à l'État, avec un romantisme échevelé, disproportionné, consacrant l'individualisme et la passion effrénée. Il semblerait qu'il y ait antinomie entre ce prince somnambule et l'atmosphère de caserne, de champ de bataille, de discipline militaire. Mais Kleist a pleinement réussi à fusionner ces éléments hétérogènes. Le caractère du grand électeur est un chef-d'œuvre de pondération et d'équilibre entre les sentiments humains et la dureté du souverain. Frédéric est au début un pur romantique, mais il revient, enrichi par cette expérience extraordinaire, à la vraie tradition prussienne de sa terre natale (il est en somme le portrait idéal de Kleist lui-même, quoique celui-ci, par son tragique suicide, semble être finalement retourné au plus désespéré des romantismes). La scène entre les généraux, les récits de la bataille, les rapports entre chefs et subordonnés donnent une image exacte et idéale de l'armée et de l'État. L'œuvre est une transposition poétique de toute la vie prussienne. L'auteur a su, dans sa langue, mélanger admirablement les éléments du militarisme le plus sévère à une lumière de rêve et aux couleurs du romantisme. — Trad. Jouve, 1920 ; et Flammarion, 1990.

PRINCE DE LA BOHÈME (Un). Récit que l'écrivain français Honoré de Balzac (1799-1850) publia pour la première fois en 1840, et pour la seconde fois, avec quelques retouches et corrections, en 1845. *Un prince de la bohème* fait partie des « Scènes de la vie parisienne » de *La Comédie humaine* (*). Balzac imagine que Mme de La Baudraye, héroïne de *La Muse du département* (*), a rédigé ces pages et qu'elle les lit au romancier Nathan. L'œuvre contient un portrait fantaisiste du comte de La Palférine, jeune débauché qui n'est point dépourvu d'intelligence et qui ne laisse pas d'être sympathique. La Palférine est le représentant le plus singulier du monde de la « bohème parisienne ». Parmi de spirituelles anecdotes se trouve exposée l'histoire de la ravissante Claudine, ancienne danseuse à l'Opéra qui a épousé un dramaturge, Du Bruel, et qui s'éprend de La Palférine. Pour obéir aux caprices de son amant qui exige d'elle une élégance des plus raffinées, Claudine incite son mari à s'engager sur la voie des honneurs, et le seconde avec beaucoup de sûreté. Encore que rédigé dans un style vif et brillant, le récit est en lui-même peu de chose, et il semble que Balzac n'ait trouvé là guère plus qu'un divertissement. Une partie de l'intérêt de l'œuvre vient de ce que Balzac a parodié, le plus malicieusement du monde, le style qu'avait adopté Sainte-Beuve dans ses célèbres *Portraits de femmes* (*) et ses *Lundis* – v. *Causeries du lundi* (*) et *Nouveaux Lundis* (*).

PRINCE HEUREUX (Le) et autres contes [*The Happy Prince and other Tales*]. Recueil de nouvelles de l'écrivain irlandais Oscar Wilde (1854-1900), publié en 1888. Après les avoir racontés une première fois à son frère, qui lui demandait des sujets pour des articles à publier dans des journaux de second ordre, Wilde donna une forme littéraire à ces brefs récits, qu'il composa en même temps que ceux de *La Maison de grenades* (*) entre 1885 et 1891, au cours de son séjour à Paris. La meilleure nouvelle est celle qui donne son titre au volume : le prince, qui vivant ne connut que le bonheur, à présent, statue de marbre au centre de sa ville, apprend à connaître la douleur des hommes et souffre de ne pouvoir les secourir. Par amour pour lui, une hirondelle s'installe près de la statue, et, fidèle exécutrice de ses désirs, porte en cadeau aux pauvres l'or et les pierreries qui recouvrent le monument ; mais, l'hiver venu, elle meurt de froid. C'est avec le même art qu'est retracée la figure du « Géant égoïste » [The Selfish Giant] qui, ému par les pleurs d'un enfant, meurt en lui prodiguant caresse et consolation ; celle de « L'Ami dévoué » [The Devoted Friend] ou encore la fable du « Rossignol et la Rose » [The Nightingale and the Rose] ; une jeune fille demande à celui qui l'aime, comme preuve d'amour, une rose rouge dont elle veut se parer pour le bal, car dans son jardin il n'y a qu'une rose blanche : le rossignol a pitié de l'amoureux et teint la fleur du sang de son cœur percé par une épine du rosier. Le dernier récit, « Le Feu d'artifice » [The Remarkable Rocket], de caractère humoristique, est peut-être la moins intéressante de toutes ces nouvelles, qui ne donnent d'ailleurs pas la pleine mesure de l'art d'Oscar Wilde mais qui, avec celles d'*Une maison de grenades*, ont une importante significative pour ce qui est de la formation de son goût et de son style. On y remarquera notamment l'influence des écrivains symbolistes français. – Trad. Mercure de France, 1948.

PRINCE IGOR (Le). Des nombreux épisodes de la lutte qui opposa Russes et Polovtses, la légende a surtout retenu l'expédition malheureuse que mena, au XIIe siècle, le prince Igor et qui se termina par l'invasion de la terre russe. L'œuvre célèbre que Borodine a écrite sur ce sujet (v. ci-dessous) s'inspire de la narration qu'à la fin du XIIe siècle un poète anonyme fit de ces événements authentiques et qui s'intitule : *Le Dit* (ou *Chant*) *de la bataille d'Igor* [*Slovo o polku Igoreve*]. Cette narration est des plus importantes, étant le premier monument de la littérature russe écrite qui présente un réel intérêt artistique. Le manuscrit, qui fut seulement découvert en 1792 et publié, pour la première fois, en 1800 par le comte Moussine-Pouchkine, a été détruit dans l'incendie de Moscou, en 1812. *Le Dit de la bataille d'Igor* est, en quelque sorte, formé d'une introduction et de quatre tableaux. Le premier nous présente Igor et sa troupe qui, en dépit d'un mauvais présage (une éclipse de soleil) s'apprêtent au combat. Les troupes ennemies sont d'abord vaincues, mais elles reviennent à l'attaque et, par suite de discordes entre les princes russes, remportent la victoire. Igor est fait prisonnier. Dans le second tableau, on voit le prince Sviatoslav, le père d'Igor, demander aux différents princes de s'unir pour venger la honte que connaît leur patrie. Le troisième tableau met en scène Iaroslavna, épouse d'Igor : s'adressant aux éléments déchaînés, elle implore le salut de son mari ; ce tableau, d'une intense couleur lyrique, est interrompu par le récit de l'évasion d'Igor et de son retour à Kiev. Le récit de la bataille elle-même est d'une richesse de mouvement, de couleurs et de sentiments peu commune. On y remarque en outre des tableaux étonnants de la nature : celle-ci participe directement à l'action. Les nombreuses images poétiques que l'on y rencontre indiquent une connaissance parfaite de la Russie méridionale. Si le poète est habile à décrire la vie de la haute société, avec ses guerres, ses chasses pittoresques, il n'est pas moins émouvant quand il évoque la vie du peuple, simple et malheureuse. La narration est généralement considérée comme de la prose, mais on a fait de nombreuses tentatives pour reconstituer le texte en mesure métrique, et certains de ses traducteurs en russe moderne se sont servis du vers. Liasky est parvenu à un résultat remarquable en s'appuyant sur les exemples donnés par la poésie épique médiévale de création individuelle. Comme pour d'autres créations épiques de cette époque, on a fait, pour *Le Chant d'Igor*, l'hypothèse d'une origine populaire ; mais l'unité artistique de l'œuvre plaide plutôt en faveur d'une création individuelle. La polémique sur l'authenticité du poème, commencée dès l'époque de la découverte, n'a pas encore pris fin. Mazon a voulu y voir une contrefaçon de la fin du XVIIIe siècle dont la base serait un poème du XVe, la *Zadonchtchina* ; la majorité des érudits lui reconnaissent cependant tous les signes de l'authenticité. D'ailleurs il est remarquable de constater que quantité d'expressions et d'allusions contenues dans le poème ne deviennent compréhensibles qu'au fur et mesure des découvertes faites, et parfois très récemment, en matière d'histoire.

pour tous les Russes, le *Dit* est une de leurs plus pures gloires littéraires. — Trad. *Le Dit de la campagne d'Igor* (Imprimerie Darantière, Dijon, 1937) ; *La Geste du prince Igor*, Rausen Brothers, New York, 1948.

★ Sur les indications de Vladimir Stassov (1824-1906), le compositeur russe Alexandre Borodine (1834-1887) tira de ce poème son célèbre opéra en un prologue et quatre actes : *Le Prince Igor* [*Kniaz' Igor*]. La mort du compositeur laissa l'œuvre à peu près complète dans son ensemble ; seule l'orchestration était inachevée et manquait l'ouverture. Alexandre Glazounov (1865-1936) pourvut à celle-ci ; l'ayant entendue plusieurs fois jouée au piano par l'auteur, il la transcrivit de mémoire et l'orchestra. Pour le reste, Glazounov lui-même, Rimski-Korsakov, et sa femme, les deux Blumenfeld, Dutsch, Sokolov se chargèrent de l'orchestration et de la rédaction définitive d'une partition pour chant et piano. La première représentation eut lieu au Théâtre Marinski, à Saint-Pétersbourg, le 4 novembre 1890. Dans le prologue, le peuple salue le prince Igor qui, avec son fils Vladimir, est à la tête de l'armée de Poltava et part en guerre contre les Polovtses du Khan Konchak. Malgré de mauvais présages, le prince garde toute sa confiance dans l'issue du combat. Les derniers préparatifs ont lieu et, avant de s'éloigner, le prince confie à son beau-frère, le prince Galitzki, les soins du gouvernement et la garde de sa femme, Jaroslavna. On apprend, au premier acte, que Galitzki gouverne de manière déplorable et laisse s'accomplir des violences et des rapts ; on le voit railler les jeunes filles de Poltava qui viennent demander justice. Jaroslavna le chasse. Juste à ce moment arrive la nouvelle d'un grave revers militaire ; après un héroïque combat, les princes ont été faits prisonniers par l'ennemi. Le deuxième et le troisième acte se passent au camp des Polovtses. L'amour a éclos entre Vladimir et la fille du Khan Konchak. Le prince Igor réussit à s'enfuir, tandis que Vladimir reste chez l'ennemi, retenu par les beaux yeux de la fille du Khan. Quant à Igor, il retourne à Poltava (quatrième acte), où sa femme et la population l'accueillent avec joie. Deux déserteurs — types comiques de vauriens — grimpent sur le clocher pour être les premiers à la fête, voire à la paye.

L'opéra, qui est de forme traditionnelle avec morceaux complets et distincts : airs, duos, etc., est essentiellement russe, dans ses thèmes. Mais il ne suit pas la tradition établie par Glinka et Dargomijski, et substitue au récitatif stylisé de l'un et à la déclamation réaliste de l'autre un arioso qui, à chaque instant, se déploie comme une mélodie. Son caractère général est orienté vers la grandeur, la tendresse ou bien l'humour, glissant sur la mélancolie ou la repoussant de propos délibéré. Les morceaux les plus acclamés sont toujours les chorals et les danses. Les *Danses polovtsiennes* ont connu un succès éclatant dû à la beauté de leurs thèmes, au brio coloré de l'orchestration et au charme endiablé de leurs rythmes changeants. On les donne souvent au concert, détachées de leur partition originelle, avec ou sans chœurs. Fidèle aux instructions qu'il avait reçues de l'auteur, Rimski-Korsakov orchestra l'œuvre avec la plus grande discrétion, dans un style proche de celui de Glinka.

PRINCESSE (La) [*The Princess*]. Poème en vers libres de l'écrivain anglais Alfred Tennyson (1809-1892), publié en 1847. Quelques strophes lyriques furent insérées dans la troisième édition de 1853. La princesse a été fiancée dès l'enfance à un prince d'un pays voisin ; mais, arrivée à l'âge du mariage, elle quitte la Cour pour se consacrer à l'éducation des femmes. Elle fonde une université, féminine, dont l'accès est interdit aux hommes sous peine de mort. Le prince, accompagné de deux fidèles amis, y pénètre, déguisé en femme, mais il est découvert et chassé ; dans un tournoi qui a lieu ensuite entre le prince et le frère de la princesse, le prince et les siens sont vaincus ; la princesse accueille les blessés dans son université et les soigne. Elle s'éprend du prince et consent à l'épouser. Tennyson affronte ici, sous une forme aimable et plaisante, un problème qui préoccupait vivement ses contemporains. Il montre le côté absurde des relations entre les sexes et, prenant parti contre son époque, il entend proclamer l'égalité de l'homme et de la femme. Cependant Tennyson craint que cette égalité des droits, qu'il réclame, ne détruise chez la femme sa délicatesse naturelle. Le récit est coupé de chants qui comptent parmi les meilleures pièces de vers de la littérature anglaise ; les plus connues sont : « The splendour falls on castle walls » et « Tears, idle tears ». En soi, le poème est assez superficiel : œuvre d'un poète qui n'arrive pas à faire vivre ses personnages, non plus qu'à traiter à fond le thème qu'il s'était proposé.

PRINCESSE BRAMBILLA (La) [*Prinzessin Brambilla. Ein Capriccio nach J. Callot*]. Conte de l'écrivain allemand Ernst Theodor Amadeus Hoffmann (1776-1822), publié en 1820 et considéré, en particulier par Baudelaire, comme l'un de ses chefs-d'œuvre. Nous y trouvons cette fusion poétique du monde réel, du monde imaginaire et du monde mythique caractéristique de ses meilleurs contes. Le récit nous entraîne en Italie — pays qui fut toujours l'objet de la nostalgie de l'auteur —, en plein carnaval romain. Les héros sont Giacinta, charmante et laborieuse couturière, et son amoureux, le vaniteux acteur Giglio Fava. Giacinta a fait une très belle robe pour une princesse ; elle la revêt par jeu et se donne l'illusion d'être aimée d'un prince. De son côté, Giglio rêve de l'amour de la princesse Brambilla (avec le prince Cornélio, elle représente, dans le conte, le monde de la fantaisie et de l'illusion, et n'apparaît jamais que fugitivement, dans un halo de féerie), princesse qu'il a vue défiler sur le Corso, suivie d'un cortège burlesque et bizarre. Giglio, désormais perdu dans ses songes, est aux prises avec mille aventures : il se trouve, ou croit se trouver, auprès de la princesse, danse avec elle, se bat pour elle contre un adversaire ; bref, ses extravagances l'ayant fait chasser du théâtre, il est réduit à la pire misère, considéré comme fou et, comme tel, soumis à une saignée. Il est sauvé de la démence par l'abbé Chiari, qui l'incite à revenir à la scène pour y jouer un de ses drames, *Le Nègre blanc*. C'est ici l'excellente caricature du théâtre des imitateurs de Métastase, grandiloquent et pompeux, ramassis de réminiscences classiques et héroïques ; tandis qu'un autre chapitre évoque la comédie italienne, à travers les aventures amoureuses du bon Arlequin avec la malicieuse Colombine. Toujours à la recherche de la princesse Brambilla, Giglio pénètre dans le palais du prince Bastianello de Pistoia, où celui-ci demeure durant son séjour à Rome ; il se voit introduit dans une salle de marbre pourpre où, sur un trône d'or et d'argent, siège un petit vieillard en train de lire un énorme bouquin, tandis que des autruches lui font une garde d'honneur et que tout autour de la salle, cent dames, belles comme des déesses, font de la dentelle au tambour. Giglio est découvert et, enfermé dans le filet que tressent les dames, il se retrouve pendu à la fenêtre. Mais il sera libéré par le charlatan Célionati, arracheur de dents, et marchand de remèdes magiques, qui n'est autre que le prince Bastianello. À travers une suite de tableaux rapides faisant alterner les décors enchanteurs du palais Bastianello et les conversations du café Greco, nous sommes conduits dans le pays d'Urdargarten, où le mélancolique roi Ophioch est guéri par la joyeuse reine Liris. Leur fille, la reine Mystilis, a été privée par un sorcier de l'intelligence naturelle et du sens comique (symbolisé par le lac d'Urdar), et réduite, comme les misérables humains, à l'aride raison. Mais Giglio Fava fera cesser l'enchantement de la reine Mystilis, grâce au théâtre qui est un merveilleux réservoir de cet humour qui assainit l'esprit, équilibre la vie, triomphe des fantaisies désordonnées et du raisonnement desséché. C'est pourquoi, lorsque le magicien Ruffiamonte chante son hymne à l'Italie : « Italie ! Ô pays où l'azur dans les cieux / Allume à profusion les plaisirs de la terre... », la salle même du palais Bastianello s'évanouit... Il est minuit ; dans les rues de Rome, les gens reviennent du théâtre. Et c'est aussi du théâtre que reviennent, mariés depuis un an et plus amoureux que jamais, Giglio et Giacinta, tous deux acteurs sur la même scène. Un dîner succulent, dans la maisonnette modeste, mais propre et confortable, des deux époux, réunit autour de la table le tailleur Bescapi et le prince Bastianello ; ce dernier soulève le voile symbolique du récit et révèle son sens profond : la libération de l'âme par la joie et l'amour. Dans une brève préface, Hoffmann avertit qu'il ne faut pas chercher dans ce conte un sens caché, mais qu'il faut s'abandonner « au jeu hardi et capricieux » « d'une inspiration hallucinante » et dont maître Callot fut, avec ses gravures, l'unique inspirateur. En réalité, il y a plus ici qu'une simple fantaisie : à travers le jeu compliqué et souvent énigmatique des rapports intérieurs entre les personnages et leurs aventures, Hoffmann laisse transparaître une grande vérité morale et éducative. — Trad. Phébus, 1980.

PRINCESSE DE BABYLONE (La). Ce conte philosophique de l'écrivain français Voltaire (François-Marie Arouet, 1694-1778) est un des derniers qu'il fit publier de son vivant, en 1768. Comme *L'Homme aux quarante écus* (*), il appartient à la dernière période très active de la vie de Voltaire, alors à Ferney, tout occupé de polémiques, lançant brochure sur brochure, se consacrant à une véritable activité de journaliste, dénonçant les abus, se faisant le défenseur des opprimés ; mais, à côté de *L'Homme aux quarante écus* paru la même année, *La Princesse de Babylone* fait figure de simple divertissement. Telle était d'ailleurs bien l'intention de l'auteur, qui écrivait à ce sujet à Mme du Deffand : « J'ai reçu de Hollande une *Princesse de Babylone ;* j'aime mieux les *Quarante écus*, que je ne vous envoie point, parce que vous n'êtes pas arithméticienne. Si elle vous amuse, je ferai plus de cas de l'Euphrate que de la Seine. » Ce n'est d'ailleurs pas en Hollande, mais à Genève chez les Cramer, sans nom d'auteur et sans indication d'éditeur, que parut *La Princesse*, en 1768. Il en parut la même année, à Paris, une édition datée de Genève sous le titre de *Voyages et aventures d'une princesse babylonienne, pour servir de suite à ceux de Scarmentado* (allusion à un petit écrit satirique du même auteur, l'*Histoire des voyages de Scarmentado*), *par un vieux philosophe qui ne radote pas toujours ;* mais cette édition est une contrefaçon, et fort infidèle. Ce petit roman est une histoire d'amour. Le vieux Bélus, roi de Babylone, a une fille, Formosante, si jolie et si charmante qu'il ne sait comment la marier. Un ancien oracle annonçait que la princesse ne pourrait appartenir qu'à celui qui tendrait l'arc gigantesque du chasseur légendaire Nemrod. Une compétition a lieu entre le roi d'Égypte, le schah des Indes et le grand khan des Scythes. Aucun des trois souverains ne peut venir à bout de l'épreuve ; mais un jeune inconnu, du nom d'Amazan, lequel est loin d'être un prince, mais est tout simplement un homme libre, non seulement parvient à bander l'arc, mais encore sauve la vie du roi des Scythes. Ce jeune homme d'une rare beauté, et dont la modestie n'a d'égale que la valeur, fait forte impression sur la princesse, et quand il doit brusquement quitter la cour de Babylone pour se rendre au chevet de son père mourant, il laisse à Formosante un phénix aussi superbe qu'intelligent. La belle princesse s'impatiente d'attendre Amazan qui ne revient plus ; accompagnée du fidèle phénix, elle part à sa recherche. Le pharaon la rejoint, coupe le cou à l'oiseau sacré et tente de séduire la jeune fille. Celle-ci se tire de l'embûche par une ruse et, sur les conseils que lui a donnés l'oiseau, elle va brûler son corps sur un bûcher, d'où, aussitôt, il ressuscite. Formosante parvient chez les Gangarides et s'émerveille de cet extraordinaire pays où tous les hommes sont libres et vivent selon la pure nature. La mère d'Amazan lui apprend qu'elle est la cousine de celui qu'elle aime, mais son fils vient de la quitter pour se rendre en Chine. Lorsque Formosante arrive en Chine, le jeune homme est reparti pour la Scythie. Alors commence un long voyage poursuite, Formosante n'arrivant à un endroit que pour apprendre qu'Amazan vient de le quitter. C'est un prétexte pour nous peindre en quelques traits les Chinois si sages et si raffinés, les Scythes brutaux, les Cimmériens — ce passage n'est qu'une suite de louanges à leur souveraine, l'impératrice de Russie, Catherine II, amie de Voltaire, et de son prédécesseur Pierre le Grand —, les Sarmates (Polonais), les princes du Nord (éloges de Gustave III et de Christian VII), les Bataves (Hollandais). Amazan parvient enfin dans l'île d'Albion (amusante évocation du flegme britannique et du progrès scientifique en Angleterre), puis auprès du Vieux des sept montagnes (le pape) : là, Amazan, en bon sauvage, s'étonne de la bizarrerie des cérémonies incompréhensibles pour lui et du pouvoir de cet homme qui ne repose sur rien ; il est plus surpris encore par les propositions singulièrement déshonnêtes que lui font les prélats romains, séduits par sa beauté. Jusqu'alors, la fidélité d'Amazan, qui croit cependant que sa maîtresse l'a trompé avec le roi d'Égypte, est demeurée incorruptible ; elle ne cède qu'à une fille d'opéra dans la ville des oisifs qui a connu au siècle passé la plus étonnante gloire dans tous les domaines de l'esprit, mais qui a singulièrement dégénéré depuis (Paris). Suit une description des mœurs de la Bétique (l'Espagne, pays de l'Inquisition). Enfin les deux amants se retrouvent, se pardonnent et s'épousent au milieu de la joie de leurs peuples, chez qui ils vont faire régner la liberté. Voltaire termine ce récit par une invocation aux Muses, les priant de lui épargner qu'on fasse une suite à son histoire comme on l'avait fait avec ses précédents contes. *La Princesse de Babylone* n'est pas un des meilleurs contes philosophiques de Voltaire : tout ici sent le procédé, la satire est assez laborieuse et surtout elle n'a pas d'objet bien déterminé. Sans doute y prêche-t-on l'état de nature et de liberté où vivent les Gangarides, la tolérance, et dénigre-t-on la sottise du pouvoir absolu ; mais ce tableau des diverses nations de l'univers n'est qu'un prétexte à des louanges quelque peu hyperboliques des souverains dont Voltaire était l'ami, louanges qui font d'autant mieux ressortir les défauts propres aux Français, les vices de leur gouvernement. Mais cela ne va pas bien loin. L'aventure est fade et, s'il n'y avait de temps en temps quelque mot malicieux, voire féroce, qui relève la sauce, on n'y prendrait guère d'intérêt.

PRINCESSE DE CLÈVES (La). Roman d'analyse, publié en 1678, sans nom d'auteur, par l'écrivain français Mme de La Fayette (Marie-Magdeleine Pioche de la Vergne, 1634-1693). Fille d'un gouverneur du jeune marquis de Brézé, Mme de La Fayette ne portait à son mari, gentilhomme auvergnat de souche ancienne, qu'une affection raisonnable. Elle avait compté parmi les « Précieuses » et se fixa définitivement à Paris où, comme l'écrit Mlle de Scudéry, elle devint, à l'âge de trente-deux ans, la « favorite » et la « meilleure amie » du quinquagénaire La Rochefoucauld. Romanesque, rêveuse (on l'avait surnommée « Le Brouillard »), avec beaucoup de discrétion et de pudeur, elle était surtout, au dire de Mme de Sévigné, « très vraie et très franche ; il fallait la croire sur parole ». Dame « de bel air », mais aussi des plus cultivées, elle était accueillante aux gens de savoir tels que Huet, Ménage — qui l'avait aidée à situer l'action de son premier écrit : *La Princesse de Montpensier* (*) —, Segrais, qui donna ses conseils pour *La Princesse de Clèves.* Ce roman, non officiellement avoué, d'une grande dame, avec la collaboration d'un duc et pair, avait été élaboré dès 1672, mais c'est seulement au cours de l'hiver 1677 que Mme de La Fayette s'y consacra décidément, de concert avec La Rochefoucauld. Elle habite alors un bel hôtel avec jardin, sis au coin des rues de Vaugirard et Férou, et, tous les jours, le duc désenchanté, lui aussi paroissien de Saint-Sulpice — il est déjà, à cette époque, l'auteur des *Réflexions ou Sentences et Maximes morales* (*) —, la vient rejoindre dans le cabinet vert où l'attend un petit bureau muni de son écritoire « en façon de la Chine ».

Une jeune fille sévèrement élevée par sa mère, Mlle de Chartres, l'une des plus grandes héritières du royaume, épouse sans l'aimer, mais avec le ferme dessein de lui être fidèle, un homme qu'elle estime : le prince de Clèves qui, dès le premier abord, avait conçu pour elle un amour extraordinaire. Peu de temps après ce mariage de raison, elle rencontre, au cours d'un bal donné par la reine, un jeune gentilhomme entre tous séduisant, M. de Nemours. Il s'éprend d'elle et le lui laisse entendre, sans oser toutefois déclarer ouvertement sa passion. La jeune femme éprouve alors un émoi qu'elle n'avait pas encore ressenti. Elle sait bien que « les paroles les plus obscures d'un homme qui plaît donnent plus d'agitation que des déclarations ouvertes d'un homme qui ne plaît pas » et de nouvelles rencontres vont encore augmenter son trouble. Peu après, sa mère meurt, non sans lui avoir dit, clairvoyante : « Vous êtes sur le bord du précipice : il faut de grands efforts et de grandes violences pour vous retenir. » Tremblante devant l'amour, mais soucieuse d'être fidèle et, comme on disait alors, de préserver sa « gloire », Mme de Clèves décide brusquement de se mettre sous la protection de son mari : elle lui avoue son amour naissant, ne cache pas sa crainte de demeurer « exposée au milieu de la Cour » et le supplie en ces termes : « Conduisez-moi, ayez pitié de moi, et aimez-moi encore si vous pouvez. » Finalement, M. de Clèves, fort touché mais au désespoir, lui permet de se retirer dans un petit pavillon à Coulommiers. Elle ne tarde pas, cependant, à regretter cet aveu : son mari, jaloux de Nemours, est devenu « le plus malheureux de tous les hommes » et, désormais, le moindre incident peut nourrir son inquiétude. Or, une amie de la princesse ayant conté innocemment que Mme de Clèves trouvait plaisir à se promener toute seule, la nuit, dans la forêt, Nemours, soudain, songe à se rendre à Coulommiers afin de voir sans être vu. M. de Clèves, de son côté, devinant sa pensée, ne doute pas que le jeune homme ait l'intention de voir sa femme. Nemours part donc, bientôt suivi d'un gentilhomme que le prince a envoyé sur ses pas. Il pénètre dans le jardin, puis, s'approchant du logis, observe à son insu Mme de Clèves, « tout occupée de choses qui avaient du rapport avec lui et la passion qu'elle lui cachait ». M. de Clèves, cependant, trompé par de faux récits, est convaincu que Nemours a vu sa femme en secret. Alors, pressentant sa fin prochaine, il fait venir la princesse, lui reproche son infidélité et, lorsque finalement elle le détrompe, c'est trop tard : il meurt. Libre enfin de suivre son inclination sans manquer à l'honneur, Mme de Clèves, que Nemours presse de l'épouser, lui avoue à la fois son amour et la résolution qu'elle a prise de rester veuve, car elle ne veut pas du bonheur au prix de la mort d'un époux. La jeune femme, renonçant au monde, s'ensevelit dans une retraite lointaine. Atteinte d'une maladie de langueur, elle succombera, victime de sa fidélité.

« On est partagé sur ce livre-là à se manger ! », écrit Mme de La Fayette après la parution de *La Princesse de Clèves,* et certes, ce roman de deux cents pages contraste fort avec les fictions de Gomberville ou de Mlle de Scudéry. Les personnages en sont français, et non plus grecs ou romains : l'air qu'ils respirent, c'est celui de la cour de France, voluptueuse et raffinée, dans les dernières années du règne d'Henri II. Mais c'est surtout, à travers la chronique d'une société de princes et de princesses — « parfaites personnes » éprises de grandeur —, l'étude précise, nuancée et combien décente, de passions que dénonce seulement un silence ou la pâleur d'un visage. Héroïne de haute exigence, Mme de Clèves nous toucherait moins si elle n'était très humaine. Elle avait le choix entre Racine et Corneille, entre le bonheur et le sacrifice : et c'est le sacrifice qui aura le dernier mot. Le public, toutefois, jugea la « scène de l'aveu » singulièrement audacieuse ; et si Fontenelle, enthousiasmé, lut quatre fois *La Princesse de Clèves,* Mme de Sévigné et Bussy-Rabutin ont parlé d'« extravagance » et d'« invraisemblance ». Bientôt parurent, sous la signature de J. H. de Valincour, les *Lettres à Mme la marquise de X... sur le sujet de « La Princesse de Clèves »,* critique pénétrante du style, de la conduite des événements et des sentiments prêtés aux personnages. « J'y ai trouvé mille difficultés », écrit-il, et le jeune lettré d'ajouter que l'on trouverait « une histoire qui a quelque rapport avec celle-ci » dans *Les Désordres de l'amour*, roman de Mme de Villedieu. Mme de Clèves, observe cet ami de Boileau, est extrêmement belle, avec des cheveux blonds, mais on ne nous dit pas si elle avait de l'esprit... Serait-elle niaise comme l'Agnès de *L'École des femmes* (*) ? « L'aveu qu'elle fait à son mari de l'amour qu'elle a pour un autre homme » justifie, lui semble-t-il, la comparaison, et l'on eût pu lui donner « un peu plus d'esprit qu'elle n'en a et même sans craindre de lui en donner trop [...] ». Un certain abbé de Charnes, qui se disait documenté de bonne part, riposta en publiant sous l'anonymat une *Conversation sur la critique de « La Princesse de Clèves »* (mai 1679), dans laquelle il assurait que la scène de l'aveu avait été empruntée au *Polyeucte* (*) de Corneille bien avant que Mme de Villedieu eût publié son roman. Trop de digressions, trop d'effets concertés, écrivait encore Valincour... et M. de Clèves ne prend-il pas bien vite le parti de mourir ?... Mais c'est à l'« aveu » que, toujours, on revenait. Dès avril 1678, Donneau de Visé, directeur-fondateur du *Mercure galant* (*), ouvrit à ce propos une enquête dans les provinces ; les réponses furent sévères pour Mme de Clèves : « Pareil aveu, répondait l'un, ne sortit jamais de lèvres féminines dans mon rustique pays. Quelle de nos bergères s'aviserait d'imiter cette princesse dénuée d'esprit ? » ; « Plutôt éternellement combattre, disait l'autre (c'était une femme), et mourir dans les combats. » Un troisième, enfin, constatait qu'« un homme est plus heureux d'être trahi sans le savoir que d'être le confident d'une femme qui le hait le plus vertueusement du monde ». Telles sont, en dépit d'une admiration très grande, les réserves que se permettaient les contemporains. Figée dans sa gloire, *La Princesse de Clèves* a moins à craindre, aujourd'hui, de certaines objections sincères que de l'hommage obligé des manuels. Cette princesse sacrifiée, note par exemple Armand Hoog, « ce n'est donc pas à la vertu qu'on la sacrifie, c'est à une image très particulière de l'âme humaine, où les ténèbres impitoyablement refoulées n'ont pas droit de cité ». Moderne est, cependant, *La Princesse de Clèves,* et non pas seulement dans l'hommage isolé que M. de Nemours rend à la nature, lorsqu'il s'en va « sous les saules, le long d'un petit ruisseau ». Max Jacob se moque de cette dame « qui parle en style oraison funèbre à sa femme de chambre, rougit devant l'homme qu'elle aime et refuse pendant vingt-deux pages de lui parler » ; mais il en est aussi pour établir quelque parenté entre la princesse sacrifiée et l'Alissa de *La Porte étroite* (*) de Gide. On sait, par ailleurs que, Raymond Radiguet, lorsqu'il écrivit *Le Bal du comte d'Orgel* (*), rêvait d'imiter sa devancière du XVIIe siècle.

Roman du mariage, du déchirement, de l'immolation, ce petit livre (où nous voyons un mari malheureux qui n'est pas ridicule) demeure une œuvre vivante. La scène de l'aveu, tant discutée, n'a pas trouvé de commentateur plus compréhensif que Marcel Arland lorsqu'il écrit : « Rien, d'ailleurs, de mieux amené que cet aveu ; nous y sommes préparés, nous l'attendons ; et c'est le hasard qui soudain le fait naître, l'inquiétude et les pressantes questions du mari, l'embarras et le silence de la femme — et voilà que ce silence a trop duré, qu'elle ne sait comment en sortir et qu'elle cède à son impulsion ("Eh bien, monsieur, lui répondit-elle en se jetant à ses genoux, je vais vous faire un aveu que l'on n'a jamais fait à un mari..."). À peine l'a-t-elle fait, elle trouvait qu'elle s'y était engagée sans en avoir presque eu le dessein. » Et le même écrivain de conclure : « Il me semble que Mme de La Fayette a créé dans le roman la langue de la passion, et jusqu'à ses pudiques ou impurs silences. »

PRINCESSE D'ÉLIDE (La). C'est au cours des fêtes qui se déroulèrent du 7 au 13 mai 1664, sous le titre des *Plaisirs de l'île enchantée* (*), que Molière (Jean-Baptiste Poquelin, 1622-1673), dramaturge et comédien français, présenta cette « comédie galante » en cinq actes ; la pièce devait être entièrement en vers, mais Molière n'eut le temps de versifier que le Ier acte et une partie de la première scène de l'acte II. C'est à ce propos qu'on écrivit dans une relation de ces fêtes : « La comédie n'avait eu le temps que de prendre un de ses brodequins, et elle était venue donner des marques de son obéissance, un pied chaussé et l'autre nu. » Le sujet de la comédie est bien dans le goût galant de l'époque et convenait parfaitement au cadre de ces fêtes qui étaient un divertissement de cour ; la pièce se prêtait de plus à une somptueuse mise en scène et était agrémentée de ballets. Dépouillée de ces agréments, *La Princesse d'Élide* nous apparaît délicieusement conventionnelle. La princesse est demandée en mariage par Aristomène, prince de Messène, et par Théocle, prince de Pyle. Mais c'est le prince d'Ithaque, Euryale, qu'elle aime et celui-ci aime la princesse. Aussi fiers l'un que l'autre, les deux amants ne consentent pas à se déclarer, chacun attendant que l'autre fasse le premier pas. Enfin la princesse, apprenant que celui qu'elle aime, croyant leur union impossible, va se résoudre à épouser sa cousine, Aglante, se décide à dompter son orgueil. Un rôle comique, celui du bouffon Moron (joué par Molière), vient perturber de manière burlesque l'élégance des discussions amoureuses. Malgré la banalité de la situation, Molière sait en tirer parti dans les scènes de demi-confessions, dont la finesse d'écriture n'est pas sans évoquer le Marivaux des *Fausses Confidences* (*).

PRINCESSE DE MONTPENSIER (La). Nouvelle publiée en 1662 par l'écrivain français Mme de La Fayette (Marie-Magdeleine Pioche de la Vergne, 1634-1693). Lorsqu'en 1661 elle s'installa définitivement et seule à Paris, elle fréquenta la Cour, où elle observait avec tristesse les intrigues amoureuses de celle dont elle fut si longtemps la confidente, Madame — v. *Histoire d'Henriette d'Angleterre* (*) —, mais surtout elle hanta avec assiduité les ruelles des précieuses et les gens d'esprit. Fatiguée des procès qu'elle devait entreprendre, elle décida d'écrire une nouvelle, genre alors fort à la mode, afin de se distraire et surtout pour plaire à ce monde où elle tenait déjà une place honorable. Mais elle se sentait encore très inexperte dans l'art d'écrire ; aussi eut-elle recours à Ménage. Elle devait confier plus tard qu'elle devait l'essentiel de son talent à l'enseignement de cet abbé, homme de lettres. Le dessein qu'avait la comtesse en commençant cette nouvelle était simple ; elle entendait montrer les ravages que peut faire l'amour dans l'existence d'une femme, quel danger il constitue pour son bonheur. C'est Ménage qui lui conseilla de placer son récit dans un cadre historique et qui rassembla pour elle la documentation nécessaire. C'est lui aussi qui révisa le style et se chargea de publier la nouvelle. Elle parut en 1662 et se vendit fort bien. L'avis qui la précédait y était sans doute pour quelque chose, il excitait la curiosité ; en effet, l'éditeur avertissait le lecteur que toute ressemblance avec des personnages vivants n'était que le fait du hasard, qu'il s'agissait là « d'aventures inventées à plaisir ». Mais on ne pouvait pas à l'époque ne pas reconnaître dans le personnage de la princesse de Montpensier, non point le personnage contemporain et homonyme, la Grande Mademoiselle, mais Madame elle-même, Henriette d'Angleterre. Peut-être, dans l'esprit de l'auteur, l'histoire ici racontée devait-elle servir de discret avertissement à celle qu'elle n'avait pas cessé d'aimer et de vénérer. Mlle de Mézières, « héritière très considérable », est promise très jeune au duc du Maine, cadet du duc de Guise. « L'extrême jeunesse de cette grande héritière retardait son mariage ; et cependant le duc de Guise qui la voyait souvent, et qui voyait en elle les commencements d'une grande beauté, en devint amoureux et en fut aimé. » Mais les Bourbon, jaloux de la puissance des Guise que cette alliance renforcerait, arrangèrent son mariage avec un prince de leur maison, Montpensier. La jeune fille, effrayée d'épouser le duc du Maine, en aimant son frère, se résolut à ce mariage. Un ami intime de son mari, le comte de Chabannes, à qui elle confie les sentiments qu'elle n'a cessé d'éprouver pour Guise, lui confesse son amour, mais devant sa froideur, se résigne à lui servir de complice. Mme de Montpensier tremble de se trouver en face de celui qu'elle aime et l'évite. Les hasards de la guerre lui font rencontrer, dans de pittoresques circonstances, son amant et le duc d'Anjou, frère du roi, le futur Henri III. Anjou s'éprend d'elle ! Lorsqu'il apprend que Guise, qui courtise sa sœur et est sur le point de l'épouser, aime la princesse de Montpensier et en est aimé, sa rancœur est fort grande et sa haine éclate contre son rival. Il oblige Guise à rompre avec sa sœur et l'éloigne de Mme de Montpensier. Mais, grâce à la complicité de Chabannes, les deux amants se retrouveront dans le château même du prince de Montpensier. Cette entrevue est troublée par l'arrivée du mari ; avec une admirable abnégation, Chabannes se substitue à Guise, lui donnant ainsi le temps de fuir. La stupeur de Montpensier est grande de se découvrir un rival dans la personne de son plus intime ami. Incapable de lever la main sur lui, il préfère se retirer, laissant sa femme dans le plus grand désarroi. Quelque temps plus tard, Chabannes se fait massacrer au cours de la nuit de la Saint-Barthélemy. L'inconstant Guise se console avec une dame de la Cour ; la malheureuse princesse, en apprenant cette nouvelle, tombe à nouveau malade et meurt : « Elle ne put résister à la douleur d'avoir perdu l'estime de son mari, le cœur de son amant, et le plus parfait ami qui fût jamais. » Tel est le sombre destin de la princesse de Montpensier, et voici la morale qui s'en dégage : « une des plus belles princesses du monde, et qui aurait été sans doute la plus heureuse, si la vertu et la prudence eussent conduit toutes ses actions ». Dans cette longue nouvelle, on trouve déjà tout formé le talent de Mme de La Fayette ; sans doute sommes-nous loin d'atteindre ici la délicate profondeur psychologique de *La Princesse de Clèves* (*) ; il y a encore bien de la sécheresse dans ce récit, mais il est admirablement conduit, et l'atmosphère dans laquelle vivent les personnages de l'auteur, sa conception de la vie sociale et de l'amour apparaissent déjà comme très personnelles, très vivantes, et ils s'imposent fortement au lecteur.

PRINCESSE GEORGES (La). Comédie en trois actes de l'auteur dramatique français Alexandre Dumas fils (1824-1895), représentée pour la première fois au théâtre du Gymnase le 2 décembre 1871, et publiée la même année. Séverine de Birac, dite la princesse Georges, a pour son époux tant de noble amour qu'elle ne demande qu'à lui pardonner sa liaison avec une intrigante cupide, la comtesse Sylvanie de Terremonde. Le prince, qui rend hommage à la noblesse de sa femme, lui a avoué cette liaison, mais en prétendant faussement qu'il allait y mettre fin. Il prépare en réalité une fugue avec sa maîtresse et s'apprête à dilapider la fortune de Séverine. Au cours de la soirée qui précède de peu le départ des amants, la princesse Georges apprend la vérité ; le comte et la comtesse de Terremonde étant de ses invités, elle chasse d'abord de chez elle Sylvanie ; puis au comte explique sa conduite et révèle que la comtesse a un amant, sans le nommer. Le comte, qui croyait à la fidélité de son épouse, mais qui songe sans doute à lui pardonner, décide d'épier, de son jardin, l'arrivée probable de ce rival et de le tuer. Un domestique du prince, ayant eu vent de ce projet, en informe sur-le-champ Séverine qui se trouve alors, à la fin de cette soirée tragique pour elle, avoir l'occasion de se venger de son époux en le laissant aller à sa perte. Elle n'en fait rien cependant. Elle prévient le prince ; elle le supplie de ne pas rejoindre Sylvanie, il y va de sa vie. Le prince brave le danger, préférant la mort au déshonneur de sa maîtresse. L'hôtel de Terremonde n'étant séparé de celui de Birac que par un jardin, on entend, à peine le prince sorti, un coup de feu, Séverine défaille. Mais le prince reparaît sain et sauf, en compagnie du comte qui eût pu être son assassin : il a tiré sur un autre amant de Sylvanie, M. de Fondette, qui venait cette même nuit essayer de la rejoindre. La pièce est classiquement construite, respectant la règle des trois unités, mais caractéristique, quant à l'esprit, du goût sentimental de l'époque : l'effet à produire, dans le développement des dialogues, prime sur l'analyse des causes profondes du drame. Elle abonde en mots brillants, à l'emporte-pièce : « Ah ! on ne sait ni qui vit ni qui meurt. » « La vie n'est possible qu'avec beaucoup d'indifférence et encore plus d'oubli. »

PRINCESSE MALEINE (La). Drame en cinq actes de l'écrivain belge d'expression française Maurice Maeterlinck (1862-1949), publié en 1889 ; c'est le premier des drames symbolistes de l'auteur, et il fut salué avec enthousiasme par Octave Mirbeau qui prononça, à son propos, le nom de Shakespeare. Nous sommes à une époque indéterminée dans un coin des Flandres. Il y a fête au château du roi Marcellus pour les fiançailles de sa fille, la princesse Maleine, avec le prince Hjalmar, fils du roi de Hollande. La tempête fait rage et d'obscurs présages de malheur troublent les réjouissances, qui se terminent en effet par une dispute entre les deux rois. Les fiançailles sont rompues ; le père du fiancé, en quittant le château, profère d'étranges menaces. La guerre s'allume entre les deux pays, les parents de Maleine sont tués, le château incendié, la ville rasée ; l'unique survivante de tant de massacres est Maleine qui, avec sa vieille nourrice, avait été enfermée dans une tour pour n'avoir pas voulu renoncer à son fiancé. Les deux jeunes gens se cherchent et se retrouveront en dépit de tous les obstacles placés entre eux par la malfaisante reine Anne ; celle-ci est la maîtresse du père de Hjalmar, et son intention est de marier sa fille Uglyane avec le jeune prince. Ce dernier, par faiblesse, a accepté cette nouvelle épouse ; mais Maleine, aidée par sa nourrice, s'est introduite dans le château comme servante d'Uglyane et, par un subterfuge, va au rendez-vous que Hjalmar devait avoir avec sa fiancée dans le parc du château. Des présages de mort troublent cependant pour la deuxième fois les amoureux ; la reine Anne, feignant d'accueillir avec satisfaction le mariage de Maleine avec Hjalmar, empoisonne lentement la jeune fille. Le vieux roi voudrait s'interposer, mais, enjôlé par les artifices de l'ensorcelante reine, il laisse accomplir le crime que ni la vigilante nourrice ni le faible et amoureux Hjalmar ne réussiront à empêcher. La fatalité doit s'accomplir : la reine, avec la complicité du vieux roi, étranglera la malheureuse Maleine ; Hjalmar, pour se venger, poignarde la reine Anne, puis se tue ; le roi perd la raison. C'est un drame typique de Maeterlinck avec ses personnages hallucinés, errant comme des ombres dans une atmosphère mystérieuse. L'amour et la mort en sont les acteurs principaux, invisibles et cependant présents ; la nature elle-même se fait complice des événements, tout concourt à précipiter le destin effroyable des deux jeunes gens. La douce figure de la princesse Maleine est une des plus charmantes et des plus touchantes de celles qui sont nées de l'imagination de Maeterlinck ; désireux de souligner le désarroi de l'être humain devant les forces obscures qui le combattent, l'auteur leur oppose les créatures les plus faibles par nature : jeunes filles, femmes, vieillards ou malades. Hjalmar lui-même est un faible, certes qui se révolte devant le fait accompli, mais qui toutefois n'a pas su préserver du mal la douce Maleine.

PRINCESSE TURANDOT (La) [*La Turandot*]. Fable théâtrale tragi-comique en cinq actes de l'écrivain italien Carlo Gozzi (1720-1806), représentée à Venise en 1762 et inspirée de plusieurs contes d'un recueil persan, les *Mille et Un Jours.* La belle princesse Turandot est une femme en tout point charmante, mais elle n'aime pas ses semblables : elle a promis sa main à celui qui pourra résoudre trois énigmes, mais celui qui se trompera devra être décapité. Un certain Kalaf, prince tartare déchu, se présente et répond exactement à toutes les questions ; en voyant la douleur de Turandot, il consent à ne pas profiter de ses droits, à la condition toutefois qu'elle devine son vrai nom. Turandot fait emprisonner le père et le ministre de Kalaf sans parvenir à rien savoir. Une esclave de Turandot, Adelma, ancienne princesse tartare, depuis longtemps éprise du prince, l'incite à s'enfuir avec elle. Kalaf résiste, mais laisse échapper son nom. Adelma s'empresse alors de le révéler à sa maîtresse, et Turandot, finalement, épousera le prince dont elle est devenue amoureuse. À défaut de la profondeur dramatique rêvée par Gozzi, *Turandot* présente une grande variété de situations que, plus tard, le romantisme devait trouver à son goût. Il y a dans la conduite de l'action beaucoup d'habileté, et la scène des énigmes est d'un grand effet théâtral. Schiller a donné de *Turandot* une traduction excellente, que Goethe mit en scène au théâtre de Weimar. – Trad. Gallimard, 1923.

★ La fable de Gozzi a été mise en musique en 1809 (dans la traduction de Schiller) par Carl Maria von Weber (1786-1826).

★ On doit au compositeur italien Ferruccio Busoni (1866-1924) un opéra en deux actes, *Turandot,* dont le livret fut écrit par le compositeur lui-même d'après l'œuvre de Gozzi. Publiée en 1906, cette œuvre fut représentée à Zurich en 1917, et Busoni en a extrait une « suite » orchestrale en neuf numéros. En composant *Turandot* qui est, comme *Arlequin* (*), un ouvrage de sa maturité, Busoni voulut mettre en pratique les principes énoncés dans son *Ébauche d'une nouvelle esthétique de la musique* (1907). Le théâtre y est conçu comme un « jeu » où la fantaisie ne connaît pas de limites. Au contraire de Puccini, qui situera le drame de *Turandot* dans une atmosphère de passion et de tragédie, Busoni accentue surtout le côté fantastique et ironique des trois masques : Truffaldino, Pantalone et Tartaglia. Cet opéra est presque entièrement inspiré de la musique chinoise ou arabe, ce qui en accroît le charme exotique et fabuleux.

★ Giacomo Puccini (1858-1924) a composé sur le même sujet un opéra, *Turandot,* demeuré inachevé vers la moitié du troisième acte, et que terminèrent Franco Alfano (1876-1954) et Vincenzo Tommasini (1880-1950). La première représentation fut dirigée par Arturo Toscanini (1867-1957), à Milan, en 1924. L'œuvre eut un grand succès et le pathétique livret de Giuseppe Adami et Renato Simoni fit beaucoup pour sa popularité (ainsi, l'épisode de la mort d'Adelma [Liu, dans l'opéra] qui se sacrifie plutôt que de révéler le nom du prince qu'elle aime). *Turandot,* cependant, n'est pas considéré comme l'un des meilleurs opéras de Puccini. Une technique excessive s'y déploie parfois au détriment de la mélodie, les motifs chinois sont trop fréquents, ainsi que les effets théâtraux (dans la scène des énigmes, en particulier). La valeur dramatique de *Turandot* réside surtout dans la sincérité de Liu et la délicatesse de ses sentiments : le même romantisme « petit-bourgeois » avait fait le succès de *La Bohème* – v. *Scènes de la vie de bohème* (*).

PRINCE ZERBINO (Le) ou le Voyage vers le Bon Goût [*Prinz Zerbino oder die Reise nach dem Guten Geschmack*]. Drame satirique en six actes de l'écrivain allemand Ludwig Tieck (1773-1853), publié en 1799, avec en sous-titre : « En quelque sorte, une suite au *Chat botté* ». En fait, l'affinité avec *Le Chat botté* (*) du même auteur se borne au ton mordant de la satire, qui s'attaque ici à l'art médiocre et bourgeois de certains courants littéraires, issus tardivement du rationalisme, et introduits en Allemagne par Iffland, Kotzebue et surtout Nicolaï dans les gazettes de qui Tieck se vit obligé de publier ses premières œuvres. Les premiers actes du drame sont consacrés à la représentation satirique d'une petite cour allemande où le beau-père du souverain est un maniaque, le prince et la princesse guère plus que des comparses et où les courtisans sont excellemment dépeints dans toute leur vanité de dignitaires et de pédants. La maladie mentale du prince Zerbino, l'héritier au trône, est guérie après d'inutiles consultations avec les médecins officiels, par une sorte de mage aux oreilles d'âne, Polycomicus, qui vit dans la forêt. Celui-ci prévient que la guérison du prince ne sera pas complète tant qu'il n'aura pas trouvé le Bon Goût. Aussi le prince part-il pour cette recherche, accompagné du savant Nestor, qui incarne la médiocrité académique. C'est dans cette partie que l'on trouve les scènes les meilleures du drame, celles qui ont incité un critique allemand à comparer, avec quelque exagération, Tieck à Aristophane. Nestor arrive dans le jardin de la Poésie où il écoute indigné le chant des fleurs, proteste contre la suggestion du merveilleux et s'entretient avec Dante, Shakespeare et Cervantès, qui le prient d'attendre leur grand compagnon, encore vivant : Goethe. Par opposition, une autre scène satirique s'élève contre la poésie utilitaire : Nestor est conduit par des génies, dans une salle à manger où tous les objets et jusqu'au rôti, tout en déplorant le temps où ils étaient des choses vivantes, se réjouissent de pouvoir être utiles à l'homme. Lorsque Zerbino et Nestor se décident à revenir à la Cour, ils sont accueillis avec transports, mais leur langage dépourvu de tout préjugé, fruit de leurs multiples expériences – surtout dans le jardin de la Poésie –, scandalise la Cour et ils sont jetés en prison. Bientôt, Nestor et Zerbino, gagnés par l'ennui, se déclarent disposés à applaudir au credo « humanitaire » du rationalisme bourgeois ; on reconnaît alors à Zerbino les qualités nécessaires pour accéder au trône. Moins heureuse dans l'ensemble que *Le Chat botté*, l'œuvre, outre son intérêt documentaire sur la polémique antirationaliste du romantisme, contient des scènes d'une incontestable invention comique.

PRINCIPALES NAVIGATIONS, voyages et découvertes de la nation anglaise sur terre et sur mer depuis 1 500 ans [*The Principal Navigations, Voyages and Discoveries of the English Nation, made by Sea or Over Land to the most remote and farthest distant Quarters of the Earth at any time within the compass of these 1 500 Years*]. Dans sa préface, dédiée à sir Francis Walsingham, l'auteur de cette somme sans égale d'informations consacrée surtout aux grands navigateurs du XVIe siècle, l'écrivain anglais Richard Hakluyt (1553-1616) explique comment il est venu à s'intéresser à l'étude des voyages. Ce sont les conversations avec un sien cousin, passionné de découvertes et grand lecteur des œuvres de Pigafetta, ainsi qu'un passage des *Psaumes* (*) où il est dit que « ceux qui voyagent par mer verront les œuvres du Seigneur et leurs merveilles », qui ont décidé de sa vocation. Les premiers chapitres des *Principales navigations* débutent par des légendes, qui tranchent nettement avec l'exactitude scrupuleuse des documents plus récents. C'est ainsi que le « Voyage d'Arthur, roi de Bretagne, en Islande et dans les pays du nord-est de l'Europe » (517) et un voyage d'un roi breton peu connu, Malgus, sont tirés des chroniques latines et des relations de Geoffroy de Monmouth. Le travail personnel – et sérieux – de Hakluyt ne débute qu'avec les relations de Bède et les voyages d'Octher, suivis de ceux de Willoughby, Chancellor, Burrough et d'autres, décrits d'après les documents de la compagnie commerciale qui traitait des affaires avec Moscou. Quelques récits sont consacrés à la victoire sur la Grande Armada espagnole et à l'expédition du comte d'Essex contre Cadix. Le second volume comprend les voyages vers le sud et sud-est ; ce sont des récits tirés des rapports de commerçants levantins et ceux des expéditions de James Lancaster vers le cap de Bonne-Espérance, Zanzibar et Malacca. Le troisième et dernier volume décrit les expéditions aux Indes occidentales et les voyages autour du monde de Hawkins, Drake et Ralegh. L'œuvre entière porte sur la description d'environ deux cent vingt voyages.

PRINCIPE ESPÉRANCE (Le) [*Prinzip Hoffnung*]. Œuvre du philosophe allemand Ernst Bloch (1885-1977), publiée en 1954. Le nom d'Ernst Bloch est encore peu connu en France. Seuls quelques fragments de ses livres ont paru jusqu'ici en français : un chapitre du *Principe espérance* intitulé « La Catégorie de la possibilité » dans la *Revue de métaphysique et de morale* (janvier-mars 1958), quelques fragments groupés sous le titre « L'homme est tendu en avant », dans *Les Nouvelles Lettres* (septembre 1958). Pourtant, Bloch est un des philosophes les plus vigoureux de notre époque, un de ceux qui cherchent à restituer à la philosophie son sens, c'est-à-dire sa raison d'être et son but. Depuis ses premières œuvres jusqu'à son grand ouvrage, *Le Principe espérance*, il s'efforce de décrire le monde engagé dans son devenir, un monde qui apparaît « dans le pesant processus de sa montée, nulle part encore comme résultat ». D'abord il interroge l'histoire et les grandes créations qui la jalonnent, afin que peu à peu s'éclaire la visée fondamentale de l'homme : combler son manque, se libérer de tous les asservissements, tenter au prix d'innombrables erreurs, mais toujours à nouveau, de rendre le monde plus conforme à l'humanité de l'homme. Celui-ci en prend entièrement conscience à travers ces efforts mêmes. D'autre part, Bloch s'arrête aux manifestations de la vie la plus quotidienne, se met à l'écoute de la voix intérieure de l'homme, afin d'y découvrir ses aspirations profondes, élémentaires, d'autant plus irrépressibles qu'elles sont plus vitales. « Je bouge dès la naissance, on cherche, n'est que désir. On crie, n'a pas ce qu'on veut. » Ainsi commence ce livre. Parallèlement à l'histoire extérieure, Bloch décrit la lente prise de conscience par l'individu de la force d'abord vague et indéterminée qui le meut et qu'il ne maîtrise pas, la transformation de cette avidité en souhait plus précis d'un objet, d'un être, jusqu'à l'espérance d'un monde meilleur. Meilleur pour lui parce que meilleur pour tous. S'il s'agit du désir le plus élémentaire, le plus justifié, la faim, il montre comment, lorsqu'elle grandit sans pouvoir être assouvie, elle peut se retourner en force explosive et, saisie alors par la conscience, menace de faire sauter la « prison privation ». La pensée de Bloch, lentement, se fraie un chemin entre ces deux pôles. Tout en s'opposant, ils ne sont pas extérieurs l'un à l'autre. Ils interfèrent, s'imbriquent, à tel point que l'histoire de l'un conditionne celle de l'autre et se pose à la fois en produit de l'autre. Au cours de ce long cheminement à travers l'histoire, les grands philosophes (Aristote, Pascal, Leibniz, Kant, Hegel), les œuvres des grands écrivains (Dante, Cervantes, Shakespeare, Goethe), celles des grands musiciens (Bach, Beethoven, Mozart), d'autre part à travers la vie quotidienne des hommes, faite de peines, de modestes joies, d'ignorances et d'illusions qui s'expriment dans les traditions populaires, les légendes et les contes, le mobile essentiel de Bloch se précise : éclairer ce qui est devant nous, tracer de nouvelles voies vers la manifestation de ce qui dans le passé était inscrit comme possible, et qui peut tout aussi bien sombrer dans le néant que se réaliser. Philosophie du mouvement qui cherche précision et rigueur dans l'investigation du possible, du nouveau, du progrès, de l'avenir, de l'espérance. Philosophie nouvelle, portée, comme Bloch l'affirme, par le rêve le plus ancien et le plus noble de l'humanité. Rêve nocturne, vague, incontrôlé, qui s'en va à la dérive et entraîne l'homme dans son brouillard, et aussi rêves du jour, qui, loin de s'évaporer avec la nuit, se précisent, prennent forme à la lumière : rêves nés du manque le plus grand, de l'asservissement le plus total. Dans le champ de la lucidité, ces rêves-là cherchent à devenir réalité. Bloch ne propose pas un nouveau « système du monde ». Ce n'est pas à l'aide de concepts qu'il aborde le réel. Sa démarche est toute différente. C'est la réalité saisie immédiatement, souvent intuitivement, qu'il s'efforce de comprendre et de décrire avec rigueur, en élargissant à partir d'horizons toujours plus vastes qui se découvrent dans la réalité même, à mesure qu'elle se déploie sous nos yeux. De cette façon, le réel peu à peu se structure, sans que cette structure apparaisse comme un but en soi. La formulation conceptuelle a, en effet, pour fin de donner à l'homme des points de repère plus solides et qui lui permettent de s'engager plus résolument dans son propre devenir : « Tout ce qui est nôtre se situe en avant. » Aider à tracer des chemins dans ce nôtre « à venir », aider à découvrir de nouvelles ouvertures dans l'opacité du lendemain, c'est la tâche que Bloch assigne au philosophe. La langue de Bloch s'est formée, comme il le dit lui-même, au contact de *La Bible*, de la musique de Beethoven et de la philosophie de Hegel. Elle se résout en phrases lapidaires, composées de quelques mots et parfois réduites au seul verbe. On voit ces phrases qui se ramifient peu à peu à mesure que le thème se déploie, qui se gonflent d'un lyrisme à la fois ample et contenu. Il passe de pages philosophiques abstraites à une réincarnation du langage, au contact vivant avec le réel qui redevient arbre, chair, vent, attente. Bloch se situe à l'intérieur du marxisme. Non par option politique ou idéologique, mais parce qu'il voit dans le marxisme la conséquence logique de sa vaste investigation. Le marxisme représente un bond en avant vers l'humanisation de l'homme. Avec Marx, dit Bloch, la philosophie est enfin devenue « humanité en action ». Marx a tracé une voie nouvelle. L'avenir ne peut l'ignorer. Il pense toutefois que cette voie est à peine tracée. L'homme vient seulement d'émerger de sa préhistoire. Si des horizons nouveaux se sont dessinés, un des rôles de la philosophie consiste à montrer que derrière eux d'autres horizons, plus vastes, se découvrent déjà, et se découvriront à mesure que l'homme ira de l'avant. – Trad. Gallimard, 1976-1982.

PRINCIPE HUMAIN (Le) [*Det Menneskelige Princip*]. Recueil de nouvelles de l'écrivain danois Jens Smærup Sørensen (né en 1946), publié en 1985. L'on pourrait caractériser d'actes gratuits les actions de ces nouvelles. Les personnages sont gouvernés par d'obscurs désirs. Le monde dans lequel ils vivent est clivé entre l'être et le paraître. C'est ce que comprend le jeune garçon dans « Le Jour du hongre ». Son père a décidé de faire châtrer un cheval pour qu'il puisse servir dans les champs. Mais ce n'est pas la vraie raison ; le père veut garder le cheval tout simplement parce qu'il est beau : c'est un argument inavouable dans un monde qui ne reconnaît de valeurs qu'utilitaires, même si garder le cheval pour le labeur est un argument absurde à l'ère du machinisme. Dans la première nouvelle du livre, un journaliste visite « Le Royaume des morts », où les habitants racontent leur histoire, « c'est-à-dire leur mort ». Chaque habitant ne s'intéresse qu'à sa propre histoire, ce qui laisse soupçonner que le royaume des morts n'est autre que celui de l'égoïsme. Le dernier jour de sa visite, il rencontre un homme qui veut mourir, c'est-à-dire vivre. Le journaliste comprend qu'il ne trouvera rien dans le royaume des morts qu'il ne sache déjà. Ses articles ne plairont évidemment pas au public, lui-même égoïste. Il perd son travail, et la nouvelle, qui est sa propre histoire, est écrite dans un asile. Elle est, dit-il, incompréhensible, car une « histoire terminée est impossible à comprendre ». Il y a là une autre réalité humaine : chacun constitue, pour soi-même, sa propre énigme. Les autres nouvelles mettent en scène des personnages faibles et, bien que limpides, énigmatiques à eux-mêmes. Cette combinaison engendre des situations dramatiques et violentes, mais qui font sentir aux personnages qu'ils sont en vie. Cette « vie » repose sur l'illusion et le mensonge. Ainsi dans « Complice d'évasion », un évadé cherche refuge chez son ancien camarade de classe, dont les belles phrases sur la morale et l'amitié cachent inconsciemment la veulerie. Mais elle n'échappe pas à l'évadé qui s'en sert cyniquement. Le paraître triomphe sur l'être en la personne de l'épouse du camarade naïf, qui meurt assassinée par l'évadé. Le narrateur de la nouvelle « Le Principe humain », qui a donné son titre au recueil, se retrouve seul à bord de la station spatiale Rigel, en route vers la Terre après un long voyage d'exploration. Elle était partie avec neuf cent quatre-vingt-dix-neuf hommes et femmes ainsi que des animaux domestiques. Ils sont tous morts, nous dit-on, à la suite d'une série d'« épidémies » qui éclatèrent après la rupture avec le principe humain selon lequel chacun est son propre maître. Principe aux allures anciennes mais qui est également celui de la modernité. Ce sont ces « épidémies » qui font l'Histoire : de la promiscuité la plus généralisée, qui peu à peu devient collectivisme, jusqu'à l'émergence de l'individualisme, en passant par la constitution de cellules familiales. Plusieurs dieux seront vénérés, puis un seul. Le narrateur est le dernier représentant et garant du principe humain qui fonctionne enfin ! Seulement, il n'y a plus de société à faire fonctionner. Car, pour faire respecter le principe, le narrateur s'est vu obligé de tuer son dernier compagnon qui était également le dernier représentant de la dernière épidémie. Le dernier humain, en quelque sorte. Comme le laisse entendre « Le Royaume des morts », il se cache un second principe dans ces nouvelles : il faut mourir pour vivre. À ces principes s'ajoute un troisième : le principe littéraire, qui aurait pour tâche de lutter contre tout principe qui, à en croire Sørensen, conduit à un idéalisme meurtrier ou bien, dans le meilleur des cas, à une folie plus ou moins douce. Le principe littéraire sert le véritable principe humain, afin de rendre la vie vivable.

K. P.

PRINCIPES (Sur les) [Περὶ Ἀρχῶν]. C'est l'œuvre la plus importante du théologien grec Origène d'Alexandrie (185-252/3). Composée vers 231, elle n'est parvenue jusqu'à nous que dans la traduction latine qu'en fit Rufin d'Aquilée, et qu'il intitula *De principiis seu de potestatibus.* Les *Principes* sont une tentative pour concilier les systèmes philosophiques et les courants de pensée et de vie religieuse qui formaient le climat spirituel de l'Alexandrie cosmopolite du IIIe siècle, tels le néo-pythagorisme, la philosophie judéo-alexandrine, le néo-platonisme et le gnosticisme. Il ne faut donc pas s'étonner si, chez cet interprète du christianisme selon les termes de la philosophie grecque, on ne trouve pas cette unité et cette rigidité systématique qui sera la caractéristique des docteurs et des Pères de l'Église des siècles suivants et si, combattu pour quelques-unes de ses doctrines, il a été ensuite privé de sa chaire de catéchèse d'Alexandrie et excommunié. Origène défend la doctrine de la création « ex nihilo » et, pour sauvegarder, outre l'activité éternelle immanente de Dieu, également le principe de sa transcendance, il soutient l'éternité de la création, conçue comme une série infinie de mondes successifs. Les esprits, même, créés par Dieu « ab aeterno » demeurent incorruptibles et éternels : ils sont sortis tous égaux des mains du Créateur ; seule la diversité des mérites acquis par le libre arbitre les a séparés en différentes catégories. En effet, les diverses conditions et les divers dons des âmes humaines à leur naissance terrestre dépendent « des mérites qu'elles se sont acquis au cours de leur existence antérieure, avant de prendre un corps mortel ». « S'étant rassasiées de la contemplation divine, elles se dirigèrent vers le mal en laissant se refroidir leur amour de Dieu [...] et, pour purger leur peine, elles furent reléguées dans des corps », où elles doivent accomplir leur purification. Faisant preuve de cohérence, Origène interprète allégoriquement le récit de la *Genèse* (*), et voit dans le « péché d'Adam » un symbole de la chute générale des esprits humains. Comme tous les esprits, l'âme du Christ fut aussi créée « ab aeterno », et elle fut destinée à s'unir au Verbe divin car, par la puissance de son amour, elle s'était unie à Dieu d'une manière plus ardente et plus tenace. Contre la doctrine des châtiments et des récompenses éternels, Origène soutient la doctrine des épreuves successives, qu'il s'agisse d'une ascension du mal vers le bien suprême ou d'une chute de la vertu vers le vice. C'est dans l'« Apokatastasis » ou réintégration universelle et retour au même point, qu'aura lieu la fin de l'univers. Une fois détruit le dernier ennemi, la mort, tous les êtres seront ramenés à Dieu et alors « Dieu sera tout en tous » (Paul). Mais pour en arriver là, tout le monde, y compris les justes, aura besoin d'une purification, la tache née du contact de l'âme et de la chair devant être lavée chez tous. La conciliation de cette doctrine de l'« Apokatastasis » avec celle des épreuves successives, qui porte la double possibilité d'une marche du mal vers le bien et vice versa, constitue le sujet de discussion le plus ardu de la métaphysique d'Origène, problème qu'il n'a d'ailleurs pas résolu. Si le début et la fin sont les mêmes, comment la possibilité, essentielle au libre arbitre, que les âmes tombent et accomplissent le mal, peut-elle se concilier avec cette poursuite de l'unité et de l'harmonie définitive de tous les esprits en Dieu ? L'originalité et la hardiesse des *Principes,* et ses divergences par rapport à la doctrine catholique, en font une œuvre fondamentale dans l'histoire de la pensée chrétienne des premiers siècles. – Trad. Le Cerf, 1978-84.

PRINCIPES D'ARCHITECTURE CIVILE [*Principi di architettura civile*]. Ouvrage du critique d'art italien Francesco Milizia (1725-1798), publié en 1781. Ses trois parties correspondent aux qualités que l'auteur exige d'un bâtiment : beauté, commodité, solidité. La beauté architectonique telle qu'il l'entend comporte : l'ornement et, en particulier, la symétrie, c'est-à-dire les proportions de chaque partie avec le tout ; l'eurythmie, ou correspondance des parties semblables ; la convenance de l'édifice à son caractère et à sa fonction. Ce sont ensuite les réalisations d'ordre pratique : forme, hauteur, distribution, conformité au milieu, au terrain. De même, les édifices seront différents selon que leur destination est officielle ou privée. La dernière partie, surtout technique, concerne le choix, l'emploi, la résistance des matériaux de construction, et autres questions analogues. Il est, en outre, démontré que l'architecte devra s'inspirer toujours de l'idéal gréco-romain, conformément à la conception scolastique qui procède de Vitruve. Milizia, cependant, est trop de son siècle pour ne pas faire la part qui convient aux techniques nouvelles. Esprit positif, il a le souci de commodité tout autant que de beauté. Il fait partie de cette école de Carlo Lodoli (1690-1761) et de Francesco Algarotti, auteur de l'*Essai sur l'architecture* (*) (1753), qui préconise une adaptation plus stricte de l'architecture aux nécessités courantes. Partisan d'une architecture rationnelle, il professe, à l'exemple de Lodoli, que l'utilité doit toujours être prise en considération et qu'il faut bannir tout ornement superflu : principes que nous retrouvons dans son ouvrage intitulé *Vies des plus célèbres architectes.* Là, il exalte l'ordonnance classique (type parfait de l'ornementation telle que la requiert la nature même de l'édifice), tout en reconnaissant d'ailleurs le bien-fondé des structures gothiques. L'édifice idéal, conclut Milizia, devrait s'inspirer des modèles grecs pour la beauté, et du goût français pour la commodité et la distribution intérieure. Néo-classique, il n'en croit pas moins que la vie sociale exige un certain renouvellement.

PRINCIPES DE BIOLOGIE [*Principles of Biology*]. Traité en deux volumes du philosophe anglais Herbert Spencer (1820-1903), le deuxième de sa grande œuvre sur l'évolution – v. *Premiers principes* (*), *Principes de psychologie* (*), *Principes de sociologie* (*) et *Principes d'éthique* (*) –, publié en 1846-1847. On y démontre comment la vie est le résultat d'une adaptation continuelle des relations intérieures et extérieures. Les changements d'ordre astronomique, géologique et météorologique qui interviennent continuellement sont à l'origine de modifications auxquelles les organismes sont à leur tour sujets à tout moment. À quoi s'ajoutent les forces organiques, en vertu desquelles les plantes et les animaux se trouvent enveloppés dans un réseau compliqué de rapports réciproques, si bien que le changement d'une espèce entraîne un changement dans les conditions d'existence de toutes les autres. Bien entendu, à ces facteurs externes, inorganiques et organiques, correspondent les facteurs internes. Si la matière organique n'était pas en mesure de suivre, par des modifications intérieures, les changements extérieurs, elle périrait. Mais, en réalité, tout changement dans les conditions externes, en détruisant l'équilibre interne des organismes, les contraint à se donner une nouvelle structure. Et les organismes acquièrent de plus en plus cette capacité de réagir à la modification du milieu. Se fondant sur cette œuvre, d'aucuns ont vu en Spencer un simple élève de Darwin, mais si la doctrine de Darwin a comblé une lacune dans la philosophie spencérienne, il ne faut pas oublier que sept ans avant la parution de *L'Origine des espèces* (*) de Darwin, Spencer en avait jeté les fondations par son article « The Development Hypothesis ». Spencer est arrivé à la conviction que la théorie évolutionniste était vraie par une voie indirecte, c'est-à-dire dans la mesure où l'on était dans l'impossibilité de concevoir l'hypothèse contraire. Avant Darwin lui-même, il a cru que toutes les formes vivantes actuelles étaient le fruit d'une évolution naturelle, qui s'était faite à partir d'autres structures vivantes, plus simples. — Trad. Baillière, 1880.

PRINCIPES D'ÉCONOMIE POLITIQUE de Marshall [*Principles of Economy*]. Œuvre de l'économiste anglais Alfred Marshall (1842-1924), publiée en 1890. L'auteur y expose sa théorie de l'équilibre économique, fortement marquée par les doctrines évolutionnistes et issue d'une vision biologique des phénomènes économiques. Ces derniers, observe l'auteur, ont leur origine dans les entreprises, dont la vie, comme celle des arbres, est réglée par des lois naturelles et par les circonstances de temps et de lieu ; comme chaque arbre, chaque entreprise a donc une vie propre. Le but de la science économique n'est pas, comme le pensaient Pareto et Walras, de saisir tous les phénomènes d'interdépendance qui lient entre eux les divers éléments du système économique, mais de se rapprocher le plus possible de la réalité en considérant seulement les plus typiques et fondamentaux de ces phénomènes. Ainsi, au lieu d'examiner l'interdépendance entre prix, production et consommation d'une marchandise, et prix, production et consommation de toutes les autres marchandises, se contentera-t-on de procéder par étapes (théorie des équilibres partiaux) : étudier avant tout les rapports qui lient entre eux, pour un produit donné, prix, production et consommation, puis le prix de cette marchandise par rapport à celui de ses facteurs de production, et ainsi de suite. Marshall introduit en outre dans l'étude des phénomènes économiques, et particulièrement de l'offre et de la demande, l'élément « temps », jusqu'alors volontairement négligé. Il est ainsi amené à distinguer deux sortes d'équilibres : l'un correspondant à une période « courte », l'autre à une période « longue ». Ainsi (période courte), toute augmentation de la demande se traduira-t-elle à brève échéance par une augmentation du prix. Cette dernière augmentation amènera les propriétaires d'entreprises à accroître la production de la marchandise en question ; la demande de matières premières nécessaires à sa fabrication s'intensifiera et fera croître le prix de ces dernières ; le prix de revient de la marchandise augmentera. Toutefois (période longue), si la demande du produit ne fléchit pas, on assistera à un transfert de capitaux des autres industries vers celle-ci, considérée comme plus rentable ; d'où augmentation de l'offre et baisse du prix du produit ; l'équilibre sera donc rétabli. « Vouloir discuter, conclut Marshall, si c'est l'utilité ou le coût de production qui déterminent la valeur n'est pas plus raisonnable que de se disputer pour savoir laquelle des deux lames d'une paire de ciseaux coupe une feuille de papier. » Ses travaux permettent de classer Marshall parmi les fondateurs de l'étude des phénomènes de la conjoncture. — Trad. Paris, 1906-1909.

PRINCIPES D'ÉCONOMIE POLITIQUE de Mill [*Principles of Political Economy, with some of their applications to social philosophy*]. Ouvrage de l'économiste anglais John Stuart Mill (1806-1873), publié en 1848. L'auteur entendait faire le point des doctrines propres à l'école classique anglaise ; toutefois, en reprenant les idées de Smith, de Ricardo et de Malthus, il apporta une conception plus large et plus sociologique de l'économie, révélant ainsi l'influence qu'avaient exercée sur lui les écrivains socialistes comme Saint-Simon, Proudhon et Fourier. S'il emprunte aux premiers leurs conceptions de la production et des échanges, les thèses ricardo-malthusiennes, le principe hédoniste, la loi de l'intérêt personnel, celle de la libre concurrence, du rendement non proportionnel, du salaire minimum, de la rente foncière, la notion de libre échange, etc., c'est en se prévalant des seconds qu'il élabore, contre la conception ricardienne, sa doctrine de la répartition. Mill s'oppose résolument à la propriété privée, qu'il considère comme une concentration de richesses aussi illégitimes qu'injustifiée, en arrivant à préconiser la suppression du droit d'héritage en vue de se rapprocher de l'« égalité originelle ». Selon lui, la terre n'est pas le produit du travail, mais un don de la nature que l'individu ne peut accaparer sans usurpation. Poursuivant son exposé, Mill étudie alors les aspects statiques et dynamiques de l'économie. Son analyse le conduit ainsi à formuler la théorie de l'« état stationnaire », qui constitue la partie la plus originale de son ouvrage, opposant à la conception ricardienne d'un monde uniquement régi par le jeu des intérêts matériels une vision morale et sociologique. À la question de savoir vers quelles fins dernières les progrès industriels conduisent la société et dans quelle condition se trouvera placée l'humanité lorsque ceux-ci auront cessé, Mill répond justement par sa conception de l'« état stationnaire », lequel n'est en définitive que la phase finale, la conclusion naturelle de l'« état progressif » et cela du fait que l'accroissement de la richesse n'est pas illimité. Mais l'auteur ne nous montre pas cette phase sous un jour décourageant. L'« état progressif » ne pouvant durer indéfiniment, l'humanité ne peut échapper à la misère que par l'organisation de l'« état stationnaire » de la population et de la production. Mill voudrait que « le nombre de la génération qui vient soit réduit à ce qui est rigoureusement suffisant pour remplacer la génération passée ». Enfin, en ce qui concerne la production, l'« état stationnaire » aura pour but de réaliser une distribution plus juste entre les différentes classes sociales. Il ressort manifestement de l'ensemble de cet ouvrage que Mill s'est efforcé de concilier dans sa notion d'« état stationnaire » les aspirations individualistes et socialistes, posant ainsi le problème de sa propre utilité à l'essor industriel, inventif et commercial, qui se poursuivait depuis trois quarts de siècle et faisant en quelque sorte le bilan de la doctrine de l'école classique anglaise. – Trad. Guillaumin, 1894.

PRINCIPES DE CRITIQUE LITTÉRAIRE [*Principles of Literary Criticism*]. On a pu dire que la critique moderne est née avec cet ouvrage de l'écrivain anglais Ivor Armstrong Richards (1893-1979), publié en 1924, un an après son *Sens de la signification* (*). L'étude a pour but « de fournir à la fonction émotionnelle du langage les mêmes bases critiques que celles qui ont été données à sa fonction symbolique » dans ce précédent ouvrage clé. Richards entreprend donc d'y définir les valeurs artistiques à partir de la théorie affirmant qu'il n'existe pas d'émotion esthétique ou d'expérience artistique qui soient différentes de l'expérience non artistique sinon de la façon dont « le calcul mathématique diffère du fait de manger des cerises ». En analysant la nature de la communication, il montre comment la différence entre l'art et la vie est de nature purement verbale, tandis que la conception de la beauté comme attribut d'un objet résulte d'une simplification linguistique prise par erreur pour une qualité externe. Les doctrines du psychologue sont éclectiques, organisées et appliquées avec beaucoup d'adresse, et il parvient, en les maniant, à de solides définitions. Ce qui intéresse Richards est le rapport poème-public plus que le rapport poète-poème. Ses théories fournissent à la fois une base à l'analyse détaillée des textes que pratiqueront des critiques aussi divers que R. P. Blackmur et L. C. Knights. Elles donnent également à la poésie le rôle privilégié de stimulant fondamental de la culture. Voir aussi *Critique pratique* (*).

PRINCIPES DE LA NATURE ET DE LA GRÂCE FONDÉS EN RAISON. Œuvre du philosophe allemand Gottfried Wilhelm Leibniz (1646-1716), écrite en français, en 1714, la même année que *La Monadologie* (*), mais publiée à titre posthume dans *L'Europe savante* en novembre 1718. Comme *La Monadologie*, elle contient un résumé ou sommaire de la métaphysique de l'auteur. La substance est un être susceptible d'action ; elle est simple ou composée. La substance simple, ou « monade », est indivisible. Indivisibles, les monades ne peuvent être ni formées, ni détruites ; elles ne peuvent ni commencer ni finir par l'action d'une cause naturelle : elles durent donc autant que l'univers, qui se transforme sans jamais être détruit. Les monades ne se distinguent entre elles que par la qualité et les actions internes : leurs perceptions (« représentations du composé, ou de ce qui est dehors dans le simple ») et leurs appétitions (leurs « tendances à passer d'une perception à une autre »), lesquelles sont les principes du changement. Dans la nature tout est plein. Il existe des substances simples dont les rapports mutuels changent continuellement et toute substance simple est le centre et l'unité d'une substance composée : elle est environnée d'une masse constituée d'une infinité d'autres monades qui forment le corps de cette monade centrale. Celle-ci, selon les affections du corps, représente les choses qui sont en dehors comme à partir d'un centre. Et comme tout est lié en raison de la plénitude du monde, et que tout corps agit plus ou moins sur les autres corps selon la distance qui les sépare, il s'ensuit que chaque monade est un miroir vivant de l'univers ; douée d'activité interne, elle donne de l'univers sa représentation propre et, partant, est réglée de la même manière que l'univers. Les perceptions des monades naissent les unes des autres en vertu de la loi des appétitions ou des causes finales, alors que les changements des corps et les phénomènes externes découlent les uns des autres selon la loi des causes efficientes. Entre les perceptions de la monade et les mouvements des corps règne une harmonie parfaite, préétablie entre le système des causes efficientes et celui des causes finales. C'est en cela que consistent l'accord et l'union de l'âme et du corps. La hiérarchie des monades offre une infinité de degrés selon la clarté et la netteté de leurs perceptions. Les animaux sont plus que de simples vies, puisque leurs âmes sont douées de mémoire et de sentiments, ce qui leur confère une sorte d'intelligence, fondée toutefois non sur la connaissance des causes, mais sur la simple association des souvenirs ; les esprits en revanche sont doués d'intelligence vraie et d'« aperception », c'est-à-dire d'autoconscience. Non seulement les âmes ne périssent pas, mais les corps non plus, qui se transforment en même temps que les âmes, passant ainsi de l'état de simple vie à celui d'animaux supérieurs (plus complexes, avec des âmes plus élevées). Abordant le plan théologique, Leibniz pose le principe de « raison suffisante » : « Rien n'arrive sans qu'il soit possible, à celui qui connaîtrait assez les choses de rendre une raison qui suffise, pour déterminer pourquoi il en est ainsi et non pas autrement. » C'est pourquoi, comme le monde en tant que succession de contingences n'est pas une raison suffisante de lui-même, il faut remonter à une raison dernière et nécessaire, qui est Dieu. Celui-ci possède à un degré supérieur toutes les perfections qui se trouvent à un degré relatif dans les monades : puissance, connaissance, justice, bonté. Par conséquent Dieu, connaissant l'univers, a choisi le meilleur plan possible, où la plus grande variété s'unit à un maximum d'ordre et au plus grand bonheur possible des créatures. Aussi ce monde est-il le plus parfait des mondes possibles. Il est réglé mécaniquement de la manière la plus simple, puisque Dieu a choisi les lois de la nature (mécaniques) selon le principe (finaliste) du choix du meilleur. En outre, chaque monade est réglée de manière que, sans exercer ni recevoir des actions externes, elle représente tout l'univers et est représentée par lui ; de sorte que tout est réglé une fois pour toutes dans l'harmonie la plus parfaite possible. Il faut toutefois se rappeler que, s'il est vrai que chaque monade connaît tout, elle ne peut connaître la plupart des choses que d'une manière obscure et confuse ; il faut se rappeler aussi que pour Leibniz conscience (perception) n'est pas autoconscience (aperception). L'âme raisonnable ou esprit est plus qu'un miroir de l'univers : elle est une image de Dieu, à la faculté créatrice et productrice duquel elle participe, dès l'instant qu'elle connaît les causes de chaque chose et possède ce savoir mathématique selon lequel Dieu les a réglées. C'est pourquoi les esprits sont membres de la cité de Dieu, le plus parfait des États, formé et gouverné par le plus parfait des monarques. Dans cet État, tout est réglé de manière que chaque péché porte naturellement en soi son châtiment, chaque vertu sa récompense. Ce n'est qu'en connaissant cette perfection de Dieu que nous pouvons l'aimer comme il se doit, et avoir un avant-goût des félicités futures. Cet écrit, parallèle à *La Monadologie*, auquel l'apparente la prédominance des préoccupations théologiques, s'il n'en possède pas la perfection systématique et l'équilibre des parties, la complète toutefois en quelques points essentiels : on y définit la substance comme ce qui est susceptible d'action et les notions d'habitude, si vagues dans l'œuvre leibnizienne, de perception et d'appétition ; on y trouve également une tentative de démonstration « physique » de l'harmonie préétablie. Mais — fait plus important encore — le principe de raison suffisante, dont la signification reste imprécise et mouvante dans tous les autres ouvrages, y compris *La Monadologie*, est ici établi en un sens nettement finaliste : d'où la tentative de concilier mécanisme et finalisme, tentative fondée sur la signification à la fois physique et théologique de l'harmonie préétablie et de la contingence du monde. Toutefois ce finalisme transposé dans l'Absolu perd toute signification, en ce qui concerne le monde des valeurs, et devient un critère exclusivement mathématique.

PRINCIPES DE LA PHILOSOPHIE (Les) [*Principia philosophiae*]. Œuvre du philosophe et savant français René Descartes (1596-1650), publiée en latin en 1644 et en français en 1647. Il la présentait comme le « Traité systématique et définitif des principes de la connaissance », soit comme l'expression la plus achevée de son système philosophique. L'ouvrage se compose de quatre parties : « Des principes de la connaissance humaine », qui relève du propos métaphysique ; « Des principes des choses matérielles », qui traite de la physique, de l'énoncé des lois générales du monde et de la matière ; « Du monde visible », qui est sa cosmologie ; « De la Terre », qui se rattache à ce que nous appelons la physique et la chimie.

Le *Discours de la méthode* (*) (1637) avec les *Essais philosophiques* (*), dans leur ensemble, puis les *Méditations métaphysiques* (*) (1641) avaient déjà donné de larges aperçus des traits fondamentaux de la pensée cartésienne. Ici Descartes se conforme au mode de pensée des doctes de son temps, qui concevaient le philosophe comme auteur d'une « somme » offrant une explication complète du monde. La première partie est essentiellement une reprise de ce qu'exposent respectivement le *Discours* et les *Méditations*, en particulier de la proposition du doute méthodique et des preuves de l'existence de Dieu. Les apports les plus neufs consistent en des exposés inédits ou des précisions sur deux points principaux. L'un concerne les limites que Descartes assigne à la quête humaine du savoir : la raison humaine ne doit pas se lancer dans la recherche des causes finales, c'est-à-dire des desseins et arrêts de la divinité, qui sont inaccessibles à l'homme puisqu'il est imparfait (et donc ne peut concevoir les desseins de la perfection divine) et qui appartiennent à l'ordre de la foi et non de la science. L'autre concerne la distinction entre les deux formes de la pensée : l'entendement, qui conçoit le vrai, et le vouloir (ou « volonté »), qui est omniprésent, bien plus étendu que l'entendement, mais qui est, aussi, sujet à confusions, erreurs, illusions puisque les passions et l'imagination en sont partie intégrante. De là, il tire la conséquence que le libre arbitre, la part immense de liberté dont l'homme dispose, ne peut être que mal employé si nous nous fondons sur la volonté et non sur l'entendement. S'esquisse là la problématique de la morale (la volonté est liée à la relation entre la « substance pensante », l'âme, et la « substance étendue », le corps) et de la psychologie, qui sera ensuite développée dans son *Traité des passions de l'âme* (*). Cette première partie des *Principes*, si elle n'est pas fondamentalement neuve, complète la théorie cartésienne.

Les parties suivantes, si elles ont été source d'une part de la notoriété cartésienne, sont manifestement plus faibles, et aujourd'hui totalement dépassées. Fait étrange, le même Descartes qui avait marqué son intérêt pour les travaux de Galilée s'y montre comme en retrait à cet égard, recourant à des conceptions très abstraites et systématiquement mécanistes de l'Univers, réinjectant partout de la volonté divine, et affirmant que la Terre est immobile sur elle-même, seulement emportée par le mouvement général de l'Univers, animé de tourbillons. Les progrès remarquables qu'il avait apportés en matière de logique (tant générale que mathématique) et d'épistémologie, et ceux qu'il procurera à la psychologie ne se retrouvent pas dans son système du monde, faute d'une attention suffisante aux enjeux de l'expérimentation et de l'abord expérimental des sciences de la matière. Preuve en est que par moments il abandonne le type de démarche qu'il avait lui-même préconisée pour déduire l'explication des réalités matérielles de l'existence même de Dieu. On aura soin de ne pas perdre de vue que la vulgarisation du cartésianisme s'est faite d'abord autour de l'enseignement des théories des tourbillons et des « esprits animaux », ou de sa métaphysique, et non de sa logique, sa psychologie et son épistémologie, où se situent ses apports fondamentaux. A. V.

PRINCIPES DE LA PHILOSOPHIE DE L'AVENIR (Les) [*Grundsätze der Philosophie der Zukunft*]. Œuvre du philosophe allemand Ludwig Feuerbach (1804-1872), publiée en 1843. L'auteur développe les idées qu'il avait déjà exprimées dans les *Pensées sur la mort et l'immortalité,* et plus nettement encore dans *L'Essence du christianisme* (*), de la non-concordance entre concept et réalité et de l'« individuation » qui représente, à ses yeux, l'essence de la nature. La vraie réalité est la nature sensible, qui est toujours individuelle et qu'on ne saurait déduire de l'idée et de l'universel, images illusoires de l'individualité naturelle. L'esprit n'est pas la nature, mais son pâle reflet, le dédoublement de l'individu. Dans le phénomène, l'être se manifeste d'une manière complète et adéquate : « Vérité, réalité, monde des sens, sont choses identiques [...] Où il n'y a pas de sens, il n'y a ni être ni objet réels. » Contrairement à la philosophie ancienne qui partait de la thèse : « Je suis un être abstrait, uniquement pensant, le corps ne fait pas partie de mon être », la philosophie moderne commence par celle-ci : « Je suis un être réel sensible : le corps fait partie de mon être, il est même, dans son ensemble, mon être même. » Ce n'est que là où le monde des sens commence que les discussions et les doutes cessent. Cela ne paraît être, à première vue, qu'une répétition plus emphatique du sensualisme de Locke. Mais le sensualisme de Feuerbach n'est pas réellement matérialiste, puisqu'il ne considère pas la force comme une propriété exclusive de la matière : il se résout en une sorte d'idéalisme. L'être est un secret de l'intuition, de la sensation, de l'amour. Ce n'est que dans la sensation, dans l'amour que « cela », cette personne-ci, cette chose-ci, c'est-à-dire l'individuel, acquiert une valeur absolue. Feuerbach attribue donc à la sensation une valeur non seulement anthropologique, mais aussi métaphysique, la sensation étant la substance véritable de tout ce qui est spirituel : non seulement la chose, mais aussi le moi sont objet des sens. Tout donc est perceptible, au moins de manière médiate, par les yeux du philosophe. Pris dans cette acception plus étendue, jusqu'à intégrer dans les sens l'influence des idées acquises (« sens perfectionnés grâce à l'éducation ») ou des éléments intellectuels (les « yeux du philosophe »), le « sensualisme » devient un concept ambigu, sinon équivoque. C'est là qu'apparaît surtout la contradiction du système philosophique de l'auteur. En réalité l'opposition de Feuerbach à l'idée universelle et l'importance qu'il attache à la réalité exclusive de l'individuel ne sont qu'un épisode de la querelle millénaire entre nominalistes, conceptualistes et réalistes, et un retour aux positions de Scot et d'Ockham. L'importance de l'œuvre est donc surtout d'ordre historique, pour l'influence qu'elle exerça sur la pensée idéaliste et religieuse en Allemagne, en orientant celle-ci vers cette conception individualiste, agnostique et positiviste de la vie, qui prévalut dans la seconde moitié du XIXe siècle et qui fut le point de départ de mouvements extrémistes et révolutionnaires.

PRINCIPES DE LA PHILOSOPHIE DU DROIT [*Grundlinien der Philosophie des Rechts*]. Œuvre du philosophe allemand Georg Wilhelm Friedrich Hegel (1770-1831), publiée en 1818 à Berlin. En 1817 a paru, à Heidelberg, la première édition de l'*Encyclopédie des sciences philosophiques* (*), où Hegel expose de façon dogmatique sa pensée désormais arrêtée. Une section y était consacrée au droit et ces *Principes* en sont en quelque sorte le développement. Ce que Hegel nomme le droit n'est pas le droit abstrait que nous devons aux Romains et ce n'est pas non plus le droit naturel. Il est l'« existence de la volonté libre », il est la « liberté consciente de soi », et le droit de la personne, par exemple, n'est qu'un moment dans le devenir de cette liberté. On peut situer encore le droit, au sens hégélien, dans l'histoire de l'esprit. Celui-ci est d'abord « subjectif », quand il prend peu à peu conscience de lui-même à travers la nature. Il trouve alors son aboutissement dans la volonté, qui l'oppose à cette nature. Puis il devient « objectif » en poursuivant dans la nature même, qu'il transforme à son image, la réalisation de sa volonté. Le droit s'identifie à cet esprit objectif, qui est essentiellement historique, et dont la destinée est celle des hommes. Il se réalise en trois moments : le droit abstrait, la moralité subjective, la moralité objective, à chacun desquels est consacrée une des trois parties de l'ouvrage. Le droit abstrait, dont l'impératif est : « Sois une personne et respecte les autres comme une personne », a pour fondement la personnalité. Son cadre est l'ordre légal, et son ressort le châtiment, lequel frappe l'individu qui s'écarte de l'ordre légal. Mais la moralité subjective nie cette contrainte : rien ne vaut pour elle qui soit prescrit par une autorité extérieure, rien ne compte que ce qui correspond à l'intention que l'on a ; elle est l'acte, et le devenir du sujet particulier. Celui-ci pourtant, séparé de cette substance sociale (mœurs, institutions, constitutions de l'État, etc.) qu'est le droit abstrait, ne peut découvrir en lui que le vide de sa subjectivité même, ou encore l'idéal d'un bien, certes « objectif », mais à jamais irréalisable. C'est la moralité objective, troisième moment de la dialectique de la philosophie du droit, qui rétablit l'accord de la « substance » et du « sujet ». L'universalité abstraite de l'individu devient alors l'universalité concrète du groupe, famille, société, État, auquel il appartient, par lequel maintenant il pense et se pense, et qui constitue sa vraie liberté. Certes, dans la moralité objective, il y a encore des oppositions qu'il faut réduire et dépasser : ainsi l'esprit substantiel de la famille doit-il se fondre dans la société civile, et celle-ci, en tant qu'elle est un tout, mais inconscient, doit s'effacer dans l'État, qui est conscience parfaite et permet enfin à l'individu d'accéder à sa plus profonde et authentique liberté en devenant citoyen. Un tel État, rationnel, où tout conflit est dépassé, est considéré bien entendu en lui-même, en tant qu'il est une activité propre et indépendante qui s'exprime par la loi, « substance du pouvoir libre », et par le gouvernement, dont la nature nécessaire est l'absolutisme. Le souverain absolu – le prince –, c'est la condition même de la pérennité et du plein-être de l'État. Il incarne d'ailleurs dans son acte de gouverner l'« esprit du peuple », car la vocation de l'universel est de se réaliser dans un individu, selon Hegel, qui semble penser que la volonté d'un souverain est naturellement apte à exprimer cet universel. Les *Principes de la philosophie du droit* se terminent par des pages sur l'histoire universelle, qui est « le développement nécessaire des moments de la raison, de la conscience de soi et de la liberté de l'esprit, l'interprétation et la réalisation de l'esprit universel ». Il y a eu dans l'histoire, et correspondant à ses quatre moments fondamentaux, quatre grands empires : l'oriental, le grec, le romain, le germanique. La personnalité individuelle qui apparaît dans le deuxième rencontre, dans le troisième, les déchirements de l'opposition de la conscience personnelle privée et de l'universalité abstraite. La réconciliation reste alors à faire dans la conscience objective. C'est le principe nordique des peuples germains, dit Hegel, qui a eu pour mission de la réaliser. – Trad. Gallimard, 1940 ; Vrin, 1975.

PRINCIPES DE LA PSYCHOLOGIE DE LA FORME (Les) [*Principles of Gestalt Psychology*]. Ouvrage du psychologue américain d'origine allemande Kurt Koffka (1886-1941), publié en 1935. Koffka expose le rôle des principes gestaltistes dans notre perception. Il n'existe pas d'expérience phénoménale qui ne soit une forme. L'organisation du champ perceptif s'opère immédiatement en deux structures, la figure et le fond, chacune ayant des caractéristiques propres. D'une façon générale, la façon dont nous percevons le champ visuel dépend de l'application des lois d'organisation des figures. Par exemple, celle de la bonne forme ou de la « prégnance » nous dit qu'un « pattern de stimulation » est vu de telle sorte que la structure résultante est toujours la forme la plus simple, la plus équilibrée, la plus stable. Le principe d'isomorphisme assure la relation entre le monde externe et le monde perçu. Il repose sur l'existence d'une analogie de nature topologique entre le champ physique (les objets) et le champ perceptif médiatisé par le champ cérébral. Le champ y est défini comme une distribution dynamique d'énergie entre ses diverses parties. Ces principes gestaltistes peuvent être mis en évidence pour d'autres propriétés comme la taille, la couleur, le mouvement qui caractérisent les objets de notre environnement. Les lois de la Gestalt sont les plus connues dans le domaine de la perception. En se référant à ses propres travaux mais également à d'autres recherches, Koffka applique les principes gestaltistes également aux fonctions de mémorisation et d'apprentissage et à la personnalité. Avec Lewin, il étend la notion de champ aux phénomènes de groupe. A. St.

PRINCIPES DE LA SANTÉ PHYSIQUE ET MORALE DE L'HOMME [*De regime sanitatis*]. Traité d'hygiène du médecin et philosophe juif Moscheh ben Maymon (1135-1204), connu sous le nom de Moïse Maimonide. Composé à l'intention du fils aîné du sultan Saladin, il porte plusieurs titres ; le plus usuel étant *Tractatus de regime sanitaris.* Il fut imprimé pour la première fois en traduction latine à Augusta en 1518, mais il en existe un incunable fort rare, *Tractatus Rabi Moysi quem Domino et Magnifico Soldano Babiloniae transmisit,* imprimé à Florence en 1486. Le Dr Kroner en a récemment publié le texte arabe avec sa traduction en langue allemande. Le *De regime* renferme des conseils pratiques concernant la vie journalière (nourriture, vêtement, hygiène corporelle) ; il prescrit huit heures de sommeil, l'exercice physique, les saignées pratiquées sur l'avis du médecin. Maimonide n'a garde d'oublier le rapport étroit existant entre l'âme et le corps : « On sait, écrit-il, que les affections de l'âme sont susceptibles de produire sur le corps d'importantes modifications. On a souvent l'occasion de constater les changements qui surviennent à l'annonce d'une mauvaise nouvelle chez un homme de constitution robuste ; son teint habituellement coloré pâlit brusquement, son visage s'obscurcit, sa voix devient faible, son corps s'affaisse [...] Inversement, on peut observer que des sujets naturellement pâles, à la constitution gracile, à la voix faible, se sentent revigorés en apprenant une nouvelle qui les comble de joie. » Mais ces faits bien connus n'auraient qu'une médiocre importance si Maimonide ne subordonnait l'œuvre du médecin à la sagesse de l'homme soucieux de l'état d'esprit de son patient. Aussi Maimonide ne manque-t-il pas d'étayer ses conseils sur des bases morales, de s'adonner à des spéculations métaphysiques. Le *De regime* constitue un précieux document en ce qui concerne l'hygiène classique héritée de l'école judéo-arabe de Cordoue, dont Maimonide fut le représentant le plus illustre. – Trad. *Hygiène israélite, principes de la santé physique et morale de l'homme*, Alger, Ruff, 1887.

PRINCIPES DE L'ÉCONOMIE POLITIQUE ET DE L'IMPÔT (Des) [*Principles of Political Economy and Taxation*]. C'est l'ouvrage le plus important de l'économiste anglais David Ricardo (1772-1823), publié en 1817. Il s'agit d'une série d'essais plus que d'un traité systématique. Ricardo part du même problème que les physiocrates : la distribution des produits à travers les diverses classes sociales. La base de l'ouvrage est la théorie de la valeur. De quoi dépend la valeur d'échange ? Pour les choses dont le travail ne peut augmenter la quantité (ce sont les moins nombreuses), la valeur « dépend de la rareté » ; pour les produits susceptibles d'augmentation, elle dépend de la quantité comparative de travail utilisé pour la production de chacun d'eux. Il existe une exception qui concerne les produits agricoles, par rapport à la rente foncière. Celle-ci a-t-elle une influence sur la valeur ? À ce sujet, Ricardo établit une célèbre théorie, appelée depuis théorie de la « rente ricardienne ». La rente, en fait, est la proportion du produit de la terre payée au propriétaire pour avoir le droit d'exploiter les possibilités productives et impérissables du sol ; et puisque le progrès de la consommation et le développement démographique contraignent les hommes à rechercher de nouveaux endroits à cultiver, et par conséquent à s'adonner à la culture des terres les moins fertiles, le produit de ces dernières aura un prix supérieur à celui des régions plus fertiles. Sur le marché, pour des produits égaux, le prix est pourtant unique et réglé sur le coût de l'unité la plus chère à produire : il en résulte donc un revenu net différentiel en faveur des produits obtenus sur les terres les plus fertiles. Tel est précisément le revenu dont bénéficiera le propriétaire foncier. En corrélation avec la théorie de la rente foncière, Ricardo formule une théorie du « prix naturel des salaires », c'est-à-dire le salaire minimum ou nécessaire. « Le prix naturel des salaires est toujours réglé par le prix de la nourriture, de l'habillement et des autres objets nécessaires » à l'entretien de l'ouvrier et de sa famille. Il existe en outre le « prix courant des salaires », celui que reçoit normalement l'ouvrier et qui est en rapport avec l'offre et la demande ; il tend à se rapprocher du « salaire naturel ». Il n'y a aucune antithèse entre le salaire de l'ouvrier et le profit de l'entrepreneur, car l'augmentation des salaires, tant que la quantité de travail fourni n'augmente pas, ne se traduit pas par une hausse du prix des produits. En revanche, la rente foncière augmente à chaque relèvement des prix des denrées agricoles. Ricardo traite également du commerce extérieur, des problèmes de l'impôt et de la monnaie. Au point de vue commercial, il se montre un partisan résolu du libre échange. Dans un système de complète liberté du commerce, chaque pays consacre son capital et son industrie à ce qui lui paraît le plus utile. Le point de vue de l'intérêt individuel s'accorde parfaitement avec le bien universel de la collectivité. À partir de telles prémisses, il sera facile à Ricardo de formuler le théorème des « prix comparés » qui explique comment, de la comparaison entre ce que coûterait à un pays la production d'une marchandise déterminée et ce que coûte, au contraire, la quantité d'une autre marchandise qu'on donnera en échange pour obtenir la première, naît l'utilité du commerce international. D'où la condamnation du système douanier. Ricardo a, sans aucun doute, donné un grand développement à la science économique, en apprenant à étudier plus à fond les phénomènes de l'économie. Sa théorie ne servit pas seulement à éclaircir les conflits qui, pendant la première moitié du XIXe siècle, opposèrent industriels et propriétaires fonciers, mais à suggérer des problèmes plus vastes et plus complexes hors des contingences historiques de son époque. – Trad. Costes, 1933.

PRINCIPES DE PHONOLOGIE [*Grundzüge der Phonologie*]. Ouvrage du linguiste russe Nicolas Troubetzkoy (1890-1938), publié en 1939. Cet ouvrage inachevé et posthume (il manquait une vingtaine de pages lorsque l'auteur est décédé) peut être considéré comme une œuvre fondatrice, car Troubetzkoy y définit rigoureusement le champ et les principes de la phonologie. Partant des distinctions saussuriennes entre la langue et la parole et entre le signifié et le signifiant, Troubetzkoy définit la phonologie comme l'étude des signifiants de la langue, par opposition à la phonétique qui étudie les signifiants de la parole. Au sein de la phonologie, il distingue la phonologie représentative, centrée sur la représentation du référent, des phonologies expressive et appellative, centrées respectivement sur l'expression de l'énonciateur et l'appel au destinataire, qu'il réunit sous le terme générique de phonostylistique. Enfin, il distingue pour les unités du plan représentatif trois fonctions : « culminative » (déterminant des regroupements d'unités), « délimitative » (marquant la limite entre deux unités) et « distinctive » (différenciant les unes des autres les unités pourvues de signification). La majeure partie de l'ouvrage est consacrée à la phonologie représentative au plan de la fonction distinctive. Après avoir donné une définition des unités distinctives, les phonèmes,

Troubetzkoy formule des règles précises permettant de distinguer celles-ci des variantes dans une langue particulière. Il établit ensuite une classification logique des oppositions distinctives selon plusieurs dimensions : bilatérales/multilatérales, proportionnelles/isolées, privatives/graduelles/équipollentes, constantes/neutralisables, qui permet de mieux saisir la structure d'un système phonologique particulier et son évolution. La partie centrale de l'ouvrage est consacrée à une description très bien informée – car fondée sur l'étude de près de deux cents systèmes phonologiques – et minutieuse – à l'aide des instruments fournis par la phonétique – des particularités phoniques distinctives que l'on peut observer dans les différentes langues du monde, aux trois plans vocalique, consonantique et prosodique. L'étude de la fonction distinctive se termine par l'examen des différents cas de neutralisation. La dernière partie de l'ouvrage que Troubetzkoy a pu rédiger traite de la fonction délimitative. Outre son apport décisif à l'établissement des principes et des méthodes de la phonologie structurale, l'ouvrage de Troubetzkoy a exercé une influence importante sur le développement d'une approche structuraliste dans les sciences humaines, comme Lévi-Strauss l'a reconnu à plusieurs reprises à propos de l'anthropologie. E. Ro.

PRINCIPES DE PSYCHOLOGIE [*Principles of Psychology*]. Ce traité du philosophe anglais Herbert Spencer (1820-1903), publié en 1855, forme cependant la troisième partie de son système évolutionniste – v. *Premiers principes* (*), *Principes de biologie* (*), *Principes de sociologie* (*) et *Principes d'éthique* (*) –, l'auteur l'ayant réécrit en 1870-1872. La psychologie y est répartie en deux branches : psychologie subjective et psychologie objective. Cette dernière étudie l'évolution de l'esprit en soi ; elle s'attache à reconnaître la manière dont il s'est graduellement détaché de la vie physique et, à travers une série de passages continus, en vertu de sa nature propre, a atteint le niveau des êtres supérieurs. La psychologie subjective part de l'examen des manifestations les plus élevées de l'intelligence pour les réduire à des éléments de plus en plus simples, jusqu'à ramener à l'unité tous les phénomènes de la vie psychique. Ainsi la psychologie subjective confirme les résultats obtenus par la psychologie objective. Spencer démontre que les processus du raisonnement conscient se réduisent à des intuitions d'égalité entre des termes plus ou moins complexes, à mesure que l'on descend du raisonnement à la connaissance, à la classification, à la perception. Même chez les bêtes il doit y avoir, pour qu'elles puissent agir, une aptitude à évaluer les ressemblances et les différences. La même loi domine partout et toute activité psychique peut être considérée comme une différenciation et une intégration des états de conscience. La formation d'une conscience et sa persistance admettent la naissance d'une différenciation entre ses états ; et pour que ces états soient reconnus, il est nécessaire que chacun d'eux se fonde avec ceux qui l'ont précédé et s'intègre à eux. L'individu ne commence pas avec lui-même ; son intelligence, capable d'ordonner les expériences, n'est que l'expérience organique des générations qui l'ont précédé. Le système nerveux et le cerveau humain sont comme un registre organisé d'un nombre infini d'expériences acquises le long de la vie. Ces idées se rattachent à la conception générale évolutionniste et concilient l'empirisme avec l'apriorisme, en ce qu'elles admettent que les données fondamentales de l'entendement sont des a priori pour l'individu et des a posteriori pour la série des êtres. Spencer combat donc l'antiréalisme et l'empirisme de John Stuart Mill, qui n'admet pas l'existence d'un critère supérieur pour reconnaître la réalité. L'ouvrage se termine sur un aperçu retraçant l'évolution des activités psychiques et des sentiments qui permettent aux hommes de travailler en commun en tant que membres d'une société. – Trad. Baillière, 1875.

PRINCIPES DE SOCIOLOGIE [*Principles of Sociology*]. Traité du philosophe anglais Herbert Spencer (1820-1903), le quatrième qui soit compris dans le système de philosophie synthétique, publié de 1877 à 1896 – v. *Premiers principes* (*), *Principes de biologie* (*), *Principes de psychologie* (*) et *Principes d'éthique* (*). Ce traité est à proprement parler composé des œuvres suivantes : les « Institutions cérémonielles » [Cerimonial Institutions, 1876] ; les « Institutions politiques » [Political Institutions, 1882] ; les « Institutions ecclésiastiques » [Ecclesiastical Institutions, 1885] ; les « Institutions professionnelles » [Professional Institutions, 1895] et les « Institutions industrielles » [Industrial Institutions, 1896]. L'auteur se propose d'y démontrer que l'évolution de l'humanité doit être interprétée d'après les lois qui régissent le devenir du cosmos. Entre l'évolution sociale et l'évolution cosmobiologique, le fossé n'est pas infranchissable ; mieux, l'évolution sociale fait partie du processus d'évolution cosmique universelle, elle est l'expression la plus haute de l'évolution organique et physique. La société, avec ses institutions, n'est pas une créature artificielle ; c'est un organisme qui s'est développé naturellement. La société et les organismes individuels ont ceci de commun que, partant également de petites agglomérations, ils augmentent insensiblement de volume ; que leur structure va de l'infiniment simple au complexe ; que les liens d'interdépendance des parties vont en augmentant ; enfin que l'ensemble vit plus longtemps que les éléments qui le composent. En revanche, à côté de ces analogies, on relève des différences entre les sociétés et les organismes individuels, à savoir : les sociétés ne possèdent pas une forme extérieure déterminée ; le tissu vivant de l'organisme social ne constitue pas une masse continue ; la fonction des éléments d'une société n'est pas donnée une fois pour toutes ; et tandis que dans le corps animal un certain tissu est doué de sensibilité, dans le corps social toutes les unités en sont douées. De là Spencer parvient à la conclusion qu'il ne serait pas juste de sacrifier le bien-être des citoyens aux intérêts de l'État. En étudiant le développement passé de l'humanité, qu'il assimile à un processus de lente adaptation aux conditions de vie, Spencer en vient à imaginer un État où l'adaptation de l'individu serait complète. C'est sur ces bases qu'il fonde les principes de son éthique. — Trad. Alcan, 1910.

PRINCIPES D'ÉTHIQUE [*Principles of Morality*]. Traité du philosophe anglais Herbert Spencer (1820-1903), le cinquième de son système de philosophie synthétique — v. *Premiers principes* (*), *Principes de biologie* (*), *Principes de psychologie* (*), *Principes de sociologie* (*) —, publié en plusieurs parties de 1879 à 1893 et dans l'ordre suivant : « Les Données de l'éthique » (1879), « La Justice » (1891) ; « Les Inductions de l'éthique » (1892) ; « L'Éthique de la vie privée » (1892) ; « Bienfaisance négative » (1893) ; « Bienfaisance positive » (1893). L'auteur se propose ici de trouver une base scientifique au comportement juste et injuste ; c'est le but ultime de sa recherche, celui auquel visaient en définitive ses autres ouvrages. À la ressemblance de tous les autres phénomènes cosmiques, les phénomènes moraux sont l'expression d'une évolution qui se déroule suivant les lois naturelles. On ne trouve ici aucune trace d'une morale fondée sur la volonté d'un être supranaturel ou sur un impératif catégorique comme chez Kant. Toutefois, l'auteur ne tombe pas dans un excès d'empirisme : il ne considère pas l'homme comme un être isolé, étranger à la continuité de l'évolution humaine. Sa morale, évolutionniste, reconnaît en l'homme, en même temps qu'une morale intuitive, la présence de sentiments moraux innés, mais il en voit l'origine, à la manière des utilitaristes, dans l'expérience de ce qui est utile, assimilant la conscience elle-même à une expérience organisée. Les expériences utiles, ordonnées et consolidées grâce aux enseignements collectifs du passé, ont provoqué dans l'organisme des modifications nerveuses qui, transmises par l'hérédité et accumulées par les générations successives, sont devenues des facultés morales innées, des sentiments qui correspondent aux bonnes et aux mauvaises actions. Quant à l'éthique de la vie privée, Spencer, considérant les actions égoïstes comme un facteur tout aussi important que les actions altruistes, en fonde en partie les exigences sur les nécessités physiologiques. Passant à la morale sociale, il expose les principes de la justice pure et de la bienfaisance positive et négative, dont le but est d'adoucir ce que les préceptes de la pure justice auraient de trop rigoureux. En effet, si l'on admet que la justice est le fondement des relations sociales, elle doit, pour atteindre la perfection, s'accompagner de l'amour et de la sympathie. L'œuvre s'achève sur l'exaltation du bienfaiteur de l'humanité, dont la noble ambition est de former les hommes.

PRINCIPES D'INSTRUMENTATION [*Naciola instrumentaike*]. Traité du compositeur russe Nikolas Andréevitch Rimski-Korsakov (1844-1908), publié à Saint-Pétersbourg après sa mort, en 1913. C'est la dernière œuvre du grand maître russe, qu'il termina la veille de sa mort. L'idée de cet ouvrage lui vint en 1873 : l'œuvre devait être gigantesque et comprendre « tout » ce qui concerne les instruments. Mais ensuite elle se réduisit aux proportions normales d'un traité, avec l'addition d'exemples que l'auteur tirait des compositions qu'il était en train d'écrire. Elle se divise en deux parties ; la seconde surtout, très développée, offre un intérêt particulier par l'abondance des citations tirées de ses œuvres. Elle permet de mettre en lumière la position esthétique et le goût de celui qui fut le théoricien du groupe des « Cinq » et qui eut une importance capitale dans la formation de la conscience musicale russe. Le traité présente en outre une grande valeur didactique, car il réalise un progrès sur le *Grand traité d'instrumentation et d'orchestration modernes* (*) de Berlioz, en ce qu'il pousse l'observation jusqu'aux superpositions et à la manière de combiner les sons de l'orchestre par deux, par trois et par quatre, en position large, serrée, par croisement et par encadrement, révélant ainsi toutes les possibilités de la technique actuelle, traitant particulièrement de la valeur de coloris de l'instrument dans ses rapports harmoniques et contrapuntiques.

PRINCIPES DU LÉNINISME (Des) [*Ob osnovax leninizma*]. Cet ouvrage de l'homme d'État russe Joseph Staline (Joseph Djougachvili, 1879-1953) est composé d'une suite de conférences prononcées, en avril 1924, à l'université Sverdlov. Staline souligne d'abord le caractère exceptionnellement combatif et révolutionnaire du léninisme qu'il considère comme le « développement ultérieur » du marxisme, car il a été conçu à une époque où l'impérialisme était pleinement développé, ce qui n'était pas encore le cas au moment où écrivaient Marx et Engels. Le léninisme peut donc se définir comme « le marxisme de l'époque de l'impérialisme et de la révolution prolétarienne. Plus exactement : le léninisme est la théorie et la tactique de la révolution prolétarienne en général, la théorie et la tactique de la dictature du prolétariat en particulier ». La méthode de Lénine repose sur une réflexion pratique ayant pour bases la vérification des dogmes théoriques de la IIe Internationale et la confrontation de la politique des partis avec leurs actes ; cette réflexion l'a conduit à réorganiser tout le travail de parti et à promouvoir l'éducation des militants par l'expérience de leurs propres fautes (autocritique). Lénine a toujours pensé qu'il n'y a pas de mouvement révolutionnaire sans théorie révolutionnaire et qu'en politique la spontanéité n'est que de l'opportunisme, mais il affirmait : « La théorie révolutionnaire n'est pas un dogme, elle ne se forme définitivement qu'en liaison étroite avec la pratique d'un mouvement réellement massif et réellement révolutionnaire » ; autrement dit : « La théorie doit répondre aux questions mises en avant par la pratique. » La dictature du prolétariat est l'instrument de la révolution, car elle permet de briser la résistance des grands propriétaires, de liquider la lutte des classes et d'organiser l'avenir. La question paysanne et la question nationale sont traitées en fonction du mouvement général de libération des peuples opprimés, mouvement dont la stratégie et la tactique doivent être l'œuvre du Parti, détachement d'avant-garde de la classe ouvrière, instrument de la dictature du prolétariat et forme suprême de son organisation. Staline démontre que le léninisme est une théorie d'une logique absolue et la seule doctrine de combat de la classe ouvrière, son argumentation est parfois un peu simple mais toujours claire et rigoureuse. — Trad. Éditions sociales, 1925.

PRINCIPES D'UNE MÉTAPHYSIQUE DE LA CONNAISSANCE [*Grundzüge einer Metaphysik der Erkenntnis*]. Œuvre du philosophe allemand Nicolai Hartmann (1882-1950), publiée en 1921. En rupture avec l'idéalisme néo-kantien de l'école de Marburg, à laquelle il s'était tout d'abord rattaché, Hartmann montre ici que le problème de la connaissance ne peut être traité indépendamment du problème de l'être. L'être de l'objet ne se réduit pas en effet à être un objet pour le sujet ; la connaissance est un acte « transcendant », un acte qui ne s'accomplit pas seulement dans la conscience, mais qui dépasse celle-ci et la relie à quelque chose qui existe en soi, indépendamment d'elle. Il est donc impossible d'échapper à la métaphysique ; mais, pour Hartmann, celle-ci ne consiste nullement en un système fermé, en une science ; elle est plutôt une question toujours posée sur l'être, une question à laquelle aucune réponse absolue ne saurait jamais être donnée. Les problèmes sont par essence insolubles ; la métaphysique est une problématique. À partir de ce premier grand ouvrage, qui dans le contexte philosophique allemand de l'époque faisait presque l'effet d'un acte révolutionnaire, l'auteur se tenant aussi loin de la phénoménologie husserlienne que de l'idéalisme, Hartmann s'orientait vers une position réaliste et il a développé par la suite toute une ontologie dans les quatre volumes suivants : *Fondement de l'ontologie* [*Zur Grundlegung der Ontologie*, 1933], *Possibilité et Réalité* [*Möglichkeit und Wirklichkeit*, 1938], *La Construction du monde réel* [*Der Aufbau der realem Welt*, 1940] et *Philosophie de la nature* [*Naturphilosophie*, 1950]. — Trad. Aubier, 1945.

PRINCIPES ÉLÉMENTAIRES DE PHILOSOPHIE. Ce manuel de philosophie marxiste, publié en 1946, reproduit les notes prises par un de ses élèves aux cours professés par le philosophe français Georges Politzer (1903-1942) à l'université ouvrière pendant l'année scolaire 1935-1936. Fondée en 1932 par un petit groupe de professeurs dont Georges Politzer, Gabriel Péri, Jacques Decour, cette université libre s'était donné pour mission d'enseigner la science marxiste aux travailleurs manuels et de « leur donner une méthode de raisonnement qui leur permette de comprendre notre temps et de guider leur action, aussi bien dans le domaine technique que dans le domaine politique et social » ; elle fut dissoute en 1939 et plusieurs de ses professeurs fusillés pendant l'Occupation ; elle se reconstitua après la Libération sous le nom d'Université nouvelle. Les *Principes élémentaires* se proposent de mettre à la portée d'un auditoire, ignorant tout des problèmes philosophiques, les fondements philosophiques de la doctrine marxiste. Politzer indique qu'il entend également combler une lacune de l'enseignement officiel qui n'étudie pas ou étudie mal cette doctrine. Dans la première partie, Politzer réduit les divergences des systèmes philosophiques à deux grands courants, l'idéalisme et le matérialisme, puis, dans la deuxième partie, il expose l'histoire de cette dernière forme de pensée, depuis le matérialisme des penseurs grecs qui était préscientifique, jusqu'à sa résurgence au XVIIe et au XVIIIe siècle, en Angleterre et en France, sous l'influence des découvertes scientifiques. De ce matérialisme nouveau, Politzer présente les qualités mais aussi les manques, dont les principaux sont, selon lui, son caractère exclusivement mécaniste, son ignorance de l'histoire, sa timidité devant l'action, défauts auxquels le matérialisme de Marx et Engels portera remède. Après avoir exposé brièvement ce qu'est, pour un philosophe marxiste, la métaphysique idéaliste, Politzer passe ensuite à l'examen des deux principes sur lesquels repose le marxisme ; la dialectique, dont il définit les lois en contraste avec celles de la métaphysique et en rapport avec les découvertes scientifiques : lois du changement dialectique, de l'action réciproque, de contradiction, de transformation de la quantité en qualité ou du progrès par bonds ; le matérialisme historique et l'interprétation nouvelle qu'il donne de l'Histoire, grâce à la notion de lutte des classes. La sixième partie de l'ouvrage montre comment appliquer pratiquement la méthode d'analyse propre au matérialisme dialectique. Ce petit livre, extrêmement clair, parfois sommaire — il devait l'être étant donné le public auquel il s'adressait —, mais parfaitement adapté à ses fins est extrêmement précieux. Se référant constamment à l'œuvre d'Engels, il constitue un exposé commode mais autorisé de la doctrine marxiste.

PRINCIPES FONDAMENTAUX DE L'HISTOIRE DE L'ART [*Kunstgeschichtliche Grundbegriffe*]. Ouvrage de l'historien d'art suisse Heinrich Wölfflin (1864-1945), publié à Munich en 1915 ; l'auteur y étudie, dans le cadre de l'art européen, le passage du style du XVIe à celui du XVIIe siècle et de la Renaissance au baroque. Le livre tient tout entier dans l'explication de cinq groupes de concepts ou mieux de schémas qui définissent, selon l'auteur, les caractéristiques de style les plus élémentaires et qui sont communes à chacune des deux périodes considérées. Le premier groupe est donné par l'antithèse du linéaire (du dessin ou de la plastique) et du pictural : le passage du premier au second de ces termes indique précisément la nouvelle orientation formelle de l'art baroque. Tandis que le style linéaire représente les choses selon les caractères tactiles de contour ou de surface, accentue leurs limites et les isole en les considérant comme des corps solides palpables, le style pictural tend en revanche à la pure apparence optique, à l'indéterminé, aux changeantes visions d'ensemble. À cette première antithèse fondamentale, analogue à la dichotomie tactile, optique de Riegl dans son *Art décoratif romain de la basse époque* peuvent se ramener tous les schémas suivants qui décrivent les développements de la vision : de la surface vers la profondeur (l'art classique du XVIe siècle ramène toutes les parties de la composition à une surface plane, tandis que le baroque accentue les superpositions) ; de la forme fermée, de la coordination et de la synthèse constructive à la forme ouverte et libre ; de l'unité classique faite de multiples parties indépendantes, bien que reliées entre elles harmoniquement, à l'unité baroque obtenue par la concentration de toutes les parties en un motif unique ou par la subordination absolue à l'élément principal ; enfin de la clarté absolue de la représentation dans toutes ses parties, à la clarté relative de l'ensemble.

Pour clarifier et justifier ses propres schémas, Wölfflin analyse au moyen de rapprochements suggestifs diverses œuvres de peinture, de sculpture et d'architecture, sur des thèmes analogues de préférence, du XVIe et du XVIIe siècle : par exemple, une gravure de Dürer avec une gravure de Rembrandt, un portrait de Bronzino avec un portrait de Velázquez. Le linéaire et le pictural ne sont pas seulement toutefois pour l'auteur des schémas applicables aux seuls XVIe et XVIIe siècles, mais ils constituent plutôt deux types généraux et opposés de vision, ou « catégories d'intuition », valables aussi bien pour l'architecture et pour les arts décoratifs que pour la peinture et la sculpture, et susceptibles de recouvrir chacun les matières les plus diverses ; ce sont deux pôles entre lesquels oscille périodiquement l'art tout entier, si bien que le passage de l'un à l'autre peut être observé, dans des conditions très différentes, même à l'époque de l'art gothique médiéval. En se bornant à étudier et à mettre en évidence, malgré ses variations, le substratum optique qui, au cours des siècles, est à la base des représentations esthétiques les plus différentes, il est possible, selon Wölfflin, de suivre le développement de la vision qui a sa nécessité interne et sur lequel les différences individuelles et nationales n'ont aucune influence. Bien qu'il ne méconnaisse pas la valeur de la personnalité et des « constantes » ethniques, l'auteur peut affirmer qu'une façade romaine baroque a le même dénominateur visuel qu'un paysage hollandais de Van Goyen par exemple. D'où l'idée souvent sous-entendue et qui a connu une fortune considérable, même dans l'histoire littéraire, d'une « histoire de l'art sans noms d'artistes ».

Naturellement, Wölfflin est tout à fait conscient des limites de sa théorie qui n'a pour objet que de rattacher chaque artiste au type de vision auquel il appartient nécessairement ; il sait qu'étudier la beauté de Dürer et celle de Léonard de Vinci, c'est une chose, et que c'en est une autre que de chercher l'élément commun qui a donné forme à cette beauté. Il ne se cache pas non plus que ses schémas sont des généralisations empiriques, forcément incertaines. Toutefois sa conception n'échappe pas aux critiques faites à la théorie de la « visibilité pure » — v. *Écrits sur l'art* (*) de Fiedler —, dont elle dérive, et spécialement au reproche d'avoir donné comme fondement à l'histoire de l'art des entités formelles, inexpressives en elles-mêmes dont on ne comprend pas bien la nécessité au point de vue de l'évolution. Toutefois, l'ouvrage de Wölfflin garde le mérite indiscutable d'avoir considérablement affiné l'analyse visuelle des œuvres d'art, à l'intérieur d'un vaste cercle d'intérêts historiques. — Trad. Plon, 1952 ; Gallimard, 1967 ; Gérard Monfort, 1984.

PRINCIPES MATHÉMATIQUES DE LA PHILOSOPHIE NATURELLE [*Philosophiae naturalis principia mathematica*]. Cette œuvre du savant anglais Isaac Newton (1642-1727), publiée à Londres en 1687, est sans conteste une des créations les plus géniales de l'esprit humain ; de nombreuses rééditions en parurent après la mort de l'auteur, et on en possède des traductions dans les principales langues. Le manuscrit des *Principia* fut envoyé à la Royal Society le 21 avril 1686, qui décida de prendre à sa charge les frais d'impression, bien que Hooke prétendît avoir été le premier à découvrir la loi de la gravitation universelle. En réalité, celle-ci avait déjà été entrevue par d'autres, mais c'est à Newton que revient le mérite d'avoir, grâce à ses nouveaux procédés de calcul, démontré le caractère universel de ses applications. On conçoit mieux toute la grandeur de cette œuvre si l'on songe que, parmi ses contemporains, rares étaient ceux qui pouvaient la comprendre ; Huyghens lui-même soutenait que l'idée de la gravitation était absurde. Les *Principia* se divisent en trois livres. Ils sont précédés d'une Préface où l'auteur, après s'être élevé contre les vaines subtilités de la scolastique, se propose d'appliquer à l'étude des phénomènes naturels le calcul mathématique et, à l'instar des géomètres, donne une série de définitions et d'axiomes sur la matière et le mouvement. Les deux premiers livres traitent en général des mouvements rectilignes et curvilignes des corps sphériques et non sphériques, le long de sections coniques, excentriques ou concentriques. À travers une suite de propositions, Newton expose sa méthode géométrique, puis donne une démonstration lumineuse du théorème des surfaces, valable pour tous les cas de variation de la force centrale. Le livre s'achève sur la fameuse et géniale conclusion : la trajectoire d'un mobile attiré vers un centre fixe en raison inverse du carré de la distance est une conique. Le second livre traite du mouvement dans un milieu résistant, d'hydrostatique, d'hydrodynamique et de ses applications à la théorie des marées et à l'acoustique, réfutant la théorie cartésienne des tourbillons qu'il juge inconciliable avec les phénomènes observés et les lois du mouvement. Le troisième livre, couronnement de l'œuvre, est intitulé « De Mundi systemate » ; c'est là qu'on trouve les quatre « regulae philosophandi » dont doivent s'inspirer toutes les recherches dans le domaine des sciences physiques. Newton applique ensuite au système du monde les principes énoncés dans le premier livre, établit la loi de la gravitation universelle avec les innombrables conséquences qu'elle implique et jette les bases de la théorie du mouvement des comètes. Ainsi Newton reprend et enrichit les conceptions de Galilée et assoit sur de solides bases mathématiques les principes de la dynamique et la théorie de la gravitation universelle, grâce aux lois générales du mouvement : I, la loi d'inertie ; II, la loi qui s'exprime par le rapport : force = masse × accélération ; III, toute action d'une particule matérielle sur une autre est dirigée selon la droite qui les joint et est accompagnée d'une réaction égale et de sens contraire. Grâce au concept de masse et au principe général de la gravitation universelle (tous les corps s'attirent proportionnellement à leurs masses et en raison inverse du carré de leur distance), Newton établit les principes des mouvements des planètes autour du Soleil et retrouve, en une première approximation, les lois de Kepler ainsi que celles de Galilée sur les effets de la gravitation à la surface de la Terre. Comme conséquence de sa découverte, Newton parvient également à expliquer les perturbations réciproques entre les planètes et à démontrer qu'une sphère matérielle, dont la densité serait distribuée d'une manière homogène par rapport au centre, agirait sur les corps extérieurs comme si sa masse se trouvait tout entière concentrée en son centre. Dans l'étude des sections coniques qui fait l'objet du premier livre, Newton indique le moyen de les construire, quand on en connaît au moins un foyer ou quand elles sont déterminées par des points ou des tangentes. Dans le premier livre également, il expose sa « Méthode des premières et dernières raisons », c'est-à-dire les principes pour l'application de l'idée d'infini à la résolution de problèmes mathématiques, sur lesquels est fondé le calcul différentiel et intégral. La *Philosophie naturelle* de Newton dut vaincre de nombreux obstacles avant de s'imposer définitivement, particulièrement en France, où le cartésianisme avait de profondes racines dans les esprits. — Trad. Desaint et Saillant, 1759 ; Bourgois, 1985 ; Gabay, 1990.

PRINTEMPS. Suite pour orchestre du compositeur français Claude Debussy (1862-1918), l'une de ses premières partitions symphoniques ; il l'écrivit à Rome en 1887 durant le stage qu'il effectua à la Villa Médicis après avoir remporté le Grand Prix de Rome. Cet ouvrage, contemporain de *La Damoiselle élue* (*), ne fut d'ailleurs pas apprécié des académiciens, qui firent des remontrances à son auteur. La version initiale était conçue pour orchestre et chœur. Henry Büsser en remania l'orchestration sur les indications de Debussy, supprimant notamment la partie chorale (1912). *Printemps* est un poème symphonique inspiré non par un poème littéraire, mais par le tableau de Botticelli qui porte ce nom. La première partie décrit l'éveil de la nature qui sort de sa torpeur après un long hiver. Le mouvement s'anime peu à peu, les harmonies éclosent et s'épanouissent comme des fleurs aux couleurs chatoyantes. Il rôde sur ce paysage une buée légère, transparente. À noter ici l'enchaînement des accords de neuvième, qui deviendra un élément caractéristique de l'écriture debussyste. La deuxième partie est construite sur un rythme de danse à peine marqué. Tout se passe comme si les personnages de la toile de Botticelli évoluaient, avec une souplesse gracieuse, dans ce décor de verdure où les sons et les parfums tournent dans l'air frais du matin. L'Institut déclara la partition inexécutable, parce que « entachée de cet impressionnisme vague, dangereux, ennemi de la vérité dans les œuvres d'art ». Cet impressionnisme devait faire la gloire de Debussy et nous sommes loin de considérer aujourd'hui qu'il est tellement évident dans *Printemps*, où nous voyons l'influence que Massenet exerçait encore sur le jeune Debussy.

PRINTEMPS [*Våren*]. Œuvre romanesque de la romancière norvégienne Sigrid Undset (1882-1949), publiée en 1914. Yvan Christiansen, jeune pasteur à l'âme naïve et simple, s'est laissé séduire par une fille de la haute société rurale. Il s'est fait un devoir de l'épouser et croit l'aimer. Mais il est bientôt dégoûté par le scepticisme et les allures un peu trop libres de sa femme. Il la trompe avec une jeune élève, envoie sa démission de pasteur et va vivre avec sa maîtresse. Il essaiera pourtant de reprendre la vie commune, mais Mme Christiansen, devenue alcoolique et morphinomane, se suicidera. Ce drame familial et une éducation complètement négligée par leur mère ont profondément marqué les enfants du pasteur : deux garçons, Axel et Torkild, et une fille, Doris, cynique et moderne, qui boit, s'ennuie et ne rêve que de venir habiter la ville. Les frères sont amoureux de la même jeune fille, Rose, qui ne voit d'abord en eux que de simples camarades. Un jour pourtant, elle accorde un baiser à Torkild et consent à l'épouser. Rose accouche bientôt d'un enfant mort-né et, de désespoir, tombe dans un état proche de la folie. Axel continue à faire au ménage des visites si fréquentes que Torkild en prend ombrage. Son frère le persuade d'ailleurs qu'il est responsable de la mort de l'enfant, à cause d'une maladie de jeunesse. Malgré les assurances contraires des médecins, Torkild décide de n'avoir plus jamais d'enfants et de vivre quasi séparé de sa femme. Axel en profite pour tenter la conquête de Rose, qui répond à ses avances par une gifle. Mais une lettre anonyme met l'âme jalouse de Torkild à la torture : il est hanté par l'idée que sa femme l'abandonnera un jour. Et Rose, voyant que le mariage ne lui donne pas ce qu'elle avait attendu, le quitte en effet. Doris, cependant, après s'être laissé séduire, est morte en laissant un enfant que Torkild a recueilli. Torkild reverra Rose et tous deux sentiront renaître leur amour. Rose, après leur séparation, aura en effet reconnu qu'elle était prisonnière de l'homme à qui elle s'était donnée et qu'elle ne pourrait jamais trouver le bonheur qu'auprès de lui. L'histoire des enfants forme ainsi une réplique à celle des parents : plus forts que l'égoïsme — et c'est la moralité du livre —, il existe des lieux de rencontre, comme le mariage, qui, une fois établis, restent toujours ouverts. Pourvu toutefois que l'individu consente à se résigner ! Et la résignation de Rose l'introduit dans la vie véritable, dans le printemps... C'est l'un des meilleurs romans de Sigrid Undset : l'histoire, fortement bâtie, est contée avec un réalisme auquel se mêle une mélancolie typiquement nordique. — Trad. Stock, 1930.

PRINTEMPS (Le) [*As Primaveras*]. Recueil de poésies lyriques de l'écrivain brésilien Casimiro de Abreu (1837/39-1860), publié en 1859. Le nom de l'auteur est très populaire au Brésil, Abreu étant peut-être le plus romantique d'entre les romantiques de son temps. Il se distingue de ses contemporains tant par son hostilité aux courants littéraires étrangers que par sa sensibilité toujours en éveil. N'ayant laissé qu'un seul livre en raison de sa mort précoce, Abreu est surtout un élégiaque (« Ma maison », « Fragment » et « Mon âme est triste », qui est sa meilleure poésie). Mais ce qui résumerait le mieux les états d'âme du poète, c'est la « saudade » ou mélancolie, cette expression spécifiquement portugaise, aux nuances intraduisibles, et qui présente quelque analogie avec la « Sehnsucht » des Allemands. Cette mélancolie est son climat, son désespoir, celui d'une jeunesse promise au trépas : « Je veux revoir le ciel de ma terre / si clair, si bleu / et la jeune rosée quand elle s'accumule vers le sud. / Je veux dormir à l'ombre des palmes / et faire la chasse aux grands papillons blancs / qui voltigent dans le jardin / Et si je dois mourir, que ma tombe, du moins, soit baignée de lune / Alors, sous les ombrages, je dormirai tranquille / pour toujours. » Cette « saudade » si profondément ressentie, c'est la tristesse particulière aux terres chaudes, mystérieuse comme le brouillard et enveloppante comme la forêt vierge.

PRINTEMPS (Le). Recueil de poèmes amoureux du poète français Théodore Agrippa d'Aubigné (1552-1630). Agrippa d'Aubigné n'a pas voulu le publier, suivant en cela une tendance générale des auteurs protestants à minorer leurs œuvres mondaines. Les allusions faites à ce recueil par *Les Tragiques* (*) en renient l'inspiration sensuelle et narcissique. En écrivant sur l'un des manuscrits où il venait de faire recopier ses poèmes de jeunesse « Printemps », et sur ses poèmes plus récents « Hiver » (publiés dans *Les Petites Œuvres mêlées* de 1630), il lui a donné ce qui est pour nous son titre. Ce recueil est resté inconnu jusqu'à son édition par Read en 1874. Il n'est pas impossible cependant que d'Aubigné en ait montré des fragments : lorsqu'il passe de l'écriture de Cour à l'écriture engagée des *Tragiques*, il n'omet pas de dire que ce premier fils de sa plume lui « déplut, car il plaisait ».

Sont rassemblés là trois groupes de textes : cent sonnets que d'Aubigné a organisés par sous-thèmes, intitulés « Hécatombe à Diane » (titre expliqué par le sonnet 98 qui parle de l'offrande de cent sonnets, comme l'équivalent du sacrifice de cent bœufs à la déesse Diane), quarante-huit stances et vingt et une odes, dont le groupement ne fait pas apparaître de dessein, le groupe des odes étant plus disparate dans les tons. Il est d'usage de dater les textes de l'épisode amoureux de 1571 à 1573, voire 1576, quand d'Aubigné envisage d'épouser

Diane Salviati, nièce de la Cassandre de Ronsard ; mais certains poèmes sont plus tardifs (allusion à la mort de Diane) et des odes satiriques proviennent d'une autre inspiration. Les tables d'incipits dressées par d'Aubigné même montrent que toutes les stances et odes n'ont pas été retrouvées dans l'actuelle compilation : le recueil n'était sans doute pas considéré comme clos, puisqu'il a connu plusieurs classements et que d'Aubigné a porté encore des corrections sur les manuscrits genevois (dont l'un appartenant à Mme d'Aubigné).

La poésie du *Printemps* s'inscrit dans une inspiration maniériste, qui ne suit pas exactement les modèles ronsardiens. Elle vise largement à marquer une rivalité (alors courante) avec Desportes et une hostilité au style « doux-coulant », qui est en vogue à la cour de France, à l'Académie du palais particulièrement. Bien que les sources italiennes y soient repérables, le texte s'emploie à subvertir ce qui pourrait tourner aux lieux communs, en une sorte d'« attentat au pétrarquisme » (Marc Fumaroli). Or, chez d'Aubigné, les métaphores traditionnelles de la souffrance amoureuse et de la divinisation de la femme sont revigorées en un rituel dont la cruauté peut être poussée à l'extrême, et particulièrement dans les stances. La représentation de la passion y tourne au drame sado-masochiste ; le vocabulaire se modifie de l'intrusion de précisions corporelles, et d'images atroces : cœur arraché, entrailles éparses, contemplation du cadavre vivant, obsessions démoniaques. L'expérience réelle de la mort et de la guerre fournit nombre de comparaisons : guerrier blessé, ville forteresse, guerre civile. La mythologie, qui permet d'unir Diane (Salviati) à la triple déesse Diane-Artémis-Hécate, lune, vierge, chasseresse, déesse de la mort, transforme la sensualité précise de ces visions mélancoliques en un langage symbolique. Rarement les cris d'accusation, de souffrance, qui confrontent le feu masculin à la froideur mortelle de la femme, laissent place à l'extase d'une divinisation par l'amour (stances 13), ou à la douceur de notations florales ou lumineuses. Hors des sonnets, forme close qui convient mal à son inspiration lyrique, l'écriture de d'Aubigné se conforme à l'élan qui cherche à réunir cosmos et individu dans la communauté de passions et d'aspirations dynamiques. M.-M. F.

PRINTEMPS D'IVAN GALEB (Les) [*Proljeća Ivana Galeba*]. Roman de l'écrivain serbe de Croatie Vladan Desnica (1905-1967), publié en 1957. Ce livre, dont la manière rappelle Flaubert, est extrêmement moderne sous une apparence traditionnelle : c'est que l'auteur n'y utilise la description que comme moyen d'atteindre un monde plus secret, celui des choses à demi tues, à demi ébauchées, plus présentes en creux, par le vide qu'elles laissent dans le temps, que par leurs conséquences immédiates. Le sujet est donc moins important ici que tout ce dont il est le prétexte, ou l'occasion. Il ne se passe d'ailleurs à peu près rien. Un violoniste, qui est aussi un écrivain sensible et plein de talent, se trouve alité, malade. Au long de ce temps que ne dérange aucune sollicitation extérieure, il se crée chez lui une forte tension intérieure, et de sa mémoire surgissent peu à peu mille détails, qui, s'ils ont perdu toute signification, n'en deviennent que mieux les matériaux d'une contemplation entremêlée de méditations, de réflexions, de plongées mystérieuses dans un monde merveilleusement illimité. Ainsi le souvenir d'une porte vitrée dont la partie haute, violemment éclairée, contrastait avec la partie basse, ténébreuse et froide, est pour lui le point de départ d'une longue méditation et la référence symbolique à laquelle se rattachent sa philosophie aussi bien que ses conceptions esthétiques : « C'est de là que m'est venue cette perpétuelle dualité, ce besoin essentiel de n'envisager le monde que comme éternellement partagé entre l'ombre et la lumière. » Magnifiquement écrit, ce roman laisse sourdre de ses phrases apparemment objectives une poésie d'autant plus intense qu'elle est mieux retenue. — Trad. partielle in *Europe*, juillet-août 1965.

PRINTEMPS ET AUTOMNES À L'USAGE DE L'EMPEREUR [*Tch'ouen Ts'io fan-lou — Chungiu fanlu*]. Œuvre du philosophe chinois Tong Tchong-chou (179-104 av. J.-C.), haute personnalité et figure représentative de la pensée de Confucius, sous le règne des Han (206 av. J.-C.-23 apr. J.-C.). L'œuvre se divise en dix-sept livres ; c'est un commentaire aux *Annales des printemps et automnes* (*) attribuées à Confucius. L'œuvre se destine aux souverains et hauts dignitaires, désignés par le rideau de perles [Fan-Pou] qui orne leur coiffe. L'auteur soutient, comme le *Houai nan tse* (*), que l'homme est un microcosme : les oreilles et les yeux sont semblables au soleil et à la lune, les artères et les cavités du corps aux fleuves et aux vallées, les cheveux aux étoiles, la respiration à l'air et au vent, etc. L'homme est par conséquent une image de l'univers, qui tire son origine du ciel, de l'être doué d'intelligence et de volonté. La société humaine est en relation directe avec la nature. Il convient donc de se servir, pour y faire entrer l'ordre, des « nombres » tirés du cycle des phénomènes naturels. Le nombre des grades des ministres doit coïncider par exemple avec le nombre des saisons. L'éthique de Tong Tchong-chou est liée au principe suivant : appliquer aux choses humaines la « règle céleste » qui est immuable ; ce qui s'obtient par la pratique de deux vertus : l'humanité (ou bienveillance) et la justice. La première de ces vertus doit porter à l'amour des autres, la seconde au perfectionnement intérieur. Tout le désordre de la société vient de ce que l'on intervertit les deux vertus : on s'en tient alors, dans ses relations avec les autres, strictement aux lois de la justice, et l'on a pour soi-même une indulgente bienveillance. La connaissance est une autre vertu nécessaire à qui veut être réellement bon ; car l'ignorance vous laisse incapable de distinguer le bien et de le mettre en pratique. Mais celui qui connaît le bien et n'agit pas en conséquence est un sage dépourvu de cœur. La vertu d'humanité commande d'aimer les autres, la sagesse enseigne à ne pas nuire aux autres. Lorsque les hommes s'écartent « de la règle céleste », le Ciel permet qu'il y ait des manifestations extraordinaires, afin que les hommes soient avertis et qu'ils ne courent point à la catastrophe. L'homme doit faire effort pour développer ses bons instincts et pour anéantir ses mauvais instincts (les désirs). Sur ce point — de la supériorité de la morale « volontaire » —, l'auteur s'écarte quelque peu des théories traditionnelles de Mencius — v. *Meng tse* (*) — et de Siun Tse — v. *Siun Tse* (*). Empruntant au confucianisme (interprété cependant avec une certaine liberté) sa manière d'exposer clairement les choses, comme un système à la portée de tous, et mettant en relief, avec une éloquence extrêmement noble et poétique, le problème moral, sur le plan idéal comme dans ses applications pratiques, Tong Tchong-chou peut être considéré comme le véritable fondateur de cette doctrine qui avait officiellement cours à l'époque où il vécut.

PRINTEMPS ET AUTOMNES DE MONSIEUR LIU [*Liu-che tch'ouen-ts'io — Lüshi chunqiu*]. Œuvre de compilation réalisée par un groupe d'amis sous la direction de l'écrivain chinois Liu Pou-wei, ministre de Ts'in (mort en 235 av. J.-C.). L'œuvre, qui se divise en vingt-six livres, est une somme des connaissances des lettrés de l'époque féodale ; elle propose un syncrétisme dont la plupart des éléments sont empruntés au confucianisme, ainsi qu'au taoïsme mais qui contient également des principes venus des autres écoles philosophiques. Elle fut condamnée par les disciples de Confucius, en raison de la conduite blâmable de l'auteur. On dit que Liu Pou-wei, lorsqu'il eut achevé sa compilation, la suspendit à la porte de la ville et fit savoir qu'il donnerait en récompense mille pièces d'or à qui serait capable d'ajouter ou de retrancher un seul mot à ce qu'il avait écrit. D'où l'expression populaire : « Yi tse che ts'ien tsin » [« Une seule parole vaut mille pièces d'or »], que l'on cite pour mettre en évidence la valeur d'une étude.

PRINTEMPS INTERROMPU [*Nua chùng xuân*]. Roman de l'écrivain vietnamien Khai Hung (1896-1947), publié à Hanoi en 1934, puis à Saigon en 1957. Ce roman à thèse, où l'amour romantique est idéalisé, lié au renoncement — comme presque toujours chez Khai Hung —, est une attaque violente contre les exactions des notables, la polygamie, les tyrannies familiales, les injustices sociales... dans le Vietnam des années 30-35. Mai et son jeune frère Huy, orphelins, vivent dans la misère. Lôc, haut fonctionnaire à Hanoi, ancien élève de leur père, aide à payer les études de Huy. Mai et Lôc s'aiment. Ils se marient à l'insu de la mère de Lôc. Mai est enceinte, mais la mère du jeune homme qui veut un mariage entre « mêmes fortunes » ne donne pas son accord et parvient à séparer les amoureux en les brouillant. Désormais Mai et son fils vivent avec Huy devenu entre-temps instituteur loin de Hanoi. Lôc, mis au courant du courage et du constant amour de Mai, la retrouve, obtient son pardon et lui propose de renouer bien qu'il soit déjà marié à une autre choisie par sa mère. Mai refuse, laissant ainsi le printemps de sa vie inachevé. Réquisitoire contre les mariages de convenance, mais aussi plaidoyer courageux pour l'union libre, même s'il faut pour cela faire quelque sacrifice, ce roman fait défiler une galerie de portraits très bien campés, dont celui de la belle-mère. Le choc des générations, mais aussi celui des civilisations, est souligné par une construction parfaite. Son style, comme dans toute son œuvre et dans celle de Nhât Linh et des autres écrivains du Groupe littéraire indépendant, vivant et nuancé, enrichit le vietnamien et contribue à lui donner le statut de langue littéraire moderne. T.-T. L.

PRINTEMPS NOIR [*Black Spring*]. Nouvelles de l'écrivain américain Henry Miller (1891-1980), publiées en 1936. La première nouvelle, « Le 14e District », donne le ton de tout le livre. Vingt-sept pages faites avec rien (le souvenir des gamins du 14e district), mais un rien essentiel. « Le grand changement. Dans notre jeunesse nous étions entiers et la terreur et la douleur du monde nous perçaient de part en part. Il n'y avait pas de séparation aiguë entre la joie et le chagrin, ils se fondaient en un tout comme notre vie éveillée se fond avec le rêve et le sommeil. On se levait entier le matin et le soir en plongeant dans un océan, complètement englouti, accroché aux étoiles et à la fièvre du jour écroulé. » La révolte de Miller sera, comme celle de Rimbaud, une révolte logique, commandée par cette double constatation : avant c'était la vie, la vraie vie pleine et entière, sans compromis, sans limite, et maintenant il n'y a plus rien, c'est-à-dire que « le monde est devenu un labyrinthe mystique, érigé au cours de la nuit par une nuée de menuisiers. Tout est mensonge, tout est truqué. Carton-pâte ». Tout se passe donc comme si, soudain, toutes les perspectives avaient été renversées : « Puis vient un temps où soudain tout paraît renversé. On vit dans l'esprit, dans les idées, par fragments. Nous ne buvons plus à la farouche musique extérieure des rues. » L'exigence qui commande à la plume de l'écrivain est, à la lettre, vitale. C'est tout ou rien. Et il est bien évident que pour restituer ce tout (ce monde sauvage) tous les moyens seront bons : « Je cherche tous les moyens d'expression possibles et imaginables et c'est comme un bégaiement divin. Je suis ébloui par le grandiose écroulement du monde. » C'est cette exigence d'une insoutenable pureté – ou d'une insoutenable impureté – que l'on retrouve dans toutes les nouvelles de *Printemps noir*, abordée sous tous les angles, celui de la folie (« Je porte un ange en filigrane »), du rêve fantasmatique (« Plongée dans la vie nocturne »), du souvenir autobiographique (« La Boutique du tailleur ») ou de l'humour dans la nouvelle intitulée « Un samedi après-midi » qui est une incomparable dissertation sur les pissotières. – Trad. Gallimard, 1946.

PRINTEMPS OLYMPIEN [*Olympischer Frühling*]. Poème, en cinq parties et trente-quatre chants, de l'écrivain suisse d'expression allemande Carl Spitteler (1845-1924). La première édition du *Printemps olympien,* en quatre volumes, parut entre 1900 et 1906 ; la rédaction définitive date de 1910. Les personnages des dieux grecs, auxquels Spitteler prête des sentiments et des attitudes toutes modernes, sont assez peu conformes aux données de la mythologie traditionnelle : le poète s'est efforcé de créer une nouvelle *Théogonie* (*) retraçant les fabuleuses aventures des maîtres de l'Olympe. Dans le livre I du poème, Hadès, roi de l'Érèbe, tire du sommeil les dieux destinés à succéder à ceux qui régnèrent du temps de Cronos, et les conduit jusqu'au seuil du monde solaire. Après un voyage mouvementé, les pèlerins sont, durant un certain temps, les hôtes d'Uranus, roi du ciel. En dépit du caractère moderne du récit, cette partie évoque irrésistiblement les plus célèbres descriptions de l'Enfer, notamment celles de Dante et de Milton. Dans le livre II, les dieux, parvenus au faîte de l'Olympe, se disputent, au cours de divers tournois, la main d'Héra, reine des Amazones, dont la conquête doit conférer au vainqueur le pouvoir suprême. La palme devrait revenir à Apollon ; mais Anankê – divinité qui, avec ses deux filles, gouverne l'univers – en a décidé autrement : il a porté son choix sur Jupiter, qu'il place sur le trône. À regret, la fière Héra se soumet au sort qui lui est imposé. Les noces de Jupiter et d'Héra sont célébrées ; Apollon cependant s'abstient d'assister au banquet, et c'est Jupiter lui-même qui, en lui expliquant les lourdes responsabilités qui accompagnent inévitablement le pouvoir suprême, parvient à rétablir la paix. Cette paix conclue entre le maître du monde et le dieu de la beauté – entre la réalité et le rêve, la politique et la poésie – a une signification éminemment symbolique. Le livre III est le récit des diverses aventures des dieux et de leurs protégés. À côté des divinités et des héros de la fable, Spitteler met en scène des personnages purement imaginaires, tel celui du vieillard Pélargon, que sa fille Hagia maintient en vie en le nourrissant chaque jour du sang d'une jeune vierge. Idylliques, héroïques ou plaisants, les épisodes contés sont d'une extrême variété ; ils sont parfois adaptés de légendes orientales, germaniques, médiévales ou même modernes. Assez court, le livre IV narre la mésaventure d'Aphrodite qui, ayant conçu le dessein de ridiculiser les mortels éblouis par sa beauté, se voit contrainte de regagner l'Olympe sous une violente tempête de neige et de grêle déchaînée par Anankê irrité. Dans le dernier livre, Jupiter, pour éprouver le jugement des mortels, leur envoie un singe revêtu des insignes de sa royauté ; voyant les hommes adorer l'animal, le maître des dieux, dans son courroux, décide d'anéantir la race humaine. Un songe toutefois lui révèle que la nature ne peut se passer de l'homme ; et sur l'intervention de la Gorgone, fille d'Anankê, Jupiter accepte finalement de renoncer à son dessein, à condition de trouver sur la surface de la terre une créature « sur laquelle son œil puisse se reposer avec complaisance ». Cette créature est Hercule, héros qui, malgré l'hostilité d'Héra, est promis à l'immortalité. Le poème se termine sur l'ultime prière d'Hercule à son bienveillant protecteur. Cette conclusion est, à vrai dire, assez artificielle ; mais, ainsi que l'auteur le signale non sans raison, l'architecture d'un poème épique importe bien davantage que la logique des événements qu'il célèbre. Il convient toutefois de noter que les deux premières parties du *Printemps olympien* sont infiniment supérieures aux trois dernières, d'ailleurs profondément remaniées par Spitteler lors de la seconde rédaction. L'immense fresque poétique brossée par le poète se compose d'éléments fort variés et parfois contradictoires. Son décor, les personnages qui l'animent évoquent la Suisse bien davantage que la Grèce des Anciens, et cette transposition – dont l'auteur, non dépourvu d'humour, a pleinement conscience – est fort savoureuse. En revanche, le modernisme des sentiments prêtés aux divinités de l'Olympe est souvent choquant, et certains anachronismes (la scène où Jupiter observe les habitants de la Terre à l'aide d'une lunette) sont d'un effet facile. Malgré ses défauts, le *Printemps olympien* est une œuvre originale et puissante, pleine de fantaisie et empreinte d'une authentique poésie. L'espèce de trimètre iambique, aux vers rimant deux à deux, utilisé par Spitteler s'adapte admirablement au ton général du poème ; l'auteur l'utilisera à nouveau dans sa dernière œuvre : *Prométhée le Patient* – v. *Prométhée* (*).

PRINTEMPS TROMPEUR (Le) [*Varljivo proleće*]. Recueil de nouvelles de l'écrivain serbe Veljko Petrovič (1884-1967), publié en 1921. Hanté par les paysages de la Voïvodine, Petrović y a situé des nouvelles essentiellement consacrées à la vie des paysans et à leurs problèmes, quand elles ne décrivent pas la déchéance des fils qui, en abandonnant leur terre, coupent leurs racines et ne peuvent qu'errer d'échec en échec. Il aime aussi attaquer les petits-bourgeois qui, satisfaits et hypocrites, ne voient dans le paysan qu'un être inférieur et méprisable, et il fait de savoureux portraits de citadins traînant à travers champs une mine supérieure, simple masque posé sur leur bêtise. Petrovič dote ses paysans d'une grande intégrité morale due à l'amour qu'ils portent à la terre ; ses personnages ne sont toutefois pas des types schématiques, mais des créations vivantes, aux gestes saisis sur le vif, au langage direct et chaleureux. Les scènes touchantes abondent, par exemple dans la nouvelle intitulée « Terre » [Zemlja], où un paysan se console de la mort de son fils en pensant qu'il va l'enterrer parmi les fleurs et les prairies verdoyantes ; ou encore dans « Je ne sais même pas son nom » [Ni imena mu ne znam], où un soldat d'origine paysanne prodigue ses soins à un ennemi blessé. Ces nouvelles sont sauvées du sentimentalisme par un sens très sûr de la poésie. Autres recueils importants : *Bunja* (1921), *Consciences troublées* [*Pomerene savesti,* 1922], *La Tentation* [*Iskusenje,* 1924], *La Caille au poing* [*Propelica u ruci,* 1948]. Petrovič, qui s'était fait connaître à ses débuts par des vers patriotiques dirigés contre la domination de l'Autriche-Hongrie sur sa Voïvodine natale : *Chants patriotiques* [*Rodoljubive pesme,* 1914], a écrit par ailleurs de très beaux poèmes sur la vie paysanne, qui sont le pendant de son œuvre de nouvelliste et qu'il a réunis dans deux recueils : *Sur le seuil* [*Na pragu,* 1914] et *Les Sources invisibles* [*Nevidljivi izvori,* 1946].

PRISE DE JOPPÉ (La). Tel est le titre qu'on a coutume de donner à un récit égyptien que l'on peut lire au verso du papyrus Harris n. 500, et qui remonte aux débuts de la XIXe dynastie. Le texte est incomplet au début, ainsi qu'à la fin, où manquent quelques lignes, celles où nous aurions pu trouver le nom du copiste. Ce récit se rapporte aux luttes soutenues par Thoutmosis III (XVIIIe dynastie, 1490-1436 av. J.-C.), aussitôt après la mort de la reine Hatsbepsout, contre les populations de Palestine et de Syrie, qui s'étaient liguées pour secouer la domination égyptienne. Le nouveau pharaon dut organiser et diriger lui-même de nombreuses campagnes pour venir à bout de cette coalition. Ces événements nous ont été conservés grâce aux « Annales » que ce roi fit graver sur les murs du temple d'Amon à Thèbes. Ce récit raconte comment un général de Thoutmosis III, Thout, réussit à reprendre la cité de Joppé (aujourd'hui Jaffa), d'une grande importance stratégique par sa proximité avec la route qui menait d'Égypte en Palestine. La possession de cette ville par les ennemis aurait empêché la marche en avant des troupes égyptiennes, qui cherchaient à rejoindre en force la ville de Megiddo, où eut lieu en effet une importante bataille, dont l'issue fut favorable aux Égyptiens. Par le fragment ci-dessus, nous apprenons que le général Thout invita à des pourparlers le prince de Joppé, en dehors de sa ville. Au cours de cette conversation, le prince exprima à son interlocuteur le désir de prendre entre ses mains le sceptre de Thoutmosis, que ce roi avait remis à son général, en signe de puissance. Les Syriens étaient persuadés que la possession de ce sceptre par le général Thout était la cause de leurs échecs. Thout parut vouloir accéder au désir du prince, mais au lieu de lui remettre le sceptre, il l'en frappa rudement sur la tête, et le prince roula à terre. Celui-ci étant immobilisé par de solides liens, Thout fit amener des centaines de jarres, dans chacune desquelles se cacha un soldat de son armée. Après quoi, il s'avança vers Joppé, suivi de ses troupes et des fameuses jarres, portées sur le dos des soldats. Le cocher du prince eut l'ordre de précéder les troupes et d'annoncer à la princesse, demeurée dans son palais, que grâce aux dieux Thout et toute sa famille avaient été faits prisonniers. À cette annonce, les portes s'ouvrirent toutes grandes et les soldats égyptiens entrèrent dans la ville. Leurs camarades enfermés dans les jarres furent libérés et se mêlèrent aux assaillants, qui purent facilement se rendre maîtres de Joppé. Notons que ce stratagème dont fait mention le papyrus Harris rappelle d'autres faits semblables dont la légende a fait mention, tels que le fameux cheval de Troie et les jarres d'Ali Baba.

PRISE D'ILION (La) [῞Αλωσις 'Ιλίου]. Poème épique de 691 hexamètres, composé par le poète grec Triphiodore (IVe siècle ap. J.-C.) qui, selon la *Souda* (*), est né en Égypte. La découverte d'un papyrus contenant douze vers de *La Prise d'Ilion* a permis d'établir que l'œuvre date de la fin du IIIe ou du début du IVe siècle de notre ère, alors qu'on la plaçait traditionnellement après *Les Dionysiaques* (*) de Nonnos, au Ve ou au VIe siècle. Le poème raconte comment, au bout de dix ans de guerre, les Achéens ont enfin pu prendre la cité de Troie grâce au stratagème du cheval de bois. L'auteur, sans doute pour s'opposer à son prédécesseur Quintus de Smyrne, dont les *Posthomériques* (*) s'étendent sur plus de 8 500 vers, annonce dans le prologue son intention de composer une œuvre brève ; il se range donc ainsi dans la postérité de Callimaque. Ce parti pris de brièveté se traduit par un poème érudit, à l'architecture recherchée et au style raffiné. Enfin *La Prise d'Ilion,* par son abondant usage d'adjectifs composés et de métaphores, illustre un renouveau du style épique, dont la paternité était jusqu'ici faussement attribuée à Nonnos. — Trad. Les Belles Lettres, 1982. O. R.

PRISE D'ORANGE. Chanson de geste française du XIIIe siècle, en laisses de décasyllabes assonants. Après la conquête de Nîmes, Guillaume, vassal du roi de France — v. *Le Charroi de Nîmes* (*) —, veut enlever Orange aux Sarrasins, et conquérir la belle princesse Orable, femme du roi sarrasin Thibaut, que la princesse hait. Déguisé en païen, il se glisse avec deux compagnons dans la ville, et une fois entré dans la merveilleuse tour de Gloriete, il voit Orable qui lui semble un objet digne du paradis. Mais Guillaume et ses compagnons sont reconnus et faits prisonniers. Cependant Orable, qui aime Guillaume, le délivre et l'aide à rejoindre les renforts français venus de Nîmes. Aragon, fils de Thibaut, est tué, la ville prise, et la princesse baptisée sous le nom de Guibor. Cette dernière épouse Guillaume, qui fait d'Orange le point stratégique d'où il dirige son action contre les païens. Le poème rapporte non seulement les hauts faits de Guillaume au Court nez — suivant en cela l'exemple des autres chansons de geste auxquelles il est fait allusion : *Le Charroi de Nîmes, Les Aliscans* (*), la *Chanson de Guillaume* (*) —, mais traite encore des amours d'un chevalier avec une dame sarrasine, de sorte qu'on le pourrait classer dans les romans d'aventures plus que dans les chansons de geste à proprement parler. Guillaume, le solide guerrier, se présente ici sous un aspect un peu différent, et à maintes reprises l'œuvre prend une tournure héroï-comique. Le sujet fut repris par un poète allemand, Ulric de Türheim (XIIIe siècle), dans *L'Enlèvement d'Orable*, et Andrea de Barberino (XVe siècle) l'inséra dans ses longues et prolixes *Histoires narbonnaises*. — *La Prise d'Orange* a été éditée par Cl. Régnier (3e éd., Paris, Klincksieck, 1970) et traduite par Cl. Lachet et J. P. Tusseau (5e éd., Paris, Klincksieck, 1986).

PRISE EN CHARGE [*Taken Care Of*]. C'est en 1965, un an après sa mort, qu'a été publiée cette autobiographie de l'écrivain anglais Dame Edith Sitwell (1887-1964). La sœur d'Osbert et de Sacheverell Sitwell est surtout connue comme poétesse de talent, en particulier pour *Façade* (*) qui fut mis en musique par Walton. Ses œuvres en prose sont cependant nombreuses, qui vont d'essais critiques et d'un *Carnet sur William Shakespeare* [*Notebook on William Shakespeare*] à des biographies. Avant de nous donner le récit de sa vie, elle a écrit celle de *Pope* (1930), celle de la reine *Victoria* (1934), celle de *Jonathan Swift* (1937) et deux volumes sur la reine *Élisabeth Ire* (1946 et 1962). Son autobiographie nous montre sans masque cette grande dame amusante et irritante, et souvent sous son jour le moins flatteur. Ce court volume plein de spontanéité, dont le ton est celui de la conversation, contraste avec les déclarations trop souvent pompeuses de la « prêtresse de la poésie », qui firent scandale de son vivant. Il contient des observations de valeur sur l'art et sur l'existence, et prouve que l'auteur n'eut pas seulement du talent et du discernement, mais de multiples exigences vis-à-vis d'elle-même et une vie parfois difficile. Fière et intrépide, Edith Sitwell tranche de façon éclatante sur une tradition académique et compassée. En même temps, sa candeur souvent involontaire nous révèle l'origine de son désir d'être flattée, voire vénérée, qui suscita chez ses adulateurs ce véritable culte dont les mythes élogieux ont enflé et déformé sa réputation littéraire. À sa réelle générosité se joint un égotisme, un égoïsme, tout aussi réel, et parfois féroce. La description de ses parents ou de ses connaissances relève de la caricature. Ses jugements sont à l'emporte-pièce. Son portrait de D. H. Lawrence, nous montrant un « gnome de plâtre sur un champignon de pierre dans quelque jardin de banlieue », et son jugement sur l'écrivain, à qui elle reproche d'avoir fait la guerre « en toute sécurité chez lui, forniquant et glapissant, en s'indignant de l'oppression qu'il avait subie », ne laissent pas de surprendre. Par contre la poétesse pare Dylan Thomas de l'« auréole d'un pouvoir archangélique ». La prose est souvent curieusement surchargée de fioritures, parfois relevée d'images qui évoquent justement les vers de Thomas, comme ce : « J'ai vu les ténèbres au groin de porc grogner et fouiller dans les masures. » L'impression finale est contradictoire, aussi bien sur l'art de la biographe que sur les véritables qualités littéraires et humaines de la poétesse.

PRISON DES AMOURS (La) [*La cárcel de amor*]. Roman allégorique de l'écrivain espagnol Diego Fernández de San Pedro, composé probablement entre 1465 et 1475 et publié après 1492. Son importance est capitale pour l'interprétation de maints autres ouvrages littéraires qui lui sont postérieurs, et dans lesquels l'amour apparaît surtout comme une aspiration d'ordre métaphysique. Il aide, en outre, à mieux comprendre la signification réelle d'œuvres comme *La Célestine* (*), *Amadis de Gaule* (*), un roman pastoral du type de *La Diane* (*) de Jorge de Montemayor, *Galatée* (*) de Cervantès, et jusqu'à *Don Quichotte* (*) lui-même. Diego de San Pedro recourt à des symboles dont il nous donne ensuite l'explication, suivie d'un « exemplum », sorte de narration romanesque où l'amour est justifié en tant qu'acte de vie. L'auteur imagine que, perdu dans la Sierra Morena, il y a rencontré un chevalier terrible, tenant de la main gauche un bouclier d'acier, et dans sa main droite une tête de femme gravée sur une pierre très claire. Ce chevalier est le Désir, traînant derrière lui un homme affligé qu'il mène vers une prison : la prison d'amour (« La cárcel de amor »). C'est une forteresse située sur un rocher escarpé, avec des piliers, des statues et des portes de fer. Puis San Pedro nous fait saisir la signification de ce symbole : l'homme, prisonnier d'amour, assis sur une chaise de feu, tandis que deux femmes en larmes lui ceignent la tête d'une couronne de douleur, c'est Leriano, fils du duc de Macédoine, épris de Laureola, fille du roi de Gaule, et de ses malheurs il tire cette conclusion désabusée : « Puisque les premiers mouvements de l'âme sont tels qu'il ne m'est plus possible de m'y soustraire, je renonce à écouter la raison et me constitue prisonnier d'amour. » La prison dans laquelle il s'est enfermé a pour base la pierre de la Fidélité, symbole de la reddition de tout son être à l'amour qui le dévore. Les quatre piliers qui soutiennent la prison sont les trois puissances supérieures de l'âme : Mémoire, Intelligence et Volonté, renforcées par la Raison. Au sommet de la tour veillent la Tristesse, l'Affliction et l'Angoisse, qui maintiennent le cœur enchaîné ; le roman contient encore quelques autres symboles qui recouvrent une théorie de l'amour selon la métaphysique scolastique. L'auteur tente ensuite une médiation entre Leriano et Laureola, et parvient à fléchir un peu les dédains de cette dernière pour son soupirant. Les deux jeunes gens échangent alors des lettres dans lesquelles ils analysent, aux lumières de l'intelligence, leurs sentiments et leurs émotions. Leriano, à la fin, peut retourner auprès de l'aimée ; mais Persio, son rival, ayant révélé au roi leur idylle, Laureola est enfermée dans un château. Persio, décidément vindicatif, provoque Leriano en duel ; il en sort vaincu et perd la main droite. Dépité et furieux, il répand le bruit que les deux jeunes gens se sont rencontrés en un lieu suspect. En conséquence, Laureola est condamnée à mort. Mais Leriano la délivre et se rend avec elle dans une forteresse, où il la défendra vaillamment contre les soldats du roi. Et Persio est convaincu d'imposture.

San Pedro a voulu démontrer par ce roman qu'un loyal amour finit toujours par l'emporter. Toutefois, l'auteur prend soin de distinguer entre les sentiments de Leriano et ceux de Laureola. Cette dernière, sous prétexte qu'elle a pu être soupçonnée, croit de son devoir de ne pas se donner entièrement à celui qui l'aime et, plus soucieuse de sa propre réputation que de lui-même, ordonne à Leriano de ne plus paraître devant elle. Leriano, pour lui prouver son amour, respecte l'austère consigne, mais décide de se laisser mourir de faim. Et comme un de ses amis avait proféré des paroles malveillantes contre les femmes, Leriano lui réplique : « Tout ce qui vient de Dieu est nécessairement bon et, puisque les femmes sont créatures de Dieu, quiconque les offense offense, par le fait même, l'œuvre de Dieu... » La femme est ainsi, pour San Pedro comme pour tous les fervents de la morale chevaleresque, un être à l'image de Dieu qui l'incite à pratiquer la vertu. En conclusion, Leriano, ayant avalé les morceaux de la dernière lettre de son amie, meurt, comme don Quichotte, de n'avoir pu réaliser son rêve. *La Prison des amours* est un roman de style clair et simple où métaphysique et poésie se confondent. Sur le plan de la morale pratique, le Saint-Office crut bon de le condamner. Ce livre, qui eut en Espagne le plus grand succès, a singulièrement influé sur les épisodes sentimentaux de *Don Quichotte* et de la *Galatée* de Cervantès. – Trad. « Se vend à Paris en la grande salle du palais, en la boutique de Galliot-Dupré », 1526.

PRISON DU TEMPS (La) [*Tamnica vremena*]. Recueil du poète croate Gustav Krklec (1899-1977), publié en 1944. La poésie de Krklec est surtout importante à cause de sa musicalité, de la tournure harmonieuse du vers, du sens toujours spontané du rythme. Ainsi a-t-on toujours l'impression d'une originalité très profonde, alors que la parole est chez ce poète moins neuve que la façon de placer sa voix. Ce qu'il a chanté tout au long de ses nombreux recueils, depuis *Lyrique* [*Lirika*, 1919] et *La Route d'argent* [*Srebrna cesta*, 1921], ce sont les charmes de sa Croatie natale, où les vignobles et les bouleaux, l'odeur de l'herbe et le vol des oiseaux se conjuguent pour créer une beauté tout en courbes luxuriantes, dans une lumière transparente qui est la texture même du bonheur. Un ton beaucoup plus grave résonne dans *La Prison du temps*, car le poète, s'il se souvient de son chant d'autrefois, pleure désormais sur tout cela qui est perdu, car son pays natal est « mort » : la guerre a ruiné les vignes et les maisons, les bouleaux sont brisés, la rivière roule des cadavres, et la belle lumière ne baigne qu'un paysage de deuil. La voix est ici vraiment très poignante, et Krklec atteint à travers sa douleur aux accents tragiques de la grande poésie. Il devait ensuite mettre noblement sa plume au service de l'élan général de reconstruction qui anima son pays, notamment avec les poèmes du *Plan quinquennal lyrique* [*Lirska petoljetka*, 1952].

PRISON MARITIME (La). Roman publié en 1961 par l'écrivain français Michel Mohrt (né en 1914). Cette œuvre rappelle les romans d'aventures du XIXe siècle et ses chapitres portent en épigraphe des citations d'auteurs de cette époque. De même est inscrite en exergue du livre une phrase qui résume l'histoire, tirée de *Jeunesse* (*) de Conrad : « Il y a des voyages, vous le savez vous autres, qu'on dirait faits pour illustrer la vie même, et qui peuvent servir de symbole à l'existence. » Voyage initiatique donc pour le jeune héros, Hervé, dans sa quête de la vie. Orphelin de père et mère, ce Breton, élevé par son grand-père, est pris à bord du cotre à tapecul « Roi Arthur » par le capitaine Olivier de Kersangar, au mois de juillet 1923. Il mène alors une vie aventureuse entre lady Cecilia, maîtresse du capitaine, charmeuse et inquiétante, qui l'emmènera dans son château irlandais où ils auront une liaison, un abbé autonomiste et un magistrat sans ambition, le bateau restant toujours le pivot de l'histoire. Les divers personnages traversent les tempêtes, les combats et les attentats terroristes, partageant l'amitié et l'amour, le courage et la peur, la liberté et la fidélité ainsi que la trahison, autant de sentiments que découvre Hervé. Michel Mohrt manie ici l'art du récit avec brio, mêlant le réel et l'imaginaire, utilisant ses propres souvenirs avec une sourde nostalgie du passé. Ce roman fut couronné en 1962 par le grand prix de l'Académie française.

C. de C.

PRISONNIER (Le). Roman de l'écrivain français Claude Aveline (1901-1993). D'abord publié par l'hebdomadaire *Vendredi*, du 6 mars au 22 mai 1936 (n°s 18-29), avec des illustrations de Berthold Mahn, puis repris en volume par les éditions Émile-Paul Frères, en avril 1936. Dans la petite ville de B.-sur-Loire, André Gallon attend le retour de l'homme qu'il va tuer. Par la fenêtre de sa chambre d'hôtel, et en s'efforçant de ne pas attirer l'attention de l'aubergiste et de la femme de chambre, il surveille les allées et venues des gens de la maison d'en face, résidence de sa future victime, laquelle doit revenir de voyage quelques jours plus tard. Au fil des heures, Gallon écrit à Philippe Denis, un ancien condisciple, une longue missive où il consigne, avec ses faits et gestes et ses angoisses, les causes du crime qu'il va commettre. Fils d'un employé de tramway parisien et d'une femme de ménage, André était un garçon doué pour les études mais que ses origines modestes faisaient mépriser par ses camarades. Après la mort de son père, tué à la guerre en août 1918, il était resté seul avec sa mère. Bachelier, il avait pu, recommandé par une dame charitable « à la pitié » de son beau-frère le banquier Bloch-Templier, entrer comme employé dans cette banque, tandis que sa mère, désaxée par son veuvage brutal, avait dû être hospitalisée. L'incompréhension, qui dominait leurs rapports depuis toujours, s'était accentuée, pour aboutir à la rupture. L'adolescent voulait s'élever dans une société dont il acceptait inconsciemment le conformisme et les inégalités tandis que sa mère entretenait une révolte impuissante. « Aujourd'hui, je me rends compte que maman espérait chaque fois me révolter contre cet état de choses dont nous étions les victimes, nous et la foule des exploités », reconnaît-il. L'employé modèle, travailleur acharné, devient vite l'homme de confiance du banquier. Soucieux de se montrer « digne de son nouveau milieu. Un homme du monde... », André n'arrive pourtant pas à dompter sa timidité et, sentimentalement frustré, ne fréquente guère que des prostituées quand il n'assouvit pas ses rêves érotiques dans l'onanisme. Une liaison plus heureuse avec Alice, une dactylo de la banque, n'a duré que trois semaines. Mais un jour, en vacances dans un grand hôtel de Vichy, il rencontre Paule. Son éblouissement. Sa passion. Le piège fastueux tendu par le destin ! Paule, élégante, belle, raffinée, accompagne partout son père, le riche industriel Pascal Dhuibert : au casino, au théâtre, sur les champs de courses, dans ses promenades en voiture. D'abord froide et distante, Paule se laisse peu à peu apprivoiser par André, sans perdre sa réserve de jeune fille bien élevée et en portant ainsi au paroxysme les désirs de son prétendant qui songe désormais au mariage. De retour à Paris, admis dans l'intimité du père et de la fille qu'il visite dans l'hôtel de l'avenue Friedland où ils ont choisi de vivre « pour ne pas infliger à Paule les soucis d'une maîtresse de maison », André, maintenant « fiancé », apprend, l'hiver venu, de la bouche même de Dhuibert, les soucis financiers de ce dernier. Pour rétablir la situation, Gallon, profitant de la confiance dont il jouit à la banque, établit un faux en écriture et obtient les six cent cinquante mille francs implorés par Dhuibert. Un matin de février, c'est un André radieux qui, une serviette bourrée de billets sous le bras, se rend à Versailles, à l'hôtel des Réservoirs où les Dhuibert se sont réfugiés. Dans la chambre de Dhuibert, où il monte sans prévenir, le lit est ouvert et vide, mais de celle, contiguë, de Paule, arrivent des halètements et des gémissements significatifs. Gallon, qui a compris trop tard que Pascal Dhuibert est en réalité l'amant de Paule et un homme d'affaires véreux, paiera de sept ans d'emprisonnement sa malversation. Sorti de la prison de Melun, il ne pense qu'à se venger et a décidé d'attendre pour le tuer, à B.-sur-Loire où il habite, celui qui l'a berné et humilié. Gallon, victime, comme beaucoup de personnages de Claude Aveline, de la fatalité, se suicidera car « rien ne pouvait plus changer rien ». Mais c'est dans le doute qu'il retrouve sa sérénité, en supposant que la duperie n'avait peut-être pas été entièrement partagée : « Malgré tout, j'ai pensé, certaines nuits, que je ne lui avais pas été indifférent. » Selon certains critiques, *Le Prisonnier* aurait été lu avec profit par Albert Camus quand il écrivit *L'Étranger* (*) (publié en 1942). Voir à ce sujet l'étude d'Alain Feutry, *Camus lecteur d'Aveline* (éd. Lambda Barre, 1986).

C. C.

PRISONNIER (Le) [*Il Prigioniero*]. Opéra en un acte et un prologue du compositeur italien Luigi Dallapiccola (1904-1975). Le livret, dû au musicien lui-même, est tiré pour la majeure partie du conte de Villiers de L'Isle-Adam *La Torture par l'espérance* — v. *Contes cruels* (*) — auquel est adjoint un épisode interpolé extrait de la *Légende de Ulenspiegel et de Lamme Goedzack* — v. *Till*

Eulenspiegel (*) — de Charles De Coster. L'œuvre est divisée en sept parties : Prologue, Premier Intermezzo choral, Scènes I, II et III, Second Intermezzo choral, et Scène IV. Le prisonnier, personnage anonyme substitué par Dallapiccola au héros principal de l'œuvre de Villiers, est détenu par l'Inquisition espagnole du temps de Philippe II dans une geôle d'une prison de Saragosse. Il y voit sa condition adoucie par l'amitié de son geôlier, qui lui annonce le triomphe de la révolte des gueux flamands et lui laisse entrevoir sa libération prochaine. Cet espoir se réalise en effet : profitant de l'inadvertance de son gardien, qui a laissé la porte de la cellule ouverte, le prisonnier s'enfuit par les souterrains de la prison, et parvient à gagner les jardins. Là, grisé d'avoir recouvré sa liberté, il étreint en une sorte d'action de grâces, extatique le tronc d'un cèdre, mais voit alors, terrorisé, deux bras monstrueux se détacher des dernières branches pour l'enserrer : il retombe anéanti, à la merci de son geôlier, c'est-à-dire le Grand Inquisiteur lui-même, qui depuis le début a trompé sa victime et diaboliquement ourdi ce piège de l'illusion et de l'espoir ; le prisonnier paiera de sa vie sa rébellion, son péché contre l'ordre divin, et mourra torturé par le doute sur le salut de son âme.

Bien qu'il ait employé ici la technique sérielle avec un esprit plus systématique et une continuité plus grande que dans ses œuvres antérieures, en particulier dans *Les Chants de captivité* (*), d'inspiration littéraire assez proche, Dallapiccola manifeste comme à son habitude une grande liberté dans l'usage du système dodécaphonique. Certes l'emploi de l'échelle des douze sons joue ici un rôle prépondérant : celle-ci sert de base au Prologue au Premier Intermezzo choral, et surtout aux Scène I et II, où sont exposées les trois séries fondamentales de l'opéra dont les éléments seront utilisés ultérieurement. Mais cette utilisation ne répond pas exactement aux canons stricts de l'école viennoise : en particulier la concentration fréquente de la série en groupes d'accords (exemple : Prologue, Second Intermezzo, etc.) engendre une sorte de juxtaposition de blocs harmoniques, ou même de groupes diatoniques, qui vont jusqu'à diluer le principe sériel même et à en ramasser le chromatisme « divergent » vers un centre tonal fortement suggéré. De plus, la souplesse tout italienne du discours vocal, les effets théâtraux utilisés dans certaines scènes (exemple : l'emploi de haut-parleurs dans le second intermezzo pour accentuer chez le spectateur l'impression d'immensité et presque d'écrasement sonore), la plasticité de l'orchestre éloignent très sensiblement cette partition de l'austère règle schönbergienne et en font presque une œuvre de caractère populaire, ce qui n'a pas manqué d'attirer à Dallapiccola quelques critiques assez acerbes. Néanmoins, depuis la date de sa composition (1944-48), les vertus formelles et humaines de cette œuvre lui ont valu d'être inscrite régulièrement au répertoire des opéras du monde entier.

PRISONNIER CHANCEUX (Le). Œuvre de l'écrivain français Joseph Arthur de Gobineau (1816-1882), publiée en 1846. Ce roman-feuilleton historique, dans le goût de l'époque et le genre d'Alexandre Dumas, est une œuvre de jeunesse. Comme *Les Aventures de Nicolas Belavoir* et *L'Abbaye de Typhaines* (*). Il fut surtout écrit par besoin d'argent. Rien n'y laisserait deviner le futur théoricien des races, si Gobineau n'y avait marqué sa prédilection pour l'histoire (qui tient ici le rôle principal) et son art de ressusciter le passé. Amours contrariées, chevauchées, conspirations, batailles, assassinats jalonnent les aventures aux mille péripéties de Jean de la Tour-Miracle, fils d'un noble catholique, filleul de Diane de Poitiers, arraché à sa belle et jeté malgré lui dans les tragi-comédies des guerres de religion. À la fin, malgré les intrigues de la perfide et jolie Corisande de Peyrecave, malgré les embûches des Guise, grâce surtout au valet Barbillon, cousin de Figaro — v. *Le Barbier de Séville* (*) — et de Planchet — v. *Les Trois Mousquetaires* (*) —, aventurier sans scrupules, Jean de la Tour-Miracle retrouvera sa bien-aimée. Auparavant, Gobineau l'avait conduit à la cour d'Anet, où règne sa marraine, Diane de Poitiers. Autour de cette figure centrale, Gobineau dresse les fastes, les cabales, les jeux, anime les passions d'amour et de fanatisme de l'époque, avec tant de vérité qu'il faut accorder au *Prisonnier chanceux*, par ailleurs riche de traits d'humour, une place honorable parmi les romans de cape et d'épée du XIXe siècle.

PRISONNIER DE CHILLON (Le) [*The Prisoner of Chillon*]. Poème de l'écrivain anglais George Gordon (lord) Byron (1788-1824), publié en 1816. Il a pour point de départ l'emprisonnement, dans le château de Chillon, sur le lac de Genève, de François de Bonnivard (1496-1570 ?), prieur du monastère de Saint-Victor, qui conspira avec les patriotes genevois pour secouer le joug du duc de Savoie. C'est la raison pour laquelle il fut deux fois emprisonné, la seconde, de 1530 à 1536, dans le château qui donne son titre au poème ; il fut libéré par les Bernois. Ce petit poème se présente sous la forme d'une méditation du prisonnier, le récit étant à la première personne. — Trad. Lemerre, 1906 ; Aubier-Flammarion, 1971.

PRISONNIER DU CAUCASE (Le) [*Kavkazskij plennik*]. Célèbre poème de l'écrivain russe Alexandre Pouchkine (1799-1837), écrit en 1822. Au cours des guerres menées au début du XIXe siècle contre les sauvages montagnards du Caucase, un jeune officier russe est fait prisonnier et mené au camp des Circassiens. On le garde vivant, dans l'espoir d'obtenir une rançon. Mais le jeune homme, rêveur, indifférent à son sort, ne semble guère tenir à la vie. L'esprit tout occupé par un ancien amour, il ne fait presque aucune attention à l'affection discrète et ardente que lui prodigue une jeune fille de la tribu. Elle s'efforce de le distraire, après avoir soigné ses blessures. Mais la guerre continue : un jour, tous les Circassiens étant partis en expédition, la jeune fille parvient à libérer le prisonnier. Le jeune Russe s'enfuit, non sans hésitations. Au cours de sa marche, un bruit le fait se retourner : la Caucasienne vient de se jeter dans la mer... Sujet mince ; poème très court, mais qui passe à juste titre pour un des chefs-d'œuvre de Pouchkine. Lui-même a raconté qu'il s'était confessé dans le personnage du prisonnier : « Certains vers viennent droit de mon cœur. » Et en effet c'est bien le jeune Pouchkine, tout influencé par Byron, mais non point d'une influence extérieure et seulement littéraire : il a confondu son âme avec celle du romantique anglais ; comme lui, il est chargé d'une immense fatigue de l'âme et las de vivre sans avoir vécu. Ce thème, commun à tout un siècle, Pouchkine le fait ici jaillir de son propre cœur, et Byron semble l'avoir seulement provoqué à être lui-même. En face de lui, la Caucasienne, à la figure volontairement indistincte, fleur fragile née au milieu de la plus farouche nature, est moins un personnage de chair qu'une sylphide, présence infinie de l'amour, dans une pureté, une grâce qui exigeaient justement que l'idylle nouée avec le jeune homme s'achevât à peine commencée, dans sa première fraîcheur. La place que tient la couleur locale, la splendide et majestueuse évocation du Caucase, de ses populations sauvages, ne peut être naturellement qu'accessoire. C'est l'exotisme de Pouchkine. Mais il a son rôle bien défini dans le poème : en face des deux jeunes gens, il fait paraître l'autre figure, cruelle, de la double nature. On a tiré un ballet du *Prisonnier du Caucase*. — Trad. *Œuvres poétiques*, t. 1, L'Âge d'Homme, 1981.

PRISONNIÈRE (La). Comédie en trois actes de l'auteur dramatique français Édouard Bourdet (1887-1945), représentée à Paris en 1926 et publiée la même année. C'est une des œuvres les plus remarquables et les mieux composées de Bourdet. En observateur amer et clairvoyant, il y dépeint la vie corrompue, dénuée de toute activité morale, que traînent, sans bonheur ni désespoir, hommes et femmes d'une certaine bourgeoisie « typiquement parisienne » et « moderne », parmi le luxe, les vices et les misères qui leur sont propres. L'auteur a traité ce thème scabreux avec une délicatesse et un sérieux qui ont permis à cette comédie d'affronter la scène. La protagoniste, Irène, est une étrange jeune femme de vingt-sept ans, fille de l'ambassadeur de France à Rome. Tout le premier acte se construit autour d'elle et du mystérieux motif qui lui fait obstinément refuser de suivre son père et sa sœur à Rome. Au moment où son père est parvenu à lui imposer le départ, Irène finit par lui faire croire qu'elle est éprise d'un de ses amis d'enfance, Jacques, et qu'elle ne veut pas le quitter, espérant qu'il l'épousera un jour. Mais, le père ne s'apercevant pas de la supercherie, Irène se voit contrainte d'en informer Jacques en le suppliant de l'aider. Jacques, qui depuis des années l'aime aussi profondément que vainement, ne peut comprendre son geste, d'autant qu'Irène se montre très réticente sur les raisons qui la font agir. Cependant, comme il aime vraiment la jeune fille et qu'il la voit souffrir, il se promet de l'aider et cherche à savoir quelque chose de précis sur sa vie intime en questionnant son ami Aiguines, mari d'une Autrichienne que fréquente Irène. Et c'est par lui qu'il apprend l'inavouable vérité : la jeune fille vit sous l'emprise de cette femme : elle est liée à elle. Et Jacques ne peut que l'abandonner à son sort. « Elles ne sont pas pour nous », lui dit son ami, en lui faisant tristement entrevoir la solitude de son existence. Mais Jacques est encore sous le coup de cette révélation qui le bouleverse, lorsque Irène vient à lui, défaite, éperdue, le suppliant de l'épouser, de l'emmener, de la sauver. Jacques sait maintenant, mais il n'a pas la force de résister et il épouse Irène. Le troisième acte représente leur vie conjugale, la morne existence de ces deux êtres qui, malgré leur bonne volonté et la générosité réciproque dont ils font preuve, sont séparés par une barrière insurmontable. Mais Jacques en est arrivé à un point où, dans l'exaspération de son pauve amour déçu, il ne peut s'empêcher de crier à Irène qu'il est malheureux auprès d'elle en dépit de tous les efforts qu'elle fait pour lui rendre la vie meilleure. Avide de tendresse et de grâce féminine, il sent le besoin de se rapprocher de la maîtresse qui l'aimait et qu'il avait quittée pour épouser Irène. Cependant, tremblante comme autrefois, sa femme se réfugie auprès de lui : elle a rencontré l'Autrichienne et, à la seule vue de celle-ci, elle a senti toute sa faiblesse ; tout va recommencer comme par le passé si Jacques ne l'emmène immédiatement loin de Paris, si encore une fois il ne l'aide pas de toutes ses forces. Mais Jacques, las désormais et altéré d'amour, n'est plus capable de la comprendre, de la soutenir fraternellement comme autrefois ; il refuse et la laisse libre de vivre comme elle veut, comme elle peut. Elle répond alors à l'appel de son amie et lui s'en va vers la douceur d'un véritable amour. Cette comédie, conduite du début à la fin d'une main sûre, avec une grande intelligence de « métier », cache, comme toutes les autres comédies de Bourdet, une vague intention morale, dont le sens n'est cependant que négatif, les personnages étant tout à fait privés de réelle vie intérieure, prompts à céder à un accommodement final et comme créés surtout pour composer la subtile peinture d'un milieu. Le défaut de ce théâtre, le manque de profondeur, tient à l'humanité même qu'il dépeint. Dans son amertume sans ironie, dans la misère de ses dénouements, se révèle, comme un jugement, le pessimisme de l'auteur.

PRISONNIÈRE DES SARGASSES (La) [*Wide Sargasso Sea*]. Commencé en 1957, ce roman de la femme de lettres anglaise Jean Rhys (1890-1979), publié en 1966, ne vit le jour qu'au bout d'un long et pénible travail de remaniement. À sa source se trouve le désir de l'auteur de donner à son lecteur une autre image d'un personnage du roman de Charlotte Brontë *Jane Eyre* (*) (1847). Il s'agit de la première femme de M. Rochester que son époux garde enfermée dans une chambre secrète, et qui finit par apparaître au grand jour lorsque celui-ci, sur le point d'épouser Jane, est forcé d'avouer qu'il est déjà marié, mais à une démente ramenée des îles, qui n'est plus qu'un animal. À la fin du roman, elle meurt après avoir mis le feu à Thornfield Hall, ce qui permet le mariage de Jane et de Rochester. Reprenant des éléments du récit de Rochester, Jean Rhys voulait recréer l'atmosphère de sa propre jeunesse à la Dominique, et présenter la créole comme une victime fascinée et persécutée par son mari, symbolisant la condition féminine. Hésitant au départ entre un récit à la première personne par la gardienne de la folle, par Rochester, ou par la victime elle-même, Jean Rhys finit par réécrire le roman en forme de triptyque. Dans une première partie, l'héroïne, Antoinette Cosway raconte son enfance à Roseau, dans l'île de la Dominique, l'incendie de la maison par les Noirs, la mort de son petit frère et la folie consécutive de sa mère. Élevée alors dans un couvent, Antoinette sera finalement mariée à un Anglais venu chercher fortune aux Antilles. Dans une deuxième partie, ce dernier – jamais nommé, mais en qui le lecteur reconnaît facilement le Rochester de *Jane Eyre* – raconte les premiers temps de son mariage et la rapide dégradation de ses rapports avec Antoinette. Mal à l'aise dans ce pays exotique qu'il ne comprend pas, victime lui aussi de ce mariage voulu pour des raisons financières par son père, il oscille entre l'amour et la haine pour sa femme, chez qui il voit les signes de la folie héréditaire. Le troisième volet donne la parole de nouveau à Antoinette, alors enfermée en Angleterre, et qui ne distingue plus la réalité du rêve, ou du cauchemar. Le roman se termine par l'incendie de la demeure, déjà vécu en rêve par l'héroïne, et familier aux lecteurs de *Jane Eyre*.

La Prisonnière des Sargasses est un bel exemple d'intertextualité, où des éléments du roman de Charlotte Brontë se fondent dans un nouveau récit ; Jean Rhys s'est intimement approprié le premier texte pour le transformer et y faire entendre sa voix personnelle, poignante et inimitable. La description de la végétation luxuriante de l'île, et l'évocation de l'enfance d'Antoinette dans une maison créole à moitié à l'abandon, son amour pour sa gouvernante noire Christophine, et ses tentatives désespérées pour se faire une amie de la petite indigène Tia qui la méprise rappellent les souvenirs personnels de l'auteur décrits dans *Voyage dans les ténèbres* (*). Mais ils sont ici parfaitement transposés et s'intègrent dans l'œuvre de fiction : il s'agit sans conteste du meilleur roman de Jean Rhys. – Trad. Denoël, 1971.

A. Gr.

PRISONNIERS DU CAUCASE (Les). Récit de l'écrivain français Xavier de Maistre (1763-1852), écrit en Russie et publié en 1825. Le major Kascambo, gentilhomme russe d'origine grecque, veut rejoindre son poste à la frontière ; n'ayant avec lui que cinquante hommes d'escorte, il est fait prisonnier par une tribu de Caucasiens cruels. Son fidèle ordonnance, Ivan Smirnoff, se laisse prendre à son tour, pour rester auprès de son maître et l'aider à se libérer. Il va jusqu'à se faire musulman, dans l'espoir qu'il jouira ainsi d'une liberté relative qui lui permettra de mieux veiller aux intérêts de son chef ; mais il n'en est que mieux surveillé. Il sait néanmoins se rendre utile à la tribu en sauvant l'un de ses membres au cours d'une expédition et, aidé par une sœur de celui-ci, il parvient à entrer en contact avec son maître et à le libérer, non sans avoir massacré à coups de hache la famille du gardien : crime affreux, mais justifié par l'attachement qu'il nourrit pour son supérieur et par l'inexorable nécessité. Maître et serviteur parviennent enfin en Russie et, après de nouvelles péripéties, ils rejoignent la troupe d'un fortin. Le récit, d'une grande vivacité et d'un romantisme sincère, n'a pas laissé d'exercer une certaine influence sur la littérature russe du XIXe siècle : *Les Cosaques ou Récit du Caucase* de Tolstoï (*), notamment, présentent avec lui certaines analogies de forme et de contenu.

PRISONS ET PARADIS de Colette (v. *Dialogues de bêtes*).

PROBLÈME D'ALADIN (Le). Récit de l'écrivain allemand Ernst Jünger (né en 1895) publié en 1983. Composé de brefs chapitres, qui excèdent rarement une page, *Le Problème d'Aladin* suggère, plutôt qu'il ne relate, le déclin de l'aristocratie et le triomphe, de plus en plus évident, du monde moderne. Toutefois, écrit Jünger : « Le problème ne se partage pas, l'homme est seul. » La référence aux *Mille et Une Nuits* (*) n'est pas gratuite car la façon dont les thèmes, dans le récit oriental, s'entrelacent avec l'art suprême de la digression qui suspend la sentence de mort n'est point sans analogie avec la méthode jüngerienne. Rien n'est plus étranger à Ernst Jünger que la linéarité. Tout lui est arborescence. Le problème d'Aladin se pose comme le problème de l'art et de l'artiste face à la mort : « Les dieux nous ont abandonnés, il nous faut ressaisir leur origine, l'art. Nous devons arriver à une idée de la chose ou de l'être que nous représentons. »

Confronté aux institutions, aux comportements et aux mentalités du monde moderne, le narrateur va se trouver contraint à paraître de plus en plus cela même qu'il s'efforçait de dissimuler ou d'oublier : un aristocrate. L'armée le déçoit : « Dans l'armée populaire, ce n'est pas l'esprit de corps qui règne mais le conformisme ; elle n'a pas d'histoire mais une idée. Chacun observe son voisin à l'affût de la moindre infraction. Même un sourire peut déjà rendre suspect. » L'université qu'il fréquente par la suite ne lui est guère plus favorable : « Je croyais voir des eunuques s'échinant sur des hermaphrodites. Les sciences naturelles étaient mises en chiffres [...] Les théologiens se traînaient derrière Darwin ou même Copernic et, tout en balançant leur lampe à huile, se flattaient encore de leur hardiesse. » Quant aux affaires, le narrateur y témoigne d'une incompétence notable, jusqu'à rejoindre, finalement, l'entreprise de pompes funèbres dirigée par son oncle. Nous sommes alors entraînés dans une dérive à la fois archéologique et historique où se côtoient Hérodote et Pausanias, les villes souterraines et les églises de Cappadoce, dérive qui conduit les personnages à imaginer une véritable « agence de voyages pour les morts », gigantesque nécropole universaliste installée en Anatolie et objet d'une campagne de publicité mondiale.

Cette utopie, digne d'un « Conte cruel » de Villiers de L'Isle-Adam, fait basculer le récit dans l'irréel et la dernière partie du livre se propose comme une méditation sur les lisières qui unissent, et séparent la raison et la folie. Ainsi le pessimisme historique n'implique point fatalement l'amertume ou la déréliction. Le rêve triomphe de toutes les apparences. Telle est en effet l'une des ultimes réflexions du personnage, avant la réconciliation heureuse avec le monde dans un matin de printemps : « Le monde peut bien sombrer ; il est mien, je l'anéantis en moi. » — Trad. par Henri Thomas, Bourgois, 1984. L. O. d'A.

PROBLÈME DE DIEU (Le). Publié en 1930, cet ouvrage se rattache par sa conception originale à l'époque du premier essai religieux du philosophe français Édouard Le Roy (1870-1954), *Qu'est-ce qu'un dogme ?* (1907), dans lequel, en réponse aux critiques rationalistes, l'auteur appuyait sur l'aspect actif de la compréhension des réalités religieuses : un dogme n'est pas un concept, une abstraction, on ne peut en retrouver la vérité qu'en en faisant une formule de vie, par une sorte d'invention recréatrice personnelle de chaque croyant. C'est dans un esprit analogue que Le Roy aborde *Le Problème de Dieu.* Il refuse de croire à la possibilité d'une saisie de Dieu par un raisonnement abstrait. Il faut au contraire, lui semble-t-il, partir de cette foi implicite en Dieu qui gît en toute action, en toute pensée, en toute vie. C'est le mystère vital qui résout les apparentes contradictions entre les conclusions de la philosophie et le donné de la foi. La même conclusion se retrouve à la fin des conférences recueillies dans *Introduction à l'étude du problème religieux* (1944), le dernier livre paru du vivant du philosophe ; celui-ci y procède à la rectification de quelques-unes de ses vues de jeunesse qui avaient provoqué en leur temps la censure de l'Index catholique.

PROBLÈME DE LA CONNAISSANCE DANS LA PHILOSOPHIE ET LES SCIENCES DE L'ÉPOQUE MODERNE (Le). Dans l'œuvre extrêmement variée du philosophe allemand Ernst Cassirer (1874-1945), son ouvrage le *Problème de la connaissance* représente une préoccupation constante, puisque, de ses quatre tomes, le premier fut publié en 1906, tandis que le dernier fut écrit en 1940. Les deux premiers tomes furent réédités d'une manière définitive en 1911, le troisième en 1920, sous le titre : *Das Erkenntnisproblem in der Philosophie und Wissenschaft der neueren Zeit* (Berlin, Bruno Cassirer). Le quatrième tome est paru en traduction anglaise (W. H. Woglom et Ch. W. Hendel), en 1950, sous le titre : *The Problem of Knowledge, Philosophy, Science and History since Hegel* (New Haven, Yale University Press). L'ouvrage exprime la préoccupation fondamentale de Cassirer : prendre conscience du nouveau concept de connaissance qui s'est élaboré dans la conscience moderne. Ce nouveau concept consiste à considérer la connaissance comme une activité qui est à elle-même son propre contenu ; tel était le néo-kantisme de l'école de Marburg, celui de Cohen, de Natorp par lesquels Cassirer fut influencé. En somme c'est l'histoire de la naissance, de la croissance et de la maturité du rationalisme moderne qui nous est décrite dans l'ouvrage de Cassirer. La première partie, qui va de Nicolas de Cuse à Bayle, nous conduit de la naissance à une crise de croissance. L'analyse patiente grâce à laquelle Cassirer décèle, dans la pensée de la Renaissance, les premiers symptômes de l'éveil du nouveau rationalisme est extrêmement attachante, tout spécialement l'étude sur Nicolas de Cuse qui montre admirablement l'originalité de ses idées sur la fonction de la pensée, sur la pensée mathématique, sur la docte ignorance et la conjecture. Marsile Ficin, Pomponnazzi, Pic de La Mirandole et beaucoup d'autres sont étudiés avec la même finesse. L'éveil de la conscience critique se révèle également dans la découverte du concept de nature (Agrippa de Nettesheim,

Paracelse), dans la rencontre de la métaphysique avec le système copernicien (Giordano Bruno), enfin dans la naissance des sciences exactes (Léonard de Vinci, Kepler, Galilée). Descartes fonde la philosophie moderne en posant avec clarté le problème de la valeur et des limites de notre connaissance, bien qu'il échoue finalement en se heurtant au problème de la substance absolue. Toute la tendance de la science moderne ne sera-t-elle pas de substituer, au concept de la substance, le concept de fonction. La fin de la philosophie cartésienne est représentée pour Cassirer par le scepticisme de Bayle. Le deuxième tome est consacré à Kant et à la préparation du kantisme : d'abord l'empirisme (Bacon, Gassendi, Hobbes) en face du rationalisme de Spinoza et Leibniz : puis l'apparition de la problématique du kantisme : les difficultés de l'empirisme de Locke, Berkeley. Hume d'une part, d'autre part l'élaboration des concepts de temps et d'espace dans la physique de Newton, dans la théologie de More, de Clarke, enfin les antinomies de l'infini chez Maupertuis et Ploucquet. Cassirer étudie d'une manière extrêmement approfondie toute l'évolution de la pensée kantienne. Le troisième tome étudie la pensée post-kantienne : Jacobi, Reinhold, Fichte, Schelling, Hegel, Schopenhauer, Fries. Moins d'unité peut-être dans ce dernier tome qui est une suite d'études individuelles assez indépendantes les unes des autres ; Cassirer ne peut, comme dans les deux premiers, montrer la marche de la pensée moderne vers la conscience critique à travers les progrès des sciences et les tâtonnements du rationalisme. En revanche, le quatrième tome n'a pas seulement, comme le troisième, l'intérêt d'une belle collection d'analyses de systèmes philosophiques ; il se mesure avec le problème nouveau de la transformation du rationalisme au contact de la science moderne. L'introduction du livre est extrêmement importante, car elle fait le point : que devient le concept de connaissance en face de la science moderne, en face de la spécialisation et de la diversité des méthodes ? La réponse de Cassirer est très modeste et reconnaît simplement la complexité croissante de la notion de connaissance. Trois parties envisagent les principaux problèmes. Première partie, les sciences exactes ; les géométries non euclidiennes ; les rapports de l'expérience et de la pensée en géométrie, le concept de nombre ; les buts et les méthodes de la physique théorique. Cassirer montre le caractère abstrait et symbolique de la physique moderne. Deuxième partie, la transformation de l'idéal de la connaissance en biologie ; c'est une histoire de la biologie de Goethe à Loeb et Driesch, en passant par Darwin, et un examen de conscience de la biologie sur sa propre nature comme science. Enfin, troisième partie, tendances et formes fondamentales de la connaissance historique. Cassirer passe en revue les principaux historiens du XIXᵉ siècle jusqu'à Fustel de Coulanges, avec d'autant plus d'intérêt qu'il est lui-même historien. L'ensemble de l'ouvrage de Cassirer constitue un recueil d'études extrêmement bien informées aussi bien sur tous les philosophes, de Nicolas de Cuse à Schopenhauer, que sur l'histoire des sciences, tant anciennes que modernes. Il ne se dégage peut-être pas de l'ensemble une vue systématique et simple. Mais c'est que Cassirer a été extrêmement attentif à suivre dans ses moindres méandres les cheminements du problème épistémologique dans le monde moderne. Les meilleures qualités de l'ouvrage sont, par là-même, la sincérité et la modestie d'une pensée fidèle et soumise aux lois de la pensée.

PROBLÈME DE L'ÊTRE SPIRITUEL (Le) [*Das Problem des geistigen Seins*]. Œuvre du philosophe allemand Nicolai Hartmann (1882-1950), publiée à Berlin en 1933. Dans une introduction historique, Hartmann rappelle que Hegel a découvert l'existence de l'Esprit objectif. Mais il a mal interprété sa découverte, comme d'ailleurs son disciple Karl Marx : l'un et l'autre cherchant à donner une explication exhaustive de l'Esprit objectif, le premier déduisant l'inférieur du supérieur, l'autre par la démarche inverse. Selon Hartmann, il est impossible de réduire la réalité à un point de vue unique, comme ont tenté de le faire Hegel et Marx. Il convient plutôt, en abdiquant les prétentions à la définition et à l'explication, de décrire les différents stades de l'Esprit, selon une méthode purement phénoménologique (école dont Hartmann est un des plus éminents représentants). L'ouvrage se divise en trois parties : Hartmann étudie d'abord l'Esprit personnel et individuel, c'est-à-dire, dans le commun langage, l'âme personnelle, consciente, volontaire et introspective. On ne peut cependant identifier personnalité et conscience : dire que l'esprit doit être capable de conscience ne signifie pas, en effet, qu'il commence avec la conscience. L'esprit d'ailleurs — et Hartmann reprend une remarque souvent faite par les thomistes — ne se connaît-il pas lui-même moins bien que les choses ? Il existe enfin, entre l'esprit et la conscience, une différence essentielle, le premier se manifestant dans l'union, la seconde par la division. On ne peut donc (comme l'avait fait Hegel) confondre la personnalité et la conscience de soi, et Hartmann se contente de la définir par « ce qu'il y a de plus humain dans l'homme ». L'Esprit objectif — auquel est consacrée la seconde partie — peut être illustré par l'idée des « âmes des peuples ». C'est une réalité purement historique : il est d'autre part évident qu'il y a plutôt des « esprits objectifs » qu'un seul. Hartmann l'étudie dans quelques-unes de ses manifestations (institutions, etc., de la Grèce antique, de Florence sous la Renaissance). L'auteur s'oppose encore à Hegel en déniant à l'Esprit objectif toute substantialité : non qu'il ne soit pas une réalité, et dont l'activité est capitale ; mais son existence n'est pas celle d'une substance : c'est, en quelque sorte, une surexistence transcendante. L'Esprit objectif règle la personnalité individuelle, qu'il introduit, par participation, à l'existence historique. Est-il conscience ? Oui, mais seulement en ceci qu'il est un carrefour des esprits personnels : on ne saurait donc réduire sa réalité historique à un type arrêté, pouvant être décrit d'une manière exhaustive. En fait, l'Esprit objectif n'a pas une conscience adéquate : il n'en reste pas moins que c'est lui qui donne sa matière à la conscience personnelle. Mais d'autre part, sans les esprits personnels, l'Esprit objectif serait aveugle. Hartmann, au contraire de Hegel, ne fait nullement de l'Histoire un Dieu infaillible : l'Esprit objectif n'a pas toujours raison, il n'est pas toujours progressif — ce qui n'autorise nullement à oublier son existence transcendante. En mainte occasion cependant, les esprits personnels pourront se montrer supérieurs à l'Esprit objectif. Dans une dernière partie, Hartmann étudie enfin l'esprit objectivé, comme l'illustrent les œuvres d'art et toutes les productions de l'esprit. L'Esprit, ici, a une sorte d'existence qui échappe à toute vue unitaire et systématique, et qui se prête parfaitement au contraire à la démarche phénoménologique. Les produits des esprits personnels ou des esprits objectifs acquièrent une sorte d'existence indépendante : ils échappent au rythme de la production spirituelle normale. Dans l'histoire, ils sont en même temps hors de l'histoire. Dans le processus historique, il existe ainsi des conditions qui ne sont pas en elles-mêmes historiques. Leur étude devra être préliminaire à toute philosophie de l'histoire. Ainsi, la description de Hartmann, tout en retenant l'apport essentiel de Hegel, y ajoute les corrections nécessaires d'un esprit toujours soucieux de contrôler ses affirmations par l'expérience et d'éviter les généralisations hâtives.

PROBLÈME DE L'INCROYANCE AU XVIe SIÈCLE. La religion de Rabelais. Ouvrage de l'écrivain français Lucien Febvre (1878-1956), paru en 1942. Pour traiter du problème complexe de l'incroyance au XVIe siècle, Lucien Febvre centre son étude sur Rabelais, et s'inscrit en faux contre la thèse d'Abel Lefranc, qui prétendait que l'enseignement de Rabelais constituait une preuve accablante de son athéisme, non seulement ennemi de la hiérarchie ecclésiastique, mais aussi du christianisme. En fait, répond Lucien Febvre, pour juger avec sérénité et surtout exactitude la pensée de Rabelais, il faut la replacer dans le contexte plus large de l'histoire des idées au temps de la Renaissance, et tenter d'approcher la psychologie collective d'un siècle en plein bouillonnement sur lequel il n'est pas souhaitable de porter des jugements hâtifs et péremptoires. En prenant pour hypothèse que Rabelais représenterait en quelque sorte la cristallisation des idées religieuses de la Renaissance et de la pensée du XVIe siècle, dont il exprimerait à la fois les aspirations et les contraintes, l'auteur pose la question résolue avec tant de partialité par Abel Lefranc : Rabelais était-il incroyant ? Pour y répondre, il convient en premier lieu d'emprunter aux historiens leur méthode scientifique : interroger les témoignages et les écrits des contemporains, formuler un certain nombre d'hypothèses, et montrer en définitive que la religion, surtout à l'époque de l'humanisme et de la Renaissance, est moins une affaire de dogme, en principe immuable, que de sentiments, naturellement changeants. Certes déjà à son époque on a peint Rabelais sous les traits d'un combattant fanatique de l'esprit religieux. Les théologiens emboîtèrent le pas et s'employèrent avec succès à faire condamner l'œuvre de Rabelais par la Sorbonne, Rabelais qui, au temps de la Réforme et au milieu des passions religieuses, semblait attaquer sans concession la vieille Église romaine. Nul ne s'est aperçu alors que l'œuvre de Rabelais prolongeait simplement la tradition satirique du Moyen Âge qui, en dépit de sa profonde religiosité, se livrait très souvent, avec une verve parfois très acerbe, à des plaisanteries sur l'Église. C'est pourquoi on peut dire que les gamineries et les facéties de Rabelais, ses railleries anticléricales, ne prouvent rien quant à la prétendue incroyance de Rabelais. Il serait plus vrai de dire que, comme tous les penseurs de son temps, et surtout les humanistes, Rabelais marque sa défiance à l'égard du culte, des pratiques extérieures, gâtées par les superstitions et le formalisme et célébrées par des membres de l'Église dont l'immoralité est flagrante. Rabelais préfère le culte intérieur, personnel ; il participe ainsi au grand mouvement individualiste qui a marqué la Renaissance, et ses critiques comme ses aspirations sont assez semblables à celles formulées par la pré-Réforme. Dans l'œuvre de Rabelais passent souvent le souffle d'un Luther et surtout le christianisme libéral d'un Érasme, sorte de déisme fervent, ennemi du déterminisme et de l'idée de Providence. Au cours de son enquête, Lucien Febvre analyse les idées religieuses des écrivains et penseurs de la Renaissance, et des protagonistes de la Réforme en France : ces idées ne sont pas en contradiction avec celles de Rabelais. Seul Calvin, dont l'idéal religieux était beaucoup plus doctrinal que celui des Lefèvre d'Étaples, des Farel, des Dolet, des Postel, lança l'anathème contre le *Gargantua* (*).

Dans une seconde partie, Lucien Febvre s'attache à démontrer que la notion de libre penseur ou d'athée est difficilement concevable au XVIe siècle ; le poids de la religion sur la vie publique et privée limite à lui seul l'incroyance. Certes le retour à l'Antiquité païenne gréco-latine met la Renaissance en contradiction avec sa foi chrétienne. Il est vrai que les découvertes scientifiques, l'apparition de l'imprimerie et du livre, les nouveaux systèmes d'explication du monde inspirent le doute, mais ce doute, bien loin d'être la source d'athéisme, est au contraire le point de départ du renouvellement religieux de la Réforme : on ne peut donc parler, sans contresens, de rationalisme, de libre pensée au XVIe siècle ; ce siècle n'est ni sceptique, ni même libertin, ni même un « siècle des lumières », mais, comme Rabelais nous le dépeint, un « siècle qui avant tout veut croire ».

PROBLÈMES DE L'ÂME MODERNE [*Seelenprobleme der Gegenwart*]. Œuvre du psychiatre, psychologue et psychanalyste suisse Carl Gustav Jung (1875-1961). Elle rassemble des textes tirés notamment du livre publié en 1931 sous le titre cité, et de *Réalité de l'âme* [*Wirklichkeit der Seele*], publié en 1934. Alors que depuis les années 1926-27 il se trouve plongé dans l'étude solitaire des énigmes de la littérature et de l'iconographie alchimiques d'où naîtront les grandes œuvres de la fin de sa vie, Jung produit, au cours des années 30, un ensemble de textes brefs, à l'écriture souvent incisive, où il débat des grandes questions qui agitent l'époque. C'est ainsi qu'on trouve dans leur édition française, outre des exposés sur sa conception du devenir de la personnalité, du midi de la vie ou de la permanence aujourd'hui de l'homme archaïque, des réflexions sur la femme moderne et le mariage, et aussi des essais sur la création contemporaine, avec notamment un article sur Picasso et un autre où il analyse la révolution de la sensibilité et de l'écriture dont témoigne l'*Ulysse* (*) de Joyce. — Trad. Buchet-Chastel, 1960. C. G.

PROBLÈMES DE LINGUISTIQUE GÉNÉRALE. Œuvre du linguiste français Émile Benveniste (1902-1976), publiée en 1966. Tout en enseignant la grammaire comparée et la linguistique générale, Benveniste a publié de nombreux travaux techniques qui l'ont fait connaître comme un des grands contemporains dans ces deux disciplines. Avec cet ouvrage qui réunit vingt-huit études d'une portée générale, il aborde les problèmes d'ensemble que pose une science créée par Ferdinand de Saussure — *v. Cours de linguistique générale* (*) — et qui est encore en train de se faire, mais d'une manière toujours concrète dans la définition d'une méthode et dans ses applications. C'est sous cet angle de la pratique que sont exposées successivement les transformations de la linguistique générale, la question de la communication dans le langage, la notion de structure en linguistique. L'analyse des fonctions syntaxiques : « La phrase nominale », « Actif et moyen dans le verbe », « La construction passive du parfait transitif », etc., est rendue vraiment magistrale par la perspicacité de l'observation et la souple hardiesse de la démarche. En conclusion l'auteur étudie la présence de la personne humaine dans le langage à travers les pronoms et les temps des verbes et montre à quel point le lexique reflète une culture donnée. Par-delà les querelles d'école, Benveniste montre dans ce livre sur des problèmes précis que la linguistique est une science en plein devenir.

Un deuxième volume, *Problèmes de linguistique générale II,* a été publié en 1974. Il reproduit des articles parus entre 1965 et 1972, que l'on peut regrouper sous trois thèmes : l'histoire et la place de la linguistique au XXe siècle, qui est évoquée dans deux entretiens passionnants avec Daix et Dumur ; l'analyse de différentes structures syntaxiques et lexicales (composition nominale, dérivés en *eur,* relations d'auxiliarité, pronoms, mots comme « orarium », « scientifique », « menuisier » et « amenuiser »), qui sont toujours le point de départ d'une réflexion plus générale ; enfin, les études qui posent les fondements d'une théorie de l'énonciation et du discours. Dans l'article intitulé « Sémiologie de la langue » (1969), où il cherche à dégager ce qui distingue la langue des autres systèmes de signes, Benveniste affirme que c'est le fait qu'elle combine deux modes de signifiance distincts, qu'il appelle sémiotique et sémantique ; le premier est propre au signe linguistique, tel qu'on le décrit généralement dans le cadre du système de la langue ; le second « s'identifie au monde de l'énonciation et à l'univers du discours ». Il montre ensuite que, si le mode sémiotique peut être étudié dans une perspective saussurienne, le mode sémantique exige « un appareil nouveau de concepts et de définitions ». C'est précisément cet appareil nouveau que Benveniste décrit dans « L'Appareil formel de l'énonciation » (1970). Il cherche à dégager les caractères formels de l'énonciation tels qu'ils se manifestent par rapport à l'énonciateur, au destinataire et au monde. Il est ainsi amené à réexaminer dans une nouvelle perspective la fonction de différentes formes linguistiques qui sont des traces de l'énonciateur (pronoms, adverbes, temps verbaux, structures syntaxiques interrogatives et impératives, modalités). Quant à la relation avec le destinataire, elle l'amène à poser comme cadre de toute énonciation le dialogue et à affirmer le caractère dérivé du monologue : « Le "monologue" procède bien de l'énonciation. Il doit être posé, malgré l'apparence, comme une variété du dialogue, structure fondamentale. Le "monologue" est un dialogue intériorisé, formulé en "langage intérieur", entre un moi locuteur et un moi écouteur. » Benveniste rejoint ainsi, par d'autres voies, le dialogisme affirmé dès les années 30 par Bakhtine (dont les œuvres ne seront connues en France que dans les années 70), et ouvre ainsi la voie, quelques années avant sa mort, aux recherches actuelles sur le discours. E. Ro.

PROBLÈMES D'HISTORIOGRAPHIE ANCIENNE ET MODERNE. Recueil historiographique de l'historien italien Arnaldo Momigliano (1908-1987) composé pour la traduction française et regroupant vingt articles parus séparément de 1954 à 1981. L'éditeur français les a tirés de deux recueils, la vaste série des *Contributi alla storia degli studi classici (e del mondo antico)*, Rome, 1966-83, d'une part, et les *Essays in Ancient and Modern Historiography* (Oxford, 1977). Cette structure ne nuit pas à l'unité de l'œuvre qui pourrait être intitulée « Nouvelles approches des historiens antiques et de leurs œuvres ». Pour Momigliano, l'historiographie n'est ni bibliographie rétrospective, ni réflexion épistémologique ou philosophique ; elle est histoire de l'Histoire et histoire dans l'Histoire. Historien de la culture, il s'intéresse aux « minores », à la foule inconnue des historiens du Bas-Empire comme à celle des Antiquaires (amateur d'histoire) des XVIe et XVIIe siècles ; des premiers, il montre qu'ils assuraient la continuité des modèles classiques, même médiocrement ; des seconds il dit tout ce qu'ils ont apporté, par leur ingéniosité et leur amour du savoir, à l'« éthique de l'historien ». Sociologue de la culture, Momigliano s'intéresse à la réception de l'œuvre, aux « publics » des historiens grecs et romains, à la place des historiens dans la cité et l'empire, au destin des œuvres historiques. Le noyau de l'ouvrage est constitué d'analyses consacrées aux lointaines fortunes et infortunes de grandes œuvres : celle d'Hérodote, « vaincu dans l'Antiquité », qui « triompha au XVIe siècle » ; celle de Polybe qui « est arrivée en Italie deux fois, la première en 167 av. J.-C., la seconde aux environs de 1415 » ; celles de Tacite dans lesquelles les humanistes prirent des leçons d'antimachiavélisme. L'histoire de l'Histoire, ainsi conçue, témoigne tout aussi bien du temps de la lecture que de celui, premier, de l'écriture. Historien des cultures, Momigliano se plaît aussi en ces lieux et en ces moments où les civilisations se rencontrent, se pénètrent ou s'affrontent et se succèdent. Ainsi cherche-t-il à détecter les éléments orientaux, perses surtout, dans les historiographies juive et grecque ; l'art de conter, le goût des biographies d'hommes politiques, l'utilisation des documents d'archives... La comparaison entre les premières expressions historiographiques chrétiennes et l'historiographie grecque païenne permet, à rebours, de mieux caractériser la seconde : celle-ci ignore le registre « sacré » de l'interprétation de l'Histoire et n'a pas prétention à révéler la destinée de l'homme. Par la multiplicité des voies qu'elle propose, par l'humble prudence des réponses qu'elle donne aux questions qu'elle invente, cette anthologie est la meilleure introduction à ce qu'il conviendrait d'appeler la « Nouvelle histoire de l'Histoire ». C.-O. C.

PROBLÈMES DU RÉALISME [*A realizmus problémái*]. Recueil publié en 1948 par le philosophe et critique littéraire hongrois György Lukács (1885-1971), qui réunit ses études sur le problème du réalisme en littérature. La plupart de ces études parurent entre 1934 et 1939 dans la revue soviétique *Literatournii Kritik*. La première, intitulée « L'Art et la réalité objective », aborde la catégorie du réalisme par la théorie philosophique de la connaissance. Lukács pense que le réalisme n'est pas simplement une catégorie de style, mais traduit l'ambition de tous les arts de tous les temps de décrire la réalité. Lukács attribue un rôle essentiel à l'antagonisme du réalisme et de l'antiréalisme dans l'histoire des arts, mais insiste sur le fait que chaque époque crée son réalisme « sui generis ». D'autres études, publiées dans le recueil, exposent les théories de l'auteur sur le caractère fermé de toute œuvre d'art et abordent la catégorie du « total ». « L'œuvre d'art doit refléter avec justesse et dans des proportions justes toutes les définitions objectives essentielles, qui constituent le contenu objectif de la tranche de vie représentée, ainsi que les relations qu'elle implique. La manière de refléter doit être telle que la tranche de vie soit compréhensible et accessible en elle-même et par elle-même, qu'elle apparaisse comme la totalité de la vie. » Certains essais traitent du rapport entre le contenu et la forme : d'après Lukács, la forme est une sorte de reflet de la réalité, tout comme le sont les catégories logiques. Pour souligner la primauté du contenu sur la forme, Lukács emploie souvent l'expression « triomphe du réalisme ». Cette formule a fait, par la suite, l'objet de nombreuses critiques. En effet, si ces essais de Lukács s'opposaient à la conception rigide d'un art de propagande et ont jeté les bases d'un « grand réalisme » moderne, ils rejetaient par ailleurs d'une manière trop catégorique certains acquis de l'avant-garde et permirent la déformation, dans un sens conservateur, de la théorie du réalisme. -- Trad. Arche, 1975.

PROBLÈMES DU STYLE (Les) [*The Problems of Style*]. Ouvrage de critique littéraire publié en 1922 par l'écrivain anglais John Middleton Murry (1889-1957). L'auteur avait déjà travaillé comme rédacteur à la *Westminster Gazette* (1912-13), à l'*Art Critic* (1913-14) et dirigé, avec son épouse, Katherine Mansfield, l'*Athenaeum* (1919-21) avant de livrer au public les principes qui avaient guidé ses travaux de critique, et élevé les chroniques hebdomadaires de l'*Athenaeum* à un niveau fort supérieur à celui de la presse actuelle. Son traité sur les problèmes du style, qui fait suite à *Aspects de la littérature* [*Aspects of Literature*, 1920], fut à l'origine d'une conception plus synthétique de l'activité littéraire. L'auteur considère la littérature comme l'expression de la réaction globale de l'écrivain envers l'existence, traduite et réalisée par son utilisation créatrice et spéculative du langage, et principalement de la métaphore. Il voit précisément dans cette activité ce qui constitue l'importance et le génie de Shakespeare. Quant à la nature de la critique elle-même, Murry semble partagé : il ne nourrit pas le « rêve fantastique selon lequel la critique pourrait un jour prétendre à une rigoureuse précision scientifique » et abandonne l'espoir de donner à ses concepts un sens constant et invariable, mais il propose dans le même volume une critique qui établirait une relation directe entre les conditions socio-économiques d'une époque et d'un milieu et les formes littéraires et artistiques, allant jusqu'à concevoir plus tard une *Histoire économique de la littérature anglaise.* Les premiers essais de Murry, écrits dans une prose dense et impeccable, sont de véritables modèles du genre, notamment son étude sur le *Coriolan* (*) de Shakespeare. Par contre, Murry fut un juge partial et sans discernement de la littérature contemporaine (il ne sut voir dans la poésie de Yeats que l'œuvre d'un esthète sans inspiration) ; ses relations complexes et orageuses avec D. H. Lawrence et sa façon de mêler une version peu orthodoxe du christianisme à une version antimarxiste du communisme lui interdirent d'être un penseur rigoureux. Ses dons de critique ont besoin, pour s'exercer, du recul de plusieurs siècles. Son *Keats et Shakespeare* (1925), qui étudie la carrière de Keats de 1816 à 1820, montre avec profondeur que le poète fut non seulement séduit et influencé émotivement par le génie élisabéthain, mais porté à étudier consciemment et consciencieusement sa technique dramatique et qu'en réalité, les poèmes de Keats postérieurs à *Endymion* (*) sont des canevas et des ébauches de drames que la mort l'empêcha d'écrire. L'imagination de Murry le conduit à de fructueuses découvertes, mais elle aboutit trop vite à un mysticisme nébuleux : il affirme ainsi que, puisque la poésie pure est une révélation d'origine divine, et puisque Keats eut cette intuition par Shakespeare, ce dernier est littéralement une incarnation divine. De même son étude sur *Blake* (1933) réduit vite la vision du poète au mysticisme de l'auteur influencé par sa propre conversion. À côté d'études sur Keats, Shakespeare, Dostoïevski, et de souvenirs sur D. H. Lawrence *Fils d'une femme* [*Son of a Woman,* 1931], et *Souvenirs de D. H. Lawrence* [*Reminiscences on D. H. Lawrence,* 1933], l'auteur a publié plusieurs essais sur sa femme, *Katherine Mansfield et moi* et *Entre deux mondes* [*Between Two Worlds,* 1935], une autobiographie.

PROCÈS (Le) [*Der Prozess*]. Roman de l'écrivain tchèque d'expression allemande Franz Kafka (1883-1924), publié après la mort de l'auteur, en 1925, aux éditions « Die Scheide » à Berlin. Max Brod, ami intime et exécuteur testamentaire de Kafka, nous apprend que ce roman se présentait sous forme de manuscrit sans titre, mais que l'auteur, quand il en parlait, l'appelait toujours *Le Procès.* Si la division et les titres des chapitres sont de Kafka, la distribution en est due à Max Brod, lequel a cru bon, en outre, d'écarter certains chapitres incomplets. Kafka, qui considérait ce roman comme inachevé, se proposait d'y ajouter quelques développements avant le chapitre final ; toutefois, de par la nature même de son sujet, le roman aurait pu se prolonger indéfiniment : on peut donc le tenir pour une œuvre, sinon achevée, du moins entière. Dès la première page, avec une incomparable maîtrise, Kafka entraîne le lecteur au cœur du récit : « On avait sûrement calomnié Joseph K., car, sans avoir rien fait de mal, il fut arrêté un matin. La cuisinière de sa logeuse, Mme Grubach, qui lui apportait tous les jours son petit déjeuner à huit heures, ne se présenta pas ce matin-là. Ce n'était jamais arrivé. K. attendit encore un instant, regarda du fond de son oreiller la vieille femme qui habitait en face de chez lui et qui l'observait avec une curiosité surprenante, puis, affamé et étonné tout à la fois, il sonna la bonne. À ce moment, on frappa à la porte et un homme entra qu'il n'avait jamais vu encore dans la maison. » Joseph K., modeste employé de banque menant, entre son bureau et la pension où il habite, une vie effacée et rangée de célibataire, se trouve ainsi en présence de deux personnages en uniforme (uniformes étranges comme les choses découvertes soudain de près), lesquels, se déclarant mandatés par un certain tribunal, notifient à K. qu'il doit se considérer en état d'arrestation et devra se tenir à la disposition des juges chargés d'instruire son procès. Joseph K. se trouve donc dans une situation comparable à celle d'un prévenu libre : il pourra continuer de vaquer à ses occupations, en attendant de répondre aux convocations qui lui seront ultérieurement adressées. Cependant, la faute, ou le crime, dont on l'accuse ne lui est en rien révélée, et le comportement insolite des « policiers » laisse un instant penser à Joseph K. qu'il s'agit là d'une plaisanterie montée par ses collègues de bureau à l'occasion de son trentième anniversaire. Mais lui-même en arrive bientôt à se détromper. Car l'événement est ressenti par K. comme la confirmation d'un pressentiment informulé : il a le sentiment de se trouver à un tournant de son existence, face à une sorte de jeu dont la gravité ne peut cependant lui échapper. Naturellement soumis et respectueux envers l'autorité, en règle avec la morale et la légalité, il n'en éprouve pas moins un malaise, révélateur d'une mystérieuse culpabilité. Peut-être aussi, esprit raisonnable et méthodique, est-il heurté par les aspects absurdes de cette affaire qui se prévaut de la justice et de la clarté. Joseph K. se décide donc à répondre aux convocations, affichant une indignation et une assurance qui dissimulent un secret désarroi, justifiant son attitude aux yeux de son entourage par la nécessité de dévoiler les désordres et l'arbitraire de l'appareil judiciaire. Enfin, ce sera pour lui l'occasion de prouver son innocence et de tirer, une fois pour toutes, les choses au clair. Mais ces débats, cette argumentation que Joseph K. déploie aux yeux des autres et de lui-même, vont se révéler comme les sursauts d'un homme pris à un fil invisible, premiers pas dans un labyrinthe, premiers tours d'un engrenage sans rémission. Dès lors, le drame de K. dépasse les catégories du réel et de l'imaginaire : il devient vrai, vrai comme celui que peuvent vivre un fou, un malade ou un innocent que leur état sépare de la norme. Ses premiers contacts avec cette mystérieuse et gigantesque machine administrative, partout présente, mais par personnes interposées, confinées dans leur fonction subalterne, qui se dissimule sous les dehors de la médiocrité anonyme et se tapit à l'envers du décor, sous les lieux communs et utiles, dans les recoins oubliés, révèlent à Joseph K. l'étendue de son impuissance. Il est comme fasciné par cet univers insoupçonné, cette organisation occulte, ces gardiens de la Loi, qui interrogent et instruisent sans révéler pourquoi, et dont les bureaux sont installés dans les mansardes et les soupentes de la ville, ce tribunal dont les audiences se déroulent au dernier étage d'un sinistre immeuble de quartier pauvre. Car l'essentiel pour lui, c'est de se justifier, mettre un terme au tourment de sa raison, qui s'insurge et s'enfonce toujours plus avant dans un dédale de craintes, de scrupules et de responsabilités supposées, se défendre d'une conjuration qui donne tant de preuves de sa mauvaise foi. Ainsi, peu à peu, ce procès devient-il pour K. une idée fixe. Négligeant son travail à la banque, il passe des heures à supputer les diverses possibilités de salut qui s'offrent à lui, parcourt la ville à la recherche d'un avocat capable de défendre cette cause sans motif, cherche fébrilement quelqu'un pouvant entrer en rapport avec les magistrats chargés d'instruire son procès. Drame du doute, drame d'un homme qui s'est soumis aux impératifs d'un idéal officiel et découvre que les agents de cet ordre suprême sont des naïfs, des ignorants ou des tricheurs et offrent le parfait visage de l'injustice. Au fur et à mesure que les issues se ferment, Joseph K. voit grandir sa solitude dans une ville qui semble se muer en un immense tribunal. Amené à jouer le rôle d'accusé pour préserver son innocence, il se retrouve muré dans son personnage. Pour inexplicable que cela paraisse, tout le monde est au courant de son procès : à la banque, à la pension, au café, dans tous les lieux où se déroulait naguère son existence discrète et routinière de petit employé, mille gestes et regards allusifs sont là pour épier ses moindres réactions, ses moindres mots. Tout lui devient à charge. Et lorsque Joseph K. acquiert la conviction qu'il n'existe aucun intermédiaire entre lui et le procès, qu'il se trouve lui-même au centre de ce procès dont il fait inévitablement partie, il se résigne à attendre l'exécution d'une sentence préméditée. Un soir, à la veille de son trente et unième anniversaire, deux messieurs pâles et gras, en redingote noire, viennent chercher Joseph K. à la pension pour le conduire dans une carrière, aux confins de la ville. Mais si Joseph K. les suit, persuadé de son impuissance à s'insurger, de sa solitude et de l'absence de recours, il n'en demeure pas moins étranger à l'événement, enregistrant les images de cette promenade nocturne avec une lucidité inutile. Il est, malgré lui, complice d'un jeu dont les règles lui échappent. Tout se déroule le plus simplement du monde, le plus quotidiennement, dans les décors étriqués des choses. La ville ignore cette victime paisiblement encadrée de ses deux respectables bourreaux. La logique affirme que ce qui arrive est inéluctable, sans issue, que c'est toujours de justice sommaire qu'il s'agit ; et pourtant, « la logique a beau être inébranlable, elle ne résiste pas à un homme qui veut vivre. Où était le juge qu'il n'avait jamais vu ? Où était la haute cour à laquelle il n'était jamais parvenu ? ». À l'absurde, à la misérable stupidité, comme crapuleuse, de l'événement, Joseph K. oppose un espoir muet, insensé, d'autant plus éclatant et grand qu'est insignifiant ce qui le nie. « Il ne pouvait pas soutenir son rôle jusqu'au bout, il ne pouvait pas décharger les autorités de tout le travail ; la responsabilité de cette dernière faute incombait à celui qui lui avait refusé le reste de forces qu'il lui aurait fallu pour cela. » Mais, déjà, le bourreau lui plonge son couteau dans le cœur ; les yeux mourants, il voit encore les deux messieurs penchés sur son visage pour observer le dénouement. « Comme un chien ! dit-il, et c'était comme si la honte dût lui survivre. » Ainsi s'achève *Le Procès,* confession sans voiles. En dehors des perspectives métaphysiques ou psychologiques que cette œuvre suggère, en dehors de considérations d'ordre social ou littéraire, ce roman, à l'instar de l'œuvre entière de Kafka, demeure comme une tentative de restituer la vérité d'une expérience profonde, et ceci à l'inverse de la démarche habituelle. S'il remet en question un problème général, c'est à force de cerner sa condition particulière. Il atteint le fond à force de platitude, le relief à force de creux : et ce résultat devient une sorte d'ironie à rebours, un instrument d'évidence. L'essentiel échappe ainsi à l'ambiguïté des mots et se dégage de lui-même, avec la nudité et la force d'un fait. De là aussi, une présence irritante, une multiplicité de prises pour le lecteur, une cause de réflexions. Du même coup, Kafka rejoignait les chemins de l'exigence poétique et mettait un point final à l'impasse du genre romanesque. L'écriture moderne allait devoir tenir compte de cette expérience. — Trad. Gallimard, 1948 ; Flammarion, 1983.

PROCÈS DE LUCULLUS (Le) [*Das Verhör des Lucullus*]. Pièce composée en 1939 par l'écrivain allemand Bertolt Brecht (1898-1956). Écrite d'abord pour la radio, elle servit de livret à l'opéra de Paul Dessau, créé en 1951 à Berlin sous le titre *La Condamnation de Lucullus.* Dans cette pièce, la satire est rare. C'est avant tout un douloureux témoignage contre la guerre. Son antimilitarisme a été jugé excessif, ou déplacé, lors de sa création. La musique encourut également le reproche de formalisme, terme vague qui désigne tout ce qui paraît peu accessible aux auditoires ouvriers. Lucullus après sa mort descend aux Enfers et y est jugé par un tribunal d'ombres sur la question suivante : le général défunt a-t-il été utile aux hommes ? Ainsi, dans la *Pièce didactique de Baden-Baden* (*), le chœur faisait-il le procès des héros de l'aviation. Mais la poésie est ici plus transparente, le ton retenu et comme assourdi. Brecht utilise à peine la rime. Le vers libre est très souple, lyrique seulement et d'un rythme plus large dans les passages où transparaît l'émotion. Par exemple dans la scène où la poissonnière raconte comment elle a attendu puis cherché partout jusqu'au royaume des morts son fils Faber mort à la guerre, sans pouvoir le trouver. En face de Lucullus, dont la morgue décroît, défilent en chœurs, ou isolés, d'humbles témoins devant les cinq jurés qui sont : un paysan, un esclave-maître d'école, une poissonnière, un boulanger et une courtisane. Le juge du tribunal des morts, constatant combien les triomphes et les vertus guerrières de Lucullus lui sont d'un piètre secours, essayera de lui trouver quelque faiblesse : « Ses faiblesses forment comme des espaces vides dans la chaîne de ses violences. » La gourmandise de Lucullus a permis à son cuisinier de parvenir à la célébrité ; elle a donné au boulanger l'occasion d'inventer une méthode artistique pour mélanger le son à la farine ; enfin le paysan invoque à la décharge de Lucullus l'importation du cerisier. Le cerisier est le plus beau butin que Lucullus ait ramené de la guerre ; mais il n'y a pas besoin de 80 000 morts pour ramener un cerisier ! Ni l'art culinaire ni la beauté du cerisier n'empêcheront le grand général d'être rayé même du royaume des morts. Commencé un an avant la déclaration de guerre, *Le Procès de Lucullus* dresse sur la route des grands massacres proches le plus amer, le plus lucide des avertissements : « Ayez donc enfin pitié de vous-mêmes, / Ne retournez plus à la guerre, malheureux ! » – Trad. L'Arche, 1956.

PROCESIÓN DEL ROCÍO (La). Créée en 1913 à Madrid, cette Suite en deux parties est la première œuvre orchestrale du musicien espagnol Joaquín Turina (1882-1949). Il l'écrivit lorsqu'il quitta la France où il avait étudié piano et composition, après qu'Albéniz l'eut convaincu de se dégager de l'influence de la Schola Cantorum pour se consacrer à la musique nationale. Cette *Procession de la Rosée*, fête annuelle célébrée en juin à Triana en l'honneur de la Vierge, est en effet purement espagnole : « Triana en fête » décrit la joie populaire, la foule dans les rues, la cavalcade, les chants, les danses tout à coup interrompus par la *Procession* : celle-ci passe, le bruit décroît et cesse. Par la solidité, la variété et la richesse de son orchestration, cet ouvrage est une réussite.

PROCÈS SANS FIN (Le) ou l'Histoire de John Bull [*The History of John Bull*]. Ouvrage de l'écrivain anglais John Arbuthnot (1667-1735), médecin de la reine Anne d'Angleterre et grand ami de Swift, Pope, Gay et autres littérateurs et beaux esprits du temps, également auteur de l'*Histoire de Martinus Scriblerus* (*). Publiée intégralement pour la première fois en 1712, cette œuvre consiste en une série de libelles politiques et satiriques qui ont été écrits à différentes occasions, en esprit d'opposition à la guerre contre la France. La fermentation des idées, le sentiment agréable d'avoir recouvré la liberté de la presse (1695), l'habitude de savantes et brillantes controverses religieuses et politiques, tout cela favorisait le développement de la littérature satirique. Au dire de Swift, Arbuthnot était celui qui « avait le plus d'esprit et encore plus de psychologie que d'esprit ». Le premier libelle de la série, qui est aussi le plus célèbre à cause de l'heureuse invention du personnage de John Bull, tend à démontrer que la loi est un puits sans fond, comme il apparaît dans l'exemple du procès engagé par lord Strutt, John Bull, Nicolas Frog et Lewis Baboon. Un très riche seigneur, lord Strutt, laisse en mourant ses vastes propriétés à un cousin éloigné, Philip Baboon, provoquant ainsi le ressentiment de tous les autres héritiers qui prétendent y avoir plus de droits. Ceux-ci affirment que le défunt, n'étant plus sain d'esprit, avait écrit le testament sous la pression d'un prêtre rusé et sans scrupules. La propriété de lord Strutt est très vaste, mais mal administrée : d'avides fournisseurs, parmi lesquels se trouvent John Bull, négociant en tissus, et Nicolas Frog, marchand de toile, ont fait, pendant plusieurs années, main basse sur tout. Le jeune héritier, à l'instigation de son oncle Lewis Baboon, commerçant adroit et artiste génial, éloigne ces deux messieurs. John Bull, homme sanguin, coléreux et pointilleux, amateur de bon vin et de bonne chère, jure de se venger. Inspiré par Frog, rusé et froid, frugal et calculateur, il va trouver un avocat de grande valeur, un certain Hocus, afin d'entamer un procès. Mais Hocus comprend que son avantage est de tirer le procès en longueur. Dès lors le pauvre John Bull ne fera plus que débourser de l'argent et s'apercevra trop tard des assiduités d'Hocus auprès de sa femme qui, bavarde et querelleuse, est conquise par les artifices de l'astucieux homme de loi. Quand John Bull comprend qu'il a été joué, sa colère ne connaît pas de bornes. Il casse une bouteille sur la tête de sa femme, qui meurt peu après, et parvient à un compromis amical avec Lewis et Philip Baboon. Les allusions sont transparentes : lord Strutt serait le faible roi d'Espagne qui, n'ayant pas d'héritier, nomma pour son successeur Philippe de Bourbon sous l'influence, paraît-il, du cardinal de Porto-Carero. Lewis Baboon est Louis XIV, Nicolas Frog la Hollande, John Bull l'Angleterre. Hocus est le duc de Marlborough, dont l'ambition et le désir effréné d'argent n'eurent pas de bornes. Les autres libelles, écrits tous avec beaucoup de brio, traitent de sujets divers, prenant toujours pour cible le parti Whig, tandis que John Bull entre en scène pour démontrer à chaque fois qu'en définitive, c'est toujours lui qui est bafoué. En 1727, *L'Histoire de John Bull* fut publiée de nouveau, en partie refaite et corrigée, dans les « Mélanges » de Pope et Swift. — Trad. Nours, Londres, 1753.

PROCESSION NOCTURNE (La). Poème symphonique du compositeur français Henri Rabaud (1873-1949) composé en 1897 d'après un épisode du *Faust* (*) de Lenau. Faust chevauche à la lisière d'une forêt ; le ciel est encombré de nuées d'orage. Le héros est envahi par un désespoir lancinant, malgré le printemps que l'on sent sur le point de naître. Son cheval l'entraîne au cœur de la forêt ; il chemine sous les feuillages épais, dans une obscurité hostile. Soudain, une clarté surnaturelle inonde le paysage ; des chants religieux suaves jaillissent comme des sources dans les taillis et les fourrés : Faust s'arrête. Alors il voit passer devant lui la fantomatique procession de la Saint-Jean ; d'abord les enfants porteurs de torches, puis les vierges monastiques drapées dans leurs longs voiles blancs, enfin les religieux qui tiennent, dressée vers les étoiles, la grande croix de bois. La procession s'éloigne. Faust repenti pleure sur son tragique destin. Il comprend ses erreurs et prie, seul, dans la forêt silencieuse que l'ombre a de nouveau envahie. Henri Rabaud a divisé son ouvrage en trois mouvements. C'est d'abord un Andante confié au seul quatuor, jouant avec la sourdine. Les violons exposent le thème principal, repris par les divers instruments, avec une intensité croissante. Le mouvement lent évoque la procession de la Saint-Jean. Seuls les vents, et plus particulièrement les cuivres, interviennent dans ce morceau. Un vaste choral se développe, et peu à peu les éléments mélodiques se désagrègent : la vision s'éloigne et disparaît. Le dernier mouvement dépeint l'angoisse de Faust. Les cordes, soutenues par les vents, chantent une prière frémissante, suppliante, ardente. Puis tout s'apaise, et l'on retrouve l'atmosphère douloureuse et résignée de l'Andante initial. La procession est passée devant Faust comme un rêve inaccessible auquel il ne peut plus aspirer.

PROCESSUS ET RÉALITÉ [*Process and Reality*]. Œuvre du philosophe américain d'origine anglaise Alfred North Whitehead (1861-1947), publiée en 1943. L'auteur y développe une vaste « théorie de l'organisme », dont Platon et Aristote auraient d'après lui déjà eu l'intuition, mais que tous les philosophes venus plus tard auraient négligée. En réalité, le livre représente une tentative de construire une cosmologie complète, c'est-à-dire « un système d'idées qui mette les intérêts esthétiques, moraux et religieux, en rapport avec ces concepts du monde qui ont leur origine dans les sciences de la nature ». L'œuvre se compose de cinq parties, dont chacune traite à peu près des mêmes sujets, mais envisagés d'un point de vue différent, de manière à atteindre une profondeur de plus en plus grande. Cette méthode, déjà adoptée par les penseurs indiens et par de nombreux philosophes allemands de l'époque romantique, fait avec ce livre sa première apparition dans la philosophie anglaise. La première partie : « Le Schéma spéculatif », compte une prise de position théorique ; l'univers y est conçu comme un tout dynamique dont les divers éléments sont reliés entre eux à l'instar des organes de notre corps, en ce sens que chacun d'eux trouve dans la vie du Tout sa propre unité et représente à son tour le centre organique d'éléments inférieurs ; d'un point de vue métaphysique, d'autre part, les phénomènes de l'expérience sont considérés comme réalisations particulières d'un monde idéal de possibilités, que Whitehead dénomme « objets éternels » (et qui rappellent le monde des idées platoniciennes). Cette interprétation, dont l'auteur avait déjà donné un aperçu dans *La Science et le monde moderne* (*), reçoit dans ce livre son plein développement. Dans la seconde partie « Discussions et applications », Whitehead analyse ces idées à la lumière des systèmes philosophiques les plus représentatifs du passé, notamment ceux de Descartes, de Locke, de Hume et de Kant ; il insiste surtout sur le caractère partiel de ces tentatives d'interprétation de l'expérience et du réel. La troisième partie : « La Théorie de la préhension » est particulièrement consacrée à l'examen des rapports entre les éléments constitutifs de l'Univers. Selon l'auteur, ces rapports, même lorsqu'ils correspondent à des entités apparemment inanimées — comme, par exemple, l'énergie qu'étudie la science physique —, sont en réalité le fruit de sensations émotives [feelings], étant donné que chaque objet est organiquement rattaché aux autres, au sein de l'unité spirituelle. Whitehead appelle « préhension » l'entité finie au-delà de laquelle on ne peut aller sans transformer le concret en abstrait. Dans la quatrième partie : « La Théorie de l'extension », l'auteur recherche l'explication que la théorie de l'organisme est en mesure d'apporter à cette donnée de l'expérience qu'est le « continuum étendu » ; il s'appuie largement dans cette tentative sur les théories de la physique et des mathématiques modernes. La cinquième partie enfin, « Interprétation finaliste », représente un effort pour trouver une fin ultime à notre vie et à l'Univers en général ; elle comporte un examen des rapports entre Dieu et le monde. Le contenu de ce livre est essentiellement mystique ; l'auteur procède par allusions plutôt que par voie de démonstration rigoureuse. Cette attitude est chez lui intentionnelle : « Combien, dit-il, les efforts pour sonder la profondeur de la nature des choses sont-ils superficiels, faibles et imparfaits. » Il s'ensuit qu'il est souvent très difficile de comprendre clairement ce que l'auteur veut dire.

PROCÈS-VERBAL (Le). Roman de l'écrivain français Jean-Marie Gustave Le Clézio (né en 1940), publié en 1963 (prix Renaudot). Adam Pollo a jeté sa moto dans la mer et passe pour mort. Ainsi peut-il vivre à sa guise : il habite dans une maison abandonnée sur la colline et là, à demi nu, il regarde les vagues au loin et les mouvements de la lumière. Il ne sait plus très bien s'il a déserté ou s'il est échappé d'un asile d'aliénés.

Par la contemplation, Adam Pollo quitte peu à peu son humanité pour devenir l'autre : le paysage, avec le soleil en son centre comme une araignée gigantesque, les animaux : le rat que sadiquement il assassine, le chien qu'il suit dans ses déambulations à travers la ville, les fauves au zoo ou un noyé qui gît inanimé sur la chaussée. Il a une interlocutrice, Michèle, à qui il confie dans des lettres ou de longs monologues sa vision de l'existence. Parfois il quitte son refuge pour gagner la plage ou la ville. Là, il observe les hommes, la manière dont ils se croisent et se fondent progressivement dans l'unité indéfiniment répétée d'un même individu ou dans le chaos de la matière intemporelle.

Quel que soit l'objet de son observation, Adam Pollo s'efforce de sentir et en sentant d'avoir conscience. L'expérience culmine dans cette sorte d'« extase matérialiste » qu'il connaît à plusieurs reprises : « Dans un instant d'une jouissance infinie, il sentait vaciller sa connaissance, un doute monumental s'emparait de son esprit ; tandis qu'une certaine expérience, logique, mémorable, prétendait à lui faire reconnaître la peau de Michèle (le bras nu étendu à ses côtés), les doigts, aveugles, tâtonnaient à gauche et à droite et ne retrouvaient que le toucher granuleux, la dureté qui s'éboule de la terre. Adam semblait le seul à pouvoir mourir ainsi quand il le voulait d'une mort propre, cachée. » Cette expérience, parce qu'elle excède les capacités de la sensibilité conduit Adam à la folie : « Je suis écrasé sous le poids de ma conscience, dit-il à Michèle, j'en meurs [...], ça me tue. » Aussi comme une sorte de prophète, va-t-il dans la rue clamer sa bonne nouvelle : l'abolition des dimensions du temps et de l'espace, la fusion des individus dans l'unité de l'espèce humaine. Il est arrêté par la police et conduit dans un asile psychiatrique où des étudiants en médecine l'interrogent.

Quel est le sens de la « folie » d'Adam ? Il s'agit d'une sorte d'apprentissage de l'ignorance. Il faut renoncer pour cela à la volonté de comprendre, de classer, de recouvrir la réalité par un système de signes correspondant, pour rentrer en osmose avec la matière et admettre l'évidence de l'être. C'est ainsi qu'Adam essaie de se soustraire au désir de connaissance (qui est aussi volonté de puissance) des étudiants réunis autour de lui ; lesquels appliquent à son « cas » les grilles d'interprétation de la psychologie clinique. « Je veux vous amener à penser un système énorme, leur dit-il [...] Quel est le comble de tout ? C'est d'être d'être. » La découverte qu'Adam fait dans la folie, c'est qu'il faut rechercher la réalité brute pour échapper au délire, quand la parole tourne à vide, emportée par le mouvement tourbillonnaire de la logique pure. Il y a, au-delà du langage et des systèmes, une façon de vivre pleinement dans le contact nu et immédiat avec l'être. C'est cela qui est conscience. C'est cela « être d'être ».

J.-M. S.

PROCHAINE FOIS, LE FEU (La) [*The Fire Next Time*]. Essai de l'écrivain américain James Baldwin (1924-1987), publié en 1963, c'est-à-dire l'année de la grande marche des Noirs à Washington sous la direction de Martin Luther King et de l'assassinat du président Kennedy. L'intellectuel qui était alors en passe de devenir le porte-parole du mouvement intégrationniste, et qui d'ailleurs, à ce titre (tout comme Martin Luther King lui-même, dont le nom n'est pas même cité dans les cent pages de cet essai), allait être dépassé par les émeutes raciales de la seconde moitié des années 60, se livre ici à une analyse de la situation des Noirs aux États-Unis qui commence par l'évocation de sa propre enfance à Harlem, où le mot clef était la peur, « peur du mal qui était en moi et autour de moi ». Aussi l'Église (baptiste) lui parut-elle le seul refuge, dont il devint même ministre (prédicateur) pendant trois ans. « J'eus la chance (?) de me retrouver dans le "racket" religieux et de succomber à une séduction spirituelle bien avant de connaître une révélation charnelle. » Suit une dénonciation de la façon dont les Noirs intériorisent un problème qui est en fait le problème blanc. C'est ce qu'à bien compris Elijah Muhammad (plus connu en Europe sous le nom de Malcolm X), dont l'auteur raconte ensuite la visite qu'il lui fit à Chicago. Il ne saurait être question pour Baldwin, qui compte de nombreux amis blancs, de penser, comme son hôte, que sept des États-Unis devraient être réservés aux Noirs. Pourtant, il aimerait pouvoir considérer son interlocuteur comme « un allié, un père ». Et de penser radicalement que « le Noir est le personnage clef de son pays, et l'avenir de l'Amérique est à la mesure même de son propre avenir ». En tout cas, les Noirs « sont indiscutablement en très bonne position pour sonner le glas du grand rêve américain ». La force de ce pamphlet, qui est moins violent qu'impitoyable, est qu'il démontre à quel point, aux États-Unis, pour le meilleur ou, plus probablement (du moins en 1963), pour le pire, sont liés les destins des Blancs et des Noirs. — Trad. avec une préface d'Albert Memmi, Gallimard, 1963. M. Gr.

PROCHE DU SILENCE. Œuvre de l'écrivain français Marcel Arland (1899-1986) publiée en 1973. *Proche du silence, Avons-nous vécu ?* (1977), *Ce fut ainsi* (1979), *Mais enfin qui êtes-vous ?* (1981), *Lumière du soir* (1983) : ces écrits intimes de Marcel Arland forment un tout. Ils s'enchaînent en une ultime interrogation, conclusion poétique d'une des œuvres les plus profondes de ces temps.

Peut-on vivre et en même temps écrire ? Les cinq derniers livres de Marcel Arland reviennent comme autant de variations lancinantes sur cette question, avec la liberté d'allure et la gravité obstinée de certaines suites musicales. L'homme qui parle, d'une voix claire au timbre frémissant, sait que sa fin est proche. Toujours insatisfait, angoissé (malgré les prix et les honneurs que lui a valu une œuvre abondante), il cherche à élucider, le grand âge venu, les raisons qui le poussent à continuer (« Et comment vivre à deux pas de la mort ? »). C'est un « homme-écrivain » qui s'adresse à nous, un être auquel il est impossible de dissocier la vie et l'écriture, autant dire un poète (« Écrire à voix nue, de plus en plus nue, suivre mon chemin jusqu'au bout, où le dernier pas et le dernier mot se confondent »).

Traqueur des pièges de l'amour-propre (souvent par personnages interposés, comme son chat Néron devenu académicien, ou ce double noir, impitoyable, qu'aura été jusqu'à la fin Gilbert), Arland cherche, une ultime fois, à mettre bas les masques. Aussi revient-il constamment à l'origine, à l'enfance vécue dans la campagne bien-aimée, non pas comme un paradis, mais comme le temps de la plus grande « communion ». Les figures familiales ou villageoises rayonnent ici de leur plus pure lumière. Éclairées au prisme de l'amour-mémoire, elles dépassent le mode du souvenir. Passé et présent, confondus, deviennent, par la grâce du passeur, présence vive. C'est la mère que le vieux fils déchiré imagine jeune fille ; c'est le père, jeune homme inconnu marchant sur la route, avec lequel le promeneur aux cheveux blancs parle le temps de quelques pas ; ce sont les grands-parents paysans, l'oncle foudroyé ; c'est l'enfant qu'il fut auquel il est resté fidèle. Le langage devient parole ressuscitante.

C'est aussi, peut-être, une manière de justifier, d'innocenter l'homme-écrivain. Non pas qu'Arland remette en cause le langage. Convaincu de sa validité, il s'en sert avec un art magistral, comme un chanteur de sa voix. Sa langue est souple, vive, déliée, proche du registre parlé avec ses sautes, ses reprises, ses violences et ses montées mélodieuses — récitatif libre, musical et transparent d'un intense pouvoir communicatif. Mais il reste hanté par la « voix nue » : celle dont chaque inflexion touche, à l'égal d'un chant, et permet l'échange. Le mal qui taraude le langage — la vanité — serait alors conjuré. Ce serait retrouver l'usage sacré du langage, sa sainteté, qui s'apparente à la « sincérité des choses » et des bêtes. Que peut une parole vraie ? Donner en partage, au gré des jours, l'essentiel de ce qui est vécu au-dedans, l'intime (« Je me suis beaucoup plus confié dans mon œuvre que confessé »). Si des lecteurs écrivent qu'il les aide à vivre, le voilà justifié, sinon apaisé.

Arland dialogue. Il lui faut un interlocuteur. Il tend toujours vers la lettre ou le conte. Ses cinq derniers livres vont bien au-delà du journal, des souvenirs ou des Mémoires : ce sont des essais sur l'homme-écrivain aux prises une dernière fois avec le temps. À travers de brèves fictions, il s'interroge encore sur le destin contrarié où, rebelle à tout reniement, il voit le mal. Mais c'est quand il y renonce qu'il s'approche le plus de la « nudité essentielle ».

À la promenade-quête où il se perd pour se retrouver, épiphanie où s'abolissent les cloisons du temps (« Je n'ai plus d'âge »), les épreuves du vieillissement (les opérations successives des yeux, une chute, qui entraînent des séjours plus ou moins longs à l'hôpital) ajoutent un surcroît d'intensité. Arland les prend comme une occasion plus profonde, puisque plus douloureuse, de renaître. Avec le retour à la lumière vibrent les mots les plus simples. Jamais il n'est plus poète que dans ces brèves extases, ces agenouillements où il salue le jour ou l'herbe, en un chant qui n'est plus que louange à l'amitié des choses, des êtres et des mots (« La lumière n'est rien d'autre qu'esprit qui coule »). Figures et lieux (il y a des paysages et des lieux de prédilection, mais non pas de haut lieu ; l'accord inespéré se produit de préférence là où le monde est « le plus simple, le plus ingrat ») lui font toucher du doigt le temps (« C'était le jour. Tout un jour à vivre sur la terre »).

Cette conception de la parole, Arland en a fait une cause qu'il a défendue avec ferveur et loyauté jusqu'au terme, en particulier à « la Revue » — *La Nouvelle Revue française* (*) — qu'il quitte en 1977, après vingt-cinq ans d'un service ardent, qu'il évoque dans ces pages. De ses amis, à commencer par Paulhan, il donne d'admirables portraits. Sans la moindre complaisance, il dessine leur personnalité d'un trait sûr, incisif et nuancé. On les voit, on les entend, par une rare capacité de faire revivre un être dans son entier. Amitié, pour Arland, ne signifie pas ressemblance (son portrait de Malraux est l'occasion de rappeler que « l'aventure est d'abord en nous »). Ce qui l'unit à eux, si dissemblables soient-ils, c'est la « fidélité à un destin », dont Rouault apparaît la figure exemplaire.

Avec lucidité et humour, Arland débusque jusqu'au seuil de la mort les secrets de son moi. Analyste si perspicace, si fin, qu'il trace lui-même les sentiers qui mènent au cœur d'une nature tourmentée (n'hésitant pas à rectifier ceux où le commentateur lui semble s'être fourvoyé). Sa demande d'amour ? Il la connaît (« L'on écrit à la fois pour aimer et être aimé ») et sait qu'elle s'enracine dans la confrontation avec la mère. L'origine en lui de la parole ? Il pressent qu'elle se situe dans le culte de la mère pour le père disparu et le désir du fils d'être la voix la plus haute (« C'est un peu pour te rejoindre que j'ai parlé dans mes livres »). La condition de l'homme-écrivain ? C'est devant le grand-père paysan, symbole de l'alliance nue, silencieuse, de l'homme avec la nature, qu'il doute le plus de lui-même — ressentant l'imaginaire comme une faute. Mais à l'enfant qui le protège de la mort, Arland peut avouer : « Il me semble que je n'aurais pu vivre, vraiment vivre, si je n'avais écrit. »

A. Lév.

PROCLAMATION DE LA VICTOIRE SUR LES WU [*Bình Ngô dai cao*]. Composition rythmée, en chinois classique, du lettré vietnamien Nguyên Trai (1380-1442) imprimée en 1697, peut-être pour la première fois, dans le *Livre complet des mémoires historiques du Dai Viêt* [*Dai Viêt su ky toàn thu*]. Depuis, elle fut traduite et publiée à plusieurs reprises aussi bien dans les anthologies que dans les *Œuvres complètes* de Uc Trai. Ce chef-d'œuvre de circonstance en soixante-quatorze strophes, sobre, bien structuré, est composé et proclamé en 1428 après la victoire totale sur l'occupant chinois. C'est une affirmation de l'identité nationale dans son espace et ses traditions ; et cette victoire est bien celle de tout un peuple. Avec un lyrisme épique, elle retrace l'histoire de la résistance et affirme la victoire du bon droit sur la force, conformément à l'équité confucéenne. Chant héroïque, cette déclaration d'indépendance glorifie la communion de tous dans un même élan combatif, dans la souffrance et les privations, avec les mots d'un patriote qui espère une paix définitive et un renouvellement des forces de la nation.

T.-T. L.

PROCLAMATIONS, MÉMOIRES ET LETTRES de Napoléon. Les écrits de l'empereur français Napoléon Bonaparte (1769-1821) sont fort nombreux et fort divers ; dès sa jeunesse, Napoléon a beaucoup écrit pour lui-même et pour les autres ; dans sa retraite, à Sainte-Hélène, sa dernière préoccupation fut encore, en écrivant, de mettre de l'ordre dans l'histoire de sa vie et d'imposer au monde une dernière image de lui, revue et corrigée, celle qui lui permît d'affronter avec le plus de chances possibles les jugements de la postérité. Mais la grande période de sa vie, celle qui va du siège de Toulon à l'ultime abdication de 1815, est celle des écrits les plus intéressants ; à vrai dire, il est difficile de parler d'écrits au sens propre du mot : il s'agit plutôt de la fixation de ses ordres verbaux, de ses décisions, de ses discours. Tout ici est sacrifié à l'action, il ne s'agit plus de la préparer comme dans les écrits de jeunesse, ni de la repenser et de la recomposer comme à Sainte-Hélène, mais de la vivre au jour le jour, avec la même clarté, la même rigueur, la même confiance dans son destin. Et c'est lorsque Napoléon se soucie le moins de la forme, qu'il néglige le style et même l'orthographe, qu'il apparaît comme un véritable écrivain. Il y a peu de chose à dire sur les écrits qui nous sont parvenus de la jeunesse de Bonaparte ; outre les lettres à sa famille, les déclarations de loyauté à Paoli, les violentes attaques à Matteo di Buttafuoco, retenons quelques œuvres purement littéraires, comme le conte imité de l'arabe et intitulé *Le Masque prophète*, où l'on retrouve l'influence des contes de Voltaire et surtout de Montesquieu ; le fragment de vie du patriote corse Sampiero Ornano, le *Dialogue sur l'amour* dans lequel il affirme : « Je le crois nuisible à la société, au bonheur individuel des hommes, enfin je crois que l'amour fait plus de mal [que de bien], et que ce serait un bienfait d'une divinité protectrice que de nous en défaire et d'en délivrer le monde. » De 1790 est daté *Le Discours de Lyon*, où le jeune officier d'artillerie répond au programme du concours ouvert par l'académie de Lyon : « Déterminer les vérités et les sentiments qu'il importe le plus d'inculquer aux hommes pour leur bonheur » ; les idées exprimées ici ne sont guère originales, on y sent par trop l'action de la doctrine de Jean-Jacques Rousseau et du mode de pensée des premiers temps de la Révolution. Mais il convient de faire une place à part au *Souper de Beaucaire* (*), seule œuvre vraiment originale et personnelle de la jeunesse de Bonaparte. Aussitôt après, le jeune officier n'a plus ni le temps, ni sans doute l'envie, de se livrer à de pareils exercices ; engagé dans son prestigieux destin, gravissant à une vitesse sans cesse accélérée les échelons du pouvoir, chef de bataillon en 1793, général de brigade en 1794, de division en 1795, général en chef la même année, il ne nous apparaît plus qu'au travers de brefs billets, d'« Instructions pour le général en chef de l'armée des Alpes et d'Italie », « pour les représentants du peuple et le général en chef de l'armée d'Italie », de « Notes pour le Comité de salut public », « sur la direction que l'on doit donner à l'armée d'Italie », de rapports, tel le « Rapport du général Buonaparte sur la journée du 13 vendémiaire ». Dans ces brèves pièces, on trouve déjà la netteté de vue, l'incroyable autorité d'un jeune chef qui semble non seulement disposer de ses subordonnés, mais aussi de ses supérieurs et même de ses ennemis. À partir de 1796 se mêlent les lettres tendres et impérieuses à Joséphine, où le général vainqueur ne dissimule ni son profond attachement pour la créole, ni les déceptions qu'elle lui cause. L'année 1796 marque aussi le début de ces *Proclamations*, qui jalonneront la carrière du général, du Premier consul et de l'Empereur, ceux de ses écrits où il donnera le mieux l'impression de la grandeur. La « Proclamation à l'armée, du 7 floréal an IV », la toute première qu'il ait écrite, relate l'un de ces hauts faits qui allaient former l'épopée napoléonienne : « Soldats, vous avez en quinze jours remporté six victoires, pris vingt et un drapeaux, cinquante-cinq pièces de canon, plusieurs places fortes, conquis la plus riche partie du Piémont ; vous avez fait quinze mille prisonniers, tué ou blessé plus de dix mille hommes... » « Dénués de tout, vous avez suppléé à tout. Vous avez gagné des batailles sans canon, passé des rivières sans pont, fait des marches forcées sans souliers, bivouaqué sans eau-de-vie et souvent sans pain. » Toute la campagne d'Italie revit sous nos yeux : la marche victorieuse de ces va-nu-pieds, partis pour « libérer l'Italie de l'oppression », l'ambition de jour en jour croissante de leur chef, la conviction sans cesse plus affirmée qu'il avait d'être l'homme de la situation. Tout ceci se reflète dans les demandes que Bonaparte adresse au Directoire : « Il faut pour cela non seulement un seul général, mais encore que rien ne le gêne dans sa marche et dans ses opérations. J'ai fait la campagne sans consulter personne. » Comme un dictateur antique, le jeune chef non seulement mène ses troupes à la victoire, mais il négocie, et ses rapports au Directoire sur les négociations en cours sont des modèles de clarté, l'expression d'une volonté inébranlable qui ne se prête à nul marchandage, à nul compromis. Sans cesse, Bonaparte met l'accent sur la grandeur de l'œuvre à accomplir. Le ton se hausse en même temps que croît l'ampleur de l'entreprise. La campagne d'Égypte est jalonnée des éclats de cette voix éloquente et héroïque : « Soldats, l'Europe a les yeux sur vous. Vous avez de grandes destinées à livrer, des dangers, des fatigues à vaincre. Vous ferez plus que vous n'avez fait pour la prospérité de la patrie, le bonheur des hommes et votre propre gloire » (Aux soldats de terre et de mer de l'armée de la Méditerranée, 21 floréal an VI) ; « Soldats ! Vous allez entreprendre une conquête dont les effets sur la civilisation et le commerce du monde sont incalculables » (À l'armée d'Orient, 4 messidor an VI) ; « Soldats ! Votre destinée est belle parce que vous êtes dignes de ce que vous avez fait et de l'opinion qu'on a de vous » (Proclamation à l'armée, 1er vendémiaire an VII). Le général menace des plus rigoureux châtiments ceux qui s'opposeraient à ses desseins ; il tente de s'attirer la sympathie des musulmans en les assurant de son respect pour leur religion. Puis c'est le retour d'Égypte, le 18 Brumaire : dans son « Discours au Conseil des anciens dans sa séance du 19 brumaire », il se défend d'avoir fait autre chose que d'obéir aux ordres du conseil en le transférant à Saint-Cloud ; comment peut-on l'accuser d'être un Cromwell, un César ? N'est-il pas venu rétablir et sauver l'égalité et la liberté ? Et il croit bon de s'en expliquer devant le peuple français : il a trouvé la division dans les autorités, il a écarté les menaces qui pesaient contre le gouvernement. Non content de « libérer » les Italiens et les Égyptiens, il entend libérer les Français. Désormais, ce sont des ordres qu'il donne aux ministres et aux généraux ; c'est en égal que, devenu Premier consul, il écrira aux souverains. Ses ennemis sont les ennemis de la France, ce sont des bandes de brigands et de traîtres ; insensiblement, il s'identifie avec la France, ce n'est pas le chef d'un gouvernement, un dictateur, c'est la France elle-même. Et, pendant près de quinze ans, tous ses actes, tous ses discours, tous ses écrits affirmeront et répéteront cette identité.

À partir de 1803-1804, ce ne sont plus que bulletins de victoire, ordres envoyés aux ministres que le terrible homme trouve toujours en faute, toujours moins bien informés que lui ; ce ne sont plus que décisions qui, en quelques mots, tranchent les questions de détail les plus diverses : « Duhamel, ancien militaire, demande à conserver un habit et une capote d'uniforme qu'on veut lui retirer. — Renvoyé au colonel-général Bessières pour faire rendre justice à ce vieux soldat » (18 messidor an XII) ; « M. Portalis propose d'autoriser une association de prêtres qui se forme à Lyon sous le patronage du cardinal Fesch, pour l'éducation de la jeunesse. — Je ne veux d'aucune congrégation ecclésiastique ; cela est inutile ; de bons curés, de bons évêques, de bons prêtres, des séminaires bien tenus, c'est tout ce qui est utile » (8 pluviôse an XIII). Éloigné de Paris, il sait tout ce qui s'y passe, reproche à Fouché sa mollesse envers les journaux, est au courant des moindres intrigues. Mais surtout il envoie à toute sa famille de rois et de princes des ordres précis et qui ne sauraient être discutés ; à sa mère même, il écrit : « Je ne puis, Madame, que vous témoigner ma satisfaction du zèle que vous montrez et des nouveaux soins que vous donnez. Ils ne peuvent rien ajouter aux sentiments de vénération et à l'amour filial que je vous porte », mais aussi « tant que vous serez à Paris, il est convenable que vous dîniez tous les dimanches chez l'Impératrice où est le dîner de famille. Ma famille est une famille politique. Moi absent, l'Impératrice en est toujours le chef. D'ailleurs, c'est un honneur que je fais aux membres de ma famille ». Les souverains d'Europe, le pape même, qui, pour lui, font maintenant partie de « sa famille », ne sont pas mieux traités : « Je conçois qu'elle [Votre Sainteté] doit avoir des embarras. Elle peut tout éviter en marchant dans une route droite, et en n'entrant pas dans le dédale de la politique. » Bien entendu les œuvres les plus significatives de l'époque sont les fameux « Bulletins de la Grande Armée » ; ce sont des comptes rendus, soigneusement repensés, des événements ; dans leur sécheresse, leur précision, ils sont comme martelés par le rythme de l'épopée vivante, en marche. Tout y apparaît comme prévu par sa suprême volonté, guidée infailliblement par son destin ; il s'y exprime comme un sentiment fataliste : l'Empereur a agi ainsi parce qu'il ne pouvait faire autrement, il commande au monde, mais lui-même obéit à une voix plus impérieuse que toutes, celle de sa destinée.

Mais la fortune tourne brusquement : l'Angleterre réussit enfin à coaliser les grandes puissances qui s'étaient laissées aller à pactiser avec la Corse ; les ennemis s'assemblent aux frontières, l'intérieur lâche, les grands corps de l'État, les serviteurs du pouvoir se détachent, osent faire entendre leur voix, complotent. Napoléon sait que son étoile l'abandonne, le sol se dérobe sous ses pieds. Ce désarroi, qu'il n'avoue pas, apparaît bien dans les derniers billets à Marie-Louise, aussi brefs, aussi impérieux, aussi insignifiants que ceux qu'il écrivait du bivouac ou sur le champ de bataille à Joséphine autrefois, mais de plus en plus négligés, de plus en plus hâtifs, et comme accablés. Qu'importe, la bête blessée se débat encore, et les sursauts qu'elle laisse échapper dans les lettres, dans les bulletins et dans les notes sont terribles. Enfin l'Empereur, battu par les ennemis du dehors et humilié par ceux du dedans, se désolidarise de la France : « Le bonheur paraissait être la destinée de l'Empereur. Aujourd'hui que la fortune s'est décidée contre lui, la volonté de la nation seule pourrait le persuader de rester plus longtemps sur le trône. S'il se doit considérer comme le seul obstacle à la paix, il fait volontiers ce dernier sacrifice à la France. » Mais il ne peut se désolidariser de ses vieux soldats, c'est à eux que vont ses adieux. Nulle rancœur contre sa destinée, mais seulement contre ceux qui l'ont trahi ; ce sont eux, ses soldats, qui ont besoin de consolation : « Ne plaignez pas mon sort ; si j'ai consenti à me survivre, c'est pour servir encore à votre gloire. Je veux écrire les grandes choses que nous avons faites ensemble. » De l'île d'Elbe, d'où il écrit à Marie-Louise pour lui demander de le rejoindre avec le roi de Rome, il ne se plaint pas, mais tout à coup, moins d'un an après l'abdication, le voici qui réapparaît sur la côte française, et c'est l'extraordinaire aventure des Cent-Jours, dont les proclamations, la correspondance, les rapports publiés au *Moniteur universel* nous rendent à merveille le rythme haletant, nous retraçant les étonnants progrès de ce soulèvement populaire qui fait tache d'huile. En débarquant à Golfe-Juan, Napoléon avait déclaré : « Soldats, dans mon exil j'ai entendu votre voix. Je suis arrivé à travers tous les obstacles et tous les périls [...] Soldats, venez vous ranger sous les drapeaux de votre chef. Son existence ne se compose que de la vôtre ; ses droits ne sont que ceux du peuple et les vôtres ; son intérêt, son honneur et sa gloire ne sont autres que votre intérêt, votre honneur et votre gloire. La victoire marchera au pas de charge. L'aigle, avec les couleurs nationales, volera de clocher en clocher jusqu'aux tours de Notre-Dame. » Pour quelques semaines, Napoléon incarne de nouveau la nation, il est l'âme de la France. Aussitôt après Waterloo, c'est la seconde renonciation : « Je m'offre en sacrifice à la haine des ennemis de la France. Puissent-ils être sincères dans leurs déclarations et n'en avoir jamais voulu qu'à ma personne. » Enfin, c'est le fameux message au « Prince Régent d'Angleterre » : « Altesse Royale en butte aux factions qui divisent mon pays et à l'inimitié des puissances de l'Europe, j'ai terminé ma carrière politique, et je viens, comme Thémistocle, m'asseoir au foyer du peuple britannique. Je me mets sous la protection de ses lois, que je réclame de Votre Altesse Royale, comme celle du plus puissant, du plus constant et du plus généreux de mes ennemis. » Mais cette assimilation au héros de l'Antiquité ne lui porte pas bonheur, et c'est Sainte-Hélène. Là, Napoléon, fidèle à la promesse qu'il avait faite à sa vieille garde, s'occupe de rédiger ses souvenirs : ce sont les *Œuvres historiques*, pour la plupart composées après 1815 et dictées aux quelques fidèles qui avaient reçu l'autorisation de l'accompagner dans l'exil, le grand maréchal Bertrand, les généraux Gourgaud et de Montholon, son valet de chambre Constant, enfin Las Cases – v. *Mémorial de Sainte-Hélène* (*). Ces œuvres comportent dix-neuf volumes, elles comprennent également quelques essais historiques, dont les *Précis des guerres de Jules César, du maréchal de Turenne et de Frédéric II*. Napoléon y reconstitue, à l'usage de la postérité, une partie de sa carrière ; s'il ne dissimule pas ses faiblesses, il ne reconnaît comme fautes que celles qu'il a commises en n'écoutant pas la voix de son destin, en ne le laissant pas complètement agir pour lui ; sans doute il compose une image légendaire qui lui survivra ; mais cette légende, s'il l'arrange, il n'a pas à l'inventer puisqu'elle appartient à l'histoire. Quel que soit le jugement qu'on puisse porter sur l'œuvre napoléonienne, on ne peut qu'être saisi devant ces documents extraordinaires que sont les écrits de Napoléon. L'homme ne nous y apparaît point à travers une légende construite après coup, ni même tel qu'il aurait pu être présenté par un historien qui aurait récrit ses harangues ; mais bien tel qu'il fut, dans l'instant même où il agissait et parlait.

PRODUCTION DE LA SOCIÉTÉ. Ouvrage du sociologue français Alain Touraine (né en 1925), publié à Paris en 1973. Dans ce livre volumineux, Touraine définit les concepts forgés à partir de ses travaux empiriques antérieurs : l'« historicité » et les « mouvements sociaux » notamment, et il explique comment les relations de l'État et de ces mouvements sociaux produisent la société. Touraine élabore donc tout à la fois une théorie du changement social, de l'État et de la lutte des classes. Les mouvements sociaux sont les groupes porteurs par leur action d'une conception de la société : mouvements antinucléaire, féministe, syndicaux par exemple. Ces conceptions étant pour une large part incompatibles, des conflits apparaissent, qui sont à l'origine du changement social, c'est-à-dire des changements affectant les normes sociales, les représentations collectives, les lois. Ainsi la société se produit-elle elle-même, en inventant le sens de son action. Touraine s'oppose sur ce point aux théories qui expliquent la société par des déterminations univoques non sociologiques, la détermination par les rapports de production par exemple, à laquelle Touraine reproche d'être une forme de réductionnisme économique. La société est à l'inverse un « sujet historique » qui travaille à tout moment à dépasser ses propres normes. Cette capacité qu'a la société d'échapper au blocage en se transformant est l'« historicité ». Mais il ne faut pas se méprendre : « L'historicité est une action de la société sur elle-même, mais la société n'est pas un acteur ; elle n'a ni valeurs ni pouvoir. Valeurs et normes appartiennent aux acteurs qui agissent dans le champ d'historicité, aux classes sociales. » L'étude de classes sociales antagonistes est donc un moment essentiel de la théorie, puisque le mouvement ne peut naître que du conflit, mais ces classes ne sont pas définies à partir des rapports de production, comme dans la tradition marxiste : la classe supérieure est l'« expression sociale du modèle culturel, et elle exerce une contrainte sur l'ensemble de la société ». La classe dominée est définie de façon complémentaire par les modèles culturels contestataires qu'elle produit et qu'expriment les mouvements sociaux. Le rôle de l'État, enfin, est défini à partir des relations entre les classes sociales, qui laissent une place très variable à son intervention. F. Ch.

PROÊMES. Recueil poétique publié en 1948 par l'écrivain français Francis Ponge (1899-1988). « Qu'on s'en persuade : il nous a bien fallu quelques raisons impérieuses pour devenir ou pour rester poète. Notre premier mobile fut sans doute le dégoût de ce qu'on nous oblige à penser et à dire, de ce à quoi notre nature d'homme nous force à prendre part. » Les textes recueillis dans *Proêmes,* écrits entre 1925 et 1940, font, pour la plupart, état de cette colère et de ce dégoût. Voici le drame logique d'un homme qui parlera de lui comme d'un « ex-martyr du langage », et qui ressent avec force non seulement l'insuffisance immédiate des moyens d'expression, mais encore leur usage aberrant de tous les jours. Car Ponge est particulièrement sensible au trésor verbal. Il raconte volontiers sa longue intimité avec le dictionnaire Littré, où il découvrait, très jeune, une « épaisseur sémantique » dont l'utilisation quotidienne ne pouvait que le décevoir. Que faire d'un esprit particulièrement exigeant devant cette dévalorisation générale, si la parole est cette « véritable sécrétion du mollusque homme », et si, d'autre part, comme il est amené naturellement à l'affirmer, « tout n'est que parole » ? *Proêmes* est ainsi un livre singulièrement partagé entre des réactions de défense et une volonté de faire servir le langage aux seules choses qui ne l'altèrent pas, de l'utiliser comme une arme salutaire. « N'en déplaise aux paroles elles-mêmes, il faut un certain courage pour se décider non seulement à écrire, mais même à parler... Eh bien ! relevons le défi ! » Un instant, Ponge aurait pu croire qu'il fallait « parler contre les paroles », les entraîner avec soi dans une catastrophe qui n'est pas sans analogie avec la subversion surréaliste (et d'ailleurs on trouvera sa signature dans un manifeste de 1930) : un certain désespoir, précieux, et qu'il saura conserver et exercer contre lui-même, l'y poussait. Mais il veut surtout, positivement, sortir du manège, éviter tout romantisme, et donner raison à ce qui reste pur de ce drame logique : la réalité muette, « notre seule patrie, dira-t-il plus tard, dont nous sommes, dans la société humaine, les représentants ou les otages ». Aussi la contradiction apparente de *Proêmes* est-elle très significative de toute l'œuvre de l'auteur. D'un côté cette « rage froide de l'expression », des cris à peine étouffés : « Nous sommes trop loin du compte ! » De l'autre les titres de quelques-uns de ces textes (dont le titre général signifie : à côté du chemin) : « Ressources naïves », « Raisons de vivre heureux ». Tout reste à dire, voilà le refrain de *Proêmes.* Le monde est neuf, ce qui signifie : il est à prendre.

PROFANATEUR (Le) [*The Trespasser*]. Roman de l'écrivain anglais David Herbert Lawrence (1885-1930), publié en 1912. Dans un élan de passion romantique, le violoniste Siegmund, à peine âgé de dix-sept ans, a épousé la jeune Béatrice sans presque rien savoir d'elle ; plus tard, quand sa personnalité s'est affirmée et que Béatrice s'est révélée incapable de le suivre moralement, il s'est éloigné d'elle, ne restant fidèle que par amour pour ses enfants. Pendant des années, il a vécu machinalement, l'âme comme endormie, accomplissant sa destinée, lorsque, peu à peu, par l'amour d'une jeune élève, la calme et sereine Hélène, il s'est senti délivré de son esclavage et entraîné vers une nouvelle existence. Quand, sur les instances d'Hélène, il décide d'aller avec elle passer quelques jours dans l'île de Wight, ce simple épisode revêt à ses yeux le sens d'une rupture définitive avec son passé, et d'une sorte de renouveau. Dans l'île, en compagnie d'Hélène, il vit des heures d'extase parfaite, dans la splendeur du clair de lune sur la plage déserte ou par les belles journées de plein soleil. Mais une ombre se glisse dans son allégresse ; elle naît de la différence des caractères : tandis que le rêve que vit Siegmund le rattache aux profondeurs de son être intime, tout embrasé par son amour pour Hélène, les sentiments de cette dernière sont futiles, inconstants, pleins de fantaisie. Près d'elle, il oublie toute peine dans la splendeur de l'instant, alors qu'elle paraît honteuse de sa conduite et tourmentée par un besoin de purification. Quand le séjour dans l'île s'achève, le chagrin causé par la séparation inévitable se double chez Siegmund d'une autre sensation : il lui semble qu'à présent Hélène le repousse, et, qu'après en avoir fait son dieu pendant de fugitifs moments, elle ait évoqué en pleurant un amant idéal et n'ait trouvé que Siegmund. La sensation de cet échec l'humilie ; il rentre chez lui, où l'accueil glacé de sa femme et de ses enfants vaut une tacite réprobation ; sa plus jeune fille, Gwen, celle qui était sa préférée, n'ose plus s'approcher de lui. Il comprend qu'il est un membre retranché du milieu familial et sent qu'il ne pourra vivre sans Hélène, ni sans ses enfants. Après l'exaltation des heures vécues, la monotonie de la vie quotidienne lui est devenue insupportable et il se suicide. Pendant ce temps, Hélène qui est allée dans les Cornouailles avec deux amies évoque passionnément les heures de leur commune félicité. Mais l'oubli tombe vite sur le drame : Béatrice trouve une consolation dans une nouvelle existence mieux adaptée à ses exigences ; après une longue angoisse, Hélène connaîtra l'amour d'un jeune camarade. La description de la vie des deux amants dans l'île, celle des heures de commune extase, puis des instants où naissent les divergences dues à leurs différences de caractère s'accompagnent d'une délicate représentation de la nature, nature tour à tour rutilante de couleurs, étincelante de lumière, ou voilée d'une sombre mélancolie. Le jeu varié et complexe des conflits entre l'homme et la femme — thème central de toute l'œuvre de Lawrence — est développé dans ce roman avec un souffle particulièrement poétique : sa combativité habituelle ne vient pas en rompre le charme. — Trad. sous le titre *La Mort de Siegmund*, Gallimard, 1934 ; Julliard, 1988.

PROFESSEUR (Le) [*The Professor*]. À ce roman, publié en 1939, l'écrivain anglais Rex Warner (1905-1986) doit sa réputation de disciple de Kafka — une réputation quelque peu contestée désormais. Après un premier livre publié en 1936, *Le Cerf-Volant* [*The Kite*], un second roman en 1938, *Courir après la lune* [*The Wild Goose Chase*] établissait la filiation Kafka-Warner (analogue, si l'on veut, à la filiation Kafka-Michaux), que *Le Professeur* confirmait l'année suivante. Le héros est le professeur A. Au début du livre, on distingue comment furent connus les événements de la dernière semaine de sa vie ; à la fin, qu'il fut abattu « alors qu'il essayait de s'enfuir » (les guillemets existent dans l'ouvrage, caractérisant ainsi le cliché d'un cliché). Ces détails évidemment significatifs de la saisie d'un sujet témoignent d'une volonté de construction classique — quelque peu conventionnelle aussi. On aura une idée plus précise de l'ensemble — ton et démarche — par les titres de ses chapitres : « Théoriciens », « Les Orateurs », « L'Exécutif », « Plaisantes personnes de la campagne », « Moralité », « La Robe de chambre en soie », « Père et Fils », « Préparations », « Déclaration à la radio », « Le Savetier », « Les Survivants », « Ceux qui ont été conquis », « Tentative d'évasion ». Le scénario est admirablement conduit, en même temps que d'une moralité sociale et politique à laquelle la plupart des lecteurs, près de trente années plus tard, ne trouveront pas à redire (mis à part le fait qu'elle est un peu trop évidente). Le professeur lui-même est un homme d'âge moyen qui enseigne les humanités. Il est connu et respecté à travers l'Europe entière. Une menace d'invasion pèse sur son pays (par le fait d'un voisin puissant). Il accepte le poste de chancelier. Il y défendra les idéaux de démocratie et de liberté, mais plus tard ses gardes le tueront traîtreusement. On dirait que sur une trame classique, des artifices kafkaïens ont été plaqués : le professeur A., des nations non nommées. Abstractions et anonymat tentaculaire. Trois autres romans kafkaïens et politiques ont suivi celui-ci : *L'Aérodrome* [*The Aerodrome,* 1941], *Pourquoi j'ai été tué* [*Why was I killed,* 1943], *Hommes de pierre* [*Men of Stone,* 1949]. *L'Aérodrome* est plus subtil que *Le Professeur*. Le récit (peut-être inspiré par les réalités neuves de l'Angleterre en guerre) montre comment peuvent être altérés graduellement les rapports entre les aviateurs dans leur camp et les ruraux qui les entourent. L'allégorie n'est pas ici sans vertu poétique. On retrouve un goût affirmé pour les évidences intellectuelles de notre temps dans les deux livres suivants : *Pourquoi j'ai été tué* peint l'aventure métaphysique d'un soldat ressuscité ; *Hommes de pierre* montre ce qui advient quand un fou est le directeur d'une prison politique. En outre, Rex Warner a publié d'excellents travaux sur la Grèce, et particulièrement en 1958, un essai sur les philosophes grecs. Ses *Poèmes* [*Poems*] de 1937 ont fait l'objet, en 1945, d'une édition révisée, intitulée *Poèmes et Contradictions*. Le meilleur de l'œuvre prend la forme d'évocations parnassiennes.

PROFESSEUR BERNHARDI (Le) [*Professor Bernhardi*]. Comédie de l'écrivain autrichien Arthur Schnitzler (1862-1931), représentée pour la première fois au Kleines Theater de Berlin le 28 novembre 1912. L'action se déroule « à Vienne en 1900 ». Le point de départ de l'intrigue est le refus du professeur Bernhardi, qui exerce à l'hôpital Elisabethinum, de laisser pénétrer dans la chambre d'une mourante le prêtre appelé à son chevet, affirmant que sa malade, qui se trouve après des semaines de souffrances dans une « euphorie absolue », risque d'être arrachée par la vue du prêtre à cet état qui adoucit sa mort. Les adversaires de Bernhardi vont utiliser cet incident, transformer un acte simplement humanitaire en une « affaire » aggravée par le fait que Bernhardi est juif. Porté sur la place publique et jusqu'au Parlement, le cas Bernhardi prend dès lors une tournure politique et, bien évidemment, antisémite. Le ministre est interpellé publiquement, une instruction est ouverte, un procès a lieu, Bernhardi est condamné à deux mois de prison pour avoir « troublé l'ordre religieux ». Découragé par la partialité des jurés et par les faux témoignages, refusant aussi de voir sa cause enfourchée par un camp politique et idéologique, Bernhardi renonce à faire appel. Il purgera ses deux mois de prison, mais l'affaire se retournera finalement contre ses ennemis. L'opinion publique fait de Bernhardi un martyre, un « Dreyfus médical », et la pièce s'achève sur la victoire, amère malgré tout, d'un Bernhardi désabusé. *Le Professeur Bernhardi* est, à plus d'un titre, une comédie de mœurs « viennoise », la mise en scène d'une affaire sur fond d'intrigues, de scandale politique, d'antisémitisme, s'appuyant sur la finesse de l'analyse psychologique. « Comédie de caractère » affirmait son auteur, et non pièce à thèse ; et de fait, Schnitzler y campe une galerie de portraits diversifiés du milieu médical qu'il connaissait d'expérience. Les nuances de la fidélité, de la lâcheté, de l'opportunisme confèrent aux dialogues et à l'action leur vivacité. Au-delà cependant, Schnitzler voulait aussi faire entendre une leçon, montrer qu'une morale simplement humaine, indépendante non seulement des intrigues mais aussi des « raisons suprêmes » de la politique (le ministre Flint) non moins que du strict respect du dogme (le prêtre), devait pouvoir, en définitive, triompher des clivages, fussent-ils confessionnels et métaphysiques. En Autriche, la pièce fut interdite par la censure et ne put être représentée que sous la première République, en 1920. G.R.

PROFESSEUR ET LA SIRÈNE (Le) [*Racconti*]. Recueil de nouvelles de l'écrivain italien Giuseppe Tomasi di Lampedusa (1896-1957), publié posthume en 1961. C'est au cours des deux dernières années de sa vie, durant cette période de création intense qui vit naître son œuvre maîtresse *Le Guépard* (*), que Tomasi di Lampedusa écrivit les quatre textes qui composent ce recueil. Le premier, « Les Lieux de ma première enfance », est un récit autobiographique qui contient la description des deux maisons, l'une à Palerme, l'autre à la campagne, où l'auteur passe ses premières années. « La Matinée d'un métayer » devait constituer le premier chapitre d'un roman qui aurait fait suite au *Guépard,* mais forme tel quel un tout parfaitement cohérent. C'est à nouveau la Sicile avec ses paysans, ses féroces nouveaux riches et ses aristocrates anachroniques qui est au centre du récit, et l'image que nous en montre l'auteur est ici plus pessimiste encore que dans *Le Guépard.* « Le Bonheur et la Loi » est une courte nouvelle, bouffonne et amère, qui rappelle les conteurs naturalistes du XIXe siècle. En revanche, ce sont une fantaisie et un lyrisme très personnels qui apparaissent dans « Le Professeur et la Sirène », nouvelle qui donne son titre à la traduction française du recueil. Par leur beauté formelle et la richesse de leurs thèmes, les nouvelles contenues dans *Le Professeur et la Sirène* méritent d'être placées sur le même plan que *Le Guépard* et confirment l'originalité et la valeur de l'écrivain qui s'était révélé en Tomasi di Lampedusa au cours des dernières années de sa vie. — Trad. Le Seuil, 1962.

PROFESSEUR UNRAT [*Professor Unrat*]. Roman de l'écrivain allemand Heinrich Mann (1871-1950), publié en 1905. C'est l'histoire d'un professeur de lycée, chahuté par ses élèves qu'il déteste et dont il ne songe qu'à briser la carrière. Supposons que son nom soit en français Humier : on le surnomme aussitôt « Fumier », ou qu'il s'appelle Rotte et qu'il soit surnommé « Crotte », on aura l'équivalent de la transposition de son vrai nom Raat en « Unrat » qui signifie : immondice... Satire très amère d'un tyran qui veut « pincer » ses élèves, car le mot « fumier » revient sans cesse à ses oreilles, mais sans qu'il soit possible d'établir le flagrant délit. Unrat, à la fois exaspéré et impuissant, se sent particulièrement l'ennemi de trois jeunes garçons : le comte Ertzum, grand benêt en retard dans ses études, borné et naïf, que ses camarades protègent ; Lohmann, très intelligent et insolent, et Kieselack. Un jour, le cahier de Lohmann, pris par Unrat, révèle le nom de la belle « artiste » Rosa Fröhlich, à qui sont dédiés des vers. Voilà le moyen de « pincer » Lohmann et de le faire passer en conseil de discipline. Unrat se met en quête. Au théâtre municipal nul ne connaît Rosa. Après avoir erré dans des endroits interlopes, le professeur arrive dans une sorte de beuglant, « L'Ange bleu », où une affiche porte le nom de Rosa. Il entre, fait d'abord scandale par ses maladresses, puis par des altercations qui manquent de tourner mal (il prétend qu'il va prévenir la police). Rosa affirme qu'elle est en règle et le tenancier qu'il n'a pas à s'occuper si des collégiens viennent chez lui. Braves gens, en somme, ces artistes de café-concert, Rosa, le ménage Kiepert et le patron accueillent Unrat dans les coulisses où ils boivent ensemble. Rosa lui dit qu'il faut revenir, s'il veut pincer ses élèves. Ainsi Unrat devient un habitué et bientôt le chevalier servant de la chanteuse qu'il aide dans son maquillage et sa toilette, avec la pensée d'évincer Lohmann (qui d'ailleurs aime une autre dame, inaccessible pour lui).

Ensuite le récit, bien commencé, devient beaucoup plus désordonné et moins vraisemblable. Il veut montrer la déchéance progressive de Unrat qui vient tous les soirs à « L'Ange bleu ». Cela fait scandale en ville. Unrat va dans des réunions socialistes ; le tyran devient un anarchiste. Il met Rosa dans ses meubles, et celle-ci, en lui demandant de lui enseigner le grec, parvient à se faire épouser. Unrat est mis à la retraite. Alors, on ne sait comment, c'est la grande vie : plage, casino, jeux, dettes. Unrat devra donner des leçons. Il trouve plus sûr de faire de sa maison un tripot et un mauvais lieu, où viennent se ruiner toutes les notabilités de la ville. Ainsi Unrat assouvit sa haine contre tous ces gens qu'il a eus naguère pour élèves. Il se sert de Rosa pour perdre ainsi ses ennemis personnels. Le livre finit assez brusquement par l'arrestation du ménage Unrat, à la grande joie de toute la ville. C'est une satire purement négative qui fait pendant au *Sujet* [*Der Untertan*, 1914], du même auteur, et qui n'aurait certainement pas survécu à l'empire allemand après 1918 sans l'adaptation cinématographique qu'en fit Joseph von Sternberg en 1930, sous le titre *L'Ange bleu*. — Trad. Grasset, 1932.

PROFESSION DE FOI DU VICAIRE SAVOYARD (La). Ce n'est en fait qu'un passage du Livre IV de l'*Émile* (*) du philosophe et écrivain genevois d'expression française Jean-Jacques Rousseau (1712-1778), mais ce passage constitue un tout en soi et n'a que des rapports assez lointains avec l'œuvre dans laquelle il est incorporé ; c'est en fait une œuvre dans une œuvre, et sa portée est beaucoup plus générale que ce traité d'éducation ; aussi a-t-on pris l'habitude dès le XVIIIe siècle de considérer la *Profession* comme une œuvre à part. Il importe cependant de la replacer dans son cadre. Avec le Livre IV de l'*Émile*, Rousseau aborde l'éducation morale et religieuse du jeune garçon qui vient d'atteindre ses seize ans. Il examine successivement la naissance des sentiments, et plus particulièrement de l'amitié et de la pitié ; puis l'apprentissage de la connaissance des hommes autour de deux thèmes, l'utilité de l'histoire si elle est bien comprise, c'est-à-dire si elle est avant tout le récit de la vie des grands hommes, et celle des fables. Il en arrive enfin à l'éducation de l'âme et là se pose le problème : Que croira Émile ? C'est dans une forme très vivante que Rousseau présente ce problème ; il suppose qu'il emmène son élève sur une montagne d'où la vue s'étend sur un magnifique paysage, celui de la vallée du Pô. Là, le vicaire expose à Émile, que ce paysage porte à la méditation et à l'adoration, comment il en est venu, lui-même, à découvrir les principes de la religion naturelle. Ce personnage du vicaire savoyard est un souvenir tiré par Rousseau de sa propre vie. En effet, dans les *Confessions* (*), il déclare que l'« original du Vicaire savoyard » est un certain M. Gaime, précepteur dans une famille aristocratique, « jeune encore et peu répandu, mais plein de bon sens, de probité, de lumières, et l'un des plus honnêtes hommes qu'il ait connus ». Rousseau affirme même que « ses maximes, ses sentiments, ses avis furent les mêmes » que ceux qu'il prête à son vicaire savoyard. Devant Émile, le vicaire commence donc par exposer comment il en est venu à la recherche de la vérité et quelles voies il a suivies. Il explique les raisons qui ont mis le doute dans son âme. Il s'est d'abord tourné vers les philosophes, surpris de la diversité de leurs opinions ; mais, vite, il a « conçu que l'insuffisance de l'esprit humain était la première cause de cette prodigieuse diversité de sentiments, et que l'orgueil était la seconde » ; aussi, ces contacts avec leurs œuvres, au lieu de le délivrer de ses doutes, n'ont fait que les augmenter. C'est donc seulement à la lumière du principe d'évidence qu'il peut examiner ses connaissances. Il parvient ainsi à une double certitude : l'existence de l'homme qui existe non parce qu'il pense, mais parce qu'il sent ; il « est » par ses sens, lesquels sont impressionnés par les choses extérieures. L'existence des sens prouve donc non seulement l'existence de l'homme qui est sensible, mais de la matière qui agit sur les sens. Poursuivant l'examen de cette dualité, le vicaire découvre que la différence essentielle qui distingue l'homme de la matière réside dans le fait qu'il est doué d'une action propre, alors que celle-ci, inerte, ne peut être mue que par une impulsion extérieure à elle. De là, il tire deux principes : le premier, c'est que, puisque l'univers est en mouvement, « il y a une volonté qui meut l'univers et anime la nature » ; et d'autre part — c'est le second principe — puisque la matière est mue selon certaines lois, il existe une intelligence suprême. En fait, on peut par le seul « sentiment intérieur » parvenir à l'existence de Dieu. C'est l'énoncé d'un credo qui suit : « Je crois donc que le monde est gouverné par une volonté puissante et sage ; je le vois ou plutôt je le sens. » Tout ce qu'on peut savoir se ramène à cette simple évidence, comparable à celle à laquelle peut aboutir un homme « qui verrait pour la première fois une montre ouverte, et qui ne laisserait pas d'en admirer l'ouvrage, quoiqu'il ne connût pas l'usage de la machine et qu'il n'eût point vu le cadran ». Et Rousseau reprend, dans un sens beaucoup plus limité, l'argument du pari de Pascal — v. les *Pensées* (*) de Pascal —, en vue de répondre à Diderot, qui affirmait que la vie et tous les êtres organisés étaient issus d'un « jet d'atomes », se fondant sur les lois de la probabilité. Il suffit donc qu'on suppose une quantité de jets suffisante pour arriver à la combinaison qui justement s'est réalisée. Mais Rousseau répond : « De ces jets-là combien faut-il que j'en suppose pour rendre la combinaison vraisemblable ? Pour moi, qui n'en vois qu'un seul, j'ai l'infini à parier contre un que son produit n'est point l'effet du hasard. » À cela se limitent toutes les connaissances métaphysiques que nous pouvons acquérir.

Non seulement les hypothèses des philosophies et des religions sont contradictoires, mais elles sont vaines puisqu'elles demeurent invérifiables ; ce qui les caractérise, c'est leur absolue gratuité. Quelle idée, cependant, pouvons-nous nous faire raisonnablement de l'univers et de la place que l'homme y occupe ? Il nous suffit de savoir observer, pour voir que l'homme est le roi de la terre, qu'il est supérieur aux animaux puisqu'il les dompte, aux forces naturelles puisqu'il peut les maîtriser ; et s'il leur est supérieur, c'est parce qu'il pense. Roi de la terre, l'homme n'est qu'un esclave dans la société, c'est là qu'est le mal et l'homme en est le seul responsable, et même le seul auteur. En tant que substance immatérielle, l'homme est libre et seul responsable de ses actes ; s'il se soumet aux injonctions de la nature, il est dans la vraie voie et nul mal ne peut naître de lui. Puisqu'il y a un Dieu et que, de toute nécessité, c'est un Dieu juste, cette part immatérielle de l'homme sera récompensée par Lui selon ses mérites. Puisque les méchants ne sont pas toujours punis sur la terre, il est inévitable qu'ils reçoivent un châtiment dans l'au-delà. L'âme est donc immortelle. Mais de ce Dieu nous ne pouvons théoriquement rien dire, car sa grandeur est impossible à concevoir ; nous pouvons cependant déduire du principe d'évidence ses qualités nécessaires : Dieu est créateur de toutes choses, il est éternel, intelligent, bon et juste. Ces quelques convictions bien assurées permettent au vicaire savoyard de dégager une morale. « En suivant toujours ma méthode, je ne tire point ces règles des principes d'une haute philosophie, mais je les trouve au fond de mon cœur écrites par la nature en caractères ineffaçables » ; « trop souvent la raison nous trompe, nous n'avons que trop acquis le droit de la récuser, mais la conscience ne trompe jamais ; elle est le vrai guide de l'homme ». Il s'ensuit que « tout ce que je sens être bien est bien, tout ce que je sens être mal est mal » ; grâce à la conscience, c'est de la pratique de la vertu que l'homme tire son bonheur. Il est inutile de chercher quelle est la nature de la conscience, de tenter de savoir, par exemple, si elle est innée ou acquise ; il suffit que nous la sentions en nous-mêmes. Dans un élan mystique, le vicaire compose ensuite un hymne spontané à la conscience. Il assure que lorsque l'homme s'adresse à Dieu, il doit, non pas l'importuner par ses demandes, mais bien le louer et le remercier sans cesse d'avoir « donné la conscience pour aimer le bien, la raison pour le connaître, la liberté pour le choisir ». Quelle devra être l'attitude d'Émile à l'égard des dogmes ? De ce qui vient d'être exposé, résulte une religion « naturelle » ; celle-ci est opposée aux religions révélées. Les révélations de Dieu, ce sont les beautés et l'harmonie de la nature, c'est la voix de la conscience ; pourquoi imaginer des révélations directes, celles qu'on nous propose sont de toute évidence l'œuvre des hommes, puisque « dès que les peuples se sont avisés de faire parler Dieu, chacun l'a fait parler à son mode et lui a fait dire ce qu'il a voulu ». D'où les contradictions, les différences qui séparent les religions. Le culte « que Dieu demande est celui du cœur » ; ce culte-là est uniforme, il est universel ». Toutefois, les préférences du vicaire vont au christianisme : « Je vous avoue que la majesté des Écritures m'étonne, la sainteté de l'Évangile parle à mon cœur » ; pour lui, il est incontestable que si « la vie et la mort de Socrate sont d'un sage, la vie et la mort de Jésus sont d'un Dieu ». Résumant son propos, le vicaire savoyard définit, en conclusion, l'attitude qui sera finalement adoptée : servir Dieu dans la simplicité de son cœur, négliger les dogmes (« le culte essentiel est celui du cœur »), s'anéantir devant la « majesté de l'Être suprême » ; vis-à-vis des autres hommes, pratiquer la tolérance, la charité chrétienne : vis-à-vis de soi-même, écouter la voix de sa conscience et pratiquer la vertu.

La Profession de foi du vicaire savoyard n'est donc pas seulement une effusion lyrique en face du spectacle de la nature, c'est un raisonnement bien conduit et fort rigoureux. Rousseau ne recule pas ici devant l'abstraction, la métaphysique pure, mais il le fait dans des termes pleins de simplicité et de clarté, avec une constante élévation de pensée et d'expression. La *Profession* trouve ses sources non seulement dans ce profond mouvement d'idées, issu à la fois de la philosophie déiste et de la compénétration de plus en plus profonde des sciences de la nature et de la philosophie, mais beaucoup plus encore dans l'évolution de l'attitude de Rousseau lui-même sur ces problèmes. Déjà dans l'*Allégorie sur la révélation*, dans la *Lettre à Sophie* et dans *La Nouvelle Héloïse* — v. *Julie ou la Nouvelle Héloïse* (*) — Rousseau avait posé les premières bases de ces principes qu'il devait définitivement adopter. Jamais, à l'avenir, il ne s'écartera de ces conclusions, il le signalera dans sa dernière œuvre — v. *Les Rêveries du promeneur solitaire* (*). *Émile* parut en 1762, mais il semble que la *Profession* fut écrite dès 1758 ; elle aurait été complètement remaniée après que Rousseau eut pris connaissance du livre d'Helvétius *De l'esprit* (*). La *Profession* est, en effet, dirigée directement contre les philosophes, contre Voltaire demeuré cependant vaguement déiste, mais surtout contre Diderot et ses amis. Elle est également dirigée contre les religions révélées, dont Rousseau avait été particulièrement à même, puisqu'il était un protestant converti au catholicisme, de saisir les principes. L'affirmation de cette foi, dégagée de tout dogme précis, cette conviction sentimentale, toute faite d'effusions, venaient en leur temps. La *Profession* connut immédiatement un immense succès. Elle suscita un profond mouvement d'idées religieuses et ramena sinon à la religion, du moins à la religiosité, bien des âmes. Ce n'est pas seulement sur les idées religieuses que cette œuvre exerça son influence, mais sur les mœurs et sur la littérature, et cela d'une manière très durable puisqu'elle ne fit que grandir et se développer. Plus que ses contemporains, ce sont certains révolutionnaires, Robespierre en particulier — v. discours *Sur l'Être suprême* (*) — et surtout les premiers romantiques, qui ont véritablement vécu les principes que Rousseau avait exposés. La *Profession de foi* demeure, encore de nos jours, une des plus belles pages de Rousseau et, littérairement, une des plus réussies.

PROFESSION DE FOI PATRIOTIQUE [*Bekenntnisschrift*]. Écrit du théoricien militaire allemand Karl von Clausewitz (1780-1831), rédigé en février 1812, publié en 1869. Dans ce texte adressé à son ami, le général Gneisenau, Clausewitz justifie la décision de certains officiers prussiens (au nombre desquels il se compte) de prendre du service dans l'armée russe plutôt que de combattre, comme le veut la politique suivie par leur roi, aux côtés de Napoléon. Clausewitz énonce les conditions nécessaires à la résurrection de l'État prussien en cette heure d'extrême péril où il a pratiquement cessé d'exister en tant qu'entité autonome face à l'insatiable volonté d'expansion de la France napoléonienne. Dans cette détresse, Clausewitz prêche la conversion morale : il faut que les responsables de la politique prussienne cessent d'espérer mesquinement qu'une amélioration de la situation reste possible par l'effet d'un heureux hasard ou par la clémence du vainqueur. Les considérations prétendument rationnelles ne sont, affirme Clausewitz, que des raisons de mauvaise foi pour demeurer inactif. Comment concevoir de pactiser avec un ennemi qui s'est fixé pour but la conquête de l'univers et par voie de conséquence la destruction de toute autre identité nationale que la sienne propre ? Le salut ne saurait provenir que d'un esprit de sacrifice qui compensera par le volontarisme et la force d'âme la pénurie évidente des moyens matériels (dont Clausewitz dresse l'inventaire). En développant ces considérations, Clausewitz formule ce qui est l'essence même du prussianisme : la démesure idéaliste alliée à la froide résolution. La recherche historique a nuancé depuis l'appréciation extrêmement négative portée par Clausewitz sur la politique suivie à l'époque par le cabinet prussien. P. V.

PROFESSION DE MRS. WARREN (La) [*Mrs. Warren's Profession*]. Comédie en trois actes de l'écrivain irlandais George Bernard Shaw (1856-1950), publiée dans le recueil des *Pièces déplaisantes* (*) en 1898 (première représentation en France, au Théâtre des Arts, le 16 février 1912). La hardiesse du sujet en retarda de quelque dix ans la représentation (1902). Mrs. Warren, qui fut tenancière de maisons closes en divers endroits de la planète, s'est fort enrichie. Bien entendu, elle a caché soigneusement à sa fille, Vivie, son abominable négoce, s'arrangeant pour lui donner une éducation parfaite et une solide instruction. Sir George Crofts, le bailleur de fonds de Mrs. Warren, voudrait épouser Vivie, mais celle-ci a une amourette avec Frank, le fils d'un pasteur. La jeune fille, d'instinct, sent quelque chose de trouble dans la vie de sa mère et de son entourage. Un soir, Mrs. Warren, irritée par sa froideur, lui révèle son passé difficile. Bouleversée, Vivie ne peut se défendre d'admirer l'énergie de sa mère. Mais quand elle apprend par Crofts les profits considérables que sa mère retire de son industrie et quand elle la voit bien résolue à s'y maintenir jusqu'au bout, elle rompt avec elle, à tout jamais. Renonçant, en outre, à ce Frank, qui est d'ailleurs mou comme une chiffe, elle décide de vivre indépendante en travaillant dans un bureau. Tout le fond du drame tient dans la peinture d'une société où le bien et le mal, la révolte et les compromis forment un mélange inextricable. Mrs. Warren est une créature instinctive, douée d'une forte vitalité et qui évolue dans une organisation sociale que l'on voit enferrée dans les pires contradictions. Elle n'est point cynique, ni sentimentale, ni honnête, ni corrompue : elle est cela tout à la fois. L'humour de l'auteur s'exerce aux dépens de ces comparses d'une société absurde. Son émotion perce tout de même dans la peinture d'un personnage : celui de Vivie. Dessinée d'abord avec une dureté un peu caricaturale, la jeune fille se détend par la suite toujours davantage pour atteindre à la dernière scène une sorte de pathétique, quand l'héroïne se voit seule devant la vie, aspirant à trouver la paix dans le travail et s'appliquant à étouffer tous ses sentiments de femme. — Trad. Aubier, 1931.

PROGRAMME OUVRIER [*Arbeiter Programm*]. Discours de l'économiste allemand Ferdinand Lassalle (1825-1864), prononcé à Oranienburg (Berlin) le 12 avril 1862 et qui porta tout d'abord le titre : *Sur la relation* *particulière de la présente période historique avec l'idée de classe laborieuse* [*Über den besonderen Zusammenhang der gegenwärtigen Geschichtsperiode mit der Idee des Arbeiterstandes*]. La première partie résume la philosophie de l'histoire de Lassalle, fortement influencée par Hegel, Fichte et aussi par Karl Marx. Au Moyen Âge, les classes et l'idéologie dominantes étaient fondées sur la propriété terrienne. À mesure que celle-ci se trouvait remplacée par la production industrielle comme source de richesse, la classe féodale se trouvait supplantée par le principe capitaliste bourgeois, dont la Révolution de 1789 n'a été que la reconnaissance juridique ; mais, selon l'auteur, la période capitaliste est aujourd'hui dépassée, un nouveau principe et une nouvelle classe attendent leur consécration juridique : la reconnaissance du principe du travail et du « quatrième état » ; l'aurore de cette ère nouvelle historique a été l'insurrection parisienne de 1848. Dans la partie théorico-politique de son écrit, Lassalle analyse le nouveau principe de la classe laborieuse sous trois points de vue différents. Il préconise, pour le rendre effectif, le suffrage universel et direct ; au point de vue moral, le « quatrième état » étant le dernier et nul autre n'existant au-dessus de lui, les efforts qu'il accomplira pour améliorer sa condition ne s'effectueront au détriment de personne mais au contraire coïncideront avec les intérêts du peuple tout entier ; quant à l'État, inspiré par l'idée de classe laborieuse, son but est de réaliser la destinée humaine, c'est-à-dire toute la culture dont l'humanité est capable. C'est l'éducation et le développement de l'humanité vers la liberté. Les idées qu'expose Lassalle sont loin d'être originales ; mais le discours lui-même a une importance historique, car il réveilla chez les ouvriers allemands la conscience de représenter une classe sociale et une force politique. De cet écrit, qu'on appela le *Manifeste* de Lassalle, date l'histoire du mouvement ouvrier allemand et surtout du parti social-démocrate allemand. — Trad. Volksdrukkerij, à Gand, 1903.

PROGRÈS DE LA POÉSIE (Les) [*The Progress of Poesy*]. Ode pindarique du poète anglais Thomas Gray (1716-1771), terminée en 1754, publiée en 1757. Elle se compose de trois stances de quarante et un vers chacune, divisées en strophes, antistrophes et épodes. Dans la première stance, après une invocation à la lyre éolienne (symbole de la poésie de Pindare), le poète entend nous montrer qu'il n'est pas de sujet que la poésie ne puisse féconder de son cours majestueux et tranquille : sa puissance sur l'âme des hommes y est exaltée, tout comme celle de l'harmonie et du rythme. La seconde stance énumère les maux qui affligent l'humanité, et le poète de reprocher aux hommes de se plaindre, alors que par ailleurs ils délaissent la Muse ; l'antistrophe rappelle fort à propos que la poésie règne dans les contrées les plus lointaines et les moins civilisées, où les sauvages chantent leurs amours. L'épode traite du chemin parcouru par la poésie qui, de Grèce, passe en Italie, puis en Angleterre. La troisième stance évoque les grands poètes anglais parmi lesquels Shakespeare, Milton, Dryden. Regrettant de voir que la poésie n'a fait que décliner depuis cette époque, Thomas Gray conclut en faisant valoir que, pour sa part, il s'est efforcé de s'élever plus haut que tous ses contemporains. Bien que cette ode soit assez concertée, elle est empreinte d'une grande sincérité. Publiée avec une autre ode intitulée *Le Barde* (*), cette poésie n'est pas sans annoncer le mouvement romantique, bien que son équilibre et sa facture soient encore classiques. — Trad. in *Poésies de Gray,* Lemierre, an VI.

PROGRÈS EN AMOUR ASSEZ LENTS. Récit de l'écrivain français Jean Paulhan (1884-1968), publié en 1966. Ce récit, d'allure autobiographique, a été rédigé en 1917, il portait comme titre « Trois récits d'amour utiles ». Le narrateur y relate en effet ses essais avec trois jeunes filles, La Jeanne-du-Moulin, Juliette et Simone, ses maladresses faudrait-il dire, ou plutôt son malaise, tant le journal qu'il semble tenir le montre curieusement détaché de cette grande affaire qu'on dit être l'amour à vingt ans et devant quoi il est tout autant spectateur qu'acteur. Les événements les plus anodins de la vie à la ferme, donner à manger aux poules, faner, préparer le repas prennent, dans la façon dont ils sont vécus et dits, à la fois une présence évidente et une irréalité lointaine qui souligne à la fois le désir naïf du narrateur et le décalage où il se vit par rapport aux choses et aux êtres. Cela fait aussi que l'aventure avec Jeanne tourne court, comme si la clé d'un univers pourtant proche et offert avait manqué, par une sorte de défaut central qu'on pressent mais qu'on n'identifie pas clairement. « C'est que je ne prends pas assez mon parti, par une sorte d'indifférence ou de lâcheté. »

La deuxième entreprise, avec Juliette, prend un tour plus traditionnel, sous la forme d'un dialogue ostensiblement banal qui montre l'embarras des jeunes gens. Dans le même mouvement de texte, au moment même où l'on attend une suite romanesque aux propos échangés, survient une notation séparée sur l'eau du robinet qui coule, par l'effet d'une curieuse inadaptation que le narrateur se reproche. De là vient aussi que les choses prennent un tour plus compliqué que le narrateur ne le souhaiterait : « Juliette ainsi veut me prendre pour un timide fiancé, où je prétends être un léger séducteur. » Mais peut-être rejoint-il ainsi une vérité de lui-même qu'il ne voulait pas savoir.

C'est dans le train que se produit une

troisième rencontre, plus étrange encore et détachée, semble-t-il, de toutes les convenances, au milieu d'une sorte d'ébriété où le narrateur trouve, par surprise, les mots qui conviennent. Et, pour ainsi dire, sans qu'il l'ait cherché et moins encore calculé, Simone se donne à lui avec une franchise, une évidence d'être là, qui à la fois le comblent et le rejettent. Comme cela se répète dans sa vie, la première fois se trouve heureuse et les suivantes déçoivent quelque peu, alors même qu'on s'attendrait au contraire. Une histoire semble difficile à nouer, là encore par un curieux défaut, en un sens, inverse du précédent.

L'accent très singulier du récit nous fait hésiter sans cesse entre le réalisme le plus cru et une atmosphère de rêve éveillé : les paroles triviales rapportées avec leur accent maladroit (« Un ami qui est sorti à deux, il n'est pas rentré ») se mêlent, sans aucune marque de différence, avec des considérations abstraites, constats moraux ou existentiels en forme de maximes (« Il faut être satisfait de soi, pour s'occuper des enfants ») ou d'avertissements à soi-même (« Il faut que je m'habitue à me sentir plus rapidement offensé »), d'où une étrange poésie, fluctuant sans cesse entre l'anecdote et la règle, la surprise de l'événement et l'apaisement de la raison. Peut-être est-ce là, avec la retenue et l'impudeur mêlées, une épreuve décisive de la mélancolie, de la difficulté de vivre. Il est peu de récits qui les fassent autant ressentir. J.-Y. P.

PROIE DES FLAMMES (La) [*Set This House on Fire*]. Roman de l'écrivain américain William Styron (né en 1925), publié en 1961. Le commentaire de Malraux sur *Sanctuaire* (*) de Faulkner, « c'est l'intrusion de la tragédie grecque dans un roman policier », conviendrait parfaitement à *La Proie des flammes*. Le roman se présente comme une enquête menée par un avocat, Peter Leverett, originaire de Virginie, qui s'efforce de reconstituer les événements d'un drame qui s'est déroulé deux ans plus tôt dans une petite ville d'Italie, Sambuco. Une jeune et séduisante servante, Francesca, a été violée et assassinée dans des conditions horribles. On soupçonne Flagg Mason, un Américain, lequel se serait ensuite suicidé pour échapper à la justice italienne.

Mason est un millionnaire qui a réuni dans une fastueuse villa à Sambuco une véritable cour de gens un peu à la dérive qui vivent à ses crochets. Mythomane, imbu de lui-même, narcissique, il vit en perpétuelle représentation. Même sa vie sexuelle est théâtrale. Il a besoin du regard de l'autre pour exister. Mason peut se montrer odieux à l'égard de ses invités. C'est un débauché, un pervers sexuel, et il entraîne ses invités dans d'innommables orgies. En Virginie déjà, il avait violé une jeune Noire de treize ans. Depuis, le nombre de ses conquêtes et victimes ne se compte plus. Pourtant Peter, le puritain, est fasciné et comme subjugué par la liberté sexuelle de Mason — son double obscur.

Dans sa quête de la vérité sur le meurtre, Everett rencontre un autre Virginien, Cass Kinsolving, qui lui aussi était à Sambuco l'invité de Mason. Cass est un peintre raté qui cherche dans l'alcool un dérivatif à ses angoisses et à un vague sentiment de culpabilité. Il est tombé sous l'emprise de Mason qui a pris un plaisir pervers à le dégrader, lui et son art, l'obligeant à servir ses vices et à peindre un tableau pornographique. Une sorte de relation sado-masochiste s'était établie entre les deux hommes, relation d'où l'homosexualité n'est pas absente. Cass confie à Peter qu'à travers la jeune Francesca c'était lui que Mason avait désirer violer. Il lui révèle aussi que c'est lui qui a tué Mason, pour venger la mort de la servante et racheter la dépravation que Mason lui avait imposée. Le roman s'achève sur une autre révélation : l'assassin de Francesca n'était pas Mason mais l'idiot du village.

Le roman, à travers l'histoire de la chute et de la rédemption de Cass, nous offre une réflexion sur le mal que manifestent la violence, le sadisme et les aberrations sexuelles de Mason. En tuant Mason, Cass s'est délivré du mal qu'il sentait s'enraciner en lui. La révolte de Cass est aussi, symboliquement, une révolte contre le matérialisme et la décadence de l'Amérique, qui a renoncé à ses valeurs fondamentales. Peut-être Styron entend-il, par l'écriture, exorciser le mal qui ronge son pays. — Trad. Gallimard, 1962. C. L.

PROJET DE PAIX PERPÉTUELLE de Kant [*Zum ewigen Frieden*]. Bref écrit du philosophe allemand Emmanuel Kant (1724-1804), publié en 1795. L'état de nature est plutôt un statut de guerre qu'un statut de paix; seul l'état de droit offre à chaque individu une garantie de sécurité. L'expression légale d'une société est l'État ; son premier devoir est d'assurer la paix intérieure, en créant un appareil juridique correspondant aux fins de la société, et, puisque le droit est fondé sur l'idée du contrat social et que la forme juridique qui réalise cette idée est la république, elle seule peut garantir le respect d'une liberté reconnue par les lois et, par conséquent, assurer la paix intérieure d'un peuple. Mais les peuples, en tant qu'États, sont l'un par rapport à l'autre dans la même situation que les individus dans l'état de nature ; c'est-à-dire sous la menace perpétuelle d'une guerre. Chaque État peut et doit, pour sa propre sécurité, exiger des autres qu'ils entrent avec lui dans une association calquée sur celle qui régit les rapports entre citoyens et qui garantisse à chacun le respect de son droit. Au-dessus donc de la division des États doit régner une fédération de peuples. Loin de nier l'autonomie de chaque peuple, la fédération en garantit les droits ; elle constitue une ligue de la paix qui est tout autre chose que les traités de paix, lesquels mettent fin à une guerre mais non à l'état de guerre. La difficulté d'établir un droit international qui ait son expression dans une fédération de peuples tient au fait que les États ont une constitution juridique intérieure et qu'ils ne sont pas soumis à un pouvoir coercitif extérieur qui en règle les relations mutuelles ; il n'existe à leur égard ni droit public ni obligations réciproques. Toutefois, comme la raison condamne absolument la guerre en tant que moyen juridique, assurer l'état de paix est un devoir ; et la paix perpétuelle, si elle n'est pas réalisable immédiatement, doit donc être la fin que les peuples ont pour devoir de fixer à l'évolution de leurs rapports. Ce but est reconnu par tous les États ; mais, l'activité politique étant guidée par des mobiles égoïstes, le gouvernement d'un État puissant cherche dans ses rapports avec ses voisins plus faibles non à remplir un devoir, mais à étendre la sphère de son droit. Il est toutefois une puissance qui détruit continuellement ce que l'ambition politique construit ; la volonté de l'universel, qui démontre l'existence d'une finalité dans le cours des événements. La providence est science profonde d'une cause plus haute, visant au but final objectif de l'espèce humaine. Et comme le but de l'humanité est la morale, la politique (doctrine empirique de la « prudence ») doit être subordonnée à la morale. Ainsi, le problème des rapports internationaux ne peut trouver une solution sur le plan strictement juridique, mais seulement sur le plan éthique. La réalisation de l'idée de paix perpétuelle ne peut être que l'objet d'un devoir moral qui s'impose à la conscience de ceux qui règlent les rapports réciproques des États. « Recherchez premièrement le règne de la raison pure pratique et sa justice, et votre but [le bienfait de la paix perpétuelle] vous reviendra spontanément. » S'il reprend un thème cher à la littérature de la seconde moitié du XVIIIe siècle, ce petit ouvrage de Kant s'en distingue nettement ; il ne vient pas grossir le nombre déjà imposant de ces projets utopistes de cohabitation pacifique des peuples, fondés sur une conception idyllique de la nature humaine, mais se propose de démontrer que la fin politique, l'idéal de paix perpétuelle, découle de la raison morale. – Trad. 1796 ; Vrin 1947 ; Gallimard, 1986 ; Hatier, 1988.

PROJET DE PAIX PERPÉTUELLE de Saint-Pierre. Œuvre de l'écrivain français Charles Irénée Castel, dit l'abbé de Saint-Pierre (1658-1743), publiée en 1712 sous le titre *Mémoires pour rendre la paix perpétuelle en Europe.* Enthousiaste du projet qu'Henri IV se préparait à réaliser et qui finit avec lui sous le couteau de Ravaillac, l'abbé de Saint-Pierre soutient un projet de confédération européenne qu'il veut fonder sur les articles suivants : alliance perpétuelle des souverains signataires du pacte ; contribution proportionnelle, par tous les moyens, au maintien de l'alliance ; renonciation préventive, de la part des contractants, à régler les conflits par la voie des armes et obligation de recourir à la médiation des alliés ; obligation de prendre les armes contre celui des contractants qui violerait les engagements pris ; les plénipotentiaires régleront, en assemblée permanente, les questions d'intérêt commun et général. Ladite alliance servirait à prévenir les guerres extérieures et les guerres civiles, à diminuer les dépenses militaires, à augmenter les revenus pour le bien-être commun, à contribuer à améliorer les conditions morales et sociales, etc. Comme on le voit, c'est une ébauche de « Société des Nations » ; et en réalité le « Covenant » ne fut qu'une reproduction des idées chères à l'auteur.

PROJET DU LIVRE INTITULÉ DE LA PRÉCELLENCE DU LANGAGE FRANÇAIS. Ouvrage de l'imprimeur et érudit français Henri II Estienne (1531-1598), paru en 1579, qui forme comme le couronnement de son œuvre. Toute la vie d'Henri Estienne avait été consacrée à la défense du français. Contre les latinistes, contre les partisans de la supériorité de la langue italienne, il avait publié le *Traité de la conformité du langage français avec le grec* (1565) – v. *Conformité du langage français avec le grec* (*) –, où il s'efforçait de démontrer que le français n'était en rien inférieur au grec, ce dernier étant considéré comme la plus belle langue qui ait jamais existé ; puis, en 1578, *Deux Dialogues du langage français italianizé, et autrement desguizé, principalement entre les courtisans de ce temps : de plusieurs nouveautez qui ont accompagné ceste nouveauté de langage. De quelques courtisanismes modernes, et de quelques singularitez courtisanesques.* Dans ce livre, Estienne dénonçait les italianismes qui corrompaient la langue du temps, surtout dans le milieu de la cour. Les *Dialogues* exigeaient qu'on respectât la tradition et le génie français, car « nostre langage francès est aussi bon et aussi beau, tant pour tant, que le langage italien ». Henri III, curieux de tout ce qui touchait aux lettres, et qui se rendait compte de l'utilité de l'entreprise d'Estienne, engagea son protégé à publier au plus tôt le livre qu'il avait promis à la fin des *Dialogues.* C'est pourquoi, en quelques semaines, Estienne termina le *Projet du livre intitulé De la précellence du langage français.* Il avait l'intention de publier plus tard un traité définitif, mais celui-ci ne fut jamais composé. L'œuvre est dédiée au roi, l'auteur lui demande de « considérer de quelle importance est ceste entreprise pour l'honneur de son royaume ». Le dessein d'Estienne est clairement posé : puisque la langue italienne paraît supérieure à toutes les autres langues modernes, il lui suffira de démontrer que le français est encore plus excellent pour lui assurer le premier rang. Aussi énumère-t-il les qualités principales d'une langue : la gravité, la grâce, la brièveté, la richesse, en montrant que le français les possède toutes. En ce qui concerne la gravité et la douceur, l'argumentation d'Estienne montre quelque embarras ; il identifie gravité et nombre, mais se trompe en confondant l'accent et la quantité ; de plus, il ajoute qu'une langue ne saurait être à la fois grave et douce, et cependant il affirme plus loin que le français est l'un et l'autre. Bien supérieures sont ses analyses de la brièveté et de la richesse de la langue. Par une démonstration rigoureuse et précise, il expose la diversité des constructions, les possibilités de synonymie, la facilité du jeu des métaphores, et formule une théorie des dérivations. Comme les théoriciens de la Pléiade — v. *Défense et Illustration de la langue française* (*) et *Œuvres en prose* (*) de Ronsard —, il se réjouit de voir passer dans l'usage les termes techniques et spéciaux de métiers, de chasse, de jeux, qui enrichissent et colorent le vocabulaire.

Sans doute y a-t-il dans le parti pris aveugle d'Estienne, dans son patriotisme linguistique, quelque exagération. Il est très injuste, en particulier, pour l'italien, sur le compte duquel il commet de nombreuses erreurs. C'est que la *Précellence* est avant tout une œuvre polémique. Quant à la valeur scientifique de l'ouvrage, elle vient de ce qu'Estienne nous fait assister à l'effort de la langue pour se défendre des influences étrangères, pour dénombrer et exploiter ses ressources. Cependant, la *Précellence* n'a pas seulement pour nous un intérêt historique ; c'est une œuvre vivante, soutenue par une verve et une éloquence enthousiastes, écrite dans un style dru, plein de sève et animé par la passion.

PROLÉGOMÈNES (Les) [*Al-Muqaddima*]. Traité de philosophie de l'histoire de l'homme politique et historien arabe ʿAbd al-Raḥmān Ibn Khaldūn (1332-1406). Cet ouvrage, qui n'est en principe que l'introduction à une vaste histoire universelle (mais en réalité centrée sur le Maghreb) peut et doit être considérée aujourd'hui comme un ouvrage autonome en raison de l'ampleur des vues qui s'y trouvent développées sur l'histoire d'une part, sur les lois générales du développement des sociétés humaines d'autre part. Au moment où il entreprend de rédiger son œuvre, Ibn Khaldūn n'a pas seulement, comme d'autres historiens qui l'ont précédé ou suivi, une vaste culture embrassant tous les domaines du savoir humain, il a également une expérience de première main de l'exercice du pouvoir politique au plus haut niveau puisqu'il a exercé des fonctions d'administrateur, de diplomate et de ministre dans divers États, petits ou grands, au Maghreb et en Espagne. Ces fonctions, il les a exercées à un moment crucial de l'histoire de la région, alors que de grandes dynasties chancelaient et que de grandes constructions politiques basculaient dans la désagrégation et l'anarchie. En outre, le Maghreb de l'époque offrait, par la diversité des environnements naturels, des types d'organisation sociale et des structures politiques, un terrain idéal d'observation. De ces éléments d'expérience, et d'une solide culture philosophique, l'esprit rationnel et synthétique d'Ibn Khaldūn va élaborer ce que beaucoup s'accordent à considérer comme la première approche scientifique de l'histoire des sociétés humaines. La *Muqaddima* est en effet le premier ouvrage qui conçoit l'histoire humaine comme s'inscrivant dans des contraintes écologiques et anthropologiques, et comme obéissant à des lois et cycles de développement qui lui sont propres et où le hasard ou l'intervention de forces surnaturelles n'ont pas de place. On trouve dans l'ouvrage, sous une formulation étonnamment moderne, les bases de la plupart des sciences sociales, en particulier de l'économie politique, de la sociologie et de la politologie. — Trad. Unesco, 1967-68.

D.-E. K.

PROLÉGOMÈNES À TOUTE MÉTAPHYSIQUE FUTURE QUI POURRA SE PRÉSENTER COMME SCIENCE [*Prolegomena zu einer jeden Künftigen Metaphysik die als Wissenschaft wird auftreten können*]. Œuvre du philosophe allemand Emmanuel Kant (1724-1804), publiée en 1783, deux ans après la *Critique de la raison pure* (*), pour répondre aux reproches d'obscurité et de prolixité adressés à cette œuvre. Une métaphysique scientifique est-elle possible ? Sur quelle base la construire ? Pour répondre à la question, il convient d'étudier la possibilité et la valeur de la connaissance, c'est-à-dire examiner les formes et les limites de la raison pure. La nature même de la métaphysique veut que ses connaissances s'expriment en jugements « a priori ». Selon la logique traditionnelle, sont « a priori » les jugements analytiques ; les jugements synthétiques, au contraire, sont « a posteriori », c'est-à-dire empiriques. Les premiers présentent un caractère de nécessité, mais sont stériles, en ce sens qu'ils n'apportent aucun élément nouveau à notre connaissance (le concept de l'attribut est contenu dans celui du sujet) ; les seconds sont féconds et concrets, mais dépourvus de valeur universelle. Les premiers ne permettent pas à la science de progresser ; les seconds nous donnent des constatations de caractère particulier, et non des lois scientifiques. Il faut donc examiner s'il existe une troisième forme de jugements qui seraient « synthétiques a priori ». Les conditions de la connaissance ne sauraient être déduites de l'expérience car c'est d'elles que dépend justement la possibilité de l'expérience ; il faut donc les reconnaître comme des « formes a priori ». C'est à ces « formes a priori » que les sciences — mathématiques, physique, métaphysique — doivent leur existence et leur valeur universelle. « Formes a priori » de la sensibilité sont les « intuitions pures » de l'espace et du temps, sur lesquelles sont fondées les connaissances de la géométrie et de l'arithmétique, dont le caractère incontestable tient au caractère « a priori » de ces formes mêmes ; la mathématique explicite les lois de la représentation spatiale et temporelle. La première partie de la *Critique de la raison pure,* l'« Esthétique transcendantale », nous indique les conditions « a priori » des connaissances mathématiques, tandis que l'« Analytique transcendantale » recherche, par l'examen de l'activité de l'entendement, les conditions sur lesquelles s'appuie la physique en tant que science pure. Penser signifie unifier les représentations à l'intérieur d'une conscience, c'est-à-dire juger ; l'expérience consiste en la liaison synthétique et nécessaire qui se crée entre les perceptions selon les formes pures de l'entendement ; ces formes établissent les liens auxquels sont subordonnées toutes les perceptions. Ces principes universels (catégories), qui rendent l'expérience possible, sont en même temps des lois universelles de la nature. L'esprit peut donc se définir comme « le principe dont l'ordre universel de la nature tire son origine ». L'objectivité de la connaissance est fondée sur l'activité synthétique de la pensée ; de la pensée entendue non comme sujet empirique, mais comme conscience en général, c'est-à-dire comme fonction supra-individuelle, loi universelle et nécessaire. En revanche, la pensée n'a pas pour objet une réalité extérieure qui en serait indépendante, la « chose en soi », mais les choses en tant que synthèses de représentations dans la conscience en général, en tant que contenus de la pensée, c'est-à-dire les phénomènes. La mathématique et la physique sont donc fondées sur des principes transcendantaux (formes pures de la sensibilité et catégories de l'entendement) ; mais la connaissance des principes transcendantaux qui découlent de la philosophie critique n'est en soi du ressort ni de la métaphysique qui est connaissance intellectuelle a priori du monde des phénomènes et qui doit donc, au lieu de prétendre fonder un système de la réalité absolue, reconnaître dans la « chose en soi » (noumène) le concept limite de la raison. Nous ne connaissons a priori que ce que la structure de notre pensée nous permet de créer ; nous ne pourrions connaître les choses en soi que si nous étions capables de les produire. Mais apparemment l'expérience ne satisfait pas notre besoin de connaître ; l'idée d'un monde suprasensible existe, sinon comme objet de connaissance, du moins comme exigence de la pensée humaine. Toutes nos connaissances sont conditionnées par l'exercice même de notre pensée ; mais la connaissance a pour « idéal » une réalité inconditionnée, jamais accessible et cependant toujours présente dans le travail de la pensée. La représentation de l'inconditionné, à laquelle sont subordonnées les activités intellectuelles et intuitives, constitue les « idées de la raison ». Celles-ci font partie de l'organisation propre de la raison humaine, mais ne sont pas connaissance ; elles présentent un caractère « a priori » et « nécessaire » et ont une valeur universelle en tant qu'« idées », mais non en tant que représentation des objets. Quand, voulant dépasser les limites de l'expérience, nous cherchons à affirmer la réalité objective du monde supra-sensible, nous nous apercevons que la prétendue connaissance contenue dans les idées de la raison est illusoire et contradictoire. Les idées sont au nombre de trois : l'idée de l'âme (représentation d'un substrat inconditionné de tous les phénomènes que nous révèle le sentiment intérieur) ; l'idée du monde (représentation d'un lien inconditionné entre tous les phénomènes extérieurs) ; l'idée de Dieu (représentation d'une essence inconditionnée qui est à l'origine de tous les phénomènes en général). Les trois sciences métaphysiques issues de ces trois idées prises comme objet de la connaissance sont la psychologie, la cosmologie et la théologie. Mais la connaissance que ces sciences prétendent nous donner est foncièrement illusoire ; et c'est précisément parce qu'elle est impossible à atteindre que ces sciences contiennent des affirmations contradictoires, également indémontrables (antinomies de la raison pure). Si donc par métaphysique on entend une science qui prétend dépasser les limites de l'expérience et nous donner des connaissances sur le monde des noumènes, une telle science ne peut exister. Bien qu'ils soient un excellent guide pour s'orienter dans la *Critique de la raison pure* et la meilleure introduction à l'étude du criticisme kantien, les *Prolégomènes* n'en offrent pas moins de bien nombreuses difficultés et même certaines obscurités. — Trad. Vrin, 1930 ; Gallimard, 1984.

PROLÉGOMÈNES À UNE THÉORIE DU LANGAGE [*Omkring Sprogteoriens Grundlaeggelse*]. Ouvrage du linguiste danois Louis Hjelmslev (1899-1965), publié en 1943. Dans cet ouvrage, Hjelmslev pose les fondements d'une nouvelle science linguistique, qu'il appelle glossématique, caractérisée par l'adoption d'un point de vue immanent (c'est-à-dire interne au langage) et d'une démarche déductive. Il reconnaît pourtant l'apport du *Cours de linguistique générale* (*) de Saussure, dont il se propose de définir les concepts fondamentaux : système, signe, signifiant, signifié, rapports syntagmatiques et paradigmatiques, de manière plus rigoureuse et plus systématique. L'ouvrage est composé de vingt-trois courts chapitres, ce qui devrait en rendre la lecture aisée, mais celle-ci est rendue difficile par l'introduction abondante d'une terminologie nouvelle. On retiendra ici les contributions les plus marquantes des

Prolégomènes à la linguistique et à la sémiotique contemporaines. Comme Saussure, Hjelmslev se propose de dégager le système de la langue, mais il définit celui-ci de manière plus stricte comme formé exclusivement de dépendances internes. Il distingue tout d'abord dans la langue deux plans : le plan de l'expression et le plan du contenu, qui correspondent à la distinction saussurienne entre signifiant et signifié, mais il précise celle-ci en distinguant en plus, dans chaque plan, la forme et la substance ; il redéfinit alors le signe comme la combinaison de la forme de l'expression et de la forme du contenu, liées par la fonction sémiotique. Les signes, qui sont en nombre illimité, peuvent être analysés en un nombre limité de figures, par exemple en syllabes, en phonèmes et en traits, ainsi que les descriptions phonologiques l'ont déjà montré pour le plan de l'expression ; comme les deux plans, selon Hjelmslev, présentent le même type de structure, l'analyse doit pouvoir être étendue aux unités du plan du contenu. Dans la dernière partie de l'ouvrage, Hjelmslev montre que la théorie qu'il a développée ne s'applique pas seulement aux langues naturelles, puisque la substance dans laquelle le système se réalise n'est pas pertinente. Les principes posés, comme l'avait déjà suggéré Saussure, sont valables pour tous les systèmes de signes. Hjelmslev montre en particulier qu'à côté des langues naturelles, qui constituent des langages de dénotation, caractérisées par le fait qu'aucun des deux plans n'est à lui seul un langage, il faut distinguer des langages de connotation, dont le plan de l'expression est un langage et des métalangages, dont le plan du contenu est un langage. Il pose ainsi les fondements d'une sémiotique qui influencera les travaux de Barthes et de Greimas. Dans ses « Perspectives finales », Hjelmslev montre que l'exigence d'immanence qu'il avait posée au départ pour la théorie linguistique, et qui pouvait paraître trop réductrice si l'on songe à la place occupée par le langage dans notre société, constitue en fait la condition même d'un élargissement à celle-ci, car la totalité du système de la langue s'inscrit nécessairement dans un réseau de connexions avec d'autres totalités, linguistiques et non linguistiques. — Trad. Éditions de Minuit, 1968.

E. Ro.

PROMENADE AU PHARE (La) [*To the Light-house*]. Roman de l'écrivain anglais Virginia Woolf (1882-1941), publié en 1927. La famille Ramsay se trouve en villégiature dans l'une des îles Hébrides ; cette famille se compose de la mère, une femme d'une cinquantaine d'années qui donne à ceux qui la connaissent et qui l'approchent une impression d'extraordinaire beauté ; du père, un philosophe qui a un grand besoin de compréhension humaine ; de huit enfants, très différents les uns des autres, et de divers invités, dont Lily Briscoe, une femme peintre que tourmente le sentiment de son absence de talent, Minta Doyle et Paul Rayley enfin, qui finissent par se fiancer. Nous sommes un soir de la mi-septembre. Mrs. Ramsay a promis au dernier de ses enfants, James, âgé de six ans, de l'emmener le lendemain faire une promenade au phare que l'on voit tous les soirs s'illuminer ; mais le père annonce que le lendemain, il fera certainement mauvais temps. Une discussion éclate à ce sujet, entre le père, la mère, les enfants et les invités. Il n'y a pas de scènes décisives et nettes ; les âmes s'assombrissent ou s'éclairent d'un mot, d'une pensée, elles s'emplissent et se vident, se gonflent et tarissent au gré de la conversation et l'auteur sait admirablement faire alterner les moments de peine ou de joie, de soulagement ou de haine, d'attrait réciproque enfin qui lie tous les personnages présents dans la pièce. La figure la plus étonnante est celle de Mrs. Ramsay, capable de comprendre, de donner à chacun ce qu'il cherche, en saisissant, grâce à une mystérieuse intuition, son intimité la plus profonde. La soirée se termine par sa complète réconciliation avec son mari, ému de la légère brouille qui s'est élevée entre eux à propos de la promenade. Puis la nuit tombe ; le temps passe : les jours se succèdent, les saisons, les années, avec les tempêtes de l'hiver, les floraisons du printemps, les chaleurs de l'été et les mélancolies de l'automne. Mrs. Ramsay meurt une nuit subitement ; sa fille aînée, Prue, meurt également quelque temps après, en donnant le jour à son premier enfant ; enfin le frère, Andrew, est tué par une bombe pendant la guerre. Des années et encore des années passent ; personne ne vient plus dans la maison abandonnée qui commence à menacer ruine. Lorsqu'elle est sur le point d'être finalement étouffée par la vitalité exubérante de la nature, la famille revient pour arrêter le cours de la destruction qui la guette. Mais tout est changé : seul le phare est là, immobile, à sa place habituelle, et l'on pourra à présent faire la promenade projetée tant d'années auparavant. Mais, pour James, ce n'est plus le phare de ses rêves et s'il y accompagne son père, c'est avec l'impression de se plier à un ordre tyrannique, en éprouvant un profond ressentiment contre la douleur égoïste dont il s'est armé comme d'un instinct de conservation. Lily Briscoe, qui est revenue elle aussi avec la famille, suit du regard la barque qui se dirige vers le phare. Repensant à sa vie et à celle des autres, évoquant le souvenir de Mrs. Ramsay, elle comprend que celle-ci possédait un pouvoir extraordinaire : celui de résoudre tout avec simplicité et de faire des événements les plus insignifiants de la vie quelque chose de complet, capable de survivre comme une œuvre d'art. Inutile de se demander quelle est la signification de la vie, d'attendre une révélation qui probablement ne viendra jamais : il y a les « petits miracles quotidiens », véritables illuminations, « allumettes inopinément frottées dans le noir » ;

ce sont eux qui donnent au chaos une forme, et la stabilité à l'éternel courant vital. Virginia Woolf, qui dans *Mrs. Dalloway* (*) partait de l'imitation de la psychologie de Joyce, atteint ici, par sa capacité d'orchestrer musicalement des visions, des passions, des pensées, à des moments de poésie véritablement saisissante. – Trad. Stock, 1929.

PROMENADE INTERROMPUE (La) [*A Voice through a Cloud*]. Roman posthume, paru en 1950, de l'écrivain anglais Maurice Denton Welch (1915-1948). Welch ayant d'autre part rédigé son *Journal* (*), on peut se demander si *La Promenade interrompue* ne serait pas une sorte de journal intime romancé. Ce roman dont l'écrivain, lorsqu'il mourut, laissa le manuscrit presque achevé, est certes beaucoup plus qu'une simple transposition, et sans doute peut-on penser, avec un de ses commentateurs, que Denton Welch, « comme beaucoup d'autres avant lui, a dû se rendre compte que le tête-à-tête avec soi-même est plus intimidant, plus paralysant que le dialogue ». *La Promenade interrompue* désigne évidemment cette cassure soudaine dans la vie de Welch, un accident de bicyclette, qui fit de lui, à l'âge de vingt ans, un grand infirme. De douloureux souvenirs intensément vécus : telle est la trame de ce roman dans lequel il ne se passe rien et qui, soit à Londres, soit à la campagne, a toujours pour cadre des hôpitaux ou des maisons de santé. Les « choses vues », ce seront alors la scène poignante au cours de laquelle un garçon de quatorze ans est emmené dans l'amphithéâtre pour y subir une opération au cerveau, cette fille de salle épileptique, ou encore, sur un chariot, ce malade plein de jactance dont le bluff ne parvient pas à masquer la frayeur. Ces scènes alternent d'ailleurs avec d'autres, moins pénibles, comme l'apparition du bon Dr Farley auquel le narrateur est si attaché. Ce monde clos de la nausée et de la souffrance, Welch scrute d'une façon aiguë sa misère, ou bien, se souvenant qu'il est aussi un peintre, reproduit ses traits dans son carnet de croquis. Exacerbé, « disloqué » au moral comme au physique par son terrible accident, l'écrivain en reporte l'amertume jusque dans les relations avec sa famille et ses amis. Son désenchantement n'a d'égal qu'une lucidité intransigeante dont tous feront les frais, à commencer par lui-même. Mais, pour conscient qu'il soit de son mal, jamais Denton Welch n'acceptera sa condition d'invalide. Reclus, il éprouve sans cesse cette « voracité pour la vie des rues » qu'il avait ressentie un jour dans le lit d'ambulance. Sachant combien la mort est proche, de chaque instant il connaît le prix. – Trad. Plon, 1955.

PROMENADES AVEC POUCHKINE [*Progulki s Puškinym*]. Essai de l'écrivain russe Andreï Siniavski (né en 1925), publié en 1975 à Londres sous le pseudonyme d'Abram Tertz. Conçu et écrit en 1966-1968 au camp de Doubrovlag, et transmis par fragments dans les lettres écrites par Siniavski à sa femme, cet essai est une tentative d'élucider le paradoxe de celui que toute la Russie s'accorde à vénérer comme son plus grand écrivain, mais dont aucune explication rationnelle ne parvient à justifier l'importance. Tertz-Siniavski montre l'inconsistance de l'image traditionnelle qui fait de Pouchkine un peintre de la vie russe et un défenseur des idéaux humanitaires et libéraux de l'intelligentsia, sinon même un sage ou un saint : *Eugène Onéguine* (*), qui passe depuis Bielinski pour une « encyclopédie de la vie russe », est en réalité un éblouissant bavardage en vers autour d'un sujet plus que ténu ; Pouchkine parle de tout sans rien approfondir, il sait faire l'éloge du décembriste rebelle aussi bien que celui du tsar. Tertz relève le « vide » de Pouchkine, c'est-à-dire son extraordinaire disponibilité aux impulsions créatrices d'où qu'elles viennent. Il trouve dans le poème *Le Cavalier de bronze* (*) une clé de ce « mystère Pouchkine », qui est celui de la soumission de l'homme au poète qui l'habite, et qui n'a d'autre maître que l'art « pur », qui peut s'attacher à tout, mais ne s'identifie à rien, dans la mesure où sa seule loi est une absolue liberté.

Écrit dans un style volontairement provocant, appliquant à une œuvre classique le langage savoureux et imagé de la rue, cet essai à la gloire de Pouchkine a été interprété à contresens comme une tentative de dénigrement du plus grand poète russe. La critique de la première émigration y a vu la manifestation d'une « muflerie » purement soviétique. Publié en U.R.S.S. en 1989, il a suscité une levée de boucliers dans le camp conservateur et nationaliste, qui a taxé l'auteur de « russophobie » et d'atteinte aux valeurs nationales incarnées par le poète. – Trad. Le Seuil, 1973.

M. A.

PROMENADES DANS ROME. Cette œuvre de l'écrivain français Stendhal (Henry Beyle, 1783-1842) parut en 2 volumes in-8, en 1829. Comme *Rome, Naples et Florence* (*) paru en 1817 et les *Mémoires d'un touriste* (*) de 1838, Les *Promenades dans Rome* sont une de ces œuvres où Stendhal entendait mettre à profit ses voyages, afin de faire des sortes de guides pour les gens de goût. Il comptait, comme avec les deux autres œuvres, sur un succès de librairie qui lui permettrait enfin de vivre de sa plume. Ce projet comme bien d'autres échoua et, après avoir écrit *Le Rouge et le Noir* (*), Beyle s'engagea dans la carrière consulaire où il devait rester jusqu'à sa mort. Toutefois, comme beaucoup de ses œuvres, celle-ci est dédiée aux « happy few », ce qui prouve que Stendhal n'était pas dupe de son calcul et qu'une fois de plus c'est pour quelques lecteurs qu'il écrivait. Les *Promenades* se présentent comme un journal de voyage qui couvre presque deux ans, d'août 1827 à avril

1828. Toutefois, ce n'est pas seulement dans ces deux ans que Stendhal accumula tous les éléments qui constituent ce livre si riche d'aperçus. Comme il le rappelle dans son Avertissement, il est allé six fois à Rome ; pour la première fois en 1802 – trois ans auparavant Rome était encore république – puis en 1811 sous la domination napoléonienne ; lors de ses suivants voyages, le gouvernement des papes avait repris sa place, devenant de plus en plus réactionnaire, de plus en plus policier. C'est en 1817 que Stendhal commença à prendre ses notes, les corrigeant et les complétant à chaque nouveau voyage. S'il estime que son livre mériterait d'être lu par le voyageur qui va à Rome, il tient à signaler, avec son habituelle causticité : « L'auteur a un grand désavantage ; rien, ou presque rien, ne lui semble valoir la peine qu'on en parle avec gravité. Le dix-neuvième siècle pense tout le contraire, et a ses raisons pour cela. » La partie documentaire de l'œuvre est fort sérieuse ; Stendhal a beaucoup lu, beaucoup discuté sur tous les monuments de Rome, sur la Rome antique et sur la Rome des papes ; mais surtout il a regardé, il a observé, revenant sur ses pas, notant de nouveaux détails. Ce qui fait que les *Promenades* sont un véritable guide, rempli d'érudition ; Stendhal y joint des pièces annexes comme une liste chronologique des papes et un itinéraire abrégé : « Manière de voir Rome en dix jours » ; son texte est parfois accompagné de croquis destinés à illustrer son propos, mais aussi de conseils pratiques : comment voyager de Paris à Rome, avec mention des voitures publiques qu'il faut prendre, des auberges où l'on peut s'arrêter, de ce qu'il faut voir, quels pourboires donner et dans quelles occasions... Mais où nous retrouvons Stendhal, c'est dans ses considérations sur l'art, ses idées sur la beauté, sur le sublime, ses appréciations nuancées et toujours très personnelles (même si elles peuvent paraître singulières de nos jours) sur les œuvres d'art, qui complètent les jugements portés dans l'*Histoire de la peinture en Italie* (*). Ce sur quoi une fois de plus ici Stendhal attire l'attention de son lecteur, c'est qu'il faut se préparer à voir ; c'est un art qui s'apprend, et sa connaissance décuple le plaisir. Mais Stendhal ne se contente pas de nous faire visiter des monuments ; il nous promène dans la société romaine, et les portraits de quelques-uns des personnages qu'il nous présente seraient dignes, par la pénétration psychologique de l'auteur, par cette manière unique que Stendhal a de radiographier en quelque sorte le personnage vivant et de nous montrer les ressorts de son comportement, de figurer dans ses romans. À propos de cette société et de la cour pontificale, Stendhal, avec la pente naturelle de son esprit, est insensiblement amené à nous présenter, par petite touches, une analyse de cet étrange État pontifical ; souvent ses considérations dépassent le monde qu'il décrit et s'étendent à toute la société de son temps. Inspirés par une froide passion, par un souci constant de ne pas se payer de mots, ces notes brèves, ces longs exposés complètent les données éparses dans tous ses ouvrages ainsi que les amples analyses du *Rouge et le Noir,* de *Lamiel* (*) et de *Lucien Leuwen* (*). Œuvre mineure sans doute, les *Promenades dans Rome,* par la justesse de leurs observations et surtout par le caractère direct des réflexions de Stendhal, constituent un des plus libres et des plus vivants exposés d'une pensée toujours originale et vive.

PROMENADES LITTÉRAIRES. Titre que l'écrivain français Remy de Gourmont (1858-1915) donna aux essais et articles de critique qu'il rédigea pendant les dix dernières années de sa vie, et qu'il publia en cinq volumes, de 1904 à 1913. Gourmont, qui, dans la double série du *Livre des masques*, s'était présenté surtout sous l'aspect d'un chroniqueur, d'un témoin du mouvement symboliste, donne ici sa pleine mesure dans un champ d'investigations beaucoup plus vaste. À la critique systématique, portée aux généralisations, de Taine et de Brunetière, critique en quelque sorte professionnelle, il oppose les libres réactions d'un esprit anticonformiste, tenté par les problèmes les plus divers et prêt à les examiner sous un éclairage original. Homme doté d'une érudition rare et portant sur des connaissances singulières, amateur de paradoxes, ennemi des phrases toutes faites et des lieux communs, il accumule les remarques linguistiques, les analyses de style en même temps que les recherches psychologiques subtiles et paradoxales, qui trahissent les goûts du moraliste. Son œuvre, aux confins du naturalisme et du symbolisme, reflète fidèlement les courants intellectuels de l'époque sans être engagée dans aucun. Il ne désavoue pas le « naturalisme », mais préfère remonter jusqu'à Flaubert ; il s'est familiarisé avec la poétique symboliste et se plaît à en appliquer les procédés à ses recherches littéraires, usant de l'analogie et se vouant avec passion à la « dissociation des idées ». Bien qu'il s'attache de préférence aux prosateurs et poètes de la seconde partie du XIXe siècle (Renan, Flaubert, Mérimée, Baudelaire, Barbey d'Aurevilly, Mallarmé), il flâne volontiers à travers toutes les époques, et s'arrête à quelques problèmes : il disserte sur Stendhal et sur Shakespeare, sur Racine et sur Molière, sur La Fontaine, sur le théâtre du XVIIe siècle en général, sur la poésie pendant la Révolution, sur l'influence de la littérature anglaise en France, sur les rapports entre un Latin et un Français. Il discute avec Nietzsche de l'amour, il cherche à tirer de l'obscurité un poète mineur du XVIIe siècle (d'Esternod) ; il analyse le *Roman de la Rose* (*) ; il tire des conclusions de la Question homérique ; il passe de Mme de Staël à Casanova, au gongorisme ; il en revient à Abélard, fait un sort aux Modernes, aux contemporains, signale les qualités de Jules Romains, le lyrisme de Paul Fort, découvre les premiers signes du talent de Colette... Tout ceci au gré du hasard et suivant les exigences de son métier. Par ailleurs, il insiste sur les sujets les plus étranges, les plus inhabituels, prenant toujours le parti de la fantaisie contre celui de la logique traditionnelle, ce qui fait de lui un critique à la fois infidèle et fort précieux. S'il altère certaines valeurs immuables et fait fi du sens des proportions, grandissant outre mesure les figures de second plan, il retrouve cependant un lumineux bon sens lorsqu'il s'agit de grandes choses et de grands sujets. Toute la forme de son esprit tient dans son style, acéré, prompt à l'épigramme, plein d'humour et de capricieux abandons.

PROMENADES RURALES [*Rural Rides in the Counties of Surrey, Kent, Sussex...*]. Sous ce titre ont été réunis en deux volumes (1830) les articles que l'homme politique et écrivain anglais William Cobbett (1762-1835) avait publiés dans le *Weekly Political Register,* un journal dont il était le fondateur. À la suite des mesures proposées pour parer à la grave crise de l'agriculture, conséquence des guerres napoléoniennes, il décide d'aller voir lui-même où en sont les choses afin d'en informer ses lecteurs. Il écrit ainsi, sans s'en rendre compte, son meilleur livre, le seul qui lui ait survécu. De nombreux souvenirs l'assaillent, lui fils de paysans, quand il reprend contact avec la vie rurale ; si bien que les préoccupations politiques finissent par céder la place à l'enthousiasme que lui inspire la terre de son pays ; d'où de nombreuses descriptions restées classiques. Ces articles contiennent en outre les idées de l'auteur, qui fut un des principaux représentants du parti radical populaire, de sorte que leur intérêt est double : littéraire et politique. Le remède proposé par Cobbett est théoriquement très simple : retour à la terre avec la possibilité pour chacun de travailler, de se marier jeune, d'avoir une maison confortable et de bons vêtements ; le clergé s'occupera des malheureux, l'armée sera instruite pour la défense du pays, les impôts seront proportionnels aux revenus de chacun. C'était l'époque des belles illusions, et à part quelques détails, Cobbett a le même idéal que tous les réformateurs de son temps.

PROMENOIR DES DEUX AMANTS (Le). C'est surtout grâce à cette ode, publiée en 1633 dans *Les Plaintes d'Acante* et reprise en 1638 dans le recueil les *Amours de Tristan*, que le nom de l'écrivain français François dit Tristan L'Hermite (1601-1655) est passé à la postérité. Pourtant cet auteur fut un écrivain très fécond, qui s'attaqua avec talent à plusieurs genres. Sa vie agitée, qu'il raconta en 1643 sous la forme d'une autobiographie romancée, *Le Page disgracié* (*), dont le titre résume bien le caractère de l'homme et la place qu'il tint dans la société de son temps, ne manque pas de pittoresque. Page d'Henri de Bourbon, marquis de Verneuil, le jeune homme dut quitter la France à la suite d'un duel ; errant en Angleterre, puis en Espagne, il vint se cacher à Loudun chez le célèbre érudit, Scévole de Sainte-Marthe. Il obtint enfin sa grâce et vécut sous la protection de Gaston d'Orléans. On le considérait comme un esprit charmant, mais comme un très mauvais garçon ; libertin, débauché, il vécut toujours un peu en marge, et il lui fallut d'illustres protecteurs pour être à l'abri des poursuites judiciaires. À côté de Théophile de Viau et de Saint-Amant, Tristan L'Hermite est un des plus raffiné, des plus nuancé parmi les poètes de son temps. Dans la souple musique de ses vers se répand une douce mélancolie, dont l'expression est toujours originale, délicate, pleine d'une grâce apparemment naïve, mais en fait très étudiée, conciliant l'héritage pétrarquiste et l'imitation de Marino. Le *Promenoir* est juste à la limite où cette grâce pourrait se transformer en fade galanterie ; mais c'est justement parce qu'il reste constamment en deçà qu'il acquiert tout son prix. Rarement on a atteint dans la poésie française à une telle harmonie naturelle, à une telle délicatesse d'expression : c'est une douce musique qui coule, d'une préciosité rare, mais où le sens de la mesure, la précision de l'expression sont tels qu'elle sait côtoyer en l'évitant la préciosité. Les autres recueils de Tristan — *Les Plaintes d'Acante* (1633), *La Lyre du sieur Tristan* (1641), *Vers héroïques du sieur Tristan* (1648) — témoignent de l'influence mariniste et d'une sensibilité baroque. Il faut en extraire quelques pièces, comme cette « Consolation à Idalie sur la mort d'un parent », où le poète fait montre d'une belle ampleur de style et d'une grande force de pensée. Mais Tristan ne fut pas seulement un poète lyrique, il écrivit cinq tragédies, dont la célèbre *Mariamne* (*) et *La Mort de Sénèque* (*), une tragi-comédie et une comédie, *Le Parasite.*

PROMESSE (La) [*Das Versprechen*]. Roman de l'écrivain suisse d'expression allemande Friedrich Dürrenmatt (1921-1990), publié en 1958. Le sous-titre de l'œuvre, « Requiem pour le roman policier », en affiche le dessein : voici l'adieu de l'auteur à un genre romanesque qui lui est familier — v. *Le Juge et son bourreau, Le Soupçon* (*). La structure du récit enchâssé est un des instruments de cette distanciation : le chapitre introductif voit la rencontre du narrateur, qui est lui-même auteur de romans policiers et qui vient de faire une conférence sur le sujet, avec un ancien chef de la police de Zurich, le commandant H., qui lui avoue « ne pas tenir beaucoup en estime ce genre de littérature » qu'il considère comme « un pur exercice de style » sans rapport avec

« la réalité vraie » ; et pour preuve de ses dires, il lui rapporte l'histoire d'un de ses collègues, l'inspecteur Matthäi. *La Promesse,* ainsi, se conçoit explicitement comme un policier « à rebours », c'est-à-dire censé illustrer la vanité de la poétique même du genre policier. L'inspecteur Matthäi, qui était l'un des plus brillants de sa génération, avait été désigné voici neuf ans pour occuper un poste à l'étranger. Mais deux jours avant son départ, le hasard l'appelle à Maegendorf, un village des environs de Zurich, où une fillette, Gritli Moser, vient d'être assassinée. Chargé d'annoncer la terrible nouvelle aux parents de l'enfant, il promet à la mère, au cours d'un pénible entretien, qu'il retrouvera le coupable. Et c'est précisément cette promesse, lancée sous la pression des circonstances, qui va sceller le destin de Matthäi. On arrête bientôt un vagabond que tout désigne comme le coupable idéal, qui se suicide dans sa cellule après être passé aux aveux au terme d'un interrogatoire « serré ». Mais Matthäi ne croit pas à la culpabilité de celui-ci et, après que la police a classé l'affaire, poursuit l'enquête à titre privé. Il s'acharne des mois durant avec, comme seul indice, un dessin laissé par la fillette. En vain. En dernier ressort, il tend un piège au meurtrier, sur les lieux mêmes de son passage : pour ce faire, il se met en ménage avec une ancienne prostituée qui a elle-même une petite fille de sept ans et s'installe au bord de la route qui mène au village où a eu lieu le meurtre. Après des mois d'attente, la petite fille, effectivement, est abordée par un inconnu et ce qu'elle rapporte de lui corrobore certains détails du dessin de Gritli Moser. Matthäi prévient la police, qui investit l'endroit pour attendre la prochaine visite de l'inconnu. Mais celui-ci ne se manifeste plus ; convaincu qu'il a définitivement failli à sa parole, Matthäi, à partir de ce jour, sombre dans l'alcoolisme. Huit ans après ces événements, le commandant H. peut mesurer aujourd'hui toute l'ironie du sort : dans un hôpital de la ville, une vieille dame fort honorable vient en effet de révéler, au moment de mourir, que son mari était un maniaque sexuel qui s'est attaqué à plusieurs reprises à des fillettes ; il a trouvé la mort dans un accident de voiture qui s'est produit, comme le commandant H. le vérifie, à quelques kilomètres seulement de la station-service où l'attendaient ce jour-là Matthäi et la police. *La Promesse,* ainsi, enseigne que le roman policier n'est pas tant mensonger en ce qu'il finit bien et vérifie toujours que « le crime ne paie pas », qu'en ce qu'il tend à abolir le hasard « qu'il travestit en Providence ». Encore convient-il — F. Dürrenmatt insiste là-dessus —, de ne pas confondre univers hasardeux et monde absurde. Le dénouement de *La Promesse,* à bien y regarder, ne bafoue pas la logique : l'inspecteur Matthäi, dans sa folie, garde paradoxalement raison. Le calcul est juste, mais son résultat et les lois de l'arithmétique, en tout cas, nous échappent : Dürrenmatt convie son lecteur ici encore, derrière l'écriture parodique, au vertige. — Trad. Albin Michel, 1960.

J.-J. P.

PROMESSE DE L'AUBE (La). Ce récit autobiographique de l'écrivain français Romain Gary (1914-1980), publié en 1960, couvre les trente premières années de sa vie. La première partie évoque son enfance pauvre à Wilno (Lituanie), puis à Varsovie, la création d'une maison de mode par sa mère, Nina, les amours d'enfant et la découverte de la sexualité, les premières lectures, la recherche d'une vocation artistique, le départ, enfin, pour une France idéalisée.

Dans la deuxième partie, nous assistons à l'arrivée à Nice, en 1927. Nina y vit avec peine de petits travaux avant de prendre en gérance l'hôtel Mermonts. Elle refuse une demande en mariage d'un peintre polonais pour rester plus proche de Romain, qui connaît de son côté plusieurs aventures sentimentales. Nous suivons ensuite ses études de droit à Aix et Paris, la publication des nouvelles de jeunesse, la rencontre avec l'injustice lorsque, de naturalisation trop récente, il est déclassé à la sortie de l'École de l'air d'Avord. Cette partie se termine au début de la guerre, par une scène d'adieux entre Romain et Nina, hospitalisée.

La troisième partie se déroule pendant la Seconde Guerre mondiale. Gary, qui rejoint la France libre en juin 1940, parvient à se rendre en Angleterre par le Maroc, puis est envoyé avec son escadrille en Afrique équatoriale et en Afrique du Nord, avant de retrouver l'Angleterre en 1943 et de participer à la bataille de France, où un exploit lui vaut d'être décoré. Le livre se termine par un premier succès littéraire (la publication d'*Éducation européenne*) et le récit d'une permission en France libérée, où Gary découvre que sa mère, qui lui avait écrit pendant toute la guerre, était morte depuis plusieurs années : le jugeant incapable de vivre sans son amour, elle avait à l'avance rédigé des lettres et chargé une amie de les lui envoyer régulièrement.

Si le texte s'arrête en 1944 et non en 1960, date de sa publication, c'est que Nina en est l'héroïne véritable. Mère juive typique, cette Russe idéaliste couvre son enfant unique, avec qui elle vit en symbiose, d'un amour envahissant, lui prédisant un destin mirifique, qui la vengera de la vie. Hymne d'amour rédigé dans une prose lyrique, le livre est aussi le récit de la naissance d'une vocation d'écrivain. Grand succès, il fut porté à l'écran par Jules Dassin (1970), avec Melina Mercouri dans le rôle de Nina. On peut considérer le recueil d'entretiens de Romain Gary avec François Bondy, *La nuit sera calme* (1974) comme une suite autobiographique de *La Promesse de l'aube*.

P. B.

PROMÉTHÉE. Prométhée est l'une des plus puissantes figures nées de la légende et dont la littérature et les différents arts n'ont cessé de s'inspirer depuis la plus haute Antiquité jusqu'à nos jours. À l'origine, divinité du feu, les poètes et les conteurs lui ont peu à peu conféré maintes attributions et un sens philosophique et moral : il en est venu à symboliser l'esprit humain aspirant à la connaissance et à la liberté.

★ Dans *Les Travaux et les Jours* (*) d'Hésiode, le premier poète qui s'inspira de ce mythe, Prométhée, paraît comme un Titan bienveillant, protecteur des hommes auxquels il donne le feu et enseigne les arts, violant ainsi l'interdiction de Zeus. Pour le châtier, le dieu envoie sur terre la célèbre Pandore, celle qui est à l'origine de tous les maux, et il enchaîne Prométhée sur une cime du Caucase où un aigle lui dévore sans cesse le foie, toujours renaissant. Platon, dans son *Protagoras* (*), a recueilli une variante de ce mythe, variante selon laquelle Prométhée serait le père de toutes les races. La légende du Titan a aussi été reprise par Sophocle, Euripide et même Aristophane et les auteurs comiques de la période attique, qui le transposèrent dans leurs œuvres.

★ *Prométhée enchaîné* [Προμηθεὺς δεσμώτης]. On considère généralement que cette pièce est du poète tragique grec Eschyle (525-456 av. J.-C.) ; l'attribution en restera probablement incertaine. La problématique politique qu'elle soulève paraît bien la rattacher à un style de préoccupation eschyléen, mais il est d'autres aspects qui invitent au doute. La pièce faisait partie d'une trilogie, dans laquelle elle était suivie d'un *Prométhée délivré* [Προμηθεὺς λυομενος], dont il ne reste que des fragments. Si elle est d'Eschyle, sans doute est-elle tardive. Elle est une forme d'hymne à l'intelligence en tant qu'instrument de résistance à la tyrannie. La scène se situe sur un sommet isolé du nord de l'Europe, où Zeus a ordonné que Prométhée soit enchaîné. Laissé seul, celui-ci fait entendre une plainte. Un chœur d'Océanides monte des profondeurs vers lui : à leur demande, le récit qu'il fait de ses malheurs est l'occasion, pour le poète, d'expliquer le déroulement d'une révolution politique. La dernière génération des dieux, Zeus à leur tête, était en lutte pour le pouvoir avec la génération précédente, celle des Titans. De sa mère « Gè-Thémis » (déesse Terre, en tant que Thémis, dépositaire des lois fondamentales qui garantissent l'existence possible d'un monde) Prométhée — dont le nom signifie le « prévoyant » — apprend que la victoire reviendra à ceux qui sauront faire preuve d'intelligence et de ruse. Il en avertit les Titans. Ceux-ci rebutent ses conseils. Il s'allie donc avec Zeus, dont il favorise ainsi la victoire. Le nouveau vainqueur met alors en place son administration ; l'humanité telle qu'elle existait ne lui agréant guère, son intention est de la faire disparaître pour en façonner une nouvelle. Prométhée seul s'oppose à ce projet : il empêche sa réalisation en donnant aux hommes l'« espoir » (des raisons d'espérer recueillir les fruits de leurs efforts) avec l'usage du feu. L'explication est interrompue par l'irruption d'un nouveau personnage, Océanos, qui propose ses bons offices auprès de Zeus. Prométhée sait à quelles lois est soumis le comportement d'un souverain qui vient de prendre le pouvoir : un tel individu est incapable d'entendre des arguments ou de composer. Il est donc certain de l'issue de la démarche et il réussit à convaincre son interlocuteur de la pertinence de son point de vue. Océanos se retire donc. Prométhée reprend ses explications ; nous comprenons alors ce que signifie le don du feu. Surmontant le désordre de leurs impressions sensorielles, les hommes ont appris à les organiser, à repérer dans le monde des constances objectives, des retours périodiques et des lois. Ainsi ont-ils appris que le mouvement du temps n'est pas chaotique, que l'avenir s'éclaire de la connaissance du passé ; par là, ils ont acquis diverses maîtrises (techniques agricoles, médicales, divinatoires). Si, par le don du feu, Prométhée a soustrait les hommes à l'arbitraire du bon plaisir de Zeus, c'est qu'en vérité ce don symbolise la lumière de l'intelligence grâce à laquelle ceux-ci reconnaissent dans le monde des lois qui garantissent le succès de l'action lorsqu'on prend appui sur elles. La puissance divine, soumise elle-même à la nécessité de ces lois, ne peut empêcher la réussite d'une action bien conduite. Sans doute la jeunesse du pouvoir exalte Zeus jusqu'à l'illusion de la toute-puissance. L'expérience lui apprendra le sens de ses limites et il viendra un temps où il se montrera conciliant envers un adversaire qui détient un secret dont dépend la survie de sa souveraineté. Car, s'il a fait enchaîner Prométhée, ce n'est pas seulement pour le punir, mais parce qu'il imagine pouvoir lui arracher par la contrainte ce qu'il sait de l'avenir. Un nouveau personnage apparaît : poursuivie par la haine d'Héra dont elle est la victime délirante, Io est emportée dans une course folle aux confins du monde habité. Prométhée se comporte envers elle à la manière d'un homme-médecine : d'abord, il nomme ses origines, il lui explique son mal (le désir que Zeus a d'elle et le traitement qu'Héra lui fait subir en conséquence), il lui rend assez de lucidité pour qu'elle soit capable de faire retour sur elle-même en retrouvant le fil conducteur de son expérience passée, il lui décrit les étapes par lesquelles elle devra passer à l'avenir et enfin le terme de ses épreuves (il agit à son égard en donateur du feu, c'est-à-dire en donateur de sens). Elle accouchera en Égypte d'un fils, Épaphos, qui sera l'ancêtre de celui qui délivrera Prométhée. Io quitte la scène, ressaisie par son délire. Hermès survient enfin, en messager de Zeus ; il veut obtenir de Prométhée son secret. Ce dernier refuse en dépit des souffrances dont il est menacé. Un cataclysme le précipite avec les Océanides dans l'abîme. Pour la suite, il est seulement permis de dire que la ou les deux pièces suivantes traitaient de la réconciliation de Zeus avec Prométhée. – Trad. Les Belles-Lettres, 1921 ; Gallimard, 1967. A. Sa.

★ Transmis à Rome en même temps que les tragédies grecques, le mythe de Prométhée inspira de nombreuses œuvres poétiques et scéniques, parmi lesquelles il convient de citer le drame de Lucius Accius (170 ?-85 ? av. J.-C.), *Prometheus,* qui dérivait directement de l'œuvre d'Eschyle (cet ouvrage est perdu comme tant d'autres).

★ L'écrivain grec Lucien de Samosate (125-192 env. ap. J.-C.) reprit le même sujet dans un de ses dialogues satiriques : *Prométhée ou le Caucase* [Προμηθεὺς ἤ Καύκασος]. Cet écrivain avait déjà donné les *Dialogues marins* (*) et les *Dialogues des dieux* (*), dans lesquels il dirigeait ses traits contre les vieux mythes afin de prouver combien ceux-ci étaient sots, risibles et souvent même immoraux dès qu'on les dépouillait de la poésie dont Pindare et Eschyle les avait parés. Ici, il crible de ses sarcasmes le principe de la « justice divine ». Il situe la scène de son dialogue sur le Caucase, comme dans le *Prométhée* d'Eschyle. L'aigle qui, selon la volonté de Zeus, doit dévorer le foie du Titan, n'est pas encore arrivé ; en présence d'Hermès et d'Héphaïstos – les exécuteurs des ordres du dieu des dieux –, le captif en profite pour faire l'apologie des fautes qui lui sont reprochées (et son argumentation ne manque pas de mordant) : répartition frauduleuse des viandes lors d'un festin offert par Zeus, création des hommes, rapt du feu. Défense habile conçue selon les meilleures règles de la rhétorique, vraiment digne du grand orateur qu'était Lucien. Dans la tragédie d'Eschyle, Zeus paraît grandi par les reproches de Prométhée, puissant et terrible dans sa colère divine. Ici, il n'est plus qu'un être injuste, privé de bon sens, dépourvu de noblesse et de dignité. Prométhée pourrait obtenir la fin de son supplice et acheter sa délivrance moyennant la révélation de son secret ; Hermès, qui le prend en pitié, le supplie d'y consentir, mais le Titan refuse car l'aigle, instrument de son rachat, est là qui approche. L'ironie de ce morceau est plus caustique que celle des *Dialogues marins* ou des *Dialogues des dieux,* car elle n'est pas déguisée : nous sommes en présence d'un vrai héros qui, en défendant sa cause, lance une accusation terrible contre la divinité et parvient à convaincre jusqu'aux ministres de Zeus de l'injustice de leur maître. Comme toujours, le style de Lucien de Samosate est limpide, élégant, propre à mettre en relief les arguments irréfutables de Prométhée. En grande partie, sa langue demeure attique. – Trad. La Couronne, 1946.

★ Le mythe de Prométhée prit un nouvel essor sous la Renaissance et à l'âge du baroque, époque de vitalité débordante. Mais cette fois, il inspira davantage les peintres que les poètes et les dramaturges. Citons néanmoins la célèbre comédie mythologique espagnole du XVIIe siècle, *La Statue de Prométhée* [*La estatua de Prometeo*], de Pedro Calderón de la Barca (1600-1681), qui est de 1669, et qui fut publiée dans la *Quinta parte de Comedias...* (Barcelone, 1677). L'auteur espagnol transpose la légende dans un symbolisme philosophique plein de réminiscences théologiques, mais animé très souvent par un admirable lyrisme.

★ Le romantisme vit Prométhée sous les traits d'un rebelle indomptable et en fit l'un de ses grands héros. Le *Prométhée* [*Prometheus*] de l'écrivain allemand Wolfgang Goethe (1749-1832) est célèbre ; il date de 1773, mais n'a été publié qu'après la mort de l'auteur, en 1878. Dans un discours commémoratif en l'honneur de Shakespeare prononcé par Goethe en 1771, Prométhée se dessine déjà et apparaît comme le créateur du genre humain. L'année suivante, soit en 1772, dans *De l'architecture allemande,* il devient un médiateur entre le Ciel et la Terre. Le *Discours sur les sciences et les arts* (*) de Rousseau, l'influence de Herder, enfin l'ouvrage de Wieland, *Dialogue en songe avec Prométhée,* contribuèrent en partie à l'élaboration du *Prométhée* goethéen, lequel, cependant, s'inspire surtout d'Eschyle et de Voltaire. Le vieux mythe, renouvelé en accord avec l'atmosphère du temps, a enflammé l'imagination créatrice du jeune poète qui, à son tour, lui a donné une forme neuve et un élan nouveau. Le fragment se divise en deux actes. Dans le premier, Prométhée, dialoguant avec Mercure, déclare qu'il ne redoute plus les dieux et atteste qu'il ne reconnaît que la prééminence du Destin. Il repousse ensuite la proposition de son frère Épiméthée, qui l'incite à prendre place parmi les immortels au sommet de l'Olympe : « Ils veulent partager avec moi, et je prétends / N'avoir rien à partager avec eux. / Ce que moi je détiens, ils ne peuvent me le prendre / Et ce qu'eux, ils détiennent, à eux de le défendre. » Épiméthée lui reproche cette attitude altière : « Tu te tiens à l'écart ! / Buté, tu ne vois pas quelle félicité / Si les dieux et toi-même / Et les tiens et le ciel tout entier / Se sentaient unanimes, soudés en un seul tout ! » Mais Prométhée ne reconnaît d'autre ivresse que celle que lui procure sa propre puissance de créateur et l'amour qu'il porte aux êtres qui lui sont redevables de la vie. Dans la scène suivante, où paraît Minerve, Prométhée se révèle de plus en plus comme un révolté luttant pour la conquête de la liberté. La déesse, s'inclinant devant son audace et sa fierté, va jusqu'à lui dévoiler le mystère de la source de vie que les dieux seuls possèdent. Au second acte, Mercure annonce à Jupiter, pour le pousser à la vengeance et au châtiment, que Minerve a confié à Prométhée le secret de la vie et qu'à présent l'engeance humaine grouille déjà et s'ébat joyeusement sur terre. Mais Jupiter répond à son messager que les hommes doivent être : ils ne feront qu'accroître le nombre de ses serviteurs ; ils auront droit au bonheur s'ils suivent ses lois et seront malheureux s'ils ne veulent se soumettre à sa toute-puissante autorité. Arrêtant le fidèle Mercure qui croyait devoir se hâter de porter aux nouvelles créatures ces mots d'espoir, il lui dit sur un ton paternel et à demi souriant : « Pas encore ! Dans la joie fraîche éclose de leur jeunesse / Ils pensent égaler les dieux / Ils ne t'écouteront point, jusqu'au jour / Où ils auront besoin de toi. Laisse-les à leur vie. » En présentant Jupiter sous ce jour, Goethe risquait de détourner l'intérêt qu'il entendait porter à Prométhée, au profit du dieu qui apparaissait tout à coup comme un être digne de respect, image de la sagesse et de l'harmonie. Telle est sans doute la raison pour laquelle ce drame resta inachevé ; entre les divers fragments, il en est un particulièrement remarquable, qui nous montre la venue de la mort sur la terre (la première victime sera Mira, qui rendra l'âme sous les yeux de Pandore, sa mère). Mais grâce à Prométhée, la mort semblera comme une suprême éclosion de la vie, une sorte de palingénésie. De ces fragments inachevés, Goethe tira la matière d'un court, mais puissant poème ; c'est son vrai « Prométhée », vu tel qu'il concevait le héros dans sa jeunesse : non pas celui qui cède et fait alliance avec Zeus, mais celui qui proclame la vanité de l'existence des dieux, la puissance et la pleine liberté des humains. « Couvre ton Ciel, Zeus. / De brume et de nuages, / Et, pareil à l'enfant / Qui joue à décapiter les chardons / Éprouve ta force sur les chênes et les sommets des monts ; / Mais ma terre, / Laisse-la-moi, / Et ma cabane que tu n'as point bâtie / Et mon foyer / Avec sa flamme que tu m'envies ! / Je ne sais rien sous le soleil / De plus misérable que vous, dieux ! / Vous vivez pauvrement / Des offrandes de vos autels / Et de l'haleine des prières / Pour nourrir votre majesté ; / Vous mourriez de faim / Si les enfants, les mendiants / N'étaient des fous gonflés d'espoir... / Moi, t'honorer ? À quel titre ? / As-tu jamais adouci les souffrances / De qui ploie sous le fardeau ? / As-tu jamais tari les larmes / De l'angoissé ? / Qui a forgé cet homme que je suis / Sinon le Temps tout-puissant, / Et le Destin éternel, / Mes maîtres et les tiens ?... / C'est ici que je demeure, formant des hommes / À mon image / Une race à ma ressemblance / Pour souffrir, pour pleurer / Pour goûter les plaisirs et les joies, / Et t'avoir en mépris, / Comme moi ! » En 1795, Goethe travailla aussi à une *Délivrance de Prométhée.* Il ne nous en reste que trois courts fragments (23 vers au total) dont le principal, animé d'un souffle puissant et majestueux, fut publié en 1888. — Trad. Gallimard, 1942.

★ Le *Prométhée délivré* [*Prometheus Unbound*] du poète anglais Percy Bysshe Shelley (1792-1822), drame lyrique en quatre actes et en vers publié en 1820, est conçu dans le même esprit de révolte que celui de Goethe. S'inspirant en partie seulement de la tradition classique, Shelley fait de Zeus le symbole du mal, tandis que Prométhée devient le sauveur de l'humanité ; le héros, employant le savoir ainsi qu'une arme, vainc le mal et ramène les hommes à la sagesse et à la vertu. Pour châtier les audaces du Titan qui s'est fait le champion des mortels, Zeus le condamne à être enchaîné sur un pic du Caucase où un vautour lui rongera continuellement le foie. Prométhée supporte courageusement tous les supplices que le dieu lui inflige, car il attend avec patience l'heure où Zeus sera détrôné et l'esprit du bien triomphera. Le destin ne pourrait changer que si Prométhée révélait le secret qu'il est seul à détenir. Mais les dieux ne parviennent pas à le lui ravir, même en lui promettant une délivrance immédiate. Finalement, l'heure marquée par le sort arrive : Zeus disparaît, jeté à bas de son trône par Demogorgon, le pouvoir originel du monde, tandis qu'Hercule (qui symbolise la force) délivre Prométhée (l'humanité) des souffrances engendrées par le mal. Asia, l'une des Océanides, personnification de la Nature, retrouve au même instant sa beauté première et s'unit à Prométhée. Ainsi commencera le règne de l'amour et du bien. Shelley a cherché à exprimer toute sa philosophie dans ce drame. Tout d'abord disciple de William Godwin (1756-1836), dont il épousa en secondes noces la fille Mary, Shelley se fit par la suite une philosophie toute personnelle ; on la trouve exprimée dans la majorité de ses œuvres et surtout dans son *Prométhée délivré.* Ses théories sur le destin de l'humanité peuvent se résumer ainsi ; il est convaincu que le mal n'est pas inhérent à la nature des hommes, mais bien accidentel, donc susceptible d'être éliminé. L'idée qu'il reprendra le plus volontiers est que tout individu doit tenter de se perfectionner jusqu'à réduire à néant le mal qui est en lui. *Prométhée délivré* est la transposition d'une vision philosophique dans le domaine lyrique ; et, en utilisant le vieux mythe grec, l'auteur entend conférer à cette vision une portée plus profonde, presque sacrée. On retrouve dans ce drame quelques-uns des éléments les plus caractéristiques de l'art et de l'univers poétique de Shelley : d'abord sa conception platonique de l'amour (ce n'est point par hasard s'il a choisi un mythe grec), conception à la fois déformée et amplifiée par une croyance — très romantique — en la toute-puissance de ce sentiment qui ne néglige cependant pas le côté physique et humain. Il arrive que la luxuriante richesse de l'imagination de Shelley accumule les images jusqu'à produire un ensemble plus éblouissant que substantiel. La beauté de cette œuvre, outre la pensée généreuse qui l'anime, repose cependant sur l'extraordinaire puissance et le lyrisme débordant de maints passages qui sont parmi les plus belles pages de l'auteur. Ce drame n'avait que trois actes à l'origine ; ce n'est que quelques mois après l'avoir achevé que l'auteur en ajouta un quatrième, sorte d'hymne triomphal après la victoire du héros. — Trad. Aubier, 1942.

★ Le rationalisme du XVIIIe siècle voulut mettre à l'honneur la légende de Prométhée. Nous possédons, entre autres, un petit poème en hendécasyllabes libres de l'Italien Vincenzo Monti (1754-1828) : *Prométhée* [*Il Prometeo*]. Commencé en 1797, continué en 1821, il ne parut qu'en 1832, après la mort de l'auteur. Il se divise en trois chants. Dans la Préface (« Prefazione non inutile al poema »), Monti explique les deux grandes idées qui l'ont guidé : d'abord servir la gloire des Grecs et des Latins, puis bien mériter de la patrie en faisant œuvre d'homme libre. Or, si le premier but n'a pas été complètement atteint, le second ne l'a pas été du tout, l'auteur ne pouvait manifestement y parvenir en faisant l'éloge servile de Napoléon. Toujours d'après la Préface, ce poème aurait dû chanter comment les hommes apprirent, grâce à Prométhée, la physique et l'astronomie et reçurent de Jupiter la jeunesse. Mais, comme ils s'en enorgueillirent trop, le dieu décida de les punir en envoyant à Prométhée la fameuse Pandore et sa boîte renfermant tous les maux ; Prométhée refusa le mystérieux présent mais Épiméthée, son frère, l'ayant accepté, les monstres en sortirent et s'abattirent sur les hommes tandis que, seule au fond du coffret, demeurait l'espérance. Le fier Prométhée s'étant insurgé, Jupiter le précipita dans le Tartare en lui annonçant qu'il ne pourrait en sortir que si, pour lui, un immortel consentait à devenir mortel. Ce sauveur devait être Chiron. Une fois délivré, le Titan enseigna aux hommes l'art, la politique et la liberté. Tel était le plan initial du poème : en fait, il s'achève sur les lamentations d'Épiméthée qui vient de commettre sa fatale maladresse, tandis que Prométhée part pour la Grèce afin d'y recueillir les avis de Thémis. Nous trouvons les thèmes de cette œuvre dans Hésiode, Eschyle, Voltaire et Goethe qui, cependant, avaient diversement interprété le mythe antique, le considérant comme l'exaltation de l'esprit humain recherchant la raison suprême des choses. Le Prométhée de Monti, au contraire, devient le symbole de Napoléon donnant la paix au monde, ainsi que tous les bienfaits qui en dérivent. L'œuvre manque d'unité et n'a de valeur que par sa forme.

★ Elizabeth Barret Browning (1806-1861) a donné, en 1833, une traduction célèbre de la tragédie d'Eschyle.

★ *Prométhée* [*Prometeo*], poème de l'écrivain argentin Olegario Víctor Andrade (1841-1882). L'écrivain, dont les Œuvres complètes furent éditées en 1887 aux frais du Trésor pour leur caractère national, reste fidèle dans son *Prométhée* à la poésie philosophique et didactique, bien que ce dernier trait y prédomine moins que dans sa fameuse *Atlantide* [*Atlántida*], cette œuvre ultime où Olegario Andrade évoque l'avenir de la race latine en Amérique après en avoir dépeint la force. *Prométhée* est en fait un monologue lyrique, les parties narratives y tenant une place réduite. Prométhée, sur son rocher, s'adresse au dieu avec le même ton de défi que le héros d'Eschyle, sans que l'on sache si ce dieu est le Zeus de la mythologie grecque ou le Tout-Puissant des chrétiens, ambiguïté voulue et recherchée par l'auteur. Puis, tourné vers l'avenir, Prométhée aperçoit la croix sur le Golgotha et s'écrie qu'il peut mourir, puisque le fils de l'homme lui succède. Appelant « fils de l'homme » (sans majuscule dans les éditions courantes) le Christ, Olegario Andrade affirme son attachement à l'homme et sa confiance. À lire cette œuvre d'inspiration typiquement romantique, bien que la forme en soit classique, on pressent que Victor Hugo et Espronceda ne sont pas loin.

★ L'écrivain suisse d'expression allemande Carl Spitteler (1845-1924) a donné une version toute nouvelle de cette légende mythique dans un poème en prose : *Prométhée et Épiméthée* [*Prometheus und Epimetheus*], publié en 1881. Le mythe grec est entièrement renouvelé et mêlé d'éléments bibliques, gnostiques et chrétiens. Contrairement à l'habitude, Prométhée incarne moins le titanisme romantique, qui constituait l'essence de l'évocation goethéenne, que la fidélité de l'homme envers son âme, son propre génie. Épiméthée, qui a une personnalité aussi accusée que son frère, se voit offrir par l'ange de Dieu la couronne du Monde, parce qu'il a renoncé à son âme pour se fier à sa seule conscience (« Gewissen », au sens intellectuel plus que moral). Mais, puisqu'il lui manque cette connaissance qui émane directement des profondeurs de l'âme, Épiméthée commet deux erreurs funestes : lorsque Pandore, fille du maître de l'Univers, voudra améliorer la destinée humaine grâce à un don miraculeux, Épiméthée le repoussera dédaigneusement, tant et si bien qu'il ira échouer entre les mains d'un marchand juif ; puis, quand Béhémoth (le Malin, créature tirée du livre de Job) tente de circonvenir par son astuce le faible roi du monde, ce dernier ne sait reconnaître en lui l'ennemi ; ainsi iront à leur perte deux des trois fils de l'ange du Seigneur, Mythos et Hiéro (les noms ont leur importance), héritiers directs de sa toute-puissance. Le troisième, Messias, suivrait le sort des deux autres si Prométhée jusqu'alors méprisé, éprouvé par l'infortune, n'intervenait pour le sauver. Le héros, qui a su rester fidèle à son âme, repoussera la couronne que l'ange reconnaissant lui offrira et, accomplissant un nouvel acte d'amour, s'en ira chercher son frère au fond de l'abîme où il a chu, le ranimera et le rappellera à lui. Ce bref résumé passe sous silence des personnages de second plan tels que le Lion et le Chien, compagnons de Prométhée, et les figures allégoriques de Sophia et de Doxa que l'on trouve aux côtés d'Épiméthée et qui, visiblement, dérivent du gnosticisme ; mais il montre suffisamment la grande complexité de cet univers mythique dans lequel tant d'éléments hétérogènes ont été mêlés.

Jugé uniquement sur ces aspects extérieurs, ce poème paraît être de construction savante, froide, bâtie sur les exemples néo-classiques. En réalité, le souffle qui l'anime, le feu ardent qui brûle en lui font oublier tout ce qu'il pouvait y avoir, à l'origine, d'abstrait et d'artificiel. Dans la masse des allusions, il arrive que le sens de certains passages demeure obscur mais, comme l'a fait remarquer G. Keller, la puissance poétique est telle qu'elle convainc et satisfait toujours le sens critique. Dans son ensemble, ce poème est une vibrante affirmation des droits de la personnalité humaine et on ne s'étonnera point de constater qu'il vit le jour à une époque où Friedrich Nietzsche était en train de concevoir *Ainsi parlait Zarathoustra* (*). Dans cette nouvelle légende de Prométhée et d'Épiméthée, Spitteler a voulu traduire son propre drame comme celui de son siècle ; il est clair en effet que les deux frères en lutte perpétuelle symbolisent, à ses yeux, l'antagonisme des deux principes essentiels de l'âme humaine. Mieux que cela : après quelque quarante années, au bout d'une longue vie pleine d'expérience — tant sur le plan de l'art que sur le plan humain —, Spitteler reprit le même thème, le développant suivant le même schéma, mais en fit cette fois un poème parfaitement rimé (v. ci-dessous). Ce fait est presque unique dans l'histoire de la littérature moderne. Cette seconde version est d'une structure plus achevée, plus harmonieuse ; son déroulement est moins heurté, son style plus châtié et plus calme. Mais tout ceci a fatalement entraîné un affaiblissement de ce feu ardent, de cette débordante richesse d'expression qui avait conféré et confère encore à l'œuvre de jeunesse une inégalable splendeur. — Trad. Delachaux et Niestlé, 1940.

★ Parmi les poèmes qui reprennent fidèlement le mythe classique, il convient de citer le *Prométhée donneur de feu* [*Prometheus the firegiver*] du poète anglais Robert Bridges (1844-1930), publié en 1884.

★ Parmi les œuvres les plus typiques de l'écrivain français André Gide (1869-1951), il existe une variante de la légende grecque intitulée *Le Prométhée mal enchaîné*. Publié en 1899, il appartient à la période des meilleurs essais — v. *Bethsabée* (*), *Philoctète* (*), *El Hadj* (*). On peut le considérer comme affirmant la pleine maturité de l'auteur. L'audace avec laquelle ce dernier a modifié le mythe apparaît dès le début : Prométhée est tout simplement transporté à notre époque ; nous le voyons s'asseoir à une table de café et écouter les récits étranges de deux individus, Coclès et Damoclès. De ces deux personnages, l'un se trouve être l'obligé et l'autre la victime d'un homme mystérieux que le garçon de l'établissement affirme connaître : il s'agit du riche banquier Zeus, qui se plaît à faire des « actes gratuits ». De cette première intrigue naît une suite d'événements imprévus, mais logiques, qui touchent Coclès, Damoclès et Prométhée. Ce dernier terrorise l'assistance, en faisant venir son aigle qui se met à lui ronger le foie. L'oiseau symbolise sa conscience : il le nourrit ainsi, scrupuleusement, se réjouissant de le voir toujours plus beau et ne se rendant pas compte que lui-même dépérit. Bien plus, il veut se faire le propagandiste de ce nouveau genre de vie ; et le voilà donnant une conférence dans la « Salle des nouvelles lunes » ; par d'habiles arguties, avec une émouvante sincérité, il soutient la théorie selon laquelle tout homme devrait avoir son aigle, le nourrir de ses remords et lui sacrifier jusqu'à sa vie propre, pour qu'il devienne bien gras. Le personnage de Gide n'est donc plus le héros qui, par amour des hommes, a ravi le feu divin. Son but, à présent, transcende la dignité humaine : il n'aime pas l'homme, mais « ce qui le dévore ». Vient ensuite un dialogue fort bizarre avec le banquier Zeus — en qui certains critiques ont cru voir la personnification de Dieu — puis la mort affreuse de Damoclès, lequel a pris trop au sérieux les enseignements de Prométhée à propos de l'aigle. Comme il l'a solennellement promis, Prométhée prononce un discours à l'occasion des funérailles ; il arrive plus gras et plus joyeux que jamais et raconte une petite histoire si extraordinaire et si amusante qu'elle fait rire l'assistance. Et, lorsqu'on lui demande ce qu'est devenu son aigle, il répond qu'il l'a tué ; sur ce, il invite Coclès et le garçon de café à le déguster avec lui. Dans cette fable étrange et originale, la satire se montre clairement : Gide s'est proposé de tourner en dérision ceux qui, voulant mener une vie strictement soumise à la morale, nourrissent leur conscience de remords continuels et, dans ce funeste exercice, s'abandonnent à une délectation morbide. Cependant, la conclusion n'amène pas Prométhée à nier l'utilité de l'aigle ; il est juste, à son avis, d'accorder à l'oiseau ce qu'il réclame des hommes, mais ces derniers doivent être assez forts pour savoir le tuer à temps. L'auteur a donc entendu faire l'apologie d'un thème qui lui était cher : celui de l'émancipation des règles. Il est à retenir, en ce qu'il affirme et soutient une polémique particulière, transportée avec bonheur sur le plan de l'invention poétique au moyen d'une suite de trouvailles inédites, qui situent l'œuvre au niveau des meilleurs contes philosophiques du XVIIIe siècle. Sa technique très audacieuse, irrationnelle à dessein, prélude au surréalisme.

★ *Prométhée* [*Prometeo*], nouvelle de l'écrivain espagnol Ramon Perez de Ayala (1880-1962), fut écrit en 1916. Il ne s'agit pas d'un renouvellement plus ou moins fidèle de la tragédie d'Eschyle, mais d'une évocation poétique où l'auteur adapte l'aventure romanesque à l'histoire d'Ulysse et de Nausicaa telle que l'a narrée Homère. *Prometeo* est l'une des *Trois nouvelles poématiques* de Ramon Perez de Ayala.

★ *Prométhée le Patient* [*Prometheus der Dulder*] est le titre d'un poème en deux parties et huit chants de Carl Spitteler, publié en 1924. Quarante ans après l'avoir traité dans son

Prométhée et Épiméthée (voir ci-dessus), l'auteur reprit le même mythe et en donna une version nouvelle, non moins remarquable que la première. L'action y est plus rapide, le récit est conduit sur un rythme plus concis ; mais la pensée qui l'anime, de même que le symbole qu'il renferme demeurent inchangés. Prométhée est de nouveau tenté par l'Ange de Dieu qui l'incite à renoncer à son âme ; comme il refuse, on le punit d'abord en donnant le trône du monde à son frère Épiméthée (qui a consenti au sacrifice exigé), puis en le condamnant à une vie de tourments et de peines, atténués seulement par l'espoir d'une lointaine récompense promise par l'âme, promue au rang de divinité. Dans ce poème, Épiméthée n'est pas davantage capable de reconnaître le don que Pandore a fait aux hommes ; de même, il ne réussit pas à sauver le fils de l'Ange de Dieu, qui lui a été confié, des menées perfides de Béhémoth, sorte de génie infernal, de puissance des ténèbres. Ici encore, c'est Prométhée qui, intervenant au dernier moment, accomplira l'acte sauveur ; il ne le fera ni par amour de la gloire, ni pour sa propre satisfaction, mais parce qu'une divinité le lui a prescrit, et cette divinité c'est son âme. Enfin, Prométhée se soustraira aux honneurs du monde et à la reconnaissance de l'ange de Dieu, pour retourner dans la vallée de sa jeunesse. Il n'y reviendra pas seul, mais avec son frère Épiméthée qu'il a sauvé de l'abjection en lui rendant son âme, un temps sacrifiée. En négligeant certaines autres différences de forme, il faut remarquer que les vers ïambiques du *Printemps olympien* (*) ont remplacé ici la prose rythmée de *Prométhée et Épiméthée*. De plus, les personnages sont moins nombreux : l'Ange n'a qu'un fils au lieu de trois ; Béhémoth intrigue directement et non plus avec la complicité du perfide Léviathan ; de Doxa, compagne fidèle de l'Ange de Dieu et ennemie de Prométhée, il n'est plus question ; enfin, exception faite d'une brève allusion au Chien, on ne parle plus des animaux, compagnons de Prométhée : eux aussi ont disparu. En conclusion, on peut dire que la construction de cette nouvelle œuvre est plus harmonieuse et que l'action est mieux menée ; Prométhée demeure le personnage essentiel, tandis que, dans la première version, Épiméthée et son univers avaient une part au moins aussi grande (d'ailleurs, le titre le précisait). Malgré la perfection plus achevée de ce poème, on ne peut s'empêcher, parfois, de penser avec regret à la puissance qui animait le bouillonnement du texte de jeunesse. Le titre, en outre, révèle qu'il existe une différence de ton non négligeable entre les deux ouvrages ; dans le premier, vibre, haute et forte, la voix de la rébellion qui se traduit en répliques violemment satiriques ; dans le second, le langage est plus posé, comme empreint d'une digne résignation. À travers ce dernier Prométhée, c'est un vieillard qui parle, un vieillard au bord de la tombe, dont l'âme, si elle ne s'avoue pas vaincue, se plie cependant à une mâle soumission, à une paisible acceptation des faits et abandonne la lutte ouverte, renonçant à ce souffle héroïque qui animait tant de pages de *Prométhée et Épiméthée*. Entre ces deux interprétations de la légende de Prométhée et d'Épiméthée se situent toute l'œuvre et toute l'expérience de Spitteler.

★ Dans le domaine musical, on désigne généralement sous le nom de *Prométhée*, l'ouverture (op. 43) du « ballet héroïque et allégorique » intitulé *Les Créations de Prométhée* [*Die Geschöpfe des Prometheus*], composé en 1800 par le compositeur allemand Ludwig van Beethoven (1770-1827) à la demande du chorégraphe italien Salvatore Viganò (1769-1821). La première représentation fut donnée à Vienne en 1801. Le scénario de ce ballet est perdu et nous ne le connaissons que par des comptes rendus du temps. Prométhée y était glorifié comme le bienfaiteur de l'humanité, à laquelle il rendait la conscience et les arts (thème particulièrement cher à Beethoven qui avait une très haute idée de la mission sociale de l'art et éprouvait, pour le genre humain, un amour sincère et ardent). Ce ballet mettait en scène deux statues qui, sous la puissance de la musique, s'animaient lentement jusqu'à éprouver toutes les passions humaines ; puis, Prométhée les conduisait sur le Parnasse où Apollon leur faisait enseigner les arts, la musique et la danse, par les maîtres les plus qualifiés : Amphion, Arion, Orphée, Melpomène, Thalie, Terpsichore, Pan, Bacchus. Outre l'ouverture et l'introduction, la partition de Beethoven comprend seize parties indépendantes les unes des autres, correspondant à autant d'entrées. L'ouverture est seule demeurée au répertoire : c'est une composition vigoureuse, toute ramassée, dans les limites classiques de ses thèmes, animée d'un grand souffle et d'une admirable richesse de contrastes. Le premier thème, qui est aussi le principal, est un long chant de violons en ut majeur ; on le retrouve dans presque toute l'œuvre, avec ses accords rapides, son rythme énergique et soutenu. L'orchestration est la même que celle de la *Première Symphonie* — v. *Symphonies* (*) de Beethoven — avec laquelle on trouve quelques réminiscences. L'introduction, qui décrit la tempête au cours de laquelle Prométhée échappe aux foudres de Zeus, de même que les seize parties qui suivent ont pratiquement disparu du répertoire courant ; elles n'en contiennent pas moins de remarquables passages. Il est malaisé de rechercher à quels mouvements scéniques elles devaient correspondre ; on ne peut s'aider que de rares annotations inscrites sur la partition par le compositeur lui-même, qui devaient correspondre au scénario de Viganò. Notons encore la place importante occupée par le finale dans la littérature beethovénienne : pour la première fois sans doute, on y pressent le thème héroïque qui sera repris dans la splendide construction d'un autre finale, celui de la

Symphonie héroïque (nº 3). Cette antériorité est parfois attribuée aux *Contredanses* pour deux violons et violoncelle parues en 1802 ; mais il est vraisemblable qu'elles ont été partiellement écrites après *Prométhée.* Par la suite, Beethoven reprit ce même thème dans ses *Variations et fugue pour piano* (op. 35), de 1802 également. Le ballet de Viganò fut donné à la Scala de Milan en 1813 ; on trouve des allusions à cette soirée dans un petit poème de Carlo Porta : *Olter disgrazi de Giovannin Bongee.*

★ Le compositeur français Gabriel Fauré (1845-1924) a composé, en 1900, une tragédie lyrique en trois actes intitulée *Prométhée,* représentée la même année à Béziers. Le livret de cet opéra, conçu pour être joué en plein air, est de Lorrain et Herold. Il prévoit des parties chantées et des récitatifs. On y retrouve des scènes empruntées au vieux mythe de Prométhée, mais les librettistes ne se sont inspirés qu'en partie du drame d'Eschyle. De style noble et sévère, l'œuvre de Fauré est peu connue du public à cause des difficultés de la mise en scène. Cependant, le Prélude du premier acte, le cortège funèbre de Pandore, le supplice de Prométhée, l'apparition de Zeus et le chœur final parviennent à une rare intensité dramatique. Le langage musical de Fauré, maître incontesté dans le domaine de la musique de chambre, mais peu apte aux vastes compositions, se prête admirablement à susciter ici, sobrement mais avec une rare intensité d'émotion, une atmosphère de légende et d'irréalité. *Prométhée* est non seulement l'une des œuvres capitales de Fauré, mais représente aussi l'un des instants les plus marquants dans l'histoire du drame lyrique français.

★ Il existe encore une musique de scène du compositeur français Jacques-Froment Halévy (1799-1862) pour accompagner le *Prométhée enchaîné* d'Eschyle ; écrite en 1849, elle fut exécutée à Paris la même année. De 1850 à 1855, le compositeur hongrois Franz Liszt (1811-1886) composa un poème symphonique : *Prométhée.* Notons aussi : *Les Noces de Prométhée,* cantate pour solistes, chœurs et orchestre (1867) de Camille Saint-Saëns (1835-1921) ; le *Prométhée enchaîné,* cantate de Lucien Lambert (1858-1945), exécutée à Paris en 1883 ; le *Prométhée enchaîné,* de Georges Matthias (1826-1910), composé et donné à Paris en 1883 ; le « Chœur de l'Écho » (pour le *Prométhée délivré* de Shelley) de Frank Merrick (1886-1981) ; la symphonie *Prometheus* d'Otto Dorn (1848-1931) ; les ouvertures de Woldemar Bargiel (1828-1897) et d'Edgar Bainton (1880-1956) ; le prélude de Philipp Jarnach (1892-1982). Sous le titre de *Prométhée enchaîné,* nous avons encore : une ouverture de Karl Goldmark (1830-1915), un ballet de Charles Parry (1848-1918) et une cantate d'André Messager (1853-1929). Il faut enfin mentionner les remarquables petits poèmes pour chœurs (avec accompagnement d'orchestre) de Joseph Brambach (1833-1902) et de Karl Bleyle (1880-1969) : *Prometheus.* Sur le thème de Prométhée, le compositeur italien Luigi Nono (1924-90) a composé sa troisième action scénique, créée à Venise en 1984.

★ La sculpture antique est riche en œuvres d'art d'une incomparable beauté représentant les diverses aventures de Prométhée. Dans les temps modernes, la peinture surtout a produit des chefs-d'œuvre sur ce motif : le mythe grec a été illustré par les toiles célèbres de Michel-Ange, de Titien, de Rubens, Ribera, Salvator Rosa, Moreau, etc.

PROMÉTHÉE ou la Vie de Balzac. Essai biographique publié en 1965 par l'écrivain français André Maurois (pseud. d'Émile Herzog, 1885-1967). La plupart des vies de Balzac dont nous disposons ont été composées avant la grande floraison de l'érudition balzacienne. Dans cet ouvrage, Maurois tente de faire le point. Il s'agit de montrer l'auteur de *La Comédie humaine* (*) aussi bien en ses moments d'extase créatrice qu'en ceux où, tel un marin en bordée, il reprend pied sur les pavés du port. Par une incessante osmose, les actes, les pensées, les rencontres d'Honoré de Balzac ont nourri son œuvre. Certes, il peut paraître quelquefois difficile de faire la soudure entre le démiurge qui enfante un univers et le gros homme hilare qui s'amuse de calembours. Ce que Maurois se propose, c'est justement « d'entrevoir quelques aspects de cette mystérieuse alchimie ». Son ouvrage se divise en quatre parties. Dans la première, « La Montée », l'auteur étudie le Tours de l'enfance de Balzac, c'est-à-dire le Tours de Bonaparte, puis le philosophe précoce du collège de Vendôme en qui nous reconnaissons le futur Louis Lambert. À la Restauration, toute la famille s'installe à Paris, au Marais, et c'est l'apprentissage du génie, entre une sœur et une mère trop aimantes. À la rencontre de Berny correspondent les premiers romans ; Balzac ne disait-il pas : « Je n'ai que deux passions, l'amour et la gloire. » La gloire ? Elle n'est pas encore là ; il faut pour l'instant se contenter de besognes ; Balzac n'est homme d'action que dans l'imaginaire, et ses entreprises sont la plupart du temps vouées à l'échec. Il faudra attendre 1829 et *Les Chouans* (*). Dès lors, nous pouvons passer à la seconde partie : « La Gloire ». Une gloire mêlée de bien des amertumes. Si 1831 est une année de succès littéraires, elle n'est pas une année de succès financiers ; c'est que Balzac est l'homme des folies, qui ne sait résister à ses passions. Il brûle sa vie et sa fortune avec l'insouciance du héros de *La Peau de chagrin* (*), toujours en retard d'un livre, toujours à la recherche de quelques milliers de francs, aux prises avec des femmes excessives. En 1832 apparaît une lettre signée « l'étrangère ». Le mystère, l'angélisme de cette nouvelle correspondante fascinent Balzac ; une fascination qui ne s'éteindra qu'avec sa vie et dont Mme Hanska saura bien vite jouer. En 1833, il entrevoit le plan de son œuvre : *Le Père Goriot* (*), *Le Lys dans la vallée* (*), *Les Illusions perdues* (*) vont se succéder. En 1836, la mort de Mme de Berny, restée la Dilecta, ne l'arrêtera qu'un instant. La course se poursuit. Enfin, en 1841, Balzac signe avec un groupe de libraires un traité pour la publication de *La Comédie humaine.* Aura-t-il le temps d'achever cette immense somme romanesque ? Il l'ignore. Mais ce qui existe en 1841 constitue déjà un monde organisé comme le monde réel, qui s'engendre lui-même. En deux chapitres, Maurois fait le point sur les études balzaciennes, regroupant les grands thèmes sous divers titres : politique et religion, amour et mariage, l'argent, le voyant, la sagesse de Balzac. Dernière partie, « Le Chant du cygne », mais surtout course à la mort, désespérée. Deux objets occupent Balzac tout entier ; son œuvre d'abord, qu'il faut achever, Mme Hanska ensuite, à laquelle il rêve de s'unir. À la fin de 1848, il rejoint l'étrangère, passe avec elle plus d'une année car il est gravement tombé malade, et l'épouse enfin en mars 1850. Il rentre à Paris ; mais son lit de noces sera son lit de mort. 18 août 1850 : c'est la fin. Et Maurois conclut : « Du jour où Balzac sut montrer au monde, en les transposant, ses rancunes d'enfant mal aimé, ses lectures sous l'escalier de Vendôme, sa première "odeur de femme", les échecs de son beau-frère, les sordides manœuvres des usuriers, ses illusions perdues et ses extases créatrices, il put nourrir de sa substance tout un peuple de personnages. Puis, ayant dévoré sa propre durée, il mourut jeune. Mais qui ne voudrait être Balzac ? »

PROMÉTHIDION. Œuvre de l'écrivain polonais Cyprian Kamil Norwid (1821-1883), publiée en 1851 à Paris. Traitant de philosophie esthétique, elle se compose de deux dialogues en vers et d'un épilogue en prose. Le premier de ces dialogues s'intitule « Bogumil ». Divers personnages entament une discussion sur la musique de Chopin ; pour passer ensuite à des considérations sur l'art en général. L'un des interlocuteurs, Bogumil, qui expose le point de vue personnel du poète, souligne le caractère « intellectuel » de l'art. Il justifie l'importance des créations populaires par la valeur des accents profonds que l'on trouve dans certaines âmes élues, sinon cultivées. Le travail conduit l'homme vers l'art par l'amour et la beauté, qui en est l'expression intrinsèque. Mais il est aussi la pénitence qui lui permet de reconquérir l'état de grâce perdu. Et l'amour sublime cette pénitence, rendant le travail productif et créateur, en élevant l'homme et la nation à laquelle il appartient. La recherche de la beauté ne devrait pas être exclue du train ordinaire de la vie (en cela Norwid est un précurseur de l'« esthétique quotidienne » de Ruskin). Quant à l'amour du sol natal, il devrait prendre forme dans l'architecture locale : du fait que la Pologne n'a pas encore créé une expression nationale, personnelle, des arts plastiques, l'auteur déduit que l'amour de la patrie n'est qu'imparfaitement ancré dans le cœur des Polonais. C'est à travers cette manifestation « nationale » que le peuple doit atteindre l'art en général, qui est la forme la plus sacrée du travail et une expression tangible de la prière. Dans son second dialogue, intitulé « Wiesław », Norwid traite de la vérité dans l'art et de l'influence exercée par l'opinion publique sur la création artistique. Norwid termine son livre en déplorant le fossé qui s'est creusé entre le peuple et les classes intellectuelles ; ce fossé doit être comblé, dit-il, par le travail et par la création artistique. Norwid a choisi, pour son *Prométhidion*, la forme du dialogue platonicien, l'estimant comme la mieux adaptée au but qu'il se proposait : à savoir faire pénétrer dans l'esprit des lecteurs sa propre conviction quant à l'importance de l'art. Cet ouvrage réclame du lecteur une attention sans défaillance, tant la richesse de la pensée se trouve ici fortifiée par la concision du style.

PROMONTOIRE (Le). Roman de l'écrivain français Henri Thomas (1912-1993), publié en 1961. La même année, l'ouvrage reçut le prix Femina. Dans un petit village corse, Lormia, s'est installé le narrateur, dont les activités sont celles d'un « lecteur, un traducteur, un copiste ». Il reste seul, sa femme et sa fille ayant regagné le continent ainsi que son ami antagoniste, le romancier Gilbert Delorme. Pour ne point se dissoudre, il note, enregistre de « petits faits ». Ce sont les seuls éléments à quoi on puisse arrimer l'idée d'une vie. Cependant, évoqués successivement, ils ne constituent pas une histoire. Le narrateur, au contraire de Gilbert Delorme, refuse l'usage du passé simple, qui, temps de l'histoire, transforme en récit figé de cause à effet ce qui est vécu dans l'incertitude, comme un imprévisible. En se mettant à consigner les petits faits désordonnés de sa vie, le narrateur double son existence par l'écriture, et tend à substituer la littérature à la vie.

En ce village fermé par l'hiver, le sentiment de solitude du narrateur s'accroît de la mort de son amie, l'épicière. La mort de qui que ce soit est mort de soi ; le narrateur conçoit sa vie comme une agonie : « Je suis le seul homme de cette époque à être tombé "aussi bas". » Écrire peut constituer un moyen de survie, mais à la condition de fabuler une fiction : la figure de Gilbert Delorme joue le rôle de double. Car si le roman sauve, c'est par sa seule fausseté. Et si on aime la vérité, on se trouve condamné à l'isolement, et à la dépossession. La vérité est solitaire. On ne partage que des lieux communs.

Écrire enfonce dans le délire. Le narrateur pénètre plus profondément dans la nuit. À l'affût des « petits faits vrais », il se fait l'interprète de tout ce qui se produit. Il inquiète, constitue une menace. Les malheurs qui arrivent au narrateur ne sont-ils pas causés par sa ratiocination ?

Ce roman est caractéristique de l'art d'Henri Thomas ; le propre de ses récits est de sans cesse tournoyer, à la façon d'un tourbillon qui mène le nageur au plus profond du gouffre. Les moindres événements entraînent une transformation des êtres, et creusent en eux un abîme ; rien n'est sans conséquence, tout est décisif pour l'âme. Car le sujet essentiel de ces romans, c'est la conception de l'existence. Les personnages sont habités par le désir d'être ailleurs ; mais ils ne fuguent pas, car ce serait retrouver un lieu identique à celui que l'on quitte : ils tendent à l'effacement. Éprouvant la sensation du vide, ils en font systématiquement l'expérience. Cela les entraîne à anticiper leur disparition. Le moindre petit fait vrai se révèle sans substance puisqu'il est le sujet d'une interprétation sans fin qui l'absorbe, le réduit. Le consigner ne tend à rien de moins qu'à nous libérer « de nous-mêmes » (selon ce qu'écrit Henri Thomas dans le « prière d'insérer » du livre). Le roman se transforme de la narration d'événements en une descente en soi, jusqu'à la dissolution du narrateur, happé par l'écriture. J. Rou.

PRONOMS (Les) [*The Pronouns : A Collection of Forty Dances for the Dancers*]. Recueil du poète américain Jackson Mac Low (né en 1922), publié en 1964. *Les Pronoms* sont sans doute l'œuvre la plus représentative de Jackson Mac Low. Déjouant toutes les habitudes de lecture, ce recueil de quarante courts poèmes doit autant au collage surréaliste qu'au traité de linguistique, et ne cache pas sa dette envers la Gertrude Stein de *Tendres boutons* (*) (1914).

L'originalité la plus frappante de ces textes, c'est qu'ils ont été conçus par leur auteur comme une suite d'« instructions » en vue de leur chorégraphie. Dans sa Postface, Mac Low explique comment chaque « phrase-action » des textes peut être interprétée par des danseurs au cours d'une représentation, soulignant la « multiplicité apparemment illimitée des chorégraphies possibles pour chaque poème-danse ». Une telle multiplicité des « lectures » est d'ailleurs renforcée par la méthode de composition qu'adopte le poète : les actions (toutes les phrases sont construites autour de verbes dénotant une action à accomplir) ont été élaborées au hasard à partir de la liste des huit cent cinquante mots de l'anglais de base, et arrangées entre elles selon des procédés également aléatoires. « Puis, continue Mac Low, j'ai décidé d'écrire un poème-danse pour chaque mot que le dictionnaire Merriam-Webster définissait comme un pronom. »

Le recueil se développe ainsi en variations autour de quelques éléments de base, présentés chaque fois dans un contexte différent qui confère un sens différent aux actions qu'ils représentent. De plus, ces dernières sont le plus souvent dénuées de sens logique : « obtenir du cuir par le langage », « dire quelque chose parmi des choses épaisses », « discuter quelque chose de brun », etc. Mac Low tient par là à montrer que c'est le réseau des relations qui s'établissent entre les mots – et par conséquent la « communauté » de leurs utilisateurs (ici, les danseurs) – qui crée et fait jouer le sens.

Le « geste » de Jackson Mac Low est donc ici autant politique que chorégraphique : en déhiérarchisant la production du sens, en lui conférant la mobilité de la danse, en écrivant un « antimanuel d'instructions » poétique, il entend rendre la langue à l'universalité et à la communauté des pro-noms. A. Ca.

PROPHÈTE (Le) [*The Prophet*]. Livre de sagesse de l'écrivain libanais Ǧubrān Khalīl Ǧubrān (1883-1931), publié en 1923. L'argument de l'ouvrage est très simple : après un séjour de douze ans dans la cité d'Orphalèse, le Prophète voit enfin arriver le bateau qui doit le ramener chez lui. Tous les habitants d'Orphalèse se réunissent alors autour de lui et chacun, selon ses préoccupations, lui demande de parler d'un aspect de la vie des hommes : l'amour, le mariage, les enfants, le don, la nourriture, le travail, les joies et les peines, l'habitat, les vêtements, le commerce, les crimes et les châtiments, les lois, la liberté, la raison et la passion, la souffrance, la connaissance de soi, l'enseignement, l'amitié, la parole, le temps, le bien et le mal, la prière, la jouissance, la beauté, la religion, la mort. À toutes ces questions, le Prophète répond dans un langage simple, direct, mais auquel l'usage de symboles et de paraboles donne beauté et profondeur. Si, à bien des égards, le message a une consonance chrétienne, ce n'est certainement pas du christianisme conventionnel et respectueux des ordres établis qu'il s'agit, mais du souffle qui traverse les passages les plus contestataires et les plus dérangeants des *Évangiles*. On reconnaît en outre dans le texte de Ǧubrān une très nette influence de la sagesse de l'Inde et, malgré l'apparente incompatibilité, quelque chose de la pensée nietzschéenne. Le style du *Prophète* est, quant à lui, très nettement aligné sur celui des Écritures saintes. Ce livre a longtemps occupé l'esprit de l'auteur : il en aurait esquissé une première version, en arabe, à Beyrouth vers 1900 mais l'aurait alors considérée comme insuffisamment mûre, ce que devait lui confirmer sa mère en 1903. Cinq ans plus tard, à Paris, il en refait une version, encore en arabe, mais n'en est pas satisfait. Il laisse encore passer dix ans puis reprend son travail, cette fois en anglais : il en reprendra par cinq fois la rédaction avant de le confier à son éditeur, Knopf. Le livre, publié en 1923, vaut immédiatement à Ǧubrān une immense renommée aux États-Unis puis dans le reste du monde. — Trad. Casterman, 1956. D.-E. K.

PROPHÈTE (Le). Opéra en cinq actes du compositeur allemand Giacomo Meyerbeer (1794-1864), sur un livret de l'auteur dramatique français Eugène Scribe (1791-1861). *Le Prophète* fut donné en première audition le 16 avril 1849 : c'était alors le plus long spectacle du répertoire, le plus sévère aussi, car l'amour y est sacrifié aux préoccupations plus austères du drame théologique. Au premier acte, des paysans chantent la paix de la campagne hollandaise, tandis que Berthe attend, pleine d'espérance, le retour de son fiancé, Jean, qui tente d'obtenir du terrible comte d'Oberthal l'autorisation d'épouser la jeune fille. Mais le comte refuse, conspué par le peuple que les trois anabaptiste Jonas, Zacharie et Matthisen poussent à la révolte. La répression est brutale. Le rideau tombe sur une scène de désolation où perce une sourde haine. Au deuxième acte, les trois anabaptistes se sont installés à l'auberge tenue par Fidès, mère de Jean ; ils s'étonnent de la ressemblance de Jean avec le roi David et prédisent qu'il revêtira un jour la pourpre royale. Jean, qui dans son sommeil a déjà vécu cette prophétie en rêve, ne songe pourtant qu'à Berthe dont le retard l'inquiète. Elle apparaît enfin, affolée, car le comte d'Oberthal la poursuit. Elle se cache, mais le comte menace de faire exécuter Fidès, et Jean doit livrer Berthe au seigneur cruel. Les anabaptistes proclament la guerre sainte. Le troisième acte débute par des sonneries militaires qui annoncent le triomphe des insurgés, dont le camp apparaît au bord d'un étang glacé où des patineurs dansent un court ballet. Mais il faut encore prendre d'assaut la citadelle d'Oberthal. Celui-ci, traîtreusement, feint de se rallier sous un déguisement à la cause des anabaptistes, mais il est reconnu et traîné au supplice. Jean, révolté par tous ces excès, veut abandonner le combat ; le comte lui apprend que Berthe vit encore : elle seule le jugera. Le brouillard qui se dissipe découvre alors les murailles de la citadelle qui brille dans le soleil. Jean, transfiguré, a été proclamé prophète de Dieu et emmène ses troupes à l'assaut. Au quatrième acte, Fidès retrouve Jean dans la ville conquise et c'est la pompeuse scène du sacre de Jean avec un déploiement choral et orchestral prodigieux. Mais la prophétie dit que le roi ne peut être né d'une femme, et la foule réclame la mort de Fidès. Jean la fait passer pour folle et le drame devient de plus en plus complexe. Au cinquième acte, la situation militaire semble défavorable aux anabaptistes. Deux d'entre eux pensent à livrer Jean, pour apaiser la colère de l'empereur venu au secours du comte. Fidès, au fond de sa prison, prie pour son fils et le conjure de renoncer à la royauté. Pendant ce temps, Berthe amasse la poudre qui fera sauter la citadelle, elle ignore que son fiancé est le roi et pense au contraire, que celui-ci l'a tué. Dans la salle des fêtes, les anabaptistes organisent une véritable bacchanale, interrompue brutalement par l'arrivée des troupes impériales. Berthe reconnaît son fiancé en la personne du roi et se suicide tandis que le palais est détruit par les flammes, ensevelissant tous ses occupants. La musique du *Prophète* est d'une valeur très inégale : le chœur pastoral du début, le chœur des anabaptistes, les ariosos de Fidès, surtout la *Marche du prophète,* ont une force et une couleur dont Wagner ne pouvait pas ne pas se souvenir. Meyerbeer fait faire dans cette partition un pas gigantesque à l'orchestration lyrique, en donnant un rôle essentiel aux instruments à vent. Cette innovation fut assez mal accueillie en 1849, mais une certaine intensité dramatique du livret et de la musique suffit à déterminer un succès qui se prolongera plus d'un demi-siècle. Admirablement écrite pour les voix, la partition du *Prophète* est un modèle auquel il faut toujours se référer pour retrouver les règles fondamentales de l'art lyrique au XIXe siècle.

PROPHÈTES DU CHRIST (Les) [*Ordo prophetarum*]. Ce drame liturgique du XIe siècle est une des toutes premières œuvres de ce genre qui soient parvenues jusqu'à nous. La version primitive de cette représentation sacrée nous a été transmise par un manuscrit de la Bibliothèque nationale, provenant de l'abbaye Saint-Martial de Limoges. Ce n'est encore en fait que la dramatisation dialoguée d'un sermon apocryphe de saint Augustin sur cette idée que l'« Ancien Testament » est tout entier une figure et une préparation du « Nouveau ». D'abord récité, ce sermon évoquait les treize prophètes qui avaient annoncé la mission du Christ (Isaïe, Jérémie, Daniel, Moïse, David, Habacuc, Siméon, Zacharie, Élisabeth, Jean-Baptiste, Virgile, Nabuchodonosor et la Sibylle) et les faisait parler. On en vint bientôt à représenter individuellement ces témoins du Christ, répondant à l'appel du clerc qui récitait le sermon, chacun se levait et énonçait sa prophétie. Tout le texte du récitant, comme celui des prophètes, était en latin, mais alors que les différents personnages s'exprimaient en vers syllabiques et rimés, Virgile et la Sibylle, qui étaient là à cause de la IVe Églogue — v. *Les Bucoliques* (*) —, se servaient de l'hexamètre classique. Le sermon, puis le petit drame, qui en était la forme dialoguée, connurent une très grande popularité. Nous en avons de nombreux remaniements. Dans une version postérieure jouée à Rouen au XIIe siècle, il y a vingt-sept personnages au lieu de treize, dont Balam et son ânesse. Il existe une véritable mise en scène : les soldats de

Nabuchodonosor jettent dans la fournaise les trois jeunes Hébreux qui en sortent sains et saufs, et c'est après avoir été témoin de ce miracle que le roi d'Assyrie annonce la venue du Christ. Enfin, ce drame s'amplifia à tel point qu'on en détacha plusieurs épisodes, lesquels formèrent chacun un drame liturgique distinct ; c'est ainsi que nous avons conservé deux drames latins mettant en scène l'histoire de Daniel. *Les Prophètes du Christ,* œuvre dramatique encore très élémentaire, occupe une place importante dans l'évolution qui devait amener en France la naissance du théâtre religieux. Déjà détachée des tropes dialogués qui servaient d'introduction à la liturgie des grandes fêtes, — le meilleur exemple est le trope « Quem Queritis » (IXe siècle) du moine de Saint-Gall, Tutilon —, cette œuvre est un drame en soi. C'est le plus représentatif de ces drames liturgiques du XIe siècle, en latin, qui semblent avoir connu tant de succès auprès des fidèles et qui, en adoptant la langue vulgaire, devaient devenir au XIIe siècle de véritables jeux dramatiques représentés dans les grandes abbayes (*Saint Nicolas* et *Lazare,* à Fleury-sur-Loire ; *Drame des Vierges sages et des Vierges folles,* à Saint-Martial de Limoges ; *Conversion de saint Paul*) avant d'atteindre à une réelle grandeur dramatique et à une véritable valeur littéraire avec, au milieu du XIIe siècle, le *Jeu d'Adam* — v. *Adam* (*) —, lequel reprenait d'ailleurs le propos des *Prophètes du Christ.* — Sur les origines du drame liturgique, voir K. Young, *The Drama of Medieval Church,* Oxford, 1933, 2 vol.

PROPHÉTIES (Les). Recueil de quatrains prophétiques composé par Michel Nostradamus (Michel de Nostre-Dame, 1503-1566) médecin et astrologue français, et publié à partir de 1555. Installé à Salon-de-Provence à la suite de son mariage à l'automne 1547, l'écrivain au savoir encyclopédique qu'est alors Nostradamus s'essaie à publier des almanachs et des pronostics de 1550 à 1554. Au cours de cette dernière année, l'idée lui vient d'écrire des quatrains prophétiques pour ornementer ses almanachs et, du même coup, de composer un recueil de quatrains répartis en groupes de cent, d'où le nom de *Centuries.* Les premiers quatrains mensuels paraissent à la fin de 1554 dans l'almanach pour 1555 ; la première édition des *Prophéties* paraît à Lyon chez Macé Bonhomme en mai 1555. Cette édition comporte une préface (sous forme d'une épître destinée à César de Nostre-Dame, son fils, qui était encore au berceau), trois centuries complètes et une quatrième avec cinquante-trois quatrains seulement. L'histoire des autres éditions est plus confuse, à cause de la rareté des exemplaires conservés et de leur authenticité incertaine, car les générations suivantes ne se sont pas gênées pour antidater les éditions afin de les faire accréditer du public. On s'accorde à penser qu'une nouvelle édition paraît en 1556 et 1557, portant le compte au quatrain quarante-deux de la septième centurie, et l'on pose à la fin de 1558 ou au début de 1559 la parution des centuries sept, huit et neuf ; ces dernières sont d'abord publiées séparément, précédées d'une épître dédicatoire à Henri II. Le corpus actuel comporte dix centuries, la septième demeurant incomplète avec ses quarante-deux quatrains. La forme choisie (quatrains de vers décasyllabiques) et la structure du recueil (centuries) sont inspirées d'un ouvrage de Guillaume de la Perrière paru à Lyon chez Macé Bonhomme en 1552, *Les Considérations des quatre mondes, assavoir divin, angélique, céleste et sensible : comprinses en quatre centuries de quatrains contenant la cresme de divine et humaine philosophie.* Le contenu et le style imitent les oracles versifiés de la pythie de Delphes et de la sibylle de Cumes, car Nostradamus, en homme de la Renaissance, renoue avec l'Antiquité classique ; l'ambiguïté des oracles grecs s'y combine avec les jeux d'esprit (anagrammes, etc.) dont le XVIe siècle est friand. Il y a plus cependant dans *Les Prophéties* qu'un recueil d'énigmes ; il y a une fresque grandiose des misères humaines, exprimée au temps futur comme l'exige le genre prophétique, ce qui a pour effet de semer le trouble dans l'âme du lecteur : la menace ou l'imminence des dangers donne le ton à l'ouvrage. Cela est servi par un style dense, heurté, où l'ordre naturel des mots est rompu, où la langue, résolument savante, s'exprime d'autorité. Plusieurs thèmes et sujets se laissent distinguer. Il y a naturellement des vers héritiers de la tradition des almanachs, qui résultent de l'accumulation de petits pronostics (II, 46, 3 « Pluie, sang, laict, famine, fer et peste »). Des quatrains reprennent des sujets antiques, dans l'idée que les mêmes événements se reproduiront un jour (III, 73, et VI 84 décrivent le règne d'Agésilas à Sparte) ; d'autres décrivent des faits divers récents (X, 67 raconte le tremblement de terre du 4 mai 1549 à Montélimar, et VI, 6 la comète du printemps 1556) ; d'autres encore se réfèrent à un avenir lointain (X, 72 paraît faire allusion à l'éclipse solaire du 29 juillet julien 1999). On retrouve dans *Les Prophéties* les préoccupations de l'heure : Genève et la religion réformée (I, 47), Soliman et la menace turque (III, 31), les guerres d'Italie (VII, 30), les intrigues papales (VI, 82), la monarchie anglaise (IV, 89), les duels (II, 34), les empoisonnements (VII, 24), les scandales (VIII, 14), etc., mais le tout envisagé et évoqué sous un angle universel qui fait que chaque génération s'y retrouve depuis. *Les Prophéties* ont joui d'une grande popularité durant plus de quatre cents ans et ont été maintes fois réimprimées : Robert Benazra en a recensé cent soixante-dix éditions jusqu'en 1986 dans son *Répertoire chronologique nostradamique (1545-1989)* ; on se reportera à cet ouvrage pour leur histoire, de même qu'à l'ouvrage de

Michel Chomarat, *Bibliographie Nostradamus XVIe - XVIIe - XVIIIe siècles.* P. B.

PROPOS d'Alain. Sous ce titre générique se trouve rassemblée la plus grande partie de l'œuvre du philosophe français Alain (pseud. d'Émile Chartier, 1868-1951). C'est avec juste raison qu'André Maurois a pu dire que « les grands ouvrages d'Alain sont des colonies de propos ». Il est certain que le nom du philosophe restera attaché à cette multitude de petits articles, d'un genre absolument original. Professeur venu au journalisme à l'occasion des tumultes de l'affaire Dreyfus, c'est en 1906 qu'Alain commença à publier ses *Propos* dans *La Dépêche de Rouen*, adoptant bientôt, après quelques hésitations, la formule du court article quotidien. Au moment de son engagement, en septembre 1914, il avait déjà écrit pour *La Dépêche* quelque 3 000 propos. Après avoir composé, pendant les loisirs du front, de véritables livres — *Mars ou la Guerre jugée* (*), *Quatre-vingt-un chapitres sur l'esprit et les passions* et *Le Système des beaux-arts* (*) —, Alain reprit bientôt après l'armistice son genre favori. Comme il manquait d'une tribune, ses amis créèrent pour lui une brochure, d'abord hebdomadaire, puis bimensuelle et mensuelle, les *Libres propos*, qui s'adressait surtout aux jeunes intellectuels de gauche. En 1935, *Feuilles libres* lui succcéda, mais depuis longtemps Alain publiait ses *Propos* dans d'autres organes, en particulier dans *La Nouvelle Revue française* (*). Tous ces écrits ont d'ailleurs été réunis en volumes, classés soit selon la date de leur publication, soit autour d'un thème central : d'abord, réunissant des textes parus avant la guerre, cinq séries de *Cent un propos d'Alain* (1908-1928) et deux volumes de *Propos d'Alain* (1920) ; les œuvres de la deuxième période furent ordonnées autour de sujets particuliers : *Propos sur l'esthétique* (1923), *sur le christianisme* (1924), *Éléments d'une doctrine radicale* (1925), *Le Citoyen contre les pouvoirs* (1926), *Propos sur le bonheur* (1928), *sur l'éducation* (1932), *de politique* (1934), *de littérature* (1934), *d'économique* (1935), *Sentiments, passions et signes* (1936), *Les Saisons de l'esprit* (1937), *Esquisses de l'homme* (1937), *Propos sur la religion* (1938), *Minerve ou De la sagesse* (1939), *Suite à Mars : I. Convulsions de la force* (1939), *Suite à Mars : II. Échec de la force* (1939), *Préliminaires à l'esthétique* (1939), *Vigiles de l'esprit* (1942), *Humanités* (1943), *Politique* (1951), soit 2 700 propos environ. Le genre même des *Propos* exclut une évolution rigoureuse, mais il est possible de déceler dans leur suite quelques nuances sensibles : dans les *Propos* d'avant-guerre, publiés par *La Dépêche de Rouen*, Alain s'adresse surtout au grand public ; les *Libres propos* ou les *Feuilles libres* étant destinés à des lecteurs mieux au courant des discussions intellectuelles, le tour d'Alain, tout en restant d'une parfaite clarté, s'y fait plus philosophique, l'auteur aborde les questions d'enseignement, de littérature, de morale ; enfin, à partir de 1930, la montée du fascisme, le réarmement général coïncidant avec sa mise à la retraite, Alain se consacre presque exclusivement à la politique.

La forme des *Propos* ne résulte point d'un caprice d'écrivain, mais d'un effort exceptionnel pour « relever le fait divers au niveau de la littérature ». Alain n'y vint que par une sorte d'obligation morale : « Je n'étais point né... avec une disposition spéciale à écrire de courts articles sur tous sujets. Mais partout je vis que les journaux puissants étaient au service de tous les genres de tyrannie et que la résistance s'exprimait en mauvais français. Je vins au secours, je ne savais pas le métier, je l'appris... » Puisqu'il s'agissait de journalisme, il convenait d'intéresser le public et ne point s'isoler du décor habituel de sa vie : il fallait tirer la philosophie du quotidien. La matière de son discours importe peu à Alain : un compartiment de chemin de fer où quelques voyageurs s'acharnent à occuper toutes les places avec leurs paquets le fera méditer sur l'égoïsme du premier occupant, à l'origine des sociétés ; dans le vice d'un joueur de baccarat il reconnaîtra la passion de vouloir, de triompher, la plus commune et la plus fière des passions humaines ; ou les gestes familiers d'un ordonnateur de pompes funèbres, d'un marchand de robinets, d'un horloger, l'introduiront dans les âmes respectives de leurs professions. Avant d'être une réflexion morale, les *Propos* forment ainsi une comédie familière, pleine de fantaisie, d'imprévu, ce qui n'est pas pour déplaire à l'auteur. On n'y cherchera point un système, ni même ses éléments : car Alain se défie des systèmes et ne se soucie pas d'avoir le sien. Plus riche que les doctrines a priori lui semble le train même de la vie : il y sait trouver les grands secrets du monde, et chaque *Propos* devient ainsi une expérience originale. Ils étonnent souvent, comme une révélation, mais l'auteur semble étonné autant que le lecteur. L'emploi du « commun langage », à quoi le genre oblige Alain, s'harmonise aussi parfaitement avec le caractère de son génie : Alain, dans les *Propos*, reste dans la tradition des philosophes français, souvent plus moralistes que métaphysiciens, et chez lesquels l'exercice de la pensée est inséparable de la vie de société. Le langage devient ainsi le légataire d'antiques expériences, et son emploi raisonné est déjà le commencement d'une philosophie : « Qui comprendrait tous les mots de sa langue, ne craint pas d'écrire Alain, et selon le commun usage, saurait assez. » À de nombreuses reprises, il revient sur cette idée : « Dans l'étude d'une langue réelle, chacun trouve toutes les idées humaines en système. » Et lui, si loin pourtant de tout verbiage, est sur le point de préférer la leçon des mots à celle des choses, celle-là exerçant au jeu des idées, à la connaissance des sentiments, alors que les choses pourront tout juste former l'homme de métier. Mais Alain eût pu aussi bien, usant du « commun langage », écrire des livres en forme, selon le modèle ordinaire. S'il s'est plu aux *Propos*, c'est parce que cet instrument convenait parfaitement à sa plus profonde exigence philosophique : Alain est convaincu que toute pensée commence par le doute, ou, comme il le dit en une formule saisissante, que « penser, c'est dire non ». Descartes, homme de système et de métaphysique, peut bien étendre d'un coup son doute à l'univers entier. Le cartésianisme d'Alain est celui d'un moraliste : il ne met pas le monde une fois pour toutes en question, comme Descartes, mais à chaque moment de sa vie, dans les circonstances les plus diverses : « ... le premier aspect du monde est vrai. Mais cela ne m'avance guère. Il faut que je dise non aux signes ; il n'y a pas d'autre moyen de les comprendre. Mais toujours se frotter les yeux et scruter le signe, c'est cela même qui est veiller et penser ». Ainsi, ranimée chaque jour par l'événement changeant, l'inquiétude est féconde ; le « propos », exercice de doute, est d'abord une quotidienne ascèse intellectuelle. C'est enfin un exercice de volonté, qui contraint à sortir de la rêverie vaine où le philosophe risquerait de se laisser entraîner. L'homme ne s'achève point dans la pensée, mais dans l'acte, et quel meilleur élan vers la création que l'article quotidien ? « L'agitation est toujours au présent et les projets sont toujours au futur. D'où cette parole du paresseux : "Je ferai" ; mais la parole de l'homme est plutôt : "Je fais", car c'est l'action qui est grosse d'avenir... Une broderie à ses premiers points ne plaît guère ; mais, à mesure qu'elle avance, elle agit sur notre désir avec une puissance accélérée. » Ainsi se découvre bien l'art des *Propos* : il n'est rien moins que dilettantisme, mais toute volonté. Les *Propos* sont brefs, tranchants, agressifs ; on y sent parfois le paradoxe : coups d'audace d'un timide.

Alain écrivain, journaliste, est d'abord Alain professeur. Il n'est pas étonnant que les problèmes d'éducation tiennent une large place dans les *Propos* : mais la plupart du temps le conseil de l'auteur ne vaut pas seulement pour les pédagogues. Cet homme libre, qui ne veut rien entendre que sa raison, ne se juge point infidèle aux principes de sa vie en recommandant d'abord la plus large ouverture aux grands auteurs, aux maîtres : « Les esprits originaux sont toujours ceux qui ont beaucoup lu. » C'est petitesse que de se mettre mal avec les génies ; l'intelligence moderne en a coutume, mais elle périt d'hypercritique : « Aucun homme ne pense jamais que sur les pensées d'un autre, et cette méthode est visible dans les plus profonds comme dans les plus ambitieux... Si l'humanité jamais se montre, c'est bien (dans ce cortège d'admirateurs qui entoure les grandes œuvres) qu'elle se montre, et il est de l'homme de s'y accorder, prononçant toujours que ce qui nous semble dépourvu de sens est seulement ce que nous ne savons pas comprendre. » Les *Propos de littérature* complètent ici les souvenirs des élèves d'Alain : celui-ci, pour assimiler les auteurs, ne connaît d'autre méthode que la lecture répétée de l'œuvre complète : il affirme avoir lu cinquante fois *La Chartreuse de Parme* (*). S'il a fait choix de philosophes de prédilection (Platon, Descartes, Kant, Comte, Lagneau, son maître, et Hegel, dont il cite souvent la thèse du maître et de l'esclave) et bien qu'il ignore ses contemporains (Claudel et Valéry exceptés), il semble aimer les romanciers (Balzac et Stendhal en particulier) autant que les philosophes. Il n'en reste pas moins, et volontairement, l'homme de quelques livres. Humaniste par cet accord spontané donné à la tradition des maîtres, Alain l'est aussi par sa vive opposition aux méthodes pédagogiques modernes : l'école « amusante » lui semble une nuée méchante, et l'un des propos dit vivement : « Le maître doit être sans cœur. » On s'étonne qu'Alain ait pu être si aimé par ses élèves. Mais cette rigueur ne vise que le bien du disciple : l'école n'est pas la famille, l'enfant a besoin d'y être réveillé, secoué, placé dans un milieu impersonnel qui le disposera mieux à la vie de la raison. Le but de l'éducation, aux yeux d'Alain, est en effet tout spéculatif : il ne s'agit point de fabriquer des techniciens, mais de former l'homme ; d'habituer, plus encore qu'à la connaissance des choses, à l'usage des rapports abstraits et à la perception des sentiments : « Un homme qui ne connaît que les choses est un homme sans idées. » Dans la querelle de l'école moderne, Alain ne peut donc être que du côté des humanités. Mais « il n'y a pas d'humanités modernes », et la base de toute culture est le grec, sans quoi les pensées gardent une « sorte d'épaisseur barbare ». Et quant à ceux qui veulent socialiser l'enseignement en en chassant les langues mortes, Alain leur oppose ses rêves des « belles-lettres pour tous » : projet utopique, peut-être, mais dont il fait à l'élite un impératif aussi rigide que la charité pour les riches !

Universitaire, Alain est foncièrement rationaliste. Mais c'est là une passion de classique, d'homme du Grand Siècle : Alain se méfie surtout des passions que les romantiques ont su parer de si beaux habits : « Une colère ou une mélancolie, ou une amertume, ce n'est qu'une humeur, dans le sens plein du mot. » Et si les passions ont passé parfois pour divines, c'est que la raison, prisonnière de leurs mouvements tout mécaniques, les embellissait, mais de prestiges qu'elle ne tirait que d'elle-même. Le rationalisme d'Alain n'est rien en fin de compte qu'un souci de n'être pas dupe de soi-même. Lorsqu'il s'agit de vivre, Alain n'est pas loin de faire de la volonté et de l'acte lui-même les éducateurs et les étincelles de l'intelligence. Ce volontarisme, latent dans le style même des *Propos*, Alain en fait d'ailleurs une théorie psychologique : « Prendre une résolution n'est rien, c'est l'outil qu'il faut prendre. La pensée suit. Réfléchissez à ceci que la pensée ne peut nullement diriger une action qui n'est pas commencée » : toute séparation entre intelligence et volonté paraît donc fictive, et la volonté a une action décisive dans le cours même de la pensée. Ne tient-elle pas le jugement ? « N'importe quelle vérité, il faut la vouloir. La connaissance craque, aussi bien que l'amour, aux hommes sans courage. » Philosophie cartésienne et virile : Alain peut se méfier des passions, il ne les oublie pas et sait, puisque nous ne pouvons nous passer d'elles, comment les maîtriser. Notre esprit dépend pour une bonne part du corps : mais ne pourrons-nous, sachant cela, nous servir du corps pour discipliner l'esprit ? La peur par exemple (thème qu'Alain reprend avec insistance) gardera-t-elle autant de prestige lorsque nous aurons cessé d'y voir un phénomène purement psychique : « Renvoyer au corps les prétendus orages de l'âme, c'est la santé morale elle-même. » Et ce corps, qui peut submerger la raison, saura, bien réglé, nous rendre la paix de l'âme : la comédie des politesses mondaines « nous délivre certainement de la tragédie » et « le maître de philosophie vous renvoie au maître de gymnastique », car dans les moments d'anxiété le raisonnement se retourne contre nous-mêmes et il n'est que le muscle pour rééduquer l'âme.

Ce réalisme incline Alain à adopter les plus justes thèses du matérialisme historique : la conscience, étroitement liée au corps, l'est aussi naturellement avec les techniques du travail humain : « L'idée n'est pas au ciel de l'abstraction ; mais plutôt elle monte des terres et des travaux. » Aussi, lorsqu'il traite de l'économique, qu'il envisage surtout sous l'angle du connaître et des mœurs, Alain attache plus d'intérêt à la relation : métier, qu'à la relation : classe. L'homme « croit, juge, respecte, méprise selon la façon dont il gagne sa vie » : le paysan, abandonné au gré d'une nature capricieuse, qui n'a point livré son mystère, sera superstitieux. Mais « il n'y a rien de secret dans un boulon » et cela seul suffirait à expliquer l'athéisme du prolétariat des villes. Cette relation de l'homme à son métier semble à Alain la clef de toute expérience sociale. Il n'y a, entre les hommes, qu'une grande division, qui affecte aussi bien l'habillement que le spirituel et le religieux : il y a ceux qui fabriquent et ceux qui vendent, ceux qui ont affaire aux choses et ceux qui ont affaire aux hommes, les producteurs et les autres. Division qui ne dépend point de tel régime économique, mais de la nature sociale elle-même : elle est donc irrémédiable et Alain, pour cette raison, reste assez sceptique devant les rêves d'égalité absolue. Le dernier des employés est déjà plus près du grand bourgeois que le paysan le plus fortuné. Il suffit de regarder au costume : « Le pli du pantalon ne sert à rien ; il n'est que politesse ; il veut prouver que je pense à plaire. Le bourgeron du plombier a d'autres plis, qui disent tous : "Nous ne pensons nullement à plaire." Et tout l'être du plombier dit cela. Une politesse de plombier est ridicule. Pourquoi ? C'est qu'on ne soude pas par la politesse. Au contraire on vend par la politesse. Voilà deux classes qui restent séparées, comme l'eau et l'huile. » Alain sait bien que sa profession est bourgeoise, comme celle du marchand, comme celle du prêtre ; il ne peut s'empêcher pourtant de garder sa tendresse à l'ouvrier et au paysan, où il reconnaît l'homme proche de la terre, réglé par elle, qui fera en république le meilleur frein au verbiage des rhéteurs : « Le rapport de l'homme à l'outil est juste et sain... Dès que vous voyez la pensée se séparer de l'outil, il n'y a plus d'espérance pour une république vraie. »

Le même souci de faire leur place à toutes les puissances proches en nous des racines terrestres et physiques de la vie se fait jour dans les théories esthétiques d'Alain. Le philosophe des *Propos* ne séparera point le beau de l'utile : « Il faut qu'une belle porte soit d'abord une porte. » L'art est-il ainsi infidèle à lui-même ? Et peut-on le concevoir autrement que comme une fleur de la vie, riche de passions, paré des prestiges de la force ? « Il n'y a point de beauté sans force » : mais l'art n'est pas seulement une émotion puissante, et c'est d'humaniser les passions qui constitue son essence. Le beau est maîtrise de soi : c'est dire qu'il est moral, ou plutôt que la morale d'Alain est conçue à la manière d'une esthétique, comme l'art de parfaire la figure de l'homme. Pas plus qu'ailleurs, Alain n'a ici de système : mais fixer en traits nets des aspects parfois communs ou fugitifs, jusqu'alors inaperçus, de la conduite humaine, saisir tout l'homme dans un geste, rien ne convient mieux à ce don que le genre des *Propos*. La morale ne consiste point à ériger quelque impératif trop lointain : d'abord il ne faut pas mépriser les déesses obscures du cœur, du hasard, des circonstances. Elles sont, la plupart du temps, à l'origine de nos décisions. Il serait vain de s'en plaindre, vain de vouloir s'y opposer. L'œuvre proprement morale de la raison et de la volonté est plutôt de s'attacher au choix, de s'en rendre maître, d'imposer une marque personnelle à ce que d'abord avait imposé le destin : « Entrer dans la vie morale, c'est justement se délivrer des règles, juger par soi-même et en définitive n'obéir qu'à soi. Voilà pourquoi l'instruction sans morale est plus morale que la morale sans instruction. Sois raisonnable ; sois libre ; sois toi-même ; ne crains ni l'autorité ni la coutume quand la raison parle ; voilà, il me semble, les véritables principes de la morale. » Mais cette indépendance à l'égard du monde est d'abord indépendance par rapport à soi-même : « N'acceptez aucun esclavage, ni chaîne dorée ni chaîne fleurie. Seulement, mes amis, soyez rois en vous-mêmes. N'abdiquez pas. Soyez maîtres des désirs et de la colère aussi bien que de la peur. »

Cette maîtrise de soi, Alain ne craint pas d'en saluer toutes les formes, celles mêmes qui se règlent sur d'autres principes que les siens. Il est vivement anticlérical, mais, comme il arrive souvent, son principal grief contre l'Église est de n'être pas assez chrétienne. Cet homme de rigueur déteste les habiles, les politiques quelle que soit leur couleur. Il méprise les catholiques modérés et tolérants autant que les républicains modérés et tolérants : « Je me méfie... de ces combinaisons entre cardinaux qui ont peur que l'Église soit trop église, et diplomates qui ont peur que la République soit trop république ; car remarquez qu'ils s'unissent pour faire moins et pour penser moins ; l'Église abandonne quelque chose de cette scandaleuse juridiction qui devrait ignorer les intérêts et les forces ; et la République abandonne quelque chose de cette sauvage liberté qui ne reçoit ni Dieu ni maître. » Car Alain, s'il n'aime pas les concordats, est un vieux républicain qui n'écoute que sa raison et regimbe contre les dogmes : « Qui veut prouver est encore un tyran ; qui veut convertir est encore un tyran. » Mais les reproches qu'il adresse à l'Église donnent aussi les raisons de son admiration et de son respect pour le christianisme, religion de l'irrévérence, du mépris des autorités et des richesses, du saint contre les pouvoirs, où il reconnaît un esprit d'indépendance frère de son esprit. Il va même plus loin qu'une révérence tout extérieure : l'acte même de la foi, loin de paraître absurde à ce libre penseur, est jugé par lui comme la plus naturelle conquête de la certitude : « Il faut croire d'abord. Il faut croire avant toute preuve, car il n'y a point de preuve pour qui ne croit point... Il faut vouloir, il faut choisir, il faut maintenir. » Croire, n'est-ce pas encore dire non, donc penser ? La vérité religieuse ne commence-t-elle point par le doute sur les apparences ? Mais Alain peut bien écrire que « les mystiques seront toujours avec nous » ; saluer dans le catholicisme la première religion sans sacrifices humains, « non pas absolument sans miracles, mais là-dessus raisonnable et défiante toujours » ; il peut bien tenir gré au Christ d'avoir fait baisser la tête aux forts et riches, il est bien loin d'accepter la Révélation et d'être même chrétien de désir. Les religions ne sont pour lui qu'exercices supérieurs de l'imagination, inséparables d'un milieu physiologique, social et technique, qui les explique pour une grande part. Dans les fêtes chrétiennes il ne voit qu'une mythologie des éléments essentiels de la vie quotidienne et trouve le dernier mot de la liturgie catholique dans une sorte de culte naturiste du soleil et du blé. La grandeur d'Alain, c'est, malgré ses réticences insurmontables, de ne point laisser échapper la richesse purement humaine de la foi, et au besoin de la savoir utiliser : indemne de la religion sociologique de Durkheim, où il ne voit qu'une « idée de sauvage », il maintient sa foi dans l'esprit libre, et son goût des chemins difficiles par où se gagne cette liberté. Aussi les raisons de ses sympathies et de son refus à l'égard du christianisme sont-elles les mêmes qui commandent son radicalisme enthousiaste.

Radical, Alain l'est par tradition familiale, par classe, mais surtout par un instinct profond de l'âme. Ce sentiment politique est chez lui à tel point spontané qu'il s'exprime en formules très simples, qui rappellent celles d'une affiche électorale. On sent qu'elles n'ont de force que parce qu'Alain les a prises intégralement au sérieux : être radical, c'est se dresser contre les « pouvoirs », être critique et négateur, aimer le droit et la liberté ! Ce n'est nullement remplacer un pouvoir réactionnaire par un pouvoir républicain ; mais apporter à tout pouvoir son contrepoids nécessaire, ce qui implique de se garder sur sa gauche autant que sur sa droite : « Si les socialistes organisaient la cité, elle serait injuste aussitôt ; tout pourrirait sans le sel radical, sans l'individu qui se refuse à bêler selon le ton et la mesure. » Ces derniers mots montrent assez que, pour Alain, le radicalisme n'est nullement un programme à appliquer, mais un idéal moral, une sorte de sacerdoce réservé à des citoyens d'élite qui se feront les gardiens de la cité contre les maîtres, quels qu'ils soient, de la cité. Être radical, c'est être démocrate. Il convient d'ajouter aussitôt que la démocratie n'est pas un régime politique parmi d'autres, mais un élément indispensable de toute constitution. L'idéal d'Alain tient dans une sorte de régime mixte : monarchique, car « il faut toujours dans l'action qu'un homme dirige... et chaque détour du chemin veut une décision » ; oligarchique, « car pour régler quelque organisation, il faut des savants, juristes ou ingénieurs » ; démocratique enfin, grâce à « ce troisième pouvoir que la science politique n'a pas défini et que j'appelle le contrôleur. Ce n'est autre chose que le pouvoir, continuellement efficace, de déposer les rois et les spécialistes à la minute s'ils ne conduisent pas les affaires selon l'intérêt du plus grand nombre... La démocratie serait, à ce compte, un effort perpétuel des gouvernés contre les abus du pouvoir ». La position d'Alain peut ici sembler « hypercritique », et finalement négative. Mais elle est commandée par une vision juste de la nature du pouvoir qui, lorsqu'on le laisse sans frein, tend de soi à la démesure et à la tyrannie. Pourquoi ? « Parce que je sais très bien, répond Alain, ce que je ferais si j'étais général ou dictateur. » « Tous les pouvoirs sans exception s'étendent par leur nature et ne pensent jamais qu'à s'étendre ; en sorte que, dès que la résistance des gouvernés ne s'exerce plus, par cela seul l'arbitraire les tient. » Alain, comme Montesquieu, paraît n'avoir d'autre préoccupation que de maintenir la liberté individuelle hors des atteintes du prince : le citoyen contre les pouvoirs. Où la cité trouvera-t-elle son unité de mouvement ? Alain parie pour l'esprit de liberté populaire, pour l'honneur du citoyen libre. Et s'il ne se fait aucune illusion sur l'éducation des électeurs, on le voit néanmoins convaincu que la loi du nombre est capable de réparer les défaillances individuelles : « Le nombre doit corriger ces erreurs. Une masse d'électeurs, où les erreurs individuelles se contrarient et se compensent, doit donner enfin quelque vue exacte de l'intérêt commun. » Ce qu'elle a d'utopique ne porte aucun dommage à la politique d'Alain : la démocratie, le radicalisme n'ont de valeur pour le philosophe qu'autant qu'ils exigent la vertu la plus difficile. Il ne s'agit pas de prendre le pouvoir ; il s'agit toujours de former l'homme tout entier. Aussi les préceptes « radicaux » d'Alain dépassent infiniment les consignes d'un parti, ils valent pour tous, et pour la vie privée comme pour la vie publique. Il faut « obéir en résistant, c'est tout le secret. Ce qui détruit l'obéissance est anarchie ; ce qui détruit la résistance est tyrannie... quand la résistance devient désobéissance, les pouvoirs ont beau jeu pour écraser la résistance et ainsi deviennent tyranniques ». Car Alain, s'il ne se fait pas d'illusions sur les « pouvoirs », ne s'en fait pas plus sur la liberté. De la guerre, il a retenu une leçon essentielle qui tempère le côté parfois négatif de son radicalisme : « Tout pouvoir est absolu... tout pouvoir est militaire. » Il n'est jamais pour l'homme de liberté absolue : cet esprit critique et frondeur sait le reconnaître, en cela même qui lui tient le plus à cœur, le légitime souci de son indépendance d'auteur. Dans les servitudes qui s'imposent au plus libre journaliste, il sait encore trouver le moyen d'affermir sa maîtrise de soi : « On n'écrit pas pour être approuvé toujours et sans résistance, d'accord. Mais on n'écrit pas non plus pour heurter et irriter ceux qui liront ou, en d'autres termes, pour conduire un directeur de journal à la faillite. Il s'agit de se tenir dans l'entre-deux... Sans ces difficultés, que l'on rencontre dans toute action réelle, l'individu serait livré à sa fantaisie ; il ne se surveillerait plus lui-même ; il ne mesurerait plus ses jugements ; il ne dirigerait plus sa pointe. »

Ainsi, Alain ne méprise rien de ce qui peut fortifier l'homme. Mais l'homme, pour lui, n'est ni un corps mystique ni une société en devenir, étendus à travers l'Histoire. C'est l'individu réel, présent, vivant : « Liberté individuelle tout de suite, justice sans attendre, refus à la tyrannie, d'où qu'elle vienne, refus aux forces, d'où qu'elles viennent », telle est sa profession de foi radicale. Elle explique à la fois la séduction qu'il exerça pendant l'entre-deux-guerres, alors qu'il semblait que la tragédie politique puisse être encore écartée, et pourquoi il est resté jusqu'à présent un écrivain de cénacle, le maître aimé d'une chapelle d'initiés. Alain s'accorde mal à une époque révolutionnaire où l'individu, bon gré mal gré, doit disparaître dans l'organisation. Il n'a pas fait beaucoup d'efforts pour s'y accorder : son pacifisme tout théorique, sa méconnaissance de ses contemporains, par exemple, montrent la recherche d'une attitude au-dessus de l'Histoire et du temps qui étonne chez un penseur qui a mis si souvent l'accent sur les liens de la conscience avec la situation corporelle, technique et sociale de l'individu. Mais, dans la plus forte menace qu'ait connue la civilisation libérale, Alain fut son dernier et plus vivant témoin. Peut-être un siècle prochain de paix et d'équilibre reconnaîtra-t-il en lui un nouveau Montaigne. Mais déjà l'on peut dire des *Propos*, comme lui-même disait de la Grèce : « Le merveilleux de cet art et de cette pensée, et de ce style, c'est que l'homme accepte pleinement et joyeusement sa situation d'homme et que, cherchant la perfection au-dessus de sa tête, c'est encore l'homme qu'il trouve, et une sorte d'athlète immortel. »

PROPOS DE 'ISĀ IBN HISHĀM (Le) ou Un intervalle de temps [*Ḥadīth 'Isā ibn Hishām aw fatra min al-zaman*]. Œuvre satirique de l'écrivain égyptien Muḥammad al-Muwayliḥī (1858-1930), dédiée au penseur Afghānī, parue en feuilleton entre 1898 et 1900, et éditée en 1907. Formellement inspiré des *Maqāmāt* (*), cet ouvrage est rédigé en prose rythmée et rimée, sans rechercher toutefois des prouesses hermétiques de langage. Emprunté à Hamadhānī, le héros principal, 'Isā ibn Hishām, rencontre vers 1900 un pacha, mort il y a cinquante ans, ressuscité et bientôt ébahi par le relâchement des mœurs ou les mutations sociales les plus catastrophiques. Dans la première partie, un constat d'échec est ironiquement dressé pour l'État, la justice, l'aristocratie, la bourgeoisie et le peuple. En outre, l'incohérence des législations, la quête éperdue de l'argent, les failles du système éducatif et l'incapacité à adapter intelligemment les apports occidentaux sont brocardées sans fard, provoquant ainsi des protestations qui conduisirent l'auteur à expurger les rééditions de son œuvre. Porte-parole d'une vieille bourgeoisie en perte de vitesse, Muwayliḥī tente de préserver les valeurs d'autrefois et de suggérer un modèle réfléchi de développement : seuls les réformistes musulmans et quelques organes de presse, où collaborait l'auteur, sont épargnés. La seconde partie se déroule à Paris, siège de l'Exposition universelle de 1900, où les héros admirent le déploiement d'une civilisation proposée à la méditation des lecteurs, avant de retourner dans l'univers des songes. Liée au passé par sa forme et sa nostalgie d'une éthique ancienne, cette œuvre lucide et courageuse témoigne néanmoins du renouveau critique des lettres arabes à l'orée du XXe siècle.

B. Mo.

PROPOS DE TABLE d'Alberti [*Intercoenales*]. Proses de fiction et dialogues de l'humaniste italien Leon Battista Alberti (1404-1472), en onze livres, dont la composition s'échelonne sur de nombreuses années, à partir de la période bolonaise d'Alberti jusqu'à la fin des années 1430 au moins. La structure de l'œuvre, telle qu'on la connaît, ainsi que la composition des préfaces [*Prohemia*] qui précèdent certains livres, dont les premier, deuxième et quatrième, adressés respectivement au savant florentin Paolo dal Pozzo Toscanelli et aux chanceliers humanistes Bruni et Poggio Bracciolini (Le Pogge), remontent probablement à l'année 1439 environ ; mais il est douteux que cet ouvrage ait jamais connu une structure définitive. De nombreux textes et des livres entiers ont eu sans aucun doute une circulation autonome, souvent souterraine, insaisissable, parfois réellement incompréhensible. Attribuée à Lucien, l'une des *Intercenales* du premier livre, *La Vertu* [*Virtus*], a été imprimée dès 1494. Remaniée, elle a été traduite en français par Calvy de la Fontaine en 1556. Une autre, *Le Rêve* [*Somnium*], la première du livre IV, a inspiré de très près l'épisode le plus connu du *Roland furieux* (*) de l'Arioste, ce voyage d'Astolphe sur la Lune qui a été regardé pendant un demi-millénaire ou presque comme l'invention la plus haute et la plus poétique du Ferrarais qui, au contraire, y a traduit presque littéralement des passages entiers. Et il faudrait citer bien d'autres cas encore. Rappelons seulement que pour deux textes, ceux du *Mariage* [*Uxoria*] et du *Naufrage* [*Naufragus, Naufragio*], on dispose à la fois d'une rédaction italienne et d'une rédaction latine, sans doute antérieure. Les dédicataires varient de l'une à l'autre : dans le cas d'*Uxoria,* on connaît celui de la version italienne, abrégée (imprimée en 1843) : Pierre de Médicis, tandis que demeure anonyme le destinataire de la rédaction latine. Quoi qu'il en soit, l'état de dispersion des *Intercenales* était tel, du vivant même d'Alberti et déjà, en tout cas, à la fin du XVe siècle, qu'il ne pouvait que nuire gravement à leur succès. C'est ce qui explique les dates, bien tardives, de la première impression de la plupart d'entre elles : 1890 et, après une heureuse découverte d'E. Garin, 1965.

Touchant aux thèmes et aux sujets les plus divers (la religion, le destin, la fortune, le mariage, les amours, la vie), ces plaisants « propos de table » que les *Intercenales* se veulent sont indubitablement l'un des plus grands textes de l'humanisme latin des XVe et XVIe siècles. Sans compter le fragment au titre probable de *La Vérité* [*Veritas,* publiée en 1976], on en connaît quarante-quatre, de longueur, d'inspiration et même de nature variées. Parfois indirectement autobiographiques (c'est le cas, entre autres, du *Pupille* [*Pupillus*], du premier livre), ils révèlent souvent une hauteur de vue, une ironie et une liberté de pensée qui n'ont pas d'égales. — Trad. de *Virtus* due à Calvy de la Fontaine, dans les *Travaux de linguistique et de littérature publiés par le C. Ph. L. R. de l'université de Strasbourg,* XII (1975) ; celle du *Naufrage* dans les *Conteurs de la Renaissance italienne,* Gallimard, 1993. Un nouveau texte, *Les Singes* ou *La Cité des singes* [*Simiae*], a été découvert, publié et traduit par F. Furlan et S. Matton dans « Bibliothèque d'humanisme et Renaissance », 1993.

F. F.

PROPOS DE TABLE de Luther [*Tischreden*]. Un premier recueil en fut publié à Eisleben en 1566, par Johann Aurifaber (Goldschmied, 1519-1579) qui avait été aux côtés du réformateur allemand Martin Luther (1483-1546) dans les derniers temps de sa vie et avait assisté à sa mort. Certes l'auteur a puisé directement dans ses souvenirs personnels, mais il se servit aussi largement des notes prises par d'autres personnes, spécialement des *Colloques* d'Anton Lauterbach. Avec les années, le recueil s'enrichit : dans l'édition de Forstemann et Bindseil (1844-1848), il se compose déjà de quatre volumes ; et maintenant, dans l'édition critique des *Œuvres,* il constitue une section à part (Weimar, 1912-1921), composée de six grands volumes in-folio, édités par Ernst Kroner. Récemment, en 1930, Otto Clemens en a publié un excellent choix dans le huitième volume des *Œuvres.* Les *Propos* sont au nombre d'environ sept mille et sur les sujets les plus variés. Ce sont des confidences autobiographiques, des aperçus sur la théologie, les expressions d'une foi simple et sincère, des observations morales d'un bon sens souvent hardi et sans préjugés : lamentations sur la corruption du siècle, anecdotes burlesques, atroces bouffonneries à l'adresse du pape et des moines, expressions de tendresse pour sa femme, ses enfants, les fleurs, la musique ; tout cela s'assemblant un peu au hasard, prononcé — comme le titre l'indique — à table, dans l'intimité de la famille et de l'amitié. Mais, à tous les points de vue, l'importance historique du texte est fort grande. Certains moments essentiels de la vie intérieure de Luther — comme son entrée au couvent, la crise qu'il y traversa, l'« expérience décisive » (« Turmerlebnis ») qui le trempa définitivement pour la lutte — nous demeureraient obscurs s'ils n'étaient éclairés par les « impromptus » de ses effusions dans la détente heureuse des agapes. Les changements et parfois aussi, à certains égards, les contradictions de son attitude, resteraient sur plusieurs points une énigme si les *Propos de table* n'en offraient l'explication. Pour l'histoire de la langue allemande moderne, les *Propos* représentent un texte d'une valeur si essentielle que l'important vocabulaire des frères Grimm y a constamment recours. Et surtout, de chaque page surgit, vivante, parlante, la personnalité du réformateur. L'exubérante humanité de Luther, avec ses oppositions de sensibilité et de violence, l'élévation d'une grande âme et la verve populaire, s'exprimant dans une langue sans contrainte, se sont donné librement carrière devant des auditeurs implicitement admiratifs ; c'est à la fidélité de ceux-ci que nous devons ce document humain d'un intérêt et d'une sincérité rares. – Trad. Aubier, 1932.

PROPOS D'UN ENTREPRENEUR DE DÉMOLITIONS. Recueil d'articles de l'écrivain français Léon Bloy (1846-1917), publié à Paris en 1884, soit au début de sa carrière d'écrivain. Ces trente articles avaient presque tous paru d'abord dans *Le Chat noir* (la revue de Rodolphe de Salis). Bloy s'était fait faire, à l'époque, des cartes de visite où il se présentait comme « entrepreneur de démolitions » et qui le domiciliaient symboliquement « place de la Bastille ». Annonçant un jour une interruption temporaire de la collaboration de Bloy, *Le Chat noir* en donnait cette raison : « pour cause de réparations de sa catapulte ». La plupart des textes réunis dans les *Propos* sont, en effet, d'une extrême violence pamphlétaire. Bloy n'épargne personne et choisit pour victimes privilégiées les écrivains catholiques, Louis Veuillot, Paul Bourget et le père Didon en tête. Seuls sont traités avec plus d'aménité Maurice Rollinat, Huysmans et Émile Goudeau. Alors que les articles avaient eu un grand succès auprès des lecteurs du *Chat noir,* le volume sombra dans l'indifférence et n'obtint guère qu'un éloge public, mais vibrant, celui d'Émile Verhaeren qui, dans un journal belge, s'écriait : « Voici quelqu'un », et parlait de « cette grande note sauvage, criée, clamée, hurlée ». Il fallut attendre quarante ans pour qu'un éditeur songeât à donner, dans un second volume, les autres articles de la même époque. Ce fut *Le Pal, suivi des Nouveaux Propos d'un entrepreneur de démolitions* (Stock, 1925) qui s'ouvre sur la fameuse phrase : « J'ai longtemps cherché le moyen de me rendre insupportable à mes contemporains », mais où, au milieu des polémiques les plus violentes, on trouve aussi d'admirables pages sur la Grande Trappe de Soligny (« La Maison-Dieu »). On rattachera à la même série le volume *Belluaires et Porchers* (*), qui groupe surtout les articles parus dans le *Gil Blas*, la *Plume*, le *Mercure de France* (*), aux alentours de 1890. Si ces divers recueils montrent surtout la verdeur du Bloy pamphlétaire et la véhémence de ses colères, et si d'autres parties de son œuvre révèlent mieux sa spiritualité, il convient d'observer que son génie d'écrivain est déjà là dans tout son éclat. Invention verbale, ferme sûreté de la langue, splendeur de l'image, robustesse de l'éloquence, rien n'y manque, et du seul point de vue littéraire, les *Propos* sont beaucoup mieux que l'ouvrage d'un débutant.

PROPOS PAR MATIÈRE DE MA BIBLIOTHÈQUE [*Vân dài loai ngu*]. Œuvre encyclopédique en chinois de l'érudit vietnamien Lê Quy Dôn (1726-1784), préfacée en 1773, traduite en vietnamien et publiée à Hanoi en 1962 et à Saigon en 1973. D'une même conception que les *Notes des choses vues et entendues* (*), ce livre, composé de neuf chapitres, fait place davantage aux notes de lecture, mais l'observation des spectacles de la vie dans le pays et à l'étranger n'y est pas absente. Ces notes de lecture montrent un esprit critique, une conception dynamique du savoir, au service du bonheur du peuple. De facture inégale, certains chapitres sont de véritables compositions. C'est un document très apprécié en son temps et toujours précieux pour tous ceux qui se penchent sur le passé du Vietnam, dans des domaines aussi divers que la philologie, l'histoire littéraire ou la géographie historique. De plus l'auteur y donne un véritable précis du métier d'écrivain, de critique littéraire et de chercheur en littérature, métier difficile mobilisant talent, intelligence, vertu et travail. T.-T. L.

PROPOS SUR LA POÉSIE de Tsiang-tchai [*Tsiang-tchai che-houa – Jiangzhai shi-hua*]. Recueil d'essais de critique et de théorie littéraire composé par l'écrivain et penseur chinois Wang Fou-tche (dit Tsiang-tchai, 1619-1692). Ce sont là trois fascicules d'essais assez disparates, parfaitement dans la tradition des « che-houa » [propos sur la poésie], mais dominés par une conception de la poésie telle que celle-ci vienne combler les besoins spirituels et moraux de l'auteur comme du lecteur, et soit le plus possible affranchie de l'érudition comme de l'uniformité des règles ou des écoles. Le poète doit privilégier l'intention [i] et l'émotion [ts'ing], tandis qu'« émotion » et « paysage » [tsing] – ou expériences subjective et objective – doivent s'accorder étroitement : « En contenant son émotion afin de pouvoir mieux l'accomplir, et s'unissant au paysage pour donner vie à l'esprit, en comprenant le monde pour en exprimer le principe vital, le vers spontanément sera animé, pénétrant, et participera du mystère de la création (naturelle). » Quant au lecteur, son approche du poème doit laisser toute liberté à sa propre subjectivité, à sa propre émotion. – La pensée poétique de Wang Fou-tche a été notamment étudiée par F. Jullien dans *La Valeur allusive*, EFEO, 1985, et *Procès ou Création*, Seuil, 1989. V. L.

PROPYLÉES [*Propyläen*]. Revue d'art fondée en 1798 par l'écrivain allemand Johann Wolfgang Goethe (1749-1832), en collaboration avec Hans Meyer (1760-1832) et Friedrich von Schiller (1759-1805). Le premier projet de cette revue remonte à l'époque du voyage de Goethe en Italie, en 1786 ; mais, en 1795, le poète n'était pas encore parvenu à réaliser ses plans. Ce fut Schiller qui en permit la réalisation, en mettant Goethe en relation avec l'éditeur Cotta. Celui-ci publia la revue au rythme d'un numéro tous les deux mois, de 1798 à 1800 ; après quoi, devant le peu de succès de l'entreprise, il refusa de continuer. Les *Propylées* auraient eu une existence moins brève sans l'influence de Meyer qui s'attachait avant tout à la polémique. Mais Schiller, qui avait des conceptions plus larges, dut s'incliner. La revue s'en tint donc à un programme bien défini, soutint les théories de Winckelmann en vue d'un art purement classique, et s'opposa aux nouvelles conceptions du romantisme qui allait en s'affirmant toujours davantage. L'article qui servit d'introduction au premier numéro des *Propylées* prit pour point de mire Wackenröder. Goethe s'adresse aux jeunes gens et les exhorte à ne pas croire que l'art soit le fruit du sentiment et de la passion ; il leur conseille d'en étudier les côtés techniques et leur montre que l'intelligence entre pour une plus grande part que le cœur dans la création artistique. C'est pourquoi la revue organisa des concours annuels de peinture et de sculpture ; le genre et les lois en étaient strictement définis : les sujets, jusqu'en 1801, furent tirés d'Homère, puis de la mythologie. Les œuvres produites dans ces concours étaient l'objet de descriptions et de discussions où se manifestait une sévérité toute pédagogique ; ainsi furent écartés à différentes reprises des artistes comme Runge et Cornélius, et mis à l'honneur des personnages insignifiants. Après 1800, les discussions furent publiées dans un supplément, le *Journal universel d'Iéna*. La collaboration de Goethe aux *Propylées* consiste en quelques articles importants, tels que ceux qu'il écrivit sur le Laocoon, sur Diderot, sur les « objets de l'art figuratif ». Le plus important s'intitule « Coup d'œil sur l'art en Allemagne ». Tous les articles de polémique sont dirigés contre l'identification, à laquelle se hasarda Wackenröder, de l'art et de la religion, et contre le courant naturaliste et sentimental de l'École de Berlin, à laquelle appartenait Schadow, qui riposta par un article virulent. Les *Propylées* sont un des témoignages les plus caractéristiques sur le mouvement qui opposa classicisme et romantisme en Allemagne. — Trad. de « Introduction aux *Propylées* » dans *Écrits sur l'art*, Klincksieck, 1983.

PROSCRITS (Les). Récit mi-historique et mi-fantaisiste que l'écrivain français Honoré de Balzac (1799-1850) publia en 1831 et qui fut plus tard incorporé dans les « Études philosophiques » — v. *La Comédie humaine* (*). Nous sommes au début du XIVe siècle à Paris. Dans la maison du sergent Joseph Tirechair ont pris pension deux inconnus, l'un très jeune et l'autre âgé, que le sergent tient en suspicion. Par là-dessus débarque une nouvelle étrangère, la comtesse Mahaut, qui promet à la femme du sergent cent écus d'or en échange de quelques renseignements sur le jeune inconnu. Chaque jour le vieillard et le jeune homme se rendent au vieux collège des « Quatres Nations », pour entendre l'illustre Sigier, le plus fameux docteur en théologie mystique de l'université de Paris. La voix de Sigier leur découvre les mystères du monde spirituel, mystères que le vieillard se plaît à revêtir de poésie et le jeune homme de sentiment, le premier se sentant banni de sa patrie terrestre, le second de la patrie éternelle. Et quand le jeune homme considère le suicide comme l'unique moyen de répondre à cette voix qui l'appelle dans l'au-delà, la voix de sa mère qu'il n'a pas connue, le vieillard lui parle de l'autre vie, d'un cheminement vers la perfection et la lumière ; il évoque sa femme, Thérésa Donati, qui lui a été enlevée par la mort. Mais soudain les proscrits sont rendus à un sort plus clément : des soldats viennent leur signifier qu'ils peuvent regagner Florence (et le nom du vieillard est du même coup révélé : c'est Dante Alighieri). Au même moment, on voit entrer dans la pièce la comtesse Mahaut, rayonnante de joie et de beauté ; elle tend les bras au jeune homme que la loi lui permet de reconnaître maintenant pour son fils. Exhortations, développements de théories mystiques, reconstitution assez arbitraire de personnages alourdissent considérablement ce récit, dont la prodigieuse richesse est tout empreinte d'un romantisme juvénile, premier stade de l'évolution littéraire qui conduira Balzac jusqu'au réalisme de l'âge mûr.

PROSE D'ALMANACH [*Proso d'armana*]. Ouvrage posthume en langue provençale de l'écrivain français Frédéric Mistral (1830-1914), publié en 1926. Il contient nombre de textes que le grand poète avait, pendant plus d'un demi-siècle, donnés à diverses revues régionales, notamment *L'Aïoli* et le célèbre *Armana Provençau*, et dont le propos était de « porter joie, soulas et passe-temps à tout le peuple du Midi ». Ces œuvres éparses comprennent des contes appelés « cascarelettes » (de « Cascarelet », pseudonyme que se partageaient Mistral et Roumanille), des fabliaux, facéties et gausseries propres au génie de la Provence. On y trouve en outre les vers qui n'avaient pas été recueillis dans *Les Îles d'or* (*), les poésies et les proses légères que Mistral nommait « Mi Rapugo » (« mes glanes, mes grapillons »), enfin de grands discours et des articles de doctrine qui sont autant de témoignages de la renaissance provençale au XIXe siècle. Les écrits de *Prose d'almanach*, divisés en sept « gerbes », saisissent sur le vif, en le magnifiant, le langage même du peuple. Le poète y transcrit la chanson et la « sornette », telles qu'il les avait entendues et notées depuis son enfance : c'est la poésie d'un terroir, qu'il s'agisse de joyeux récits comme « Le Vin du Purgatoire » [Lou vin dóu Purgatòri], où il est dit : « Les gens d'autrefois se chatouillaient pour rire, et même les curés se permettaient la plaisanterie... », des Alyscamps, des taureaux de Camargue, de la chèvre d'or ou du lièvre du pont du Gard. Justesse et saveur se retrouvent dans *Nouvelle Prose d'almanach* (1927), qui contient le fameux manifeste pour le ralliement de tous les Provençaux, qui ouvrit, en 1891, la série des livraisons de *L'Aïoli* (« Nous voterons pour l'huile / Et ferons l'ailloli » [c'est-à-dire : l'union]). *Dernière Prose d'almanach* (1930) reflète non moins l'âme de la Provence (« Les Fêtes de la Tarasque », « Les Cailloux de la Crau », « Les Six Repas des moissonneurs », etc.), telle que seul un grand poète paysan la pouvait dépeindre.

PROSE DU DÉBUT ET DISCOURS [*Frühe Prosa und Reden*]. Nouvelles de l'écrivain allemand Gottfried Benn (1886-1956), publiées en 1950. Les nouvelles qui ouvrent ce recueil ont pour cadre une ville occupée durant la Première Guerre mondiale ; les nouvelles plus récentes se déroulent dans une grande ville allemande, qui pourrait être Berlin, Kiel, Hambourg ou n'importe quelle autre. La prose de jeunesse de Gottfried Benn transpose les événements du rêve au niveau de la conscience ; elle s'efforce de saisir, dans un langage dépouillé, les mouvements les plus secrets de l'âme. Dans « Le Complexe de Rönne » [Der Rönne-Komplex] par exemple, un médecin du nom de Rönne essaie de sortir de sa personnalité habituelle et, durant un après-midi, s'imagine sous la forme d'un « point d'intersection ». Dans « Le Voyage » [Die Reise], le même Rönne, après avoir geint sous le poids de la matière, qui est « aussi asservie que moi par les choses à relier entre elles », connaît à la fin un moment d'accomplissement. Et lui qui se croyait le seul à ne pas ressentir d'élan vers le bonheur, lui qui ne connaissait qu'oppression et délabrement, s'écrie alors : « Sur les ruines d'un temps malade se sont rejoints le mouvement et l'esprit sans intercession. » Le trentième anniversaire de Rönne s'écoule entre la réalité et le rêve — « Anniversaire » [Geburtstag] —, cependant qu'un besoin de saisir le sens de l'existence vient et revient sans cesse l'assaillir. « Quel avait été jusqu'ici le chemin de l'humanité ? Elle avait voulu mettre de l'ordre dans quelque chose qui aurait dû rester un jeu. Mais finalement c'était bien resté un jeu, car rien n'était réel. Était-il réel, lui ? Non ; tout le possible, il n'était que cela. » Rönne, qui représente plus ou moins Benn, se demande ensuite s'il existe un lien entre le mouvement et l'esprit, entre l'excitation et la profondeur ; il répondra jusqu'à la fin de sa vie négativement, car à part « un moment où tu es, parfois, le reste est l'événement ; mais il arrive que les deux mondes s'élèvent comme deux vagues pour se rejoindre dans un rêve ». Un soir de Noël, Rönne, âgé de trente-sept ans, fait ses comptes avec le présent — « Expéditions d'Alexandre au moyen d'émotions » [Alexanderzüge mittels Wallungen] — et constate : « Cette lourde insistance à l'amalgame, cette tendance vers le résultat qui signifiait fatalement un besoin de sécurité ; ce besoin, il ne pouvait plus le partager. » Et à la question de savoir s'il s'est passé quelque chose depuis que le monde existe, il répond que la vie est simplement une affaire d'heures, vides ou remplies. Soucieux d'exprimer, et non pas de décrire, Benn découvre sous les apparences de l'ordre et de la société une « ivresse » qui permet de réaccéder aux couches primitives de l'humanité, et cette « ivresse » existe à côté des obligations opprimantes de la vie quotidienne. Dans « Le Jardin d'Arles » [Der Garten von Arles], Benn met en scène un professeur d'université, qui, après un voyage à Batavia, doit donner une conférence devant les représentants des puissances belligérantes de la Grande Guerre. Et Benn ne construit cette histoire que pour nous montrer son personnage « entouré » du courant de l'heure, de l'immensité du temps que chacun savait fini, dont personne ne connaissait la direction, entouré du chaos de sa propre discipline, de l'inutilité de son histoire, de la stupidité de son champ de bataille à propos de l'essence profonde. Ailleurs, dans « Coupe transversale » [Querschnett], il s'agit encore d'un médecin, en proie cette fois à des pensées ondoyantes, rebelles aux phrases qui voudraient les exprimer, car elles s'interpénètrent comme des nuages : « Où pourrait-on découvrir quelque chose qui ne s'éparpillerait pas en arcs-en-ciel et en fontaines ? Et sinon comment échapper à la fascination des corrélations ? » Dans un siècle de « catégories éventées », des visions interviennent, qui révèlent des instincts très anciens. Ce sont ces brusques visions, et leur pouvoir déchirant sur le prosaïsme quotidien, que Benn nous fait découvrir dans ces nouvelles. Mais « la vie obéit à une loi mortelle et inconnue ; et l'homme, aujourd'hui comme autrefois, ne peut qu'accepter son sort sans larmes ». — Trad. partielle dans *Un poète et le monde*, Gallimard, 1965.

PROSERPINE. Tragédie lyrique en cinq actes et un prologue de l'auteur dramatique français Philippe Quinault (1635-1688), mise en musique par Jean-Baptiste Lully (1633-1687) et jouée pour la première fois à l'Opéra en 1680. Proserpine marque l'apogée de la carrière de Quinault et de sa collaboration avec Lully. Quinault avait débuté par des tragédies, des tragi-comédies, des comédies galantes, qui connurent en leur temps un certain succès, car il avait su profiter du temps mort qui s'étendit entre la meilleure époque de Corneille et l'apparition de Racine. Dès que celui-ci eut donné ses premières tragédies, Quinault fut dépassé, du moins dans l'esprit des gens de goût, et sa tragédie *Astrate* (*) (1665) lui valut les railleries de Boileau. Fort heureusement pour Quinault, s'il n'était pas un poète tragique de premier plan, il pouvait être un excellent collaborateur ; c'est ce que comprit Molière, en recourant à lui pour composer, dans *Psyché* – v. *Amour et Psyché* (*) – , les paroles des airs « destinés à être chantés ». L'année suivante, en 1672, Quinault passa un traité avec Lully, qui le faisait librettiste attitré du Florentin. De cette collaboration devait naître l'opéra classique français et pour Quinault la richesse et les honneurs. De tous les ballets et opéras dus aux deux artistes, *Proserpine* est à coup sûr un des plus réussi. Sans doute l'histoire en soi est banale, les aventures de la reine des Enfers ne sont guère qu'un prétexte à de beaux airs, à des décors somptueux et à l'intervention de machines alors fort à la mode. Mais nulle part peut-être, sauf dans *Armide et Renaud* – v. *Armide* (*) –, le dernier opéra de Quinault et Lully, la largeur, la grâce, l'harmonie du style ne s'allient plus mélodieusement à la musique. Le style ici est assez épuré, assez travaillé pour se passer presque des chevilles inévitables dans ce genre ; mais surtout les paroles de Quinault sont un modèle de diction classique. De cet opéra, il faut citer un certain nombre d'airs qui furent célèbres et qui sont encore bien connus des amateurs : le duo de basses entre Pluton et Ascalaphe au IIe acte ; le chœur, « Célébrons la victoire ».

★ Le poème de Quinault, retouché par Guillard et réduit à trois actes, fut mis en musique par Giovanni Paisiello (1741-1816) et présenté à l'Opéra de Paris en 1803, alors que Paisiello, appelé par Bonaparte, séjournait en France et y connaissait un immense succès.

PROSES LYRIQUES. Quatre mélodies du compositeur français Claude Debussy (1862-1918), composées en 1892-1893 sur des textes du musicien lui-même. Ces vers, avec quelques résonances rappelant Verlaine et Mallarmé, sont d'une frappe très poétique, mais surtout réalisent, en des pages riches d'émotion, certaines atmosphères déterminées chères à Debussy. Le compositeur a pleinement atteint sa maturité artistique, tant sont fermes la sûreté de son goût, la solidité de son monde intérieur. Ce travail a, en outre, un sens tout particulier qui lui donne, en même temps qu'aux *Nocturnes* (*), un caractère peut-être unique dans l'ensemble de la production debussyste. Dans ces poèmes lyriques transparaît un sens autobiographique ; il y a de l'aveu, quelque chose de découvert et de mis à nu qui, habituellement, ne se montre pas dans ses œuvres, et un sentiment profond de la musique, un ton humain et touchant, singulièrement intime, notamment dans le premier et le quatrième poème (« De rêve... » et « De soir... »). Le second et le troisième (« De grève... » et « De fleurs... ») sont plus détachés, s'engagent moins à fond psychologiquement, tout en étant d'égale beauté. « De rêve » et « De soir » reprennent tous deux des thèmes de nocturnes parisiens. Le premier s'ouvre par la vision d'une allée de quelque parc de la ville, plongé dans la douceur de l'été. La musique est d'une sensualité tiède et enveloppante. « De soir » évoque la mélancolie des dimanches à leur déclin, quand le soir descend sur les maisons, dans les cours, sur les trains. Cette page est peut-être une des plus profondes et émues que nous ait laissées Debussy, de celles où l'émotion est le moins voilée et prend une nuance de plainte universelle. De ce mouvement uniforme du piano, tout en grisailles, le musicien extrait cette répétition insistante de la figure « sol-si-sol-la », sur laquelle la pièce s'appuie presque entièrement, et la reprend plus loin avec une solennité désolée, comme une mélancolique sonnerie de cloches. Nous retrouverons quelque chose d'analogue dans « Nuages » et « Fêtes » – v. *Nocturnes* –, dans la mort de Mélisande – v. *Pelléas et Mélisande* (*) –, et dans une pièce poétique des années de guerre, le *Noël des enfants qui n'ont plus de maison* dédiée aux petits réfugiés belges et pour laquelle, comme pour les *Proses lyriques*, Debussy lui-même écrivit les paroles.

PROSES, POÉSIE ET ESSAIS CRITIQUES DE JEUNESSE [*Early Prose and Poetry*]. Rassemblés et présentés par Carvel Collins en 1962, ces textes, poèmes, articles critiques et dessins datent de la période de formation de l'écrivain américain William Faulkner (1897-1962). Ils furent d'abord publiés au japon à la suite du séjour qu'y fit le romancier en 1955. Le premier poème, « L'Après-Midi d'un faune », fut publié le 6 août 1919, et le dernier de ce volume, intitulé encore « Le Faune », en avril 1925, dans l'excellent *Double Dealer* de La Nouvelle-Orléans. Le premier essai romanesque de Faulkner, intitulé « Atterrissage risqué », parut le 16 novembre 1919 dans *The Mississippian*. Le seul autre texte romanesque qui figure dans ce volume – v. *Les Croquis de La Nouvelle-Orléans* (*) – est « La Colline », publié le 10 mars 1922 dans le même *Mississippian*, qui était le journal de l'université où Faulkner, au lendemain de la guerre qu'il n'avait pas faite, avait entrepris de suivre quelques cours.

« Atterrissage », sans doute fondé sur un événement autobiographique, est beaucoup moins important pour l'avenir du romancier que « La Colline », où l'on trouve, en trois pages chargées de promesses, un grand nombre d'éléments (paysage, idées, style) qu'on retrouvera plus tard dans les romans successifs. Le décor, d'abord, quoique aucun lieu ne soit nommé, ressemble fort à Jefferson (ou Oxford) aperçu du haut d'une de ces collines du Mississippi à qui, très jeune encore (la première version du poème finalement intitulé « Mon épitaphe » et qui clôt *Le Rameau vert* (*) date du 17 octobre 1924), Faulkner se vouera tout entier, corps et âme. On peut le dire, en effet, puisque c'est à l'époque précédant son voyage en Europe (1925) qu'appartient la décision capitale, le choix qui, en un sens, commande toute sa carrière : il allait rester à Oxford, et tenter par la littérature d'y vaincre l'immense amertume consécutive à la frustration totale de hauts faits de guerre. À des titres différents (projection directe ou projection compensatoire), ses trois premiers romans sont nés de ce sentiment, auquel on ne saurait accorder trop d'importance. Mais c'est aussi par son sujet que « La Colline » apparaît comme le seuil véritable de l'œuvre à venir. Il s'agit d'un journalier agricole qui, retour du travail, s'arrête le soir au sommet d'une colline pour contempler la petite ville qui est son foyer temporaire. Il se passe alors quelque chose en lui, qu'on pourrait nommer, après Joyce, une « épiphanie » – mais elle est manquée. « Un instant, il fut sur le point d'appréhender quelque chose qui lui était étranger mais cela lui échappa. » Le choix du sujet, du personnage (« la médiocrité lente et anonyme de son visage »), du lieu, de l'heure (le coucher du soleil, moment favori chez Faulkner comme chez Conrad), et enfin de tous les détails (les trois peupliers et le clocher d'une part, les collines et la vallée de l'autre, sur laquelle « s'abat son ombre ») font de ce texte, de loin, le plus caractéristique de tous ces écrits de jeunesse – d'autant qu'on en retrouve l'atmosphère dans « Crépuscule », le dixième poème du *Rameau vert*. Cela dit, les dix-huit poèmes donnés ici sont davantage des témoins des influences alors reçues (Verlaine, dont Faulkner a traduit « Fantoches », « Clair de lune », « Rues » et « À Clymène » ; Mallarmé ; Swinburne ; Keats ; Housmans) que de véritables départs littéraires.

Plus importantes pour l'histoire de la formation du romancier sont les huit pièces critiques – Faulkner, outre son hommage à Anderson, écrira encore trois comptes rendus critiques, dont un, très court sur *Le Vieil Homme et la mer* (*) d'Hemingway – réunies dans ce volume et qui datent toutes de la demi-décennie 1920. On y constate l'extrême lucidité du jeune écrivain : sur ses contemporains, poètes (Edna St Vincent Millay et surtout Conrad Aiken, que Faulkner a toujours admiré et qui, en retour, écrira une des premières pièces intelligentes sur son œuvre), romanciers (Joseph Hersheimer, alors très en vogue, qui lui sert à esquisser pour la première fois sa théorie qu'il n'est pas de signification sans mouvement) ou dramaturges (O'Neill, qu'il loue d'avoir compris qu'une littérature nationale peut seulement naître d'un « idiome fort et imaginatif »), Faulkner a des idées, et des idées claires et vigoureuses, qui en disent autant sur lui-même et ses ambitions que sur les écrivains étudiés.

Dans le « pèlerinage » intitulé « Poésie ancienne, poésie à naître », il se livre à un sardonique exercice d'autobiographie littéraire : à ce titre, ces pages sont presque aussi importantes que « La Colline ». Il y répudie l'influence de Swinburne et d'ailleurs, presque globalement, sa propre poésie (« contrepartie émotionnelle » de l'accalmie sexuelle, dit-il) pour reconnaître quelques maîtres plus virils : Shakespeare, Spencer, Shelley et Keats – ce dernier surtout, dont « L'Ode sur une urne grecque » – v. *Odes* (*) de Keats – et son culte de la beauté immobilisée le hanteront longtemps, qu'on trouve cités dans plusieurs de ses romans. Le texte s'achève par une question qui est un refus autant qu'un souhait ardent : « N'y a-t-il personne parmi nous qui puisse écrire quelque chose qui soit beau, passionné et triste au lieu d'être attristant ? » Moins de quatre ans plus tard, il avait achevé *Le Bruit et la Fureur* (*). – Trad. Henri Thomas, Gallimard, 1966. M. Gr.

PROSES PROFANES [*Prosas profanas*]. Recueil du poète nicaraguayen Rubén Darío (1867-1916). La première édition (Buenos Aires, 1896) comprenait trente-trois poèmes. La deuxième édition (Paris, 1901) en comptait cinquante-quatre. L'exaltation de la « force vitale » dans l'abondance du langage caractérise ce livre où s'affirmait avec éclat le génie poétique du maître du modernisme hispano-américain. Le titre, qui choquait volontairement, donne au mot « prose » l'acception ancienne d'« hymne latine chantée aux messes solennelles ». Dans la Préface, intitulée « Paroles liminaires », au lieu d'un manifeste jugé inopportun, l'auteur, non sans provocation, proclame quelques principes : « Je déteste la vie et le temps où il m'a été donné de naître... » « Comme chaque mot a une âme, il y a dans chaque vers, outre l'harmonie verbale, une mélodie idéale. La musique, souvent, ne provient que de l'idée. » « Quand une muse te donnera un enfant, que les huit autres tombent enceintes. » Ensuite l'ouvrage est divisé en neuf parties : I *Proses profanes.* II *Colloque des Centaures.* III *Varia.* IV *Verlaine.* V *Récréations archéologiques.* VI *Le Royaume intérieur.* VII *Choses du Cid.* VIII *Strophes, Lais et Chansons.* IX *Les Amphores d'Épicure.* Plusieurs de ces pièces traitent, avec une sensualité raffinée, du thème de l'amour, dans des tonalités fantastiques de rêve, de contes de fées, de passé légendaire ou mythique. « C'était un air suave » dit ainsi les amours volages de la marquise Eulalia. « Divagation » célèbre les passions exotiques. « La princesse était triste », dans une morne réalité, dit un rêve éperdu d'amour et de liberté. D'autres poèmes encore disent l'amour aux mille visages : « Pour louer les yeux noirs de Julia », « Pour une Cubaine », « Bouquet », « Garçonnière », « Marguerite », « Mienne »... Dans d'autres compositions la réflexion méditative l'emporte sur l'évocation sensuelle. Dédié à Paul Groussac, le « Colloque des Centaures », long poème en distiques de vers

« alejandrinos », contient dans ses rythmes tumultueux et frémissants une ardente méditation sur la mort et l'amour, ces deux formes de l'Énigme qui n'a jamais cessé de hanter Darío. Le « Répons » pour Verlaine, écrit peu après la mort du poète admiré, qualifié de « père et maître magique, lyrophore céleste », exalte avec autant d'emphase superbe que de touchante sincérité la figure du disparu et la vertu sacrée du verbe poétique. Le « Chant du sang » reprend le thème de l'inépuisable douleur. *Le Royaume intérieur,* portant en exergue un vers d'Edgar Poe, met en jeu, pour illustrer le duo sans fin du bien et du mal, les allégories des sept vertus et des sept péchés capitaux. L'essence de la poésie et la source de l'art sont le thème majeur d'un troisième groupe de poèmes, où s'expriment à la fois l'éternelle insatisfaction du créateur et sa quête interminable de la forme parfaite qui toujours se dérobe à son style. « Portique » (pour le recueil *En Tropel* de Salvador Rueda), « Éloge de la séguédille », « Le Cygne » glorifient la beauté, la poésie ou l'idéal. *Les Amphores d'Épicure* contiennent aussi des compositions sur ce thème, notamment « L'Ancienne », « Aime ton rythme », « Je poursuis une forme »... Livre composite, sans unité thématique ni stylistique, *Proses profanes* reflète, à la façon d'un prisme ou d'un miroir tournant, les facettes diverses des intérêts, des inquiétudes et des aspirations esthétiques ou philosophiques de Rubén Darío, tour à tour mystique ou païen, partagé entre l'ardeur sensuelle et l'angoisse métaphysique, exaltant la beauté ou tourmenté d'angoisse, alliant la musique à la quête gnostique. — Trad. (Anthologie) Seghers, 1966. B. Se.

PROSLOGION [*Seu Alloquium de Dei existentia*]. C'est l'ouvrage le plus célèbre du théologien latin saint Anselme de Cantorbéry (1033/34-1109). Postérieur au *Monologion* (*), il fut écrit en latin, entre 1070 et 1073, à l'époque où l'auteur était prieur de l'abbaye du Bec ; il se compose d'une préface et de vingt-six chapitres. Saint Anselme écrit à la façon d'un homme qui « s'efforce d'élever son esprit à la contemplation de Dieu » et qui cherche à déterminer les raisons pour lesquelles il croit. Ayant posé l'affirmation que Dieu est un être tel que l'on ne peut en concevoir de plus grand, il s'agit de savoir si un tel être existe ou non, étant donné que l'insensé dit en son cœur : « Il n'y a pas de Dieu. » Mais si nous disons à l'insensé : « Un être tel que l'on ne peut en concevoir de plus grand », l'insensé comprend ce que nous disons ; dès lors, ce qu'il comprend existe dans son intelligence, même s'il n'en saisit pas l'existence. Ainsi en est-il du peintre qui imagine le tableau qu'il est sur le point de réaliser ; il l'a déjà dans l'esprit, mais il ne pense pas encore qu'il existe, car il ne l'a pas réalisé ; mais lorsqu'il l'a peint, à la fois il l'a dans son esprit et comprend que ce qu'il a fait existe. D'autre part, ce à propos de quoi on ne peut rien concevoir qui soit plus grand ne peut être seulement dans l'intellect. Car exister en réalité est être plus grand qu'exister dans l'intelligence seulement. Il faudrait donc supposer un être encore plus grand, qui ne peut exister par définition. L'être tel qu'on n'en puisse concevoir de plus grand existe donc indubitablement à la fois dans l'intelligence et dans la réalité. Il s'ensuit qu'il est impossible de penser que Dieu n'existe pas : Il existe pour soi-même et a fait tout de rien ; Il est sensible et omnipotent, miséricordieux et impassible ; Il punit ou Il épargne les méchants ; toutes Ses voies sont miséricorde et vérité ; Il est le seul qui ne puisse être enfermé dans des limites et qui soit éternel ; Il est plus grand que nous ne pouvons l'imaginer ; Il habite la lumière inaccessible ; il y a, en Lui, harmonie, odeur, saveur, douceur, beauté, d'une manière ineffable qui lui est propre ; Il n'a pas de parties ; Il n'est ni dans l'espace ni dans le temps, mais toutes les choses sont en Lui ; Il est avant et après toutes choses, même celles qui sont éternelles ; Il est seulement celui qui est ; Il est également Père, Fils et Esprit-Saint ; Il est l'unique nécessaire ; Il est le Bien et la Joie de ceux qui en jouiront. Comme on le voit, le point central réside dans la démonstration de l'existence de Dieu au moyen du célèbre argument de la preuve ontologique qui, chez saint Anselme, se fonde sur les principes suivants : la foi nous donne la notion de Dieu ; l'existence dans la pensée est existence réelle ; on ne pourrait concevoir Dieu si Dieu n'existait pas en réalité. L'argument sera critiqué par nombre de philosophes, de saint Thomas à Kant, mais on le retrouvera aussi chez bien des penseurs, de Duns Scot à Descartes, à Leibniz et à Hegel. Cet ouvrage fut critiqué par le moine Gaunilon dans sa *Défense de l'ignorant* (*). — Trad. Cerf, 1986.

PROSPECTUS ET TOUS ÉCRITS SUIVANTS. C'est sous ce titre qu'ont été édités les écrits du peintre français Jean Dubuffet (1901-1985), réunis et présentés par Hubert Damish avec une mise en garde de l'auteur. Réalisée en 1967, l'année d'une importante rétrospective de son œuvre et de la fameuse exposition des collections de l'art brut au musée des Arts décoratifs, à Paris, la première partie de l'édition complète des textes de Dubuffet (deux volumes) couvre la période 1932-1967 et réunit préfaces de catalogues, manifestes, entretiens, articles divers, ainsi qu'un ensemble de monographies sur certains auteurs d'art brut, quelques textes en « jargon » (écriture phonétique), des notices techniques sur son travail de peintre, et une abondante correspondance. Les deux volumes suivants (1993) rassemblent les textes ultérieurs et un extrait de la correspondance de 1966 à 1985.

Le simple énoncé des titres donne une idée du contenu du livre : « Positions anticulturelles », « Honneur aux valeurs sauvages », « Place à l'incivisme », « Asphyxiante culture », « Désaimantation des cervelles », « Rendre à l'hydre ses millions de têtes », etc. Partout s'y exprime le même parti pris philosophique : supériorité de la création marginale, spontanée, sauvage, de l'« art modeste » et élémentaire sur l'art professionnel, que Dubuffet appelle « art culturel », et auquel il reproche de tirer son inspiration non de la vie directement, mais d'une compilation de tout ce qui a été fait auparavant.

Le vrai art doit être invention pure, ne tirer ses sources qu'en lui-même. D'où une série de leitmotive : éloge de l'amateur inspiré, de l'« homme du commun » à l'ouvrage, contre la glorification du génie, beaucoup plus répandu qu'on ne le croit ; éloge des petites choses, des valeurs décriées, des matériaux ordinaires, contre l'académisme, l'esprit universitaire, la tradition grecque et sa distinction, illégitime, entre le beau et le laid ; éloge des modes de vie primitifs, et des états paranormaux de conscience — transe, délire, voyance —, voire éloge de la folie, à la limite parfois de l'antipsychiatrie. Il faut lire « L'Art brut préféré aux arts culturels », sans doute le meilleur texte de Dubuffet, avec sa critique hilarante de l'intellectuel, « nageur d'eau bouillie », « désamorcé », « désaimanté », « en perte de voyance », dont il ne sort « pas plus d'étincelles que d'un vieux torchon mouillé », une suite ininterrompue de trouvailles, jusqu'à la fameuse boutade finale, pied de nez à André Breton : « Il n'y a pas plus d'art des fous que d'art des dyspeptiques ou des malades du genou. » Un chef-d'œuvre de cocasserie et de provocation. Quant à son propre travail, Dubuffet défend la conception d'un art plutôt visionnaire que bêtement « photographique », où le créateur, tirant parti des maladresses et du hasard, dans une sorte d'improvisation contrôlée, et empruntant davantage ses techniques au peintre en bâtiment qu'à l'artiste peintre traditionnel, cherche à faire parler le matériau. Car « l'art s'adresse à l'esprit, et non pas aux yeux », rappelle Dubuffet, il « doit toujours un peu faire rire et un peu faire peur ». Sa fonction est magique, à la limite de la divination, comme chez les petits maîtres de l'art brut : Heinrich-Anton Müller, Crépin, Aloïse, le facteur Lonné.

D'une verdeur et d'une vitalité exceptionnelles, en particulier dans la correspondance (avec Jean Paulhan, Chaissac, Queneau, ou Jacques Berne, l'ami du Havre), le style de Dubuffet est inimitable. Excellent surtout dans la description, toujours lucide et impitoyable, il manifeste un sens de l'image et de la formule à faire pâlir bien des écrivains de profession. Volontairement familier, à la manière de Céline, que le père de l'« Hourloupe » admirait, scandé comme la parole, dont il simule habilement les hésitations, reprises et répétitions, il bafoue parfois la syntaxe avec une désinvolture étudiée, cultive savamment la fausse naïveté, grâce à un dosage parfait de divers tics et préciosités archaïsants (suppression de l'article ou du subjonctif, usage de « un » pour « quelqu'un », « ce » pour « cela », inversions insolites, accumulation d'adverbes, tournures délibérément incorrectes, sinon vulgaires, etc.), et manie le paradoxe mieux qu'un maître zen japonais. Toujours cru, déroutant, drôle, dérangeant par sa fraîcheur provocante, tout en véhiculant une profonde exigence morale et intellectuelle, c'est un parler concret à la Montaigne, un langage revigorant à la charnière de deux mondes : une leçon de vraie sagesse, sous son masque de dérision.

L. Da.

PROSPICE. Poème de l'écrivain anglais Robert Browning (1812-1889), écrit en 1861 peu de temps après la mort de sa femme Elizabeth et publié dans *Dramatis personae* (*). Véritable profession de foi devant la mort, ce poème est d'une inspiration à la foi douloureuse et pleine d'espoir. Le poète ne craint pas la mort ; il croit à la paix de l'au-delà. Il affrontera donc la mort avec le courage des héros antiques ; le mal finira, les voix ennemies se tairont, alors ce sera la grande paix, sans douleurs, puis la lumière ; tout contre lui, dans ses bras, il enserrera sa bien-aimée et, ensemble, ils s'en remettront à Dieu.

PROTAGORAS ou Des sophistes [*Πρωταγόρας ἢ Σοφισταί*]. Dialogue du philosophe grec Platon (428 ?-347 ? av. J.-C.). C'est un des premiers dialogues, dits socratiques. La vivacité dramatique de la discussion et la vive peinture du milieu des sophistes font de cette œuvre un des plus beaux dialogues de Platon. Après une introduction dans laquelle Socrate est prié par un ami de répéter la conversation qu'il a eue la veille avec Protagoras, Socrate commence son récit. Le jeune Hippocrate est venu au petit jour chez lui, très ému de l'arrivée à Athènes (où il est l'hôte de Callias) du sophiste Protagoras. Il veut s'en faire le disciple. Socrate, avec son calme habituel, se propose d'éprouver cette résolution. Il se lève et questionne Hippocrate : Connaît-il vraiment Protagoras ? Sait-il vraiment ce que vaut l'enseignement d'un sophiste ? Hippocrate rougit et ne sait que répondre. Socrate et lui se rendent alors chez Callias, dans la maison duquel, outre Protagoras, logent d'autres sophistes et leurs disciples. Ainsi Hippias d'Élis, assis sur un siège élevé ; Prodicos de Céos, tout couvert de fourrure. Protagoras se promène dans le vestibule entouré de ses amis et de ses disciples. Socrate lui ayant demandé quelle est la nature de son enseignement, Protagoras lui rétorque que la sophistique est à la base du progrès et de la vertu politique. Qu'on puisse enseigner cette vertu, c'est ce dont doute précisément Socrate, qui fait remarquer que les grands politiques ne savent pas la transmettre à leurs fils. Mais Protagoras a recours à un mythe, aux termes duquel Jupiter a donné à tous les hommes, pour qu'ils puissent vivre ensemble, la justice et la pudeur, fondement de la vertu politique. Elle serait donc innée. D'autre part elle s'enseigne, le père la communique à son fils, sauf exceptions. Ainsi Protagoras fait-il un long discours, où la vertu morale est impliquée aussi bien que la politique. Socrate reprend alors la méthode dialectique, bien propre à déconcerter notre sophiste, trop habitué à séduire son auditoire plutôt par son éloquence que par des définitions minutieuses. Les différentes qualités, justice, sagesse, etc., sont-elles une partie de la vertu ou des vertus particulières ? Protagoras les dit séparées. Mais Socrate lui fait observer que de telles parties séparées ne peuvent subsister que coordonnées et que toutes doivent se réduire à la sagesse comme à un principe commun. Protagoras, embarrassé, se lance dans un pompeux discours sur la relativité de l'utile. Socrate réclame une réponse brève, ce qui divise l'assistance, puis la discussion reprend sur le mode dialectique. Protagoras interroge maintenant Socrate sur certains vers de Simonide, où le poète, après avoir affirmé qu'il est difficile de devenir un homme de bien, désapprouve Pittacos d'avoir dit qu'il est difficile d'être bon. N'y a-t-il pas là contradiction? Socrate explique : usant d'artifices empruntés à son adversaire, et qui obligent en fin de compte le poème à signifier ce que lui-même désire, il démontre que personne ne fait le mal volontairement ; tout en ajoutant aussitôt qu'il vaut mieux laisser de côté les poètes, qui ne contribuent en aucune manière à l'explication de la vérité. Après cette joute où Socrate s'est montré l'égal des sophistes, il pose à nouveau la question de l'unité de la vertu ; à quoi Protagoras répond en accordant que quatre vertus, la justice, la sainteté, la sagesse et le savoir, sont semblables entre elles ; mais le courage est à part. Mais, objecte Socrate, le vrai courage n'a-t-il pas besoin de la sagesse pour se distinguer de la folle audace ? et de poser le problème plus général du bien. Il le rapporte au plaisir, quitte à déterminer ensuite le sens de plaisir et douleur. Socrate démontre alors que l'homme qui fait le mal en croyant assurer son bonheur est la victime de son ignorance ; le courage lui aussi se réduit au savoir, la vertu étant une, homogène et enseignable. Protagoras est battu et Socrate conclut en remarquant que les positions au cours du débat ont été échangées. Socrate venant à soutenir celle que son adversaire n'a pas su défendre. Le *Protagoras* est non seulement une des plus belles œuvres d'art que nous ait laissées Platon, mais c'est un des exposés les plus satisfaisants qu'il nous ait donnés de la véritable pensée de Socrate. Celui-ci y apparaît comme un moraliste et même comme un géomètre de la morale, en quête d'un point fixe sur lequel elle puisse s'édifier. — Trad. Les Belles Lettres, 1923 ; Gallimard, 1943.

PROTÉE. Œuvre théâtrale de l'écrivain français Paul Claudel (1868-1955), publiée en 1914 avec *La Cantate à trois voix* (*) sous le titre *Deux poèmes d'été ;* remaniée en 1926 et 1955 ; représentée pour la première fois à la Comédie de Paris en 1955, avec une musique de Darius Milhaud. Cette farce lyrique et mythologique, Claudel l'a composée comme un divertissement, pour le plaisir de s'abandonner à sa truculence qu'on dirait bourguignonne, à sa verve comique un peu épaisse, à son goût de la plaisanterie énorme. Il a choisi un vrai livret d'opérette, dont on a pu dire qu'il tient à la fois de *La Belle Hélène* (*) et de *La guerre de Troie n'aura pas lieu* (*). La nymphe Brindosier est aimée du dieu Protée qui règne sur l'île de Naxos. Protée est « un pauvre dieu de sixième classe », dont tous les tours sont éventés, mais il vit fort à son aise car l'invention du celluloïd et des boutons-pression a fait de Naxos l'un des premiers fournisseurs de la haute couture. Néanmoins la nymphe Brindosier s'ennuie et, lorsque Ménélas, ramenant sa femme Hélène après la prise de Troie, aborde dans l'île, Brindosier décide de profiter de l'occasion pour fausser compagnie à l'ennuyeux Protée. Comme elle est jeune, jolie et fort rusée, elle persuade aisément Ménélas qu'elle est la véritable Hélène, l'autre, explique-t-elle, n'étant que son double. Protée se fait d'ailleurs le complice de la nymphe, car il est tombé amoureux de la belle Hélène, laquelle cède à Brindosier ses droits sur Ménélas moyennant quelques boutons-pression. La nymphe Brindosier s'embarque donc avec ses satyres sur le bateau de Ménélas : ils iront ensemble implanter et cultiver la vigne en Bourgogne. Mais Hélène ne sera pas la femme de Protée : Jupiter la lui enlève pour faire une étoile. Une telle œuvre risquerait de déconcerter si on essayait de la comparer au reste de l'œuvre de Claudel, si on y cherchait autre chose que ce que celui-ci a voulu y mettre, c'est-à-dire une bouffonnerie. Mais c'est à propos de ce « poème d'été » que Péguy pouvait dire : « Ce qui montre à quel point Claudel est saturé d'hellénisme, ce sont les déviations qu'il y apporte. Ses déviations à l'hellénisme sont dans la ligne de l'hellénisme. »

L'Ours et la Lune, autre farce lyrique publiée en 1919 et jouée à Alger en 1948, appartient à la même veine fantaisiste. Au cours de la Première Guerre mondiale, dans un camp du nord de l'Allemagne, un prisonnier s'endort. Il rêve à sa femme et à ses enfants, et la Lune, l'ayant enveloppé d'un voile, vient le conduire au pays des songes enfantins, au milieu d'un petit peuple de marionnettes. Mais l'arrivée du Soleil amène la fin du rêve ; l'aurore entre dans la pièce, le prisonnier se réveille.

PROTÉE. Musique de scène pour l'œuvre théâtrale homonyme de Paul Claudel (écrite en 1913) du compositeur français Darius Milhaud (1892-1974). Celui-ci a écrit trois versions de cette partition : la première pour chœurs et grand orchestre (1913), la seconde pour chœur et petit orchestre (1916), la troisième, définitive, pour chœurs et grand orchestre, comprenant des ouvertures, des interludes dont l'un, intitulé « Cinéma », illustre les métamorphoses de Protée. Darius Milhaud s'est attaché, non à décrire ou commenter précisément l'action, mais à suggérer musicalement « cet admirable mélange de poésie et de farce, du lyrisme le plus pur et de la bouffonnerie la plus turbulente » (Études). Lyrisme de la mer qui entoure l'îlot de Protée, évoqué dans l'ouverture par un jeu polymodal d'une grande suavité, ou plus loin, par le truchement d'une fugue vigoureuse qui en évoque la puissance mouvementée, ou encore dans la « Pastorale » ou la « Bacchanale », par l'emploi de rythmes (8/8 ; 5/8) ou de motifs aux sinuosités mélodiques raffinées qui en rappellent la poétique et envoûtante présence. La truculence du poème et son côté grotesque éclatent par contre dans le Rondo de « Cinéma » ou dans les deux chœurs finals dont les éléments musicaux et scéniques disparates s'imbriquent avec cocasserie, sans jamais la moindre vulgarité.

Après avoir été donné en néerlandais à Groningue, puis en Belgique par le Vlaamsche Volkstooneel, Protée fut donné pour la première fois à Paris en 1955. La suite de concert tirée de la grande partition avait été jouée en 1921 par les concerts Colonne sous la direction de Gabriel Pierné. Elle provoqua un tel scandale que ce dernier dut se résigner à en interrompre l'exécution.

Parmi les autres partitions de musique de scène de Darius Milhaud, il faut distinguer celle composée pour une autre œuvre de Paul Claudel, *L'Annonce faite à Marie* (*) (1912). Elle tient en une série de préludes, précédant chaque tableau, et à la mise en musique des chœurs au moment du miracle. L'effectif orchestral, particulièrement original et aux combinaisons sonores adroitement associées aux intentions dramatiques du poète, comprend deux pianos, deux Martenot, un vibraphone, un orgue, un groupe de vents et de percussions, et un quatuor vocal.

PROTREPTIQUE [Προτρεπτικός]. Œuvre de jeunesse du philosophe grec Aristote (384-322 av. J.-C.), qui fait partie des écrits « exotériques », c'est-à-dire destinés au grand public. Elle fut composée quand Aristote était encore à l'Académie, donc avant la mort de Platon (347 av. J.-C.), et elle nous est parvenue en fragments conservés surtout dans les écrits de Jamblique qui portent le même titre et dans l'*Hortensius* de Cicéron. Tandis que pour le contenu elle s'inspire fortement de l'*Euthydème* (*) de Platon, pour la forme au contraire elle obéit à la rhétorique d'Isocrate et abandonne donc le procédé du dialogue qu'Aristote lui-même avait adopté en d'autres œuvres de cette époque. Fait, pour autant que nous puissions juger, d'un tissu serré de syllogismes, le *Protreptique* représente, de la part d'Aristote, une tentative particulièrement méritoire pour conférer la dignité philosophique à cette rhétorique si dépréciée dans les milieux platoniciens. Adressé à Thémison, un des seigneurs de l'île de Chypre, pour l'exhorter (d'où le titre) à s'adonner à la vie contemplative, c'est-à-dire à la philosophie, et à établir son gouvernement sur cette base, il est une œuvre de propagande, destinée à répandre la théorie platonicienne de l'État. Le centre de l'ouvrage est une très vive démonstration de la supériorité de la philosophie sur toute autre activité humaine. Il faut philosopher, car la philosophie est éducation morale, et seule l'âme moralement éduquée peut connaître le bonheur. La fin de chaque être, en effet, c'est la réalisation active de sa nature propre : et dans le cas de l'homme, cette activité est la raison qui a sa fin en soi-même. Rationnelle, et connaissance de l'universel et du nécessaire, la philosophie est supérieure aux sciences empiriques. À qui prétend qu'elle n'a pas d'utilité pratique, Aristote rétorque en distinguant entre les biens qui valent par l'usage qu'on en fait et ceux qui valent par eux-mêmes, au nombre de ces derniers étant la contemplation philosophique, pure et désintéressée, qui donne la béatitude absolue. Du reste, la philosophie est une discipline libre et aristocratique. Pour le prouver, l'auteur retrace l'histoire de la civilisation. Après le Déluge, les hommes cherchèrent d'abord les moyens d'assurer leur vie matérielle, puis ils inventèrent les beaux-arts pour leur plaisir ; enfin, libérés de la nécessité, ils s'adonnèrent aux arts libéraux, à la science pure, mathématiques et philosophie. En outre, la philosophie est nécessaire à la politique, à laquelle elle est seule à pouvoir donner de la rigueur. Finalement, seule la philosophie rend les hommes heureux, en les poussant à abandonner la dissipation de la vie pratique et à se tourner vers ce monde divin d'où provient l'âme et qui est sa vraie patrie. Le *Protreptique* est d'inspiration strictement platonicienne, et les éléments propres à Aristote ne font qu'y affleurer. Cependant, la foi dans une pensée purement théorique, et le sentiment de la valeur pratique de la philosophie guideront toujours Aristote. C'est de ce point de vue que le *Protreptique* exercera une grande séduction sur ceux qui se rallièrent à un semblable idéal : Cicéron, Jamblique, Proclus, saint Augustin, Boèce.

PROTREPTIQUE. Traité d'apologétique de Clément d'Alexandrie, premier docteur de l'Église (seconde moitié du IIe siècle environ). Le *Protreptique* ou « Exhortation » représente la première partie d'une grande œuvre apologétique que l'auteur s'était proposé d'écrire en faveur du christianisme. Il s'adresse ici aux païens, afin de leur démontrer la fausseté des mythes et des légendes grecques, et la supériorité de la philosophie chrétienne sur la philosophie païenne. Il commence par attaquer les mystères et les oracles, qui jouissaient d'un si grand prestige auprès de ses contemporains et qui avaient pour eux bien plus d'importance que les divinités elles-mêmes. Il passe ensuite tous les dieux en revue, ceux de l'ancienne religion grecque comme ceux des Égyptiens et, reprenant, ainsi que les autres apologistes chrétiens, le concept exprimé pour la première fois par Évhémère de Messine, il s'attache à démontrer que les dieux ne sont que des hommes divinisés. Parlant des cultes, des sacrifices et des idoles, Clément d'Alexandrie relève avec beaucoup de finesse la part importante qu'a eue l'art dans le développement du paganisme. Puis il aborde la critique de la philosophie qui connaît les problèmes et les angoisses de l'âme mais qui, contrairement aux Saintes Écritures, ne peut y apporter de solution satisfaisante. Cet ouvrage s'achève sur une longue et vibrante exhortation adressée aux païens, pour qu'ils embrassent la foi chrétienne, l'unique foi conférant au cœur humain la paix et la sérénité. Cette exhortation, dictée par un enthousiasme sincère et profond, se traduit en certains passages par des accents d'un grand lyrisme. Il faut remarquer cependant que le style de cette œuvre est généralement assez emphatique et orné de tous ces artifices de rhétorique dont l'auteur ne parviendra à se défaire que dans ses œuvres postérieures. — Trad. Éd. du Cerf, 4e éd., 1976.

PROUST. Essai de l'écrivain irlandais Samuel Beckett (1906-1989) écrit en anglais en 1931. S'éloignant d'une exégèse classique, Beckett consacre à la *Recherche* (*) un opuscule qui livre à la fois une remarquable lecture de l'œuvre proustienne et introduit paradoxalement aux textes beckettiens issus de la proximité avec ce « monstre bicéphale de damnation et de salut qu'est le temps ». Certes l'« immédiate, délicieuse et totale déflagration des souvenirs » ranime l'analogie mais elle instaure un parallélisme entre la structure de la *Recherche* et celle du *Discours de la méthode* (*). Rapprochement inédit que Beckett âgé de vingt-quatre ans n'hésite pas à opérer. À l'exemple de Proust, il entreprend de « décrire l'homme comme ayant la longueur non de son corps mais de ses années, comme devant, tâche de plus en plus énorme et qui finit par le vaincre, les traîner avec lui quand il se déplace ». L'absurde largement exploité par Beckett trouve un étayage singulier dans la *Recherche du temps perdu.* L'impression fulgurante qu'éprouve le narrateur de l'« horreur de son néant » et partant de son inexistence lorsqu'il s'adresse au « compagnon de sa captivité » emblématise l'une des correspondances entre les deux œuvres. L'égarement du moi — les sensations d'étrangeté perçues par le narrateur proustien à son réveil — s'inscrit dans un motif similaire. Dans sa monographie, Beckett reprend à son compte maintes citations empruntées à Proust. Le discours indirect contribue à effacer les traces.

S'arrêtant aux points d'ancrage, épousant les courbes, imitant ou paraphrasant parfois en un mouvement d'allégeance délibéré, l'hommage de Beckett révèle l'œuvre à venir et esquisse pour le lecteur attentif un usage du monde dont la complexité demeure intacte. — Trad. Minuit, 1991. S. R.

PROVERBES (Livre des) [*Mishlé*]. L'un des Livres de l'« Ancien Testament » — v. *La Bible* (*) —, attribué à Salomon (xe siècle av. J.-C.). Le titre hébraïque, *Mishlé,* signifie exactement « parangon », c'est-à-dire sentences brèves et significatives en forme de comparaison. Leur but, presque toujours, est de donner des règles morales pour la conduite de la vie courante : il s'agit en effet d'un recueil d'avis, d'un enseignement, d'une suite de préceptes et d'exemples d'inspiration divine, qui demandent à l'auditeur comme au lecteur un certain effort d'entendement ; mais les vérités qui y sont contenues sont irréfragables, éternelles et valables pour toute l'humanité. Les *Proverbes* ne ressemblent donc en rien à un recueil ordinaire de maximes et de sentences populaires — impersonnelles et anonymes — définissant un utilitarisme banal. Loin de dériver uniquement de la sagesse humaine, leur fondement est la sagesse même de Dieu. Le mot « sagesse » ne doit pas nous induire à croire que l'auteur ait voulu traiter de questions purement philosophiques. Bien au contraire, son enseignement se rapporte aux événements de l'existence quotidienne et confère à toute chose une profonde vérité. On peut dire que toute la vie de l'antique société juive y est passée en revue, analysée, jugée selon les normes d'une morale fondée sur la raison et le bon sens. Personnages et caractères sont dépeints avec la plus grande finesse : il y a le paresseux, la femme corrompue qui se poste le soir à l'angle de la rue, le jeune homme naïf et infatué qui la suit « comme le bœuf qui va à la boucherie, comme un fou qu'on lie pour châtier, jusqu'à ce qu'une flèche lui perce le foie ». Les *Proverbes* ne constituent pas un tout, un même texte, mais un admirable ensemble d'éléments les plus divers tant par leur forme que par leur fond. On peut néanmoins les diviser en trois groupes : 1) Dieu et son culte ; 2) la vie morale ; 3) conseils divers. La crainte de Dieu et une confiance absolue en sa bonté forment l'argument essentiel de ses sentences. Qu'on en juge : « La crainte de Yahvé est le commencement de la connaissance » ; « Confie-toi de tout ton cœur en Yahvé, et ne t'appuie pas sur ta propre sagesse » ; « Qui est attentif à la parole [de Dieu] trouvera le bonheur : heureux qui se confie en Yahvé » ; « Car Yahvé a les yeux sur les voies de chaque homme ; il observe tous ses sentiers ». Dieu est donc défini comme le Créateur, le Maître suprême du monde, la Providence universelle qui frappe les hommes coupables et méchants, mais qui est prête, également, à secourir les créatures et à bénir ceux qui se repentent. Les considérations morales sont l'objet d'un développement particulier ; chaque péché, chaque acte injuste trouve sa condamnation impitoyable et clairement précisée. L'injustice surtout est stigmatisée dans ses moindres manifestations : dans le commerce, devant les tribunaux, dans le bornage des champs. Mensonges et faux témoignages sont aussi réprouvés : « C'est un homme funeste que le faiseur de maléfices : il va, la fourberie à la bouche » ; « Le faux témoin ne restera pas impuni ; celui qui exhale le mensonge n'échappera pas ». Une place importante est consacrée à de nombreux conseils tels que : la modération dans les propos, la sobriété en paroles, la prudence dans les réponses, etc. D'autre part, l'auteur met à l'honneur ceux qui s'expriment avec bonté, en temps et lieux opportuns, et précise que la vraie sagesse consiste à faire un sobre usage de sa langue. Le livre des *Proverbes* n'est pas seulement remarquable par l'abondance de ses maximes, mais encore par la forme sous laquelle elles sont exprimées. Elles nous offrent un lyrisme un peu fruste, mais plein de force et de vie. Certes, il n'y a pas dans les *Proverbes* le souffle de haute poésie qui anime les *Psaumes* (*) ; mais leur style, plus familier, plus bourru, n'est pas moins beau, tout de bon goût et d'harmonie. Il convient de remarquer entre autres les termes particulièrement délicats avec lesquels est décrite la tendre idylle des deux époux unis par Dieu dès leur jeunesse : « Fais ton bonheur de la femme de ta jeunesse, biche aimable, gracieuse gazelle ! Que ses caresses t'enivrent toujours, sois sans cesse grisé par son amour. » L'auteur connaît bien la vie de la nature et cite même en exemple l'humble fourmi : « Va vers la fourmi, paresseux ; observe comme elle agit et deviens sage. Elle n'a point de chef, point de surveillant, ni de maître. Pendant l'été, elle prépare sa nourriture. » Partant le plus souvent d'images aussi simples, l'auteur s'élève aux plus hautes considérations philosophiques. Parfois, un simple verset révèle une connaissance particulièrement approfondie de l'âme humaine, tels ces mots incisifs : « Les blessures d'un ami prouvent sa fidélité, mais les baisers d'un ennemi sont trompeurs. » Comme nous l'avons déjà dit, ce recueil est attribué à Salomon ; on s'appuie pour cela sur une tradition qui, selon Eusèbe, dérive directement de l'enseignement écrit des Juifs. Mais peut-on affirmer que tous les *Proverbes,* tels que nous les possédons de nos jours, soient du même auteur ? Certainement non : d'autres écrivains ont dû y glisser leurs propres sentences ; cependant, celles de Salomon en constituent l'essentiel. D'ailleurs, ce détail est d'une importance toute relative puisque les *Proverbes,* dans leur état actuel, ne nous offrent pas moins un ensemble très homogène. — Traduction œcuménique de *La Bible*, 1988.

★ Les *Proverbes* ont été transmis au monde occidental grâce à la *Vulgate* — v. *La Bible* — et à la tradition rabbinique du Moyen Âge. Ils donnèrent naissance à une véritable poésie parémiologique, en vogue — du moins sous certains de ses aspects — jusqu'à la Renaissance. La légende qui entoure le nom de Salomon contribua largement à ce succès : à travers la théologie musulmane, le talmudisme et le gnosticisme, la figure du grand roi finit par prendre une auréole de sainteté et de mystère qui plut au Moyen Âge. Ainsi, celui qui avait fondé toutes les branches de la science, profité au maximum du pouvoir et des joies de la terre, celui qui avait parlé des plantes (depuis le cèdre du Liban jusqu'à l'hysope), des animaux (mammifères, oiseaux, reptiles, poissons), devint-il peu à peu le symbole de la sagesse et du savoir. Parmi les ouvrages inspirés du livre juif, il convient de citer en Italie le célèbre recueil de Gherardo Patecchio, *Commentaire sur les Proverbes de Salomon* et, en France, le volume moins connu : *Les Dialogues de Salomon et de Marcoul.*

★ Mais c'est surtout en Espagne, où la culture orientale avait été apportée par la double voie du judaïsme et de l'islamisme, que la poésie gnomique s'épanouit avec le plus d'éclat. Le texte le plus ancien est le recueil des *Proverbes en vers du sage Salomon, roi d'Israël* [*Proverbios en rimo del savio Salomón, rey de Israël*], composé par un anonyme du XIVe siècle sans doute. Il s'agit d'une suite de quatrains en alexandrins assonancés, renfermant chacun une maxime à propos des mensonges, du monde, de la vanité des richesses, de la fragilité des biens, de l'imminence de la mort, du Jugement dernier, du triomphe de la vertu, etc.

★ Il est un ouvrage encore plus proche de l'esprit biblique : ce sont les *Proverbes moraux* [*Proverbios morales o Consejos y documentos*] du rabbin Sem Tob (XIVe siècle), sentences en langue espagnole. Il y a au total six cent quatre-vingt-six quatrains en vers heptasyllabiques qui, pour la plupart, ne sont que des adaptations de passages empruntés à *La Bible*, au *Talmud* (*) et à divers textes arabes. Leur concision extrême les rend souvent obscurs, mais le ton laconique de certaines expressions laisse deviner une origine populaire. Le marquis de Santillana — qui s'est inspiré du livre de Sem Tob pour ses *Proverbes* — place ce savant rabbin au rang des plus célèbres troubadours espagnols. Outre celui du marquis de Santillana, nous possédons encore de nombreux recueils de proverbes tels que ceux de Fernàn Péres de Guzmán (1376 ?-

1460 ?) ; de Gòmez Manrique — v. *Conseils* (*), d'Alphonse Guajardo Fajardo, d'Alonso de Barros, de Cristóbal Pérez de Herrera et de maints auteurs anonymes dont la Bibliothèque de l'Escurial conserve les manuscrits.

PROVERBES ALLEMANDS de Franck [*Sprüchwoörter Gemeiner Tütscher Nation*]. C'est en 1532 que le théologien allemand Sebastian Franck (1499-1542/43) publia les proverbes allemands qu'il avait rassemblés au cours d'une existence des plus pittoresques. Franck caractérise ainsi le proverbe : « Une courte, sage et subtile proposition qui est la somme de toute une expérience. » Définition classique qui est moins pertinente que celle que formule le professeur hollandais Iolles : « Dans chaque proverbe on couvre le puits, mais seulement quand l'enfant s'y est noyé. » Après avoir été prêtre, Franck se convertit au luthéranisme, dont il se sépara en 1528. Il se consacra dès lors aux lettres, séjournant successivement à Nuremberg, à Strasbourg, d'où il fut chassé par les réformateurs ; à Esslingen, où il fabriqua du savon ; puis à Ulm, où il s'établit comme imprimeur. Chassé d'Ulm, il se réfugia à Bâle. Franck professait une sorte de panthéisme : Dieu est impersonnel, il devient ce que nous le faisons en nous, l'esprit n'existe pas sans la matière dont il se dégage insensiblement comme l'aurore se dégage des ténèbres et la vérité des tâtonnements. Sa spiritualité était indépendante de *La Bible*, des sacrements, des rites et cérémonies. Elle refusait toute confession de foi et toute discipline ecclésiastique. Franck rêvait d'une communion des saints en dehors des religions. Ces doctrines, extraordinairement hardies pour l'époque, furent condamnées en 1540 par le Convent de Smalkalde que présidait Mélanchthon. Franck a défendu ses idées avec érudition, finesse et verve dans des livres tels que *Paradoxa* (1534), *Guldin Arck* (1539). Ses œuvres historiques se signalent par les mêmes qualités, que ce soient *Germaniae Chronikon* (1538) ou *Chroniques, Annales et Grand livre d'histoire* [*Chronika, Zeitbuch und Geschichtbibel*], première histoire universelle, publiée à Strasbourg en 1531. Sebastian Franck eut encore le mérite de combattre le premier pour la tolérance et pour la paix en un siècle où ces notions étaient quasiment inconnues. Ce bohème de l'esprit, ce mystique révolutionnaire a quelquefois été salué comme le précurseur de la philosophie allemande moderne.

PROVERBES DRAMATIQUES. Pièces de théâtre du peintre, architecte, graveur et auteur dramatique français Carmontelle (Louis Carrogis dit, 1717-1806), publiées de 1768 à 1781. Le « lecteur du duc de Chartres » porte à son point d'achèvement ce genre né au siècle précédent à l'hôtel de Rambouillet et friand de jeux littéraires. Ses quelque deux cent vingt-six *Proverbes dramatiques* se caractérisent par leur brièveté (un acte, une à seize scènes), leur concision, voire leur sécheresse de croquis et leur aimable moralisation. Ils illustrent concrètement une vérité morale résumée dans le « mot » final laissé à la sagacité du spectateur. Il s'agit d'un genre mi-ludique, mi-littéraire, entre la pièce de circonstance d'hommage au seigneur, le canevas laissé à l'improvisation des nobles comédiens amateurs et la comédie réduite. L'intérêt de ces pochades réside dans le vaste éventail social représenté : monde des religieux, des militaires, des magistrats, des paysans, des nobles et de la petite bourgeoisie parisienne dont Carmontelle retrace avec précision le langage, les mœurs, les aspirations et la vie quotidienne. L'impression de réalité est augmentée par l'absence de types littéraires, d'intrigues complexes et de dialogues brillants. L'actualité apparaît dans les allusions aux divertissements à la mode, aux querelles artistiques, aux spectacles en vogue. Une grande attention est portée aux conditions matérielles de la représentation, ce que soulignent les indications scéniques concernant le déplacement des acteurs, les tons, les mimiques et surtout les costumes des classes populaires. Certes, on peut, comme le firent déjà quelques contemporains, reprocher à ces saynètes leur pointillisme, leur répétitivité, leur relative vacuité, leur maladresse de construction ou leur lourdeur. C'est toutefois méconnaître les conditions d'émergence de ce genre particulier. Conçu comme un divertissement éphémère, il est joué par des acteurs nobles dans la tradition du théâtre de société si fort à l'honneur en cette seconde moitié du XVIIIe siècle. Un certain nombre de caractéristiques se trouvent dès lors justifiées : l'attention portée à la représentation qui apparaît comme une fête, la prédilection pour le spectaculaire, les rôles de composition et les travestissements sociaux qui permettent un carnaval temporaire et inoffensif. La noblesse surveille l'image qu'elle renvoie d'elle-même. Les allusions culturelles, les influences littéraires avouées (essentiellement de Molière et de Marivaux), la satire impitoyable des exclus (les parvenus entre autres) constituent les limites de l'encanaillement qu'elle s'autorise dans la tradition de la parade et des défauts traditionnels qu'elle concède sur la scène d'un théâtre de société. Littérairement et sociologiquement, les *Proverbes* constituent un témoignage précieux sur les théâtres privés de la fin du siècle.

M.-E. P.-D.

PROVERBES ET CONSEILS DE SAGESSE. La littérature gnomique, qui tient de si près à la tradition orale, a été, en Mésopotamie, une des premières à se trouver couchée par écrit. Dans le plus vieux corpus littéraire connu, à l'époque de Fâra-Abu Ṣalâbîḥ, vers 2650 av. J.-C., figurent des « instructions » données par un certain

Šuruppak (en réalité le roi de la ville antique de Šuruppak) à son fils pour lui enseigner comment mener une vie réussie, tout au moins sans ennuis. Ce recueil, dont nous avons encore une cinquantaine de lignes intelligibles, on n'a cessé, dans le pays, de le recopier et de l'enrichir : il nous en reste, dans la même langue sumérienne, une présentation en près de trois cents lignes, des débuts du IIe millénaire, et, vers la fin de ce même millénaire, les fragments d'une traduction en akkadien. Les lettrés sumériens, notamment, paraissent avoir ressenti un grand faible pour les « proverbes », en entendant par là non seulement, comme nous, des vérités d'expérience, maximes et dictons, mais aussi des traits d'esprit et de finesse de toute sorte, jusqu'à de courtes fables, des devinettes et des énigmes. Les prenant sans doute souvent sur la bouche de leurs concitoyens, ils y ont ajouté de leur cru et les ont colligés et classés de diverses manières, en plus de vingt recueils, qui nous sont parvenus plus ou moins entiers. Bien qu'un tel genre littéraire ait paru perdre de sa popularité à partir du moment, au début du IIe millénaire, où l'akkadien est devenu la langue officielle et littéraire, nous avons des morceaux d'un certain nombre de ces recueils traduits (parfois avec la version sumérienne face à l'akkadienne, ligne à ligne), voire composés directement en akkadien, ou tirés d'une tradition orale akkadophone. Ils ont tous été publiés, étudiés et traduits par W. G. Lambert, ce qui n'est encore le cas que de quelques recueils en sumérien. On y trouve le reflet à la fois d'un idéal de vie fondée sur une « sagesse », sentencieuse et prudente, fort terre à terre et dont le nerf est avant tout la réussite, et d'un esprit particulier : d'un côté celui des lettrés, cherchant à briller et surprendre par leur savoir, leur astuce ; de l'autre, celui du commun des gens, avec leur attitude foncière devant la vie et les choses. D'où l'importance particulière de ces documents pour se faire une idée de la manière de voir et de vivre en accord avec l'antique civilisation mésopotamienne. – Trad. et commentaires in B. Alster, *The Instructions of Šuruppak* (Copenhague, Akademisk Forlag, 1974) ; E. I. Gordon, *Sumerian Proverbs. Glimpses of Everyday Life in Mesopotamia* (Philadelphie, The University Museum, 1959) ; W. G. Lambert, *Babylonian Wisdom Literature* (Oxford, The Clarendon Press, 1960), p. 92-117 et 212-282 ; J. J. A. van Dijk, *La Sagesse suméro-accadienne* (Leide, E. J. Brill, 1953), p. 5 ss. J. B.

PROVERBES PERSANS (Les) [*Amsal-o-hekam*]. Célèbre recueil, en quatre volumes, de proverbes, dictons, paraboles et aphorismes que Ali Akbar Dehḫodā (1879-1956), journaliste, poète et lexicographe iranien de langue persane, publia en 1931. Pour ce faire, Ali Akbar Dehḫodā a puisé dans les trésors de la littérature classique persane. Dehḫodā avait collaboré, au début de sa carrière littéraire, à l'hebdomadaire politique *Sur-e-Esrafil* (*) et à son supplément satirico-littéraire *Bribes* [*Čarand-parand*], publiant des textes en prose et des vers inédits. Dans la dernière période de sa vie il s'était surtout consacré à l'*Encyclopédie persane* (*).

PROVIDENCE (De la) [*De providentia*]. Le premier des *Dialogues* (*) de l'écrivain latin Sénèque (1 ? av. J.-C. – 65 ap. J.-C.). Cet écrit n'a pas le caractère théologique auquel pourrait faire penser son titre. L'auteur n'y considère que le côté négatif de la providence, c'est-à-dire le malheur. Celui-ci, bien qu'envoyé par Dieu aux hommes, est certainement déterminé par sa sagesse et sa bonté infinies, qu'Il exerce partout et par tous les moyens. Le problème des rapports existant entre le libre arbitre et la divine providence n'y est point traité. La providence y est directement considérée comme un des attributs divins, l'auteur se refusant à concevoir Dieu autrement qu'agissant directement, par sa prescience et par sa toute-puissance, sur l'humanité. Étant donné que celle-ci est plutôt attristée par les malheurs qu'égayée par le bonheur, la providence se manifeste donc essentiellement à l'homme sous sa forme négative. Le fatalisme mystique découlant d'une pareille conception se transforme d'une manière plutôt imprévue en un optimisme fidéiste : les malheurs que Dieu nous envoie sont une preuve de son amour pour nous, et le moyen qu'Il nous offre pour renforcer notre vertu. Le bien naît de la lutte et nous devons accepter l'adversité avec patience. Les malheurs sont une nécessité du sort et seul le sot peut se plaindre de ce qui n'est qu'une loi universelle. – Trad. Les Belles Lettres, 1945.

PROVIDENCE DIVINE (La) [*Ad illustrissimum Cattorum Principem Philippum, sermonis de Providentia Dei anamnema*]. Ouvrage du réformateur suisse Zwingli (Huldrych Zwingli, 1484-1531), écrit en 1530, sur la requête du landgrave Philippe de Hesse, à la suite d'un sermon qu'il avait prononcé à Marbourg à l'occasion du célèbre colloque avec Luther à propos de la présence réelle dans l'Eucharistie (1529). L'œuvre est brève ; mais elle est l'une des expressions les plus originales de la pensée de cet humaniste platonicien et chrétien et l'une des œuvres théoriques les plus hardies de la Réforme. Elle comprend sept chapitres et un épilogue. La nécessité de la Providence consiste en ce que Dieu est le souverain bien ; non dans le sens qu'Il dépasse en bonté tous les autres biens, comme l'or surpasse l'argent, mais dans le sens que Lui seul est bon par nature, alors que les autres biens ne sont tels qu'en fonction de ce bien, provenant de ce bien, « dans » ce bien et « à la gloire » de ce bien. Le bien suprême est aussi la vérité suprême, la suprême sagesse, la suprême puissance : c'est pourquoi il est l'unique cause de tout ce qui arrive. L'homme est la plus admirable de ses œuvres : point de rencontre de deux mondes, le spirituel et le matériel, créé pour vivre en communion avec Dieu et pour se rendre maître de tout l'univers. Mais sa double nature, matérielle et spirituelle, est la cause de luttes intérieures. C'est pourquoi Dieu lui a imposé sa loi et lui a fait connaître sa volonté. « La loi est lumière, elle est esprit, intelligence et volonté de Dieu. » Néanmoins, l'homme est déchu. Et Dieu, cause unique et omnisciente, a su et voulu cette chute. Pourquoi ? Zwingli répond intrépidement : elle était nécessaire, pour que pût se manifester la justice qui, « sans son contraire, eût été obscure et ignoble ». Mais Dieu, en permettant la chute, ne fait rien d'injuste : Dieu n'est pas soumis à la loi qu'Il a donnée aux hommes, Il est volonté absolue et libre. Il y a plus : si Dieu, de toute éternité, a voulu la création et la chute, Il a voulu aussi la rédemption et ceci est confirmé par la doctrine apostolique de l'élection. L'élection est le libre décret de Dieu vis-à-vis de ceux qui doivent être saints. Le signe de l'élection est la foi qui est la disposition ferme et essentielle de l'âme par laquelle elle est portée vers Dieu en qui elle espère infailliblement. Elle est le don de Dieu à ceux qui sont élus et appelés à la vie éternelle ; de sorte qu'on ne peut dire que les pécheurs reçoivent la grâce en vertu de leur foi, puisque la foi elle-même est un don. La pensée de la prédestination, comme celle de la Providence divine grâce à laquelle rien n'arrive par hasard, mais tout coopère au bien des élus — même leurs péchés involontaires — doit amener les fidèles à élever leur âme au-dessus des biens et des maux transitoires jusqu'au bien suprême en lequel elle trouvera son repos. Tel est le contenu de ce livre dont il faut remarquer le ton lyrique qu'il emprunte pour exalter Dieu, mais qui, en même temps, accueille et renferme des éléments très disparates tels qu'un certain panthéisme, une audacieuse conception dialectique du bien et du mal et surtout une attitude conciliante vis-à-vis de la philosophie. C'est ainsi qu'après quelques citations de Sénèque et de saint Paul, Zwingli parle de ceux-ci comme d'« oracles divins », ajoutant en effet que « tout ce qui est vrai, saint, infaillible, est divin ; car Dieu seul est vrai ; c'est pourquoi celui qui dit la vérité parle de Dieu... J'ose donc appeler divin ce que nous avons reçu des Gentils, si cela est saint, religieux, indiscutable ». Cette attitude libérale différencie Zwingli de Luther et des autres réformateurs et le rapproche d'Érasme.

PROVINCIALE (La) [*The Country Wife*]. Comédie en cinq actes en prose du dramaturge anglais William Wycherley (1640-1716), représentée en 1674 avec beaucoup de succès. On peut rapprocher cette pièce de *L'École des femmes* (*) de Molière, bien que l'esprit caustique de l'auteur la rende fortement personnelle et originale même dans ce qu'elle a de plus cru. Le type de Horner s'inspire de *L'Eunuque* (*) de Térence. Un critique sévère, l'historien Macaulay (1800-1859), considère cette œuvre « au-dessous de la critique ». Au contraire, le célèbre acteur David Garrick, le roi de la scène anglaise au XVIIIe siècle, l'admirait fort et en fit une adaptation plus conforme au goût de ses contemporains, prenant certaines libertés avec le texte. Après un long séjour à Paris, Horner, célèbre libertin londonien, fait répandre le bruit que désormais sa vie d'homme est terminée et que les belles femmes, et d'autant plus les maris, n'ont plus rien à craindre de lui. C'est un stratagème qui lui permettra de s'assurer, sans être soupçonné, les complicités des femmes qui lui plaisent et de ridiculiser les maris qui lui font confiance. Le premier de tous est sir Jaspar Fidget, qui l'introduit auprès de sa femme, et en est dignement payé de retour. Mais l'impénitent Horner n'est jamais satisfait : il a également jeté les yeux sur la femme de Pinchwife qui depuis peu s'est marié pour se reposer d'une vie adonnée au vice et à la débauche, et qui croit qu'il peut être tranquille, car sa femme est une nigaude qui ignore jusqu'à l'existence du mal. Mais il a tort, surtout dans les méthodes qu'il emploie envers elle, car lui-même a décidé de lui révéler, pour son bien, les hypocrisies de la ville. Le reste de cette étrange éducation est confié à une petite servante, du nom de Lucy, dont l'esprit malicieux est toujours en train de machiner tromperies et mensonges. À la suite de scènes fort amusantes mais passablement grossières, on arrive à l'épilogue inévitable. Horner fait sa cour à cette femme de province, qui tombe dans ses filets et se rend chez lui, décidée à abandonner son mari. Mais notre séducteur ne l'entend pas ainsi : il lui suffit d'avoir atteint son but. C'est pourquoi il arrive, par des manœuvres sournoises, à la faire reprendre par son mari qui croit, ou fait semblant de croire, que la faute n'a pas été consommée. Maints personnages secondaires donnent vie à la scène et restituent brillamment le milieu du XVIIe siècle, milieu frivole et moqueur, dont Wycherley dénonce joyeusement l'immoralité.

PROVINCIALES de Giraudoux. Première œuvre de l'écrivain français Jean Giraudoux (1882-1944), publiée en 1909. Tout entier pénétré par la jeunesse et l'enfance limousine de l'auteur, ce recueil comprend soit des nouvelles (« Sainte Estelle », « La Pharmacienne », « Petit Duc »), soit de courts récits, soit de simples suites d'émotions familières, mais intensément vécues (« De ma fenêtre », « Nostalgie », « À l'amour, à l'amitié », « Printemps »). L'art de l'auteur est celui d'un poète plus que d'un romancier : il ne se révèle point dans l'intrigue, qui reste le plus souvent sans importance, mais dans l'évocation de la nature, dans l'incessante et magique transposition du monde extérieur en monde poétique. Usant sans excès des mythes et des métaphores, Giraudoux introduisait l'impressionnisme dans le roman français. *Provinciales* marque aussi une étape dans le retour à la sensibilité des choses familières : « La Pharmacienne », par exemple, se contentait de dire l'amour d'un agent voyer dans l'atmosphère paisible d'une petite ville. Dans « Sainte Estelle », c'est la mésaventure d'une bonne qui a vu la Vierge et dont on veut faire une sainte. Mais Estelle n'est pas du nombre des élues chères au cœur de Giraudoux : « Elle ne sera jamais dans le calme, nature des élus, et elle se heurte à toute sérénité comme une mouche à une vitre. » L'indifférence au monde, tel est le bonheur de la convalescence qu'éprouve profondément le petit garçon de l'évocation intitulée : « De ma fenêtre ». Dans la rue, il voit passer la vie, il l'observe, il en reçoit les impressions, mais sans qu'elles viennent troubler le doux flottement de sa vie intérieure. Et bientôt, c'est le « Printemps », l'hymne au renouvellement du monde, où l'âme est comblée par le seul regard, restant sans désir, baignée par la transparence de la lumière : « C'était le printemps, frère de l'été. Vous n'auriez pas su distinguer le blé du gazon, ni l'amitié de l'amour... » Ces deux sentiments, Giraudoux se refuse à les séparer. Mais il sait aussi bien trouver une autre figure du bonheur des élus dans la nostalgie, sorte de voile qui rend plus lointain, moins brûlant, le cours ordinaire de la vie. En dépit d'une certaine mièvrerie. Giraudoux créait vraiment une sensibilité nouvelle, plus proche de la vie réelle que celle du *Grand Meaulnes* (*) d'Alain-Fournier, mais aussi sensible aux moindres frissonnements des existences banales et quotidiennes de la province.

PROVINCIALES (Les) de Pascal. C'est sous ce titre abrégé qu'on désigne la seule grande œuvre théologique de Blaise Pascal (1623-1662), savant, penseur et écrivain français, qui ait paru de son vivant ; en effet, les *Pensées* (*), inachevées, ne furent publiées qu'après sa mort. *Les Provinciales*, que les contemporains de Pascal appelaient *Les Petites Lettres*, comprennent dix-huit lettres, dont les dix premières portent la suscription : *Lettre écrite à un provincial par un de ses amis*, et dont les dernières portent des titres divers ; de ces lettres anonymes, et imprimées au fur et à mesure de leur composition en plaquettes in-4° de huit à douze pages du 23 janvier 1656 au 24 mars 1657, on fit plusieurs tirages, simultanés ou successifs. Elles furent ensuite réunies en un recueil que précédait un avertissement, rédigé probablement par Nicole. En 1657 parurent deux éditions in-12 sous le titre : *Les Provinciales ou les Lettres écrites par Louis de Montalte à un provincial de ses amis et aux RR. PP. Jésuites : sur le sujet de la morale et de la politique de ces Pères* (À Cologne, chez Pierre de la Vallée). En fait, ces deux éditions sortaient des presses des Elzevier, à Amsterdam. Une traduction latine de Nicole, avec un grand appareil de notes et de références, parut à Cologne, chez Nicolas Schouten en 1658. Mais de même que Pascal s'était caché sous le pseudonyme de Louis de Montalte (de Mons Altus, Clermont-Ferrand, sa ville natale), Nicole signe sa traduction : Guillaume Wendrocke. Enfin, en 1659, paraissait une troisième édition française en trois volumes in-8°, à Cologne, chez Nicolas Schouten. Ces deux éditions, comme les premières, sortaient probablement de l'imprimerie des Elzevier. Il y a entre ces quatre éditions quelques variantes ; comme celle de 1659 est la dernière édition revue par Pascal, c'est son texte qui est généralement adopté. En 1656, Pascal a depuis plus d'un an définitivement choisi sa voie. Depuis la fameuse nuit du 23 novembre 1654, dont le souvenir nous est conservé par le *Mémorial* — v. *Opuscules* (*) de Pascal —, il a trouvé. En janvier 1655, il entre à Port-Royal. De cette époque, où Pascal apporte aux « Solitaires », avec son génie, une culture toute profane, nourrie des philosophes plus que des théologiens, nous avons un témoignage dans l'*Entretien avec M. de Sacy* — v. *Opuscules*. Mais un an plus tard, c'est justement de cet esprit tout laïque, qui sait parler au « monde », l'émouvoir et le convaincre, qui peut exposer à un très vaste public des problèmes qui ne semblaient par leur nature qu'une affaire de spécialistes, que profiteront ces messieurs de Port-Royal. La pieuse communauté avait justement besoin d'un défenseur qui pût s'adresser au monde et le faire juge de sa cause. En 1655, le duc de Liancourt, très connu par sa piété sincère, se présenta à la confession à Saint-Sulpice, sa paroisse. Le prêtre qui reçut sa confession refusa de lui donner l'absolution à cause des attaches qu'avait Liancourt avec Port-Royal. Cette affaire fit grand bruit et on pria Arnauld de rédiger une lettre publique pour montrer l'irrégularité de la conduite de ce prêtre. La lettre parut, en février 1655, sous le titre de *Lettre d'un docteur de Sorbonne à une personne de condition.* Non seulement Arnauld y soutenait la cause du duc de Liancourt, mais surtout il s'efforçait d'y ruiner les raisons que donnaient les ennemis de Port-Royal pour tenter d'exclure ce mouvement de l'Église. Cette première lettre ayant été attaquée par un grand nombre de pamphlets injurieux, Arnauld publia en juillet sa *Lettre d'un docteur de Sorbonne à un duc et pair de France*, adressée au duc de Luynes. Dans celle-ci, il reprenait la distinction du fait et du droit, il affirmait que les cinq propositions tirées de l'*Augustinus* (*) de Jansénius, et récemment condamnées à Rome (1653), n'étaient pas dans Jansénius, et, sur la question de droit, soutenait que la grâce avait manqué à un juste en la personne de saint Pierre (lors de son reniement). De cette argumentation, on tira deux propositions, l'une de fait et l'autre de droit, et on déféra Arnauld en Sorbonne (faculté de théologie) en décembre 1655. Le 14 janvier, Arnauld fut condamné sur la question de fait et le 29 janvier sur la question de droit. Les deux propositions avaient été censurées par une assemblée irrégulièrement constituée ; plus de quarante docteurs des ordres mendiants, au lieu des huit qui avaient droit d'y assister, limitation du temps laissé à chacun pour intervenir, présence du chancelier Séguier. Mais, sur l'opinion publique, une semblable condamnation ne pouvait avoir que les plus graves effets ; la plupart des gens, incapables d'entrer dans de semblables subtilités théologiques, devaient penser qu'Arnauld et donc Port-Royal étaient condamnés sur des questions beaucoup plus importantes et qu'ils étaient, ou peu s'en faut, hérétiques. C'est pourquoi les amis d'Arnauld le prièrent de répondre : il composa un écrit dont il leur donna lecture. La réponse ne les satisfit pas. Arnauld se serait alors tourné vers Pascal, qui était jeune, qui connaissait mieux que lui les réactions du public et le moyen de l'atteindre, et l'aurait prié de répondre à sa place. Pascal promit d'ébaucher un projet ; mais celui-ci fut trouvé si excellent que, une fois revu par Arnauld et Nicole, on le publia clandestinement le 23 janvier 1656, c'est-à-dire entre la première et la seconde censure d'Arnauld.

Cette *Lettre écrite à un provincial par un de ses amis sur le sujet des disputes présentes de la Sorbonne* eut immédiatement un succès prodigieux. Pascal y raille la Sorbonne : on s'imagine que le sujet des « disputes » auxquelles se livre une aussi docte assemblée est de grande conséquence pour la foi ; on s'abuse, et les affaires présentes nous tirent de notre erreur. Dans le débat relatif à Arnauld, il y a une question de fait et une question de droit. Voilà à quoi elles se réduisent en définitive : la question de fait est insignifiante, et l'auteur « ne s'en met guère en peine ». Arnauld prétend n'avoir point trouvé dans l'*Augustinus* les cinq propositions condamnées par le pape, tout en les condamnant lui-même « en quelque lieu qu'elles se rencontrent ». Ses adversaires, qui refusent d'ailleurs de montrer les fameuses propositions dans le livre de Jansénius, censurent Arnauld « sans vouloir examiner si ce qu'il dit est vrai ou faux ». Pascal ne s'attarde pas à ces choses, « puisqu'il ne s'y agit point de foi ». Mais la question de droit, qui « semble bien plus considérable », est — quand on a pris soin de l'examiner — « aussi peu importante que la première ». Le correspondant du provincial, pour s'éclairer sur le fond du débat, multiplie ses visites à un docteur de Navarre, « zélé contre les jansénistes » ; à un ami de Port-Royal, « pourtant fort bon homme » ; à un disciple de Le Moine, et à d'excellents pères jacobins. Le résultat de toutes ces conversations est celui-ci : Arnauld croit avec les docteurs de Sorbonne « que les justes ont le pouvoir d'accomplir toujours les commandements », mais il nie que ce pouvoir soit « prochain ». C'est ce mot que ses adversaires réprouvent, encore ne peuvent-ils le définir ni l'expliquer. Il s'agit donc d'une querelle de mot, ou plutôt il s'agit d'une querelle de personnes. Ces docteurs admettraient bien la proposition d'Arnauld, pourvu qu'elle vienne d'un autre que lui. Ce qui est clair dans tout ceci, c'est qu'on cherche noise à Port-Royal et que tous les prétextes sont bons.

Cependant les docteurs de Sorbonne continuaient d'opiner sur la question de droit. Le 29 janvier, ils prononcent la censure. Le même jour, Pascal, installé en face du collège de Clermont, avec tous les documents d'Arnauld, achevait sa seconde *Provinciale*, la faisait revoir par Nicole, imprimer chez Le Petit et publier le 5 février. L'effet produit fut tout aussi vif que pour la première ; les autorités s'émurent, le chancelier fit arrêter un libraire. Mais, sept jours plus tard, paraissait la troisième *Provinciale*. Dans la seconde *Provinciale*, Pascal examine le second point en débat : la « grâce suffisante ». « Les Jésuites prétendent qu'il y a une grâce donnée généralement à tous les hommes, soumise de telle sorte au libre arbitre, qu'il la rend efficace ou inefficace à son choix, sans aucun nouveau secours de Dieu, et sans qu'il manque rien de sa part pour agir effectivement ; ce qui fait qu'ils l'appellent suffisante parce qu'elle seule suffit pour agir. Et les jansénistes, au contraire, veulent qu'il n'y ait aucune grâce actuellement suffisante qui ne soit aussi efficace, c'est-à-dire que toutes celles qui ne déterminent point la volonté à agir effectivement sont insuffisantes, parce qu'ils disent qu'on n'agit jamais sans " grâce efficace ". Voilà leur différend. » Pascal a ensuite beau jeu de démontrer que les tenants de la « grâce suffisante » ne s'entendent pas entre eux sur ce terme et que jésuites et thomistes (c'est-à-dire dominicains) ne se sont mis d'accord que pour des raisons politiques. En fait, pour un esprit indépendant, il est de toute nécessité ou d'être hérétique, ou d'être « extravagant », ou d'être janséniste. La seconde *Provinciale* fut suivie d'une *Réponse du provincial* aux deux premières lettres de son ami, datée du 2 février 1656, dans laquelle le correspondant supposé de Pascal lui donnait quelque idée de l'accueil reçu par ses lettres. La troisième *Provinciale* s'attaque directement à la censure prononcée contre Arnauld ; celle-ci est injuste, absurde et nulle. Que lui reproche-t-on, puisque la proposition qu'il avance est tirée de l'Évangile, et qu'elle est appuyée par les Pères de l'Église ?

Avec la quatrième *Provinciale*, parue le 25 février, Pascal quitte le sujet de la condamnation d'Arnauld et la défensive pour l'offensive ; peut-être à l'instigation de Méré et du père Hilarin, il s'en prend directement aux jésuites et à leur morale relâchée. Il s'agit pour lui de ruiner cette doctrine des molinistes : « Une action ne peut être imputée à péché si Dieu ne nous donne, avant que de la commettre, la connaissance du mal qui y est. » Notre responsabilité ne se limite pas aux actes volontaires, à ceux pour lesquels nous avons une entière connaissance de leur valeur morale, sinon il suffirait de ne pas penser à Dieu pour ne jamais commettre de péché. Non seulement le simple bon sens condamne une pareille proposition, mais l'Église s'y est toujours opposée avec la dernière énergie. Avec la quatrième *Provinciale* commence cette série de visites aux RR. PP., visites pour lesquelles Pascal se fait d'abord accompagner d'un ami janséniste, ce qui lui permet de jouer le rôle d'arbitre impartial. Cette série de visites est la part la meilleure des *Provinciales*, la plus vive, la plus amusante, celle qui n'a pas vieilli. Apprenant, de la bouche du jésuite « des plus habile » auquel il s'adresse pour s'informer, qu'il ne peut y avoir de faute sans pleine connaissance, Pascal, « fort étonné d'un tel discours », exige de « bonnes preuves ». Le bon père s'absente et revient « tout chargé de livres ». Il y a là les œuvres du père Annat, celles de père Le Moine et surtout *La Somme des péchés* du père Bauny. Avec une admiration béate et naïve, le bon père signale à ses interlocuteurs les passages où est soutenue son opinion, il triomphe. Mais pour peu de temps ! Pascal et son compère lui démontrent, à l'aide des passages cités, que le meilleur parti est de ne jamais songer à Dieu, puisqu'ainsi on ne péchera pas. Pascal feint de s'émerveiller de ce résultat : la bonne affaire pour les pécheurs « endurcis », « pleins et achevés ! ». « La bonne voie pour être bien heureux en ce monde et dans l'autre ! » Un peu surpris des conséquences de son « principe indubitable », le jésuite essaie de résister et fait quelques concessions. Mais on le presse, on l'accable de citations de l'Évangile et des Pères. Fort opportunément, « comme il pensait à ce qu'il devait dire, on vint l'avertir que Mme la maréchale de ... et Mme la marquise de ... le demandaient. Et ainsi, en nous quittant à la hâte : "J'en parlerai, dit-il, à nos pères ; ils y trouveront bien quelque réponse. Nous en avons ici de bien subtils !" » Et c'est sur cette sortie bouffonne que s'achève la quatrième *Provinciale*.

Feignant d'être fort surpris de l'attitude des jésuites, Pascal se fait expliquer (dans la cinquième *Provinciale*, 20 mars 1656), par son « fidèle janséniste », leur doctrine des « opinions probables » : dans un cas douteux, il suffit d'avoir pour soi l'autorité d'un seul docteur pour que votre opinion soit « probable », c'est-à-dire soit digne d'être approuvée. Telle est, lui explique son ami, la doctrine des casuistes, et la plupart des jésuites le sont ; c'est avec des principes aussi accommodants qu'ils parviennent à se répandre dans le monde, puisqu'ils trouvent ainsi le moyen d'excuser à peu près tous les pécheurs, de rassurer les chrétiens les plus tièdes sur leur salut. Pour constater par lui-même les effets de cette doctrine, Pascal va trouver un jésuite de sa connaissance et feint de ne pouvoir supporter le jeûne. Aussitôt, le bon père lui trouve, dans les œuvres des casuistes, toutes sortes d'excuses qui peuvent parfaitement s'appliquer à son cas. On aboutit ainsi à des propositions stupéfiantes du genre : « Celui qui s'est fatigué à quelque chose, comme à poursuivre une fille, est-il obligé de jeûner ? Nullement. » Pascal s'étonne de ces nouveautés si peu en accord avec les principes de l'Église. Le père lui explique que les Pères de l'Église, excellents sans doute de leur temps, ne sont plus au goût du jour ; c'est bien leurs principes qu'on utilise toujours dans la spéculation, mais, pour la pratique, il faut recourir aux casuistes, mieux informés des besoins du temps. Avec la sixième *Provinciale*, du 10 avril 1656, Pascal poursuit son instruction sur différents points de la morale des jésuites ; sous la direction du père qui répond à ses questions, il passe en revue les cas des prêtres et des bénéficiers : à coups de citations, son interlocuteur lui démontre qu'on peut trouver des excuses à la simonie, être délié du vœu d'obéissance ; de même pour les domestiques, on peut facilement trouver quelque échappatoire aux mauvaises actions qu'ils peuvent commettre.

La septième *Provinciale* (25 avril 1656) est d'une extrême importance. Poursuivant — toujours sous la conduite du jésuite — l'examen de la morale des casuistes, Pascal en vient à la « direction d'intention », grâce à laquelle on peut « corriger le vice par la pureté de la fin ». Il en vient tout de suite aux conséquences : selon les casuistes, le duel est permis : « Car quel mal y a-t-il d'aller dans un champ, de s'y promener en attendant un homme, et de se défendre si on l'y vient attaquer ? » On peut sans péché tuer un homme pour un soufflet, moins, pour des paroles ou pour des signes ; on peut tuer pour un vol, pourvu que « la chose volée soit de grand prix au jugement d'un homme prudent ». Cet examen se poursuit pendant les Lettres VIII, du 28 mai 1656, IX du 3 juillet 1656, et X du 2 août 1656 ; dans les livres de casuistes, Pascal découvre des excuses pour tous les vices : l'usure, le faux serment (pourvu qu'on ait pris la précaution de faire une « restriction mentale »), la vénalité. Pascal en vient alors à la satisfaction outrecuidante, que manifestent les casuistes, d'avoir rendu la voie du ciel tout aisée, « d'ouvrir le paradis » à tous. La dixième *Provinciale* est une attaque en règle ; cette fois l'auteur abandonne le ton ironique et le dialogue comique ; c'est en son propre nom qu'il parle, et sur le ton de l'indignation la plus éloquente. C'est qu'il en vient à la politique des RR. PP., grâce à laquelle « la confession [est maintenant] aussi aisée qu'elle était difficile autrefois », et, l'attrition — c'est-à-dire le regret de ses fautes fondé sur la seule peur du châtiment — étant seule nécessaire, il n'est pas indispensable d'aimer Dieu pour s'en faire absoudre. On va ainsi jusqu'au blasphème, jusqu'au « comble de l'impiété. Le prix du sang de Jésus-Christ sera de nous obtenir dispense de l'aimer ! Avant l'Incarnation, on était obligé d'aimer Dieu ; mais depuis que Dieu a tant aimé le monde, qu'il lui a donné son Fils unique, le monde, racheté par Lui, sera déchargé de l'aimer ! [...] Voilà le mystère d'iniquité accompli ». C'est sur ces paroles violentes que Pascal quitte son jésuite. Il en sait assez maintenant.

La nouvelle série de lettres, qui commence avec la onzième *Lettre écrite par l'auteur des Lettres au provincial aux révérends pères jésuites*, du 18 août 1656, est d'un ton tout différent. Pascal maintenant s'attaque personnellement aux ennemis de Port-Royal et, pour commencer, il répond aux attaques qu'ils avaient lancées contre lui pour se défendre. La grande accusation des jésuites est que l'auteur des *Provinciales* « a tourné les choses saintes en raillerie ». Pascal réplique : « En vérité, mes pères, il y a bien de la différence entre rire de la religion et rire de ceux qui la profanent par leurs opinions extravagantes. Ce serait une impiété de manquer de respect pour les vérités que l'esprit de Dieu a révélées ; mais ce serait une autre impiété de manquer de mépris pour les faussetés que l'esprit de l'homme leur oppose. » Pascal s'appuie ensuite sur l'approbation décisive des Pères de l'Église et il n'a pas de peine à donner un choix fort savoureux des billevesées écrites par les RR. PP. Il s'en prend en particulier à un malheureux poète de l'Ordre qui a commis un « Éloge de la pudeur », où il est montré que « toutes les belles choses sont rouges, ou sujettes à rougir ». Avec la douzième lettre qui porte la même suscription que la précédente et qui est du 9 septembre 1656, Pascal s'en prend – pour répondre à ses adversaires qui le traitent maintenant d'« impie, bouffon, ignorant, farceur, imposteur, calomniateur, fourbe, hérétique, calviniste déguisé, disciple de Du Moulin, possédé d'une légion de diables » – aux impostures des bons pères, en particulier sur les chapitres de l'aumône et de la simonie. Mais Pascal ne se contente pas de faire rire le public aux dépens des jésuites. Avec la treizième *Lettre* du 30 septembre 1656, il en arrive à l'indignation la plus vive. Cette treizième *Provinciale* est le libelle le plus violent et le plus éloquent de Pascal. La quatrième imposture dont le chargent les jésuites l'a vivement touché. On l'accuse d'avoir attribué faussement à Lessius une maxime concernant le meurtre et d'avoir dénaturé la pensée de ce théologien. Le casuiste ayant écrit : « Celui qui a reçu un soufflet peut poursuivre à l'heure même son ennemi, et même à coups d'épée, non pas pour se venger, mais pour réparer son honneur », on reproche à Pascal d'avoir supprimé le correctif : « J'en condamne la pratique. » Notre auteur réplique que ce correctif ne s'applique pas à cette proposition, mais à l'article suivant : « Savoir si on peut tuer pour des médisances. » Non seulement il n'a pas falsifié le texte de Lessius, mais il peut citer nombre d'autres textes où le meurtre est permis, même dans des circonstances plus extravagantes, telle la proposition « qu'il est permis à un religieux de défendre l'honneur qu'il a acquis par sa vertu, même en tuant celui qui attaque sa réputation ». Ceux qui soutiennent qu'il a falsifié le texte de Lessius font « une chose honteuse » qu'il entend flétrir avec la dernière énergie. Pascal attaque ensuite la distinction établie par les jésuites entre la « spéculation » et la « pratique ». Désireux de se gagner les gens du monde, ils ont autorisé le péché dans tous les cas « où la religion seule était intéressée ». Leur embarras est plus grand lorsqu'ils se trouvent en présence d'un cas « où l'État a intérêt aussi bien que la religion » ; une affaire d'usure ou d'homicide, par exemple. « Hardis contre Dieu », ils sont « timides envers les hommes ». Alors que font-ils ? « Spéculativement », ils autorisent la chose, parce qu'ils ne violent sur ce terrain que la loi divine ; « pratiquement », ils l'interdisent parce qu'ils redoutent la loi humaine et craignent de se brouiller avec les magistrats. Pascal s'attache à démontrer que le passage de la spéculation à la pratique est fort aisé, qu'il s'opère d'une façon insensible, et qu'il est bien facilité par la doctrine des « opinions probables ». Plus il avance, plus il s'émeut et s'indigne, jusqu'au moment où il appelle sur les casuistes la colère de Dieu : « Puisque votre probabilité rend les bons sentiments de quelques-uns de vos auteurs inutiles à l'Église, et utiles seulement à votre politique, ils ne servent qu'à nous montrer par leur contrariété la duplicité de votre cœur. » Le but de cette « contrariété » est « d'offrir deux chemins aux hommes, en détruisant la simplicité de l'esprit de Dieu, qui maudit ceux qui sont doubles de cœur, et qui se préparent deux voies ». Cette question est si grave que Pascal y revient dans la quatorzième *Provinciale* du 23 octobre 1656, opposant la doctrine constante des Pères de l'Église aux élucubrations des Henriquez, des Lessius et des Escobar. Ces deux *Lettres* sont, de toutes, les plus violentes, les plus terribles, que Pascal ait écrites. Il attaque ses adversaires de face, sur le fond même du problème qu'il n'avait encore qu'effleuré jusqu'ici ; il rassemble toutes ses attaques, tous ses arguments, c'est au nom de Dieu, de la parole de Dieu telle qu'elle nous a été transmise, qu'il parle et qu'il condamne.

Les deux *Lettres* suivantes (XV du 25 novembre et XVI du 4 décembre 1656), également adressées aux RR. PP. jésuites, les accusent de préférer à toutes les armes la calomnie. Leurs casuistes tentent d'ailleurs d'atténuer l'importance de cette calomnie ; ils écrivent, par exemple, que « ce n'est qu'un péché véniel de calomnier et d'imposer de faux crimes pour ruiner de créance ceux qui parlent mal de nous ». Puis le polémiste cite un certain nombre de cas fort précis où les jésuites n'ont pas reculé devant la calomnie ; il cite également un certain nombre de faux issus de la Compagnie, comme la *Lettre d'un ministre à M. Arnauld*, destinée à faire croire que le traité de la *Fréquente communion* (*) « avait été fait par une intelligence secrète avec les ministres de Charenton », c'est-à-dire avec les protestants. Dans la seizième *Provinciale*, Pascal se dévoile en partie, en accusant les jésuites d'avoir répandu toutes sortes de mensonges sur les « Solitaires » de Port-Royal ; il prétend toutefois qu'il n'est pas, lui, un homme de Port-Royal, mais que l'absurdité des calomnies répandues, en particulier dans le livre d'un jésuite, intitulé : *Le Port-Royal et Genève d'intelligence contre le Très Saint Sacrement de l'Autel*, l'oblige, lui « qui n'a point de part à l'injure », à la relever. Il n'a aucune peine à démontrer que ces accusations sont absurdes, puisque les religieuses de Port-Royal ont pris le nom de Filles du Saint-Sacrement et que le « principal objet de leur piété est ce Sacrement qu'elles auraient en abomination ». Toute la lettre est consacrée à démontrer l'orthodoxie de Jansénius, de Saint-Cyran et d'Arnauld, qui sont dans la vraie tradition de l'Église, si peu respectée par les jésuites.

Les deux dernières *Provinciales*, datées respectivement du 23 janvier 1657 et du 24 mars 1657, sont adressées au R.P. Annat, jésuite. Elles revêtent un tour plus directement personnel. Le père Annat, auteur des réponses aux *Lettres provinciales*, accuse Pascal d'être hérétique. Son raisonnement est le suivant : celui qui écrit les *Lettres* est de Port-Royal ; Port-Royal est déclaré hérétique ; donc celui qui écrit ces *Lettres* est hérétique. Mais Pascal a dit qu'il n'était pas de Port-Royal, cette affirmation suffirait pour sa défense. Comment le père Annat pourrait-il l'attaquer, puisqu'il déclare : « Je n'ai d'attache sur la terre que la seule Église catholique, apostolique et romaine, dans laquelle je veux vivre et mourir, et dans la communion avec le pape son souverain chef, hors de laquelle je suis très persuadé qu'il n'y a point de salut. » Et Pascal de revenir au point de départ des *Provinciales :* la condamnation des cinq propositions de Jansénius par le pape ; il soulève de nouveau la question de fait : si les cinq propositions ne sont pas dans Jansénius, peut-on dire que sa doctrine soit hérétique ? La dix-huitième *Lettre* est sur ce même sujet : la prétendue hérésie de Port-Royal. On rapproche Port-Royal de Calvin : ceci est une prétention insoutenable, si on prend la peine d'examiner d'un peu près les deux doctrines sur la grâce ; celle de Port-Royal est exactement conforme à la tradition de l'Église. « Dira-t-on alors que, encore qu'ils ne suivent pas [les port-royalistes] le sens de Calvin, ils sont néanmoins hérétiques parce qu'ils ne veulent pas reconnaître que le sens de Jansénius est le même que celui de Calvin ? » Qu'on ait obtenu une condamnation du pape, qu'est-ce que cela prouve ? On a bien arraché au pape Léon IX un décret solennel déclarant que le corps de saint Denis avait été transporté dans une abbaye de Ratisbonne, alors qu'il était toujours resté à l'abbaye qui porte son nom, près de Paris ; les jésuites ont obtenu ce fameux décret contre Galilée, qui condamnait son opinion touchant le mouvement de la Terre : « Est-ce que cela prouve qu'elle reste en repos ? » Voici des questions de fait, et la seule manière de savoir si Jansénius est hérétique est de se reporter au texte de son livre et de vérifier si les cinq propositions y figurent, ce qui n'est pas.

Mais entre la dix-septième et la dix-huitième *Provinciale* est survenu un événement nouveau. Déjà, le 16 octobre 1656, le pape Alexandre VII avait confirmé la censure des cinq propositions ; le 9 février 1657, le parlement de Provence condamna *Les Provinciales*, devançant de quelques mois la condamnation de l'Index. Malgré ces mesures, Pascal avait eu, au moins moralement, gain de cause. Sur les conseils de ses amis, il décide d'arrêter là les *Provinciales*. Cependant, en avril 1657, il ébauche encore la dix-neuvième *Provinciale* qu'il ne devait pas achever. Dans le fragment qui nous est parvenu, il décrit exactement l'affliction dans laquelle l'affaire de la signature du formulaire portant condamnation des cinq propositions plonge les gens de Port-Royal ; c'est une affliction sans abattement, respectueuse de l'autorité ecclésiastique, remplie d'amour pour la paix. Et telle est maintenant l'attitude de Pascal : il préfère la paix à la controverse ; Dieu se chargera bien de faire triompher la vérité.

Le rôle de Pascal, qu'il le veuille ou non, n'est cependant pas tout à fait terminé. Tandis qu'à la suite de la nouvelle condamnation des cinq propositions l'assemblée du clergé rédigeait un second formulaire à souscrire par les membres du clergé paraissait la *Lettre d'un avocat au Parlement à un de ses amis touchant l'inquisition qu'on veut établir en France à l'occasion de la nouvelle bulle du pape Alexandre VII.* On crut y reconnaître la main de Pascal. Il semblerait en fait qu'elle soit due à la plume d'Antoine Le Maistre, utilisant des notes de Pascal. Cependant, les attaques menées contre la morale relâchée des jésuites portaient leurs fruits. Les curés de Paris, puis ceux de Rouen et d'Amiens, établissaient des commissions où l'on devait examiner si les arguties rapportées par l'auteur des *Provinciales* se trouvaient bien dans les livres qu'il citait. S'il en était ainsi, on demanderait la condamnation des casuistes ; si elles n'y étaient point, on demanderait celle des *Lettres.* Les curés furent renvoyés par leurs évêques à l'assemblée du clergé ; mais celle-ci, qui achevait ses travaux, n'eut pas le temps de faire examiner le bien-fondé de leurs réclamations. Toutefois, elle fit imprimer les *Instructions pour les confesseurs* de saint Charles Borromée, qui condamnaient ces maximes contagieuses. Les choses en seraient restées là, si les jésuites, pensant que, l'assemblée s'étant séparée, ils n'avaient plus rien à craindre, n'avaient fait publier un ouvrage où l'auteur des *Provinciales* était directement pris à partie : l'*Apologie pour les casuistes contre les calomnies des jansénistes : où le lecteur trouvera les vérités de la morale chrétienne si nettement expliquées et prouvées avec tant de solidité qu'il lui sera aisé de voir que les maximes des jansénistes n'ont que l'apparence de la vérité ; et qu'effectivement elles portent à toutes sortes de péchés et aux grands relâchements qu'elles blâment avec tant de sévérité. Par un théologien et professeur en droit canon.* Cet ouvrage fut aussitôt condamné par les curés de Paris et de Rouen, puis par les évêques et enfin par Rome. Dans leur lutte contre les jésuites, les curés de Paris eurent recours à ces messieurs de Port-Royal et, en premier lieu, à Pascal lui-même, qui travaillait déjà à son *Apologie* – v. les *Pensées*. Le *Factum pour les curés de Paris contre un livre intitulé « Apologie pour les casuistes, contre les calomnies des jansénistes » et contre ceux qui l'ont imposé, imprimé et débité* parut le 25 janvier 1658. Il n'est pas douteux que cet écrit soit de Pascal. Les jésuites répondirent par une *Réfutation des calomnies nouvellement publiées contre les jésuites.* Les curés ripostèrent, le 2 avril 1658, par le *Second écrit des curés de Paris pour soutenir leur factum par lequel ils ont demandé la censure de l'« Apologie des casuistes » ; et servir de réponse à un écrit intitulé : « Réfutation des calomnies nouvellement publiées par les auteurs d'un factum sous le nom de Messieurs les curés de Paris*, etc. ». Cet *Écrit* aurait été rédigé par Pascal en un jour. Cette guerre se poursuivit pendant plusieurs mois. Parmi les *Écrits des curés de Paris*, on s'accorde habituellement à reconnaître que le cinquième et le sixième sont de Pascal. Pour le cinquième, nous avons le témoignage formel de Mme Périer, sœur de Pascal ; cet écrit était – selon elle –, au jugement même de son frère, « le plus bel écrit qu'il ait jamais fait ». Son titre exact est *Cinquième écrit des curés de Paris sur l'avantage que les hérétiques prennent contre l'Église de la morale des casuistes et des jésuites.* Pascal y développe l'argument suivant : les calvinistes s'appuient sur les propositions des casuistes pour condamner la morale de l'Église ; ils se trompent puisque les maximes des casuistes sont condamnées par les évêques et les curés ; il n'en reste pas moins cependant que les jésuites font à l'Église un grave tort et que, s'ils sont moins coupables que les calvinistes, puisqu'ils respectent l'unité de l'Église, ils n'en sont pas moins, à leur façon, des hérétiques. Se rapportant à la lutte des curés contre l'*Apologie pour les casuistes*, nous avons encore trouvé dans les papiers de Pascal un *Projet de mandement contre l'« Apologie des casuistes »*, destiné à être présenté à la signature d'un évêque. Après la condamnation de l'*Apologie pour les casuistes*, qui est du 16 juillet 1658, les jésuites revinrent à la charge avec un écrit intitulé : *Les Sentiments des jésuites sur le livre de l'« Apologie pour les casuistes ».* Les curés répliquèrent par un *Sixième écrit* (24 juillet 1658) ; certains l'attribuent encore à Pascal. On a retrouvé, en tout cas, des notes de lui qui semblent s'y rapporter. À partir de 1658, Pascal fut de plus en plus occupé par son grand dessein, celui qui devait nous donner les *Pensées ;* accessoirement, il s'occupait encore de questions de science, et c'est en 1658 que parut la *Première lettre circulaire relative à la cycloïde* – v. *Œuvres mathématiques et physiques* (*).

Quelle fut l'issue de cette lutte qui dura plus de deux ans (publication des *Provinciales* de janvier 1656 à mars 1657 – *Cinquième écrit des curés de Paris*, juin 1658) ? Sans doute, Pascal et Port-Royal en sortaient condamnés : la censure des cinq propositions était maintenue, *Les Provinciales* étaient condamnées par le parlement de Provence et mises à l'Index ; enfin, en 1660, sur le rapport d'une commission ecclésiastique, le Conseil d'État faisait brûler la traduction latine des *Provinciales*, par Wendrocke (Nicole) (il est vrai que cette dernière condamnation semble avoir surtout été provoquée par une note du traducteur, interprétée comme injurieuse pour la mémoire de Louis XIII). En fait, les jansénistes triomphaient de leurs adversaires jésuites : ils avaient mis au grand jour les ressorts de leur politique, exposé devant un immense public leurs « chicaneries » ; c'était cela qui comptait et c'était cela qui était l'œuvre personnelle de Pascal. Après *Les Provinciales*, l'autorité ecclésiastique ne pouvait plus que condamner la morale relâchée des casuistes, donc des jésuites qui ne s'étaient pas désolidarisés d'avec leurs « spécialistes ». Après la condamnation de l'*Apologie pour les casuistes*, il y eut plusieurs condamnations, assez vagues il est vrai, de la morale relâchée, par Alexandre VII en 1665, par Innocent XI en 1679. Mais c'est l'Église de France qui réagit le plus vigoureusement et de la manière la plus continue. Bossuet lui-même prépara une censure de cette morale, que l'assemblée du clergé de 1682 n'eut pas le temps de voter, mais qui passa, toujours présentée par Bossuet, en 1700. On sait d'ailleurs dans quelle estime Bossuet tenait personnellement *Les Provinciales ;* il répondit à M. de Bussy, évêque de Luçon, qui lui demandait quel ouvrage il eût le mieux aimé faire s'il n'avait fait les siens : « *Les Lettres provinciales* ». À vrai dire, les jésuites ne se relevèrent jamais des coups que leur avait portés Pascal. Dans la bulle de suppression de l'Ordre par le pape (1773), un des considérants est la morale pernicieuse des casuistes. Toutes les attaques contre les jésuites au XIXe siècle sortent des *Provinciales.* Les ripostes qu'ils tentèrent de faire sont d'une insigne faiblesse, et il fallut attendre l'ouvrage du père Daniel (qui est de 1694), pour trouver une défense qui offre quelque solidité. On ne soutient plus aujourd'hui que les arguments, l'information sur lesquels reposent *Les Provinciales* ont été intégralement fournis à Pascal par ces Messieurs et particulièrement par Arnauld. Il suffit, pour s'en rendre compte, de consulter une sèche compilation publiée par Port-Royal, dès 1644, la *Théologie morale des jésuites.* L'originalité des *Provinciales* est réelle. Arnauld n'aurait pu faire les *Provinciales* ; avec lui, le débat fût resté une affaire de théologiens, il fallait qu'il fût porté sur la place publique et c'est pourquoi on se tourna vers Pascal. Ce choix fut si heureux que le succès dépassa toute espérance. La variété de ces petites comédies qui animent les premières lettres, la vigueur, l'éloquence, la conviction des dernières, dans lesquelles, comme le dit Voltaire, « tous les genres d'éloquence sont renfermés », leur valurent un accueil triomphal. Nous en avons une preuve directe dans ce que nous savons du tirage des *Provinciales*, de l'émotion générale qu'elles suscitèrent dès leur parution en feuilles.

Il est bien évident que *Les Provinciales*, étant une œuvre de polémique, peuvent être attaquées. On a attaqué la bonne foi de Pascal ; il est certain qu'il sollicite les textes, mais il ne les déforme pas et respecte les règles de la citation, moins rigoureuses au XVIIe siècle que de nos jours ; qu'il semble confondre abusivement casuistes et jésuites, mais les jésuites se sont proclamés solidaires de leurs casuistes, et c'est l'Ordre dans son ensemble qu'ils défendent dans leurs réponses. Il existait des casuistes dans tous les ordres religieux, mais leur action était loin d'être aussi dangereuse, du fait qu'aucun ordre ne constituait, comme la Société de Jésus, une Église dans l'Église. D'ailleurs, pour les jansénistes, n'était-ce pas les jésuites qui avaient manifesté leur mauvaise foi en faisant condamner ces fameuses cinq propositions ? Ce qu'on ne peut, en tout cas, soupçonner, c'est l'entière bonne foi de Pascal ; il peut arriver qu'il se trompe, jamais il ne ment. C'est ce que dut reconnaître un témoin, peu suspect d'indulgence pour les jansénistes, Chateaubriand, qui, après avoir dit avec Joseph de Maistre : « Pascal n'est qu'un calomniateur de génie », se rétracta en 1828 : « Je suis obligé de reconnaître qu'il n'a rien exagéré. » Cependant, il faut bien le dire, *Les Provinciales* ont porté un grave préjudice à la cause de l'Église, et Pascal, emporté par la polémique, ne pouvait s'en rendre compte : en livrant aux discussions des profanes des matières théologiques, en y appliquant les seules lumières de la raison, il adoptait, il recommandait une attitude qui n'est pas si éloignée de celle de la Réforme, ni de cet examen critique et, comme le sien, « cavalier » – que les philosophes du XVIIIe siècle feront subir à l'ensemble du dogme ; en signalant les contradictions, l'extravagance des casuistes, il ouvrait la voie à ceux qui souligneront les contradictions et les extravagances des Pères de l'Église, de la Sainte Écriture même.

Comment se fait-il qu'une œuvre, qui est l'expression de la polémique d'une époque, n'ait pas été oubliée comme les autres pamphlets ? C'est sans doute parce que Pascal, avec son génie, sait poser les problèmes essentiels, et élever le débat au point qu'il intéresse l'homme de tous les temps ; c'est surtout parce que *Les Provinciales* sont un des plus purs, sinon le plus pur chef-d'œuvre de la langue française. Cela fut sensible aux contemporains perspicaces, cela apparut encore mieux par la suite. « *Les Provinciales* furent, dit Lanson, un acte de bon goût et comme de salubrité esthétique et littéraire. » « Elles sont, comme le dit Voltaire dans *Le Siècle de Louis XIV* (*), le premier livre de génie qu'on vit en prose. » « Les premières lettres, ajoute-t-il, valent les meilleures comédies de Molière. » Racine avait déjà dit : « Vous semble-t-il que *Les Provinciales* soient autre chose que des comédies ? » Enfin, termine Voltaire : « Bossuet n'a rien de plus sublime que les dernières. » Ainsi tous les genres sont contenus dans *Les Provinciales*, et cette œuvre est un modèle dans tous les genres. Elle est aussi le premier chef-d'œuvre classique, à la fois objectif (l'auteur y disparaît derrière son sujet) et l'expression pure et parfaite de la pensée.

PRUDENCE HAUTECHAUME. Recueil de contes et nouvelles publié en 1927 par l'écrivain français Marcel Jouhandeau (1888-1979). Prudence Hautechaume, veuve Chauderon, tient un magasin de confection. Avare et souillon, Prudence vit au milieu de ses mannequins qu'elle a baptisés et de ses voisines qui lui offrent l'une une carotte pour sa soupe, l'autre de l'eau chaude pour sa bouillotte. Car Prudence s'est supprimé le luxe du feu et le luxe de la lumière. Ainsi finit-elle par s'installer en alternance chez les Grosdurant et chez les Binche. Chaste et curieuse, elle est au courant des moindres ragots et des plus minces événements. Aussi, elle qui sait tout, n'ayant plus rien à apprendre, commence-t-elle à s'ennuyer. C'est ainsi qu'un beau soir, par jeu autant que par esprit de lucre, elle dérobe deux œufs chez les Binche, puis deux poulets chez Amanda ou une bougie chez Cormelin. Mais un jour, Agnès Binche la surprend la main dans le panier à œufs et, prise de pitié, se contente de l'envoyer à confesse. Amanda, qui craint la curiosité de la vieille fille, veut se débarrasser d'elle et entreprend une gigantesque campagne qui n'est qu'à demi calomnieuse. Prudence-la-Voleuse se retrouve au ban de Chaminadour – v. *Chaminadour* (*) : perquisitions, on découvre le produit de quelques larcins, Prudence est traînée en prison sous les yeux de la ville assemblée ; deux petits garçons se confient : « Cette fois-ci, on dirait tout à fait un mannequin. » Parmi les autres nouvelles, complétant ce volume, citons : « Marie Albinier ou Celle qui avait perdu son âme », la pauvre Marie qui devient folle et se condamne à rester au seuil de l'église sans jamais oser y pénétrer ; « Monsieur

Sarciret ou le Crucifix de porcelaine » : ce crucifix précieux appartenant à Mme Pô, qu'elle envoie à tous les mourants de Chaminadour, pourquoi M. Sarciret sur son lit de mort n'y eut-il pas droit ? « Ermeline et les quatre vieillards » ; « Dunois-dit-l'Ange ou Nous ne sommes pas des hommes de plaisir » ; « Léda » et « La Bergère Nanou ».

PRUFROCK ET AUTRES OBSERVATIONS [*Prufrock and Other Observations*]. Ce premier recueil de poèmes de l'écrivain anglais Thomas Stearns Eliot (1888-1965), publié en 1917, montre à la fois une originalité profonde dans le choix des thèmes et révèle de nombreuses influences. La technique accomplie du vers libre, qui accompagne l'exploration d'états d'esprit pénibles et complexes, est tributaire des symbolistes français et de Jules Laforgue, dans ses poèmes de jeunesse, composés de 1909 à 1915.

Le plus important, « La Chanson d'amour de J. Alfred Prufrock » [The Love Song of J. Alfred Prufrock], fut écrit en 1912 et parut pour la première fois en juin 1915 dans la revue américaine *Poetry*. Faisant suite à l'épigraphe tirée de Dante, un monologue dans un style familier aux antipodes de la diction victorienne présente une situation à la fois mystérieuse et précise : « Allons donc, vous et moi / Quand le soir s'allongera contre le ciel / Comme un malade sous l'éther sur une table / Allons par certaines rues à demi désertes / Retraites murmurantes / De nuits sans repos dans de sordides hôtels d'une nuit / De restaurants jonchés de sciure avec les écailles d'huîtres / Rues qui s'enchaînent comme une argumentation oiseuse / À l'intention insidieuse / Oh, ne demandez pas : "Qu'est-ce donc ?" / Allons rendre notre visite. » L'identité de Prufrock demeure dans le vague tandis que les images sont précises et claires, et que le mouvement hésitant du vers traduit ses sentiments. Il ne voit d'abord autour de lui que bassesse et corruption. La concupiscence et la vulgarité quotidiennes l'écœurent : odeurs de lessive, relents de vaisselle, regard hébété des filles, crasse des rues louches. Bourgeois blasé, il demeure stérile malgré son bon goût car il n'agit pas. Tout le poème repose ainsi sur une hésitation : celle de la question ultime qui ne sera jamais posée, celle aussi de la forme qui oscille entre le flux et la stabilité. Le décor est dur et anguleux tandis que les sensations restent évasives, les pensées à demi formulées. Une échelle des valeurs nobles (Michel-Ange, les huîtres, le thé aristocratique) est dévalorisée par la routine et rabaissée au niveau des valeurs populaires (hôtels de passe, fumeurs en bras de chemise, ruelles bruyantes). La peur d'une existence pétrie d'ennui et d'inanité envahit le monologue. Cependant, au-delà des tergiversations du personnage vieillissant, nous avons l'intuition d'un univers spirituel et permanent, suggéré plus que perçu. Au dépaysement et à la frustration succède l'émerveillement du chant des sirènes, et la constatation pessimiste : « Je ne puis croire qu'elles chanteront pour moi / Je les vis chevaucher les vagues vers le large / Peignant les blanches crinières ébouriffées, / Lorsque le vent souffle les eaux blanches et noires. / Nous avons tardé dans les chambres de la mer / Près des sirènes ceintes d'algue rouge et brune / Jusqu'à ce que des voix humaines nous éveillent — et nous sombrons. » Comme Sweeney — voir *Sweeney agonistes* (*) —, Prufrock est l'un des masques du poète et son ironie se retourne contre lui-même. Elle souligne sa peur de vieillir sans saisir la signification de la vie et reflète la condition de chacun comme l'indique le passage du « je » au « nous ». Dans son refus d'une conscience claire, Prufrock joue ici le même rôle que Hugh Selwyn Mauberley dans les premiers poèmes de Pound.

Les derniers vers de cette « chanson » reproduisent le schéma métrique irrégulier de la « Légende » de Jules Laforgue dont le sujet — les hésitations d'un amant en face d'une femme qui éveille sa pitié et son ironie — a peut-être inspiré Eliot. « Conversation galante » rappelle aussi *Les Complaintes* (*), et « La Figlia Che Piange » emprunte tout un vers au modèle français. Les autres « observations » du recueil sont tributaires de Baudelaire, des *Amours jaunes* (*) de Corbière et des symbolistes. Pourtant, Eliot n'imite pas, mais recrée, avec un goût artistique supérieur. Ces premières œuvres laissent ainsi une impression de netteté, de clarté, de justesse. Tel qu'il est, fourmillant d'influences autant que d'intuitions, ce recueil surprend et choque encore de nombreuses années après sa parution. Peut-être parce qu'il détruit l'idée que nous avions pu nous faire du poème idéal. L'auteur utilise des comparaisons crues, des relations voilées, une économie sévère qui purifient la diction de toute rhétorique romantique. Ayant écarté l'écho réconfortant de la rime, il place la réussite dans le choix des termes et la structure des phrases. Après ce coup d'essai, l'écriture de la poésie moderne devait se trouver irrémédiablement changée. — Trad. partielle de Pierre Leyris in *Poésie,* Le Seuil, 1947 ; 1976.

PSALMUS HUNGARICUS. Œuvre pour ténor solo, chœur mixte et orchestre, op. 13, du compositeur hongrois Zoltán Kodály (1882-1967). En 1923, à l'occasion du cinquantenaire de l'unification des trois villes de Buda, Óbuda et Pest, constituant l'actuelle capitale hongroise, une œuvre musicale fut commandée à trois compositeurs : Bartók (*Suite de danses*), Dohnányi (*Ruralia Hungarica*) et Kodály. Celui-ci composa son *Psalmus Hungaricus* sur le texte du *Psaume LV,* écrit par le réformateur Mihály Kecskeméti Végh en 1555, période dramatique de l'histoire hongroise : le peuple, décimé par les guerres, opprimé, en butte aux luttes intestines, cherche force et consolation dans la prière. Deux grands thèmes en opposition inspirent ce poème : la première partie s'élève comme une plainte dénonçant la méchanceté et l'hypocrisie humaines, pour s'achever en une terrible malédiction. La seconde partie retentit en revanche comme une affirmation de foi dans le triomphe de la justice divine. L'illustration musicale de Kodály revêt la forme classique du rondeau librement conçu et élargi autour du refrain ; ce dernier, dans sa structure strophique à quatre vers isométriques sur une mélodie descendante, de gamme pentatonique, renferme les éléments fondamentaux du folklore hongrois. Le chœur concourt de façon magistrale à la montée expressive de la tension dramatique : son intervention et sa puissance vont croissant pour dominer pleinement vers la fin ; quelques mesures pianissimo terminent alors sur une note d'apaisement et comme de réminiscence. Le *Psalmus Hungaricus* est la première œuvre de Kodály pour grand ensemble. Le compositeur, loin de se contenter d'une simple utilisation des éléments populaires, a su élever ce langage à la hauteur d'un art des plus savants et des plus raffinés. Messes orchestrales et chorales sont maniées ici avec une aisance et une sûreté qui confèrent à l'ensemble une sonorité pleine et monumentale.

PSAUME [*Psalom*]. Œuvre de l'écrivain russe Friedrich Gorenstein (né en 1932). Lorsque ce « roman-méditation sur les quatre fléaux du Seigneur » paraît en France en 1979, traduit du russe, écrit en 1974-75 par un auteur alors presque totalement inconnu, il fait l'effet d'une tempête par un jour d'été sans nuages. Qui eût pensé qu'il existait, alors, en Union soviétique, un romancier atteignant à une telle dimension mythique et philosophique ? Deux lignes se croisent, s'entrecroisent dans *Psaume*. L'U.R.S.S., d'une part, avec la campagne ukrainienne des années 30 et les intellectuels moscovites des années 60 ; la nuit des temps bibliques, d'autre part, avec un personnage mystérieux, ambigu, l'Antéchrist, envoyé du Seigneur pour accomplir sa malédiction, les quatre fléaux annoncés par Ézéchiel : le glaive, la famine, l'adultère et la peste. L'Antéchrist parcourt la Russie communiste du XXe siècle, semant les fléaux : collectivisation, guerre mondiale et occupation allemande, persécutions en tous genres. Animé d'un souffle véritablement prophétique, *Psaume*, comme d'ailleurs tous les livres de Friedrich Gorenstein, est une interrogation sans cesse renouvelée sur le malheur russe. A. C.-F.

PSAUME LXXX de Roussel. Œuvre pour ténor solo, chœur et orchestre du compositeur français Albert Roussel (1869-1937), créée à Paris en 1929. Le musicien a construit son œuvre, suivant un schéma que l'on peut rapprocher de celui de la symphonie : Allegro, Andante, Scherzo, Allegro, tandis que l'unité, observée matériellement par l'absence d'interruptions, est soulignée par l'emploi d'un thème principal qui revient à plusieurs reprises et qui termine l'œuvre. Après l'appel des cors initial, le peuple opprimé entonne une invocation durement scandée (rythme à 4/4) à l'adresse de celui « qui fait souffrir Israël ». Polyphonie rude, surtout diatonique, qui dès le début indique dans quel climat l'œuvre va se dérouler. La détente qui suit est accompagnée de la première exposition en si bémol du thème pour ainsi dire conducteur, qui est un sévère choral. Puis les variations d'états émotifs, tantôt désolés, tantôt puissants, se reflètent dans les variations du mouvement et de la couleur instrumentale jusqu'à la profondeur lugubre du tableau « Tu les nourris d'un pain de larmes ». Le grand soupir vers le « Dieu des armées » achève ce que l'on pourrait appeler le premier mouvement. L'image biblique de la grandeur d'Israël, symbolisée par la fécondité de la vigne (« Elle étendait ses branches jusqu'à la mer, et ses rejetons jusqu'au fleuve »), donne l'impulsion irrésistible qui monte lentement des basses tout le long de la masse chorale, pour aboutir dans la réapparition du choral en si majeur, déjà présent dans les basses au début du solo. Mais l'interrogation anxieuse et presque rebelle du peuple d'Israël — pourquoi tant de malheurs, pourquoi une telle dévastation ? — trouble le rythme, et une nouvelle fois l'altère et le modifie. Encore un moment d'humble ferveur (le murmure du chœur sous l'invocation du ténor), avant le déchaînement d'une violence passionnée, qui se déverse dans une Fugue d'un ample développement (de nouveau à 4/4, Allegro deciso) dont l'intensité phonique croît jusqu'à la reprise du choral ; cette dernière fournit au compositeur l'occasion de présenter une de ces nouveautés syntaxiques dont il est coutumier : développement de la mélodie par altérations modales. Le chant d'espérance qui avait accompagné un instant l'exposition du thème en si majeur se transfigure, en perdant peu à peu les dièses de la tonalité, jusqu'à devenir cette humble prière à genoux, des voix seules, qu'appuie un chant en pizzicato des cordes graves : avec ce chant, tout rentre doucement dans le silence. « Écrit d'un trait et sans aucune fatigue », comme le déclara le compositeur en 1928, cet ouvrage, qui est une étape fondamentale dans la carrière de l'artiste, se distingue par sa valeur et se détache très nettement parmi toutes les compositions qu'aient inspirées les *Psaumes* (*) de David.

PSAUMES (Livre des) [*Séfer tehillin*]. C'est un des livres qui composent *La Bible* (*), recueil d'hymnes sacrés faisant partie de l'Ancien Testament. Ils sont connus dans toute la chrétienté comme *Psaumes de David* ; toutefois les exégètes n'attribuent au roi David que soixante-quatorze d'entre eux, douze à Asaf, onze aux fils de Coré, deux à Salomon, quatre à Etan et un à Moïse. Pour les autres, on n'a aucune indication. Ces *Psaumes* ont été vraisemblablement composés entre le XIe siècle avant J.-C. (en particulier, ceux attribués à David) et le début du IIIe siècle av. J.-C. Dans *La Bible* hébraïque, le livre des *Psaumes* occupe la première place parmi les « Kétubim » ou « Hagiographes » ; *La Bible du centenaire,* dont nous suivons ici la traduction, a conservé aux *Psaumes* cette place, tandis que la version des Septante et la *Vulgate* les relèguent à la seconde place, derrière le *Livre de Job* (*). Le *Psautier* est composé de cent cinquante psaumes, dont l'ordre est parfois modifié, ce qui décale les numéros de une ou deux places, suivant les versions. Ce décalage provient de ce que, dans *La Bible* hébraïque, non seulement les *Psaumes* ne sont jamais numérotés, mais de ce que la séparation même entre chaque psaume n'est pas nettement indiquée. Pour certaines facilités d'analyse, on peut tout au plus classer les *Psaumes* en cinq groupes principaux, à savoir : 1) Psaumes « moraux », dont le thème principal est le respect dû à Dieu et à ses lois que l'homme juste vénère et que seul l'impie ose transgresser. Le psaume type de ce groupe est le *Ps.* 119 : « Heureux ceux qui suivent la voie de l'intégrité, qui se conduisent selon la loi de Yahvé. Heureux ceux qui gardent ses déclarations et le recherchent de tout leur cœur. Qui ne pratiquent pas l'iniquité, mais se conduisent selon ses paroles. » C'est dans ce groupe de psaumes que l'on trouvera les images les plus vivantes pour dépeindre le juste, l'impie, le juge perfide, le mauvais riche et l'hypocrite. 2) Psaumes « dogmatiques », dans lesquels l'auteur retrace l'histoire de la Création et se déclare ému par la grandeur de l'œuvre divine. 3) Psaumes « historiques », qui retracent l'histoire du peuple élu à travers les siècles, montrant les infidélités du peuple « à la nuque dure » et les châtiments encourus, les remords des pécheurs et la miséricorde divine. 4) Psaumes « royaux », parmi lesquels la première place appartient aux psaumes messianiques, chantant la promesse de la venue du Messie, son règne universel et sa gloire. « Tu es le plus beau des fils des hommes ; la grâce est répandue sur tes lèvres ; on voit que Dieu t'a béni pour toujours... Ton trône subsistera toujours et à perpétuité ; ton sceptre royal est un sceptre de droiture » (*Ps.* 45). Mais, avant le règne de gloire, voici les humiliations : « Et moi je ne suis qu'un ver et non un homme, l'opprobre des hommes et le rebut des peuples [...] Ils partagent entre eux mes vêtements et tirent au sort mes habits » (*Ps.* 22). Au même groupe appartiennent également les psaumes qui ont trait à Yahvé et à son royaume : « La voix de Yahvé gronde sur les eaux, le Dieu de gloire fait retentir le tonnerre [...] La voix de Yahvé brise les cèdres. Yahvé fracasse les cèdres du Liban » (*Ps.* 29). « Peuples, battez tous des mains, poussez en l'honneur de Dieu de joyeuses acclamations. Car Yahvé est le Très-Haut, il est redoutable : c'est un grand roi qui domine toute la terre. » 5) Psaumes « personnels », lancés, telles des imprécations, contre les ennemis et les persécuteurs : « Leur gosier est un sépulcre ouvert ; leur langue est habile à la flatterie. Condamne-les, ô Dieu ; que leurs desseins amènent leur chute ! » (*Ps.* 5). Mais ce sont toujours les plus humbles qui demandent le pardon : « Lave-moi entièrement de mon iniquité et purifie-moi de mon péché. Car je connais mes infidélités et mon péché est constamment devant moi » (*Ps.* 51). Ou encore : « Jusques à quand abriterai-je la souffrance dans mon âme, le chagrin dans mon cœur jour et nuit ? Jusques à quand mon ennemi l'emportera-t-il sur moi ? » (*Ps.* 13). Le *Psautier* n'était pas seulement une anthologie de poésie sacrée hébraïque ; la plupart des *Psaumes* servirent de chants liturgiques ; ainsi, les *Psaumes* 24, 48, 82, 94, 81, 93 et 92 se chantaient pendant l'holocauste quotidien ; on commençait le dimanche avec le *Ps.* 24, lundi on prenait le *Ps.* 48, etc., pour arriver le samedi au *Ps.* 92. Lors des trois grandes fêtes annuelles, Pâques, Pentecôte et fête des Tabernacles, on chantait les *Psaumes* dits « Hallel » (*Ps.* 113 à 118). Leur importance fut très grande : ils furent psalmodiés par quelque quatre mille chanteurs et musiciens, choisis parmi les Lévites. Ils furent également révérés au sein de l'Église chrétienne ; en Russie le peuple les connaissait par cœur, ce qui permettait aux enfants (jusqu'à la fin du XIXe siècle) d'apprendre à lire en suivant les lettres et les mots d'un *Psautier.* — Traduction œcuménique de *La Bible*, Éd. du Cerf, 1985.

PSAUMES de Bruckner. Parmi les *Psaumes* (*), cinq ont été mis en musique, dans une traduction allemande, par le compositeur autrichien Anton Bruckner (1824-1896) : les psaumes XXII, CXII, CXIV, CXLVI, CL. Le premier composé fut le *Psaume XXII*, pour chœur mixte et piano (1852), d'importance secondaire. Vient ensuite le *Psaume CXIV*, pour chœur mixte à cinq voix et trois trombones ; composé aux environs de 1854, il est riche d'invention mélodique, et des passages de grande simplicité y alternent avec d'autres où le grandiose tend à l'emphase. Le *Psaume CXLVI*, en la majeur, pour soli, chœurs et grand orchestre, œuvre ample, conçue sous forme de cantate avec récitatifs, ariosos et chœurs, est, dans l'ensemble, peu original et révèle un talent en phase de transition, notamment dans la structure chorale un peu incertaine ; on y note, cependant, d'intéressantes expériences d'orchestration, par exemple l'emploi d'un cor concertant. Le *Psaume CXII*, pour double chœur et orchestre, terminé en 1863, est au contraire une œuvre pleine de maturité dans la technique chorale et instrumentale, mais l'empreinte de l'auteur n'y apparaît pas encore bien marquée. Dès le début, après quelques accords d'orchestre en manière de fanfare, se déplie l'imposant ensemble de huit parties vocales, traité dans le meilleur style. Le *Psaume CL*, pour soli, chœurs et orchestre, terminé en 1892, est la dernière composition chorale sacrée de Bruckner, et certainement la plus importante de celles que nous venons d'examiner. Il a, dans l'ensemble une intonation de joie et de triomphe, depuis le début choral à l'unisson jusqu'à la grande fugue sur les mots « Que tout ce qui a souffle loue le Seigneur » [Alles, was Odem hat, lobe den Herrn], fugue construite sur un thème à sauts d'octaves caractéristiques chez Bruckner, et richement écrite, avec inversion du sujet et fusion du sujet inversé avec le direct. Néanmoins, cette composition a quelque chose de contourné et parfois de légèrement forcé. On peut en dire autant de certaines successions harmoniques, dont la douceur fondamentale est altérée par de brusques passages de tonalité, ce qui du reste est un reflet du tempérament artistique de Bruckner, en général tourmenté.

PSAUMES de Desportes. C'est sans doute pour se justifier d'avoir reçu, dans sa jeunesse, les ordres mineurs que l'épicurien et poète de cour français Philippe Desportes (1546-1606) se mit, sur la fin de sa vie, à traduire en vers les *Psaumes* (*) de David. L'œuvre parut en 1603. Mais déjà Malherbe commençait de régner et, bien qu'il eût reçu de Desportes le meilleur accueil à ses débuts, il ne lui cachait pas son mépris ; c'est à propos de ces *Psaumes* que Malherbe aurait prononcé la parole fameuse : « Votre potage vaut mieux que vos vers » — v. *Œuvres en prose* (*) de Malherbe. Desportes à l'époque était déjà un peu passé de mode, ce qui ne l'empêchait pas de jouir de la fortune considérable que les rois Henri III et Henri IV lui avaient fait acquérir. À dire vrai, les *Psaumes* ne méritent pas le mépris de Malherbe. Le poète y renoue avec la tradition des adaptations commencée par Clément Marot, et son style s'en ressent ; seulement Desportes n'écrit plus pour des huguenots, mais pour des catholiques, et il compose ses *Psaumes* soixante ans après ceux de Marot. En fait, par la netteté de pensée, par la rigueur du style et de la versification, Desportes est ici plus éloigné encore que dans ses autres œuvres de Ronsard et de la Pléiade ; il est beaucoup plus proche qu'on ne le pense de Malherbe, et ses *Psaumes* semblent l'intermédiaire idéal entre les *Psaumes* (*) de Marot et les poésies chrétiennes de Corneille, par exemple les stances de *Polyeucte* (*) et sa traduction de *L'Imitation de Jésus-Christ* (*). Plus que dans ses *Psaumes*, c'est dans d'autres œuvres de Desportes qu'il faut aller chercher le poète chrétien, et en particulier dans les « Sonnets spirituels », d'un caractère assez didactique mais d'où n'est pas exclue toute sincérité. Les « Sonnets spirituels » parurent dans les *Œuvres chrétiennes de Philippe Desportes.*

PSAUMES de Lalande. L'œuvre de musique religieuse du compositeur français Michel Richard de Lalande (1657-1726) fait de ce compositeur de la cour de Louis XIV l'un des plus grands maîtres français du motet. Les *Psaumes* sont en effet inclus dans les *Motets,* composés à partir de 1695 pour la chapelle du roi ; c'est vers la fin du XVIIe siècle que Louis XIV, abandonnant un goût très vif pour le théâtre et la musique d'opéra-ballet, se tourne vers la méditation religieuse — ce qui explique en partie la faveur dont se mit à jouir Lalande avant même la mort de Lully. Les *Psaumes,* qui constituent l'essentiel des motifs d'inspiration des grands motets (ceux-ci comprennent en effet d'autres textes liturgiques, tels que le *Pange Lingua,* le *Te Deum,* etc.), ont été publiés après la mort de Lalande par sa veuve, avec le concours de Colin de Blamont, en 1729 ; cette édition comprend quarante motets en vingt tomes. Mais une grande partie de l'œuvre religieuse de Lalande est, encore à l'heure actuelle, conservée en manuscrits, notamment à la Bibliothèque nationale de Paris. Elle possède une originalité grandiose et poursuit celle de Dumont, Pierre Robert et Lully. Le sentiment religieux s'y exprime avec force et sincérité ; l'allégresse alterne avec le tragique en suivant le texte de près, sans que soient pour autant négligés les ornements du style vocal fort en honneur à l'époque. L'écriture, solide, est marquée par des hardiesses harmoniques : les soli, les chœurs (généralement à cinq voix) et l'orchestre, dont le coloris est déjà sensible, animent une composition qui n'est pas sans évoquer la puissance de certaines pages de la *Messe en si mineur* (*) de J.-S. Bach. Cellier cite notamment le psaume *Quare fremuerunt gentes,* d'un caractère véhément et agité, qui débute par un solo de basse auquel succède un chœur. Le psaume *Venite exultemus* est également d'une grande beauté, marquée par un sentiment de joie et de recueillement parfaitement adapté au texte. J.-S. Bach a probablement connu les *Psaumes ;* Haendel a sûrement été amené à les entendre ou à les lire, car Lalande a joui, jusqu'à la fin du XVIIIe siècle, d'une gloire justifiée que les musicologues contemporains tentent de ressusciter.

PSAUMES de Le Jeune. Œuvres du compositeur français Claude Le Jeune (vers 1530-1600), publiées en différents recueils ; en partie posthumes : *a)* douze psaumes, selon la version de Marot et de Théodore de Bèze dans le *Dodécachorde* (1598), dont les trois autres livres forment l'admirable recueil profane intitulé *Le Printemps* — ces psaumes sont traités en style polyphonique, comme des motets à plusieurs voix, la mélodie de la liturgie genevoise servant de « cantus firmus » tenu par l'une ou l'autre voix ; *b)* trois volumes contenant toutes les mélodies du Psautier genevois, simplement adaptées, et publiées en 1602-1610 par la sœur du musicien, après la mort de ce dernier ; *c)* une nouvelle adaptation des mêmes mélodies, mais à quatre et cinq voix, dans un recueil paru en 1613 et qui connut un immense succès dans les églises réformées de France et de Hollande – ces psaumes sont traités en contrepoint simple et reproduisent la mélodie liturgique soit au ténor, soit à la basse ; *d)* en 1606 enfin parut un dernier volume de *Psaumes,* de style tout différent du précédent : ces pièces, de deux à huit parties, étaient écrites selon les canons de la « musique mesurée » mise à la mode par l'Académie de Baïf.

PSAUMES (Les) de Marot. La traduction par le poète français Clément Marot (1496-1544) des *Cinquante Psaumes de David* (1543) représente à tous égards un aboutissement logique. Commencée par une traduction, « La Première Églogue des *Bucoliques* (*) de Virgile » qui ouvre *L'Adolescence clémentine* – v. *Poésies* (*) –, et où l'on peut lire un programme de vie contradictoire, partagé entre le bonheur de Tityre et l'errance de Mélibée, l'œuvre poétique de Marot s'achève par une autre traduction, celle du livre des *Psaumes*, qu'il n'eut pas le temps de mener jusqu'à son terme et qu'il abandonna au tiers. On perçoit d'emblée la cohérence d'une démarche, faite d'humilité et plaçant la souveraine maîtrise du métier poétique au service d'une parole antérieure, qu'elle soit profane ou sacrée. L'humble service de la traduction, que Marot honora sa vie durant, contraste en effet avec la doctrine orgueilleuse de l'« innutrition », bientôt prônée par les poètes de la Pléiade et qui consiste au rebours à faire sienne par l'imitation l'œuvre des grands prédécesseurs, Grecs, Latins ou Italiens.

Venus au terme d'une lente évolution spirituelle, marquée de heurts, de révoltes et de reniements, *Les Cinquante Psaumes* représentent l'aboutissement d'une œuvre, en ce sens encore que Marot s'y libère des dernières contraintes formelles héritées de ses maîtres, les grands rhétoriqueurs. C'est sans doute son apport le plus remarquable à la Renaissance des lettres en même temps qu'au renouveau religieux. Mais cet apport n'a été possible qu'au prix d'un travail collectif. Trait d'humilité poétique là encore : de même que les frontières de son œuvre profane sont indécises, certaines pièces anonymes qui lui sont parfois attribuées appartenant indistinctement à la tradition marotique, la part de Marot dans la traduction des *Psaumes* ne saurait être isolée de celle de ses collaborateurs. Ignorant lui-même l'hébreu et le grec, il a été aidé par l'hébraïsant Vatable et s'est appuyé sur la version française de *La Bible* par Olivétan (1535). À ces relais s'ajoute surtout l'amical patronage de Calvin qui l'a en personne sollicité et assisté de ses conseils. Le réformateur appréciait à ce point son travail de versificateur qu'il l'aurait volontiers retenu à Genève, à la fin de 1543, si les subsides n'avaient manqué. Il souhaitait en effet que le poète « se parforce à amplir les seaulmes de David ». La dernière errance de Marot, en Savoie et en Piémont, puis sa mort l'année suivante à Turin en décidèrent autrement.

C'est sous l'influence de Marguerite d'Angoulême, duchesse d'Alençon, puis reine de Navarre, la sœur aînée du roi François Ier, dont il était le « valet de chambre » et le secrétaire depuis 1519, que Marot s'était initié à ce que l'on appelle l'évangélisme, courant religieux qui devait à l'irénisme d'Érasme plus qu'au militantisme de Luther. Le premier Psaume traduit par lui, le Psaume VI, figure en 1533, avec « L'Instruction et Foy d'ung Chrestien », dans *Le Miroir de l'âme pécheresse* de Marguerite de Navarre, ouvrage dont la Sorbonne, à l'instigation de son syndic Noël Béda, demanda l'examen. La ferme intervention de François Ier mit alors un terme à d'éventuelles poursuites. L'année suivante, le scandale des Placards contre la Messe, affichés jusque dans la chambre du roi à Amboise, obligeait Marot à s'enfuir, abandonnant des papiers compromettants, dont peut-être la traduction des Psaumes en chantier, qui furent brûlés. À la cour de Renée de France à Ferrare où il s'était réfugié, Marot, au printemps 1536, rencontra Calvin, et l'entreprise de traduction des Psaumes fut relancée. Avant de rentrer en France où il abjura solennellement l'« erreur luthérienne » (décembre 1536), Marot était une première fois passé par Genève.

Lorsqu'en 1540 Charles Quint fut reçu à Paris, venant d'Espagne et marchant sur Gand, Marot lui présenta le manuscrit d'apparat des *Trente Psaumes*, qui ne furent édités qu'en 1541 à Anvers, puis la même année à Paris. Mais dès 1542 *Les Psaumes* figuraient sur le premier *Index* publié par la Sorbonne. Sa vie étant menacée, Marot s'exila définitivement. De retour à Genève où l'accueillit Calvin et où il demeura une année, il corrigea et poursuivit l'œuvre entreprise, ajoutant vingt Psaumes à ceux déjà publiés. Ce sont les *Cinquante Psaumes de David* (au nombre de quarante-neuf en fait), précédés d'une épître de Calvin en date du 10 juin 1543 et approuvés le même mois par le Conseil de la ville.

Marot est parvenu à rendre dans une langue simple et familière le chant du psalmiste. Car « malgré les contraintes qu'impose en vue du chant le découpage en strophes régulières composées de vers brefs avec le retour tyrannique des rimes, le substratum biblique est toujours directement perceptible » (P. Pidoux). Une grande variété strophique (quarante et une formes différentes pour quarante-neuf Psaumes), l'emploi de mètres divers plient constamment le poème aux inflexions de la voix. Héritier direct de la Chanson, que Marot n'a plus guère cultivée après *L'Adolescence clémentine* (1532 et 1534), et annonciateur de l'Ode ronsardienne, le Psaume marotique respecte la « mesure à la lyre » (Michel Jeanneret). Libéré de toute acrobatie formelle inutile, l'acte poétique épouse alors les exigences de la Parole.

L'Épître « Aux Dames de France », datée du 1er août 1543, précise, dans la lignée de la *Paraclesis* (ou *Exhortation*) qu'Érasme avait placée en tête de son *Nouveau Testament* latin de 1516, les intentions du traducteur. La divulgation des Psaumes auprès de tous, femmes nobles ou roturières, gens du simple peuple, tels que laboureurs, charretiers « et l'artisan en sa boutique », est destinée à rétablir la concorde divine parmi les hommes. Marot prophétise un nouvel âge d'or, quand « Dieu seul » sera partout « adoré, / Loué, chanté, comme il l'ordonne ». Cette euphorie évangélique, qui retrouve ici les accents prophétiques de la *Quatrième Églogue* de Virgile, n'est guère éloignée du rêve millénariste. C'est l'expression la plus haute et la plus mystique de la « Réformation » à ses débuts, entendue au sens plein du terme.

Instrument d'une véritable révolution culturelle, le « psautier huguenot », commencé par Marot et complété par Théodore de Bèze, va devenir, pour le peuple réformé, le signe de reconnaissance et de ralliement, et, dans les tribulations de l'Histoire, un chant de guerre, de souffrance et d'espoir. Le huguenot Claude Goudimel (1505-1572), qui sera l'une des victimes de la Saint-Barthélemy lyonnaise, a composé, dans une facture dépouillée, quatre versions musicales du psautier de Marot et Bèze.

F. Le.

PSAUMES DE DAVID (Les) [*Salmi Davidici*]. Sous le titre original en latin *Andrea Gabrielis organistae Sereniss. Reipublica Venetiarum Psalmi Davidici, qui Poenitentiales nuncupantur, tum omnis generis instrumentorum, tunc ad vocis modulationem accommodati. Sex vocum*, ce recueil de compositions polyphoniques du musicien italien Andrea Gabrieli (vers 1533 - vers 1586) fut publié à Venise en 1583. L'œuvre porte une dédicace au pape Grégoire XIII : Gabrieli y déclare s'être inspiré, d'un point de vue religieux, du texte biblique, et d'un point de vue musical, de la tradition de l'ancien prophète qui répandit l'usage d'instruments autres que la voix humaine. Il ajoute avoir envisagé, en concevant ses psaumes, une exécution soit uniquement vocale, soit uniquement instrumentale ou encore instrumentale et vocale à la fois. À la chapelle de Saint-Marc, où Gabrieli fut organiste en 1564, était surtout interprétée de la musique instrumentale, mais également, grâce à des adaptations de partitions à l'origine seulement instrumentales, des musiques instrumentales et vocales. Gabrieli reprit la même démarche pour la composition de ses *Psaumes* qui, pourtant, restent avant tout d'inspiration vocale : l'adaptation instrumentale apparaît aujourd'hui trop marquée par les modes de l'époque, et l'œuvre s'en trouve diminuée. Les sept psaumes à six voix contenus dans l'œuvre sont des jeux de rôles polyphoniques de deux à six voix. Deux copies complètes de la publication originale sont conservées au lycée musical de Bologne et à la bibliothèque municipale de Terrare ; d'autres sont déposées dans diverses bibliothèques étrangères. La polyphonie de Gabrieli, moins dense et étoffée que celle de Palestrina, est ample et austère, mais néanmoins très diverse. La disposition des voix tend parfois à être verticale (en accords), sans pour autant perdre la merveilleuse souplesse qui caractérise les meilleures polyphonies du XVIe siècle. Cette œuvre n'est pas construite sur la structure originale dite « à chœurs battants » ou « chœurs brisés », c'est-à-dire une division du chœur en petits groupes qui se répondent à distance et s'unissent de temps à autre, produisant ainsi, dans l'acoustique de la basilique Saint-Marc, de puissants effets de sonorités — v. les *Motets* (*) de Willaert. Cette forme musicale, systématiquement utilisée, aboutissait à une dissolution de la polyphonie et au triomphe du baroque vocal. Ne s'impose, dans ces *Psaumes* de Gabrieli, nulle prédominance de couleurs fastueuses et quelque peu extérieures, caractéristiques de l'œuvre de tant de musiciens de l'école vénitienne, comme celle de son neveu, Giovanni Gabrieli, et comme aussi certaines de ses propres compositions. Les couleurs vives ne sont pas pour autant absentes, et on peut sans audace les comparer aux créations des jeunes peintres vénitiens de l'époque. Mais au-delà de ces couleurs s'exprime toujours un sentiment religieux supérieur.

PSAUMES DU PÈLERIN. Recueil de chants en langue marathe du mystique indien Toukaram (1598 ?-1650 ?). Une édition critique publiée à Bombay en 1873 recense quatre mille six cent sept psaumes. Une autre édition, publiée à Poona en 1909, en compte quatre mille cent quarante-neuf. Gilles Deleury (qui publiait ainsi la première traduction en français d'un texte marathe) en a choisi cent un, en fonction de principes simples : l'usage liturgique (notamment au grand pèlerinage annuel de Pandharpour), l'usage homilétique, l'importance du message et la valeur poétique. Les psaumes sont d'une concision elliptique qui leur donne une grande densité, et l'intensité des chants en fait des prières parmi les plus belles du trésor universel. — Trad. Gallimard, 1956.

J.-P. L.

PSAUME XLVII de Schmitt. Cette œuvre fut élaborée par le compositeur français

Florent Schmitt (1870-1958), au même moment que ses *Chansons à quatre voix*, op. 39 et très peu après ses *Musiques intimes* et ses *Valses nocturnes*. Ce *Psaume XLVII* (dans la *Vulgate XLVI*) pour soprano solo, chœurs, orgue et orchestre, fut, après de hâtives répétitions, joué en première audition le 27 décembre 1906. Après une très brève introduction orchestrale, les chœurs chantent le « Gloire au Seigneur » : « Nations, frappez des mains toutes ensemble. » Ces louanges sont accompagnées de grands accords de l'orchestre. À ces chœurs succède un épisode orchestral, sorte de danse sacrée à cinq temps. Émile Vuillermoz l'a admirablement dépeinte : « Cette couleur est celle de la *Tragédie de Salomé* — v. *Salomé* (*) — à la fois sombre, farouche, éclatante et somptueuse. Ce thème à cinq temps si puissamment rythmé ne s'oublie plus ; il est le halètement de tous les peuples exultant d'un saint délire ; toute la terre tressaille, chante et danse la Gloire de Dieu. » Les chœurs, accompagnés par l'orgue, rechantent avec une grande majesté « Gloire au Seigneur », puis entonnent une remarquable fugue sur les paroles « Parce que le Seigneur est très élevé et très redoutable ». Au fanatisme presque brutal de ce dernier épisode succède celui d'une tiédeur tout orientale, au milieu duquel le soprano solo, comme une femme sortie de l'ombre, exhale son chant apaisant : « Il a choisi dans son héritage la beauté de Jacob qu'il a aimée avec tendresse. » Les rythmes se font à nouveau nerveux pour aboutir à la tonalité éclatante d'ut majeur, dans laquelle les chœurs chantent : « Dieu est monté au milieu des chants de joie, le Seigneur est monté à la voix de la trompette éclatante. » Après un rappel des mesures initiales : « Nations, frappez des mains... », l'œuvre se termine sur un gigantesque crescendo dans une atmosphère d'apothéose et de délire joyeux sur le « Gloire au Seigneur ». Tout le *Psaume* revêt des qualités majeures de grandeur, d'inspiration et de magnifique architecture vocale.

PSEAUMES PENITENTIELS DE DAVID TORNEZ EN PROSE MESURÉE. Traduction de l'érudit et écrivain français Blaise de Vigenère (1523-1596). Prenant part à un courant mystique qui traverse tout l'âge baroque, Blaise de Vigenère tente de relier la dévotion humaniste pour les textes anciens à la ferveur d'un sentiment religieux. Venu tardivement à l'hébreu (vers 1560), grâce aux leçons de Turnèbe, Dorat et Genébrard, il en devient vite l'un des plus fins connaisseurs. C'est en 1587 qu'il procure la traduction de vingt-cinq psaumes choisis pour leur convenance à l'esprit et au tourment de son temps. Le souci qui l'anime n'est pas seulement théologique : il entend révéler à ses contemporains les beautés poétiques de l'Ancien Testament. Voilà pourquoi il ne se contente pas de rendre fidèlement le texte. Conformément aux vues de Baïf, par exemple, il s'efforce encore de restituer dans notre langue les structures internes, les rythmes, les symétries et les antithèses du poème originel. Effort de transposition qui l'amène à inventer ce qu'il nomme lui-même une « prose mesurée » : nous dirions une prose rythmée et non rimée. Chaque verset est ainsi divisé en vers, généralement de six ou huit syllabes (à quelques irrégularités près), séparés entre eux par un tiret. Dépouillée de tout artifice rhétorique, la langue acquiert ainsi une grande intensité dramatique. Le choix des mots, toujours orienté par l'efficacité sonore et visuelle (« Comme le Cerf hallete apres / la frescheur des eaux clercoullantes ; / ainsi mon ame à toy Seigneur, / de toute son attente aspire », *Pseaume XII*), achève de faire de ces *Pseaumes* l'une des fortes réussites de la poésie humaniste, et de Blaise de Vigenère une préfiguration des poètes religieux du XIXe et du XXe siècle. C. D.

PSEUDODOXIA EPIDEMICA ou Enquête sur de nombreuses opinions toutes faites et sur des vérités couramment admises [*Pseudodoxia Epidemica, or Enquiries into very many received Tenents and commonly presumed Truths*]. Traité de l'écrivain anglais Thomas Browne (1605-1682), publié en 1646. Cet ouvrage, qui est le plus important de Browne, fut considéré comme la véritable pierre de touche pour comprendre l'homme et son œuvre. Mais si aujourd'hui il n'apparaît plus que comme une riche collection d'observations méticuleuses, faites par un homme crédule, incapable au fond de choisir et d'émettre un jugement critique, il y a dans la facilité de ses soigneuses et patientes observations la marque d'un intérêt scientifique naissant, qui permet de situer l'auteur dans son temps. Browne analyse les causes des croyances populaires telles que : les insuffisances de la nature humaine, la facilité à se tromper, les déductions fausses, le respect aveugle de l'autorité, la crédulité, l'influence du diable. Il y a, dans la méthode employée par Browne, une bonhomie dans l'ironie, qui se teinte d'étrangetés et se tient avec une certaine complaisance entre l'ingénuité et le savoir. Son mérite est de ne pas accepter les simples apports du sens commun. Il se vante d'être un expérimentateur lorsque, ne pouvant apporter de preuve par lui-même, il se réserve d'être incrédule et de ne pas accepter ce qu'il appelle justement, comme le fera beaucoup plus tard Flaubert dans son célèbre dictionnaire, les « idées reçues ». — Trad. Witte, 1733.

PSEUDOLUS. Comédie du poète comique latin Plaute (251 ?-184 av. J.-C.), représentée en 191. Pseudolus, esclave de Calidore, veut, de toutes ses forces, aider son jeune maître, amoureux de Phénicie, mais l'entremetteur Ballion a promis cette dernière, moyennant le versement de vingt mines d'argent, au soldat Polymachéroplagide. Il s'agit donc, pour racheter la jeune fille à Ballion, de trouver les vingt mines. Ayant compris que ce dernier restera sourd à toutes les prières, car pour lui il n'y a que l'argent qui compte, Pseudolus demande les vingt mines au père du jeune Calidore, Simon. Ce dernier commence par refuser ; puis, voulant mettre à l'épreuve l'adresse de Pseudolus, lui promet cette somme, à condition qu'il réussisse d'abord à voler la jeune fille à l'entremetteur, et cela avant la nuit. La gageure est acceptée par l'astucieux esclave, mais il n'aurait jamais réussi dans son entreprise si, au même moment, un messager du soldat, auquel Ballion avait promis la jeune fille, n'était arrivé dans la ville. Pseudolus se fera passer, auprès de ce dernier, pour le représentant de Ballion, soi-disant absent : ainsi Pseudolus parvient à entrer en possession de la lettre d'introduction signée de la main de Polymachéroplagide lui-même, mais il lui manque encore les cinq mines qu'il doit verser comme acompte à Ballion et dont il est question dans la lettre. Pendant que le messager attend dans une auberge qu'on lui amène Phénicie, Pseudolus court la ville à la recherche des cinq mines. Finalement l'argent lui sera prêté par Charinus, un ami de Calidore, qui lui prêtera également son esclave pour jouer le rôle de messager de Polymachéroplagide. La supercherie réussit à merveille ; Ballion empoche les cinq mines, remet la jeune fille au faux messager et, tout à son bonheur d'avoir conclu cette bonne affaire, parie vingt mines à Simon que Pseudolus ne réussira pas à enlever Phénicie. Ce n'est qu'à l'apparition du vrai messager, lassé de son attente, que Ballion se rend compte qu'il a été roulé et que, loin d'avoir fait une bonne affaire, il perd quarante mines d'argent. Ce n'est pas une comédie d'intrigue, puisque le héros joue toujours franc jeu, tantôt provoquant ceux qu'il veut duper, tantôt pariant sur une réussite qu'il sait pertinemment lui être acquise. Pseudolus est un type qui fait figure dans la tradition théâtrale. Trompeur par vocation autant que par métier, il n'est heureux que lorsque les obstacles sont vraiment de taille, car il tient à passer pour un virtuose dans le jeu de l'intrigue. S'il fait tout pour réussir, c'est moins parce que les intérêts de son maître lui tiennent à cœur que parce qu'il aime l'action et l'approbation du public. Quelque dix-huit siècles plus tard, Pseudolus trouvera sa réincarnation dans le Scapin de Molière — v. *Les Fourberies de Scapin* (*). — Trad. Les Belles Lettres, 1938 ; Gallimard, 1971.

PSYCHANALYSE DE L'AMÉRIQUE [*Amerika. Der Aufgang einer neuen Welt*]. Œuvre de l'écrivain allemand Hermann Keyserling (1880-1946), publiée en 1930. Dans ce livre, l'auteur procède à une critique extrêmement sévère de la civilisation du Nouveau Monde. Il nie même l'existence d'une telle civilisation : l'Américain, loin d'être l'« homme supérieur » des temps nouveaux, n'est à ses yeux qu'un produit de dégénérescence, « un Européen de mœurs nègres et d'âme indienne ». L'Amérique n'a pas réussi en effet à remplacer ses anciens idéaux politiques et religieux (puritanisme et libéralisme), sur lesquels elle vit depuis le XVIIIe siècle et qui sont aujourd'hui tombés en ruine. L'âme américaine s'est laissé submerger par le progrès matériel sur lequel elle a modelé sa philosophie. De là, la recherche exacerbée du confort, qui n'intéresse en nous que l'être physique, et provoque fatalement un abaissement de l'homme intérieur : le behaviourisme, par exemple — produit spécifiquement américain —, ramènera l'homme à n'être qu'un animal parmi les autres, dénué de libre arbitre et d'autonomie spirituelle. Déjà tous les Américains se sont habitués à vivre de la même manière, déjà règne une standardisation des mœurs qui s'étend jusqu'à la vie privée. Si l'on se soucie encore parfois de pourvoir aux besoins spirituels, ce n'est que sous des formes primitives, comme la « Christian Science », qui tient plus de la sorcellerie que de la religion civilisée. Autre phénomène de décadence : la condition des maris américains, tyrannisés par leur femme et leurs enfants. Le diagnostic de Keyserling est très pessimiste : il faut pourtant lui concéder quelque justesse. Peut-être, cependant, Keyserling n'a-t-il pas mis suffisamment en évidence les multiples occupations où se manifeste l'esprit d'individualisme américain, surtout au niveau de la vie des petites villes. Mais la peinture du philosophe allemand dépasse de beaucoup le cas particulier de l'Amérique : c'est un acte d'accusation contre toute la civilisation moderne, conçue comme une termitière. Pour éviter cette issue fatale, Keyserling propose ses habituels remèdes spiritualistes, dont on voit mal comment ils pourraient être mis en pratique. — Trad. Stock, 1930.

PSYCHANALYSE DE L'ENFANT (La) [*Die Psychoanalyse des Kindes*]. Édité à Vienne en 1932, c'est le premier livre publié par Melanie Klein (1882-1960), psychanalyste britannique d'origine hongroise, née à Vienne. À partir de l'observation et de la cure analytique de nourrissons et de jeunes enfants, elle a continué et enrichi les théories de Freud sur le premier développement de l'appareil psychique. Dans ce livre, elle expose sa technique d'analyse par le jeu et rapproche le déroulement et la signification des détails du jeu de ceux du rêve. Dans le jeu de l'enfant, l'action, liée directement aux représentations fantasmatiques, est l'équivalent de l'association libre chez l'adulte. Elle interprète très vite le transfert, surtout négatif, afin de diminuer la résistance produite par l'angoisse de la situation. Que l'enfant soit petit, en période de latence ou de puberté, il est utile de rechercher la collaboration des parents à l'effort de l'enfant. De nombreux exemples cliniques illustrent ses positions théoriques, nouvelles à son époque, sur le développement précoce, chez le nourrisson, de la sexualité et du Surmoi. Ses idées précises sur le transfert chez l'enfant suscitèrent l'opposition d'Anna Freud et d'une partie de l'école britannique de psychanalyse.

La seconde partie du livre est consacrée au rôle des premières situations anxiogènes dans le conflit œdipien et la formation du moi. Le sadisme précoce lié aux pulsions orales, urétrales et anales investit le sein maternel. Le désir de le vider et de le dévorer est étendu à l'intérieur entier du corps maternel. L'envie envers le sein et ses contenus, dont le pénis du père, participe à la construction des théories sexuelles infantiles sur le modèle du coït oral. D'où le désir de pénétration qui active les pulsions positives de curiosité (épistémophiliques). Dès les débuts de la vie, ces avatars psychiques entraînent le refoulement et la formation du Surmoi qui traduit l'angoisse provoquée par l'agressivité. L'originalité de Melanie Klein apparaît dans ce livre en ce qu'elle met en évidence la précocité du conflit œdipien et la nature persécutive des fantasmes. Mais aussi, d'après ces notions, elle différencie le développement de ce conflit chez le garçon et chez la fille, différence très contestée à l'époque et qu'elle fut l'une des premières à soutenir. Le sevrage, frustration orale fondamentale, oriente la fille vers l'envie du pénis. Chez le garçon la frustration orale puis anale (apprentissage de la propreté) va orienter le désir vers la pénétration phallique. Dans la suite de son œuvre Melanie Klein a élaboré des concepts essentiels pour la pensée psychanalytique tant en ce qui concerne l'adulte que l'enfant, en particulier pour la compréhension de la psychose : rôle prépondérant du fantasme dans le fonctionnement psychique ; évolution des positions persécutive puis dépressive dans le développement de la personnalité ; projection et introjection dans la relation d'objet ; processus d'identification. Dans un texte majeur : *Envie et Gratitude* [*Envy and Gratitude. A study of Inconscious Sources,* 1957], elle étudie comment l'envie destructrice intervient « dès le commencement de la vie » comme manifestation sadique orale et sadique anale pour attaquer la bonne relation à la mère. C'est la source de la psychose maniaco-dépressive. Processus de symbolisation et intégration du bon objet intériorisé favorisent au contraire amour et réparation. Autres textes importants : *Essais de psychanalyse* [*Contributions to Psychoanalysis,* 1948], *Psychanalyse d'un enfant* [*Narrative of a Child Analysis,* 1961], le cas célèbre de Richard, paru à titre posthume. – Trad. P.U.F., 1959. A. A.

PSYCHANALYSE DU FEU (La). Avec cet ouvrage publié en 1938, le philosophe français Gaston Bachelard (1884-1962) inaugurait la seconde partie de son œuvre, consacrée tout entière en sa première partie à l'élaboration d'une nouvelle philosophie des sciences – v. *Le Nouvel Esprit scientifique* (*), et *La Philosophique du non* (*). Désormais, en une série qui comporte, outre *La Psychanalyse du Feu*, *L'Eau et les Rêves* (1942), *L'Air et les Songes* (1943), *La Terre et les Rêveries de la volonté* (1946), *La Terre et les Rêveries du repos* (1948), et se prolonge par *La Poétique de l'espace* (*) et *La Poétique de la rêverie* (*), Bachelard allait examiner dans toutes ses nuances la rêverie fondamentale sur les éléments, telle qu'elle accompagne toute vie consciente, telle surtout qu'elle s'exprime spontanément à travers l'œuvre des poètes. Quittant l'« axe de l'objectivation » qu'il avait précédemment suivi, en dénonçant et en écartant tous les débris de subjectivité, le plus souvent inconscients, qui encombraient ses alentours, le philosophe aborde maintenant l'« axe de la subjectivité » autour duquel se groupent, dans la rêverie, les « valorisations primitives », antérieures aux concepts scientifiques et qui en demeurent indépendantes. Le rôle du philosophe sera « de rendre la poésie et la science complémentaires, de les unir comme deux contraires bien faits ». La psychanalyse de l'imaginaire qu'entreprend Bachelard, et c'est là sa découverte essentielle, ne peut être que matérialiste ; elle ne peut être qu'une psychologie où les valeurs se groupent d'elles-mêmes autour des quatre éléments cosmiques, lesquels apparaissent comme les archétypes de la rêverie, de l'imagination créatrice.

C'est au feu, tel qu'il est conçu par l'inconscient, par le subconscient, que Bachelard consacre sa première étude : *La Psychanalyse du feu.* Les différentes attitudes spontanées sont définies sous forme de complexes : complexe de Prométhée, lequel illustre le respect, imposé par la société qui interdit à l'enfant d'approcher du feu ; complexe d'Empédocle, qui oriente la rêverie vers la fusion avec la flamme destructive, symbole matériel de la vie et de la mort : complexe de Novalis sur l'origine du feu, sur le frottement eurythmique qui le produit. Ainsi apparaît le feu sexualisé, le feu, image d'activité sexuelle. Ce sont ces intuitions premières qui ont donné naissance à un faux problème scientifique qui a occupé jusqu'au XIXe siècle les savants, la chimie du feu. Examinant ensuite l'eau qui flambe, l'alcool et enfin le feu, symbole de pureté, d'épuration, le philosophe boucle son périple qui l'a conduit aux racines de cette idée première du feu qui habite tous les hommes.

Avec *L'Eau et les Rêves*, la méthode de Bachelard s'assouplit – il ne s'agit plus d'une psychanalyse, mais, comme l'indique le sous-titre, d'un « Essai sur l'imagination de la matière » –, en même temps que son domaine s'élargit et que le philosophe se laisse davantage guider par les images des poètes, s'abandonne à sa propre rêverie. L'ouvrage suit une progression vers la profondeur, vers la substance. Commençant par les images qui « matérialisent mal », les eaux claires, brillantes, qui donnent naissance à des images fugitives et faciles, Bachelard aborde ensuite les eaux dormantes, en utilisant particulièrement les passages de l'œuvre de Poe où revient le thème, chez lui obsessionnel, de l'eau lourde, de l'eau de mort, ce qui le conduit au fleuve des morts (complexe de Caron), au noyé qui flotte (complexe d'Ophélie). Dans les « eaux composées », Bachelard traite de l'équilibre des liqueurs, de l'eau qui brûle, de l'eau pénétrée par la nuit, de la terre imbibée d'eau. Remontant vers les archétypes symboliques, il montre l'eau, le liquide comme nourrissants, abreuvants et souligne leur caractère maternel, féminin. L'eau est aussi lustrale, moyen de purification ; il existe une « morale de l'eau ». Deux chapitres, consacrés à la « suprématie de l'eau douce » et à l'« eau violente », précèdent la conclusion qui évoque l'eau murmurante, l'eau qui parle.

L'Air et les Songes, Essai sur l'imagination du mouvement, s'attache à rassembler et analyser des éléments épars du psychisme aérien, d'abord tel qu'il se manifeste dans les rêves de vol, point de départ de nombreuses croyances et d'innombrables développements poétiques. La « poétique des ailes » permet au philosophe d'atteindre le sens profond de l'apparition des créatures ailées dans la poésie — oiseau, âme, ange — et particulièrement chez William Blake. À ces chapitres dédiés au psychisme ascensionnel succède une étude sur la chute imaginaire et sa signification morale. Dans un quatrième chapitre, Bachelard rend hommage aux travaux de Robert Desoille, lequel a tenté de soigner par le renforcement des valeurs verticalisantes : hauteurs, lumière et paix, des psychismes névrosés. C'est dans l'œuvre de Nietzsche, qu'il analyse sous ce rapport avec une très grande finesse, que l'auteur trouve un des plus saisissants exemples de psychisme ascensionnel (chap. V). Suit une série de brefs chapitres sur le ciel : « Le Ciel bleu », « Les Constellations », « Les Nuages », « La Nébuleuse ». Grâce à l'image de l'« arbre aérien », on nous expose qu'« un être de la terre peut être rêvé en suivant les principes de la participation aérienne ». Après une brève étude sur le « vent » chez les poètes, le livre se termine sur des pages intitulées « La Déclamation muette », qui « montrent l'animation que reçoit l'être quand il se soumet corps et âme aux dominantes de l'imagination aérienne », et sur deux conclusions, l'une sur l'imagination littéraire considérée comme une activité naturelle, la seconde sur le profit qu'aurait une philosophie du mouvement à se mettre à l'école des poètes.

Les deux derniers volumes de la série groupent les images et les rêveries terrestres, selon que l'imagination se fait active, extravertie dans *La Terre et les Rêveries de la volonté*, ou introvertie, involutive, intimiste dans *La Terre et les Rêveries du repos*. Le premier volume s'ouvre sur l'opposition du dur et du mou : « La dialectique de l'énergétisme imaginaire, le monde résistant », qui engendre quatre chapitres ; deux consacrés aux matières dures, à leur travail et aux images qu'elles suscitent : « La volonté incisive et les matières dures. Le caractère agressif des outils » et « les métaphores de la dureté » ; deux aux matières molles qu'on peut pétrir : la « pâte » qui en est l'exemple optimal, la boue et ses implications symboliques et morales. Un sixième chapitre rassemble en une synthèse ces deux pôles opposés : le « lyrisme dynamique du forgeron », lequel travaille le dur devenu momentanément mou. La deuxième partie du livre traite des images terrestres vis-à-vis desquelles l'être garde ses distances : « Le Rocher », quand il ne se livre pas à la « rêverie pétrifiante » qui fige et durcit, quand il ne découvre pas dans le métal, dans le minerai, une vie propre, celle que l'alchimie projetait d'utiliser. Les cristaux ouvrent une correspondance avec le ciel ; ce sont des étoiles terrestres, des cristaux de neige enfouis ; la perle est goutte de rosée ; le summum de la valorisation est atteint par la pierre précieuse, véritable « monstruosité psychologique ». Un dernier chapitre sur la « psychologie de la pesanteur » s'insère entre le thème du vol et celui de la chute : il est consacré au redressement, à la lutte de l'homme contre la pesanteur.

La Terre et les Rêveries du repos forme un « essai sur les images de l'intimité ». Les « rêveries de l'intimité matérielle » exposent comment l'imagination s'efforce de parvenir à l'intérieur des choses, au fond des choses conçu comme le terme de son activité. Dans l'« intimité » querellée, le philosophe étudie les images qui, sous la surface paisible, évoquent la matière agitée. L'« imagination de la qualité » introduit dans les objets la tonalisation du sujet imaginant. Ce sont les grandes images du refuge : la maison, le ventre, la grotte qui forment la matière des trois chapitres de la seconde partie, « la maison natale et la maison onirique », le complexe de Jonas, la « grotte » ; Bachelard y démontre que le diagnostic psychanalytique qui rassemble ces rêveries sous l'étiquette de la tendance inconsciente du retour à la mère ne peut expliquer la diversité de ces trois itinéraires de retour, leur coloration différente. De la grotte, image matérielle du repos, se distingue le « labyrinthe », objet de rêverie active, troublée, tortueuse. Trois brefs chapitres achèvent l'ouvrage ; « Exemples de ce que pourrait être une encyclopédie des images », ils vont du « serpent », « labyrinthe animal », et de la « racine », « labyrinthe végétal », au « vin et la vigne des alchimistes », rêverie active et concrète.

Abondant en pages savoureuses, en découvertes multiples, en aperçus ingénieux, ces cinq ouvrages forment une somme des fondements subconscients de la vie de l'esprit. Ils établissent le rôle décisif, exhumé par un véritable philosophe des profondeurs, des intuitions sensorielles spontanées dans toutes les activités intellectuelles et spirituelles. Non seulement ils ouvrent à la psychanalyse, loin de la spéculation abstraite et des classifications discutables, un ample et solide domaine, mais ils redonnent leur pleine valeur à l'activité littéraire et singulièrement poétique en tant que découverte du monde et du soi.

PSYCHANALYSE ET MORALITÉ [*Psychoanalysis and Morality*]. Essai de l'écrivain anglais John Cowper Powys (1872-1963), publié aux États-Unis en 1923. Il est regrettable que cette brève étude, justifiée par l'intuition de l'importance révolutionnaire de l'apparition de la psychanalyse sur la « scène morale », attende encore une grande diffusion, et notamment une traduction : car, parmi ses mérites (celui de situer Powys par rapport à la science freudienne est relativement mineur), c'est une réflexion pénétrante et parfois prophétique sur l'importance de la sexualité dans la vie que Powys propose ici.

La notion de péché est-elle donc criminelle, puisqu'elle contraint au refoulement des instincts, ou bien le péché était-il justifié par sa conséquence, qui, si souvent, a été... l'art ? « Qui, demande l'auteur, échangerait l'esprit insolent et les salacités d'un Voltaire ou d'un Heine contre l'un de ces grands vers mystérieux de Dante ou de Milton qui semblent approcher l'ineffable ? » Il est vrai, ajoute-t-il aussitôt, qu'il n'y a aucun refoulement chez Homère, qui est pourtant au moins aussi grand que Dante et Milton. Après avoir analysé d'autres conséquences possibles de la vulgarisation probable de la psychanalyse (notamment le monde psychologique qui sépare les deux sexes), Powys arrive à une première conclusion décisive : « Les traditions qui refoulent le plaisir sexuel sont hostiles au bonheur individuel. » C'est toujours l'individu qui paye. En ce sens, la psychanalyse ne peut faire que du bien. Par contre, l'auteur n'accepte pas volontiers le concept de « conscience cosmique », l'âme individuelle coulant en elle-même ne s'immerge pas, dit-il, dans une « conscience universelle », mais, ici, le vocabulaire est plus emersonien que jungien. Quant à la création artistique et littéraire, c'est une vieille conviction de Powys qu'elle a « un rapport direct avec les réciprocités mâle et féminine » ce qui, en clair, signifie sa croyance dans la bisexualité de l'instinct créateur. Powys fait grand cas de ce qu'il appelle le désir d'identité, par lequel l'être, végétal, animal ou humain, « possède, dévore et digère simultanément une aussi grande partie de l'insondable univers qu'il peut approprier à son désir ». Il greffe sur cette idée le concept alors relativement récent de narcissisme : nos choix les plus élémentaires sont guidés par la « chimie secrète de notre âme subconsciente ». Pour qu'une union soit durable, il faut que « l'être aimé représente le climat préféré, le paysage préféré, la nourriture préférée... » – en d'autres termes un « microcosme de l'entier univers de préférences vers lesquelles un être est attiré par son désir d'identité ». La psychanalyse tâtonne encore au seuil de ces prodigieux mystères cosmiques ; mais déjà... quelles perspectives n'a-t-elle pas ouvertes ! La psychanalyse a dissocié le mal du péché ; pour Powys, qui retrouve là, sans doute inconsciemment, sa vieille obsession de culpabilité sadique, celui-là reste associé à la cruauté.

En terminant, et en attendant avec intérêt et espoir les progrès de la psychanalyse, Powys se prononce avec véhémence contre les tenants de la force (Darwin, Nietzsche, mais aussi Emerson, Ibsen, Carlyle) et contre tous ceux qui, dans les couples, persécutent leur compagnon du haut de leur « moralité » ; sa sympathie reste acquise aux faibles et aux pauvres en esprit, qui, en vérité, ne sont pas ceux qui ont le plus besoin de la psychanalyse. Par là Powys retrouve le problème qu'il avait posé dans la préface à *Bois et Pierre* (*), son premier roman. Powys, contrairement à ce qu'on aurait pu croire, n'est pas hostile à la méthode scientifique qu'est la psychanalyse. Il en accepte avec reconnaissance la dimension libératrice, même si la notion thérapeutique n'entraîne pas son adhésion, et si par ailleurs sa fierté s'en trouve parfois irritée. *Psychanalyse et Moralité* est un bel et vigoureux essai, prophétique à bien des égards, quoique un peu vieillot déjà, ne manqueront pas de dire les spécialistes. Mais, dans la mesure où ce n'est pas la fortune mondaine de la psychanalyse, mais sa vérité vitale qui nous importe, c'est un essai qui mérite d'être connu. M. Gr.

PSYCHÉ de Louÿs. Roman inachevé de l'écrivain français Pierre Louÿs (1870-1925), publié en 1927. Une jeune femme de 24 ans, Psyché Vannetty, rencontre un jeune homme de ses amis, Aimery Jouvelle. Celui-ci lui demande à brûle-pourpoint de venir passer une semaine avec lui en Bretagne, où il doit se rendre le soir même. Psyché refuse ; rentrée chez elle, elle se prend à regretter son attitude ; sa solitude commence à lui peser. Sur les conseils de son directeur de conscience, l'abbé Tholozan, elle décide de partir seule pour l'Italie. Mais, en dépit de sa résolution, elle rejoint Aimery. Celui-ci a laissé à Paris sa maîtresse en titre, l'Indienne Aracoeli, qui, sûre de l'amour qu'elle inspire, manifeste à l'égard des infidélités de son amant une perspicace indulgence. Les deux jeunes gens arrivent à Saine-Anne-des-Bois, où, au cœur de la forêt bretonne, se trouve le château d'Aimery. Après les premières ivresses de la possession, l'amour d'Aimery ne tarde pas à se teinter de sensualité ; chez Psyché, en revanche, le réveil de la sensualité fait naître la passion. Un soir, la jeune femme, entrant dans le bureau de son amant, découvre sur la table de travail de celui-ci des vers écrits pour elle ; au ton de ces vers, elle croit comprendre qu'Aimery commence à se lasser de son amour. Le manuscrit s'arrête là. D'après Claude Farrère (auteur d'une *Fin de Psyché*), à qui Louÿs aurait, vers 1913, donné lecture du roman tout entier, *Psyché* devait se terminer par le retour d'Aimery à la subtile Aracoeli, et comprendre en outre un épilogue montrant Psyché endormie sur les marches du château, où elle est venue frapper en vain. Il neige... et la neige lui servira de suaire. L'ouvrage aurait, à en croire Farrère, une valeur de symbole : entre Psyché et Aracoeli, Aimery représente l'homme entre le rêve et la réalité. Ce roman, que le choix de son sujet différencie des romans d'inspiration grecque chers à l'auteur, s'apparente à *La Femme et le Pantin* (*) ; toutefois, l'atmosphère de mélancolie prenante et d'angoisse qui s'en dégage lui confère un caractère assez exceptionnel.

PSYCHÉ de Jules Romain. L'écrivain français Jules Romains (Louis Farigoule, 1885-1972) a regroupé sous ce titre une suite romanesque qui comprend trois volumes : *Lucienne* (1922), *Le Dieu des corps* (1928), et *Quand le navire* (1929). Dans *Lucienne* nous est présentée la vie d'une jeune fille que le remariage de sa mère contraint à travailler. Installée dans la petite ville où son amie, Marie Lemiez, est professeur de lycée, Lucienne subsiste chichement à l'aide de quelques leçons de piano trop peu nombreuses. Mais Marie Lemiez procure à Lucienne de nouvelles élèves : Marthe et Cécile Barbelenet. Lucienne pénètre alors dans un intérieur bourgeois, confiné, dominé par l'hostilité des deux sœurs l'une envers l'autre. C'est pourtant là que Lucienne rencontrera le destin en la personne de Pierre Lefebvre, le séduisant cousin des Barbelenet, commissaire de bord en congé. Le jeune homme est attiré par la personnalité du professeur de piano, musicienne remarquable, intelligente et sensible. Il se dépêtre des liens qu'il a imprudemment laissé nouer autour de lui par la famille Barbelenet, où son assiduité était interprétée comme une inclination pour Marthe ou Cécile, et, au cours d'une mémorable promenade présidée par Mme Barbelenet, demande Lucienne en mariage.

L'atmosphère de la maison des Barbelenet, maison isolée à la manière d'une île au milieu des rails de chemin de fer, est admirablement rendue ; la peinture de cette famille bourgeoise faite avec minutie et vérité prend beaucoup de relief et de force ; la description des rapports entre les deux sœurs paraît très moderne, par contre l'idylle entre Lucienne et Pierre reste assez conformiste.

Le Dieu des corps décrit le début de l'union de Pierre et Lucienne, qui d'emblée est parfaite, et s'attarde sur la découverte du plaisir. La force d'une passion capable de faire rompre avec les préjugés et les hypocrisies est minutieusement exposée. Pour peu qu'on la replace dans le contexte de l'époque, cette analyse est certes audacieuse, même si aujourd'hui elle nous paraît dépassée. Avec la séparation proche, le congé de Pierre Lefebvre s'achevant, l'angoisse saisit le couple. C'est à cet arrachement que nous fait participer l'auteur dans le dernier tome : *Quand le navire.* Au moment où le navire quitte le quai, le couple se scinde. Pierre Lefebvre, pris par ses multiples tâches de commissaire de bord, n'y prend pas garde immédiatement, mais il rencontre un ancien ami et se confie à lui. Il se parle en quelque sorte à voix haute. Et ses réflexions portent sur la sensualité, l'intensité de la joie, qu'à son grand étonnement il a trouvées dans le mariage. Il commence aussi à sentir la douleur de la séparation. Mais cette commune détresse née de l'éloignement qui unit Lucienne et Pierre va les rapprocher. Grâce à Lucienne qu'exalte l'idée d'impossible et qui hausse son amour jusqu'à la spiritualité pour ne pas laisser la séparation l'amoindrir, le couple se resserre ; malgré la distance, il se découvre étroitement lié. Un devin, Podomiecki, aidera Pierre Lefebvre à prendre conscience de cette réalité. Néanmoins, par un accord tacite, lorsque les jeunes gens se retrouveront effectivement, aucun des deux ne fera allusion aux phénomènes étranges dont Podomiecki a été l'instigateur, une crainte singulière mais bien naturelle les empêche d'entrer plus avant dans un domaine où pourraient rôder la mort ou la folie. L'auteur a évidemment voulu faire comprendre comment l'esprit gouvernait la matière, mais sa démonstration n'est pas entièrement convaincante. Cette victoire, qui ne peut s'affirmer que passagèrement en faisant appel aux moyens du spiritisme, laisse quelque peu sceptique le lecteur s'il est cartésien.

PSYCHÉ. Écrits d'une poétesse d'antan [*Psyché. Egy hajdani költönö iràsai*]. Œuvre de l'écrivain hongrois Sàndor Weöres (1913-1989), publiée en 1972. Il est difficile de classer *Psyché* dans un genre canonique. Weöres précise : « poèmes et prose ». Toujours est-il qu'avec cette œuvre il entre dans un excitant jeu de fiction : Psyché est une poétesse, du début du XIXe siècle, mi-noble mi-tsigane, qui fréquente à la fois les milieux élégants de la cour de Vienne et le monde tsigane, dont elle connaît les chants aussi bien que les classiques de la culture européenne. Voilà en un volume rassemblés ses écrits — poèmes, fragments de journal, textes en prose, traductions — dont la somme révèle les mille péripéties de la vie de la jeune femme, témoignages éternels de sa dualité, voire de sa pluralité. Le but de Weöres : mettre au monde quelque chose qui aurait pu exister mais qui n'a pourtant pas vu le jour. Il veut nous faire croire à l'existence de Psyché : aux textes, il joint une « biographie de Psyché » constituée par un contemporain fictif. Les ingrédients de la mystification rassemblés, Weöres se glisse dans la peau de ce personnage, et lui donne une œuvre à son image.

Ainsi le personnage se fait connaître d'une part par le récit de ses aventures, d'autre part par sa poésie. Psyché est une femme hors du commun : elle a une vie orageuse, a connu un homme dès l'âge de quatorze ans, met au monde un enfant qui sera aussitôt éliminé, viole le célèbre homme politique Wesselényi, découvre le génie de Hölderlin, tout en traduisant Goethe au fil de la plume et en trouvant Beethoven vraiment trop léger.

Qui est Psyché ? « L'Amour » ou « Le Fantôme », dit-elle tour à tour. Il faut lire ses écrits pour la découvrir, des écrits d'une grande diversité : outre les poèmes, des passages en français et en allemand, des chants tziganes, des traductions. Weöres commence par jouer avec les archaïsmes linguistiques, il adopte les formes en vogue cent cinquante ans plus tôt ; l'orthographe de Psyché est loin d'être homogène. Sa poésie, qui commence par un petit poème enfantin à connotation populaire, fait alterner les thèmes classiques et intimes (celui à son enfant mort). Un langage raffiné, tempéré par un souci tout féminin des détails familiers, alterne avec une expression crue et grossière. Une atmosphère en demi-teintes tranche avec la violence du sabbat des « sorcières ». Pluralité de forme aussi : il / elle fait emploi tour à tour de la métrique classique et d'autres, originaires ou d'inspiration traditionnelle. Ainsi Weöres explore-t-il les voies de la synthèse stylistique. En fait Psyché s'inscrit dans cette poésie imitative que l'on retrouve ailleurs chez Weöres, notamment dans les poèmes consacrés aux poètes Arany, Krudy.

E. T.

PSYCHÉ, le culte de l'âme chez les Grecs et leur croyance à l'immortalité [*Psyche, Seelenkult und Unsterblichkeitsglaube der Griechen*]. Essai du philologue allemand Erwin Rohde (1845-1898), publié de 1890 à 1894. Il embrasse toute la période qui va des temps préhomériques jusqu'aux ultimes prolongements du monde hellénique. Les conceptions primitives qui sont propres au peuple grec sont étudiées par l'auteur dans leurs moindres altérations et reviviscences de toute sorte. Rohde aborde successivement les « mystères d'Éleusis », le culte dionysiaque, l'orphisme ainsi que toutes les autres spéculations sur l'au-delà. Il conclut en soulignant le fait que Platon prépare la dissolution du sentiment purement hellénique dans les doctrines stoïques, épicuriennes et dans les multiples religions orientales. Ami intime de Nietzsche, Rohde fut marqué par l'influence de ce dernier quant à sa conception de monde hellénique, accueillant en même temps, pour certains problèmes, les vues du positivisme spencérien, alors prédominant : aussi son ouvrage nous apparaît-il aujourd'hui dépassé en plus d'un endroit. Il n'en demeure pas moins toujours valable, tant du point de vue philologique et historique qu'en ce qui concerne le style, toujours clair et vivant, même dans l'exposé des questions les plus ardues ou les plus délicates. — Trad. Payot, 1928.

PSYCHOLOGIE DU POINT DE VUE EMPIRIQUE [*Psychologie vom empirischen Standpunkt*]. Cet ouvrage du philosophe allemand Franz Brentano (1838-1917) fut publié en 1864, à Leipzig ; traduit en français en 1943. Une nouvelle édition, publiée de 1924 à 1928, contient, outre la *Psychologie du point de vue empirique,* une *Classification des phénomènes psychiques* (1911), un « appendice » (1911) et des suppléments posthumes à la *Classification,* ainsi que des morceaux de diverses dates rassemblés sous le titre de « Conscience sensible et poétique ». Cette *Psychologie* est restée inachevée. En fait, la *Classification* de 1911, avec ses importants appendices, est restée le dernier état d'un livre qui, d'après l'avant-propos de la première édition, devait comporter cinq volumes. Cet inachèvement semble lié à la prise de conscience, par l'auteur, d'un dépassement nécessaire du plan primitif de son ouvrage ; celui-ci, en effet, fait songer, dans ses premiers chapitres, à un traité scolaire passablement vieilli ; il importe de ne point oublier que ces pages furent écrites avant 1874 et que les discussions de Mill, de Bain, de Lotze offraient alors un intérêt plus actuel qu'en un temps qui a déjà dépassé James, Freud et Bergson. Les thèses soutenues par Brentano pour son « habilitatio » devant l'université de Wurtzbourg affirmaient, dès 1866, que « la vraie méthode de la philosophie ne peut être que celle des sciences de la nature » ; affirmation qui donne tout son sens à la psychologie, considérée comme coextensive à la philosophie même, comme contenant par conséquent ou fondant du moins tous les éléments positifs de la logique, de la métaphysique, voire de la théologie. Thèse assurément fort simplifiée et qui ne prête pas seulement à des critiques chronologiques. Néanmoins, tel celui d'un Aristote moderne, le rôle de Brentano devait être, en face de toutes les formes « découragées » et « décourageantes » du pragmatisme et de l'illuminisme, de rendre au savoir théorique et désintéressé un primat tout aussi compromis par la « synthèse subjective » de Comte que par les « postulats moraux » de Kant. Brentano définit sa psychologie, qui est dite « descriptive », comme la détermination « de tous les éléments psychiques ultimes dont la combinaison produit la totalité des phénomènes psychiques ». En face de la phénoménologie de Husserl, les « brentaniens » de stricte observance ont tenu toujours à préciser, non seulement l'antériorité, mais encore l'originalité de leur maître. Brentano, en effet, ne connaît pas ces « objets idéaux, intemporels, généraux », auxquels Husserl enseigne qu'il faudrait attribuer un être véritable, ni ces « objets subsistants » [bestehende] et pourtant « absents » [daseinsfreie] dont parle Meinong. L'« intuition » husserlienne des « essences » n'est pour Brentano qu'une fiction, dès lors qu'elle prétend à être plus qu'une représentation abstractive, c'est-à-dire simplifiante et généralisante. Pour lui, l'« objet » ne peut servir de base à la science nouvelle qui doit prendre la place de la métaphysique ou du moins lui fournir ses éléments essentiels, que si l'on renonce à désigner par là un en-soi extramental, qui d'ailleurs est loin d'être nié pour autant, et que si l'on se contente d'y voir le terme immédiatement donné par immanence au sein d'une relation psychique qui dépasse le « subjectif » au sens kantien, sans jamais cesser d'appartenir au domaine de l'intuition interne. Brentano pense échapper au problème de l'origine des concepts à partir des expériences singulières ; c'est au contraire au général que nous inférons le singulier. Par là se trouvent exclus à la fois un objectivisme qui ferait pénétrer des choses extérieures dans la conscience, et un subjectivisme qui projetterait les constructions de l'esprit hors de lui-même. Dans ses derniers écrits seulement, Brentano affirme l'unité de la saisie de la conscience, entendant par là que l'acte mental par lui-même n'inclut aucune diversité objective, mais ne fait place qu'à des diversités modales dans sa relation au « quelque chose », que l'auteur appelle tantôt « chose », tantôt « essence », tantôt « réel ». La réalité ainsi conçue prend la place de l'« être » aristotélicien, et par là s'affirme l'unité profonde de la pensée de Brentano. Mais, à la différence de l'« ens » des métaphysiciens, la « chose » de notre auteur ne laisse aucune place à la distinction entre l'acte et la puissance. Brentano ne s'intéresse plus qu'à une psychologie dite « descriptive », c'est-à-dire axée exclusivement sur l'analyse des modes réels de la conscience. Husserl a souvent reproché à Brentano d'avoir mal établi la distinction du psychique et du physique. À ses yeux, la qualité sensible appartient intentionnellement à l'acte psychique, elle porte donc le caractère d'un donné immédiat ; l'auteur de la *Psychologie* a toujours pensé, au contraire, que ni la couleur ni le son n'existent réellement. Quant à l'existence transcendante de l'extramental, Brentano, qui n'est pas idéaliste, ne la nie aucunement. Il pense seulement qu'elle se tire inductivement d'un complexe d'intuitions, de concepts et de jugements, qu'elle n'est aucunement incluse dans l'intentionnalité sensorielle, laquelle demeure « phénoménognosiquement » identique dans le cas de l'illusion d'optique. En fait, achoppant assez vite aux difficultés méthodologiques de sa tâche, l'auteur de la *Psychologie* n'a guère dépassé lui-même le plan « phénoménologique ». — Trad. Aubier, 1944.

PSYCHOLOGIE DU TEMPS. Ouvrage du psychologue français Paul Fraisse (1911), publié en 1957 (2e édition, 1967). Les philosophes se sont pendant longtemps interrogés sur l'origine de l'idée du temps, son éternité, ses rapports avec le mouvement ou nos expériences immédiates. À partir de Kant, puis de Piéron (1923) et Janet (1928), les psychologues ne posent plus les questions en ces termes et tentent empiriquement de saisir la notion du temps et sa prise de conscience par l'homme dans deux de ses aspects : la succession des événements et leur durée. La question que pose Fraisse porte sur les manières dont l'homme réagit au changement à des fins d'adaptation. Il distingue trois formes de réaction au temps qu'il met en évidence à partir d'expériences faites par lui-même ou par d'autres sur l'adulte ou l'enfant. Sur le plan biologique, l'homme ainsi que l'animal sont conditionnés par les changements externes, rythmiques, nycthéméraux et sociaux, véritables inducteurs d'une horloge interne dans l'organisme. Au niveau perceptif, nous intégrons les changements successifs afin d'en saisir une relative simultanéité. Cette simultanéité définit le présent psychologique. Mais l'homme échappe à cette limite du présent car il est capable de se représenter ces changements. Au niveau de la pensée, l'homme maîtrise le temps. Grâce à la mémorisation des événements écoulés, sur lesquels notre pensée peut librement réfléchir, voire apporter des modifications ou en inverser l'ordre, grâce aux anticipations des changements à venir, l'homme se libère du temps.

A. St.

PSYCHOLOGIE DU TRANSFERT [*Psychologie der Übertragung*]. Œuvre du psychiatre, psychologue et psychanalyste suisse Carl Gustav Jung (1875-1961) publiée en 1946. Dans ce livre capital pour la compréhension de sa pensée et de sa pratique, Jung s'attache à rendre compte du ressort le plus troublant et le plus décisif du travail clinique en s'appuyant sur une suite de gravures ponctuant un traité alchimique du XVIe siècle, le *Rosarium philosophorum* de Francfort. Ce détour par un autre temps et une autre forme d'expression que les nôtres lui permet de décrire les enjeux et les moments d'un processus qui, loin de se réduire à la seule projection répétitive d'un rapport infantile à l'autre, engage à un travail de dépouillement, de régression, de mort et de renouvellement étrangement aventureux pour l'analyste comme pour l'analysant, car l'inceste, montre-t-il, peut être alors véritablement au cœur du travail clinique. — Trad. Albin Michel, 1980.

C. G.

PSYCHOLOGIE ET ALCHIMIE [*Psychologie und Alchemie*]. Œuvre du psychiatre, psychologue et psychanalyste suisse Carl Gustav Jung (1875-1961), parue d'abord en 1944, puis, dans une édition revue et complétée, en 1952. Publié après des années de recherches patientes et obstinées sur la littérature et l'iconographie alchimiques, ce livre, qui développe la matière de deux conférences prononcées en 1935-36, renouvelle l'étude de cet aspect alors peu connu et pourtant décisif de l'histoire des techniques et des idées en l'analysant à la lumière de la psychologie contemporaine. Loin de considérer la succession des opérations accomplies par les alchimistes uniquement comme un tâtonnement obscur vers la chimie, Jung y voit la projection d'un « processus d'individuation » encore largement inconscient mais qui sut trouver dans les pratiques du laboratoire et dans le travail de l'imagination qui leur étaient conjoints une compensation aux enseignements dogmatiques de l'Église. Aussi bien ce livre met-il constamment en dialogue l'analyse de rêves de patients d'aujourd'hui avec les textes et les illustrations des plus anciens grimoires : il s'agit en fait pour Jung d'explorer sur tous les terrains la capacité d'expression symbolique de l'inconscient. L'ouvrage se termine par une exploration élargie du paradigme de la licorne non seulement dans l'alchimie et les allégories de l'Église catholique, mais aussi dans le gnosticisme, en Inde, en Perse et en Chine. — Trad. Buchet-Chastel, 1970. C. G.

PSYCHOMACHIE [*Psychomachia* ou « Le Combat dans l'âme »]. Poème de l'écrivain latin Prudence qui vécut à la fin du IVe et au début du Ve siècle. Le poème débute par une préface, en 68 trimètres iambiques, dans laquelle le poète fait le récit de la lutte entre Abraham, symbole de la foi, et les rois païens ; puis il traite, en 915 hexamètres, de la lutte éternelle qui se déroule en chaque âme entre les vertus chrétiennes et les vices païens ; ces vertus et ces vices sont personnifiés par sept paires d'ennemis, chacune accompagnée d'une importante suite de combattants, qui sont autant de figures allégoriques. Par exemple, la Foi combat l'Idolâtrie ; la Sensualité, avec sa suite composée du Badinage, de la Volupté, de l'Effronterie, lutte contre la Sobriété (v. 310 et ss.). L'idée de ces abstractions personnalisées n'est pas nouvelle, on en trouve déjà des exemples dans la poésie latine classique : le dialogue entre le Luxe et la Pauvreté dans le prologue des *Trois Écus* (*) de Plaute ; les personnifications de l'Enfer virgilien — v. *Énéide* (*) —, ou la fable d'Amour et Psyché dans *Les Métamorphoses* (*) d'Apulée. Mais ce qui est neuf chez Prudence, c'est le développement qu'il donne au sujet allégorique, dont il fait un genre littéraire en soi. Ce genre a été très admiré et imité au Moyen Âge par les poètes et les artistes, qui prirent souvent dans la *Psychomachie* l'inspiration et l'idée de leurs figures allégoriques. Cependant, au point de vue artistique, la *Psychomachie* est peut-être la moins réussie des œuvres de Prudence : le style, comme le sujet, est fatigant et lâche. Le poète a pris sans cesse pour modèle Virgile, en adaptant ou en copiant fidèlement ses formules et sa technique du poème épique, mais sans parvenir à les fondre à l'ensemble de son poème, au sein d'une véritable unité artistique. — Trad. Les Belles Lettres, 1948.

PSYCHOPATHOLOGIE DE LA VIE QUOTIDIENNE [*Zur Psychopathologie des Altagslebens*]. Œuvre de l'écrivain et psychanalyste autrichien Sigmund Freud (1856-1939) publiée en 1901, puis en 1904 (sous forme de livre). L'application du terme « psychopathologie » à la « vie de tous les jours » est révélatrice du projet freudien : montrer la signification symptomatique de manifestations apparemment anodines du « comportement quotidien », de façon à montrer que ces « dysfonctions » fortuites et insignifiantes relèvent de cette logique de l'inconscient et du refoulement à l'œuvre également dans d'autres productions psychiques (oniriques et névrotiques). Cet écrit s'inscrit donc dans l'exploration des processus inconscients et a sa place logique entre *L'Interprétation des rêves* (*) et *Le Mot d'esprit* et — dans la mesure où il en révèle les sources infantiles — les *Trois essais sur la théorie sexuelle* (*). De fait, dès 1898-1899, Freud avait révélé, à travers le « mécanisme psychique de l'oubli » (sur le célèbre exemple de l'oubli du nom du peintre Signorelli) et le fonctionnement des « souvenirs-écrans » (*Deckerinnerungen*) — souvenirs anodins servant de « couverture » à des « traces mnésiques » signifiantes — le travail secret du refoulement. L'examen des formes d'« oublis de noms » (ch. I-III) et des souvenirs d'enfance et souvenirs-écrans (ch. IV) fournit donc le point de départ de cette synthèse. Mais c'est au-delà de ces phénomènes particuliers, notamment de l'oubli (*Vergessen*), l'ensemble des *dys*fonctions psychiques et comportementales qui est soumis à l'examen, exemples à l'appui — d'où l'examen systématique de tous ces verbes à préfixe *Ver*- (dénotant en allemand l'idée de « dé »-fonctionnement ou de ratage) : les lapsus (*Versprechen*) (ch. V), erreurs de lecture (*Verlesen*) ou d'écriture (*Verschreiben*) (ch. VI), l'oubli d'impressions et de projets (ch. VII), les méprises (*Vergreifen*) (ch. VIII), les actes symptomatiques et accidentels (ch. IX), les erreurs (ch. X) et les « actes manqués » (*Fehlleistungen*) combinés (ch. XI). Il s'agit de montrer qu'à côté des « formes simples » de ces « ratés » de la vie psychique, se manifestent des formes de « pathologie » dont le refoulement est la « motivation » ultime. Par l'application de la psychanalyse à de telles « productions » (*Leistungen*), celles-ci se révèlent « bien motivées », mais « déterminées par des motifs inconnus de la conscience ».

C'est dans le dernier chapitre (XII) que Freud tire les leçons théoriques de son analyse concrète et abondante d'exemples (structure analogue en ce sens à *L'Interprétation des rêves* dont le dernier chapitre élabore la leçon métapsychologique des données). Ainsi se révèle le déterminisme psychologique, présupposé vérifié par l'examen précédent : ce qui est couramment attribué au « hasard » se révèle strictement déterminé par des lois du fonctionnement psychique. Ce déterminisme *interne* se démarque en ce sens de la « superstition » — croyance en une nécessité externe mystérieuse qui correspond à un déni de la motivation interne. Cet examen des formes pittoresques et, au fond, divertissantes de retour, dans la réalité sociale, de ce qui a été « réprimé » et refoulé prend ainsi sa dimension la plus « sérieuse ». La « conception » mythologique — à l'œuvre aussi bien dans les religions que dans les croyances magiques qui alimentent le social — n'est au fond qu'une « psychologie projetée dans le monde extérieur » : il revient donc à la « psychologie de l'inconscient » (la psychanalyse) de retraduire ces « constructions » imaginaires en « métapsychologie ». Il s'agit autrement dit de ramener aux lois d'un déterminisme psychique ce qui est projeté au dehors comme si cela venait d'une « force » externe — anonyme ou « providentielle ». C'est dont le moment social de l'inconscient — réglant les relations intersubjectives — que cet ouvrage soumet à l'analyse. Cela indique que l'inconscient tel que Freud l'étudie se phénoménalise par des « perturbations » bien concrètes — apparemment liées à une causalité « démoniaque » (aberrante), mais en fait déterminées par une « causalité psychique ». Il s'agit donc d'une sorte de phénoménologie des formes (dé)socialisantes de l'inconscient. — Trad. Payot, 1922.

P.-L. A.

PSYCHOPATHOLOGIE GÉNÉRALE [*Allgemeine Psychopathologie*]. Étude du philosophe allemand Karl Jaspers (1883-1969), publiée en 1913. Jaspers travailla de 1908 à 1915 à la clinique psychiatrique de Heidelberg, où il écrivit cette étude. À cette époque, la médecine somatique régnait encore en psychiatrie. L'influence de Freud n'affectait que des cercles très restreints. Les tentatives faites dans le domaine de la psychologie étaient considérées comme inutiles et non scientifiques. Jaspers essaya d'approfondir les connaissances relatives à ces problèmes et se documenta auprès des chercheurs du XIXe siècle, ajoutant foi à la phrase de Schüle : « Les maladies mentales sont des maladies de la personnalité », ce qui était nouveau à une époque où avec Griesinger on pensait couramment que les maladies mentales étaient des maladies du cerveau. Deux philosophes ont donné l'impulsion aux démarches essentielles de Jaspers. Tout d'abord la phénoménologie de Husserl, que ce dernier avait appelée dans ses débuts « psychologie descriptive », lui tint lieu de méthode. Il s'avéra possible et fructueux de décrire les expériences intérieures des malades comme des phénomènes de la conscience. Pas seulement comme des hallucinations des sens, mais aussi comme des expériences aberrantes touchant les modalités de la conscience du moi. Le processus des sentiments était facilement saisissable dans les récits des malades, de sorte qu'on pouvait le retrouver à travers des cas différents. Dilthey avait opposé une « psychologie descriptive et analytique » à la psychologie théorique, et explicative. Jaspers s'appropria cette tâche et appela le sujet de son livre « psychologie compréhensive », élaborant les méthodes qui avaient déjà été appliquées par Freud et qui permettaient de déceler, parallèlement aux phénomènes vécus, les contextes génétiques du psychique et les motifs de l'action. Un des traits les plus remarquables du jeune Jaspers était qu'il combattait toute espèce de bavardage, en ce qui concernait les théories jouant un rôle prépondérant dans le langage psychiatrique. Il exposait comment les théories dans le domaine de la psychologie étaient, en effet, établies d'après leur analogie avec les théories des sciences naturelles, mais qu'elles n'auraient jamais néanmoins le caractère de ces dernières. Car celles-ci s'établissaient sans aucun rapport avec la connaissance progressive des événements fondamentaux qui dominent les phénomènes psychiques. Jaspers tente en conséquence de trouver un élément qui ait une valeur positive. Il propose donc dans son livre une méthode systématique de description par analogie applicable à tout ce qui ne peut se résoudre autrement et entrer dans le domaine de la connaissance. Mais essayer de saisir l'homme dans sa totalité (par sa constitution, son caractère, sa physionomie, etc.) est assez vain, du fait que l'homme est toujours plus que ce qu'il peut comprendre. Dans son livre, Jaspers ne s'est pas limité à des exposés purement abstraits, il a illustré chacune de ses théories par des exemples concrets. Cela permet au lecteur de ne pas seulement envisager la matière, mais de juger lui-même comment et dans quelles limites cette matière correspond à la réalité. Ce principe était d'autant plus important que le sujet de la psychiatrie est l'homme. Le médecin ne doit pas perdre de vue l'énigme que représente chacun, afin de garder le respect de l'homme, même mentalement malade. Les moyens d'investigation scientifiques ne permettent jamais de faire le « bilan » d'un personnage. La personnalité de l'homme, son secret caché restent inépuisables. Plus tard, Jaspers a révisé son livre (dernière édition publiée en 1946), mais il n'a plus entrepris de recherches psychopathologiques, en dehors de quelques études sur Strindberg et Van Gogh comparés à Swedenborg et à Hölderlin (1926), et sur la maladie de Nietzsche dans *Nietzsche, introduc-*

tion à sa philosophie (*). En 1963, les essais concernant le problème traité dans le présent livre ont été rassemblés dans *Recueil d'écrits psychopathologiques* [*Gesammelte Schriften zur Psychopathologie*]. Une étude sur le même thème fait l'objet de *Essence et critique de la psychothérapie* [*Wesen und Kritik der Psychotherapie*], publié en 1955. – Trad. Alcan, 1928.

PTOLÉMÉEN (Le) [*Der Ptolemäer*]. Récits de l'écrivain allemand Gottfried Benn (1886-1956), publiés en 1949. Outre le récit qui donne son titre au livre, ce volume contient *La Taverne Wolf* [*Die Taverne Wolf*], écrit en 1937, et le *Roman du phénotype* [*Roman des Phänotyp*], écrit en 1944. Dans *La Taverne Wolf*, un globe-trotter « sortant d'un milieu de colons et de diplomates » examine, à propos de la situation spirituelle des peuples blancs, la « question fondamentale de l'existence humaine ». Il s'agit de savoir « quelle image essentielle ils se sont donnée d'eux-mêmes ». L'observation des habitués d'une petite taverne l'amène à une « révision culturelle » empreinte d'une douloureuse ironie, et qui dresse sa pensée contre la prétendue vision naturelle et biologique du monde dont le résultat est d'asservir l'esprit à la vie. Comme une « vérité extra-humaine », l'idée lui vient alors que l'homme blanc se borne à utiliser l'esprit contre les manifestations matérielles de la vie, au lieu de lutter pour une explication des structures profondes de la matière. Selon Benn, les peuples blancs ont atteint un stade final au cours duquel les porteurs invisibles de la transmutation en sont réduits à préserver seulement leur pouvoir, le présent n'étant vécu que comme une abstraction spirituelle.

Le *Roman du phénotype* est la « projection pure d'un intellect abstrait » ; une sorte d'autobiographie dont le sujet éclaté se veut représentatif, et qui l'est dans la mesure où l'homme peut se reconnaître en dehors de son conditionnement. Le style est le même que celui de *Cerveaux* (*). L'irrationalisme y triomphe, d'une victoire ironique et paradoxale, dans le culte de l'idée, de la forme et du langage, qui sont pourtant vaincus par la glorification de l'ivresse dionysiaque. Le sens profond est la grande dysharmonie de l'univers, l'abîme entre la pensée et la vie, car l'explication des événements demeure impossible hors du cadre d'une situation précise. L'ambivalence inhérente à toute chose fait surgir à la fin cette constatation : « L'engrenage de l'histoire et du monde spirituel était une des questions auxquelles notre siècle ne savait pas répondre. C'était une question qui restait pendante, qui le resterait tant qu'elle ne se serait pas répondue à elle-même pour disparaître ensuite. »

Le Ptoléméen est une « nouvelle berlinoise ». La première partie s'intitule « Pays du Lotus » [Lotusland]. Un hiver capricieux est en train de prendre fin dans un pays qui avait été jadis le modèle de l'Europe du Nord, et qui est devenu un pays de décombres. Le directeur d'une affaire commerciale parle d'un « institut de beauté qui soigne également les varices ». Et cet exemple prouve l'amère ironie avec laquelle le présent est vu. « Qu'on en finisse enfin avec le bavardage confus de la vie et du bonheur. Ce n'est pas cela le vrai problème. La matière était rayonnement, et la Divinité silence, ce qui était entre les deux n'était que bagatelle. » L'individu, qui a fait abstraction de ses obligations sociales, ne trouve en lui que le « vide ». La vie et ses fins éternelles sont « l'abîme où tout se jette aveuglément dans un abandon complet des valeurs ». Le siècle à venir ne connaîtra que deux attitudes : celle des hommes qui agissent et veulent monter, et celle des hommes qui attendent silencieusement la transformation. « Criminels ou moines, il n'y aura pas d'autre alternative. » Benn a inventé le pays du Lotus par analogie avec les compagnons d'Ulysse, qui oublièrent leur passé, leur destin, leur patrie, leurs projets et leur avenir chez les mangeurs de lotus. « Ils n'ont pas besoin de garder l'aspect extérieur, ils peuvent espérer et oublier. » Le problème propre à Benn, celui de la révolution ontologique de l'homme, est partout présent dans ces lignes. La deuxième partie, « Le Souffleur de verre » [Der Glasbläser], se déroule dans le même lieu, mais au cours d'un été ardent. Un homme du monde, M. d'Ascot, expose son opinion au sujet de la situation de l'homme, à savoir que le « monde politique exigerait que l'homme ne pût pas trouver d'expression individuelle ». « Le Souffleur de verre » est le symbole de tous ceux qui accomplissent leur œuvre en solitaire et en poète, mus par la seule foi en la force créatrice de l'homme. La troisième partie, « Le Ptoléméen », est placée sous le signe du proche retour de l'hiver. Le narrateur, qui avait l'intention de s'installer au bord d'un lac pour ne plus vivre désormais qu'en harmonie avec sa conscience et avec la nature, prend le parti de se sacrifier en restant dans la ville, c'est-à-dire dans « l'Europe moderne ». Dès lors, il se voue à la vision prismatique de l'artiste : « Je tourne une page de la vie et je suis tourné moi aussi, je suis un Ptoléméen. » Au long de ces trois récits, Benn ne reste jamais au niveau de la description, mais invente une prose philosophique, qui lui permet de faire la somme de la pensée européenne, lui qui ne juge positif que le « vainqueur du nationalisme, du racisme et de l'histoire », en d'autres termes l'Art. – Trad. de *La Taverne Wolf* et du *Roman du phénotype* in Benn, *Un poète et le monde*, Gallimard, 1965.

PUCELLE DE BELLEVILLE (La). Œuvre de l'écrivain français Paul de Kock (1794-1871), publiée en 1834. Il ne faut pas se fier aux apparences : c'est toute la morale de ce très long roman. Ainsi est-ce bien à tort que la jeune Virginie passe pour une oie blanche, au point qu'on l'ait surnommée la « Pucelle de Belleville ». Sans doute, Virginie est chaste de corps : mais c'est prudence, bien plus que pureté. Sa tête ne pense qu'aux garçons, son cœur a assez de perfidie pour les séduire. Tout au contraire, son amie Adrienne, par sa liberté d'allure, son insouciance du « qu'en-dira-t-on », s'est attiré le mépris de toutes les personnes honnêtes. Mais cette fille perdue a le cœur pur, alors que la prude Virginie est un petit démon, qui fait la conquête des amoureux de son amie. Quand celle-ci sera réduite au désespoir, prête au suicide, Virginie pourtant sera touchée et lui ramènera son fiancé qu'elle avait séduit. Cette œuvre type des romans-feuilletons populaires connut au XIXe siècle un très long succès.

PUCK, LUTIN DE LA COLLINE [*Puck of Pook's Hill*]. Recueil de nouvelles de l'écrivain anglais Rudyard Kipling (1865-1936), publié en 1906. Après avoir récité trois fois, la veille de la Saint-Jean, quelques scènes du *Songe d'une nuit d'été* (*), deux enfants, Dan et Una, se sont endormis dans un pré. Le lutin Puck survient et leur jette un sort : « Vous verrez ce que vous verrez et vous entendrez ce que vous entendrez, serait-ce arrivé trois mille ans en ça. » Alors apparaît devant eux une suite de personnages. Le premier est sir Richard Dalyngridge, un chevalier normand venu en Angleterre avec Guillaume le Conquérant ; il leur raconte trois épisodes de sa vie : comment, tout de suite après la bataille d'Hastings, il reçut les terres situées dans la région où vivaient Dan et Una ; comment il revint d'Afrique chargé d'or, et comment son seigneur découvrit les menées d'un ennemi qui voulait le dépouiller de ses biens. Puis c'est un centurion romain qui raconte comment il reçut de l'empereur Maxime le commandement d'une cohorte ; il décrit la vie de la garnison romaine sur le Môle d'Hadrien. Fait capitaine, il eut à prendre le commandement de la garnison et à repousser des invasions barbares, jusqu'à l'arrivée de deux légions de renfort envoyées par Théodore après la mort de Maxime. Vient ensuite un artiste du temps d'Henri VII, sir Harry Dawe, qui raconte comment il aida Jean Cabot à se faire donner des canons pour ses bateaux. Lui succède un médecin juif qui vivait au temps du roi Jean et qui leur rapporte une légende relative à la *Magna Charta* (*). Apparitions et conversations ne tiennent pas toutes du rêve, car le sommeil des enfants ne les empêche pas de participer à la vie qui les entoure. Ces récits sont pleins d'un humour qui n'est peut-être pas toujours à la portée des enfants ; ils sont tous précédés et suivis d'un petit poème qui leur sert d'introduction et de conclusion. — Trad. Hartmann, 1932.

Ce livre reçut une suite : *Retour de Puck* [*Rewards and Fairies*], en 1910. On y retrouve sir Harry Dawe, qui raconte comment il fut armé chevalier par Henri VII pour lui avoir fait économiser une petite somme d'argent, et le chevalier normand sir Richard Dalyngridge, qui raconte une partie de chasse du roi Henri Ier après laquelle un pèlerin, protégé par le bouffon de la Cour, se révèle être Harold II, lequel s'était échappé de la bataille d'Hastings. Les autres personnages sont : Philadelphie, une demoiselle qui raconte d'étranges histoires de sorcières ; un homme de l'âge de pierre qui expose comment, en un clin d'œil, il forgea la première épée de fer et fut adoré comme un dieu ; un contrebandier anglo-français, de l'époque de la Révolution française, un certain Pharaon, qui narre ses aventures parmi les Peaux-Rouges et aussi sa rencontre avec Talleyrand et le Premier consul ; saint Wilfrid, qui rapporte la conversion de Méon ; un médecin astrologue du temps de Cromwell qui prétend, par l'astrologie, guérir de la peste ; Simon Cheyneys, qui rappelle quelques aventures de sir Francis Drake. Comme dans le premier volume, ce qui est rêve et réalité est mal défini ; le personnage, surgi du songe, se mêle à la vie quotidienne des enfants. Le titre du volume vient d'une chanson que Dan et Una chantent à la fin de *Puck :* « Adieu, récompenses et fées » [Farewell, rewards and fairies]. Chacun des onze récits, comme dans *Puck,* est accompagné de quelques vers servant d'introduction ou de commentaire. — Trad. Hartmann, 1930, 1933.

PUISQUE JE L'AIME [*Aisureba Koso*]. Drame en trois actes de l'écrivain japonais Tanizaki Jun-ichirô (1886-1965), dont le premier acte, publié seul en 1921 sous ce titre, fut suivi en 1922 des deux autres appelés « Dégradation ». La première partie forme elle-même une petite tragédie. Sumiko, la fille d'un haut fonctionnaire, a abandonné sa famille pour suivre Yamada, un acteur vil et débauché, qui la bat, l'oblige à être la domestique de ses autres maîtresses et opère des escroqueries sous son nom. Mais quand il veut la forcer à devenir prostituée, la jeune femme, se révoltant enfin, l'abandonne et se réfugie chez sa mère. Là elle rencontre Miyoshi, un jeune homme qui n'a pas cessé de l'aimer malgré sa déchéance, preuve pour lui de la grandeur d'âme de Sumiko. Touchée de cet amour fidèle, elle accepte de devenir sa compagne. Mais Yamada surgit, venant réclamer celle-ci à Miyoshi avec toutes les grimaces et les artifices de sa profession ; il va même jusqu'à s'agenouiller en pleurant devant le jeune homme. La scène est interrompue par un policier qui arrête l'acteur pour vol. Mais Sumiko, ayant assisté en cachette à l'entrevue et bouleversée par la part de vérité et d'amour que cachaient les pitreries de Yamada, décide de retourner partager sa vie. Dans la deuxième partie, Sumiko, devenue prostituée, avoue à Miyoshi, venu la voir, qu'elle l'aime mais ne peut quitter Yamada dont elle a profondément pitié. Miyoshi l'approuve et tous deux jurent que leurs relations resteront pures. Mais l'acteur, ayant appris la visite de Miyoshi, dont il ressent la supériorité, médite une diabolique vengeance. Dans le dernier acte, le jeune homme vient demander pardon à Yamada du crime que Sumiko et lui ont commis : n'ayant pu résister davantage à leur passion, ils sont devenus amants. Il s'accuse, d'autre part, d'être le seul responsable de leur déplorable situation : c'est lui qui dès le début a poussé la jeune femme dans les bras de Yamada qu'elle n'a supporté qu'en puisant sa force dans son amour pour lui, Miyoshi. Il éprouvait ainsi une immense délectation à se sacrifier et à sacrifier Sumiko, dont l'héroïque abnégation dans l'avilissement l'exaltait. Mais à présent, conscient des souffrances que son égoïsme a causées, il demande à l'acteur de lui rendre sa maîtresse. Celui-ci se réjouit alors de lui apprendre la cruelle vérité : c'est lui qui a ordonné à Sumiko de prendre Miyoshi comme « client », rien de plus ! La jeune femme comparaît et reconnaît le fait. Humilié à l'extrême, Miyoshi abandonne pour toujours cet étrange couple que rien désormais ne pourra désunir. Dans cette pièce à l'accent parfois dostoïevskien, l'auteur met en évidence l'ambiguïté et la relativité de tout sentiment et de toute valeur. Le bien contient autant de bassesse et d'ignominie que le mal peut contenir de grandeur et de pureté. L'amour de Yamada, ce personnage abject et pervers, est aussi valable que celui du parfait et mystique Miyoshi. Tanizaki, au-delà de l'apparente simplicité des choses qu'emprisonnent des mots comme amour, bonté, dégradation, etc., suggère la vertigineuse et « diabolique » complexité de la réalité. — Trad. Émile Paul, Cahiers du Mois, 1925.

PUISSANCE DE LA TERRE (La) [*Vlast' zemli*]. Roman de l'écrivain russe Gleb Ivanovitch Ouspenski (1840-1902), publié en 1882. *La Puissance de la terre* est l'œuvre maîtresse de cet auteur particulièrement fécond. Ce n'est pas à proprement parler une œuvre littéraire que ce roman, dont l'argument, d'ailleurs très mince, est un simple prétexte à des développements d'ordre didactique. L'auteur s'attache à démontrer que le monde du paysan russe est un monde à part, extrêmement difficile à pénétrer. Cette idée, déjà exposée dans les diverses nouvelles précédemment publiées par Ouspenski, est, dans *La Puissance de la terre*, exploitée à fond, et corroborée par des faits empruntés à la vie elle-même. D'après Ouspenski, on ne poura pénétrer le monde moral du paysan que le jour où seront clairement mis en évidence ses liens avec le labeur paysan, ses conditions de vie, les exigences de l'économie rurale — en un mot, avec la « puissance de la terre », de cette terre qui le nourrit. À l'appui de cette thèse, l'auteur conte l'histoire du paysan Ivan Bosykh qui, en se soustrayant à la puissance de la terre, s'est « affaibli », tant moralement que matériellement. Ivan a négligé sa ferme, ses champs : ayant trouvé une source de profits dans les chemins de fer, il s'est abâtardi, adonné à la boisson, à la fraude et au mensonge. Il retrace lui-même l'histoire de sa déchéance, en précise l'origine : la terre a perdu sur lui sa puissance. Cet ouvrage, d'une valeur artistique au demeurant assez médiocre, eut à l'époque (le début du règne d'Alexandre III, en effet, fut marqué par une violente réaction politique et vit lever les premiers ferments du marxisme) un retentissement considérable en Russie.

PUISSANCE DES TÉNÈBRES (La) [*Vlest' t'my*]. Drame en cinq actes de l'écrivain russe Lev Nikolaïevitch Tolstoï (1828-1910), écrit en 1886. L'action se passe dans un village, et l'atmosphère paysanne est rendue avec une grande vigueur. Nikita, serf du riche Piotr, a une liaison avec la femme de ce dernier, Anissia. Le père de Nikita voudrait que son fils épouse Marina, qu'il a séduite. Mais c'est l'influence de Matriona, mère de Nikita, louche figure d'intrigante, qui prévaut. Nikita reste cependant chez Piotr, qui meurt, empoisonné par sa femme, Anissia ; il épouse alors celle-ci. Mais il se trouve bientôt entraîné à d'autres relations coupables cette fois, avec Akoulina, sa belle-fille. De cette liaison naît un enfant que Nikita, cédant avec répugnance aux instances de sa femme et de sa mère, finit par faire disparaître. Les deux femmes et Nikita voudraient ensuite éliminer Akoulina, héritière légitime des biens laissés par son père, en la forçant à se marier. Cependant, la voix de la conscience n'est pas tout à fait morte chez Nikita : être faible, il n'est pas complètement corrompu. Au cours de la cérémonie du mariage où, selon le rite, il devrait bénir sa belle-fille, il confesse publiquement ses fautes et se fait arrêter. Cette œuvre est généralement considérée comme le meilleur ouvrage que Tolstoï ait écrit pour le théâtre, et l'atmosphère sombre des scènes, ainsi que les violentes passions des personnages, traitées avec une sobre vigueur, lui confèrent une remarquable puissance dramatique. — Trad. Gillequin, 1911.

PUISSANCE DU MENSONGE (La) [*Troens magt*]. Roman de l'écrivain norvégien Johan Bojer (1872-1959), publié en 1903. Le riche et puissant paysan Knut Norby rentre chez lui très mécontent : il a été battu au conseil communal et le commerçant Wangen vient d'être déclaré en faillite. Knut perd ainsi la grosse caution qu'il avait accordée à Wangen, malgré les conseils pressants de sa femme. Pour avoir la paix au moins pendant la fin de cette mauvaise journée, il décide de ne rien dire à sa femme. Mais sa fille lui demande ce qu'il faut penser des ragots qui courent déjà dans la bourgade, selon lesquels Knut devrait se préparer à ressentir les conséquences de la faillite de Wangen ; il se contente de démentir ces bruits. Non qu'il songe alors à renier sa signature ; il est bien ennuyé le lendemain quand il entend ses concitoyens traiter Wangen de faussaire. Pourtant, il ne dit pas la vérité : il a peur de sa femme, il devine anxieusement les ricanements de ses ennemis, surtout il a honte d'avoir, lui, Knut Norby, accordé sa caution à un personnage comme Wangen ! Knut ne ment pas encore ; il se tait. Sa femme, de crainte qu'il ne ménage Wangen, va mettre le maire au courant du pseudo-faux : cette fois, Knut se devrait de rétablir les faits. Mais il hésite, se dit qu'il serait mal d'exposer sa femme au ridicule, remet sa démarche au lendemain, puis au surlendemain, enfin à un autre jour. Peu à peu, il s'habitue à sa mauvaise action et attend si bien qu'un jour, sous peine de devenir l'objet de la risée publique, il doit signer la plainte en faux contre Wangen. Sans doute sa conscience le tourmente ; mais il se dit aussi qu'il ne risque rien, que personne ne pourrait prouver le cautionnement, que personne ne croira un Wangen, un failli ! La mauvaise foi de ses adversaires l'aide d'ailleurs à oublier son mensonge ; il ne ruse plus, il combat pour son nom, sa famille, sa terre. Il est si sûr de son bon droit qu'il chasse avec des injures les deux témoins encore vivants, son fils Einar et un vieux journalier, qui le viennent conjurer de dire la vérité. Il s'indigne d'avoir des ennemis jusqu'au sein de ses domestiques et de sa famille. Partout autour de lui, le mensonge s'étend : Einar, d'abord décidé à tout révéler, s'enfuit du tribunal lorsqu'il comprend que la vérité salirait à jamais son père et sa maison ; le pasteur, qui a reçu la dernière confession du vieux journalier, n'a pas l'audace de forcer sa veuve à parler ; et Wangen lui-même, personnage d'ailleurs peu sympathique, satisfait et fainéant, pour se disculper de l'accusation mensongère, est amené à commettre lui-même un faux ! La lâcheté de Knut a ainsi tout contaminé, jusqu'à la victime. Mais, pour Norby, c'est un triomphe : il a retrouvé l'assurance de l'honnête homme, il remercie Dieu d'avoir justifié sa cause et sa commune le fête comme le meilleur des citoyens. Au cours du banquet de réparation qui lui est offert, Knut, noble cœur, demande qu'on fasse une quête pour les enfants du condamné ! Cette œuvre, d'un profond pessimisme, dépasse beaucoup le thème du menteur qui finit par croire à son mensonge, car Knut a-t-il menti ? Initialement, il a commis tout au plus une petite lâcheté sans importance. Mais par cette fissure s'est aussitôt introduite la poussée invincible de la Fatalité. La morale de Bojer est donc, au moins à l'origine, rigoureusement protestante : en fin de compte, elle incline cependant à l'indulgence, en rappelant que les vérités que nous défendons avec le plus de sincérité sont parfois faites, comme celles de Knut, de petits mensonges, d'omissions fatales. Dans ce livre, qui établit la renommée mondiale de l'auteur, on ne trouve point, comme chez Hamsun, une richesse d'évocations pittoresques ou la peinture dramatique de sombres états passionnels : l'essentiel tient dans la finesse rigoureuse de la pénétration psychologique, menée avec une ironie amère qui, dans les dernières pages, tourne quasiment à la charge. — Trad. Calmann-Lévy, 1907.

PUISSANCE ET LA GLOIRE (La) [*The Power and the Glory*]. Roman de l'écrivain anglais Graham Greene (1904-1991). Publié en 1940 et couronné la même année du prix Hawthornden, ce roman est le sommet du cycle des romans catholiques de l'auteur qui, pour la première fois, délaissait les thèmes policiers. Il consacra, dix ans plus tard, sa renommée mondiale. Ainsi qu'un journal de voyage, *Routes sans lois* [*The Lawless Roads,* 1939], ce roman fut inspiré par un séjour au Mexique durant l'hiver 1937-38. Grand admirateur de Bernanos et de Mauriac, Greene, qui s'était converti au catholicisme en 1927, voulut en faire un roman à thèse. Tout en entendant les récits de la corruption du clergé qui étaient censés justifier la persécution de l'Église mexicaine par le gouvernement révolutionnaire, l'auteur avait pu observer la dévotion des paysans aux messes clandestines. Le récit d'un baptême au cours duquel le prêtre était ivre lui suggéra le personnage du religieux déchu et déchiré par sa déchéance. Cet homme traqué, qui fuit les Chemises Rouges d'un village à l'autre, soigne les blessés sur son passage, donne les sacrements, célèbre la messe, mais ne peut surmonter son ivrognerie. Malgré son indignité, le « padre » se sent contraint par les circonstances à porter jusqu'au martyre le fardeau de son sacerdoce. À l'opposé du religieux déchu qui transmet la vie, le lieutenant de police est l'idéaliste aux mains propres qui l'étouffe au nom de principes indiscutables et fraternels. Fils de l'Angleterre, l'auteur a des réactions britanniques quand il se heurte à la psychologie des Mexicains qu'il décrit. Ancien protestant, il pose le problème de la damnation et du salut avec une acuité et une résonance insolites. Le roman fut jugé « paradoxal et traitant de circonstances extraordinaires » par le Saint-Siège qui le condamna mais n'insista pas devant le refus de l'auteur de le modifier, et ce « journal d'un curé déchu » connut en Europe un retentissement inégalé au lendemain de la Seconde Guerre mondiale. Vingt-deux ans après sa parution, Greene a déclaré : « Cet ouvrage m'a apporté plus de satisfaction qu'aucune autre de mes œuvres. » — Trad. Robert Laffont, 1948.

PUISSANCE NOIRE [*Black Power*]. Reportage de l'écrivain noir américain Richard Wright (1908-1960), publié aux

U.S.A. en 1954. C'est le compte rendu d'un voyage en Côte-de-l'Or (aujourd'hui : Ghana), au cours de l'été 1953 au moment où ce pays, colonie anglaise depuis 1844, avait accédé à un statut d'autonomie, et où son premier ministre, Kwame N'Krumah, présentait au Parlement une motion réclamant l'indépendance complète (elle ne devait d'ailleurs être obtenue qu'en 1957). Noir américain, vivant en France à cette date, Wright prenait pour la première fois contact avec l'Afrique, mais il va sans dire que son intérêt pour les problèmes de ce continent et ceux des peuples noirs en général était bien plus ancien. En quelques semaines, le romancier a rencontré aussi bien N'Krumah et les dirigeants de son parti que les dirigeants de l'opposition ghanéenne. Le récit, très sobre, de ces rencontres, fait très bien sentir au lecteur pourquoi les intellectuels de l'opposition, Danquah ou Busia, en dépit de leur valeur universitaire, ne pouvaient en aucune manière l'emporter sur N'Krumah ; seul ce dernier avait été capable de donner une organisation politique aux « tribus » (pour parler comme Wright, car le terme prête à discussion ici) du Ghana. En même temps qu'il voit et montre clairement le caractère d'ores et déjà inéluctable de la victoire du mouvement de N'Krumah, Wright se préoccupe de l'avenir, des problèmes de développement futur. Soucieux de trouver un moyen d'échapper au dilemme capitalisme-socialisme traduit sous les termes d'Occident et d'Est, Wright donne à la fin du livre l'esquisse d'une sorte de dictature progressiste qui devrait permettre au pays de sortir de la misère. Le même souci d'échapper au dilemme Ouest-Est se marquera aussi dans les conclusions de son reportage : *Bandoeng* (1955). En fait, ce qu'il y a de plus intéressant dans *Puissance noire* (et aussi dans *Bandoeng*), ce sont les portraits des acteurs du drame, bien plus que les considérations générales. Alors que l'aspect matériel du Ghana a changé depuis 1953, le portrait de N'Krumah, parlant peu et brièvement, laissant échapper, comme par hasard, une remarque importante, demeure un des meilleurs qui soient. De même, les remarques de Wright sur l'étrange discrétion des cadres politiques dès que l'on aborde une question politique fondamentale restent valables aujourd'hui, et peuvent éclairer certains aspects de la réalité africaine. En revanche, le séjour de Wright a été trop bref pour qu'il ait pu en ramener tous les éléments d'une analyse rigoureuse des événements sur le plan social et économique. Mais il en a remarquablement fait revivre tous les aspects humains, immédiats. — Trad. Corrêa, 1956.

PUISSANCES DE L'ABSTRACTION (Les). Essai du philosophe français Frédéric Paulhan (1856-1931), publié en 1928. Il se rattache étroitement à l'ensemble des travaux de l'auteur : il en forme aussi la synthèse la plus accessible. Partons d'abord d'un état de conscience quelconque : par lui-même, il tend à se conserver. Mais des forces hostiles (perceptions du monde extérieur, poussées intérieures de nos idées et de nos désirs) l'en empêchent. Aucune expérience psychique ne survit donc intacte dans la mémoire ; certains éléments s'en détachent, subsistent en nous, mais tendent aussi à recréer l'état originel perdu : « Ils forment une sorte de système préhenseur qui va happer, dans le torrent des faits psychiques, ce qui peut lui servir à reconstituer l'état disparu. » Tel est le grand fait de la dissociation mentale, dont l'abstraction, en son sens rigoureux, n'est qu'un cas particulier. De l'incessante décomposition des états d'âme naissent sans cesse des états d'âme nouveaux. Le retour au passé est en effet difficile, impossible la reconstitution exacte d'un état de conscience perdu ; aussi le processus de reproduction tourne-t-il en un processus de substitution. « À la place des éléments disparus qui ne peuvent renaître, sous la poussée de sentiments, de tendances, d'idées qui ne pourraient s'en accommoder, de nouveaux éléments s'installent pour remplir leur fonction, et pour la remplir autrement qu'eux, et parfois de façon très différente. » C'est donc, paradoxalement, par une tentative de retour sur le passé que l'esprit s'engage vers l'avenir : « Par l'impuissance de faire durer le présent et de rappeler le passé, mais aussi par besoin de satisfactions nouvelles et encore inéprouvées, l'esprit prépare et réalise l'avenir. » Ainsi l'« abstraction » — au sens où l'entend Paulhan, c'est-à-dire tout fragment détaché d'une expérience psychique, émotion ou idée — est un élément essentiellement actif. « Il ne faut pas se figurer les éléments psychiques comme des réalités toutes faites et définitives [...] Les éléments psychiques sont des forces mobiles, des abstractions vivantes qui peuvent appartenir, selon des modes divers, à des associations diverses, qui se transforment, s'enrichissent, s'appauvrissent. » La description des phénomènes de l'abstraction conduit donc à une conception essentiellement dynamique de l'esprit : « Rien d'absolument fixe en tout cela, un frémissement perpétuel qui change sans cesse, se décompose et se réorganise et où seules des directions abstraites se maintiennent relativement. » Bien entendu, il entre ici une part d'hypothèse — que l'auteur reconnaît volontiers — puisqu'il s'agit d'une généralisation des résultats d'analyses de quelques faits particuliers. Mais quel autre chemin pour pénétrer vers le mystère ? La psychologie voisine, au terme de sa recherche, avec la métaphysique : Frédéric Paulhan nous invite en effet, dans un très perspicace chapitre final, à trouver dans la vie sociale des analogies avec les mécanismes intimes de l'esprit. Le monde, ainsi, pourrait être à l'image de notre âme.

PUISSANCES DES TÉNÈBRES (Les) [*Earthly Powers*]. Roman de l'écrivain anglais

Anthony Burgess (1917-1993), publié en 1980. Le narrateur de ce roman-fleuve est un certain Toomey, homme de lettres homosexuel et octogénaire, qui vit retiré dans l'île de Malte et nous livre le récit, par potins et ragots interposés, de sa traversée du siècle. Vaste fresque, mêlant le fait divers sordide et le tragique de l'histoire, le roman embrasse la totalité des fréquentations de son personnage, pour le meilleur et pour le pire. Défile, mais vue par le petit bout de la lorgnette, une ahurissante galerie de célébrités mondaines et littéraires, à la faveur du procédé (trop systématiquement appliqué ici) consistant à mêler faits historiques avérés et histoires imaginées de manière à authentifier le texte de fiction. Davantage qu'au roman, la méthode s'apparente à l'autobiographie : d'ailleurs Toomey, aux opinions très arrêtées sur l'art moderne, qu'il dénigre systématiquement et avec une mauvaise foi confondante, n'est pas sans rappeler la figure de Burgess lui-même qui trouve ici un masque à sa dimension, ainsi qu'une tribune depuis laquelle régler ses comptes en public. Dans un esprit de compétition avec les plus grands, T. S. Eliot, Joyce, mais aussi Shakespeare, il revendique un statut d'héritier majeur ou, à défaut, la condition de l'usurpateur sans scrupule, qui s'insère dans la trame d'*Ulysse* (*) ou se glisse dans la peau du Tirésias de *La Terre vaine* (*). Récitant génial autant que faussaire hors pair, il fait défiler toute l'histoire de la littérature anglaise de Chaucer à Henry James, de ses genres (théâtraux, en particulier), en vertu des pouvoirs particuliers qui sont les siens : les puissances des ténèbres qu'évoque le titre français, qui sont en fait les forces terrestres, par opposition sans doute aux forces célestes auxquelles commande son alter ego, le prélat Carlo Campanati, figure transparente du pape Jean XXIII. Mais l'opposition n'en est pas une : les pouvoirs surnaturels (d'exorcisme et autres) de l'homme d'Église trouvent un évident corrolaire dans l'écriture romanesque de Toomey, passionnément épris de l'humaine comédie et aspirant à rehausser le mondain et le séculier. En contrepoint de cette grande parade hollywoodienne, résonnent les accents plus graves d'une conscience hantée par la malédiction homosexuelle et rongée par l'éternelle question (chez Burgess) du libre arbitre et du caractère mêlé du mal et du bien. De rage de n'avoir pu être le premier à écrire la *Genèse* (*) (parce qu'elle décrit la « naissance du langage »), Toomey la réécrit en tant qu'hérésie homosexuelle. Démiurge, car c'est bien ainsi qu'il se rêve, habité par le don des langues, à croire qu'il le tient de l'Esprit-Saint, il se complaît dans le trivial bouffon et obscène pour mieux se masquer sa déception d'être passé à côté du sublime. Son « Je me souviens » itératif donne à la composition d'ensemble une forme lâche, proche de l'art du feuilleton à scandale. Au vu de sa maîtrise du pouvoir diabolique et divin des mots, le lecteur concédera bien volontiers à Papa Toomey – et à « Petit Wilson », son créateur – le titre qu'il revendique et jalouse à la fois, celui de monstre sacré. Mais dans la catégorie contrefaçon. – Trad. Acropole, 1981.

M. P.

PULCHÉRIE. Comédie héroïque en cinq actes, de Pierre Corneille (1606-1684), auteur dramatique français, qui fut représentée à Paris en 1672 sur la scène du théâtre du Marais. L'empereur Théodose étant mort, Pulchérie, qui est destinée à monter sur le trône, veut pour époux Léon, un jeune Romain qu'elle aime et dont elle est aimée. Le sénat se garde d'approuver un tel projet, car il juge Léon incapable de remplir les devoirs qui lui incomberaient. Toutefois Martian, un vieux ministre de la Cour qui aime la princesse, mais que son âge oblige à dissimuler ses sentiments, se montre favorable au choix de la future impératrice. Le sénat investit la souveraine de ses nouvelles fonctions et la met en demeure de donner au peuple romain un empereur qui soit digne de lui. « Je suis impératrice et j'étais Pulchérie », dit la princesse, résolue à sacrifier son amour pour Léon ; elle offre l'empire au noble et généreux Martian. Léon épouse la propre fille de Martian, qui était éprise de lui, et il est élevé au rang de Premier ministre.

Dans la Préface de *Pulchérie,* son avant-dernière pièce, Corneille écrivait que, bien qu'elle ait été jouée par des acteurs peu estimés (elle n'avait été acceptée ni par l'Hôtel de Bourgogne ni par Molière), « bien que ses caractères soient contre le goût du temps, elle n'a pas laissé de peupler le désert, de mettre en crédit des acteurs dont on ne connaissait pas le mérite, et de faire voir qu'on n'a pas toujours besoin de s'assujettir aux entêtements du siècle pour se faire écouter sur la scène ». La stratégie antiracinienne ne pouvait être plus clairement affirmée. En choisissant un sujet dans lequel l'héroïne était une impératrice passée à la postérité pour une sagesse et une dévotion dont sa virginité était devenue le symbole, dans lequel les tendresses du cœur sont étouffées par les nécessités d'un amour tout politique et platonique, dans lequel enfin le seul véritable frémissement amoureux (et contenu) est celui que ressent un vieillard, Corneille savait qu'il s'adressait au public de la vieille génération, à même d'être ému par des amours sages et politiques. Un public réduit, qui pouvait faire un succès, mais n'assurait plus de triomphe, à la différence de la masse de ceux qui couraient pleurer au spectacle des passions fatales des héros raciniens. N'en doutons pas : comme beaucoup d'autres pièces de Corneille, *Pulchérie* a été conçue comme un défi et une gageure. Mais pour un homme qui avait déjà exploré toutes les voies offertes à son sens de l'innovation, la marge était bien étroite. À la considérer ainsi

comme un cas limite, la pièce peut être considérée comme une réussite en son genre.
G. F.

PULPE (La) [*Miazga*]. Œuvre de l'écrivain polonais Jerzy Andrzejewski (1909-1983), parue en 1981. Écrit de 1963 à 1970, cet ouvrage ultime, dans lequel Andrzejewski voulait voir sa « pièce maîtresse », le summum de sa création, a une composition ouverte, liant des thèmes fictifs, des fragments de son journal et des chroniques. L'auteur échappe délibérément aux formes conventionnelles du roman pour s'évader vers le théâtre, le journal ou le pamphlet. C'est une œuvre politique autant que morale ou philosophique. La traduction française la définit très bien comme un « kaléidoscope d'une rare perfection au travers duquel l'écrivain, en quête de l'absolu en art, cherche aussi une place sans équivoque dans cette société polonaise qu'il qualifie lui-même de totalitaire ». Le champ de son observation est l'élite artistique de Varsovie, isolée, plongée dans les intrigues, l'inertie et le cynisme, aux prises avec le pouvoir. La seule valeur qui lui reste est le talent artistique, compris comme une émanation de l'esprit dionysien en révolte dont l'art tire la sève. *La Pulpe* reflète le grand désarroi de l'écrivain : « N'y aurait-il donc plus aucune attache sûre dans ce monde, rien que cette pulpe, cette masse difforme, où l'on ne distingue plus aucune ligne conductrice ? » Considéré par certains comme son chef-d'œuvre, cet ouvrage déroutant fut publié chez un éditeur de l'émigration, au grand regret de l'auteur. — Trad. Gallimard, 1989. L. Dy.

PUNAISE (La) [*Klop*]. Comédie de l'écrivain russe Vladimir Maïakovski (1893-1930), écrite en 1927-28. La première représentation eut lieu le 13 février 1929 au Théâtre de Meyerhold. La pièce a pour sujet la lutte contre les survivances de l'esprit petit-bourgeois sous toutes ses formes. Elle montre comment celui-ci utilise et récupère la phraséologie révolutionnaire, faisant naître de nouvelles classes dirigeantes désireuses de ressusciter le passé.

La pièce se compose de neuf tableaux. Les quatre premiers se situent à la fin des années 20. Prissypkine, ancien ouvrier et ex-communiste (il a adopté le nom de Pierre Skripkine, « le violoneux », jugé plus distingué), s'apprête à célébrer sa « noce rouge » avec Elzévire Renaissance, fille d'un coiffeur et elle-même manucure. Dans le premier tableau nous le voyons dépenser sans compter l'argent de sa future belle-mère : il achète force « jambons rouges » et « bouteilles de vin à col rouge »... Le rouge du communisme est la façade qui permet à Prissypkine de justifier son avidité, son goût d'un luxe vulgaire, ses appétits de bien-être et de vie facile. En échange, il est prêt à donner à la famille Renaissance la caution de son origine sociale irréprochable. Les anciens camarades de Prissypkine désapprouvent sa conduite. La noce se déroule dans une atmosphère de vulgarité agressive, mais elle est interrompue par un incendie dû à la négligence de l'assistance prise de boisson. Les secours arrivent trop tard. Il n'y a pas de survivants, mais il manque un cadavre.

Cinquante ans se sont écoulés et nous sommes dans la société de l'avenir. On découvre deux spécimens du monde ancien, congelés dans une cave ; il s'agit de Prissypkine et d'une punaise, dernière représentante de son espèce, et on décide de les ressusciter. Dès lors les événements vont aller bon train. Alcoolique, Prissypkine a besoin de bière. Les ouvriers de la brasserie qui la fabrique sont frappés par une sévère épidémie pour y avoir accidentellement touché. Les chiens de l'immeuble occupé par le héros n'aboient plus ; dressés sur leurs pattes de derrière, ils s'exercent à la servilité ; les jeunes filles sont atteintes par les microbes de l'amour romanesque. Tout le monde est contaminé par Prissypkine, dont la rééducation s'avère impossible. Du reste il ne la souhaite pas. Le directeur du zoo recherche un humanoïde susceptible de nourrir le précieux insecte (la punaise) dont il a fait récemment l'acquisition. Voilà qui va rendre la joie de vivre à Prissypkine. Le dernier tableau nous montre un Prissypkine encagé qui fume et jure au milieu des bouteilles de vodka (mais il y a des filtres destinés à assainir l'atmosphère !). Sommé de dire quelques mots, Prissypkine invite les spectateurs (ici la fiction théâtrale rejoint la réalité) à venir lui tenir compagnie. Ne sont-il pas semblables ?

Avec *Les Bains* (*), *La Punaise* constitue le sommet de l'art dramatique de Maïakovski. Si dans *Mystère-Bouffe* (*) l'utopie est triomphante, ici elle ne représente plus le couronnement de la réalité, elle se charge d'ironie et de tristesse. — Trad. Grasset, 1989. M. G.

PUNCH ou The London Charivari. Hebdomadaire humoristique édité à Londres depuis le 17 juin 1841. Il fut, à l'origine, une imitation du journal français *Charivari* ; en Angleterre, il fut précédé du *Figaro in London* (1831) et du *Punchinello* [*Polichinelle*, 1832], qui eurent tous deux une existence plutôt brève. *Punch* est désormais une institution nationale et l'histoire qu'il nous conte est variée ; elle se modifie et s'adapte à l'évolution du temps. Le rôle de cette revue a toujours été et est encore de faire entendre la voix de l'opinion moyenne du pays. C'est ainsi qu'elle s'opposa à la politique continentale en général et qu'elle fit preuve, à ses débuts notamment, d'une hostilité déclarée envers le Vatican et l'Irlande. Ses sympathies allaient aux libéraux et elle fit campagne contre Napoléon III. Elle attaqua de graves abus sociaux — v. *La Chanson de la chemise* (*) de Thomas Hood. Simultanément, et dès son premier numéro, elle cultiva la satire de mœurs (parmi les œuvres qui eurent une célébrité foudroyante, rappelons : *Le Livre des snobs* (*) de Thackeray, publié en feuilleton de 1846 à 1847, et les *Sermons domestiques de Mme Candle* [*Mrs. Candle's Curtain Lectures*] de Douglas Jerrold en 1846) ; l'humour prit, avec le temps, une place de plus en plus importante dans la revue. Certaines légendes de *Punch* devinrent célèbres sur l'heure. Une tradition jalousement respectée du journal est celle du dîner hebdomadaire qui réunit les principaux rédacteurs et illustrateurs, après quoi la matière du prochain numéro est choisie et distribuée entre eux. Le sujet et la légende de l'illustration principale (caricature politique occupant une page entière) est en général le résultat de cette collaboration dont l'importance est fondamentale. Le bruit courut que la chute du ministère Russel (1852) fut provoquée par l'une de ces vignettes. La première rédaction se composait de Henry Mayhew (1812-1887), Mark Lemon (1809-1870) qui devint ensuite seul directeur, et de Joseph Sterling Goyne (1803-1868). À ce premier comité se joignirent plus tard William Makepeace Thackeray (1811-1863) et Thomas Hood (1799-1845), tandis que John Leech (1817-1864) et sir John Tenniel (1820-1914) furent parmi les premiers illustrateurs. La couverture, dessinée en 1849 par Richard John Doyle, représente Punch (Polichinelle), assis dans un fauteuil et admirant complaisamment l'œuvre qu'il est en train de dessiner, le portrait du lion britannique souriant, coiffé d'une immense couronne. Hissé sur une pile de livraisons de la revue, son petit chien pose pour ce portrait ; c'est un chien de cirque mélancolique, une grande collerette plissée et ornée de grelots autour du cou, coiffé d'un béret à plume. Autour de lui une frise de fées, d'elfes, de gnomes, de bouffons, de satires et de sorcières émerge de deux cornes d'abondance au bas de la page (ce dessin disparut de la couverture en 1969).

Parmi les contemporains, rappelons Edmund George Valpy Knox (« Evoe »), qui prit la direction de l'hebdomadaire en 1932, succédant à sir Owen Seaman (auteur de remarquables parodies en vers) ; A. A. Milne, dont la distinction et l'humour raffiné, libre de tout esprit polémique, représentant le type même de l'esprit de *Punch* dans les vingt premières années de ce siècle. E. V. Lucas y publia plusieurs de ses meilleurs essais. Depuis, l'hebdomadaire a été dirigé successivement par Kenneth Bird de 1949 à 1952 ; Malcolm Muggeridge (1953-57) ; Bernard Hollowood (1958-68), William Davis (1968-78) et Allan Coren.

PUNIQUES (Les) [*Punica*]. Poème épique en dix-sept livres, composé par le poète latin Silius Italicus (25 ?-101), sur la seconde guerre punique. C'est, comme la *Pharsale* (*) de Lucain, un ouvrage à base historique, inspiré par le patriotisme, mais la mythologie y joue également un grand rôle. Silius s'est documenté dans Tite-Live ; ses modèles littéraires sont Virgile et l'antique épopée grecque et romaine. Son récit nous mène du siège de Sagonte à la victoire de Scipion à Zama. À chaque bataille, les dieux interviennent : Minerve combat pour Annibal, Mars pour Scipion, Jupiter favorise l'un et l'autre, et maints épisodes (jeux funèbres, songes, descente aux Enfers) sont renouvelés d'Homère. Silius Italicus met Tite-Live en vers comme le fera Pétrarque dans *L'Afrique* (*), mais ce parfait versificateur, ce savant, est dépourvu d'originalité, et il ne parvient pas à traduire les péripéties de la guerre. — Trad. coll. Nisard, 1855.

PURANĀNŪRU. *Puranānūru* ou *Les Quatre Cents (poèmes) de Puram* est une anthologie de poésie tamoule du Caṅkam — v. *Littérature du Caṅkam* (*) — sur le thème de Puram (poésie héroïque). Encore appelé *Purappāṭṭu* [*Chants héroïques*] ou encore tout simplement Puram, ce recueil comprend quatre cents stances de poésie héroïque. Différentes « situations » propres à la poésie héroïque s'y trouvent présentées. De nombreux poèmes sont à la louange des rois des trois grandes dynasties tamoules Cēra, Cōḷa et Pāṇḍya ; d'autres louent des chefs locaux ; certains poèmes sont des élégies ; parmi les poèmes du *Puranānūru,* certains appartiennent à l'époque la plus ancienne du Caṅkam. E. S.

PURĀNA . Sous ce titre, on désigne un ensemble d'ouvrages littéraires indiens, très volumineux, dont l'importance est extrême au point de vue de l'histoire de la culture indienne. Selon la tradition, le canon puranique est constitué par dix-huit *Purāna* et par un certain nombre d'*Upapurāna* ou *Purāna* secondaires (selon certaines sources, il y en aurait également dix-huit). Tandis que les dix-huit *Purāna* , sur lesquels la tradition locale ne laisse aucun doute, nous sont parvenus, il demeure encore difficile d'identifier les dix-huit *Upapurāna* . Certains d'entre eux appartiennent, à cause de leur contenu et de leur structure, à ce genre littéraire ; d'autres, au contraire, utilisent illégitimement le titre de *Pūārāna* ou d'*Upapyrāna,* en vue de donner du prestige à leur contenu. Les *Purāna* sont des ouvrages en vers où très rarement sont intercalés des passages en prose. De longueur variable, les *Purāna* (allant d'un minimum de cinq mille six cents strophes à un maximum de quatre-vingt-un mille) peuvent être considérés comme une sorte d'encyclopédie de la civilisation et de la religion indiennes. Cette religion multiforme dans ses innombrables traditions et ses croyances (qui s'entrelacent, se croisent, se superposent, s'identifient et pourtant se différencient les unes des autres de mille façons) a trouvé dans les *Purāna* , comme d'ailleurs dans le *Mahābhārata* (*), un trésor inépuisable de légendes, de traditions et de mythes. Toutefois, à côté du savoir religieux, on rencontre, un peu partout et à profusion, au sein de ces immenses recueils littéraires, le savoir profane concernant les branches les plus diverses des connaissances humaines. Par conséquent, dans leur composition les *Purāna* manquent d'un plan organique ; ils constituent un monument de la religion et de la science anonyme indiennes. L'attribution qui en a été faite à Vyāsa, l'auteur légendaire du *Mahābhārata,* est purement fantaisiste. Les textes définitifs des dix-huit *Purāna* , tels qu'ils nous sont parvenus, ont été rédigés entre le VIe et le XIe siècle apr. J.-C.

PUR ESPION (Un) [*A Perfect Spy*]. Roman de l'écrivain anglais John Le Carré (né en 1931), publié en 1986. L'espion et agent double Magnus Pym, officiellement conseiller à l'ambassade britannique de Vienne, a brusquement disparu, provoquant affolement et consternation. On le recherche au bout du monde, alors qu'il est secrètement retourné en Angleterre assister aux obsèques de son père, dont la mort le libère enfin du poids de tout un passé de mensonges, de trahisons et de faux-semblants. C'est pour tenter d'apurer ce lourd passif qu'il a choisi de se cacher dans une petite pension de famille du Devon, et de s'y confesser par les voies cathartiques de l'écriture. Ne doutant pas que tôt ou tard ses anciens collègues, furieux, retrouveront sa trace, il rédige ses mémoires dans l'attente d'une issue qu'il sait mortelle. Il s'explique sur les motivations qui l'ont poussé à trahir son pays, ses amis, ses nombreuses compagnes aussi bien que sur la nature ambivalente de ses rapports avec son escroc de père, personnalité écrasante, coquin magnifique, qui aura involontairement légué à son fils la folie des grandeurs (Magnus), mais aussi l'art de la dissimulation, qui lui aura été si précieux dans son rôle de taupe à la solde de la Tchécoslovaquie. Ce travail d'autoanalyse en forme d'envoi adressé à Jack Brotherhood, son mentor britannique, qui le premier le recruta et jamais ne se douta de son double jeu, à Rick son père, à Tom son fils, ou à Axel son contact tchèque que, tel Judas, il dénonça jadis avant de s'en refaire un ami, le fait accoucher de tout un passé enfoui, l'« ombre de sa préhistoire ». En contrepoint des retours en arrière, conduits à la troisième personne plus souvent qu'à la première (Magnus n'est-il pas lui-même un romancier qui construit son personnage ?), le récit de la traque se déploie, de manière plus classique mais non moins captivante, jusqu'à la découverte de la planque, jusqu'au suicide de Magnus Pym, pur espion sans autre cause que celle de l'amour. Pym qui, paradoxalement, n'a trahi que par amour, aura donc beaucoup aimé. Hantée par le souvenir de ses péchés inexpiables, sa vie n'aura été qu'une fuite en avant, en quête de l'illusoire renaissance qu'autorise chaque nouvelle défection. La coloration métaphysique, voire religieuse du livre, qui rappelle Graham Greene, s'accompagne, et le fait est nouveau chez Le Carré, d'éclatantes dispositions comiques, appliquées à l'évocation des frasques de l'aigrefin mythomane Rick Pym, qui fait parfois songer à Falstaff. Au reste, la densité des allusions et références littéraires (Grimmelshausen, Thomas Mann, Proust, Goethe, etc.) ne saurait tromper : le parcours de Pym, romancier en puissance, rêvant d'écrire un roman à la Dickens avec un orphelin pour héros, et jouissant dans sa chambre de la solitude royale de l'écrivain au-dessus de la mêlée, et amoureux de ses créatures, entretient avec la biographie de Le Carré d'évidents rapports de symétrie. Il n'est pas jusqu'à l'initiale du prénom paternel (R pour Rick dans la fiction, pour Ronnie dans la réalité, auquel le livre est dédié) qui ne confirme la nature singulière de cette œuvre superbement affranchie des frontières étroites du roman d'espionnage : dans ses reflets compromettants, elle est un « miroir d'encre ». — Trad. Robert Laffont, 1986M. P.

PUR ET L'IMPUR (Le). C'est l'œuvre la plus singulière de l'écrivain français Colette (1873-1954), publiée en 1932. Dans cette sorte d'essai, Colette, présente en personne, parlant en son nom, dialoguant ici ou là avec tel ou tel personnage présenté comme ayant réellement existé, tente d'approcher le secret qui gît en nous au cœur d'un « sourd asile où s'éba[t] sûrement une puissante arabesque de chair, un chiffre de membres mêlés, monogramme symbolique de l'inexorable... ». En bref, elle interroge nos plaisirs — charnels, nécessaires, obligés — et la part qu'ils prennent en nous ou nous laissent, composant avec notre nature profonde. Comme dans une sorte de kaléidoscope de mininouvelles ou d'anecdotes développées, elle fait défiler devant nous une Charlotte qui s'ingénie à faire croire au faible jeune homme qu'elle aime qu'il est un amant hors pair, un Damien. Don juan à la « neurasthénie de Danaïde » : « grenier d'abondance de l'homme, la femme se sait à peu près inépuisable » ; deux autres don juan, Missie, Renée Vivien, Amalia, les dames de Llangollen : l'univers des amours saphiques ; Pepe et le monde des homosexuels ou des travestis, et bien d'autres encore... À travers l'évocation de ces exemples vivants court le fil d'une réflexion sur le lien de ces plaisirs avec le sens même de notre vie, qui ne prend justement sens que dans une exigence toujours renouvelée de pureté, dans une tension constante vers une sorte d'idéal amoureux, fait de tendresse confiante et partagée, dont la difficile incarnation ramène justement au gouffre du plaisir où l'élan risque de se perdre. Entre l'amour-consommation et la chimère de l'amour, les vies sont infiniment variées et infiniment monotones, les chances d'un juste équilibre étant chichement accordées et le risque toujours à prendre. M. Mer.

PURGATOIRE (Le). Roman de l'écrivain français Pierre Boutang (né en 1916), publié en 1976. Il s'ouvre avec la mort de Montalte : réveil à soi-même hors la « douce coutume d'un corps » qui le jette en un voyage de tribulation sur un sentier connu : « Il se mouvait en un temps et en des lieux non communs, selon l'ordre de ses passions et de ses fautes. » L'« âme en juste peine », qui « n'est rien de libre », doit « reparcourir le chemin de sa vie », chemin analogue dans l'« ordre et les flammes » de la tribulation. C'est au scribe de « chercher le lieu du Purgatoire », qui impose à Montalte non pas la répétition de sa vie mais la « coïncidence oblique » avec elle, à travers les divers lieux de ses fautes passées, « en quête de l'âme sauvée et broyée ». Ne compte ici en vérité que « le précurseur de la faute rachetée à l'intérieur du péché accompli ». Montalte est tout à sa « tâche étrange » de reparcourir ainsi, monter et redescendre le sentier pratiqué avec ses stations naturelles — le genévrier, le houx, la marjolaine absente — jusqu'aux ruines de l'église forte avant le village où il n'entre pas ; viennent à lui tout d'abord son père, ensuite trois femmes qu'il n'a pas connues durant sa vie terrestre, mais en qui il reconnaît les hautes dispensatrices de grâces et secrets périlleux : Gaspara Stampa, Loyse Labé, Karin Pozzi ; puis le « prince négligent », Roger Nimier, puis Maurras, intercesseurs qui lui rappellent, avant les épreuves qu'il doit subir (épreuves « discontinues, non reliées par l'idole d'un temps unique ») que la tâche qui lui est infligée est essentiellement liée avec la langue apprise. Montalte retourne donc à sa vie selon l'ordre des péchés, qui suit dans le livre la progression des chants : « superbe », ou l'« appétit désordonné de son excellence », ou encore l'enfance du chat botté ; « luxure » surgie de l'orgueil sous ses diverses espèces, jusques et y compris la spirituelle ; « acédie », et la visite à Wittgenstein en Irlande, et la conjuration de l'« ange du désespoir calme » ; « colère », « envie », enfin « goulavare », celui-là péché de l'époque, permis plutôt que commis, l'infernale conjonction de l'avidité et de l'avarice. Pris chaque fois par un « feu qui n'a pas de lieu », jusqu'à ce que tous « ses péchés aussi se muent en mérites lorsque leur désordre s'est évaporé sous le feu de la pénitence, et que l'amour de la création temporelle, jamais absent de leur mélange, apparaisse et rayonne », Montalte est jeté pour finir au seuil du jardin, où le discours s'abolit et se transfigure en poème. *Le Purgatoire* est fait pour décourager le lecteur indigne ou indifférent. Par la science amoureuse qu'il met en œuvre, par l'enchantement d'une langue où les mots semblent obéir avec joie à l'oiseleur qui les suscite ; par la hauteur de son ambition, à quoi il s'égale, ce livre, miroir magique tendu au lecteur qui ne s'y regardera pas sans aventure, est l'un des chefs-d'œuvre méconnus du roman français au XXe siècle. Ph. Ba.

PURGATOIRE DE SAINT PATRICE (Le). Tel est le titre de l'une des « visions » les plus célèbres du Moyen Âge ; elle est d'origine irlandaise, comme *La Navigation de saint Brandan* (*) et la *Vision de Tundal* (*). Nous en possédons plusieurs rédactions en latin, dont la plus ancienne est sans doute celle que l'on attribue au moine bénédictin anglais Henri de Saltrey (XIIe siècle), publiée à Paris par Massinger en 1662. Il en existe aussi des versions françaises en vers et en prose, d'autres en italien, en provençal et en divers dialectes. L'une des plus complètes a été reproduite par l'Italien Pasquale Villari dans un livre intitulé : *Vieilles légendes et traditions servant à illustrer La Divine Comédie* (Pise, 1865). C'est l'histoire d'un chevalier du XIIe siècle dont le nom, Owaine en anglais, a été traduit par Owen, Ouvain ou Ivanhoé ; se repentant de ses péchés et voulant faire pénitence, il décide de descendre dans un puits miraculeux qui accède à l'au-delà. (Ce puits, selon la tradition, aurait été creusé au VIe siècle par saint Patrice, afin d'inciter les Irlandais à se convertir au christianisme.) Encouragé par les vénérables religieux d'un couvent situé au début de son long et pénible chemin, Ouvain passe à travers l'enfer ; il lui suffit à chaque épreuve d'invoquer le nom du Christ pour se soustraire aux démons qui, par tous les moyens, cherchent à le faire renoncer à son projet. Les damnés qu'il rencontre (et dont l'auteur ne cite jamais les fautes) sont voués aux châtiments traditionnels ; les uns sont crucifiés à même le sol, d'autres mordus par des serpents, par des dragons, ou torturés par des hiboux, d'autres encore liés par des chaînes brûlantes, ou ensevelis dans la glace, ou entourés de flammes, etc. Un puits très profond vomit et ingurgite sans trêve, au sein de flammes sombres et puantes, les âmes des pires damnés. Le supplice le plus original est une roue enflammée, munie de crochets auxquels sont suspendus les pécheurs, et dont la masse énorme tourne à une vitesse folle. Nous trouvons au bout de ce voyage le petit pont habituel, étroit et glissant, par lequel on arrive au Paradis ; là accèdent toutes les âmes (excepté celles qui, vouées à une peine éternelle, doivent rester au fond du puits) dès qu'elles ont expié leurs péchés ainsi que le veut la justice divine ; elles s'y arrêtent un moment avant de monter au Ciel. Ouvain assiste, comme Dante au Paradis terrestre, à une pieuse procession. Puis, il est conduit au sommet d'une montagne d'où il aperçoit la porte des Cieux, « pareille à de l'or pur dans le creuset ardent ». De cette porte, une fois par jour, descend une divine flamme qui emplit d'une sainte allégresse les habitants de ces lieux. Ouvain, après l'avoir éprouvée, se voit renvoyé par ses guides et reprend, plein de nostalgie et de regret, le chemin du retour. De nouveau sur la terre, il se consacrera à la vie religieuse. — *Le Purgatoire de saint Patrice* de Marie de France a été publié par T. A. Jenkins avec une édition diplomatique du texte d'H. de Saltrey (Chicago, 1903) et adapté par J. Marchand (*L'Autre Monde au Moyen Âge*, Paris, 1940).

★ S'inspirant de cette légende célèbre, l'écrivain espagnol Pedro Calderón de la Barca (1600-1681) a écrit en 1628 une comédie dramatique en trois actes et en vers intitulée : *Le Purgatoire de saint Patrice* [*El purgatorio de San Patricio*] ; elle fut publiée dans la *Primera parte* de son théâtre (Madrid, 1636). Calderón avait deux modèles espagnols : *Vida y Purgatorio de san Patricio* (1627) de Juan Pérez de Montalbán (1602-1638) et la comédie de Lope de Vega (inspirée de l'ouvrage précédent) : *El mayor prodigio y el Purgatorio en la vida*. L'intrigue de la pièce de Calderón est la suivante : en une Irlande païenne où règne un souverain obstiné dans son erreur débarquent deux hommes qui viennent d'échapper au naufrage : l'un est Patrice, serviteur de Dieu, l'autre Ludovic Ennius, un vil individu. Réduit en esclavage, le futur saint est miraculeusement transporté à Rome et, de là, renvoyé en Irlande pour évangéliser le pays. Ludovic Ennius, lui, a trouvé d'abord un accueil favorable auprès du roi barbare ; mais, les années passant, ses débauches et ses vices le font tomber en disgrâce. Il en vient à tuer par méchanceté pure, sans motif, l'une des filles du monarque, Polonia, celle qui par amour l'a délivré de la prison où on l'avait enfermé. Tandis que le roi pleure sa fille morte, Patrice arrive et, pour prouver la puissance de son Dieu, ressuscite la princesse. Mais le souverain demeure incrédule : le miracle de Patrice ne l'a pas convaincu de l'existence d'un au-delà. Un ange révèle au tenace apôtre qu'il se trouve une caverne — le fameux Purgatoire ou Puits de saint Patrice — permettant aux hommes les plus braves et les plus dignes de pénétrer dans les domaines d'outre-tombe. Le prince païen, aveuglé par son orgueil, veut y pénétrer, mais l'abîme l'engloutit. Ludovic Ennius, à son tour, est soumis à la même épreuve ; son âme s'étant ouverte au repentir, il ressort du puits, sans mal, racheté par sa foi, vivant témoin des miracles de Patrice. Ce drame est parsemé de géniales lueurs, mais aucune n'arrive jamais à produire un effet durable. De plus, il est souvent obscur, plein de contradictions et de dénouements inexplicables. Le roi et Ludovic Ennius auraient pu être des figures marquantes ; mais, en fait, les seules qui paraissent vivantes au lecteur comme au spectateur sont le bouffon Paulin et sa femme Lucie, qui conçoit l'hospitalité d'une façon trop généreuse à l'égard des étrangers du sexe fort. Dans cette tragédie, le côté dramatique et religieux est manqué : il n'en reste que la farce.

PURIFICATIONS [Καθαρμοί]. Poème du philosophe grec Empédocle d'Agrigente (483 ?-423 ? av. J.-C.), connu seulement par les fragments que nous ont transmis Diogène Laërce, Sextus Empiricus, Hippolyte, Plutarque, Porphyre, etc. Il est dédié aux amis que l'auteur comptait à Agrigente. De sens assez obscur — son inspiration semble indiquer qu'Empédocle aurait été formé au pythagorisme —, il fait allusion à l'origine divine d'Empédocle (ce qui paraît confirmé par la tradition relatée par Diogène Laërce, suivant laquelle le philosophe se serait précipité dans l'Etna pour faire croire à tous qu'il avait été rappelé par les dieux). Empédocle aurait été condamné à vivre parmi les hommes à la suite d'une ancienne faute ; telle est la peine appliquée aux immortels qui souillent leurs mains d'un sang impur par homicide : par un suprême arrêt du destin ils doivent demeurer dix mille saisons loin des béatitudes et s'incarner successivement dans tous les êtres mortels, afin d'être sans cesse haïs et maltraités. C'est pourquoi, dit Empédocle, « je fus déjà garçon et fille, arbre et oiseau, enfin poisson muet au fond des mers ». — Trad. *Les Présocratiques,* Gallimard, 1988.

PURITAIN (Le) [*The Puritan*]. Roman de l'écrivain irlandais Liam O'Flaherty (1897-1984), publié en 1931. Dans la plupart de ses œuvres, et particulièrement dans *Le Puritain,* O'Flaherty déroule un drame, ou une succession de drames, dans un flux rapide des forces déchaînées, une suite de scènes en apparence non liées, vibrantes et pressées, où le paysage défile en fonction de l'action. Les phrases sont courtes et hachées, sans traits superflus, sans recherche littéraire, chaque figure, chaque événement ne ressortant que de la masse des détails, et tout étant disposé en vue de l'expression dramatique : rudesse et nudité, mais aussi puissance et intensité. Le ton est celui de la violence froide ou affolée, de la passion féroce et furieuse, l'impression voulue et rendue est celle d'un cauchemar sinistre et torturant. C'est cette atmosphère que nous retrouvons dans les deux romans que Liam O'Flaherty a consacrés à la vie des bas-fonds de Dublin, bas-fonds de la conscience et bas-fonds de la ville. Banal, le sujet de *M. Gilhooley* [*Mr. Gilhooley,* 1926] est celui-ci : un quinquagénaire désœuvré et sans famille s'éprend d'une fille qui l'affole, et qu'il finit par étrangler. Dans *Le Puritain,* un jeune journaliste primaire et fanatique, Francis Ferriter, adepte d'un supposé « néo-puritanisme » hypocrite qui, sous couleur d'action moralisatrice, tendrait à l'asservissement clérical du pays, veut « étonner l'humanité » et réformer la société : pour abolir la prostitution, il assassine une fille et accuse du crime l'amant de celle-ci, le vrai responsable à ses yeux, socialement parlant. Peu après, il s'aperçoit que son geste de « purification » n'était qu'une réaction de jalousie, et qu'il aimait cette fille qu'il a tuée. Il veut se confesser, mais insulte le prêtre et lui crache au visage ; il termine la journée dans un cabaret, puis chez les prostituées ; il donne à l'une d'elles tout ce qui lui reste d'argent, et, baisant le bas de sa robe, lui demande pardon pour le meurtre qu'il a commis sur la personne de Teresa Burke. Arrêté par la police, Francis Ferriter s'en prend à la société, à l'Église, et sombre dans le délire orgueilleux : « Il n'y a pas de dieu, mais l'homme a une destinée divine. C'est le devoir de tout homme de devenir dieu. » Dans ce roman solidement bâti, où les tirades en faveur de la réhabilitation des filles perdues alternent avec les déclamations contre l'ordre social et moral, c'est la « manière forte » de l'auteur qui fait un singulier contraste avec la faiblesse de ses thèses relevant du poncif. Ce roman a été porté à la scène et à l'écran. — Trad. Gallimard, 1937.

PURITAINS D'ÉCOSSE (Les). Roman de l'écrivain écossais Walter Scott (1771-1832) dont le vrai titre est *Old Mortality* [*Vieille Humanité*], publié en 1816 dans la première série des *Contes de mon hôte* (*). « Old Mortality » est le surnom d'un certain Robert Paterson, qui parcourait l'Écosse à la fin du XVIIe siècle pour soigner les tombes des cameroniens, secte de puritains qui prirent les armes contre Jacques II. Le récit est fait d'anecdotes contées par un de leurs partisans et comprend la période qui va de la campagne militaire menée contre eux en 1679 par John Graham of Claverhouse, jusqu'à l'époque d'une plus grande tolérance religieuse sous Guillaume III ; il met en relief les aventures du jeune et courageux Henri Morton of Milnwood, presbytérien modéré qui se met pourtant dans les rangs des puritains écossais, les plus extrémistes, à cause de l'injuste traitement que ceux-ci eurent à subir de la part des dragons de Claverhouse ; après bien des péripéties, il épousera Édith, la nièce de lady Margaret Bellenden, courtisée auparavant par lord Evendale, tué au cours d'une bataille. Ce chef-d'œuvre de Walter Scott, dont l'intrigue romanesque est des plus passionnantes, vaut surtout par la peinture des mœurs de toute une époque. Les allocutions des prédicateurs et les discours plus brefs des hommes d'action apparentent ce livre aux ouvrages de l'Antiquité classique. Le récit de la visite de Claverhouse à la tour de Tillietudlem, et l'épisode où Morton est arraché par Claverhouse à la fureur des fanatiques ont un réel caractère épique. Comme souvent chez Walter Scott, les personnages de second plan sont dessinés avec plus de vigueur que les protagonistes. Carlyle disait : « Shakespeare façonne ses personnages en commençant par le cœur et en finissant par l'extérieur ; Scott façonne les siens en commençant par la peau, il s'efforce de pénétrer à l'intérieur, mais n'approche pas du cœur. » Cependant, le portrait de Claverhouse, chevalier sans tache, mais cruel et fanatique, est habilement fait et les figures de certains sectaires sont particulièrement vivantes. — Trad. Garnier, 1933.

★ *Les Puritains*, opéra en trois actes du compositeur italien Vincenzo Bellini (1801-1835) sur un livret de Carlo Pepoli, furent représentés à Paris en 1835. L'action se passe en Angleterre au temps de Cromwell. *Les Puritains* sont la dernière œuvre de Bellini et la mieux composée du point de vue instrumental. Le quatuor et le finale du premier acte ainsi que la scène de la folie d'Elvire comptent parmi les plus belles pages qu'il ait écrites ; elles sont à la hauteur des meilleurs morceaux de *La Somnambule* (*) et de *Norma* (*). Comme dans ses autres œuvres, le compositeur réussit mieux dans l'expression lyrique des sentiments d'un seul personnage que dans les scènes dramatiques ; il sait se servir du chant. L'air d'Elvire, « Ô rendez-moi l'espérance », est particulièrement émouvant.

PUTAIN RESPECTUEUSE (La). Pièce en un acte et deux tableaux du philosophe et écrivain français Jean-Paul Sartre (1905-1980), représentée pour la première fois en 1946 et publiée en 1947. Dans une petite ville du sud des États-Unis, deux Noirs sont poursuivis par des Blancs, qui les accusent à tort de viol et veulent les lyncher. L'un d'eux est tué. L'autre veut se réfugier chez une prostituée, Lizzie, qui le chasse. Son client, Fred, pour sauver Thomas qui a tué l'autre Noir, veut lui faire avouer que c'est elle que les Noirs ont tenté de violer, mais elle refuse de faire ce faux témoignage, malgré les cinq cents dollars que lui offre Fred, puis sa brutalité. Elle résiste aussi à deux policiers, qui veulent lui faire signer une fausse déclaration de viol. Mais le père de Fred, un sénateur, obtient par la persuasion, la douceur et l'hypocrisie, la signature de Lizzie en l'apitoyant sur le sort de Thomas et de sa vieille mère. Au deuxième tableau, le Noir se réfugie chez Lizzie à son insu. Le sénateur revient voir Lizzie et lui donne cent dollars de la part de la mère de Thomas. Lizzie, qui espérait une marque de reconnaissance personnelle, comprend à quel point elle a été trompée. Elle découvre le Noir caché chez elle. On entend monter des hommes à sa poursuite. Lizzie donne un revolver au Noir, qui refuse de s'en servir. Fred revient, après le lynchage d'un autre Noir par la foule en délire. Il découvre le fugitif et tente de l'abattre, mais celui-ci parvient à s'enfuir. Lizzie le menace de son revolver, mais, impressionnée par l'assurance de Fred, ne trouve pas la force de tirer. — Dans les personnages du Noir et surtout de Lizzie, Sartre a dépeint l'aliénation de ceux qui ne trouvent pas dans l'oppression la force de se révolter et sont les victimes consentantes de l'ordre établi, même quand ils découvrent que cet ordre se fonde sur la violence et l'injustice.

PUTKINOTKO. Roman de l'écrivain finlandais Joel Lehtonen (1881-1934), publié en deux volumes en 1919 et 1920. C'est un ample tableau de la vie rustique dans la province de Save, sur les rives du lac Saimaa. Le récit se déroule en un seul jour (une chaude journée d'été), à la manière d'une épopée où le style lumineux révèle un écrivain maîtrisant de façon éclatante sa sensibilité impressionniste. *Putkinotko* est considéré comme un chef-d'œuvre de la littérature finnoise.

PYGMALION. Ce nom désigne, comme on sait, un certain sculpteur de Chypre, qu'Aphrodite rendit amoureux d'une statue sortie de son ciseau, appelée Galatée, pour le punir de s'être voué au célibat. Des différentes versions que l'on possède aujourd'hui de ce fait légendaire, la plus célèbre est celle qu'Ovide a fait figurer dans ses *Métamorphoses* (*) ; nombre de poètes s'en sont inspirés, à tour de rôle, pour mettre surtout en lumière ses divers aspects symboliques. Dans le domaine anglais, il faut signaler un poème : *La Métamorphose de l'image de Pygmalion* [*The Metamorphosis of Pygmalion's Image*] de John Marston (1575-1634), publié en 1598 ; *Pygmalion et Galatée* [*Pygmalion and Galathea*], une comédie de William Schwenk Gilbert (1836-1911), publiée en 1871, et enfin la pièce de l'écrivain anglais George Bernard Shaw (1856-1950), intitulée *Pygmalion,* publiée à Londres en 1912 et jouée à Paris en 1923. Ayant le goût du paradoxe, Shaw en use fort librement avec le thème en question. Son héros se présente, en effet, sous cet aspect : Higgins, un original, jeune encore, vivant dans l'aisance, s'est spécialisé dans l'étude de la phonétique. Il rencontre un jour une bouquetière, dont le gros accent faubourien lui donne aussitôt l'envie de faire un miracle. Cette fille, qui n'est pas sans beauté, se nomme Eliza. Séance tenante, il lui propose de corriger le vice de sa diction. Qu'elle consente à suivre ses leçons, et il s'engage à la doter d'un organe incomparable. Fort alléchée, comme de juste, Eliza se prête à l'expérience. Comme elle est loin d'être sotte et se montre assidue à l'étude, elle fait des progrès inouïs. Quand Higgins la juge assez instruite, il la produit dans le monde. C'est un triomphe : notre bouquetière parle comme une duchesse. Mais toute médaille a son revers. En spécialiste qui tient à ses habitudes, Higgins, en effet, ne s'est pas avisé d'une chose : que la phonétique, en somme, relève de la grammaire et qu'à ce titre elle est propre à mettre en branle toutes les puissances du langage. Qui enseigne l'articulation, enseigne par là même à sentir et à penser. Sans y prendre garde, il se trouve donc avoir bouleversé la nature intime de son élève : il a fait éclore un être qui, certes, promet beaucoup, mais qu'on voit se déchirer lui-même du fait qu'il est dans un chaos de sentiments bien difficile à surmonter. Éclosion des plus pathétiques. La crise atteint son maximum quand Eliza se rend compte qu'elle ne fut jamais pour Higgins qu'un sujet d'expérience. De tenir si peu de place dans le cœur de son maître la désoriente tellement qu'elle se réfugie chez la mère de Higgins. Il n'est que trop visible qu'elle adore ce dernier. Compatissante, la bonne dame prend la défense de l'affligée, au point de blâmer son propre fils. En fin de compte, Eliza accepte de retourner chez Higgins — sans d'ailleurs se faire illusion sur la chance qu'elle peut avoir d'être un jour sa femme légitime. *Pygmalion* est sans contredit l'une des meilleures pièces de Bernard Shaw. Certes, l'esprit de discussion propre à l'auteur (avec l'humour un peu strident qui l'accompagne) se donne libre cours ici comme ailleurs. Mais tout ce discours s'humanise du fait qu'il s'enveloppe d'un sentiment de tendresse : celui que l'auteur éprouve pour la créature aux dépens de la création elle-même. — Trad. Hébertot, 1924 ; L'Arche, 1983.

★ Mentionnons enfin la pièce de l'écrivain espagnol Jacinto Grau (1877-1958) : *Monsieur de Pygmalion* [*El señor de Pigmalion*]. Créée à Madrid en 1921, elle fut traduite en français par Francis de Miomandre et jouée à Paris en 1923. Du thème original, l'auteur ne garde rien. De Pygmalion, il fait un mécanicien. À l'instar de Vaucanson, son héros parvient à fabriquer une collection d'automates à figure humaine. Ces androïdes veulent un jour se soustraire au pouvoir de leur créateur. Au cours de la mutinerie, ce dernier reste sur le carreau. Cette sorte de fantasmagorie contient plus d'une scène saisissante, en dépit de sa prétention à l'esprit philosophique.

★ Les œuvres musicales inspirées par le même sujet sont plus richement représentées, bien que ne comportant aucun chef-d'œuvre. La légende se prêtait d'ailleurs à la pantomime et au ballet. Johann Georg Conradi composa un opéra : *Pygmalion,* monté à Hambourg en 1694. En 1748 fut créé, à Paris, l'opéra en un acte *Pygmalion* de Jean-Philippe Rameau (1687-1764) sur un livret de Antoine Houdar de La Motte (1672-1731).

★ On accorde une certaine importance dans l'histoire de la musique à la scène lyrique *Pygmalion,* dont Jean-Jacques Rousseau (1712-1778) écrivit le livret et deux parties de la partition qui fut complétée par Horace Coignet (1736-1821). L'œuvre fut jouée à Lyon en 1770 et représentée à Paris en 1775. Ce genre de représentation sans chanteurs, où la scène est mimée et parlée avec un accompagnement musical, a tenté d'autres compositeurs.

Les « monodrames » de Benda et de Zimmermann, le « mélologue » et des œuvres comme *Egmont* (*), *Le Songe d'une nuit d'été* (*), *Manfred* (*), *L'Arlésienne* (*) trouvent ici leur prototype. Le livret de Rousseau inspira également deux autres musiciens : Franz Asplmayr (1721-1786) et Anton Schweitzer (1735-1787), dont les œuvres furent respectivement représentées à Vienne et en Allemagne, en 1772.

★ Un monodrame, *Pygmalion*, sur une musique de Georg Benda (1722-1795), fut représenté à Gotha, vers 1775 ; un opéra homonyme de Karl Wagner (1772-1822) fut monté à Darmstadt vers 1880 ; un autre de Franz Wolker (1767-1845), à Leopolstadt, en 1827. Rappelons encore les opéras : *Pygmalion* de Maria-Luigi Cherubini (1760-1842), Paris 1809 ; de Gordigiani (1795-1871), Prague 1845 ; d'Halévy (1799-1862), composé vers 1825 et jamais représenté. Victor Massé (1822-1884) composa un opéra bouffe en deux actes, intitulé *Galatée*, qui fut joué à Paris en 1852.

PYLÔNE [*Pylon*]. Roman publié le 25 mars 1935 par l'écrivain américain William Faulkner (1897-1962). Écrit en quelques mois, à partir d'un matériau largement autobiographique — l'inauguration, le 14 février 1934, de l'aéroport « Colonel A. L. Shushan » à La Nouvelle-Orléans, comme diversion d'une crise dans la composition d'*Absalon ! Absalon !* (*) —, *Pylône* n'a jamais joui d'une grande considération aux États-Unis, où on l'a longtemps considéré comme un livre où s'accusent les pires défauts de Faulkner, alors qu'en France Albert Camus le portait aux nues. Un aujourd'hui, un lendemain, un autre lendemain, des hommes se mesurent, parlent, boivent, risquent leur vie sur un arrière-fond de foule, de cris, de haut-parleurs, de musique, de moteurs, d'éphémère. Toute l'équipe Shumann est venue à New Valois afin de participer aux courses d'avions organisées pour l'inauguration de l'aéroport : Roger Shumann et le parachutiste et Laverne — la femme, « leur » femme —, l'enfant — indivis entre eux trois — et Jiggs, le mécano. Un homme les regarde, regarde leurs gestes et leur visage qui semblent avoir troqué l'humain pour il ne sait quelle qualité attrapée à courir le ciel d'un bout de l'Amérique à l'autre et d'un bout à l'autre du temps ; un homme sans nom, un « reporter », un être qu'on aurait dit « évadé du placard d'un médecin », un « être à l'air penaud, véhément et pataud », « squelettique, dégingandé, impondérable, impétueux ». Il suit l'équipe Shumann ; il est fasciné par les rapports qui lient ces gens, par leur air d'épopée minable et grandiose, il les aime ; en silence, peureusement, il aime Laverne qui les résume ou les unit. Il boit avec eux qui sont inaccessibles ; il se traîne sur leurs pas ; il ronge pour eux son avenir en hypothéquant une, deux, trois, dix semaines de son salaire afin de les aider. Mais quel espoir pour lui qui n'appartient qu'à la foule misérable des passants ? Il aide Shumann à se procurer un autre avion, le sien ayant été accidenté, et Shumann se tue avec cet avion. Le parachutiste, Laverne et l'enfant repartent vers l'inconnu, convertissent en espace la distance qui les séparait quand ils étaient face à face. Un article-épitaphe pour Shumann, un cri de révolte contre les Autres, les immobiles, les assis, les hommes, et il s'efface, « épave morale et spirituelle clamant son débile Que suis-je ? dans le désert du hasard et de la déroute ».

Les sons, les couleurs, les visages, le temps, tout cela brassé pour une interrogation angoissée du secret, à l'œuvre derrière les gestes, les regards, les mots, derrière la trame du fait divers et de la vie — tout cela, brassé par une imagination qui donne aux mots un « bruit » et une « fureur » uniques, confère à ce livre l'atmosphère de grande tragédie habituelle aux romans de Faulkner. On lui a reproché la minceur de l'anecdote (sans doute pour s'être trop attaché au personnage de Shumann, proche parent du frère de Faulkner qui se tua en avion, après que le romancier eut achevé la composition de son roman, alors que c'est le « reporter » qui donne son poids au livre), mais Faulkner, ici comme ailleurs, charge le langage de suffisamment de puissance pour faire surgir de n'importe quelle anecdote l'histoire de fou de la condition humaine, l'insondable et vertigineux mouvement des âmes travaillées par le temps et leur destin. — Trad. Gallimard, 1946.

PYRAME ET THISBÉ [*Pyramus, Thisbe*]. Nouvelle orientale dans le goût des « Métamorphoses », appartenant au recueil des nouvelles babyloniennes, et qui fut célèbre dans le monde romain et durant tout le Moyen Âge, grâce à l'adaptation qu'en a donnée Ovide. C'est elle qui inspira la nouvelle de *Roméo et Juliette* (*), dont Shakespeare allait plus tard tirer son immortelle tragédie. Le récit met en parallèle le destin d'un couple d'amants avec les métamorphoses du mûrier, dont les fruits blancs prennent rapidement une triste couleur de deuil. Pyrame et Thisbé s'aiment depuis leur plus tendre enfance, mais leurs parents s'opposent à leur union. Ils décident de s'enfuir et se donnent rendez-vous sous un mûrier qui se trouve hors de la ville, en bordure du désert. Devenue audacieuse par la force de sa passion, Thisbé arrive la première ; mais une lionne, la gueule ensanglantée par un récent combat, l'oblige à se réfugier dans une grotte tandis que son voile reste à terre. Le fauve déchire l'étoffe et la souille de sang puis, après s'être désaltéré, s'en retourne dans le désert. Survient Pyrame : il découvre le voile, en déduit que sa bien-aimée est morte et se perce de son épée : les fruits du mûrier tout proche, éclaboussés de sang, deviennent noirs. Lorsque arrive Thisbé, il ne lui reste plus qu'à se frapper avec le même fer et à suivre son amant dans l'éternité. Une seule urne contiendra à jamais leurs cendres réunies (Ovide, *Métamorphoses* (*) 1, IV). Cette nouvelle, dans sa version poétique, conserve toute sa fraîcheur spontanée et naïve, et le cadre oriental qui enveloppe le récit contribue, pour une large part, à lui donner un caractère d'irréalité dans lequel la silhouette des deux héros se détache comme dans un rêve. Par nuances très délicates, nous sommes conduits peu à peu de l'ingénu au tragique et du tragique au pathétique. Les deux monologues de Pyrame et Thisbé sur le point de mourir, appuyés l'un contre l'autre, de même que les plaintes de Thisbé sur le cadavre de son amant donnent à ces personnages un relief dont la poésie médiévale — tant latine qu'en langue vulgaire — s'inspirera dans de semblables situations. Une légende plus tardive, contée par Nicolas Damascène (auteur grec du IVe siècle), a modifié le vieux récit : on y voit une Thisbé honteuse qui se tue car elle ne peut cacher le fruit de son amour, et Pyrame qui ne peut survivre à sa douleur et la suit dans la tombe. Les dieux ayant pris les amants en pitié changent finalement l'une en source et l'autre en un petit cours d'eau de Cilicie ; ainsi Pyrame et Thisbé sont-ils unis à jamais. — Le texte médiéval de *Pyrame et Thisbé* a été édité par C. de Boer (Paris, Champion, 1921) et par R. Cormier, avec une traduction en anglais (New York et Londres, 1986).

★ La littérature espagnole du XVIe siècle a donné deux versions de la légende d'Ovide (traduite par Cristóbal de Castillejo [1490-1550]) : la première, d'Antonio de Villegas (mort en 1561), est intitulée *Histoire de Pyrame et Thisbé* [*Historia de Piramo y Tisbe*] ; l'autre, *Pyrame et Thisbé* [*Piramo y Tisbe*], est de Gregorio Silvestre de Mesa (1520-1569).

★ Au XVIIe siècle, le couple tragique passa de la poésie au théâtre avec le drame de Théophile de Viau (1590-1626) : *Pyrame et Thisbé*, qui fut représenté pour la première fois à Paris en 1617 et connut la faveur du public. Le caractère de la pièce est plus poétique que dramatique, car l'auteur est, avant tout, un lyrique : l'amour profond et la mort pathétique des jeunes amants sont exposés dans un style plein de finesse et de noblesse à la fois, et avec une grande élégance d'expression.

★ Les malheurs de Pyrame et Thisbé ont inspiré au poète espagnol Luis Góngora y Argote (1561-1627) un récit parodique fameux, *Pyrame et Thisbé* [*La fabula de Piramo y Tisbe*, 1618]. Pleine d'images et de couleur, mais d'intérêt assez inégal, cette œuvre, d'après les plus fervents admirateurs de son temps, a été considérée comme celle qu'il préférait de toutes ses productions quoiqu'elle eût été pour lui la plus dure à élaborer. Enfin, la même légende a trouvé place dans des mélodrames datant, pour la plupart, de la seconde moitié du XVIIIe siècle.

PYRÉNÉES (Les) [*Los Pirineos*]. Trilogie musicale du compositeur espagnol Felipe Pedrell (1841-1922), sur un texte dramatique de Victor Cirera Balaguer (1824-1901). Elle est composée d'un prologue et de trois tableaux intitulés respectivement : *Le Comte de Foix* [*El Conde de Foix*], *Rayon de Lune* [*Rayo de Luna*], *La Journée de Panissars* [*La yornada de Panissars*]. Le prologue fut représenté séparément à Venise en 1897, la trilogie entière à Barcelone en 1902. L'œuvre a pour toile de fond les guerres qui opposèrent au Moyen Âge l'Espagne à la France. Dans le prologue, un barde évoque, en un hymne, les gloires et les malheurs de sa patrie donnant ainsi une synthèse anticipée du drame. Le premier tableau nous reporte en 1218, après la mort de Pierre II d'Aragon et la perte de la Provence par les Espagnols ; pendant une cérémonie commémorative au château de Foix — rempart de l'indépendance espagnole contre les Français —, les légats de l'Inquisition font irruption, excommunient les seigneurs de Foix et proclament le château possession française ; mais, comme par miracle, le sol s'ouvre et le comte apparaît avec ses soldats. Le second tableau se situe en 1245, à l'abbaye de Bolbona. La croisade contre les albigeois est sur le point de se conclure par leur défaite, laquelle signifie pour les Espagnols le triomphe de l'Inquisition et, de nouveau, une extension de l'autorité du royaume de France vers le sud. Le comte de Foix vit dans l'abbaye sous l'apparence d'un moine, tandis qu'au-dehors on célèbre ses funérailles. La poétesse Rayon de Lune vient le chercher et réussit à l'entraîner à la rescousse ; mais arrive la nouvelle de la chute de Montségur, dernière défense des albigeois, et le comte se livre alors spontanément à l'Inquisiteur Izaru. Le troisième tableau évoque la bataille de Panissars (1285). La France, déjà maîtresse du Languedoc et de la Provence, envahit l'Aragon. Philippe le Hardi dirige l'expédition, mais les choses tournent mal pour lui et son armée ; car, bien que le roi Pierre III (le Grand) lui ait promis, ainsi qu'à son fils, de les laisser partir sains et saufs avec les troupes, Rayon de Lune incite les soldats à la rencontre, qui est triomphale pour les Espagnols. La trilogie se clôt sur un hymne de victoire. Sur cette vaste toile de fond, Pedrell a brodé une œuvre musicale fort complexe, dans l'intention de créer le drame lyrique espagnol moderne en puisant aux sources de l'histoire nationale. Un tel programme, qui se ressent évidemment de l'influence de Wagner et de l'école russe, se rattache, d'autre part, à l'activité musicologique de Pedrell, qui a eu le mérite d'exhumer des chefs-d'œuvre de la musique espagnole ancienne ; mais c'est un esprit trop théorique et abstrait pour ne pas donner de doutes sur la fraîche spontanéité de son œuvre. Certes, *Les Pyrénées* sont un ouvrage d'une signification puissante, de ton noble et d'écriture soignée ; pages d'orchestre, passages lyriques et dramatiques, chœurs polyphoniques de style néoclassique, chansons de folklore, tout cela forme un ensemble musical extrêmement varié et intéressant, mais éclectique ; le nom de « Wagner espagnol », dont Pedrell fut honoré par certains à l'audition de son œuvre, apparaît toutefois comme le fruit d'une exaltation momentanée et peu réfléchie.

PYROTECHNIE (La) ou Art du feu [*De la pirotechnia*]. Ouvrage du savant italien Vannoccio Biringuccio (1480-1538 ou 1539), publié à Venise en 1540. L'ouvrage se compose de dix livres « où il est amplement traicté » (lit-on au frontispice de la première édition) « de toutes sortes et diversité de minières, fusions et séparations des métaux ; des formes et moules pour getter artilleries, cloches et toutes autres figures ; des distillations, des mines, contremines, pots, boulets, fusées, lances et autres feux artificiels, concernans l'art militaire, et autres choses dépendantes du feu ». Biringuccio ne s'occupe pas seulement de l'extraction et du traitement des métaux et métalloïdes, mais également de la préparation d'alliages métalliques qu'il définit : « associement amiable d'un métal à un autre » ; il expose la fonte des cloches et des canons, ainsi que l'« art mineur de jet », c'est-à-dire les méthodes les plus convenables pour fondre de menus objets. Le livre IX est dédié à « la pratique de plusieurs exercices et effets de feu », c'est-à-dire la distillation, l'orfèvrerie, l'art du chaudronnier, du forgeron, du rétameur, la fabrication des miroirs métalliques, des creusets, des chaux, des briques, ainsi qu'à d'autres sujets de chimie et de physique techniques. Le chapitre XIV est un discours sur l'art de la poterie et sur quelques-uns de ses secrets. Le dernier livre traite des feux d'artifice que l'on emploie soit à la guerre, soit dans les réjouissances. Biringuccio expose la fabrication de la poudre à canon et les moyens d'obtenir un tir précis ; la préparation de mines pour faire sauter les forteresses, de boulets métalliques éclatant en de nombreux fragments (ancêtres de nos grenades), de langues de feu à attacher à l'extrémité des lances, en forme de soufflards (sorte de lance-flammes primitifs). Dans son dernier chapitre, l'auteur parle du feu qui consume sans laisser de cendres et qui consume plus que tout autre feu : en d'autres termes, il s'agit de l'amour. Il en parle par expérience personnelle, comme de tous les sujets dont il traite. Le succès que connut *La Pyrotechnie* dans le passé, et qu'elle mérite encore, vient justement de ce que l'auteur n'est pas un savant de bibliothèque, mais un technicien en pleine activité, qui parle de choses qu'il connaît à fond par expérience directe. Son ouvrage doit faire considérer Vannoccio Biringuccio comme l'un des fondateurs de la métallurgie scientifique, singulièrement doué d'originalité et de largeur d'esprit. Comme Léonard de Vinci, il ne croit ni à l'alchimie, ni aux esprits, alors que Georges Agricola, de qui on le rapproche souvent, non sans raison, croyait, on le sait, aux diables qui hantent les mines souterraines et aux « pyrigons », animaux qui ne vivent que dans le feu. – Traduction française « in extenso », sous le titre que nous avons indiqué, en 1556, chez Frémy. Des extraits des chapitres V à VII ont été traduits en 1854, chez Corréard, sous le titre : *Traité de la fabrication des bouches à feu de bronze au* XVI*e siècle en Italie.*

PYRRHUS ET CINÉAS. Dans cet essai paru en 1944, la romancière et essayiste française Simone de Beauvoir (1908-1986) examine les conséquences morales de la liberté humaine. Le titre fait allusion au dialogue de Pyrrhus et Cinéas. À Pyrrhus, qui affirme son intention de se reposer après ses conquêtes, Cinéas répond : « Pourquoi ne pas te reposer tout de suite ? » Ainsi se pose le problème de la liberté : pourquoi faire quelque chose plutôt que rien ? À Voltaire qui affirmait qu'il faut cultiver son jardin, l'auteur répond qu'« on ne peut assigner aucune dimension au jardin de Candide », l'étendue de ce qui nous concerne est un choix de notre liberté qui s'exprime par un projet singulier dans lequel l'homme engage sa transcendance. Mais il n'est pas seul au monde. Sa liberté se situe dans le monde de l'intersubjectivité où autrui surgit, « fermé sur soi, ouvert sur l'infini ». L'homme demande à la liberté d'autrui de nécessiter son action. Il ne peut se mettre en dehors de la condition humaine pour définir ses normes et ses valeurs mais doit s'efforcer d'instaurer un monde où il puisse fonder avec autrui, libéré des servitudes matérielles et sociales, des relations de réciprocité. Ainsi la définition d'une morale de la liberté débouche sur l'action collective et l'engagement politique.

Dans *Pour une morale de l'ambiguïté* (1947), l'auteur, en se fondant sur les analyses de Sartre, définit une morale à partir de la notion d'homme comme être en situation. Cette morale veut être un individualisme mais non un solipsisme, engager l'homme dans l'action collective sans « dresser par-delà l'homme le mirage de l'humanité ». La notion d'ambiguïté qui fonde cette morale s'applique à la vie humaine « dont le sens n'est jamais fixé, doit sans cesse se conquérir ». L'ambiguïté est à mi-chemin entre une absurdité qui « récuse toute morale » et une « rationalisation achevée » qui ne lui laisserait pas de place. On ne peut déduire des lois morales a priori, mais seulement légitimer des conduites singulières. Il faut dans chaque cas, en morale comme en politique, « confronter le sens de l'acte avec son contenu ».

Privilèges (1955) réunit trois essais qui, à propos de Sade, de la pensée de droite et de Merleau-Ponty, répondent à la question : « Comment les privilégiés pensent-ils leur situation ? » Sade a tenté, par sa vie et son œuvre, de réconcilier privilège et rationalité. Les deux essais suivants dénoncent les sophismes d'une pensée de droite fondée sur la pluralité, ce qui lui permet de tout justifier. Merleau-Ponty, venu de la gauche, tente par exemple de légitimer son ralliement aux positions de la bourgeoisie.

Q

QĪZĪL ELMA [*La Pomme rouge* ou *La Pomme d'or*]. Poème de l'écrivain turc Mehmed Ziyà Gök Alp (1875-1924), publié à Istanbul en 1914. Il est inspiré d'une légende de source orientale, iranienne ou byzantine, que les Turcs ont diffusée à la fin du xve siècle et qui tire probablement son origine du globe d'or, symbole de l'empire, qu'on voit représenté dans la main des rois et des empereurs. « Qīzīl Elma » est une chose mal définie, vers laquelle les Turcs tendent comme vers un but âprement désiré ; peut-être s'agit-il de la conquête de certains territoires ou d'une certaine cité — Budapest si l'on croit la légende —, encore qu'il puisse s'agir de Vienne, de Cologne ou de Rome, ou même, tout simplement, de l'empire du monde. Ziyà Gök Alp, poète et philosophe, a traité le thème de la légende avec une sensibilité moderne et selon ses théories nationalistes et réformatrices, imaginant dans ce petit poème qu'une jeune fille turque très riche s'en va de par le monde chercher ce que pourrait être et où pourrait se trouver le « Qīzīl Elma ». Ne le trouvant nulle part sur terre, elle découvre que le grand idéal auquel les Turcs aspirent avec tant de ferveur depuis des siècles se trouve dans leur propre cœur, c'est-à-dire dans leur désir de créer un État turc moderne, national, une culture turque, une économie turque, expression de la maturité politique du peuple. Le même thème a été traité d'une autre manière, avec une belle fantaisie, dans une nouvelle d'Omer Seiffudin (1882-1920), et a été repris avec bonheur par d'autres écrivains modernes.

QUADRATURE DE LA PARABOLE (La) [Ὁ *τετραγωνισμὸς τῆς παραβολης*]. Traité du mathématicien grec Archimède (287-212 av. J.-C.), qui pourrait être inséré, suivant un ordre logique, entre la première et la deuxième partie de l'œuvre fondamentale du grand mathématicien de Syracuse sur l'*Équilibre des surfaces ou de leurs centres de gravité*. Après avoir déclaré, dans son introduction, qu'il a résolu le premier la quadrature d'une surface dont le contour n'est pas constitué en entier par des lignes droites, Archimède énonce les trois propriétés élémentaires de la parabole. Il admet que ces propriétés ont été déjà démontrées pour les sections coniques et en tire des conséquences nouvelles : il détermine ainsi la superficie que doit présenter une surface plane pour que, suspendue en un point à une balance par son centre de gravité, elle ramène la balance à la position d'équilibre. Il en déduit l'expression de la surface du segment de parabole, égale aux quatre tiers de la surface du triangle qui a la même base et le même sommet, la base étant le segment qui délimite le segment de parabole et le sommet étant le point où la tangente à la parabole est parallèle à la base. Archimède arrive ainsi à la quadrature du segment de parabole, fondée sur la possibilité d'inscrire dans ce segment une ligne polygonale telle qu'elle délimite, entre elle et la base du segment, un espace aussi petit qu'on le désire. Dans la deuxième partie de son ouvrage déjà cité sur l'*Équilibre des surfaces*..., Archimède reprendra l'étude du segment de parabole pour en déterminer le centre de gravité. — Trad. Desclée de Brouwer, 1921 ; *Œuvres complètes*, Blanchard, 1964 ; Belles Lettres, 1970-71.

QUADRATURE DU CERCLE (La) [*Kvadratura kruga*]. Première pièce de l'écrivain et dramaturge soviétique Valentin Kataïev (1897-1986), accueillie avec enthousiasme par le public soviétique, lors de sa création en 1928. *La Quadrature du cercle* transpose sur le plan quotidien les problèmes importants de la vie soviétique : crise du logement et ses conséquences, problème du couple, formation de la jeunesse. Deux camarades qui se partageaient la même chambre viennent de se marier en se cachant l'un de l'autre ; chacun d'eux amène son épouse au foyer, en espérant que « l'autre » comprendra et lui laissera la place. Lorsque la vérité éclate, on décide de s'installer tous ensemble, tant bien que mal, à l'aide d'un semblant de cloison dessiné à la craie. Au début, tout va bien : on organise un repas de noce en commun grâce à la compétence de Ludmila, parfaite maîtresse de maison. Tonia, l'autre jeune femme, ne sait rien faire de ses mains ; en revanche, sérieuse et appliquée, elle se consacre comme son mari Abram à l'étude des problèmes sociaux. Mais la situation ne tarde pas à se gâter : les deux étudiants-komsomols ne sont pas contents de leurs épouses respectives. En se mariant, Abram était persuadé que sa vie conjugale serait une réussite. Toutes les conditions du bonheur n'étaient-elles pas réunies ? « Similitude des caractères, compréhension mutuelle, mêmes origines sociales, même foi politique [...] Alors, que nous manque-t-il ? L'amour, peut-être ? L'amour [...] préjugé bourgeois, vieille tarte à la crème... » Cependant il voudrait bien que Tonia, sa femme, consente à repriser ses chaussettes et à s'occuper de ses repas. Il trouve une âme compatissante en Ludmila, la bonne ménagère, à qui Vassia, son mari, reproche justement son esprit terre à terre et sa sentimentalité petite-bourgeoise. Bref, les quatre jeunes gens sont dans une impasse. Il faut l'intervention du camarade Flaville, membre du Parti, pour que soit résolu le problème de la « quadrature du cercle » : il s'agit tout simplement d'intervertir les épouses. « Vous vous êtes mariés à la va-vite, mes enfants, leur déclare Flaville, et c'est moi qui dois vous ouvrir les yeux, m'occuper de votre divorce et de votre remariage ! J'ai pourtant des choses autrement importantes à faire ! » Ainsi, la sagesse du Parti, personnifiée par ce brave camarade, permet à chacun de trouver un bonheur nouveau. Cette pièce pétillante d'humour a été jouée dans le monde entier. — Trad. L'Arche, 1961.

QUADRATURE DU SEXE (La) [*Is Sex Necessary ?*]. Œuvre de l'humoriste américain James Thurber (1894-1961), publiée en collaboration avec White, en 1929. La préface, due à un hypothétique lieutenant-colonel français, après avoir énoncé l'axiome suivant lequel « les hommes et les femmes ont toujours cherché, par un moyen ou par un autre, à être ensemble plutôt que séparés », pose aussitôt la question : « Qu'est-ce qui ne va pas dans la sexualité ? » Huit chapitres vont exposer les données de ce problème fondamental : le premier traite de la triste situation du mâle américain qui, pour son malheur, ne sait plus faire descendre la femme du piédestal où il a eu le tort de la mettre ; le second, tout classique, porte sur l'« agréable confusion dont nous savons qu'elle existe », c'est-à-dire sur l'amour, et sur l'erreur capitale qui consiste à le confondre avec la passion. Puis vient une discussion sur les différents types de femmes, qui arrive à la navrante conclusion qu'« une chose est sûre [c'est qu'] elles ne sont jamais du type calme ». Les auteurs passent ensuite à la révolution sexuelle, qui « commença avec la découverte par l'homme qu'il n'avait rien d'attirant pour la femme en tant que tel », mais aboutit, comme n'importe quelle autre entreprise féminine, au mariage — donc à l'asservissement de l'homme. Trois édifiants chapitres sont consacrés aux préjugés : d'abord la méconnaissance, chez les jeunes gens des deux sexes, des aspects purement matériels de la sexualité (ou psychose des oiseaux bleus), due à la pudibonderie de leurs parents et susceptible de faire naître entre les jeunes mariés des difficultés quasi insurmontables ; le corollaire en est que la difficile éducation sexuelle des parents incombe aux enfants et doit être poursuivie avec « tact et intelligence » ; et enfin mise en garde devant la claustrophobie masculine, ou ce que toute jeune femme doit savoir (« un homme grandit avec le désir d'être libre et sans chaînes »). Le traité se clôt sur une étude courte — mais capitale — sur la frigidité de l'homme qui a pour manifestations le « genou rétractile » et le « refus d'embrasser », et dont il ressort qu'elle est « infiniment plus préoccupante » que la frigidité féminine. Un glossaire et une note de White sur les dessins du livre, dus à Thurber, complètent cette étude finalement très incisive malgré son travestissement humoristique. En effet, elle fut écrite à une époque où, aux États-Unis, la vulgarisation des théories psychanalytiques suscitait chez le grand public une floraison de névroses. Or, loin de se contenter de faire de l'esprit sur un sujet à la mode, l'ouvrage, avec une feinte naïveté, met en lumière bon nombre des aspects les plus négatifs des relations entre femmes et hommes américains, tout en indiquant au lecteur le vrai remède à ses faux problèmes : la thérapeutique du rire. — Trad. Seuil, 1952.

QUADRILOGUE INVECTIF. Œuvre en prose que le poète français Alain Chartier (1385-vers 1435) écrivit en 1422 et dont le titre signifie : « Entretien à quatre personnages contenant des invectives. » L'auteur raconte un songe au cours duquel lui apparurent quatre personnages représentant à eux tous la nation : le peuple, le chevalier (c'est-à-dire la noblesse féodale), le clergé et la France. Cette dernière a souffert maints tourments et en appelle à la pitié. Elle affirme que mettre à bas l'autorité serait causer le malheur de tous. Le peuple lui répond avec beaucoup de bon sens ; il souffre et se révolte, mais il est tout dévoué à la cause de la patrie ; il ressemble à un âne qui travaille pour les autres. « Ilz vivent de moy et je meur pour eulx. » Ses rébellions sont justifiées par la tyrannie et il ne réclame que la justice. Mais ses adversaires s'élèvent violemment contre de telles assertions, et plus particulièrement le chevalier bien affermi dans ses prérogatives séculaires. Cependant que les uns et les autres discutent sans aménité, la France les invite à la concorde, afin d'empêcher le mal de prendre de l'extension. Avec cette œuvre, écrite dans une langue robuste qui s'inspire des modèles latins, Alain Chartier fait revivre intimement le drame de sa patrie et passe de loin les limites habituelles à un exercice de rhétorique. De sorte que le *Quadrilogue* a valeur de document historique sur l'état de la France à la fin de la guerre de Cent Ans, avant l'épopée de Jeanne d'Arc, dont Alain Chartier devait faire mention dans son *Livre de l'Espérance* (1429). Le *Quadrilogue invectif* amorce ce mouvement de réforme littéraire qui prendra son plein essor avec la Renaissance. C'est grâce à cette œuvre que Chartier fut considéré de son temps comme le « Père de l'éloquence française » et jouit jusqu'au XVIe siècle d'une immense renommée. — Le *Quadrilogue invectif* a été édité par E. Droz (Paris, Champion, 1950).

QUADRUPLE RACINE DU PRINCIPE DE RAISON SUFFISANTE (De la) [*Über die vierfache Wurzel des Satzes vom zureichenden Grunde*]. Œuvre du philosophe allemand Arthur Schopenhauer (1788-1860), publiée en 1813. En partant de la constatation du « principe de raison suffisante », tel qu'il fut défini par Christian Wolff : « Rien n'existe sans qu'il y ait une raison pour qu'il en soit ainsi et non autrement », Schopenhauer énonce quatre propositions absolument distinctes, dont chacune est fondée sur une loi a priori. L'auteur passe tout d'abord en revue les philosophes antérieurs à Wolff, pour arriver à la conclusion que Leibniz avait le premier énoncé ce principe ; celui-ci toutefois n'avait pas été analysé avant que Wolff ne distingue en lui trois aspects, lesquels en réalité se réduisent à deux : le « principium cognoscendi » (principe rationnel) et le « principium fiendi » (principe de causalité). Après avoir souligné l'impossibilité de démontrer le principe de raison suffisante, puisqu'il est, en soi, antérieur à toute démonstration, l'auteur juge insuffisants les exposés et les distinctions établis par ses devanciers et, suivant la loi de l'homogénéité logique, voit la valeur universelle du principe en ce que « nous ne pouvons nous représenter aucun objet isolé et indépendant », tandis qu'en appliquant la loi de différenciation il distingue en lui quatre « racines », en vertu desquelles il se présente comme principe de raison suffisante de l'être, du devenir, de l'agir et du connaître. Pour des raisons de convenance didactique, il examine d'abord le principe de la raison suffisante du devenir, puis ceux du connaître, de l'être et de l'agir. Le « principe du devenir » implique que tout état nouveau par lequel passe un objet a été nécessairement précédé par un autre état qui se nomme cause, alors que l'autre est qualifié d'effet. La loi de causalité à laquelle s'identifie le principe en question est transcendantale « a priori ». Appliquée aux sensations, elle nous donne la représentation des objets, et son usage est si simple et si immédiat qu'il est à la portée de tous les animaux, sans exception. Elle a pour corollaire le principe de la persistance de la matière. Schopenhauer distingue trois espèces de causes différentes : cause mécanique, stimulant, mobile ; il établit — ce qui n'est pas moins important — que la causalité se rapporte uniquement à des « changements » du monde empirique, et, ce faisant, nie la possibilité d'une preuve cosmologique de l'existence de Dieu. Le « principe de la raison suffisante du connaître » pose l'exigence du fondement de la vérité de nos connaissances. La vérité est une relation entre un jugement et sa cause, relation qui peut être de différentes espèces ; en effet la vérité purement formelle trouve son fondement dans l'exacte conclusion des syllogismes ; la vérité empirique dans les données immédiates de l'expérience ; la vérité transcendantale (exemple : pas d'effet sans cause ; $3 \times 7 = 21$, etc.) dans les formes pures de l'espace et du temps ainsi que dans les lois de la causalité ; et les vérités métalogiques (principes d'identité, de non-contradiction, du tiers exclu et de raison suffisante) dans les formes de l'entendement. À cette occasion Schopenhauer nie que la raison puisse avoir, comme le prétendait Kant, une portée pratique. Le « principe de la raison suffisante de l'être » impose à chaque être réel une détermination de la part d'un autre être, détermination qui dans l'espace est l'« étendue » et dans le temps la « succession » : espace et temps sont ainsi les conditions du « principe d'individuation ». Enfin le « principe de la raison suffisante d'agir » se rapporte à cette troisième espèce de cause dont on a parlé, c'est-à-dire à la motivation que Schopenhauer définit comme « une causalité vue de l'intérieur », en vertu de laquelle la volonté agit quand elle est immédiatement sollicitée par une sensation. D'où l'on déduit que la volonté de l'homme influe sur la connaissance, affirmation qui est à la base de toute la métaphysique de Schopenhauer et qu'il développera dans ses œuvres postérieures. Le livre s'achève sur des considérations d'ordre général et sur un résumé des conclusions auxquelles l'auteur est parvenu et dont la principale est qu'il est impossible de rapporter la causalité à un être transcendant, à une « chose en soi ». Cette œuvre contient déjà les deux thèmes essentiels de la métaphysique de Schopenhauer : le phénoménisme et le volontarisme ; l'auteur lui-même, dans des éditions postérieures, l'a enrichie de nombreuses remarques qui renvoient à son œuvre principale : *Le Monde comme volonté et comme représentation* (*). Son génie brillant et vigoureux y apparaît déjà, mais aussi les faiblesses de son caractère. Les attaques qu'il dirige contre les grands philosophes de son temps, et notamment contre

Schelling et Hegel, y abondent. — Trad. Vrin, 1941.

QUAI AUX FLEURS NE RÉPOND PLUS (Le). Roman de l'écrivain algérien d'expression française Malek Haddad (1927-1978), publié en 1961. Exilé à Paris, l'écrivain militant algérien Khaled Ben Tobal s'aperçoit, au Quai aux Fleurs où habite désormais son ami d'enfance Simon Guedj, de la distance qui s'est installée entre eux. Mais l'épouse de Simon est sensible quant à elle au charme de l'écrivain qu'elle appelle « Monsieur d'hier » parce qu'il vit en effet dans un ailleurs à la fois temporel et spatial : le pays qui s'identifie avec Ourida, la femme qu'il y a laissée. Aussi, lorsqu'il apprendra dans la presse que celle-ci a été tuée à Constantine au bras d'un parachutiste, Khaled se tuera en sautant du train en marche. Roman sensible et lyrique de la nostalgie et d'une sorte de désenchantement très caractéristique de l'écrivain Malek Haddad lui-même : le suicide du héros de ce dernier roman publié de Malek Haddad peut être comparé au silence dans lequel ce dernier s'est installé depuis l'indépendance de son pays (1962), en même temps qu'il y occupait de 1968 à 1972 des fonctions de directeur de la culture derrière lesquelles on a pu voir un rôle déguisé de censeur. C. Bo.

QUAI DES BRUMES (Le). Ce roman (1927) de l'écrivain français Pierre Mac Orlan (1882-1970) est dans trois registres, qui sont la misère, la viande et la mort. Quant à la misère, elle est au principe premier de l'entreprise, car si le jeune homme Jean Rabe n'avait pas été à la recherche du prochain lit et du prochain repas (à Montmartre et à Rouen, comme l'auteur jadis), le livre n'aurait pas sa raison d'être. Il n'y aurait, sans la misère, ni vision de la société vue selon le dénuement individuellement éprouvé par ceux qui ont faim, ni les explorations qu'à partir de là on peut entreprendre. La viande apparaît ici comme une nécessité alimentaire qui n'est pas donnée par surcroît, mais, autant qu'une nécessité viscérale, elle est l'introductrice d'une métaphysique, insolite et vraie. Le porte-parole de cette métaphysique est bel et bien un boucher, M. Zabel, qui pour arrondir sa fortune (la misère trouve dans ce récit sa pleine intelligence sensible dans la richesse d'autrui) tue son ami, et, l'ayant tué, le dépèce avant de cacher les morceaux. La mort, elle, frappe trois des cinq personnages (peut-être quatre) afin que le cinquième, l'héroïne, vive en reine de la prostitution. Telle est donc la moralité — particulière peut-être, mais bien plus que secondaire — d'une société des hommes, avant des correctifs d'administration tels que la sécurité sociale. Le récit se déroule vers 1910, quoique le dernier chapitre, ou épilogue, évoque 1919. Mac Orlan voit en ce millésime apparaître une imagerie cosmique neuve : la femme confirmée dans un rôle bon conducteur, ainsi semblable à l'électricité et aux modes modernes de la diffusion musicale.

Jean Rabe meurt au cours d'une période militaire, par des balles tirées sur lui après qu'il eut essayé d'abattre son capitaine. Le boucher Zabel est arrêté, condamné à mort, exécuté. La jeune femme Nelly (devenue putain glorieuse après avoir rêvé de métiers tels que dactylographie, journalisme et sculpture ; puis, pendant sa période intermédiaire, après avoir fait assassiner son protecteur par un de ses collègues) survit à deux autres ombres : un soldat déserteur qui se rengagera (échangeant son passé dans la Coloniale pour un avenir dans la Légion), et un peintre allemand, qui se pendra. Ce dernier avait le don de détecter, grâce à ses tableaux, les lieux des crimes, et pour cette raison avait dans son pays rendu des services au ministère de l'Intérieur. — Mac Orlan n'a jamais eu la patience ni le goût de se soumettre à des techniques du récit, quand une inspiration nécessaire le comble. L'intrigue est donc ici autant volatilisée que faite, mais l'indifférence de l'auteur à toute structure fait que, malgré une suite de pages remarquables, il n'a pas accompli le chef-d'œuvre qu'elles promettent et portent en elles. C'est bien de pages qu'il faut parler. Le livre en compte cent soixante-quinze. À partir de la soixante et unième, une « action » se noue, qui ensuite s'éparpille dans une mosaïque d'évocations, cohérentes mais rapportées les unes aux autres, selon l'expression suisse : comme que comme. Dans les soixante premières, les cinq personnages viennent se coaguler, chacun distinct et indépendant des autres, chacun à sa façon parlant son histoire, autour du patron du Lapin Agile (dehors, il neige). Ce sont des pages surprenantes et belles. En vérité, il est peu de romans longuement amorcés comme l'est celui-ci, dans son assurance mystérieuse.

QUAND DIRE C'EST FAIRE [*How to Do Things with Words*]. Ouvrage du philosophe anglais John Langshaw Austin (1911-1960), publié en 1962 d'après douze conférences de 1955. Austin part du problème que posent les « pseudo-affirmations », ni vraies ni fausses et pourtant dotées de sens. Posant qu'il ne s'agit pas d'affirmations constatant des faits [constatives] mais d'énonciations visant à faire quelque chose (ex. promettre), il les baptise « performatives ». Les circonstances sont décisives : si telle ou telle fait défaut, l'énonciation ne peut accomplir l'acte. Elle est dite alors « malheureuse ». Les causes d'échec de performatifs montrent les procédures conventionnelles dont ils dépendent. Ceci éclaire bien des problèmes d'éthique et de droit, mais brouille la distinction des performatifs et des constatifs : la vérité ou la fausseté des seconds dépend de conditions souvent semblables à celles qui affectent les premiers. Ce parallélisme engage à chercher un critère plus sûr de la performativité. Le critère grammatical s'avère inopérant, sauf cas extrêmes, de même que la suggestion de ramener toute énonciation soupçonnable de performativité à un performatif « explicite » (ex. « *je t'ordonne* de sortir »). Il apparaît cependant qu'expliciter un performatif « primaire » (ex. « coupable » au lieu de l'explicite « je vous déclare coupable ») consiste à montrer « comment » l'acte accompli doit être reçu ou compris (« je reviendrai » peut être une promesse ou une menace) : on n'explicite pas la signification d'une énonciation mais sa « valeur » [force]. Austin repart donc sur de nouvelles bases, examinant trois sortes de « valeurs » pour une énonciation : « locutoire » (production de sons respectant une syntaxe et un lexique, et qui ont une signification), « perlocutoire » (on produit quelque chose *par* le fait de dire), « illocutoire » (on produit quelque chose *en* disant). Austin s'attache surtout aux actes illocutoires, qui se distinguent, de manière toutefois assez floue, des perlocutoires par leur caractère conventionnel. Dans ce cadre, la distinction initiale performatif/constatif n'est plus qu'une abstraction : les constatifs sont, comme les performatifs, des actes illocutoires susceptibles d'échec et les performatifs, comme les constatifs, font appel à la question de la « vérité » comme une certaine « correspondance aux faits ». La « vérité » devient une « dimension générale » dans laquelle, compte tenu du contexte présent, nous disons « ce qu'il est juste » ou « qu'il convient de dire ». Au terme de ce parcours s'impose la tâche d'étudier, au regard des divers actes de parole, en quel sens les actes illocutoires sont destinés à être justes ou non, permis ou non, etc. La philosophie doit considérer l'ensemble de l'acte de discours « en situation ». L'affirmation perd sa position privilégiée et nos conceptions de la vérité doivent être profondément remaniées. — Trad. Seuil, 1970.

M. A. S.

QUAND LA LAMPE S'ÉTEINT [*Tat dèn*]. Roman réaliste de l'écrivain vietnamien Ngô Tât Tô (1894-1954), publié en 1939. Il dénonce la misère des paysans du Nord-Vietnam, surexploités, embourbés dans leur marasme économique et leur retard intellectuel, en campant des personnages types sans tomber dans une schématisation sèche. Il décrit l'atmosphère lourde d'un village un jour de perception : lamentations, insultes des agents... Une famille, celle de Dâu, parmi les plus pauvres, ne parvient pas à réunir la somme due, même en empruntant à fort taux, son mari malade n'étant d'aucun secours. Dâu doit vendre sa fille à un vieux riche qui en profite pour acheter à un prix dérisoire et la fille et la portée de chiots. Mais on lui réclame encore l'impôt de son beau-frère défunt. Elle doit s'exiler en ville pour exercer le métier de nourrice, et par une nuit « sans lampe » son patron tente d'abuser d'elle. Elle s'enfuit dans la nuit noire, noire comme son destin et celui de ses semblables, comme le désespoir de tous malgré le dévouement de la femme.

T.-T. L.

QUAND LES CATHÉDRALES ÉTAIENT BLANCHES. Essai publié en 1937 par l'architecte français d'origine suisse Le Corbusier (pseud. de Charles-Édouard Jeanneret, 1887-1965). En 1935, l'auteur fut appelé en Amérique du Nord pour une série de conférences. Il partit une année entière. L'Amérique fut pour Le Corbusier une passionnante révélation. Il nota ses impressions de voyage dans des articles qu'il réunit en un seul volume : *Quand les cathédrales étaient blanches.* Dans ce livre il fait véritablement œuvre de poète en même temps qu'œuvre de technicien. Certaines des pages qu'il consacre à New York sont dignes d'une anthologie. Il analyse avec réalisme et compétence le phénomène américain, et dégage des enseignements précieux pour sa conception de la « ville radieuse ». « New York est une belle et digne catastrophe. Les Américains méritent d'être aimés. C'est ici le pays d'un grand tumulte, d'une grande activité, d'une grande action, de toutes les choses possibles. » Les critiques d'abord. Pour Le Corbusier, New York n'est pas une ville finie : « New York jaillit. Les architectes y foncent tête baissée. Le style se prépare sans eux, hors d'eux. L'ordre viendra. » Le gratte-ciel de New York ne remplit pas son rôle de décongestionnement du sol, parce qu'il est « bâti sur la chaussée ». Le sol n'est pas récupéré ; en dehors de Central Park, il n'y a pas un arbre dans la ville. La famille américaine est molestée dans une ville fausse, erronée, à contresens. « Avec une clarté froide, je sais qu'un plan juste peut faire de New York la ville des temps nouveaux. » La solution qu'il préconise est celle de la ville radieuse. Tout peut être résolu par une juste répartition de gratte-ciel « cartésiens ». Mais, à côté des critiques, Le Corbusier exprime son admiration pour le côté positif de ce phénomène américain : « New York est un événement mondial. Ce sont des lieux de vie robuste. » L'architecte rappelle cette condition fondamentale de santé d'une ville qu'il ne cesse de prôner : elle doit être traversée, irriguée, alimentée de bout en bout — libre. D'autres réussites ? Le pont George-Washington, « le plus beau pont du monde » ; le pont de Brooklyn, « une imposante sensation architecturale » ; la publicité nocturne de Broadway, « la fête nocturne des temps modernes ». « New York, catastrophe féerique : les docks de Manhattan, la publicité sur les gratte-ciel de Manhattan ! » Lorsqu'il reviendra de ce Nouveau Monde qui l'a électrisé, Le Corbusier lancera ce cri de guerre : « Je n'ai pas envie d'être charmant, mais d'être fort, je ne veux pas être figé, je ne veux pas conserver, mais je veux agir et créer. »

QUAND LES COURGES ÉTAIENT EN FLEUR [*Kad su cvetale tikve*]. Roman de l'écrivain serbe Dragoslav Mihajlović (né en 1930), publié en 1968. Connaissant le plus grand succès dès sa parution non seulement en Serbie mais dans toute la Yougoslavie, il fut considéré comme un chef-d'œuvre de la littérature d'après-guerre. Parallèlement, l'ouvrage embarrassait considérablement l'appareil idéologique et étatique, car il abordait un sujet tabou : la persécution dont avaient été victimes les prisonniers politiques des années 50. Le roman se présente comme le long monologue d'un homme de trente-huit ans, émigré en Suède où il a épousé une fille simple et laide, mais qu'il aime. Un flash-back apprend au lecteur qu'il a fui douze ans plus tôt une Yougoslavie où il n'avait pas trouvé le bonheur. Né comme l'auteur dans les années 30, devenu champion de boxe à Belgrade, il mène pendant quelque temps une vie facile et même gaie, dans un milieu de bagarres gratuites et de viols où il est très populaire. Vient la grande brouille entre Tito et Staline. Son père et son frère sont arrêtés et toutes les relations qu'il a un peu partout restent impuissantes à les faire libérer. Pendant son service militaire, les malheurs pleuvent sur sa famille. Son père est libéré mais mis au ban de la société. Sa sœur est violée par l'un de ses amis. Sa mère finit ses jours dans un asile d'aliénés et son père la suit de près dans la tombe. Le narrateur est devenu un tueur du ring et complète son personnage d'assassin en liquidant à coups de poing le violeur de sa sœur. Il demande l'asile politique en Suède et ne nourrit aucun espoir de rentrer jamais dans son pays.

Cette histoire atroce est racontée avec une sorte de détachement, d'indifférence, qui donnent une force considérable aux quelques sentiments profonds qui de temps en temps se font jour. L'amour tout d'abord est toujours exprimé indirectement, ou quand il l'est directement, est détruit aussitôt par quelques mots se voulant durs et ironiques. Dans ce monde horrible tout de violence et de misère, le personnage de la mère et des vieilles femmes en général atteint une sorte de grandeur tragique. Tragique, le narrateur lui-même le devient, lorsqu'il apparaît dans toute sa faiblesse, ballotté par la vie et incapable de comprendre quoi que ce soit aux événements qu'il provoque ou subit. Une profonde mélancolie née de la solitude et de l'absurdité vécue baigne tout le récit et fait que le roman va au-delà du sujet politique. — Trad. Gallimard, 1972.

J. M.

QUAND NOUS NOUS RÉVEILLERONS D'ENTRE LES MORTS [*När vi døde vägner*]. Drame de l'écrivain norvégien Henrik Ibsen (1828-1906), publié en 1899. Le sculpteur Arnold Rubek rentre en Norvège avec sa jeune femme, après avoir acquis à l'étranger honneurs et richesse. Il se plaît à rappeler à sa femme la prospérité dans laquelle ils vivent et les hommages qu'ils reçoivent de partout ; mais il ne réussit pas à cacher l'étrange inquiétude qui depuis longtemps l'opprime. La célébrité ne le satisfait pas, parce qu'il sent que l'essence de son œuvre demeure incomprise ; de plus l'inspiration lui manque pour créer des œuvres nouvelles qui ne soient pas seulement des portraits bien rétribués, tels que ceux à propos desquels il s'est offert la joie maligne de donner à ses semblables des ressemblances avec les animaux. Dans l'hôtel où ils sont descendus se trouve aussi Irène, la femme qui lui servit de modèle pour le tableau qui l'a rendu célèbre. Rigide dans ses vêtements blancs, toujours suivie à distance par une diaconesse, qui épie chacun de ses gestes, elle offre quelque chose de spectral. En proie à un calme délire, elle proclame partout qu'elle n'est plus en vie, qu'elle a tué les deux hommes qu'elle a épousés successivement, qu'elle a tué aussi ses enfants : manie homicide qui a peut-être été sur le point de se convertir réellement en acte. Si elle se considère ainsi comme morte, la faute en est à Rubek. En face de ce corps nu et intact, il n'a pensé qu'à son œuvre. Il ne s'est pas aperçu que non seulement elle offrait son corps à la contemplation de l'artiste, mais qu'à l'homme qu'il était elle donnait toute son âme. Rubek sait qu'Irène fut pour lui plus qu'un modèle, la source même de son inspiration. Ainsi s'augmente en lui le sens de sa faute, non seulement envers elle, mais aussi et surtout envers lui-même. Il a renoncé à la vie pour l'art ; il s'est servi de la vie pour créer des formes inanimées : il ne l'a pas accueillie en lui, il ne s'en est pas enivré et nourri. Lui aussi est mort, et Irène n'a même pas besoin de le percer avec le stylet qu'elle porte toujours sur elle. Mais Rubek nie être mort : il brûle plus que jamais de cet amour dont parle Irène, « fruit de la vie terrestre, cette vie terrestre faite de beauté, de merveilles, de mystère ». Ils peuvent encore vivre « leur » vie, fût-ce un seul jour. Dans un élan passionné, Irène le suit au sommet de la montagne où, dans la splendeur du soleil, doivent être célébrées leurs noces. Mais une avalanche les engloutit, et la diaconesse trace au-dessus de l'abîme où ils sont ensevelis le signe de la croix, puis prononce ce dernier souhait : « Pax vobiscum ». Ibsen écrivit *Quand nous nous réveillerons d'entre les morts,* qui est son dernier drame, à soixante et onze ans. Dernière et désespérée confession d'un poète qui, plein d'années et de gloire, scrute encore sa propre conscience d'un œil sans pitié, sans que les clameurs unanimes des foules l'inclinent à une reposante indulgence. La faute qui ronge intérieurement tant de héros d'Ibsen ne peut être ici expiée, parce qu'elle est reconnue comme mortelle, et non plus comme une corruption de la vie qu'on puisse guérir. Plus de remords, mais l'espoir insensé d'une impossible résurrection, tel est le climat de cette œuvre. C'est pourquoi le signe de croix, tracé sur l'abîme fatal, et les mots qui l'accompagnent : « Pax vobiscum », paraissent comme un solennel viatique pour toute l'œuvre sévère et tourmentée de ce poète assoiffé d'absolu. — Trad. Plon, 1930.

QUAND ON EST QUELQU'UN [*Quando si è qualcuno*]. Pièce en trois actes de l'écrivain italien Luigi Pirandello (1867-1936), représentée en 1933. Cet ouvrage, quasiment autobiographique, entend porter à la scène le thème de la célébrité, avec tout le cortège des servitudes dont elle s'accompagne. « Quelqu'un », écrivain fameux et quinquagénaire, écrit, pour une jeune fille dont il est amoureux, des poésies heureuses et juvéniles, en les signant du nom d'un jeune écrivain vivant en Amérique, Dèlago. Il ne peut se faire connaître, car ce serait montrer un désir honteux de la jeunesse. En fait, lorsque sa véritable identité est découverte, une vague d'indignation s'élève contre lui. « Quelqu'un » se résigne. Il ne peut être autre que ce qu'il est devenu pour la foule. Lorsque la nation fête son cinquantième anniversaire, il découvre qu'il est considéré comme un être figé, et qu'il revêt vivant la fixité d'une statue, ce qui est symbolisé dans la pièce par le fauteuil de l'écrivain élevé à la hauteur d'un monument. La fiction du poète qui devient monument est une des inventions les plus personnelles de Pirandello : elle exprime à la fois la nostalgie poignante de la jeunesse, l'histoire pathétique de certains renoncements et l'ennui de l'homme célèbre, prisonnier de lui-même, qui voit, impuissant, s'écrire de son vivant sa propre nécrologie. — Trad. Gallimard, La Pléiade, 1977-1985.

QUAND TOUT EST FINI [*Nokh alemen*]. Roman de l'écrivain russe d'expression yiddish Dovid Bergelson (1884-1952), publié en 1913. Le roman décrit, pour la première fois dans la littérature yiddish, une héroïne qui fait preuve d'une individualité indépendante. Mirl Hurwitz, fille d'un riche commerçant sur le déclin, ne supporte plus le monde grossier de la bourgade juive où elle habite. Perpétuellement insatisfaite, elle rompt ses fiançailles pour sombrer dans la léthargie. Elle finit, pour sauver son père de la ruine, par faire un mariage de raison qui la dégoûte et qui se termine par un divorce et un avortement. Le roman évoque un personnage plein de sensibilité et de finesse, qui dépérit dans le milieu stagnant de la petite bourgeoisie juive provinciale, sans pour autant avoir la force de s'en détacher. Bergelson développe avec raffinement une esthétique de l'absence et du vide. Il excelle dans ses descriptions du lent déclin du « shtetl », et du temps immobile qui ronge sournoisement ce monde figé. De. Be.

QUAND VIENT LA FIN. Récit publié en 1941 par l'écrivain français Raymond Guérin (1905-1955). Dans cet ouvrage, c'est un portrait de son père que brosse l'auteur. Il marque chacune des étapes qui conduisent son personnage de la foule des esclaves au rang des bons chiens de garde, puis à la mort — avec quelles souffrances — sans avoir été récompensé par ses maîtres. Il avait tourné le dos aux siens, non point pour élever son esprit mais pour s'élever égoïstement dans la hiérarchie sociale. Si l'on peut considérer qu'il a trahi ou qu'il n'a pas su échapper au fatal enlisement, il faut bien en profiter pour accuser là aussi un état de fait qui montre une fois de plus la difficulté pour les humbles de vivre pleinement, du moment qu'ils sont, dès leur venue au monde, soumis à l'injuste et rigoureuse servitude du travail non librement choisi. Il aurait suffi de peu de chose pour que ce livre prenne les allures d'une thèse à prétentions sociales. En fait il s'agit d'un livre où l'humour affiché dès le début ne tarde pas à faire place à ce qui pourrait ressembler à de la complaisance, dans l'horrible et objective description des cinquante dernières pages. De ce personnage, où le pire se joint au meilleur, rien n'était à rejeter. Et c'est peut-être à cause de cette diversité, de cette audace, de ce besoin scrupuleux de dénoncer des attitudes cachées, secrètes, interdites, des actions, des pensées, des situations peu flatteuses que le portrait finit par prendre forme. Curieusement, l'auteur s'est abstrait de cet ouvrage, faisant le silence le plus complet sur les rapports qu'il entretint avec son père. C'est que ce livre se maintient de bout en bout sur le plan élémentaire de la confession. Il est un essai d'effacement obstiné de l'auteur et de ses possibilités ou de son langage derrière son sujet. Et, s'il est conçu selon certaines règles de composition et d'écriture, du moins n'ambitionne-t-il pas de donner une vue générale du monde, voire une philosophie de l'être et de son comportement. *Quand vient la fin* est un livre âcre. De page en page, il s'enfonce inexorablement dans sa nuit. Aucun repos, aucune paix : rien que cette lente décomposition de l'individu et de son pustuleux destin. Mais, conclut l'auteur, « je suis le premier à souhaiter la venue du jour où je pourrai écrire une œuvre de clarté et de confiance en la vie, dans un monde qui connaîtrait enfin le règne de la dignité humaine ».

QUARANTE ANS DE MRS. ELIOT (Les) [*The Middle Age of Mrs. Eliot*]. Ce roman de l'écrivain anglais Angus Wilson (1913-1991), publié en 1958 et couronné par le James Tait Black Prize, peut être considéré comme un aboutissement ou une synthèse de *La Ciguë et après* (*) et d'*Attitudes anglo-saxonnes* (*).

L'héroïne en effet y gravit les degrés du chemin ardu qui mène, à travers la souffrance, à la bonne conscience, à la lucidité et à la sagesse. Angus Wilson s'attache une fois encore à dissiper les illusions nées d'un confort matériel débilitant et d'amitiés superficielles, donnant une dimension nouvelle au thème de la solitude due au décès d'un proche, à la déstabilisation et au désespoir qui en résultent. Meg Eliot, quarante-trois ans, intelligente, séduisante, sans enfants, mais heureuse dans ses activités de femme du monde, ses bonnes œuvres, ses loisirs, voit un jour sa vie s'écrouler lorsque son mari, avocat international de renom, est assassiné et qu'elle doit soudain faire face à une solitude et une pauvreté insoupçonnées jusqu'alors. Cette intrigue linéaire se développe en trois livres qui figurent les étapes du parcours accompli par Mrs. Eliot. Le premier, ironiquement intitulé « Humpty Dumpty », introduit la crise « extérieure ». L'héroïne est présentée dans sa vie quotidienne avec ses bons côtés mais aussi ce revers de la médaille qu'est la stérilité. Pendant un voyage en Asie, son mari trouve la mort au cours d'un attentat politique où il tente de protéger un ministre du pays en question. Dans un premier temps, Meg refuse de s'abandonner à un désespoir que concrétiseraient le suicide ou le refuge dans la religion. Le livre central, « Jobs for Job », qui couvre les deux ou trois mois suivant la mort de Bill, dévoile les difficultés inhérentes à la situation nouvelle. Meg apprend l'importance de l'argent dans le monde où elle évolue. Son frère, David, intellectuel homosexuel, qui a quitté l'enseignement pour devenir pépiniériste à Andredaswood, dans le Sussex, se trouve lui aussi à un tournant de sa vie. Son associé et ami se meurt d'un cancer, leur vie se dissout inexorablement. Le Livre II passe de Meg à David en les opposant par-delà leurs ressemblances. Tous deux se rencontrent dans la détresse et une conscience nouvelle des choses de la vie. Meg refuse l'existence de ses amies, la bohème de Polly Robson, le « réalisme » de lady Pirie qui souhaiterait la remarier, le veuvage « de sacristie » de Jill Stokes. De la constatation que les mondanités lui cachaient la vraie vie naît une crise nerveuse, étiage de son expérience. Le Livre III, « Nursery Ins and Outs », suggère l'agitation causée par l'installation de Meg à Andredaswood et les va-et-vient du frère et de la sœur recréant les liens et les relations de leur enfance. D'abord dépendante, Meg finit par dominer David, puis s'enfuit afin de ne pas ternir la « paix réelle de sa vie ». Les dernières pages du roman, écrites sous forme épistolaire, montrent que Meg, au cours de l'année passée à occuper divers postes de secrétaire, a surmonté sa solitude, a « affirmé sa foi dans les gens en vivant parmi eux ». Elle a quitté David car elle préférait la voie difficile à la somnolence voire la léthargie. Son intégrité dépendait de ce choix courageux. *Les Quarante Ans de Mrs. Eliot* illustrent chez l'auteur le désir d'affirmer une gravité morale et quasi métaphysique. Ainsi sont supprimés toutes les touches satiriques, tout réalisme de façade susceptibles de distraire de la situation dramatique de l'héroïne, exposée par son veuvage et son appauvrissement à un monde qu'elle n'avait pas éprouvé le besoin de comprendre. De cette volonté naît un roman plus simple, plus dépouillé que les précédents, mais aussi plus profond et plus grave, qui assure à Angus Wilson une place privilégiée au panthéon des romanciers contemporains. – Trad. Stock, 1959.

A. Bl.

QUARANTE ANS DE THÉÂTRE. Suite de « feuilletons dramatiques » du critique français Francisque Sarcey (1827-1899), publiés posthumes, en huit volumes, entre 1900 et 1902, par Gustave Larroumet et Adolphe Brisson. Sarcey, de 1860 jusqu'à sa mort, remplit assez bien auprès du public le rôle d'un informateur attentif, bien qu'il fût enclin à flatter le goût du Français moyen et à n'apprécier le théâtre que dans la mesure où il use de toutes les ficelles du métier. C'est dire que sa prédilection va trop souvent à des œuvres médiocres, qui satisfont uniquement aux grosses exigences de la scène. Il proclame par exemple que *La Fille de Roland*, du brave Henri de Bornier, est « le plus bel effort vers le grand qui ait été accompli dans ces cinquante dernières années ». Tandis qu'il marchandera toujours son adhésion aux œuvres d'Henry Becque, qu'il s'agisse des *Corbeaux* (*) ou de *La Parisienne* (*). S'il ne constitue pas une œuvre véritable, cet ouvrage fournit toutefois des renseignements utiles sur des pièces aujourd'hui oubliées et sur des reprises de pièces du répertoire classique. Plus intéressantes encore sont les pages où Sarcey juge en contemporain de la valeur des premières œuvres théâtrales de l'école naturaliste, ou encore cherche à résoudre les contradictions qui opposent le théâtre romantique à la tradition française.

QUARANTE JOURS DU MUSSA DAGH (Les) [*Die vierzig Tage des Mussa Dagh*]. Roman de l'écrivain autrichien Franz Werfel (1890-1945), publié en 1933. Il fut inspiré à l'auteur par le triste spectacle qu'offraient des enfants arméniens réfugiés en Syrie, que l'on faisait travailler dans une fabrique de tapis. Werfel retrace ici l'épopée tragique du peuple arménien, minorité ethnique haïe et persécutée par les chefs de l'Empire ottoman, lesquels décidèrent, au cours de la Grande Guerre, de résoudre la question arménienne par la déportation en masse. On peut aisément déceler sous ce thème celui de la question juive, dont l'esprit prophétique de Werfel (d'origine israélite) annonce en quelque sorte les tragiques et ultérieurs développements. Ce roman fait fond sur un épisode historique que mentionna ainsi un communiqué du gouvernement français du 22 septembre 1915 : « Poursuivis par les Turcs, environ cinq mille Arméniens, au nombre desquels trois mille femmes, enfants et vieillards, s'étaient réfugiés, vers la fin du mois de juillet, dans le massif de Mussa Dagh, au nord de la baie d'Antioche, où ils étaient parvenus à tenir tête à leurs agresseurs jusqu'au début du mois de septembre. Mais alors, les vivres et les munitions venant à manquer, ils étaient sur le point de succomber, lorsqu'ils parvinrent à signaler la gravité de leur situation à un croiseur français. Les croiseurs de l'escadre française, qui faisaient le blocus des côtes syriennes, se portèrent immédiatement à leur secours et purent assurer l'évacuation des cinq mille Arméniens qu'ils transportèrent à Port-Saïd, où ils reçurent le meilleur accueil et furent installés dans un campement provisoire. » Avec une remarquable puissance d'évocation, Werfel retrace les vicissitudes de cette communauté improvisée, réunissant les populations de sept villages de la côte méditerranéenne d'Alexandrette, au cours de ces quarante jours vécus dans le massif portant le nom symbolique de « Montagne de Moïse ». L'idée d'aller se réfugier sur le Mussa Dagh et d'y organiser la résistance est attribuée ici au héros, Gabriel Bagradiàn, descendant d'une illustre famille arménienne, élevé à Paris, qu'il a quitté depuis peu et où il a pris pour femme Juliette, une Française, qui lui a donné un fils du nom de Stéphane. Tempérament d'intellectuel, de philosophe et de rêveur, Gabriel sait être, au moment opportun, un homme d'action sans faiblesses. Il représente en somme le conflit entre l'âme orientale et l'âme occidentale, le drame de l'Arménie européanisée, qui sent en elle-même, inéluctable, le destin tragique de son peuple. « Être arménien est impossible. » Aussi, lorsqu'il aura accompli son œuvre, miraculeusement couronnée de succès — et que son fils, devenu plus arménien que lui, aura trouvé la mort au cours des combats ; tandis que sa femme, vivant elle aussi le drame d'une déracinée, le trompera passagèrement avec un Levantin avant de sombrer dans la folie ; et que lui-même se prendra d'amour pour une jeune Arménienne —, sentant que désormais il n'a plus aucune raison de vivre, Gabriel, à l'insu de tous, alors que les navires s'éloignent, emportant son peuple vers un havre de paix, retourne sur le Mussa Dagh et va s'agenouiller sur la tombe de son fils. C'est là qu'il tombera sous les balles d'une patrouille turque. Telle est l'action principale insérée dans un drame collectif, un poème choral d'où surgissent des personnages inoubliables, comme l'austère et noble prêtre arménien Ter Haigazùn ; l'original pharmacien, philosophe et bibliophile, Krikòr ; le comique et insinuant maître Oskanian ; le sinistre déserteur russo-arménien Kilikian ; l'orpheline de Zeitùn, Sato, rescapée d'une atroce déportation, étrange mélange de nature humaine et animale, etc. Chaque personnage se trouve ainsi avoir son histoire, et tout se passe au milieu de scènes de batailles et de déportations, d'incendies et de carnages. L'art prestigieux de l'écrivain fait de ce roman un des principaux monuments de l'épopée moderne. — Trad. Albin Michel, 1986.

QUART (Le) [Βαρδια]. Récit de l'écrivain grec Nikos Kavvadias (1910-1975), publié en 1954. Traduit une première fois par Michel Saunier en 1969 sous le titre *En bourlinguant*, puis réédité vingt ans plus tard dans une version revue — et exemplaire —, *Le Quart* possède la force et l'intonation, reconnaissables, des livres qui sont l'œuvre d'une vie. Et s'il fut composé en moins de deux ans, entre août 1951 et décembre 1952, c'est sans doute qu'il avait été longuement prémédité, l'auteur n'ayant eu qu'à puiser dans l'expérience accumulée depuis qu'il avait commencé à naviguer, au début des années 30 : s'y dépeignant sous les traits du radiotélégraphiste qu'il fut lui-même jusqu'à la fin de sa vie, Kavvadias semble avoir voulu, à travers le récit de la longue traversée du « Pythéas », vieux cargo dont les hublots s'éclairent, sous certaines latitudes, d'une « lumière chétive et maladive, et qui sent le phénol », raconter l'histoire, identique et recommencée, de toutes les traversées. Le voyage lui-même — d'ailleurs voué à l'échec puisque, une fois arrivé à destination, dans un port de Chine dévasté par la guerre, le navire devra repartir avec sa cargaison — importe moins que le déroulement des souvenirs, confessions et anecdotes rapportés par les membres d'un équipage qui n'a guère d'autre recours pour distraire la monotonie des jours. Placé sous le signe d'une « culpabilité sournoise et omniprésente » (Saunier), hanté par l'absence de la femme — de la femme vénale s'entend, liaisons éphémères ou prostituées des ports, car la « femme honnête » inspire autant de crainte que la terre ferme —, rédigé dans une langue volontairement dépouillée, et émaillé de ces vérités définitives et désabusées qui constituent le viatique des gens de la mer, *Le Quart* est tout à la fois document, récit romancé et poème en prose (rappelons que Kavvadias était surtout connu pour être l'auteur de deux recueils de poèmes, *Marabout* et *Brume*). La structure même du livre, divisé en trois parties et six quarts d'inégale longueur, déjoue le déroulement chronologique par d'incessants retours en arrière, épisodes imbriqués ou chapitres presque détachés, parfois amicalement dédiés comme tels par l'auteur. Si « la vérité est un péché [...], la forme la plus grossière, la plus inhumaine du mensonge », comme le déclare le double de Kavvadias au cours de l'une de ses conversations avec le capitaine du « Pythéas », c'est néanmoins une forme brute, et précieuse, de la vérité qu'il est donné au lecteur d'entrevoir : derrière l'évocation de Marseille dans les années d'avant-guerre, les silhouettes d'émigrants ou de rescapés des camps, les histoires cocasses ou poignantes ressassées par cette poignée de héros malgré eux, convaincus qu'il « n'existe pas d'enfer dans l'au-delà » puisqu'ils le vivent déjà dans cette vie, se dessine le portrait sans fioritures d'un monde qui n'est pas, on s'en doute, réservé à ceux-là seuls qui revendiquent le statut et le destin d'éternels errants. – Trad. Climats, 1989. G. O.

QUART DE MINUIT (Le) [*De Hondenwacht*]. Recueil de poèmes de l'écrivain belge d'expression néerlandaise Karel Jonckheere (né en 1906), publié en 1951. Littéralement, « hondenwacht » signifie à la fois « temps de chien » et « chien de garde » ; pour Jonckheere qui a beaucoup voyagé sur la mer, c'est le moment le plus pénible de la veille du marin, le quart de nuit ou de minuit, l'heure où la traversée se condense, où toutes choses, souvenirs, regrets, chagrins, joies, désirs pèsent leur poids le plus lourd. C'est, pour le poète, l'heure du bilan, de la lutte avec l'ange de la fatigue et du découragement, l'heure aussi du plus grand désespoir et du plus grand espoir : la plus juste métaphore, en somme, du passage de l'homme sur la terre où rien n'est acquis sauf la mort. « À quarante ans, écrivait Jonckheere dans un précédent recueil, l'homme doit se connaître, / sinon il vaut mieux qu'il s'en aille. » *Le Quart de minuit,* livre d'un quadragénaire « mis en quarantaine », poursuit cette méditation sans complaisance : la vie, l'amour, la mort, thèmes éternels, y sont traités avec une désarmante nouveauté de ton et de style. Dans un langage nu et dru, il parle avec détachement – mais l'émotion n'en est que plus forte – de la tristesse du couple, de l'absence de foi en Dieu, de l'attente d'un enfant, de la vanité de la gloire, de la tâche ingrate du poète que la poésie ne console pas, etc. Un rien lui est prétexte à écrire : « La Mort d'une pintade », une « Lettre tardive », la vue des « Coupeurs de tourbe en Drente », le mot « Kivu », sa pipe, un « pas inattendu » et, bien sûr, le vent, la mer, la solitude. « Et une fois de plus nous avons compris stupidement : / nous voulons être solitaires, mais pas seuls. » – Trad. Éditions universitaires, Paris, 1960. G. G.

QUARTIER (Le) [*Il quartiere*]. Roman de l'écrivain italien Vasco Pratolini (1913-1991), publié en 1944. Dans son œuvre, ce livre marqua la transition entre la littérature de la mémoire privée et la « chronique » néo-réaliste inspirée par l'actualité sociale, tout en héritant de l'exaltation de la vitalité populaire chère au fascisme « de gauche ». L'éducation sentimentale et politique d'une génération de jeunes Florentins est le thème du roman, qui ne possède pas de véritable intrigue. C'est un véritable « Bildungsroman » collectif, qui s'attache à reconstituer le processus de formation, dans les années 1930, d'une jeunesse issue du sous-prolétariat du quartier de Santa Croce et destinée à rester dans la même classe sociale. Plutôt que l'histoire d'une adolescence à la Fournier, le livre nous présente la description d'une génération qui accepte d'emblée de mûrir et ne cherche pas à se soustraire à l'épreuve de la réalité ; une fois quittées leurs culottes courtes, les personnages songent très vite à choisir un métier et à fonder une famille. Leur insertion se fait de manière schématique, une étape après l'autre : d'abord les choix amoureux, ensuite les choix idéologiques. Leurs vies sont dominées par des besoins et des aspirations simples, et leurs destinées, semblables les unes aux autres et enchevêtrées, donnent à ce roman sa dimension collective. La vie de chacun se trouvant indissolublement liée à celle des autres, l'éducation sentimentale ne brise pas le groupe et n'isole pas les couples nouvellement constitués ; l'inspiration populiste du néo-réalisme permet à l'auteur de concilier la quête des relations amoureuses avec une éducation sociale fondée sur la fidélité et l'aide réciproques. La solidarité étant la forme la plus parfaite de la maturité sociale selon Pratolini, les jeunes gens de Santa Croce sont appelés à se conformer aux valeurs ancestrales de leur quartier pour assurer leur salut, en liant leurs existences à la vie de la collectivité. Les personnages qui s'écartent de cette règle de conduite sont vus par l'auteur comme des déviants, et ils sont destinés à se perdre. Vient en dernier l'engagement politique : au-delà de la communauté urbaine se dresse le fascisme, auquel les jeunes gens finissent par se trouver confrontés. La guerre d'Éthiopie en 1935 les oblige à en prendre conscience et à se déterminer ; pour plusieurs d'entre eux, les plus mûrs et les plus généreux, ce sera l'occasion d'une réflexion personnelle les conduisant à la lucidité de l'antifascisme. Ainsi leur triple éducation sentimentale, sociale et politique sera-t-elle parachevée, et leur entrée dans l'âge adulte se trouvera-t-elle renforcée par l'opposition au mal historique qui menace l'existence même du quartier. – Trad. Albin Michel, 1951. M. C.

QUARTIER RÉSERVÉ. Publié en 1932, ce roman de l'écrivain français Pierre Mac Orlan (1882-1970) met l'horreur humaine en pleine lumière avec une éloquence qui n'insiste pas. Le lieu de cette exploration, c'est le quartier réservé d'une grande ville méditerranéenne et française (Marseille, de toute évidence), tel qu'il exista jusqu'à la guerre. L'occasion : la venue du narrateur, Guillaume Balthazar, qui débarque à Marseille, à la recherche du fonds de marchand de disques à lui cédé (pourquoi donc ?) par un certain M. Ludovic Ahmed. Il est faible de dire que les événements qui suivent sont pittoresques. Le témoin d'une scène de reconstitution criminelle situe ces choses dans leur perspective véritable : « On amène la tête de cette belle fille que vous appeliez la Romancière : une tête définitivement libérée. Pas de traces de la suprême et épouvantable vision qui dut glacer le sang de cette misérable. Autour du col, bien sectionné, la chair formait une boursouflure d'un rose lilas. Sur une dalle humectée d'eau phéniquée, sans doute, le corps sans tête reposait : un joli corps dodu de jeune fille gâtée. Tout cela était aussi inhumain que possible. On rapprocha la tête bien coiffée du corps qui n'était pas le sien. Et l'horreur commença précisément au moment même que chacun put constater que cette tête n'allait pas. » Vers la fin de ces pages d'action et de métaphysique, on retrouve, au second degré, dédoublement et vies imaginaires : « Celui qui tient la plume n'est pas le véritable Balthazar. C'est un Balthazar enveloppé de littérature comme un lustre est enveloppé de gaze dans les intérieurs bien tenus, tels que je les apprécie. Moi, moi, ce fameux moi n'est qu'un personnage inconsistant dans ce récit. Quand je me relis, je me donne l'impression d'un très vague annonciateur de spectacles divertissants par leurs complications. »

QUARTIER SANS SOLEIL [*Taiyô no nai machi*]. Roman de l'écrivain japonais Tokunaga Sunao (1899-1958), publié dans la revue *Senki* en 1929. Le titre évoque un quartier sordide qui s'étendait jadis au cœur de Tôkyô, une sorte de bidonville né autour d'une grande imprimerie qui passait à l'époque pour l'une des plus modernes du Japon. En 1926, une grève s'y déclencha, et ce fut une des luttes les plus difficiles et les plus sanglantes que la classe ouvrière japonaise connût sous l'ancien régime. L'auteur, qui avait participé personnellement à cette grève en tant que travailleur militant, parle dans ce roman en témoin. Il raconte comment la volonté des grévistes, résolus, parfaitement organisés et forts de leur expérience, finit par être brisée impitoyablement par des adversaires disposant d'une force écrasante que leur prêtait le régime au nom de la « grande cause ». Du point de vue technique, cet ouvrage a bien des défauts. La « littérature prolétarienne », comme on l'appelait alors, ne se souciait point de perfection littéraire. Mais le témoignage de Tokunaga a un mérite incontestable : le regard de l'auteur ne se détache à aucun moment de la vie des ouvriers et de leurs familles, et c'est sans doute la première fois que la masse ouvrière, en tant que collectivité, devient le véritable héros d'un roman dans la littérature japonaise. On découvre à quel point la tension d'une lutte cruelle et interminable peut user le cœur des hommes. On comprend pourquoi les grévistes en arrivent à être écrasés, d'une manière lamentable, par des adversaires qui n'hésitent pas dans le choix des moyens. Avec le *Bateau-usine* [*Kanikôsen*, 1929] de Takiji Kobayashi (1903-1933), ce roman peut donc être considéré comme un des monuments de la littérature prolétarienne du Japon. Toutefois, alors que Kobayashi, torturé par les policiers, trouva la mort, Tokunaga se disqualifia moralement par l'inconstance de sa conduite, notamment pendant la guerre. C'est en grande partie pour cette raison, politique mais surtout humaine, que l'œuvre de Tokunaga semble avoir été délaissée en faveur de celle de son camarade. — Trad. *Le Quartier sans soleil*, Rieder, 1933.

QUATRAINS POUR HÉLÈNE. Recueil poétique de l'écrivain belge d'expression française Achille Chavée (1906-1969), publié en 1958. Achille Chavée est l'auteur de plusieurs recueils dont il faut retenir : *Pour cause déterminée* (1935), *Le Cendrier de chair* (1936), *D'ombre et de sang* (1936), *Écorces du temps* (1947), *De neige rouge* (1948), *Au jour la vie* (1950), *Blason d'amour* (1950), *Cristal de vivre* (1954), *Catalogue du seul* (1956). Il n'est pas de poète plus singulier en Belgique. Après la publication, en 1935, de la revue *Mauvais Temps*, il collabore au groupe surréaliste belge avec René Magritte, E.L.T. Mesens, Paul Nougé, Camille Goemans. Le long poème des *Quatrains pour Hélène* semble décrire un cercle, et chaque image longuement développée de chacun de ses quatrains semble en décrire d'autres plus grands, retenus le temps de maintenir le poème dans la voix et de le défaire. « La mort n'avait pas fait son œuvre / selon les mots selon les gens / la mort apportait une preuve / comme le geste d'un enfant. » L'amour devant la mort est le thème majeur des *Quatrains pour Hélène* (« Mon baiser et objet perdu / femme en quête de vérité / ne cherche pas à découvrir / les lèvres de ma sainteté »), l'amour très pur d'une femme de nuages et de celui qui reçoit quelquefois la visite du Christ, s'ouvrant sur un destin de transparence, tandis que la mort est l'ultime moment de l'innocence. Le poète apparaît et disparaît parmi toutes ses images, et c'est aussitôt le jeu du présent et de l'absent qui commence : l'intouchable de l'alcôve, l'agronome, le scaphandrier de la couleur, le bûcheron de rêve, personnages qui « regardent la fourmi rouge hésiter longuement avant de basculer le grain de peine ». La souplesse de la langue articule toute une suite d'images qui s'ordonnent sans jamais se recouvrir, l'une éclairant l'autre, hantées, dirait-on, par l'idée de garder la même pente, comme les ardoises du toit. Si l'on compare les premiers recueils de l'écrivain, encombrés d'images artificielles, avec *Écorce du temps, De neige rouge*, ou *Cristal de vivre*, il apparaît qu'Achille Chavée s'est dégagé de plus en plus du poème de « circonstance » pour traduire, avec des moyens tout à fait inattendus, des impressions fugitives en images dignes d'un poète réellement aux ordres du plus grand mystère.

QUATRE ÂGES DE L'HOMME (Des) [*Des quatre tenz d'aage d'ome*]. Philippe de Novare, chevalier lombard au service des Ibelin, importante famille de l'Orient latin, fut soldat et diplomate à Chypre et en Syrie vers 1230. Après s'être retiré des affaires, il composa ce traité de morale pratique, où il mit à profit ses expériences. Lorsqu'il écrit, il a probablement dépassé soixante-dix ans (vers 1265). Parmi les traités du même genre de cette époque, cette œuvre se détache nettement par son caractère direct et sincère. Elle nous intéresse particulièrement dans la mesure où elle nous renseigne sur les idées de la haute société contemporaine. À côté de l'*Histoire de Saint Louis* (*), qui lui est de peu postérieure et qui nous présentait l'exacte image du roi idéal, les *Quatre âges* font le portrait de ce que nous pourrions appeler l'« honnête homme » du XIIIe siècle, le clerc, ou le chevalier. Philippe de Novare divise la vie humaine en quatre périodes de vingt ans chacune : l'enfance jusqu'à vingt ans, la jeunesse de vingt à quarante, l'âge mûr, de quarante à soixante et la vieillesse de soixante à quatre-vingts. Chacun de ces temps a son caractère propre et, en quelque sorte, sa fonction déterminée en rapport avec la vie outre-tombe. Aussi bien l'éducation de l'enfant doit-elle commencer par les premières vérités de la religion chrétienne : « La première chose que l'an doit apranre a enfant, puis qu'il commance à croistre et a entendre, si est la creance Damedieu : la Credo in Deum. Pater Noster, Ave Maria. » Il faut ensuite lui enseigner un métier qui lui soit propre, en commençant le plus tôt possible. De tous les métiers il ne saurait y en avoir de « plus haut et plus honorable a Dieu et au siegle : ce est a savoir clergie et chevalerie ». En effet, « par clergie est avenu sovant, et avenir puet, que li filz d'un povre home devient uns granz prelaz : et par ce est riches et honorez » ; quant aux chevaliers, combien ont acquis de grandes richesses et même ont été couronnés rois, combien dont la mémoire a survécu, grâce à des poèmes et des chansons. Mais si l'on veut passer à la postérité et être honoré d'elle, il vaut encore mieux devenir saint, car, nous dit naïvement Philippe de Novare, « les saints sont fêtés au jour anniversaire de leur mort, et il en est plusieurs dont on jeûne la vigile », ce qu'on ne fait pas pour les puissants de ce monde. C'est dès le jeune âge qu'on peut le plus facilement redresser le caractère des enfants. Il faut donc les corriger vigoureusement et ne jamais leur permettre les paroles malsonnantes ou les jeux déshonnêtes. Il faut aussi se garder de laisser les garçons jouer trop longtemps avec les filles : car « le feu et l'étoupe s'enflamment aisément, si on les rapproche ». Philippe de Novare a aussi ses idées sur l'éducation des filles : une femme doit être bien élevée et être de bonne conduite si elle veut faire un beau mariage. La jeunesse est l'âge le plus dangereux, car l'homme et la femme ressemblent alors à la bûche de bois vert qui fume avant de s'allumer. Les jeunes gens croient tout savoir et tout pouvoir, ils sont volontiers irrespectueux et même révoltés contre l'autorité laïque ou, ce qui est plus grave encore, ecclésiastique. C'est dans l'âge mûr que l'homme parvient à la réussite matérielle et surtout à la réalisation de soi-même, car il apprend à se connaître, à corriger son caractère par l'expérience et la sagesse, à réparer ses fautes de jeunesse et à éviter d'en commettre de nouvelles (rappelons que l'âge mûr va pour l'auteur de quarante à soixante ans). La vieillesse, elle, est un temps qui nous est donné par la Providence pour nous repentir de nos fautes, c'est un délai qui nous est accordé pour nous occuper du salut de notre âme. Il faut donc envoyer d'avance dans l'autre monde le trésor dont nous jouirons éternellement, celui de nos bonnes actions et de nos prières. Jamais Philippe de Novare ne s'égare dans la spéculation, il ne perd pas de vue son but : comment il faut vivre pour s'assurer honneurs, richesses et considération parmi les hommes, tout en étant agréable à Dieu et en pensant à son salut. Tous ces conseils, même ceux qui concernent la vie future, ont un caractère intéressé. De ce caractère pratique, les *Quatre âges de l'homme* tirent une grande partie de leur intérêt pour nous, en nous présentant une image fidèle, un portrait ressemblant de l'homme du XIIIe siècle. C'est pourquoi, bien qu'il soit mal composé, ce traité de savoir-vivre, écrit en prose, mérite encore d'être lu. – *Des quatre âges de l'homme* a été édité par M. de Fréville (Société des anciens textes français, Paris, 1882).

QUATRE ANTIENNES À LA SAINTE VIERGE. Pièces pour six voix solistes et orchestre du compositeur français Claude Ballif (né en 1924), composées entre 1952 et 1965. Elles constituent un ensemble aux vastes dimensions, qui reflète les aspirations religieuses de ce compositeur profondément croyant, pour qui la musique est un moyen d'expression des réalités aussi bien perceptibles qu'ineffables. Son langage, totalement original, se situe en marge de l'opposition tonalité-atonalité et s'impose surtout par sa force et sa grande sincérité. A. Pâ.

QUATRE CAVALIERS DE L'APOCALYPSE (Les) [*Los cuatros jinetes del Apocalipsis*]. Roman en deux volumes de l'écrivain espagnol Vicente Blasco Ibáñez (1867-1928), publié en 1916. Les sœurs Luisa et Helena Madariaga, filles d'un riche fermier de l'Amérique du Sud, ont épousé deux jeunes Européens, le Français Marcel Desnoyers et l'Allemand Karl von Hartrott. Après la mort de Madariaga, les deux familles liquident l'héritage et se rendent en Europe, les Hartrott à Berlin et les Desnoyers à Paris. Les caractéristiques des deux races se retrouvent chez leurs enfants : les Allemands, rigides, attachés au devoir, les Français bons vivants, indisciplinés. Le plus cynique, peut-être, des Desnoyers, c'est Jules, l'aîné : il a coupé les ponts avec sa famille et voudrait épouser Marguerite Louvrier, une femme mariée qui a l'intention de divorcer pour le rejoindre. Mais la guerre de 1914 éclate, et son esprit en sera bouleversé. Jules, tout d'abord, se réfugie dans un élégant scepticisme ; mais une nouvelle, bientôt, lui parvient : Marguerite, qui l'aime toujours, a néanmoins résolu de rester aux côtés de son mari, revenu aveugle de la guerre. À son tour, Jules va répondre à l'appel du devoir : il part pour le front et trouve la mort. Blasco Ibáñez s'était proposé de conter, à la manière naturaliste, l'histoire de deux familles, en soulignant les contrastes et les heurts qui, pendant la Première Guerre mondiale, opposaient deux civilisations différentes. En conclusion, le romancier, recourant à une de ces envolées oratoires qui étaient dans son tempérament, brosse une fresque à la Hugo où la guerre est figurée par les quatre cavaliers de l'Apocalypse et l'annonce faite à saint Jean de la Bête aux sept têtes. Le roman, traduit en anglais, eut un énorme retentissement aux États-Unis et contribua, assure-t-on, à hâter l'intervention américaine. — Trad. Calmann-Lévy, 1928.

QUATRE DISCOURS (Les) [*Chahar maqâlé*]. Traité sur la façon de servir les souverains, du grand prosateur iranien Nizâmi Arouzi (XIIe siècle), composé probablement vers 1157 de l'ère courante. Le nom primitif de l'ouvrage était : *Recueil de faits rares* [*Majma' al-navâdir*]. Mais la disposition du contenu lui a substitué le titre : *Les Quatre Discours.* L'auteur y traite des conditions auxquelles doivent satisfaire les quatre classes d'hommes — secrétaires, poètes, astrologues, médecins — qui sont au service d'une cour princière. « Ces quatre fonctions difficiles et arts nobles — dit-il dans sa longue préface — comptent parmi les branches de la philosophie ; en effet, les charges de secrétaire et de poète se rattachent à la logique, celle d'astrologue à la mathématique, et celle de médecin aux sciences de la nature. En conséquence, ce livre se compose de quatre discours : le premier, sur l'essence de l'art du secrétaire et sur les qualités du secrétaire éloquent et accompli ; le second, sur l'essence de l'art poétique et les qualités requises du poète ; le troisième sur l'essence de la science des astres et sur la compétence de l'astrologue en cette science ; le quatrième, sur l'essence de la science médicale, sur la direction et les qualités du médecin. » Chaque discours est précédé de considérations philosophiques ayant trait à ce chapitre. Viennent ensuite, en illustration, une série d'anecdotes, une dizaine à chaque fois, où sont consignés maints faits historiques et traits biographiques qu'on ne trouve nulle part ailleurs. Ces anecdotes, tirées le plus souvent de son expérience personnelle ou qui lui furent communiquées oralement par des personnes qui avaient connaissance directe des faits, constituent — en dépit de plusieurs graves erreurs historiques — une mine de renseignements sur les cours d'Asie centrale au XIIe siècle, ainsi que sur les conditions littéraires et scientifiques de l'époque. Par exemple, les anecdotes 7 et 8 du troisième discours nous procurent le seul témoignage contemporain sur Omar Khayyâm ; l'anecdote 9 du deuxième discours, le plus ancien renseignement sur Firdousi. Remarquable par son intérêt, le livre l'est aussi par son style — un modèle à suivre. Bien que composé au milieu du XIIe siècle, il s'apparente aux grandes œuvres en prose de la fin du XIe — le *Traité de gouvernement* [*Siyâsat-nâmé*] de Nizâm ol-Molk et le *Qâbûs-nâmé* — par la simplicité de l'expression, la pureté de la langue, la concision. Dans la préface, ainsi que dans les considérations philosophiques qui précèdent chaque discours, Nizâmi a parfois recours à des mots arabes pour les termes abstraits qui n'existaient pas en persan ; il en use très modérément dans les anecdotes. L'ouvrage est dédié au prince du sang Abol-Hassan Husam al-Dîn Ali de la maison des Ghûrides ; il eut certainement du succès. Dowlatchâh, en 1490-91, dans son *Mémorial des poètes* [*Tadhkirat al-sho'arâ*], déclare que, de ce livre, on tire grand profit pour « la civilité dans les relations, la sagesse pratique et la façon de servir les souverains ». Malgré ses proportions réduites, il compte parmi les plus importants de la littérature persane. — Trad. Éditions Maisonneuve et Larose, 1968.

I. de G.

QUATRE ESSAIS POUR ORCHESTRE de Baird. Composés en 1958, ces essais relèvent de l'écriture sérielle que commençait alors à pratiquer le compositeur polonais Tadeusz Baird (1928-1981). L'atmosphère générale est assez sombre, et chacune des pièces est construite en fonction de couleurs instrumentales spécifiques : cordes et harpes dans la première, auxquelles s'ajoutent flûte, hautbois, clarinette et percussion dans la seconde, cuivres, pianos et percussions dans la troisième, retour au premier volet dans la dernière avec une instrumentation élargie aux bois. Le langage de Baird laisse une large part à l'improvisation et au rubato et cherche à retrouver la liberté d'expression de la parole humaine.

A. Pâ.

QUATRE ÉTUDES DE RYTHME. Pièces brèves pour piano du compositeur français Olivier Messiaen (1908-1992), écrites en 1949-50. Elles portent les sous-titres suivants : « Ile de feu I », « Modes de valeurs et d'intensités », « Neumes rythmiques », « Ile de feu II ». Les deux pièces extrêmes, « Ile de feu I et II » (datées de 1950 et dédiées à la Papouasie) sont articulées sur une structure d'interversion. La seconde, « Modes de valeurs et d'intensités », est basée, comme son nom l'indique, sur un mode de valeurs (vingt-quatre durées) et un mode d'intensités (sept nuances), mais aussi sur un mode d'attaques (sept attaques) et un mode de hauteurs (trente-six sons, sur trois octaves). Quant aux « Neumes rythmiques », ils reprennent l'idée de figures mélodiques – ou neumes – de la monodie du plain-chant, pour l'appliquer à des figures rythmiques. Ces *Quatre Études* montrent la faculté d'un langage rythmique cohérent. La seconde, surtout, a révélé aux jeunes compositeurs, élèves ou non de Messiaen, la possibilité d'étendre la technique sérielle à tout l'ensemble du phénomène sonore, et non plus seulement aux seules hauteurs. Sa portée est considérable.

QUATRE ÉVANGILES (Les). Cette série de romans de l'écrivain français Émile Zola (1840-1902), *Fécondité* (1899), *Travail* (1901), *Vérité* (1903), est restée inachevée. *Justice,* le quatrième Évangile prévu, étant encore à l'état de projet à la mort de l'écrivain. Après le bilan que sont *Les Trois Villes* (*), *Les Quatre Évangiles* fondent la cité nouvelle avec les quatre enfants de Pierre Froment et de son épouse Marie. « C'est la conclusion naturelle de toute mon œuvre : après la longue constatation de la réalité, une prolongation dans demain, et d'une façon logique, mon amour de la force et de la santé, de la fécondité et du travail, mon besoin latent de justice, éclatant enfin. Tout cela basé sur la science, le rêve que la science autorise », commente Zola, qui laisse libre cours, dans ces dernières œuvres, à son lyrisme, opposant à une réalité de plus en plus oppressante – il est engagé dans l'affaire Dreyfus – ses rêves de société meilleure, des poèmes utopiques et consolateurs.

Mathieu, dans *Fécondité,* a douze enfants et de multiples descendants qui essaiment jusqu'en Afrique. Luc, dans *Travail,* fonde la cité nouvelle de Beauclair. Marc, dans *Vérité,* qui reprend en filigrane l'histoire de l'affaire Dreyfus, lutte contre l'obscurantisme de l'Église, qui viole les consciences, et préconise la libération de l'homme et de la femme par l'instruction. Jean aurait dû être le héros de *Justice.* Œuvres difficiles à lire de nos jours, où reviennent, lancinants, les mêmes mots, les mêmes images, les mêmes scènes, les mêmes rêves. Si Zola sait ce dont il ne veut plus, il voit mal la forme que prendra le Paradis dont il rêve et les moyens de le bâtir. Il se demande avec angoisse comment concilier les droits de l'individu et ceux de la société, refusant toute solution brutale qui aboutirait à la guerre civile et au chaos. Finalement, la seule idée positive à laquelle il se raccroche est que l'avenir est dans l'enseignement et dans la science. Mais, par leur confiance en l'avenir, par la glorification du travail manuel et du savoir, par l'affirmation que le bonheur est possible ici-bas dans une société de justice et de liberté, ces œuvres eurent à leur époque un fort pouvoir libérateur, *Travail* particulièrement. C. Be.

QUATRE FILS AYMON (Les) ou Renaud de Montauban. Chanson de geste française du XIIIe siècle. Il en existe de nombreuses versions. Le duc Aymes de Dordone présente à Charlemagne ses quatre fils, Allard, Renaud, Guiscard et Richard, que l'empereur arme chevaliers. Mais, le lendemain de cette visite au roi, Renaud tue, au cours d'une dispute, le neveu de Charlemagne et celui-ci fait serment de le venger. Les quatre frères s'enfuient et sont poursuivis pendant des années par le courroux de l'empereur. Leur faute mérite pitié et leur valeur, leur amour fraternel leur gagnent l'admiration universelle. Mais leur dernier et sûr refuge, un château isolé dans les Ardennes, est découvert, et ils sont trahis et emprisonnés. Ils réussissent à s'enfuir dans la forêt, où ils mènent une vie âpre et dure, en perdant peu à peu tous leurs compagnons. Au bout de trois ans, cédant au désir de revoir leur mère, ils arrivent en guenilles auprès de leurs parents qui ne les reconnaissent pas de prime abord. Heureux de les avoir revus, ils les congédient en les équipant richement. Les quatre frères offrent leurs bras au roi Ys de Gascogne qui, pour les remercier de leurs bons services, leur donne le château de Montauban. Renaud épouse Clarisse, sœur du roi. Hélas, Charlemagne a découvert leur asile et il impose au roi Ys de lui remettre les quatre frères. Ys hésite ; puis, craignant la puissance de Charles, il trahit ses hôtes. Les quatre frères se battent désespérément et font des prodiges de valeur, aidés par la rapidité de Bayard, le destrier de Renaud, et par l'esprit subtil du magicien Maugis, leur cousin, qui les soutient dans les moments de découragement. Par l'effet de ses charmes magiques, Maugis fait prisonnier Charlemagne, qu'il laisse à la merci des quatre frères. Renaud s'humilie devant l'empereur qui pourtant est en son pouvoir. Il serait prêt à lui céder son château, son cheval Bayard, et à s'en aller outre-mer, en Terre sainte, pour que la paix lui soit accordée. Mais il se refuse à accepter la dernière condition de l'empereur, qui exige que Maugis lui soit livré. Renaud, courtoisement, relâche son prisonnier et résiste, sans espoir, dans son château où la faim commence à régner. Enfin, s'enfuyant par un souterrain secret avec sa femme, ses fils et quelques fidèles compagnons, il trouve refuge en un autre château isolé, Trémoigne (probablement Dortmund). Charles l'y assiège encore, jusqu'à ce que ses barons et ses pairs se refusent de continuer une guerre qu'ils font à contrecœur. La paix est faite, à la condition que Renaud livre Bayard et parte pour la Terre sainte. La vie de Renaud de Montauban se poursuit, pleine d'aventures périlleuses, courues au-delà des mers, au service de Dieu. Il meurt enfin à Cologne, dans le sein de l'Église et dans la grâce de Dieu, et il est enseveli à Trémoigne. Ce roman, féodal et populaire en même temps, chantant la lutte d'un vassal révolté contre son suzerain, plut au public des rues comme à celui des cours. Renaud est un chevalier, mais en même temps un saint ; du moins sur la fin de ses jours. C'est pourquoi sa légende est restée si longtemps vivante. Les textes abondent, pendant tout le XIIIe siècle, versions différentes du poème, romans qui pourraient lui servir de prologue ou d'épilogue, romans dédiés particulièrement à tel ou tel autre de ses personnages, surtout Maugis (*Maugis d'Agremont ; Mort de Maugis*). On en trouve de nouvelles versions ou des remaniements en prose, au XVe siècle. Des versions modernes témoigneront de la vitalité persistante du vieux poème : c'est ainsi qu'au XIXe siècle l'on verra apparaître sur le théâtre populaire breton, parmi les anciens mystères dont ce public est encore friand, une représentation consacrée aux *Quatre fils Aymon.* Parmi les éditions modernes qui furent faites de la chanson de geste primitive, retenons celle de Castets, d'après le manuscrit La Vallière, et celle, plus récente, de J. Thomas (1989) ainsi que la traduction de M. de Combarieu du Grès et de J. Subrenat (1983). La chanson de geste fut très tôt connue en Angleterre : dès la première moitié du XIIIe siècle, un passage du poème se trouve inséré dans le *De naturis rerum* d'Alexandre Neckham (1157-1217). En 1489 parut une traduction anglaise de la chanson de geste. Au cours de ces premiers siècles, elle figure également dans une « saga » norvégienne et on en connaît une traduction hollandaise, traduite à son tour en allemand au XVe siècle sous le titre : *Reinolt von Montalban* — v. *Cycle carolingien* (*). Plus tard, d'autres traductions allemandes furent faites directement d'après les textes français. En Italie, deux premières versions de l'histoire de Renaud, l'une en prose, l'autre en vers, portant le même titre, *Rinaldo,* remontent au XIVe siècle. Renaud réapparaît ensuite dans *Morgant* (*), poème de Luigi Pulci (1432-1484), dans les poèmes de Boiardo — v. *Le Roland amoureux* (*) — et de l'Arioste — v. *Le Roland furieux* (*) —, qui connurent de nombreux imitateurs, parmi lesquels Nicolo' Forteguerri (*Ricciardetto*) et Luigi Tadini (*Ricciardetto ammogliato*) ; enfin, dans le poème du Tasse : *Renaud* (v. ci-après). En Espagne, le *Reynaldos de Montalvan* dérive de sources italiennes. Des allusions à l'histoire de Renaud figurent bien entendu dans *Don Quichotte* (*).

★ *Renaud* [*Rinaldo*] de l'écrivain italien Torquato Tasso, dit le Tasse (1544-1595), est un poème chevaleresque en douze chants, publié en 1562. Renaud, jeune encore et inconnu, impatient de sortir de l'ombre et d'égaler les prouesses de Roland, son cousin, abandonne le château de Montauban et rencontre Clarice, sœur du roi de Gascogne. Par amour pour elle et par désir de gloire, il se lance dans d'audacieuses entreprises, conquiert par sa valeur son cheval Bayard, son épée Fusberte, son bouclier, sa lance. Floriane, reine de Médie, s'éprend du chevalier qui pour elle oublie tout d'abord Clarice, mais se repent aussitôt et s'éloigne. L'abandonnée est sauvée du désespoir par l'art de la magicienne Médée, qui la transporte dans l'île du Plaisir. Cependant Renaud, rentré en France après de merveilleuses aventures, déjoue les intrigues de ses ennemis et dissipe les injustes soupçons de sa dame qu'il peut enfin épouser. En chantant les hauts faits d'un des personnages les plus célèbres des romans chevaleresques, le Tasse se proposait de satisfaire le goût du public, sans pour autant donner prise aux critiques ; aussi évite-t-il la multiplication excessive des personnages et des aventures ; la matière, qui a vieilli comme le genre littéraire lui-même, s'avive ici et là par l'art d'un jeune poète qui se sent proche en esprit de son héros. En outre, il fait ici les premiers essais de nombreux thèmes ou épisodes de son futur grand poème : ainsi, l'épisode de Floriane, imité de celui de Didon dans l'*Énéide* (*), est une ébauche de l'histoire d'Armide de *La Jérusalem délivrée* (*) ; il y dessine également des situations et des motifs heureux, remplis de jeunesse et de fraîcheur, comme tout le marivaudage galant entre Renaud et Clarisse. — Trad. Michaud, 1813.

★ Un grand nombre d'œuvres musicales s'inspirèrent des amours de Renaud et Armide. Entre le début du XVIIe et le début du XIXe siècle, on peut en compter plus de trente. Mais elles dérivent plutôt de *La Jérusalem délivrée* (*) que du *Rinaldo.* Parmi les plus connues, il faut citer le ballet *La Délivrance de Renaud,* dansé à la cour de Louis XIII en 1617, sous la direction de J. Manduit (1557-1627) et Guesdron (env. 1565-1621) ; la scène *Renaud et Armide* [*Armida e Rinaldo*] (1627) de Claudio Monteverdi (1567-1643), qui, selon la phrase de Romain Rolland, « prélude aux immortelles *Armides* (*) de Lully et de Gluck » ; enfin l'opéra *Rinaldo* de Haendel (1685-1759), joué à Londres au Théâtre de Haymarket en 1711, œuvre qui assura de façon retentissante le triomphe de l'opéra italien.

QUATRE LECTURES TALMUDIQUES. Ouvrage du philosophe français Emmanuel Levinas (né en 1906), publié en 1968. Les commentaires que Levinas propose du *Talmud* (*) font partie intégrante de son œuvre. S'y transmet, comme message propre au judaïsme, l'idée du « sens éthique comme ultime intelligibilité de l'humain » et de la proximité du prochain dont je suis le gardien responsable. Le *Talmud* est le commentaire oral, fixé ensuite par écrit, de *La Bible* (*) et, par couches successives, des commentaires de ce commentaire. La leçon talmudique de Levinas, quant à elle, portant à chaque fois sur un problème particulier (le pardon, la violence politique, etc.), est elle-même un commentaire de ces différentes strates d'exégèse. Ces leçons ont été publiées dans *Difficile liberté* (1963), pour les deux premières, puis dans les ouvrages suivants : *Quatre lectures talmudiques* (1968), *Du sacré au saint* (1977), *L'Au-Delà du verset* (1982) et *À l'heure des nations* (1988). On dégagera quelques principes qui guident ces ouvrages.

Un trait essentiel de ces leçons est sans doute l'exigence d'universalité. Levinas veut montrer que ces pages du *Talmud,* qui sont lues dans le respect de leurs conventions mais aussi « en fonction de nos problèmes d'hommes modernes », ont une portée universelle. La dimension essentiellement judaïque du *Talmud* auquel « est liée comme à un sol la sagesse juive » vise en même temps, au-delà de tout particularisme, une thématisation universellement communicable des significations dégagées. Ainsi s'explique le rapport établi entre l'interprétation talmudique du verset et la philosophie. Levinas dira par exemple : « Il faut que le verset soit phénoménologiquement justifié », et ceci afin qu'un sens puisse se manifester à tous à travers un acte d'intelligence critique qui est sollicitation herméneutique ne se contentant pas d'une adhésion pieuse au verset. Mais, inversement, « le verset peut permettre la recherche d'une raison » : le *Talmud* montre que le verset n'est pas un résidu mythique ni le témoignage d'une époque et d'une mentalité dépassées mais un appel à l'analyse, pour entendre son enseignement. C'est pourquoi le point le plus important est sans doute celui de l'approche talmudique de *La Bible* et, plus largement, le problème de l'exégèse.

Emmanuel Levinas insiste sur cette exégèse perpétuelle propre à la méthode talmudique, comme si le Livre, et par là tous les livres, contenait une multiplicité de significations non arbitraires qu'il revient au commentaire de faire apparaître. La signification du signe ou du symbole biblique n'est pas figée dans une interprétation définitive relevant d'une convention ou fixée par une tradition et une culture. Au contraire, la lecture libère des significations constamment nouvelles qui semblent enfermées dans les lettres. Dès lors, le caractère inépuisable des significations virtuellement contenues dans le Livre, le surplus inassimilable de sens définissent le Livre comme mode de signifiance de la Transcendance. Il faut admettre que « la Parole de Dieu peut tenir dans le parler dont usent, entre eux, les êtres créés », comme si, selon une formule levinassienne, le plus pouvait tenir dans le moins. Il y a la Parole de Dieu *dans* le langage humain, mais qui, parce qu'elle le déborde infiniment, appelle l'exégèse qui jamais n'en épuisera le sens. Ainsi le langage humain « contient toujours plus qu'il ne contient », il est, dit Emmanuel Levinas, « inspiré ». J. C.

QUATRE LIVRES DE L'ARCHITECTURE (Les) [*I Quattro libri dell' architettura*]. Traité de l'architecte italien Andrea Palladio (1508-1580), publié à Venise en 1570. Dès la préface, l'auteur considère que les monuments antiques sont des modèles impossibles à surpasser ; il se fonde sur Vitruve et cite souvent Leon Battista Alberti. L'œuvre théorique de Palladio — qui fut l'un des architectes les plus originaux et l'un des plus grands artistes du XVIe siècle — se réfère aux principes du plus strict classicisme, à la conviction que l'architecture repose sur des règles précises et susceptibles d'être enseignées. « Les édifices antiques doivent être pris comme modèle ; et c'est en suivant ce modèle que pourra se réaliser l'espérance classique d'un renouveau général de la véritable architecture » (Schlosser). Mais l'intérêt de ce traité est augmenté par de fréquentes allusions à l'activité créatrice de l'auteur, dont l'ambition fut de donner aux formes classiques des accents vénitiens. L'autorité de Vitruve est particulièrement invoquée dans le livre premier, où Palladio traite des matériaux de construction, des travaux de maçonnerie et, d'une façon générale, des conditions d'une bonne architecture. Le second livre est consacré aux constructions privées, avec de nombreuses références aux palais construits par Palladio (comme la Villa Rotonda près de Vicence) ; on y trouve des digressions d'un vif intérêt sur les habitations antiques. Le troisième livre, qui étudie la construction régulière d'une ville, établit les normes de l'urbanisme ancien et moderne et renferme des plans de ponts en bois et en pierre de l'époque classique (comme ceux de César sur le Rhin), et de la Renaissance. Palladio traite ensuite des basiliques antiques et modernes, et parle de celle qu'il édifia lui-même à Vicence, qui compte « parmi les plus grandes et les plus belles constructions de l'Antiquité à nos jours ». Le quatrième livre enfin décrit et représente les temples antiques. L'auteur fait ici état, non seulement de l'œuvre de Vitruve, mais aussi des nombreux relevés qu'il effectua lui-même sur les monuments de l'Antiquité ; l'illustration, dans ce dernier livre, occupe la place principale. Le traité de Palladio suscita un vif intérêt chez les contemporains et pendant les époques qui suivirent, spécialement en Angleterre. — Trad. Martin, 1650.

QUATRE LIVRES DES PROPORTIONS HUMAINES (Les) [*Vier Bücher von menschlicher Proportion*]. C'est le plus important des ouvrages théoriques du peintre et graveur allemand Albrecht Dürer (1471-1528), publié après la mort de l'auteur, à Nuremberg, en 1528. Le premier parmi les artistes nordiques, Dürer étudie ici, à partir de Vitruve et en organisant mathématiquement l'étude empirique de la nature, le problème des proportions du corps humain qui, depuis déjà un siècle, passionnait théoriciens et artistes de la Renaissance italienne. Les deux premiers livres traitent de la construction, en recourant à diverses méthodes, de schémas de corps masculins et féminins, allant de sept à dix têtes. Le troisième livre envisage les modes de variation à partir des types précédemment décrits et s'achève sur une digression particulièrement précieuse pour la connaissance des idées esthétiques et du caractère moral de l'auteur. Le dernier livre, enfin, étudie les proportions des membres en fonction des mouvements. De nombreuses planches, gravées par Dürer, complètent heureusement le texte souvent aride et d'une lecture difficile. Malgré l'attrait qu'exerça sur Dürer le monde artistique de la Renaissance, ses recherches offrent un caractère bien différent de celles des auteurs italiens. En effet, il se propose moins de corriger la nature, en définissant le canon de la perfection idéale, que de rechercher, en usant de mensurations précises, les normes qui président à la construction naturelle des organismes humains, en fonction de l'âge, du sexe, du tempérament, de la race et de la classe sociale. Pour l'auteur, il ne peut exister deux individus identiques : toutefois, dans sa conception, l'uniformité relative du type contrebalance la multiplicité infinie et la singularité des formes naturelles. L'association de ces deux principes indique la façon dont opère la nature et constitue, de ce fait, la règle fondamentale qui doit inspirer l'activité de l'artiste. Considérant que l'homme ne peut atteindre à la perfection absolue, il n'entend pas conférer une valeur de règle stricte aux résultats de ses recherches, mais se propose plutôt de fournir des bases plus solides à la pratique de l'art, en donnant aux artistes, ses compatriotes, « une directive pour le coup d'œil ». Il posait ainsi à la base de l'étude empirique de la nature et de la liberté d'imagination, chère aux artistes allemands de l'époque, encore enracinés dans la tradition gothique médiévale, une conception théorique laissant une marge importante à l'initiative individuelle. La tentative menée par Dürer, en relation étroite avec son activité de peintre, pour assimiler les problèmes théoriques de la Renaissance, sans trahir pour autant sa nature d'artiste nordique, présente donc une originalité foncière, malgré ses nombreux emprunts aux sources italiennes. Il convient de souligner à cet égard certaines affinités avec la pensée de Léonard de Vinci — v. *Traité de la peinture* (*) — auquel Dürer peut être comparé pour l'universalité de son esprit et la complexité de sa personnalité de théoricien et d'artiste. Immédiatement traduit en latin (1528), puis dans les principales langues européennes (première trad. française par Loys Meigret, à Paris chez Périer, 1557), cet ouvrage devint rapidement célèbre : Dürer n'en eut pas pour autant, comme théoricien, de vrais disciples et sa pensée ne fut interprétée que d'une façon dogmatique, à l'encontre de ses propres intentions. — Trad. Périer, 1557 ; éd. récente : fac-similé de l'édition de 1613, Paris, 1975.

QUATRE MILLIONS (Les) [*The Four Million*]. Le premier et l'un des plus célèbres des douze volumes de l'écrivain américain O. Henry (1862-1910), publié en 1899. Les « quatre millions » en question sont les habitants de New York il y a cinquante ans. Parmi les couples d'époux que l'auteur nous fait rencontrer, le plus touchant est assurément celui du « Don des mages » : voulant donner à son mari une chaîne pour la montre dont il est si fier, la femme sacrifie sa chevelure, qui constitue sa plus grande beauté, alors qu'au même moment le mari sacrifie justement cette montre pour acheter à sa femme des peignes pour ses beaux cheveux. On retrouvera ce sentimentalisme bourgeois dans d'autres nouvelles de la même veine : « Un service d'amour », « Sur le siège du cocher », « La Romantique Histoire d'un agent de change affairé ». Il ne manque pas non plus d'époux qui ne cessent de se disputer comme les deux protagonistes des « Mémoires d'un chien jaune », où un chien devient le complice d'un mari tyrannisé par sa femme. O. Henry est inégalable lorsqu'il s'agit de faire vibrer la corde sensible, qu'il peigne des jeunes filles qui souffrent de la faim comme dans « La Mansarde », « La Porte verte » et « Printemps à la carte », ou des amoureux repoussés et désespérés : Tobin dans « La Paume de Tobin », qui a le bonheur de retrouver sa fiancée grâce aux conseils d'une chiromancienne ; le protagoniste du « Calife, Cupidon et la montre » et de « Par courrier », qui se réconcilie avec sa bien-aimée grâce à une série de billets échangés par le truchement d'un garçonnet d'un banc à l'autre d'un jardin public. L'auteur, avec une ironie un peu facile, multiplie les types de vagabonds qui, après avoir toujours évité la prison, sont pris juste au moment où ils viennent de décider de changer de vie (« Le Policier et le Vagabond ») ; de policiers qui n'osent pas arrêter un vieil ami qu'ils retrouvent alors qu'il est devenu un dangereux repris de justice (« Vingt ans après »). O. Henry s'élève parfois jusqu'à la poésie comme dans le récit « La Mansarde » : un jeune homme recherche sa fiancée dans toutes les pensions d'acteurs ; à la logeuse qui lui fait visiter une chambre, il demande anxieusement si l'endroit n'a pas été habité par la jeune fille dont il donne le signalement. La patronne répond négativement. Pourtant il flotte dans la chambre un parfum familier ; en vain le jeune homme cherche quelque indice. Resté seul, il bouche les ouvertures, ouvre le gaz et s'étend paisiblement sur le lit. Au rez-de-chaussée, la logeuse boit de la bière avec une amie qui la félicite d'avoir réussi à louer la chambre, « car ce n'était pas facile après un suicide ». « Une histoire inachevée » est aussi une belle nouvelle : Dulcie, vendeuse dans un grand magasin, vit avec ses six dollars par semaine. Un soir, pour la première fois de sa vie, elle est invitée à souper par un certain Piggy, personnage laid, sot et vulgaire, connu pour spéculer, avec ses invitations, sur la faim des vendeuses de grands magasins. Toutefois, Dulcie est heureuse à l'idée de faire un vrai repas. Mais quand son cavalier vient la chercher, elle n'a pas le courage de le suivre, car elle est intimidée par le regard plein de reproches du général Kitchener (son héros romantique) dont elle a une photographie sur sa commode, et préfère passer la soirée avec sa faim. O. Henry, comme la plupart des grands humoristes, cache souvent une certaine mélancolie ; peu d'auteurs savent pourtant aussi bien que lui éveiller le sourire comme dans : « Un cosmopolite au café », etc. Son style traduit les nuances les plus délicates ; ses personnages si humains en gardent quelque chose d'irréel et de féerique, et ce fragile équilibre est le signe distinctif de son art. — Trad. Robeyr, 1940.

QUATRE PIÈCES POUR DANSEURS [*Four Plays for Dancers*]. Recueil de pièces de théâtre du poète irlandais William Butler Yeats (1865-1939), publié en 1921. Yeats regroupa ces quatre petites pièces où se manifeste un même souci esthétique ; des décors sobres et puissants, une musique d'accompagnement (flûte, cithare et percussion), la présence d'un chœur, des danses et des mimes, et de manière générale une qualité du geste inspirée du théâtre nô. « Près du puits de l'épervier » [At the Hawk's Well] : création à Londres en 1916, publication en 1917. Cette pièce met en scène un jeune homme — Cuchulain — qui prétend s'emparer d'un puits aux vertus miraculeuses : ses eaux apportent immortalité et créativité. Mais la gardienne du puits, la déesse Aoife, saura l'en empêcher. En poursuivant sa figure évanescente, Cuchulain donne à l'enthousiasme de sa jeunesse un nouveau but, et son échec se transforme en affirmation de soi. On peut donc voir dans cette courte pièce un rituel d'initiation, même si Cuchulain ne semble pas saisir la mesure des changements qui s'opèrent en lui, et qu'à l'évidence son propre destin lui échappe. « L'Unique Rivale d'Emer » [The Only Jealousy of Emer] : publication en 1919, création à Amsterdam en 1922. On y retrouve bien des thèmes de prédilection de Yeats — caractères humains, occultisme, ambiguïté amoureuse. Le héros en est à nouveau Cuchulain — v. *Le Cycle de Cuchulain* (*) —, qui apparaît cette fois comme un personnage passif, jouet du destin, entraîné malgré lui dans une union mystique avec l'archétype féminin, figure divine et lunaire. Il finira par revenir au monde visible et à l'affection d'Eithne Inguba. Dans les deux cas, il échappe à l'amour de son ancienne amie Emer, femme d'action et d'imagination. Les diverses théories de la personnalité et des phases de la lune, esquissées dans cette pièce, trouveront leur prolongement dans *Une vision* (*). « La Rêverie des os » [The Dreaming of the Bones] : publication en 1919, création à Dublin en 1931. La rencontre entre les ombres des morts et le jeune héros de la pièce, expressément située en 1916, présente l'intersection symbolique du passé de l'Irlande et d'un présent qui cherche à s'en libérer. Le jeune homme, combattant de la révolution irlandaise, est ainsi amené à juger deux apparitions, Diarmuid et Dervogilla, qui furent à l'origine de la ruine irlandaise. Tout comme dans « La Vision de Hanrahan », un récit sur le même thème dans *Le Crépuscule celtique* (*), le pardon leur sera refusé. « Calvaire » [Calvary] : première publication dans ce recueil. Cette pièce présente une version (guère orthodoxe) de la crucifixion du Christ. Diverses confrontations avec d'autres personnages l'aident à comprendre le sens de sa vie : s'il accepte de mourir, c'est moins pour les autres que pour lui-même. Plus encore que les trois autres pièces, « Calvaire » s'inspire du théâtre japonais classique : archétypes, masques, danses rythmées. C'est dire combien ces pièces doivent à la chorégraphie particulière de chaque représentation. — Trad. « L'Unique Rivale d'Emer », Denoël, 1954 ; « La Mort de Cuchulain », Obliques, 1973 ; « Au puits de l'épervier », *Polyphonies* n° 13, 1992.

P. H.

QUATRE QUATUORS [*Four Quartets*]. L'écrivain anglais Thomas Stearns Eliot (1888-1965) réunit sous ce titre, en 1943, quatre poèmes intitulés *Burnt Norton* (1935), *East Coker* (1940), *The Dry Salvages* (1941) et *Little Gidding* (1941). Ces titres, qui sont des noms de lieux, n'annoncent pas des descriptions, mais une méditation suscitée par chacun des cadres, méditation qui recrée, en termes dramatiques, sous la forme d'un monologue, une expérience contemplative et définit une réalité métaphysique. Là se trouve l'aboutissement de l'œuvre d'Eliot : la résolution des tensions et l'obtention du détachement, qui a lieu dans la poésie même, dans la conscience de valeurs mouvantes et irréconciliables appréhendées simultanément, dans la recherche de l'immuable dans et à travers le flux du temps. *La Terre vaine* (*) avait paru la même année que l'*Ulysse* (*) de Joyce, mais cet effort identique de cerner les terreurs et les responsabilités de l'existence « sécularisée » conduisit les deux auteurs dans des directions opposées. Joyce aboutit, avec *Finnegans Wake* (*), à un remplacement des dogmes par une philosophie sans religion. Les *Quatre quatuors* sont la réaffirmation de la religion traditionnelle.

Ces poèmes forment une tétralogie de méditations explorant les rapports du temps et de l'éternité, ou de l'histoire humaine et de la volonté divine à partir de souvenirs personnels ou des réflexions qu'ils suscitent. Le problème central, évoqué depuis *La Terre vaine,* demeure l'irréalité du temps et d'une existence humaine en devenir, dont le présent se dissout en souvenirs du passé et en désirs tournés vers l'avenir. L'organisation et la structure des *Quatuors* reprennent de même une structure esquissée dans *La Terre vaine* : cet équivalent poétique de la sonate se compose de cinq mouvements, possédant chacun sa nécessité interne, dont la réunion constitue les cinq actes d'un drame et prend les résonances d'une symphonie. La construction dialectique permet une discipline stricte en même temps qu'une apparence de liberté extrême, essentielle dans l'« accouplement violent d'idées hétérogènes ». Selon l'analyse d'Helen Gardner, le premier mouvement se compose d'affirmations et de leurs antithèses et chaque poème va ainsi réconcilier les contradictions de ces ouvertures en vers blancs. Le second mouvement débute par un passage intensément lyrique, immédiatement suivi d'un langage très familier qui développe, sur le ton de la conversation, l'idée précédemment exprimée par la métaphore ou le symbole. Le troisième mouvement constitue le nœud de chaque poème, poussant jusqu'au bout l'exploration des pensées précédentes, souvent sur un mode différent, afin d'en faire jaillir une synthèse. Après une quatrième section lyrique, le dernier mouvement reprend le second en l'inversant : l'on passe d'un ton familier à un rythme plus régulier, plus dense, qui amène une sorte de conclusion noble et grave. Ce mouvement récapitule l'ensemble du poème sur un sujet particulier (généralement la nature du langage et de la poésie) et résout les antithèses du premier.

Burnt Norton est un manoir du Gloucestershire que le poète a visité un jour. Monde mystérieux et enclos, la demeure, son jardin à la française et sa roseraie suggèrent un univers chargé d'histoire et de culture. Tout est civilisé, humain, comme cette image du réel qu'est « l'éclat de rire des enfants cachés dans le feuillage ». Le jardin d'automne, plein d'échos de pas, appelle les échos « dignes, intacts, invisibles » du passé. Une expérience privilégiée conduit « au point fixe du monde tourbillonnant ». L'appréhension immédiate d'une réalité intemporelle est perçue et remémorée dans le temps. Ce moment d'incarnation offre une vision extatique qui illumine l'histoire, comme au chant III les bombardiers de la « Blitzkrieg » suscitent une Pentecôte moderne. Tout est toujours présent. Le temps consolateur se trouve « dans la pensée purifiée, dans la lumière, dans le chemin qui monte » et non dans l'action ou la vieillesse. Certains instants prolongent la simplicité de l'enfance, si intensément présente dans le feuillage de « la maison brûlée ». Le lotus au centre du bassin symbolise une éternité de lumière « Quand l'aile du martin-pêcheur / Ayant rendu le jour au jour, se tait, le jour s'arrête / Sur l'immobile essieu du monde tourbillonnant ». Dans une « coupe de Chine se mouvant perpétuelle en l'immobilité », le poète trouve le modèle d'une œuvre qui reflétera l'univers.

Après la formulation générale de *Burnt Norton,* dont le jardin semi-historique, semi-imaginaire, ressuscite l'*Éden* et le paradis de l'enfance, *East Coker* traite plus concrètement, sur un mode plus tragique, des leçons de l'expérience. Dans ce hameau du Somerset ouvert au vent du large ont vécu les ancêtres d'Eliot. Revenant au terroir d'où s'embarqua en 1667 Andrew Eliot, le poète accomplit un pèlerinage. Composée à l'occasion du vendredi saint 1940, cette visite nostalgique est une intuition mystique de la mort et du devenir. La mer omniprésente fournit des images de désolation, mais aussi l'impulsion finale de délivrance dans « les eaux immenses du pétrel et du dauphin ». Le contexte de la nature remplace le monde humain : les saisons reviennent, mais dans le chaos, et les constellations se heurtent en des visions d'apocalypse. Pourtant les ténèbres contiennent la lumière, et le silence, le Verbe. Ces paradoxes sont empruntés à la tradition de saint Jean de la Croix et le mouvement lyrique les enracine dans l'expérience et la souffrance humaines : si pour savoir il faut ignorer, pour vivre il faut mourir. La réponse de l'âme à la privation et au désespoir conduit au dernier mouvement : chaque instant contient le passé qui le modifie, mais il le modifie à son tour. À travers « les froides ténèbres et la désolation vide » l'âme peut aller à la mer et à l'éternité.

The Dry Salvages (le nom anglais est une déformation phonétique du français : « Les Trois Sauvages ») sont des récifs de la côte nord du Massachusetts, et le poème intègre parfaitement les métaphores du roc et de la mer au contenu philosophique. Le fleuve qui est en nous s'oppose à la mer qui nous entoure. Le fleuve du temps individuel est aussi le dieu brun et intraitable de l'enfance d'Eliot. De même la mer de l'histoire est celle de sa jeunesse, avec « sa houle qui était dès le commencement », ses îlots de granit et ses épaves. D'où l'intensité sensuelle présente dans cette description de la grève sauvage, symbole de la mort. Le chant est tourné vers le futur, vers les religions orientales, et Krishna révèle : « L'avenir est une chanson évanouie, une Rose royale ou un brin de lavande / De regret nostalgique pour ceux qui ne sont pas encore là pour regretter, / Enfermé entre les feuillets jaunes d'un livre jamais ouvert. » Alors que la curiosité humaine s'attache au passé ou à l'avenir, « appréhende le point d'intersection de l'intemporel / Et du temps, est une occupation digne du saint ». La poésie, dédaignant l'analogie, affirme dans une mélodie humaine cette assurance libératrice : nous sommes contents si « notre retour temporel nourrit / (Pas trop loin de l'If) / La vie d'un sol qui a un sens ».

Little Gidding est la relation de ce retour temporel. Ce port d'attache spirituel, cet obscur hameau des environs de Cambridge, fut le refuge du poète mystique Nicholas Ferrar et l'asile d'une nuit de Charles Ier poursuivi par Cromwell. Le vent de la résurrection remplace celui de la mort. Ou plutôt ils coexistent. Le désespoir atteint son paroxysme dans le passage le plus intense d'émotion négative, la rencontre avec le fantôme de la section ayant pour thème la littérature qui, dans ce poème, se trouve déplacée jusqu'au second chant. Mais aussi, les symboles positifs et les affirmations de la tétralogie se trouvent incarnés ici avec le maximum de densité. Le premier mouvement se place sous le signe de la Pentecôte, affirme l'existence d'un temps de la destinée et la nécessité de la communication avec les morts. Le passage lyrique sur la désintégration reprend les éléments des trois premiers poèmes : « Roses brûlées », « Le Mur, la boiserie et la souris », « L'Eau morte et le sable mort », et réunit le symbolisme des quatre éléments dont l'union mystérieuse crée la vie. Le thème de la « mort de l'espoir », situé dans une rue de Londres à l'aube après une alerte, est traversé par des souvenirs de Dante et de Milton. Sa grave mélancolie fait place à un lyrisme lorsque le changement est perçu comme un ordre naturel des choses qui débouche dans la justification de la poésie : « Chaque expression et chaque phrase est une fin et un commencement / Chaque poème une épitaphe. Et chaque acte / Un pas vers le billot, le feu, le gosier de la mer / Ou une pierre indéchiffrable : et c'est de là que nous partons. »

Ce quatrième quatuor marque ainsi le couronnement de l'œuvre d'Eliot, où le temps est retrouvé sous la forme qui mettait en branle la méditation de *Burnt Norton* : « Un peuple sans histoire / N'est pas racheté du temps, car l'histoire est une figure / De moments intemporels. Donc quand le jour défaille / Par un après-midi d'hiver, dans une chapelle solitaire, / L'histoire c'est maintenant et c'est l'Angleterre. » C'est la réponse aux remords de *Gerontion* (*) et au désespoir de *La Terre vaine.* Une affirmation de foi fondée à la fois sur un idéal esthétique et la découverte d'une trame dans l'existence, après une longue saison de doute et de négation. — Trad. de Pierre Leyris, Le Seuil, 1950 ; repris dans *Poésie,* 1976.

QUATRE SAINTS EN TROIS ACTES [*Four Saints in Three Acts*]. Opéra en quatre (*sic*) actes du compositeur américain Virgil Thomson (1896-1989) sur un livret de Gertrude Stein (1928). L'action, qui se déroule en Espagne, retrace de façon surréaliste la quête de la sainteté de sainte Thérèse d'Avila (deux rôles) et de saint Ignace de Loyola, qui s'entraident mutuellement à résister à la tentation de la chair. Les nombreux emprunts aux negro spirituals en ont fait l'un des classiques du théâtre lyrique américain ; conçu pour être chanté par des Noirs, on l'a surnommé le « *Parsifal* nègre ». A. Pâ.

QUATRE SAISONS (Les) de Merrill. Ce livre de poèmes publié en 1900, le dernier du poète américain d'expression française Stuart Merrill (1863-1915), est aussi l'œuvre où il se révèle en pleine possession de lui-même. Les précédents essais — où il se montrait tour à tour verlainien (*Gemmes*), puis disciple d'Heredia (*Fastes*), et enfin, las de ces malentendus, délibérément impersonnel (*Petits poèmes d'automne*) — avaient révélé cependant des dons remarquables de musicien et d'artisan, une singulière aisance dans le métier. C'est à ces « exercices » savants que l'on doit peut-être une remise en honneur, dans notre prosodie, de l'allitération, familière à la poésie anglaise, et par conséquent à Stuart Merrill dont l'enfance fut américaine. On peut considérer *Les Quatre Saisons* comme l'aboutissement des efforts du poète. Elles ramènent l'ordre et l'unité dans cette pensée inquiète. Les rythmes difficiles et les ingénieux cliquetis de mots ne sont plus le premier souci de Merrill ; non pas qu'il renonce au travail de la forme, mais un lyrisme grave, une pensée qui ne se laisse plus distraire doivent avant tout trouver leur expression la plus directe. Les thèmes de chacune des *Saisons* (les quatre parties de l'ouvrage) sont ceux de la campagne et de la vie champêtre. À l'œuvre somptueuse d'autrefois s'est substituée une tâche d'humble communion. Apparaissent des bonnes femmes à leur lessive (« La mère étend des linges dans la cour / En chantant une chanson d'amour »), des enfants à leurs jeux, des prairies, des oiseaux ; mais l'œuvre célèbre surtout ce long dialogue passionné qui se poursuit du printemps à l'automne, à travers toute la nature. Le vers a perdu sa rigidité, il est devenu libre et se déroule avec grâce et quelque nonchalance : « Je fermerai légèrement les volets verts / Pour que le soleil où la poussière s'irise / Ne blesse pas tes yeux, amie sage / Dont le regard me fait rêver à toute la mer. »

QUATRE SAISONS (Les) de Vivaldi [*Le quattro stagioni*]. Série de quatre concertos pour violon et cordes du compositeur italien Antonio Vivaldi (1678-1741), publiés à Amsterdam dans le recueil *Il cimento dell'armonia e dell'invenzione*, op. 8, entre 1695 et 1725, et en édition moderne en 1927. Chacun des quatre concertos porte le nom d'une saison de l'année. L'ensemble instrumental se compose d'un violon principal (soliste), de violons I et II, altos, violoncelles et contrebasse, avec basse continue (clavecin ou orgue). Des groupes de violons I et II se détachent souvent des « a solo » qui, s'unissant au violon principal, forment presque le concertino du concerto grosso ; toutefois, le violon principal émerge presque toujours de la masse des cordes ; si bien que l'on se trouve à mi-chemin entre le Concerto grosso proprement dit et le Concerto moderne avec soliste, sur le schéma Allegro-Adagio-Allegro. Chaque concerto est précédé d'un « sonnet démonstratif » destiné à commenter les images évoquées par la musique. Le sonnet du « Printemps » est le suivant : « Le printemps est venu ; joyeux, les oiselets l'accueillent de leurs chants ; et les sources, sous la caresse de la brise, coulent avec un doux murmure » ; puis survient l'orage, après lequel les oiseaux reprennent leurs gazouillis. Tel est l'argument du premier Allegro en mi majeur, débordant de vitalité et de joie, dans lequel les violons exécutent des fioritures et des trilles étourdissants. Le Largo en ut dièse mineur met en scène un berger ou « chevrier », « son chien fidèle à ses côtés », bercé par le « cher murmure des frondaisons ». C'est un chant exécuté par le violon principal avec l'appui discret des violons et des altos ; ce passage, assez court, mais d'une grande puissance d'évocation, compte parmi les plus belles pages de Vivaldi. Le troisième mouvement, Allegro, est une danse campagnarde. Le concerto de l'Été, en sol mineur, évoque la torpeur qu'engendre dans la nature l'ardeur du soleil (« En cette saison torride, les hommes et les bêtes languissent, et les pins brûlent »), les mélancoliques accents du coucou, de la tourterelle et du chardonneret ; mais, soudain, voici le vent précurseur de la tempête qui éclate brusquement à la fin du morceau. Le premier Allegro est, chose inhabituelle, curieusement découpé en fragments tantôt vifs, tantôt empreints de tristesse ; les derniers surtout sont remarquables, en particulier celui dont les harmonies modulantes et chromatiques extrêmement hardies traduisent la frayeur du berger à l'approche de l'orage. L'admirable Adagio (« Le repos fuit les membres las : avant l'éclair tonnant, voici l'essaim furieux et bourdonnant des mouches ») évoque le calme qui précède l'orage ; il est suivi par un Allegro impetuoso, dans lequel l'orage éclate et se déchaîne. Dans le concerto de l'« Automne », en fa majeur, le premier Allegro est une scène bachique dont la fin évoque la somnolence qu'engendrent de trop copieuses libations (« Les villageois en liesse, par des chants et des danses, célèbrent les riches vendanges, et, enivrés par la liqueur de Bacchus, sombrent enfin dans le sommeil »). La tonalité de la fin du premier mouvement est celle du début du second, un autre très bel Adagio, qui décrit l'oubli bienheureux des dormeurs. L'« Allegro » final est une chasse, dans laquelle les instruments, imitant le son du cor, décrivent la course haletante de la bête traquée et sa mise à mort. Dans le concerto de l'« Hiver », en fa mineur, Vivaldi, avec des moyens déjà impressionnistes, évoque la rigueur des frimas. Le premier mouvement et le dernier présentent de frappantes analogies, cependant que l'Adagio est un suave intermède dépeignant la quiétude du foyer domestique. La conclusion du finale, impétueuse, est d'une grande allégresse annonciatrice du renouveau (elle correspond en effet au dernier vers du sonnet : « C'est l'hiver, il est vrai, mais un hiver qui apporte la joie »). Cette œuvre, d'une inspiration idyllique très marquée, est remarquable par la richesse et la variété de ses rythmes ; la partie du violon principal témoigne de l'habileté du compositeur, qui, une fois de plus, tire un merveilleux parti des possibilités techniques de cet instrument.

QUATRE SŒURS (Les) [*Sasame-yuki*]. Roman de l'écrivain japonais Tanizaki Junichirô (1886-1965), publié de 1943 à 1948. Le début du premier livre avait été publié en 1943 dans la revue *Chûô-Kóron*, mais, sous la pression de la censure de l'époque, l'auteur avait dû renoncer à poursuivre la publication du roman : aux yeux des censeurs, l'ouvrage était trop « nonchalant » pour être livré au grand public en pleine guerre. Tanizaki continua néanmoins à l'écrire. Il était de cette race d'écrivains pour qui écrire était une nécessité, et c'était d'autre part sa façon de résister que de persister dans une entreprise qui n'avait rigoureusement aucun rapport avec la guerre. Le premier livre parut à compte d'auteur en 1944, mais la suite ne put voir le jour qu'une fois la paix revenue : le deuxième livre en 1947, le troisième en 1948.

Il s'agit d'une longue chronique romancée d'une famille bourgeoise d'Ôsaka de 1936 à 1941, dans les années où les Japonais pouvaient encore se donner l'illusion de la paix et d'une certaine liberté. Ôsaka, grand centre d'activités commerciales et industrielles, est aussi une ville qui avait élaboré une civilisation brillante d'un type exclusivement bourgeois. Les grandes familles d'Ôsaka avaient sauvegardé leurs fières traditions et leur manière de vivre jusqu'à une date fort récente, et l'on pouvait observer chez elles les vestiges d'une civilisation authentique, dont l'homogénéité se remarquait jusque dans les infimes détails de la vie quotidienne. L'idée de l'auteur était surtout de recréer dans un monde romanesque une telle atmosphère, dans laquelle ses personnages féminins pourraient évoluer avec aisance et spontanéité, sans l'ombre d'une contradiction qui nuise au mouvement de l'ensemble. Il eût été facile de faire un roman à thèse sur le déclin d'une grande famille dans les temps difficiles d'une veille de guerre. Il n'en sera rien. À la manière d'un long rouleau d'images de la peinture japonaise, l'auteur déploie l'une après l'autre, avec une lenteur calculée, des séquences essentiellement visuelles, soutenues par une technique incomparable de la description et de la narration dont le style suffit à tenir le lecteur sous le charme jusqu'à la dernière ligne de cette longue histoire. Il ne s'y passe pas grand-chose, si ce n'est la recherche d'un mari pour la troisième des quatre sœurs qui, à trente ans passés, s'obstine à repousser les prétendants ; lorsque enfin elle se résigne au mariage, le roman sera achevé. La cadette, au contraire, par ses aventures sentimentales multiples, fait le désespoir de la famille... S'il est des romans dont un résumé ne saurait rendre compte, *Les Quatre Sœurs* est bien de ceux-là. Ici, chaque détail compte, et c'est de l'accumulation de ces détails que naît un attrait d'une puissance incroyable, attrait qui ne s'affaiblit pas, bien au contraire, lorsqu'on relit le livre.

Une impression indéniable de vérité se dégage à la lecture de ce roman, mais cela ne signifie pas qu'il présente la vérité intégrale dans ses formes extérieures. C'est ainsi, par exemple, que l'auteur paraît indifférent à l'atmosphère tendue de l'approche de la guerre. Or, à ceux qui ont connu le Japon à cette époque, tout permet au contraire de se replacer dans une période inquiétante où toutes les lumières brillaient intensément, comme autant de lampes survoltées. Le luxe discret qui donne le ton de l'ouvrage est un signe aussi de ce luxe qu'était pour l'auteur le fait de continuer à écrire cette histoire « nonchalante » durant la période la plus atroce de la guerre, dans un Japon menacé de famine et de ruine totale, sous la terreur du fascisme militaire. C'était une véritable épreuve de force d'où le grand écrivain entendait sortir vainqueur. Mais pourquoi Tanizaki, citoyen de Tôkyô dans l'âme, a-t-il choisi précisément de décrire minutieusement la vie quotidienne d'une famille d'Ôsaka pour tenir cette gageure ? Sans doute parce qu'il y avait goûté le charme secret du « déracinement ». Tanizaki, dans les années 1910 et 1920, avait assouvi sa soif d'exotisme, source d'inspiration inépuisable, en jonglant avec l'idée de l'opposition Orient-Occident. Or, à l'égal de cet Occident qui avait séduit sa jeunesse, Kyôto et Ôsaka étaient pour lui des villes qui avaient la séduction de l'« étranger ». L'esthète qu'il était trouvait une satisfaction infinie quand il découvrait dans ces villes une « civilisation », chose que Tôkyô ne possédait pas. Peu importait alors que cette civilisation et ces villes fussent japonaises, car pour Tanizaki, type de l'intellectuel de Tôkyô, c'étaient bel et bien des faits « exotiques ». Ainsi, vers les années 1930, Tanizaki avait-il amorcé un virage décisif pour se retourner vers la tradition esthétique japonaise — v. *Éloge de l'ombre* (*). Sa vaste connaissance des classiques japonais, jadis livresque, avait alors commencé à trouver son véritable langage. Et dans les années 1940, Tanizaki avait cessé de voir de l'extérieur ce monde des traditions. Il y vivait désormais à l'aise et en avait fait son propre univers, en grande partie sous l'influence de la femme d'Ôsaka qu'il avait épousée en 1935. Dorénavant, ce n'était plus un subtil jeu cérébral. L'univers intellectuel et esthétique de Tanizaki, fait d'élans instinctifs, de sensibilité aiguë et de réceptivité envers toutes les formes de connaissance, faisait corps désormais avec sa vie réelle, où régnaient un équilibre et une spontanéité qu'il n'avait jamais connus. — Trad. Gallimard, 1964.

QUATRE TEMPÉRAMENTS (Les). Œuvre du compositeur allemand Paul Hindemith (1895-1963), composée en 1946, connue en Allemagne sous le titre de *Thèmes et variations pour piano et cordes*. Cet ouvrage, quoique appartenant à la dernière manière de l'auteur, reprend une forme qui lui est chère ; on compte au moins seize œuvres de Hindemith contenant des variations. Dans *Les Quatre Tempéraments*, les relations thématiques sont peu fréquentes, tandis que les rapports tonals sont en général respectés. Le premier mouvement se compose de plusieurs thèmes qui sont les variations du thème fondamental, chacun représentant une section séparée avec ses caractères et son tempo particuliers, puis viennent les quatre « variations » successivement intitulées « Mélancolique », « Sanguin », « Flegmatique » et « Colérique ». L'ensemble est une démonstration de la virtuosité de Hindemith en matière de variation mélodique, il montre aussi comment un compositeur moderne peut se servir du vieux « cantus firmus » en prenant pour éléments de renouvellement le rythme, l'harmonie et l'instrumentation.

QUATRE TESTAMENTS. Recueil de poèmes de l'écrivain français Alain Bosquet (né en 1919), publié en 1967. La poésie d'Alain Bosquet est profondément marquée par les soubresauts de ce siècle, ainsi que par l'angoisse devant la mort, d'où un constant pessimisme qui s'exprime avec une causticité presque arrogante : « Je ne chante jamais qu'un chant du désespoir », écrit-il dans le *Premier testament*. Alain Bosquet évoque, grâce à une rhétorique mordante, tous les cataclysmes humains, et Saint-John Perse a pu parler à son propos d'un « regard fulgurant ». Cependant, par l'usage particulier de son verbe, il garde une hauteur qui le protège du désespoir. C'est que, pour le poète, le langage (l'art poétique) est une réponse aux malheurs qui s'abattent sur le monde, et ceci de manière absolue : « Si j'apprenais que vivre est avant tout se taire, / Je serais hypocrite, et ferais de mes mots / N'importe quoi pour les sauver : des fleurs légères, / Des étoiles fanées qu'on donne aux animaux. » Ainsi, le poète, pourvu de cette capacité à recréer le réel, devient un démiurge ; il s'approprie tous les éléments du monde, et se fond dans la nature et les objets : la réconciliation a lieu dans « le silex, la syllabe ». Ainsi naissent les poèmes sur la lune, le soleil, le vent, la montagne... Cependant, jamais il n'est question d'abandonner la lucidité dérangeante du départ. La conscience du chaos demeure. Dans le cours du poème même, il y a une perpétuelle interrogation sur la poésie, remise en cause à chaque instant ; par exemple : « Cette existence en vers, je ne l'ai pas choisie », écrit Bosquet. Ses *Quatre testaments* sont écrits sur un rythme rapide, saccadé. La forme de l'alexandrin, qui prédomine, dompte la fougue de l'auteur, en atténue la violence ainsi que la rage qui s'exerce aussi contre lui-même. « La poésie de Bosquet, écrivait Robert Sabatier en 1957 au sujet du *Premier testament*, apparaît comme une synthèse des éléments qui divisent et déchirent notre temps. » J.-É. M.

QUATRE VENTS DE L'ESPRIT (Les). Recueil de poésies que l'écrivain français Victor Hugo (1802-1885) publia en 1881. Divisé en quatre livres (satirique, dramatique, lyrique, épique), il témoigne de l'énorme puissance créatrice de l'auteur, non seulement parce qu'il est composé de poèmes lyriques et d'ouvrages dramatiques écrits pour la plupart sans que le poète ait eu le dessein de les publier, mais surtout parce qu'il mêle des genres très différents. Dans le « Livre satirique », le poète s'élève contre toute iniquité, que ce soit sur le plan littéraire ou sur le plan politique ; il attaque les odieux censeurs des poètes ; il exhorte les jeunes gens à se montrer sincères et à répudier les images conventionnelles que leur dicte l'habitude. Les deux poèmes « Margarita » et « Esca » du « Livre dramatique » content avec une chaleur toute romantique l'histoire d'un duc, Gallus, qui courtise une jeune bergère, Nella, fille d'un gentilhomme en exil ; après une scène des plus vive avec Nella, pris de remords et désireux de faire son bonheur, Gallus se sacrifie et va même jusqu'à lui demander sa main au nom de son ami le duc Georges II. Dans un second tableau, nous découvrons Gallus sous un autre jour : ayant séduit et enlevé la jeune Lison la veille de ses noces, il la comblera inutilement d'honneurs et de richesses. Lison, désespérée, ne s'en donnera pas moins la mort (« Boire la mort n'est rien quand on a bu la honte ! »). Le « Livre lyrique » a un tour beaucoup plus vif ; Victor Hugo se défend contre les calomnies et fait un panégyrique de la vie à la campagne, acceptant volontiers l'exil pour être fidèle à sa patrie. « Le Livre épique » prend pour point de départ une fiction : les statues de Louis XIII et de Louis XIV, accompagnées de Richelieu, se rendent en promenade au Louvre, puis aux Champs-Élysées ; mais là, les deux grands personnages rencontrent Louis XVI et apprennent de sa bouche que ce sont eux-mêmes qui ont construit la guillotine sur laquelle il devait mourir. « Deux voix dans le ciel » montre Zénith, resplendissant au plus haut et proclamant sa proche victoire sur Nadir, esprit qui lui est contraire ; ce morceau est suivi de « En plantant le chêne des États-Unis d'Europe » ; le 14 juillet 1870, la chute du second Empire fut le signal de la liberté des peuples et touchait par là les exilés de tous les pays. Ce recueil, sans avoir d'unité profonde, montre une fois de plus comment Victor Hugo avait conscience d'être le prophète de la démocratie ; en exaltant la liberté de l'esprit qui, selon *La Bible* (*), « souffle où il veut », il se reconnaît une mission et se déclare lié aux destinées de sa patrie.

84. Revue littéraire française publiée de 1947 à 1951. Le titre fait allusion à l'adresse de Marcel Bisiaux, 84 rue Saint-Louis-en-l'Isle, à Paris. Outre Marcel Bisiaux, le comité de rédaction comprend André Dhôtel, Alfred Kern et Henri Thomas – une part de l'atmosphère de cette période est restituée par Henri Thomas dans son roman de 1986, *Une saison volée* (*). La couverture de la revue, conçue par Jeanne Pêcheur, reprend un dessin d'Antonin Artaud. La « mise en place » (selon l'expression utilisée dans le numéro 1) est assurée par Emmanuel Peillet. En des années où la littérature est divisée par des querelles politiques entre les tenants de la « liste noire » (où figurent par les soins du Comité national des écrivains à la fois d'anciens « collaborateurs », et d'irréductibles indépendants comme Armand Robin) et des écrivains qui refusent, dans leurs œuvres, de s'engager, la revue *84* se caractérise par sa liberté. Des écrivains d'horizons politiques différents (Paulhan et Jouhandeau dans le numéro 14 ; Drieu La Rochelle dans le numéro 16 en décembre 1950) se trouvent ensemble au sommaire.

La revue se présente sans éditorial ni discours théorique. Le seul critère apparent dans le choix des textes est le souci d'une écriture qui traduise une sensibilité et une vision du monde. La plus grande attention est portée à Artaud à qui s'associent, dans le premier numéro, Ribemont-Dessaignes, Adamov, Armen Lubin.

À partir de 1950, la revue est prise en charge par les éditions de Minuit, et Marcel Bisiaux en devient le directeur. Elle se développe en associant à la publication de textes contemporains (Audiberti, Beckett) la réédition d'auteurs négligés (Jean-Paul, Chestov) ; le sommaire est partagé entre textes, documents, chroniques. Parmi ces dernières on trouve d'importantes contributions de Jaccottet, Klossowski (sur *L'Abbé C* (*) de Georges Bataille, sur *La Mort obscure* dans l'œuvre de Brice Parain), de Gaëtan Picon, de René de Solier. Mais la revue aura une durée brève, et disparaîtra en 1951. J. Rou.

84 POÈMES [*84 digte*]. Recueil de poèmes de Henrik Nordbrandt, poète danois (né en 1945), publié en 1984, composé de quatre parties : *Notre ère* (douze poèmes), *Grotesques/Méditations* (vingt-six poèmes), *Études d'ombres* (vingt-six poèmes) et *Bourreau sur terre* (vingt poèmes). 84, parce que le recueil contient quatre-vingt-quatre poèmes ; 84, parce qu'il paraît en 1984 ; 84 enfin, en référence à *1984* (*) de George Orwell qui hante notre civilisation.

Nordbrandt compare notre époque à un cancéreux squelettique et narcissique, jouissant de ses propres larmes qui attaquent comme de l'acide. La culture n'est plus qu'une culture de succédanés sans rapport avec les valeurs authentiques, et donc sans éthique véritable, « un carnaval / dont les masques mortuaires nous apprennent enfin / à nous voir » ; une culture où l'homme n'existe que pour « confirmer sa propre absence / pour aimer une ombre dans un monde d'ombres ». Un monde de « Plastic » où le moi, aux prises avec le sentiment d'être privé de paupières, se réveille parfois la nuit, « se souvient et oublie pourquoi ». Même l'angoisse est consommée, elle est devenue anti-angoisse et sarcasme. « Le monde et le moi se ressemblent, dit un poème ; tous deux sont sans pitié. Mais le monde est plus fort à ne pas aimer que le moi qui donnerait volontiers sa vie pour l'ombre d'une rose sur un mur ensoleillé. » Et, ajoute-t-il, « qui sait si ce n'est pas ce que je fais ».

Dans une langue très proche de la langue parlée mais plus intense, d'une grande beauté sonore, les poèmes de Nordbrandt se déroulent en longues arabesques où métaphores et associations se succèdent pour créer des paysages tantôt surréalistes, tantôt oniriques et fantastiques, peuplés d'ombres et de poupées mutilées. Le plus souvent on est en novembre ou en septembre ; en tout cas c'est comme l'hiver sur terre. Pourtant les couleurs de l'été semblent dominer, le vert et le bleu. Mais le vert n'est pas celui des arbres, c'est celui de la mousse qui se propage. Le bleu n'est pas celui du ciel, mais celui du glacier. Une des images centrales du recueil est celle du mur traduisant l'expérience claustrophobe du temps. Peu à peu portes et fenêtres se murent, la vie se rétrécit, et le moi ne peut plus s'éprouver. Enfermé dans un présent toujours fuyant, il se voit de plus en plus comme une ombre. Mais l'état d'ombre est paradoxalement présenté comme une solution dans « Le nain se regarde dans son miroir de poche » et « Mon ombre ». Le mot « ombre » en danois vient du norrois : « skuggja », qui signifie à la fois ombre et image reflétée, le sens du miroir étant qu'on y voit soi-même et son double. Ainsi le moi, dans « Le Nain », peut-il dire que l'ombre qu'il projettera dans la vie des hommes les « submergera de réalité ». La poésie est un miroir qui montrera aux hommes ce qu'ils ne voient pas : le monde tel qu'il est, mais aussi celui des émotions mutilées et négligées. *84 poèmes* submerge le lecteur de poésie, donc de réalité, où il se voit, lui, aussi bien que son ombre, celui qu'il est réellement et celui qu'il aurait pu être. K. P.

QUATRE-VINGT-TREIZE. C'est le dernier roman de l'écrivain français Victor Hugo (1802-1885) ; il le publia en 1874. Œuvre d'une vieillesse robuste, *Quatre-vingt-treize* montre comment les formules de Victor Hugo se sont purifiées sans perdre pour autant de leur puissance dramatique. Ce ne sont plus ici les oppositions violentes du bien et du mal : la générosité même de l'homme dans ses manifestations les plus nobles se trouve en contradiction avec elle-même. Victor Hugo avait toujours considéré l'homme comme un être foncièrement bon. Le mal n'était point pour lui un climat habituel, mais plutôt une tendance fatale avec laquelle il pactisait obscurément, un tragique fardeau dont il devait se débarrasser après s'être purifié par la souffrance. Les personnages maléfiques de ses romans précédents, de *Han d'Islande* (*) à Claude Frollo – v. *Notre-Dame de Paris* (*) –, ne sont les incarnations maudites d'une force universelle que dans la mesure où ils sont liés, comme Han d'Islande, à une brutalité absolue, ou comme Frollo, à une forme démoniaque de la pensée. Toutefois, nombre de personnages unissent, comme Quasimodo, des formes monstrueuses à la limpidité de l'âme, et paraissent être les symboles d'un mal métaphysique qui touche la personne humaine et ne se confond point avec elle. Au fur et à mesure que l'art du romancier se fait plus sûr, les images sensibles du mal tendent à disparaître, mais le mal, pour n'être plus incarné, n'en constitue pas moins une présence au centre de son œuvre romanesque. *Quatre-vingt-treize* est l'épopée de la Révolution française. Les trois personnages principaux présentent des caractères d'une grande valeur morale : le marquis de Lantenac est un vieil aristocrate de mœurs austères, qui a conscience des responsabilités échues à la classe dirigeante et qui les assume ; Cimourdain représente le peuple et son désir de retrouver une dignité, et il fait montre de ce stoïcisme intraitable qui anime les délégués de la Convention ; Gauvain, neveu du marquis et fils adoptif de Cimourdain, est un noble qui est passé dans les rangs du peuple, et il incarne l'effort de renouvellement dans toute sa générosité. Tous trois sont liés par une entente profonde et qui ne peut cependant porter ses fruits. Ils n'usent point des mêmes moyens. Le roman se déploie comme une vaste fresque. Tout d'abord, le marquis de Lantenac, âme de l'insurrection vendéenne, arrive sur une corvette anglaise et prend son poste de combat. Déjà sur le navire il a montré quel pouvait être son esprit de décision. La lutte qu'il engage contre Cimourdain prend un caractère implacable et montre toutes les horreurs de la Révolution. Cependant, le vieil aristocrate est vaincu et il est condamné à être guillotiné. Grâce à un passage secret, il parvient à s'enfuir. Mais, au même moment, un de ses partisans incendie le donjon dans lequel sont détenus trois enfants qui vont périr sous les yeux de leur mère. Lantenac renonce à se sauver lui-même pour leur porter secours ; c'est ainsi qu'il sera repris par les révolutionnaires. « Je t'arrête, dit Cimourdain. – Je t'approuve, dit Lantenac » (Livre V). Au cours de la nuit qui précède l'exécution du gentilhomme, Gauvain se glisse jusqu'à lui et le contraint à fuir. Cimourdain, inflexible, en dépit des prières des soldats qui demandent grâce pour leur capitaine, condamne le jeune homme à mort. Lorsque tombe le couperet de la guillotine, Cimourdain se tue d'un coup de pistolet. Ainsi, à travers l'histoire de ces trois hommes, les péripéties sanglantes de la Révolution sont rachetées par l'intégrité de quelques-uns, de ceux-là mêmes qui n'agissent qu'en plein accord avec leur conscience ; le peuple subit les conséquences de la lutte et demeure dans une sorte de bonté tout instinctive, sans comprendre pour autant la grandeur de cet idéal. Il s'accommode sans étonnement de l'horreur et du tragique, et semble être le véritable héros de cette affaire terrible et cependant magnifique, qui le dépasse et qui, à travers le sang et les larmes, le conduit à la rédemption. Victor Hugo est parvenu à donner ici la version la plus achevée et la plus dépouillée d'une thèse qui lui était chère.

QUATRIÈME DIMENSION. Titre français d'un recueil du poète grec Yannis Ritsos (1909-1990), comprenant différents poèmes publiés en Grèce en 1957 : « La Sonate au clair de lune », « La Fête des fleurs », « Limpidité hivernale », « Chronique ». La poésie de Yannis Ritsos, secrète et incisive, entreprend depuis 1934 de chanter – ou plutôt de chuchoter ou de crier – la solitude de l'homme dans un monde inhumain. Son principal recueil d'avant-guerre, *Épitaphe*, paru en 1936, fut brûlé avec d'autres œuvres devant les colonnes du Temple de Zeus Olympieion à Athènes en raison de son contenu jugé subversif par les autorités. « La Sonate au clair de lune » est un long poème sur l'incommunicabilité des êtres, la solitude de la parole, le vertige qui saisit l'homme et le poète devant ce seuil béant sur l'abîme du vide, telle une porte ouverte sur le silence de la clarté lunaire : « ... profonde, profonde l'implacable bienfaisance du silence, / illuminations tremblantes de l'autre bord, / comme on vacille dans sa propre vague, haleine d'océan... / ma position à moi, c'est la vacillation / – suprême vertige... »

« Limpidité hivernale » décrit un autre vertige, celui de la durée saisissable et insaisissable, brusquement figée en une seconde d'éternité, au sein de laquelle l'homme « qui écrivit l'histoire d'une maison demeurée sans histoire rangea ses papiers, et la maison retrouva son histoire ». « Chronique », enfin, long poème fait en apparence de détails anodins derrière lesquels surgit la mystérieuse féerie du symbole, relate la prise en charge par le poète du passé de son pays, et aussi des dettes de tout le monde, endossement qui lui restitue « une force dédaigneuse, solitaire, entière, tout adonnée à son œuvre et à son travail, aux côtés de la mer, sans tenir compte de la verdeur adverse de la mer, ni des dents infatigables du sel, de l'illusion du vent ». – Trad. Seghers, 1958.

QUATRIÈME SIÈCLE (Le). Roman de l'écrivain martiniquais Édouard Glissant (né en 1928), publié en 1964, qui constitue une sorte de nœud vital de toute son œuvre. Conformément à l'« esthétique de la relation », qui commande son projet littéraire, certains des personnages et des motifs romanesques figuraient déjà dans *La Lézarde* (1958) et réapparaîtront dans les œuvres ultérieures. Le titre du roman annonce son sujet : rendre compte de bientôt quatre siècles de présence aux îles d'une population qui est devenue antillaise. Mais nulle velléité de développer une fresque historique, ample et sage. Le roman se construit comme une enquête, à partir du dialogue qui réunit les deux personnages centraux, le jeune garçon Mathieu Béluse et le vieux quimboiseur (ou maître en choses secrètes) papa Longoué. « Dis-moi le passé, papa Longoué ! Qu'est-ce que c'est, le passé ? », demande Mathieu. Les récits de papa Longoué évoquent les grandes images, les fortes scènes d'une histoire insulaire qui joue sur l'opposition de trois grandes figures : le maître, l'esclave... et le marron (c'est-à-dire l'esclave révolté et fugitif, en rupture de plantation). Et le roman déplace le centre de gravité de cette histoire triangulaire, en mettant l'accent moins sur la traditionnelle dialectique du maître et de l'esclave que sur l'antagonisme de l'esclave et du marron. Deux lignées familiales incarnent ces deux pôles de la société noire antillaise, les Béluse, qui restèrent sur les plantations et apprirent à y survivre, et les Longoué, descendants du « marron primordial », qui s'évada à peine débarqué du bateau négrier sur l'île américaine et qui façonna sur les mornes sa vie d'homme libre. Le roman donne volontairement une coloration mythique aux épisodes clefs : rapt par le premier marron d'une esclave sur la plantation ; rencontre au pied du morne du marron Longoué et du béké (grand propriétaire blanc) La Roche : face-à-face de deux forces sourdes, le marron accroupi, « son coutelas en travers des cuisses », comme une dénégation de l'esclavage, chacun parlant dans sa langue, l'un le français et l'autre un langage hérité de l'Afrique d'avant. L'une des scènes les plus remarquables rappelle les circonstances de l'abolition de l'esclavage en 1848, quand il fallut enregistrer comme nouveaux citoyens les anciens esclaves, et donc leur attribuer un état civil. L'enjeu symbolique était considérable, puisqu'il s'agissait de définir une identité. Or la plupart des esclaves des plantations reçurent le nom que leur attribuèrent les fonctionnaires et les gendarmes chargés du recensement. Seuls les marrons descendus de leurs mornes « annonçaient d'eux-mêmes leur nom et celui de leurs proches ». Ainsi, le mouvement même qui apportait la liberté aux esclaves brouillait peut-être définitivement leur identité par ces noms imposés de l'extérieur. Mais, au fil des siècles, dans le foisonnement de personnages pittoresques ou secrets, ce sont toutes les scènes du livre qui deviennent emblématiques du destin antillais.

J.-L. J.

QUATRIÈME VEILLÉE (La) [*Der sjerde nattevakt*]. Roman de l'écrivain norvégien Johan Peter Falkberget (1879-1967), publié en 1923. Dans ce livre, comme dans *Lisbet sur la montagne* (*) qui fit son succès, Falkberget demeure fidèle à la région montagneuse de la Norvège septentrionale mais, si le cadre est semblable, son art y situe désormais des drames plus complexes et relevant de la lutte intérieure des âmes plutôt que de la lutte contre la nature. Le style, tout en demeurant épique, s'oriente ainsi vers la tragédie. L'action se situe vers 1807-15, années grises de froid, de faim et de guerre. Le jeune pasteur Benjamin Sigismond vient s'établir avec sa femme et ses enfants dans un centre minier de la région montagneuse. Sigismond a un caractère orgueilleux et autoritaire ; il veut que tous les hommes plient la tête devant Dieu et recouvrent la foi des temps anciens. Peu à peu, grâce à son inflexibilité et à son autorité, il triomphe en effet des âmes mais c'est alors que lui, l'intraitable, lui qui se croyait sans faiblesse comme sans péché, succombe à son amour pour une jeune paysanne — amour qui coûtera deux vies humaines. Brisé par cette expérience, Sigismond se voue désormais, et jusqu'à sa mort, à une existence de pénitence et d'expiation.

Le romantisme très particulier de Falkberget s'allie à un grand réalisme dans les descriptions de même que son idéalisme s'accompagne d'un humour exubérant et vigoureux. Ces diverses qualités sont notamment sensibles dans le personnage d'Ol-Kalenesa, rude forgeron qui remplit aussi bien les fonctions de violoneux que celles de sacristain, et dont la sagesse s'exprime à travers un langage savoureux, ainsi que dans la brusque interruption des scènes dramatiques par des scènes de danse et de ripaille. Falkberget, dont la sympathie pour les ouvriers donne au livre une profonde chaleur humaine, excelle par ailleurs à traduire poétiquement les problèmes intérieurs de ses personnages, si bien que son roman, tout débordant d'images, en acquiert un étrange pouvoir d'envoûtement sur l'esprit et l'imagination du lecteur. — Trad. Plon, 1960.

QUATUOR de Borodine. Le *Quatuor n° 2 en ré majeur* est une des œuvres les plus connues du compositeur russe Alexandre Borodine (1834-1887). Il est formé de quatre mouvements (Primo tempo, Scherzo, Notturno, Finale) et a été écrit en 1881. On y sent l'influence du credo esthétique du groupe des « Cinq », auquel Borodine appartenait et qui estimait que le folklore russe pouvait fournir les thèmes dont avait besoin, pour naître, un art véritablement national. Les développements qui, dans les exemples classiques de Haydn ou de Beethoven, sont un discours logique conduisant d'une tonalité à l'autre et d'une idée à l'autre sont dans le *Quatuor n° 2* de Borodine très souvent forcés ; parfois ces passages de liaison ne sont que des répétitions intégrales de la même idée ou du même motif rythmique et donnent alors une impression rhapsodique. Les motifs thématiques, d'origine populaire, apparaissent toujours d'une grande fraîcheur d'invention. Le premier mouvement est construit sur trois idées, qui se développent en divers épisodes et arrivent finalement au ton de ré mineur, où l'on entend à nouveau intégralement la première idée ; celle-ci, entrelacée ensuite à la troisième, puis à la seconde idée, donne lieu à une nouvelle période de développement, à la suite de quoi l'on revient au ton initial. Le second mouvement, Scherzo, produit un grand effet. Il est conduit par deux idées principales : l'une, au début, de caractère rythmique et une autre de caractère mélodique, très brève. Toute la rédaction, volontairement à effet et menée avec une grande habileté, marque une des pages les plus brillantes du répertoire de la musique de quatuor. Le troisième mouvement, Notturno, très calme au début, fait un véritable contraste. Le violoncelle, sur des harmonies en syncopes de l'alto et du second violon, propose une longue idée (32 mesures) d'un caractère triste, presque douloureux, qui est reprise ensuite par le premier violon. À cet épisode se rattache une partie plus agitée, plus riche, avec un retour au mouvement initial où la première idée, proposée encore par le violoncelle, est imitée, en canon, par le premier violon, puis une fois encore reprise par ce dernier et imitée (en canon moins rigoureux) par le second violon. Des membres de la première et de la seconde idée apparaissent encore jusqu'à la fin, très calme. À la couleur russe s'ajoute ici la couleur générale de la musique romantique, dont ce nocturne est un exemple typique. Le Finale débute par vingt mesures d'introduction, où se trouvent exposés les membres des thèmes qui, en forme de fugato, sont présentés aussitôt après ; mais l'auteur se libère vite cependant de cette forme, pour confier au premier violon une partie mélodique et aux autres instruments le remplissage harmonique. Bien que les parties se croisent, l'intérêt ne devient jamais contrapuntique, car il est fondé sur un thème mélodique et sur une couleur harmonique. Reprenant l'idée initiale, Borodine interrompt souvent la composition par une nouvelle présentation homophone des passages tronqués du thème, pour relier avec de nouveaux motifs jusqu'à la reprise — où, pour la dernière fois, il exploite ce procédé et s'achemine par un crescendo dynamique et intense vers la conclusion. Il convient de remarquer, dans ce dernier mouvement, certaines sonorités tout à fait neuves, même du point de vue du quatuor.

QUATUOR de Chausson. Ce *Quatuor avec piano* du compositeur français Ernest Chausson (1855-1899) compte parmi ses œuvres maîtresses. Son élaboration est contemporaine de celle du *Roi Artus*– v. *Cycle breton* (*) ; elle est antérieure à celle du poème symphonique *Soir de fête*. Il semble, d'après ce qu'en dit Chausson lui-même, qu'elle ne fut guère facile et qu'il lui fallut beaucoup de travail et de patience pour donner à ce *Quatuor* sa facture définitive. Il est composé de quatre mouvements : le premier d'une inspiration claire et lucide, le second est un Andante où Chausson a mis le meilleur de son pouvoir émotif ; le troisième mouvement est en forme de divertissement et le finale rayonne de lumière et de vigueur. C'est de cette œuvre que Chausson parlait lorsqu'en écrivant à son ami, Gustave Samazeuilh, il disait : « Mon quatuor avec piano m'a mis de fort méchante humeur ; pourtant, tout à l'heure, je viens d'apercevoir un joint qui va peut-être me faire trouver toute la fin du premier morceau, car je n'en suis que là. Les autres sont esquissés seulement... » Quelques mois après, de Florence, Chausson postait : « Le Quatuor est fini. » Dans cette œuvre, Chausson a donné la pleine mesure de son remarquable talent.

QUATUOR de Debussy. Composé et exécuté à Paris en 1893, ce quatuor a été écrit un an après le *Prélude à l'après-midi d'un faune* – v. *L'Après-Midi d'un faune* (*) –, environ un an avant les *Nocturnes* (*), à un moment où déjà se composait la partition de *Pelléas et Mélisande* (*). Il révèle chez le compositeur français Claude Debussy (1862-1918) un musicien aux prises avec un type de composition consacré par de très nombreux chefs-d'œuvre, depuis Mozart et Haydn jusqu'à Brahms et Franck. Bien que les auditeurs et les critiques de l'époque aient été frappés par le modernisme de sa structure, ce *Quatuor* semble l'une des œuvres les moins subversives de Debussy (certains des derniers *Quatuors* (*) de Beethoven, par exemple, ont une forme infiniment plus libre). Les mouvements sont ceux du quatuor classique : Allegro, Scherzo, Adagio et Allegro final. La structure elle-même de chacun de ces mouvements est basée sur le bithématisme traditionnel. Mais la fantaisie propre à Debussy s'y donne libre cours ; on y notera l'extrême liberté du mouvement harmonique (cf. déjà le *Prélude à l'après-midi d'un faune*) et l'emploi judicieux des timbres, qui confère au morceau une étonnante fluidité. En réalisant ce rare équilibre entre les exigences de son génie propre et celles d'une forme musicale consacrée par une tradition séculaire, Debussy a créé une œuvre empreinte d'une sérénité voilée d'une mélancolie légère, – sérénité que l'on retrouve dans des compositions comme *La Mer* (*), *Ibéria* – v. *Images* (*) –, plusieurs *Préludes* (*).

QUATUOR de Franck. Ce *Quatuor à cordes*, le seul qu'ait écrit le compositeur français d'origine belge César Franck (1822-1890), fut composé en 1889. Les premières esquisses datent du printemps 1889. Franck avait alors soixante-huit ans. L'élaboration de ce *Quatuor* fut des plus difficiles, particulièrement celle du premier mouvement. Franck en fit tout d'abord deux versions, dont aucune ne lui donna satisfaction ; il en fit alors une troisième, qui est la version définitive. C'est dans le premier mouvement qu'intervient le thème générateur de tout le procédé cyclique sur lequel repose le *Quatuor*. Il se compose de quatre mouvements, un Allegro, un Scherzo, un Larghetto et un Allegro molto. Le premier mouvement comporte deux thèmes, l'un rythmique, l'autre mélodique, d'une grande richesse d'expression. Dans le Scherzo, Franck utilise les ressources de virtuosité et donne à ce mouvement une grande légèreté et une vie tout à fait particulière. Le troisième mouvement est traité comme un Rondo. Dans l'Allegro molto final, la virtuosité atteint des sommets et donne un caractère de générosité et de souffle très entraînant. L'ensemble du *Quatuor* est une œuvre d'une grande maturité et démontre chez Franck un mérite d'écriture, une intelligence mélodique peu commune. Vincent d'Indy racontait que, durant l'année qui avait précédé la composition de ce *Quatuor*, Franck avait relu et travaillé les *Quatuors* (*) de Beethoven, de Schubert et de Brahms. On rapporte que, lors de la première audition de son *Quatuor*, Franck, étonné par l'accueil chaleureux que le public faisait à cette œuvre, observa : « Voici que le public commence à me comprendre... » À soixante-huit ans, au cours des derniers mois de sa vie, l'auteur des *Béatitudes* (*) connaissait enfin son premier grand succès.

QUATUOR de Hába. Le *Quatuor nº 7* du compositeur tchèque Aloys Hába (1893-1973) appartient à l'opus 73 et fut écrit en 1950-51 à la demande de quartettistes groupés sous le patronyme même de ce musicien, le Quatuor Hába. Cette œuvre reste en fait assez éloignée des préoccupations harmoniques hardies auxquelles Hába s'était consacré dès le début du siècle : emploi généralisé du quart de ton ou même d'intervalles plus petits, asymétrie formelle et refus de l'imitation ou des procédés de développement classique à partir de cellules thématiques unitaires. En effet, si cette œuvre rompt avec le principe classique d'unité tonale – les troisième et dernier mouvements écrits en la majeur avec altération fréquente du quatrième degré ne reprenant pas le ton de ré majeur du mouvement initial, et le mouvement médian échappant aussi à l'unité de ton –, elle n'en répond pas moins à la forme habituelle tripartite, deux Allegros encadrant l'Andante cantabile central, et chaque mouvement est agencé suivant un schéma assez traditionnel, proche de la forme sonate pour le premier, d'une forme lied pour le second et de l'esprit du rondo pour le troisième. Ce retour à la simplicité, à la clarté du langage et de la structure s'appuie sur une assise harmonique très consonante, et fait volontiers appel à des motifs populaires moraves, en particulier des thèmes de Noël dans le second mouvement, qui ont fait surnommer cette œuvre « le quatuor de Noël ». Le septième quatuor fut donné en première audition le 16 février 1951 par le Quatuor Hába à Hradec Królové, puis à Prague le 3 avril 1951.

QUATUOR de Ravel. Ce *Quatuor à cordes en fa,* le seul que devait écrire le compositeur français Maurice Ravel (1875-1937), date de 1902 ; il fit faire à son auteur une entrée révolutionnaire dans le monde musical. Pendant deux ans, Ravel en avait patiemment ciselé les quatre mouvements dans le plus complet mystère. Mais l'ouvrage ne fut pas du goût de l'Institut, qui dénia à son auteur le droit de concourir pour le Prix de Rome. Gabriel Fauré encourageait pourtant son élève à poursuivre sa route, indifférent aux critiques académiques. Le *Quatuor* de Ravel est un des ouvrages les plus parfaitement achevés de la musique française contemporaine ; il apporte des formules harmoniques nouvelles, des agrégations d'accords d'une sonorité troublante ; il utilisa les timbres des instruments à cordes avec une prodigieuse habileté, en tirant des effets auxquels nul n'avait songé avant Ravel. Mais il reste dans la tradition des formes classiques avec ses quatre mouvements parfaitement équilibrés. L'Allegro initial débute par l'exposé d'un thème fondamental qui fera sa réapparition dans les deux derniers mouvements ; un second thème lui fait escorte, et le développement suivi de la réexposition est directement inspiré par l'architecture de la sonate classique. Mais le style de Ravel n'appartient qu'à lui, avec sa clarté souveraine, sa limpidité, son émotion vibrante que l'on devine et qui refuse de s'extérioriser sans retenue. Le second mouvement, assez vif, est caractéristique avec ses variations engendrées par un motif d'allure très libre. Dans le troisième mouvement, très lent, on retrouve le premier thème de l'Allegro, traité à son tour en variations. Enfin, le dernier morceau, vif, utilise encore ce même motif accompagné d'un dessin rythmique original. La partition s'achève sur une conclusion extrêmement brillante. Ce n'est donc pas la construction de ce *Quatuor* qui rencontra l'hostilité du jury du Prix de Rome. Toutefois Ravel parlait une langue audacieuse, en un temps où Massenet semblait encore à l'extrême pointe de l'avant-garde.

QUATUOR de Roussel. Le *Quatuor pour cordes en ré majeur* op. 42 du compositeur français Albert Roussel (1869-1937) date de 1935. C'est une œuvre dont la genèse se place immédiatement après celle de *Bacchus et Ariane* (*) et elle en a la robustesse et la vigueur. Après un premier mouvement de bonne venue, l'Adagio fait intervenir un sentiment de méditation très expressif. Un Scherzo très vivant précède le Finale dont le début est une fugue remarquablement écrite. L'ensemble est caractéristique de la musique de Roussel : rythme et vie, plénitude des moyens, et dénote dans l'art du compositeur une grande maîtrise.

QUATUOR de Schmitt. Le *Quatuor à cordes,* op. 112, du compositeur français Florent Schmitt (1870-1958) a été écrit en 1947 pour deux violons, alto et violoncelle. Il comprend quatre parties : « Rêve », « Jeu », « In memoriam », « Élan », et constitue avec le *Quintette* op. 51 pour quatuor à cordes et piano (1905-08) et le *Trio à cordes* op. 105 (1944) l'une des pièces les plus importantes de musique de chambre de ce compositeur. Le premier mouvement, après l'exposition initiale, repose sur la combinaison d'un élément rythmique et d'un élément mélodique très expressif, associés au thème de l'introduction, par l'intermédiaire duquel est amenée la réexposition, avant l'épilogue, à la douce ambiguïté modale. « Jeu » est de forme tripartite. Le vif initial est établi sur un élément principal opposant les deux violons, et un refrain rythmique réunissant les quatre instruments. Un épisode central plus lent, formé de la juxtaposition et de la fusion de deux séquences plus mélodiques, précède la réapparition du tempo initial au traitement thématique un peu modifié et élargi. « In memoriam » s'ouvre sur une sorte de glas sonnant aux quatre instruments, d'où s'élève un thème pathétique aux longues et haletantes syncopes qui, imbriqué à des motifs mélodiques et rythmiques secondaires, s'amplifiera jusqu'à la conclusion pour se résoudre dans la sérénité. « Élan », après un bref préambule, fait suivre un dessin animé, de rythme complexe à sept temps, d'une idée mélodique largement étalée : puis le retour de l'idée initiale traitée sous forme de divertissement entraîne une sorte de strette impétueuse, d'une écriture très fouillée, dont le mouvement très rapide ira en s'animant jusqu'à la conclusion.

L'ensemble du quatuor est caractérisé par une grande plénitude sonore, qui évoque souvent l'orchestre, issue de la virtuosité et de l'imagination pleine de vie et de lyrisme ardent avec lesquelles sont traités et mêlés les différents épisodes de chaque mouvement. Cette solidité et cet élan chaleureux sont très représentatifs du style instrumental (et vocal) de Florent Schmitt. Ceci ne va pas sans poser de très difficiles problèmes techniques aux interprètes : le trio de 1944 avait exigé un an de mise au point de la part du Trio Pasquier, dédicataire de l'œuvre. Pour le quatuor, c'est six mois de travail qui s'avérèrent nécessaires au Quatuor Calvet, également dédicataire de cette composition, pour en donner la première audition au festival de Strasbourg en juin 1948.

QUATUOR À CORDES de Jolivet. Œuvre du compositeur français André Jolivet (1905-1974), l'une de ses premières compositions importantes (1934). Elle marque en effet le terme d'une période d'études menées parallèlement avec Paul Le Flem, pour ce qui concerne la technique fondamentale et classique de l'écriture et de la composition, et Edgar Varèse pour ce qui a trait à la recherche et à l'utilisation d'un monde sonore absolument neuf. Ces deux aspects sont en partie résumés dans cette œuvre ambitieuse, par son strict caractère formel qui dépasse d'assez loin les quelques productions qui jalonnent cette période d'« apprentissage » (*Trois temps pour piano*, 1930 ; *Suite pour trio à cordes*, 1930 ; *Air pour bercer pour piano et violon*, 1930 ; *Romantiques pour piano et soprano*, 1930-34). L'œuvre est divisée en trois mouvements : volontaire, allant, vif. « J'y tiens compte, commente l'auteur, de tout ce que j'ai appris dans mes études traditionnelles et pose les principes de composition non tonale que j'ai développés par la suite. » Le *Quatuor* relève en effet, en partie encore, d'une certaine esthétique traditionnelle : il n'a point toujours la vitalité, les dimensions et les prolongements cosmiques qui seront le propre des œuvres postérieures : en ce sens il représente en quelque sorte un bilan, un travail destiné à faire la preuve d'un incontestable métier. Mais aussi on y relève une des caractéristiques essentielles du langage de Jolivet, l'utilisation de l'échelle des douze sons avec le recours à certaines notes essentielles ou notes-pivots, ou même accords-pivots, qui jouent le rôle de pôle harmonique attractif, et presque parfois de tonique comme c'est le cas précisément dans le « volontaire » initial du quatuor, axé autour de la tonique ré, encadré de deux tierces majeures, ascendante et descendante, déterminant un des deux accords de base autour desquels s'organise la composition entière (celui défini ci-dessus étant un accord de quinte augmentée, cependant que le second sera un accord ou intervalle de quinte juste). Cette structuration harmonique très concertée se conjugue à une structuration formelle — agencement des phrases, des périodes, des séquences et de la trame rythmique dans laquelle elles s'insèrent — préétablie suivant une référence constante, malgré la fragmentation et la diversité des éléments mis en jeu, à un nombre clé : douze, qui conditionne l'articulation de l'ensemble (ce qui n'est point sans faire songer à la primauté du chiffre quatre chez Beethoven par exemple). De cette « organisation », au caractère abstrait et accentué et si voulu, ressort une impression d'intellectualisme assez nette qui surprend lorsque l'on connaît les aspirations hautement humanistes du compositeur des *Danses rituelles* — v. *Œuvres pour piano seul* (*). Intéressant par son langage et les développements futurs qu'il laisse pressentir, le *Quatuor* vaut en fin de compte surtout par la lumière qu'il projette sur un des « moments » importants de la carrière d'André Jolivet, au sortir de ses années de formation et peu de mois avant le premier chef-d'œuvre : *Mana* — v. *Œuvres pour piano seul.*

QUATUOR À CORDES de Schnittke. Quatuor n° 3 pour deux violons, alto et violoncelle en trois mouvements, andante, agitato, pesante, du compositeur russe Alfred Schnittke (né en 1934), créé le 8 janvier 1984 à Moscou par le Beethoven Quartet. Fidèle à son esthétique des « styles multiples », le compositeur passe du style classique et romantique à celui de Bartók, de Berg, jusqu'au contemporain. Le sujet principal de la *Grande fugue* de Beethoven sert de thème conducteur au premier mouvement. L'agitato central est une sorte d'intermezzo brahmsien avec trio, où les gestes sarcastiques rappellent Chostakovitch. Il s'enchaîne à un pesante qui reprend la thématique des deux mouvements précédents. La musique s'exacerbe en un expressionnisme douloureux typiquement mahlérien.

Mi. Ri.

QUATUOR À CORDES de Verdi. Le *Quatuor à cordes* du compositeur italien Giuseppe Verdi (1813-1901) est une des très rares œuvres de musique de chambre que le célèbre compositeur italien ait produites. Et encore ne la devons-nous qu'aux circonstances suivantes : on préparait, en 1873, à Naples, les représentations d'*Aïda* (*) et Verdi s'y était rendu pour en superviser l'exécution lorsqu'une des interprètes tomba malade et la première représentation dut être remise. Verdi, dont le besoin d'activité s'accommodait mal de vacances forcées, travailla un *Quatuor à cordes.* Ce fut plus un passe-temps qu'une vocation, mais l'œuvre mérite d'être connue. Le contrepoint n'en est pas savant et la composition n'en est pas très classique mais, là comme dans toute la musique de Verdi, on y trouve ce sens de la mélodie, de la musique « qui chante » et une certaine spontanéité de l'inspiration. Le Scherzo fugué relève d'un art certain et l'ensemble du *Quatuor,* pour ses qualités typiquement italiennes, revêt une certaine valeur musicale. La plupart des autres petites œuvres de musique de chambre qu'avait composées Verdi furent brûlées à sa mort, selon sa propre volonté.

QUATUOR D'ALEXANDRIE (Le) [*The Alexandria Quartet*]. Œuvre de l'écrivain anglais Lawrence Durrell (1912-1990), dont la publication (en quatre volumes – *Justine*, *Balthazar*, *Mountolive*, *Clea* – parus successivement de 1957 à 1960) lui apporta une renommée internationale instantanée. Dès 1953, il avait fait part de son projet à Arthur Miller ; il lui fallut trois ans pour concevoir *Justine*, même s'il en avait déjà le plan en tête. « Je suis si heureux de ne pas avoir à trouver un autre travail jusqu'à l'an prochain quand j'aurai terminé *Justine*... C'est seulement le deuxième des quatre volumes. » *Clea*, écrit en huit semaines, sera achevé en 1959 ; un an plus tard *Balthazar*, terminé en six, et *Mountolive* en douze. La tétralogie constitue une expérience ambitieuse, unique tant dans la forme que dans le fond, du fait des rapports respectifs des quatre volumes à un thème central ou commun. Seule *Justine* utilise le mode narratif classique, les trois autres romans, n'ayant aucune progression chronologique, représentent, selon l'auteur, les « trois dimensions de l'espace ». « Les trois premières parties [...] ne doivent pas être déployées spatialement... et ne sont pas liées en épisodes. Elles se chevauchent, s'enchevêtrent en une relation purement spatiale. Le Temps s'arrête. Seule la quatrième partie représentera le Temps et sera une suite véritable. *Balthazar* n'est pas la suite de *Justine*, mais son frère de sang (sibling) [...] (Le roman) essaie d'échapper à la conception bergsonienne du Temps et [...] de la durée par la notion d'"Espace-Temps" », écrit-il dans la *Note à Balthazar*. Durrell n'échappe guère à une forme de grandiloquence, d'hermétisme qui lui seront plus tard reprochés. Il a malgré tout maintes fois défini sa démarche. « Il nous faut cerner le vieux monde. C'est ce que j'ai voulu faire dans cette série... briser la personnalité et montrer ses diverses facettes. Une personnalité intégrée ça n'existe pas... Mes personnages ne sont pas réels... Ils sont inventés... des marionnettes que l'on peut faire tourner sous des angles différents sur une toile de fond particulière. » Solipsisme, narcissisme guettent cette option antiréaliste dans le jeu de miroirs qui multiplie la vision, l'intériorise mais la coupe aussi du monde extérieur. Ce parti pris préside à la composition de l'œuvre-kaléidoscope ; il sous-tend le thème de l'intersubjectivité, de l'interconnection, de la relativité tandis que l'artiste Darley, symboliquement isolé dans son île au moment où il écrit les trois romans, apporte un point de vue supplémentaire. L'intrigue du *Quatuor d'Alexandrie* rassemble des thèmes épars dans les écrits précédents pour créer une représentation d'unité dans la désintégration. Chacun des volumes forme un tout qui devient fragment dès lors qu'il est juxtaposé à un autre fragment. Ainsi s'impose la coexistence de vérités différentes, voire contradictoires. Il n'y a là rien de bien nouveau par rapport au *Carnet noir* (*), sinon qu'au lieu de théoriser sa vision Durrell la concrétise.

Justine commence doucement. Un narrateur anonyme vivant dans une île des Cyclades classe des papiers qui évoquent des souvenirs vivaces. Le passé s'actualise, certains faits émergent. Le narrateur (on apprendra plus tard qu'il se nomme Darley), maître d'école anglo-irlandais entre deux âges, est à la fois personnage et procédé littéraire (Durrell l'utilise pour conter l'histoire). Limité dans ses facultés d'observation et d'analyse, il est prêt à modifier ses impressions avec le temps qui passe et les faits qui se succèdent. Il évoque l'Alexandrie d'avant-guerre et son amour naissant pour Justine alors qu'il vivait une liaison sans histoire avec Mélissa, sa maîtresse-prostituée. Mélissa, aujourd'hui disparue, est (au moment où elle renaît dans le souvenir de Darley) danseuse de night-club. Douce, loyale, elle a l'amitié des personnages majeurs du roman. Comme Mélissa, Justine est omniprésente dans le *Quatuor*. Alexandrine authentique, belle, complexe, pianiste de talent, elle possède, elle aussi, plusieurs visages qui ne coïncident jamais : lesbienne, nymphomane, somnambule, etc. Les détails de sa vie sont enfermés dans les arabesques de la technique romanesque, enfouis dans l'épaisse obscurité de la ville. Son premier mari, Arnauti, est l'auteur d'un roman, *Mœurs*, utilisé par Darley pour compléter le portrait de Justine et la peinture d'Alexandrie qui, peu à peu, s'affirme comme véritable *dramatis persona*. Darley étudie la ville dans tous ses détails avec ses habitants, Pombal le Français, Capodistria le cabaliste, Scobie le politicien homosexuel, et surtout Balthazar, héros éponyme du second volume, « l'une des clés de la cité », à en croire Darley. Celui-ci aime Justine d'une passion « romantique » qui la mythifie. Ainsi supprime-t-il la Justine-femme-de-Nessim, incompatible avec son sens de la possession dans une relation fondée sur la personnalité et non sur la sexualité. Ici les relations humaines remplacent « l'amour », l'esprit prédomine et interdit l'anarchie des sens. En fait l'importance des conversations de Darley avec Justine, cœur de leur liaison, tient moins à leur contenu qu'à leur forme. Alexandrie s'exprime dans les relations de ses habitants (quatre êtres – Darley, Justine, Nessim, Mélissa – liés par l'amour) et simultanément l'esprit d'Alexandrie, de cet espace qui affecte et informe les personnages. Ainsi s'ébauche l'idée du « It » (Cela), celui d'Alexandrie, celui de la personne qui s'y identifie (Nessim) ou qui crée la vérité (Cléa), celui de la Nature aussi. Reste que toute tentative pour résumer *Justine* est gageure. *Justine* n'est que l'ouverture du roman où sont esquissés les réseaux qui lient personnages et cité dans l'univers multidimensionnel créé par Durrell. À la fin de ce premier volume subsistent nombre d'énigmes. Darley connaît à peine Alexandrie qui lui sera dévoilée par Balthazar dont les révélations conféreront à l'œuvre son épaisseur mystérieuse. La première mouture de ce conte trois fois narré se termine paisiblement, toute passion éteinte pour le moment. *Balthazar* reprend l'histoire de *Justine* d'un point de vue différent. Darley conserve sa place de commentateur, sa liaison avec Justine restant centrale, les mêmes personnages satellites s'y retrouvant. Mais si personnages et événements de *Justine* forment le fondement de *Balthazar*, ils suscitent de nouvelles interprétations : la mort de Mélissa, la folie de Nessim, la fuite de Justine perdent de leur importance tandis que passent au premier plan l'amitié de Justine et de Cléa, l'enchaînement aboutissant au mariage de Nessim et de Justine, et que sont réaffirmés le rôle d'Alexandrie et l'importance de la création artistique (Cléa, Pursewarden, Darley, Balthazar sont des artistes). Ainsi *Balthazar* suggère-t-il l'instabilité des faits, la nécessité pour qui souhaite les interpréter de rajuster constamment son propre point de vue, suggère aussi que le premier roman nous avait égarés sur des pistes secondaires (Mélissa, naguère pièce essentielle, n'est plus ici qu'un objet pitoyable) ; Arnauti et Pursewarden voient leurs rôles renversés dans le miroir respectif des deux romans. *Balthazar* semble opérer un rétablissement salutaire de la vérité ; chaque personnage devenant source d'événements qui affectent d'autres personnages, il n'y a plus de personnage secondaire. L'éducation de Darley n'est pas encore terminée, mais il commence à parler le langage nouveau de l'artiste moderne défini par Pursewarden comme « l'être humain totalement vivant ». Pas plus que *Justine*, *Balthazar*, qui se termine sur la vision de Darley passif et solitaire, ne permet d'imaginer l'avenir.

Dans *Mountolive*, Darley s'efface en tant que narrateur au profit du romancier omniscient dans ce qui est, selon Durrell, un « roman objectif, naturaliste où le narrateur de *Justine* et *Balthazar* devient objet, c'est-à-dire personnage ». *Mountolive* néanmoins ne fournit pas la clé de l'ensemble mais une troisième perspective sur les événements précédemment rapportés. Le roman s'ouvre sur l'arrivée du jeune Mountolive en Égypte... dans un passé plus reculé que celui de ses deux prédécesseurs. Il devient l'ami des Hosnani, l'amant de leur mère, Leila, qui lui apprend ce que l'éducation britannique néglige et fait de lui un homme. Sa carrière diplomatique l'entraîne loin d'Alexandrie avant de l'y ramener comme ambassadeur. Personnage œdipien, Mountolive incarne la « Mort anglaise » du *Carnet noir* (*). Il perd peu à peu ses illusions en découvrant la véritable personnalité de ses amis. Justine l'espionne, une conspiration se trame, Pursewarden, son adjoint, se suicide, Mountolive dénonce Nessim dont le frère Narouz, victime des intrigues alexandrines, meurt assassiné. À travers les rebondissements induits par les versions nouvelles de faits anciens, le lecteur appréhende désormais les intentions de Durrell. Même s'il a fallu des centaines de pages pour prendre conscience de la futilité des témoignages, le lecteur a participé à la création du roman. Si les trois premiers volets du *Quatuor* sont « frères de sang » et non point « suite », il brûle de lire le dernier volume qui « représentera le Temps et sera une "suite" authentique ». *Cléa* constitue la « suite » annoncée et la conclusion de l'œuvre. L'histoire est cette fois projetée dans le temps, l'action se situant « après » les événements rapportés dans les autres volumes. Darley, qui reprend son rôle de narrateur, se prépare à quitter son île pour revenir à Alexandrie. La guerre touche à sa fin, la ville, qui n'a jamais été aussi belle, en a été marquée. Dans sa recherche du temps perdu, Darley revoit une Justine vieillie, un Balthazar malade et solitaire, une Cléa plus attirante que jamais. Alexandrie n'est plus la ville du carnaval ni de la guerre, voilà une nouvelle révélation. Une année passe, le roman se termine sur un échange de lettres entre Cléa et Darley. Apaisé, ce dernier entreprend d'écrire un livre dont la première phrase « Il était une fois... », corroborée par l'appendice au roman, « Directions de travail », suggère les ramifications possibles d'une histoire qui peut se développer à l'infini.

Le Quatuor, œuvre complexe, égare le lecteur dans l'écheveau de ses intrigues. Le texte peut apparaître confus, traversé qu'il est de plusieurs récits, imprégné de plusieurs temps, conçu sur plusieurs modes d'écriture. Sa longueur rend plus difficile encore de ne pas s'égarer dans ce long tissage qui, tour à tour, dévoile et dissimule son fil directeur. L'expérimentation de Durrell se fonde avant tout sur une manipulation du temps dont il s'efforce de limiter le rôle usurpé aux dépens de l'espace. Récurrences, fractionnements, confusion verbale sont utilisés à cet effet. D'où l'importance du « deus loci », Alexandrie étant à la fois l'actuelle ville moderne et l'antique cité. L'histoire, science du temps passé, s'efface et renaît dans la permanence du lieu. La ville devient capitale de la mémoire, inconscient collectif pour ses habitants. Le roman, qui refuse d'être roman-fleuve, peut ainsi se ramifier, se développer après la dernière page, continuer à vivre une vie plurielle et autonome. Les faits sont liés mais non fixes. Il n'y a point de vérité permanente.

Où situer *Le Quatuor d'Alexandrie* dans la hiérarchie des œuvres contemporaines ? S'il est vrai qu'un roman est grand parce qu'il en dit davantage que ce que contiennent les mots, alors *Le Quatuor* est sans doute un chef-d'œuvre. Si l'on pense que la tétralogie baroque tombe dans la démesure, l'outrance, l'hermétisme, alors on peut n'y voir qu'un ensemble creux. La vérité est sans doute ailleurs, le vrai mérite du *Quatuor* tenant tout à la fois à ce qu'il est inimitable et purement durrellien, comme le sera vingt ans plus tard (mais avec moins de bonheur) *Le Quintette d'Avignon* (*). – Trad. Buchet-Chastel, 1960.

A. Bl.

QUATUOR D'AUTOMNE [*Quartet in Autumn*]. Roman de l'écrivain anglais Barbara Pym (1913-1980), publié en 1977. Écrit entre 1973 et 1976, ce livre marqua le retour de l'auteur sur la scène littéraire et connut un réel succès puisqu'il fut sélectionné pour le Booker Prize, le prix littéraire le plus éminent de Grande-Bretagne. L'histoire se situe dans les années 70 et décrit les relations de quatre collègues de bureau proches de la retraite, deux hommes et deux femmes, confrontés au vide de leur existence, à la vieillesse et à la solitude. Edwin, le seul à avoir été marié, ne cherche guère à maintenir des liens avec sa famille et préfère consacrer l'essentiel de son temps libre à sa paroisse. L'autre homme, Norman, manifeste à l'égard de la société qui l'entoure une constante agressivité. Letty, dénuée d'élégance et de charme mais pleine de bienveillance et de dévouement, fait partie de ces « femmes remarquables » que Barbara Pym décrit dans un autre de ses romans. Mais c'est autour de Marcia que l'histoire va se développer et c'est sans nul doute le personnage le plus fascinant de ce quatuor, en raison de son comportement très étrange (elle stocke dans le fond de son jardin des bouteilles de lait bien rangées) et de l'admiration sans bornes qu'elle voue au Dr Strong, le chirurgien entre les mains duquel elle a subi une mastectomie. Le tournant du livre est constitué par le départ à la retraite de Letty et de Marcia dont l'auteur nous décrit les difficultés à s'adapter à leur nouvelle situation. Si la première éprouve le besoin de maintenir des liens avec le monde extérieur, Marcia au contraire se replie de plus en plus sur elle-même, refuse l'aide de l'assistante sociale qui vient régulièrement lui rendre visite, se néglige et cesse progressivement de s'alimenter. Edwin et Norman qui ont pris l'initiative d'inviter un jour leurs anciennes collègues à déjeuner ne peuvent que constater la dégradation de son aspect physique et s'en inquiéter au point d'essayer ensuite mais sans succès d'aller la voir. Lorsque Edwin décide finalement de se rendre chez elle avec le pasteur de sa paroisse, on vient de découvrir Marcia inanimée dans sa chambre et de l'emmener à l'hôpital où elle mourra peu après. Son enterrement donne l'occasion à ses trois anciens collègues de se retrouver et à Norman d'apprendre que Marcia lui a légué sa maison. Ils iront ensuite tous les trois vider et nettoyer celle-ci, et c'est alors que curieusement, pour la première fois semble-t-il, Norman qui n'est pas certain de souhaiter habiter là, tout comme Letty qui se voit offrir la possibilité soit de rester chez sa logeuse actuelle, soit d'aller vivre avec son amie Marjorie, se rendent compte qu'ils peuvent choisir leur destin et que « la vie contenait encore d'infinies possibilités de changement ».

Roman de la vieillesse, de la solitude, de la maladie et de la mort, *Quatuor d'automne* contient comme la plupart des autres livres de Barbara Pym une part d'autobiographie qui lui donne son authenticité et sa justesse de ton. La petite note d'espoir contenue dans la dernière ligne citée ci-dessus ne suffit pas à atténuer l'impression de tristesse que procure la description de ces vies dérisoires et à cet égard le roman occupe une place exceptionnelle dans l'œuvre de son auteur. – Trad. Bourgois, 1988.

M.-F. C.

QUATUOR POUR LA FIN DU TEMPS. Quatuor pour piano, violon, clarinette et violoncelle du compositeur français Olivier Messiaen (1908-1992), écrit en 1940. Ce quatuor, composé en captivité – ce qui explique sa formation inaccoutumée, destinée aux instrumentistes disponibles –, a été inspiré par une figure de l'*Apocalypse* (*), celle de l'Ange qui annonce : « Il n'y aura plus de temps. » Ce temps, pour Messiaen, est le temps musical avec toutes ses possibilités d'organisation, c'est-à-dire le rythme ; la « Fin du temps » est la fin des notions de passé et d'avenir. Et si le rythme est au centre de toutes les recherches de la vie de Messiaen, le *Quatuor pour la fin du temps* est la première œuvre où les problèmes nouveaux de structures rythmiques sont posés, et en particulier : élimination des temps égaux, avènement des valeurs irrationnelles, valeurs ajoutées, pédales rythmiques, rythmes augmentés et diminués, et rythmes non rétrogradables. Ces préoccupations n'empêchent nullement Messiaen de faire œuvre de visionnaire, usant des rythmes grecs et hindous, des chants d'oiseaux, de transposition musicale de couleurs, en commentaire de sa pensée théologique.

Le *Quatuor pour la fin du temps* comprend huit mouvements : « Liturgie de cristal », « Vocalise pour l'Ange qui annonce la fin du temps », « Abîme des oiseaux », « Intermède », « Louange à l'Éternité de Jésus », « Danse de la fureur, pour les sept trompettes », « Fouillis d'arcs-en-ciel, pour l'Ange qui annonce la fin du temps », « Louange de l'Immortalité de Jésus ». Il a été donné en première audition par quatre prisonniers (dont le compositeur, au piano) le 15 janvier 1941, au Stalag VIII A (Görlitz, Silésie).

QUATUORS de Beethoven. Ils sont au nombre de seize – plus la *Grande fugue*, également pour quatuor à cordes –, clairement subdivisés en trois groupes chronologiques et stylistiques. Ce n'est qu'assez tard, et après nombre d'essais et d'hésitations, que le compositeur allemand Ludwig van Beethoven (1770-1827) affronta cette forme instrumentale qui requiert la maîtrise absolue d'un langage musical équilibré, correctement réparti selon les lois du contrepoint entre les deux violons, l'alto et le violoncelle, de manière à ce qu'aucun des instruments ne soit sacrifié à un emploi de pur soutien harmonique ou de redoublement.

En 1801 furent publiés les six *Quatuors*, op. 18, composés probablement à partir de 1799. Bien qu'à cette époque la douleur physique et morale eût déjà tenaillé l'âme de Beethoven de son étreinte inexorable, les *Quatuors*, op. 18, sont généralement frais et souriants, d'une insouciante sérénité juvénile, et mêlent la grâce suave de Mozart à la vigueur humoristique de Haydn, acceptant du premier, presque docilement, les schémas formels. Dans l'*Opus 18 n° 1*, en fa majeur, le second mouvement seulement, Adagio affettuoso e appassionato, révèle une note vraiment personnelle, et c'est une des pages les plus profondes que Beethoven ait écrites avant 1800. Dans l'Adagio de l'*Opus 18 n° 2*, on peut remarquer l'irruption soudaine d'un Allegro et la reprise de l'Adagio par le violoncelle. L'*Opus 18 n° 3*, en ré majeur, est chronologiquement le premier ; c'est aussi le quatuor le plus fidèle aux modèles classiques de Haydn et de Mozart, dont il peut être considéré comme une sage et parfaite imitation. L'*Opus 18 n° 4*, en ut mineur, occupe, parmi les quatuors, une position analogue à celle que la *Pathétique* occupe parmi les *Sonates pour piano* (*) ; c'est un des sommets de la première manière beethovénienne, grâce au premier et au dernier mouvement, tous deux Allegro : le premier, dramatique et résolu, plein d'une force héroïque ; le second, d'un humour puissant et presque vulgaire. Par contre l'*Opus 18 n° 5*, en la majeur, semble encore « un hommage aux mânes de Mozart » (De Lenz). Le dernier quatuor de l'*Opus 18*, le *n° 6*, en si bémol, se distingue par la grande originalité du dernier mouvement, intitulé par Beethoven lui-même « La Mélancolie » [La Malinconia] et constitué par la succession d'un Adagio, d'un Allegretto quasi allegro et d'un Prestissimo ; c'est la peinture d'une âme tendre et juvénile qui se consume de regrets et de nostalgies, mais sur laquelle, peu à peu, les forces exubérantes et souriantes de la vie reprennent leur pouvoir.

Un très grand écart chronologique sépare ce quatuor du premier des trois célèbres *Quatuors op. 59*, dédiés à l'ambassadeur russe à Vienne, le comte Rasumowsky. Composés en 1806 (l'élaboration, à en juger par les ébauches qui nous sont restées, en fut difficile), ils sont vraiment au cœur de la seconde manière beethovénienne, celle des grandes sonates pour piano — v. *Sonates pour piano* — et de la *Symphonie n° 5* — v. *Symphonies* (*). La sonorité de quatuor est tendue vers l'effort maximum dans une aspiration à la puissance symphonique, dès le *Quatuor op. 59 n° 1*, en fa majeur, qui est encore cependant le plus proche de l'ancien style. Un idéalisme noble et serein, d'une élévation poétique remarquable, empreint le premier Allegro, auquel fait suite un Allegretto vivace e sempre scherzando, sorte de jeu aérien mi-humoristique, mi-dramatique, dans une alternance continuelle de lumière et d'ombre. Le sublime Adagio molto e mesto, simple et sculptural, est construit sur deux thèmes d'une réelle valeur expressive. Le finale est un Allegro bâti sur un thème russe d'expression sentimentale ambiguë. L'*Opus 59 n° 2*, en mi mineur, s'ouvre par un Allegro passionné : c'est le Beethoven le plus typique, courroucé et héroïque, celui que l'on a coutume de désigner par la formule, dont on a abusé, de « la lutte contre le destin ». Vient ensuite un suave Molto adagio, en tête duquel Beethoven a lui-même indiqué : « jouer ce morceau avec beaucoup de sentiment ». Tissée de mélodies de longue haleine, cette page est pénétrée d'une inspiration religieuse. Le troisième mouvement, Allegretto, est une composition étrange, ni menuet ni scherzo, qui « dans sa ligne sentimentale et gracieusement chevaleresque semble présager les *Mazurkas* (*) de Chopin » (Marliave). Dans le passage en majeur, c'est-à-dire dans le trio, intervient un nouveau thème russe, très caractéristique, employé aussi plus tard par Rimski-Korsakov dans la *Fiancée du tsar*, et par Moussorgski dans *Boris Godounov* (*) pour la scène des cloches du Kremlin. Le finale est un Presto très brillant, exultant et triomphal, et non sans effet humoristique dans l'insistance avec laquelle le thème est continuellement repris en une ronde impétueuse. Le plus grand effort pour tirer du quatuor à cordes une puissance symphonique est accompli dans l'*Opus 59 n° 3*, en ut majeur, digne d'être rapproché, par analogie d'expression, de la *Symphonie n° 5*. Un Andante con moto d'introduction conduit, par une marche harmonique hésitante, à l'Allegro vivace, comme de l'ombre à la lumière. Il y a une grande richesse de thèmes dans ce premier mouvement, car un motif initial, timide, léger et onduleux, présenté par le premier violon, précède l'irruption impétueuse et puissante du véritable premier thème, en ut majeur, tandis qu'un élégant groupe de transition mène au second thème. Souvent le style est quasi symphonique, avec emploi large et répété des deux violons accouplés, et de nombreux unissons au rythme vigoureux. Dans l'Andante con moto quasi allegretto, deux motifs prédominent : l'un, en mineur, est comme une expression de nostalgie et presque d'ennui, non pas une violence de désespoir actuel, mais le retour d'une douleur passée (l'emploi de gammes descendantes, harmoniquement non résolues, laisse un sentiment d'indécision et d'insatisfaction) ; le second thème, en majeur, est au contraire comme le doux souvenir d'un moment de joie. Un menuet de grâce tranquille et noble, à l'ancienne, constitue une curieuse oasis de calme et de simplicité au milieu de l'agitation des passions les plus profondes. Mais la coda prépare déjà au grand finale Allegro molto, une superbe fugue dramatiquement expressive, où le quatuor à cordes atteint la limite de sa puissance avec le vertigineux renforcement sonore produit par l'adjonction successive des différentes parties. Les deux quatuors qui suivent (*Opus 74* et *Opus 95*), bien que compris encore dans ce qu'on appelle la seconde manière, doivent être considérés surtout comme une préparation à la dernière expression beethovénienne. L'extraordinaire plasticité de forme, les aspirations symphoniques à une sonorité orchestrale cèdent la place à une exacte correspondance entre la pensée musicale, devenue plus intime et ductile, et la sonorité propre des quatre instruments à cordes. L'*Opus 74*, en mi bémol majeur (1809), est dit aussi « Quatuor des harpes », à cause d'une figure caractéristique qui revient plusieurs fois dans l'Allegro, évoquant précisément le timbre de ces instruments. L'*Opus 95*, en fa mineur (1810), est, en revanche, caractérisé par la concision des développements et par la rapide alternance des contrastes expressifs.

Les cinq derniers quatuors furent composés entre l'été de 1824 et le mois de novembre 1826, trois d'entre eux (*Opus 127, Opus 130* et *Opus 132*) sur commande d'un membre de la noblesse russe, le prince Galitzine. Le caractère distinctif des derniers quatuors est la subjectivité totale, l'exclusion du monde extérieur qui s'y manifestent dans le refus de toute tradition formelle. Il ne reste, chez le musicien, que l'immédiate interrogation de son âme, sans autre loi que celle de la spontanéité ; ce qui explique la difficulté que ces quatuors présentent à l'audition. Ici, les motifs eux-mêmes sont généralement très étendus, et leur traitement, selon le procédé qui fut appelé « de la grande variation », les transforme continuellement ; tout vaut pour soi-même et a une valeur définitive de conclusion, comme dans une « mélodie infinie », à la manière de Wagner, où chaque note est poésie. À cela s'ajoutent, à un degré extrême, la liberté et l'individualité de chaque instrument, qui produisent des duretés et des âpretés polyphoniques inaccoutumées, avec une harmonie ne reculant devant aucune audace. Le premier mouvement du *Quatuor op. 127*, en mi bémol majeur, est essentiellement fondé sur le contraste entre la résolution virile de l'introduction (Maestoso) et la tendresse du thème chantant qui est le premier de l'Allegro. L'introduction, plus tard, vient faire partie de l'Allegro lui-même, où se font entendre encore, développés de manière variée, un second thème, énergique et joyeux, et une sorte d'ample et rassérénant « cantus firmus ». L'Adagio ma non troppo e molto cantabile consiste en cinq splendides variations qui sont la transfiguration sans cesse amplifiée d'une séraphique mélodie initiale de dix-huit mesures. Le Scherzo de très vastes dimensions, si fantaisiste et capricieux, naît d'un germe unique qui se multiplie en lui-même. Sa polyphonie, particulièrement riche et curieuse, trouve, dans l'homophonie à peu près constante du trio, un élément de contraste du plus grand effet artistique. Dans le Finale, enfin, il est possible de reconnaître un schéma de forme sonate.

Le *Quatuor op. 130*, en si bémol majeur, fut composé en 1825, après l'*Opus 132*. Beethoven y déploie les cadres normaux de la composition, réunissant jusqu'à six mouvements, chargés des inspirations les plus antagonistes et disparates, avivés de brusques modifications, de sautes d'humeur, et unifiés dans la synthèse accueillante d'un humour supérieur : manifestement, il s'agit là d'une œuvre conçue en un débordement de santé spirituelle. L'Allegro, de forme sonate très libre, est précédé d'une introduction Adagio ma non troppo, qui viendra faire intimement partie du matériel thématique. Mais, contrairement à l'habitude, l'introduction exprime une résolution passionnée, tandis que le ton général de l'Allegro est plutôt de tendre résignation. Suit un Presto en si bémol mineur, semblable à un scherzo démoniaque. Le mouvement très rapide, la nuance pianissimo presque constante, la courte membrure mélodique et le rythme obstiné en font une espèce de ronde fantasmagorique. Dans la progression obstinée de la partie centrale (correspondant au trio d'un scherzo) et dans son puissant crescendo, on a déjà « tous les éléments d'une romantique course à l'abîme » (Marliave). En net contraste vient ensuite un Andante con moto ma non troppo, en ré bémol majeur, sorte d'intermezzo capricieusement rêveur, qui concilie des inspirations fort diverses, de la plus joyeuse à la plus émue, à la plus touchante, et fait dériver l'un de l'autre les motifs mélodiques. L'Allegro assai, alla danza tedesca, en sol majeur, est comme un nouveau scherzo, très simple et proche de Haydn. Dans un rapprochement audacieux, il est suivi de la sublime Cavatine (Adagio molto espressivo) en mi bémol, écrite, comme le rapporte Beethoven lui-même, « dans la douleur », sorte d'inépuisable mélodie continue, dans l'homogénéité de laquelle la présence de deux motifs principaux est à peine perceptible. Le Finale du *Quatuor op. 130* était, à l'origine, la *Grande fugue* que Beethoven a ensuite isolée sous l'*Opus 133* : 745 mesures d'une polyphonie des plus enchevêtrées, avec une conduite si libre et désinvolte des parties qu'elle produit des dissonances et des âpretés inouïes. Beethoven écrivit un autre finale, un Allegro en si bémol, exubérant de joie et d'humour, sur des rythmes et des motifs quasi populaires, et qui rappelle la bonhomie de Haydn, ainsi que la gaieté énergique et malicieuse de la première manière beethovénienne.

Le *Quatuor op. 131*, en ut dièse mineur, est considéré comme le plus haut sommet de la littérature du quatuor à cordes, par sa richesse musicale, sa spiritualité absolue, la plasticité de sa forme également très libre. En sept parties devant être exécutées sans interruption, il exprime une aventure multiple de l'âme, menée, à travers les épreuves les plus variées et la mélancolie la plus profonde, jusqu'à l'exultation victorieuse d'une joie retrouvée. L'Adagio ma non troppo e molto espressivo est, au dire de Wagner, « la chose la plus mélancolique que la musique ait jamais exprimée ». Il y a une extrême mobilité de sentiments dans l'Allegro molto vivace, où l'on passe d'une agile désinvolture à un véritable souffle héroïque, sans que soit jamais totalement éliminée une certaine tristesse pensive. La troisième pièce est une courte transition (six mesures d'allegro moderato, et cinq d'adagio recitativo conduisant au grand Andante ma non troppo e molto cantabile). C'est là le véritable apogée de la grande variation, magique transformation d'un motif naïf et gracieux selon les suggestions et l'humeur d'une vie intérieure inépuisable. Le thème est ample et complexe et requiert, pour être exposé, trente-deux mesures. Six extraordinaires et très libres variations suivent, obtenues par tous les moyens de la polyphonie et de la transformation des valeurs rythmiques. Chaque nuance de l'âme est touchée par ces pérégrinations du thème, qui a son point culminant dans la dernière variation, sorte d'ardente prière issue du recueillement mystique de la variation précédente, et prolongée, par une coda, en un finale de profonde spiritualité. De tout autre caractère est le Presto, véritable scherzo, de grand effet, au relief marqué, bouillonnement rythmique ininterrompu qui rappelle un peu le scherzo de la *Symphonie nº 9* – v. *Symphonies*. L'avant-dernier morceau, Adagio quasi un poco andante, est une brève méditation introductive, comme un repliement de l'artiste sur lui-même, avant de déchaîner la joie rude de l'Allegro final, une danse cosmique effrénée, comme disait Wagner, où se mêlent « plaisir sauvage, plainte douloureuse, extase d'amour, joie suprême, furie, volupté et souffrance... ».

Au *Quatuor op. 132*, en la mineur, composé au printemps de 1825 après une longue maladie, ont été attribuées un grand nombre d'explications médico-physiologiques, en partie motivées par des indications que Beethoven lui-même a inscrites au regard de certains passages. Mettant à part les exagérations descriptives, on peut reconnaître que cette œuvre révèle le frémissement d'une sensibilité presque morbide, bien qu'elle soit un peu plus traditionnelle dans la forme que le quatuor précédent. Huit mesures d'une introduction lente et mystérieuse (Assai sostenuto) conduisent, à travers une atmosphère quelque peu trouble, à l'Allegro, caractérisé par la complexité de son premier thème, lequel apparaît condensé dans les douze premières mesures. Le premier violon s'élance avec feu, puis s'arrête gémissant, repart fébrilement, se reprend avec force et retombe encore dans l'indécision. Les autres instruments, le violoncelle en particulier, complètent la phrase par diverses incises thématiques. Un second motif, en fa majeur, entre en combinaison avec l'ensemble thématique précédent, selon un schéma de sonate assez régulier et en une riche alternance d'expressions psychologiques. Une sorte de scherzo (Allegro ma non tanto) vient ensuite ; la partie correspondant au trio abonde de motifs joyeux et pour ainsi dire populaires. La clef de ce quatuor se trouve dans le célèbre Adagio en tête duquel Beethoven lui-même a porté l'indication : « Chant d'action de grâces offert à la divinité par un malade guéri, sur le mode lydien ». L'emploi de l'ancien mode « plagal » donne à la mélodie du thème les teintes plates du chant grégorien et une sérénité alanguie. En guise de trio suit un Andante, qui comporte l'indication « en sentant une nouvelle force », et qui réalise précisément cette impression par sa mélodie plus vive et plus claire, toujours plus ardente, par la transformation du rythme, l'abondance de notes, la présence de trilles, etc. Puis réapparaît l'Adagio, mais modifié : le thème y est ralenti et amplifié, comme en une surnaturelle contemplation. L'Andante aussi revient modifié, grâce aux moyens de la grande variation, et la pièce se conclut par un dernier retour de l'Adagio, encore modifié, mais cette fois – selon l'indication de Beethoven – dans le sens d'un « sentiment très intime ». Le finale est un mouvement bref et vif de marche, comme pour secouer le rêve hallucinant de l'Adagio, et d'un récitatif passionné (più allegro). Il semble proclamer la renaissance à une nouvelle vie (Allegro appassionato), non sans qu'il reste trace des épreuves endurées. La magnifique mélodie du thème principal, de caractère ardent, fier et en même temps suppliant, se développe et se transforme de la manière la plus riche et la plus variée.

Le dernier *Quatuor, op. 135*, en fa majeur, est de dimensions un peu plus restreintes que ceux qui le précèdent immédiatement, et aussi, à l'exception de l'Adagio, d'une spiritualité moins profonde. L'Allegretto développe de nombreux fragments thématiques en une polyphonie élégante et fort habile, avec un caractère de vivacité presque capricieuse, sans s'élever à des conclusions héroïques. Le Vivace est un scherzo très original, aux sonorités aériennes, lointaines et voilées. Dans son trio, une page est devenue fameuse par son étrangeté : la répétition obstinée d'un dessin d'accompagnement pendant quarante-sept mesures. Le court Lento assai, cantante e tranquillo, est une page émouvante par sa noble intimité. Introduite par des harmonies mystérieuses, s'établit une mélodie infiniment calme, qui se déploie de manière variée jusqu'à un épisode inattendu, en ut dièse mineur, avec un nouveau thème hésitant et angoissé dans le glissement de ses harmonies chromatiques. Puis la mélodie initiale reparaît et se conclut en des mesures d'une grande délicatesse et d'une réelle émotion. Le finale est une énigme célèbre, en ce sens qu'il porte, en tête, le titre : « La Décision difficile ». La première incise, interrogative, est l'objet d'une introduction de douze mesures, Grave, ma non troppo tratto, qui revient plus tard au cours de la composition, tandis que le thème de réponse forme, en même temps qu'un accompagnement prenant ensuite une valeur thématique et qu'un motif de marche populaire, le vif et énergique Allegro final, trame polyphonique belle et serrée, non sans audacieuses duretés d'harmonie. On n'a pas réussi à donner d'explication satisfaisante de ce problème, peut-être posé par quelque fantaisie momentanée du musicien.

QUATUORS de Boccherini. D'après le catalogue que nous a laissé l'auteur italien Luigi Boccherini (1743-1805), ils sont au nombre de quatre-vingt-douze, tous composés pour le classique ensemble de quatre instruments à cordes : deux violons, alto et violoncelle. Ils furent publiés à diverses périodes de la vie de Boccherini, de 1761 à 1804, en éditions françaises, mais furent écrits en grande partie à Madrid, où il demeura de 1769 à sa mort, comme compositeur de la famille royale d'Espagne. Les quatuors qu'il composa dans sa jeunesse comprennent trois mouvements et ne présentent pas toujours la même disposition. Dans les quatuors de la maturité de l'op. 10 et 33, nous trouvons une suite de quatre mouvements, qui est devenue classique avec Haydn, Mozart et Beethoven : Allegro, Adagio, Minuetto et Allegro final. Cependant, il ne serait pas exact de dire que les derniers sont supérieurs, car les deux de l'op. 33, par exemple, bien que très finement travaillés et riches d'ornements, semblent avoir moins de fraîcheur que ceux de l'op. 1 n° 1. La musicologie moderne a soutenu de longues polémiques pour établir à qui revient, de Boccherini ou de Haydn, la priorité de l'invention du quatuor à cordes (entendu comme un ensemble de parties contrapuntiquement indépendantes, alors que, dans les exemples antérieurs, le violoncelle avait la simple fonction de basse continue et que l'alto jouait en général à l'unisson avec lui), sans avoir pu cependant résoudre la question. Mais ce qui compte avant tout dans les quatuors de Boccherini, c'est la mélodieuse fluidité des parties qui se fondent en une harmonie particulièrement riche et variée, et constituent un véritable ensemble contrapuntique, alors que pendant longtemps avait prédominé en Italie le style monodique. Mais en réalité, à Rome, Boccherini puisa aux sources de la polyphonie vocale du XVIe siècle. Spirituellement, on peut remarquer un écho de ce que l'on appelle le style galant du XVIIIe siècle, mais ennobli et souvent dépassé par l'aspiration à une vie intérieure plus profonde qui affleure non seulement dans certains accents, mais dans des passages entiers d'un caractère méditatif qui fait penser à Haydn et parfois d'un pathétique presque beethovénien.

QUATUORS de Brahms. Le compositeur allemand Johannes Brahms (1833-1897) a composé trois quatuors à cordes (op. 51, nos 1 et 2, op. 67) et trois quatuors pour piano et cordes (op. 25, op. 26 et op. 60). L'opus 51 comprend les deux premiers quatuors publiés par Brahms en 1872-1873, après une longue hésitation ; ils sont nettement supérieurs à l'opus 67 en si bémol majeur, écrit plus tard, par leur élan dramatique qui les différencie de ce dernier, une construction rigoureuse plutôt froide. La composition de l'opus 51 n° 2 est antérieure à celle du n° 1. Sa tonalité de la mineur est immédiatement mise en relief dans le premier mouvement, Allegro non troppo, dans deux thèmes dont une longue et expressive mélodie initiale. L'Andante moderato est constitué de deux parties : la première d'intonation lyrique, qui n'est pas exempte d'une certaine solennité ; la seconde formée par un épisode en fa dièse mineur. Après l'Allegro vivace, typiquement brahmsien par sa façon de badiner dans le quasi minuetto, on passe au Finale (Allegro non troppo — più vivace), dont le thème montre nettement une origine hongroise. Le *Quatuor en ut mineur*, op. 51, n° 1, est au contraire plus dramatique et plus impétueux : son noyau central est une « septième diminuée » qui non seulement prévaut dans le premier mouvement (Allegro), mais apparaît aussi dans le Finale avec une nette précision. À noter, la Romanza, que de nombreux musicologues ont qualifiée d'autobiographique, souvenir d'une visite du maître à Bayreuth ; le thème de ce mouvement rappelle celui du Walhalla wagnérien, dans l'*Anneau des Nibelungen* — v. *La Chanson des Nibelungen* (*). Le *Quatuor avec piano n° 3 en ut mineur*, op. 60, doit être mis au nombre des meilleures œuvres de Brahms, alors que l'opus 25, en sol mineur, tout en apparaissant d'une austérité dramatique contenue, et l'opus 26, en la majeur, plus intime et plus délicat, témoignent en réalité d'un certain goût académique et d'une évidente froideur constructive. L'opus 60 se compose de quatre mouvements : Allegro non troppo, qui est peut-être l'une des pages les plus denses d'émotion qu'ait écrites Brahms ; Scherzo, transformation du troisième mouvement d'une sonate pour violon et piano, écrite en 1854, en collaboration avec Schumann et Dietrich ; Andante, tout vibrant d'une intense émotion ; et Finale sous la forme d'un Allegro comodo qui rappelle dans certains passages Mendelssohn et offre des rapports avec le dernier mouvement de la *Sonate pour violon et piano*, op. 78, de Brahms également. La composition de l'opus 60 est liée à une longue histoire. Écrit pendant les années où Brahms, après la mort de Schumann, se rapprochait de plus en plus de Clara Schumann, femme du grand musicien, ce quatuor fut terminé en 1874. L'auteur écrivait alors à Billroth : « Le quatuor est communiqué seulement comme curiosité. Il est à peu de chose près une illustration du dernier chapitre de l'homme en frac bleu et gilet jaune. »

L'allusion rappelle la fin des *Souffrances du jeune Werther* (*). Dans sa correspondance avec Billroth, le maître n'a pas manqué de rappeler, à plusieurs reprises, que l'effigie du jeune personnage de Goethe convenait au frontispice de ce quatuor. Ce quatuor est un des moments où la sincérité de Brahms est entière et où sa veine jaillit avec limpidité et impétuosité, sans le rigide contrôle qui, dans bien d'autres de ses œuvres, laissa cette couche de froideur et d'opacité qui est le propre d'un esprit romantique cherchant son équilibre dans un compromis néo-classique.

QUATUORS de Chostakovitch. Œuvres du compositeur soviétique Dimitri Chostakovitch (1906-1975). Ils sont au nombre de quinze. Le premier date de 1938. Chostakovitch en composa six les cinquante premières années de sa vie, et neuf dans les quinze dernières. Ils furent tous créés, à Moscou ou Leningrad, par le Quatuor Beethoven, à l'exception du quinzième qui fut confié au Quatuor Taneiev, à cause de la disparition de Sergueï Chirinski, violoncelliste du Quatuor Beethoven. Les quatre premiers quatuors de Chostakovitch sont marqués par Haydn. Le nº 1 en ut majeur, op. 49 (1938) baroque par essence, proche du divertissement, avait été intitulé à l'origine *Printemps.* Le nº 2 en la majeur, op. 78 (1944) comporte un très beau récitatif et romance, aux longues déclamations du violon qui psalmodie, alors que les autres cordes tiennent la « teneur », Aria que l'on pourrait entendre comme un hommage à J.-S. Bach. Le nº 3 en fa majeur, op. 73 (1946), plus grave et dramatique, est suivi du nº 4 en ré majeur, op. 83 (1949) à nouveau rayonnant, d'un lyrisme très pur, qui évoque un folklore russe imaginaire. Dans les quatuors qui suivent, Chostakovitch pousse plus loin ses recherches musicales et donne à ses œuvres un caractère quasi symphonique : le nº 8 en ut mineur, op. 110 (1960) très spectaculaire, écrit sous le choc d'une visite à Dresde et qualifié de « dénonciation du fascisme » ; le nº 10 en la bémol majeur, op. 118 (1964), qui sera d'ailleurs orchestré par Rudolf Barchaï dans un arrangement sous-titré « Symphonie pour orchestre à cordes » (op. 118 a). Chacun des quatre derniers quatuors est dédié à un membre du Quatuor Beethoven. Les cycles de mélodies qui y sont développées reflètent la préoccupation constante de l'auteur pour la mort, d'où leur caractère sombre et dramatique, leur chromatisme abrupt et leurs dissonances. Le nº 13 en si bémol mineur, op. 138 (1970) forme un adagio en six parties, suivant l'exemple des *Sept Paroles du Christ* (*) avec pour thème « jeu sur un soupir ». Le nº 15 en mi bémol majeur, op. 144 (1974), lui aussi constitué de six mouvements, tous adagio, est considéré comme le Requiem du compositeur.

D. Ja.

QUATUORS de Fauré. Le compositeur français Gabriel Fauré (1845-1924) a écrit deux quatuors avec piano (1879 et 1887) et un quatuor à cordes achevé le 12 septembre 1924, deux semaines avant sa mort. Le *Quatuor nº 1, en ut mineur*, est un ouvrage plein de vie, d'allégresse, de charme et d'émotion délicate. Nous sommes loin des œuvres tendues et purement contemplatives que Fauré composera dans les dernières années de sa vie. La tragique tonalité d'ut mineur se dissout dans des modulations, qui introduisent une atmosphère toujours plus sereine ; mais ces perpétuelles métamorphoses harmoniques n'échappent jamais à l'analyse. Comme dans toute l'œuvre de Fauré, la mélodie ne peut être ici séparée de son harmonisation sans être défigurée. Quatre mouvements : d'abord un Allegro molto moderato à deux thèmes ; puis un Scherzo léger dans le style de la Tarentelle avec un Trio d'une ravissante finesse d'écriture ; ensuite vient un Adagio, lied à trois parties, très grave et très chaleureux. Enfin, le piano attaque le moto perpetuo du Finale, pulsation rythmique, dont l'élan s'accroît sans cesse. Le *Quatuor nº 2, en sol mineur*, est construit sur le plan du premier. L'Allegro juxtapose deux thèmes, l'un riche d'une fougue et d'une joie puissantes, l'autre chanté par l'alto comme une confidence douce et apaisée. Le Scherzo reprend un thème du morceau précédent, en précipite le rythme capricieux, bondissant, dionysiaque. L'Adagio évoque les calmes frondaisons d'une forêt où les cloches sonnent à travers les feuilles ; l'alto chante une douce mélopée : la nuit tombe lentement sur un paysage heureux, baigné de lune. Avec le Finale on retrouve l'atmosphère véhémente de l'introduction. Ce quatuor fut donné en première audition le 22 janvier 1887 à la Société nationale. Le *Quatuor à cordes, en mi mineur*, est écrit pour deux violons, alto et violoncelle. Fauré mourant confia à Roger Ducasse le soin d'en indiquer les mouvements et les nuances. L'Allegro est un dialogue de deux thèmes d'une gravité mélancolique, empruntés au *Concerto pour violon* de 1878 qui ne fut jamais édité et dont seul le premier mouvement fut exécuté en public. L'Andante n'est qu'une plainte frémissante, qui se métamorphose en une prière d'où jaillit une espérance passionnée. Le Finale, conçu en forme de Rondo, rappelle par sa verve légère les œuvres de jeunesse de Fauré ; mais un rythme haletant, ses oppositions tonales introduisent une impression d'angoisse latente. Angoisse de l'homme qui sent déjà la mort l'envelopper de son aile.

QUATUORS de Haydn. En dehors de la version pour quatuor à cordes (1786) des *Sept Paroles du Christ* (*) dont le compositeur autrichien Joseph Haydn (1732-1809) s'est inspiré pour son oratorio qui porte le même titre (1796), on lui doit plus de quatre-vingts quatuors pour violons, alto et violoncelle. On peut vraiment le considérer comme le créateur de cette forme de la musique de chambre ; ce fut lui qui décida de diviser la partition du quatuor en quatre mouvements : Allegro, Andante, Scherzo et Allegro molto. Mais il ne parvint pas d'emblée à la perfection de la forme. Ses douze premiers *Quatuors* ont une grâce légère, presque enfantine ; ce sont encore des divertissements à cinq parties, où Haydn fait preuve d'une fantaisie débordante et s'abandonne parfois à son goût pour le pastiche ou l'harmonie imitative. Puis il considère le quatuor comme une conversation dont les protagonistes ne se contentent pas d'échanger des propos frivoles. Le *Quatuor en ré mineur*, par exemple, est d'une écriture très soignée et d'un esprit presque romantique. Le *Quatuor n° 41*, op. 33 n° 5, a mérité au contraire son surnom de *Quatuor des oiseaux*, parce que Haydn y transpose les chants des rossignols qu'il entendait dans le parc de son maître, le prince Esterházy. Dans les *Quatuors nos 39 à 45,* Haydn traite les quatre instruments sur un plan d'égalité et ne confie plus le rôle principal au premier violon ; il adopte une écriture polyphonique et ne sacrifie plus uniquement à l'air, à la phrase mélodique. Il développe ses thèmes par le procédé de la « variation », au lieu de simplement juxtaposer les idées mélodiques dans des tonalités différentes et voisines. Les derniers *quatuors* par contre sont caractérisés par l'emploi, dans leur ultime mouvement, de l'écriture contrapuntique. Chaque Allegro molto devient une fugue où Haydn fait preuve d'une sûreté technique approfondie. En même temps, il accorde de nouveau une place importante au premier violon. Ce sont parmi ces derniers *quatuors* que l'on trouve les plus belles pièces écrites par le compositeur tout particulièrement l'op. 76, n° 2, écrit entre 1797 et 1799 et intitulé *Quatuor* « les Quintes ». Ce quatuor est ainsi appelé parce que le point de départ mélodique du thème qui le constitue est entièrement fondé sur des intervalles de quinte. La répétition de ce membre de phrase par les quatre parties des cordes, formant une sorte d'« ostinato », permet au compositeur de construire le premier mouvement dans une admirable forme architectonique, établissant un contrepoint de façon à créer un bloc solide d'harmonie et de rythme. Le second mouvement est construit presque en forme strophique, chaque strophe est une variation de l'autre, le rôle principal étant confié au premier violon. Puis vient un menuet sous la forme habituelle A-B-A, où B est le trio. Tout en s'appelant traditionnellement Menuet, ce mouvement n'a rien d'une telle forme et se rapproche plutôt du Scherzo. L'impétuosité des deux parties en canon, leur poursuite et les harmonies qui naissent des rencontres justifient le surnom de « Menuet des sorcières ». Le dernier mouvement, le Finale, de caractère très vif, est construit sur le schéma classique de la sonate. Il est intéressant pour la variété des thèmes rythmiques, qui font de ce mouvement l'un des plus riches de Haydn.

QUATUORS de Mozart. Le compositeur autrichien Wolfgang Amadeus Mozart (1756-1791) a composé vingt-trois quatuors pour deux violons, alto et violoncelle, sans compter les trois *Divertissements* (*) pour quatuor à cordes (K 136-138) écrits à Salzbourg en 1772, les deux *Quatuors avec piano* (K 478 et 493), respectivement écrits en 1785 et 1786, et certains *Quatuors*, dans lesquels le premier violon est remplacé, soit par la flûte (K 285 et 298), soit par le hautbois (K 370). Le premier quatuor composé par Mozart est le *Quatuor en sol majeur* (K 80), écrit à Lodi en 1770, durant son premier voyage en Italie. Le second *Quatuor en ré majeur*, écrit en 1772 dans une auberge de Bolzano « pour chasser l'ennui », est le premier d'une série de cinq *Quatuors italiens* (K 155-160), dont les quatre derniers portent des traces de la légère crise romantique de l'adolescence mozartienne. Mozart s'inspire ici des œuvres de ses contemporains Sammartini et Boccherini, ainsi que de l'école de Corelli, au style délicatement contrapuntique. Fort intéressante pour l'évolution du langage mozartien, la série des six *Quatuors viennois* (K 168-183), rapidement composés entre le mois d'août et le mois de septembre 1773, trahit chez Mozart le désir de se familiariser avec la musique savante et raffinée de Haydn, dont l'audition, à Vienne, avait été pour lui une véritable découverte. Moins spontanés, moins juvéniles que les précédents, ces quatuors témoignent en revanche d'une maîtrise nouvelle dans l'art de développer les thèmes mélodiques en évitant répétitions et procédés faciles. Après ces compositions, Mozart restera environ dix ans sans écrire de quatuors ; puis commence une nouvelle période, au cours de laquelle il écrira une série de six quatuors qui comptent parmi ses plus purs chefs-d'œuvre. Ces quatuors, composés à Vienne de 1782 à 1786, et affectueusement dédiés à Haydn, ont été dictés à Mozart par le désir d'égaler son illustre aîné qui, en 1781, avait publié ses *Quatuors* (*) op. 33, d'un admirable classicisme. Mozart, cependant, s'était adonné à l'étude de Haendel et de Bach ; si bien que ces quatuors se signalent par un retour au contrepoint — un contrepoint non point scolastique et rigide, mais fluide, admirablement adapté à la conversation instrumentale. Ces morceaux constituent l'expression la plus pure de l'art mozartien, qui obtient souvent ses meilleurs résultats avec des moyens sonores extrêmement réduits. Le premier *Quatuor en sol majeur* (K 387) se termine sur un étonnant fugato qui fait déjà pressentir le finale de la *Symphonie Jupiter* — v. *Symphonies* (*) de Mozart. Le second, *Quatuor en ré mineur* (K 421), est peut-être, de tous les quatuors de

Mozart, le plus parfait, le plus caractéristique aussi de son art ; dramatique, passionné, d'une grande intensité d'émotion, il aurait été composé, d'après les dires de la femme de Mozart, la nuit de la naissance de leur premier enfant (17-18 mars 1783). Troisième de la série, le *Quatuor en mi bémol majeur* (K 428) exprime une tristesse discrète et sereine, cependant que le finale évoque un ballet de fées ; l'Andante con moto, empreint de mystère, présente d'extraordinaires harmonies, dont le chromatisme très marqué a souvent été rapproché de celui de *Tristan* (*). Le *Quatuor en si bémol* (K 458), dit « Quatuor de la chasse », en raison du caractère allègre de son premier thème, resplendit d'une joie pure. Plus modeste et d'un caractère moins marqué, le cinquième *Quatuor en la majeur* (K 464) est le moins connu, le moins souvent exécuté de la série ; le dernier, *Quatuor en ut majeur* (K 465), valut à Mozart des critiques extrêmement acerbes, dues à l'audace de certaines fausses relations harmoniques contenues dans l'Adagio du début. Il convient encore de citer un quatuor isolé, le brillant *Quatuor en ré majeur* (K 499, Vienne, 1786). C'est une œuvre empreinte d'optimisme, dont le finale, d'une extrême audace, déborde d'une franche et saine allégresse, celle-là même de Papageno dans *La Flûte enchantée* (*). Les trois derniers *Quatuors* (K 575, *en ré majeur* ; K 589 *en si bémol* et K 590 *en fa majeur*) furent commandés à Mozart par le roi de Prusse Frédéric-Guillaume II, après un voyage du compositeur à Berlin en 1789 ; la partie de violoncelle – instrument pour lequel le souverain avait une prédilection marquée – y est fréquemment « en dehors », ce qui n'est pas toujours d'un effet très heureux ; c'est pourquoi ces quatuors n'ont pas la grâce émouvante et profonde des six *Quatuors* dédiés à Haydn.

QUATUORS de Schoenberg. Sa formation première avait donné au compositeur autrichien Arnold Schoenberg (1874-1951) le goût de la musique de chambre ; dès 1897 il avait écrit un quatuor à cordes aujourd'hui perdu, de sorte que le premier dont il est fait état est le *Quatuor en ré mineur*, op. 7, composé en 1904-1905. Ce quatuor de vastes dimensions est de forme cyclique, encore que l'on y distingue parfaitement les quatre parties traditionnelles ; l'Adagio, pour certains, par sa forme et son esprit, peut soutenir la comparaison avec les grandes œuvres romantiques. La suppression des « reprises » indique déjà le sens de l'évolution des recherches de Schoenberg. Le *Quatuor n° 2 en fa dièse mineur*, de 1907-1908, présente une particularité assez surprenante, l'adjonction d'une voix soliste dans les deux dernières parties – le texte de l'Entrückung, quatrième mouvement, est de Stefan George. Il semble que cette œuvre soit le fruit d'une période de transition ; ce goût du caprice et du bizarre, telle l'idée d'introduire « O du lieber Augustin » dans le second mouvement, succédant à celui d'une architecture rigoureuse qui va reparaître d'ailleurs, est l'indice de tâtonnements. Presque vingt ans séparent le *Quatuor n° 2* du *Quatuor n° 3* ; intervalle décisif car, en 1926, avec l'opus 30, l'auteur donne sa première application du dodécaphonisme à cette forme entre toutes délicate. Le souci de classicisme se marque ici par le respect et l'emploi des types formels classiques, l'ensemble demeure guindé. En revanche, le *Quatuor n° 4*, op. 37, de 1936, également dodécaphonique et en quatre mouvements traditionnels, démontre que la méthode, définitivement mise au point, est passée au second plan et se soumet à l'inspiration. Les différentes parties sont bâties sur la même série ; cette remarque conduit à souligner que son précédent retour à la tonalité n'était pas, dans l'esprit de Schoenberg, l'aveu d'un échec, comme on l'a souvent interprété, mais une nouvelle expérience qu'il tenta, avant de reprendre et de pousser à l'extrême le système qu'il avait inventé.

QUATUORS de Schubert. La musique de chambre du compositeur autrichien Franz Schubert (1797-1828) est l'un des domaines les plus fertiles de sa production. Elle s'étale sur quatorze ans de sa vie, de 1812 à 1826. On ne compte pas moins de quinze quatuors dont certains ont atteint une juste et grande popularité : quatuors en si bémol majeur (1812) ; en ut majeur (1812) ; en si bémol majeur (1812) ; en ut majeur (1813) ; en si bémol majeur (1813) ; en ré majeur (1813) ; en ré majeur (1814) ; en si bémol majeur op. 168 (1814) ; en sol mineur (1815) ; en mi bémol majeur, op. 125 (1817 ?) ; en mi majeur, op. 125 (1817 ?) ; celui en ut majeur, qu'on a retrouvé inachevé, en 1820 ; en la mineur, op. 29 (1824) ; en ré mineur, avec « Variations sur la Jeune Fille et la Mort » (1826) ; en sol majeur, op. 161 (1826). Nombreuses étaient les séances de musique de chambre, et de quatuors, en particulier, dans la maison paternelle de Schubert. C'est là une des raisons – n'en doutons point – qui ont invité Schubert à composer cette série de quatuors. Dans ceux de 1812, c'est-à-dire les trois premiers, les influences combinées de Haydn et de Mozart sont facilement décelables. Mais déjà, à partir de 1813 et jusqu'en 1817, apparaît le caractère éminemment romantique du célèbre Viennois. Le sentiment y devient plus profond, plus personnel, plus nostalgique, et déjà on sent la forme se plier à cette modification du style. C'est avec le *Quatuor en la mineur,* op. 29 (D 804) de 1824, que Schubert atteint la pleine expression de sa maîtrise et de sa profondeur. Il fut écrit au cours du second séjour du compositeur à Zelesz ; sa santé s'était un peu améliorée et il fit un effort pour rendre son œuvre la plus belle possible. Il le fit avec l'espoir qu'elle plairait à son frère Ferdinand, qui avait organisé avec passion des séances de quatuors et demandait sans cesse à Franz de nouvelles partitions. Le 29 janvier 1826, Schubert eut la joie d'entendre son *Quatuor en ré mineur* (D 810), à peine terminé, joué par quatre de ses amis. C'est certainement le plus célèbre des quatuors, et il l'est surtout par l'admirable Andante que suivent les Variations sur le thème de la Jeune Fille et la Mort. Cet Andante est précédé d'un Allegro initial d'une grande robustesse rythmique et mélodique, où la forme de l'expression est soutenue par une remarquable écriture instrumentale. Le Scherzo est un des plus originaux qu'ait composés Schubert, et de nombreux musicologues ont affirmé que Wagner y avait puisé certains thèmes de *Siegfried* (*). Le dernier *Quatuor en sol majeur,* op. 161 (D 887), fut écrit dans l'année 1826 en dix jours. Il est composé d'un Allegro tourmenté, auquel succède, par contraste, une mélodie sereine chantée par le violoncelle (dans l'Andante). Un Scherzo, d'abord charmant, puis peu à peu fiévreux, achève le contraste ; le premier violon et le violoncelle dialoguent dans le Trio et le quatuor se termine par un Rondo au rythme enflammé. Schubert est alors proche de la mort. Jamais peut-être il n'aura atteint cette intensité d'expression, cette émotion bouleversante et cette grandeur mélodique. Schumann dira lors de sa mort : « Louanges à celui qui a tant peiné et tant accompli ! »

QUATUORS de Schumann. Le compositeur allemand Robert Schumann (1810-1856) écrivit quatre *Quatuors.* Les trois premiers, op. 41, sont écrits pour quatuor à cordes ; le quatrième, composé en 1847, adjoint un piano au violon, au violoncelle et à l'alto. Pianiste dans l'âme, Robert Schumann se familiarisa difficilement avec la technique si particulière du quatuor à cordes. La substance musicale y est toujours incomparablement riche, la construction architecturale remarquable par sa logique, son audace et sa nouveauté. Les trois quatuors op. 41, datés de 1842, sont respectivement dans les tonalités de la mineur, ut majeur et la majeur. Ils sont tous trois dictés par la même inspiration. – Le *Quatuor en la mineur* montre comment Schumann s'appliqua à adapter la forme sonate et la forme symphonie à l'esprit de la nouvelle école romantique. Le premier mouvement débute par un bref Andante espressivo. Un thème mélancolique, exposé par le premier violon, est repris en canon par les autres instruments. Puis un deuxième thème, énergique, se détache des variations du premier. Après un développement, deux thèmes nouveaux s'affrontent ; le second, en pizzicatti, annonce déjà le Scherzo. Ce Scherzo, dont le rythme obstiné est toujours soutenu par l'un des quatre archets, expose un thème qui permet à Schumann de s'abandonner à son inspiration romantique : le halètement des syncopes symbolise l'inquiétude de son âme tourmentée. Trois mesures graves amènent dans l'Adagio le thème principal joué à l'unisson par les deux violons. Puis revient en legato le thème en pizzicatti du Scherzo. Les deux thèmes du Finale (Presto) aboutissent à une longue phrase bucolique, avant la réexposition, brillante, en majeur du début de cet ultime mouvement. – Le *Quatuor pour piano et cordes* fut le premier morceau de musique de chambre dans lequel Schumann réunit le piano aux cordes. Satisfait de cette expérience, il en conserva la formule dans toutes ses autres compositions du même genre. Un thème tourmenté est chanté en arpèges par le piano au début de l'Allegro. Les quatre instruments à l'unisson exposent un deuxième motif, et une conversation animée s'engage entre le violon et le piano. Piano et violoncelle présentent le motif initial du Scherzo, que le violon reprend en staccato pour introduire une phrase où Schumann semble s'abandonner à une euphorie passagère. Le trio se caractérise par le rythme brisé des syncopes. L'Andante ramène la paix et un lyrisme heureux avec les nébuleuses arabesques du violon. Le Finale est amorcé par un thème énergique, volontaire, qui se développe en fugue. Tous les instruments se laissent emporter dans les tourbillons d'une inspiration tumultueuse. Ce *Quatuor en mi bémol majeur* fut exécuté en première audition le 11 janvier 1842. Clara Schumann tenait la partie de piano.

QUATUORS À CORDES de Bartók. La musique du compositeur hongrois Béla Bartók (1881-1945) synthétise, dans une large mesure, les tendances musicales de son temps. Elle remonte aux sources du folklore et du chant populaire, mais elle ne néglige aucune des découvertes harmoniques ou rythmiques des compositeurs qui l'ont précédée. Elle est à la fois le fruit de l'intelligence et du cœur, jamais, même dans ses complexités les plus poussées, celui du simple calcul. Les six *Quatuors à cordes* marquent six étapes de la vie de Bartók. Ils font chacun le point des découvertes que le compositeur fit à l'époque où il les écrivit. Le *Premier quatuor* (1908) débute par un Lento, où se développe une fugue dont le sujet et le contre-sujet sont reliés par les douze sons chromatiques. Timide apparition du dodécaphonisme chez Bartók, qui lui accordera un crédit très restreint. L'Allegretto et l'Allegro sont remarquables par leurs combinaisons harmoniques et contrapuntiques. Le *Deuxième quatuor* (1916) respecte l'architecture de la forme sonate avec ses trois mouvements, Moderato, Allegro et Lento. Ici encore, Bartók se montre un maître de l'art du contrepoint ; mais il s'intéresse surtout aux combinaisons rythmiques que lui proposent des thèmes d'inspiration nettement folklorique. Le *Troisième quatuor* (1927), de forme cyclique, est un essai de transposition dans le domaine de la musique de chambre des sonorités de l'orchestre. La Strette du finale est étourdissante de richesse harmonique et rythmique. On y remarque une suprême habileté d'écriture et un art très particulier d'extraction d'agrégats sonores complexes de phrases mélodiques d'une pureté et d'une simplicité absolues. L'ouvrage compte quatre mouvements : Moderato, Allegro, Moderato (reprise de la première partie), Allegro molto. Le *Quatrième quatuor* (1928) est d'une forme cyclique plus serrée que le précédent, non que les thèmes soient identiques dans les cinq mouvements, mais parce qu'ils semblent tous dériver les uns des autres. C'est une partition moins touffue que les précédents *Quatuors ;* elle est d'un lyrisme presque romantique, d'une expression âpre et tendue. C'est un bloc de marbre où l'on ne perçoit aucune faille. Cinq parties : Allegro, Prestissimo (avec la sourdine), Non troppo lento, Allegretto (en pizzicatti), Allegro molto. Le *Cinquième quatuor* (1934) pourrait être sous-titré : « Apothéose du rythme et de la danse ». Bartók ne cherche pas ici à mettre sur pied un monument aux lignes rigoureuses, soumis à un plan d'ensemble très strict. S'il n'emprunte pas directement ses thèmes au folklore magyar, du moins il en retrouve l'esprit et les parfums. Mais, comme dans le *Troisième quatuor*, il va à l'extrême limite de ce que l'on peut demander aux instruments, et en tire des effets de sonorité d'une prodigieuse diversité. Cinq mouvements : Allegro, Adagio molto, Scherzo alla bulgarese, Andante, Allegro vivace. Le *Sixième quatuor* (1939) reste fidèle aux thèmes spécifiquement hongrois, mais marque un retour de Bartók à l'architecture très dense de ses premiers quatuors. Un même thème exposé par l'alto solo dans le premier mouvement sert de cellule génératrice à tout l'ouvrage. On a pu déceler dans cette partition la nette influence mélodique de Beethoven. Quatre parties : mesto vivace, mesto marcia, mesto burletta et mesto.

QUATUORS À CORDES de Honegger. Le compositeur suisse Arthur Honegger (1892-1955) a écrit trois quatuors à cordes. Ainsi a-t-il manifesté, sous la forme la plus abstraite, son amour de la musique de chambre, et, surtout dans la première de ces œuvres, la filiation spirituelle qui l'unit à Beethoven, filiation dont il s'est toujours réclamé, jusqu'à la fin de sa vie (*Incantation aux fossiles,* 1948). Cette parenté s'exprime dans le premier quatuor par la démarche de principe qui a présidé à la composition : la volonté de maîtriser une des formes fondamentales de l'esthétique et de la technique instrumentale de l'Occident. Il en résulte une composition extrêmement tendue, dont les procédés d'exposition thématique et de développement sont, surtout dans le premier mouvement, presque uniquement fondés sur le contrepoint, d'un emploi plus souple, cependant dans les second et troisième mouvements. Cette complexité d'écriture jointe à la rigueur de la construction (forme sonate dans les trois mouvements), étayée en outre de quelques rappels thématiques entre l'allegro initial et le finale, forme un tout d'une grande sévérité de style qui a décontenancé quelque peu les auditoires contemporains (1919). Les deuxième et troisième quatuors furent composés vingt ans plus tard (1934-36 ; 1936-37). Construits également en trois mouvements, ils révèlent cependant une plus grande liberté, employant dans les deux derniers mouvements des deux œuvres la forme lied et le rondo (en forme de toccata dans la seconde), mais répondant toujours aux mêmes principes contrapuntiques, maniés avec une aisance dans « la concision et la facture » (Honegger) qui en démontre une domination parfaite. Ici comme dans les symphonies, c'est en opposition au fond avec les principes esthétiques exposés bien des années auparavant par Cocteau pour le Groupe des Six, et par le renouvellement, l'enrichissement des formes et surtout des procédés d'écriture des plus anciens que Honegger s'est imposé dans le contexte musical contemporain, dont les tendances s'avéraient sensiblement différentes, sinon opposées.

QUATUORS À CORDES de Milhaud. Œuvres du compositeur français Darius Milhaud (1892-1974). Parmi les quatuors à cordes de Milhaud, qui constituent avec les *Sonates* et les six *Symphonies pour petit orchestre* (1917-24) l'essentiel des œuvres de musique de chambre du compositeur, comme l'un des plus remarquables ensembles consacrés au quatuor classique au cours du XXe siècle, on peut distinguer trois tendances esthétiques principales, non chronologiques. La première englobe les œuvres à caractère de divertissement (tel le sixième quatuor par exemple). À la seconde se rattachent les compositions de plus haute ambition expressive et marquées au coin de ce lyrisme puissant et de cette générosité mélodique propres à Milhaud. La troisième, représentative d'un style plus abstrait et plus purement polyphonique, quoique toujours chantant. Le second et le cinquième quatuors illustrent ces deuxième et troisième manières. Le *Quatuor n° 2* date de 1914. Il comporte cinq parties. Le premier mouvement, après l'exposition d'un thème vigoureux au violoncelle, scandé par un accompagnement rythmique saccadé du second violon, et l'intervention successive et alternée du premier violon et de l'alto, repose entièrement sur l'opposition tendue et agressive plutôt que concertante des quatre instruments. Le mouvement lent qui suit, d'un caractère douloureux, est de forme tripartite, la section centrale donnant lieu à un développement en fugato qui intensifie, en la prolongeant, la plainte du début avant de se résorber à son tour par le retour du premier thème adouci. Le scherzo et son trio sont écrits à deux temps : la première et la troisième parties développent un thème d'esprit pastoral sur un accompagnement très coulant de doubles croches réparti entre trois instruments, auquel s'oppose le thème vigoureux du trio qui s'appuie également sur un dessin continu de doubles croches. Après le quatrième mouvement, de caractère agreste, l'œuvre conclut en un finale d'un lyrisme d'abord violent et nerveux, qui s'apaise sur une phrase méditative confiée au violoncelle et se résout après un dernier élan rythmique sur une longue et belle cadence harmonique.

Le *Quatuor n° 5*, d'une écriture beaucoup plus sévère et stricte, dédié d'ailleurs à Arnold Schoenberg, comprend quatre mouvements. D'un caractère plus intellectuel, il n'en garde pas moins un charme et un enjouement, une gravité sans tristesse sans doute moins directement perceptibles mais très vivants, qu'il s'agisse du murmure alerte inscrit dans une nuance générale piano du premier mouvement, de la sécheresse piquante et allègre du second mouvement, de la calme contemplation du mouvement lent variant un thème de quatre notes, ou du solide finale, construit sur un rythme irrégulier à 5/4.

QUATUORS À CORDES de Sauguet. La première incursion du compositeur français Henri Sauguet (1901-1989) dans le domaine du quatuor à cordes date de 1941 (*Quatuor à cordes n° 1* en ré majeur, en quatre mouvements). En 1948, Henri Sauguet donnait un *Second Quatuor à cordes* en quatre mouvements, dédié à la mémoire de sa mère, décédée au début de l'année 1947, et qui constitue une sorte d'évocation, de portrait de la disparue. Le premier mouvement — andantino capricioso — est bâti sur un motif arpégé d'une grâce délicate et suggère la tendresse, la vivacité de l'être aimé. Le second mouvement — lento molto espressivo — est une prière austère, où, sur une succession d'accords dissonants, le premier violon développe un mélisme flexible dans un climat d'ambiguïté tonale. Le troisième mouvement — tempo di valse (vivo et leggero) — rappelle l'engouement qu'éprouvait pour cette danse la mère du compositeur. Le caractère capricieux, au début, du morceau s'assombrit, devient plus dramatique ; une atmosphère d'irréalité est très subtilement créée à partir d'effets instrumentaux ingénieux, jusqu'au glissendo final dans lequel semble se dissoudre, comme dans un rêve, le tournoiement de la danse. Le quatrième mouvement — andante espressivo — débute par une phrase déchirante exposée deux fois, qui précède un allegro de caractère très lyrique où le musicien évoque la mort de sa mère dans un élan tour à tour passionné, enfiévré, puis plus calme, jusqu'à l'ultime interrogation où tout se résorbe et s'apaise. Cette œuvre constitue une parfaite réussite musicale et poétique. L'écriture s'y trouve dans les moindres détails guidée par une inspiration d'une émouvante sincérité, qui trouve, dans la simplicité et le raffinement discret qui sont la marque du compositeur, un champ d'expression, un pouvoir de persuasion remarquables. Le *Quatuor à cordes n° 2* fut donné en première audition par le Quatuor Calvet.

QUE FAIRE ? [*Čto delat*]. Œuvre politique du dirigeant révolutionnaire russe Vladimir Ilitch Lénine (pseud. d'Oulianov, 1870-1924) publiée en 1902. Ce texte polémique peut être tenu pour un condensé du léninisme où se trouve inscrit la logique qui commande à l'histoire du mouvement communiste international. *Que faire ?*, qui emprunte son titre à un roman célèbre de N. G. Tchernychevski, offre une sorte de manifeste du bolchevisme qui se constitua en tendance autonome au IIe Congrès du parti ouvrier social-démocrate en 1903. Le sous-titre, « Les Questions brûlantes de notre mouvement », indique bien qu'il s'agit d'un texte programmatique.

Dès cette période, l'originalité de Lénine est forte : il pense que la voie révolutionnaire est possible en Russie mais à condition que le prolétariat se constitue en force spécifique et prenne la tête du combat contre l'autocratie. Selon lui la bourgeoisie russe n'a pas la volonté d'accomplir ce qu'a accompli la bourgeoisie en Occident. Pour compenser ce déficit, il faut un parti puissant, c'est-à-dire organisé, car l'organisation est un multiplicateur de force, à la façon d'un levier. *Que faire ?* dessine le plan d'un parti de combat dans la perspective de l'insurrection armée du peuple. Il faut abandonner les méthodes artisanales au profit d'une organisation de professionnels, disciplinés comme les ouvriers de la grande industrie ou les soldats d'une armée moderne et capables de faire face à la répression. Condamnant ceux qu'il appelle les « économistes » et les « spontanéistes », Lénine estime que l'organisation révolutionnaire ne peut naître des conflits sociaux (grèves), qui font accéder les ouvriers à une idéologie trade-unioniste mais non à la conscience de classe social-démocrate. Celle-ci ne peut venir que des intellectuels porteurs de la science — et la théorie de Marx est une science — qui l'importent dans le mouvement ouvrier. Le parti se trouve ainsi remplir des fonctions considérables : il change les rapports de forces entre classes sociales et détient la vérité ; aussi de son existence et de son efficacité dépend l'avenir de la révolution. *Que faire ?* est le moment initial des doctrines de la dictature de parti unique, dont la première est née de la révolution d'octobre 1917. L'insistance sur la nécessité du recours à la violence et sur l'impératif catégorique qu'est l'« unité de la volonté » joua un rôle clef dans l'histoire du communisme. En effet, si Lénine modifia souvent sa stratégie, il fut constant, en témoigne son *Testament* (*), dans sa conception de l'organisation, disciplinée et hypercentralisée, qu'adoptèrent les partis affiliés à la IIIe Internationale. La formule en épigraphe de *Que faire ?*, « le parti se renforce en s'épurant », est emblématique du parti bolchevik et de la société soviétique où le rêve d'une société unifiée chercha à se réaliser par la purge. La suppression en 1990 de l'article 6 de la Constitution soviétique de 1917 peut être considérée comme un abandon de la perspective totalitaire ouverte par *Que faire ?* — Trad. Seuil, « Points politiques », 1966. D. C.

QUE FAIRE ? [*Čto delat'*]. Roman de l'écrivain russe Nikolaï Tchernychevski (1828-1889), publié en 1863. Peu d'œuvres ont autant marqué leur époque, suscité autant de polémiques et de vocations que ce livre. Il s'agit d'un roman à tendance sociale centré autour du problème des rapports sociaux et éthiques entre l'homme et la femme, de la « question féminine » comme l'on disait à l'époque. Véra Pavlovna a grandi auprès d'une mère bornée, mesquine, vulgaire, intéressée et ivrognesse qui ne songe qu'à arranger un « beau » mariage pour sa fille. Celle-ci étouffe dans ce milieu obscurantiste ; elle sera « libérée » par Lopoukhov, étudiant en médecine, qui l'épouse. Lopoukhov, matérialiste de la nouvelle génération, défend la théorie de l'« égoïsme raisonnable » et de l'utilitarisme. Les jeunes mariés vivent dans un respect jaloux de leur mutuelle indépendance. Véra Pavlovna ouvre un atelier de couture modèle et y met en application les théories du socialisme utopique (repas pris en commun, logements collectifs, partage des bénéfices, autogestion, instruction des ouvrières, réhabilitation des prostituées par le travail). Les ateliers se multiplient. Au bout de quelques années, Véra Pavlovna, qui a évolué d'une façon un peu différente de son mari, se sent attirée par l'ami de celui-ci, Kirsanov, qui partage ses sentiments. Mû par l'« égoïsme raisonnable », Lopoukhov met en scène son propre suicide (en fait, il reste en vie), permettant de la sorte aux amoureux de se marier. C'est l'occasion pour le lecteur de faire la connaissance de Rakhmetov, partisan fanatique des idées progressistes (il va jusqu'à dormir sur une planche couverte de clous afin de s'aguerrir). Véra Pavlovna étudie la médecine, les ateliers se multiplient, les théories sociales font leur chemin. Bientôt un autre couple rejoindra les Kirsanov, et nous assistons à l'ébauche de ce que sera le phalanstère de l'avenir. Le récit est rythmé par les rêves de Véra Pavlovna ; sous une forme allégorique, ils lui découvrent la vérité de ses sentiments et lui révèlent le futur. Signalons le fameux rêve où Véra Pavlovna voit le palais de cristal qui accueillera une humanité réconciliée et heureuse. Par ailleurs, l'auteur commente lui-même son récit, dissipant les possibles malentendus et explicitant ses théories. Tchernychevski n'attribue à la littérature qu'une valeur purement didactique qui exclut au maximum les effets artistiques. D'un point de vue intrinsèquement littéraire, *Que faire ?* est une œuvre faible, mais son impact idéologique fut immense puisque plusieurs générations y virent la quintessence de la pensée radicale des années 1860. Dostoïevski polémiqua ouvertement avec cette œuvre qui devait devenir une sorte de bréviaire des révolutionnaires russes. — Trad. Éd. Radouga, Moscou, 1987. M. G.

QUELQUE CHOSE NOIR. Livre de poèmes de l'écrivain français Jacques Roubaud (né en 1932) publié en 1986. *Quelque chose noir,* qui constitue peut-être à ce jour l'apogée de l'œuvre proprement poétique de Jacques Roubaud, n'est pas détachable d'un événement biographique qui s'y trouve mentionné : la mort d'Alix Cléo Roubaud, la femme de l'auteur, qui était photographe. Le propos autobiographique n'est pas ici du même ordre que celui d'un livre antérieur, *Autobiographie, Chapitre X* (« Les mots des poètes sont ma vie »). L'événement impensable, inassimilable, est cette fois de l'ordre d'un réel inacceptable, et trente mois d'horreur de la poésie, de mutisme, le suivent. « 1983 : janvier. 1985 : juin. / Le registre rythmique de la parole me fait horreur. / Je ne parviens pas à ouvrir un seul livre contenant de la poésie. / Les heures du soir doivent être annihilées. / Quand je me réveille il fait noir : toujours. / Dans les centaines de matins noirs je me suis réfugié. / Je lis de la prose inoffensive. »

Quelque chose noir est la sortie de ce mutisme, un livre du deuil en train de se faire, comme il en a été peu écrit. Les poèmes, qui sont des poèmes de la méditation, n'ont d'autre choix que de reprendre à leur point de départ la vie et la parole, tout en les confrontant à l'expérience de la mort. Il y a recherche de nouvelles acquisitions. Que faire de ces perceptions, de ces souvenirs, de ces habitudes devenues veuves, de la continuité qui, malgré tout, advient ? Que devient le nom ? Que deviennent le semblable et le dissemblable ? Que devient la possibilité de la comparaison ? Que devient l'image ?

Dans ce livre, qui n'a besoin de nulle illustration, la photographie est pourtant omniprésente, en tant qu'activité de la personne morte, mais aussi en tant qu'attestation d'un « avoir été » où le noir (et le blanc) va déployer toutes les gammes de sa métaphorisation, le café, le pubis, la nuit, l'écriture sur la page... Autre couple sans cesse remâché dans le cours du livre : quelque chose - rien. « Je m'acharne à circonscrire "rien-toi" avec exactitude, ce bipôle impossible, à parcourir autour, de ceci, ces phrases de neuf que je nomme poèmes. »

La poésie de méditation n'est pas plus qu'une autre détachée de la mesure et du nombre, qui sont si essentiels à la conception que se fait Jacques Roubaud – poète et mathématicien, non contradictoirement – de la poésie en général. Le livre comprend neuf sections de neuf poèmes de neuf « vers » si l'on peut nommer ainsi un vers non compté dont la tradition est moins celle du verset que celle du fragment philosophique. Neuvaine, et peut-être neuvine (l'une des extensions possibles de la sextine d'Arnaut Daniel). C'est quelque chose entre vers et prose, poussant à une lecture lente, méditative, et qu'on a intérêt à redoubler.

L'un des poèmes intitulé « Univers » propose : « "Elle est vivante." J'imagine que cette proposition, fausse dans mon univers, est vraie dans cet autre, l'univers (fictif) de sa vérité. » Cela annonce un recueil ultérieur de Jacques Roubaud, *La Pluralité des mondes de Lewis* (1991), qui poursuivra sur un mode poétique voisin les déductions de cet axiome, déductions dont la réalité est d'ordre logique, et dont la langue peut s'occuper. J. J.

QUELQUES PENSÉES SUR L'ÉDUCATION [*Some Thoughts concerning Education*]. Œuvre du philosophe anglais John Locke (1632-1704), parue en 1693. Édouard Clarke avait demandé à Locke des conseils pour l'éducation de son fils, et nous avons ici le recueil des principaux passages des lettres que Locke lui adressa. Locke veut conduire l'homme à une conscience virile de son indépendance et de sa dignité d'être raisonnable et maître de soi. Même les conseils de culture physique, réunis dans la première partie de l'œuvre, se rapportent à ce but dernier de l'éducation. Sobriété, rudesse de vie, habitude de la fatigue, c'est en cela que consiste le « principe d'endurcissement », qui est le fondement concret de la personnalité. Dans la partie centrale des *Pensées*, Locke insiste sur la nécessité de la courtoisie, expression d'une gentillesse intérieure (celle des gentlemen), dans les rapports sociaux. Le « grand secret de l'éducation », c'est la conciliation de la vivacité naturelle, de l'humeur indépendante de l'enfant et de la discipline. L'autorité de l'éducateur est un frein légitime, parce que sa discipline ne cherche pas à asservir mais à libérer, surtout si elle se fonde plutôt sur le sentiment de l'honneur que sur la crainte des châtiments. Ce sentiment de l'honneur n'est pourtant pas pour Locke une fin, seulement un moyen de l'éducation, sur lequel reposent les formes supérieures de la moralité, faites de l'approbation intime de la conscience et de la satisfaction d'obéir à Dieu. L'instruction, enfin, ne doit pas être un entassement de doctrines dans la mémoire, mais un développement de l'intelligence, qui donne à l'élève une méthode de pensée et un jugement. L'enseignement doit être vivant et joyeux. On supprimera les thèmes latins, qui obligent l'enfant à « parler de choses qu'il ne connaît pas dans une langue qu'il ignore », on supprimera les exercices de mémoire, les subtilités logiques, au profit de l'observation de ce qui tombe sous les sens et de l'étude de l'arithmétique, de la géographie, du dessin. Et la réflexion s'exercera par l'étude de l'histoire et de la morale. Locke condamne, avec trop de force peut-être (mais le moment historique le justifie), tout l'enseignement humaniste et littéraire de type traditionnel. Il exercera une grande influence sur Rousseau – v. *Émile* (*) – et sur toute la pédagogie de son temps. – Trad. Hachette, 1904 ; Vrin, 1966.

QUELQUES RIMES [*Mây vân tho*]. Recueil de vingt-sept poèmes du poète vietnamien Thê Lu (1907-1989), parus séparément dès 1931, publiés en recueil en 1935, puis en 1941 complétés de quelques autres. Cette publication consacre la nouvelle tendance poétique, rejetant les anciennes règles, et faisant ainsi de l'auteur le porte-parole d'une jeunesse éprise de liberté. Il chante l'amour paradisiaque, l'art pour l'art, l'errance, la beauté. Le plus célèbre, « Nostalgie de la forêt » [Nho rùng], qui fait parler un tigre en cage, célèbre les aspirations à la liberté de la personne mais aussi de la nation tout entière. Les sentiments sont exprimés intensément mais sans épanchement désordonné, le spleen n'allant jamais jusqu'au désespoir, sauf dans certains poèmes d'après 1935 (« Débauche », « Opium », « Nuit de vent et de pluie », « Paroles de désespoir »...). T.-T. L.

QUELQU'UN. Roman de l'écrivain français d'origine suisse Robert Pinget (né en 1919), publié en 1965. Succédant à *L'Inquisitoire* (*) qui avait imposé son auteur parmi les maîtres du Nouveau Roman, *Quelqu'un* fut salué à sa parution comme un livre majeur de son époque et reçut le prix Femina. Le narrateur, à la recherche d'un papier subitement disparu de sa table de travail, emporte le lecteur dans l'univers assez sordide d'une modeste pension de famille perdue au fin fond d'une banlieue. S'ensuit la description minutieuse des habitants du lieu – protagonistes d'un huis clos souvent dérisoire. Robert Pinget, qui excelle dans les descriptions d'atmosphères et d'ambiances mornes (leur « ton »), dresse une série de portraits impitoyables, jamais méchants, dominée par la figure aussi attachante que comique de Fonfon, un débile qui « chantonne en général quand il va faire une connerie ». L'hostilité pugnace de Mlle Reber, que la promiscuité et les maladresses répétées du demeuré horripilent, est l'un des ressorts de ce récit sans histoire à proprement parler. Les autres pensionnaires se meuvent dans ce champ clos comme autant d'âmes en peine : l'associé du narrateur, Gaston, Marie, la bonne, Mme Sougneau, la cuisinière, Mme Apostolos, une réfugiée fragile de la vessie, les couples Erard et Cointet, M. Veressou, « très poli, très propre »... Le noyau du livre est un repas qui prend peu à peu des proportions épiques, et où la technique narrative de Pinget fait merveille. La mise en scène des petits faits anodins ou ridicules, des agaceries verbales et des anecdotes cocasses, toujours lapidairement contés et remarquablement imbriqués, atteint au sommet de la littérature tragi-comique. Puis le narrateur, qui par moments fantasme sur ses voisins ou son associé (auquel il prête une vie de débauche imaginaire), entraîne Mme Apostolos à feuilleter l'album de photos de Gaston : l'histoire de la pension défile, et avec elle un peu de nostalgie gagne le lecteur. Mais cette concession aux « choses molles » est vite balayée : ainsi la découverte d'une photo de pique-nique où l'on comprend que Mlle Reben vient de gifler Fonfon (l'hypothèse de cette gifle parcourt tout le livre) n'a rien de burlesque non plus que d'affligeant ou de tragique ; dans le contexte de la simple description, c'est un fait neutre. Et cette neutralité, qui finit par tout dévitaliser, s'impose à l'effort de mémoire du narrateur qui ne peut plus se fier à ses souvenirs et n'a même plus le désir de les susciter : tout devient possible par cette photo, même la présence de « quelqu'un ». Cette impersonnalité est, peut-être, le blason de chacune de ces pseudo-personnalités qui composent l'univers presque carcéral de la pension ; elle est la seule réalité de ce monde en fait immobile, englué dans l'ennui qu'il suscite tout autant qu'il en est le fruit sec. Ce livre apparaît alors comme une pure destruction de la temporalité : « Le petit futur a crevé », lit-on à la dernière page, non comme constat d'échec mais pour signifier que l'inertie annonce une mort pour l'instant différée.

F. B.

QUE MA JOIE DEMEURE. Publiée en 1935, cette œuvre de l'écrivain français Jean Giono (1895-1970) est, parmi ses romans antérieurs à la guerre de 1939, un des plus amples et des plus ambitieux. Le titre est tiré d'un choral de Bach. À la suite de beaucoup d'écrivains, Giono a voulu créer un personnage doué d'un tempérament de réformateur et par conséquent apte à répandre et à essayer de faire mettre en pratique certaines idées qui lui sont chères. Une nuit, ce personnage, un acrobate nommé Bobi (qui est essentiellement un poète en actes) arrive sur un plateau de haute Provence, où vivent une dizaine de paysans. Ce plateau presque vide, éloigné de tout, n'est pas contaminé par la civilisation moderne. Giono déteste cette civilisation pour son inhumanité. D'habitude il n'en dit rien. Il se contente de lui tourner le dos et de s'enfoncer soit dans la montagne, soit dans le passé. Ici, cependant, il la condamne avec violence, dans deux passages très courts. Dans le premier, il s'apitoie sur le sort des montagnards descendus dans la plaine pour semer le grain d'un riche propriétaire. Le second tient en quelques lignes. Accompagné de son berger, un des paysans se rend à Sisteron et à Embrun, villes où il n'a pas mis les pieds depuis 1903 : les automobiles ont volé les écuries et le silence. Sur son plateau, il n'y a pas d'automobiles, et si chacun peine, c'est pour soi. Mais cela ne suffit pas pour faire de la joie. Jusqu'à l'arrivée de Bobi, tout le monde souffrait sans savoir pourquoi. C'est souvent ainsi quand on souffre d'un manque. Confusément un des fermiers, Jourdan, attendait quelqu'un. Vient une nuit très claire. Il s'en va labourer sous les étoiles. Arrive Bobi, qui lui explique que la jeunesse, c'est la « passion pour l'inutile ». Il lui donne l'idée de réserver un champ à des narcisses. Puis, mystérieusement, il part, en promettant qu'il sera bientôt de retour. Jourdan et Marthe, sa femme, l'attendent avec confiance. Il tient sa promesse. Bien mieux, il ramène un cerf. Un dimanche, comme s'ils s'y étaient donné rendez-vous, les habitants du plateau, presque sans exception, se présentent chez le fermier. On décide de pique-niquer. Le récit de ce repas compte parmi les pages les plus riches et les plus savoureuses de Giono. Au moment où on achève de vider les bouteilles, Bobi propose qu'on aille, quand le temps s'y prêtera, prendre au filet des biches pour le cerf. Ainsi, patiemment, une vie nouvelle s'organise. Chacun a son idée. Au lieu d'amener les juments à l'étalon, on lâche dans la nature mâle et femelles. Quand il gèle, on vide à l'intention des oiseaux des sacs de grain sur les aires. Randoulet abandonne la culture pour réaliser son rêve : l'élevage des moutons, non pour le profit, mais pour le plaisir. Marthe et la vieille Barbe, ancienne tisseuse, se mettent à un métier que Bobi a fabriqué. Reconnaissant que les écus sont superflus une fois qu'on a de quoi vivre, on ne cherche plus à remplir à tout prix granges et greniers. On préfère travailler moins, mais bien et avec amour. Mais Bobi, qui est un peu un prophète anarchiste, se heurte à un fermier qui, sans le dire, est une sorte de communiste, rêvant d'une révolution sociale et politique. D'autre part, l'amour apparaît. Bobi et une des fermières, Joséphine, se lient d'un amour charnel passionné ; et la toute jeune Aurore, cavalière farouche, fille d'une propriétaire du plateau, est désespérément amoureuse de lui. Découvrant qu'il n'est pas libre, elle se tue. Bobi quitte le plateau et, malgré les avertissements, s'engage dans un orage monstrueux. Il tombe foudroyé. Pour la première fois, un des romans de Giono s'achève tragiquement. *Que ma joie demeure* a ainsi deux versants ; mais les nombreux lecteurs qui l'ont lu avec passion à l'époque de sa publication ont plutôt retenu le message de bonheur qui se dégage de la première partie que la désillusion de la seconde. Très loin du roman réaliste, c'est une merveilleuse utopie, une gigantesque parabole lyrique.

QUENTIN DURWARD. Roman de l'écrivain écossais Walter Scott (1771-1832), publié en 1823. L'histoire se passe en France sous Louis XI. La figure du roi cruel et superstitieux, mais rusé et perspicace – génie diabolique dont Scott reconnaît pourtant les traits sympathiques et admirables –, s'oppose au caractère violent et emporté de son ennemi Charles le Téméraire. D'après Scott, le but du roman est de montrer le renversement des valeurs sociales causé par le déclin de la féodalité et de la chevalerie, dont les règles conduisaient parfois à des excès, mais se fondaient sur la générosité et l'abnégation, tandis que l'esprit nouveau, personnifié par Louis XI, semble procéder de sordides raisons d'intérêt et d'ambition égoïste. Les circonstances historiques font l'objet d'excellentes descriptions : les intrigues de Louis XI qui, aidé par Guillaume de la Marck, le Sanglier des Ardennes, provoque la révolte des Liégeois contre Charles, l'assassinat de l'évêque de Liège et la célèbre entrevue de Péronne, au cours de laquelle l'astucieux monarque manqua provoquer l'échec de ses ingénieuses combinaisons politiques. Ces faits d'histoire, avec lesquels Scott prend quelques libertés – il transpose par exemple de 1468 à 1482 l'assassinat de l'évêque de Liège –, s'intègrent au cours des aventures imaginaires de Quentin Durward, archer écossais au service de Louis XI. On l'envoie escorter la comtesse bourguignonne Isabelle de Croye qui, pour se soustraire à un odieux mariage avec Campo-Basso, va chercher protection auprès de l'évêque de Liège. Quentin la sauve de multiples dangers et finit par l'épouser, après avoir tué Guillaume de la Marck. Mais cette histoire d'amour conventionnelle n'est qu'un prétexte. L'argument qui importe vraiment à Scott, c'est la lutte entre Louis XI et Charles le Téméraire. Parmi les personnages secondaires se trouvent évoqués Tristan l'Hermite, prévôt de Louis XI ; Olivier le Dain, barbier et confident du roi ; Martius Galeotti, son astrologue, etc. *Ivanhoé* (*) et *Quentin Durward* suscitèrent en Europe la mode du roman historique. Les procédés, les péripéties, les personnages du roman furent maintes fois imités par de grands auteurs tel Victor Hugo – v. *Notre-Dame de Paris* (*) – comme par une pléiade d'écrivains mineurs. Pendant longtemps, *Quentin Durward* fut une des œuvres les plus populaires de Scott ; néanmoins s'il est juste qu'aujourd'hui la curiosité du public se porte davantage sur les romans de l'auteur consacrés à l'étude des mœurs écossaises – v. *L'Antiquaire* (*), *Les Puritains d'Écosse* (*) –, au détriment de ses romans historiques, on ne saurait oublier que ces derniers, à leur parution, présentaient une incontestable nouveauté. L'assassinat de l'évêque de Liège inspira à Eugène Delacroix (1798-1863) une de ses toiles les plus vigoureuses. – Trad. Duval, 1943.

QUERELLE DE BREST. Roman de l'écrivain français Jean Genet (1910-1986), publié en 1947. De retour d'une croisière, l'aviso « Le Vengeur » reprend son souffle en rade de Brest. Les marins traînent dans les bistrots ou à la « Feria », célèbre maison de passe. Un certain Robert Querelle est l'amant de la patronne, Mme Lysiane, une grosse quadragénaire (et une des très rares femmes qu'on trouve dans les romans de Genet). Figure secondaire, conventionnelle au début et aberrante à la fin, elle est, par contre, fort bien décrite physiquement : on la voit, on la sent, on la connaît presque. Ce Robert a, marin sur l'aviso, un frère qui lui ressemble, mais avec une tout autre envergure. La seule ambition de Robert est de se laisser dorloter ou, comme il le dirait, de se la couler douce. Le marin, lui, a une dimension de plus, qu'il est malaisé de définir. Elle semble tenir au fait qu'il est complètement amoral et, par voie de conséquence, curieusement libre. C'est un assassin : il a tué à Shanghai, à Anvers, au Maroc et au Liban. Il tuera à Brest. Il a dépouillé ses victimes de leur argent et de leurs bijoux. Le vol, observe l'auteur, justifie l'assassinat en le parant d'un motif logique, donc acceptable par la conscience. Avare à sa façon, il a noté sur un carnet les emplacements des cachettes où il a enfoui son butin. Pour se distraire entre ses meurtres, il traficote un peu d'opium. Mais il ne se contente pas de cela. Après avoir tué un de ses camarades, éprouvant le besoin d'une espèce de sacrifice rituel, il invite le patron de la « Feria » à le prendre. Ensuite, las de lui, il se donne à un policier avec qui il s'est battu et qui a failli le tuer. Il se bat également avec son frère, et, Mme Lysiane ayant eu soudain envie de lui, il s'empresse de la satisfaire. Ces méfaits ne sont que banale routine. La chance met sur sa route un divertissement plus royal. Sur un coup de tête, un tout jeune maçon étrangle un de ses aînés, qui l'a humilié. Accusé non seulement de ce crime, mais de celui de Querelle, il se réfugie sur un étrange et symbolique terrain vague : le bagne désaffecté de Brest. Il a besoin d'aide et surtout de réconfort. Querelle survient. Se laissant gagner par une certaine tendresse pour ce petit double enfantin et très imparfait, ce « fœtus » de lui-même, il se met à jouer avec le gosse un jeu ambigu. D'un bout à l'autre du roman, on sent l'auteur fasciné par son héros. À intervalles réguliers, des fragments du journal intime du lieutenant Seblon viennent (mais brièvement et sans en casser le rythme) interrompre le récit. Ce lieutenant est follement amoureux de Querelle, mais, préférant les joies douloureuses de l'imaginaire, il ne l'avoue qu'à son carnet. Ces notes, où lyrisme et pornographie se marient à merveille, célèbrent la gloire du héros et matérialisent la fascination qu'il exerce. Le mal est peut-être encore plus monotone que le bien, mais l'auteur en parle avec tant d'intelligence et de passion qu'on l'oublie.

QUERELLES LITTÉRAIRES ou Mémoires pour servir à l'histoire des révolutions de la république des lettres, depuis Homère jusqu'à nos jours. Œuvre de l'abbé Augustin-Simon Irailh (1719-1794), écrivain français, publiée à Paris en 1761. L'auteur divise son ouvrage en quatre parties : *a*) Querelles d'auteur à auteur ; *b*) Querelles générales ; *c*) Querelles de différents corps [constitués] ; *d*) Querelles de particuliers avec les corps [constitués]. La première partie renseigne le lecteur sur les différends qui ont opposé Homère au grammairien Thestoridès, Sophocle à Euripide, Aristophane à Socrate, Platon à Aristote, etc., pour finir avec les différends qui opposèrent Corneille au cardinal de Richelieu, Bossuet à Fénelon, Bayle à Jurieu, Addisson à Pope, Rousseau à Voltaire, etc. ; la deuxième partie porte sur les querelles entre les « Anciens » et les « Modernes », entre les tenants de la langue latine et ceux de la langue française (par exemple pour les inscriptions sur les statues ou les édifices publics) ; enfin sur les querelles qui avaient trait aux systèmes du monde, à l'origine des idées, etc. La troisième partie fait revivre les querelles qui opposaient la Sorbonne, d'une part aux ordres des religieux « mendiants », et d'autre part aux jésuites ; ainsi que les querelles entre les différents ordres religieux, par exemple entre « ces MM. du Port-Royal » et les jésuites. La dernière partie relate les démêlés de Clément Marot avec la Sorbonne, ceux du Tasse avec l'Académie de la Crusca, ceux de Gabriel Naudé avec les bénédictins et ceux de Mabillon avec la cour de Rome. Il est intéressant de noter que l'abbé Irailh, qui fut prieur de Saint-Vincent-lès-Moissac, est un grand admirateur de Voltaire dont il prend toujours la défense, en ménageant toutefois ses adversaires. Jean-Zorobabel Aublet de Maubuy (1730 ?-1810 ?) a publié, en 1779, une *Histoire des troubles et des démêlés littéraires,* où l'on trouve beaucoup de renseignements qui complètent ceux donnés par l'ouvrage de l'abbé Irailh.

QU'EST-CE QUE LA CYBERNÉTIQUE ? [*Cybernetics, or Control and Communication in the Animal and the Machine*]. Essai du mathématicien américain Norbert Wiener (1894-1964), publié en 1948. Ce livre marque l'avènement de la cybernétique, domaine très fructueux de la pensée scientifique des années 50. Il est issu d'une série de séminaires informels organisés par Norbert Wiener au Massachusetts Institute of Technology (M.I.T.), dans le but d'explorer les « no man's land » de la science et de lutter contre son inéluctable tendance à la spécialisation. De ces rencontres entre mathématiciens, médecins, ingénieurs, sociologues et économistes a résulté un courant de pensée particulièrement novateur qui inspire aujourd'hui encore bien des recherches interdisciplinaires.

La cybernétique est un produit de la Seconde Guerre mondiale dans la mesure où sa problématique initiale concerne la mise au point de systèmes de défense anti-aérienne : un missile a-t-il quelque chance de toucher sa cible, compte tenu des réactions imprévisibles du pilote ? La question conduit Wiener à une vaste réflexion sur les systèmes électromécaniques susceptibles d'adapter leur réponse en fonction de leur propre état. En l'occurrence, il montre que de tels systèmes doivent à tout instant, via une boucle de rétroaction, comparer leur état avec le but poursuivi. Ce processus, mis en œuvre par tout système vivant, implique une inséparabilité entre le contrôle et la communication qui est à la base de tous les dispositifs automatiques à servomécanismes. Cette analogie entre la biologie et l'automatique (discipline en grande partie intégrée depuis à l'informatique) a été renforcée par la rencontre de Wiener et des neurophysiologistes Pitts et McCullogh. Ces derniers proposèrent une modélisation électromécanique des neurones du cerveau qui est récemment revenue sur le devant de la scène informatique sous le nom de « réseaux de neurones ». L'école cybernétique, cependant, a souffert d'avoir poussé trop loin l'analogie entre les systèmes matériels et les systèmes vivants. Sa démarche n'en reste pas moins exemplaire des bénéfices à attendre de la rencontre entre des champs de connaissance disparates.

N. W.

QU'EST-CE QUE LA PROPRIÉTÉ ? ou Recherches sur le principe du droit et du gouvernement. Mémoire de l'écrivain politique Pierre Joseph Proudhon (1809-1865), présenté en juin 1840 à l'académie de Besançon. Dès les premières pages, la formule toujours citée : « La propriété, c'est le vol » était bien propre à émouvoir le lecteur et lui paraissait résumer les thèses de l'auteur. Cette formule ne semble pas, comme on le prétend parfois, avoir été empruntée à Brissot de Warville — v. *Recherches philosophiques sur le droit de propriété et sur le vol* (*). S'en tenir à cette formule entraînerait un grave contresens sur la pensée de l'auteur. Proudhon est loin de considérer toute propriété comme le produit d'un vol ; ni l'appropriation en elle-même, ni la possession ne lui paraissent condamnables. Au contraire, la propriété privée, la disposition volontaire de l'épargne constituent pour Proudhon l'essence de la liberté. Par contre, il s'élève violemment contre le droit que l'appropriation donne au propriétaire de recevoir un revenu sans travail, ce qu'il appelle le droit d'aubaine qui, suivant la circonstance et l'objet, prend tour à tour le nom de rente, fermage, loyer, intérêt de l'argent, bénéfice, agio, escompte, commission, privilège, monopole, prime, cumul, sinécure, pot-de-vin, etc. Pour Proudhon, la terre ni les capitaux ne sont productifs en soi ; seul le travail est productif, et le propriétaire qui exige une « aubaine » pour prix du service de son instrument, de la force productive de sa terre, suppose un fait radicalement faux, à savoir que les capitaux produisent par eux-mêmes quelque chose ; or, en faisant payer ce produit imaginaire, le propriétaire reçoit à la lettre quelque chose pour rien. Après avoir ainsi dénoncé le vol, Proudhon peut définir la propriété : le droit de jouir et de disposer à son gré du bien d'autrui, du fruit de l'industrie et du travail d'autrui. Thèse, comme on le voit, assez différente de celle de Karl Marx, pour qui toute valeur vient du travail ; pour Proudhon, les produits, et non la valeur des produits, proviennent du travail. La thèse de Proudhon sera reprise par Rodbertus. Proudhon fit suivre son mémoire sur la propriété d'une *Lettre à M. Blanqui sur la propriété* (1841), où, polémiquant avec les économistes, les hommes politiques et les juristes de son temps, il réaffirme ses thèses antérieures et fait remarquer que la société, qui a déjà apporté de nombreuses restrictions au droit primitif de propriété, doit aller plus loin, jusqu'à la suppression totale et progressive du taux d'intérêt. Ultérieurement, il reprit et compléta ses thèses sur la propriété dans sa *Théorie de la propriété.*

QU'EST-CE QUE LA VIE ? La cellule vivante du point de vue de la physique [*What is Life ? The Physical Aspect of the Living Cell*]. Œuvre du physicien autrichien Erwin Schrödinger (1887-1961, prix Nobel de physique 1933), écrite en anglais et publiée en 1944. Elle reprend une série de conférences données par l'auteur au Trinity College de Dublin en février 1943. Après un bref exposé des principes de la physique classique, Schrödinger analyse la nature et les mécanismes des phénomènes héréditaires, qui apparaissent comme un des éléments fondamentaux de la vie. Ces phénomènes reposent sur une « stabilité » et des « mutations » brusques que la physique classique est incapable d'expliquer. Par contre, la théorie des quantas, qui rend compte des transformations survenant dans l'énergie par sautes brusques et non par variation continue, peut expliquer la stabilité du gène et sa mutation exceptionnelle. Schrödinger consacre deux chapitres (IV et V) à démontrer l'accord de la théorie des quantas avec ces caractères de stabilité et de mutation, puis détaille au cours des deux chapitres suivants les phénomènes de la vie qui échappent aux explications de la physique moderne et supposent donc l'existence de lois encore inconnues. Le trait essentiel à ses yeux de la matière vivante est qu'elle tend à un état d'équilibre tout en tendant à accroître son degré d'organisation. En conclusion, Schrödinger montre au fond que, s'il n'a pu répondre à la question posée par son titre, il a du moins circonscrit le terrain de cette réponse en l'orientant vers le domaine de la physique. Cette œuvre rigoureuse est un modèle de vulgarisation scientifique ; bien que dépassée aujourd'hui à cause des découvertes de la génétique, elle offre encore d'utiles hypothèses de travail.

QU'EST-CE QUE LE RÉALISME SOCIALISTE ? [*Čto takoe socialističeskij realizm ?*]. Pamphlet de l' écrivain russe Andreï Siniavski (né en 1925), publié en 1959 à Paris sous le pseudonyme d'Abram Tertz. Dans cet essai au ton volontairement ambigu, oscillant entre le sérieux de la réflexion théorique, le raccourci grotesque de la caricature et le pathétique de la confession, Siniavski-Tertz met en évidence la contradiction fondamentale du « réalisme socialiste », associant une esthétique conservatrice, héritée du XIXe siècle, à une vision du monde où l'idée du communisme comme but suprême de l'individu et de l'histoire a pris la place de Dieu. Il montre la présence de cette visée « téléologique » dans la littérature soviétique, en particulier dans sa quête du « héros positif », aux antipodes du héros sceptique et tourmenté de la littérature russe du XIXe siècle. Il soutient qu'un art socialiste conséquent devrait rejeter tout « psychologisme », être un art monumental exprimant des certitudes absolues. Celles-ci disparues (avec la mort de Staline et la fin du « culte de la personnalité »), il ne reste de place que pour le « réalisme fantastique », « art fantasmagorique, avec des hypothèses en guise de but », où le grotesque remplacera la description réaliste du quotidien.

Cette première mise en question ironique de la doctrine officielle de la littérature soviétique est en même temps le manifeste esthétique de l'écrivain clandestin Abram Tertz, auteur des *Nouvelles fantastiques* (*). — Trad. in *Le Verglas*, Plon, 1963. M. A.

QU'EST-CE QUE LE TIERS ÉTAT ? Cette mince brochure de cent vingt-sept pages, œuvre de l'homme politique français Emmanuel Sieyès (abbé Sieyès ou Sieys, 1748-1836), publiée en janvier 1789, quelques mois avant la réunion des états généraux, devait connaître un immense succès, exercer une influence décisive sur les débuts de la Révolution et donner la gloire à son auteur. Depuis le 5 juillet 1788, la convocation des états généraux avait été arrêtée. Aussitôt s'était engagé un vaste mouvement d'opinion, orchestré par une campagne de brochures et de libelles de toutes sortes. Il appartenait à l'abbé Sieyès de poser la véritable question : quelle serait la représentation du tiers dans la nouvelle assemblée, quel rôle y jouerait-il ? Avec une netteté incisive, ne reculant pas devant les formules les plus frappantes, Sieyès y énonçait tout haut ce que beaucoup pensaient tout bas. Il y expose tout d'abord que le tiers état est en lui-même une nation complète, puisque, des deux ordres de travaux nécessaires à l'existence et à la prospérité de la nation : l'agriculture, l'artisanat, l'industrie, le commerce, les professions libérales d'une part ; l'armée, la magistrature, le clergé, l'administration d'autre part, il accomplit la totalité des premiers et remplit les dix-neuf vingtièmes des seconds. Et il va jusqu'à affirmer : « Si l'on ôtait l'ordre privilégié, la nation ne serait pas quelque chose de moins, mais quelque chose de plus » car, au lieu d'être un tout « entravé et opprimé », elle serait un tout « libre et florissant ». Mais — et c'est la seconde partie de son exposé — « l'on n'est rien en France quand on n'a pour soi que la loi commune ; si l'on ne tient pas à quelque privilège, il faut se résoudre à endurer le mépris, l'injure et les vexations de toute espèce ». Ainsi le tiers n'a-t-il encore eu dans les assemblées que de « prétendus représentants », de « faux députés ». En somme, « qu'est-ce que le tiers état a été jusqu'à présent ? Rien ». Or — et c'est la troisième partie de l'argumentation — il veut être quelque chose. Il réclame d'abord « de vrais représentants aux états généraux, c'est-à-dire des députés tirés de son ordre, qui soient habiles à être les interprètes de son vœu et les défenseurs de ses intérêts » ; mais il doit avoir dans l'assemblée une influence au moins égale à celle des privilégiés ; c'est pourquoi il demande d'une part « un nombre de représentants égal à celui des deux autres ordres ensemble », et d'autre part « que les votes soient pris par tête et non par ordre », sans quoi cette égalité de représentation resterait parfaitement illusoire. Et la conclusion de Sieyès est d'une logique rigoureuse : « L'assemblée du tiers état... représente vingt-cinq millions d'hommes et délibère sur les intérêts de la nation. Les deux autres, dussent-elles se réunir, n'ont de pouvoirs que d'environ deux cent mille individus et ne songent qu'à leurs privilèges. Le tiers, dira-t-on, ne peut pas former les états généraux. Eh ! tant mieux ! il composera une Assemblée nationale. » Sieyès avait le mérite de poser la question à l'ordre du jour et d'y répondre avec un bon sens imperturbable. Dans ce bon sens, il y avait autant d'intelligence que de courage. On comprend l'immense succès de la brochure, qui répondait à la question encore informulée du public — il s'en vendit trente mille exemplaires en quelques semaines ; on comprend aussi que cette brochure devint l'exposé officiel des revendications du tiers et le guide de conduite de ses députés. C'est en effet la question du doublement du tiers et du vote par tête qui se posera dès la réunion des états et c'est elle qui déterminera ce scindement entre privilégiés et représentants du tiers, lequel devait provoquer la naissance de l'Assemblée constituante. *Qu'est-ce que le tiers état ?* demeure par sa clarté, sa clairvoyance et sa vigueur un modèle rarement atteint de libelle politique.

QU'EST-CE QUE L'HISTOIRE UNIVERSELLE ET POURQUOI L'ÉTUDIE-T-ON ? [*Was heisst und zu welchem Ende studiert man Universalgeschichte ?*]. Conférence inaugurale tenue par l'écrivain allemand Johann Christoph Friedrich von Schiller (1759-1805) lorsqu'il fut nommé professeur d'histoire à l'université d'Iéna, en 1789. L'auteur commence par opposer aux vues étroites des « spécialistes » l'ouverture d'esprit des « têtes philosophiques », seules capables de vastes synthèses. Pour expliquer le concept d'histoire universelle, Schiller remonte aux origines de l'humanité, lorsque les hommes étaient pris entre l'esclavage, l'ignorance et la superstition d'une part, et une liberté sans frein de l'autre. Fidèle à son idéalisme, il oppose à cet état une représentation utopique de la culture moderne. Désormais, les barrières qui divisaient les communautés en autant d'égoïsmes hostiles sont tombées et « un lien cosmopolite unit toutes les têtes pensantes ». L'histoire universelle nous montre les stades traversés par l'humanité pour se hausser de l'état primitif à l'état actuel, nous éclairant en outre sur les différents caractères ethniques et les divers degrés de culture. On peut voir alors que cette longue série d'événements n'est qu'un enchaînement de causes et d'effets, bien qu'il faille une intelligence infinie pour l'embrasser. De la masse chaotique des documents et des faits, l'histoire universelle remontant ainsi du présent au passé ne retient que ce qui l'intéresse, en fonction de notre état actuel : toutefois, en raison des altérations et de la pauvreté des sources, cette histoire elle-même ne serait qu'un « agrégat de fragments » si nous ne possédions l'« esprit philosophique » qui, avec le secours de la raison, réunit les fragments en système, assimilant toute chose à sa nature rationnelle et élevant tout phénomène au plan de la pensée. Elle apporte ainsi un principe téléologique dans le cours de l'histoire universelle. Schiller reconnaît que cette conception de l'histoire universelle ne pourra être réalisée que dans un avenir lointain ; mais chaque effort fait en ce sens est un pas vers la perfection. De l'étude des grands tyrans et des grands égoïstes, le chercheur apprendra alors que « l'homme égoïste, tout en poursuivant des fins abjectes, favorise inconsciemment l'atteinte de fins supérieures ». Ce bref essai conserve une réelle importance pour la compréhension de l'œuvre dramatique et des ouvrages historiques de l'auteur.

QU'EST-CE QUE S'ORIENTER DANS LA PENSÉE ? [*Was heisst : sich im

Denken orientieren]. Œuvre du philosophe allemand Emmanuel Kant (1724-1804), parue en 1786 dans la *Berlinische Monatschrift*, organe de l'« Aufklärung ». L'intérêt historique et philosophique de cet écrit réside en ce qu'il condamne tant la position intellectualiste que la position fidéiste devant le problème théologique, et qu'il marque en même temps une des étapes de la formation de la pensée critique. Sans leur dénier toute utilité, Kant ne reconnaît aucune valeur de démonstration aux preuves théoriques de l'existence de Dieu, qu'il s'agisse de celles de Descartes ou de celles de Mendelssohn. Intuition transcendante, la foi seule ne peut, aux yeux de Kant, offrir à la vérité un fondement solide ; même la tradition ou la révélation exigent le consentement de la raison. De même que dans le monde sensible nous nous orientons grâce au sentiment subjectif de l'espace, nous nous orientons dans le monde suprasensible en vertu du « besoin » qu'a la raison de croire en certaines idées, c'est-à-dire d'en affirmer la réalité sans en fournir de preuve théorique ; elle choisit dans le vraisemblable. Il convient d'examiner de plus près quelle est la nature de ce « besoin », puisqu'il existe des notions suprasensibles dont on ne sent pas le besoin ; d'autres, comme celle d'un Premier Être, intelligence et bonté suprêmes, dont on éprouve le besoin impérieux ; d'où le « droit du besoin », qui est pour Kant une raison subjective de supposer ou d'admettre ce que la raison ne peut prétendre savoir au moyen de principes objectifs, de s'orienter dans la pensée, dans l'espace incommensurable du suprasensible, rempli d'épaisses ténèbres. Non seulement notre raison éprouve le besoin de fonder la notion du fini sur celle de l'infini, mais ce besoin s'étend aussi à l'hypothèse de l'existence de l'infini, sans laquelle il n'est pas d'explication satisfaisante de l'existence, de la finalité et de l'ordre de la nature. Néanmoins nous ne pouvons prouver qu'il est impossible que cette finalité n'ait pas une cause intelligente (si nous le pouvions, nous aurions des raisons objectives et nous n'aurions pas besoin de recourir au subjectif). Mais l'emploi pratique de la raison est encore plus important, car nous « devons » émettre un jugement au sujet de l'existence de Dieu, non pour en déduire le caractère contraignant de la loi morale, qui est autonome, mais pour donner une réalité objective à la notion de « bien souverain ». La raison a besoin d'admettre l'indépendance de ce bien souverain ; de plus, une intelligence suprême en doit être le garant. Il ne s'agit toujours pas de connaissance, mais d'un besoin éprouvé par la raison et grâce auquel Mendelssohn s'orientait dans la pensée spéculative. On ne se trouve pas devant un principe objectif de la raison, mais devant un postulat qui sert de boussole, extérieur à la logique, mais pourtant supérieur à tout savoir. De Dieu il est impossible de prouver l'existence, puisqu'aucune expérience ou intuition ne s'applique à la notion que nous avons de Lui. Personne ne saurait être convaincu de l'existence de l'Être suprême grâce à une intuition quelconque ; la foi dans la raison vient en premier. Contester à la raison le droit d'intervenir dans les choses transcendantes, comme l'existence de Dieu et la vie future, c'est ouvrir grand la porte à toute sorte de superstitions, voire à l'athéisme. L'œuvre s'achève sur un appel « aux amis de l'humanité et à ce qu'il y a de plus sacré » en faveur de la raison, suprême pierre de touche de la vérité. – Trad. Ladrange, 1862 ; Vrin, 1979 ; Gallimard, 1984.

QUESTION D'ARGENT (La). Comédie en cinq actes en prose de l'auteur dramatique français Alexandre Dumas fils (1824-1895), jouée en 1857. Dans un louable souci de moralisation, Dumas s'est plu à évoquer ici le monde de la finance et de l'agiotage. Le riche banquier Giraud, être sans scrupule et sans conscience, use de tous les moyens pour s'enrichir. « L'argent, dit-il, est la seule puissance que l'on ne discute jamais. » Après maintes spéculations malhonnêtes, ses calculs seront déjoués par l'honnêteté de certaines personnes de son entourage. Tout au long de ce plaidoyer, l'auteur s'efforcera de démontrer à son triste héros qu'il se trompe et qu'il n'est pas toujours bon de prendre l'argent des autres, sous prétexte qu'on appelle cela les affaires. L'intérêt de l'action réside dans les incidents plus que dans le fond. Toutefois, la donnée de l'auteur est excellente, en ceci qu'il fustige les spéculateurs, non pas avec la générosité et la fougue de Ponsard dans *La Bourse* par exemple, mais plutôt avec malice et esprit, ridiculisant certains travers de cette société et grossissant encore ses aspects les plus bouffons. De cette façon, il semble avoir frappé plus juste et plus durement. Jamais son dialogue n'a été plus vif, plus enjoué, plus spirituel qu'ici. Tout au long de la pièce, il sape et réduit à néant, avec une sorte d'évident plaisir, la prétendue puissance de l'argent.

QUESTION DE L'EAU ET DE LA TERRE [*Quaestio de aqua et terra*, ou *De forma et situ duorum elementorum, aquae videlicet et terrae*]. Brève dissertation de philosophie naturelle que le poète italien Dante Alighieri (1265-1321) écrivit, après l'avoir exposée oralement à Vérone en 1320, et qui fut imprimée pour la première fois en 1508 à Venise par les soins du moine augustin Giovanni Mocetti. L'occasion de ce petit ouvrage fut une discussion à laquelle Dante assista à Mantoue, sur le point de savoir si l'eau, dans sa sphère ou circonférence naturelle, s'élève en quelque endroit plus haut que la terre émergée. Dante reprend cette question et expose d'abord les arguments de ses adversaires, selon lesquels la sphère de l'eau est plus élevée que celle de la terre. Pour ces derniers, les deux sphères n'ont pas le même centre, et celui de la terre coïncide avec le centre de l'univers ; l'eau, comme corps plus noble, est plus proche du Premier Moteur, qui est le ciel ; l'expérience des navigateurs le démontre, puisqu'ils sont obligés de monter aux mâts pour apercevoir les rivages ; enfin, dans les marées, la mer imite l'excentricité de l'orbite lunaire, et il s'ensuit que la sphère de l'eau, également excentrique, dépasse la sphère de la terre. Dante réfute ces arguments, car l'eau ne peut être, en quelque endroit, plus haute que la terre, que si elle n'a pas le même centre, ou si, ayant le même centre, elle présente des excroissances. Mais elle ne peut avoir d'autre centre que celui de la terre, car elle est soumise à la même force de pesanteur qui tend au centre de la terre, et, d'autre part, toute excroissance est impossible dans l'élément liquide, car l'eau coulerait vers le bas. Les deux sphères ont le même centre ; c'est au contraire la terre qui présente une excroissance (la partie habitable). En effet, comme corps simple, elle tend également au centre en toutes ses parties ; et cela, elle le doit à la finalité universelle. Cet ouvrage reflète les idées fausses de l'époque, mais il a une grande valeur à cause de cette recherche loyale et exigeante de la vérité qui caractérise toute l'œuvre de Dante. — Trad. Gallimard, 1965.

QUESTION DE TAILLE (Une) [*On being the right Size*]. Recueil d'essais du biologiste anglais John Burdon Sanderson Haldane (1892-1964), publié en 1935. C'est dans le domaine de l'essai que le talent de vulgarisateur de Haldane s'est exprimé le plus pleinement. Après *Mondes possibles* [*Possible Worlds*], *Une question de taille* aborde avec la même fougue et la même finesse les problèmes scientifiques les plus divers, de l'origine de la vie à l'avenir de la biologie, de la façon d'écrire un article scientifique lisible par tous à l'éternelle querelle entre science et religion. À propos de cette dernière, Haldane remarque que, si le fait scientifique est davantage digne de foi que le fait religieux, la science ne peut, pas plus que la religion, prétendre à une quelconque vérité universelle. Toutes deux gagneraient à être considérées comme des formes d'art visant à décrire la nature. Dans l'essai qui donne son titre à l'ouvrage, Haldane approfondit la question, soulevée voici trois siècles par Galilée, de la dimension des êtres vivants. La taille d'un animal ne peut être arbitrairement multipliée : en doublant la longueur, on quadruple la surface et l'on multiplie par huit le volume. Un os deux fois plus long doit ainsi supporter un poids (proportionnel au volume) huit fois plus grand avec une section (proportionnelle à la surface) seulement quatre fois plus grande, d'où la petite taille des membres des animaux les plus lourds, hippopotames ou rhinocéros. Avec ce raisonnement simple, Haldane explique pourquoi les insectes se noient facilement dans un verre d'eau, pourquoi il n'y a pas de petits animaux dans les climats froids et pourquoi les petits mammifères ont de grands yeux. Il étend aussi cette notion de « facteur d'échelle » à la taille optimale d'une démocratie et explique à sa façon pourquoi l'on ne verra jamais de « Belgique Ltd. » ni de « Danemark Inc. ». La biologie selon Haldane ne connaît pas de frontières... N. W.

QUESTIONNAIRE (Le) [*Der Fragebogen*]. Autobiographie de l'écrivain allemand Ernst von Salomon (1902-1972), publiée en 1951. Ce livre, tout en reprenant des événements déjà racontés dans *Les Cadets* (*) et *Les Réprouvés* (*), les précise et les élargit jusqu'à devenir ainsi le miroir d'un quart de siècle de l'histoire de l'Allemagne. Salomon le composa en guise de réponse au « questionnaire » (il comportait cent trente et une questions) adressé par les autorités américaines d'occupation à tous les Allemands suspects d'avoir collaboré avec le régime nazi. La forme du livre est donc conditionnée par ce « questionnaire », auquel Salomon répond longuement et point par point, bien qu'il commence par contester son bien-fondé avec un humour et une indignation également habiles. Après donc avoir dit son fait au questionneur, Salomon profite de la grille des questions pour développer trois thèmes : sa vie privée, l'histoire de l'Allemagne préhitlérienne et sa rancune à l'égard des Américains. Parmi ses aventures de caractère privé, il faut noter surtout l'année passée en France. Le caractère violemment nationaliste de l'auteur apparaît clairement quand il décrit sa propre activité politique, sa campagne dans les Corps francs de Haute-Silésie, ses séjours en prisons, ses relations avec les anciens chefs militaires qui reconstituèrent en secret la Wehrmacht et l'Abwehr, les raisons mauvaises qui l'ont empêché de collaborer à l'avènement de Hitler, enfin ses occupations diverses pendant la période hitlérienne (Salomon écrivit quelques scénarios pour des films médiocres). La position de Salomon vis-à-vis du national-socialisme est ambiguë. S'il se considère comme membre d'un mouvement précurseur de l'hitlérisme et s'il condamne l'action des opposants au régime, il n'en est pas moins vrai qu'il a formulé avant 1933 et après 1945 certaines critiques à l'égard du national-socialisme. En 1932, il reproche aux hitlériens leur idéologie « vulgaire et mensongère » ; en 1950, il dit que l'Allemagne hitlérienne avait « faussé l'idée de l'État ». On peut conclure qu'avant 1933 Salomon n'était ni partisan ni adversaire de Hitler, mais membre d'un groupe rival (cependant allié parfois au national-socialisme) et qu'à ce titre il a contribué à créer le désordre dont le Troisième Reich est sorti ; après 1933, son passé, loin de lui avoir été néfaste, a favorisé son entrée dans une carrière non pas politique, mais bourgeoise. De toute évidence, interné en 1945 par les occupants américains, Ernst von Salomon se pose en victime d'une erreur judiciaire. Quoi qu'il en soit, *Le Questionnaire* constitue un témoignage capital sur l'Allemagne entre 1914 et 1945, en même temps qu'il décrit les expériences audacieuses d'un aventurier doublé d'un grand écrivain. Dans ce livre, comme dans *Les Cadets* et *Les Réprouvés*, les faits sont dépeints sèchement, sans dissimulation aucune, avec lucidité et cynisme. Le style, vif, nerveux et sobre, est d'un grand prosateur. — Trad. Gallimard, 1953.

QUESTIONS DE POÉTIQUE. Recueil d'articles du linguiste américain d'origine russe Roman Jakobson (1896-1982) publié en français en 1973. Cet ouvrage présente le grand intérêt de montrer la genèse (dans la première partie, qui réunit des articles publiés entre 1919 et 1937), ainsi que les développements et les applications (dans la deuxième partie, qui réunit des articles publiés entre 1961 et 1972) de la définition du discours poétique proposée en 1960 par Jakobson dans l'article célèbre intitulé « Linguistics and Poetics » — v. *Essais de linguistique* (*) (I, 1963) : « La fonction poétique projette le principe d'équivalence de l'axe de la sélection sur l'axe de la combinaison. » Jakobson veut dire par là que le discours poétique est caractérisé par la juxtaposition d'unités présentant des ressemblances au plan du signifiant et/ou du signifié ; il ramène ainsi à un principe unique les différentes propriétés du discours poétique : structure strophique, métrique, rimes, assonances, allitérations, parallélismes syntaxiques et sémantiques. Dès les articles de 1921 (« Fragments de la nouvelle poésie russe ») et de 1933-34 (« Qu'est-ce que la poésie ? ») s'esquisse une définition du discours poétique liée à la récurrence de parallélismes et, corollairement, à l'accent mis sur le message en tant que tel. Si les parallélismes graphiques, phoniques et métriques ont toujours été perçus, Jakobson montre bien, dans « Poésie de la grammaire et grammaire de la poésie » (1960) et dans « Le Parallélisme grammatical et ses aspects russes » (1966), que le principe posé a une portée plus vaste et qu'il s'étend en particulier aux structures grammaticales. Mais la partie la plus intéressante du recueil réside sans doute dans l'analyse d'une douzaine de poèmes d'auteurs de langues et d'époques très différentes (Codax, Dante, Du Bellay, Shakespeare, Baudelaire, Eminescu, Brecht, Pessoa, Blake, Henri Rousseau et Klee) ; outre l'analyse du sonnet de Baudelaire « Les Chats », rédigée en collaboration avec Lévi-Strauss, qui pour être la plus connue n'est pas la plus intéressante, on retiendra en particulier ici l'analyse très fouillée que propose Jakobson du sonnet de Du Bellay « Si nostre vie », en opposition à celle du stylisticien Spitzer. Le recueil se termine par un « Post-scriptum » inédit, qui est intéressant par la manière dont Jakobson répond, souvent acerbement, aux nombreuses critiques adressées à ses hypothèses théoriques et à ses analyses, en particulier à celle des « Chats », par des critiques littéraires et des linguistes comme Delbouille, Ihwe, Posner, Mounin et Riffaterre. — Trad. Seuil, 1973.

E. Ro.

QUESTIONS DISPUTÉES [*Quaestiones disputatae*]. Œuvre du philosophe et théologien d'origine italienne saint Thomas d'Aquin (1225-1274), qu'il reprit à diverses périodes de sa vie. Les thèmes traités sont de la plus grande variété, et sous un même titre se trouvent développées des questions concernant des sujets absolument différents ; certaines sont de nature théologique, d'autres de nature philosophique, d'autres enfin tiennent à la fois de l'une et de l'autre. Le titre donné à un groupe de questions dépend du sujet qui y est traité d'une manière prédominante. Les premières, dans l'ordre chronologique, sont celles qui rentrent sous le titre *De la vérité* [*De veritate*] ; les plus importantes, en effet, concernent la vérité et donc le critère de la certitude, les idées, leur nature et leur origine, l'esprit et les premiers principes de la science. C'est en corrélation avec ces questions que saint Thomas traite de celles relatives à la connaissance en Dieu, en Jésus-Christ ; la providence et la prédestination, la connaissance surnaturelle due à une action spéciale de Dieu dans l'inspiration des prophètes et dans les dons mystiques. Puis, par extension, l'auteur traite de la conscience en tant que connaissance des principes de la moralité, de la volonté et du libre arbitre, des inclinations de l'âme et de la nature de la grâce sanctifiante. Les questions qui sont rassemblées sous le titre *De la puissance divine* [*De potentia*] concernent avant tout l'omnipotence divine ; enfin sont traitées les questions de la nécessité ou de la contingence de la création, de son éternité ou de son caractère temporel. Puis viennent les questions relatives à la conservation, par Dieu, des choses créées, et des miracles considérés comme effets de la puissance divine. Sous le même titre se trouvent également développées les questions regardant la simplicité divine en relation avec les perfections divines, ainsi que les personnes divines dans leurs relations mutuelles. C'est à la même époque que furent écrites les questions intitulées *Du mal* [*De malo*], où, après les premières définitions générales sur la nature du mal, l'auteur parle du péché et de ses causes, du péché originel et de ses peines, du péché véniel et des péchés capitaux, enfin de la nature et de l'activité des esprits du mal. Dans son second enseignement à Paris, saint Thomas traita les trois dernières questions suivantes : *Des créatures spirituelles* [*De spiritualibus creaturis*], concernant la nature des anges, de l'âme humaine, des intelligences motrices des cieux (selon l'astronomie aristotélicienne), de l'« intellect agent » ; *De l'âme* [*De anima*], un modèle de cours de psychologie médiévale, où se trouvent traitées les questions de la substantialité, de l'unité, de la connaissance, de la spiritualité, de l'immortalité de l'âme humaine ; enfin une question *Des vertus* [*De virtutibus*] sur les vertus en tant qu'inclinations de l'intellect et de la volonté, reçues de la nature ou acquises par l'exercice et la répétition des actes. – Trad. *Questions disputées sur la vérité,* Vrin, 1983.

QUESTIONS NATURELLES [*Naturales quaestiones*]. Œuvre de l'écrivain latin Sénèque (1 ? av. J.-C. – 65 ap. J.-C.), qu'il composa ou acheva dans sa vieillesse. L'étude de la nature nous élève au-dessus des limites de la condition humaine, car elle permet de commencer à comprendre Dieu, âme de l'univers. Sénèque expose les phénomènes naturels (livre I : les météores ; liv. II : air, éclairs, tonnerre, foudre ; liv. III : les eaux ; liv. IV : crues du Nil, grêle et neige ; liv. V : vents ; liv. VI : tremblements de terre ; liv. VII : comètes). Dans cette encyclopédie scientifique, Sénèque, dès les premières pages, établit la prééminence de la philosophie sur toute autre forme de la connaissance, car seule elle voit plus loin que les yeux et pénètre profondément la réalité des choses. Pour lui, un approfondissement des connaissances physiques entraîne toujours une conscience philosophique plus étendue. Les *Questions naturelles* furent très goûtées par les Anciens, et plus encore au Moyen Âge, lorsque Vincent de Beauvais et Albert le Grand jugèrent cette œuvre indispensable pour l'étude du monde physique. Aujourd'hui encore, compte tenu de leurs insuffisances – notamment d'un certain abus de l'improvisation –, les *Questions naturelles* n'ont pas perdu toute valeur, et elles trouvèrent grâce auprès de Goethe et de Humboldt. – Trad. Les Belles Lettres, 1929.

QUESTIONS TRÈS SUBTILES ET RÉPONSES AU « LIVRE DES SENTENCES » [*Super quatuor libros Sententiarum subtilissimae quaestiones earumdemque decisiones*]. Vaste commentaire philosophique et théologique au *Livre des sentences* (*) de Pierre Lombard, du théologien anglais Guillaume d'Occam (ou d'Ockham, 1295/1300-1349/50), composé au cours de la période de son enseignement à Oxford (1318-1324). Les trois derniers livres, beaucoup plus abrégés, sont probablement une rédaction de ses leçons, compilée par ses élèves. Pour Guillaume d'Occam, les « universaux » n'ont pas d'existence dans le monde de la réalité, et sont seulement des « termes ». Le « concept » est un terme qui existe dans la pensée antérieurement à toute expression, comme un langage naturel. Rien n'est universel dans la nature, mais peut le devenir par convention : les réalités extérieures tout autant que celles de l'âme. Dans l'âme, l'universel est une qualité subjective de l'esprit. Par nature, les concepts – particuliers comme les mots – existent dans l'âme en tant qu'« images », « peintures » de la chose, « fictions » qui peuvent cependant représenter toutes les choses dont ils sont les images : c'est là l'universel objectif. Toute notre connaissance, y compris la connaissance intellectuelle, part du particulier matériel : tout le réel est particulier. Il n'y a donc pas de place pour l'« intellect agent », qui dématérialise l'espèce sensible. La connaissance est intuitive si elle est d'existence actuelle, ou abstraite si seulement les termes sont présents à l'esprit, sans certitude de leur existence actuelle. Aucune chose n'étant différente d'elle-même, tout ce qu'elle possède, elle l'a en même temps et de la même manière : donc substance et accidents, matière et forme sont aussi particuliers que l'individu. Si, parmi des individus de la même espèce, il existe une ressemblance substantielle, celle-ci a lieu entre leur existence entière, et non entre des aspects particuliers. Comme il n'existe en Dieu aucune distinction entre les attributs et la très simple essence divine, bien que nous nous servions de noms et de concepts divers pour penser à Dieu et pour parler, en réalité son intelligence et sa volonté sont l'essence divine même. C'est seulement s'ils sont appliqués aux créatures qu'ils se diversifient, l'objet de sa volonté étant limité aux créatures existantes. En Dieu, les idées sont les choses mêmes qu'il connaît, et non le moyen de les connaître. Il connaît ce qu'il veut, avec une certitude absolue ; mais sa volonté est libre et les choses restent contingentes. Il est cependant impossible de faire une analyse de la prescience de Dieu, car sa simplicité exclut toute psychologie divine. Dieu est volonté ; c'est là la cause première de tout. Elle ne fait qu'une seule chose avec son absolue liberté ; et c'est seulement en ce sens qu'elle trouve une directive dans l'intelligence divine. De la sorte se trouve réaffirmée la supériorité de la volonté sur la raison, caractéristique de l'augustinisme anglais. Toute l'ordonnance du monde est contingente ; et, par le fait même que Dieu l'a voulu ainsi, il est juste et bon ; et ce n'est pas que Dieu l'ait voulu, car juste et bon il l'est par nature. Puisque dans l'âme humaine également il n'y a pas de différence réelle ou formelle entre sa substance et son pouvoir, et qu'il y a seulement une âme et des actes différents, on ne peut parler de primauté, chez l'homme, de la volonté sur l'intelligence : les actes de volonté sont seulement plus nobles que ceux de l'intelligence. Occam rejette donc l'intellectualisme thomiste, avec sa primauté sur la volonté, la structure thomiste du réel avec son mécanisme de la connaissance, l'analyse thomiste de l'être divin, et les preuves thomistes de l'existence de Dieu. Occam préfère, comme preuve de l'existence de Dieu, l'argument de la « conservation » des choses dans l'être, car, s'il y avait une infinité de causes conservatrices, nous serions en face de l'infini actuel, ce qui est impossible. Avec cette critique radicale des doctrines de saint Thomas d'Aquin, l'âge des constructions scolastiques se trouve dépassé, et la théologie se dégage d'une métaphysique déterminée. L'Être suprême transcende notre capacité de démonstration, et seule la foi nous en donne la certitude ; mais le Dieu de la foi échappe, par sa simplicité, à toute analyse de notre esprit. En 1324 déjà, Occam avait été invité par la cour pontificale siégeant à Avignon, pour répondre de son enseignement ; mais ce ne fut qu'après sa fuite d'Avignon, pour des raisons d'opposition et de rébellion contre la discipline, que l'auteur fut condamné, et encore ce fut seulement pour sa conduite, et non directement pour ses doctrines. La commission pontificale en avait extrait cinquante et un articles, en faisant la distinction entre les idées strictement philosophiques et les idées théologiques. Bien que nombre des premières fussent réprouvées, la subtile dialectique et l'habileté évasive de l'auteur rendirent difficile une condamnation catégorique ; mais, parmi les idées théologiques, beaucoup furent qualifiées de fausses, erronées, et même d'hérétiques. Il est toutefois remarquable que la condamnation de l'ensemble du système d'Occam – bien que le plus radicalement destructeur des fondements de l'édifice de la théologie rationnelle – ne fut pas prononcée par le Saint-Siège, mais par l'université de Paris, en 1339, et de nouveau en 1340. Mais les interdictions qu'elle lança restant inefficaces, et les doctrines d'Occam, la « via modernorum » prévalant de plus en plus sur la « via antiquorum », finalement, en 1474, l'université obtint par décret royal que fût proscrite de l'enseignement la doctrine des « nominales seu terministas » (ayant Occam à sa tête) et réintégrée celle des « doctorum realium », qui suivaient Aristote et ses commentateurs. Cependant, dès 1841, l'échec retentissant de ce décret provoquait un décret contraire, portant la restitution des œuvres et l'ordre « de faire savoir que chacun y étudiât qui voudrait ». Cependant, ce qui dans le nominalisme était le dissolvant le plus pernicieux, la distinction absolue entre le domaine de la foi et celui de la dialectique, avait déjà préparé le triomphe de l'humanisme, et la Réforme.

QUÊTE DU GRAAL (La) (v. *Histoire du Graal*).

QUEUE DU CHIEN (La) [*It Kuyrughu*]. Recueil de nouvelles de l'écrivain turc Aziz Nesin (né en 1915), publié en 1955. Deuxième livre d'un auteur exceptionnellement prolifique, *La Queue du chien* présente une série de paraboles à l'humour grinçant sur les aspects les plus divers de la vie quotidienne dans la Turquie de l'après-guerre. La fantaisie d'Aziz Nesin, son sens suraigu de l'absurde s'y révèlent déjà d'une redoutable efficacité pour débusquer les tares d'une société traditionnelle brutalement modernisée ; un trait caractéristique que l'on retrouvera dans toute son abondante œuvre à venir. S.A.D.

QUI A PEUR DE VIRGINIA WOOLF ? [*Who's afraid of Virginia Woolf ?*]. Pièce en trois actes du dramaturge américain Edward Albee (né en 1928), créée à New York en 1962 et à Paris en 1964. Cette pièce, considérée comme un des grands classiques du théâtre américain, constitue sans doute le point culminant de l'œuvre d'Albee. On y reconnaît d'emblée le couple introduit schématiquement dans *Le Rêve américain* (*) : un mari un peu faible, une femme dominatrice. Mais ce couple est ici dédoublé, et le couple principal (George et Martha), par sa cruauté, sa maîtrise étincelante du langage et son humanité poignante fait davantage penser à Artaud qu'à Ionesco. La pièce est une longue scène de ménage entre George et Martha dans une maison située sur le campus d'un petit collège de Nouvelle-Angleterre ; un psychodrame dont l'humour cruel et les jeux de rôles et de guerre – auxquels assiste d'abord puis participe l'autre couple (Nick/Honey) – s'orientent progressivement vers un dévoilement des secrets de chacun : peur de la grossesse de Honey, impuissance de Nick, et surtout ce fils mystérieux auquel George et Martha font référence à plusieurs reprises et dont ils finissent par reconnaître qu'il n'est qu'une invention. Fantasme pathétique d'un couple stérile, pour qui les joutes verbales et l'alcool sont une manière de masquer le vide de leur existence, cet enfant imaginaire salvateur mais aussi destructeur est sacrifié à l'aube. Fable sur la perversion des soi-disant idéaux de la révolution américaine (Martha et George sont les prénoms des époux Washington), sur la stérilité tragique du rêve américain, la pièce affirme aussi, de manière plus positive, la nécessité et la possibilité d'un retour au réel, même si celui-ci reste à définir. – Trad. Robert Laffont, 1964. G. D.

QUI A RAMENÉ DORUNTINE ? [*Kush e solli Doruntinen*]. Roman de l'écrivain albanais Ismaïl Kadaré (né en 1936), publié au début des années 80. Une vieille femme et sa fille sont les seules survivantes d'une famille dont la guerre et la peste ont tué tous les enfants mâles, neuf fils. Doruntine avait été mariée « au loin » et son frère Constantin avait, de son vivant, juré à sa mère de lui ramener sa fille chaque fois qu'elle exprimerait le désir de la revoir. Or, on raconte qu'on l'a vu ramener sa sœur, de nuit, au domicile maternel. Constantin serait-il sorti de sa tombe pour tenir la « bessa », la parole donnée à sa mère ? Ou faut-il prêter foi aux aveux extorqués sous la torture à un pauvre commerçant ambulant qui prétend avoir convoyé Doruntine depuis sa lointaine province ?... Un inspecteur local, chargé de dénouer l'énigme, tente de reconstituer le puzzle des différentes versions. Dans ce superbe récit hors du temps, plein de brumes, de chevauchées nocturnes, de tombes ouvertes et de fantômes, sous l'apparence d'un roman policier « médiéval », s'élève une voix étrangement dissidente qui, dans une période d'isolement, appelle l'Albanie à se relier au monde. — Trad. Fayard, 1986. N. Z.

QUI JE FUS. Recueil de l'écrivain français d'origine belge Henri Michaux (1899-1984), publié en 1927. En 1922, Michaux découvre Lautréamont et le « besoin, longtemps oublié, d'écrire ». Franz Hellens, directeur de la revue *Le Disque vert* (*), l'encourage. Bientôt, le jeune auteur publie ses textes dans *La Nouvelle Revue française* (*) (ce qui ébranle le monde des abonnés). *Qui je fus*, première publication française de Michaux, doit être considéré comme son premier livre. Ce bref ouvrage hétéroclite, composé de textes généralement denses, contient déjà la plupart des thèmes d'une œuvre très abondante dont il est l'esquisse ; certes les moyens et la manière évolueront, mais *Qui je fus* caractérise Michaux, et très précisément sa raison d'être et d'écrire, sur laquelle il ne cessera de s'expliquer : pris au piège de l'existence, malade, crachant sur un monde infect, et lui-même infesté de fantasmes, il veut un « passage » et pour cela invente mille astuces, se persuade qu'il demeure à l'aide d'invectives, s'exprime de toute façon et de toutes les façons. Son entreprise est solitaire : il ne se lie à aucun des poètes de l'époque. Son expression est dictée par le présent, par le moment, qui lui suggèrent une aventure irréfléchie ; si la tonalité ou l'image ont déjà été employées, tant mieux ou tant pis ; il les épuisera peut-être, sombrant dans l'explication, la description, mais si les histoires extravagantes qu'il se raconte, si les cris grotesques qu'il pousse donnent le sommeil à cet insomniaque, le but est atteint. Dans *Qui je fus*, la question principale, celle de l'unité et de l'autonomie du moi (qui suis-je ?), ne se règle pas. Elle éclate, comme le moi : « On n'est pas seul dans sa peau » et « Il allait lentement — le plus lentement possible pour que son âme pût éventuellement rattraper son corps. Il est fort inquiet de n'être parti qu'avec les trois quarts de celle-ci, car en face des incidents de la vie on n'est pas de trop tout entier ». De même le courant de pensée éclate, et les liaisons logiques : Michaux fait des éclats, qu'il rassemble et complète avec ingéniosité, avec rage, avec humour (le piège principal étant l'esprit de sérieux). Inadapté, scindé, Michaux a le don de la parole ; la langue demeure son unique ressource. Aussi le prélangage inventé, qu'il emploie parfois (« et glo / et glu / et déglutit sa bru / gli et glo / et déglutit son pied / glu et gli / et s'englugliglolera »), n'est-il pas déconsidération du langage, mais mise en condition, expression de pulsions et de représentations non encore formées, et signifie généralement bien plus que chez d'autres ces déferlements où les mots, intacts, ne sont que le support du rythme. L'exemple le plus typique de prélangage dans toute l'œuvre de Michaux est le célèbre poème « Le Grand Combat » (vingt et un vers parus en mai 1927 dans la *N.R.F.*, entre un texte de Proust et un texte de Valéry) : « Il l'emparouille et l'endosque contre terre ; / Il le rague et le roupète jusqu'à son drâle ; / Il le pratèle et le libucque et lui barufle les ouillais ; / Il le tocarde et le marmine, / Le manage rape à ri et ripe à ra. / Enfin il l'écorcobalisse. » On ne doit pas confondre ce mode d'expression avec le postlangage (mots anglais hybridés de mots de nombreuses autres langues) du Joyce de *Finnegans' Wake* (*), et pourtant certains rapprochements frappent : « Magrobote, mornemille et casaquin / fortu mon père, forsi ma mère / nous allâmes à trois giler dans la rigole / rigolant à la rigole de tout ce qui rigole / magrapon et loupedieu » (Michaux). « Et lui comme andouille fut azay rideaucul, Cher Crasseux Compère, papa lait en chef des titifils et des tétéfilles. Mémère et pépère, nous sommes tous de leur bande. N'avait-il pas eu sept fem pour le femer ? » (Joyce) ; car Michaux et Joyce, tous deux des exilés, tous deux vomissant leurs parents et famille, se livrent à la même liquidation non du langage, qui demeure l'instrument idéal, l'arme unique, mais du monde, de son origine et de la leur propre. Cette liquidation, faite avec emportement, caractérise *Qui je fus* : « Foin de tout / ma partie de reins dit "sang" à ma partie haute et / rue à tout ce qui n'est pas injures et viande fraîche », « Quand l'imprimerie et ses succédanés ne seront plus qu'une drôlerie »... « Malheur à ceux qui s'attarderont à quatre pour une belote, ou à deux pour la mielleuse jouissance d'amour qui les fatiguera plus vite que les autres. » Les thèmes et les raisons sont là, ainsi que la langue qui donne quelque chose ou rien : si elle ne donne rien, le poète la travaille, moyennant chevilles, appels répétés en une sorte d'énumération-incantation. Mais manquent encore les solutions : l'abandon aux fantasmes, leur invention et leur contrôle « au plus près » par le langage. Et d'abord : le voyage en *Ecuador* (*).

QUI N'EST PAS TOURNÉ VERS NOUS. Ouvrage publié en 1972 par le poète français André du Bouchet (né en 1924). L'auteur y a rassemblé plusieurs textes relatifs au sculpteur Alberto Giacometti et écrits dans un langage qui transcende la distinction traditionnelle entre prose et poésie. L'ordre n'est pas chronologique : le premier, « Sur le foyer des dessins d'Alberto Giacometti », daté de 1965, et le dernier, « Air », poème de 1951, encadrent des pages écrites après la mort du sculpteur (1966). Le choix de cet ordre n'est pas arbitraire. André du Bouchet entend, ici comme ailleurs, nier l'épaisseur du temps et surtout, au-delà de Giacometti, témoigner de sa propre démarche. Alberto Giacometti, très présent dans le premier texte, l'est moins directement dans les suivants dont l'écriture se fait de plus en plus aérienne et désarticulée pour aboutir à un poème ancien, « Air » (titre du livre où ce poème avait paru en 1951 sous le titre *Chambre*). Du feu brûlant sur le foyer des dessins de Giacometti à l'air où luit une « lumière glacée » et qui est le lieu et le support de la sculpture comme du souffle et de la parole poétique, *Qui n'est pas tourné vers nous* refait, sur un autre registre, le chemin de *Dans la chaleur vacante* (*) (1961). Le sculpteur, loin d'être un prétexte pour André du Bouchet, est plutôt un médiateur entre le monde et le poète, celui par qui se produit le dévoilement de soi. Il est donc toujours présent, mais comme en retrait ou, parfois, comme un double de l'écrivain. L'avant-dernier texte, l'un des plus beaux et des plus aboutis du livre, « Et (la nuit », est particulièrement significatif à cet égard. Une évidente parenté rapproche en effet le sculpteur et le poète. Aux blancs laissés par Giacometti dans ses dessins répondent ceux qu'André du Bouchet réserve dans la page. Vides et traits forment un tout homogène, les uns s'appuyant sur les autres, comme les blancs et les mots dans les écrits du poète. De même, des coups de gomme du dessinateur ajoutent une incertitude, ils n'effacent pas. Ils questionnent le dessin dont ils font partie intégrante, parce qu'ils y convoquent l'espace : « Et, dans l'agrégat rectiligne, ouvertes d'un coup de gomme, avenues par lesquelles l'espace inentamé rapidement afflue. » Et « le trait, repris toujours », rappelle les répétitions d'André du Bouchet et les notations successives qui se corrigent sans s'annuler, comme les « repentirs » d'un peintre qui laisserait apparent sur sa toile tel détail d'une première version. André du Bouchet cite certains propos ou écrits de Giacometti et revient notamment plusieurs fois sur cette exclamation : « Les essais, c'est tout ! » Ce qu'ils cherchent l'un et l'autre, c'est moins à faire une « œuvre » qu'à approcher « par petites touches » une réalité qui se dérobe, renvoyant le spectateur et le lecteur à un « dehors ennemi de la conservation » où, « tournant le dos au fatras de l'art », « nulle parole au ras même de sa ligne ne peut être à hauteur — pas plus que suffire. Mais à côté — En place, comme à côté ».

J. De.

QUINTETTE de Chostakovitch. Ce quintette en sol mineur pour piano et quatuor à cordes écrit en 1940 par le compositeur soviétique Dimitri Chostakovitch (1906-1975) constitue son opus 57. Esthétiquement il fait suite aux cinquième et sixième symphonies (1937 et 1939) dont il n'est séparé en fait que par des œuvres mineures (premier quatuor, musiques de film). On peut y voir une résurgence des problèmes psychologiques et philosophiques exposés dans la *Symphonie n°5* dont la conclusion heureuse prolongée elle-même par l'allégresse des deux derniers mouvements de la *Symphonie n° 6* trouve un écho en cette œuvre limpide. La gravité et la joie s'y équilibrent et se fondent en un optimisme souriant, efficacement mis en valeur par une facture classique. L'œuvre comprend cinq parties : Prélude, Fugue, Scherzo, Intermezzo et Finale. Les deux premiers mouvements témoignent de l'intérêt que manifestait dès cette époque Chostakovitch pour l'œuvre de Bach. Le Prélude en particulier, ample et sévère, évoque la puissance et la grandeur du cantor de Leipzig. La Fugue, comme beaucoup de celles du recueil des vingt-quatre *Préludes et Fugues* (*) pour piano, est d'une inspiration très libre et très mélodique, quoique très rigoureusement construite, et rappelle curieusement les inflexions, les mélismes propres à la chanson populaire russe. Le Scherzo et le Finale opposent à ces pièces de construction savante un dynamisme allègre et une exubérance pleine de fantaisie, au milieu desquels s'insère l'Intermezzo qui réalise une fois encore, quoique de façon plus libre que les Prélude et Fugue initiaux, une fusion très lyrique de l'aria classique et des éléments mélodiques spécifiquement nationaux. Le *Quintette* fut donné en première audition le 23 novembre 1940, à Moscou, et il obtint le premier prix Staline.

QUINTETTE de Franck. Le *Quintette en fa mineur pour piano et cordes* est la première œuvre de musique de chambre importante du compositeur français d'origine belge César Franck (1822-1890). Il fut écrit en 1878-1879, presque quarante ans après les trois *Trios* qui remontent à 1841. Le *Quintette* de Franck fut exécuté pour la première fois à Paris à la Société nationale, le 17 janvier 1880, par des artistes de tout premier plan, parmi lesquels le violoniste Marsik et Saint-Saëns — à qui l'œuvre est dédiée —, au piano. Cette page, contemporaine des *Éolides* (*), présente une architecture d'une grande puissance et une profondeur d'expression bouleversante. On y sent une fièvre, une tension, dont les progressions chromatiques rendent le climat. On trouve rarement une intensité spirituelle et tempétueuse de cet ordre dans la littérature musicale des quintettes. Déjà y apparaît, dans sa pleine valeur, le principe cyclique qui triomphera dans l'admirable *Sonate pour violon et piano* (*) et dans le *Quatuor à cordes* (*). C'est l'une des partitions majeures de Franck.

QUINTETTE de Schumann. Œuvre pour piano et quatuor à cordes en mi bémol majeur, op. 44, du compositeur allemand Robert Schumann (1810-1856). Composé entre 1842 et 1843 et dédié à sa femme Clara, pianiste remarquable, fille de Friedrich Wieck (premier maître de Schumann), il se compose de quatre mouvements : Allegro brillante, In modo d'una marcia, Scherzo, Allegro ma non troppo. Dans sa structure d'ensemble, il ne s'éloigne pas de la forme classique de la sonate, mais, dans l'inspiration et dans la forme, il manifeste de nouvelles tendances. Les quatre mouvements présentent des caractères différents : dans le premier, d'un élan juvénile et vigoureux, alternent avec le thème initial des épisodes riches d'émotion intense ; les deux moments de l'inspiration sont dans une sorte de lutte continuelle, mais le premier finit par prévaloir. Le second mouvement, qui a presque le caractère d'une marche funèbre, est peut-être le plus profond et le plus riche en thèmes ; sombre et orageux, il est cependant éclairé par un épisode d'une beauté sereine qui apparaît deux fois dans des tonalités différentes (ut majeur et fa majeur, toutes les deux en contraste avec l'ut mineur initial de la marche). Le Scherzo est par contre le mouvement le moins expressif ; en compensation il est d'un effet brillant, longuement développé, avec deux Trios. Dans le Finale revient l'élan hardi du premier mouvement, dont cependant il n'atteint pas la splendeur d'inspiration ; dans la conclusion apparaît un fugato, où le thème du dernier mouvement se fond avec celui du premier, augmenté (c'est-à-dire d'un rythme plus large) : ici, la veine du compositeur retrouve l'état de grâce. Cette fusion des thèmes des différents mouvements est déjà une anticipation — elle n'est du reste pas la seule — de la forme « cyclique », ainsi appelée à cause des thèmes conducteurs qui circulent à travers toute la composition. L'équilibre maintenu entre les instruments de ce *Quintette,* dont le piano est naturellement le soutien de base, est admirable. A l'exception de la Marcia, les mouvements sont tous dans la tonalité de mi bémol majeur.

QUINTETTE (Le) [*Khamsé*]. Cinq grands poèmes [masnavis] de l'écrivain indo-persan Nâser al-Dîn Amir Khosrow Dehlavi (1253-1325). À l'âge de 45 ans, Amir Khosrow décide de composer une réplique au *Quintette* de Nizâmi, qui a acquis une célébrité incontestable dans tout l'Orient. Ce n'était pas une tâche facile pour le poète, malgré son génie, de suivre les traces du grand maître de l'épopée romanesque. Conscient de la difficulté de son entreprise et de la limite de ses capacités, Amir Khosrow voulut néanmoins acquérir une renommée aussi grande que celle de son prédécesseur, regrettant de n'avoir pas pensé à composer cette œuvre alors qu'il était encore jeune. Amir Khosrow, sévèrement critiqué par ses contemporains, s'obstina à composer son *Quintette*, tout en reconnaissant la supériorité de son prédécesseur, qui n'avait quasiment rien écrit d'autre sa vie durant. Cependant, d'autres critiques, comme Djâmi et Navâ'i, estimeront que son œuvre est la meilleure réplique de celle de Nizâmi, si souvent pastichée par la suite.

Le poète n'imite son maître que sur le plan formel, car il sait garder toute son originalité. Fidèle au mètre et aux grandes lignes des poèmes de son modèle, il prend de grandes libertés dans les détails. Composé en moins de trois ans, *Le Quintette* est deux fois moins long que celui de Nizâmi. Les poèmes commencent tous par un éloge à Nizâm al-Dîn Owliyâ et sont dédiés au souverain Alâ al-Dîn Qâlji.

Dans le premier, *Le Levant des clartés* [*Matla' al-anvâr*], Amir Khosrow traite de la Loi, de la Voie et de la Vérité. Dans le prologue, il décrit ses expériences extatiques et sa décision de choisir pour guide son maître Owliyâ. Dans l'épilogue, il se montre fier de son œuvre et condamne les jaloux. Il reconnaît sa dette envers d'autres poètes, et donne 1298 comme date de composition.

Le second, *Chirîn et Khosrow*, composé en 1298 aussi, commence par la mort d'Hormoz et l'accession au trône de Khosrow, alors que Nizâmi commençait son poème par la naissance de Khosrow et son éducation en Mésopotamie. Ce « masnavi » n'est pas moins beau que celui de son prédécesseur, et Amir Khosrow se montre parfois plus grand dramaturge et meilleur psychologue que le vieux maître.

Dans le troisième, *Majnoun et Leïli*, le poète tente d'imiter le plus possible le style de Nizâmi — v. *Leili et Majnoun* (*). Cependant l'histoire diffère un peu : Majnoun est marié à la fille de Nowfal, et aucune mention n'est faite de l'amour et du mariage de Zeïd et de Zeïnab. Sans doute est-ce le plus beau poème du *Quintette*, écrit dans un style simple et élégant. Amir Khosrow y excelle dans l'étude des sentiments.

Dans le quatrième, *Le Miroir d'Alexandre* [*Aïna-yé Sikandari*], composé en 1299, le poète explique l'ordre dans lequel il écrit ses poèmes, et critique Nizâmi qui considère Alexandre comme un prophète, alors que pour lui il n'est qu'un saint. Il change de nombreux détails de l'histoire, supprimant surtout la conquête de la Perse et la mort de Darius, ce qui est fort avisé, car il n'aurait pu atteindre le talent de Nizâmi.

Le cinquième et dernier, *Les Huit Paradis* [*Hasht behesht*], composé en 1301, conte, tout comme *Les Sept Princesses* (*), la vie romantique du roi Bahrâm Gour ; mais l'essentiel de l'œuvre est la narration des sept histoires par les sept princesses. M.-H. P.

QUINTETTE D'AVIGNON (Le) [*The Avignon Quintet*]. Œuvre de l'écrivain anglais Lawrence Durrell (1912-1990), publiée en cinq volumes : *Monsieur ou le Prince des ténèbres*

[*Monsieur, or the Prince of Darkness*, 1974], *Livia ou Enterrée vive* [*Livia, or Buried Alive*, 1978], *Constance ou les Pratiques solitaires* [*Constance, or Solitary Practices*, 1982], *Sebastian ou les Passions souveraines* [*Sebastian, or Ruling Passions*, 1983] et *Quinte ou la Version Landru* [*Quinx or the Ripper's Tale*, 1985], les cinq volumes devant être lus – c'était déjà le cas du *Quatuor d'Alexandrie* (*) – comme un seul roman, *Le Quintette d'Avignon*, du nom de la ville où se déroule la majeure partie de l'action. En théorie, *Le Quintette* est un quinconce, non pas tant une partition en cinq mouvements qu'un carré pourvu d'un point central, la fonction plus ou moins mythique de ce point central étant d'illuminer simultanément les quatre coins. De nombreux personnages hantent l'œuvre, une fois encore, se substituant les uns aux autres en tant que romanciers. Durrell, selon une technique déjà éprouvée, abdique dans la dernière phrase du cinquième volume ses propres droits de créateur et annonce que, s'il lui revenait d'écrire la conclusion générale, il serait amené à dire : « C'est à cet instant précis que la réalité première se mit à courir à l'aide de la fiction romanesque et que le totalement imprévisible commença à se produire. » *Le Quintette* diffère pourtant des œuvres précédentes : comme ses prédécesseurs, il traduit une expérience qui tend à découvrir la vérité mais, à l'inverse de ceux-ci, il arrive à la conclusion que la vérité ne peut être dite. Il reste à Blanford, l'un des personnages-romanciers, le soin de tirer les leçons de son propre échec : « Quant au livre c'était une tâche impossible que faire en effet de personnages qui s'efforcent à tout bout de champ d'échanger leur moi, de devenir l'autre ? Et ensuite de trouver une signification à des éléments ponctuels ? Il n'y a pas de signification et nous falsifions la vérité sur la réalité en y ajoutant une autre réalité. L'univers joue, l'univers ne fait qu'improviser. » Qu'ajouter à une telle admission d'impuissance sinon que la critique ne fit pas un accueil enthousiaste à une œuvre qui compliquait sans guère la renouveler la méthode d'un artiste dont le principal mérite ici est d'avoir une fois de plus chanté le charme de ce Sud qui l'envoûta et l'inspira tout au long d'une existence riche, pleine, mouvementée. – Trad. Gallimard, 1976-1986. A. Bl.

QUINTETTE DE LA TRUITE de Schubert. Œuvre pour piano, violon, alto, violoncelle et contrebasse, op. 114 (D 667), du compositeur autrichien Franz Schubert (1797-1828), écrite en 1819. Bien que, sous un certain aspect, on puisse le considérer comme appartenant aux œuvres de la première manière, il possède déjà les qualités et les caractéristiques du meilleur Schubert : la générosité mélodique et la vive spontanéité d'un langage harmonique personnel. L'Andante, page d'un lyrisme expressif, d'une émotion noble et profonde, est particulièrement remarquable. Le caractère qu'offrent les autres mouvements a fait que ce *Quintette* a pu être considéré par quelques critiques comme évocateur de scènes idylliques et agrestes ; on l'a appelé aussi le *Quintette de la truite*, car le thème d'un des lieder les plus connus de Schubert, « La Truite » [Die Forelle], dont l'auteur donna quatre versions, est utilisé pour construire les « variations » qui suivent le Scherzo.

QUINTETTES de Boccherini. Le compositeur italien Luigi Boccherini (1743-1805) nous aurait laissé 179 quintettes dont 113 sont destinés au quatuor à cordes auquel s'adjoint un second violoncelle. L'un de ces violoncelles est souvent noté « violoncelle alto », en clé d'ut troisième, de manière à pouvoir être remplacé, en cas de nécessité, par un second alto. Boccherini a également composé 24 quintettes avec deux altos (op. 60 et 62), 12 quintettes pour piano et cordes (op. 56 et 57), 12 quintettes pour guitare et cordes et 18 quintettes pour flûte, ou hautbois, et cordes. De même que les *Quatuors* (*), les *Quintettes* furent composés en grande partie à Madrid entre 1774 et 1799. Du point de vue esthétique, les observations faites pour les *Quatuors* sont valables en général. Historiquement, il faut cependant noter ceci : tandis que le quatuor à cordes continue à prospérer, non seulement grâce au grand trio Haydn-Mozart-Beethoven où il atteint à son apogée, mais aussi pendant la période romantique et plus tard, le quintette à cordes, lui, après l'abondante floraison qu'il connut avec Boccherini, et celle, immortelle quoique moins nombreuse, de Mozart, n'apparaît plus que dans quelques cas épars, tel celui de Schubert en do majeur. Plus tard, par contre, la forme du quintette pour piano et cordes ou d'autres combinaisons instrumentales sera davantage cultivée. En général, les quintettes de Boccherini relèvent de la forme en quatre mouvements : par exemple, dans celui en mi majeur, l'ordre est : Amoroso, Allegro, Allegro con spirito, Minuetto, Rondò. Dans celui en la mineur, *Opus 47*, nous trouvons un Allegro non molto (d'une saveur mélancolique et méditative qui fait presque penser à Schubert), un Minuetto, un Largo cantabile et un Finale du type rondò. Dans les premiers mouvements apparaissent, en général, deux thèmes distincts, dans des rapports tonals qui sont restés ensuite d'un usage constant dans la forme sonate classique, à laquelle les quatuors et les quintettes appartiennent aussi. Le schéma, par contre, oscille entre celui de la sonate de Domenico Scarlatti (deux parties) et celui qui domine plus tard chez Haydn (trois parties : exposition-développement-reprise). Il y a aussi un recueil de quintettes qui ne comportent que deux mouvements ; ce sont ceux de l'*Opus 27*, que l'auteur a appelé « petit », et qui ont presque tous un « Allegro » et un « Minuetto ». Quelques quintettes se distinguent aussi par leur caractère pittoresque, tel le n° 4 de l'*Opus 11* de l'auteur (*Opus 13* des éditeurs) intitulé « Uccellieri », avec l'Allegro « I Pastori et i Cacciatori » [Les Bergers et les Chasseurs]. Les quintettes de Boccherini présentent une grande importance pour la richesse de l'inspiration et pour la grâce et la fluidité spontanées des parties en contrepoint. Les quintettes avec piano sont peu connus et de nombreux spécialistes les tiennent pour aussi beaux que les autres. Les quintettes avec guitare (dont seuls neuf sur douze ont été retrouvés) sont l'un des reflets des années passées en Espagne par le compositeur. Le neuvième, en ut majeur, comporte la fameuse « Musique nocturne de Madrid », qui figure aussi dans le *Quintette à cordes,* op. 6.

A. Pâ.

QUINTETTES de Dvořák. Le compositeur Anton Dvořák (1841-1904) peut être considéré comme le fondateur de la musique tchèque ; il a patiemment scruté le folklore de son pays et en a exploité toutes les ressources. Sa musique foncièrement nationale a conquis le monde entier parce qu'elle est, mieux qu'une simple description sonore, un état d'âme. Sa musique de chambre est nourrie de thèmes populaires, de rythmes de danses dont l'authenticité est évidente. Idées mélodiques d'inspiration romantique, certes, mais construction classique d'une absolue rigueur. Dvořák écrivit sept *Quatuors à cordes* (op. 34, 51, 61, 80, 96, 105 et 106) ; mais il est surtout l'auteur d'un *Quintette à cordes* (op. 77) en sol majeur et d'un *Quintette pour piano et cordes* en la majeur (op. 81) qui résume à merveille son style et son idéal esthétique. Il débute par un Allegro à deux thèmes très expressifs, le premier exposé par le violoncelle, le second par les deux violons. Un troisième thème est introduit par l'alto. Suit un développement plein de tendresse et de fraîcheur. La Dumka, en fa dièse mineur, présente un thème mélancolique qui s'enchaîne à deux autres motifs chantés par le premier violon et le piano. Une danse tzigane fait son apparition, puis tout s'apaise sans dissoudre cette atmosphère où passe le souvenir mélancolique de jours heureux. — Le Scherzo, en la majeur, est écrit sur un rythme de valse. Trois idées mélodiques s'enlacent ou s'opposent pour finalement laisser triompher celle de la valse. Le Finale débute par douze mesures d'introduction qui annoncent un thème de quatre mesures joué par le violon, lequel sera également chargé d'exposer le deuxième thème repris ensuite par le piano. Des contre-temps disloquent la mélodie, et le rythme primitif reconquiert peu à peu sa pureté. L'œuvre s'achève dans un large crescendo, haut en couleur, où l'on croit entendre le martèlement des sabots de paysans sur le sol.

QUINTETTES de Fauré. C'est en 1906 que le compositeur français Gabriel Fauré (1845-1924) acheva son *Premier Quintette* pour piano et cordes, dont il avait jeté les bases, plusieurs années auparavant, sous la forme, à peine ébauchée, d'un *Quatuor* avec piano. Le premier mouvement, Allegro, est bâti sur deux thèmes de conception typiquement fauréenne ; deux thèmes amples, d'une noblesse forte et sereine. Le développement leur donne un caractère essentiellement dramatique, tandis qu'une phrase attendrie introduit un souffle d'air printanier dans ce ciel d'orage. Deux thèmes s'opposent également dans l'Adagio : à travers une écriture contrapuntique rigoureuse transparaissent la fraîcheur, la gaieté sobre et profonde de lignes mélodiques que leur harmonisation pare d'irisations subtiles. Le Finale débute dans un style d'un lyrisme plus direct, sans doute ; un second thème plus austère lui donne la réplique. Tout le développement n'est qu'une exaltation continuelle, une véritable apothéose de la joie. Fauré redoutait lui-même que l'on reconnaisse entre ce Finale et celui de la *Symphonie n° 9* de Beethoven — v. *Symphonies* (*) de Beethoven — une certaine parenté d'esprit. Cette parenté ne saurait être niée. Le *Second Quintette*, en ut mineur, pour piano et cordes date de 1921. Dès sa première audition, il connut un succès considérable. L'Allegro n'utilise qu'un seul thème, mais d'une bouleversante grandeur, d'un dépouillement qui en accroît encore la force expressive. Le Scherzo, bouillonnant de vie, est une longue phrase, radieuse d'espérance, avec ses élans que rien ne peut briser. Par contraste, l'Andante est d'une mélancolie poignante. C'est une méditation presque douloureuse. La résignation retient les élans d'un cœur que tout dispose à la joie. L'Allegro final utilise des rythmes très simples, mais qui semblent originaux tant ils sont habilement exploités. Le morceau s'achève sur une Strette brillante et allègre. Le génie de Fauré traduit dans ce quintette, avec une clarté élégante et sensible, les frémissements d'une âme qui livre, nonchalamment presque, les secrets de la pure beauté.

QUINTETTES de Mozart. C'est à Salzbourg, en 1773, c'est-à-dire aussitôt après son long séjour en Italie, que le compositeur autrichien Wolfgang Amadeus Mozart (1756-1791) écrivit son premier *Quintette en si bémol* (K 174), pour deux violons, deux altos et violoncelle, formation instrumentale qu'il adopta constamment par la suite dans ses *Quintettes* pour instruments à cordes. Tandis que les six *Quatuors à cordes* (*) composés à la même époque sont fortement marqués par le style italien, ce quintette paraît se rattacher au divertissement, à la sérénade, à la cassation — formes largement pratiquées par les vieux maîtres allemands, et destinées à être exécutées lors de réunions purement mondaines. Mozart en effet, suivant l'exemple de ses prédécesseurs, a longtemps tardé à considérer le quintette comme un genre aussi noble, aussi pur que le quatuor. Les autres quintettes de Mozart furent composés à Vienne. On ignore la date exacte (entre 1782 et 1784) de la composition du *Quintette en mi bémol* (K 407) pour cor et quatuor à cordes, dans lequel les deux violons sont remplacés par deux altos – procédé qui a pour effet d'accentuer le caractère rêveur, presque irréel de l'œuvre. Il existe une certaine parenté spirituelle entre ce quintette et le *Quintette en mi bémol* (K 452) pour piano, hautbois, clarinette, cor et basson, composé en 1784. « J'ai composé un quintette qui a remporté un succès extraordinaire », écrit Mozart à son père. « Je le considère comme ce que j'ai encore fait de mieux dans ma vie. » Toute baignée d'une suave poésie, cette composition pleine de fraîcheur, d'une facture très simple, a par la suite inspiré le *Quintette* op. 16 de Beethoven. Les *Quintettes* suivants ont été composés au cours de la période 1786-1787, la plus féconde en chefs-d'œuvre de la vie de Mozart, celle qui, débutant avec *Les Noces de Figaro* (*), comprend *Le Don Juan* (*) et quelques-unes des meilleures *Symphonies* (*). De 1787 en effet date le *Quintette en ut* (K 515), dont la ferveur romantique est déjà toute proche de celle de la *Symphonie Jupiter* – v. *Symphonies* de Mozart ; dans le premier mouvement, aux thèmes dramatiquement opposés, on note des rythmes heurtés, des modulations hardies, le Menuet qui, selon la tradition d'alors, constitue le second mouvement, a beaucoup de caractère ; dans l'Andante, premier violon et premier alto se détachent des autres instruments et dialoguent en des phrases d'une expressive ampleur ; cependant que, dans l'Allegro final, tous les instruments se rejoignent. Le *Quintette à cordes en sol mineur* (K 516), composé la même année (1787), est empreint d'un romantisme qui, déjà, annonce Beethoven. Cette œuvre en effet, qui évoque les sentiments de l'âme humaine devant la « pallida mors futura », semble être le reflet des angoisses de Mozart au sujet de la santé de son père, qui devait d'ailleurs mourir peu après. Les compositions de la période suivante sont, en revanche, empreintes d'une grande sérénité. Parmi ces compositions, citons le *Quintette en la* (K 581) pour clarinette et quatuor à cordes (1789), connu sous le nom de *Stadler-Quintett,* du nom de l'ami auquel il est dédié. Il se compose d'un Allegretto, d'un Larghetto, ou marqué par un dialogue entre la clarinette et le premier violon, d'un Menuet et d'un Finale en forme de variations. Le retour de Mozart au classicisme apparaît d'une façon plus significative encore dans les œuvres datant de 1790 : on y notera une prédilection marquée pour le contrepoint, d'ailleurs traité de façon très libre. Le *Quintette à cordes en ré* (K 593) trahit chez Mozart le désir de trouver de nouveaux modes d'expression. Le dernier *Quintette à cordes en mi bémol* (K 614) dit « Quintette des oiseaux », a été composé l'année même de la mort du musicien (1791). Sa structure, son rythme (qui, dans le trio du Menuet se rapproche singulièrement de celui de la valse romantique) ont un style très libre, dans lequel la fantaisie mozartienne s'est donné libre cours. Le *Quintette en ut mineur* (K 406) est la transcription pour cordes de la *Sérénade* (K 388), et la *Petite musique de nuit* (*) fut composée à Vienne en 1787 pour quatuor à cordes et contrebasse.

QUINZAINE SOVIÉTIQUE (La) [*La quincena soviética*]. Roman de l'écrivain espagnol Vicente Molina Foix (né en 1946), publié en 1988. L'histoire se passe à Madrid, puis à Valencia, dans les années précédant 1968, en pleine dictature franquiste ; une jeune communiste raconte ses souvenirs de militant, sur un mode à la fois souriant et tragique. Peu à peu, sans l'exprimer ouvertement, le protagoniste s'interrogera sur sa vie et son engagement, non qu'il n'y croie plus, mais il veut résoudre son conflit entre un « moi » avide d'expériences personnelles et l'anonymat voué à la cause commune. Il recherche, en gourmet de la vie, une dimension transcendantale à son existence. – Trad. Actes Sud, 1990. C. Bl.

QUINZE JOURS AVANT LES GELÉES [*Fjorton dager for frostnettene*]. Roman de l'écrivain norvégien Sigurd Hoel (1890-1960), publié en 1935. Knut Holmen, un médecin d'Oslo, fête ses quarante ans, tout seul, dans un restaurant. Il a fait son chemin dans la vie, et il a toutes les raisons d'être content. Or, il ne l'est pas. Il se pose la question : « Qu'est-ce que tu as su tirer de la vie ? », et il se rend compte que tout ce qu'il a obtenu ne vaut rien. Il était bien plus heureux, vingt ans auparavant, lorsque, pauvre étudiant, il peinait pour arriver. À cette époque, il aimait une jeune femme avec qui il aurait dû partager sa vie. Mais il n'a pas osé vivre ce grand amour. De petits obstacles l'ont empêché de réaliser son bonheur. Maintenant, il trouve une femme qui lui rappelle l'amour de sa jeunesse. Il essaie d'oublier avec elle, mais ce n'est qu'une trêve et il sait qu'il faudra bien qu'il reprenne sa vie conjugale ratée. Une seule lueur d'espoir le soutient : ses enfants, qui, eux, oseront peut-être devenir des êtres libres et vivre le bonheur que leur père a vu passer à côté de lui, sans oser tendre les bras pour le saisir. Cette analyse impitoyable d'une vie ratée doit sa force à l'art avec lequel l'auteur a su mêler réflexions et souvenirs, toujours opposant en un contrepoint amer le possible et le présent, l'irrémédiable.

QUINZE JOYES DE MARIAGE (Les). Œuvre satirique française, anonyme, dont la date ne peut être exactement fixée ; il semble toutefois qu'elle soit antérieure à 1450 et que les premières éditions imprimées aient paru autour de 1480. L'œuvre a été longtemps attribuée à Antoine de La Sale (1386-1462 environ), mais le rapprochement du style du *Paradis de la Reine Sibylle* et du *Petit Jehan de Saintré* (*) avec celui des *Quinze Joyes* a amené les érudits à écarter cette attribution. Les recherches ont été reprises sur la base d'une charade, placée à la fin de deux des manuscrits des *Quinze Joyes* et destinée à nous en révéler l'auteur. Selon l'hypothèse récente et la plus vraisemblable, *Les Quinze Joyes* seraient l'œuvre de Gilles Bellemère, évêque d'Avignon de 1390 à 1407 et savant canoniste, surtout en ce qui concerne les questions juridiques se rapportant au mariage. Dans les traités qui nous sont parvenus de lui, sur ces sujets, Bellemère ne cache jamais son mépris pour les femmes et il parle d'elles avec une crudité de langage qui ressemble assez à celle des *Quinze Joyes.* D'autre part, il est dit implicitement dans le texte que l'auteur était un ecclésiastique. Si on admet cette attribution, il faut en faire remonter la date de composition à plusieurs années en deçà de la date proposée jusqu'à présent. Cette satire virulente est directement dirigée contre le mariage et plus particulièrement contre le rôle et les manœuvres des femmes dans le mariage. *Les Quinze Joyes* s'ouvrent par un prologue, où l'auteur nous expose les raisons qui l'ont poussé à écrire son livre : c'est, dit-il, qu'il veut consoler les malheureux hommes qui se sont laissé prendre au piège ; les voilà condamnés à prendre pour des joies leurs peines, « et pour ce en ycelles joyes demourront tousjours et finiront misérablement leurs jours ». Puis, il étudie, une à une, les catastrophes qui risquent de fondre à tout moment sur l'homme marié, en une série de petites scènes d'une charmante vivacité et d'une perspicacité quelque peu hargneuse. « La première joye de mariage, si est quand le jeune homme est en sa belle jeunesse, qu'il est frais, net et plaisant » ; mais le voilà qui se marie : finie alors l'insouciance ! Sa femme veut une nouvelle robe, car elle a vu que ses amies étaient habillées de neuf, mais lui n'a pas d'argent. Plutôt que de s'exposer à un refus, elle se met à faire toutes sortes de manières, de bouderies ; elle feint d'être malade jusqu'à ce que le pauvre homme soit obligé de s'endetter pour accéder à son désir. Voilà la femme bien habillée, mais ces nouveaux vêtements, il faut qu'elle les montre et la voilà partie hors de chez elle, se laissant conter fleurette par des godelureaux (« Seconde joye »). Elle est enceinte maintenant, excellent prétexte pour faire prévaloir ses caprices les plus absurdes. Il lui faut des distractions et les commères s'emparent de la maison, mettent tout au pillage sous les yeux horrifiés du mari, réduit au silence (« Tierce joye »). Voici la famille au complet : le pauvre homme est accablé de travail et quand il rentre le soir, personne ne s'occupe plus de lui ; c'est tout juste s'il peut manger et se reposer. Les enfants crient et par une curieuse coïncidence, ce n'est jamais le coupable, mais le préféré du mari qui reçoit les coups (« Quarte joye »). Fatigué par la peine qu'il a prise pour nourrir sa maisonnée, le pauvre homme est maintenant « fort refresdi ». Aussi sa femme se détourne-t-elle de lui ; mais la femme de chambre, quelque peu entremetteuse, se chargera d'entretenir l'épouse délaissée de l'amour d'un autre homme et n'aura de cesse qu'il lui ait fait remettre quelque cadeau. Si le mari s'en aperçoit, il se conduira en jaloux et vivra dans des inquiétudes continuelles sans pouvoir rien surprendre (« Quinte joye »). L'auteur suppose maintenant que le mari est dehors, qu'il est avec des personnages qu'il a tout intérêt à bien traiter et les invite à sa table. Quand les convives arrivent, rien n'est prêt, et on leur fait le plus mauvais accueil (« Sixte joye »). La « Septiesme joye » nous raconte la plaisante aventure du mari trompé, qui est si bien convaincu par sa femme qu'il se brouille avec celui qui lui a appris la nouvelle et qu'il force sa femme à recevoir dignement son amant. Mais voici que la femme, par un vœu, s'est, paraît-il, engagée à faire un pèlerinage : comme son mari ne peut l'accompagner, elle part seule avec une amie : on devine ce qui advient en cours de voyage (« Huitiesme joye »). Voici encore le pauvre mari qui revient de guerre et trouve toute la maison sens dessus dessous, les enfants se liguent avec la mère pour faire passer le bonhomme pour fou et gâteux (« Neufviesme joye »). La séparation des époux (« Dixiesme joye ») provoque la débauche éhontée de la femme et l'opprobre du mari. Avec la « Onziesme joye », nous faisons la connaissance d'un jeune homme, « vert et gracieux... bien bejaune », qui fait tant et si bien sa cour à droite et à gauche que voilà une fille grosse. Comme il faut chercher à la belle un mari, les manœuvres astucieuses de la mère et de la fille tendent à capturer un honnête fils de famille, qui se laissera faire et s'apercevra un peu tard qu'on l'a trompé sur la marchandise. C'est ensuite le portrait d'un homme heureux (« Douziesme joye ») ; il aime, il est aimé, mais sa femme le commande, le gourmande, le tient en servitude ; elle dirige seule le ménage et, grâce à elle, tout va de mal en pis. Autre possibilité (« Treiziesme joye ») : un ménage qui marche bien, mais l'homme doit partir au loin ; quand il revient, la dame qui l'a bien pleuré est remariée ; que reste-t-il à faire au pauvre mari ? ou bien s'éloigner à nouveau, ou bien se battre en duel avec son remplaçant, ou encore, ce qui est pis, entrer en contestations. Avec la « Quatorziesme joye », nous apprenons quelles sont les mésaventures d'un jeune homme ayant épousé une femme plus vieille que lui : il doit éprouver sa jalousie inquiète, « enragée », « car la friandie et lècherie de la jeune chair du jeune homme l'a fait gloute et jalouse, que elle le vouldroit tousjours avoir entre ses braz » ; conclusion : « il s'envieillira plus en ung an qu'il n'eust fait avec une jeune en dix ans. La vieille le sechera tout. » C'est maintenant (« Quinziesme joye ») l'histoire du mari qui a trouvé sa femme avec son amant : celle-ci se réfugie chez sa mère ; le conseil des commères s'étant réuni, celles-ci parviendront à persuader le pauvre homme qu'il a rêvé et qu'il a odieusement maltraité la chère innocente, tant et si bien que le mari avale tout et ne dit mot.

Dans sa conclusion, l'auteur nous assure hypocritement que ce qu'il a écrit est tout à l'honneur des femmes et va même jusqu'à ajouter qu'il est tout prêt à en écrire autant sur « les grans tors, griefs et oppressions que les hommes font aux femmes en plusieurs lieux, généralement par leurs forses, et sans raison, pource qu'elles sont febles de leur nature et sans deffense, et sont toujours prestes à obeir et servir, sans lesquelles ilz ne sauroient ne pourroient vivre ». Telle est la substance de ce petit chef-d'œuvre de malice et d'humour, caractéristique de cette époque de transition entre le Moyen Âge et la Renaissance. *Les Quinze Joyes* forment le pendant grotesque de la théorie de l'amour courtois, tel qu'il est exposé, par exemple, dans la première partie du *Roman de la rose* (*) ; il ne marque pas seulement un changement dans l'attitude envers les femmes, qui se manifestait déjà dans la littérature populaire — v. *Fabliaux* (*) —, et qui devait être exposé et développé plus tard par Rabelais dans le *Tiers Livre* — v. *Gargantua et Pantagruel* (*) ; mais surtout un changement réel dans la condition de la femme, plus pratique et en un sens plus moderne que l'homme, éprise avant tout d'une vie sans préjugés, et des magnificences que procure la richesse. Ce qui ne manque pas d'étonner, c'est le parfait cynisme de l'auteur qui n'est que la marque du réalisme le plus absolu ; le côté scabreux des situations est bien mis en relief par la crudité du vocabulaire, ou plutôt par sa verdeur qui est un charme de plus. Aussi surprenantes sont la clarté, l'agilité du style, vif, frais, d'un caractère déjà si moderne qu'on peut lire ce chef-d'œuvre du XVe siècle à peu près comme une œuvre contemporaine. — *Les Quinze Joyes de mariage* ont été éditées par Jean Rychner (Droz, Genève, 1967) et traduites par M. Santucci (Stock, Paris, 1986).

QUI SUIS-JE ? ou Lorsque le diable fait une offre [*Hvem er jeg ? eller Naar fanden gi'r et tilbud*]. Comédie de l'écrivain danois Carl Erik Soya (1896-1983), publiée en 1932. Le Dr Paprika, adepte de Freud, se propose de psychanalyser un spectateur. Celui-ci révèle qu'il a une maîtresse qui attend un enfant de lui. Doit-il l'épouser ? La réponse est donnée dans le spectacle du spectacle : un jeune apprend que sa maîtresse attend un enfant. Il en est déjà las, et lorsqu'il est présenté à sa famille, sa lassitude ne fait qu'augmenter. De plus, la riche jeune fille qu'il aime actuellement lui avoue qu'elle l'aime à son tour, et il se fiance avec elle. Le diable s'offre à faire disparaître la future mère, et le jeune homme lui ayant donné son accord, elle est tuée dans un accident à l'instant même. Mais tout cela n'était qu'un rêve. Le jeune homme se réveille décidé à demander la main de celle qu'il avait séduite. Le spectateur psychanalysé va faire de même avec sa maîtresse.

QUITTE POUR LA PEUR. Comédie en un acte en prose de l'écrivain français Alfred de Vigny (1797-1863), représentée à Paris en 1833. L'auteur, en parlant de cette pièce, la qualifiait de « bibelot de salon ». On y sent percer néanmoins le pessimisme foncier du poète. Les héros en sont deux jeunes gens de noble famille qui, mariés sans amour, sont contraints de quitter le château de leurs ancêtres pour se rendre à Versailles. Chacun, dès lors, vit de son côté : le duc est retenu à la Cour, cependant que la duchesse reste seule à Paris. La séparation toutefois est loin de leur peser : ils s'en consolent aisément. Un jour, la duchesse, souffrante, appelle à son chevet un médecin qui, l'ayant examinée, lui apprend qu'elle sera bientôt mère, et se hâte de prévenir le duc. Ce dernier, que l'annonce de cette nouvelle laisse tout d'abord assez froid, se décide pourtant à regagner Paris afin de sauver les apparences. La duchesse, désemparée, redoute la colère de son mari. Mais le duc lui pardonne, en lui rappelant que leur union n'a jamais été que de pure convenance ; il se borne à déplorer la frivolité d'une société qui ne sait pas respecter les institutions les plus sacrées. Il passera la nuit auprès de sa jeune femme, qu'il considère comme une enfant. Ce trait de générosité ne laisse pas d'accabler la duchesse ; mais l'honneur est sauf, c'est l'essentiel. Dans cette comédie, comme dans le théâtre tout entier de Vigny, le sourire fait totalement défaut ; mais la grâce s'y allie à la pitié — pitié pour la femme, qui n'est plus « l'enfant malade et douze fois impur » de *La Colère de Samson* — v. *Les Destinées* (*) — mais un être faible, victime, jusque dans ses écarts, de l'homme, des mœurs et de la société.

QUODLIBET de Duns Scot [*Quodlibetum*]. Dernier écrit théologique du philosophe et théologien franciscain anglais Johannes Duns Scot, dit « doctor subtilis » (1266-1308). Il appartient aux dernières années de sa prodigieuse activité et représente l'apogée de son génie ; pour les théologiens, dans cette œuvre, Duns Scot « levavit se supra se » : « il se dépassa lui-même ». Le titre équivaut à « Un peu de tout ». Il contient ses réponses à vingt et une questions théologiques posées par l'université de Paris à ceux qui prenaient part aux joutes habituelles qui s'y tenaient deux fois l'an, pour les fêtes de Pâques et de Noël. Bien que ces réponses ne fassent pas partie de son enseignement, elles contiennent l'essentiel de la doctrine qu'il expose dans l'*Opus oxoniense* (*), et bien qu'elles ne forment pas un système unitaire, on peut les grouper ainsi : les huit premières concernent le dogme de la Trinité ; les trois suivantes, la puissance de Dieu, les espèces eucharistiques ; la douzième traite des comparaisons entre la créature et le Dieu créateur et conservateur, de la douzième à la dix-septième sont étudiées les facultés de l'âme, l'intelligence et la volonté, et dans la dix-huitième et les suivantes, la moralité de l'action, la nature humaine du Christ, les grâces qu'on peut obtenir par le sacrifice de la messe, l'hypothèse de l'éternité de la matière. Dans de telles questions, autour desquelles s'échauffait l'intérêt des Écoles, Scot fait montre d'une grande subtilité, de sens critique et d'une puissante dialectique, tout en adhérant ici plus qu'ailleurs à la « sententia communis ». De l'avis de Wadding, dans le *Quodlibet,* Scot est aussi plus clair, plus méthodique et plus puissant que dans sa première grande œuvre, l'*Opus oxoniense.*

QUODLIBET d'Occam [*Quodlibeta septem,* c'est-à-dire « Sept questions sur un peu tout »]. Traité de philosophie et de théologie du philosophe et théologien franciscain anglais Guillaume d'Occam (ou d'Ockham, 1295/1300-1349/50), composé probablement à la même époque que les *Questions très subtiles et réponses au « Livre des sentences »* (*), entre 1318 et 1324. On y trouve en effet un peu de tout, mais bien peu de choses qui n'aient déjà été dites dans le commentaire du *Livre des sentences* (*) que nous venons de mentionner, et dans la *Somme de toute la logique* (*). Le *Quodlibet* soutient que, du point de vue de la scolastique, c'est une hérésie philosophique de dire que « la matière puisse produire en nous une connaissance intuitive d'un objet non existant ». Il revient sur ce concept selon lequel l'ordre de l'univers « n'ajoute rien à ce que ses parties sont en elles-mêmes » ; l'auteur s'élève contre la distinction des attributs de Dieu, contraire à sa simplicité, et admet seulement une « différence verbale » dans la dénomination. Adoptant la distinction habituelle d'Averroès, Occam soutient que, « si par âme intellective on entend une forme immatérielle, incorruptible, qui est toute dans le tout et toute en n'importe quelle partie, on ne peut évidemment savoir ni par la raison ni par l'expérience qu'elle existe en nous et qu'elle est forme du corps », si ce n'est par la foi. À côté de ces graves questions, nous en rencontrons d'autres assez futiles : par exemple, de savoir si un ange peut se mouvoir localement dans le vide ou parler à un autre ange. Mais, en bref, nous retrouvons ici en substance, avec moins de lourdeur et un style qui parfois se rapproche du style impressionniste et volontairement choquant du *Centiloque théologique,* la même doctrine que celle qui est exposée dans les *Questions très subtiles.*

QUODLIBET de Thomas d'Aquin [*Quaestiones quodlibetales*]. Œuvre du philosophe et théologien d'origine italienne saint Thomas d'Aquin (1225-1274) qui reflète de manière très vivante les habitudes doctrinales et pédagogiques des écoles médiévales. Il s'agit en effet de la préparation par écrit et donc du compte rendu de quelques discussions publiques et solennelles tenues en présence de tous les écoliers, dans l'une des principales églises de la ville, siège d'un « studium generale » ou université, et qui avaient lieu généralement pendant le temps de l'Avent ou celui du Carême. Au cours de ces discussions, le débat ne portait pas sur des sujets généraux relatifs à l'enseignement, mais plutôt sur des points de détail et sur toutes les questions où les doctrines et les opinions des divers maîtres se trouvaient en opposition. Elles ne présentent donc aucune véritable unité dans la manière dont elles sont traitées, et présupposent, pour leur compréhension, la connaissance des doctrines appartenant à la science théologique et philosophique, morale et juridique du Moyen Âge. Le choix des questions dépendait, pour les maîtres, de leur libre initiative — « quodlibet » — d'où le titre des questions, qui étaient rassemblées dans un petit écrit appelé « Quodlibetum ». Les « Quodlibeta » que nous a laissés saint Thomas sont au nombre de douze, et tous se rapportent à l'enseignement qu'il tint à Paris ; cependant, l'ordre sous lequel ils se présentent dans les éditions actuelles n'est pas l'ordre chronologique. En effet, les « Quodlibeta » du Ier au VIe et le XIIe font partie de son second enseignement, aux environs des années 1269-1272, tandis que, du VIIe au XIe, ils se rattachent à son premier enseignement, qui eut lieu entre les années 1256 et 1267. Chaque « Quodlibetum » contient de sept à douze questions ; seul le dernier en renferme vingt-deux ; chacune des questions se trouve ensuite développée en un ou plusieurs articles. Certaines sont d'une très grande importance, même pour la théologie et la philosophie actuelles. D'autres sont relatives aux préoccupations doctrinales particulières au XIIIe siècle. D'autres enfin n'ont qu'un intérêt de pure curiosité. Nombre d'entre elles concernent Dieu et ses perfections, Jésus-Christ et les activités de ses deux natures ; d'autres regardent les anges, leur nature et leurs prérogatives ; plusieurs traitent de la connaissance chez Dieu, chez les anges, chez l'homme, de la prescience divine et de la liberté créée ; bien d'autres questions concernent l'homme, l'âme humaine, l'union de l'âme et du corps, et, dans l'ordre surnaturel, la grâce et les sacrements, les péchés, les vertus et les vices, l'obligation de l'aumône et de la restitution, le mariage et ses obligations, la vie religieuse et ses conditions, les peines temporelles et éternelles, la gloire des bienheureux.

QUO VADIS ? Roman de l'écrivain polonais Henryk Sienkiewicz (1846-1916), publié en 1894 et traduit aussitôt dans presque toutes les langues. L'action se déroule à l'époque de Néron ; le jeune patricien Vinicius tombe amoureux de Lygie, fille du roi des Lygiens ; celle-ci, faite prisonnière par les Romains et considérée comme otage, est élevée au sein d'une famille patricienne qui s'est convertie au christianisme et qui lui a enseigné la foi nouvelle. Ne croyant pouvoir gagner l'amour de Lygie par ses propres moyens et ne sachant pas qu'il en est aimé secrètement, Vinicius demande à l'un de ses parents, l'élégant Pétrone, de l'aider. Ce dernier, qui est un ami et un favori de Néron, conseille à l'empereur de ravir la jeune fille à la famille qui l'a élevée, et de la donner pour femme à l'ardent Vinicius. Mais Ursus, le gigantesque et fidèle esclave de Lygie, libère sa jeune patronne qui se réfugie auprès d'une communauté chrétienne. Lorsque Vinicius, grâce à l'astuce d'un parasite grec, Chilon, réussit à retrouver la trace de Lygie et à nouer des contacts avec le monde naissant de chrétiens, cette ambiance nouvelle l'attire invinciblement et le subjugue. Pendant ce temps, à Rome, Néron, afin de pouvoir composer des vers inoubliables sur l'incendie de Troie, ordonne d'incendier la Ville Éternelle. Mais, effrayé par la colère de la populace romaine plus encore que par les résultats de son acte criminel, Néron fait accuser les chrétiens de cet incendie monstrueux. Lors de la persécution qui suit cette odieuse calomnie, Lygie est emprisonnée et condamnée à périr dans les jeux du cirque. Elle est attachée entre les cornes d'un buffle sauvage qui doit la mettre en pièces ; mais le fidèle Ursus, doué d'une force herculéenne, se précipite dans l'arène et, sans armes, réussit à vaincre le buffle et à libérer Lygie. Sous la pression de la populace qui demande grâce pour Ursus et Lygie, Néron se voit obligé de leur accorder la liberté, ce qui permet enfin à Vinicius de la rejoindre et de voir couronner son amour, tout en embrassant la foi chrétienne. Pétrone sera l'une des dernières victimes de la folie sanguinaire de Néron, avant que l'empereur féroce et cruel ne soit enfin renversé et tué. Le titre du roman est emprunté à la fameuse question que pose au Rédempteur l'apôtre Pierre lorsque, fuyant Rome et les persécutions, il voit son Maître lui apparaître à un tournant du chemin et répondre à sa question : « Quo vadis, Domine ? » (Où vas-tu, Seigneur ?) par ces paroles sévères : « Lorsque tu abandonnes mon peuple, je vais à Rome [...] pour qu'une fois encore on me crucifie. » Ce roman, qui reste populaire dans sa forme malgré la grandeur du sujet, offre un tableau d'une certaine vérité historique. L'auteur a voulu, suivant en cela une tradition littéraire très répandue en Pologne, représenter les possibilités de rédemption de son propre pays, assujetti, mais non vaincu moralement et toujours avide de liberté. — Trad. Nelson, 1939.

QUTADGU BILIK [*La Science qui donne le bonheur* ou *La Science royale*]. Poème didascalique, composé en l'an 462 de l'hégire (1069-1070 de l'ère chrétienne) par le poète turc Yūsuf (XIe siècle), ministre du sultan Boghra Khan de Kashghar. C'est le plus ancien document littéraire des Turcs médiévaux, après leur conversion à l'islam. On y trouve des vocables arabes et persans. Il s'ouvre par des louanges à Dieu et à Mahomet. Dans les chapitres suivants, quatre personnages (un prince, le vizir, un fils et un frère du vizir) représentent la Justice, la Puissance, le Bon Sens et la Modération. Ils conversent ensemble, énonçant des maximes morales et politiques pour la conduite des individus et des peuples ; c'est, sous une forme dialoguée, une suite de sentences et de conseils appartenant au patrimoine spirituel commun des peuples de l'Asie.

QU'UNE LARME DANS L'OCÉAN [*Wie eine Träne im Ozean*]. Roman publié en 1952 par l'écrivain français de langue allemande Manès Sperber (1905-1984). Cet ouvrage fait partie d'un vaste roman dont le premier volume, *Et le buisson devint cendre,* parut en 1949, le second, *Plus profond que l'abîme,* en 1950 et le troisième, *La Baie perdue,* en 1953 — v. *Et le buisson devint cendre* (*). *Qu'une larme dans l'océan* fut extrait du troisième volume et publié un an avant lui. Ce récit dépouillé se distingue de la richesse complexe et un peu diffuse de la trilogie, aussi nettement que *Manon Lescaut* (*) se distingue des *Mémoires d'un homme de qualité* (*). L'extermination systématique des Juifs a vidé les petites villes de la Pologne orientale, sauf Wolyna. Bien que les Wolyniens se sachent condamnés, le Zaddick, leur médiocre rabbi, miraculeux, les exhorte à la patience. Rubin, Juif de Vienne, appelle les hommes capables de porter les armes à rejoindre les partisans dans les grandes forêts. Vingt-huit hommes seulement, dont Bynie, le fils du rabbi, rejoindront la formation de l'armée secrète commandée par le comte Skarbek. Le Zaddick et les autres seront exterminés. Bynie est désormais l'héritier spirituel de son père. Le groupe de Rubin détruit une unité de miliciens ukrainiens ; mais à peine Skarbek est-il parti que les Polonais exigent la remise des armes prises à la milice. Le conflit éclatant le jour du sabbat, Bynie interdit la construction des barricades qui eussent sauvé ses compagnons. Skarbek retrouvera quelques survivants, dont Bynie et Rubin. Dans le couvent où il cache ceux-ci, la puissance mystérieuse qui a fait du jeune homme l'égal même du sang versé selon sa propre loi, lui donne, à l'approche de la mort, l'invincible accent des enfances sacrées : il s'unit jusqu'à les guérir aux enfants malades que les paysans, respectueux de tous les « Hommes de Dieu », poussent devant son agonie. Et dans les musiques foraines dont

Varsovie couvre mal les explosions qui écrasent le ghetto insurgé, Rubin et Skarbek vont repartir, l'un pour la Palestine et l'autre pour la guerre ; ils tenteront vainement de déchiffrer l'écriture perdue dans laquelle s'unissent les signes de l'esprit et les signes du sang. Tout le récit de Sperber est révolte contre l'histoire ; une révolte qui laisse leur virulence épique à des forces lâchées sur l'humanité. Dans ce livre manichéen, l'Histoire est au service du Mal reparu dans son mystère premier. Ce livre est le livre des vérités meurtrières, vérités devenues passions, et fatalité. Leurs ravages appellent ce qui, dans l'esprit de l'auteur, doit se substituer à elles, et qui n'est ni scepticisme ni religion, mais peut-être l'expérience humaine devenue lucidité, l'approfondissement qui donnerait à la vie même la densité qu'il donne à ses personnages. – Trad. Calmann-Lévy, 1952.

R

RABBI BEN EZRA. Poème de l'écrivain anglais Robert Browning (1812-1889), publié dans *Dramatis personae* (*) en 1864. Ben Ezra (1090 ?-1168 ?), savant et philosophe juif du Moyen Âge, est l'auteur des *Commentaires de l'Ancien Testament*. Dans ce poème en forme de monologue, Ben Ezra exprime sa conception de la vie : celle-ci doit être un perpétuel perfectionnement ; la jeunesse ne compte que parce qu'elle prépare à l'âge mûr, qui seul permet d'entrevoir la volonté divine et de comprendre la valeur de la souffrance. Les doutes de la jeunesse sont nécessaires ; ils servent de preuves sur le chemin que nous avons à parcourir vers la perfection et aussi de stimulants. Le rationalisme et l'éthique du poète se transforment en une vive ardeur intellectuelle et spirituelle ; cette œuvre, d'un caractère très élevé, est empreinte d'un fort sentiment religieux qui s'exprime avec une résignation triste, mais plein d'espoir et de courage.

RABEVEL ou le Mal des ardents. Roman en trois volumes (respectivement intitulés : *La Jeunesse de Rabevel, Le Financier Rabevel, La Fin de Rabevel*) de l'écrivain français Lucien Fabre (1889-1952), publié de 1923 à 1925. Il valut à son auteur un succès considérable. En voici la donnée : au lendemain de la guerre de 1870, Bernard Rabevel, jeune garçon recueilli et élevé par une famille de modestes artisans, se distingue bientôt par son intelligence précoce, son ambition et son instinct de domination. Il se lie d'amitié avec deux jeunes gens de son âge, Abraham Blinkine et François Régis. Dans un collège de religieux où il termine de brillantes études, il traverse une crise mystique ; mais ses premières expériences sensuelles le jettent dans un trouble profond. Avide de jouissances, il se lance résolument à la conquête de l'argent. Bientôt il découvre la passion, sous les traits d'Angèle, la fiancée de son ami François. Droite, volontaire, séduisante, Angèle répond aux sentiments de Bernard. Passant outre à tout scrupule, ce dernier essaie alors d'empêcher le mariage de se conclure ; mais Angèle, ayant découvert le cynisme de Bernard, devient la femme de François. Bernard cependant, à qui ses préoccupations sentimentales ne font pas oublier le but vers lequel il tend, utilise son ami Abraham pour se faire introduire auprès du riche banquier Blinkine et de son associé, Mulot. Il se voit confier par eux la surveillance d'une affaire fortement compromise. Son assurance, son dynamisme, son art de jauger et d'utiliser les hommes font merveille ; il a tôt fait d'organiser l'affaire à son profit, et Blinkine et Mulot, impuissants contre lui, sont contraints d'en faire leur associé. Ainsi parvenu, malgré son jeune âge, à une position fort enviable, Bernard nourrit d'autres ambitions encore. Mais il reste ulcéré par le mariage d'Angèle. Grâce à un nouveau stratagème, il se ménage une entrevue avec elle, et sa dialectique le fait bientôt absoudre. Angèle, consentante, s'abandonne ; profitant de l'absence de François, qui est capitaine au long cours, le couple part faire un séjour dans le Quercy, pays natal d'Angèle, où il connaît la plénitude de l'amour partagé. Mais Angèle, enceinte, tombe gravement malade. Sous l'influence d'Abraham, qui s'est converti et est entré dans les ordres, elle se tourne vers la religion. Partagée entre la passion et le remords, elle se résout, après une longue crise intérieure, à éviter son amant. Mais celui-ci n'abandonnera pas la partie — pas plus, du reste, qu'il n'abandonne ses projets d'avenir. Ayant découvert au cours d'une nuit d'orgie qu'il est le fils d'une prostituée devenue la femme de Mulot, il n'a de cesse qu'il ait exploité la situation à son profit. Adopté par Mulot, il demande — et obtient — la main d'une riche héritière, Reine. Mais la douceur, la soumission de celle-ci ne peuvent lui faire oublier Angèle qui, hautaine et désespérée, est allée se réfugier, avec le fils qu'elle a eu de

Bernard, auprès de sa famille. Les années passent. Grâce à la virtuosité de ses escroqueries, Rabevel a désormais réalisé le rêve de sa jeunesse : il a la puissance, la fortune. Mais, insatisfait, il ne songe qu'à réduire Angèle à sa merci. D'accord avec François, qui a toujours ignoré la trahison de son ami, il se charge de l'éducation du jeune Olivier, le fils d'Angèle ; il compte, en le soustrayant ainsi à sa mère, avoir raison de l'obstination de celle-ci. Ses calculs, à la longue, s'avèrent exacts. Angèle cède encore ; et, enceinte à nouveau, tourmentée par le remords, elle a un accident et meurt, victime de l'homme qu'elle a toujours aimé. Celui-ci cependant, qu'une maîtresse dépravée, Balbine, a mené à une véritable déchéance physique et morale, se retire enfin, à la suite d'un drame au cours duquel Olivier a failli le tuer, dans un village perdu, où il mourra, ignoré et faisant le bien en souvenir d'Angèle, son unique amour. Fort complexe, ce roman présente un tableau saisissant du monde des affaires, où se coudoient banquiers, aigrefins et prostituées. À travers les diverses étapes de la vie de son héros, l'auteur a voulu étudier toute une série de milieux : faire en somme le procès d'une époque. La psychologie ne laisse pas de rappeler celle de Balzac : l'arriviste Rabevel présente en effet de frappantes analogies avec Rastignac. Il n'empêche que, par la vigueur de sa peinture, ce roman reste remarquable.

RABINAL ACHI ou le Drame-ballet de Tun. Drame écrit en ancien quiché du Guatemala, publié à Paris par Brasseur de Bourbourg en 1862 (dans le tome II de la *Collection de documents dans les langues indigènes pour servir à l'étude de l'histoire et de la philologie de l'Amérique ancienne*). Un des chefs de la maison princière de Caguek, Quéché Achi, terrorise les peuples soumis au roi Aham-Hobtoh, lequel a pour les défendre un chef guerrier, Rabinal Achi. Celui-ci arrive à vaincre le terrible Quéché Achi et le conduit devant le roi, qui doit décider de son sort. Ce dernier le condamne à mort, mais, avant l'exécution de la sentence, lui permet, par mesure exceptionnelle, de s'asseoir à sa table, de boire dans sa coupe, de revêtir de riches habits, de célébrer ses succès passés, et même de danser avec sa fille, la belle U-Chuch-Raxon (« L'émeraude précieuse »). Le condamné devra encore se battre avec les douze aigles et les douze jaguars qui protègent le trône royal ; on lui permettra enfin de passer treize fois vingt jours dans les montagnes de son pays natal. Tout ceci accompli, le prisonnier est livré aux bêtes, qui le déchiquètent. Il est impossible de fixer la date de cette composition, même en s'aidant des listes chronologiques, d'ailleurs incomplètes, des livres de *Chilam Balam* (*) qui sont à la bibliothèque de Philadelphie. On sait seulement que l'œuvre a été composée par Bartolo Zig, après la conquête espagnole, d'après d'antiques légendes racontées dans le *Popol Vuh* (*).

RABOLIOT. Roman de l'écrivain français Maurice Genevoix (1890-1980), publié en 1925 et couronné la même année par l'académie Goncourt. Très au fait des mœurs, coutumes et paysages de la Sologne, l'auteur y a situé, comme souvent dans ses livres, l'action de ce roman. Avant de le composer, il participa même, pour se renseigner, à de nombreux braconnages nocturnes, « ayant sur le nez le binocle et à la main le calepin de romancier naturaliste ». Les Solognots ont surnommé Pierre Fouques Raboliot, car « il ressemblait à un lapin de rabouillère (nid de garenne), à un raboliot ». Braconnier passionné, il appartient à ce type d'hommes que le goût du risque peut entraîner jusqu'au meurtre. Le gendarme Bourrel, un de ses nombreux ennemis, et dont il se moque ouvertement, a failli le prendre sur le fait. Dès lors, entre Raboliot et Bourrel commence un duel à mort. Traqué, Raboliot doit fuir dans les bois et y mener la vie intolérable des bêtes sans cesse poursuivies. Un parent l'aide enfin à revoir sa femme, Sandrine, moyennant la promesse qu'il quittera le pays ensuite. Mais au moment du rendez-vous, Bourrel vient surprendre chez lui le braconnier, et le fatal dénouement éclate : Raboliot tue froidement le gendarme. — Maurice Genevoix peint événements et personnages dans un style vigoureux. S'interdisant toute effusion lyrique, toute « imagination », il raconte simplement l'homme et sa campagne, descriptions et dialogues étant puisés dans la réalité la mieux observée.

RABOUILLEUSE (La) de Balzac (v. *Un ménage de garçon*).

RACE (Une) [*Ein Geschlecht*]. Drame en un acte de l'écrivain allemand Fritz von Unruh (1885-1970), publié en 1918. Cette pièce ouvre la trilogie qui se compose de *Place !* (*) et *Dietrich* [*Dietrich*] écrite en 1936. La guerre fut la grande expérience d'Unruh : c'est elle qui le fit protester contre la conception étroite du devoir, de l'obéissance, à laquelle il oppose la force vitale, la jeunesse, la puissance de l'esprit. *Une race* est de bout en bout, non seulement une ample protestation contre la guerre, mais un « cri » expressionniste soutenu par une action violente, rapide, où des personnages symboliques, « la Mère », « le Fils aîné », « le Fils lâche » expriment le sentiment de l'horreur, de l'absurde. L'auteur ne se prive pas de nous montrer la guerre et ses conséquences les plus révoltantes : le meurtre, le suicide, le viol, l'inceste, sinon justifiés, du moins plausibles au milieu du massacre. Mieux peut-être que chez tout autre, on comprend chez Unruh que l'expressionnisme à travers l'éloquence est une poussée, une explosion, dont la forme néanmoins se rattache à la grande tradition classique. L'auteur ne cesse d'entretenir le culte de l'humanité, de l'amour, qui inspirera son œuvre et lui prêtera une voix éloquente : il se joint au chœur des auteurs politiques qui dominera la nouvelle Allemagne. Cependant, à la différence de beaucoup d'autres, il repousse formules et systèmes ; il ne croit pas à leur efficacité. En fait, son attitude relève d'un reste d'individualisme moral qui le rattache au classicisme : il se fera le champion d'une société nouvelle, pacifique, d'un homme nouveau et fraternel ; mais tout cela résultera à ses yeux non d'une organisation qui s'emparerait des masses, mais de l'effort personnel des meilleurs. La scène se situe dans un cimetière : la Mère, avec sa Fille et son jeune Fils, enterre son second Fils, puis s'avance entre les soldats ; ils sont chargés d'exécuter ses deux autres enfants condamnés, l'un, le Fils lâche, pour abandon de poste, l'autre, le Fils aîné, pour viol. Ce dernier est amoureux de sa sœur, qui répond à son amour et le délivre des liens qui le tiennent prisonnier. Frère et sœur se répandent en imprécations contre la guerre et contre leur Mère, laquelle, fidèle au souvenir du mort, devient tour à tour le symbole de la Maternité, de la Terre maternelle, de l'Amour. Le Fils aîné tente d'étrangler sa mère puis se suicide en se jetant du haut d'un mur. Le jeune Fils développe ses théories devant les soldats et part dans la vallée préparer un âge nouveau. Nous le retrouvons dans la pièce *Place !* qui fait suite à *Une race.*

RACE DE BRONZE [*Raza de bronce*]. Roman de l'écrivain bolivien Alcides Arguedas (1879-1946) publié en 1919. Ce roman a joué un rôle très important dans les pays et dans les littératures d'Amérique latine en attirant l'attention sur la condition misérable des Indiens, réduits pratiquement à l'esclavage dans beaucoup de régions, et en suscitant un mouvement littéraire « indigéniste » qui dénonça violemment ces abus et donna naissance à quelques chefs-d'œuvre, notamment *La Fosse aux Indiens* (*) de l'Équatorien Jorge Icaza. L'action de *Race de bronze* se situe dans le décor grandiose des Andes et dans la région du lac Titicaca ; elle se développe sur plusieurs plans : idyllique, avec le récit des amours du berger Agiali et de la jeune Wata-Wara ; ethnologique, avec la description des mœurs d'une communauté indienne, de ses fêtes, de ses croyances religieuses ; sociologique et révolutionnaire, avec la peinture de l'exploitation des Indiens par les « hacienderos » (administrateurs) et les grands propriétaires blancs, puis celle de la lente montée de la colère des opprimés et de leur révolte. Quelques personnages particulièrement représentatifs se détachent de cette fresque : Agiali et Wata-Wara, dont la jeunesse et l'ardeur participent de la beauté et de la force profonde de leur terre ; Choquehuanka, le vieux chef indien, qui essaie d'obtenir un peu de justice pour les siens par des moyens pacifiques mais les appelle à la révolte le jour où Wata-Wara, sa protégée, est tuée par les propriétaires blancs qui voulaient la violer ; Troche, le haciendero, grossier métis avide et sensuel ; Pantoja, le propriétaire blanc, égoïste, lâche et jouisseur, qui traite les Indiens comme un bétail qu'il peut sacrifier à tous ses caprices.

Le style, qui va du lyrisme à l'épopée selon qu'il évoque les somptueux paysages des Andes ou les malheurs et les luttes des Indiens, évolue vers un réalisme à la Zola dans les pages de revendication sociale. Dans sa préface à la traduction française, André Maurois écrit : « *Race de bronze* est l'une des meilleures introductions au passé de l'Amérique latine... [Ce livre] en incarnant les idées en des êtres vivants et touchants a ouvert la route à la fois au penseur et au politique. Si, dans cet admirable continent, le plus jeune de la terre, le plus riche et le plus pauvre, s'impose peu à peu plus de justice et de mutuelle intelligence, cela est dû pour une part à des écrivains comme Arguedas, à des romans comme *Race de bronze.* » — Trad. Plon, 1960.

RACE DES HOMMES (La) [*Ἡ φυλὴ των ἀνθρῶπων*]. Roman de l'écrivain grec Thrasso Castanakis (1901-1967), publié en 1932 dans sa version primitive et en 1962 dans une version remaniée. Dans un quartier grec de Constantinople, les deux fils du docteur Trombélis, ardent défenseur de la cause grecque, mènent une vie fort différente. Le plus jeune, Élie, dilapide sa fortune et devient la proie d'une prostituée qu'il épouse et qui l'éloigne de son entourage. L'aîné, Stellio, plus avisé et plus réaliste, fait des affaires et amasse une solide fortune. À travers eux, deux modes de vie et deux destins s'affrontent, deux races d'hommes incompatibles : « les gens simples, tirant tout de leur sang et la folie de leur corps » et les « gens compliqués » dont « il n'y a que le cerveau qui les mène ». Au-delà de l'opposition des deux frères, l'œuvre décrit la société grecque de Constantinople avec sa haute bourgeoisie, ses intellectuels, ses artisans et ses roturiers, tout un monde qui rêve à la grandeur passée et future de la Grèce. Mais ces rêves s'avèrent finalement bien vains car beaucoup sont motivés par les raisons les plus intéressées. Égoïstes et passionnés, ardents et avides, ces Grecs semblent surtout des ombres évoluant sur la toile de fond d'une Histoire qui leur échappe. À ce titre, *La Race des hommes* apporte un témoignage intéressant sur une époque et sur des êtres aujourd'hui perdus dans l'oubli. — Trad. Maisonneuve et Larose, 1962.

RACE FUTURE (La) [*The Coming Race*]. Roman de l'écrivain anglais Edward George Bulwer-Lytton (1803-1873), publié dans le *Blackwood's Magazine* et ensuite en volume en 1873. L'auteur retourne avec cette œuvre, qui est une de ses dernières, au « roman gothique », ou « roman noir », cultivé par Walpole et Ann Radcliffe vers la fin du XVIIIe siècle. Il imagine qu'il parvient, à travers d'étranges pérégrinations, dans un pays souterrain, habité par une race d'êtres bizarres qui, à une époque lointaine, pour fuir déluges et inondations, se retirèrent dans les profondeurs de la terre. L'imagination de l'auteur remonte ainsi aux lointaines ténèbres de la préhistoire. Ces êtres sont restés indemnes de l'ignorance et de la méchanceté humaines. Un être surnaturel, Uril — symbole de toutes les énergies de la nature —, les a amenés non seulement aux plus hauts sommets de la recherche scientifique, mais aussi à un état de perfection et de civilisation surhumain. Ils ignorent le crime, la guerre, l'avidité au gain, la pauvreté. Entre eux règne une certaine égalité, mais avec ce principe bien arrêté que seul un petit nombre d'hommes dotés d'une intelligence supérieure sont dignes de dominer. Ainsi, ils ont raison de mépriser la race humaine qui vit à la lumière du soleil. Chez ces êtres, le sexe féminin est le plus fort et le plus parfait. Comme les femmes doivent choisir leur mari, l'auteur arrive à se trouver dans une situation difficile, dont il se sauve non sans peine, grâce à l'aide d'une femme qui lui est sincèrement dévouée et qui, par la suite, le fait retourner dans le monde des hommes. Dans ce récit se fondent et s'opposent divers motifs. *L'Utopie* (*) de Thomas Morus et *Les Voyages de Gulliver* (*) de Swift inspirèrent certainement à Bulwer-Lytton l'idée de ce pays imaginaire, où les humains jouissent d'une vie plus belle et plus parfaite. Mais, sans doute sous l'influence de certains écrivains romantiques allemands, parmi lesquels Hoffmann, l'auteur se montre comme l'annonciateur de ce genre à mi-chemin entre le miraculeux et le scientifique, qui devait connaître plus tard un ample développement avec Wells. — Trad. Dentée, 1888 ; Néo, 1987.

RACHEL [*La Raquel*]. Tragédie en trois journées, en vers, du dramaturge espagnol Vicente García de la Huerta (1734-1787), représentée en 1778. Le sujet fait revivre la légende espagnole bien connue de la « Juive de Tolède » qui avait déjà été utilisée au XVIIe siècle par Lope de Vega [*Las paces de los Reyes y judía de Toledo*], par Mira de Amescua — v. *La Décision contre son propre sang* (*) —, par J. B. Diamante [*La judía de Toledo*] ; au XIXe siècle, Grillparzer la reprendra dans sa *Juive de Tolède* (*). Huerta se rapproche davantage de Diamante que de Lope de Vega et s'inspire également du poème *Raquel* (1650) qu'écrivit sur ce sujet Luis de Ulloa y Pereira (1584-1674). Alphonse VIII, roi de Castille, s'est follement épris de la juive Rachel et a fait d'elle sa favorite, à la grande colère du peuple et des princes qui demandent énergiquement l'éloignement de la sorcière. Devant le refus du roi, la révolte éclate : le palais royal est envahi et la favorite abhorrée est tuée par son propre conseiller et coreligionnaire Rubén, qui espère ainsi se concilier les faveurs des rebelles. Alphonse VIII survient et, aveuglé par la fureur, tue à son tour Rubén. Tragédie de stricte observance classique, mais d'esprit romantique, *Rachel* est, dans sa forme, le fruit d'une synthèse significative : pour obéir à la mode qui venait de France, García de la Huerta observe les trois unités pseudo-aristotéliciennes ; mais, en recourant à la division en trois journées, il revient à la tradition de Lope de Vega et de Calderón, qu'il viole toutefois en substituant à la forme polymétrique l'hendécasyllabe libre. Produit d'une période de transition très pauvre en manifestations artistiques d'une véritable grandeur, *Rachel* est l'unique tragédie de quelque valeur du XVIIIe siècle espagnol.

RACINE ET SHAKESPEARE. Œuvre de l'écrivain français Stendhal (Henri Beyle, 1783-1842), comprenant deux essais publiés en 1823 et 1825. L'auteur, qui par ses vues esthétiques se refusait à admettre le beau en soi et pour soi, et qui inclinait à estimer les côtés caractéristiques et nouveaux de la civilisation moderne, ne pouvait pas ne pas participer activement à ce mouvement d'idées qui caractérise le triomphe du romantisme en Europe. Malgré l'attrait qu'il éprouve pour les classiques, Stendhal entrevoit la nécessité d'une nouvelle tendance dans la littérature et les mœurs. Il expose ici, sous forme de polémique, ce qu'il avait déjà dit dans ses *Vies de Haydn, Mozart et Métastase* (*) ou dans son *Histoire de la peinture en Italie* (*). Il faut être pour Shakespeare contre Racine ; pour la poésie simple, naturelle et passionnée contre les canons traditionnels et froids qui empêchent de créer pour l'immortalité et pour les lecteurs de tous les temps. Il faut étudier le cœur humain dans ses lois et dans ses contrastes ; on ne vit plus aujourd'hui comme on vivait hier, et les grands écrivains de tous les temps — les classiques, c'est-à-dire les meilleurs — furent essentiellement des artistes originaux, c'est-à-dire qu'ils furent les romantiques de l'époque à laquelle ils vivaient. Seuls les idolâtres du classicisme oublient cette vérité essentielle ; ils prennent Racine pour modèle et pour canon. La première partie, de 1823, se rattache aux discussions sur l'art des romantiques lombards et du journal italien le *Concilatore,* alors qu'en France la bataille romantique n'était pas encore très vive et que le théâtre n'avait pas encore connu la bataille d'*Hernani* (*) ; la seconde partie, de 1825 (qui, elle aussi, fut d'abord publiée en opuscule), est mordante et adroite ; elle s'élève contre les affirmations antiromantiques d'Auger à l'Académie, elle a le ton bref et coupant d'un libelle. L'œuvre, dans son ensemble, prend sa signification si l'on porte attention à l'atmosphère des discussions qui s'élevaient précisément en

1825 dans *Le Globe* et si l'on sait que ce journal ne considérait Stendhal que comme un franc-tireur, combatif, mais isolé sur la scène littéraire. Parmi les œuvres critiques de Stendhal, celle-ci a une valeur décisive pour comprendre la formation de l'esprit d'un des auteurs les plus représentatifs de l'époque moderne.

RACINES. Recueil du poète français Pierre Seghers (1906-1987), paru en 1956. À côté de son métier d'éditeur, Pierre Seghers a poursuivi une œuvre poétique personnelle, qui manifeste ainsi jusqu'au bout sa passion pour un art qu'il n'a jamais cessé de défendre. Ses premiers recueils dénotaient une ardeur poétique très vive, presque improvisée tant elle était spontanée. Cependant, à partir de *Racines,* sa recherche, si elle garde les traces de cet enthousiasme, sait être plus grave, plus profonde. Dans *Racines,* Seghers veut écrire une nouvelle Genèse. Tout s'édifie à partir d'une « voix » originelle, présentée comme la voix du poète par excellence : « Le poète recompose un univers de soleils et de vies. » Cette voix naît donc du chaos, du « Rien », et, par une succession d'images, elle prend la forme d'une totale affirmation de l'être. On assiste dans le poème à la création du monde ; la voix se déploie alors sous l'apparence de l'« homme universel » dans une nature vivante, et elle dit : « Je suis la vie. » La mort n'est plus désormais qu'une « vaine puissance », car « un cycle où rien n'est jamais clos » commence. Avec l'apparition d'un « Berger », « qui s'approche ici par la parole », la référence évangélique est très claire (on pense à l'Évangile de Jean : « Au commencement était le Verbe [...] Tout fut par lui »). Et l'on passe ainsi d'un monde où les dieux étaient morts au monde d'un Dieu vivant. *Racines* est une méditation poétique, une interrogation sur le verbe, qui porte l'espoir d'un univers neuf dans lequel « la terre reverdit sous d'immenses forêts ». Ce recueil de Pierre Seghers a été réédité en 1978 dans *Le Temps des merveilles,* volume qui regroupe l'ensemble de son œuvre depuis 1938.

J.-É. M.

RACINES DU CIEL (Les). Roman de l'écrivain français Romain Gary (1914-1980), publié en 1956. Un Français, Morel, entreprend en Afrique équatoriale une campagne contre l'extermination des éléphants, afin d'alerter l'opinion mondiale. Ayant pris le maquis, il fait circuler des pétitions et mène des actions de commando contre tous ceux qui participent au commerce de l'ivoire, n'hésitant pas à brûler les plantations, à faire usage de son arme ou à rendre sa propre justice. D'un optimisme inébranlable, il se heurte à l'ironie générale et à une coalition d'intérêts. Le livre se termine sur un double échec : la conférence internationale de Bukavu, dont il attendait beaucoup, ne prend pas les mesures de protection espérées, et il voit sous ses yeux des centaines d'éléphants exterminés par ses adversaires, dans des conditions atroces. Traqué, il disparaît sans laisser de traces, tandis que ses proches sont traînés en justice.

Dans son combat, en effet, Morel n'est pas seul, et reçoit l'aide de plusieurs compagnons aux motivations diverses. Certains sont de purs idéalistes, comme Peer Qvist, un naturaliste danois, Fields, un photographe américain, Minna, une prostituée berlinoise marquée par la guerre, ou Forsythe, un G.I. rejeté pour avoir avoué pratiquer la guerre biologique. D'autres sont moins désintéressés, tels Habib, un trafiquant d'armes, ou Waïtari, un révolutionnaire africain formé dans les écoles françaises, qui utilise le combat de Morel à des fins politiques avant de se retourner contre lui. Au-delà de son groupe, sa croisade divise l'administration et interpelle des membres du clergé comme le père Fargue et un paléontologue, le jésuite Tassin.

La particularité du texte réside dans un mode de narration fragmenté, emprunté aux techniques du roman américain, qui ne donne accès à l'histoire que par le prisme d'une multitude de témoignages. Cette diversité de points de vue, sur un personnage qui n'est jamais perçu de l'intérieur, préserve son énigme. Écologiste avant la lettre, le livre n'est pas seulement un plaidoyer pour la protection des éléphants. Il permet à Gary de brosser une galerie de personnages hauts en couleur, pour qui Morel fait office de révélateur, et de construire une vaste allégorie humaniste autour du thème de la tolérance, Gary y développant l'idée que « les hommes sont assez généreux pour accepter de s'encombrer des éléphants ». Prix Goncourt en 1956, le roman fut adapté au cinéma par John Huston (1958), avec Trevor Howard dans le rôle de Morel.

P. B.

RĀDHĀ AU LOTUS [*Rāi Kamal*]. Roman bengali de l'écrivain indien Tārā Śaṅkar Banerji (1898-1971), publié en 1935. Ce fut d'abord une nouvelle qui parut en 1929 dans la célèbre revue littéraire *Kallol.* L'auteur reprit ensuite son sujet et l'étoffa pour en faire un court roman. Il l'envoya au géant des lettres bengali, le poète Rabīndranāth Tagore, qui lui fit savoir, à plusieurs reprises, son admiration. Un lyrisme qui n'a guère d'égal se dégage de ce livre où l'auteur prend pour thème la quête du bien-aimé, humain et divin, à travers les vicissitudes de la vie. L'héroïne est une toute jeune fille, Rāi ou Rādhā, appartenant par sa naissance à la secte viṣṇuīte qui se réclame du mystique bengali médiéval Śrī Kṛṣṇa Caitanya. Elle vit avec sa mère dans un village du Bengale occidental. Pour ces Viṣṇuītes, tout amour en ce monde n'est que le reflet de l'union mystique du dieu Kṛṣṇa avec la bouvière Rādhā. La jeune fille poursuit son Kṛṣṇa en la personne d'un jeune paysan qui la trahira une première fois. Réunis plus tard, l'homme la quittera une seconde fois pour une beauté plus jeune, car lui aussi cherche son éternelle Rādhā. Elle comprend enfin que son Kṛṣṇa n'est pas de cette terre et accepte sa solitude, au seuil de la vieillesse. Le roman, d'une écriture très dépouillée mais très suggestive, entremêle avec bonheur les registres de l'amour humain et de l'amour mystique. – Trad. « Connaissance de l'Orient », Gallimard, 1975. F. Bh.

RADIOACTIVITÉ [*Radioactivity*]. Le grand savant britannique lord Rutherford (1871-1937) apporta une éminente contribution au domaine de la radioactivité, en particulier en découvrant la nature du rayonnement alpha et des émanations du radium et du thorium. La théorie moderne du noyau qui a permis à la radioactivité de prendre un grand essor est due aux travaux de Bohr, d'une part, et de Rutherford, d'autre part. Enfin, la première réaction de désintégration artificielle en 1919 (transformation de l'oxygène en azote et hydrogène par bombardement par les rayons alpha) fut faite par Rutherford. L'œuvre écrite de Rutherford consiste par suite essentiellement en livres sur la radioactivité. L'ouvrage intitulé *Radioactivité,* dont la première édition parut en 1904 à Cambridge, est le prototype des ouvrages suivants. Rutherford y expose les propriétés des corps radioactifs naturels : à l'aide de la théorie de l'ionisation des gaz, il montre que le rayonnement des corps radioactifs naturels, intitulé jusque-là globalement « rayons de Becquerel », était en réalité constitué par trois espèces de rayonnements bien différents : rayons bêta, identiques aux rayons cathodiques de Crookes (répulsion résultant de rayonnement), c'est-à-dire par des électrons ; rayons alpha, spécialement étudiés par Rutherford, identiques aux rayons canaux, formés par des particules chargées positivement ; enfin rayons gamma non corpusculaires et analogues aux rayons X. Il expose la théorie de la désintégration des corps radioactifs, théorie atomique établie par Pierre et Marie Curie qui avaient montré que l'intensité du rayonnement émis par un corps radioactif naturel diminuait exponentiellement avec le temps – v. *Œuvres* (*) de Pierre et Marie Curie. Les éditions postérieures à 1904 comprennent de nouveaux chapitres détaillant les propriétés des rayons alpha et montrant la nature de ce que les Curie avaient nommé « émanations » : les émanations du radium (radon) et du thorium (thoron) sont des gaz résultant de la désintégration du noyau du radium ou du thorium, gaz eux-mêmes radioactifs, corps simples chimiquement inertes et appartenant à la famille des gaz rares.

À la même époque, Rutherford fit paraître en ouvrage la série de conférences qu'il fit au Yale College sous le titre : *Transformations radioactives* [*Radioactive Transformations*]. Dans ce livre, outre la partie expérimentale et théorique peu différente du précédent, l'auteur donne une remarquable introduction historique sur la radioactivité.

Un des derniers livres de Rutherford sur la radioactivité a pour titre *Radiations émises par les substances radioactives* [*Radiations from Radioactive Substances*] ; Rutherford s'est adjoint la collaboration de deux de ses plus brillants élèves : J. Chadwick et C. D. Ellis. C'est un élargissement des ouvrages antérieurs, en particulier par les renseignements sur la structure du noyau qui peuvent être tirés des déviations que subit la particule alpha, constituée par des noyaux d'hélium de charge positive, lorsqu'elle passe près d'un noyau. De plus, dans la première édition, datée de 1930, on trouve déjà des hypothèses extrêmement intéressantes sur les possibilités de désintégration artificielle et même sur les changements d'énergie qui ont lieu lors de la formation et de la destruction des noyaux atomiques (autrement dit sur les possibilités éventuelles de libération d'énergie atomique). Ce livre a été édité par l'University Press de Cambridge.

RADIOGRAPHIE DE LA PAMPA [*Radiografía de la pampa*]. Essai le plus significatif de l'écrivain argentin Ezequiel Martínez Estrada (1895-1964), publié en 1933. Il inaugure tout un courant de réflexion novatrice sur l'essence du continent latino-américain et de l'Argentine en particulier. Empreint d'un pessimisme profond, Estrada voit dans la conquête espagnole l'origine de toutes les difficultés du continent américain et forge ainsi le concept de « péché originel de l'Amérique ». Le descendant créole et métis du conquistador est victime selon lui d'un complexe d'infériorité de fils humilié. C'est en lui que l'auteur trouve l'explication de la psychologie du gaucho, des mouvements anarchiques qui secouent sans répit l'histoire argentine, de la violence. Dans sa tentative de colonisation de la pampa, l'homme américain se sent un déshérité social et culturel ; il reproduit l'amertume et les désillusions des premiers colons. Il se sent impuissant face aux « forces obscures de la pampa » et affligé par une réalité qu'il lui est impossible de modifier, victime de la fatalité et d'une nature hostile. À travers son exposé qui s'appuie sur un déterminisme géographique marqué, empreint d'une pensée tragique et pessimiste qui porte la marque de la pensée de Spengler mais aussi des théories des mécanismes défensifs de Freud, Estrada pose à sa façon les problèmes fondamentaux de son pays, l'Argentine, mais aussi du continent latino-américain tout entier. J.-C. V.

RAGAZZA (La) [*La ragazza di Bube*]. Roman de l'écrivain italien Carlo Cassola (1917-1987), publié en 1960. Avec ce roman, Cassola revient sur la question de la violence en temps de guerre, des limites de sa légitimité, question qu'il avait déjà abordée dans *Fausto et Anna* (*). L'intrigue, très précisément située dans le temps, commence dans l'immédiat après-guerre et a pour point de départ un fait réellement advenu : en mai 1945, au cours d'un incident banal, un carabinier et son fils avaient tué un partisan, à la suite de quoi ils avaient été exécutés par des compagnons de la victime. Un an plus tard, l'un de ceux-ci, Bebo (qui deviendra Bube dans le roman), était condamné à seize ans de prison. Cassola, qui avait connu ce partisan dans la Résistance, racontera plus tard que, devant de tels faits, il restait « ferme dans [sa] condamnation de la violence » ; il reproche à Bebo son impulsivité, son inconscience, son insensibilité. Il corrige toutefois cette condamnation quand, en 1956, il apprend que la fiancée de Bebo attend sa libération pour l'épouser. Cassola absout alors la violence en découvrant la complexité, l'épaisseur humaine de ces individus, dans cet exemple d'amour, de fidélité, dans ce sens du sacrifice. C'est donc de ces faits qu'il part pour construire ce roman autour de Mara. C'est elle, en effet, qui devient la protagoniste de l'œuvre. Le titre l'annonce d'emblée : Mara est le personnage principal, mais elle est définie par son rapport aux autres. Bube en premier lieu : c'est en sa qualité de fiancée de Bube qu'elle prend place dans l'histoire. Elle-même s'affirme comme telle, non pas tant, comme on l'a dit, par conformisme mais par fidélité à elle-même autant qu'à Bube. Le sujet, l'emprisonnement de Bube, l'attente de Mara, prête également au développement d'un autre thème déjà très présent dans *Fausto et Anna* : le sentiment du temps, de son écoulement, comme un fait non tragique mais qui va de soi.

Ce roman fut très bien accueilli par le public : il fut un de ceux qui ouvrirent la voie des gros tirages, de plusieurs centaines de milliers d'exemplaires, en Italie. Mais la critique fut plus partagée : si Montale y vit « un des meilleurs livres des dernières saisons littéraires », et s'il obtint le prix Strega, Pasolini reprocha à Cassola d'avoir trahi le réalisme. D'autres critiques lui reprochèrent d'avoir accordé à Mara une importance d'envergure historique en lui confiant une fonction de vengeance sociale muette, rôle pour lequel elle n'a pas, initialement, la dimension intellectuelle et morale suffisante. Cassola aurait en somme forcé le trait en lui confiant son propre message, pour des raisons moralistes et didactiques, qui entrent en contradiction avec la logique littéraire du texte. En revanche, la critique a été généralement sensible à la place du paysage et des rapports entre Mara et Bube. — Trad. Seuil, 1962. P. L.

RAGE DE L'EXPRESSION (La). Recueil poétique publié en 1952 par l'écrivain français Francis Ponge (1899-1988). C'est Mermod, l'éditeur suisse, qui convainquit Ponge de publier ses brouillons. Dans le même temps qu'il précise sa position, dans les « Pages-bis » de *Proêmes* (*) où, répondant à Camus, « seule la littérature de description, opposée à celle d'explication, permet de refaire le monde et de changer l'atmosphère intellectuelle », où il déclare avoir inventé son parti pris contre « une tendance générale à l'idéologie pâteuse », Ponge travaille à *La Rage de l'expression.* Si une sûreté apparente et, comme le dit l'auteur lui-même, « une infaillibilité un peu courte » transparaissaient dans *Le Parti pris des choses* (*), voici que nous est montrée dans *Le Carnet du bois de pins* (qui bénéficia en 1947 d'une édition de luxe à tirage limité) une « tentative d'assassinat du poème par son objet ». Comme si, brusquement, Ponge introduisait le temps dans son œuvre, et, sous la forme d'un journal, nous conviait au spectacle intime de sa pensée. « Les choses et les poèmes, dit-il, sont inconciliables. Il s'agit de savoir si l'on veut faire un poème ou rendre compte d'une chose (dans l'espoir que l'esprit y gagne, fasse à son propos quelques pas nouveaux). » Et encore : « Reconnaître le plus grand droit de l'objet, son droit imprescriptible, opposable à tout poème. » Comment ne pas voir, là encore, la volonté d'éviter une solution trop facile, qui arrangerait les choses au lieu de les exprimer : volonté d'éviter le ronron poétique et, relançant l'écriture à chaque instant, de la pousser, de l'ouvrir à ce qui la refuse. Car ces « raisons d'écrire », la recherche de l'expression la plus sûre ne sont-elles pas obscurément déterminées ? Cette expérience n'est si passionnante que parce que tout s'y passe en plein jour. Nous voyons le but concret, nous connaissons « Le Mimosa », « La Guêpe », « L'Œillet », nous imaginons ce ciel de Provence. Dans tous les textes, Ponge procède avec un enthousiasme, une obsession de justesse qui emportent l'admiration. Pour « justifier l'audace de ses intuitions », il y a Littré : le mouvement d'attaque sera l'insistance, la répétition, et le regroupement. D'où cette image quelquefois employée de Ponge procédant comme un sculpteur, recouvrant le soir son modelage et l'attaquant de nouveau le lendemain. Le « plaisir du bois de pins », il faut en cristalliser les causes. L'innovation capitale de Ponge est ainsi de fixer un absolu visible, contrôlable, et de mobiliser autour de lui, à plaisir, tout ce qui est en son pouvoir : souvenirs, impressions sensuelles, étymologie, allitérations, sciences naturelles. Parlant de l'objet, allant vers lui, tournant autour de lui en essayant surtout de nommer sa qualité différentielle, nous allons jusqu'à l'extrême pointe de nous-mêmes. Ainsi la parole nous conduit-elle à la limite visible de la parole.

RAGHUVAMŚA [*La Lignée de Raghu*]. Poème en dix-neuf chants du poète indien

Kālidāsa (IVe-Ve siècle). Suivant la critique indienne, ce poème est l'un des cinq grands poèmes classiques [mahākāvya] conçus selon les règles prescrites dans le *Kāvyādarśa* (*) de Daṇḍin. Il chante Rāma, le héros du *Rāmāyana* (*), ses ancêtres et ses successeurs. Les neuf premiers chants évoquent les ancêtres de Rāma, et particulièrement son bisaïeul, Raghu, et son grand-père, Aja. La relation des noces fastueuses d'Aja et d'Indumatī ainsi que celle de la lutte qu'Aja doit soutenir contre les autres prétendants à la main d'Indumatī sont d'une grande beauté. Ajoutons que l'éloge d'Aja est l'une des plus belles pages de ce poème. Le récit pathétique de la mort accidentelle d'Indumatī et de la douleur d'Aja n'a son pareil que dans le récit de la mort de ce dernier, mort pieuse entre toutes, et que soutient pourtant l'espoir d'aller rejoindre un jour sa bien-aimée. Les chants X à XV sont consacrés à Rāma lui-même, tandis que les quatre derniers (XVI à XIX) chantent les successeurs de Rāma et leurs exploits. Une place à part est réservée par le poète (au chant XIX) au roi Agnivarna, typique figure de don Juan indien, qui tranche sur le reste des membres de la dynastie, hommes vertueux s'il en fut. C'est avec la mort d'Agnivarna, oublieux des devoirs de sa charge royale et ne s'intéressant qu'aux femmes et à la luxure, que se termine le *Raghuvamśa.* Monument du génie artistique de Kālidāsa, cette œuvre n'est pas exempte d'un certain formalisme, qui apparaît clairement dans les chants IX et XVIII. – Trad. Paris, 1928 ; trad. anglaise, Calcutta, 1972.

RAGIONAMENTI (Les) de l'Arétin [*I Ragionamenti*]. Œuvre de l'écrivain italien l'Arétin (pseud. de Pietro Bacci, 1492-1556) qui fut publiée en deux parties, probablement imprimées l'une et l'autre à Venise, bien que la première (*Capricciosi ragionamenti*) soit datée de Paris 1536 et la seconde (*Piacevoli ragionamenti*) de Turin 1556 ; ces deux parties furent réunies en un volume, daté de Bengodi 1584, mais qui fut certainement imprimé lui aussi à Venise. C'est là l'ouvrage qui fit à l'Arétin sa réputation d'écrivain licencieux. La première partie est divisée en trois journées ; la première journée nous transporte à Rome, où nous voyons, sous un figuier, la belle Nanna raconter à Antonia la vie des nonnes ; la deuxième journée est consacrée à évoquer la vie des femmes mariées ; quant à la troisième, elle relate la vie des courtisanes. La seconde partie est également divisée en trois journées ; dans la première, Nanna enseigne à sa fille Pippa le métier de courtisane, lui en révèle tous les secrets, mais aussi les inconvénients ; dans la deuxième, elle montre à sa fille comment les hommes trahissent « les malheureuses qui leur font confiance » ; dans la troisième, Nanna et Pippa écoutent une commère et une nourrice raisonner sur l'art difficile des entremetteuses. Dans beaucoup d'éditions, à commencer par celle de Bengodi, on trouve en fin du livre, sous une pagination indépendante, le « Plaisant raisonnement de Zoppin, devenu moine, et de Louis putassier, avec la vie et la généalogie de toutes les courtisanes romaines » [Piacevole Ragionamento del Zoppin, fatto frate, Lodovico puttaniere, dove contenesi la vita e la genealogia di tutte le cortigiane di Roma] ; ces pages, déjà parues à Rome en 1539, sont considérées aujourd'hui comme n'étant pas de l'Arétin. Apollinaire écrit à ce sujet : « On a souvent donné le *Zoppino...* comme étant la troisième partie des *Ragionamenti.* C'est là une erreur. Le *Zoppino* n'est pas de l'Arétin et les *Six journées* forment une œuvre distincte et complète... J'attribuerais volontiers, dit-il encore, à Francisque Délicat (Francesco Delicado) cet ouvrage. » Le sujet des *Ragionamenti* est souvent scabreux et crûment traité ; mais l'admirable désinvolture du récit, la richesse du style, l'attitude de certains personnages et les mots à double sens en font une œuvre pleine de vie. Sa fantaisie débridée répond, d'ailleurs, à une parfaite sincérité. Ici, l'on est loin de tout pédantisme comme de toute hypocrisie. Cet ouvrage fameux est un admirable tableau de mœurs que gouverne la satire : la nature s'y trouve prise sur le fait. Entendez la corruption, la luxure et autres vices qui régnaient au XVIe siècle dans toutes les classes, ou peu s'en faut, de la société romaine. De son vivant même, la renommée de l'Arétin n'alla pas sans infamie. « Après sa mort, ainsi que le note très justement Guillaume Apollinaire, on chargea sa mémoire de tous les péchés de son époque. On ne comprenait pas comment l'auteur des *Ragionamenti* pouvait avoir écrit les *Trois livres de l'humanité du Christ ;* l'on se demandait comment ce débauché était devenu l'ami des souverains, des papes et des artistes de son temps. Ce qui devait le justifier aux yeux de la postérité a été cause de sa condamnation. » Ajoutons bien vite que l'on trouve dans les pages les plus licencieuses de l'Arétin un sens moral indéniable ; la chair y est considérée du point de vue de sa rapide déchéance et dans sa misère fondamentale. – Trad. Édition annotée par Guillaume Apollinaire, au Mercure de France, 1912 ; Arcanes, 1953 ; C.E.L., 1971.

RAISINS DE LA COLÈRE (Les) [*The Grapes of Wrath*]. Roman de l'écrivain américain John Steinbeck (1902-1968, prix Nobel de littérature 1962), publié en 1939. Le récit a pour cadre la grande crise économique des années 30. Dans le centre-ouest et le sud-ouest des États-Unis, les petits fermiers sont ruinés par l'appauvrissement du sol et la mécanisation de l'agriculture. Alors, leurs créanciers, les banques, s'emparent de leurs terres pour les exploiter directement ; avec un tracteur et un conducteur salarié, on peut labourer et ensemencer le territoire sur lequel travaillaient et vivaient des dizaines de familles. Chassés de leurs maisons, les paysans sont condamnés à l'émigration. Des prospectus abondamment répandus prétendant que la riche Californie a besoin de main-d'œuvre et paie de gros salaires, ils prennent, par centaines de milliers, la route de l'Ouest. Mais, le grand voyage accompli au prix de mille peines, ils découvrent qu'ils sont victimes d'une monstrueuse escroquerie. Le seul travail pour lequel on ait besoin de travailleurs est la cueillette des fruits et du coton, qui ne dure que quelques semaines. Cependant, en attirant dans le pays une masse de travailleurs très supérieure à leurs besoins réels, les grands propriétaires sont maîtres des salaires et parviennent à faire cueillir leurs récoltes à des tarifs de famine. En outre, les plus grands propriétaires, qui sont généralement des banques, possèdent aussi les conserveries, ce qui leur permet de contrôler le cours des fruits et légumes. En maintenant ces cours très bas, ils ruinent les petits propriétaires, lesquels doivent souvent renoncer à faire cueillir leurs produits. On assiste alors au spectacle hallucinant d'un pays où des milliers de familles d'émigrants meurent de faim, tandis que les tonnes de fruits et de légumes qui leur permettraient de se nourrir sont détruites pour que les cours « tiennent ». Menacées sur le marché du travail par l'afflux des nouveaux arrivants, les classes pauvres, loin de se solidariser avec les « étrangers », se laissent aisément manipuler par les grandes puissances financières et se chargent, avec la police locale, de « maintenir l'ordre ». Alors, affamés, exploités, traqués par les shérifs et leurs acolytes, les émigrants voient la Terre promise se transformer en un vaste pénitencier.

Les Raisins de la colère brossent un large tableau de cette situation. Pour peindre le sort des petits fermiers du Centre-Ouest et du Sud-Ouest, Steinbeck nous fait suivre l'une de ces familles, les Joad, qui vivaient dans l'Oklahoma. L'un des fils, Tom, a tué, au cours d'une bagarre, un homme qui lui avait porté un coup de couteau. Après quatre ans de prison, il est libéré sur parole. Le roman s'ouvre sur son retour chez lui. Achevant la route à pied, il rencontre un vieil ami de sa famille, un ancien pasteur de la secte du Buisson ardent, Jim Casy, qui a renoncé à prêcher en raison de ses appétits charnels et des doutes qu'il entretient sur la validité de sa mission. C'est en compagnie de Casy que Tom arrive à la ferme paternelle. À sa grande surprise, il découvre que celle-ci est abandonnée. Un voisin, Muley, lui apprend que tous les fermiers de la région ont été chassés de leurs terres et que ses parents ont gagné la maison de son oncle John, d'où ils s'apprêtent à gagner la Californie. Muley est le seul homme du coin qui s'obstine à ne pas vouloir partir, et il est condamné à mener une vie de bête traquée. Casy fait part à Tom de son intention de se rendre lui aussi dans l'Ouest et, le lendemain, il accompagne le jeune homme à la ferme de l'oncle John. Là, les Joad sont prêts au départ. Il y a Grand-père, Grand-mère, « Pa », « Man », les trois garçons, Noha, Al, et Winfield, qui n'a que dix ans, les deux filles, Rose de Saron et Ruthie, qui a douze ans ; Connie, le mari de Rose de Saron, et le taciturne oncle John. Après avoir accueilli Tom avec émotion, la famille accepte que Casy se joigne à elle. Tous leurs biens mobiliers vendus, il ne reste aux Joad, après l'achat d'un antique camion, que quelques dollars pour subsister durant le long voyage. Pourtant, à force de ténacité et de courage, le petit groupe parvient à traverser le Texas, le Nouveau-Mexique, l'Arizona, enfin le désert et les montagnes de Californie. Mais le grand-père puis la grand-mère ont succombé à l'épuisante course vers l'Ouest, et Noha a abandonné la famille. Dès leur arrivée, les hommes se mettent en quête de travail, sans succès. La famille campe dans un misérable village d'émigrants fait de huttes et de tentes, Hooverville. Un jour, enfin, un entrepreneur se présente pour embaucher des travailleurs. Mais il s'est fait accompagner d'un shérif adjoint et refuse de préciser par écrit le montant des salaires. Un homme proteste. Il est aussitôt arrêté, une bagarre éclate et Tom Joad assomme le shérif. Pour éviter que le jeune homme ne retourne en prison, Casy se livre à sa place. Alors, pour échapper à la vengeance du policier, les Joad doivent quitter précipitamment Hooverville. Le soir même, le village sera d'ailleurs incendié par les « forces de l'ordre ». Les routes sont barrées par des groupes armés de petits-bourgeois impatients de châtier les « rouges ». Tous ceux qui protestent contre les conditions d'embauche sont des « rouges ». Souvent, on retrouve leurs cadavres dans les fossés. Cependant, les Joad parviennent dans un « camp du gouvernement » où la police ne peut pénétrer sans mandat d'arrêt et où les émigrants organisent eux-mêmes la vie communautaire. C'est une oasis où les malheureux retrouvent le sens de la dignité et de la fraternité. Mais, faute d'obtenir du travail dans la région, les Joad doivent bientôt reprendre la route. Sous l'escorte de la police, ils sont amenés dans un grand domaine où les ouvriers agricoles se sont mis en grève pour protester contre des salaires dérisoires. Le soir, Tom parvient à tromper la surveillance des gardiens et à se glisser dans le camp des ouvriers récalcitrants. Là, il retrouve Casy, qui, en prison, a découvert que la seule chance des opprimés est dans l'union et la solidarité. Mais, pendant la visite de Tom, le camp des grévistes est attaqué par des hommes de main. Casy, qui est considéré comme un meneur, est assassiné. Tom tue l'un des assaillants, mais il est lui-même blessé à la face. À nouveau, les Joad fuient dans leur vieux camion. Ils finissent par atteindre une plantation de coton et se mettent tous au travail, tandis que Tom se cache dans la campagne, jusqu'au jour où, à la suite d'une querelle d'enfants, la petite Ruthie révèle la présence de son frère. « Man » va alors prévenir Tom qu'il doit prendre la fuite. Avant de la quitter, le jeune homme explique à sa mère qu'il a décidé de suivre l'exemple de Casy et de se consacrer à l'organisation des exploités. À « Man » qui craint de ne pas le revoir il dit : « Ben, peut-êt' que, comme disait Casy, un homme n'a pas d'âme à soi tout seul, mais seulement un morceau de l'âme unique ; à ce moment-là... — À ce moment-là, quoi, Tom ? — À ce moment-là, ça n'a plus d'importance. Je serai toujours là, partout, dans l'ombre. » Peu après le départ de Tom, c'est la saison des pluies. Le vieux wagon dans lequel loge la famille est menacé par les eaux. Mais les Joad ne peuvent le quitter : Rose de Saron, qui a été abandonnée par Connie, est sur le point d'accoucher. Durant de longues heures, tandis que la jeune femme met au monde un enfant sans vie, les hommes luttent pour élever un barrage contre la rivière. Mais, malgré leurs efforts, l'eau envahit le wagon et, au matin, « Pa » et « Man » doivent transporter leur fille jusqu'à une grange voisine. Là, ils découvrent un homme et un enfant. L'homme, qui s'est privé de nourriture pour maintenir son fils en vie, gît dans un état de demi-coma. Alors « Pa » et « Man » s'écartent tandis que Rose de Saron approche son sein lourd de lait de la bouche du malheureux. *Les Raisins de la colère*, roman à thèse, souffrent d'une certaine naïveté et confusion idéologique. L'auteur condamne sans distinction la mécanisation de l'agriculture et le système économique — capitaliste — dans lequel elle s'insère. C'est ainsi que, tout au long du roman, se conjuguent curieusement la nostalgie de la vie patriarcale du temps des « pionniers » et l'appel à la révolution sociale. Les personnages, comme les idées, sont sommaires. Il ne faut chercher en Steinbeck ni un penseur rigoureux ni un créateur de personnages complexes. L'intérêt de son œuvre est ailleurs : dans le souffle épique, la force de conviction et d'émotion, la générosité. Autant de qualités qui, tout au long de ce gros livre, emportent les réserves du lecteur et font des *Raisins de la colère* une œuvre somme toute assez remarquable. — Trad. de M. Duhamel et M. E. Coindreau, Gallimard, 1947.

RAISON GRAPHIQUE (La). La domestication de la pensée sauvage [*The Domestication of the Savage Mind*]. Œuvre de l'anthropologue britannique Jack Goody (né en 1919), publiée en 1977. Toute ethnologie est d'abord une ethno-graphie : on commence par un travail de notation des paroles entendues, l'observation directe des gestes et des comportements ne prenant généralement tout son sens que grâce aux commentaires appropriés des acteurs ou des spectateurs. Or les modes de pensée ne sauraient être indépendants des moyens de penser : écrire, ce n'est pas seulement enregistrer la parole, c'est aussi se donner le moyen d'en découper et d'en abstraire les éléments, de classer les mots en listes et de combiner les listes en tableaux. En la notant, les ethnologues qui cherchent à connaître la pensée « sauvage » commencent souvent par la domestiquer. Nous avons toujours quelque mal à nous représenter ce que peut être la production d'énoncés dans un univers purement oral. En l'absence de texte, toute reproduction est en fait une re-création : répéter un récit, c'est le réaménager en fonction des circonstances, le faire resservir à des fins différentes. Si par tradition orale on veut désigner (le plus souvent implicitement) la transmission « inaltérée » d'un contenu, alors mieux vaudrait reconnaître qu'il n'y a en ce sens de tradition qu'écrite.

En possession d'un écrit qu'il a lui-même rédigé, l'ethnologue peut passer à l'étape suivante : procéder à une « analyse de texte » qui met en jeu toutes les ressources du graphisme : fiches et leur classement, index, tableaux, diagrammes, etc. Face à l'ensemble des données transcrites dont il dispose, il a alors tendance à faire comme si elles étaient assimilables au nombre fini des manuscrits d'un écrivain unique. La culture cesse d'être un ensemble de processus de création et de reformulation permanente et devient un corpus achevé et immuable. Les contradictions entre les différents discours sont soit gommées par l'élimination des variantes jugées non pertinentes, soit au contraire promues au rang d'oppositions structurales. En permettant de reconstruire après coup ce qui dans la pratique est disparate et fragmentaire, l'analyse graphique engendre l'illusion d'une cohérence formelle parfaite. Il y aurait derrière les phénomènes observés de véritables systèmes (symboliques, politiques, généalogiques), qui pourtant n'ont généralement d'existence effective que dans les écrits dont l'ethnologue est l'auteur. La substitution du cadre écrit aux pratiques orales conduit à la quête d'un « sens profond », distinct du sens apparent, et dont seul l'ethnologue aurait conscience.

L'auteur insiste sur l'importance prépondérante qu'a ce type de traitement graphique de l'information dans les premières phases des civilisations écrites du Moyen-Orient. Sous la prolifération de ces listes et de ces tableaux, une rupture décisive est à l'œuvre dans le développement de la pensée. Ces procédés qui précisément gênent l'étude de la communication orale sont d'une importance décisive pour comprendre ce qu'est la communication écrite, particulièrement à ses débuts, en Mésopotamie et en Égypte. — Trad. Éditions de Minuit, 1979. D. P.

RAISONNEMENTS de Francesco Carletti, Florentin, sur les choses vues lors

de ses voyages aux Indes occidentales et orientales ainsi que dans d'autres pays [*Ragionamenti di Francesco Carletti, Fiorentino, sopra cose da lui vedute nei suoi viaggi si delle Indie Occidentali e Orientali come d'altri paesi*]. Récits de voyages du négociant florentin Francesco Carletti (1574-1636), primitivement présentés sous forme de discours au grand-duc Ferdinand de Médicis, puis rédigés en forme de narration. Le manuscrit original semble avoir été partiellement remanié par Magalotti qui en aurait donné une édition, aujourd'hui inconnue, publiée à Florence en 1671. Il semble toutefois que la première édition soit celle de 1701, imprimée à compte d'auteur chez Giuseppe Manni de Florence. À l'instar de presque tous les grands voyageurs italiens du XVIIe et du XVIIIe siècle, Carletti demeura longtemps dans l'oubli. Ces *Raisonnements* constituent la première description d'un tour du monde proprement dit, effectué sans itinéraire préconçu, au hasard des étapes et selon les nécessités des affaires, le long des grandes voies du commerce mondial de l'époque. Il s'agit là d'une odyssée dénuée d'intentions héroïques, menée par un homme d'esprit alerte, imaginatif et observateur. Usant de ses souvenirs avec beaucoup de liberté, Carletti a pu ainsi restituer, dans un tableau étrange et fascinant, une période historique bien particulière : l'ère des grandes expansions coloniales, menées sans scrupules par les différentes puissances européennes, avec le duel entre Hispano-Portugais et Hollandais et les premières escarmouches entre Français et Anglais, tandis que les vieilles civilisations indigènes se désagrègent sous les coups des conquérants avides et résolus à exploiter à tout prix les immenses richesses révélées à leurs yeux.

RAISON POÉTIQUE (De la) [*Della ragion poetica*]. Traité d'esthétique de l'écrivain italien Gian Vincenzo Gravina (1664-1718), en deux livres, publié en 1708. Gravina, juriste, philosophe et lettré, fut un des fondateurs de l'Arcadie. Reprenant ici son essai *Sur les fables anciennes* [*Delle antiche favole,* 1696] et l'incorporant dans un développement plus vaste, il entend rechercher la « raison poétique », autrement dit l'« éternelle idée de nature », vers laquelle converge toute poésie. Cette polémique contre la rhétorique au nom de la philosophie, déjà ouverte par l'auteur dans le plus ardent de ses ouvrages d'esthétique, le *Discours sur l'« Endymion » d'Alessandro Guidi,* constitue l'élément essentiel du présent ouvrage conçu dans un esprit systématique dont sont dénués les traités de poétique antérieurs ; et ceci du fait que Gravina n'entend pas établir un ensemble de règles, mais définir une conception de la poésie et en déduire une série de brèves appréciations sur les poètes grecs et latins (Livre I) et sur les poètes italiens (Livre II). Mais, en dépit de cette ambitieuse nouveauté et de la conscience du caractère fantastique de la poésie, l'auteur retombe dans la conception de la poésie entendue comme déguisement sensible de l'idée et en arrive à assigner au poète une mission didactique. Par cette méconnaissance de l'évolution historique et de l'autonomie de l'imagination, l'œuvre de Gravina se place, en un certain sens, aux antipodes de celle de son grand compatriote et ami, Vico, qui parvint à réaliser le projet de Gravina visant à donner une « définition » idéale de la poésie. — Trad. *Raison ou idée de la poétique,* Despilly, 1755.

RAISON, VÉRITÉ ET HISTOIRE [*Reason, Truth and History*]. Œuvre du philosophe américain Hilary Putnam (né en 1926), publiée en 1981. Kant se proposait de définir une troisième voie entre le dogmatisme et le scepticisme ; Putnam se propose lui aussi de définir une troisième voie, cette fois entre la théorie de la vérité, comme correspondance entre ce que nous disons du réel et ce qu'il est, et le relativisme culturel qui conteste toute valeur à la prétention à l'objectivité. Les deux thèses rejetées ont en commun, selon Putnam, un scientisme hérité du XIXe siècle. Putnam montre d'abord que, si nous étions des cerveaux dans une cuve remplie d'un liquide nourricier et qu'un ordinateur nous transmettait des informations nous faisant croire que nous ne sommes pas simplement des cerveaux dans une cuve, nous ne pourrions pas penser autrement. Cette hypothèse est donc autoréfutante. Pourquoi Putnam invente-t-il alors une hypothèse aussi déconcertante ? Il cherche en fait à mettre en échec la théorie « magique » de la référence selon laquelle il y a un rapport intrinsèque entre représentation et réalité, même (et surtout) dans le cas des sensations. Or, pour Putnam, la référence suppose aussi, ce que l'hypothèse des cerveaux dans une cuve ignore, une interaction causale avec les choses. Donc, l'idée que l'on pourrait voir dans la pensée une chose contenue par l'esprit doit être rejetée. L'état mental ou l'intention ne définissent pas la référence. Il faut toujours présupposer la capacité à faire référence. Cette capacité ne conduit pas à la théorie de la vérité comme correspondance dans la mesure où toutes les données sont influencées par nos concepts, par le vocabulaire que nous employons pour les rapporter et les décrire. De même que le plan sans frottement en physique est une idéalisation, la vérité ne pourra plus être autre chose que l'idéalisation de ce qui est rationnellement acceptable. La vérité ne sera jamais absolue. Putnam montre que sa thèse lui permet de mieux comprendre l'intérêt et les impasses des philosophies de Descartes, Berkeley, Hume et Kant. Il se considère bien comme un successeur de ce dernier, successeur qui aurait lu Wittgenstein.

À partir du chapitre VI (« Faits et Valeurs »), Putnam montre que les critères d'acceptabilité rationnelle, qui définissent ce que nous entendons par « science » et par « vérité », dépendent de nos valeurs. Cette fois, c'est sous le patronage d'Aristote que Putnam se place. Et c'est le relativisme de Michel Foucault qui est rejeté. Pour Foucault, toute valeur est idéologique. Son relativisme n'est alors plus celui des anthropologues. Il n'est pas simplement destiné à combattre l'ethnocentrisme. Pour Foucault, aucune pratique n'est rationnelle. Putnam montre que cette affirmation relève d'un scientisme naïf : à l'aube de la raison scientifique moderne n'est vrai que « ce qui marche ». Ce critère est simplement inopérant dans le domaine des valeurs. Putnam s'attache même à montrer qu'il est insuffisant pour l'analyse des sciences exactes. La raison est une faculté qui choisit les fins et donc une capacité à délibérer en vue du meilleur. Putnam montre surtout que le relativisme se réfute lui-même : on ne peut dire « tout est relatif » sans que sa propre affirmation de la relativité le soit. On a souvent reproché aux philosophes américains modernes de se confiner à des études de détail ; Putnam affirme au contraire une perspective générale aussi bien sur la connaissance que sur la morale. — Trad. Minuit, 1984. R. Po.

RĀJATARAṄGINĪ [*La Rivière des rois*]. Si pour les Indiens cet ouvrage est d'un caractère historique, il s'en faut qu'il en aille de même en Occident : nos savants estiment, en effet, qu'il ne contient aucune donnée historique que l'on puisse vérifier. Et pour cause : la littérature indienne ne possède point d'œuvre historique ; celles qui sont considérées comme telles ne sont que fables où la poésie se trouve inextricablement liée aux éléments épiques, folkloriques et mythologiques. L'auteur de la *Rājataraṅginī* est un certain Kalhaṇa, né dans le Cachemire aux environs de l'an 1100. Le poème, divisé en huit parties, ne contient pas moins de sept mille huit cent vingt-six strophes, qui doivent, dans l'esprit de l'auteur, retracer la chronique des rois du Cachemire, des temps les plus reculés jusqu'à l'époque de Kalhaṇa. « Et qui d'autre pourrait faire revivre à nos yeux les années passées, sinon le poète qui, comme le Créateur, est capable de recréer les belles choses ! » s'exclame Kalhaṇa dès les premières strophes de son poème. Et, en effet, il n'est point de légendes que l'auteur ne recueille ; en témoigne cette histoire, qu'il nous rapporte fidèlement, d'un prince qui aurait régné sur son pays pendant quelque trois cents ans ! Mais si ses renseignements sont dénués de sérieux, ses jugements sur les hommes sont empreints par contre d'une grande sincérité : il loue ou blâme les grands de ce monde, sans aucune retenue, et l'œuvre a une nette tendance moralisatrice. Malgré ses défauts, la *Rājataraṅginī* est une œuvre de valeur, car l'auteur a longuement étudié l'archéologie de son pays, et ses renseignements sur la religion, le droit coutumier et l'administration locale, ainsi que sur les monuments ou les monnaies locales, ont une valeur certaine, surtout en ce qui concerne les XIe et XIIe siècles. — Trad. *Histoire de Kachmir,* Paris, 1825.

RALENTIR TRAVAUX. Recueil composé en commun par les poètes français André Breton (1896-1966), René Char (1907-1988) et Paul Éluard (1895-1952), publié en 1930. Seules trois brèves « Préfaces » sont indépendantes, personnelles et signées, chacune, par leur auteur ; celle de Paul Éluard est particulièrement significative : « Il faut effacer le reflet de la personnalité pour que l'inspiration bondisse à tout jamais du miroir. Laissez les influences jouer librement, inventez ce qui a déjà été inventé, ce qui est hors de doute, ce qui est incroyable, donnez à la spontanéité sa valeur pure. Soyez celui à qui l'on parle et qui est entendu. Une seule vision, variée à l'infini. Le poète est celui qui inspire bien plus que celui qui est inspiré. » Quelqu'un parle : sa voix n'a pas d'importance, mais seulement l'image de sa voix, qui délimite un champ d'espace où le poème viendra ranger ses mots. Mais qu'est-ce qu'un mot ? Rien qu'une pierre, ici, ajoutée à l'hermès du poème par chaque voyageur. Nul besoin de savoir qui a fait le geste et lancé le mot : la poésie doit être faite par tous, et ceux-là, collectivement, donnent l'exemple. Qu'importe qui a écrit tel vers de « L'École buissonnière » puisque chacun nous inspire : « On entrait par une porte dérobée / Il y avait un cœur sur le tableau noir / Et une baguette de coudrier sur la table / On aurait entendu un pas de loup // L'amour le premier enseignait / Aux amants à bien se tenir / Les pierres suivaient leur ombre douce-amère / L'œil ne desserrait pas son étreinte // Et si elle me demande ma vie / Questionnait-il / Aussitôt la lumière ne faisait qu'un bond comme les racines / Tendait des pièges à la rosée // Ta chevelure questionnait-il / Et le silence était conquis. »

RĀMA ET LE DRAGON [*Rāma wa-l-tinnīn*]. Roman de l'écrivain égyptien Édouard al-Kharrāṭ (né en 1926), édité en 1979. Divisé en quatorze séquences, à la fois autonomes et interdépendantes, cet ouvrage ressuscite les structures des contes et des légendes en développant une fantaisie poétique et un onirisme baroque, fondés sur un amour obsédant et impossible. Présenté dans ses monologues intérieurs ou ses actes énigmatiques, Mīkhā'īl, le narrateur, est placé dans des décors mouvants et des mises en scène fantasmagoriques, où apparaissent par saccades des réminiscences antiques et exotiques. Les objets inquiétants qui le cernent sont machiavéliquement décrits, transcendant la réalité pour mieux hanter l'imaginaire et étirer les frontières du rêve. Souvenir totémique, une faune fabuleuse (dragon, phénix, pélican, colombe et mouche) s'insère même dans les séquences pour compléter l'encerclement affectif et intellectuel de Mīkhā'īl, en proie à des pulsions incontrôlables. La recherche et l'accomplissement de la passion s'accompagnent de dialogues imaginaires ou réels avec Rāma l'amante, qui sans cesse se dérobe, provoquant ainsi de nouveaux efforts de communication promis à un échec certain. La quête du bonheur se métamorphose alors en un délire verbal, où le passé, le présent et l'avenir dérivent et se diluent. La liberté narrative de Kharrāṭ s'accompagne d'une révolution syntaxique, bouleversant la ponctuation, les articulations et les structures classiques ou modernes. Récit éclaté et langue piégée illustrent ainsi les expériences narratives de l'avant-garde littéraire arabe, dont Kharrāṭ est l'un des maîtres incontestés. B. Mo.

RAMASSE-VIOQUES [*Juntacadáveres*]. Roman de l'écrivain uruguayen Juan Carlos Onetti (né en 1909) publié en 1964. Tout commence avec l'arrivée de trois prostituées, María Bonita la patronne, Irène la grosse et Nelly la blonde oxygénée. Les « vioques », les « cadavres » transportés dans ce trou perdu, sont pitoyables, pathétiques dans leur décrépitude. Leur venue est l'aboutissement de longs et fructueux pourparlers pour fonder la maison close qui manquait à Santa María, ville surgie d'un autre roman d'Onetti, *La Vie brève* (*). Larsen, alias Ramasse-Vioques, précède le trio. Il ne débarque pas à Santa María pour monter un bordel dans le seul but de se remplir les poches comme un vulgaire maquereau, mais avec l'idée grandiose de créer, avec ces trois « femmes invraisemblables », le bordel parfait, où chaque individu trouverait pour quelques instants la femme idéale. Toute la bonne société de Santa María le raille, et pourtant l'opération est on ne peut plus légale : la droite s'y opposait, mais le conseiller municipal, le pharmacien Euclides Barthé s'est battu pour obtenir ce lupanar ; il a même accepté de voter en échange la cession des travaux du port aux intérêts privés, ce à quoi il s'opposait depuis des lustres. Mais dans le sillage des trois vioques, le diable s'installe à Santa María. Leur présence trouble la paix de la ville dormante. Du haut de sa chaire, le prêtre Bergner lance le signal de la croisade au cours de ses homélies apocalyptiques. Son neveu Marcos, prototype du fasciste play-boy, en état d'ébriété permanent, ne vit que pour répudier la « conspiration judaïque », pendant que les jeunes filles de l'internat s'initient à l'art des lettres anonymes. Autour de la grande place, le Berna, l'Universal, ces bars, lieux essentiels de la narration onettienne, les ligues des honnêtes gens multiplient toutes les formes d'action pour chasser le démoniaque Larsen et ses trois résidus obscènes de femmes. Larsen lutte contre l'obscurantisme sans espoir d'être compris, sans vraiment chercher à l'être. En fait il n'ignorait pas l'incapacité des Sanmariens à accéder à toute forme d'idéal. Venue défier l'ordre bourgeois de Santa María, la « maison aux volets bleus » avait introduit la peur et risquait de provoquer la dissipation. Son équipée utopique aura duré le temps du retour de Napoléon. Mais tout au long de ces cent jours, à travers les évocations et souvenirs des trois narrateurs — Larsen, Onetti, le jeune Jorge Malabia, qui file un amour incestueux avec Julita, veuve de son frère et assiste en spectateur à cette comédie que se jouent les adultes —, nous découvrons les « sales draps » de Santa María. Au-delà, tel un géologue, Onetti paraît nous montrer les différentes couches qui forment la condition sud-américaine, marquée par la coexistence de groupes humains d'origines différentes : espagnols, italiens, polonais (suisses, à Santa María), créoles, exilés de toutes parts et de toutes les professions, et qui ont du mal à s'entendre. — Trad. Gallimard, 1987. R. C.

RĀMĀYAṆA [*La Geste de Rāma*]. Le *Rāmāyaṇa* est le second poème épique de l'Inde, le premier, fort différent, étant le *Mahābhārata* (*). Si ce dernier est un véritable trésor des légendes sacrées et profanes de l'Inde antique et des connaissances théologiques et philosophiques du monde brahmanique, le *Rāmāyaṇa* donne une impression de parfaite unité. Dans la rédaction qui nous est parvenue à travers bien des vicissitudes, il nous apparaît sous la forme d'un poème de quelque vingt-quatre mille strophes, groupées en sept parties, dont la première et la septième paraissent avoir été rajoutées à une époque plus récente. L'impression d'unité est confirmée par l'uniformité du style épique et de la métrique, ce qui semble corroborer la tradition indigène selon laquelle ce poème est dû à un seul poète : Vālmīki. Nous ne savons rien de ce « premier poète » [ādikavi], dont le nom, pourtant, reste vénéré à travers les siècles pour l'adresse avec laquelle il utilise les « alamkāra », ou ornements rhétoriques : métaphores, descriptions, allitérations, hyperboles, métonymies, etc. Comme le *Mahābhārata,* le *Rāmāyaṇa* est un poème populaire, ayant exercé une influence prépondérante sur l'art et sur la pensée du peuple de l'Inde. Dans les premiers vers il est dit que c'est Brahmā lui-même qui incite Vālmīki à écrire la geste de Rāma, promettant à l'auteur que le poème vivrait « aussi longtemps que resteraient debout les montagnes et continueraient à couler les fleuves ». La promesse a été tenue : l'histoire de Rāma, telle que Vālmīki nous l'a fait connaître, survit dans le peuple indien depuis plus de deux millénaires. Lu en public à l'occasion des fêtes religieuses les plus solennelles, ce poème conserve la mémoire de Rāma, le guerrier idéal, et celle de sa femme, Sītā, modèle des épouses vertueuses et fidèles.

Rāma est le fils du roi Daśaratha, d'Ayodhyā, dans la partie nord-ouest de l'Inde. Guerrier célèbre dès son plus jeune âge, il épousa Sītā, la fille du roi Janaka, de Mithilā ; mais, à la suite d'une intrigue de palais, il dut s'exiler dans les forêts pour quatorze ans, accompagné de sa femme et de son frère, Lakshmaṇa. Au cours de cet exil, Sītā est ravie par Rāvaṇa, roi des « Rākshasas » (démons), et transportée dans l'île de Laṇkā, où on la retient prisonnière. Rāma, après avoir trouvé des alliés dans les « vānara » (singes) — dont le général, Hanumant, fils du Vent, réussit à approcher Sītā —, Rāma donc livre bataille à Rāvaṇa, défait son armée et tue le ravisseur. Après avoir délivré Sītā, Rāma, toujours aidé de ses alliés, retourne à Ayodhyā et réussit à monter sur le trône de ses pères. Sītā est obligée de passer par l'épreuve du feu, épreuve dont elle sort victorieuse, ayant conservé sa pureté malgré toutes les vicissitudes. Il est difficile d'attribuer une date, même approximative, au *Rāmāyaṇa ;* certains indianistes supposent que la rédaction définitive du poème date du IIe siècle de notre ère et, par conséquent, est antérieure à la rédaction définitive du *Mahābhārata.* Toutefois, il est plus que probable que le noyau de ce dernier est plus ancien que le noyau du *Rāmāyaṇa.* — Trad. Maisonneuve, 1979 ; Ipomée, 1987.

★ La plus célèbre et la plus populaire des adaptations bengalis de l'épopée sanskrite est le *Rāmāyaṃa* de Kṛttivās Ojhā. Composée vers le milieu du XVe siècle, elle comporte des éléments originaux qui, entre autres, font une place au culte de la Déesse. La ferveur religieuse qui se dégage de cette œuvre, le charme de ses évocations de la vie de tous les jours au Bengale, l'aisance de son vers de quatorze syllabes à rimes plates lui donnent une place à part dans la littérature bengali. Au cours des siècles, l'œuvre de Kṛttivās, dont on a retrouvé un très grand nombre de manuscrits, a fait l'objet de nombreuses interpolations. Le texte fut imprimé pour la première fois en 1802 dès les débuts de l'imprimerie en Inde. F. Bh.

RĀMCARITMĀNAS [*Le Lac des exploits de Rāma*]. Poème épique d'un des plus grands poètes de l'Inde du Nord, Tulsī Dās (1532-1623). Commencé en 1574, il écrit en « awadhī », variante du dialecte « hīndi » ; c'est une version moderne du *Rāmāyaṇa* (*) de Vālmīki. Quoique inspiré de ce modèle, ce poème n'est pas une simple transcription, mais une œuvre originale, enrichie de conceptions épiques vraiment nouvelles. Rāma — ce héros national que les Indiens aiment à se représenter toujours en action à la tête d'une armée de singes, pour délivrer sa femme des mains du roi des démons, Rāvaṇa — est évoqué par le poète sous les traits d'un père plein de sagesse et de mansuétude, toujours prêt à guider les hommes, lesquels sont faits à jamais pour s'unir et pour s'aimer d'une manière indissoluble. C'est grâce à ce trait, peut-être unique dans la poésie indienne, que le *Rāmcaritmānas* a eu une telle influence et que ce chant en honneur de Rāma est, encore aujourd'hui, considéré comme une sorte de *Bible* par quelque quatre-vingt-dix millions d'hindous. Davantage : cette considération mise à part, l'œuvre de Tulsī Dās possède une grande valeur intrinsèque, tant pour la pureté de son style que pour la richesse de ses trouvailles. D'où il suit que ce livre passe pour un véritable joyau de la poésie indienne en langue vulgaire. — Trad. Les Belles Lettres, 1977.

RAMEAU D'OR (Le) [*The Golden Bough*]. Œuvre de l'ethnologue anglais James George Frazer (1854-1941), écrite de 1890 à 1915. La troisième édition, qui est définitive, comprend sept parties, distribuées en douze volumes : *Les Origines magiques de la royauté* [*Magic Art and the Evolution of Kings*] ; *Tabous et les périls de l'âme* [*Taboos and the Perils of the Soul*] ; *Le Dieu qui meurt* [*The Dying God*] ; *Adonis, Atys, Osiris ; Les Esprits des blés et des bois* [*Spirits of the Corn and of the Wild*] ; *Le Bouc émissaire* [*The Scapegoat*] ; *Balder le Magnifique* [*Balder the Beautiful*] ; enfin un volume de bibliographie et d'index. Frazer, recherchant l'origine de nombreuses coutumes, croyances et rites, aussi bien dans le monde antique que dans le folklore de nos sociétés, parvient à retracer une histoire de la pensée de l'homme et, dans une certaine mesure, une histoire des religions primitives, et des rites qui en conservent le souvenir à travers les siècles. Selon Frazer, c'est l'étonnement de voir conservée dans la civilisation très avancée de Rome la coutume barbare du « roi Aricie », qui fut à l'origine de son œuvre. Le « roi Aricie », en général un évadé, un esclave, un gladiateur en disgrâce, était le prêtre du temple de Diane Aricie, dans un bois près de Rome, jusqu'au jour où un autre fugitif le mettait à mort et cueillait un rameau de l'arbre sacré qu'il avait la charge de garder. Un moment de sommeil, de distraction pouvait donc entraîner la mort du prêtre en exercice. Rien ne ressemble, dit Frazer, à cette étrange coutume, rien ne l'explique dans toute l'Antiquité classique. Mais, en étendant le champ de son enquête, l'auteur ne tarda pas à trouver des faits analogues dans des régions et des époques plus lointaines. Ainsi commencèrent ses multiples investigations. Son œuvre, dans l'histoire de la pensée, est, en quelque manière, la contrepartie de *La Descendance de l'homme et la sélection sexuelle* de Darwin — v. *L'Origine des espèces* (*). Le titre fait allusion au rameau d'or qu'Énée doit cueillir pour pouvoir pénétrer dans l'Averne. En 1922, Frazer publia un résumé en deux volumes de son œuvre ; celle-ci exerça une influence très profonde sur la pensée anglaise de son temps. – Trad. Geuthner, 1920-1930 ; Robert Laffont, 1984.

RAMONA. Roman de l'écrivain américain Helen Hunt Jackson (1830-1885), publié en 1884. C'est un plaidoyer en faveur des Indiens d'Amérique, comme *La Case de l'oncle Tom* (*) l'avait été en faveur des Noirs. Helen Hunt Jackson dénonce la spoliation éhontée des Indiens par les Blancs, quand ceux-ci incorporèrent la Californie dans la Confédération nord-américaine. Ramona, fille d'un Écossais et d'une Indienne, est élevée par Señora Moreno, une veuve espagnole qui vit avec son fils Felipe dans leur ferme de Californie. Un jeune Indien, Alessandro, arrive chez eux pour la tonte des brebis. Il s'éprend de Ramona qui lui rend son amour. Ils veulent se marier, mais la Señora s'y oppose. Felipe voudrait intervenir en leur faveur, mais il est d'un caractère faible et n'ose pas le faire. Ramona s'enfuit avec Alessandro. Ils se marient ; alors commence pour le jeune couple une triste odyssée. Le village d'Alessandro ayant été détruit par les Blancs, ils vont habiter dans un village indien où Alessandro a des parents. Mais après un an et demi, l'implacable invasion des conquérants blancs les déloge de là aussi, et ils doivent encore se réfugier dans un autre village au pied du mont Jacinto. Après de nombreux malheurs et aventures, leur fille unique meurt ; c'est alors qu'ils finissent par trouver un abri sûr dans une montagne isolée. Mais cette terrible existence mine la santé d'Alessandro. Ce dernier donne bientôt des signes de folie. Un jour, il vole un cheval à un Blanc, ce qui lui coûtera la vie. Felipe se met alors à la recherche de Ramona, la retrouve peu après le décès de son époux et la ramène chez lui. Hélas, désormais la Californie a changé de fond en comble : la brutale cupidité de ses nouveaux habitants exaspère Felipe et Ramona, qui décident d'aller s'établir au Mexique. Là-bas, Felipe, qui, en secret, avait toujours aimé Ramona, peut l'épouser : ils vivront enfin en paix. Ce roman obtint un énorme succès. Bien qu'il soit souvent assez diffus, il subjugue le lecteur par toute la chaleur humaine dont il rayonne d'un bout à l'autre, sans oublier la prestigieuse évocation d'un monde à jamais aboli. – Trad. Nouvelles Éditions latines, 1947.

RAMUNTCHO. Roman de l'écrivain français Pierre Loti (1850-1923), publié à Paris en 1897. Nommé commandant d'un petit navire de surveillance à la frontière d'Hendaye, le romancier, rendu célèbre par ses œuvres précédentes : *Aziyadé* (*), *Le Roman d'un spahi* (*), *Madame Chrysanthème* (*), fut conquis par le Pays basque. Il en fit le cadre d'un nouveau récit, où l'exaltation du traditionalisme et du particularisme régional tient lieu et place de l'exotisme qui lui était cher. Deux jeunes Basques s'aiment d'amour tendre et pur. Elle s'appelle Gatchutcha, Gracieuse ; lui, Ramuntcho, Raymond : berger, mi-pêcheur, mi-contrebandier, à la façon des hommes de son pays. Ils se sont promis l'un à l'autre, et le mariage doit avoir lieu après le service militaire de Ramuntcho. Mais, à son retour, le jeune homme ne trouve plus sa fiancée. Gatchutcha, poussée par la haine que nourrit sa mère contre Ramuntcho, est entrée au couvent où elle a déjà prononcé ses vœux. Désespéré, il projette son enlèvement. Avec le propre frère de la jeune fille, il pénètre dans le monastère ; mais la candeur des religieuses, la tranquille et fraternelle indifférence de Gatchutcha le désarment. Il se retire et part pour l'Amérique. Ce roman a connu un vif succès populaire. Le cinéma et la chanson l'ont popularisé. Fut-il écrit pour plaire au public ? Il est incontestable que Loti s'éprit profondément du Pays basque, au point d'y passer sa vie durant tous ses loisirs. En a-t-il pour autant exprimé ici la véritable originalité ? Montagnes, forêts, paysages d'ailleurs évoqués avec beaucoup de pittoresque, tout est imprégné de tristesse, enveloppé de deuil ; sentiments assez peu caractéristiques du caractère basque. Si bien qu'on a pu dire que le jeune Ramuntcho, c'est Loti lui-même qui a dépouillé son habit d'académicien et d'homme du monde, coiffé le béret, joué au contrebandier, et fait des parties enragées de pelote, mais n'a pu changer son âme.

RANÇON DE L'AMOUR (La) [*The Revenge for Love*]. Roman de l'écrivain et peintre anglais Percy Wyndham Lewis (1882-1957). Il en corrige les épreuves en 1937, la même année où il publie son premier livre autobiographique, *Mémoires de feu et de cendre* [*Blasting and Bombardiering*]. À l'origine, Lewis souhaite l'intituler *False Bottoms*, qui signifie à la fois « Doubles fonds » et « Faux culs », de quoi effrayer l'éditeur le plus large d'esprit. Il s'agit pourtant d'une tragicomédie des simulacres. S'il a l'intention de brosser un tableau sans concessions de la bonne société britannique et plus particulièrement de son intelligentsia (« Toute grande satire, affirme-t-il, est immorale »), Lewis s'emploie à construire une représentation du monde d'inspiration shakespearienne, mais imprégnée de l'influence de Machiavel. Il construit un drame en sept actes selon une structure circulaire, renforçant ainsi le sentiment d'absurdité qui domine l'ouvrage d'un bout à l'autre. Le premier acte nous entraîne dans une prison de Fuentes en Andalousie au début de la Guerre civile. Parmi les prisonniers républicains qui attendent d'être jugés se trouve un agitateur communiste anglais, Percy Hardcaster. Une jeune fille lui apporte un message avec un plan d'évasion caché dans un panier à double fond. Mais le pli est intercepté par son gardien qui lui tend un piège la nuit de sa fuite. Blessé, il est amputé. Les cinq actes suivants nous amènent à Londres dans les milieux progressistes. Les premiers personnages à entrer en scène sont Margaret et Victor Stamp. Ce dernier est un peintre australien dépourvu d'un véritable talent. Puis apparaissent Jack Cruz, inspiré par le Falstaff de Shakespeare, le « luron », l'expression pleine de la vitalité animale ; Tristram Phipps, surnommé Tristy, qui passe pour être un artiste de génie mais qui dessine des articles de lingerie pour gagner sa vie ; d'autres encore comme Sean O'Hara, qui croit encore à la mythologie nationaliste de l'Irlande, et son épouse, Eileen. Cette galerie de portraits grotesques et pathétiques, et les relations unissant étroitement ces figures emblématiques de la gauche radicale et chic de l'Angleterre de l'entre-deux-guerres servent à planter le décor de la scène capitale de la fiction : la soirée organisée par O'Hara pour fêter le retour du héros, Hardcaster. Mais les choses tournent mal : Hardcaster engendre un malaise à force de vouloir dire la vérité. Jack Cruz corrige l'infirme, qui roule dans les escaliers et finit à l'hôpital. Une nouvelle venue fait son apparition : Agnès Irons. Véritable stéréotype caricatural de la gent féminine du groupe de Bloomsbury dont Virginia Woolf est l'égérie, celle-ci est un compendium de l'intellectualisme pervers dominant dans ce cercle et que Lewis assimile, avec malice, au romantisme dérivé d'Alfred Tennyson. Sur ces entrefaites le petit comité composé par O'Hara, Stamp et un certain Abershaw décide de produire des faux tableaux de Van Gogh. Cette inclination pour la contrefaçon les conduit irrésistiblement à monter un trafic d'armes à la frontière espagnole. Hardcaster collabore à leurs sombres menées. L'affaire finit de manière tragique : Victor et Margaret Stamp, qui conduisent une voiture à double fond (mais ils convoient des briques et non des armes légères comme ils le croient), tuent un garde national et finissent au fond d'un ravin. Quant à Hardcaster, il se retrouve dans une geôle espagnole. Ce roman sarcastique et véhément est en fin de compte un prolongement du premier livre de Lewis, *Tarr (*) :* tous ses protagonistes sont hantés par une compulsion d'échec. Ce sont des marionnettes idéologiques qui s'agitent et gesticulent dans une parodie où les idées reçues se confondent avec l'illusion de l'avant-gardisme. Ce ballet bouffon des faux-semblants et des illusions forcément perdues, des lâchetés morales et des esthétiques faussement novatrices est sans nul doute une des œuvres où Wyndham Lewis exerce avec brio son goût pour le pastiche, la satire et la parodie. — Trad. L'Âge d'Homme, 1980. G.G. L.

RANDONNÉE DU POÈTE (La) [*The Poet's Circuit : Collected Poems of Ireland*]. L'écrivain irlandais Padraic Colum (1881-1972) publia ce recueil de poèmes en 1960. Dès la parution de son premier volume de poèmes, *Un garçon en Irlande* [*A Boy in Eirinn*, 1913], Colum s'affirma comme l'un des partisans et des représentants de la « renaissance littéraire irlandaise ». Alors que ses contemporains Frank O'Connor ou Sean O'Faolain servaient dans le mouvement de libération nationale et faisaient l'expérience de la Première Guerre mondiale, le poète partit vivre aux États-Unis en 1914. Ceci explique en partie à la fois son manque d'engagement et le caractère limité — dans l'espace et le temps — de l'Irlande qu'il peint. C'est l'Irlande verte d'avant l'industrialisation, un monde rural (ni Dublin, ni Limerick même ne sont mentionnés) aujourd'hui plus qu'à demi disparu. « La Ville » n'est qu'une grosse bourgade au milieu des champs. « Les Choses plus anciennes » nous mettent en contact avec les réalités du terroir, les artisans amoureux de l'œuvre bien faite, les humbles, et surtout avec la nature. Colum, dont le lyrisme est rarement axé sur lui-même (il ne parle de lui que dans « Avant-propos »), insiste cependant sur la force de son enracinement : « Mais c'est au ras du sol / que naissent les vents au souffle le plus vaste / et les oiseaux qui chantent le mieux », et sur la fatalité de la tradition « qui exige que chaque lieu ait son poète ». Moins que ses compatriotes demeurés sous l'emprise du catholicisme irlandais, le poète apparaît en conflit avec la religion. Sa « Résurrection » montre que le sentiment religieux présent dans son œuvre sous la forme d'une atmosphère diffuse ne pose pas pour lui de problème. La foi, celle de « La Vieille Femme sur la route », est une croyance patiente et résignée aux malheurs d'ici-bas.

Depuis ses *Légendes dramatiques* [*Dramatic Legends*, 1922] et même dès le drame intitulé *Sol brisé* [*Broken Soil*] qu'il fit représenter à vingt ans à l'Abbey Theatre, les vers de Colum sont fidèles à la tradition nationale en ce qu'ils expriment une prédilection pour la forme dramatique et lyrique. Leur rythme est généralement simple, leur ton familier et populaire, parfois archaïsant, semé de mots courants et d'expressions locales. Dans ses meilleures compositions on sent passer le souffle d'un Wordsworth. En 1953, l'auteur a réuni sous le titre de *Poèmes* [*Poems*] une partie de ses premiers recueils — dont *Les Voyageurs* [*The Voyagers*, 1925] et *Le Prince fou* [*The Frenzied Prince*, 1947]. Il a écrit de nombreux contes folkloriques, des romans et des pièces de théâtre. Trois de celles-ci : *La Terre* [*The Land*, 1905], *La Maison du violoneux* [*The Fiddler's House*, 1907] et *Thomas Muskerry* (1910), ont été rééditées en un volume en 1963. Son épouse, Mary née Gunning Maguire (1883-1957), a collaboré avec lui à la composition de *Notre ami Joyce* [*Our Friend Joyce*, 1958], un recueil de souvenirs sur l'écrivain que le couple fréquenta longtemps. Elle a rassemblé ses propres conceptions de la littérature sous le titre *De ces racines* [*From These Roots*, 1937] et publié en 1947 son autobiographie *La Vie et le Rêve* [*Life and the Dream*].

RAOUL DE CAMBRAI. Cette vaste épopée féodale française, publiée une première fois en 1840, puis en 1882 par P. Meyer et A. Longnon (Paris, Société des anciens textes français), a pris un aspect quelque peu chaotique par suite d'interpolations et de remaniements. Réduit à l'essentiel, le sujet est le suivant : Raoul de Cambrai, privé par le roi du fief qu'il a hérité de son père, et qui est destiné à d'autres, devrait s'emparer du comté de Vermandois ; cependant les fils du comte défunt, Herbert, s'y opposent par les armes. C'est ainsi que se déchaîne une lutte féroce, lutte qui se traduit par des crimes et des fourberies de toutes sortes, les deux familles s'acharnant l'une contre l'autre sans la moindre retenue ; et rien ne peut les réconcilier que l'idée de faire front contre le roi qui a suscité le conflit et y assiste en arbitre. Il s'agit donc d'une de ces chansons de geste qui rapportent les actes de rébellion d'un vassal contre son souverain. Les œuvres qui appartiennent à ce cycle ont en commun l'expression de certains sentiments : un orgueil furieux et un désir de vengeance acharné, si bien qu'elles méritent parfaitement le qualificatif qu'on leur a appliqué de « cantique des cantiques de la haine ». Ici, les personnages sont pour la plupart historiques : Raoul est Rodolphe de Gouy, comte du Cambrésis, le roi est Louis IV, le comte Herbert de Vermandois a effectivement existé. Les péripéties de l'affaire sont également conformes aux données historiques : une querelle de cette sorte survint en 943, alors que le pouvoir des derniers Carolingiens tombait en décadence. Un certain Bertolai de Laon (Loon), tenu pour contemporain de ces événements, est désigné, au cours de la chanson de geste (chant CXXI), comme le premier de ceux qui la mirent en vers ; mais rien n'est moins certain. La forme sous laquelle elle nous est parvenue permet de croire qu'elle date de 1180 environ ; l'influence des poèmes qui avaient déjà été écrits sur le même sujet et l'adjonction des clichés habituels sont évidentes. Dans le texte tel qu'il nous est parvenu, on distingue d'ailleurs aisément deux parties d'époques différentes : la partie la plus ancienne est écrite en laisses rimées, tandis que la fin du poème, formée d'additions plus récentes, est rédigée en assonances. — *Raoul de Cambrai* a été traduit par R. Berger et F. Suard (Troesnes - La Ferté-Milon, 1986).

RAPACES (Les) [*Mc Teague*]. Roman de l'écrivain américain Frank Norris (1870-1902), publié en 1899, qui représente un tournant dans la carrière de ce romancier, dont les premières œuvres, nouvelles et esquisses publiées dans divers magazines de Californie, étaient baignées de romantisme. Dans *Les Rapaces*, Norris abandonne en effet ses tendances de jeunesse pour se consacrer, sous l'influence de Zola qu'il vient de découvrir récemment, à une étude naturaliste des mœurs américaines de son temps. Il avait commencé ce roman, qui met en scène des gens des classes moyennes de Californie, dès les années 1892-1893. L'œuvre ne devait être cependant achevée et publiée qu'en 1899, soit trois ans avant la mort de Norris. Le héros du roman, qui va servir d'illustration aux désastres qu'amène la cupidité, est un dentiste établi à San Francisco. Sa bêtise n'a d'égale que sa robustesse et sa confiance en soi. Il est amoureux, comme son ami Marc Schouler, de la cousine de ce dernier, qui devient sa femme. Celle-ci, Trina Sieppe, gagne bientôt cinq mille dollars à une loterie. En épargnant cette somme avec soin, en effectuant de sages placements, elle la voit s'accroître considérablement avec le temps. Le couple devient donc riche. Mais Marc Schouler, qui avait espéré épouser sa cousine, en conçoit grand dépit, et juge même que la fortune que vient de faire Trina lui a été indirectement ravie. Pour se venger de Mc Teague, il se met à intriguer contre ce dernier, en révélant que le dentiste ne possède ni les diplômes requis ni les autorisations officielles nécessaires pour exercer sa profession. Mc Teague, qui doit bientôt abandonner son travail, sombre alors dans le désespoir et la hargne. Sa femme ne lui est d'aucun secours matériel, car la fortune l'a rendue avare et elle ne veut à aucun prix permettre à Mc Teague de toucher à l'argent qu'elle a si soigneusement couvé. Et c'est vite la misère pour tous deux. Ce thème de la cupidité, qui est le fond du roman, se retrouve par ailleurs sous les traits d'un personnage secondaire dont l'aventure occupe une partie du livre. Il s'agit d'un Juif, marchand de ferraille, qui, fasciné par un service de vaisselle en or que possède une femme de ménage atteinte de folie, parvient à épouser celle-ci pour avoir son trésor. Mais, devenu aussi fou qu'elle, il finit par la tuer et se suicide. Pendant ce temps, Mc Teague, fasciné à son tour par l'argent de sa femme, l'a abandonnée en lui volant une partie de ses économies. Il revient à elle un beau jour dans l'espoir de prendre le reste, la tue, et s'enfuit. Tentant de traverser la Vallée de la Mort pour se mettre en lieu sûr, il y rencontre son ancien ami Schouler, qui le terrasse et lui met les menottes. Mc Teague tuera son ami, mais ne parviendra point à se défaire des menottes qui le lient à Schouler et il finira par mourir de soif dans le désert, toujours attaché au corps de son ennemi mort. Avec *La Pieuvre* [*The Octopus*], le roman est assurément le meilleur de l'auteur. Il a donné lieu à une adaptation cinématographique célèbre, par Eric von Stroheim, *Les Rapaces* (1924). — Trad. Phébus, 1990.

RAPIDES. Cet ouvrage, publié en 1980 par le poète français André du Bouchet (né en 1924), rassemble des fragments, souvent très courts, où se mêlent des notations reprises telles quelles de carnets anciens et des notes écrites au moment de leur relecture. Il ne s'agit pas d'une réécriture ou d'une élaboration de textes précédemment publiés, comme pour certaines parties de *L'Incohérence* ou de *Air* (dont l'édition de 1977 reprend en la modifiant et en la complétant celle de 1951), mais de séquences brutes remployées dans la trame d'un nouveau livre, de « fragments de montagne remployés pour la chaussée ». La construction de cette chaussée n'a pas pour fin un poème, mais vise à saisir la poésie dans son surgissement. D'où l'impression constante d'immédiateté et de présence éprouvée par le lecteur devant cette suite de fragments dans laquelle André du Bouchet exploite en le réduisant le plus possible l'écart entre les mots et les choses : « Sur l'écart, j'ai tablé. » Cet écart, particulièrement approprié à la fracture opérée par le fragment, a la double vertu de séparer et d'unir, la pensée de l'écart étant toujours chez André du Bouchet le produit d'une dialectique entre la séparation et l'aspiration à la coïncidence. Dans *Rapides*, l'opposition entre le lien et le hiatus apparaît dans des formules symétriques : aux « jointures qui déchirent » répond la « déchirure qui rive » de la fin du livre, le dernier mot restant ainsi à ce qui réunit. Cette pensée de l'écart s'applique à la fois à l'espace et au temps. L'instant, fraction du temps, est amené à s'élargir et à donner l'image de l'éternité comme le point celle de l'infini. Les fragments poétiques de *Rapides*, qui commencent par des points de suspension, surgissent du silence de la parole pour mettre au jour des fragments de temps et d'espace et arracher un instant et un lieu singuliers à leurs coordonnées spatio-temporelles : « cygne / qui au-dessous de la pesanteur de son vol contient l'autoroute un instant. » La juxtaposition de notations extraites de carnets anciens et de notes contemporaines de leur relecture suscite une écriture de la présence : fréquence des métaphores ne faisant pas l'ellipse du comparé (« Longue herbe de l'éclair », « l'orage, langue embarrassée »), répétitions qui, jouant souvent sur la polysémie, tirent la parole du silence où l'avait enfermée sa profération première en la réactivant (« je redis pour déloger ») sans nuire à son unité (« redoublé — non double — le même »). Ce redoublement crée un écart entre les mots et les choses, un vide qui aspire notre parole et notre être : c'est la « rapacité de la fraîcheur », de la blessure qui demeure ouverte, mais qui est aussi « déchirure qui rive ».

J. De.

RAPPORT D'UNE VILLE ASSIÉGÉE [*Raport z oblężonego miasta*]. Recueil de poèmes de l'écrivain polonais Zbigniew Herbert (né en 1924), paru en 1983 à Paris. Il comprend des poèmes nouveaux et d'autres censurés dans les précédents volumes parus en Pologne, comme « Ce que j'ai vu » et « Du sommet des escaliers » (1956). Mettant à profit l'absence de censure, Herbert y exprime ses opinions politiques, son opposition implacable au mode de vie communiste et totalitaire : « La Puissance du goût ». Le poème « 17 IX » se réfère directement à l'attaque de la Pologne par les Soviétiques le 17 septembre 1939.

Dans certains poèmes réapparaît Monsieur Cogito — v. *Monsieur Cogito* (*) —, placé devant les dilemmes de l'homme contemporain. Il se déclare pour la poésie en tant que témoignage contre les « artifices de l'imagination » (« Monsieur Cogito et l'imagination ») et attire l'attention sur le devoir de l'homme : « s'opposer, refuser, résister », et l'obligation de se souvenir, par exemple des victimes des guerres et de la terreur (« Monsieur Cogito sur le besoin d'exactitude »).

Le poème qui prête son titre au recueil en est le couronnement. La métaphore de la Pologne, « ville assiégée », défendant les valeurs humanistes les plus importantes, peut également s'appliquer à d'autres nations opprimées et donne au poème une portée universelle.

L. Dy.

RAPPORT KINSEY (Le) [*The Kinsey Report*]. On désigne sous ce titre l'ensemble formé par les deux ouvrages des sociologues nord-américains Alfred Kinsey (1894-1956), Pomeroy et Martin, *Le Comportement sexuel de l'homme* [*Sexual Behavior of Human Male*], paru en 1945, et *Le Comportement sexuel de la femme* [*Sexual Behavior of Human Female*], paru en 1953. Ce qui fait l'intérêt et la nouveauté de ces deux ouvrages, c'est qu'ils résument les résultats d'une enquête qui, sur ce sujet, est la plus importante jamais entreprise, puisque douze mille interviews ont été rassemblées et comparées. L'importance de cet échantillon suffirait à faire de cette enquête un événement dans l'histoire de la sexologie. Mais, de plus, il faut insister sur le caractère exemplaire de cet ouvrage au point de vue méthodologique, dans un domaine où préjugés religieux et moraux, tabous, interdits entravent si souvent la recherche. Pour Kinsey, le problème n'est pas de savoir pourquoi tel ou tel individu pratique telle activité sexuelle, mais plutôt pourquoi chacun ne les pratique pas toutes. Ce renversement de perspective conduit à une étude ample et précise, où toutes les conduites sexuelles sont comparées dans l'importance respective de leur pratique, et replacées dans leur contexte socio-économico-culturel, sans souci de jugement de valeur, et avec la conviction qu'une connaissance accrue peut entraîner des progrès dans la législation, l'éducation, la médecine, en face des conséquences des difficultés sexuelles des individus. Quelques-uns des résultats auxquels sont parvenus les enquêteurs les ont surpris eux-mêmes, et ils ont procédé à de nombreuses vérifications : par exemple, le taux d'homosexualité chez les hommes atteint plus du tiers (37 pour cent), si on inclut dans ce chiffre tous les cas d'homosexualité passagère ou occasionnelle. Ces résultats conduisent les auteurs à repousser la distinction tranchée entre homosexualité et hétérosexualité, et à la remplacer par une échelle de variation continue entre ces deux pôles. D'autres résultats semblent plus spécifiques de la société américaine, comme l'importance du « petting » (caresses très poussées, alors que la virginité de la jeune fille demeure taboue) chez les jeunes gens d'un milieu socio-culturel élevé. Il faut souligner aussi l'élaboration de la méthode d'enquête et de codage des résultats, qui permet à la fois des questionnaires de forme très souple permettant le travail dans tous les milieux sociaux, même parmi les prostituées, les délinquants, etc., et un travail d'ensemble unifiant des données très différentes. On remarque aussi la différenciation soigneuse par tranches d'âge, qui permet de voir clairement la distinction des comportements selon les générations, et de retracer les lignes générales de l'évolution de la vie sexuelle des individus, de souligner aussi la stabilité des types de comportement sexuel selon les milieux socio-économico-culturels. Il faut pourtant signaler une lacune importante : les auteurs n'ont pas pu obtenir assez d'interviews pour étudier un échantillon représentatif de la population noire des États-Unis, et c'est l'insuffisance majeure de cet ouvrage important autant du point de vue de la méthodologie des sciences sociales que de la sexologie. De très nombreux tableaux résument les données de chacun des chapitres et font de ce gros ouvrage un ensemble de documents faciles à consulter.

RAPPORTS DU PHYSIQUE ET DU MORAL DE L'HOMME. Œuvre du médecin et physiologiste français Georges Cabanis (1757-1808). Après avoir embrassé la cause de la Révolution, il approuva le coup d'État du 18-Brumaire et fut sénateur sous l'Empire, professeur à l'École de médecine et membre de l'Institut. Comme nous le montrent les *Lettres sur les causes premières,* publiées seulement en 1824, Cabanis évolua, à la fin de sa vie, vers le spiritualisme. Mais dans les *Rapports du physique et du moral de l'homme,* il professe encore un agnosticisme résolu. En 1795 et 1796 – années où il lut à l'Institut les six premiers mémoires de son ouvrage (lequel en contient douze) –, on cherchait assez généralement à faire des sciences morales une discipline exacte, à l'image des sciences physiques et, comme ces dernières, indépendantes du dogme. Pour Cabanis, les causes dernières des phénomènes nous échappent. La partie la plus importante de son œuvre (du quatrième au dixième mémoire) est consacrée cependant à une analyse du fondement physiologique de nos facultés intellectuelles et morales, et à l'influence, notamment, des âges, des sexes, des tempéraments, des maladies, du régime, du climat. L'instinct, c'est-à-dire l'impulsion intérieure, indépendante des impressions venues du dehors, est une réalité indéniable, ce qui prouve l'existence d'une sensibilité organique et introduit ainsi une sorte de dualité entre la conscience, d'une part, et la sensibilité inconsciente des organes, de l'autre. Il y a là une des origines de la pensée de Maine de Biran, mais il ne faut pas concevoir cette dualité comme l'opposition métaphysique de deux principes. Cabanis reste toujours très proche d'un matérialisme scientifique qui postule l'unité de la nature, l'unicité de la matière dans les corps inorganiques et dans les corps vivants, l'homogénéité du physique et du moral, le primat enfin de la physiologie dans l'étude des facultés. Il considère ainsi la pensée comme une fonction cérébrale, comme on peut dire que la digestion est une fonction de l'estomac. Le cerveau digère les impressions, peut-on dire, et sécrète la pensée comme l'estomac procède avec les aliments qu'il reçoit. Et la sensation est toujours dépendante de l'organisme. S'il y a (cf. surtout le onzième mémoire, qui a pour titre *Influence du moral sur le physique*) une action réciproque du cerveau sur le reste de l'organisme, cette action s'inscrit entièrement dans le cadre de la physiologie. Cabanis appartient au mouvement de pensée dit de l'idéologie, issu de Condillac, dont l'influence à l'Institut est puissante, et qui est le lien qui relie la philosophie du XVIIIe siècle et le positivisme d'Auguste Comte.

RAPPORT SUR BRUNO [*Bericht über Bruno*]. Roman de l'écrivain français d'expression allemande Joseph Breitbach (1903-1980), publié en 1962. L'auteur en a donné une version française en 1964. Dans un petit pays d'Europe occidentale, qui ressemble d'assez près à la Belgique, deux hommes très différents se dressent l'un en face de l'autre : un grand bourgeois libéral et un jeune démagogue, son propre petit-fils. Le premier est censé écrire ce « rapport » pour relater les événements qui ont conduit le jeune homme, pourtant élevé par lui, à s'insurger aussi violemment contre l'ordre qu'il représente. Contrairement à ce qu'on pourrait croire, sinon souhaiter, ce ne sont pas des considérations idéologiques qui ont poussé Bruno à la révolte. Tant s'en faut. Une certaine solitude et un immense orgueil ont suffi à en faire le monstre malade de haine et assoiffé de pouvoir qui va sans doute renverser la monarchie, déclencher la guerre civile et, s'il gagne, devenir l'un des plus jeunes, des plus frénétiques et des plus vains dictateurs de tous les temps. Peut-être manque-t-il aussi totalement d'humanité parce qu'il est incapable de pardonner aux hommes les malheurs qui ont marqué son enfance. Ses parents traînaient les bas-fonds. Pour des raisons opposées, son grand-père, industriel et politicien éminent, n'avait guère de temps à lui consacrer. Enfin, aucun des précepteurs ne lui plut, sauf Rysselgeert, qu'il aima trop passionnément. Or celui-ci le délaissa doublement, pour la politique d'une part, pour un ami auquel l'unissaient des liens fort tendres d'autre part. Alimentée par des mobiles strictement personnels, parmi lesquels émerge au premier plan une jalousie poussée à un rare paroxysme, la brûlante ambition de Bruno reste innocente de toute hargne contre la société où il vit. S'il flirte avec le communisme au point de passer quatre années en U.R.S.S., c'est après avoir longtemps hésité sur la voie qui servirait le mieux ses desseins. L'abnégation que tout parti bien structuré réclame de ses membres ne pouvait que l'en détourner très vite. On sent que Breitbach a été vivement impressionné par la vague de dictateurs qui, entre les deux guerres, a déferlé sur l'Europe. Et si son Bruno paraît un peu trop systématiquement diabolique pour intéresser et émouvoir, il faut bien admettre qu'Hitler n'aurait sans doute pas fait, lui non plus, un très convaincant personnage de roman. Il n'est donc pas étonnant que le grand-père soit infiniment mieux rendu. L'auteur en a même tracé un portrait si nuancé et si juste que celui qu'il nous donne du petit-fils semble, par contraste, d'autant plus forcé. Il est visiblement plus à l'aise avec ce capitaliste souple, sage et tolérant qui reflète, sur les affaires de ce monde, son propre point de vue. Le conflit entre cet homme et Bruno qui, choisissant la voie la plus facile, tente de canaliser à son profit les forces aveugles de la bêtise prend ainsi une valeur symbolique : il met en relief d'une façon particulièrement saisissante l'antagonisme opposant une grande bourgeoisie éclairée et paternaliste à une petite bourgeoisie réactionnaire, fanatique et bornée. C'est le principal intérêt de ce livre qui a en outre le mérite, malheureusement peu commun, d'être construit avec suffisamment d'habileté et de rigueur pour tenir en haleine d'un bout à l'autre. – Trad. Gallimard, 1964.

RAPPORT SUR LES CHOSES DE LA FRANCE [*Ritratto di cose di Francia*]. Œuvre de l'écrivain italien Machiavel (Niccoló Machiavelli, 1469-1527), écrite en 1510 et publiée après la mort de l'auteur, en 1532. Machiavel y refond une relation antérieure *Rapport sur les choses de France* [*Rapporto delle cose di Francia*] et s'attache à décrire la physionomie politique de ce royaume que les missions qu'il y avait remplies lui avaient permis de mieux connaître que l'Allemagne, dont il avait traité dans son *Rapport sur les choses de l'Allemagne* (*). L'auteur souligne tout particulièrement ici la puissance de la Couronne, dont dépendent directement les meilleures terres de France et à laquelle sont désormais soumis les grands féodaux, presque tous de sang royal : de là l'unité d'un pays que nul de ses voisins ne peut sérieusement menacer. Machiavel passe alors en revue la situation des pays limitrophes de la France, leurs possibilités politiques et stratégiques ainsi que les raisons qui les incitent à conserver son amitié ou à la tenir pour ennemie. L'auteur considère également comme des facteurs de puissance les vertus guerrières de la noblesse française (bien que la France soit démunie d'une infanterie capable d'égaler celle des Espagnols, des Suisses ou des Allemands) et l'importance des ressources agricoles. Le texte s'achève par des renseignements sur les principales charges de l'État, sur les finances publiques, le clergé, etc. Si on excepte la dernière partie, essentiellement documentaire, ce *Rapport*, comme le précédent, nous montre un auteur soucieux de se défier des apparences. Ce goût de la lucidité fait déjà pressentir *Le Prince* (*), témoin le style dont il use pour fixer plus d'un trait du caractère français. – Trad. Gallimard, 1953.

RAPPORT SUR LES CHOSES DE L'ALLEMAGNE [*Ritratto delle cose della Magna*]. Œuvre de l'écrivain italien Machiavel (Niccoló Machiavelli, 1469-1527), écrite en 1508 et publiée après la mort de l'auteur, en 1532. Machiavel l'écrivit tant pour ses amis que pour lui-même, voulant simplement rassembler ses réflexions sur l'Allemagne au retour de sa mission à Innsbruck auprès de l'empereur Maximilien. On retrouve ici la lucidité et le réalisme propres au futur auteur du *Prince* (*). Ce qui frappe le plus Machiavel dans l'Allemagne de cette époque, c'est la richesse des diverses cités, fruit des activités commerciales de ces hommes industrieux et parcimonieux. Il montre, en outre, que ce pays aura toujours beaucoup de peine à trouver quelque unité politique du fait des rivalités opposant villes libres, princes et empereur. Il en déduit que le pouvoir de ce dernier est plus apparent que réel. La dernière partie de l'ouvrage est consacrée à l'art militaire des Allemands, ses défauts et ses avantages. Réflexions qui annoncent l'intérêt de l'auteur pour un problème qu'il traitera plus tard dans son *Art de la guerre* (*). – Trad. Gallimard, 1953.

RAPSODIE ESPAGNOLE de Ravel. Originaire de Ciboure, près de Saint-Jean-de-Luz, le compositeur français Maurice Ravel (1875-1937) a toujours été fortement influencé par l'Espagne. L'une de ses premières œuvres, la *Habanera* pour piano, trahit son attirance pour les rythmes nerveux, les couleurs chaudes, brillantes et voluptueuses, de la musique populaire espagnole. Sa première partition pour orchestre sera également dédiée au folklore ibérique, puisqu'il la nomme *Rapsodie espagnole*. On y retrouve d'ailleurs, dans le troisième mouvement, le texte intégral de la *Habanera*, composée en 1895. Ravel ne s'inspire pas directement du folklore ibère ; il en retient l'esprit, l'essence plus que les thèmes. La *Rapsodie espagnole* se compose de quatre parties. Une même ligne mélodique (fa, mi, ré, do dièse) réapparaît dans les différents mouvements ; elle sert d'idée génératrice au Prélude à la nuit, premier volet de la *Rapsodie* et l'orchestration la présente sous différentes lumières. La Malagueña qui suit emprunte son rythme à la danse espagnole de ce nom que Ravel interprète à sa manière, en la stylisant : rythme nerveux, souple, qui porte une mélodie capricieuse et élégante comme la trajectoire d'un jet d'eau des jardins du Généralife. Les bassons, le cor s'emparent tour à tour de la Malagueña qui s'achève dans un soupir, tandis que réapparaît le thème lancinant du Prélude. La Habanera, dont le thème en triolets est célèbre, demeure un exemple typique de l'orchestre chatoyant, aux mille facettes brillantes, de Ravel. Un chant langoureux et calme que vient interrompre le thème initial du Prélude évoque l'atmosphère de l'Espagne mauresque. La Feria, enfin, où alternent les appels joyeux de fanfares et des intermèdes tendres et rêveurs, termine la *Rapsodie* sur un crescendo tumultueux. La *Rapsodie espagnole* fut donnée en première audition le 28 mars 1908 au Châtelet, sous la direction d'Édouard Colonne. Il fallut bisser la Malagueña.

RASHÔMON. Récit de l'écrivain japonais Akutagawa Ryûnosuke (1892-1927), publié en 1915. Passé au moment de sa parution complètement inaperçu, *Rashômon,* qui ne sera reconsidéré qu'à la faveur du succès remporté par *Le Nez* [*Hana,* 1916], apparaît pourtant comme le moule parfait dans lequel se couleront tous les récits « historiques » ultérieurs de l'auteur.

Le récit, inspiré par deux anecdotes du *Konjaku monogatari,* l'*Histoire d'un voleur qui monta dans la galerie de la Porte Rashô et vit des cadavres* (volume 29, récit n° 18) et l'*Histoire d'une femme qui vendait du poisson au quartier des officiers* (volume 31, récit n° 31), se passe vers la fin du XIIe siècle dans l'ancienne capitale de Heian, l'actuel Kyôto. Sur un fond de désolation et de calamités naturelles, un homme de basse condition chassé de son emploi attend sous la Porte Rashô une accalmie de la pluie. Alerté par un bruit, il grimpe en haut de la galerie : là, il surprend une vieille femme, victime comme lui de la misère générale, en train de dépouiller des cadavres. Tandis qu'il l'épie, ses sentiments glissent insensiblement d'un état à l'autre jusqu'au moment où, sa répugnance à devenir brigand évaporée et sa peur vaincue, il se jette brusquement sur la vieille femme, lui arrache ses dépouilles et disparaît dans la nuit.

Rashômon aurait été écrit à la suite d'une déception amoureuse causée par le refus des parents adoptifs d'Akutagawa opposés à un projet de mariage. Dans ses lettres, il stigmatise l'égoïsme inhérent à la nature humaine, ce thème central de *Rashômon* sous-jacent à toute son œuvre. L'art ne fut pas un refuge contre le monde, mais peut-être un moyen de se « venger de Dieu », faute de pouvoir lui échapper.

Très proche de celle d'Edgar Allan Poe dans son fondement et les procédés narratifs mis en œuvre, l'attitude d'Akutagawa comme écrivain se définit d'emblée comme celle d'un démiurge tirant les ficelles du destin par la seule magie de son verbe. La narration, où tout concourt à créer cet « effet unique » si cher à Edgar Poe, est conçue comme un jeu de construction logique engageant les personnages dans l'engrenage d'une causalité inéluctable. Il est d'ailleurs significatif dans *Rashômon* que la cause directe de l'ultime revirement qui s'opère à l'intérieur de l'homme de basse condition soit la logique rigoureuse du raisonnement tenu par la vieille femme pour se justifier.

Mais, à travers le rôle central du narrateur omniprésent, mais étranger à l'action, il faut distinguer l'un des rouages essentiels autour duquel s'organisent les récits « historiques » : c'est l'alternance des angles de vision, la rupture des perspectives, leur pluralité.

L'illimité rejoint l'ambiguïté ; les regards sont multiples et différents, les sentiments sont mouvants, doubles, triples même. Dans la version de 1915, l'homme de basse condition, totalement gagné à sa nouvelle condition de bandit, s'enfuyait vers la capitale pour y commettre ses méfaits. Le personnage de Janus bifront fascinera toujours Akutagawa, mais en faisant, dans la version définitive, simplement disparaître l'homme de basse condition dans la nuit, sans que l'on sache ce qu'il en advient, Akutagawa se place au-delà de l'explication, au-delà de la morale et de la bivalence : il ne fait que montrer, révéler une plurivalence infinie ; c'est une tentative d'acceptation de la réalité. — Trad. Gallimard, 1965.

E. de C.

RASK (Les) [*Raskens*]. Premier roman de l'écrivain suédois Vilhelm Moberg (1898-1973), publié en 1927. Rask est un nom de soldat qui signifie « hardi ». Le héros du livre est soldat, mais il est aussi fermier, car l'histoire se passe à l'époque où, en Suède, les paysans se cotisaient pour acheter une fermette à celui des villageois qui voulait bien devenir leur soldat et les libérer de l'obligation de faire leur service militaire. Ainsi Vilhelm Moberg écrit à la fois un roman et un document historique. Les deux personnages principaux, le soldat-fermier et sa femme, sont extrêmement vivants. Ils ne se ressemblent guère ; lui est gai et généreux, mais il a aussi des défauts : il aime un peu trop l'alcool et le plaisir ; elle a un cœur d'or et lui pardonne la plupart de ses incartades. Moberg raconte la vie laborieuse de ce couple avec un réalisme souvent cru, mais avec beaucoup de sympathie. Le lecteur la suit avec un intérêt toujours croissant, depuis leur première rencontre jusqu'à la mort tragi-comique du héros.

RATCLIFF. Tragédie en vers, en un acte, du poète allemand Heinrich Heine (1799-1856), écrite en 1822, publiée l'année suivante avec *Almanzor* (*) et l'*Intermezzo lyrique* – v. *Livre des chants* (*). En 1840, elle fut publiée en français sous le titre *William et Marie* dans *La Revue de Paris.* Elle ne fut jamais représentée. Cette tragédie, composée en trois jours, se rattache d'une certaine manière aux « drames de la destinée » inaugurés par Zacharias Werner avec son *Vingt-quatre février* (*). L'action, d'un enchaînement rigoureux, se développe dans une atmosphère orageuse de spectres et de crimes : Marie MacGregor, fille d'un laird écossais, se sent, à la veille de ses noces, étreinte par une terrible angoisse ; angoisse justifiée par un fait que son père est en train de raconter à son fiancé Douglas : voici quelques années, un étudiant nommé William Ratcliff, qui avait été reçu au château, s'était épris de Marie. Mais, ayant été repoussé, il jura qu'elle n'appartiendrait jamais à un autre homme. À deux reprises déjà, Ratcliff avait accompli sa terrible vengeance, exactement la veille du mariage. Loin de craindre son rival, Douglas s'en vient, la nuit, à sa rencontre, au lieu même où deux croix rappellent la mort tragique de ses prédécesseurs. Ratcliff l'attend, ils se battent et Douglas, ayant terrassé son adversaire, lui fait grâce de la vie parce qu'il reconnaît en lui un homme qui, naguère, lui sauva la sienne. Marie, obsédée par le souvenir de Ratcliff, apprend que sa mère et le père de l'étudiant se sont jadis éperdument aimés sans parvenir à s'épouser. Mariés chacun de son côté, mais se donnant des rendez-vous, ils avaient été surpris par MacGregor, le père de Marie, qui avait tué l'amant de sa femme, et cette dernière était morte de douleur. Ce tragique épisode est évoqué sur la scène par deux spectres qui se tendent désespérément les bras sans parvenir à se rejoindre, sous les yeux terrifiés de Marie et de Ratcliff. Finalement, Ratcliff surgit, tout ensanglanté ; il se jette aux pieds de Marie et, tandis qu'elle a pour lui des paroles d'amour, dans un élan de folie il tue la jeune fille et MacGregor, puis, avec la même épée, se transperce. Les spectres, à présent, sont unis. Comme *Almanzor, Ratcliff* était pour l'auteur une tragédie vécue : celle du Titan qui saccage ce que le destin l'empêche de construire. Heine, qui avait renié sa première tragédie, eut toujours pour celle-ci une prédilection, et cette « confession » était à ses yeux sa meilleure œuvre : « Je suis convaincu, écrivait-il en 1823 à Immermann, de la valeur de ce poème parce qu'il est vrai : s'il ne l'était pas, je serais moi-même mensonge. » Ainsi qu'*Almanzor, Ratcliff* appartient à cette période de la jeunesse du poète qu'il a appelée son « Sturm und Drang ».

★ Le compositeur russe César Antonovitch Cui (1835-1918) a tiré de *Ratcliff* un opéra qu'il mit dix ans à composer et qui fut représenté sous le titre *William Ratcliff* à Saint-Pétersbourg, en février 1869. Cet opéra, dans lequel César Cui a mis toute sa personnalité, fut la première œuvre d'une série conçue par le musicien selon les données de la nouvelle école russe du groupe des « Cinq » (César Cui, Balakirev, Rimski-Korsakov, Borodine et Moussorgski). Les « Cinq » avaient notamment pour principe que « rien ne doit détourner la musique d'opéra d'être par elle-même de la vraie et belle musique » et qu'il doit y avoir « une parfaite concordance entre la musique vocale et le sens des paroles ».

★ Le compositeur italien Pietro Mascagni (1863-1945) a tiré du livret de *Ratcliff,* traduit par Andrea Maffei, un opéra qui fut représenté au théâtre de la Scala en 1895. L'épisode le plus connu de cette œuvre est celui du songe. Deux autres opéras ont été composés par Vavrinecz (Prague) et par Dopper (Weimar, 1909).

RATÉS (Les). Drame en quatorze tableaux du dramaturge français Henri René Lenormand (1882-1951), joué à Paris pour la première fois en 1920. Lorsque Lenormand écrivit cette œuvre en 1910, il souhaitait introduire un nouveau style théâtral et le substituer aux constructions traditionnelles qui ordonnent logiquement les personnages et leurs sentiments. *Les Ratés*, ce sont des comédiens que Paris n'a pas bien accueillis et qui s'en vont de ville en ville, d'hôtel en hôtel, à travers les provinces, en cultivant toujours l'espoir d'un autre destin. Seul cet espoir permet le renouvellement de leurs énergies défaillantes et maintient l'hypocrite maquillage de leur impuissance. Montredor, un vieil acteur, a organisé la tournée en recrutant deux ou trois « utilités » autour d'une jeune et courageuse comédienne qu'accompagne un écrivain, son amant. Mais celui-ci est un homme qui s'adapte mal à la vie et, dès les premières déceptions de cette aventure, il prend le parti d'ignorer la réalité des faits et se replie dans la région silencieuse de ses rêves où, seul avec lui-même, il peut satisfaire son désir de grandeur. Le temps s'écoule, et de scène en scène, de décor en décor, ces personnages apparaissent plus dégradés et plus amers. Seule la jeune femme garde son équilibre, et c'est parce qu'elle a sa propre façon d'aimer, la façon qui porte à chercher sa joie dans la sécurité et le bonheur de l'autre. Il lui faut pourtant souffrir de cette vie dure ; il faut dormir dans des gares glacées où la nuit les buffets sont fermés ; il faut aussi parfois céder son corps aux appétits provinciaux. La vie est dure. Son amant, incapable de renoncer à l'idéal qu'il ne peut atteindre, torturé par un désespoir narcissique, prend l'habitude de boire pour oublier son angoisse. Un matin, on le trouve endormi auprès de son amie qu'il a tuée. Quand on vient l'arrêter et qu'il est brusquement rappelé à la conscience des faits, il se suicide. Cette œuvre réaliste, découpée en scènes courtes pour de multiples changements de lieux, où les paroles étaient souvent dites à voix basse, proposait alors au public une expression théâtrale vraiment nouvelle. Georges Pitoëff, qu'on ne connaissait pas encore en France, sut trouver pour la mise en scène des rideaux violets qui cachaient et découvraient successivement les espaces de jeu, et il donna ainsi aux différents tableaux leur qualité dramatique et à l'œuvre sa puissance.

RATS (Les). Roman de l'écrivain français Bernard Frank (né en 1929), publié en 1953. « De fureur j'écrivis un roman de plus de cinq cents pages à la va-comme-je-te-pousse » (*Solde*, 1980). Seule œuvre de fiction de l'auteur, et dont lui-même dira plus tard qu'il s'agit d'un « roman de série B comme ces films américains du *Mac-Mahon* où nos héros prenaient leur première leçon de conduite dans la fraîcheur des commencements » (Bernard Frank, à propos de la réédition des *Rats*, 1985). Description de la promenade des Anglais et de la Côte d'Azur de l'immédiat après-guerre, ambiance de la Libération, premières coucheries, déambulations bavardes dans le Saint-Germain-des-Prés du début des années 50, tout fait de ce livre le roman-miroir d'une époque révolue. Les quatre héros, Bourrieu, Ponchard, Weil et François, passent leur temps à lire *L'Observateur, Combat, Les Temps modernes* (*), vont au cinéma voir Rita Hayworth, fument des cigarettes américaines, hantent les cafés de la place « Le Flore » et « Les Deux-Magots ». Ils ont tous enfin de vagues projets littéraires, mais semblent finalement ne vivre que par procuration, tant l'ombre de Jean-Paul Sartre est envahissante. Que se passe-t-il dans ce roman ? Rien ou si peu, mais on y parle assurément beaucoup. Et toujours des mêmes gens réels et des mêmes choses : hors du VIe arrondissement parisien et de ses éditeurs, point de salut : *Les Rats* sont une succession effrénée de dialogues. Le peu de consistance des personnages sert de prétexte pour égrener ici le chapelet des idées existentialistes chères au jeune auteur.

Le livre est accueilli froidement par la critique et notamment, de façon inattendue, par la revue *Les Temps modernes* : « Vous êtes fatigant [...] Le triste par-dessus le marché, c'est que votre roman ne vaut rien. Vous êtes trop farci de vous-même pour accoucher d'autre chose que de votre farce [...] Pour sortir de vos prisons, pour briser votre morne monologue et faire toucher terre à vos délires, vous croyez avoir trouvé une recette : entrelarder vos folies de tranches de réel. À vous tout seul, vous êtes un monôme d'étudiants » (Jean Cau, *Les Temps modernes* n° 97, décembre 1953). Keepsake mondain des années Sartre, *Les Rats* sont un livre démodé et surtout trop long. Il garde cependant le charme des airs de jazz qui le traversent. De la littérature urbaine « à sucer avec l'oreille », comme Jules Renard le disait de la musique. Chroniqueur brillant, Bernard Frank romancier n'aura jamais tant donné la mesure de ce pour quoi il n'est pas fait.

E. H.

RAVAGES. Roman de l'écrivain français Violette Leduc (1907-1972), publié en 1955. C'est la confidence, bouleversante par sa sincérité, d'une jeune femme. Dans un cinéma, Thérèse offre une cigarette à son voisin, au mépris des convenances et de sa vie jusqu'alors sans homme. Son premier amour, Isabelle, l'a en effet tout naturellement conduite vers Cécile, jeune institutrice qui, après avoir raté l'entrée au conservatoire de musique, vit à quelques centaines de kilomètres de Paris. Loin de Cécile, Thérèse s'ennuie et, malgré l'autoritaire emprise de sa mère qui lui a communiqué sa méfiance envers les hommes et une peur panique pour les conséquences que peut entraîner leur fréquentation, elle suit l'inconnu du cinéma : Marc. Elle se rassure en se persuadant qu'elle aime toujours Cécile, si bien qu'elle parvient à s'entretenir d'elle avec Marc. Marc se prête au jeu, le prévient même. Il escorte Thérèse jusque chez la jeune institutrice, forçant en quelque sorte Thérèse à tromper son amie avant l'heure. Bientôt, sur les instances de Cécile qui la presse d'abandonner son métier de représentante en lingerie et colifichets, Thérèse s'installe en oisive auprès d'elle. Ce tête-à-tête, jadis souvent convoité, cette vie de couple, ne va pas tarder pourtant à peser à Thérèse. Les prévenances de son amie, sa vigilante tendresse l'importunent. Si bien que, plus ou moins consciemment, elle rêve de la présence de Marc et la suscite. Le vagabond qu'elle croit entendre marcher la nuit dans le grenier se fait chair un matin quand Marc frappe à la porte, un Marc dépenaillé, flageolant de faim et de fatigue. Réconforté par les deux amies, il s'éclipse et, lorsque Thérèse le retrouve, c'est dans un hôpital où il oscille entre la vie et la mort. Il faut que Thérèse attende le dénouement de l'angoisse pour qu'elle se reconnaisse éprise. Alors Marc guérit et Thérèse l'épouse. Mais là n'est pas la conclusion comme dans les romans conformistes. C'est au contraire à partir de là que se dévoile l'impossibilité où se trouve l'héroïne de se contenter de ce qu'on lui donne. Elle demande trop aux autres, est assoiffée de présence, « ravagée » en quelque sorte par ce besoin d'autrui derrière lequel tremble la hantise de la redoutable solitude. Après Cécile, Marc se lassera du vampirisme de Thérèse, qui, enceinte, avortera seule, n'ayant pour réconfort que l'amère satisfaction de ne pas décevoir sa mère, pour laquelle l'enfant est un crime, tout en s'étant abandonnée à ses faims et à ses exigences propres (de chair et de cœur). Écrit dans un style lapidaire, aux petites phrases incisives, sensuelles, osées, denses, avec une imagerie propre qui dans ses meilleurs moments suggère une richesse apparentée à celle de Jean Genet, *Ravages* classe Violette Leduc parmi les écrivains les plus originaux.

RAVIN (Le) [*Obryv*]. Ce roman d'Ivan Alexandrovitch Gontcharov (1812-1891), publié en 1869, est, avec *Oblomov* (*), l'œuvre la plus connue de cet écrivain russe. Gontcharov semble indifférent à l'activité débordante de l'humanité au milieu de laquelle il vit, et cependant pas le moindre détail n'échappe à son observation pénétrante et impartiale. Un réalisme peu tourné vers l'abstraction est, en effet, ce qui distingue Gontcharov de la plupart des grands romanciers russes du XIXe siècle et ce réalisme fait de lui un classique. *Oblomov* est une peinture des mœurs hypocrites et apathiques de la Russie au début du XIXe siècle et aussi une protestation encore voilée contre cet état de choses. Avec *Le Ravin*, cette protestation s'exprime ouvertement ; deux des personnages principaux réagissent avec vigueur : Marc Volokhov et Véra ; le premier, ex-étudiant surveillé par la police, fait de la propagande subversive dans les villes de province des bords de la Volga, théâtre de l'action ; la deuxième, jeune fille fière et remplie d'idéal, oublie un moment tous les préjugés de sa caste et, attirée vers Marc qu'elle croit capable d'une activité vraiment utile à la société, est sur le point d'abandonner pour lui sa maison et son milieu. Mais le véritable protagoniste du livre est Raïsky, descendant direct d'Oblomov, moins paresseux que lui, mais absolument incapable d'action. N'ayant que des velléités d'artiste, il voyage avec une valise remplie de portraits et de romans ébauchés ; amoureux de Véra, il s'exalte beaucoup et parle encore plus, mais dans son for intérieur il n'est même pas sûr de l'aimer sérieusement. Derrière ces personnages se détache, inoubliable, la silhouette de la grand-mère de Raïsky, autoritaire et bourrue, mais de grand bon sens. Néanmoins, elle ne sait préserver Véra de la faute qu'elle finit par commettre avec Marc. C'est seulement alors qu'elle intervient et remet tout dans l'ordre : Véra épousera Touchine, un homme sage qui se défie de tous les extrêmes. Celui-là vraiment est un homme dans toute l'acception du terme. Raïsky, avec ses rêves et son tourment, part pour l'Italie où il aura toujours la nostalgie de Véra et de sa grand-mère, derrière laquelle se dresse une autre aïeule, gigantesque, la Russie. Gontcharov dépeint avec un art consommé les personnages et les milieux. Il le fait avec un soin précis des détails, dans une langue dépouillée et vraiment classique. Le grand critique Belinski a dit à son sujet : « Ce qui, pour d'autres romanciers, serait prétexte à dix récits forme un seul roman de Gontcharov. » — Trad. Plon, 1953 ; Julliard, 1992, sous le titre *La Falaise*.

RAYONS ET LES OMBRES (Les). Recueil de vers que le poète français Victor Hugo (1802-1885) publia en 1840. Dans la pensée de l'auteur, ce volume reste lié aux trois recueils de poèmes qu'il avait publiés depuis 1830 — v. *Les Feuilles d'automne* (*), *Les Chants du crépuscule* (*), *Les Voix intérieures* (*) — et dans lesquels se trouvent confondues les plus extraordinaires qualités d'expression et les tours les plus déclamatoires. Hugo a toujours désiré être un poète universel, un esprit ayant « le culte de la conscience comme Juvénal [...], le culte de la pensée comme Dante [...], le culte de la nature comme saint Augustin » ; il se donne pour modèle de style la poésie de Virgile à cause de sa lumineuse douceur, et *La Bible* (*) à cause de sa vigueur. Le poète — à la fois philosophe et penseur — devrait alors, pour Victor Hugo, présenter l'ensemble de son œuvre, drames, poèmes et pensées, comme cette grande épopée mystérieuse dont chacun de nous connaît un chant au plus intime de son être, et dont Milton a écrit le prologue et Byron l'épilogue : ce serait le poème de l'homme. Il est assez naturel que sa préface, qui rend un son d'apocalypse, entraîne le reproche de n'être pas toujours à la hauteur de telles ambitions. En réalité, toute cette idéologie est en relation directe avec les qualités poétiques de Victor Hugo. Sa philosophie passionnée n'est pas gratuite : comme on le voit tout aussi clairement dans *Les Voix intérieures*, cette philosophie est liée à son tempérament lyrique, il en nourrit son inspiration. Les résultats, au point de vue esthétique, sont assez différents selon que le poète s'abandonne à sa fureur quelque peu déclamatoire ou que les images lui permettent d'exprimer avec force les idées qui les sous-tendent : sa poésie relève alors de la plus pure incantation. Victor Hugo atteint alors à des accents bouleversants, à une grâce fière et magnifique : parmi les chefs-d'œuvre de cette veine, il faut citer « Le Sept Août 1829 », « Rencontre », ; « Oceano nox », « Caeruleum mare », « Guitare » (qui témoigne d'une surprenante virtuosité), et la « Tristesse d'Olympio », poème limpide et solennel qui compte parmi les œuvres les plus fameuses. Tous ces poèmes sont dans les mémoires : la plénitude du génie de Victor Hugo, alors à sa maturité, s'y manifeste, avant qu'il atteigne au lyrisme grandiose de certains morceaux des *Contemplations* (*).

RÉACTIONS POLITIQUES (Des). Traité politique de l'écrivain français d'origine suisse Benjamin Constant de Rebecque (1767-1830), publié en l'an V (1797) et en 1819 avec de nombreuses additions. L'auteur y brosse un programme de monarchie constitutionnelle. À vrai dire, il ne fait que reprendre et développer les idées qu'il avait déjà exprimées dans son livre *De la force du gouvernement actuel de la France* (*). Pour Benjamin Constant, il est deux sortes de réactions : celles sur les hommes et celles sur les idées. Pour que les institutions d'un peuple gardent leur stabilité, il faut qu'elles soient au niveau de ses conceptions spirituelles. Ainsi les changements politiques donnent lieu à de nouvelles conquêtes, mais il faut que les institutions ainsi que les lois soient respectées pour qu'elles donnent lieu à de nouveaux développements. Quand l'accord est rompu, les révolutions engendrent des réactions, car le nouvel état de choses ne se soutient que par une succession de violences dont l'interruption ou la diminution implique la fin du système. C'est pourquoi le gouvernement doit être impassible, mais fort contre toute tentative de violation des lois. Il ne fera appel à aucun parti pour se défendre et n'accomplira aucun acte arbitraire pour se maintenir au pouvoir. Les hommes qui peuvent avoir une bonne influence sur leurs concitoyens doivent s'unir dans la lutte pour le bien commun. Douter de l'avenir implique un affaiblissement et une perte de liberté : l'amour de la liberté doit unir les vétérans et les jeunes. Si les vieux manquent de foi et d'ardeur, les jeunes, unis, doivent marcher résolument pour défendre les conquêtes de la société. Dans ce système progressif et régulier, ni les superstitions religieuses ni la négation sceptique de l'idéal n'ont leur place : l'humanité trouvera sa voie dans l'harmonie des lois sociales et morales. Le témoignage de l'auteur en faveur de La Fayette, prisonnier à Olmütz, est fort significatif ; il ose parler de lui avec chaleur dans le temps même que le Directoire avait refusé de négocier sa libération avec l'Autriche (Bonaparte le fera à Campo-Formio). Il parle aussi de certaines victimes de la Terreur : Bailly, Condorcet, Vergniaud (« ombres vénérables, hommes immortels »), insultés alors par des écrivains qui s'étaient vendus aux bourreaux. Ce livre vaut par sa théorie de la liberté ; une liberté tempérée par des garanties constitutionnelles. Il rejoint par là Montesquieu et quelques autres.

RÉALISME (Le). Recueil d'articles de critique littéraire et artistique de l'écrivain français Champfleury (pseud. de Jules Husson, 1821-1889), publié en 1857. C'est un document plein de vie sur le déclin du romantisme vers le début du second Empire. Ce réalisme, qui ne voyait en Balzac que le peintre minutieux de la plus terne réalité, tout comme il condamnait Flaubert et son style châtié, n'en avait pas moins le mérite d'élargir le domaine de l'art ; il ne s'inspirait guère pourtant que de la vie quotidienne de la petite bourgeoisie, en se contentant de la fixer de la manière la plus plate. Néanmoins, cet objectivisme, d'où la satire est loin d'être exclue, non plus qu'une certaine poésie, comporte encore une certaine dose de romantisme. Les *Scènes de la vie de bohème* (*) de Murger sont le livre le plus populaire de l'école réaliste. Les idées, les intentions du groupe apparaissent dans ce livre de Champfleury, auquel l'auteur a attaché son nom plus qu'à ses romans aujourd'hui fort injustement oubliés — v. *Chien-Caillou* (*). Outre la Préface (qui est un manifeste), l'auteur traite de divers écrivains qu'il tient pour les authentiques précurseurs du réalisme : Charles Sorel et son *Histoire comique de Francion* (*), l'aventurier Robert Challes du début du XVIe siècle et ses nouvelles *Les Illustres Françaises* (*) (1723), sans oublier Diderot. Par ailleurs, ses pages sur le grand peintre Gustave Courbet, qui en 1855 avait fait une exposition intitulée « Du réalisme », sont excellentes. Champfleury lui-même avait été surnommé le « Courbet de la littérature ». S'étant fait le champion du grand peintre, il avait su à merveille saisir un art simple et profondément humain.

RÉALITÉ ET LE DÉSIR (La) [*La realidad y el deseo*]. Sous ce titre, l'écrivain espagnol Luis Cernuda (1902-1963) a réuni toute son œuvre poétique comprise entre 1924 et 1962. Elle se divise en onze recueils, correspondant aux différentes périodes créatrices de sa vie.

Dans *Premières Poésies* [*Primeras Poesias*, 1924-27], l'auteur expose ses sensations face à une nature qui lui fait découvrir sa propre existence. Tous les éléments sont bons pour créer une atmosphère pleine de « douceur indolente, de beauté fugitive, d'espace souriant ». Sans difficulté le poète participe de l'accord total que lui propose l'univers. Mais qu'il ne cherche pas à imposer sa présence, son corps à l'espace des choses ! Car aussitôt le monde redevient une « beauté déserte » et lui-même retrouve sa solitude, dont il ne s'évadera en bon Espagnol que par le rêve. Poèmes composés presque exclusivement de vers octosyllabiques ordonnés en quatrains, qui marquent l'influence du « romance » traditionnel de la lyrique castillane.

Avec *Une églogue, une élégie, une ode* [*Egloga - Elegia - Oda*, 1927-28], le poète aborde le problème de l'amour, encore tout imprégné d'insatisfaction romantique puisque l'aimée reste « adolescente, svelte, fugitive ». La nature garde ici tout son pouvoir et elle accompagne Cernuda dans sa plainte amoureuse pleine de « roses tendres, de rivières qui enchaînent puis libèrent ». L'homme lutte pour préserver un bonheur qui se cache, une présence qui lui apportera une « totale plénitude ». En même temps, las des contraintes, il aspire à libérer son corps des préjugés qui lui pèsent. Le poète adopte ici alternativement le quatrain à vers en décasyllabes ou le couplet de quatorze vers, dans sa volonté d'accorder la musicalité du poème à son inspiration. L'image et surtout la métaphore, employées en alternance avec l'expression la plus directement quotidienne, nous rappellent que Cernuda revendiquait son appartenance à la « génération de 1927 ».

Dans son troisième recueil *Un fleuve, un amour* [*Un río, un amor*, 1929], l'auteur élargit son champ d'inspiration car il a entendu l'appel de l'inconnu. Alors, tel un homme qui « cherche dans les chaumes des clefs fraîchement coupées », il invente l'Ouest lointain, l'automne en Virginie, le Sud aux légers paysages « endormis dans le vent ». L'inconnu, c'est encore le rêve qui l'entraîne loin d'une réalité encore marquée par les horreurs de la guerre. Que peut la jeunesse face à la « pire des choses » ? Nier l'évidence, se réfugier dans le sommeil ou le mensonge par crainte de « l'ombre du temps ». Le vers, lui aussi, trouve une dimension nouvelle ; la forme cessant d'être prisonnière d'une structure préétablie accompagne l'élan du poète en des vers qui, dans un même poème, peuvent aller de quatre à vingt syllabes. Cernuda, à l'exemple des modernistes, s'associe donc à la liberté totale de l'expression. — Trad. éd. Fata Morgana, 1985.

Dans le recueil suivant *Les Plaisirs interdits* [*Los placeres prohibidos*, 1931], il intercale d'ailleurs entre ses différents poèmes des passages en prose, où il dévoile ses cauchemars. On y retrouve l'influence surréaliste et l'« esperpento » à la manière de Valle-Inclán. Ces plaisirs interdits sont évoqués avec le désenchantement [desengaño] qui caractérise Cernuda pendant cette période. « C'est un bien triste bruit que celui de deux corps quand ils s'aiment », écrit-il. Le désir, pour lui, reste une question dont il ignorera toujours la réponse.

Avec *Là où vivra l'oubli* [*Donde habite el olvido*, 1932-33], le poète va plus avant encore dans cette incroyance, puisqu'il découvre qu'il ne demeure de l'amour que le « souvenir d'un oubli ». Pour exprimer cette détresse totale, l'auteur délaisse les fioritures modernistes et trouve un style d'une pureté et d'une simplicité totales, en accord avec une vérité découverte au prix de ses souffrances : « Ce n'est pas l'amour qui meurt. C'est nous qui mourons. » Et il associe dans une même ronde le plaisir, l'amour, le mensonge, baisers, poignards et naufrages sans que rien n'étouffe son cri, témoin d'une « réalité implacable ».

Pour lutter contre le désespoir, le poète va chercher une richesse nouvelle dans ses *Invocations* [*Invocaciones*, 1934-35] à différents personnages ou éléments de la nature. Refusant la solitude, il prétend éveiller le monde au moyen d'un vocabulaire poétique où le mot violent, l'expression chargée de la plus grande volupté contrastent avec la simplicité du recueil précédent. Il s'agit ici de dépasser une réalité morte, pour s'approprier un « monde fantôme » dont seul le poète peut faire résonner la mélodie promise.

La production des trois années suivantes (1937-1940), réunie sous le titre *Les Nuages* [*Las nubes*], offre un aspect nouveau du tempérament poétique de Cernuda. Celui-ci semble soudain prendre conscience de l'univers, non plus comme projection de sa sensibilité, mais dans son existence propre. Il aborde alors le problème de l'Espagne et de l'homme espagnol. « Écrire en Espagne, ce n'est pas pleurer, c'est mourir. » Et il dédie deux de ses poèmes, l'un à Larra, porte-drapeau des intellectuels de 98, l'autre à Lorca, supprimé parce qu'il représentait, dit-il, « un peu de verdure sur notre terre aride ». Par ailleurs, il recherche de manière toute personnelle la vérité sur l'existence de Dieu. Mais sa quête s'achève par un renoncement à toute croyance. L'homme moderne, selon lui, doit « être l'homme sans adorer aucun Dieu ».

Dans les poèmes écrits pendant la Seconde Guerre mondiale, *Comme celui qui attendait l'aube* [*Como quien espera el alba*, 1941-44], on retrouve cette préoccupation de la destinée humaine non plus individuelle mais sociale, face à un monde destructeur. « Crois-tu, demande-t-il, que les dieux assistent impassibles, du haut de leur gloire, aux actes du temps ? » Et les ruines qu'il décrit préfigurent les corps qui eux aussi « nourrissent l'herbe ». En même temps, le poète garde un contact étroit avec cette nature qui lui a fait découvrir la beauté. Contrastant avec l'emphase des chants qui célèbrent un monde futur libéré « des ténèbres et de l'horreur » apparaissent quelques poèmes, dont la forme légère et cadencée rappelle les « Chansons » de Lorca. La contemplation d'un jardin, d'une harpe, ou d'un après-midi « exempt de jouissances ou de peines » l'aide à supporter l'insoumission du réel à son idéal de poète.

Après sa longue incursion dans le domaine des lois et des actes, Cernuda retrouve avec *Vivre sans être vivant* [*Vivir sin estar viviendo*, 1944-49] ses thèmes d'élection : la jeunesse et l'amour. Comme Lorca et Alberti, il évoque l'enfant, le marin, l'ami, souvent perdu ou disparu. Et revient toujours l'obsession de la mort et de l'oubli qui accompagne les sentiments les plus durables. Mais, comparés aux misères de la guerre, les cimetières d'amour ne sont que des « souvenirs tranquilles de la vie ». Le recueil se termine par un long poème intitulé « César », dans lequel Cernuda invente un monde fantastique où il règne seul, et qui lui permet de juger de ses failles et de ses devoirs. La note finale est celle du « desengaño » typique : « Le sang n'accuse pas, le sang est le plus grand des bienfaits, nécessaire autant que l'eau l'est à la terre. »

L'avant-dernier recueil *Mes heures étant comptées* [*Con las horas contadas*, 1950-56] est fait tout entier de poèmes d'amour. Amour qui atteint son paroxysme dans le partage, et qui par là même souffrira de la moindre absence. « L'exil et la mort, pour moi, c'est là où tu n'es pas. » C'est à un amour presque exclusivement sensuel que s'attache Cernuda, un « enfer d'angoisse et de désir », provoqué par le corps aimé. Point n'est besoin ici de métaphores ou de symboles pour exprimer une vérité amoureuse essentielle : « Ta présence, et mon amour. Cela suffit. »

La Désolation de la chimère [*La desolación de la quimera*], titre qui réunit les derniers poèmes de Cernuda (1956-62), exprime à lui seul toute l'amertume d'un cœur vieillissant dont les désirs resteront désormais insatisfaits. Amertume causée aussi par l'incompréhension d'un pays qui l'a exilé, qu'il renie mais dont il continuera à perpétuer la langue et la culture : « Si je suis espagnol, je le reste à la manière de ceux qui ne peuvent être autre chose. » Poète, il se doit de prêter sa voix « aux bouches muettes des siens ». Et il puise un certain réconfort dans « ce petit nombre d'hommes » qui l'écoutent pleins d'espoir. Comme Antonio Machado, il reste l'ennemi de l'Espagne sur laquelle aujourd'hui « règne la canaille », pour se réfugier dans une image plus littéraire mais, selon lui, plus véridique de son pays : celle de Cervantès et de Galdos. En même temps qu'il réaffirme ses croyances : foi en l'œuvre qu'il a conçue, foi en toute création qui, par-delà les ombres, saura éterniser l'instant, même si « l'ignorance, l'indifférence, l'oubli » la recouvrent d'un voile que peu d'hommes chercheront à soulever. – Trad. Gallimard, 1969.

RÉALITÉ FIGURATIVE (La). Essai de l'historien d'art français Pierre Francastel (1900-1970) publié en 1965. *La Réalité figurative,* sous-titrée « Élements structurels de sociologie de l'art », est à la fois une réaction contre la tradition de Panofsky qui a voulu « substituer à l'iconologie rudimentaire d'un Mâle une iconographie savante » et le couronnement d'une œuvre théorique tout entière centrée sur le terrain social des expériences de l'artiste. À ce titre, on retrouve dans ce volume un prolongement des analyses sur « l'ordre visuel du Quattrocento » et la « naissance et la destruction d'un espace plastique de la Renaissance au cubisme ». Francastel lui-même y définit sa démarche comme une « sociologie historique comparative » : il faut cesser de considérer l'art comme un goût de luxe, de lui prêter un caractère de gratuité, pour y voir une « formation sociale » (cf. « Poussin et l'homme historique »). L'art n'étant pas seulement effet mais aussi cause, une sociologie de l'art est aussi riche en enseignements qu'une sociologie des institutions. D'où son souci d'introduire dans l'histoire de l'art une double approche : historique et critique pour analyser les œuvres, mais esthétique et sociologique lorsqu'il s'agit de porter sur elles un jugement, de les intégrer à notre culture. « Contrairement au langage, l'art ne vise pas à nommer des objets découpés dans le réel perçu [...] mais à fabriquer des objets figuratifs. » Il suppose la mise en ordre de notions, mais aussi la création d'ensembles matériels. C'est en ce sens, et en ce sens seulement, qu'il faut comprendre la notion de « langage figuratif » dont il importe de reconnaître l'existence pour aborder une étude sociologique de l'art. Ainsi, qu'il étudie les « cadres imaginaires de la figuration » ou la « fin de l'impressionnisme », Francastel ne manque jamais une occasion de rappeler que notre civilisation se trompe « lorsqu'elle pense que les arts lui fournissent un domaine de satisfactions imaginaires ». Mais aucun essai, sans doute, n'illustre mieux le fossé qui sépare les analyses de Francastel de l'« école allemande » que l'étude sur la *Primavera* : « Un mythe poétique et social du Quattrocento ». Récusant les définitions iconologiques par trop limitatives – néo-platonisme –, Francastel estime qu'il faut la lier aux spéculations d'un milieu en voie d'élaboration de ses croyances individuelles et de ses doctrines politiques, et singulièrement à la poésie de Laurent le Magnifique. Dans la dernière partie de l'ouvrage, sur le thème « formes et civilisations », Francastel élargit encore son propos dans des pages que l'on sent nourries de l'œuvre d'un Lucien Febvre : ainsi lorsqu'il examine le rôle personnel de saint François dans l'art italien ou « un mystère parisien illustré par Uccello : le miracle de l'hostie à Urbin ». Dans chacun des cas, l'art n'est pas simple illustration des croyances, mais la « manifestation d'une des aptitudes de l'homme à se créer en s'exprimant ».

P.-E. D.

RÉALITÉS FANTASTIQUES (Les). Contes de l'écrivain belge d'expression française Franz Hellens (pseud. de Frédéric Van Ermenghem, 1881-1972), publiés en 1923 dans la collection *Le Disque vert.* C'est particulièrement dans le conte que Hellens a su mêler le rêve et le réel, l'élan et l'immobilité pour bâtir un univers légendaire. Œuvre-clef dont le titre rappelle déjà les deux pôles autour desquels Franz Hellens fait graviter son univers romanesque avec des oscillations imperceptibles, tantôt allant vers la réalité, tantôt vers le surnaturel, *Les Réalités fantastiques,* au nombre de vingt-six, dont six « réalités de guerre », partent le plus souvent de l'enfance et du souvenir. Hellens y rassemble les traits essentiels de son art et atteint d'emblée à un équilibre fécond entre les ressources de l'imagination et les techniques de l'écriture qui lui permet de mêler presque organiquement le réalisme et le mystère que l'on retrouve à des degrés différents dans chacun de ses ouvrages – de les mêler au point que le lecteur ne devine jamais à quel endroit du récit il a glissé de l'un dans l'autre. C'est que, de chaque côté du mince écran qui les sépare, la vie même s'écoule avec ses enchantements et ses orages, ses songes et ses drames. Hellens opère cependant avec les moyens ordinaires du conteur, mais peu d'écrivains sont allés aussi loin que lui dans la découverte et la peinture des régions obscures de l'être. Le récit jaillit, dirait-on, plus pur de ce travail d'approfondissement dans la connaissance de l'homme, et le style se dépouille sans rien perdre de sa fraîcheur, comme si l'abandon de certaines beautés verbales se faisait au profit d'une admirable transparence de l'écriture.

RÉBECCA. Roman de l'écrivain anglais Daphné Du Maurier (1907-1989), paru en 1938. Pourquoi n'est-elle pas heureuse à Manderley, la jeune femme que Maxime de Winter a enlevée à Monte-Carlo, où elle était demoiselle de compagnie d'une vieille Américaine tyrannique et snob ? Elle possède maintenant un vaste domaine, une armée de domestiques et un mari qu'elle aime ; que pourrait-elle demander de plus ? Pourtant elle se sent mal à l'aise, étrangère. Peut-être est-ce la faute de Mrs. Danvers, la gouvernante, qui estime qu'elle a pris la place de « l'autre » ? Depuis leur retour, son mari, si affectueux, si gai en Italie, n'est plus le même et elle ne se sent pas tranquille. Une ombre accompagne ses moindres gestes, épie chacune de ses paroles et se dresse encore entre elle et son mari lorsqu'ils sont seuls. Elle en est sûre maintenant : Maxime aime encore Rébecca, sa première femme, et son nouveau mariage ne l'a pas consolé de l'avoir perdue. Mais le secret que porte Maxime de Winter est bien différent. Alors qu'ils passaient aux yeux du pays tout entier pour un couple si uni, alors que personne ne pouvait voir Rébecca sans l'adorer, il n'y avait entre eux que de la haine. Non, Rébecca ne s'est pas noyée en bateau par une nuit de tempête ainsi que tous l'ont cru, c'est Maxime qui l'a tuée. Mais Rébecca n'a pas gagné. Elle avait tout prévu, même sa propre mort, mais l'amour a été le plus fort. Maxime et sa jeune femme finiront par vaincre la mort et la peur, et, quand ils auront un peu oublié, ils pourront retourner à Manderley vivre paisiblement dans le cher domaine que Mrs. Danvers, l'ange noir de Rébecca, dans son désir de vengeance, n'a pas réussi à anéantir par le feu. — Trad. Albin Michel, 1939.

REBECCA ET ROWENA [*Rebecca and Rowena, a Romance upon Romance, by Mr. Michael Angelo Titmarsh*]. Suite burlesque de l'*Ivanhoé* (*) de Walter Scott, composée par l'écrivain anglais William Makepeace Thackeray (1811-1863), publiée en 1849. La parfaite Rowena est une compagne ennuyeuse pour *Ivanhoé*, qui regrette la tendresse et la générosité de la Juive Rebecca, laquelle est la véritable héroïne. Ivanhoé se rend à l'armée du roi Richard en France ; on croit qu'il a été tué au siège de Chalus, et Vamba, précipitamment, en rapporte la nouvelle à Rowena, qui bientôt épouse Athelstan avec lequel elle s'entend parfaitement. Ivanhoé, revenu de la campagne de France, trouve Rowena assaillie dans son château et Athelstan mort au cours de l'attaque. Rowena meurt, en faisant promettre à Ivanhoé qu'il n'épousera jamais une Juive. Après bien des péripéties, Ivanhoé, maintenant âgé, secourt Rebecca — qui est devenue chrétienne et est séquestrée par le vieil Isaac — et l'épouse. C'est la plus réussie des œuvres burlesques de Thackeray.

RÉCEPTE VÉRITABLE, par laquelle tous les hommes de France pourront apprendre à multiplier et à augmenter leurs thrésors. Traité du céramiste et écrivain français Bernard Palissy (vers 1510-1589), publié à La Rochelle en 1563. Deux personnages fictifs, « Demande » et « Réponse », discourent sur les possibilités humaines dans le travail et dans la science. La nature est un livre merveilleux où chacun peut lire et comprendre la parole divine. Tous les hommes peuvent faire fructifier les trésors de la terre par un emploi efficace des découvertes scientifiques, en exploitant les richesses naturelles d'une façon rationnelle et en imaginant de nouveaux systèmes toujours plus perfectionnés. Le travail unit les esprits divisés par les guerres civiles et les place en face de leurs responsabilités devant le monde. On peut tirer de la simple observation des lois de la nature, sans aucune complication de règles et de systèmes, une philosophie « nécessaire à tous les habitants de la terre » ; Bernard Palissy se révèle ici non seulement un artisan opiniâtre et un homme de science, mais aussi un clairvoyant observateur de la nature et de la société. Dans les pages qui suivent, d'une remarquable clarté d'exposition, l'auteur étudie le dessin d'un jardin et le plan d'une forteresse. La *Récepte véritable* tient une place importante dans la littérature française du XVIe siècle, en raison du ton moral sur lequel sont exposées les beautés de la nature. En une prose limpide, calquée sur les classiques, l'auteur exprime son admiration pour l'œuvre divine et parle aux hommes des découvertes merveilleuses, des déductions ingénieuses qu'un travail assidu peut suggérer à quiconque. Le traité fut réimprimé, en 1636, sous le titre : *Le Moyen de devenir riche* ; mais l'allusion aux trésors que le travail peut donner à tous les hommes, sans luttes intestines et autres iniquités, n'est qu'un point secondaire devant la vision admirable par laquelle l'écrivain transfigure son sujet, oublieux des guerres civiles qui devaient l'amener à finir sa vie à la Bastille. — Édition par Keith Cameron, Genève, Droz, 1988.

RECHERCHE DE LA BASE ET DU SOMMET. Œuvre du poète français René Char (1907-1988), publiée en 1955. Une nouvelle édition augmentée a paru en 1965, elle se divise en quatre parties : « Pauvreté et Privilège », « Alliés substantiels », « La Conversation souveraine » et *À une sérénité crispée* (*), dont c'est ici la deuxième version. « Pauvreté et Privilège » se compose de textes de circonstance : notes, lettres, « bandeaux », dont la plupart ont trait à l'actualité et se situent dans les parages des *Feuillets d'Hypnos* – v. *Fureur et Mystère* (*). Ainsi des « Billets à F. C. », de la « Note sur le maquis » ou des textes consacrés à deux jeunes martyrs de la Résistance : Roger Bernard et Dominique Corticchiato. Dans toutes ces pages, la voix est un peu sèche, un peu crispée, mais c'est par retenue, le poète ne parlant du présent que pour en extraire la fibre la plus serrée, la plus dure. En témoigne cette « Prière rogue » : « Gardez-nous la révolte, l'éclair, l'accord illusoire, un rire pour le trophée glissé des mains, même l'entier et long fardeau qui succède, dont la difficulté nous mène à une révolte nouvelle. Gardez-nous la primevère et le destin. »

« Alliés substantiels » rassemble des pages composées en hommage à des peintres ou artistes amis : Braque, Balthus, Brauner, Giacometti, Ghika, Jean Hugo, Lam, Miró, de Staël, Vieira da Silva, etc. Le commentaire tend ici à la formule, et le poète réussit souvent, en quelques mots, à traduire la qualité essentielle – le cristal qu'est devenue dans la mémoire la somme des regards ramenés du tableau. Par exemple : Braque (« Œuvre terrestre comme aucune autre et pourtant combien harcelée du frisson des alchimies ! ») ; Balthus (« L'œuvre de Balthus est verbe dans le trésor du silence ») ; Ghika (« Eupalinos anxieux ou enfant de pythie... ») ; Miró (« Sur la roue aiguisante du bonheur il est le semeur d'indemnités et d'étincelles ») ; Vieira da Silva (« Son sens du labyrinthe, sa magie des arêtes invitent aussi bien à un retour aux montagnes gardiennes qu'à un agrandissement en ordre de la ville, siège du pouvoir »).

« La Conversation souveraine » débute par une « Page d'ascendants pour l'an 1964 » dans laquelle Char caractérise en deux ou trois mots ses écrivains préférés, depuis Villon et Dante jusqu'à Reverdy et Éluard. Les autres passages de la « conversation » sont tantôt des poèmes, de brefs essais, des hommages, des « feuillets » parlant des écrivains amis ou admirés : Artaud, Blanchard, Camus, Crevel, Éluard, Héraclite, Hugo, Reverdy, Rimbaud, Sade, Saint-John Perse, etc. Le même souci de la formule distillant l'essentiel commande ces textes, où l'amitié brille aussi généreusement. Une ligne, souvent, suffit à tracer un portrait : Camus (« Sa sensibilité étrangement lui sert d'amorce et de bouclier, alors qu'il l'engage toute ») ; Crevel (« C'est l'homme, parmi ceux que j'ai connus, qui donnait le mieux et le plus vite l'or de sa nature ») ; Rimbaud (« Il n'a rien manqué à Rimbaud, probablement rien. Jusqu'à la dernière goutte de sang hurlé, et jusqu'au sel de la splendeur »). L'ensemble est couronné par « Impressions anciennes », notes jetées en marge des grands textes de Martin Heidegger et destinées à lui composer un « hommage de respect, de reconnaissance et d'affection ». De ces notes sur le poète, on retiendra la dernière : « Créer, s'exclure. Quel créateur ne meurt désespéré ? Mais est-on désespéré si l'on est déchiré ? Peut-être pas. »

RECHERCHE DE L'ABSOLU (La). Ce roman de l'écrivain français Honoré de Balzac (1799-1850) fut écrit de juin à septembre 1834, il fut dédié à « Madame Joséphine Delanoy, née Doumerc » ; dans le cadre de *La Comédie humaine* (*), il fait partie des « Études philosophiques ». C'est en effet un problème philosophique, ou plutôt un problème moral que Balzac soumet ici à l'attention de son lecteur : celui du génie pris entre ses recherches scientifiques et la ruine de sa famille, celui des droits de l'individu supérieurement doué au sein de la société. La scène se passe à Douai. La maison Claës, la plus vénérable, la plus authentiquement flamande de la ville, abrite une des familles les plus célèbres des Flandres et qui s'est illustrée dans la conquête de l'indépendance de son pays. Balthazar Claës, qui travailla dans le laboratoire de Lavoisier pendant sa jeunesse, a épousé en 1795 Joséphine de Temninck, jeune fille laide mais dont les qualités d'âme et de cœur l'ont séduit. Ils ont eu quatre enfants : Marguerite, Gabriel, Félicie et Jean. Le bonheur de la famille est complet jusqu'au jour où un mathématicien polonais, devenu soldat pour gagner sa vie, de passage à Douai, a une conversation décisive avec Balthazar, qu'il met au courant de ses précédentes recherches chimiques : il expose à Claës le point précis où il en est arrivé dans sa tentative de décomposer les corps simples afin de découvrir le principe, selon lui, unique de la matière. Après le départ de l'officier polonais, Claës sent se lever en lui une nouvelle vocation ; ses études de chimie devraient lui permettre de reprendre les travaux du savant au point où il les a laissés et de les conduire à leur résultat final. Une véritable fièvre s'empare alors du bourgeois flamand ; il passe des commandes fort coûteuses à un établissement qui vend des produits chimiques, se construit un laboratoire et s'y enferme avec son valet de chambre, Lemulquinier, qui, sans bien la comprendre, participe à la passion dévorante de son maître. Sa femme, ses enfants ne le voient presque plus. Le notaire de la maison, parent des Claës, informe Joséphine des dettes que commence à contracter son mari. La malheureuse femme ne réagit pas tout d'abord ; solitaire maintenant, elle souffre en silence de se voir préférer la science ; afin de mieux connaître sa rivale, elle, dont l'éducation fut très rudimentaire, se met à lire avec application des travaux scientifiques. C'est par là qu'elle reconquiert son mari qui la tenait à l'écart de ses expériences qu'il jugeait incompréhensibles pour elle. Il lui expose alors le but de ses recherches : il veut décomposer l'azote ; non seulement ses travaux lui procureront la gloire, mais ils feront la richesse de sa famille, car il pourra alors créer des diamants artificiels. La pauvre Joséphine est atterrée ; le fourneau du laboratoire est un gouffre où elle craint de voir s'engloutir non sa propre fortune, qu'elle sacrifierait bien volontiers, mais celle de ses enfants qu'elle a le devoir de préserver. Son mari, devant ses sages observations, lui promet de cesser ses recherches. Il tient parole pendant quelques mois, mais sa passion le reprend bien vite ; et un jour Joséphine voit de nouveau s'élever une fumée de la cheminée du laboratoire. Prise entre son amour pour son mari et ses devoirs envers ses enfants, Joséphine mène alors une vie épuisante, une lutte désespérée. Non seulement son mari se néglige, devient, avant l'âge, un vieillard et se désintéresse complètement de sa femme et de ses enfants, mais ses revenus ne suffisent pas à payer ses folles dépenses en instruments et en produits chimiques. Sa femme passe son temps à boucher les brèches que cet inconscient ne manque pas de faire au patrimoine familial ; bientôt, ce sont les œuvres d'art accumulées par des siècles de bonne bourgeoisie flamande qu'il faut vendre, il faut hypothéquer les maisons, les terres, qui appartiennent à la famille depuis des générations. Balthazar, lorsque sa femme le rappelle à l'ordre, passe de la colère à la supplication, il demande des délais que, naturellement, il ne peut respecter, pour en finir avec ses expériences, toujours il est sur le point d'arriver à la découverte qu'il poursuit depuis des années. Mme Claës est aidée dans sa lutte par Pierquin, le notaire, homme loyal mais intéressé et qui, par ambition, voudrait épouser Marguerite, la fille aînée des Claës, et par l'abbé de Solis, son confesseur. Celui-ci a un neveu, Emmanuel, tout dévoué à la famille. Entre lui et Marguerite s'ébauche une très tendre et très chaste idylle. Mme Claës, brisée par sa lutte et comprenant à quel point elle est inutile, meurt, tuée par la folie de son mari, qui ne se dérange même pas de son laboratoire quand on lui apprend que sa femme est à l'agonie. Incapable d'empêcher la ruine de sa maison, Mme Claës a réussi à mettre une certaine somme de côté et elle remet à Marguerite, à qui incombe désormais l'administration du ménage, une lettre qu'elle ne devra ouvrir que dans la plus grande détresse ; cette lettre lui indique le dépôt secret. Balthazar a reçu un tel choc de la mort de cette femme qu'il n'a pas cessé d'aimer, ses remords sont si vifs qu'il s'abstient pendant quelques mois de retourner à son laboratoire. Son inaction le fait cependant reprendre ses travaux, ses enfants n'étant pas une suffisante barrière pour l'empêcher de dilapider ce qui lui reste. Marguerite, prise entre l'amour filial et la nécessité absolue d'assurer l'avenir de ses frères et sœurs, tente de s'interposer. La situation devient telle qu'elle ouvre la lettre de sa mère et trouve ainsi le moyen de payer les dettes les plus criantes. Elle conserve encore une certaine somme ; avec l'aide d'Emmanuel de Solis, elle s'apprête à la dissimuler, lorsque son père survient. Au cours d'une scène, il tente de s'approprier cet argent : Marguerite reste inébranlable ; mais, surprenant son père sur le point de se suicider, elle la lui remet sous la promesse que, si cette somme est dilapidée sans résultat, il lui obéira en tout. Naturellement, les nouvelles expériences n'ont pas plus de succès. Aidée de ses amis et de son oncle, Marguerite procure à son père une recette en Bretagne, où il pourra se refaire financièrement, tandis que de petits travaux, auxquels il a bien fallu se résigner, assureront aux enfants tout juste de quoi vivre. Au bout de quatre ans, Balthazar revient au foyer, toutes ses économies ont disparu dans les expériences qu'il a faites avec l'aide de son âme damnée, Lemulquinier. Une grande fête de famille réunit trois nouveaux couples : Marguerite qui a enfin épousé Emmanuel ; sa sœur Félicie, mariée au notaire Pierquin ; Gabriel, son frère, qui, grâce aux privations de ses sœurs, est devenu ingénieur et a épousé une de ses cousines. Marguerite et son mari sont obligés de faire un long séjour en Espagne. Une lettre de Félicie les rappelle. Son père s'est enfermé dans la maison de famille, dont il interdit l'accès à ses enfants ; il a de nouveau fait des dettes considérables. Lorsque Marguerite retrouve Balthazar, ce n'est plus qu'une ombre qui se fait huer par les enfants dans la rue. Il meurt à la suite d'un incident pénible ; au milieu de son agonie, il a un geste de désespoir, il se redresse et crie : « Eurêka », puis il retombe sous le poids de ce secret qu'il emporte dans la tombe.

La grande force de ce roman tient avant tout dans l'évocation minutieuse du cadre et de la vie d'une grande famille bourgeoise des Flandres et dans l'analyse précise, lente, pleine de subtilité de la psychologie des personnages au cours de cette crise qui ne pourrait se terminer que par la ruine et la mort, si la prévoyance de Mme Claës, le courage de sa fille ne permettaient les renaissances successives de la maison Claës. Le personnage de Balthazar est d'une très grande importance non seulement en soi, mais parce qu'il est l'incarnation même, pour Balzac, du génie. Réincarnation de Bernard Palissy brûlant son mobilier pour faire ses découvertes, Claës est à tel point envoûté par son génie qu'il devient irresponsable, inconscient. Le génie, pour Balzac, est bien cette dépossession absolue de l'individu par lui-même, ce dévouement jusqu'à la mort à une idée ; c'est pour lui quelque chose de comparable à l'expérience mystique. Et par là, le personnage de Claës n'est pas sans avoir certains traits autobiographiques et même prophétiques ; Balzac lui aussi se consacrera exclusivement à son idée, et dans les dernières années ne vivra qu'avec elle et pour elle ; comme Claës il sera ruiné (ou plutôt il ne gagnera jamais d'argent), comme lui il mourra à la tâche. Claës se présente incontestablement, dans son œuvre, comme un modèle, un modèle redoutable certes, mais pour lequel il ne dissimule pas son admiration ; si Balzac ne s'est marié qu'à la fin de sa vie, s'il a renoncé à fonder un foyer, c'est justement pour éviter d'être gêné dans la réalisation de son œuvre comme son héros. La figure de Joséphine Claës est fort émouvante et sa lutte est admirablement décrite de bout en bout. Par contre, il y a quelque mièvrerie et quelque longueur dans l'évocation des amours de Marguerite et d'Emmanuel. Bien qu'on puisse se poser la question de la vraisemblance du sujet — est-il possible que toutes les ressources d'une famille flamande fort riche aient pu être englouties totalement pour des expériences de physique, en 1815-1825 ? —, *La Recherche de l'absolu* est un des romans les plus passionnants, les plus attachants de Balzac. Sans doute, elle ne fait pas partie intégrante de ce vaste tableau de la société qu'est avant tout *La Comédie humaine,* mais à travers une histoire, menée sans défaillance aucune, elle a le mérite de nous révéler quelques-unes des idées maîtresses si singulières de son auteur.

RECHERCHE DE LA CERTITUDE (La) [*The Quest for Certainty. A Study of the Relation of Knowledge and Action*]. Œuvre du philosophe américain John Dewey (1859-1952), publiée à Londres en 1929. L'homme vit dans un monde plein de risques et cherche à assurer sa tranquillité, soit grâce à l'action, soit grâce à l'émotion religieuse qui se dégage des rites propitiatoires et magiques. L'action donne naissance aux arts mécaniques et à la science de la nature ; mais même les arts pratiques, soumis aux aléas de l'insuccès, ne nous procurent pas la certitude. L'homme recherche donc la certitude dans le transcendant universel, éternel et immuable, dans l'Être, et c'est dans cette notion que les émotions rituelles et religieuses puisent leur confirmation théorique. Mais le développement des sciences naturelles ébranle la croyance en la métaphysique traditionnelle de l'Être, et fait naître l'idée d'une science pratique qui donnerait à l'homme un contrôle progressif sur les forces de la nature : les abstractions universelles sont peu à peu éliminées ; la science demeure et son rôle est d'interpréter des données expérimentales classées en catégories déterminées par leur utilité pratique. Cette révolution positiviste n'a pas encore atteint la science de l'homme et de la société, la science du bien (l'éthique et la sociologie) qui, moins évoluées que les sciences de la nature, en sont encore au stade où la psychologie n'est qu'une mythologie et la métaphysique une théologie. Ainsi l'éthique offre aux âmes d'élite un univers où s'évader, mais laisse le monde de la vie quotidienne en proie à l'anarchie des passions, à l'hypocrisie et au cynisme. Il faut que la révolution scientifique atteigne également l'éthique, que l'on fonde sur des bases empiriques une science de l'homme tel qu'il est et non tel qu'il devrait être, une science apte à apprendre, en pédagogie et en politique, comment améliorer les conditions du milieu où se forme l'homme et qui fasse finalement dépendre son destin d'un contrôle intelligent sur sa nature, semblable à celui qu'il peut exercer sur la nature du monde extérieur. *La Recherche de la certitude* est l'une des œuvres les plus marquantes de Dewey, car elle abonde en analyses subtiles et remarquables, et elle est fermement orientée : en elle, le pragmatisme de l'auteur s'épanouit en un humanisme moderne et viril, qui aboutit à un acte de foi dans les destinées de l'homme guidé par la raison humaine.

RECHERCHE DE LA VÉRITÉ (De la). Ouvrage capital du philosophe français Nicolas Malebranche (1638-1715), membre de la congrégation de l'Oratoire. Le premier tome parut en 1674, le deuxième en 1675, un troisième volume d'« Éclaircissements », la même année ; l'édition définitive en 1712. Partant du dualisme entre Dieu et le monde impliqué par la doctrine cartésienne, et de la tentative de Geulinex jetant les bases de l'« occasionnalisme » (Dieu étant la cause des idées dont nous ne sommes que la cause occasionnelle), Malebranche attribue à la substance corporelle les caractères de l'étendue, dont l'idée relève de Dieu ; il s'attache ensuite à expliquer comment nous atteignons en nous-même à la connaissance du réel, point demeuré obscur dans le système cartésien. L'occasionnalisme suppose l'intervention divine, mais par l'intermédiaire de notre intelligence : aussi, adoptant une argumentation rigoureusement systématique, l'auteur néglige-t-il l'importance des sens et de l'imagination, postulant principalement que la raison constitue le fondement de toute connaissance. L'homme voit tout en Dieu et celui-ci, loi suprême de l'univers, régit son œuvre et opère à travers lui dans le monde sensible. La pensée, qui par sa nature même est l'essence de l'âme, se révèle par deux éléments : un acte de volonté et un critère de jugement. Il ne faut en aucun cas disjoindre la volonté de la pensée, à l'instar de certains théoriciens, car ce serait contribuer à éliminer une source d'activité et de vie spirituelle. Même si l'on se borne à ne considérer que le domaine de la vie intellectuelle, il convient de considérer qu'un acte de volonté se pose comme un motif de pensée, sans quoi nulle volonté n'aurait de raison d'être. Contraint d'éliminer les distinctions inutiles, Malebranche affirme par ailleurs l'identité de principe de la vérité philosophique et de la vérité théologique : toutes deux concernent la nature et l'essence de Dieu ; il est donc impossible qu'il puisse exister entre elles des différences, sinon dans la façon de définir cette réalité suprême. Le caractère de la théodicée, ou science de Dieu, est établi à partir d'une définition purement logique, à savoir que l'idée d'infini ne peut être identique à celle de Dieu, être infini, éternel, parfait et absolu. Dans sa tentative de montrer les liens unissant cartésianisme et religion, prenant pour base de la nouvelle doctrine l'affirmation que la raison est la sagesse et le verbe de Dieu, et que la certitude de l'intelligence a plus de valeur que la foi, puisqu'elle peut accéder d'elle-même à une connaissance supérieure de la réalité, Malebranche entra en conflit avec les esprits majeurs de son époque, particulièrement en ce qui concerne le problème de la grâce. La raison qu'il postulait ne tenait aucun compte de la tradition et de l'autorité, et relevait moins encore d'une attitude mystique ou théologique. Aussi, se prévalant chacun d'une argumentation bien différente, Arnauld et Bossuet s'élevèrent-ils contre lui, parfois avec violence. Et cela du fait que l'auteur, dans son *Traité de la nature et de la grâce* (*) (1680) et dans ses *Entretiens sur la métaphysique et la religion* (1688), abordait une fois de plus le problème de la religion. Par la suite, revenant sur son attitude, en particulier avec le *Traité de l'amour de Dieu* (*) (1697), Malebranche se réconcilia avec Bossuet, en condamnant, comme lui, le quiétisme et en reconnaissant l'importance de la théologie dans le domaine spirituel. La pensée de Malebranche doit être rattachée, dans ce qu'elle a d'essentiel, au document le plus important qui ait marqué la crise du cartésianisme, à savoir la tentative faite par Spinoza dans son *Éthique* (*) de concilier naturellement la métaphysique et la physique.

RECHERCHE D'UNE PREMIÈRE VÉRITÉ (La). Œuvre du philosophe français Jules Lequier (1814-1862), publiée après la mort de l'auteur, par Renouvier, en 1865. Mais il s'agissait alors, sous le titre de *Fragments posthumes,* d'un petit nombre d'exemplaires qui ne furent pas mis dans le commerce, et la première édition vraiment publique de la *Recherche* est de 1924. Tous les fragments qui y prennent place ont sans doute été écrits, selon Renouvier qui fut l'ami de Lequier, entre 1852 et 1862, année de la mort accidentelle ou du suicide de l'auteur. Ils ont été regroupés d'après le plan que celui-ci avait conçu. Dans sa recherche de la vérité, Lequier introduit comme condition nécessaire de son entreprise, comme moyen « sine qua non » de la connaissance, la liberté. Il pense en effet que l'enchaînement de nos idées doit nous obéir à chaque instant ; il conçoit donc la pensée, qu'il ordonnera à son gré, comme l'exercice de sa propre liberté. Mais c'est cette liberté même, dès lors, la première, la plus profonde vérité. « C'est un acte de la liberté (penser et chercher la vérité) qui affirme la liberté. » Lequier n'a jamais séparé la méditation philosophique d'une sorte de mysticisme, et cette liberté, qu'il affirme être issue de ses conceptions religieuses, se produit sous le regard de Dieu. Si, « par son acte libre, l'homme introduit dans l'histoire du monde quelque chose qui ne peut plus désormais ne pas en faire partie », il est lui-même oublieux de cet acte, ignorant de ses conséquences, et Dieu seul est le témoin et le juge de la liberté des individus.

RECHERCHES DE LA FRANCE. C'est l'œuvre essentielle du grand humaniste français Étienne Pasquier (1529-1615) qu'il mit vingt-cinq ans à composer. Le premier livre des *Recherches* parut en 1560, le second en 1565, les autres livres s'échelonnèrent de cette date à la mort de Pasquier, mais ce ne fut qu'en 1621 qu'on donna les quatre-vingt-dix derniers chapitres. Dès la parution des premiers livres, les *Recherches* connurent un extraordinaire succès. Les contemporains virent en Pasquier le premier historien des institutions françaises, et cette vue a été confirmée par la postérité, malgré les réserves d'Augustin Thierry. Avant de commencer son grand travail, Pasquier avait publié *Le Monophile* (1554), qui annonce *L'Astrée* (*). Citons encore la publication, en 1564, des *Ordonnances générales d'amour*. Une place à part doit être faite à l'*Exhortation aux princes* [...] (1562), petit écrit politique, où, au nom de la tradition française, Pasquier condamne le calvinisme. Pour lui, la liberté de conscience est un grand mal dans un pays, mais on ne le guérira ni par les armes ni par la terreur, il faut donc se montrer tolérant, l'accepter comme un fait accompli et se borner à juguler les crimes de l'un comme de l'autre parti. Pasquier apparaît donc ici comme un esprit modéré, préoccupé avant tout du salut de la France et de la sauvegarde des individus. C'est aussi une œuvre patriotique que les *Recherches.* Jusqu'alors, les érudits s'étaient à peu près exclusivement intéressés aux Latins et aux Grecs. Il était temps qu'on entreprît l'histoire de notre pays. Tel est le but que se propose Étienne Pasquier et qu'il expose dans la dédicace du premier Livre, au cardinal de Lorraine, ami et protecteur des sciences et des lettres. Pasquier y exprime l'espoir de recueillir pour son œuvre non la gloire, mais le suffrage des honnêtes gens, qui lui seraient reconnaissants de « revancher la France contre l'injure des ans ». C'est jusqu'aux Gaulois qu'il remonte dans ses recherches sur les origines des institutions et de l'esprit français. Tout d'abord, il réhabilite nos ancêtres des accusations de légèreté portées contre eux par les historiens latins. L'inconstance des Gaulois cachait leur volonté permanente de se débarrasser de l'emprise romaine. Pasquier essaie de pénétrer dans les taillis enchevêtrés de l'histoire primitive de la France ; l'insuffisance des matériaux dont on pouvait disposer de son temps l'empêche d'aller bien loin dans ce sens. Il n'en est pas de même avec le sujet du second Livre : les origines des lois et institutions sous la monarchie du XVIe siècle. Là, Pasquier dispose de sources sûres et abondantes et il fait merveille. Ses études sur la décadence de la « Chambre des Comptes » ou l'histoire du « Grand Conseil » sont des modèles du genre. Toutefois la partie la plus digne d'intérêt de ce livre est l'étude suivie qu'il nous donne des progrès de l'autorité royale, depuis Hugues Capet jusqu'à Henri III. Enfin – et c'est là une heureuse innovation –, le livre se termine sur l'examen des rapports politiques des différents pays d'Europe avec la France. Le troisième Livre est tout entier consacré à un problème brûlant à l'époque, celui des affaires ecclésiastiques et plus particulièrement des rapports de la France avec la Curie romaine. Fidèle respectueux et attaché à Rome, Pasquier ne tolère cependant aucune intrusion du pouvoir spirituel dans les affaires intérieures de la France ; il exige qu'on rompe avec les préjugés, les superstitions, et demande au clergé de s'imposer non par de prétendus miracles et par l'exploitation de la crédulité populaire, mais par ses mœurs et par sa vertu. Le quatrième Livre est un des plus divertissants. Pasquier, au gré de son caprice, aborde l'histoire des vieilles coutumes et passe des ordonnances de Charlemagne et des ordalies à la célébration de la fête des rois de France et au jeu d'échecs. Ce livre contient également une analyse critique des fonctions publiques, à propos desquelles Pasquier condamne la vénalité des charges (avocat, il avait fait repousser devant le Parlement l'édit instituant la vénalité). Le cinquième Livre est purement historique ; on y trouve la relation des rivalités entre Frédégonde et Brunehaut, aux temps mérovingiens. C'est déjà un modèle de méthode historique critique. Le sixième Livre est consacré à l'histoire des pays étrangers envisagés dans leurs rapports avec le nôtre. Mais Pasquier mêle à ses recherches historiques toutes sortes de digressions, qui constituent peut-être la part la plus intéressante de l'œuvre. Ici, ce sont des aperçus fort originaux sur la littérature française et en particulier sur la poésie. Il y étudie l'origine de la rime, l'histoire des formes des vers, l'étymologie, les proverbes. Si son érudition paraît au XXe siècle assez peu rigoureuse, il n'en garde pas moins le mérite de la nouveauté et de la subtilité. Ses commentaires continuent aux Livres septième et huitième. À propos de *La Farce de maître Pathelin* (*), Pasquier définit les caractères de la bonne comédie ; cette bonne comédie, c'est la comédie de mœurs et de caractère dont il laisse pressentir qu'elle prendra peu à peu la place des *Moralités* (*) et des *Soties* (*). Il faut particulièrement signaler au Livre sixième le chapitre : « De la grande flotte de poètes que produisit le règne du roi Henri deuxième, et de la nouvelle forme de poésie par eux introduite », qui est une exposition pleine d'enthousiasme de la renaissance des lettres en France et spécialement des travaux de la Pléiade. Après la « belle guerre que l'on entreprit lors contre l'ignorance » parurent Ronsard et Du Bellay, puis tous ceux qui, « sous leurs enseignes, se firent enrôler » ; « vous eussiez dit que ce temps-là était du tout consacré aux muses ». Au Livre septième, Pasquier, à propos de l'éloge de Ronsard, reprend son hymne à la gloire des lettres françaises. Ronsard, dit-il, « en quelque espèce de poésie où il ait appliqué son esprit, en imitant les anciens il les a ou surmontés, ou pour le moins égalés : car, quant à tous les poètes qui ont écrit en leurs vulgaires (c'est-à-dire en langue vulgaire par opposition au latin), il n'a point son pareil ». Enfin le neuvième et dernier Livre est consacré aux universités françaises, et particulièrement à l'université de Paris. Pasquier en rapporte la création, en étudie le fonctionnement, les droits et privilèges.

Ce qui frappe le plus, lorsqu'on lit les *Recherches*, c'est la probité, le sérieux, la conscience de Pasquier. Non seulement il a réuni ici une documentation extrêmement importante pour l'époque, mais il a poli et repoli son ouvrage. L'absence de plan rigoureux donne à son œuvre, par la diversité des sujets et des tons, un charme de plus. Le style des *Recherches* est d'une grande variété, il est alerte et coloré, mais cette verve, cet entrain n'empêchent pas l'émotion de percer quand Pasquier, par exemple, en vient aux atrocités des guerres de Religion ou aux fautes des derniers Valois. S'il n'est pas exempt parfois du mauvais goût de l'époque, voire d'emphase et de brutalité, il est, pour le temps, le véritable modèle d'un style grave sans artifice, naturel sans négligences, d'une saine et verte solidité.

RECHERCHES EXPÉRIMENTALES SUR L'ÉLECTRICITÉ [*Experimental Researches on Electricity*]. Mémoires scientifiques du savant anglais Michael Faraday (1791-1867), publiés en trente séries dans les *Philosophical Transactions* de Londres, entre 1831 et 1855, et réunis aussitôt en volumes (The Electrician ; vol. I, 1839 ; vol. II, 1844 ; vol. III, 1855). La liste de ces Mémoires figure dans le premier volume du *Dictionnaire bio-bibliographique des sciences exactes* de Poggendorff (Leipzig, 1863). Il existe des traductions française et allemande de ces Mémoires, qui sont par ailleurs résumés dans tous les traités d'électricité et dans les livres d'histoire de la physique. Ils relatent des recherches fondamentales en matière d'électrostatique, d'électrodynamique, d'électrotechnique, d'optique magnétique, de diamagnétisme et de paramagnétisme. Il suffira de rappeler, pour souligner l'importance de ces recherches, la découverte des courants induits et toutes les expériences pour la démonstration de la première loi de l'induction électrodynamique ; l'étude des effets d'induction dus au magnétisme terrestre, des phénomènes d'auto-induction ; l'obtention de courant continu au moyen de l'induction ; l'explication par un effet d'induction des phénomènes qui étaient alors appelés « magnétisme de rotation » ; les lois de l'électrolyse (dont la première, en particulier, est due exclusivement à Faraday) ; la découverte de la variation de capacité des condensateurs suivant la nature du diélectrique ; les expériences qui ont conservé son nom, du puits et de la cage de Faraday ; la découverte, à laquelle l'auteur était particulièrement attaché, de la polarisation rotatoire magnétique, et celles, non moins importantes, sur les décharges dans les gaz raréfiés. Dans ces Mémoires, Faraday introduisit des mots nouveaux qui appartiennent aujourd'hui à un vocabulaire universel : électrolyse, électrolyte, électrode, ion, anode, cathode, équivalent électrochimique. Les recherches de Faraday sont uniquement expérimentales et ne s'accompagnent pas de mathématiques. Le grand physicien et mathématicien que fut Maxwell, qui continua et développa l'œuvre de Faraday dans le sens théorique, disait justement que dans ces écrits ne manquait que la forme, mais non l'esprit mathématique. Mais le charme impérissable de ses *Recherches* vient très précisément du génie de l'expérimentation qui les anime.

RECHERCHES GÉNÉRALES SUR LES DOCUMENTS [*Wen-sien t'ong-k'ao*]. C'est l'encyclopédie chinoise la plus connue en Europe, grâce aux études faites par des sinologues européens qui avaient recours à elle. Cette œuvre comprend trois cent quarante-huit livres et a coûté vingt ans de travail au lettré Ma Touan-lin (1254-1325), qui a pris pour modèle le *Traité général de politique* (*) de Tou Yo (732-812) et qui a fait des recherches extraordinairement poussées. Il s'est attaché à différents sujets : histoire, philosophie, religion, littérature, musique, examens de l'État, commerce, ethnographie concernant les peuples étrangers, recensement, astronomie, etc. L'ensemble passe en revue vingt-quatre branches de la culture, pour une période d'histoire qui va des origines jusqu'au milieu du XIIIe siècle. En 1586, Wang Ts'i a continué l'œuvre en faisant une compilation intitulée *Siu Wen Tsien T'ong K'ao.* En 1747, l'empereur Ts'ien Long ordonna une révision de l'œuvre de Wang Ts'i ; vint-cinq ans plus tard, on publia une nouvelle édition en deux cent cinquante-deux livres. Par la suite, le même empereur reprit encore une fois l'encyclopédie qui s'étend, historiquement, jusqu'au XVIIIe siècle : ce fut alors le *Ts'ing-ting Houang-tch'ao* [*Édition de la dynastie impériale du Wen-sien t'ong-k'ao*] en deux cent soixante-six livres. Les trois œuvres sont désignées sous le titre de *San T'ong K'ao* [*Les Trois Ouvrages généraux*]. — Consulter J. Klaproth, *Notice de l'Encyclopédie littéraire de Ma Touan-lin, intitulée Wen-hsien toung-khao,* Paris, 1832.

RECHERCHES LOGIQUES [*Logische Untersuchungen*]. Ouvrage du philosophe allemand Edmund Husserl (1859-1938), paru en deux éditions sensiblement différentes, la première en 1900-1901, la seconde en 1913. Le problème que se propose Husserl est de trouver un fondement rigoureux à l'autonomie de la pensée mathématique en particulier et de la pensée logique en général. La première partie contient une critique serrée de la conception positiviste, qui considère la logique comme un ensemble de règles empiriques applicables aux processus effectifs du raisonnement ou comme la description de ceux-ci. Cette conception implique, selon l'auteur, un relativisme sceptique et, par conséquent, elle se détruit elle-même. Aussi bien reprenant l'essentiel de *La Doctrine de la science* (*) de Bolzano, l'auteur lui oppose l'idée d'une logique pure, comme doctrine des rapports absolus existant entre les contenus des actes psychologiques de la pensée. La seconde partie est celle qui a été le plus profondément remaniée dans la seconde édition. Dans la première édition, il s'agissait, selon la définition de l'auteur, de « recherches psychologiques descriptives », d'après la méthode de Brentano, et aussi, en partie, d'après Dilthey ; mais entre 1900 et 1912 Husserl perfectionna sa méthode et se rendit compte qu'elle impliquait un antipsychologisme foncier, non seulement en matière de logique pure, mais aussi de gnoséologie ; c'est pourquoi dans sa seconde édition il définit ses recherches comme « phénoménologiques », et il les adapta à sa nouvelle conception. Ces recherches visent surtout à établir une nouvelle théorie de l'idéalité du concept, indépendamment de toute métaphysique à tendance réaliste ou de tout nominalisme qui serait incapable de rendre compte de l'existence d'un rapport entre la pensée logique et l'expérience. Les actes de la pensée sont caractérisés par l'« intentionnalité », qui est une certaine manière de « viser » l'objet ; certains d'entre eux se « remplissent » de leur objet, c'est-à-dire qu'ils arrivent à le posséder entièrement et ne nous renvoient pas à un autre ; d'autres au contraire le « signifient », c'est-à-dire représentent l'unité idéale, et pour ainsi dire la fin intérieure d'une série d'actes intentionnels. Ces significations, dans lesquelles consistent, d'après Husserl, les idées et les concepts, sont purement symboliques, mais ne sont pas pour autant de simples signes, de simples moyens conventionnels de communication et de représentation : ils renvoient à des actes (qui peuvent même s'avérer impossibles) de vérification, c'est-à-dire d'expérience directe. À l'appui de cette conception, Husserl développe une nouvelle théorie de l'universel : ce dernier n'est ni une réalité qui existe indépendamment de l'expérience dans laquelle elle se réalise, ni la simple résultante abstraite d'expériences toutes semblables. Il est au contraire l'unité idéale des actes d'expérience, on l'appréhende par une intuition directe que dans ses œuvres suivantes Husserl nommera l'« intuition des essences » ; et d'ailleurs il n'est pas abstrait, car ce qui est abstrait, c'est la partie séparée du tout, et l'universel est un tout. Dans le dernier volume de la seconde partie, ajouté à la seconde édition, l'auteur essaie de construire une théorie de la connaissance sur la base des idées qui précèdent et qu'on retrouvera plus développées et plus rigoureuses dans ses autres ouvrages, des *Idées directrices pour une phénoménologie* (*) aux *Méditations cartésiennes* (*). L'intentionnalité, c'est-à-dire le pouvoir propre à l'acte de conscience de viser l'objet, fait que la vérité est considérée comme une « adéquation », c'est-à-dire comme une évidence, présence complète de l'objet à la conscience. D'où la conception de la vérité comme intuition et la possibilité pour la phénoménologie de distinguer diverses sortes d'intuition selon les diverses formes de l'intentionnalité. Ainsi on peut définir l'« intuition catégorielle » dont le répondant objectif n'est pas un moment « réel », mais une forme pure, qui n'est pas cependant un nom. Cette intuition catégorielle est aussi celle des faits a priori de la pensée : d'où la possibilité d'une logique pure dans le cadre d'un intuitionnisme rationaliste comme celui que Husserl élabora à partir de 1913. Les *Recherches logiques*, dont le plus grand mérite réside dans la critique radicale du psychologisme, de ses postulats implicites et de ses résultats, sont à juste titre considérées comme un des fondements de la phénoménologie. Leur lecture s'impose à quiconque désire se rendre compte de la méthode husserlienne et suivre de près l'effort admirable entrepris par l'auteur pour affranchir la philosophie aussi bien de la métaphysique que des autres branches du savoir, et pour en faire une science rigoureuse. Cependant elles sont loin d'être l'œuvre la plus parfaite de Husserl et il faut bien se garder de considérer comme définitives les idées qu'il y exprime. Elles sont aussi l'une de celles où l'on distingue le mieux les limites de la méthode phénoménologique : la conception de la vérité comme « adaequatio » et le mythe des données immédiates, notamment, n'y ont pas la solidité qu'ils trouveront par la suite chez Husserl lui-même et chez les phénoménologues contemporains.

RECHERCHES PHILOSOPHIQUES. Œuvre du philosophe anglais d'origine autrichienne Ludwig Wittgenstein (1889-1951). Publiées à titre posthume, en 1953, sous le titre : *Philosophische Untersuchungen,* fâcheusement traduit en français par : « Investigations philosophiques », les *Recherches* représentent, après le *Tractatus* (*), le deuxième ouvrage majeur de Wittgenstein, celui où s'exprime ce que l'on a pris l'habitude d'appeler sa « seconde philosophie ».

Quoique publiée à titre posthume, deux ans après la mort de l'auteur, il s'agit d'une œuvre qui était partiellement prête pour l'édition ; en tout cas, l'une des œuvres les plus originales et les plus novatrices de la philosophie du XXe siècle. Les remarques qui la composent appartiennent à des carnets que Wittgenstein commença à rédiger dans les années 1936, sur la base d'une révision du *Cahier brun* [*Brown Book*] de 1934-1935. Des périodes d'interruption en marquèrent la rédaction, suivies de diverses reprises et additions en 1939, à partir de 1944 et jusqu'en 1949. Au total, les versions qui virent ainsi le jour datent de la période durant laquelle Wittgenstein se détourna de la conception du langage qui avait été la sienne dans le *Tractatus.* On soutient parfois qu'entre le premier livre de Wittgenstein et les *Recherches* il n'existe pas de véritable discontinuité ; les deux ouvrages n'en sont pas moins profondément différents, que ce soit par les orientations philosophiques qui s'y dessinent ou par leur style, ces deux aspects étant au demeurant étroitement liés. Pour l'essentiel, Wittgenstein y abandonne la conception qui faisait du langage, formellement, une image de la réalité. Du coup, sa pensée s'affranchit du paradigme qu'elle partageait, quelle qu'en fût l'originalité, avec les philosophies de la « représentation ». Aux présupposés qui étaient primitivement ceux du *Tractatus,* les *Recherches* substituent une approche dont la notion de « jeu de langage » fournit l'axe majeur, tout en prenant congé du modèle d'une dualité de principe entre le langage et le monde, et d'une mystérieuse correspondance entre les deux. Dans le *Tractatus,* les analyses de Wittgenstein trouvaient dans le langage, et dans la « proposition », leur principal point d'ancrage ; du point de vue de l'organisation de l'ouvrage, Wittgenstein y développait une pensée qui, comme il le suggérera plus tard, aurait exigé que chacun des axes retenus fût développé. De son propre aveu, plus de quinze ans après, les *Recherches* s'emploient à redresser ce qu'il en vint à tenir pour une erreur ; mais en même temps la question du langage y est reprise sous l'éclairage d'une réflexion qui privilégie l'« usage », l'attention aux « différences » et l'appartenance de nos pratiques symboliques à une « forme de vie ».

Tel qu'il a été édité par les exécuteurs testamentaires de Wittgenstein, l'ouvrage se compose toutefois de deux parties relativement hétérogènes. La première est centrée sur les notions de « jeu de langage », de « règle » et de « grammaticalité » : Wittgenstein s'y livre à une recherche qui, en explorant nos usages langagiers au moyen d'une description des jeux de langage, vise à cerner la nature des conditions, à la fois langagières et non langagières, qui entrent dans la compréhension d'une expression. Cette exploration conduit Wittgenstein à montrer dans ce qu'il nomme la « grammaire » de nos expressions, c'est-à-dire dans la structure des possibilités qui sont liées à son usage, sans fondement objectif présumé, la source de la compréhension et de l'objectivation du langage. En même temps, cette orientation qualifie la nature des enjeux auxquels la philosophie doit faire face : les « nœuds » qui se forment dans le langage, en particulier sous l'effet d'un « régime unilatéral », ainsi que les « crampes mentales » qui en sont issues en constituent l'objet privilégié.

Pour une grande part, la seconde partie des *Recherches* se détourne d'une description des jeux de langage proprement dits, pour se consacrer à une analyse de la vision, ou plus exactement de l'« emploi du mot voir ». Les réflexions qui y sont développées trouvent dans l'exemple du « lapin-canard » (celui d'un dessin que l'on peut alternativement voir comme une tête de lapin ou comme une tête de canard) une illustration représentative de la nature des questions abordées. Ses analyses se nourrissent notamment de suggestions issues des premiers travaux des « psychologues de la forme » [Gestalt] ; elles débouchent, plus profondément, sur une thématisation originale de la notion d'« aspect ». Dans l'évolution de Wittgenstein, les réflexions qui appartiennent à cette seconde partie des *Recherches* correspondent à un intérêt pour les questions de philosophie de la psychologie qui voit initialement le jour à partir des années 40 et se développe dans les années 50, c'est-à-dire au cours des dernières années de sa vie. En ce sens, il y a bien un « trou » entre la première et la deuxième partie des *Recherches philosophiques,* mais il s'agit d'un trou que les *Fiches* [*Zettel*] établies par Wittgenstein entre les deux périodes d'élaboration étaient probablement destinées à boucher. D'autre part, les interrogations qui concernent l'« aspect », dans la seconde partie, restent solidaires d'une problématique des jeux de langage.

Quelle qu'en soit l'inspiration ou l'orientation spécifique, les deux parties du livre appartiennent à un style d'analyse qui abandonne tout point de vue normatif sur le langage et qui, ainsi, en renouvelle l'approche. L'usage que fait Wittgenstein de la notion de « jeu de langage », dès les premières remarques des *Recherches,* permet tout à fait d'apprécier à quel point il accorde de l'importance au contexte de l'énonciation, et dans quelle mesure la tâche du philosophe, à ses yeux, consiste bien en un travail de « description ». Il ne saurait être question, en ce sens, de « fonder » le langage, la science ou quoi que ce soit. La grammaire n'a pas besoin d'être fondée ; elle est son propre fondement, et le seul but que puisse se proposer le philosophe consiste à clarifier l'usage de nos expressions, en particulier celles qui sont source de confusions conceptuelles ou de perplexité philosophique. L'effort que cela suppose est destiné à atteindre une « vue d'ensemble » [übersichtliche Darstellung] de nos expressions. Cette recherche d'une vision « synoptique » ne peut s'accomplir qu'à travers une pratique exploratoire des ressources « grammaticales » de notre langage, de nos usages et des « possibilités » auxquelles nos blocages, ou nos seules habitudes mentales, nous empêchent de penser. Considérée sous ce jour, la philosophie s'apparente à une thérapeutique dont le bénéfice devrait être de « cesser de penser » lorsque nous le voulons. Car, pour Wittgenstein, un problème philosophique a la forme d'un : « Je ne m'y retrouve pas », et l'activité philosophique a pour objectif de faire rentrer les choses dans l'ordre en dissipant les confusions qui nous ont égarés.

Dans la philosophie contemporaine, les notions que Wittgenstein a forgées à cette fin ont connu une fortune diverse. La notion de jeu de langage, par exemple, a parfois été associée à un privilège philosophique de l'arbitraire, ou à l'idée d'une autonomie du langage tendant à en occulter son appartenance à une « forme de vie ». Le lien que Wittgenstein établit expressément entre le langage et l'ensemble complexe des pratiques propres à une communauté humaine concrète et agissante devrait pourtant permettre de mesurer à sa juste valeur le genre de « nécessité » qui appartient en propre au jeu de la règle lorsque celui-ci plonge ses racines dans des « conventions » qui, pour être arbitraires — et parce qu'elles sont « communes » —, n'en appartiennent pas moins à ce qui est « naturel » pour l'homme, et donc, en un sens, à sa nature.

Mais les perspectives sur lesquelles s'ouvrent ainsi les *Recherches* ne doivent pas être considérées comme une « théorie » particulière qui serait celle de la « philosophie » de Wittgenstein. Comme le philosophe du *Tractatus,* bien que ce soit de manière différente, le « second » Wittgenstein ne se propose nullement de défendre quelque thèse que ce soit. Bien au contraire, à ses yeux, une tentative de ce genre représente exactement le type d'obsession dont le philosophe doit prendre congé. Les *Recherches philosophiques* ont incontestablement exercé une forte influence sur un large courant de la philosophie analytique anglo-saxonne. Les travaux d'Austin, par exemple, et la philosophie des actes de langage lui doivent leur inspiration. Il n'en va pas différemment d'un large secteur de la « philosophie du langage ordinaire ». Wittgenstein, pour sa part, refusait catégoriquement l'idée qu'un philosophe comme lui pût avoir des disciples. Les tendances qui annonçaient, de son vivant, le développement d'une « philosophie du langage » lui paraissaient tout à fait étrangères à l'idée qu'il se faisait de la philosophie, et il est probable qu'il aurait refusé de se reconnaître, pour une large part, dans l'héritage qui lui est ordinairement attribué. — Trad. Gallimard, 1961 (sous le titre *Investigations philosophiques*) ; 1965 *(Le Cahier brun).* J.-P. C.

RECHERCHES PHILOSOPHIQUES SUR LE DROIT DE PROPRIÉTÉ ET SUR LE VOL, considérés dans la nature et dans la société. Œuvre de l'homme politique et journaliste français Jacques Pierre Brissot de Warville (1754-1793), publiée en 1780. Le droit de propriété se fonde sur le principe naturel de la destruction réciproque des êtres vivants, qui est une condition indispensable à leur conservation : « La faculté de détruire un autre corps pour se conserver lui-même. » Ce droit qu'engendre la nécessité est un droit universel, commun aux hommes, aux animaux et aux plantes. Il s'ensuit que celui qui est dans le besoin a le droit de prendre à celui qui possède plus que le nécessaire. Si le besoin est réciproque, cela devient une question d'équilibre, qui met en action des forces contraires. Cette prise de possession est un droit naturel et, comme tel, ne peut pas être aboli par des lois. Pourtant, si dans la société certains possèdent alors que d'autres ne possèdent pas, « le voleur dans l'état de nature est le riche, celui qui a du superflu ; dans la société, le voleur est celui qui dérobe à ce riche ». Autrement dit, « protégeons la propriété civile ; mais ne disons pas qu'elle a son fondement dans la nature ». L'auteur s'indigne que l'on appelle voleur celui qui dépouille le riche. En conclusion, il se contente de demander des peines plus douces pour les voleurs. Cet ouvrage n'a d'autre mérite que sa hardiesse tout à la fois brutale et paradoxale. Tout ce qu'on en peut retenir, c'est la définition de la propriété. Elle est bien de Brissot et non pas de Proudhon, encore que ce dernier en ait donné une définition plus précise du point de vue économique — v. *Qu'est-ce que la propriété ?* (*).

RECHERCHES PHILOSOPHIQUES SUR L'ESSENCE DE LA LIBERTÉ [*Philosophische Untersuchungen über das Wesen der menschlichen Freiheit und die damit zusammenhangenden Gegenstände*]. Ouvrage du philosophe allemand Friedrich Wilhelm Joseph von Schelling (1775-1854), publié en 1809, à une époque où l'auteur tendait à adopter une position antirationaliste. Après avoir refusé la thèse selon laquelle liberté et système seraient contradictoires, alors qu'il n'y a pas de liberté individuelle, sinon en relation avec un tout, Schelling en arrive à définir le rapport entre liberté et nécessité. À l'encontre de Friedrich Schlegel, il exclut qu'un système de la raison absolue, ou panthéisme, puisse impliquer le fatalisme : la dépendance par rapport à Dieu des êtres qui lui sont immanents n'exclut en rien leur autonomie, et même leur liberté ; Dieu n'est pas le Dieu des morts, mais des vivants. Si dans le système de Spinoza la liberté est impossible, ceci ne relève pas du panthéisme, mais de la rigidité de son réalisme. Or Schelling se propose de fondre réalisme et idéalisme et d'étendre l'idée de liberté, encore trop vide et trop formelle dans l'idéalisme de Kant et de Fichte, à l'univers tout entier, en posant, selon la terminologie de Fichte, non seulement que le moi est tout, mais que tout est moi. Le problème de la liberté n'a de sens que s'il est posé sur des bases réalistes, autrement dit en concevant le liberté comme un choix entre le bien et le mal. C'est donc sur l'origine du mal que porte le premier problème, lequel ne peut être résolu ni par le dualisme, « système du suicide de la raison », ni par l'émanatisme, qui décrit, sans les expliquer, les phases de l'éloignement des êtres du bien vers le mal. La solution du problème n'est possible qu'en adoptant les principes d'une philosophie de la nature, d'un « réalisme vivant », pensant Dieu non comme le scolastique « Actus purissimus », mais bien plutôt comme un Dieu ayant en soi la dualité puissance-acte. Le fondement de l'existence est le Dieu potentiel, le Dieu qui est désir (« Sehnsucht ») inconscient de s'engendrer lui-même ; vouloir qui, n'étant pas encore intelligent et, partant, autonome, n'est pas universel mais individuel. À l'opposé, le Dieu qui est autre est vouloir universel. Du premier vouloir est issu l'élément naturel, du second l'élément spirituel : éléments que l'on retrouve chez tous les êtres, jusque chez l'homme, dans lequel cependant l'harmonie peut être rompue entre esprit et nature, en tant qu'effort morbide du vouloir individuel contre le vouloir universel ; la possibilité du mal ne consiste pas dans le fait que le fini existe, mais dans cette prétention du fini à vouloir se détacher du tout. Jusque-là, la « possibilité » du mal, sa « réalité », est expliquée par un recours à un principe « historique » positif. La nécessité que le bien se réalisât rendit le mal indispensable, ce dernier devenant ainsi un fondement originel de l'existence. De là l'universelle nécessité du péché et de la mort, que l'homme doit traverser pour se purifier. Schelling aborde alors le problème proprement dit de la liberté, et en affirmant que, si l'être rationnel est libre, il faut que la détermination de sa volonté jaillisse de son essence intime, concilie l'exigence de la spontanéité avec celle de la nécessité. Mais, si l'homme choisit le mal, c'est par un acte qui lui est propre, en tant qu'être intelligible, acte qui transcende le temps : il s'agit donc d'une sorte de prédestination qui, selon Schelling, n'exclut pas la responsabilité. Reste alors à mettre en rapport le mal et Dieu. Dieu, pour Schelling, est un Dieu vivant, en ce sens qu'il se fait lui-même, à partir d'un fond indifférencié, « Urgrund », par un dédoublement : nature et esprit. Ce dédoublement a pour signification et pour fin de rendre possible, dans la lutte du bien contre le mal, la révélation de Dieu comme vivante et entière personnalité, à telle enseigne qu'à la fin le bien triomphera complètement du mal, qui sera détruit, c'est-à-dire démontré comme irréel. Cette œuvre, qui doit beaucoup à Böhme et au Kant de la deuxième *Critique* et du « mal radical » — v. *La Religion dans les limites de la simple raison* (*) —, a exercé une certaine influence sur la pensée ultérieure, même sur des adversaires comme Hegel et Schopenhauer. – Trad. Rieder, 1926 ; Payot, 1977; et dans *La Liberté humaine et controverses avec Eschenmayer*, Vrin, 1988.

RECHERCHES SUR LA NATURE ET LES CAUSES DE LA RICHESSE DES NATIONS [*An Inquiry into the Nature and Causes of the Wealth of Nations*]. Œuvre en cinq volumes de l'économiste écossais Adam Smith (1723-1790), principal théoricien de l'école libérale, publiée à Londres en 1776. On y trouve rassemblées toutes les théories économiques de l'époque, que l'auteur a enrichies et ordonnées selon un critère unique : l'autonomie de l'activité économique (qui a pour base l'intérêt individuel) par rapport à l'activité morale (fondée sur la sympathie). L'homme, qui a presque toujours besoin de ses semblables, fait en vain appel à leur seule bienveillance. Ce n'est pas de la bienveillance du boucher, du brasseur ou du boulanger que nous attendons notre repas, mais du soin qu'ils ont de leur intérêt. Indépendants l'un de l'autre, l'économique et le moral ne sont cependant pas opposés. Partant de ces prémisses, Smith construit son système : dépassant nettement la position des physiocrates, il voit dans le travail, plutôt que dans la nature, la source des produits qu'une nation consomme chaque année. Une productivité accrue dépend de la division du travail, c'est-à-dire de la répartition du processus de production d'un objet en plusieurs étapes, dont chacune emploie un ouvrier différent. Le régime de la division du travail est fondé sur l'échange (l'un fabriquant des chapeaux, l'autre des chaussures, l'autre encore du pain) ; celle-ci, en se généralisant, engendre la monnaie, grâce à laquelle chacun peut se procurer ce dont il a besoin. D'où le problème de la « valeur », au sujet de laquelle Smith, tout en établissant une nette distinction entre « valeur d'usage » (utilité d'un bien pour celui qui le possède) et « valeur d'échange » (le pouvoir qu'un bien confère de s'en procurer d'autres), confond l'utilité abstraite avec la valeur concrète, et fait dépendre le « prix réel » d'un bien tantôt de la quantité de travail nécessaire pour se le procurer, tantôt de l'économie de travail que représente sa possession, tantôt encore de la quantité de travail que cette possession permet d'imposer aux autres. Toutefois, d'après Smith, le « travail » seul, ayant une valeur invariable, représente l'unité de mesure réelle et dernière, par rapport à laquelle la valeur de toute chose en tout temps et en tout lieu peut être comparée et estimée. C'est la théorie de la valeur-travail qui prendra tant d'importance aussi bien chez les libéraux que chez les socialistes. Les éléments constitutifs du prix réel des choses sont, d'après Smith, le salaire du travail, l'intérêt du capital, la rente du sol. Ce « prix naturel » est le centre autour duquel oscille continuellement le prix du marché, selon les variations de l'offre et de la demande. Antimercantiliste et partisan de la liberté du commerce, Smith réfute la théorie qui prétend identifier la richesse à la quantité de monnaie en circulation, ainsi que son corollaire, la théorie de la balance commerciale. On ne saurait cependant la qualifier de physiocrate, bien que des physiocrates il accepte le principe du « laissez faire, laissez passer ». Esprit critique et vigoureux, il a été le premier à considérer l'économie comme une science indépendante, séparée de la morale, sans toutefois les opposer l'une à l'autre. Son tort principal a été d'avoir manqué de perspicacité envers l'avenir et, à une époque où la Grande-Bretagne commençait sa grande révolution industrielle, d'avoir prêché à ses concitoyens le retour à la terre. – Trad. Guillaumin, 1888 ; Gallimard, 1976.

RECHERCHES SUR LA NATURE ET LES FONCTIONS DU LANGAGE. Ouvrage du philosophe français Brice Parain (1897-1971), publié en 1942, thèse de doctorat de l'auteur. Parain présente une approche purement philosophique des problèmes du langage, à un moment où les travaux de la linguistique moderne étaient pratiquement ignorés en France. Il lie très étroitement les problèmes philosophiques que pose le langage au problème de la connaissance : ce que l'homme dit du monde, le pouvoir et les limites de son discours sont inséparables du pouvoir et des limites de la connaissance elle-même. C'est pourquoi toute philosophie de la connaissance comporte, même à titre implicite, une théorie du langage, et Parain va s'efforcer d'expliciter cette théorie chez les grands philosophes, de Socrate à Hegel, en examinant en particulier Platon, Aristote, Descartes, Pascal, Leibniz. Le langage pose à la connaissance la question de son commencement. À travers l'histoire de la philosophie, Parain dégage une opposition entre deux conceptions du langage : d'une part, Platon et Descartes, de l'autre, Aristote, Pascal, Leibniz, Hegel. Platon et Descartes posent, dans les vérités mathématiques en particulier, une antériorité et une extériorité du discours rationnel par rapport au sujet parlant. Aristote, Pascal, Leibniz exprimeront une attitude contraire, que Hegel explicitera pleinement : « Tout objet de notre pensée est un produit de notre activité et n'a de réalité que dans cette activité et relativement à elle. » Derrière cette opposition qui traverse toute l'histoire de la philosophie, Parain voit se profiler une autre question, qui a trait à la condition humaine elle-même : est-ce l'homme qui règle le langage, ou au contraire le langage règle-t-il l'homme ? Un des traits les plus remarquables de l'ouvrage de Parain est de relier toujours, pour éclairer ce problème, des exemples tirés de la vie la plus quotidienne, la plus humble, aux considérations les plus abstraites : en effet, pour lui, dès qu'il y a langage, dès qu'il y a dénomination ou constatation, apparaît un pouvoir régulateur, parfois transgressé ou déformé dans l'erreur ou le mensonge, mais toujours et en même temps inévitablement posé et affirmé. Le va-et-vient entre langages philosophique, mathématique, poétique, scientifique, quotidien procède chez Parain de la volonté de remonter à ce point initial où le langage s'éprouve comme pouvoir, avant de se déterminer comme expression : « L'étonnement initial, et par suite aussi le doute initial qui est à l'origine de toute découverte, ne porte pas sur le cours des choses, mais sur leur expression. » Cependant le langage n'est pas seulement pouvoir créateur et novateur ; à travers les mensonges, les erreurs, les malentendus, les à-peu-près, se manifeste en lui une double rupture : rupture entre nous et la représentation de nous que donnent nos paroles, et rupture entre nos paroles et nos sensations. De là le scepticisme à l'égard du langage, l'aspiration au silence. L'insatisfaction à l'égard du langage, l'incertitude qu'engendrent ses insuffisances conduisent à relativiser le langage, à en faire une simple expression de l'homme, attitude que Parain appelle « expressionnisme ». On trouve l'amorce de cette tendance chez Aristote, elle a été développée chez Pascal, Leibniz et Hegel. Hegel tire sa loi dialectique du « contraste qui résulte [...] de la confrontation de l'inexprimable et de l'inexprimé. Car il conserve toujours, en face de l'universel qui est le plus vrai et qui réfute l'impression, une menace réciproque de réfutation venant de l'inexprimable ». Si Parain refuse pour sa part cet expressionnisme, c'est que rien d'extérieur à l'homme n'y garantit la vérité de son langage, et que pour l'auteur le langage n'est pas un pouvoir originel de l'homme, mais au contraire est donné à l'homme comme une ouverture à un ordre qui le dépasse, à une transcendance (qui est pour Parain celle du Dieu chrétien). Le langage n'exprime pas l'individuel mais l'universel, l'homme, même quand il parle de lui, parle en même temps d'autre chose. On ne peut séparer le langage de son mouvement vers ce qui est à la fois connaissance et loi. À travers le langage et le principe de non-contradiction se révèle le pouvoir contraignant de la vérité, d'un ordre aussi rigoureux que la nécessité physique. Cet ouvrage met très fortement en lumière les implications, sur le plan du langage, du courant philosophique qui fait d'une rationalité antérieure et extérieure à l'homme la garantie de la vérité à laquelle il peut atteindre.

RECHERCHES SUR LES GAZ de Gay-Lussac. Les *Mémoires sur les gaz,* qui forment la branche la plus importante des recherches du chimiste et physicien français Louis Gay-Lussac (1778-1850), sont dispersés dans les *Annales de chimie et de physique* et les *Comptes rendus.* Gay-Lussac ne publia aucun de ses ouvrages en volume, sauf les *Recherches physico-chimiques faites sur la pile, sur la préparation chimique et les propriétés du potassium et du sodium..., sur l'analyse végétale et animale,* etc. (1811), dues à la collaboration de Thénard. Ses cours à la faculté de sciences (1827) et au Muséum (1828) furent publiés posthumes. L'un des premiers et l'un des plus célèbres de ses écrits est le *Mémoire sur la combinaison des substances gazeuses les unes avec les autres,* publié en 1808 dans les *Mémoires de physique et de chimie de la Société d'Arcueil* : l'auteur y établit sa « loi des volumes » qui eut une importance capitale pour le développement de la théorie atomique au début du siècle dernier. Trois ans auparavant (1805), Gay-Lussac avait observé, avec Humboldt, que deux volumes d'hydrogène s'unissent constamment à un seul volume d'oxygène dans la formation de l'eau. Il remarque maintenant que l'on observe des rapports volumétriques simples dans les combinaisons les plus diverses de gaz, ainsi que dans la formation de deux volumes d'acide carbonique, en partant de deux volumes d'oxyde et un volume d'oxygène, et dans les combinaisons de l'hydrogène avec le chlore, de l'ammoniaque avec l'acide chlorhydrique, etc. Gay-Lussac se servit des recherches volumétriques de Dalton, de Davy, de Vauquelin, qui avaient effectué des déterminations précises, sans toutefois découvrir la loi. Gay-Lussac l'énonce en affirmant que, dans les combinaisons de gaz, les volumes des gaz composants présentent entre eux et avec le volume du composé des rapports exprimés par des nombres simples. En 1811, le physicien italien Avogadro, pour donner une base théorique à cette découverte, émit l'hypothèse que des volumes égaux de gaz, dans des conditions identiques de pression et de température, contiennent le même nombre de molécules (*Journal de physique,* LXXIII, juillet 1811) ; il exprima en outre l'idée que toutes les molécules devaient être formées de deux ou plusieurs atomes. Tout cela n'attira qu'assez peu l'attention jusqu'à ce que Berzelius en signalât l'importance en tant que confirmation de la théorie atomique et en déduisît, par exemple, la constitution atomique de l'eau telle qu'elle est encore admise aujourd'hui, et les poids atomiques de l'oxygène et de l'hydrogène. L'autre loi très importante qui porte le nom de Gay-Lussac (tous les gaz se dilatent d'égale façon suivant un coefficient constant) remonte à 1802. Volta et Lambert avaient déjà observé la même loi pour l'air, et, peu après, Charles, en un mémoire inédit, mais utilisé par Gay-Lussac, avait étendu la loi à d'autres gaz (oxygène, azote, hydrogène, anhydride carbonique) entre zéro et 100°. Gay-Lussac attribua au coefficient constant la valeur 1/366,66, valeur confirmée par la suite par Biot, Dalton et d'autres. Rudberg donna plus tard une valeur plus exacte (0,36465 pour 100°) ; enfin Magnus et Regnault arrivèrent à préciser ultérieurement la valeur avec 0,3665 pour l'air et des coefficients voisins pour les autres gaz ; ils établirent d'autre part que les gaz présentent un coefficient plus élevé au voisinage de leur point de liquéfaction. Parmi les plus importants Mémoires de Gay-Lussac, il faut mentionner : *Recherches et déterminations numériques relatives à l'hygromètre ; Observations sur la formation des vapeurs dans le vide et sur leur mélange avec les gaz ; Indications relatives à la construction et à la graduation des thermomètres ; Notes sur la densité des vapeurs d'eau, d'alcool et d'éther.*

RECHERCHES SUR LES HYBRIDES DES PLANTES [*Versuche über Pflanzenhybriden*]. Mémoire du botaniste autrichien Gregor Mendel (1822-1884), paru dans les publications de la société de recherches de Brünn Verhandlungen des Naturforschender Vereins in Brünn (IV, 1865), réédité en 1903, avec d'autres écrits sur l'hybridation, dont celui intitulé *Sur quelques hybrides des Hieracium obtenus par fécondation artificielle* [*Ueber einige aus künstlicher Befruchtung gewonnene Hieracium Bastarde*] avait paru dans le volume VIII, 1869, des actes de cette même Société. Ces mémoires, qui décrivent les résultats des recherches effectuées par le naturaliste sur les phénomènes de l'hérédité chez les pois, constituent le point de départ de la génétique moderne. Après avoir croisé des pois de lignée pure à graine jaune et en avoir examiné la descendance, Mendel énonce les deux lois suivantes : 1) La première génération qui suit le croisement entre individus de lignée pure, différents par des caractères constants, est constituée d'individus qui présentent tous le caractère d'un des parents — dans ce cas, la graine jaune — appelé caractère dominant (Ire loi de la dominance). — 2) En fécondant entre eux les hybrides de la première génération, on obtient une seconde génération où les trois quarts des individus présentent le caractère dominant et un quart l'autre caractère — ici le pois vert — appelé caractère récessif (IIe loi de Mendel ou loi de la disjonction). Croisant ensuite des pois à graine verte et ridée avec des pois à graine jaune et lisse, on remarque que les deux caractères sont hérités indépendamment l'un de l'autre (IIIe loi de Mendel ou loi de l'indépendance des caractères). Mendel interprète ces résultats comme étant dus à la combinaison de particules élémentaires, transmissibles d'une génération à l'autre, auxquelles il attribuait la valeur de véhicules des caractères héréditaires. Les lois de Mendel restèrent ignorées jusqu'en 1900, année où trois botanistes, De Vries, Correns et Tschermak, les redécouvrirent en même temps. On les vérifia depuis dans les espèces animales et végétales les plus diverses et elles furent adoptées comme lois générales de la génétique. Aujourd'hui, on les formule d'une manière légèrement différente de celle choisie par Mendel, car le poids représente à certains égards (par exemple par la dominance d'un caractère sur l'autre) un cas particulier. Il n'en est pas moins vrai que sans cette découverte la génétique n'aurait pas vu le jour. La méthode que Mendel adopta pour ses recherches est des plus rigoureuses et elle sert encore aujourd'hui de modèle à celles que les savants continuent d'effectuer dans ce domaine.

RECHERCHES SUR LES OSSEMENTS FOSSILES DE QUADRUPÈDES. Cet ouvrage du naturaliste français Georges Cuvier (1769-1832), publié tout d'abord en 1812, puis en 1821-1824, est considéré comme l'un des plus importants de l'illustre savant. Dans une introduction qui fut publiée séparément sous le titre « Discours sur les révolutions du Globe », l'auteur expose les résultats obtenus en appliquant aux ossements fossiles la méthode sur laquelle il avait fondé ses recherches d'anatomie comparée. Les gisements fossiles du Bassin parisien lui fournirent d'abondants matériaux. Le mérite de Cuvier consiste en une application rigoureuse et raisonnée du « principe de corrélation des formes ». Ayant établi, par exemple, que la forme des ongles est en corrélation avec la forme de l'appareil masticatoire, il devient possible de reconstruire (et par conséquent de classifier) un organisme complet, en partant d'un petit nombre de restes fragmentaires. Cuvier fit accomplir à la paléontologie des progrès décisifs et l'on peut presque dire que cette science est née de ses recherches. Il soutint cependant quelques idées qui furent abandonnées par la suite : sa théorie des cataclysmes, ainsi que celle relative à la fixité de l'espèce. La première considère que la suite des cataclysmes survenus dans l'histoire de la Terre (hypothèse qui forme l'objet d'un autre ouvrage de l'auteur) est responsable de la disparition de nombreuses formes d'êtres vivants. La deuxième, comme le dit son énoncé, exclut toute transformation de l'espèce et dérive d'une interprétation littérale de la doctrine du créationnisme. Ces deux théories ont été remplacées plus tard par la conception d'une lente évolution ne présentant point de solution de continuité, sinon dans des phénomènes isolés. Le dessin historique de la succession des faunes disparues tracé par Cuvier est également assez différent de celui présenté et défendu aujourd'hui par les paléontologistes.

RECHERCHES SUR LES PRINCIPES DE LA MORALE [*An Inquiry concerning the Principles of Morals*]. Enquête sur les principes constitutifs de l'acte moral, du philosophe écossais David Hume (1711-1776). Cette œuvre est une vulgarisation de la seconde et de la troisième partie du fameux *Traité de la nature humaine* (*), de l'auteur. Les *Recherches* furent publiées en 1751. David Hume met tout de suite en évidence le caractère constitutif et spécifique de chaque action que l'on dit vertueuse : c'est d'être utile et agréable aux autres ou à nous-même. Il en conclut que le fondement du bien est l'utile, et, puisqu'il s'agit le plus souvent de l'agrément d'autrui, que la morale de l'égoïsme est fausse. Ici, Hume s'apparente à l'école de Shaftesbury et de Hutcheson — v. *Recherches sur l'origine de nos idées de beauté et de vertu* (*) —, qui font du bien l'objet d'un goût plutôt que de la raison, et le fondent en dernière analyse sur le sentiment. Pour autant que la raison entre dans les décisions morales, il reste que ce n'est pas elle qui produit le caractère blâmable ou louable de l'action ; son rôle est simplement de distinguer le vrai du faux. Ce n'est pas de l'idée universelle de bien et de mal ni de l'examen des faits qu'on pourra jamais déduire la qualification de « bon » ou de « mauvais ». Certes, ils découlent de la réaction du sujet, du sentiment de plaisir ou de douleur qu'une action cause. Mais tout plaisir n'est pas « bon » et toute douleur n'est pas « mauvaise » : et nous disons morales des actions qui sont utiles, non à nous, mais à d'autres qui les accomplissent ou en profitent. Comment le plaisir et l'intérêt d'autrui peuvent-ils être agréables au spectateur, cela s'explique par la « sympathie », qui est un fait indéniable. Sans la sympathie l'homme resterait enfermé dans son propre intérêt, et il n'y aurait pas de morale. Autant le *Traité de la nature humaine* était lent et parfois aride, autant, dans cette *Recherche*, Hume domine son sujet et ses moyens d'expression. Mais le *Traité* reste une œuvre plus riche en problèmes et plus profonde. — Trad. Wilson (Londres, 1788) ; Aubier, 1947.

RECHERCHES SUR L'ORIGINE DE NOS IDÉES DE BEAUTÉ ET DE VERTU [*An Inquiry into the Original of our Ideas of Beauty and Virtue*]. Œuvre fondamentale du philosophe anglais Francis Hutcheson (1694-1746), publiée à Londres en 1725. Hutcheson se propose de combattre Hobbes et Mandeville, qui nient l'existence d'une morale fixe et innée, et il reprend les idées de Shaftesbury. Celui-ci, à la suite de Platon et des stoïciens, identifie le bien et le beau, et en affirme l'idée éternelle. Vulgarisant et systématisant cette conception, Hutcheson retourne à l'empirisme traditionnel de la pensée anglaise, et parle non plus d'un bien et d'un beau idéal, mais d'un sens, semblable à nos sens naturels, grâce auquel nous connaissons immédiatement le bien et le beau. Dieu nous a dotés d'un tel sens, pour que nous ayons le sentiment immédiat du bien, et pour que la vertu soit aimable, les actions « bonnes » étant pourvues de beauté morale. Il y a une beauté originale et une beauté dérivée ou relative : celle qui n'existe que par analogie avec des objets immédiatement, originellement beaux. La qualité qui rend un objet immédiatement beau, c'est l'unité dans la variété. La beauté des œuvres d'art est seulement dérivée. Elle consiste avant tout dans la conformité de l'œuvre et du modèle. Le sens du beau est universel, il est dans la nature de l'homme. Mais il y a d'autres sens profonds, et notamment le sens moral, par lequel nous percevons la bonté inhérente à certaines actions. Oui, la vertu, la beauté sont des qualités objectives, réellement existantes dans l'objet ou l'acte. Aussi bien le point de vue personnel ne compte guère. La vertu est proportionnelle au bien fait aux autres, elle résulte donc à la fois de l'intention de faire le bien et de la capacité de le faire. Tout cela suppose, certes, que la tendance à vouloir le bien d'autrui, et le sien propre, soit innée dans l'homme. Les accidents qui troublent cette tendance seront expliqués par Hutcheson comme il expliquerait les défauts du sens esthétique. — Trad. Amsterdam, 1749 ; Vrin, 1992.

RECHUTE (La) ou la Vertu en danger [*The Relapse, or Virtue in Danger*]. Comédie de l'architecte et auteur dramatique anglais sir John Vanbrugh (1664-1726), jouée en 1696 à Londres. C'est la suite de *La Dernière Ressource de l'amour* [*Love's Last Shift,* 1696] de Colley Cibber, avec les mêmes personnages. Il y a une double intrigue et les deux trames ont un lien très ténu. Loveless, libertin repenti qui vit à la campagne avec sa femme, Amande, doit aller à Londres et il est victime d'une « rechute » du fait de la belle veuve sans scrupule, Berinthie. Worthy, ancien amant de Berinthie, la persuade d'accepter l'amour de Loveless et de révéler à Amande l'infidélité de son mari, avec l'espoir de séduire Amande. Mais celle-ci, bien qu'attristée de l'infidélité de son mari, lui demeure fidèle. L'autre intrigue nous montre sir Novelty Fashion, parfait homme du monde qui a depuis peu acquis le titre de lord Foppington, sur le point d'épouser Mlle Hoyden, fille de sir Tunbelly Clumsey, gentilhomme campagnard : mais ni le père ni la fille ne l'ont jamais vu. Le frère cadet de Foppington, Young Fashion, qui a besoin d'argent, se tourne vers Novelty ; et, quand son frère lui oppose un refus, il décide, pour se venger, d'aller à la campagne, à la maison des Clumsey, de se faire passer pour Novelty et d'épouser Mlle Hoyden. Les fiançailles sont célébrées, mais sir Tunbelly s'oppose à ce que le mariage soit célébré avant une semaine. Young Fashion corrompt le curé et fait célébrer un mariage secret, car il craint que l'on ne découvre la supercherie. Et lorsque survient Novelty, il est traité d'imposteur jusqu'au moment où il est reconnu par un voisin. Young Fashion s'enfuit ; Mlle Hoyden et le curé décident de ne pas parler du mariage secret, et un nouveau mariage est célébré. Mais, à Londres, Young Fashion démontre ce que l'on pourrait appeler sa priorité : Hoyden est sa femme. Une adaptation de cette comédie fut faite par Sheridan sous le titre *Un voyage à Scarborough* [*A Trip to Scarborough,* 1777]. La partie la plus importante est celle qui a l'allure d'une farce ; le type le mieux réussi est celui de Novelty Fashion. Sans doute la double intrigue compromet-elle gravement l'équilibre de la pièce, mais ce qui en fait la valeur, ce sont les trois personnages de lord Foppington, de sir Clumsey et de Mlle Hoyden. Leur excentricité, leur humour, parfois même un peu grossier, la vivacité du dialogue quand ils y prennent part, le jeu des vanités et des prétentions donnent naissance à ce qui fut appelé par Whibley un ridicule surhumain et extrêmement divertissant, animé par un esprit vivant aujourd'hui encore.

RÉCIT DE LA CONQUÊTE DU PÉROU [*Verdadera relación de la conquista del Perú*]. Cet ouvrage espagnol comprend deux relations, respectivement écrites en 1532 et 1534, avec l'approbation de François Pizarre (env. 1475-1541) par deux de ses secrétaires, Francisco Jerez et Pedro Sancho. La première, qui est aussi la plus importante [*La conquista del Perú, llamada la nueva Castilla*, Séville, 1534], relate l'expédition de Pizarre parti, comme tant d'autres aventuriers de son temps, à la conquête de l'or dans les terres d'Amérique récemment découvertes. Ébloui par la fortune prodigieuse de Cortés, Pizarre, en association avec deux autres hommes décidés, Diego Almagro et l'ecclésiastique Fernando Deluque, constitua une société ayant pour but de découvrir et de conquérir les pays d'Amérique du Sud (côte du Pacifique) susceptibles de fournir le précieux métal. Entre 1525 et 1530, Pizarre et Almagro accomplissent divers voyages d'exploration et, parvenus au 9° latitude sud, acquièrent la certitude qu'ils sont aux portes du fabuleux empire des Incas. Pizarre repart alors pour l'Espagne, obtient de Charles Quint la fameuse « Capitulación de Toledo », qui lui confère les pouvoirs les plus étendus sur les terres qu'il aura conquises et le titre de capitaine général et gouverneur du Pérou. De retour à Panamá, l'aventurier frète trois navires (1531), aborde à l'île de la Pugna (Équateur), et met aussitôt les indigènes en déroute. C'est ensuite la prise de Tumbez et la fondation, un peu plus au sud, d'une première colonie espagnole que le conquérant baptise San Miguel. Avec moins de deux cents soldats, il pénètre au cœur de l'empire où règne le chef des Incas, Atabaliba (appelé aussi Atahualpa) ; puis, ayant adressé à ce roi d'amicaux messages dans lesquels il se disait l'apôtre pacifique d'une religion nouvelle, il réussit à pénétrer dans la cité de Cajamarca. Mais Atabaliba réside dans les environs avec quarante mille hommes. Alors Pizarre, sous un prétexte fallacieux, l'attire dans la ville et, soudain, passe à l'attaque. Ce coup d'audace réussit : l'armée ennemie, bien que fort aguerrie, est vaincue par la surprise. Quant au roi, une énorme quantité d'or est exigée pour sa rançon, et partout les temples, les palais sont mis à sac. L'or ainsi amassé, qui se montait à environ un million trois cent vingt-six mille pesos d'or fin, fut fondu et distribué à chacun selon ses mérites (un cinquième fut envoyé à l'empereur). Pizarre, enfin, se débarrassa d'Atabaliba – converti, cependant, à la foi chrétienne – en le faisant assassiner sous prétexte qu'il aurait conspiré contre les Espagnols. La seconde relation se rapporte à la révolte des indigènes lorsqu'ils apprirent la mort de leur souverain – révolte promptement matée, d'ailleurs : Pizarre, après avoir livré quelques combats, marche directement sur Cuzco, la capitale, la met au pillage et y fonde une colonie espagnole. Les deux relations, écrites avec grâce, sont pleines de détails sur le pays, les habitants et leurs coutumes. Mais, le récit s'interrompant à la date de 1534, il ne peut y être question des dissentiments qui devaient surgir entre Almagro et Pizarre. Ce dernier, en fin de compte, tua son compagnon et tomba à son tour sous les coups du fils de sa victime. L'entreprise de Pizarre est, avec celle de Cortés, la plus importante de ces expéditions qui, dans la première moitié du XVIe siècle, avaient pour objet – dans un but exclusivement commercial – la conquête et l'exploitation du Nouveau Monde.

RÉCIT DE MON ENFANCE [*Povest o detstve*]. Autobiographie de l'écrivain soviétique Fedor Gladkov (1883-1958), publiée en 1949. Fils de paysans pauvres, Gladkov a passé son enfance dans un village de la Russie centrale, puis, ayant perdu son père, il a travaillé dès l'âge de onze ans aux Pêcheries de la Caspienne. Bien qu'il fût autodidacte, sa vocation littéraire s'est déclarée alors qu'il était encore très jeune et, encouragé par Gorki, il a commencé à écrire dès le début du siècle. Dans son récit autobiographique, le tableau qu'il nous fait de l'état des campagnes russes dans les années 1880 est extrêmement sombre. L'abolition du servage n'avait guère amélioré le sort des paysans, qui avaient reçu en partage des terres médiocres pour lesquelles ils devaient payer des redevances à l'État, de sorte qu'ils s'endettaient de plus en plus et finissaient par retomber dans la servitude. Dans les relations entre paysans régnait en outre une grande brutalité, les plus forts, eux-mêmes excédés d'humiliations, se vengeant sur les plus faibles. La famille de l'auteur, qui compte neuf « âmes », est parquée dans l'unique pièce de l'isba. Le grand-père, vieillard têtu et rusé, règne en maître absolu sur tous les siens : femme, fils, brus, petits-enfants. À la moindre désobéissance, les coups pleuvent sur le coupable, qui n'ose même pas protester. Jadis enjouée et heureuse de vivre, la mère de l'écrivain, qui avait été mariée à quinze ans, est ainsi terrorisée par son beau-père et finit par contracter une maladie nerveuse. Gladkov a gardé de son enfance le souvenir de brefs instants de bonheur ; intelligent et sensible, il goûtait la poésie de la neige, des veillées nocturnes que les vieillards animaient de leurs récits et les jeunes de leurs chants. De temps à autre, des incidents dramatiques venaient rompre la monotonie des travaux et des jours. Gladkov nous raconte, par exemple, comment l'inspecteur des contributions, ne pouvant obtenir des paysans affamés le versement des redevances, se payait en leur enlevant leur unique vache et jusqu'à leurs misérables hardes ; ou bien il nous montre les brimades policières auxquelles étaient en butte les membres de la secte dissidente des Vieux-Croyants, parvenant à soustraire aux perquisitions leurs icônes et leurs livres de piété menacés de destruction. À la fin du récit, nous assistons à une véritable révolte paysanne : ayant appris que le « barine » a décidé de vendre ses terres au koulak, les paysans essaient en vain de s'opposer à la vente : « Ne sont-elles pas à nous, ces terres que nos ancêtres et nous-mêmes avons arrosées de notre sueur ? » La révolte est écrasée par la police et les meneurs arrêtés et déportés en Sibérie. « Durant mes années d'enfance, j'ai appris à connaître la souffrance, et pas seulement à cause des coups que je recevais ; toute la vie m'apparaissait comme une longue suite d'iniquités... Il faut parler de ces jours terribles. Il faut en parler, parce que tous les vestiges de ce passé cruel ne sont pas encore détruits... » Cette autobiographie, dont la composition est très lâche, rappelle, par sa sincérité, sa force évocatrice et son réalisme impitoyable, *Enfance* (*) de Gorki dont Gladkov a d'ailleurs subi l'influence. — Trad. Éditeurs français réunis, 1958.

RÉCIT D'UN AVEUGLE (Le) [*Mômoku monogatari*]. Roman publié en 1931, de l'écrivain japonais Tanizaki Jun-ichirô (1886-1965). En l'an 1620 environ, dans une auberge d'étape, un vieux masseur aveugle fait à un voyageur anonyme, qui est censé prendre note de ses propos, le récit de ses années de jeunesse, vécues dans l'ombre de la dame Ô-Ichi, sœur cadette de l'illustre chef de guerre Oda Nobunaga. En apparence, ce n'est que l'histoire de cette dame, à peine romancée, et transmise par le seul homme admis, en raison de son infirmité et de ses fonctions — masseur et musicien, maître de chant et bouffon — dans l'intimité du gynécée. Mariée par son frère en 1568, pour consolider une trêve, au seigneur Asai Nagamasa, elle en aura cinq enfants, mais les hostilités reprendront bientôt entre le frère et le mari, pour se terminer par l'incendie du château de ce dernier et sa mort en 1573. Fidèle à la promesse faite à son ennemi à la veille de l'assaut final, Nobunaga accueille dans son camp sa femme et ses trois filles, mais fait impitoyablement exécuter par son lieutenant Hideyoshi les enfants mâles, vengeurs en puissance de leur père. Ô-Ichi s'enfermera dans un veuvage farouche pendant dix années, jusqu'à la mort de son frère. Courtisée par Hideyoshi et par Shibata Katsuie, elle agrée enfin les hommages de ce dernier, qu'elle suit dans son château de Kitano-shô. Bientôt les deux hommes s'affrontent, et cette fois elle périra dans le château en flammes avec son second époux, malgré les tentatives désespérées de Hideyoshi pour la sauver. Seules échapperont les trois filles, l'aînée Chacha sur les épaules de l'aveugle que le vainqueur voudra maintenir à leur service. Mais, devant l'hostilité qu'elles lui témoignent, il les quittera. Chacha épousera Hideyoshi : connue dans l'histoire sous le nom de la Dame de Yodo, elle périra en 1615, comme sa mère, dans un château en flammes, avec son fils Hideyori ; la cadette sera l'épouse du second Shôgun Tokugawa Hidetada.

L'on pourrait donc prendre *Le Récit d'un aveugle* pour un roman historique, ce qu'il est certes par sa forme. Mais, comme tous les romans historiques de Tanizaki (*La Mère du capitaine palatin Shigemoto*), il est infiniment plus complexe. C'est d'abord un pastiche fort bien venu de la manière des conteurs du Japon ancien, dans une langue archaïsante, mais aisée et d'un ton juste. C'est aussi un récit étrange qui prend le contre-pied de l'épopée, où le bruit et la fureur des âpres luttes féodales ne parviennent qu'assourdis dans le gynécée de châteaux altiers, mais singulièrement inflammables, dans ces salles envahies par les ténèbres où l'aveugle seul voit clair, dans ce monde obscur où les sensations tactiles priment les couleurs. Mais c'est enfin et surtout un destin de femme, d'une de ces femmes dont l'image hantait l'auteur lorsqu'il écrivait, la même année, son *Éloge de l'ombre* (*), de ces femmes dont la vie entière se déroulait dans l'obscurité. Peut-on imaginer meilleur portrait de son héroïne que ces quelques lignes extraites de ce dernier ouvrage : « Pensez au sourire d'une jeune femme, à la lueur vacillante d'une lanterne, qui de temps à autre, entre des lèvres d'un bleu irréel de feu follet, fait scintiller des dents de laque noire : peut-on imaginer visage plus blanc que celui-là ? [...] Les manifestations de spectres et de monstres n'étaient somme toute que des excroissances de ces ténèbres ; et les femmes qui vivaient en leur sein, entourées de rideaux-écrans, de paravents, de cloisons mobiles, n'étaient-elles pas, elles-mêmes, de la famille des spectres ? Les ténèbres les enveloppaient dans dix, dans vingt épaisseurs d'ombre, elles s'insinuaient dans le moindre interstice de leur vêture, par le col, par les manches, par le bas de la robe. Et parfois il devait, qui sait, émaner du corps même de ces femmes, de leur bouche aux dents peintes, de la pointe de leur noire chevelure, comme des fils d'araignée. »

À la lumière de ce texte, c'est une dimension nouvelle du roman qui apparaît, et l'on comprend mieux la fascination qui émane de cette femme qui pousse de féroces guerriers à se disputer ses faveurs alors qu'elle est déjà, selon les normes de l'époque, une vieille femme. L'on comprend aussi le choix du narrateur et la nature trouble du dévouement qui le lie à l'héroïne : les allusions discrètes et quasi techniques qu'il fait, en sa qualité de masseur, à la plénitude de ses formes, au grain de sa peau, prennent une signification érotique insoupçonnée de l'aveugle lui-même, mais que les filles devinent confusément, et qui explique leur hostilité : n'a-t-il pas reconnu au toucher, parce qu'il retrouve les formes de la mère, la demoiselle Chacha qu'un inconnu lui met évanouie sur les bras ? C'est cette dimension érotique qui situe *Le Récit d'un aveugle* dans l'œuvre de Tanizaki, et qui prouve que la forme historique donnée à ce roman n'est qu'un trompe-l'œil. – Trad. Cultural Nippon, vol. III-IV, 1935-36.

RÉCIT D'UN INCONNU [*Razzkas neznakomca*]. Longue nouvelle de l'écrivain russe Anton Pavlovitch Tchekhov (1860-1904), publiée en 1893. Elle évoque une de ces vies inutiles, si chères à l'auteur. Le narrateur est un noble atteint de phtisie ; hostile au régime, il est amené sur ordre de ses supérieurs à servir comme valet de chambre chez Orlov, le fils du chef de la police. S'étant épris par la suite de la maîtresse de ce dernier, il la décide à le suivre à l'étranger, aventure qui finit mal car, peu après, elle s'empoisonne. Avant de partir, le héros écrit à Orlov tout le dégoût qu'il lui inspire depuis longtemps. Il est vrai qu'il ne se dégoûte pas moins lui-même. Pourquoi, ajoute-t-il, nous qui étions si passionnés, audacieux et généreux, vers la trentaine, sommes-nous aujourd'hui en plein marasme ? L'un se meurt de tuberculose, un autre se suicide, un troisième se noie dans l'alcool ou dans le jeu. Orlov se borne à lui répondre : Nous avons, certes, ruiné notre santé et nous nous sommes dégradés. Mais quoi ? La faute n'en est ni à vous ni à moi... Il se peut qu'il y ait des raisons profondes à cette déchéance et que ce soit utile aux générations futures. Alors à quoi bon donc nous soucier outre mesure ? Cet accord qui se fait en fin de compte entre ces deux hommes, malgré eux et, peut-il sembler, malgré leur créateur lui-même, est le thème essentiel du récit. Tchekhov fustige d'un rire amer et léger les tares morales de son temps, mais au fond il espère tout de même en l'avenir. Quoi qu'il en soit, le pressentiment de la Révolution qui, peu de temps après sa mort, devait bouleverser la Russie, marque chaque page de ce livre. – Trad. in *Œuvres,* Bibliothèque de la Pléiade, t. 2, Gallimard, 1971.

RÉCIT DU PLUS IMPORTANT (Le) [*Rasskaz o samom glavnom*]. Récit de l'écrivain russe Evgueni Zamiatine (1884-1937), publié en 1924. Ce récit est sans doute l'œuvre la plus représentative des conceptions de Zamiatine écrivain et penseur. Il se développe sur trois plans différents, qui s'entremêlent dans la narration tout en se projetant thématiquement les uns sur les autres. C'est d'abord la chenille rhopalocère, qui va mourir pour que de la chrysalide éclose un papillon. Non loin de là, socialistes révolutionnaires et bolcheviks s'affrontent en combats qui évoquent ceux qui opposèrent, au même endroit, des centaines d'années auparavant, les tribus drevlianes ennemies de l'ordre centralisateur incarné par les Varègues (Rous'). Enfin, dans les profondeurs du cosmos, sur une planète éloignée, un petit groupe d'êtres vivent dans l'amour, la violence, la terreur et le meurtre leurs dernières heures avant la disparition totale de l'oxygène. Cette planète va percuter la terre et du choc naîtront des « fleurs d'hommes »...

L'histoire contemporaine que le raccourci métaphorique de la phrase zamiatinienne donne à sentir de façon « immédiate » est donc intriquée ici au fantastique et à la science-fiction. Ce qui unit ces trois histoires, c'est l'idée que mort et vie sont étroitement liées, que la mort est nécessaire pour que la vie soit. Le montage des différents plans de la narration renvoie également à l'idée de l'unicité du cosmos, de la nécessaire solidarité entre tous ses éléments. Cette idée fort répandue à l'époque fait écho aux conceptions du philosophe chrétien Fiodorov. Koukoverov, le social-démocrate, et Dorda, le communiste qui le fera fusiller le lendemain, sont amis ; ils ont vécu une année entière dans la même cellule. Au nom de l'amour qui a existé entre eux, Dorda permet à Talia, la bien-aimée de Koukoverov, de passer avec lui sa dernière nuit, imprimant à tout jamais son corps dans le sien, niant la mort par l'enfant à venir. C'est cela la révolution : le choc, la destruction, la mort, l'explosion qui rendent possible l'apparition d'une vie nouvelle. Et les révolutions sont infinies ; il n'en est pas d'ultime ni de définitive. Aussi le texte se termine-t-il sur des points de suspension... La femme, être hérétique par excellence (pour Zamiatine les hérétiques de tous bords sont le sel de la terre), est ici celle par qui advient la révolution. Le style est à l'image de ce refus de l'« entropie » (c'est ainsi que Zamiatine désigne tout ce qui est stagnation) : fulgurance des métaphores et des images, ellipses et raccourcis syntaxiques, où « les pierres des propositions indépendantes se substituent aux pyramides complexes des périodes ». C'est ce caractère « exemplaire » du *Récit du plus important* qui en fait l'une des

œuvres majeures de la prose russe expérimentale des années 20. – Trad. L'Âge d'Homme, 1971 ; édition revue et commentée en 1989.
M. G.

RÉCIT DU TRANSFERT DES RELIQUES DE SAINT CLÉMENT DE ROME [*Slovo za prénasyané mochtite na Kliment Rimski*]. Récit écrit par saint Cyrille (vers 827-869), originaire de Salonique, qui, pendant sa mission chez les Khazars (858), crut découvrir à Chersonèse les ossements de l'ancien pape romain saint Clément dont nous savons qu'il fut considéré comme élève et disciple des apôtres Pierre et Paul et qu'il fut auteur d'une *Lettre* destinée aux Corinthiens. À partir du IVe siècle apparut une légende, sur son exil et sur sa mort en martyr à Chersonèse, qui se répandit dans le monde chrétien, aussi bien occidental qu'oriental. C'est elle qui servit de fond au récit de saint Cyrille, et, comme pour ses autres œuvres originales, nous ne connaissons le récit que d'après une copie (rédaction russe du XVIe siècle).
É. F.

RÉCIT DU VOYAGE VERS L'OCCIDENT SOUS LA GRANDE DYNASTIE DES T'ANG [*Ta-t'ang Si-yo-tsi – Datang Xiyouji*]. Mémoires rédigés par Pien-Tsi, disciple de Siuan-tsang (602-664), célèbre bonze chinois de la dynastie des T'ang (618-907), et à qui ils furent attribués. Siuan-tsang fit un voyage de seize ans et visita cent dix des cent trente-huit pays mentionnés dans le livre, pour chercher des vestiges et des textes bouddhistes. La plus grande partie de l'œuvre, qui se divise en douze livres, est consacrée à la description des pays traversés, avec de nombreuses références aux textes sanskrits. Ce qui ne signifie pas que toute l'œuvre soit une traduction, comme certains critiques ont cru bon de l'affirmer. Julien, dans son *Histoire de la vie de Hiouen-tsang et de ses voyages dans l'Inde* (Paris, 1853), a déjà dit que le texte chinois ne devait pas être considéré comme une traduction littérale. Le livre est encore aujourd'hui un document de première importance sur l'histoire et les coutumes de l'Inde ancienne. – Trad. Julien, *Mémoires sur les contrées occidentales, traduites du sanskrit en chinois... et du chinois en français,* Paris (1857-1858).

RÉCITS de Raabe [*Gesammelte Erzählungen*]. Recueil de nouvelles de l'écrivain allemand Wilhelm Raabe (Jacob Corvinus, 1831-1910), publié en 1900. Admirateur fervent de Schopenhauer et de Jean-Paul, l'auteur aborda la nouvelle historique, humoristique ou burlesque avec un égal bonheur, sans parler de ces récits dramatiques où l'on retrouve toute l'amertume qui caractérise ses grands romans. Les nouvelles historiques ont le plus souvent pour cadre l'époque de la Réforme ou de la guerre de Trente Ans. La plus célèbre d'entre elles s'intitule : « Else du sapin » [Else von der Tanne] ; elle retrace le destin tragique de l'héroïne, aimée par un jeune pasteur et victime de la populace qui, l'accusant de sorcellerie, finit par la lapider : elle mourra un soir de Noël, au moment où le pasteur s'apprête à adresser un message de paix chrétienne à ceux-là mêmes qui ont donné la mort à l'être qu'il aimait. Une autre nouvelle, intitulée « La Galère noire » [Die schwarze Galeere], est elle aussi très célèbre. C'est une suite d'épisodes mouvementés de la guerre d'indépendance que les Pays-Bas soutinrent contre le joug espagnol. La nouvelle intitulée « Saint Thomas » [Sankt Thomas] se déroule à la même époque et retrace le siège et la conquête de l'île espagnole du Pacifique par un vaisseau amiral hollandais. En général, Raabe défend la cause de la liberté et celle de la Réforme ; mais on décèle également dans ses œuvres un esprit de tolérance proche de celui de Lessing. Témoin la brève nouvelle intitulée « Höxter et Korvey » : au milieu des plus sanglantes discordes, on y voit en effet trois hommes qui, représentant chacun une religion distincte, essaient de se sauver l'un l'autre avec générosité. Parmi les nouvelles humoristiques, citons « Wunnigel », « Ossements celtes », « Les Oies de Bützov » et « Horacker » ; l'auteur y tourne en ridicule les femmes savantes et autres qui sont l'ornement de toute ville de province. « Clair de lune allemand » [Deutscher Mondschein] nous offre une suite de croquis, plaisants ou sérieux, tirés également de la vie de la petite bourgeoisie. Dans les récits les plus graves on retrouve toujours la même subtile ironie. Les nouvelles de Raabe se signalent autant par la variété des thèmes que par le savoir-faire de l'auteur : Raabe est sans conteste un des maîtres du réalisme d'outre-Rhin.

RÉCITS de Tchekhov [*Razskazy*]. Recueil de nouvelles de l'écrivain russe Anton Pavlovitch Tchekhov (1860-1904), écrites entre 1889 et 1899. Dans le plan de la nouvelle, il représente un des documents les plus précieux de la littérature russe pendant le dernier quart du XIXe siècle. En dépit des différences de style que l'on relève entre ceux du début – v. *Récits divers* (*) – et ceux des dernières années (*Les Moujiks* (*), *L'Homme à l'étui, La Dame au petit chien*), ces quelques centaines de récits ont une unité assez surprenante chez un écrivain dont l'activité embrasse quelque vingt ans (période qui vit fleurir les écoles les plus diverses). Fervent disciple de l'école réaliste, à laquelle les lettres russes doivent surtout leur place dans la littérature mondiale, Tchekhov puise, en tant que penseur et que psychologue, le meilleur de son inspiration dans sa jeunesse et dans les premières années de son âge mur, lesquelles coïncident avec cette époque assez sombre qu'est le règne d'Alexandre III et le début du règne de Nicolas II. C'est à l'atmosphère de ce temps-là que les meilleurs récits de Tchekhov doivent le pessimisme dont ils sont tous imprégnés (y compris les récits prétendument humoristiques des premières années). L'intérêt de l'écrivain ne va pas à des êtres d'exception, mais à ceux qu'il appelle « des hommes très ordinaires ». À travers eux, il atteint les problèmes les plus brûlants et les plus douloureux de la vie, qui hantent non seulement les créatures issues de son imagination poétique, mais son propre esprit. Significative est à cet égard la nouvelle intitulée : *Une banale histoire* (*). Sa conclusion (« je ne sais pas ») semble être la conclusion de Tchekhov lui-même. Mais, au fond, elle ne l'est pas, car le « non-savoir » n'exclut pas le désir lancinant de savoir, même s'il s'accompagne du tourment de ne pas arriver à la foi avec toutes les conséquences négatives qu'une telle attitude comporte : le suicide, l'ivresse, la folie. Le problème de la folie a singulièrement fasciné Tchekhov : en tant que médecin, il a pu l'analyser avec beaucoup de subtilité — v. *Le Moine noir* (*) et *La Salle 6* (*). Mais, en soi, la folie constitue un fait assez exceptionnel ; et ce qui ressort le mieux de son œuvre, c'est la médiocrité de la vie quotidienne. Ce sentiment est en effet le thème essentiel des *Récits* de Tchekhov, bien que certains d'entre eux soient parfois traversés par des éclairs de foi et certains visages lumineux ; en fait, Tchekhov aimait « la créature humaine » avec toutes ses faiblesses et ses défauts. De plus, tout en restant dans les frontières du réalisme, Tchekhov ne se sépare pas moins de la grande tradition russe de Gontcharov, de Tourgueniev, de Dostoïevski et de Tolstoï. En ce sens, il met en œuvre une technique entièrement nouvelle : il est le premier à supprimer tout ce qui n'a pas trait à la situation qu'il évoque. C'est uniquement en se fondant sur cette dernière qu'il caractérise ses héros. Son style est laconique : trois ou quatre coups de pinceau — comme le releva Tolstoï — lui suffisent, à la manière des impressionnistes, pour composer un tableau d'un achevé admirable : quelque chose qui tient du miracle. Sa langue montre une perfection que rien n'égale. On a souvent tenu Maupassant pour un de ses précurseurs ; Tchekhov se sépare pourtant de ce dernier par un certain savoir-faire proprement inimitable. — Trad. *Œuvres*, Bibliothèque de la Pléiade, Gallimard, 3 vol., 1967-1971.

RÉCITS, CONTES ET NOUVELLES DU COSAQUE LOUGANSKI [*Povesti, skazki i razskazy Kazaka Luganskago*]. Récits de Vladimir Ivanovitch Dahl (1801-1872), publiés en 1846 en quatre volumes. L'auteur, l'un des ethnographes et lexicographes russes les plus éminents de son époque, a tenu, pour cette œuvre narrative, à adopter le pseudonyme du « cosaque Louganski ». Chez lui, toutefois, le conteur ne s'efface nullement devant le savant : la première partie des *Récits*, en effet, trahit le souci d'illustrer, au moyen d'anecdotes et de petites scènes croquées sur le vif, ses propres théories en matière de linguistique, cependant que la seconde partie porte l'accent sur le côté ethnographique de la narration. L'auteur y affirme ses tendances naturalistes, créant ainsi les « esquisses physiologiques », courtes scènes descriptives destinées à illustrer les aspects des milieux sociaux les plus divers. Ce genre sera appelé à exercer sur la littérature russe, notamment entre 1830 et 1860, une influence non négligeable. Les *Récits du cosaque Louganski* remportèrent, dès leur parution, un succès considérable et furent appréciés par de nombreux auteurs, parmi lesquels Belinski et Tourgueniev. Ce dernier leur consacra une courte mais intéressante étude parue en 1846, un an à peine avant la composition des premiers *Mémoires d'un chasseur* (*) qui, par leur caractère à la fois descriptif et ethnographique, se rapprochent singulièrement des « esquisses » de Dahl, encore qu'ils leur soient incontestablement supérieurs par leur valeur artistique. Par la richesse de la description, la qualité de la langue et l'humour qui les anime, les *Récits* de Dahl constituent un document de premier ordre pour l'ethnographie russe (et plus particulièrement ukrainienne) ainsi que pour l'histoire de l'évolution du réalisme à partir de Gogol. — Trad. Oudin, 1896.

RÉCITS D'AUTREFOIS [*Konjaku Monogatari*]. Ouvrage, en trente et un volumes, de l'écrivain japonais Minamoto no Takakuni (1004-1077), qui l'écrivit peu avant sa mort. Il possédait une villa aux environs de Uji (entre Kyôto et Nara) et était aussi appelé le « grand conseiller d'Uji » [Uji no Dainagon], d'où le titre de *Récits du grand conseiller d'Uji* [*Uji no Dainagon Monogatari*] sous lequel son œuvre est également connue. C'est un des plus grands et des plus importants recueils de nouvelles de la littérature japonaise, dont la valeur réside non pas tant dans le style que dans les descriptions et l'observation des coutumes de peuples étrangers au Japon, ainsi que dans les dialogues qui reproduisent le langage populaire de l'époque. Le but de l'auteur semble avoir été d'offrir un enseignement moral, pour lequel il s'inspire largement du bouddhisme. Les récits sont indiens, chinois et japonais, et ont en général pour sujets : le bouddhisme, l'histoire nationale et les coutumes des trois peuples. — Trad. Gallimard, 1968.

RÉCITS DE BELKINE (Les) [*Povesti Belkina*]. Récits du poète et romancier russe Alexandre Sergueïevitch Pouchkine (1799-1837), écrits en 1830. L'auteur les attribue à un certain Ivan Pétrovitch Belkine qui, après les avoir maintes fois entendu raconter, les aurait fidèlement retranscrits. Sylvio, le héros du premier récit : « Un coup de pistolet », est un jeune officier orgueilleux, autoritaire et fort habile à manier le pistolet ; son courage lui a conquis l'estime de toute la garnison. Un jour, cependant, il refuse de se battre, et son prestige en est considérablement diminué. En fait, Sylvio a un secret : s'il se dérobe, c'est pour consacrer sa vie à une vengeance. Il a autrefois affronté en duel un adversaire qui, affectant un calme à toute épreuve, l'avait profondément humilié par sa belle indifférence : lorsque arriva son tour de tirer, Sylvio lui avait alors perfidement proposé de remettre son coup à plus tard, au moment de son choix. Venant d'apprendre que son ex-rival est sur le point de se marier, le jeune homme est décidé à user de son droit. La deuxième partie du récit est racontée par l'adversaire de Sylvio, le comte de B... Ayant surpris ce dernier dans la maison de campagne où il passe sa lune de miel, Sylvio, pistolet au poing, se dresse devant le comte qui, craignant le retour de sa femme, le supplie de l'abattre sans tarder. La jeune femme survient ; sous ses yeux, Sylvio pointe son arme sur le comte, en plaisantant de si cruelle façon que la malheureuse, en larmes, s'évanouit. Sylvio, s'estimant alors suffisamment vengé de l'humiliation que lui avait jadis imposée son adversaire, abaisse son arme et disparaît pour toujours. Le second récit (« Le Chasse-Neige ») a pour héroïne une riche héritière, Marie Gavrilovna, éprise, malgré l'opposition formelle de ses parents, d'un jeune officier sans fortune. Les deux amoureux conviennent de se marier en secret et de fuir ensemble. La nuit fixée pour leur départ survient une violente tempête de neige : le jeune homme, ayant perdu son chemin, n'arrive qu'au petit jour à la chapelle où devaient se célébrer les noces ; voyant la chapelle déserte, il se résigne, désespéré, à rejoindre son régiment, et meurt peu après au cours d'une guerre. Les années passent : vivant toujours seule, Marie Gavrilovna finit par accepter l'amour que lui porte le colonel Bourmine. Celui-ci doit toutefois lui avouer qu'il n'est pas libre : jadis, au cours d'une nuit de tempête, s'étant réfugié dans une chapelle isolée, il s'est vu marier, un peu malgré lui, à une jeune inconnue qui attendait en vain son fiancé. Cette femme, jamais il ne l'a revue, toujours est-il qu'il est bel et bien marié à elle ! Marie, à cet aveu, pâlit, parle à son tour — et Bourmine se jette à ses pieds. Le troisième récit met en scène un « Marchand de cercueils », Adrien, petit homme d'humeur sombre et mélancolique. Comme il passe la soirée chez un voisin qui fête ses noces d'argent, Adrien est invité à boire à la santé des morts qu'il a enterrés. Révolté par cette proposition qu'il juge offensante, Adrien, rentré chez lui, convie les esprits des morts à lui tenir compagnie. Le lendemain, alors que le brave homme, après son travail, regagne son logis à la nuit tombée, il trouve sa maison peuplée d'une foule d'ombres terrifiantes qui se pressent autour de lui. Le jour se lève, et, tandis que notre homme s'éveille, il aperçoit sa servante qui prépare paisiblement le thé : cette funèbre aventure n'était qu'un mauvais rêve. Le quatrième récit (« Le Maître de poste ») a pour héros un vieux « maître de poste » qui depuis son veuvage vit en compagnie de sa fille unique, la jolie Dounia. Heureuse existence, jusqu'au jour où Dounia s'enfuit avec un hussard. Ayant réussi à retrouver la trace du séducteur, le vieillard se fait cruellement rabrouer par celui-ci. Désormais il vit seul, rongé par la pensée que sa chère Dounia puisse être un jour abandonnée et contrainte à mener une existence déshonorante. Il meurt enfin. Sur quoi, le narrateur ajoute que l'on a aperçu, pleurant sur sa tombe, une belle dame au riche équipage. Le dernier récit, « La Demoiselle-Paysanne », est d'une charmante fraîcheur. S'étant un jour fait passer pour une jeune paysanne du nom d'Akoulina, Lise, fille d'un riche seigneur de province, s'est éprise du fils de son voisin, Alexis. Leurs parents ne se fréquentent guère ; mais, un incident les ayant réunis, ils se mettent à entretenir des relations de bon voisinage et projettent un mariage entre Lise et Alexis. Celui-ci s'est à son tour épris de la pseudo-Akoulina ; aussi, lorsqu'on lui parle de Lise, refuse-t-il le mariage envisagé, déclarant qu'il préfère vivre misérablement plutôt que de renoncer à son amour. Il se décide pourtant à se rendre chez le père de Lise, afin de lui expliquer clairement son attitude ; il se trouve brusquement face à face avec Lise-Akoulina... L'on peut imaginer la fin du récit ! Avec les *Récits de Belkine*, le génie de Pouchkine entre dans une phase nouvelle. Déjà, le puissant réalisme des drames de Shakespeare avait considérablement contribué à libérer le poète russe du romantisme byronien qui caractérisait ses premières œuvres ; un autre élément est encore intervenu, qui ouvre à son art des perspectives plus vastes et plus conformes encore aux aspirations de son génie, et que Pouchkine a lui-même défini comme « la pittoresque turpitude de l'École flamande ». Dès ce moment on verra s'épanouir dans son œuvre un réalisme artistique dont l'influence sera capitale sur la nouvelle littérature russe. La valeur esthétique des *Récits de Belkine* tient à la simplicité dépouillée des personnages, au naturel des sentiments, à la vie intense qui anime les scènes évoquées. — Trad. Le Chêne, 1947 ; Gallimard, 1974.

RÉCITS DE BELZÉBUTH À SON PETIT-FILS. Œuvre du philosophe russe Georges Gurdjieff (1869-1949), parue en français en 1956 par l'intermédiaire de sa traduction anglaise car elle avait été rédigée en russe. Dans ce premier livre de la trilogie présentée sous le titre général *Du tout et de tout,* et qui porte en sous-titre : « critique objectivement impartiale de la vie des hommes », Gurdjieff, fondateur de l'Institut pour le développement harmonique de l'homme, se propose d'« extirper du penser et du sentiment du lecteur [...]

les croyances et opinions enracinées depuis des siècles [...] à propos de tout ce qui existe au monde ».

Dans le second livre de la série : *Rencontre avec des hommes remarquables* (*), qui a été porté à l'écran par le metteur en scène Peter Brook, il « fait connaître le matériel nécessaire à une réédification et en prouve la qualité et la solidité ». Dans le troisième : *La vie n'est réelle que lorsque je suis* (1983), il se propose de favoriser « l'éclosion dans le penser et le sentiment du lecteur d'une représentation juste, nonfantaisiste du monde réel, au lieu du monde illusoire qu'il perçoit ».

Livre truculent, abondant en néologismes, le *Belzébuth* relève de la tradition orale. Son accès est facilité par la connaissance préalable des œuvres suivantes de son élève Ouspensky (1878-1947) : *L'Homme et son évolution possible* et *Fragments d'un enseignement inconnu* (*). Dans le *Belzébuth,* le héros – un grand-père riche d'expérience et de sagesse –, voyageant à travers les espaces inter-sidéraux, tente d'expliquer à son petit-fils Hassin les raisons qui ont causé son exil dans un des systèmes solaires les plus éloignés du centre de l'univers. Le temps où vit Belzébuth est à une autre échelle que le nôtre, aussi découvrons-nous successivement l'Atlantide, les civilisations anciennes de l'Asie centrale et de l'Égypte pour déboucher sur des révélations inattendues sur nos contemporains, Russes, Allemands, Français et Américains. En filigrane se dessinent le sens de la présence de l'homme sur la terre et l'exposé des lois cosmiques fondamentales. B. de P.

RÉCITS DE FRANCE [*Furansu-monogatari*]. Œuvre de l'écrivain japonais Nagai Kafû (1879-1959) ; c'est un recueil de textes composés entre 1905 et 1909, dont la première édition fut interdite à la veille de sa parution, en mars 1909. L'ouvrage avait été jugé contraire aux bonnes mœurs par la censure, qui, en ces dernières années du règne de l'empereur Meiji, se faisait de plus en plus sévère. En 1903, Kafû s'était embarqué pour les États-Unis. Son père, qui avait étudié à Princeton en 1872 et avait fait une carrière de haut fonctionnaire, espérait que ce voyage l'« assagirait ». Il n'en fut rien. Le rebelle abandonnait au bout de quelques mois les postes qui lui étaient offerts à l'ambassade ou ailleurs ; il passa en France, ce pays dont il rêvait, mais ne resta pas plus longtemps à la succursale lyonnaise d'une banque de Yokohama. En cours de route, il écrivait beaucoup et envoyait des textes à des revues littéraires de Tôkyô. Alors qu'il s'apprêtait à regagner son pays, un premier volume parut sous le titre *Récits d'Amérique* [*Amerika-monogatari*]. La page de garde porte, en français, quatre vers du *Voyage :* « Mais les vrais voyageurs... » Ces quelques années errantes révélèrent Kafû à lui-même. Il tourne le dos à la morale convenue et ne s'en dissimule pas. Il découvre une forme qui s'accorde à merveille à son tempérament, et renonce à la pesante machinerie des romans à la Zola pour un genre plus concis, qui se rapproche de la nouvelle, mais où la frontière demeure toujours incertaine entre la fiction et l'autobiographie, l'effusion lyrique et les notes documentaires. « Monogatari » : le mot peut désigner toute forme de récit et laisse au voyageur une entière liberté.

En France, il ne s'écarta pas de cette voie et, quand il rentra au Japon, il rassembla ses nouvelles productions en un livre : après *Récits d'Amérique,* ce fut *Récits de France.* Il s'y succède des morceaux de ton très différent : des fragments du journal de voyage (« Le long du Rhône ») ; des romans au rythme allègre (« Nuages », ou le sort tragi-comique d'un diplomate subalterne en poste à Paris), des nouvelles en forme de lettre (« Voyage sans guide ») ou de dialogue (« Le Revoir ») ; des croquis (des forains dans un faubourg, des lambeaux de conversation mondaine) ; des poèmes en prose (« Après-midi »). Il observe sans tendresse les membres de la colonie japonaise. La charge satirique est brève et mordante. Il aime « démolir » en une phrase, et il lui suffit d'énumérer les « variétés » de ses compatriotes ou de fixer une silhouette. À peine se sent-il solidaire de son pays. Quand éclate la guerre russo-japonaise, le diplomate de « Nuages » n'en conçoit nul regain de patriotisme. Pour chasser l'ennui, il essaie de se mettre en ménage avec une femme rencontrée place Blanche, mais la quitte au bout de trois mois. Déjà, Kafû disait bien haut son mépris pour la vie de famille et ses servitudes. Il retrouva ce ton moqueur dans le premier grand roman qu'il donna à son retour : *Sarcasme* [*Reishô*]. Avec une tranquille assurance, il passe d'expérience en expérience, tout lui est une fête et un spectacle : quelques nuits de plaisir à Avignon, une soirée à l'Opéra, une avenue de la capitale. Il prolonge le plaisir des sens par celui de la description. Il puise de nombreux termes dans la langue ancienne, son vocabulaire chatoie. Nuances des saisons, des couleurs, de la lumière : la phrase devient d'une extrême brièveté, à peine une touche. Il invente une forme « impressionniste ». À l'Opéra ou au Bal Tabarin, il se laisse porter, envahir par l'atmosphère. Sans cesse reviennent les mêmes mots, « beau », « doux », « ivresse », qui appellent souvent en écho celui de « poésie ». Il cite parfois les romanciers naturalistes, sa première passion, mais plus volontiers les poètes « symbolistes », tous confondus dans une même atmosphère. Lui aussi se dit « poète » et il prend une conscience plus nette de sa place dans la société : avec les peintres qu'il a choisis pour héros de plusieurs nouvelles, il affirme les droits de l'« artiste ». Parfois, il va plus loin : il identifie sa vie à l'existence incertaine des bohémiens ; marchant dans une banlieue délabrée, il découvre la beauté dans la laideur. Si certains récits d'Amérique sont des réussites uniques dans l'œuvre de Kafû, les *Récits de France* n'atteignent pas à cette qualité. Ils se distinguent par une sorte de limpidité. Avec une sérénité inaccoutumée, Kafû laisse affleurer en lui ses diverses possibilités. Mais il s'abandonne trop à son goût du décor pour que l'ouvrage soit empreint d'une beauté forte. Son véritable « livre de France », ce sera, en 1912, le recueil de traductions qu'il donnera des poètes français contemporains, et *Coraux* [*Sangoshû*] étonne encore aujourd'hui par la plénitude et la chaleur sensuelle du langage.

RÉCITS DE KOLYMA [*Kolymskie razskazy*]. Recueil de récits de l'écrivain russe Varlam Chalamov (1907-1982) publié à Londres en 1978. Bien qu'ayant écrit trois recueils poétiques et un grand nombre de poésies inédites, un récit autobiographique, *La Quatrième Vologda* [*Četvertaja Vologda*], et des nouvelles, Varlam Chamalov restera dans la littérature comme l'auteur des *Récits de Kolyma*, l'une des œuvres majeures de la littérature mondiale du XXᵉ siècle.

Les *Récits de Kolyma* sont avant tout un témoignage. Leur auteur est un témoin privilégié : il a vu la naissance de l'empire carcéral soviétique, a purgé sa première peine dans une filiale du camp de Solovki, puis a passé près de dix-sept ans au « pôle de la férocité », dans les camps sibériens de la Kolyma. Alexandre Soljenitsyne, un autre témoin, écrit : « Chalamov a eu une expérience du camp plus dure et plus longue que la mienne, et je reconnais avec respect que c'est à lui et non à moi qu'il fut échu de toucher le fond de l'abîme de férocité bestiale et de désespoir vers lequel toute la vie des camps nous entraînait. » Les témoignages sur les camps, soviétiques et nazis, sont nombreux, y compris sur les camps de la Kolyma. Mais Chalamov n'a pas écrit de mémoires. Son livre, comme il l'explique lui-même, est le « reflet de ce que j'ai vu dans le miroir concave du monde souterrain. Sujet inimaginable mais pourtant réel, qui existe pour de vrai, à nos côtés ». En 1922, Evguéni Zamiatine disait que l'art contemporain ne pouvait être que fantastique, une synthèse du fantastique et du quotidien, semblable à un rêve. À la Kolyma, le fantastique — l'extermination systématique des gens — était le quotidien.

La réalité dans laquelle peinent et meurent les héros des *Récits de Kolyma* ressemble à un cauchemar monstrueux. Elle apparaît comme le dernier cercle de l'enfer. Mais Kolyma n'était pas l'enfer. Du moins en un sens religieux. Ce sont les pécheurs qui sont condamnés à l'enfer, ce sont les coupables qui souffrent en enfer. L'enfer est le triomphe de la justice. À la Kolyma, c'était le triomphe du mal absolu. Ce n'était pas l'enfer, mais une entreprise soviétique qui fournissait au pays de l'or, du charbon, de l'uranium, en nourrissant la terre de cadavres. L'histoire de la littérature mondiale n'a pas connu de thème semblable : l'extermination massive de gens ne sachant pas pourquoi on les tue, après avoir usé leurs dernières forces à la tâche.

Des milliers de livres ont été écrits sur les camps de la mort. Mais seuls peut-être l'Italien Primo Levi et le Polonais Tadeusz Borowski se sont approchés de l'impitoyable vérité que met à nu Chalamov. Il y a dans ses récits des bourreaux et des victimes. Mais ce qui distingue Chalamov des autres, c'est le courage avec lequel il montre que le camp est un monde dénué de morale, un monde régi par la loi « crève aujourd'hui, et moi demain ». Un lieu dans lequel des gens sans morale, les bourreaux, ont créé des conditions où les victimes sont obligées de renoncer à la morale. L'écrivain, et c'est son originalité, est sans illusions : « Le camp a été une grande mise à l'épreuve des forces morales de l'homme, de la morale humaine ordinaire, et quatre-vingt-dix pour cent des gens n'y ont pas résisté. » Dans le monde terrible, amer et impitoyable des camps, l'espoir même devient un mal : « Pour le prisonnier, l'espoir est toujours une chaîne. L'espoir est toujours absence de liberté : l'homme qui a quelque espoir modifie son comportement et transige plus souvent avec sa conscience que celui qui n'a plus d'espoir. »

Varlam Chalamov sait qu'un thème inhabituel exige un genre nouveau, une « prose du futur », comme il dit. L'écrivain crée une prose et un genre adéquats à son thème : à la fois récit, croquis physiologique et étude ethnographique. Chalamov a une écriture extraordinairement simple, très laconique, qui fuit tout pathétique et tout jugement direct. Il s'efforce de la condenser à l'extrême. Ses meilleurs récits sont réduits au minimum : deux ou trois pages. Un ou deux mots leur servent de titre. En règle générale, l'écrivain choisit un événement, une scène, voire même un seul geste. Il y a toujours un portrait au centre du récit. Celui d'un bourreau ou d'une victime. Parfois, ils ne sont qu'une seule et même figure. Il renonce à l'analyse psychologique, préférant représenter actions ou gestes. La dernière phrase est toujours concise, lapidaire : comme un rayon inattendu, elle éclaire ce qui s'est passé, et vous êtes aveuglé par l'effroi. Les quelque cent cinquante récits de Chalamov forment un seul livre : ces pierres isolées composent une mosaïque qui représente un monde dans lequel l'homme n'a pas de place. — Trad. Le Livre de Poche/Biblio, 2 vol., 1990-1991. M. He.

RÉCITS DE LA DEMI-BRIGADE (Les). Recueil posthume, publié en 1972, de six nouvelles de l'écrivain français Jean Giono (1895-1970), parues en édition limitée ou en revue de 1955 à 1965. Elles sont toutes centrées sur le même protagoniste, un capitaine de gendarmerie prénommé Martial, qui se révèle incidemment être le Langlois d'*Un* *roi sans divertissement* (*) ; c'est lui le narrateur. Deux des textes font intervenir Pauline de Théus, l'héroïne du *Hussard sur le toit* (*) et de *Mort d'un personnage* (*), une fois aux côtés de son mari Laurent. Ils créent ainsi un lien entre les *Chroniques* et le « cycle du Hussard ». L'action se déroule en 1832, dans une Provence en partie fictive, comme toujours chez Giono. Cinq sur six des récits tournent autour de la politique — la tentative de soulèvement de la duchesse de Berry contre Louis-Philippe, comme dans *Angelo* (*) — sans que jamais cela donne aux récits une couleur historique. Et tous sont d'essence policière. (Giono est un fanatique de la « Série noire », et admire Chester Himes.) Dans « Le Bal », Martial cherche à mettre la main sur un envoi de fonds, mais il est trompé par un tricheur professionnel qu'il a embauché et qui subtilise l'argent. Dans « La Mission », il passe à mots couverts un marché avec un aristocrate cévenol qui a cherché à le faire assassiner, et nettoie le pays d'une série d'agents doubles, et par la même occasion d'un préfet arriviste et pusillanime. Martial, invulnérable et secret, mène ses enquêtes avec un extraordinaire mélange de discipline militaire et de dédain des règles. Lorsqu'il échoue dans ses missions, comme il arrive, il prend cela comme une des lois de son métier. Hautain, monacal, doué d'un humour froid, jugeant les autres avec amertume, tourné vers les valeurs du passé, il est un personnage hors ligne, d'un relief extraordinaire. Plusieurs des récits font intervenir cette psychologie imaginaire où excelle Giono : ses personnages agissent non selon une quelconque vraisemblance réaliste, mais en poussant à l'extrême les pulsions les plus profondes de l'être humain, qu'il s'agisse de la générosité, de l'amour ou de la cruauté. Dans « L'Écossais », le plus long des récits, Martial traque le marquis de Théus et sa femme, responsables de la mort d'un homme lors d'un coup de main qu'ils ont fait effectuer sur une diligence pour se procurer les fonds nécessaires à leur action. Martial ne les retrouve que parce qu'ils lui laissent volontairement des indices qui l'amèneront à eux. Leur ami écossais, Macdhui, totalement étranger au crime, se tuera dans le seul but de fournir à Martial la victime expiatoire à laquelle il tient. Dans « Une histoire d'amour », Martial pourchasse le chef d'une bande de francs-tireurs ; c'est en réalité une femme, il le devine, et elle l'aime (elle lui envoie des lettres anonymes pleines d'injures faites pour ne pas le toucher) ; il n'a jamais vu son visage, ils ne se sont jamais parlé, mais il l'aime aussi, et, comme elle le souhaite, il l'abat, mettant un point culminant à un amour qui est impossible, puisqu'ils sont des deux côtés d'une barrière infranchissable. Les récits, dans leur allure souvent elliptique et paradoxale, manifestent au plus haut degré la densité, la maîtrise du langage et de la narration, qui caractérisent un Giono au sommet de son art.

RÉCITS DE LA PATACHE [*Rollwagenbüchlein*]. Recueil de facéties, édité en 1555 par l'écrivain allemand Jörg Wickram (env. 1505-1562) et contenant un nombre important d'anecdotes courantes de la littérature populaire de l'époque, réunies dans l'intention d'offrir un divertissement aux personnes qui « voyagent en voiture », mais aussi à celles qui « vont par bateau » ou aux autres qui s'ennuient, enfermées entre quatre murs, « en ces temps pleins d'ennui ». Ce recueil se distingue des ouvrages identiques de ce temps, parce que, étant destiné également au public féminin, il conserve une certaine décence dans le choix des sujets et ne contient aucune allusion polémique. La couleur locale est donnée par de nombreux motifs originaires d'Alsace et du Brisgau. On ne trouve aucune morale, l'auteur n'ayant d'autre intention que celle de divertir. Les *Récits de la patache* ont connu un grand succès et eurent une longue influence sur les recueils postérieurs de ce genre qui parurent en Allemagne.

RÉCITS DE L'ENSEIGNE STAAL (Les) [*Fänrik Ståls sägner*]. Recueil de courts poèmes épiques du poète finlandais Johan Ludvig Runeberg (1804-1877), dont une partie fut publiée en 1848 et la seconde en 1860. Jeune étudiant, l'auteur avait rencontré un vétéran de la guerre de 1808, dont les récits ont fourni toute la matière du poème. La galerie des personnages peints par Runeberg est riche et variée : personnages historiques (von Döbeln et Sandels), types de soldats plus ou moins fictifs (Munter, Stolt et Sven Dufva). Cette épopée fut décisive pour le développement de la conscience nationale : l'esprit d'indépendance dont témoigne la Finlande en est à proprement parler le fruit. Ainsi l'œuvre de Runeberg est-elle devenue, en quelque sorte, le patrimoine de la nation tout entière. — Trad. sous ce titre, en 1886, dans la revue *L'Artiste*. Traduction complète chez Garnier en 1879, sous le titre : *Le Porte-Enseigne Stole*.

RÉCITS DE MALÁ STRANA [*Povídky malostranské*]. La plus importante des œuvres en prose du poète et nouvelliste tchèque Jan Nepomuk Neruda (1834-1891), publiée en 1878. Elle marque en quelque sorte la maîtrise d'un auteur que l'on pourrait comparer à Maupassant pour le style et à Dostoïevski pour la pénétration psychologique. Malá Strana est un des quartiers de Prague, le plus curieux, coupé en ce temps-là du reste de la ville, tant par la topographie que par la mentalité de ses habitants. Les héros du roman sont de petits commerçants, artisans, vieux magistrats, officiers, vieilles demoiselles, mendiants, etc. L'auteur évoque tel d'entre eux qui, venant de faire faillite, finit par se pendre, n'ayant plus rien d'autre dans ses poches que sa vieille pipe ; ou les aventures de ces quatre collégiens qui veulent occuper la citadelle de Prague et proclamer la République ; ou encore cette semaine passée dans la famille d'un camelot, où nous assistons aux obsèques d'une vieille fille et chez qui défilent les figures les plus étranges : le fils du camelot, que l'on congédie de son bureau pour avoir sévèrement jugé dans son journal intime son chef de service ; un vieux médecin, amoureux d'une adolescente, laquelle finira par se marier avec un autre, et qui se contentera des faveurs de la fille de ses hôtes ; ou ce jeune étudiant, qui décide d'aller s'établir dans le quartier en question afin de mieux travailler, et qui se laissera envoûter par les ombres qu'il voit journellement rôder à l'entour. Décrivant avec brio personnages et décors, l'auteur témoigne d'un ton d'évocation extraordinaire, jusqu'ici sans précédent dans les lettres tchèques.

RÉCITS DE NOTRE QUARTIER (Les) [*Ḥikāyāt ḥāratinā*]. Roman de l'écrivain égyptien Najīb Maḥfūẓ (né en 1911), édité en 1975. Se penchant sur son enfance, après le contrecoup des guerres et une période difficile de création, cet auteur pudique retrouve les visages de son passé, dans le quartier où il est né aux rêves. Divisée en soixante-dix-huit séquences consacrées à un événement ou à un être, cette œuvre est nimbée de la douce mélancolie attachée aux mondes à jamais disparus : elle livre un condensé de la technique de l'auteur et une des clés de son monde intérieur, profondément convivial et immergé dans l'aventure collective. À travers les yeux d'un enfant émerveillé, Maḥfūẓ esquisse délicatement les portraits nostalgiques des habitants hauts en couleur de la « ḥāra », ruelle ou impasse du vieux Caire : commères et matrones, mendiants aveugles, fils dévoyés, filles perdues, rentiers libertins, veuves joyeuses, petites gens et petits métiers, « futuwwāt », costauds querelleurs ou bandits d'honneur. Hanté par un vers d'une langue inconnue, prononcé par un derviche fantomatique, l'enfant raconte aussi sa circoncision, l'éveil de son intelligence et de ses sens, les réjouissances et les deuils, l'emprise du surnaturel, la lente évolution des mœurs et les échos de la vie politique des années 20. Par la vérité, le mensonge, l'oubli, l'indicible et l'incompréhensible, le fait divers se métamorphose en conte, puis en légende populaire, sans que jamais l'énigme du vers soit résolue, comme pour préserver indéfiniment la part du mystère et de l'interprétation dans le mécanisme de la narration. La parole chimérique d'un enfant rêveur devient alors une fable poétique, où l'auteur laisse au lecteur le soin de perpétuer songes et mirages. — Trad. Sindbad, 1988.

B. Mo.

RÉCITS DES ARGONAUTES [*Tales of the Argonauts*]. Récits de l'écrivain américain Bret Harte (1836-1902), publiés en 1870. Avant de se consacrer à la littérature, l'auteur avait cherché à faire fortune dans les mines d'or, et c'est de cette expérience directe que sont nés ces récits de « pionniers ». Toutefois ceux-ci n'ont pas un caractère réaliste ; ils s'inspirent plutôt de ce romantisme caractéristique de la littérature américaine, dont les origines remontent à Fenimore Cooper, à Mark Twain, et qu'on retrouve également dans certains films. Le cadre de ces récits est invariablement représenté par une de ces villes en formation où vivent les pionniers, aux maisons de bois tapissées de journaux, aux cafés rudimentaires fréquentés par des aventuriers et des « desperados », villes que l'on n'atteint que par un dangereux voyage en diligence et où l'on rend une justice sommaire ; d'où ce sentiment d'éloignement et de solitude qui pèse sur les choses et les personnes et les baigne dans une atmosphère particulière. Un des plus célèbres de ces récits : « La Chance de Roaring Hill » [The Luck of Roaring Hill), raconte l'histoire d'un enfant, né par hasard dans un camp de déportés, élevé et adopté par ceux-ci, qui rivalisent en émouvantes tendresses à son égard. Mais une crue emporte la cabane où vit l'enfant ; on le retrouve mort dans les bras d'un de ces hommes, qui meurt à son tour. Dans « Les Expulsés de Poker Flat » [The Exiles of Poker Flat], un groupe d'indésirables chassés de la ville rencontre, sur une route de montagne, un couple innocent d'amoureux qui se sont enfuis de chez eux pour se marier. Surpris par la neige, ils campent tous ensemble sous la conduite d'Oakhurst, tricheur à l'air romantique et au cœur noble ; en vain ils s'efforceront de sacrifier leurs existences maudites pour sauver les jeunes gens ; la neige les recouvrira tous silencieusement et réunira leurs âmes dans la mort. La poésie de ces récits est dans leur simplicité même ; le style, teinté d'une légère ironie mélancolique, est aussi spontané que les sentiments qu'il reflète. — Certains de ces récits ont été traduits en français dans les recueils intitulés *Récits californiens* (Calmann-Lévy, 1884) et *Nouveaux récits californiens* (même éditeur, 1887).

RÉCITS DE SÉBASTOPOL [*Sevastopolskie razskazy*]. Œuvre de l'écrivain russe Lev Nikolaïevitch Tolstoï (1828-1910), publiée en 1868. Récits autobiographiques du jeune écrivain, qui prit part à la défense de Sébastopol, durant les années 1854-1855. D'après le titre des trois récits, « Sébastopol en décembre 1854 », « Sébastopol en mai 1855 », et « Sébastopol en août 1855 », on pourrait croire que l'écrivain a voulu, dans une certaine mesure, faire une chronique des événements ; le récit, mené de façon réaliste, peut évidemment être utilisé de ce point de vue, mais on est surtout frappé par la maîtrise artistique avec laquelle Tolstoï parvient à reproduire l'esprit qui animait les défenseurs de Sébastopol. L'auteur était parmi ceux-ci ; jeune officier, il vécut les pages épiques de la défense, dans le constant voisinage de la mort. Tolstoï exalte cet esprit héroïque sans l'idéaliser, et même, lorsqu'il décrit des types, loin de s'attacher aux actes individuels, il replace les hommes dans un cadre qui reproduit exactement la réalité. N'écrit-il point que le héros de son récit, qu'il a essayé de reproduire dans toute sa beauté, car il fut et sera toujours beau, c'est la vérité Cette vérité, au sens réaliste, n'empêche cependant pas l'auteur de s'éloigner de temps en temps de la peinture objective et détachée, et de livrer ses opinions sur la guerre. Bien qu'elle n'y soit pas encore développée, on trouve, déjà exprimée dans cette œuvre, l'idée de la contradiction inconciliable existant entre la guerre et les exigences de la morale chrétienne et de la conscience humaine – idée qui deviendra un des thèmes fondamentaux de l'écrivain. – Trad. Gallimard (Bibl. de la Pléiade), 1960.

RÉCITS DES TEMPS DE GUERRE. L'écrivain français Georges Duhamel (1884-1966) a réuni sous ce titre, en 1949, six ouvrages se rapportant à la guerre de 1914-1918 et à celle de 1940, contre lesquelles il dresse, avec des accents poignants et fraternels, une sorte de réquisitoire, en tableaux où se côtoient la souffrance, l'exaltation et le découragement des hommes.

Le roman intitulé *Vie des martyrs* parut en 1917. Mobilisé pendant la Première Guerre mondiale dans le Service de santé, l'auteur a pu voir l'envers de la bataille. Dans les infirmeries et les hôpitaux du front, les héros ne sont plus que des patients, des « martyrs ». Au jour le jour, Duhamel a pu observer les blessés, avec le regard aigu d'un médecin, avec la sensibilité compatissante d'un homme qui a le don de s'associer presque physiquement à la souffrance d'autrui et qui la décèle à travers un simple geste, une parole en apparence banale. Il le fait dans une suite de récits courts, d'une véracité sobre et qui atteint au pathétique sans attendrissement et sans déclamation. Presque involontairement, il propose à l'admiration de tous les qualités de foi en la vie, de patience, de pudeur, d'innocence, que les hommes de toutes conditions, déchirés dans leur chair, peuvent manifester devant la douleur et jusque devant la mort. Témoin, Duhamel entend aussi porter un enseignement : il s'insurge contre tous les « membres de l'Institut, actrices de café-concert, politiciens et vedettes de la prostitution » qui ont systématiquement composé une image optimiste de la guerre ; il montre qu'au moment où tous les mythes sont abattus, où l'on pourrait désespérer de l'homme, du monde, de l'avenir, une réalité certaine subsiste encore, la souffrance. Il ne faut pas que cette souffrance soit perdue, il faut que se réalise « l'union des cœurs purs pour la rédemption d'un monde malheureux ».

Publié en 1918, l'ouvrage intitulé *Civilisation 1914-1917* devait obtenir la même année le prix Goncourt. Par son inspiration comme par sa forme, ce volume constitue un prolongement direct de *Vie des martyrs*. Il se compose, lui aussi, d'une série de choses vues, de tableaux et d'esquisses de la guerre considérés du côté des combattants, de leurs souffrances quotidiennes, de leur héroïsme sans emphase. Mais le panorama s'élargit et, après les hôpitaux, c'est tout le spectacle de la guerre que l'auteur en sa mémoire recompose. Le ton est plus âpre que dans *Vie des martyrs* : à côté de pages émouvantes où nous est contée l'histoire du lieutenant Dauche – le blessé qui songe à l'avenir, qui parle de sa femme, de son enfant, et qui ne sait pas qu'il va mourir, sans que le médecin puisse rien pour lui – c'est d'un humour macabre que se réclame « Un enterrement » ou « Le Cuirassier Cuvelier », tandis que les accents de révolte ne peuvent plus se contenir dans « Les Maquignons » et dans « Discipline ». La protestation contre la guerre devient un procès de la civilisation moderne qui engendre l'horreur parce qu'elle s'est vouée à l'idolâtrie du machinisme, parce qu'elle n'a voulu être que puissance, richesse, science, alors qu'elle aurait dû être essentiellement amour. Où est la civilisation ? « Si elle n'est pas dans le cœur de l'homme, répond Duhamel, eh bien ! elle n'est nulle part. » Cette phrase situe exactement l'esprit du livre : l'auteur échappe à tout esprit partisan, il n'accuse pas tels dirigeants, tel système politique ou social, à la différence de Barbusse par exemple, et c'est dans les ressources infinies de la sensibilité humaine qu'il place son espoir de voir naître un monde d'où l'horreur serait bannie.

Le roman intitulé *Entretiens dans le tumulte*, publié en 1919, semble être l'écho des soucis et des inquiétudes des générations qui ont participé à la Première Guerre mondiale. Dans ce livre, Duhamel tente de prévenir une nouvelle catastrophe. « Il faut, dit-il, refuser de nous laisser endurcir, de devenir indifférents, aveugles, sourds. Pour que le sacrifice ait toute sa portée, toute sa signification, il importe qu'il soit jusqu'au bout très amer. » Mais l'écrivain sait aussi que tout va recommencer. Le plus souvent, pour appuyer les sophismes et couvrir les intérêts les moins avouables, on fait parler les morts, à la fin de chaque guerre. Ici, les martyrs trouvent un interprète exemplaire en Duhamel, et on retrouve dans son livre le même art simple et le même frémissement que dans les ouvrages précédents.

Paru en 1928, l'ouvrage intitulé *Les Sept Dernières Plaies* emprunte son titre à l'Apocalypse de saint Jean : « Je vis dans le ciel un autre prodige grand et admirable : c'étaient sept anges qui versaient les sept dernières plaies, par lesquelles la colère de Dieu est consommée. » Dans ce roman une fois de plus consacré à la misère des hommes pendant la guerre, on retrouve à la fois la sensibilité douloureuse de *Vie des martyrs* et la satire âpre et mordante de *Civilisation 1914-1917*. Ici les personnages qui occupent le premier plan sont rarement des blessés, mais plutôt des êtres qui ont évolué autour des blessés, dans l'ombre des ambulances, à moins qu'il ne s'agisse d'épaves de la guerre sortant directement de la tourmente. Le livre, en dépit des circonstances exceptionnelles qui lui servent de toile de fond, plonge dans la vie quotidienne. Les hommes dont il est question ont senti sans doute dans leur âme, et surtout dans leur corps, les ravages de la guerre ; mais ils n'ont, au fond, rien abdiqué de leur caractère, de leurs habitudes quotidiennes. Comme le dit le père Coupé, même au cœur d'un péril sans nom, les hommes, contraints de renoncer à tant de choses, n'abandonnent pas leurs passions, leurs querelles, leurs petites tristesses personnelles. Le comique, qui est souvent la forme privilégiée de la satire chez Duhamel, n'est absent que dans les tableaux où la mort tient le premier rôle : c'est que, devant les agonisants, les fantoches les plus inconscients sont brutalement rappelés à l'ordre. Devant Armand Blanche, devant Clovis Duhamel, devant Barouin, devant Choquet, le dernier blessé de la guerre, toutes les petites querelles, toutes les petites vanités humaines s'apaisent. Les martyrs, déjà au seuil du tombeau, semblent d'ailleurs ne plus parler notre langue.

Publié en 1940, *Lieu d'asile* sera à l'origine du premier conflit de l'écrivain avec la puissance occupante. Ainsi, Duhamel revêtant à vingt ans de distance la même blouse blanche qu'il a portée cinquante mois sur le front de 14-18 recommence à fouiller les chairs, recommence à panser les plaies, à guérir et à consoler. Plus de six cents blessés sont ainsi opérés ou pansés par ses soins. Sa tâche terminée, il rédige des notes mêlées de commisération et d'humour, il écrit, sous la dictée des blessés de Rennes, une nouvelle vie des martyrs, ceux de 1940. *Lieu d'asile*, où le mot « allemand » n'est même jamais prononcé, sera néanmoins saisi et mis au pilon.

Les *Quatre Ballades* (« Ballade de Florentin Prunier », « Ballade de l'homme à la gorge blessée », « Tristesse du sergent Gautier », « Ballade du dépossédé ») sont extraites d'un recueil, *Élégies*, publié en 1920. La tendresse humaine, le sentiment d'une promesse, l'inquiétude inspirent ces ballades. Bouleversante est la mort de Florentin Prunier : lui se meurt lentement, et sa mère, qui est venue du fond de sa province, le veille. Sans plaintes, sans murmures, elle se contente de dire à voix basse : « Non, je ne veux pas que tu meures. » Et il semble en effet que, tant que cette ombre sera présente, la mort hésitera à s'emparer de sa proie.

RÉCITS DES TEMPS MÉROVINGIENS. Œuvre de l'historien français Augustin Thierry (1795-1856), publiée en six livraisons de 1833 à 1837, dans *La Revue des Deux Mondes* (*), sous le titre de *Nouvelles lettres sur l'histoire de France ;* l'édition définitive parut en 1840, avec une introduction dans laquelle l'auteur exposait sa conception de l'histoire : celle-ci y était définie comme le conflit des races. Ce fut la lecture des *Martyrs* (*) de Chateaubriand qui fit, de son propre aveu, naître la vocation historique de l'auteur. Il étudia le règne des Mérovingiens au VIe siècle à la lumière du dramatique récit de Grégoire de Tours — v. *Histoire des Francs* (*) — qu'il compléta par les chroniques du temps, les légendes, les poèmes, toutes sortes de documents alors inédits, et résolut de faire revivre en une suite de scènes colorées ce passé barbare et pittoresque. Ces *Récits* sont centrés autour des événements qui agitèrent les règnes des quatre fils de Clotaire Ier : Chilpéric, Sigebert, Gontran, Charibert, qui se partagèrent la Gaule ; et des reines fières ou infortunées : Frédégonde, Brunehaut et Galswinthe. L'auteur fait revivre les fastes et les cérémonies des cours barbares, les luttes atroces, les mœurs des seigneurs et du peuple, au sein des monastères, des palais, des asiles pour les proscrits. Chilpéric, roi de Neustrie résidant à Paris, fait assassiner sa femme Galswinthe, sur les instances de Frédégonde, sa favorite ; il s'attire ainsi le ressentiment de Brunehaut, femme de Sigebert, roi d'Austrasie, qui entend venger sa sœur. Devenue reine, Frédégonde parvient à faire tuer Sigebert ; puis elle persécute son beau-fils Mérovée, qui a épousé secrètement Brunehilde, à tel point qu'il se suicide. Le protecteur de Mérovée, l'évêque Prétextat, après avoir été accusé de conspirer contre le roi et s'être disculpé, est assassiné dans son église par un homme à la solde de Frédégonde ; cependant que le fils de Brunehaut, Childebert II, réussit à prendre le pouvoir en Austrasie, malgré l'implacable Frédégonde. On ne laisse pas que d'être intéressé par le personnage de Chilpéric, impétueux et inconstant dans la haine comme dans l'amour, perfide, violent et sensuel, féru de vers latins et de théologie. Eunius Mummolus, l'homme policé qui redevient un barbare par ses dépravations, Grégoire de Tours, qui contemple tristement les ruines de la civilisation antique, sont les deux représentants les plus notoires d'un âge plein de contradictions, où l'antagonisme de deux races mettait aux prises la barbarie et une culture agonisante. Augustin Thierry fut considéré comme un novateur, dans son désir d'une reconstitution qu'il entendait mener à bien grâce à de rigoureuses données historiques et à son intuition. Ses *Récits* mirent en honneur le pittoresque et la couleur locale, dont usa et abusa la littérature historique et romanesque du XIXe siècle. On ne peut que rendre justice à son style, à l'extraordinaire adresse avec laquelle il sut tirer parti des chroniques anciennes, en leur conservant toute leur fraîcheur, en leur donnant la pureté d'accent d'une vieille légende. Et même si l'intérêt historique des *Récits des temps mérovingiens* a singulièrement décru du fait même du mouvement de recherches qu'ils ont précisément suscité, cette œuvre n'en reste pas moins, par ses qualités propres, une des plus représentatives de l'histoire considérée comme genre littéraire.

RÉCITS DIVERS de Tchekhov [*Pëstrye razskazy*]. Récits que l'écrivain russe Anton Pavlovitch Tchekhov (1860-1904) publia, alors qu'il était étudiant, dans des journaux et des revues de peu d'importance entre 1881 et 1888. Réunis d'abord en un volume, sous le pseudonyme d'Antocha Tchekhonte, une partie de ces récits fut ensuite comprise par l'auteur dans l'édition complète de ses œuvres. Ces récits, en général brefs, sont une peinture vive et enjouée de la vie des petits-bourgeois et des fonctionnaires. Les caractères sont rendus par des traits vifs et frappants, et souvent c'est par leur conversation que se révèlent les personnages. Presque toujours, ces récits se terminent par le rire ; dans la « Nuit terrible », un homme, en rentrant d'une séance de spiritisme, trouve dans sa maison, puis dans chacune de celle de ses amis, chez qui, plein de terreur, il s'est réfugié, des cercueils dont il ne peut s'expliquer la présence : il découvre enfin qu'un fabricant de cercueils en faillite a voulu sauver une partie de son bien en transportant chez ses amis, durant leur absence, les produits de son industrie. Dans « L'Orateur », l'employé Sapochkine fait par erreur, à un enterrement, l'éloge funèbre non du défunt, mais d'un supérieur vivant et présent. Dans la « Nuit qui précède le procès », un accusé, se rendant dans la ville où doit avoir lieu son procès, rencontre pendant le voyage un couple : s'étant présenté comme médecin, il a tout loisir d'ausculter la femme, jeune et gracieuse. Le lendemain, au procès, il s'aperçoit que l'avocat général est justement le mari de sa « patiente ». À l'esprit jovial et insouciant des récits se joint souvent une intention satirique. Dans « Au bain », le barbier de l'établissement met en garde le propriétaire contre un individu suspect qui défend la culture. Mais s'étant aperçu qu'il s'agit d'un ecclésiastique, repentant, il lui demande pardon de l'avoir pris pour quelqu'un « ayant des idées dans la tête ». Ces récits, où l'on sent déjà le charme de la personnalité de Tchekhov, rencontrèrent aussitôt la faveur du public russe, et acquirent une telle notoriété que certains d'entre eux (« Une œuvre d'art », « Un nom de cheval ») sont devenus proverbiaux chez les Russes. – Trad. *Contes humoristiques,* Messidor, 1987.

RÉCITS DU CHIRURGIEN MILITAIRE (Les) [*Fältskärns berättelser*]. Suite d'évocations historiques de l'écrivain finlandais de langue suédoise Zacharias Topelius (1818-1898), publiées d'abord comme supplément au journal *Helsingfors Tidningar* de 1851 à 1866, puis en cinq volumes (1853-1867). L'auteur suppose que le narrateur est un vieux chirurgien militaire, qui, après avoir eu maintes aventures dans divers pays, s'est établi dans une petite ville du nord de la Finlande. Il se met à raconter des histoires d'autrefois à un auditoire d'amis et d'amies, jeunes et vieux. C'est dans ce cadre qu'est retracée l'histoire de la Suède et de la Finlande depuis la guerre de Trente Ans jusqu'à la seconde moitié du XVIIIe siècle. Ces récits, fortement teintés de romantisme, sont loin d'exclure un certain merveilleux : une place importante y est faite, en effet, à un anneau de cuivre susceptible de procurer à son possesseur la gloire militaire, la puissance et la richesse, tout en l'exposant en même temps aux plus graves dangers. Toute l'intrigue principale met en scène la noble famille des Bertelsköld, issue d'un fils que le roi Gustave-Adolphe aurait eu d'une paysanne finlandaise. Ajoutons à cela le conflit séculaire entre la noblesse et le peuple : la noblesse pourrie d'orgueil, du fait de sa puissance, et le peuple foncièrement royaliste.

RÉCITS D'UN MÉNESTREL DE REIMS. Sous ce titre a été publié par Natalis de Wailly, dans les textes de la « Société de l'Histoire de France » (Paris, 1876), un intéressant recueil d'anecdotes historiques daté de la deuxième moitié du XIIIe siècle et dont l'auteur anonyme serait un ménestrel de la région de Reims. Ce n'est pas une histoire suivie, mais une suite des épisodes historiques les plus populaires du temps. Aussi ne faut-il chercher ici nulle exactitude ; c'est la légende, telle qu'elle est récitée pour le divertissement des nobles seigneurs et du peuple, que nous présente l'auteur. Par là, ces *Récits* nous donnent de précieuses indications sur la mentalité des contemporains, sur l'idée qu'on se faisait, peu de temps après qu'ils furent survenus, des événements historiques. C'est ainsi qu'il nous offre une version déjà très élaborée de la captivité et de la délivrance du roi d'Angleterre, Richard Cœur de Lion, par son fidèle ami et ménestrel, Blondel, légende qui devait servir de thème à l'opéra-comique de Grétry *Richard Cœur de Lion* (*) ; ou qu'il nous donne un curieux récit de la bataille de Bouvines, provoquée, selon l'auteur, par la rivalité de deux chevaliers français, le comte Gauthier de Saint-Pol et le comte Renaud de Boulogne. Ce recueil d'anecdotes nous donne une idée de ce que pouvaient être les récitations de ces ménestrels errants qui avaient un si vif succès aussi bien auprès des grands que du peuple.

RÉCITS D'UN PÈLERIN RUSSE [*Otkrovennye razskazy strannika dukhovnomu Svoemu otcu*]. Ouvrage paru à Kazan vers 1873 puis, dans de meilleures versions, en 1881 et 1884. L'auteur serait un certain Nemytov, paysan de la province d'Orel, un de ces nombreux mystiques surgis du peuple russe au XIXe siècle. Le livre relate les péripéties de la vie de ce « fou de Dieu » dans la campagne russe entre la guerre de Crimée et l'abolition de l'esclavage, soit vers 1860. Le pèlerin n'a dans son sac que du pain sec, une *Bible* (*) et la *Philocalie* (*), qu'il achète pour deux roubles après la mort de son starets. Il raconte ce qu'il voit, il pose ses questions. Les quatre récits qu'il donne ont été probablement très complétés, de façon didactique, par une main religieuse, mais demeurent un document authentique et frais non seulement sur la société rurale russe, mais aussi sur la profondeur mystique de la tradition hésychaste au XIXe siècle. Le pèlerin appartient au milieu du monastère d'Optino, dans le gouvernement de Kaluga, au sud-ouest de Moscou, au temps où il était dirigé par le starets Macaire. Ce dernier était le prédécesseur du starets Ambroise (1812-1891) que fréquentèrent Gogol, Dostoïevski, Soloviev, Tolstoï, et qui inspira le personnage du starets Zosime des *Frères Karamazov* (*). Dans les *Récits* apparaissent d'ailleurs tous les personnages du roman russe de l'époque : le noble soucieux d'expier sa vie dissolue, le juriste incroyant et libéral, le déserteur vagabond, les condamnés en route pour la Sibérie, les maîtres de poste querelleurs, les ivrognes...

Trois autres récits ont été retrouvés dans les papiers du starets Ambroise et publiés en 1911 ; ils sont moins narratifs et plus didactiques que les premiers. — Trad. Cahiers du Rhône, 1943 ; Le Seuil, 1966 ; et pour les *Trois récits inédits*, Abbaye de Bellefontaine, 1976.

J.-P. L.

RÉCITS DU SÖRMLAND [*Hedebysviten*]. Œuvre de l'écrivain suédois Sven Delblanc (né en 1931), composée de quatre titres : *En souvenir de la rivière* [*Åminne*, 1970], *L'Oiseau de pierre* [*Stenfågel*, 1973], *Hibernation* [*Vinteride*, 1974] et *La Porte de la ville* [*Stadsporten*, 1976]. Cette tétralogie épique renoue avec le roman social, genre qui connut son apogée en Suède avec les écrivains prolétaires des années 30, mais qui revient à la mode à partir de 1970. En réaction contre la littérature d'engagement de la décennie précédente, un certain nombre d'auteurs désireux de retrouver leurs racines redécouvrent alors l'inspiration régionaliste. Après plusieurs années de tâtonnements, Sven Delblanc choisit de se joindre à ce courant par le biais d'une description de l'univers où il a grandi : la petite commune de Hedeby. Le résultat est une peinture étonnamment vivante où foisonnent les personnages et les souvenirs. La complexité de l'ensemble s'explique par les difficultés personnelles qu'il a dû surmonter pour analyser son enfance et par l'ampleur de son travail de recherche pour faire revivre un terroir. Ainsi ce récit, discrètement autobiographique, peut-il être considéré aussi bien comme un roman historique que symbolique. L'apparition du personnage principal, l'enfant Axel, alter ego de Sven Delblanc, n'intervient que dans le troisième volume, les deux premiers étant destinés à camper le milieu. À la faveur de cette composition, l'auteur met en relief la solitude du jeune garçon qui n'éprouve que répulsion pour le monde des adultes. La période retenue (1937-1945) pour cette vaste fresque, dont Axel ne représente qu'un élément, donne la possibilité d'étudier l'impact de la guerre sur les habitants de Hedeby. Ne craignant pas d'aborder le sujet tabou de la neutralité suédoise pendant la Seconde Guerre mondiale, Sven Delblanc dénonce la passivité de la population qui a davantage souffert d'une succession d'hivers rigoureux et de mauvaises récoltes que de la mobilisation. La hantise de l'invasion a fait place à un sentiment d'accoutumance dans l'attente de la paix. Sven Delblanc présente aussi cette époque comme un tournant décisif pour l'évolution de la société suédoise. Elle marque la fin d'un univers clos, oppressant certes, mais qui offrait la sécurité à l'individu. Sven Delblanc note la manière insidieuse dont la foi et les traditions se perdent, comment la grande ville, Stockholm, se rapproche et exerce irrésistiblement son attrait sur cette communauté qui cesse d'être rurale pour passer à l'ère de l'industrialisation. Mais l'homme garde-t-il une plus grande maîtrise sur sa vie dans la Suède moderne ? La liberté ne reste-t-elle pas toujours aussi inaccessible ? La misère affective, physique ou morale, toujours aussi forte ? Ainsi Axel s'avère-t-il incapable, à cause des traumatismes qu'il a subis, d'accepter l'amour d'Agnes Karolina. Ainsi Signe, malgré son refus de se résigner, n'échappe ni à la pauvreté ni à la maladie. Sa fille, Märta, qui rêve d'un avenir meilleur, échoue également en dépit de sa volonté et de sa beauté. Ces portraits constituent une défense vibrante des droits de la femme. Le nivellement social est aussi en marche, effaçant les différences de classes, même si la lutte n'est pas achevée. Le cycle de Sven Delblanc traite ces événements dans une perspective philosophique en abordant les thèmes fondamentaux de la liberté, individuelle et collective, de l'égalité et de la solidarité. Mais le débat n'est pas tranché, il n'apporte pas de réponses claires et rassurantes car il est proposé par un être lui-même profondément déchiré, à l'écoute de voix contradictoires. L'impression d'éclatement qui domine cette œuvre illustre les préoccupations de l'auteur. Celui-ci a le souci de rompre consciemment l'illusion narrative en introduisant plusieurs points de vue dans son histoire, parfois cynique, parfois chaleureux ou compatissant. Rares sont les romanciers suédois qui possèdent une telle puissance évocatrice et savent manier avec autant d'adresse une prose riche, spirituelle et généreuse.

M.-B. L.

RÉCITS DU TUTEUR [*Formynderfortællinger*]. Recueil de nouvelles de l'écrivain danois Villy Sørensen (né en 1929), publié en 1964. Le thème du livre est donné par la citation mise en exergue de la *Lettre* de saint Paul aux Galates : « Or je dis : aussi longtemps qu'il est un enfant, l'héritier, quoique propriétaire de tous les biens, ne diffère en rien d'un esclave » — v. *Épître aux Galates* (*). Pourquoi l'homme, qui a la possibilité d'être libre, préfère-t-il se laisser dominer au lieu d'être lui-même ? Pourquoi s'enfuit-il dans la pseudo-liberté du conformisme au lieu de rechercher la liberté elle-même ?

Le recueil commence par *Une histoire de verre* [*En glashistorie*]. Sa morale est simple : celui qui ne veut que du bien finit par ne faire que du mal. Pour aider son frère déprimé à retrouver sa bonne humeur, un opticien invente un nouveau verre qui transforme la laideur en beauté. L'utilisation de ce verre se répand. Mais, avec le temps, il faut des verres de plus en plus forts qui finissent par rendre tout le monde aveugle au sens propre comme au sens figuré, car, si tout le monde voit la même chose, personne ne voit rien. Et personne ne croit ces quelques individus isolés qui eux voient encore. Mais seul le récit permet de tout voir. *Une histoire d'avenir* [*En fremtidshistorie*], qui est moins pessimiste, reprend la dialectique liberté / nécessité en introduisant la notion de révolte. Un président a décrété que toutes les naissances seront contrôlées et que le destin de chacun sera prédit par ordinateur. Ceci afin que chacun trouve sa juste place dans une société enfin débarrassée de tout risque de gâchis, en particulier du risque que constitue la liberté prônée par l'adversaire du président, Filip Rose. Lorsqu'il est prédit que son propre fils le tuera, le président envoie le nouveau-né chez Filip Rose qui accepte de l'élever. Rose élève le fils suivant ses principes ; mais il ne peut le faire qu'en le prédestinant à la révolte ! Ce qui a été prédit finira par s'accomplir d'une certaine façon. Filius, le fils, ne tuera pas son père, le président — ce qui reviendrait à succomber à la prédiction de l'ordinateur —, mais il le détrônera et gagnera par là sa liberté. Devenu président, il ordonne un enseignement dans les écoles qui repose sur les notions combinées de nécessité et de liberté. Seul l'homme libre peut décider de se soumettre librement à la nécessité.

Les autres récits sont autant de variations sur ces thèmes. Ils s'étendent de l'Antiquité jusqu'à nos jours et font appel à des genres littéraires très divers où s'introduit une ironie propre à l'auteur, rapportant une discussion entre Néron et saint Paul au sujet de l'amour : Néron ne reconnaît d'amour et de vérité que charnels, saint Paul que spirituels. L'homme — Patroclos —, qui est une synthèse des deux, en meurt. *L'Histoire d'une tutelle* [*Et Formynderskabs Historie*] raconte à la première personne les problèmes de Frédéric III avec son pupille Sigmund, puis, transplanté au XIXe siècle (car Frédéric est le symbole même du tuteur) avec Louis, le dresseur de chevaux qui veut que ceux-ci marchent sur les pattes antérieures, la queue en l'air. Les chevaux en meurent, et Louis également, la tête écrasée par les chevaux. L'aveuglement de l'individu devant ses propres mobiles constitue le sujet même du livre. Vivant dans l'illusion la plus totale, ni le tuteur ni le pupille ne sont libres ; tous deux sont étrangers à eux-mêmes. Avec pour contexte l'histoire culturelle de l'Europe, les *Récits du tuteur* constituent une véritable « archéologie littéraire » mettant en évidence l'impérieuse nécessité d'une prise de conscience qui fera du passé non pas une fatalité mais une mémoire permettant à l'homme de s'ouvrir à plus de liberté. K. P.

RÉCIT SECRET. Essai de l'écrivain français Pierre Drieu la Rochelle (1893-1945), publié posthume en 1951. Drieu avoue avoir toujours subi la tentation de la mort et raconte les diverses tentatives de suicide auxquelles, depuis l'âge de sept ans, il s'est livré. « Je suis né mélancolique, sauvage. Avant même d'être atteint et blessé par les hommes, ou de mourir de remords de les avoir blessés. Je me dérobais à eux. Dans les recès de l'appartement et du jardin, je me refermais sur moi-même pour y goûter quelque chose de furtif et de secret. » Et sans doute pense-t-on aussitôt à ce goût de l'échec et de la catastrophe que plus d'un critique a dénoncé en Drieu. Mais celui-ci poursuit : « Déjà je devinais [...] je savais qu'il y avait en moi quelque chose qui n'était pas moi et qui était beaucoup plus précieux que moi. Je pressentais aussi que cela pourrait se goûter beaucoup plus exquisement dans la mort que dans la vie. » Drieu, qui n'était pas chrétien, se sentait parfois proche de certains aspects de la religion hindoue : il croyait à une survie collective, à une dilution de l'être au sein d'une supranature qui pourrait être Dieu. On comprend cependant que c'est pour résister à l'attirance de la mort que Drieu vouait à la force un véritable culte. Ainsi s'expliquerait qu'il ait décidé de collaborer avec l'Allemagne hitlérienne. Un texte publié à la suite de *Récit secret* trace un rapide résumé de son évolution politique. Il termine en disant : « Je ne suis pas qu'un Français, je suis un Européen. Vous aussi vous l'êtes, sans le savoir ou le sachant. Mais nous avons joué, j'ai perdu. Je réclame la mort. » Peu après, Drieu se suicidait.

RÉCITS EN RÊVE. Recueil de récits et de textes en prose de l'écrivain français Yves Bonnefoy (né en 1923), publié en 1987. Le livre réunit plusieurs ouvrages édités d'abord séparément : *L'Arrière-Pays* (1972), *L'Ordalie* (1974), *Rue Traversière* (1977), *Trois remarques sur la couleur* (1977), *L'Origine du langage* (1980). Quelques textes plus brefs s'y ajoutent.

L'Arrière-Pays appartient initialement à la

célèbre collection « Les Sentiers de la création », dirigée par Gaétan Picon chez l'éditeur suisse Albert Skira. Le texte y est accompagné de trente-cinq illustrations attentivement choisies par l'auteur. Ce texte, plus qu'un récit, est un cheminement méditatif parmi des réminiscences. C'est l'une des plus belles œuvres en prose parues en langue française dans la seconde moitié du XXe siècle. Les motifs principaux de la pensée de Bonnefoy s'y trouvent rassemblés, dans une perspective autobiographique émouvante et pudique. *L'Arrière-Pays* jette une vive lumière sur la genèse de sa création poétique, et sur les expériences qui ont orienté ses choix.

Qu'est-ce que l'arrière-pays ? Dès l'ouverture du texte, nous savons ce que ce mot désigne : « J'ai souvent éprouvé un sentiment d'inquiétude, à des carrefours. Il me semble dans ces moments qu'en ce lieu ou presque : là, à deux pas sur la voie que je n'ai pas prise et dont déjà je m'éloigne, oui, c'est là que s'ouvrait un pays d'essence plus haute, où j'aurais pu aller vivre et que désormais j'ai perdu. » L'arrière-pays est un rêve ou un horizon de la nostalgie, qui appelle le désir vers un « là-bas », quand bien même la conscience sait parfaitement qu'« ici » est le lieu où la « beauté de ce monde » se révèle. Cet appel est ressenti de façon ambiguë, puisque d'une part il éveille le sentiment d'une « vraie vie » située au lointain, et que d'autre part il dévalorise coupablement la réalité la plus proche. L'espace imaginé s'étend de l'Irlande à l'Asie centrale. Il ne tarde pas à se doubler d'un horizon temporel : l'image légendaire de la Rome ancienne, découverte lors d'une lecture d'enfance, dans un roman, *Les Sables rouges*, qui ressemble un peu à la *Gradiva* (*) de Jensen, introduit un thème qui parcourra le texte entier, jusqu'à l'évocation de Poussin à Rome, ramassant la poussière de ce lieu et peignant « ses grands *Moïse sauvé* ». Au motif romain se rattachent un admirable éloge de la langue latine et le souvenir de sa découverte dans l'adolescence : « Il me semblait que le latin était un feuillage vert sombre, touffu, un laurier de l'âme, à travers lequel j'eusse perçu une clairière peut-être, en tout cas la fumée d'un feu, un bruit de voix, un frémissement d'étoffe rouge. » Autre découverte : la Toscane et la peinture du quattrocento. Au long du voyage italien, ponctué de rêves, s'est formé un projet de « roman » qui l'eût doublé et prolongé. Bonnefoy narre à distance le plan et les péripéties d'un *Voyageur* qui ne devait jamais être complété ni publié, et où revenaient les préoccupations de *L'Ordalie*, l'œuvre précédente détruite en sa presque totalité. En racontant ainsi l'histoire des premiers récits qu'il a sacrifiés, et en exposant les motifs de son insatisfaction, Bonnefoy écrit son propre récit d'apprentissage, réinterprétant son passé sous un regard qui a gagné un plus large pouvoir de compréhension. Il nous livre en même temps une explication de la situation dans laquelle il écrivit son deuxième recueil de poèmes, *Hier régnant désert* (*) (1958) : « Ce furent mes saisons les plus noires. »

Dans la rétrospection, *L'Arrière-Pays* remonte aux situations de l'enfance, pour y retrouver l'origine même de l'opposition de l'« ici » et du « là-bas ». « Mon enfance a été marquée — structurée — par une dualité de lieux, dont un seul, longtemps, me parut valoir. [...] L'obsession du point de partage entre deux régions, deux influx m'a marqué dès l'enfance et à jamais. » À Tours, la ville natale, dans un « quartier de petites maisons pauvres », se déroulait l'année studieuse. L'été, à Toirac près du Lot, dans la maison et le verger des grands-parents, l'enfant recevait la révélation d'un autre pays, qui devint dans son imagination le « pays de l'intemporel ». La fin de l'enfance coïncide avec la venue de ce que Bonnefoy nomme ailleurs la « présence mauvaise », ou l'apparition de l'« Étranger » : il évoque l'impression maléfique d'un « pont de fer sous les peupliers », d'une « mare d'huile », images chargées de valeur mystérieuse et néfaste dont on retrouve la trace dans d'autres textes, notamment dans *L'Improbable* (*) (« L'Étranger de Giacometti »), et dans *Hier régnant désert* (1958) (« Le Pont de fer »), qui forme une partie des *Poèmes* (*).

C'est encore vers l'enfance et vers la ville natale que le poète est ramené dans le souvenir ou les rêves de la *Rue Traversière*. Toutefois, parmi les textes rassemblés sous ce titre, on trouve des proses libres et des récits sur de tout autres motifs, parmi lesquels l'acte de peindre, le voyage, l'émergence de la parole, l'émerveillement devant les signes inattendus. Si le rêve avait été longtemps tenu en suspicion par Bonnefoy, c'était dans la mesure où celui qui s'y vouait délibérément s'absentait d'un devoir à l'égard des choses et des êtres réels. Le rêve toutefois n'avait été réprouvé que lorsqu'il avait l'orgueil de se refermer sur lui-même, et de créer un monde séparé. Il faut consentir au rêve comme à une part du réel. Comme Bonnefoy l'écrit avec *Dans le leurre du seuil*, ne pas savoir « le droit d'un rêve simple qui demande à relever le sens », c'est manquer de compassion, et risquer de ne pas accéder au vrai.

On trouvera dans *Récits en rêve* cinq pages capitales (« Sur de grands cercles de pierre ») où s'explicite pleinement l'agnosticisme (sinon l'athéisme) d'Yves Bonnefoy : même pour désigner une transcendance, le mot « Dieu » ne doit pas se formuler ni se laisser enclore dans un discours : « Tout mot simple est en puissance ce vocable totalement ouvert dont le mot Dieu, en somme, n'aura été que la métaphore. [...] On n'appelle pas Dieu " par " son nom, on l'appelle " dans " un nom, et cela peut-être du coup dans n'importe quel nom, c'est ce que l'on nomme l'amour. »

L'ouvrage s'achève par les deux chapitres qui constituent le moment final du récit *L'Ordalie*, dont il a été question dans *L'Ar-*

rière-Pays, et sur lequel Bonnefoy s'explique dans les *Entretiens sur la poésie* (+) (1990). Le commentaire de l'auteur nous aide à comprendre ces scènes abruptes et emblématiques : « Je voulais de l'écriture qu'elle soit [...] l'épreuve par laquelle on peut se prouver, et à soi-même d'abord, digne de vivre là où la vie a son lieu. » Le héros orgueilleux, Jean Basilide, a voulu régner sur un monde où la perfection et l'incarnation se concilieraient. Il se retrouve à la fin, blessé, mais « à jamais ni vivant ni mort », dans le lieu allégorique – l'orangerie, « maison de l'intelligible » – qu'Yves Bonnefoy a souvent évoqué dans ses premiers essais et ses premiers recueils poétiques. J. S.

RÉCITS ÉTRANGES [*Saere Historier*]. Recueil de nouvelles de l'écrivain danois Villy Sørensen (né en 1929), publié en 1953. Ce premier livre de Sørensen renoue avec la tradition du conte et du récit fantastique en y introduisant l'absurde, expression du profond décalage entre l'homme et le monde, entre l'homme et lui-même. Ce décalage, cet « écartement de soi-même », constitue le thème principal du livre. Pour souligner la longue tradition du sujet, le livre commence par deux légendes. La première parle de l'évêque de Nazareth, Silvanus, qui dans sa jeunesse aurait écrit un livre hérétique sur les deux volontés du Christ. À partir de ce livre, Sabianus, l'adversaire de Silvanus, accuse les évêques d'avoir créé le mal en limitant le bien. Il faut donc maintenant que le mal fasse partie intégrante de la vie. La deuxième légende, *Thédorus et Théodora* [*Theodorus og Theodora*], est une variation sur le même thème, à ceci près que le bien et le mal vont s'unir dans l'enfant. Le mal, c'est le refoulement de la chair. Chez Sørensen, éros exprime l'union de la chair et de l'esprit qui, dans les autres textes du livre, se confrontent fatalement. Ainsi en est-il dans *L'Arbre inconnu* [*Det Ukendte Trae*] et *Les Tigres* [*Tigrene*]. Dans *L'Arbre inconnu,* un père, jardinier, interdit à son fils de monter dans l'arbre inconnu. Celui-ci le fait quand même et réalise ainsi l'union enfantine et spontanée de la chair et de l'esprit. C'est insupportable pour l'adulte qui, pour arriver à ses fins, abat l'arbre. Mais celui-ci repousse encore plus haut ; toujours, selon le jardinier, avec le garçon assis à la cime et en train de chanter. L'autre récit, *Les Tigres*, est une transposition de *Faust* (*). Un soir, tout le monde découvre un tigre dans sa cuisine. Un jeune homme, Fif (Faust), conclut un accord avec le directeur du jardin zoologique (Méphistophélès). Fif délivre les gens de leur tigre qu'il conduit ensuite au jardin zoologique. Fif commence alors à écrire et au début connaît un grand succès. Mais peu à peu les lecteurs se lassent, les tigres leur manquent. Ils reprochent à Fif son manque d'éclaircissement sur sa possible relation avec des tigres. À la fin du récit, Fif retrouve une jeune fille, Grethe (Grethchen), qui a su garder un tigre chez elle (elle a trouvé un modus vivendi avec ses désirs [la chair] et n'a pas besoin ni de s'y soumettre ni de les refouler) ; il entreprend alors une nouvelle œuvre sur les tigres en liberté. Celle-ci fascine tellement les gens qu'ils ne viennent plus au jardin zoologique, et le directeur est obligé de libérer les tigres. *Rien qu'une gaminerie* [*Blot en drengestreg*] raconte comment le bien engendre le mal. Deux frères, soucieux de sauver la vie d'un petit garçon qui s'est blessé au pied, mettent en pratique les explications fournies par leur mère au sujet d'un oncle que les médecins ont amputé d'une jambe. Le petit garçon en meurt, mais la mère lave les deux frères – jusqu'à ce qu'ils soient « blancs comme des anges ». Dans *L'Affaire du meurtre* [*Mordsagen*], un homme est nommé commissaire de police parce qu'il a des affinités particulières avec le meurtre. Il est en fait à la fois l'assassin et l'assassiné. Dans *Les Deux Jumeaux* [*De To Tvillinger*], les frères Otto, deux aspects d'un même individu, rencontrent des problèmes à l'âge adulte puisque la société ne veut pas les reconnaître dans leur individualité. Tous deux en meurent. Par ces récits qui traitent du décalage, de la déviance, aussi bien d'ordre psychologique que social, Sørensen se plaça d'emblée au centre de la littérature danoise comme un des plus grands écrivains de l'après-guerre. K. P.

RÉCITS EXTRAORDINAIRES [*P'ai-an tsing-tsi – Pai'an jingji*]. C'est le titre de deux recueils de récits chinois en langue vulgaire publiés par Ling Meng-tch'ou (Ling Mengchu) (1580-1644), le premier en 1628 et le second en 1632. Ils ont été écrits sur le modèle de ceux de Feng Meng-long. Il s'agit ici aussi de la reprise de récits oraux de conteurs adaptés pour être lus, mais pour une partie seulement, car Ling Meng-tch'ou a aussi écrit certains de ces récits à la manière d'une version à l'origine orale, mais en se basant sur des nouvelles en chinois classique. Les thèmes sont les mêmes que ceux des recueils de Feng Meng-long : des faits extraordinaires mais qui se passent dans la vie quotidienne et dans tous les milieux sociaux. – Trad. sous le titre *Contes chinois* (1827) ; *Trois nouvelles,* trad. d'Hervey Saint-Denys (1885). J. P.

RÉCITS FANTASTIQUES [*Racconti fantastici*]. Nouvelles de l'écrivain italien Igino Ugo Tarchetti (1841-1869), publiées en 1869. Tarchetti puise aux sources du fantastique allemand et français. En particulier, *Les Êtres fatals* [*I fatali*], *L'Os du mort* [*Un osso di morto*] ne sont pas sans rapport avec *Jettatura* et *Le Pied de momie* de Théophile Gautier. Ces choix constituent autant de garanties, pour Tarchetti, de la modernité de son entreprise. Mais Tarchetti ne s'en tient pas à un démarquage plus ou moins élégant de ses sources. Il bâtit fort bien ses récits, il tire profit des nouveaux filons qui viennent enrichir le fantastique : le spiritisme, en particulier, objet de vifs débats en Europe à partir des années 1850 (en 1865 des enquêtes scientifiques dénoncent de nombreuses supercheries). *L'Os du mort* en est un exemple de choix. L'action se déroule en 1865. Le narrateur a gardé, comme souvenir des cours qu'il a suivis à l'université de Pavie, une rotule de genou, dont il se sert comme presse-papier : elle avait appartenu à Pierre Mariani, un ancien appariteur de l'université. Au cours d'une séance de spiritisme, il apprend que Pierre Mariani viendra récupérer cet os, dont l'absence l'empêche de jouir, dans l'au-delà, du repos mérité. Les différentes composantes du fantastique (le macabre, les fantômes, les séances du spiritisme) sont fort bien orchestrées, dans un récit ouvert à de multiples interprétations. C'est là la qualité majeure de ce livre. F. Li.

RÉCITS HASSIDIQUES (Les) [*Die Erzählungen der Chassidin*]. Recueil compilé par le philosophe israélien d'origine autrichienne Martin Buber (1878-1965), publié en 1949 après des années de recherches. Buber a intitulé la version en hébreu de cet ouvrage *Or haganuz*, c'est-à-dire « la Divine Lumière glorieuse » cachée au commun des mortels. Buber a rassemblé dans ce volumineux recueil tous les récits légendaires qui constituent le fonds de la tradition orale entretenue dans les milieux mystiques (hassidisme signifie en hébreu mysticisme) du judaïsme d'Europe orientale depuis la fondation de la secte au XVIIIe siècle. Buber donne lui-même du conte hassidique une définition qui en éclaire la valeur et la fonction dans l'économie du hassidisme : « Il est de tradition chez les hassidim — et c'est là proprement une des formes essentielles du mouvement tout entier — de se communiquer les récits touchant leurs Tsaddikim. On se trouvait présent lorsque telle grande chose est arrivée, on assistait à l'événement : il convient donc qu'on le relate et qu'on en porte témoignage. Aussi les mots de ce récit sont-ils plus que de simples mots, puisqu'ils transmettent aux générations futures une réelle expérience [...] dont la relation devient elle-même un acte, et un acte saint [...] Selon le credo hassidique, la divine lumière primordiale est infuse chez le Tsaddik ; de sa personne elle passe dans ses œuvres ; et de ses œuvres elle passe dans le récit qui les rapporte : elle baigne les paroles des hassidim qui en font le récit. » *Les Récits hassidiques* de Buber sont donc d'une importance essentielle dans la constitution du patrimoine littéraire et spirituel de la littérature juive et israélienne ; outre le fait qu'ils fixent une tradition orale, menacée d'extinction, et fondamentale qui est l'expression d'un courant de spiritualité majeur dans l'histoire de la culture juive, ces *Récits* constituent un document qui contribue à éclairer l'œuvre des écrivains israéliens originaires d'Europe orientale (par exemple, Agnon), qui se sont nourris aux sources de cette tradition. — Trad. Plon, 1963 ; Rocher, 1978.

RÉCITS LITUANIENS [*Litauische Geschichten*]. Recueil de nouvelles de l'écrivain allemand Hermann Sudermann (1857-1928), publié en Allemagne en 1917. C'est peut-être la meilleure œuvre, dans le genre épique, de Sudermann, un des principaux représentants avec Hauptmann du naturalisme allemand. Déçu par les critiques qui avaient suivi ses bruyants succès, en particulier celui de *La Maison paternelle*, l'auteur s'était retiré dans sa terre natale, près de Memel, et y avait retrouvé la vigueur narrative de sa jeunesse. La nouvelle « Jons et Erdme », la troisième du recueil, est écrite sous l'influence de Hamsun et développe le thème épique de la lutte de l'homme contre les forces adverses de la nature, pendant l'assèchement d'un marais. Jons et sa compagne doivent construire leur cabane sur un sol boueux, en recourant à tous les moyens, même le vol, car tout est à faire ; chaque résultat obtenu, même le plus minime, est pour eux une conquête mémorable. Deux filles naissent bientôt, qui « devront aller de par le monde vêtues de soie et de velours ». Les colons s'aident l'un l'autre et l'assèchement se poursuit ; mais la crainte de l'inondation, menace suspendue sur leur tête comme la mort, pèse sur chacun. Un criminel qui vient de sortir de prison voudrait s'unir à eux, retrouver sa place parmi les hommes, mais tous le fuient. Lorsque survient l'inondation, la cabane de l'ancien prisonnier, que celui-ci avait fabriquée en prévision du désastre, flotte comme un radeau, et il y recueille autant de personnes qu'elle peut en contenir. Le vieux forçat exulte, car il a retrouvé l'estime des hommes. Le désastre est surmonté. Le destin frappera Jons plus tard, avec la trahison de ses filles et de sa femme, qui, par amour maternel, l'abandonne pour les suivre. À la violence des éléments répond la violence des passions humaines ; de la lutte, de la douleur et de la destruction naît un pathétique impitoyable, « réaliste », parfois même beaucoup trop théâtral, qui semble nous reporter aux origines de la vie humaine sur la terre et se confondre avec ses causes premières et profondes. Dans une autre nouvelle, le héros, un criminel, se rachète à travers ses souffrances et son amour pour la fille de sa victime. Ailleurs, c'est le drame de la solitude, représenté par une femme séduisante, aimée mais toujours solitaire, intérieurement lointaine, même dans l'intimité conjugale ; elle ne se sentira moins seule qu'à la mort de son mari, devant sa tombe. Le style de ces nouvelles (rappelons encore « Le Voyage à Tilsitt », « La Servante », etc.), toujours simple et linéaire, mêle à un sentiment de pitié humaine, jamais en défaut, un humour pénétrant et un esprit d'observation finement poétique.

RÉCITS POPULAIRES. Sous ce titre ont été réunis dix contes de l'écrivain russe Lev Nikolaïevitch Tolstoï (1828-1910), publiés entre 1881 et 1885. Après la crise religieuse qui bouleversa sa vie dans les années 1880, Tolstoï, guidé par la confiance qu'il mettait dans le petit peuple russe et par la volonté de faire œuvre didactique, élabora ce qu'il est convenu d'appeler sa seconde manière littéraire. Les *Récits populaires* sont le fruit de cette nouvelle orientation. Chacun des récits qui composent le recueil est l'illustration d'une vérité morale et a pour héros de petites gens des campagnes. L'extrême simplicité, la clarté du récit concourent au but poursuivi : enseigner, répandre la bonne parole dans la masse du peuple. Le plus important de ces contes, *De quoi vivent les hommes ?* [*Čem Pjudi živy ?*], inspiré par une légende populaire russe, parut en décembre 1881 dans la revue *Detskij otdyh*. C'est l'histoire d'un ange déchu qui, abandonné nu sur la terre, par un rude hiver, est recueilli par un pauvre cordonnier, et réussit à deviner les « trois paroles divines » qui lui vaudront le pardon du Seigneur : l'homme est habité par l'amour, il ne lui est pas donné de connaître les besoins de son corps, ce qui le fait vivre c'est l'amour du prochain. Et l'ange tire la conclusion pour laquelle le conte a été écrit : « Celui qui vit en l'amour vit en Dieu, et Dieu vit en lui ; car Dieu c'est l'amour. » — Trad. Éditions Rencontre, Lausanne, 1961.

RÉCITS SUR LES PROPHÈTES [*Qiṣaṣ al-anbiyā'*]. Ouvrage narratif en prose, également connu sous le titre des *Fiancées des assemblées* [*'Arā'is al-majālis*], à destination récréative et édifiante, de l'écrivain arabe Abū Isḥāq Aḥmad al-Tha'labī, mort en 1035. C'est le représentant le plus connu d'un genre littéraire de caractère mi-savant mi-populaire, dont on trouve des attestations dès le VIIIe siècle. L'ouvrage se présente comme une sorte de commentaire narratif des passages du *Coran* (*) consacrés aux prophètes et aux saints hommes du passé, antérieurement à l'avènement de Mahomet. Toutefois, contrairement à ce qui est la règle dans l'exégèse savante — v. le *Commentaire du Coran* (*) d'al-Ṭabarī —, les versets commentés ne sont pas abordés dans l'ordre où ils apparaissent dans le texte coranique, mais sont réorganisés de façon à correspondre au développement du récit. Celui-ci, d'ailleurs, ajoute de nombreux détails et souvent des épisodes entiers, qui n'ont pas de correspondant dans le texte révélé : tout se passe en réalité comme si les citations du *Coran* avaient principalement une fonction d'authentification et de légitimation d'un récit reposant en fait sur une tradition extérieure. Celle-ci peut être assimilée à une forme islamisée du *Midrash* juif, auquel s'ajoutent d'autres sources secondaires, d'origine arabe, et en particulier yéménite. L'ouvrage, divisé en « séances », suit un ordre chronologique, commençant par la création de l'univers (prélude à la création d'Adam, en qui l'islam voit le premier des prophètes majeurs) et s'achevant par le récit de l'« expédition de l'Éléphant » menée par les Yéménites contre La Mecque, l'année de la naissance de Mahomet, et qui fut dispersée par une intervention céleste. Les personnages de l'*Ancien Testament* occupent naturellement une place de choix dans l'ouvrage, notamment Adam, sa tentation, sa chute, et la triste histoire de sa descendance ; Abraham et son fils Ismaël, ancêtre des Arabes et constructeur avec son père de la Ka'ba de La Mecque ; Moïse, sa rencontre avec le Khiḍr, mystérieux immortel errant, dépositaire de la sagesse divine, son combat contre le pharaon et ses magiciens, sa sortie d'Égypte à la tête de son peuple ; David, son combat contre Goliath, puis sa faute avec la femme d'Urie et son repentir subséquent ; Salomon, son anneau magique et ses amours avec la ténébreuse reine de Saba ; les guerres de Nabuchodonosor contre le royaume de Juda ; « Jésus fils de Marie », sa naissance virginale, sa prédication et ses miracles. À côté de ces figures centrales apparaissent également des personnages de second plan, qui, souvent, ne sont pas mentionnés dans le *Coran*, tels Jessé ou Daniel, mais aussi des thèmes et des personnages non bibliques, qui relèvent soit d'une tradition spécifiquement arabe, comme Hud ou Ṣāliḥ et l'évocation des « nations disparues » de 'Ād et Thamūd, soit d'une tradition moyen-orientale d'origine plus ancienne. C'est notamment le cas de la figure d'Alexandre le Grand, assimilé au Dhū l-Qarnayn coranique (sourate 18), présenté comme un défenseur et un propagateur du monothéisme, mais aussi et surtout comme un conquérant et un voyageur « qui parcourut le monde de l'Orient au Couchant », atteignant au fabuleux mont Qāf qui encercle l'univers, et construisit une muraille d'airain destinée à contenir les peuples de Gog et Magog, créatures sous-humaines dotées d'une voracité et d'une fécondité monstrueuses et qui, si elles n'étaient arrêtées, dévoreraient l'univers. Ouvrage quelque peu décrié par les docteurs de l'islam officiel, en raison notamment de son caractère fabuleux et de la place qu'il fait à des traditions non musulmanes, les *Récits sur les prophètes* ne manquent cependant pas de charme sur le plan littéraire ; pour l'historien, ils attestent la continuité d'un fonds mythologique et légendaire moyen-oriental souvent très ancien, mais aussi les transformations qu'il a subies dans le cadre de l'islam des premiers siècles.

J.-P. G.

RÉCIT SUR CERTAINS PROBLÈMES [*Racconto di alcuni problemi*].

Écrite en 1646, cette œuvre fut publiée pour la première fois en 1919, et figure au volume III, pages 7-32, des *Œuvres* du savant italien Evangelista Torricelli (1608-1647). Le manuscrit porte le titre : *Récit sur certains problèmes proposés et échangés entre les mathématiciens français et Torricelli au cours des quatre dernières années* [*Racconto di alcuni problemi preposti e passati scambievolmente tra gli Matematici di Francia et il Torricelli ne i quattro anni prossimamente passati*] ; et en effet l'ouvrage, qui contient 54 problèmes et théorèmes, est né d'un échange de lettres, dont les premières remontent à 1643, entre Torricelli et les mathématiciens français. L'auteur explique tout d'abord comment, ayant connu en 1640 à Rome le père Jean-François Niceron de l'ordre des Minimes, et étant resté avec lui en relation épistolaire, l'idée lui vint de lui faire part de ses recherches afin qu'il les communiquât aux mathématiciens français, que des controverses, provoquées surtout par le caractère hautain du grand mathématicien Roberval, divisaient au sujet de la paternité de certains théorèmes. Intervenant dans la querelle, Torricelli propose, au sujet du centre de gravité des sphéroïdes et des sections, une démonstration de caractère général qui englobe, en les simplifiant, les solutions nombreuses et compliquées apportées par Luca Valerio. Le problème XIII est celui qui présente, du point de vue historique, le plus d'intérêt, car il a trait à la fameuse dispute avec Roberval et les autres mathématiciens français à propos de l'invention de la cycloïde, dispute qui eut pour épilogue la *Lettre aux Philalètes* écrite en 1663 par Timauro Anziate (Carlo Dati). Torricelli écrit qu'il pensait « avoir été le premier à trouver les démonstrations [du problème XIII]. Il me fut répondu par M. Roberval que, quant à l'origine de la figure, il y avait des années qu'elle était connue en France, bien qu'on ne sût à qui en attribuer la découverte. Mais, quant à la démonstration, ajoutait-il, il l'avait faite, lui aussi, et avant moi. Je le crus, mais maintenant, instruit par l'histoire du problème L, j'en viens à douter et à penser qu'il me l'a empruntée, comme il l'a déjà fait à une autre occasion ». En réalité, cinquante ans auparavant (1600), Galilée avait déjà fait des recherches sur la courbe en question, mais c'est à Torricelli que devait revenir la gloire de trouver la solution. Le problème XIV a trait aux propriétés d'un solide engendré par la rotation d'une hyperbole autour d'une asymptote ; Roberval, qui avait tout d'abord contesté la démonstration de Torricelli, finit par en reconnaître la valeur. Les problèmes XV et XVI sur les sections du solide ci-dessus furent démontrés par Roberval, mais Torricelli fait observer que ces démonstrations se trouvaient déjà dans le livre qu'il avait dédié au prince Léopold *(De dimensione parabolae solidique hyperbolici).* Dans les autres lettres figurent divers problèmes de géométrie que Torricelli envoyait pour la première fois en France. Ce *Récit* place Torricelli au-dessus de tous les géomètres italiens de son temps, y compris Galilée et Viviani, mais à l'exception peut-être de Cavalieri, auteur de cette théorie des indivisibles — v. *Géométrie des indivisibles* (*) —, prélude au calcul infinitésimal de Leibniz et de Newton, dont Torricelli sut d'ailleurs apprécier l'importance et la profondeur.

RÉCITS VILLAGEOIS DE LA FORÊT-NOIRE [*Schwarzwälder Dorfgeschichte*]. Recueil de contes de l'écrivain allemand Berthold Auerbach (1812-1882), publiés entre 1843 et 1860. La vie et les traditions des paysans de la Forêt-Noire servent de fond aux aventures presque toujours sentimentales des protagonistes ; tantôt c'est l'amour de deux jeunes gens auquel s'oppose la volonté d'une mère, « Brosi et Moni » ; tantôt les malheurs d'une jeune femme, qui réussit enfin à épouser le père de son enfant, « Joseph dans la neige » ; tantôt la tendresse, qui arrache un jeune homme indolent à sa paresse, « Le Houblon et l'Orge ». Malheureusement, les épisodes vivants et intéressants sont souvent noyés dans la prolixité de la narration. Cependant avec un récit comme « L'Histoire de Diethelm de Buchenberg » — lequel est d'ailleurs plutôt un roman — des figures se détachent qui ne sont ni incolores ni conventionnelles : Diethelm est un riche paysan que ses générosités ont gravement endetté. Il veut sauver son honneur en incendiant sa ferme : il touchera ainsi la prime de la compagnie d'assurances. Accusé, il est acquitté. Mais, dans un second procès, il est condamné. Devenu fou, il se suicide dans sa prison. La victoire des forces du mal qui prennent graduellement le dessus et qui ont le dernier mot fait peser sur l'œuvre une atmosphère de tragédie. Des expressions et des mots propres à la Souabe, patrie de l'auteur, reviennent fréquemment dans ces contes, particulièrement dans les dialogues. — Trad. Hachette, 1891.

RÉCIT VÉRIDIQUE DES ÉVÉNEMENTS AYANT EU LIEU EN VIRGINIE [*A True Relation of such occurrences and accidents of noate as hath hapned in Virginia since the first planting of that Collony, which is now resident in the South part thereof, till the last returne from thence*]. Sous ce très long titre fut publié en Angleterre, en 1608, le premier livre de langue anglaise écrit en Amérique et destiné aux Américains. Son auteur est le capitaine John Smith (1580 ?-1631) qui, en bon élisabéthain, savait mieux se servir de son épée et de son esprit aventureux que de sa plume, et qui se lança dans des entreprises de tous genres, parmi lesquelles l'établissement de la colonie de Jamestown. Ces récits ont pour sujets ses aventures, ses explorations, ses expéditions, l'organisation administrative de la colonie, ses rencontres avec les indigènes, etc. Ils sont écrits à la première personne, mais quelquefois, par modestie, l'auteur parle du « capitaine Smith ». Le qualificatif de « véridique », qui figure dans le titre, est sujet à caution. La fantaisie et la vantardise trouvent une grande place dans cet ouvrage, comme dans l'autobiographie que Smith écrivit avant de mourir [*The True Travels, Adventures and Observations of Capt. John Smith in Europe, Asia, Affrica and America, from 1593 to 1629 : together with a continuation of his general history of Virginia, Summer-Iles, New-England, and their proceedings, since 1624 to this present 1629*, Londres, 1935]. La narration est désordonnée ; il y a d'interminables passages, où en phrases courtes, il veut tout dire, très vite. C'est la manière d'un homme d'action, très occupé, qui n'a ni le temps ni le désir de soigner son style ; mais l'esprit de l'époque anime ce petit ouvrage qui inaugure la littérature américaine proprement dite.

RÉCONCILIATION [*Wakai*]. Roman de l'écrivain japonais Shiga Naoya (1883-1971), publié en octobre 1917 dans la revue *Kokuchô*. L'auteur y relate la réconciliation avec son père. Ses premières œuvres déjà montraient que ce conflit dominait sa vie. Ici, il n'en indique pas les origines, il ne tente pas d'en analyser les raisons. Il se contente de rapporter certaines crises qui s'étaient produites au cours des trois années écoulées. Descendant d'une famille noble, homme d'action qui avait choisi d'entrer dans le monde des affaires, le vieux Shiga Naoharu réprouva dès le début les activités littéraires de celui qui aurait dû lui succéder. Il condamna son mariage. Dans le récit, il n'apparaît que rarement, recevant son fils dans son bureau au fond de la maison pour de brefs et solennels dialogues de sourds. Depuis 1900 environ, l'opposition à l'autorité paternelle est un thème constant chez les romanciers de l'époque — ainsi, pour ne citer que les plus remarquables, chez Sôseki ou Tôson : ils sont les contemporains de Thomas Mann, de Gide et de Kafka. Il faut imaginer, dans le cadre de la société traditionnelle, une famille comme celle de Shiga Naoya, élevé par ses grands-parents, envers qui il nourrit un culte secret, méfiant et rebelle à l'égard de son père, qui s'était remarié aussitôt après la mort de sa première femme : sous un même toit vivaient alors la grand-mère, le père, sa seconde épouse, leurs nombreux enfants, des domestiques... Le jeune écrivain, dont la position était encore mal assurée, s'était « exilé » en dehors de Tôkyô et résidait alors dans un village du littoral. La réconciliation survint après la naissance du deuxième enfant. Elle eut lieu le 30 août 1917. Shiga Naoya interrompit tous ses travaux pour consigner ce qui venait de se passer. Chaque jour, rapporte-t-il, il écrivait une dizaine de pages, ce qui ne lui était jamais arrivé ; il acheva la rédaction d'un trait et envoya le texte sans même le relire. Par ses dimensions, ce récit mérite bien d'être appelé « roman », et pourtant on hésite, comme si souvent à propos de cet auteur, devant une telle dénomination. Sauf pour le prénom du narrateur, les indications de noms, de lieux, de dates, tous les faits sont rigoureusement exacts. Non pas que l'écrivain veuille attirer l'attention par quelque « confession ». Il se soucie peu de la distinction entre la fiction et la réalité, pourvu que le « récit » lui permette d'exprimer avec assez d'intensité ce qu'il a éprouvé. L'art du « romancier », à ses yeux, tient seulement dans une certaine manière de présenter et de lier les événements. Tel est le sens de cette « sincérité » dont il se fait une règle : il recherche seulement la netteté du contour, la justesse de l'expression. Sans se lasser, il reprend les mêmes décors, les mêmes personnages, les mêmes scènes domestiques : conversations avec la grand-mère, appels au téléphone, visites au cimetière, voyages entre Tôkyô et son domicile. Gestes et situations se reproduisent à intervalles réguliers, chaque fois un peu différents. Les phrases se succèdent, brèves et dépouillées, comme de minuscules segments, et peu à peu cette technique pointilliste, qui n'a jamais recours à l'analyse, parvient à évoquer la famille dans sa diversité vivante et à restituer le passé. Quand l'écrivain raconte la mort de son premier enfant, la naissance du second, son regard devient d'une acuité douloureuse. Et cependant ce cadre délibérément restreint s'élargit : à mesure que progresse le récit, il se dégage une impression sourde d'harmonie. Cette réconciliation, à la fois un « apaisement » et une « libération », comme le suggèrent les deux caractères qui composent ce mot dans l'original, semble étendre son effet aux autres membres de la famille, préfigurer un accord entre l'homme et son destin. En cette même année 1917, Shiga Naoya avait publié en mai *À Kinosaki* (*) et, en septembre, *Le Samouraï* (*), textes courts, moins amples ou moins graves certes, mais d'une beauté peut-être plus achevée. Les événements qu'il relata dans *Réconciliation*, la certitude qu'il éprouva pendant la composition de cette œuvre l'incitèrent à entreprendre le grand roman dont il nourrissait depuis longtemps le projet : ainsi naquit *La Route dans les ténèbres* (*). Cependant, il se détournait petit à petit de la littérature et se consacrait à la contemplation des beaux-arts.

RECONNAISSANCES (Les) [*The Recognitions*]. Roman de l'écrivain américain William Gaddis (né en 1922), publié en 1955. Entrepris à Mexico en 1947, abandonné la même année à Panamá, repris à Madrid en 1948, répudié à Paris pendant un an, retravaillé en Espagne et achevé en Amérique en 1952, *Les Reconnaissances* compte parmi les romans les plus ambitieux de l'après-guerre.

L'Espagne, Paris, l'Italie, mais surtout Greenwich Village, le quartier des artistes new-yorkais, constituent ses décors successifs où, sur un millier de pages, évoluent une cinquantaine de personnages. Au centre de cette fresque de la modernité, qui n'est pas sans rappeler *À la recherche du temps perdu* (*) de Marcel Proust ou l'*Ulysse* (*) de James Joyce, nous trouvons Wyatt Gwyon, le fils d'un pasteur excentrique de Nouvelle-Angleterre ; Wyatt refuse le ministère divin pour devenir artiste peintre. À Paris, il épouse Esther, une jeune écrivain ; puis il rentre à New York, où il s'installe à Greenwich Village ; là, il fréquente poètes, dramaturges, peintres et musiciens, tout un milieu bohème plus ou moins authentique, pour qui l'art est soit une manière comme une autre d'« arriver », soit la seule rédemption possible dans un univers miné par la bêtise, la vulgarité et l'argent érigé en valeur suprême. Wyatt se passionne pour les grands maîtres flamands : Jan Van Eyck, Roger Van der Weyden et Hugo Van der Goes. Son acharnement va si loin et il en arrive à un tel sentiment de similitude avec ces peintres qu'il prend le chemin de la contrefaçon. Mais Wyatt n'est pas un vulgaire faussaire, il « recrée » une œuvre d'un maître ancien après avoir « reconnu » le génie de ce dernier. Entrent alors en scène Recktall Brown le marchand et Basil Valentine l'esthète jésuite, qui vont exploiter financièrement les talents de Wyatt et le pousser à apposer une fausse signature au bas de ses tableaux. Dès lors, Wyatt est entraîné dans l'engrenage mercantile de l'art, et il y perdra son âme. Wyatt part enfin pour l'Espagne, où se trouve la tombe de sa mère, et dans un moment de folie — ou de lucidité extrême — il efface les toiles qu'il est chargé de restaurer dans un monastère.

La falsification, opposée aux « reconnaissances » du passé dans le présent, est partout présente dans ce roman foisonnant : faux tableaux, plagiats, travestis, paradis artificiels, artistes inauthentiques, mensonges et demi-vérités, sans oublier un faux Hemingway, mais surtout les fausses valeurs d'un monde désenchanté, d'une Amérique cauchemardesque où l'art même, ultime refuge des esprits faustiens, s'intègre au circuit des marchandises. C'est avec une érudition touchant aussi bien à la théologie qu'à la peinture, à la littérature ou à la mystique, que William Gaddis décrit un monde grotesque, proche de Jérôme Bosch, et s'interroge sur la place de l'art dans notre modernité. — Trad. Gallimard, 1973. B. M.

RECONNUE (La). Comédie en vers du poète français Rémy Belleau (1528-1577), composée vers 1563 et publiée à Paris en 1578. *La Reconnue* est l'une des comédies les plus jolies et les plus secrètes de la Renaissance, car la jeune fille qui en est l'héroïne, Anthoinette, n'y avoue guère le fond de son cœur, et sa présence, bien réelle mais distante, intrigue le spectateur. La pièce doit son titre au principe de la reconnaissance due au hasard par laquelle elle se conclut heureusement. Il s'y passe fort peu de chose : une jeune fille inconnue, butin de guerre d'un capitaine catholique lors de la reprise de Poitiers aux huguenots (1563), est confiée par celui-ci à un avocat parisien qui a charge, avec sa femme, d'en faire une demoiselle propre au mariage ; mais le vieil avocat s'en éprend et veut la marier à son clerc pour en avoir usage ; un jeune voisin, avocat lui aussi, en devient amoureux. Malgré son respect pour le capitaine matamore, revenu « in extremis » de la guerre, la demoiselle, qui avait autrefois fui le couvent et son père pour se convertir à la religion réformée, semble finalement heureuse de pouvoir épouser le jeune voisin, grâce à l'intervention de son père, qui la reconnaît. Le sujet, inspiré de la *Casina* (*) de Plaute et de la *Clizia* (*) de Machiavel, doit aussi à l'univers des nouvelles et des farces. C'est surtout, dans la lignée de l'*Eugène* de Jodelle, et avant les *Contents* d'Odet de Turnèbe ou les *Napolitaines* de François d'Amboise, l'une des meilleures comédies bourgeoises de la Renaissance qui prenne Paris, ville de la « liberté de conscience », pour sujet, avec ses gens de justice, ses commères et son peuple de domestiques clairvoyants. Ceux-ci mènent le jeu, tout en se plaignant que leurs maîtres réclament à longueur de nuit un lait d'amande, un traversin ou un massage. Ainsi, trônant au milieu de son opulente cuisine, la servante Janne, interrompue par son encombrante maîtresse avec des « Janne ! Madame ? » incessants, est la seule à deviner Anthoinette. La description vivante et précise mène droit à Molière et à Labiche. Pour l'essentiel, la comédie est conçue comme une pièce antique, divisée en cinq actes, mais écrite dans les octosyllabes de la farce. Sous l'apparente simplicité d'un classicisme déjà perceptible, elle mêle les expressions imagées, les proverbes populaires et les inventions verbales aux parodies discrètes de Virgile, d'Anacréon ou de Ronsard : à l'intention des bons entendeurs. Le comique en acquiert un certain ton de retenue qui surprend et fait le charme de ce « miroir de la vie » qu'a voulu être la comédie renaissante. M.-M. Fo.

RECTEUR ET SES PUPILLES (Le) [*As Pupilas do Sr. Reitor*]. Roman qui parut en 1866 en feuilleton dans le *Jornal do Porto*, et l'année suivante en volume, consacrant d'un seul coup dans l'opinion publique l'écrivain portugais Júlio Dinis (Joaquim Guilherme Gomes Goelho, 1839-1871). L'auteur, qui était médecin et professeur de médecine à l'université de Porto, mourut phtisique au moment même où la gloire venait à lui. Ce premier roman introduit, peut-on dire, dans les lettres portugaises le genre naturaliste, et plus exactement le genre régionaliste et paysan, qui rappelle l'œuvre de l'Espagnol José Maria de Pereda. C'est une vivante description, bien qu'un peu maniérée, du milieu et de la vie des petits bourgs de province, avec leurs types caractéristiques, l'hostilité populaire contre toute innovation, les médisances, l'aversion envers tout ce qui sent la ville, le modernisme et l'étranger. La trame est simple, mais ne manque pas de mouvement, de force dramatique et d'un certain humour sentimental à la manière de Dickens (la mère du romancier était d'origine irlandaise). Júlio Dinis dut à sa profession de médecin de parcourir en tous sens la région de Minho, ce qui lui permit d'observer attentivement ces types reproduits dans ses œuvres avec tant de finesse et de vivacité. — Trad. Sorlot, 1944.

RECUEIL COMPLET DE CHAN-KOU [*Chan-kou ts'uan-tsi — Shangu quanji*]. Recueil de poèmes du calligraphe et poète chinois Houang T'ing-tsien (1045-1105), disciple et proche de Sou Che (Sou Tong-p'o). On a conservé de Houang plus de mille cinq cents « che » (poèmes réguliers en vers quinta ou heptasyllabiques généralement) et cent quatre-vingt-deux « ts'e » (poèmes à forme fixe et vers inégaux). Les thèmes en sont variés ; descriptions de paysage, où l'on trouve une observation réaliste de la vie quotidienne, et mention parfois des guerres que livrait la dynastie Song (960-1279) au nord du pays, poèmes de circonstance adressés à des amis, poèmes échangés selon l'usage entre lettrés, appréciations de tableaux... Le langage poétique en est particulier, et prend souvent à contre-pied les règles d'arrangement métrique et tonal, voire de l'harmonie sonore. Le vocabulaire est recherché, et les allusions parfois très érudites. Outre le goût de l'étrange et le refus de la convention formelle, on attribue à Houang T'ing-tsien l'adoption de l'expression bouddhique « changer ses os et naître à nouveau » [houan-kou t'ouo-t'ai] pour formuler sa méthode d'imitation créative, consistant à conserver l'idée d'un poème existant pour en renouveler la forme, et forger ainsi sa propre écriture poétique — sa propre musique. Ce principe, mis en application par Chan-kou (surnom de Houang) avec des poèmes de Tou Fou, Li Po ou Han Yu — sans qu'il soit mentionné dans ses propres écrits —, fut le mot d'ordre de l'« École des poètes du Tsiang-si » dont il fut l'initiateur, et l'influence de la poésie de Houang T'ing-tsien se mesure à la fortune de ce principe. Son originalité tient également au fait qu'il composa, avant la lettre, de la « poésie irrégulière ». V. L.

RECUEIL COMPLET DE SIANG-CHAN [*Siang-chan ts'uan-tsi — Xiangshan quanji*]. Œuvre philosophique en trente volumes de l'écrivain chinois Lou Tsio-yuan (1139-1192), l'adversaire du grand philosophe Tchou Si (1130-1200). L'auteur est par nature un vrai philosophe, et sa vocation s'est déclarée dès l'enfance. À huit ans, il étudiait les *Dialogues* — v. *Entretiens* (*) — de Confucius et condamnait la position de Tch'eng Yi — v. *Œuvres complètes des deux Tch'eng* (*) —, en disant qu'elle ne valait pas celle de Confucius ; à treize ans, il formulait les principes de sa propre doctrine : « Les affaires de l'univers sont les miennes propres et les miennes sont celles de l'univers. L'univers est mon esprit et mon esprit est l'univers. » Pour lui, les phénomènes de l'univers se confondent avec les phénomènes de notre esprit ; ils s'évanouissent dès qu'ils se détachent de l'esprit. La connaissance de ces phénomènes est liée à l'existence de notre esprit, qui est l'unique réalité. Si l'on ignore ce principe fondamental, il est inutile de faire des recherches et d'accroître la somme de ses connaissances. Les sages et les gens du vulgaire ont le même esprit, et le pouvoir de faire une discrimination entre le bien et le mal ; mais les sages sont capables de se concentrer exclusivement sur l'idée du bien, ce que ne font point les gens du vulgaire ; aussi se conduisent-ils différemment. Du fait que notre nature est bonne a priori, les vertus consistent seulement à redresser notre propre esprit et à intensifier la connaissance que nous avons de nous-mêmes, cependant que chercher à comprendre les choses extérieures est parfaitement inutile. On voit assez ce qui sépare Tchou Si de Lou Tsio-yuan (ou Siang-chan). Sur les instances de quelques amis, les deux philosophes se réunirent et discutèrent devant un groupe de disciples ; ils tentèrent de concilier leurs doctrines, mais après une longue discussion, n'ayant trouvé aucun terrain d'entente, ils levèrent la séance. Alors que Tchou Si affirme l'existence d'une réalité derrière les phénomènes, Lou Siang-chan soutient que les phénomènes sont produits par notre esprit. Pour Tchou Si, l'interprétation qu'il donne du « T'ai-tsi » — v. *Œuvres complètes du maître Tchou* (*) — est le fondement de la métaphysique ; par contre, Lou Siang-chan la condamne dans la mesure où elle s'écarte de l'esprit de Confucius, et où elle procède du taoïsme, rien ne permettant de mettre le « Wou-tsi » au-dessus du « T'ai-tsi », lequel est à l'origine de l'univers. Lou Siang-chan affirme que le « Yin » et le « Yang » sont des agents métaphysiques, mais Tchou Si ne leur accorde point ces qualités, parce qu'ils ne sont que les manifestations pratiques du Tao, raison de l'univers. En bref, de ces deux philosophes, l'un se consacre à l'investigation, l'autre prise seulement les vertus. L'un est objectif et inductif, l'autre subjectif et déductif, ce qui en fait les représentants de deux positions adverses de l'école dite « de l'esprit » et de l'école de la raison [li-sue].

RECUEIL COMPLET DU BUREAU YIN-PING [*Yin-ping-che ts'uan-tsi — Yinbing-shi quanji*]. Il faut considérer l'écrivain et politicien chinois Liang Ts'i-tchao (1873-1929), auteur de ce recueil publié en 1916 à Shanghai, comme l'initiateur de la littérature chinoise moderne, dont Hou Che (1891-1962) allait être, après 1915, le principal représentant. Et cette littérature nouvelle, grâce à la réforme opérée par Liang Ts'i-tchao, se dégage vraiment des formes traditionnelles de l'école classique et de la rhétorique. Dans le *Yin-Ping*, l'auteur groupe en vingt volumes tous ses ouvrages mineurs (articles variés), à l'exclusion de ses œuvres scientifiques : l'ensemble est profondément marqué par l'époque et par l'ambiance dans laquelle vécut Liang Ts'i-tchao, la Chine commençant alors à connaître une décadence politique et à être opprimée par des puissances étrangères. Résolu à sauver le pays, Liang Ts'i-tchao prépare une réforme politique, et en 1898 fait un coup d'État qui échoue, ce qui le contraint à abandonner la Chine. C'est alors qu'il se lance dans la carrière d'écrivain et qu'il publie, dans des journaux et des revues, des articles consacrés à la réforme sociale et politique. Ses œuvres ont le ton d'une polémique brillante et reflètent un enthousiasme politique ardent. Cette tendance combative influa profondément sur la littérature chinoise ; mais c'est surtout par son style que Liang Ts'i-tchao se montre novateur, et ceci dans la mesure où, nourri de classicisme, il en abandonne complètement les canons traditionnels et où sa prose accueille les mots de la langue parlée et de la langue vulgaire. Alors que l'école des rhétoriciens exigeait une symétrie dans la forme et la composition, il se permet une phrase amplifiée et vivifiée par un style libre et agile. Cette manière fut imitée abondamment par de jeunes écrivains, surtout dans les commencements de la République chinoise (1911).

RECUEIL CRITIQUE COMPLET [*Ts'ao-tsi ts'uan-p'ing — Caoji quanping*]. Recueil des œuvres du « prince des poètes » chinois Ts'ao Tche (192-232), compilé vers 1865 par Ting Yen (1794-1875). Il s'agit là d'une édition de référence, bien que l'attribution de certains titres soit douteuse. L'œuvre en prose de Ts'ao Tche se compose de dissertations, mémoires au trône, et surtout de lettres, parmi lesquelles la « Lettre à Yang Sio » représente l'un des premiers textes de critique littéraire en Chine. Mais c'est avant tout comme poète lyrique que Ts'ao Tche est célébré. Un peu moins de cent pièces — appartenant en majorité au genre du « poème à chanter » [yue-fou] et pour le reste à la forme régulière du « che » pentasyllabique que Ts'ao porta à la perfection — chantent la guerre et ses répits (*La Cithare, Le Cheval blanc*), la chasse et les plaisirs de la jeunesse aristocratique de la capitale. Dans la deuxième partie de sa vie, passée dans un exil forcé, les thèmes récurrents de sa poésie sont la soif de liberté (*Le Moineau dans les champs*), les sentiments de déracinement et d'inutilité (*Hélas, cette herbe folle*), dont la sincérité passionnée appelle et dépasse à la fois toute lecture « biographique ». Celle-ci prévaut pourtant bien souvent, et pour l'une des plus illustres pièces de Ts'ao Tche, *À Piao, prince de Pai-ma*. Le poème fut composé en 222, au moment où le poète connaissait les plus grandes disgrâces. Après la mort de son père en 220, son frère aîné Ts'ao P'i, héritier du royaume et qui prit le pouvoir sur les Han (206 av. J.-C.-220 apr. J.-C.), le relégua par jalousie dans une des terres de la principauté, en le plaçant sous la surveillance d'un ministre. En 222, Ts'ao Tche se rendit dans la capitale avec son second frère, Wang Piao, prince de Pai Ma, afin de rendre hommage à l'empereur. Celui-ci en conçut du dépit, et les deux voyageurs furent contraints de se séparer et de repartir par un chemin différent. Avant de se séparer du prince, Ts'ao Tche composa ce poème, formé de sept pièces de vers, dont chacune est intimement liée à la précédente, le premier vers reprenant la pensée déjà développée auparavant en utilisant les mêmes mots. Cette forme particulière est celle d'un poème du *Livre des vers* (*). Le poète expose l'état de son âme après la visite faite à l'empereur ; mais, tandis qu'il se lamente et se plaint tant du voyage que de la séparation, l'imaginaire vient se mêler — sous forme de visions notamment — à la réalité.

Concurremment à la poésie lyrique, Ts'ao Tche honora aussi le genre traditionnel du « fou » (« récitatif » en prose rythmée) ; ce en s'évadant des conventions précieuses et descriptives, pour retrouver la veine des *Élégies de Tch'ou* (*) et de Song Yu (IIIᵉ siècle av. J.-C.). Il raconte ainsi des voyages imaginaires et mystiques, et compose des « fou » d'amour : *La Déesse de la rivière Louo* illustre magnifiquement le thème d'une rencontre entre le poète mortel et une déesse, dont l'amour est interdit. — Trad. in Demiéville, *Anthologie de la poésie chinoise classique*, Gallimard, 1956. Trad. anglaise par G. W. Kent, *Worlds of Dust and Jade, 47 Poems and Ballads of the Third Century Chinese Poet Ts'ao Chih*, 1969.

RECUEIL DE COUPLETS CHANTÉS [*Yue tchang tsi — Yue zhang ji*]. Recueil des poèmes écrits sur des mélodies par le poète chinois Lio Yong (Liu Yong, 987-1053). À partir de la fin de la dynastie T'ang, au lieu d'écrire des poèmes aux vers de longueur régulière, les poètes ont commencé à composer aussi des poésies dont la prosodie épousait des mélodies. L'innovation de Lio Yong fut double : avant lui, il s'agissait d'airs courts ; il fut le premier à écrire des poèmes longs tout en suivant la structure musicale pour qu'ils puissent être chantés ; d'autre part il utilisait un vocabulaire simple, très parlé, si bien que ses poèmes devinrent à l'époque des chansons populaires. Son œuvre est double aussi : ses poèmes sur des paysages montrent qu'il était un lettré raffiné dans la grande tradition classique, tandis que ses poèmes écrits souvent pour ou sur des courtisanes sont dans une langue très proche de la langue populaire.

J. P.

RECUEIL DE FAN-TCH'OUAN [*Fan-tch'ouan che tsi tchou – Fanchuan shi ji zhu*]. Recueil des œuvres du poète chinois Tou Mou (Du Mu, 803-852), dont les poésies peuvent se diviser en deux catégories : d'une part, celles qui sont inspirées par les problèmes ou les événements de son époque, la poésie étant alors un moyen pour communiquer ses idées de façon voilée face à un gouvernement autocratique ; d'autre part, celles qui sont liées à sa personnalité, à sa fréquentation des maisons de courtisanes, à ses désillusions, à ses rancœurs, à sa tristesse résignée ; de cette deuxième catégorie, le poète exclut plusieurs œuvres de son recueil, et elles furent rajoutées par la suite en annexe. J. P.

RECUEIL DE L'ORIGINE DE LA LANGUE ET POÉSIE FRANÇAISE, ryme et romans, plus les noms et sommaires des œuvres de cent vingt-sept poètes français vivant avant l'an 1300. L'érudit français Claude Fauchet (1530-1601) a consacré toute sa carrière de chercheur et d'humaniste à rassembler des matériaux sur l'ancienne histoire et l'ancienne littérature de la France. Dans les *Antiquités gauloises et françaises*, qui parurent de 1579 à 1602, il ressuscitait des pans entiers de l'histoire quelque peu oubliés et négligés de ses contemporains. Avec le *Recueil de l'origine de la langue et poésie française, ryme et romans*, publié en 1581, il faisait mieux encore : recueillir avant qu'ils ne soient perdus d'anciens textes poétiques, donner de leurs auteurs des notices encore utiles de nos jours, mais surtout attirer l'attention de ses contemporains sur ces trésors négligés, avant qu'ils ne soient définitivement submergés par la montée des nouvelles écoles littéraires, et enfin montrer la continuité de ce courant poétique qui part des trouvères et troubadours pour aboutir à son contemporain Ronsard. Les recherches de Fauchet complètent *Les Recherches de la France* (*) de Pasquier ; elles n'en ont pas pour nous l'attrait et le charme ; c'est un travail austère et consciencieux, mais qui nous permet de saisir sur le vif comment un homme érudit et ouvert de la Renaissance française connaissait et jugeait l'ancienne poésie.

RECUEIL DE POÈMES PURETÉ ET VÉRITÉ [*Ts'ing-tchen ts'e-tsi – Qingzhen ciji*]. Œuvre de l'écrivain chinois Tcho Pang-yen (1057-1121). La célébrité de Tcho Pang-yen tient à quelque cent quatre-vingt-dix « ts'e » (poèmes à forme fixe commandée par une mélodie déterminée), qui ont fortement influencé les représentants ultérieurs du genre poétique le plus florissant des Song (960-1279), et la poétesse Li Ts'ing-tchao (1084-1055?) en particulier. Tcho Pang-yen doit sans doute à la recherche formelle, au raffinement esthétique de ses poèmes, le fait qu'il soit répertorié au sein de l'école « formaliste » du genre. Bon musicien, il s'attacha à élaborer des règles prosodiques compliquées, qui devaient avant tout préserver l'harmonie musicale du « ts'e » – dont il contribua ainsi à codifier la forme. Son style a pu être qualifié de subtil ou d'opaque, mais sans doute plutôt parce qu'il est allusif que par difficulté réelle. Les longs poèmes du recueil ont pour thèmes récurrents les thèmes traditionnels du « ts'e » ; séparation, attente, fuite du temps ou ennui. Ce sont pour l'essentiel des descriptions de paysages ou d'objets, des poèmes galants en l'honneur de courtisanes, mais qui souvent savent narrer une histoire, et même faire entendre le dialogue des personnages qu'ils mettent en scène. Certaines pièces font référence à la situation politique de leur auteur, notamment lorsqu'il fut éloigné de la Cour vers 1090, et se languissait de la capitale. Il aurait à la même époque éprouvé un certain intérêt pour le taoïsme, dont on trouve le souvenir dans ses poèmes réguliers. Les « ts'e » de Tcho Pang-yen eurent un tel retentissement que ses recueils auraient fait l'objet de son vivant d'un nombre inégalé d'éditions (peut-être plus de dix), et, sous les Song du Sud (1127-1279), de plusieurs éditions commentées. – Trad. *Anthologie de la poésie chinoise classique*, Gallimard, 1956. V. L.

RECUEIL DE POÉSIES [*Thi tâp*]. Poésies, écrites en chinois, du lettré vietnamien Lê Quy Dôn (1726-1784), encore inédites sauf traductions vietnamiennes. Ce recueil contient plus de cinq cents poèmes dont la plupart peuvent être classés en trois séries : les poèmes-dédicaces, les réponses aux envois amicaux, et ceux célébrant les sites. Ils sont composés en majeure partie pendant ses deux missions en Chine (1760, 1763). Malgré les règles et les thèmes conventionnels, mais ces derniers peu utilisés, l'auteur échappe aux clichés grâce à son langage simple, léger et optimiste et aux sentiments authentiques qui l'animent. Il compose également, presque en précurseur, des poèmes consignant des faits, ou traitant du quotidien. Sous son regard chaleureux et joyeux, les paysages, les événements et les gens prennent vie et couleur.

T.-T. L.

RECUEIL DE POÉSIES DE L'ERMITAGE DES NUAGES BLANCS [*Bach vân am thi tâp*]. Poésies en chinois du lettré vietnamien Nguyên Binh Khiêm (1491-1585), traduites en vietnamien et publiées avec d'autres transcrites de caractères nôm en 1983.

C'est un recueil d'environ cent soixante-dix poèmes (il en aurait même compté un millier) composés selon les anciennes règles. Le thème principal est le désintéressement des honneurs illusoires. L'auteur nous incite à vivre selon les lois de la nature, dans l'apaisement d'une âme sans illusion, à nous plonger dans un environnement harmonieux ; mais reproches et conseils ne sont que suggérés. Ces poèmes semblent d'abord plus philosophiques que sentimentaux, mais ils se révèlent vite proches de la vie courante, énonçant des principes avec sincérité, et leur signification profonde surgit comme une « caresse de vent frais ou comme la clarté d'un clair de lune limpide ».

T.-T. L.

RECUEIL DE POÉSIES DE UC TRAI [*Uc Trai thi tâp*]. Poèmes en chinois classique du lettré vietnamien Nguyên Trai (1380-1442), édités en 1868, et plusieurs fois en traduction vietnamienne (1962, 1976). Composé tout au long de sa carrière, dispersé lors de sa condamnation, ce recueil renferme environ quatre-vingts poèmes dont on est sûr qu'ils sont bien de lui après treize ans de recherches commencées en 1464. Ils sont composés sur le mode de versification des Tang et traitent des mêmes thèmes que ceux du recueil en langue nationale : nature, relations humaines, tristesse, honneur... Le style très concis, avec l'utilisation juste des mots, permet d'amplifier le propos. De même, les références historiques habilement placées n'en obscurcissent pas le sens. La nature, interlocuteur constamment présent, sert parfois de prétexte ou de reflet des sentiments : grandiose pour évoquer l'héroïsme, dépouillée et désolée pour exprimer la solitude et la tristesse de l'homme incompris. Certains célèbrent les mérites de la nouvelle dynastie Lê, démontrant son attachement à l'idéal confucéen de la loyauté envers le roi (trung quân).

T.-T. L.

RECUEIL DE POÉSIES EN LANGUE NATIONALE [*Quôc âm thi tâp*]. Poèmes du lettré vietnamien Nguyên Trai (1380-1442), édités en 1868 et plusieurs fois récemment (1976). Ce recueil de plus de deux cent cinquante poèmes, de facture classique en général, peut-être les plus anciennement connus en langue nationale, donne des réflexions de l'auteur sur les relations humaines, ses sentiments devant la nature belle, vivante et attentive. Pour lui, seuls comptent la noblesse de l'âme, l'amour de la patrie. On y voit aussi son aversion pour les opportunistes et une certaine misanthropie. Mais, fidèle à son devoir d'homme charitable et instruit, il ne se désintéresse pas du bien public, donnant des conseils pour une conduite vertueuse dans le respect de la famille et dans la loyauté envers le roi. Œuvre littéraire mais aussi document historique et linguistique par la richesse de son vocabulaire viet ancien, ce recueil constitue une étape dans l'élaboration de la langue nationale mettant à contribution des dictons populaires, et dans la recherche de nouveaux modes de versification.

T.-T. L.

RECUEIL DES CHRONIQUES (Le) [*Jâmé' al-tavârikh*]. Ouvrage historique de l'homme d'État et historien persan Rachid al-Dîn Fazlollâh (1247-1318). Il s'agit là de la première histoire universelle encore jamais écrite en Orient et en Occident. Le souverain mongol ilkhanide Ghazân-Khân (1295-1304) demande à son vizir d'écrire une histoire des Mongols et de leurs conquêtes. Rachid al-Dîn achève ce travail, connu sous le nom de *Histoire de Ghazân* [*Tarikh-é Ghazâni*] en 1309, durant le règne d'Öljeitu (1304-1316), à qui il le présente. Le nouveau souverain lui ordonne de continuer l'ouvrage et de le compléter par une histoire générale des peuples eurasiens et un appendice géographique. Le livre devait comprendre deux parties, Histoire des Mongols et Histoire générale avec un appendice. Mais, terminé en 1310-1311, il se présente de la manière suivante : vol. I : *Histoire de Ghazân* ; histoire des tribus turques et mongoles, leur répartition, généalogie et légendes ; Genghis-Khân, ses prédécesseurs et ses successeurs, jusqu'à Ghazân. Vol. II : préface, Adam, les Patriarches ; les anciens rois de l'Iran pré-islamique ; le prophète Mohammad et les califes, jusqu'à leur extinction par les Mongols en 1258. Histoire des dynasties musulmanes de l'Iran. Les Ismaéliens de l'Ouest et de l'Est. Les Turcs ; les Chinois ; les Juifs ; les Francs, leurs empereurs et leurs papes ; les Indiens, Bouddha et le bouddhisme. L'histoire d'Öljeitu, de sa naissance jusqu'à 1306-1307, devait être jointe au vol. II, mais, de tous les manuscrits que nous possédons, cette partie est manquante, de même que l'appendice géographique.

La qualité de cet ouvrage est due aux excellentes sources qu'utilisa Rachid al-Dîn. Bien que l'*Histoire officielle des Mongols* [*Altan dâptâr*] lui fut inaccessible, il en eut connaissance grâce à l'émir Poulâd Tchinksank, représentant du Grand Khân à la cour de Tabriz, et à Ghazân lui-même, qui savait fort bien l'histoire de son peuple. Il reçut des informations sur l'Inde d'un Indien, et sur la Chine de deux lettrés chinois. Quant à ses sources européennes, elles provinrent probablement de la *Chronique* de Martinus Oppaviensis, dont il put avoir connaissance grâce à des marchands italiens établis à Tabriz.

Dans aucune période historique précédente les conditions n'avaient été aussi favorables à la conception d'une telle œuvre sur l'histoire universelle qu'au siècle qui suivit la fondation de l'Empire eurasiatique par Genghis-Khân ; et nul pays autre que l'Iran n'avait eu une position centrale si propice à un contact humain et culturel entre Orient et Occident.

– Trad. T. I., *Histoire des Mongols de la Perse*, Imprimerie royale, 1831 ; *Histoire universelle, I. Histoire des Francs*, Leiden 1951. Trad. allemande, *Die Geschichte der Kinder Israels*, Vienne, 1973 ; *Die Indiengeschichte*, Vienne, 1980. Trad. anglaise, *The Successors of Genghis Khan*, Columbia University Press, 1971.

M.-H. P.

RECUEIL DES CONNAISSANCES JOURNALIÈRES [*Je-tche lou – Rizhilu*]. Ouvrage du grand lettré chinois Kou Yen-wou (1613-1682), qui fut le pionnier de l'école K'ao-tcheng dont le mérite principal fut l'établissement d'éditions critiques et de commentaires philologiques des écrivains classiques. Ce lettré conçoit l'étude comme un moyen destiné à permettre de gouverner et de sauvegarder le bien-être du peuple. Pour ce motif, il rejette la doctrine de Lou Slang-chan (ou Lou Tsio-yuan) et de Wang Yang-ming – v. *Recueil complet de Siang-chan* (*) et *Collection complète des œuvres de Yang-ming* (*) –, et vante celle de Tchou Si – v. *Œuvres complètes du maître Tchou* (*) ; les deux premiers soutiennent en effet que notre esprit, comprenant toutes choses en lui-même (l'homme étant considéré comme un microcosme), il est inutile d'étendre la science hors des limites de l'esprit humain ; le troisième, au contraire, soutient que notre comportement moral se raffermit par l'extension de notre savoir, lequel doit consister en la recherche des lois qui régissent l'univers. Ainsi que l'indique son titre, l'ouvrage est constitué par un recueil de courts écrits, fruits de trente années d'études et de recherches.

Trois thèmes principaux sont étudiés, à savoir : les classiques, les principes du gouvernement et divers sujets de circonstance. Pour un lettré comme l'auteur, la tâche essentielle des intellectuels doit être l'étude des classiques, alors que pour la majorité des érudits qui vécurent sous les précédentes dynasties (Song et Ming, du Xe au XVIIe siècle) seule importait l'étude de l'essence de la nature humaine et des raisons dernières de l'univers ; or, pour notre auteur, de telles spéculations sont parfaitement vaines : aussi insiste-t-il trop sur l'investigation externe et objective, négligeant l'étude interne de la pensée. C'est pourquoi il est considéré comme le père du mouvement « scientifique » qui se manifesta sous la dernière dynastie. Sa démarche est, en tout cas, caractéristique pour ce qui est de la méthode. Il applique avant toute chose l'induction ; lorsqu'il doit définir un fait, un objet, une phrase ou un mot, il cherche d'abord toutes les sources possibles qui sont en relation directe ou indirecte avec eux et évalue leurs différences ou leurs ressemblances. Par ce procédé sûr et objectif, il parvient à une définition exacte de l'entité qui lui est proposée. En second lieu, l'auteur est en quête de nouvelles idées, tout en confessant qu'il recueille souvent les idées que les anciens ont découvertes et approfondies avant lui. Il proclame par ailleurs qu'il est inutile de répéter indéfiniment ce que d'autres ont déjà dit, et condamne formellement l'imitation des anciens. En troisième lieu, Kou fait remarquer que, s'il se livre à des études, c'est en vue de l'application pratique : en effet, après Confucius et Mencius, les tenants de la doctrine n'ont-ils pas toujours fait preuve d'un esprit pratique, et non spéculatif ; or, cet état d'esprit a été renié au temps des Song et des Ming ; il convient, selon l'auteur, d'en ressusciter la tradition. Le *Je-tche lou,* ouvrage monumental, ouvrit la vie à l'école K'ao-tcheng qui, par l'étude critique et philologique des textes anciens, a rassemblé des matériaux qui nous sont précieux.

RECUEIL DES HISTORIENS DES GAULES ET DE LA FRANCE [*Rerum gallicarum et francicarum scriptores*]. Vaste recueil de textes historiques en latin et en français, comprenant 24 volumes in-f° et trois séries in-4° de *Documents financiers, Obituaires* (registres renfermant les noms des morts, le jour de leur sépulture, la fondation des obits, ou services anniversaires à la mémoire d'un défunt) et de *Pouillés* (états des bénéfices ecclésiastiques des provinces). Ce sont les bénédictins de la congrégation de Saint-Maur qui entreprirent au XVIIIe siècle ce travail, comme ils avaient commencé la *Gallia Christiana* (*) et l'*Histoire littéraire de la France*. Le premier volume du *Recueil* parut en 1738, il était dû à dom Bouquet (1685-1754) et à dom Dantine (1688-1746) ; les volumes I à XIII furent publiés sous la direction de dom Bouquet ; les volumes XIV à XIX sous celle de dom Brial (1743-1828) ; puis la publication du *Recueil* fut longtemps interrompue, à partir de la Révolution française ; le travail fut repris par l'Académie des inscriptions et belles-lettres, le dernier volume de la nouvelle série fut publié en 1904 ; quant aux *Documents financiers, Obituaires, Pouillés,* leur publication fut commencée en 1899. L'œuvre complète ne va que jusqu'à la date de 1328. Voici quels sont les contenus des 24 volumes : tome I, époque gauloise, gallo-romaine et Francs avant Clovis ; tomes II et III, les Mérovingiens ; tomes IV et V, les Carolingiens jusqu'à 814 ; tomes VI et VII, jusqu'à 840 ; tome VII, de 840 à 877 ; tome VIII, de 877 à 987 (ces huit premiers volumes sont dus à dom Bouquet et à dom Dantine). Avec le tome IX commence l'histoire des Capétiens : les tomes IX – de 987 à 991 – et X – de 991 à 1031 – sont l'œuvre des frères Haudiguier ; le tome XI, de 1031 à 1060, est dû à dom Précieux, dom Poirier et dom Housseau ; avec le tome XII commence la collaboration de dom Brial, qui, à partir du tome XIV, devait assumer la direction de l'entreprise ; les tomes XII à XVI comprennent les règnes de Philippe Ier, Louis VI et Louis VII, de 1060 à 1180 ; ils ont été édités par dom Brial et dom Clément ; les tomes XVII, XVIII et XIX sont l'œuvre de dom Brial seul : ils englobent la période qui va de 1180 à 1226, c'est-à-dire du règne de Philippe Auguste à celui de Saint Louis : enfin les tomes XIX à XXIV, édités par l'Académie des inscriptions et belles-lettres, ont pour auteur Daunou (1761-1840), Naudet (1786-1878), Guigniaut (1794-1876), Wailly (1805-1886), Léopold Delisle (1826-1910) et Jourdain (1817-1886) ; ils comprennent les règnes de Saint Louis, Philippe III, Philippe IV et ses fils, et vont par conséquent jusqu'aux débuts de la guerre de Cent Ans. Nulle collection n'a pu remplacer un recueil aussi précieux, témoignage d'un énorme travail d'érudition mené avec constance pendant plus d'un siècle et demi ; les textes sont accompagnés de notices fort savantes, d'études sur la valeur des sources, de dissertations sur les points d'histoire soulevés par les textes édités : enfin des tables chronologiques et des index en rendent la consultation facile.

RECUEIL DES ŒUVRES de Han Tch'ang-li [*Han Tch'ang-li tsi – Han Changliji*]. Titre du recueil des œuvres de Han Yu (768-824), poète et philosophe chinois appelé aussi Han Tch'ang-li. La poésie de Han, empreinte d'une mélancolie profonde, est consacrée presque entièrement à l'évocation de son triste exil. Pour avoir blâmé l'empereur, Han Yu avait été en effet transféré de la Cour, où il occupait une haute charge, au gouvernement d'un petit district situé aux frontières, un pays désolé, entouré de hautes montagnes, rempli de bêtes féroces, traversé par un fleuve au cours rapide, et peuplé de gens qui parlaient une langue « comme celle des oiseaux » (c'est-à-dire incompréhensible) : « Les nuages reposent sur la colline T'in ; où donc est ma maison ? La neige couvre la barrière Lan, le cheval ne veut plus avancer. Oh ! toi qui viens de loin, si triste, viendras-tu sur la rive du Tch'ang-tsiang recueillir mon dernier pleur ? » Tous ses vers montrent une riche sensibilité et un sens artistique délicat. Cependant la prose de Han Yu est supérieure à sa poésie par la clarté de la pensée et la vivacité du style et constitue une véritable révolution littéraire par rapport à l'ancienne tradition (le style p'ien-wen ou « prose parallèle ») qui entravait la libre expression de la pensée. Il est en effet le principal défenseur (avec Lio Tsong-yuan ; 773-819) du « style ancien » [kou-wen]. Dans le plus fameux de ses écrits en prose, il expose les principes de sa doctrine philosophique, en nette opposition avec le taoïsme de Lao Tse, qualifié par lui de subjectivisme excessif et de barbarie morale ; il formule une critique analogue à l'égard du bouddhisme, doctrine barbare qu'il serait honteux pour les Chinois d'accueillir et de pratiquer (*De l'origine du Tao, Discours sur les Maîtres, Mémoire sur la relique de Bouddha*). En revanche, Han Yu se montre ardent défenseur du confucianisme, et il a exercé à ce titre une grande influence sur l'histoire de la pensée et de la culture chinoises. Lettré aux nobles ambitions politiques, homme de culture plutôt que philosophe, passionné par les problèmes moraux et par leur application à la vie sociale, il a développé avec une éloquence chaleureuse des conceptions empruntées à la tradition confucéenne. Exalté comme un héros du confucianisme, Han Yu s'impose encore au souvenir par sa riche et vigoureuse personnalité morale qui confère à son œuvre une belle clarté de pensée ainsi qu'un vif accent d'éloquence. – Trad. de fragments in G. Margouliès, *Le Kou-wen chinois*, Geuthner, 1926.

RECUEIL DES ŒUVRES de Sie Suan-tch'eng [*Sie Suan-tch'eng-tsi – Xie xuanchen ji*]. L'œuvre du poète chinois Sie T'iao (464-499) se compose de cinq fascicules où se répartissent « fou » [récitatifs], « yue-fou » [poèmes à chanter] et poèmes en vers réguliers, « che » (pentasyllabiques). Hormis certaines pièces de circonstance, la majeure partie de cette œuvre est descriptive, et fait par exemple l'« éloge du vent » ou celui des bambous. Héritier du grand poète paysagiste Sie Ling-yun (385-433) – il fut d'ailleurs surnommé le « petit Sie » –, Sie T'iao semble pourtant se détacher de l'influence de la poésie dite « métaphysique » (encore sensible chez son prédécesseur), pour limiter ses descriptions à l'expression d'émotions ou d'états d'âme : *Du haut des trois montagnes* [*Wan teng san-chan*]. Ceux-ci sont d'ailleurs souvent motivés par l'amertume ou l'insatisfaction politiques et personnelles que le poète laisse paraître. La langue semble parfois proche de celle des chants populaires : *La Complainte des degrés de jade* [*Yu-tsie yuan*], mais du style de Sie T'iao on retient surtout qu'il est représentatif de celui de l'ère Yong-ming (483-494), auquel la prosodie du grand quatrain des T'ang (618-907) devra beaucoup. V. L.

RECUEIL DES ŒUVRES de Sou Tong-p'o [*Sou Tong-p'o tsi – Su Dongpoji*]. Ce recueil est formé par l'ensemble des œuvres de Sou Che (ou Sou Tong-p'o, 1036-1101), que compila Tch'en Hou en 1556, et qui fut réimprimé à différentes reprises. Il se divise en dix-huit livres, et cette division répond au nombre des sujets traités sans ordre logique. Le premier livre est consacré aux biographies de Sou Tong-p'o que rédigèrent après sa mort différents auteurs ; le second et le troisième, le septième et le dixième livre contiennent des poèmes ; le quatrième les poèmes, les sonnets et autres œuvres lyriques ; le cinquième comprend les lettres de Sou Tong-p'o ; enfin le sixième et toute la série qui va du huitième au dix-septième nous font connaître les œuvres en prose. Sou Tong-p'o est au nombre de ces huit auteurs célèbres de l'école de la prose classique chinoise, du Moyen Âge jusqu'à ces derniers temps. La prose de Sou Tong-p'o est caractérisée par une vie, une pétulance qui donnent au lecteur le sentiment d'une tranquille allégresse. Penseur éclectique et perspicace, il exprime dans un style direct, qui effraya la critique de son temps, son optimisme naturel. Les poésies de Sou Tong-p'o ont assez d'étoffe et d'originalité pour faire école, l'auteur se proposant de rendre, dans un style robuste et plein, un monde naturaliste et descriptif ; il rompt l'ordonnance des règles d'une rhétorique minutieuse pour donner corps à ses sentiments. Les sonnets de Sou Tong-p'o influencèrent ce genre littéraire, du milieu du XIe siècle au milieu du siècle suivant. C'est à partir de ce moment que le sonnet chinois abandonna son thème traditionnel, celui de l'amour, et de la tendre faiblesse de la femme, pour traiter dans un style plus vigoureux tous les sentiments qui se font jour dans l'âme humaine. On reprocha à Sou Tong-p'o certaine âpreté du langage ; en fait, il met le mot au service de la pensée et ne se laisse point déborder par la rhétorique. Esprit ouvert et curieux, qui voulut tâter de tous les arts et leur transfusa son équilibre et sa souriante sagesse, Sou Tong-p'o reste une des figures les plus caractéristiques de la littérature chinoise au Moyen Âge. — Trad. in *Anthologie de la poésie chinoise classique,* Gallimard, 1962.

RECUEIL DES ŒUVRES de Tcheng Pan-ts'iao [*Tcheng Pan-ts'iao-tsi — Zheng Banqiao ji*]. Ensemble des œuvres littéraires et esthétiques du peintre, poète et calligraphe chinois Tcheng Pan-ts'iao ou Tcheng Sie (1693-1765), réunies par l'auteur, et qui comprend notamment des lettres à son frère cadet, des écrits sur la peinture, et dix chansons pour « tambour de pêcheur » [yu-kou ou tao-ts'ing], genre de ballade en heptamètres, accompagnée au tambour et aux cliquettes, très répandue sous les Ts'ing (1644-1911). L'œuvre proprement poétique se compose de quatre-vingts « ts'e » (poèmes irréguliers « à chanter »), et d'environ trois cent cinquante poèmes réguliers, « che ». Ce sont de nombreuses descriptions de peintures, de lieux (*Yang-tcho, Chao-sing, Poèmes épars de Yen-tsing* [*Yen-tsing tsa-che*]), de sujets « réalistes » (*Le Pêcheur* [*Yu-tsia*], *Le Vieux Campagnard* [*Ye-lao*]), dont le style fluide et dépouillé se détourne de l'imitation des œuvres anciennes.

V. L.

RECUEIL DES ŒUVRES de Monsieur Wen-chan [*Wen-chan sien-cheng tsi — Wenshan xiansheng ji*]. L'édition la plus ancienne des œuvres du poète chinois Wen T'ien-siang (surnommé Wen-chan, 1236-1283) date de 1552. La poésie la mieux appréciée de celui qui fut aussi un général et un homme d'État appartient à la dernière période de sa vie (ouverte par l'invasion mongole en 1275), et constitue trois recueils : *Cris et Murmures* [*Yin-siao-tsi*], *Vers le Sud* [*Rche-nan lou*], et la suite de ce dernier [*Tche-nan ho-lou*]. Le second de ces titres peut être expliqué par deux vers dans lesquels Wen T'ien-siang dit sa volonté inébranlable de reconquérir le territoire des Song du Sud (1127-1279) : « Mon esprit telle une aiguille aimantée / Jamais n'aura de cesse que de se tourner vers le Sud. » La plupart des poèmes expriment en effet ses sentiments patriotiques et sa douleur lorsqu'il est fait prisonnier : *Le Chant du loyalisme* [*Tcheng-ts'i keu*] ; ils pleurent le pays perdu ou vantent la glorieuse intégrité de certains hommes du passé. Ce sont plus de trois cent soixante-dix « che » réguliers, en « vers brisés », en pentamètres ou en heptamètres « anciens », et quelques poèmes « à chanter » [ts'e]. Le *Recueil des œuvres de Monsieur Wen-chan* renferme par ailleurs biographies et notices diverses.

V. L.

RECUEIL DES POÈMES EN LANGUE NATIONALE DE L'ERMITAGE DES NUAGES BLANCS [*Bach vân am quôc âm thi tâp*]. Poésies en langue nationale du lettré vietnamien Nguyên Binh Khiêm (1491-1585). Original perdu. Transcriptions et éditions : Hanoi, 1956, 1957, 1967 ; Saigon, 1974. C'est un recueil de cent soixante-dix poésies vantant la contemplation dans la pure tradition de Tchouang Tcho. Alors que le patriotisme de Nguyên Trai, dont l'influence sur l'auteur est indéniable, est ardent, celui de Nguyên Binh Khiêm est fait de « loyalisme resplendissant en lui, comme une image que la lune imprime au fond de l'eau ». Il fuit les abstractions et se fait champion d'un art de vivre inspiré du bouddhisme zen tranquille, sage, respectueux et charitable, en communion avec la nature. Il évite toute querelle, discussion ou parole inutile. Son style simple, familier, concret, plein de verve et de naturel, puisant dans des maximes et des proverbes, fait de ce recueil non seulement un précieux document linguistique, mais aussi un « porte-parole de la sagesse populaire ». — Trad. S.E.I., 1974.

T.-T. L.

RECUEIL DES POÉSIES de Meng Hao-jan [*Meng Hao-jan tsi — Meng Haoran ji*]. Recueil comptant deux cent soixante-trois poèmes, composés par l'écrivain chinois Meng Hao-jang (689-740), à l'exception de quelques pièces intruses. Meng Hao-jan, qui vécut presque toute sa vie dans la retraite de sa province natale (à Siang-yang dans le Hou-pei), est l'un des plus célèbres « poètes paysagistes » de la Chine ; il est associé parmi ceux-ci à son ami Wang Wei (701 ?-761 ?). La nature constitue donc son sujet de prédilection, qu'il décrit dans un style limpide, mais avec une profusion de détails et un vocabulaire assez riche quant à la faune, la flore et la géographie des lieux qu'il affectionne. Car, à l'exception des paysages rencontrés au cours de ses voyages, Meng Hao-jan a consacré un grand nombre de poèmes à quelques sites célèbres des environs (familiers) de Siang-yang : le Jardin ou la colline du Sud — « En revenant vers la colline du Sud à la fin de l'année » [Souei-mou kouei Nan-chan] —, et le mont de la Passe du Cerf — « Chanson d'un retour nocturne à la Passe du Cerf » [Ye-kouei Lou-men-keu] —, où il vécut quelque temps en ermitage. La tradition le considère comme l'un des rares (voire le seul) poète chinois qui composât « d'après nature », ou « sur le vif », plutôt que de recréer l'impression dans l'isolement de son cabinet de travail. La forme de ses poèmes est celle du poème régulier « che » — souvent en huitains pentasyllabiques — qui s'épanouit sous les T'ang (618-907), et plus particulièrement pendant le règne de Suan-tsong (712-756). — Trad. *Anthologie de la poésie chinoise classique*, Gallimard, 1956. V. L.

RECUEIL DES POÉSIES de Po Siang-chan [*Po Siang-chan che-tsi — Bo Xiangshan shiji*]. Ce livre comprend presque toutes les œuvres du poète chinois Po Tsiu-yi (ou Po Siang-chan, 772-846). Il est divisé en trente-neuf volumes, dans un ordre chronologique qui suit la vie du poète. La poésie de Po Tsiu-yi diffère de toute la poésie chinoise en ce qu'elle se propose d'interpréter les sentiments du peuple. Po Tsiu-yi se lamente sur les souffrances des pauvres, déplore l'assujettissement dans lequel sont tenus les faibles, et blâme les injustices dont se rendent coupables les nobles ; de sorte que l'œuvre de Po Tsiu-yi est presque celle d'un satiriste. Pareille conception de la poésie, qui devait donner à son style une simplicité singulière, rendit immédiatement populaire ce qu'il écrivit. En fait, les thèmes de ce recueil, dans lequel s'épanouit un sens dramatique élémentaire, reflètent bien les avatars et les préoccupations du peuple. Dans le bref poème « La Femme de Tchang-yang », le poète imagine qu'une femme appartenant à la cour de l'empereur Jouei Tsong (710-712), de la dynastie T'ang (620-906), se rappelle, après la rébellion de An Lou-chan (755 après J.-C.), les souvenirs de sa triste vie passée dans le palais impérial où elle rentra jeune fille, et où elle demeura avec l'espoir de devenir « concubine impériale », sans avoir jamais pu approcher l'empereur. Dans « Le Vieux mutilé », un vieillard confie au poète qui l'interroge qu'il s'est mutilé lui-même quand il était jeune pour échapper à la conscription ; et il souffre encore, lorsque le temps est humide, se gardant toutefois d'avoir des regrets, car, sans ce geste barbare, il eût pourri depuis longtemps sur un champ de bataille. Le célèbre poème « Chant des perpétuelles douleurs » rapporte l'histoire de l'empereur Hsuan-Tsong (713-756) et de sa concubine Yang Kouei-fei, et la douleur de Hsuan-Tsong lorsqu'il fut contraint de faire étrangler celle qu'il aimait après la révolte de An Lou-chan. La « Ballade du luth » fut inspirée par une chanteuse qu'avait rencontrée Po Tsiu-yi, et dont il raconte la vie, après avoir décrit son art dans la première partie du poème. Alors que, dans ces deux dernières poésies, Po Tsiu-yi reprend des thèmes traditionnels, il ne se fait pas faute ailleurs d'emprunter des sujets nouveaux. Et si les invectives ne manquent point, cette poésie dans son ensemble est toujours soutenue par une émotion sincère et profonde. — Trad. partielle dans *Anthologie de la poésie chinoise classique,* Gallimard, 1962 ; *Chant des regrets éternels et autres poèmes*, La Différence, 1992.

RECUEIL DES POÉSIES de Wang Yo-tch'eng [*Wang Yo-tch'eng tsi — Wang Youcheng ji*]. Œuvre de Wang Wei, poète chinois connu également sous le pseudonyme de Wang Yo-tch'eng (vers 699-vers 761), et excellent peintre, qui vécut alors que le pouvoir était entre les mains des T'ang (618-907), c'est-à-dire au grand siècle de la littérature chinoise. Wang est surtout le poète du « wou-yen » [cinq syllabes] où il excelle, se montrant inférieur dans la poésie longue ou « ts'i-yen » [sept syllabes] ; c'est qu'il aime mieux suggérer que décrire. Le « wou-yen » est une poésie de quatre vers, dans laquelle le second vers rime avec le quatrième, tandis que la rime du premier vers est libre. La poésie de Wang Wei s'inspire de la pensée bouddhiste : l'âme pacifiée et contemplative accueille le flux des impressions avec une sorte d'impassibilité heureuse. « Pendant que l'esprit est dans le vague / tombent les fleurs du cassier / calme est la nuit et vide la montagne du printemps / alors que la lune en surgissant épouvante les oiseaux de la colline / qui fuient dans le courant du printemps. » La description minutieuse des détails porte toujours en soi une atmosphère de paix universelle ; c'est ce que l'on trouve dans ces poésies descriptives où, avec une extrême économie de moyens, l'auteur donne la véritable clé, le secret des choses : « Ombre du soleil sur les mûriers et les champs de roseaux / le fleuve brille au milieu des petites maisons de la campagne / le jeune berger chemine vers le village / et avec lui s'en revient le chien de garde. » Le poète évoque admirablement, en particulier, la vie à la campagne dans la Chine du Nord. — Trad. anglaise *The Poetry of Wang Wei, New Translations and Commentary*, 1980. Trad. française sous le titre *Les Saisons bleues*, Phébus, 1989.

RECUEIL DES PUISSANCES MERVEILLEUSES DE L'ESPACE VIÊT [*Viêt diên u linh tâp*]. Recueil de légendes vietnamien, écrit en chinois au plus tard au XIVe siècle par Ly Tê Xuyên dont on ne connaît que les dates de sa carrière mandarinale (1329-1341), et complété plusieurs fois par la suite. Traductions vietnamiennes et publications à Hanoi en 1960, à Saigon en 1961. C'est, avec *Les Êtres extraordinaires du Linh Nam* [*Linh Nam trich quai*], ouvrage légèrement postérieur, le plus ancien connu des légendaires vietnamiens. Il relate, à partir des traditions nationales, les biographies merveilleuses de souverains et de héros dévoués aux intérêts du peuple, dans les temps lointains. C'est une véritable histoire sainte empreinte de piété envers ces ancêtres, faisant sentir leur présence efficace dans l'environnement. C'est aussi une histoire populaire dans le même esprit que le culte des génies – êtres humains ou forces de la nature – teinté d'influences taoïstes de l'« École des mystères ». T.-T. L.

RECUEIL DE TCHEN-TCH'OUAN [*Tchen-tch'ouan-tsi – Zhenchuan ji*]. Recueil d'essais de l'un des plus célèbres prosateurs chinois de la dynastie Ming (1368-1644) : Kouei Yo-kouang (1506-1571). Celui-ci défendit contre l'opinion de ses contemporains, surtout par ses écrits, la prose en « style ancien », en critiquant toute imitation inconditionnelle et archaïsante. Il sut en effet adapter ce style à la langue de son temps, et mit en avant la valeur du « naturel » ou du « spontané ». Ses essais informels, portraits ou descriptions « sur le vif », se concentrent souvent sur la circonstance, sur l'anecdote ou sur l'émotion, sans relever apparemment d'une ambition philosophique ou de l'esprit de sérieux – ce pourquoi on les a parfois taxés de triviaux. Les *Mémoires du pavillon de Siang-tsi* racontent quelques rencontres familiales, et la préface à son commentaire du *Livre des documents* – v. *Classiques chinois* (*) – parle de sa fille et des soins qu'il lui portait alors qu'il rédigeait son étude. La *Note funéraire pour Han-houa* dit comment la servante de sa femme, Han-houa, réprimanda Kouei parce qu'il s'était introduit dans la cuisine pour goûter un plat qu'elle était en train de préparer. De nombreux essais enfin se rapportent à la région de Sou-tcho où l'auteur enseigna. – Trad. anglaise in « Essays », *Chinese Literature,* nov. 1962. V. L.

RECUEIL DE VERS. Recueil unique du poète français Pierre de Marbeuf (1596-1645), publié en 1628 à Rouen chez David du Petit Val. Il rassemble dix ans de productions poétiques et comprend, en deux cent cinquante-deux pages, de longs poèmes de formes variées, des élégies, tombeaux, chants royaux, stances, sonnets. Dès le poème « Au lecteur », Marbeuf définit sa voix comme celle « D'un homme rustique et sauvage, / Qui n'a point de Cour que les bois ». La nature inspire la méditation sur la mort, abordée d'abord de manière didactique : « La naissance m'apprend qu'il faut que l'homme meure, / Très certaine est ma mort, très douteuse en est l'heure » (« Le Solitaire ») – voir également « Le Tableau de la beauté de la mort » –, ensuite plus angoissée : « Éternité du bien, éternité de peine, / Lorsque je pense à toi tu m'assèches la veine : / Ma plume ni mes vers ne peuvent plus couler, / Ma langue s'engourdit, je ne peux plus parler » (« Le Solitaire »). Mais Marbeuf ne tombe jamais dans l'outrance baroque, pas plus qu'il n'enseigne la révolte : la résignation aux décrets divins est « la médecine / Qui guérit tous les maux » (« Le Tableau »). Amoureux sous le nom de Silvandre (et il se souvient là de Ronsard, en particulier dans les sept sonnets qui composent « Le Miracle d'amour »), Marbeuf est également attiré par la satire. Il y fustige les pédants incapables d'élaborer une œuvre dont la qualité principale ne réside pas dans l'originalité (manifestée par la présence d'images ou de tournures rares) mais dans la clarté et la mesure pour « maintenir la gravité / Jusque parmi les simples herbes » (« Au lecteur »). – Un choix de poèmes de Pierre de Marbeuf a été publié en 1984 par les éd. Obsidiane sous le titre *Le Miracle d'amour*. F. Rou.

RECUEIL ET COMMENTAIRE DES POÉSIES DE TOU FOU [*Tou-che tsing-ts'iuan – Dushi jingquan*]. C'est l'une des œuvres capitales de la littérature chinoise ; elle fut compilée par Yang Loouen (ou Yang Cheheu) sous le règne de l'empereur Kao Tsong (1736-1796) de la dynastie Ts'ing (1644-1912), et l'on en connaît maintenant plus de quinze éditions. Le poète Tou Fou (712-770) eut une vie assez mouvementée ; désirant prêter la main à de grandes réformes politiques, il eut à souffrir des mesures que prit le gouvernement pour venir à bout de la révolte, et se retira après quelques années de lutte pour se vouer à la vie contemplative. La collection du *Recueil* se divise en vingt tomes, où les œuvres sont classées par ordre chronologique d'après les événements de la vie du poète et étroitement reliées à chacune de ses expériences. Les tomes I, II, III rassemblent les poèmes que Tou Fou composa de vingt à quarante ans ; les tomes IV, V, VI, ceux qu'il composa de quarante à quarante-sept ans ; les tomes VII-XIII, de quarante-huit à cinquante-quatre ans ; les sept derniers tomes correspondent au temps de sa vieillesse ; de sorte que toutes les œuvres de Tou Fou se répartissent sur quatre périodes, dont les trois premières sont les moins fructueuses, puisque le poète ne composa au cours de chacune que cent trente à cent quarante pièces de vers. Les poèmes du premier groupe reflètent les ardeurs d'un esprit juvénile, tout préoccupé de réformes sociales. Le second groupe correspond au moment le plus laborieux de la vie du poète : Tou Fou décrit avec éloquence et avec réalisme les misères, les douleurs et la ruine qu'engendre la guerre civile, assurant l'empereur de sa fidélité et souhaitant la victoire de l'ordre. La troisième période, en revanche, contient des pièces fort diverses. Tou Fou, bouleversé par les horreurs de la guerre civile, a renoncé à toute activité politique et se voue à la contemplation de la beauté dans la nature : il se laisse aller à célébrer des paysages enchanteurs, et se permet toutefois de gémir sur la ruine de la société. La quatrième période enfin contient environ six cents poèmes. Devenu vieux, le poète se remémore le passé, songe à ses amis et pleure sa jeunesse. Les œuvres de Tou Fou sont considérées comme l'un des sommets de la poésie chinoise ; la tradition le désigne sous le nom de « poète sacré ». Le style dont il use est fort élégant et assez concerté ; les sentiments qu'il exprime ont un réalisme et une plénitude admirables, l'esprit qui sous-tend toute la construction est celui d'un disciple de Confucius. Citons, en particulier : *Le Préfet de Che Hao* [*Che Hao Li*], *Le Préfet de Tong Houan* [*Tong Kouan-Li*], *La Séparation des jeunes époux* [*Sin Houen Pie*], *La Séparation du vieillard* [*Tse Lao Pie*], *La Séparation de l'homme qui n'a pas de maison* [*Wou Tsia Pie*] et *Mes pensées pendant le voyage de la capitale à Feng Sien* [*Tse Tsing Fou Feng Sien Yong Houai*]. Cette dernière poésie relate les épisodes extrêmement pittoresques du voyage que fit le poète à travers un pays dévasté par la guerre ; Tou Fou médite sur les misères sociales et sur les mésaventures des humbles. Les poèmes « Aux préfets » sont remplis de conseils et de sentences morales solennels. Dans les trois « Séparations », Tou Fou décrit trois espèces de séparations parmi les plus cruelles et les plus affligeantes : la jeune épouse, après sa nuit de noces, pleure amèrement le départ de son mari appelé à la guerre. Un vieillard, qui doit aller garder une lointaine forteresse, à la frontière, quitte sa famille qu'il est certain de ne plus revoir ; et les paroles de sa vieille épouse, qui lui recommande de prendre soin de son vêtement et de ses provisions de route, ont quelque chose de déchirant. Un jeune soldat, qui a échappé par miracle à la guerre, est à la recherche de sa maison : il la retrouve sans toit, sans porte et vide de ses habitants ; le préfet du lieu, qui a entendu parler de ce rescapé, lui donne l'ordre de rejoindre l'armée. Et le jeune soldat, désespéré, de confier, non sans ironie, qu'il aura moins de mal à partir, maintenant qu'il n'a plus ni maison ni famille. — Trad. in *Anthologie de la poésie chinoise classique,* Gallimard, 1962 ; *Du Fu, dieux et diables pleurent,* Moundarren, 1987 ; *Il y a un homme errant*, La Différence, 1989.

RECUEILLEMENT [*Einkehr*]. Suite de méditations de l'écrivain allemand Christian Morgenstern (1871-1914), parue en 1910. On ne retrouve pas ici l'écho de cet humour assez pointu et quelque peu littéraire qui avait fait le succès des *Chansons du gibet* (*). Le titre correspond bien au contenu du recueil. Morgenstern y fait figure de penseur : l'objet le plus insignifiant lui suggère des réflexions d'une portée plus vaste. Parfois, ses propos semblent relever de la simple notation. En fait ils révèlent un grand sentiment religieux, lequel conduit le poète à s'inspirer des Évangiles. Dès lors, Morgenstern s'orienta toujours plus nettement vers la théosophie de Rudolf Steiner. Toutefois, l'auteur atteint ici à un équilibre qu'on retrouve rarement dans la littérature allemande de l'époque.

RECUEILLEMENTS POÉTIQUES. Œuvre du poète français Alphonse de Lamartine (1790-1869), publiée en 1839. Décembre 1837 : Lamartine trouve un « marché nouveau de librairie » ; mars 1839 : il publie les *Recueillements*. Comment, dans ce court intervalle, a-t-il pu composer le volume promis à l'éditeur Gosselin ? Il disposait de trois grands textes écrits en 1837 (« Utopie », « À M. le comte de Virieu », « À M. Félix Guillemardet ») ; il y ajoute en 1838 des pièces de circonstance, des vers d'album, une première version de l'« Épilogue » de *Jocelyn* (*), un copieux « Fragment biblique » extrait de *Saül* et une longue et magnifique préface en prose. L'ensemble est fatalement inégal et la critique l'accueille avec sévérité.

Ce recueil lyrique marque pourtant un réel renouvellement non de la forme, souvent gauche, mais de l'inspiration. La souffrance et l'engagement ont mûri Lamartine. Après « Gethsémani », le poète exprime à nouveau sa douleur paternelle (« À M. Wap »). Nombre de ces poèmes de la maturité ont été écrits en automne : entre l'été rayonnant des *Harmonies* (*) et le vigoureux hiver de « La Vigne et la Maison », l'automne est bien la « saison mentale » des *Recueillements.*

La politique ici n'est pas une nouveauté absolue : elle avait, au lendemain de 1830, inspiré la « Réponse à Némésis » ou « Les Révolutions ». Mais c'est la première fois qu'elle occupe une telle place dans une œuvre lyrique : « Utopie », le « Toast aux Gallois » illustrent l'accord profond entre la poésie et l'action. Naguère encore, Lamartine réservait à l'épopée familière ou philosophique ses réflexions sur une religion libérée du dogmatisme : paraboles de *Jocelyn*, « Fragment du livre primitif » dans *La Chute d'un ange* (*). Désormais, ce n'est plus un curé de campagne ou un prophète d'avant le déluge, mais le poète lui-même qui prêche « Un Évangile au grand jour » (« Utopie »).

Moins d'un an après *La Chute*, encore un livre bâclé. Il contient pourtant de grands et beaux poèmes : les trois déjà cités de 1837 et beaucoup de pièces de l'année suivante comme « La Cloche du village » ou l'« Épître à M. Adolphe Dumas ». Si dans la courbe du lyrisme lamartinien les *Recueillements* ne sont pas un sommet, ils marquent un tournant significatif.

En 1840, puis dans l'édition de ses *Œuvres* dite édition des souscripteurs (1849-1850), Lamartine adjoindra à son recueil quelques textes qui n'en rehaussent pas l'éclat, exception faite pour « Un nom » où « une vierge enfant » lui inspire une rêverie prébaudelairienne. Par ses pièces nouvelles (qui en font, après les *Recueillements*, une sorte d'ultime recueil) comme par ses commentaires, cette édition des souscripteurs présente un intérêt majeur. La répartition des pièces nouvelles – plusieurs dizaines – entre *Méditations* (*), *Harmonies* et *Recueillements* est arbitraire. On ne peut toutefois négliger un ensemble où figurent, par exemple, « Ressouvenir du lac Léman » ou « Sur l'image du Christ ». Dans les « commentaires », Lamartine indique les circonstances, l'état d'âme dans lesquels il a écrit ses poèmes : là achève de s'édifier la légende lamartinienne ; de là part une tradition critique qui réduira l'œuvre à une autobiographie en vers. Malgré la désinvolture historique et géographique du commentateur, ces textes sont révélateurs non seulement de l'image que le poète voulait donner de lui-même, mais aussi d'une vérité qui est en deçà ou au-delà des vérités.

M.-F. G.

RECUEIL PARMI LES FLEURS [*Houa tsien tsi – Hua jian ji*]. Avant la découverte en 1900 d'un recueil à Touen-houang, ce volume, publié en 940, était le plus ancien recueil de poèmes chinois chantés, c'est-à-dire de poèmes écrits sur des mélodies dont les vers, à la différence de la poésie régulière, étaient de longueurs variées à l'intérieur d'un même poème, de façon à épouser la structure musicale. Ce genre, créé principalement par Wen T'ing-yun (812 ?-866) à la fin de la dynastie T'ang, allait devenir le plus important sous la dynastie Song. Dans la première période, il s'agissait presque exclusivement de mélodies chantées dans les maisons de courtisanes (ces courtisanes qui ont donné les geishas au Japon), et l'amour en constituait donc le thème principal. Wen T'ing-yun par exemple a écrit sur les sentiments des courtisanes, et aussi sur les amours de paysannes, sur des filles qui cueillaient les lotus, sur des femmes dont le mari était parti à la guerre ou en voyage. Le mot fleurs dans le titre désigne en effet les jeunes femmes.

J. P.

REDBURN. Roman de l'écrivain américain Herman Melville (1819-1891), publié en 1849. Ces « confessions et souvenirs d'un fils de famille engagé comme mousse dans la marine marchande américaine » s'inspirent de la première traversée de Melville engagé neuf ans plus tôt sur le « Saint Lawrence » en partance pour l'Angleterre. Wellingborough Redburn est un déclassé contraint de s'exiler. Il porte le nom d'un ancêtre célèbre qui fut sénateur, mais son père, importateur de tissus à New York, est mort ruiné. Depuis, la famille s'est repliée en province. Redburn quitte la maison familiale poussé par la nécessité, tout en rêvant d'aventures prestigieuses sur les traces de son père. Les voyages qu'il faisait enfant autour de la bibliothèque paternelle à travers les gravures, les livres anciens et surtout le modèle réduit d'un vieux vaisseau, la « Reine », étaient parés d'une aura romantique. En guise d'équipement, son frère aîné lui lègue une veste de chasse et un fusil. Du patrimoine patricien il ne conserve que les oripeaux. À New York il sera engagé comme simple mousse, mais pour un salaire dérisoire parce qu'il a été malencontreusement recommandé par un ami de la famille comme le fils d'un gentleman désireux de voir le monde. La dernière image qu'il aura de l'Amérique en s'éloignant du port est celle d'un fort en ruine. Paria à terre, il est tout aussi peu à sa place dans le monde rude des marins. L'ancien enfant modèle, membre d'une société de tempérance, est mal préparé à ce monde qu'il juge immoral et dégradant. Toujours déguisé en gentleman, il fait figure de blanc-bec et il est la risée de tous lorsqu'il demande à être reçu par le capitaine Riga en qui il avait cru voir un père. Il doit déchanter : bienveillant à New York, celui-ci se révèle intraitable à bord. La traversée sera pour lui l'école de la discipline. Outre les corvées avilissantes, il y a aussi les tâches périlleuses – par exemple l'ascension du grand mât en pleine tempête – auxquelles le jeune bleu ne saurait se soustraire sans perdre tout à fait la face. Le tout sous les sarcasmes constants, voire les menaces explicites de Jackson, le second qui tyrannise l'équipage. Redburn est pourtant subjugué par son persécuteur qui est un être du refus. Jackson, qui se prétend apparenté au général homonyme, est avant tout un irréductible Peau-Rouge qui à sa manière initie Redburn à ce monde ensauvagé qui est l'envers de la démocratie américaine. Ce maître démoniaque est aussi un pauvre diable, le maudit par excellence du monde déchu des forçats de la mer. Arrivé à Liverpool, Redburn y découvre que les indications du vieux guide que son père avait utilisé et annoté de sa main ne correspondent plus à rien. Le fils déshérité doit s'orienter seul dans le dédale urbain. Le spectacle de la misère lui laisse entrevoir tout un arrière-monde. En marge des mendiants professionnels qui harcèlent les marins ou qui fouillent les détritus sur les docks, au fond d'une cave Redburn assiste à l'agonie d'une femme et de ses enfants. Il tente en vain de les secourir mais, le troisième jour, il ne trouve plus qu'un tas de chaux vive à la place des corps. Il erre dans la ville comme un vagabond. Même la campagne alentour a cessé d'être un refuge. Seul intermède idyllique : la brève halte auprès d'une famille anglaise et de trois jeunes filles en fleur. Très vite, Redburn doit retourner seul aux docks où il devra se contenter de la compagnie de Harry Bolton, un dandy efféminé, égaré parmi les loups de mer, un orphelin qui prétend être un aristocrate originaire de Bury-St-Edmunds. Harry, qui sait au besoin se travestir, est un personnage équivoque, au mieux un mythomane, peut-être un imposteur. Il entraîne Redburn à Londres dans un lieu déroutant, un « palais d'Aladin » où l'éblouissement bascule peu à peu dans l'effroi, ce paradis artificiel qui trouble le puritain en lui se révélant être une maison de jeu ou même une maison de tolérance. Dans ce décor en trompe-l'œil, les titres ne sont plus qu'une imposture. Sous le luxe apparent, Redburn décèle la luxure, la démoralisation dont la misère à Liverpool était le symptôme. Harry s'absente mystérieusement. Redburn l'attend, reclus dans une chambre d'où il épie, inquiet, les moindres signes. Lorsque Harry revient, définitivement ruiné, il fait promettre à Redburn de ne rien dévoiler de leur équipée. Harry veut s'expatrier aux États-Unis. De retour à Liverpool, ils réembarquent avec les immigrants irlandais attirés par la Terre promise. Harry espère encore y faire fortune. Comme Redburn à l'aller, Harry subit épreuves et vexations. La traversée est atroce pour les passagers les plus démunis, entassés dans la cale et décimés par la famine et les épidémies. Seule consolation, l'orgue de Carlo qui, illusoirement, permet d'oublier pour un temps le dénuement et l'impuissance. Si Redburn a pitié de cette foule grossière et anonyme, s'il se reconnaît en Harry qui n'est plus que l'ombre de lui-même, c'est qu'il sait déjà que l'Amérique leur réserve d'amères déceptions. À son retour, Redburn, floué par le capitaine Riga qui ne lui verse aucun salaire sous prétexte qu'il a déserté le « Highglander » pour s'enfuir à Londres, laisse Harry seul et part rejoindre sa famille. Livré à lui-même et désespéré, Harry s'embarquera à bord d'un baleinier et disparaîtra en mer. Redburn survivra à son double, mais son identité tout au long du récit n'aura cessé de se disloquer. — Trad. Robert Marin, 1951. M. I.

RÉDEMPTION. Oratorio du compositeur français d'origine belge César Franck (1822-1890), d'après un poème d'Édouard Blan. Cette œuvre fut composée par Franck en 1872 et donnée en première audition aux Concerts spirituels de l'Odéon, sous la direction d'Édouard Colonne, le 10 avril 1873. Vincent d'Indy, le fervent disciple de Franck, a raconté comment Franck a remanié si souvent cette œuvre à laquelle il tenait souverainement et quelles furent les difficultés pour son exécution. Telle que cette œuvre nous apparaît maintenant dans sa version moderne, elle est construite d'une façon très symétrique et se compose de deux parties, entre lesquelles s'intercale un interlude symphonique. Après une introduction très brève, le chœur des hommes intervient et met à nu les passions terrestres et les orgies humaines. Cependant, du haut du ciel, les Anges n'abandonnent point les hommes et chantent un chœur d'une grande suavité. L'Archange apparaît ensuite et c'est l'occasion d'un air tout de lumière et de joie. Convertie, la race humaine se prosterne et la première partie de l'oratorio prend fin sur le caractère éclatant du chœur humain qu'inspire la grâce mystique. Les temps ont changé sous l'influence de la parole divine ; le monde a évolué et l'humanité terrestre s'épanouit : c'est le thème même de l'interlude symphonique qui sépare les deux parties de l'œuvre et assure à celles-ci une unité brève. La deuxième partie est construite sur un schéma symétrique par rapport à la première. Le chœur des hommes chante les désillusions, l'amertume terrestre, la foi qui disparaît. Le chœur des Anges est là pour rassurer les humains, leur redonner espoir et permettre à l'Archange de réapparaître à leurs yeux et d'achever leur conversion définitive. L'œuvre se termine sur un chœur final en une tonalité chérie par le compositeur, fa dièse majeur, dans laquelle éclatent la joie, l'enthousiasme et l'ardeur de l'humanité espérante. Nombreuses sont les pages célèbres de cet oratorio où Franck a su mettre émotion, spiritualité et grandeur. C'est certainement une des plus belles œuvres du compositeur belge et de celles dans lesquelles son inspiration mystique a trouvé un épanouissement et une maîtrise incomparables.

RÉDEMPTION. Roman de l'écrivain irlandais Francis Stuart (né en 1902), publié en 1949. Une colère sourde contre la société anime ce roman, la colère de ceux qui ont trop souffert de la guerre. Le héros, Ezra Arrigho, rentre en Irlande, l'esprit et le cœur encore hantés par les cauchemars qu'il a vécus et par le souvenir de Margareta, une femme avec qui il a souffert et qu'il a aimée profondément. Il la croit morte, mais elle lui sera rendue plus tard, déformée et humiliée. Ne pouvant accepter de retrouver son existence tranquille et satisfaite d'avant-guerre, Ezra descend dans une petite ville provinciale où personne ne le connaît. Stuart dessine un paysage pittoresque, mais surtout un paysage moral, car le fond du roman est constitué par une lutte à mort contre la suffisance et la cécité des gens, contre l'organisation mécanique dans laquelle ils vivent ; c'est aussi la recherche à travers la nuit et le désordre, à travers la violence, la peur et la destruction, d'un autre ordre, d'autres valeurs plus réelles et plus intenses (les valeurs profondes du cœur, « the heart-power »), qui permettent de survivre à la destruction des illusions. Dans ce combat s'allieront étrangement un simple prêtre de village, Father Mellowes, et la « larve blanche », cette intensité au cœur de la tentation et du péché, qui est représentée par Ezra, intellectuel impie, et Kavanagh, marchand de poissons lascif et grossier. C'est peut-être cette union des forces apparemment contraires dans un même but qui est symbolisée par le titre de ce roman, dont l'intrigue fait se succéder meurtre, séduction, faux miracle et mariage sacrificatoire, dans une atmosphère de violence et de purification très typique de la manière de l'auteur. — Trad. Gallimard, 1951.

RE DIPLOMATICA (De). Cet ouvrage, dont le titre complet est *De re diplomatica libri VI,* fut écrit par dom Jean Mabillon (1632-1707) et publié en 1681 ; une édition, augmentée d'un supplément, vit le jour du vivant de l'auteur, en 1704 ; la meilleure édition complète est la troisième édition, qui parut à Naples en 1789. Jean Mabillon, religieux bénédictin appartenant à la fameuse congrégation réformée de Saint-Maur, après avoir travaillé dans un certain nombre d'abbayes provinciales, avait été appelé à l'abbaye de Saint-Germain-des-Prés, devenue un centre d'érudition et d'études historiques, par dom Luc d'Achery, afin de collaborer aux *Acta sanctorum ordinis sancti Benedicti,* dont le premier volume parut en 1668 et qui devait comprendre huit autres volumes. Dès cette époque, Mabillon faisait figure de maître dans ce milieu exceptionnellement érudit. Avec le *De re diplomatica,* sa renommée devait devenir internationale. Bien qu'il soit limité à la science diplomatique, ou science des chartes, l'ouvrage de Mabillon ne se contentait pas de poser les bases de cette science, il définissait les méthodes et les principes de la critique historique. Naturellement, le *De re diplomatica* subit de nombreuses critiques de la part des érudits du temps, mais aucun ne put ébranler la solidité des fondations de cet important travail historique, qui fut soigneusement étudié non seulement en France, mais en Allemagne, en Hollande, en Angleterre et en Italie. La langue employée par l'auteur, le latin, favorisait d'ailleurs sa diffusion. Avec le *De re diplomatica,* Mabillon apportait une contribution essentielle à la renaissance des études historiques, à laquelle collaboraient dans le même temps des savants tels que Du Cange, Moréri, Bayle, André Duchesne, Richard Simon et surtout les bénédictins de Saint-Maur.

RÉEL ET SON DOUBLE (Le), essai sur l'illusion. Essai du philosophe français Clément Rosset (né en 1939), publié en 1976. Cet ouvrage, dans lequel l'auteur aborde les thèmes essentiels de sa philosophie, part du constat que l'homme ne peut s'habituer au réel. Sa crainte du réel peut revêtir des formes très variées dont le suicide et la folie restent des formes marginales par rapport à l'attitude la plus courante qu'est l'illusion. Clément Rosset s'attache à démontrer que la structure fondamentale de l'illusion n'est autre que la structure fondamentale du double : le réel, irrémédiablement là, se voit désamorcé par un « double » qui détourne l'attention de lui. Et Rosset prend l'exemple de Boubouroche, personnage de Courteline, lequel, incapable d'admettre que sa femme le trompe, scinde cette réalité en deux, lui invente un double paradoxal et illusoire. Dans ce cas, le réel n'est pas nié, mais — plus grave encore — déplacé, mis « ailleurs », et par conséquent escamoté d'une manière que Rosset qualifie d'incurable.

Rosset envisage alors l'illusion dans trois de ses modes majeurs. Dans l'« illusion oraculaire », c'est l'action même destinée à éviter l'accomplissement d'une prédiction qui induit son événement. La prétendue duperie du destin est en fait une duperie inhérente à l'attente d'autre chose que ce qui se produit réellement, cet autre — ce double, en fait — étant là pour éviter de voir que ce qui se produit est bien la réalisation de l'oracle. Tout se passe alors comme si l'événement qui se produit n'était pas le « bon ». Et Clément Rosset rappelle que « la coïncidence du réel avec lui-même est, d'un certain point de vue, la simplicité même » — l'insupportable aussi. Simplicité niée de tous temps par les philosophes qui postulent que le sens du réel est « ailleurs » (« illusion métaphysique ») : cette duplication du réel étant une structure fondamentale du discours métaphysique depuis Platon pour qui le réel d'ici-bas n'était que l'ombre ou le double d'une réalité plus « vraie ». Dégoût du simple, effroi devant l'unique, telle est l'attitude courante qui conduit à ce que Rosset appelle le « chichi ». Quant à l'« illusion psychologique », elle se fonde sur la pensée que « je est un autre », thème abondamment traité dans l'art et la littérature. Mais Rosset montre comment le refus d'être ce que l'on est aboutit à l'être plus encore. « C'est en voulant éviter de tuer son père qu'Œdipe se précipite sur la voie du meurtre. »

Exorciser le double, « car le réel toujours l'emporte » : toute la démarche de Rosset est là, ni optimiste ni pessimiste, mais pariant sur la plénitude du réel lorsque celui-ci n'est plus ni occulté, ni différé, ni dédoublé par les artifices de la pensée, et sur la joie qui en découle. É. H.

RÉELLES PRÉSENCES. Les arts du sens [*Real Presences*]. Œuvre du critique littéraire de langue anglaise George Steiner (né en 1929), publiée en 1989. Ce livre, qui constitue le credo esthétique de l'auteur, repose sur la prémisse suivante : sans le religieux, sans une croyance transcendante d'un ordre supérieur, l'humanisme tourne à vide. George Steiner pose donc le problème du sens ou la question de savoir si les mots que nous utilisons disent encore quelque chose sur ce qu'ils désignent. L'auteur oppose son pari sur la possibilité de Dieu à l'hypertrophie du commentaire dans notre époque définie comme un long « épilogue ». En effet les analyses infinies proposées par la déconstruction, la sémiotique ou le structuralisme, pour ne nommer que quelques tendances majeures de notre temps, constituent une contradiction permanente, un tourner en rond nihiliste et narcissique. C'est au moment où Rimbaud destitue le sujet (« Je est un autre ») et où Mallarmé déclare l'arbitraire de tout langage (le mot « rose » est « absent de tous les bouquets ») que l'homme perd sa foi ; le contrat entre le mot et le monde étant rompu et les créateurs étant dépourvus du lien avec le sacré et le transcendant, ceux-ci n'ont plus été capables de produire de grandes œuvres d'art. « Ce que j'affirme, c'est l'intuition que lorsque la présence de Dieu est devenue une supposition intenable, et lorsque Son absence ne représente plus un poids que l'on ressent de manière bouleversante, certaines dimentions de la pensée et de la créativité ne peuvent plus être atteintes. » Le constat que dresse George Steiner ne concerne cependant pas que la production artistique ; la réception esthétique se trouve aussi être brouillée, vu que le lecteur ne recherche plus ce noyau fondamental de toute œuvre artistique qui est le « sens ». La théologie de l'art qu'esquisse Steiner dans ce grand essai provocateur culmine dans la vision utopique d'une république des lettres où tout acte « parasitaire », toute interprétation, toute tentative journalistique ou professorale serait abolie au profit de la cité des danseurs, des musiciens, des compositeurs et des écrivains, bref : de ceux qui vivent à l'heure de l'immédiateté et à l'enseigne du sens. — Trad. Gallimard, 1991.

M. J.

REFLETS DANS UN ŒIL D'OR [*Reflections in a Golden Eye*]. Second roman de l'écrivain américain Carson McCullers (1917-1967), publié en 1941. À noter tout d'abord qu'on retrouve le très beau titre (plus ambigu en français qu'en anglais puisque « reflections » y signifie aussi bien « réflexions » que « reflets »), dans ce passage : « Puis [...] il se mit à regarder les tisons du feu, fixement. Un paon d'un vert sinistre, avec un seul énorme œil d'or ; et dans cet œil les reflets de quelque chose de minuscule et... » Il s'agit d'Anacleto, le domestique philippin de Mrs. Langdon : il est l'un des personnages les plus marginaux, énigmatiques et attachants qu'ait créés l'auteur. Sa maîtresse, Mrs. Alison Langdon, a perdu sa fille trois ans auparavant ; elle va mourir d'une crise cardiaque. Son mari, le commandant, est l'amant de Léonore, la belle, plantureuse femme du capitaine Penderton. Celui-ci est probablement impuissant, et c'est lui qui, à la dernière page du livre, tue de son revolver le soldat Ellgee (parce qu'il n'a pas d'autre prénom que les initiales « L. G. » !) Williams, qui, pour la septième fois, vient nuitamment observer, en lui effleurant à peine les cheveux, Mrs. Penderton endormie. Comme l'écrit l'auteur elle-même dès la première page de son roman : « Dans le Sud, il y a un poste militaire où un meurtre a été commis. Les acteurs de ce drame étaient deux officiers, un soldat, deux femmes, un Philippin et un cheval. » C'est cela, sans doute (le fait qu'en termes de statistique rien, « pas même le cheval », n'est normal dans ce roman, hormis sans doute le couple adultérin, sur lequel, précisément, l'auteur n'a rien à dire), qui le fit mal accueillir à sa parution. Pourtant (comme d'habitude chez Carson McCullers), ce qui serait ailleurs perversion ou morbidité est ici présenté sinon comme quelque chose de « normal » (notion qui n'a guère d'existence que statistique), du moins comme une modalité non seulement plausible, mais extrêmement douce, de l'amour sexuel. En fait, on peut ne voir que « réalisme social » dans ce roman : il s'agit, après tout, d'un « poste militaire » isolé en Caroline du Sud. Mais, comme l'observe justement Jean Blanzat dans sa préface à l'édition française, « par une déviation perpétuelle des sentiments attendus, [l'auteur] nous éloigne de l'atmosphère ordinaire des drames bourgeois [...] Avec une dextérité toute féminine, de ligne en ligne et de proche en proche, il frange chaque caractère d'une ligne d'ombre ». Et il est vrai que le soldat est une énigme presque pure : non cerné, son personnage est entièrement constitué d'ombre. Ne serait-ce qu'en ce sens, ce très court roman est un petit chef-d'œuvre du « nouveau » roman américain. — Trad. Stock, 1948.

M. G.

RÉFLEXES CONDITIONNÉS (Les). Ouvrage du physiologiste et médecin russe Ivan Petrovitch Pavlov (1849-1936), publié en français en 1927. L'ouvrage est un recueil d'articles et de conférences. Pavlov analyse ce qu'il appelle la « sécrétion psychique ». Cette idée repose sur la réponse conditionnée étudiée expérimentalement chez l'animal mais qu'on peut mettre en évidence chez l'homme. Un excitant (viande) sur les papilles linguales du chien provoque un réflexe inné de salivation. Un second excitant neutre (ex. : un son), associé dans le temps plusieurs fois à la présentation de la viande, pourra déclencher ensuite, dès sa présentation, la réponse de salivation. Un réflexe conditionné est établi. L'explication se situe au niveau du cortex cérébral. La stimulation provoquée par le son va de l'oreille à l'aire auditive du cerveau et crée un foyer d'excitation. Un second foyer d'excitation correspondant à la « viande » est également créé. En fonction de la répétition, un lien entre les deux centres se crée. Ce lien disparaît s'il n'est pas maintenu. Une réaction d'inhibition, d'un fonctionnement similaire au réflexe d'activation, peut également être établie, par exemple si le son est remplacé par un stimulus négatif (choc électrique). Les réflexes conditionnés comme les réflexes innés assurent l'adaptation de l'espèce à l'environnement.

A. St.

RÉFLEXIONS CRITIQUES SUR LA POÉSIE ET SUR LA PEINTURE. Essai de l'écrivain français Jean-Baptiste Du Bos (1670-1742), publié en 1719. L'auteur, qui rejette toute forme d'intellectualisme, prétend que l'intérêt de l'art réside non dans les idées qu'il apporte, mais dans le style : sensibilité de l'artiste, aussi bien en poésie qu'en peinture, formes nouvelles, harmonie des images, celles-ci, justement, provoquant l'émotion et les réactions intérieures. Il ne s'agit donc pas de principes, mais d'un abandon délicat et sincère aux impressions du monde extérieur en dehors de toute vraisemblance : dans l'œuvre d'art, en effet, il y a d'étranges mélanges de réalité et de merveilleux, que seul l'artiste peut accomplir, en dépit des arguments des logiciens. Mettant l'accent sur le sentiment, l'auteur s'élève contre ceux qui réduisent l'art à une simple mise en œuvre de règles et de principes. L'exemple de l'Arioste, du Tasse, d'abord combattus dans leurs productions, doit servir à montrer que le sentiment et le goût dépassent les règles. Ces *Réflexions* sont importantes pour l'histoire de l'esthétique, non seulement française, mais européenne.

RÉFLEXIONS OU SENTENCES ET MAXIMES MORALES de La Rochefoucauld. Œuvre du moraliste français François VI, duc de La Rochefoucauld (1613-1680). Cet ouvrage, plus connu sous le titre de *Maximes*, obtint dès sa parution, en 1664, un succès où le scandale avait la plus grande part. François de La Rochefoucauld, qui venait d'atteindre la cinquantaine, avait fait pendant longtemps carrière d'ambitieux. Non content d'appartenir à l'une des premières familles de France, il avait comploté lorsque Richelieu, puis Mazarin ne lui avaient pas accordé les faveurs auxquelles il croyait avoir droit. Il se lança à corps perdu dans la Fronde, appartenant à la cabale des Importants, devenu lieutenant-général de l'armée rebelle, tentant de soulever la noblesse de sa province ; non seulement il ne tira aucun bénéfice de ces hauts faits, mais il jugea prudent de se retirer pendant quelque temps dans ses terres. Enfin il fit sa paix avec le roi et revint s'installer à Paris. Définitivement écarté de la scène politique et des champs de bataille, La Rochefoucauld se tourne vers les lettres en écrivant ses *Mémoires* (*), qui ne furent publiés intégralement qu'au XIXe siècle. Il fréquente assidûment les salons du temps, ceux de Mlle de Scudéry, de Mlle de Montpensier, de Mme de Sablé. C'est chez cette dernière et surtout à partir de 1659 que La Rochefoucauld rencontra l'abbé Esprit, l'abbé d'Ailly, le jurisconsulte Domat, la maréchale de Schomberg, la duchesse de Longueville, les Montausier. Si chez la Grande Mademoiselle on faisait des « portraits », chez Mme de Sablé on se passionnait pour les maximes. Quelqu'un proposait une opinion sur une question de morale, les habitués la discutaient. Chez soi, entre deux séances, on tentait de mettre par écrit son sentiment sur le sujet traité et de lui donner un tour vif et piquant. Tout le monde s'y mettait. On rassemblait ensuite ce qui avait été trouvé de meilleur. C'est ainsi que parurent en 1678 les *Maximes de Mme la marquise de Sablé*, publiées par l'abbé d'Ailly, qui y joignit les siennes, celles de l'abbé Esprit, de Domat, de Méré, et d'autres. Dans ce petit groupe, c'était La Rochefoucauld qui remplissait le plus souvent la charge de « greffier » ; il poussait aussi la réflexion beaucoup plus loin et se livrait à un véritable travail d'écriture. Cependant, avant de publier son recueil, il consulta ses amis sur ces *Maximes* où ils avaient eu une grande part. Mais, avant même que La Rochefoucauld ait remis son manuscrit à son éditeur, Barbin, une édition en avait déjà paru, sans le consentement de l'auteur, chez Stencker à La Haye (1664). La véritable première édition est de 1665, mais il y en eut, presque aussitôt après, trois contrefaçons. La Rochefoucauld revit lui-même et à plusieurs reprises les *Maximes*. Sous l'influence de Mme de La Fayette, à qui l'unissait une grande amitié, il en atténua quelque peu le ton très absolu et l'amertume excessive, se contentant d'ailleurs d'ajouter des mots tels que « presque », « le plus souvent », ou « la plupart ». Chaque nouvelle édition fut enrichie de nouvelles maximes : c'est ainsi qu'il parut, du vivant de La Rochefoucauld, quatre éditions en plus de la première, en 1666, 1671, 1675 et 1678. Celle-ci, la dernière que revit l'auteur, est donc l'édition définitive ; elle est la plus complète, comprenant cinq cent quatre maximes, alors que l'édition de 1665 n'en comptait que trois cent soixante et onze (voir l'édition de J. Truchet, Paris, 1967). Pour expliquer le caractère intransigeant des jugements de La Rochefoucauld sur l'espèce humaine, ainsi que l'aigreur, voire le cynisme qu'il y distille, il faut se souvenir que, lorsqu'il compose son œuvre, La Rochefoucauld est un homme revenu de tout, vieilli avant l'âge, à demi aveugle, mélancolique, circonspect, habituellement silencieux, mais laissant tomber parfois des sentences profondes, des propos sans mansuétude. Il n'avait conservé de ses folles aventures d'ambitieux, de ses entreprises guerrières et de ses exploits d'amoureux toujours déçu et trompé qu'une amertume sans remède. C'est cette absence totale d'illusions, cette sévérité brutale et sans issue morale ou religieuse qui heurtèrent les contemporains et valurent aux *Maximes* le succès que l'on sait. En effet, l'image idéalisée de l'homme, telle que l'avaient imposée les romans précieux, les tragédies de Corneille et l'éblouissante gloire d'un jeune roi en qui elle semblait prendre corps, tombait, d'un coup, de son piédestal.

Venant du grand seigneur qu'il était, cela parut une trahison. « Nos vertus ne sont le plus souvent que des vices déguisés », telle est l'idée maîtresse de l'auteur ; il la reprend sans cesse sous des formes diverses : « Ce que le monde nomme vertu n'est d'ordinaire qu'un fantôme formé par nos passions, à qui on donne un nom honnête pour faire impunément ce qu'on veut. » Les valeurs héroïques s'effondrent, comme le souligne Bénichou, mais restent cependant comme un idéal inaccessible, une référence à l'aune de quoi se jugent toutes les conduites humaines, sans qu'aucune morale ne laisse espérer l'adéquation de l'être et du paraître. Les explications de cette déchéance de l'homme sont multiples, contradictoires et toujours tragiques pour l'homme. La Rochefoucauld désigne clairement l'amour-propre, qui mine toutes nos fausses vertus : l'intérêt, l'égoïsme sont à la source de nos actions et de nos prétendues qualités. Ainsi la sincérité n'est « qu'une fine dissimulation pour attirer la confiance des autres » ; la bonté, « une paresse ou impuissance de la volonté » ; l'humilité, « une feinte soumission, dont on se sert pour soumettre les autres [...] un artifice de l'orgueil qui s'abaisse pour s'élever ». La libéralité « n'est le plus souvent que la vanité de donner, que nous aimons mieux que ce que nous donnons » ; la pitié, « un sentiment de nos propres maux dans les maux d'autrui [...], une habile prévoyance des malheurs où nous pouvons tomber ». La Rochefoucauld ne croit pas à l'amitié (qu'il appelle « un ménagement réciproque d'intérêts [...], un commerce où l'amour-propre se propose toujours quelque chose à gagner ») et encore moins à l'amour. Les maximes qu'il lui consacre sont la négation des théories cornéliennes qui fondent l'amour sur l'estime, sur le mérite de la personne aimée. La Rochefoucauld met l'accent au contraire (et dans le siècle il est un des premiers à le faire) sur l'irrationalité de la passion ; c'est un « enchantement » sur lequel notre volonté n'a pas prise... du moins quand elle est sincère ; en effet « il en est du véritable amour comme de l'apparition des esprits : tout le monde en parle, mais peu de gens en ont vu ». Les femmes prennent souvent la coquetterie pour de l'amour, car elles sont toutes coquettes, et leur sévérité, quand elles en montrent, n'est « qu'un ajustement et un fard qu'elles ajoutent à leur beauté » ; leur honnêteté « n'est souvent que l'amour et de leur réputation et de leur repos ».

On peut remarquer combien est destructeur l'emploi de ce que Barthes appelait la forme de l'identité déceptive qui ne pose une équivalence que pour mieux décevoir l'attente du lecteur (« L'amour de la justice n'est en la plupart des hommes que la crainte de souffrir l'injustice »). Cependant, l'amour-propre n'est pas la seule clé des *Maximes*. La Rochefoucauld met également au jour l'importance de la fortune, au sens de destin, qui contribue à vider l'homme de toute velléité de grandeur : « Il semble que nos actions aient des étoiles heureuses ou malheureuses à qui elles doivent une grande partie de la louange et du blâme qu'on leur donne » ; à quoi vient s'ajouter l'explication physiologique et médicale de l'humeur qui motive les actions dont les hommes se louent — « La modération des personnes heureuses vient du calme que la bonne fortune donne à leur humeur », « Toutes les passions ne sont autre chose que les divers degrés de la chaleur, et de la froideur du sang ». Amour-propre, fortune, humeurs, l'homme semble singulièrement dépossédé, mais il n'en reste pas moins responsable, ce qui donne à l'œuvre une dimension tragique, comme le souligne Starobinski : « Le plus souvent La Rochefoucauld concède au sujet moral un vestige de conscience et de volonté : il faut que subsiste, à tout le moins, un moi qu'on puisse accuser d'être le jouet des forces qui le déterminent du dehors. » Quel recours donc pour les hommes et pour le moraliste ? Ce ne sont pas les quelques atténuations réclamées par Mme de La Fayette qui changent la tonalité désespérée de l'ouvrage, les « souvent », « d'ordinaire », « la plupart » n'ont été ajoutés qu'après coup et ne convainquent guère. Dieu n'apparaît pas non plus comme le sauveur de l'homme, et en ceci les *Maximes* sont bien différentes des *Pensées* (*) de Pascal, malgré le *Discours sur les réflexions ou sentences et maximes morales,* où H. de La Chapelle-Bessé tente de tirer les *Maximes* dans un sens religieux : « L'auteur des *Réflexions* [...] expose au jour toutes les misères de l'homme. Mais c'est de l'homme abandonné à sa conduite qu'il parle, et non pas du chrétien. » En réalité, La Rochefoucauld ne semble guère espérer le salut des hommes : « Les *Maximes* de La Rochefoucauld ne contredisent en rien le christianisme : elles s'en passent », écrira Sainte-Beuve. Reste alors au moraliste à adopter une attitude éthique et esthétique. Celle-ci se fonde sur une vertu, la lucidité (mais qui peut garantir que l'amour-propre ne se cache pas derrière cette lucidité ? « On aime mieux dire du mal de soi-même que de n'en point parler », « L'amour-propre est plus habile que le plus habile homme du monde », et Doubrovsky note que « toute écriture sur l'amour-propre est écriture de l'amour-propre [...] Toute maxime abaisse celui qui la lit dans la mesure où elle élève celui qui l'écrit. Satisfaction d'amour-propre, au sens le plus cru, et à la fois le plus retors »). Cette lucidité débouche néanmoins sur un plaisir, l'écriture de la maxime, seule valeur sur quoi fonder une esthétique, donc une nouvelle morale, et qui permet à Starobinski de dire que « le bonheur de la forme contrebalance la noirceur du fond ». D'où la volonté de La Rochefoucauld, au fil des éditions, de perfectionner la composition de ces maximes, formes brèves, autonomes, brillantes, énigmatiques et abstraites, souvent ludiques, relevant de ce qu'on nomme le style coupé, et qui impliquent chez le lecteur comme chez l'auteur une énergie intellectuelle salvatrice. Cette entreprise fut saluée par Voltaire comme neuve en Europe : « On lut avidement ce petit recueil ; il accoutuma à penser et à renfermer ses pensées dans un tour vif, précis et délicat. C'était un mérite que personne n'avait eu avant lui en Europe, depuis la renaissance des lettres. » Mais Voltaire ne mesura pas à quel point l'écriture de La Rochefoucauld, en renouant avec l'atticisme grec, fondait une modernité littéraire.

RÉFLEXIONS SUR LA FORMATION ET LA DISTRIBUTION DES RICHESSES. Essai de l'économiste et homme politique français Robert Jacques Turgot (1727-1781), publié en 1766 dans la revue des physiocrates *Éphémérides.* Turgot l'écrivit alors qu'il était intendant de la généralité de Limoges ; l'essai connut un grand succès, fut traduit en anglais et réimprimé plusieurs fois après la mort de l'auteur. Les *Réflexions* se divisent en cent paragraphes ; dans les cinquante premiers, Turgot reprend les théories physiocratiques de Quesnay, qui considérait la terre comme la source de toutes les richesses ; dans les cinquante suivants, il examine, toujours d'après les principes physiocratiques, mais avec une plus grande originalité, le problème du rapport entre production et consommation agricoles (produit net) ; il étudie comment le produit net est employé au paiement des impôts et au financement des activités industrielles. Comme tous les physiocrates, il ne croit pas que le commerce et l'industrie concourent à la formation des « vraies » richesses ; il n'accorde pas moins que ces secteurs d'activité puissent contribuer à la prospérité générale de la nation. Il se prononce enfin pour la suppression des impôts indirects, qui entravent les échanges et empêchent la concurrence. L'essai de Turgot posait des problèmes cruciaux pour l'époque : certaines des vues qu'il y exprimait dépassaient le cadre un peu rigide de la physiocratie et nous paraissent encore singulièrement aiguës ; il garde un grand intérêt dans la mesure où son auteur se rapproche des conceptions modernes et tend à considérer l'économie comme une discipline autonome, mouvement qu'il appartiendra à Smith d'achever dans ses *Recherches sur la nature et les causes de la richesse des nations* (*).

RÉFLEXIONS SUR LA GUILLOTINE. Essai de l'écrivain français Albert Camus (1913-1960), publié en 1957, conjointement aux « Réflexions sur la potence » d'A. Koestler, sous le titre collectif de *Réflexions sur la peine capitale.* Il s'agit de vigoureux plaidoyers pour l'abolition de la peine de mort en Angleterre (Koestler) et en France (Camus). C'est un combat dont on trouve de multiples échos dans les œuvres de fiction, *L'Étranger* (*) ou *La Peste* (*), et les essais de Camus. Rien ne peut légitimer « le plus prémédité des meurtres ». Ce « rite primitif », que l'on désigne le plus souvent indirectement par des « ruses de langage » pour voiler la réalité sanglante, n'a aucune valeur d'exemplarité. La justification religieuse par l'espoir de la rédemption n'a plus de sens dans une société désacralisée, qui ne propose qu'elle-même comme « objet d'adoration ». Retrouvant les thèmes de *L'Homme révolté* (*), Camus s'élève contre « ceux qui croient avoir le droit, la logique et l'histoire avec eux », et se rendent coupables de « crimes d'État » : « Il faut proclamer que la personne humaine est au-dessus de l'État. » La condamnation des « utopies politiques » qui renversent les termes de cette affirmation, l'idée que « personne ne peut s'ériger en juge absolu, puisque personne ne peut prétendre à l'innocence absolue », ce qui renvoie à *La Chute* (*), l'importance reconnue à la justice sociale et à la morale de la solidarité, au-delà d'un combat et d'un témoignage qui peuvent sembler dépassés puisque la peine de mort a été abolie en France en 1981, gardent toute leur valeur, leur acuité et leur actualité. J. L.-V.

RÉFLEXIONS SUR LA POÉTIQUE DE CE TEMPS ET SUR LES OUVRAGES DES POÈTES ANCIENS ET MODERNES. Ouvrage de critique de l'écrivain et jésuite français René Rapin (1620-1687), publié une première fois en 1674. Il s'agit d'un fragment de la seconde partie de l'œuvre de critique littéraire en français et en prose du père Rapin. La première partie, *Comparaisons* (1667-1677), proposait des exemples à imiter (Démosthène et Cicéron ; Homère et Virgile ; Platon et Aristote ; Thucydide et Tite-Live) ainsi qu'une instruction sur l'Histoire ; elle formait ainsi une propédeutique à la deuxième qui en déduisait les règles à suivre dans les disciplines correspondantes : les *Réflexions sur l'éloquence, la poétique, l'histoire et la philosophie* (composées dans les années 1670 et réunies en 1684).

Après avoir souligné dans l'épître au Dauphin la finalité politique de sa poétique, puis rappelé dans la Préface sa méthode (exercer plutôt qu'instruire) et son modèle (Aristote), le père Rapin propose soixante-quatorze *Réflexions.* Les quarante premières ont trait à la « poétique en général » ; elles définissent les relations du génie et des règles (1 à 19), commentent les règles d'Aristote (20 à 38) et les soumettent à la bienséance horacienne (39). Une conclusion « horacio-longinienne » reconnaît la véritable poésie à « l'impression qu'elle fait sur l'âme » (40). Les trente-quatre suivantes concernent la « poétique en particulier » et suivent la hiérarchie des genres chère aux contemporains de Rapin : épopée (1 à 16), tragédie (17 à 23), comédie (24 à 26) ; églogue, satire, élégie, ode et autres petits genres pouvant se ramener aux précédents (27 à 32). Une invitation à la prudence dans l'usage des figures de rhétorique (33) et un rappel des qualités morales nécessaires au poète (34) ferment le recueil. La modification du titre – 1674, *Réflexions sur la poétique d'Aristote* [...], 1675, *Réflexions sur la poétique de ce temps* [...] –, qui va de pair avec quelque adoucissement des jugements portés sur les exemples modernes, traduit le subtil rapport du jésuite au Stagirite : s'il accepte toujours son autorité, l'interprétation qu'il en propose, marquée par Horace et Longin, infléchit sa poétique dans le sens d'une « mise en méthode » de la nature. Dans l'ensemble bien reçues du public français, les *Réflexions sur la poétique* furent aussi goûtées de l'école critique anglaise (traduites en 1675 et 1706), et Alexander Pope, par exemple, leur emprunte cette notion de « nature mise en méthode ».

F. N.-D.

RÉFLEXIONS SUR LA QUESTION JUIVE. Essai du philosophe et écrivain français Jean-Paul Sartre (1905-1980), publié en 1946. Cet essai est d'abord dirigé contre l'antisémitisme, puisque Sartre y affirme que le Juif est créé par l'antisémitisme car « si le Juif n'existait pas, l'antisémite l'inventerait ». Ne croyant pas à la spécificité du Juif en général, Sartre examinera surtout la question juive en France. Ce qui constitue la singularité juive est d'abord la décision de la collectivité de considérer les Juifs comme différents, de les tenir à l'écart. C'est pourquoi Sartre entreprend d'abord de décrire l'antisémite. Pour lui, l'antisémitisme n'est pas une opinion, mais une passion qui implique « un choix libre et total de soi-même, une attitude globale ». L'antisémite se veut imperméable aux arguments rationnels, terrible, il est en même temps moutonnier et vaniteux. Il reconnaît aux Juifs certaines qualités intellectuelles, mais il méprise l'intelligence. Le Juif est capable d'acquérir ce qu'on peut obtenir par le travail et l'argent, mais n'a pas de valeur propre. Seul ce qui relève de la tradition, dont le Juif est exclu, est valorisé. L'antisémite est irrationaliste. Mais il a besoin de l'existence du Juif pour fonder sa supériorité. Il est manichéen et pour lui le Juif incarne le Mal. Il y a une ambivalence chez l'antisémite qui éprouve une véritable fascination pour le Juif qu'il déteste, comme en témoignent les histoires qu'il aime à raconter sur l'avidité ou l'obscénité des Juifs. Dans sa haine du Juif, il assouvit ses penchants sadiques et trouve un prétexte pour se sentir fort. Le démocrate, au contraire, nie l'existence du Juif en refusant de lui reconnaître une quelconque singularité, et il craint que ne s'éveille chez lui une « conscience juive ». Tandis que l'antisémite reproche au Juif d'être juif, le démocrate lui reproche de se considérer comme juif. Sartre refuse ces deux positions et veut envisager les Juifs dans la singularité de leur situation concrète. Le Juif n'a pas une nature, mais une condition. Qu'est-ce que le Juif français, celui qui intéresse directement Sartre et ses lecteurs ? Il reconnaît l'existence d'une race juive sous l'espèce d'un ensemble de traits physiques plus fréquents chez les Juifs, encore qu'il s'agisse plutôt d'une pluralité de races, mais refuse d'identifier cette race à une essence, au contraire des antisémites qui font de ces traits physiques les symboles de caractères moraux. La communauté juive s'est en France vidée peu à peu de ses caractères religieux et national. Les Juifs ont en commun la situation de vivre au sein d'une communauté qui les tient pour Juifs. C'est donc la conscience chrétienne qui doit rendre compte de la spécificité du Juif. À partir de cette singularité, le Juif est écartelé entre l'angoisse, l'humiliation et l'orgueil. Ayant les mêmes droits que les autres citoyens, le Juif se sent cependant exclu des valeurs créées par la tradition et l'histoire. Se retournant vers les autres Juifs, il souligne sa particularité, et la communauté, qui ne le tolère qu'à l'état isolé, refuse de l'assimiler. « Être Juif, c'est être jeté, délaissé dans la situation juive. » Le Juif peut essayer de nier ou de refuser sa situation, ou au contraire de l'assumer avec authenticité, c'est-à-dire jusqu'au bout. Tous les traits qu'on attribue aux Juifs : rationalisme, avidité, inquiétude, goût de l'abstraction, ne sont pas, quand ils existent, des traits raciaux congénitaux, mais le résultat de la tension entre la volonté d'assurer sa place dans le monde et l'hostilité environnante. Le Juif authentique dépasse ces déterminations en se faisant Juif par lui-même. Mais l'authenticité n'est pas une solution au problème juif. Seule une modification radicale de la société pourra détruire l'antisémitisme, qui est « l'expression d'un certain sens farouche et mystique de la propriété immobilière ». En attendant, l'antisémitisme n'est pas le problème des Juifs, ce sont d'abord les non-Juifs qui doivent le combattre avec autant de passion que l'antisémite en met à haïr les Juifs.

RÉFLEXIONS SUR LA RÉVOLUTION FRANÇAISE [*Reflections on the Revolution in France*]. Ouvrage d'Edmund Burke, éminent homme politique irlandais (1729-1797), publié en 1790. Écrit sous forme de lettres, il se propose de répondre aux questions qu'un gentilhomme français pose à l'auteur. Mais la matière prend des proportions plus vastes qu'il n'était prévu, de sorte qu'elle se présente sous la forme d'un véritable traité. La préoccupation dominante de l'auteur est de montrer les différences qui caractérisent le processus des événements historiques dans la conquête de la liberté civile en France et en Angleterre, au point que son œuvre se présente comme une continuelle succession de comparaisons entre les deux nations. Certes Burke a un véritable culte de la liberté ; mais, plus qu'à la liberté, c'est à l'« usage » que l'on en fait qu'il s'intéresse. La Révolution française lui apparaît comme l'événement le plus stupéfiant de l'histoire : « Tout semble hors de nature dans cet étrange chaos, où se mêlent légèreté et férocité, une étrange confusion de crimes et de folies. » Il s'insurge contre le principe de la souveraineté populaire et contre ceux qui affirment qu'il est appliqué en Angleterre, où le pouvoir légitime est uniquement fondé sur les règles constitutionnelles de la succession au trône. La révolution anglaise de 1688, même, n'a pas été autre chose qu'une réaffirmation de ce principe. L'instauration d'un nouvel ordre manifestement répugne à l'auteur ; les prétendus « droits de l'homme », nés selon lui de véritables élucubrations mentales, sont en dehors de la réalité et plus propres à détruire qu'à sauvegarder la liberté, alors que l'observation des traditions « laisse la libre possibilité à de nouvelles conquêtes, mais fournit la garantie assurée de chacune d'elles ». En brisant l'autorité royale, la France a rompu ses meilleures traditions, donnant ainsi libre cours aux éléments les plus bas et les plus féroces du peuple. À l'entendre, la qualité des représentants du peuple qui assument la responsabilité du gouvernement confirmerait son point de vue. En dehors de rares exceptions, l'Assemblée est composée d'« éléments inférieurs, d'artisans qui exercent des professions subalternes ou des métiers mécaniques ». Il manque, en somme, ce qu'en Angleterre on appelle le « naturel intérêt foncier », qui résume la fine fleur de la nation en fait de culture, de biens et de dignité. Pour Burke, un des principes élémentaires de la vie sociale, c'est que personne ne peut être juge de sa propre cause ; c'est dans ce sens que doit être interprétée la renonciation du citoyen au droit de gouverner, telle que la pratique l'Angleterre. Quant au contrat social, l'auteur est bien d'avis que le fondement de la société est contractuel ; mais le contrat qui donne naissance à l'État n'est pas « semblable » à celui qui donne l'existence à une société pour le commerce du poivre... « Il crée un lien qui englobe toute la vie, non seulement sociale, mais spirituelle de la nation. » Le champ d'action d'un tel lien dépasse la vie d'un homme et se projette sur les générations à venir. Il est donc indissoluble. L'ouvrage de Burke fit une énorme impression ; sa force persuasive sur le peuple anglais fut telle que celui-ci s'orienta définitivement contre l'idéologie révolutionnaire. L'œuvre contient les postulats fondamentaux de toute une conception politique et éthique, représentative de la mentalité britannique. – Trad. Société bibliographique, 1882 ; Hachette, 1989.

RÉFLEXIONS SUR LA VIOLENCE. Œuvre de l'écrivain politique français Georges Sorel (1847-1922), publiée en 1908. C'est son livre le plus connu ; il est formé d'une série d'articles parus dans la revue *Le Mouvement socialiste*. Ingénieur des Ponts et Chaussées, Sorel avait gardé de son contact avec les ouvriers une profonde admiration pour leur valeur humaine et sociale ; il était convaincu que la classe ouvrière représentait une nouvelle force, régénératrice de l'humanité. Il se fait, dans ce livre, le défenseur de cette idée. Il s'élève avec véhémence contre la civilisation bourgeoise, dans laquelle il ne voit que décadence et corruption, ainsi que contre l'intellectualisme rêveur, sceptique et mondain : il se propose de lancer la classe ouvrière dans un mouvement révolutionnaire total et sans compromis. Cependant, l'avenir du prolétariat dépend de l'éducation des masses. L'erreur des politiciens socialistes, selon lui, est de se contenter de succès passagers et de négliger la formation des élites ouvrières. Cette tâche sera accomplie par les syndicats, auxquels les ouvriers devront adhérer, syndicats agissants et autonomes, bâtissant, dans un climat héroïque, la nouvelle civilisation que porte en lui le prolétariat enfin uni. Les élites, sous l'action des syndicats, se développeront ; elles seront imbues de la nouvelle idéologie sur la production, sur le droit, la morale, la religion ; grâce à leur contact fréquent avec les masses, elles maintiendront haut le sentiment de la lutte des classes et développeront petit à petit les institutions proprement prolétariennes : ces institutions renverseront finalement les barrières qu'oppose la bourgeoisie décadente à l'ascension du prolétariat, et substitueront au monde actuel un monde nouveau, une société construite non plus sur les privilèges des classes possédantes, mais sur la production, libérée de la hiérarchie et des institutions du passé et de l'État lui-même. Cette œuvre de Sorel appartient à la première période de ses écrits sociaux, alors qu'il avait adopté la théorie marxiste, transportant cependant la mission de la classe ouvrière du plan économique sur le plan éthique. L'influence de Proudhon et de Marx, « ces deux frères ennemis », est évidente ; on a dit que Sorel en représentait une « synthèse très personnelle ». Mais il ne faut pas oublier l'influence qu'eurent, sur la théorie de la violence, Bergson, James et Nietzsche. Socialiste révolutionnaire, syndicaliste avant tout, partisan décidé du bouleversement social, Georges Sorel a pris aux deux inspirateurs du socialisme presque tous les éléments de son système : il ne s'éloigne d'eux que pour exiger une morale sociale intransigeante et implacable. Sorel devait éprouver dans les années suivantes d'amères désillusions au sujet du pacifisme social, de la démocratie et de la guerre mondiale, qu'il considérait comme une faillite de l'intelligence européenne. Il attaqua alors les démocraties dans lesquelles il vit le plus grand danger pour la société. Dans la cinquième édition de ses *Réflexions*, Sorel ajouta un « Plaidoyer pour Lénine » dans lequel il salue le révolutionnaire russe comme le

« géant » qui sauvera la cause de la classe ouvrière.

RÉFLEXIONS SUR LES CAUSES DE LA LIBERTÉ ET DE L'OPPRESSION SOCIALE. Essai de la philosophe française Simone Weil (1909-1943). Œuvre importante et, peut-être, la plus achevée de l'auteur, cet essai n'est au départ qu'un article à l'adresse de Boris Souvarine et destiné à *La Critique sociale* (*) où S. Weil avait lu, en septembre 1933, l'article de Julius Dickmann qui l'inspire. S. Weil commence, en mai 1934, l'ouvrage qu'elle considère comme son « grand œuvre » et en achève la rédaction à l'automne 1934, peu avant son expérience de l'usine, rapportée dans *La Condition ouvrière* (1935). À l'époque où S. Weil écrit, et dans les milieux révolutionnaires qu'elle fréquente, le marxisme est la référence et l'espoir quasi obligés. S. Weil rompt avec ce consensus. Elle n'accepte l'idée de révolution qu'en fonction d'une transformation préalable et réalisée de la société. Or le communisme s'impose à un type de société nullement prête à le comprendre. Marx construit sa théorie sans considération de l'ordre des choses et donne pour cause de l'oppression la production capitaliste, au lieu, comme S. Weil le souligne, de désigner la production même de la grande industrie. L'idée première constitue une sorte de bilan, où S. Weil ne rompt pas avec ce qui précède, elle l'étudie au contraire, essaie de le définir, non plus selon ce qui est souhaité, mais selon ce qui l'explique. Pour elle, Marx ne diffère pas de cette pensée capitaliste qui transfère « le principe de progrès de l'esprit aux choses ». Par le fait de ne pas avoir articulé son analyse sur le problème de la grande industrie, Marx n'a pas mis en valeur la croissance et le « développement automatique » des forces de production, parmi lesquelles S. Weil distingue le milieu naturel, l'activité comme concurrence, et l'outillage, à savoir les machines. L'homme qui se définissait auparavant par un rapport à la nature est à présent confronté à un univers d'hommes, non fondé sur l'homme. Le machinisme a exclu l'homme de la satisfaction du travail : l'objet seul compte, et l'homme le réalise par fragments, ignorant même à quoi est lié son travail. Là réside l'oppression qui définit le salarié. L'homme « qui produit » n'a aucun contrôle sur le travail qu'il accomplit, et l'individu qu'il est se réduit au rôle d'exécutant, voire d'esclave. Sans droits, il se plaint sans vraiment savoir parler et perd le sens de la conscience du moi. Avec une remarquable lucidité, qui ne consent jamais à une théorie où l'humain n'aurait pas sa place, S. Weil propose de substituer à la notion de rendement celle du « rapport du travailleur à son travail » où ce dernier a un droit de regard sur son travail, où s'engage sa responsabilité.

A. De.

RÉFLEXIONS SUR L'IMITATION DES ARTISTES GRECS DANS LA PEINTURE ET LA SCULPTURE [*Gedanken über die Nachahmung der griechischen Werke in der Malerei und Bildhauerkunst*]. Œuvre de l'archéologue et critique d'art allemand Johann Joachim Winckelmann (1717-1768), dont la première édition limitée à cinquante exemplaires, parue à Dresde en 1755, fut dédiée à Frédéric-Auguste, roi de Pologne. En 1756 parut une seconde édition, augmentée et préfacée d'une lettre dans laquelle l'auteur précise le but de son œuvre. Dans un sens, Winckelmann peut être considéré comme le précurseur des études archéologiques modernes, et son œuvre suscita d'importantes polémiques de la part des savants de l'époque ; ce qui eut pour effet de lui permettre de renforcer et d'approfondir sa position critique. La grande valeur de cette œuvre réside surtout dans une exposition claire et complète de ce qui peut être considéré comme l'essence même de l'art grec et des influences de ce dernier sur la formation du goût et de l'idéal artistiques de l'époque classique. Winckelmann recommande aux artistes « de chercher le bon goût directement aux sources », c'est-à-dire dans l'art antique, ainsi que l'avaient fait Michel-Ange, Raphaël et Poussin. Il exalte l'esprit vigoureux des Grecs et la beauté idéale de leurs œuvres d'art, « supérieures à la nature elle-même », puisque les artistes avaient soin de prendre pour modèle un « archétype » répondant aux exigences de la compréhension intellectuelle. Ce n'est donc pas dans la nature – ainsi que le voulait le Bernin – mais dans les œuvres antiques que les sculpteurs modernes doivent apprendre le « drapé » et la noblesse des contours. Cet esprit de « noble simplicité et de calme grandeur » qui caractérise les œuvres antiques a trouvé son renouvellement le plus accompli chez Raphaël, aussi les *Réflexions* de Winckelmann sont-elles une œuvre élevée autant à la gloire des chefs-d'œuvre grecs que des tableaux de Raphaël. En ce qui concerne la peinture, si Winckelmann reconnaît aux Anciens une supériorité dans la connaissance des proportions, du dessin et de l'expression, il concède aux modernes une plus grande science de la perspective, de la composition des masses et du jeu des couleurs. L'œuvre de Winckelmann, dont Goethe louait les fondements, tout en la jugeant « baroque et étrange », recommande l'allégorie comme thème artistique. Dès le XVIIIe siècle, l'œuvre fut traduite dans les principales langues européennes, et exerça une très grande influence sur la naissance du néo-classicisme. – Trad. in *Recueil de différents précis sur les arts*, Barrois, Paris, 1786 ; Minkoff, 1973 (fac-similé) ; *Réflexions sur l'imitation des œuvres grecques en peinture et en sculpture*, Aubier-Montaigne, 1954.

RÉFLEXIONS SUR L'UTILITÉ DES LIVRES D'ÉGLISE DANS LA LANGUE RUSSE [*Predislovie o pol'ze knig cerkovnyh v rossijskom jazyke*]. Œuvre de l'écrivain russe Mikhaïl Lomonossov (1711-1765), publiée en 1757. Ce livre, qui fut décisif dans le perfectionnement de la langue russe, est inséparable de la situation de cette langue au XVIIIe siècle. Le vieux slavon d'Église, né au IXe siècle et d'origine macédonienne, avait été durant tout le Moyen Âge la langue de la littérature, qui était presque exclusivement religieuse. Peu à peu il risqua ainsi de supplanter la langue russe originelle, bien qu'il se montrât naturellement moins apte que celle-ci à exprimer les nuances de l'âme nationale ; il était d'autre part moins riche que le russe, ne comportant en effet que les mots des livres d'Église introduits après la christianisation du pays. Il ne pouvait non plus manquer de se produire une corruption russe du langage slavon. Quant à la langue populaire, elle avait été, elle aussi, dénaturée par les nombreux échanges avec l'Occident. À l'époque de Lomonossov, il y avait ainsi trois langues : le slavon d'Église, avec ses racines et ses articles grecs, ses interminables mots composés ; la langue de la société et de la diplomatie, envahie, surtout depuis Pierre le Grand, par une multitude de termes étrangers ; enfin, la langue populaire, totalement russe. Ces trois langues exerçant une action réciproque les unes sur les autres, le vieux slavon se sécularisant en se mêlant à la langue populaire qui se voit de cette façon élevée à la « dignité de style soutenu », il s'effectue au XVIIIe siècle une profonde transformation du langage, qui n'est rien d'autre que la naissance d'une véritable langue littéraire russe. D'autre part, les premières rencontres intellectuelles avec la France avaient révélé à des hommes comme le prince Kantemir et Trediakovski l'unité du langage français, intelligible au vulgaire comme à l'élite, et les avaient convaincus de la nécessité de créer une semblable unité avec le russe. C'est dans cette perspective qu'œuvra Lomonossov dans ses *Réflexions* et dans sa *Grammaire,* mais il aboutit à une assez paradoxale division du langage. Lomonossov, qui, comme lecteur d'Église, s'était familiarisé tout enfant avec le slavon, conservait une grande tendresse pour la langue religieuse. Il met en relief le rôle important des livres d'Église, qui ont donné leur unité culturelle aux provinces russes et établi des relations entre elles et les autres peuples slaves de même foi. Aussi est-ce sur la base du slavon que Lomonossov édifie sa théorie des trois langues, partie principale de son œuvre théorique : il s'agit pour lui, par un mélange réservé du slavon et du russe, d'une part de préserver la langue nationale des trop nombreux apports étrangers qui pourraient la souiller, d'autre part de travailler à la création d'une langue unique. Le critère de Lomonossov sera la distribution plus ou moins grande des éléments slavons, qui déterminera la noblesse du style. Le théoricien se trouve ainsi amené à distinguer trois langues littéraires : la langue noble, composée des mots communs au slavon et au russe, c'est-à-dire de tous les mots slavons non périmés, encore compris par la société russe : style qui conviendra au poème héroïque, au panégyrique, à la tragédie ; la langue moyenne, surtout composée de mots russes, auxquels on pourra joindre des mots slavons, mais en se gardant de tomber dans l'artificiel, et des mots vulgaires, à condition de ne point se laisser aller à la grossièreté. L'essentiel, en ce cas, est de garder l'équilibre et de ne pas faire voisiner un vocable slavon et un vocable populaire. Lorsqu'on devra peindre des actes héroïques, on pourra introduire dans le langage moyen le langage noble. Mais c'est d'abord le style de l'élégie, des évocations de faits mémorables, de la satire. La langue basse, enfin, qui contient tous les mots qui ne sont point dans le slavon, est celle de la comédie, de l'épigramme, de la chanson, des lettres familières.

Les doctrines de Lomonossov garderont leur effet jusqu'au XIXe siècle ; même un Pouchkine et un Lermontov useront des termes slavons, pensant élever l'effet artistique. Il est difficile de juger sereinement l'œuvre de Lomonossov comme théoricien : il divise la langue nationale, à peine obtenue par la fusion du slavon et du russe, en trois catégories rigides, fondées sur l'élément superficiel, le vocabulaire, et non sur la réalité profonde du mouvement de la pensée. Dans la pratique, Lomonossov sut se garder de ses théories trop systématiques : mais il faut convenir qu'il livra la littérature russe à la grandiloquence et au factice. Pour être un Malherbe russe, il lui manqua, dans ses *Réflexions,* l'audace — qui sera celle de Karamzine — d'accepter franchement la langue populaire. Il reste que la division des trois styles n'est pas une invention tout artificielle de Lomonossov : elle correspondait à trois genres depuis longtemps fixés et qui ne se fondirent qu'au temps de Catherine II. Il ne faut pas comprendre les *Réflexions* comme le firent au XIXe siècle les tenants de l'école « archaïsante » qui, confondant la vraie langue russe avec le slavon (alors que Lomonossov ne cessa de les distinguer), combattirent vivement toutes les innovations de Karamzine. En fait, en recommandant d'éviter, sauf à titre exceptionnel, les slavonismes d'Église, Lomonossov était resté fidèle aux aspirations de son époque vers une substitution du russe au slavon comme instrument littéraire. Son livre était le commencement d'un long travail de formation de la langue qui dura plus d'un siècle.

RÉFORME INTELLECTUELLE ET MORALE (La). Ouvrage du philosophe français Ernest Renan (1823-1892), publié chez Michel-Lévy en 1871. Prenant position contre l'individualisme et le droit naturel, l'auteur affirme que seule la raison est digne de gouverner les hommes, la raison liée à l'histoire. Le principe de la souveraineté populaire est une dangereuse chimère, car il n'est capable que d'engendrer une intolérable bassesse morale du peuple. Vouloir fonder le gouvernement sur le suffrage universel, c'est vouloir édifier une maison avec un tas de sable. Un État est vraiment constitutionnel s'il a une structure, une hiérarchie, d'où la nécessité d'une dynastie, d'une noblesse, d'une Chambre Haute, qui représentent des intérêts concrets. L'individu peut être appelé à certaines fonctions par le droit de naissance seulement, c'est de cette façon que pourront s'établir le prestige et la supériorité indispensables à la formation d'une aristocratie, qui devra pourtant être une aristocratie de la pensée. Rien n'est plus absurde que la justice distributive. « Des classes entières doivent vivre de l'honneur et du bien-être des autres. » L'œuvre constitue un document de premier plan pour évaluer la condition psychologique de la France après Sedan et la Commune. Renan, libéral et républicain, s'oriente vers une monarchie aristocratique et de caste, désespérant de trouver dans le peuple les forces nécessaires pour se gouverner lui-même. Ce pessimisme est caractéristique dans tous les partis politiques français après l'expérience funeste de la Commune ; il s'est manifesté jusque dans les laborieux moments qui virent la naissance de la troisième République, proclamée, comme l'on sait, à la majorité d'une seule voix.

RÉFORME SOCIALE (La). Œuvre de l'économiste français Frédéric Le Play (1806-1882), publiée en 1864. En rupture avec la méthode rationnelle, et a priori de la philosophie révolutionnaire et libérale, l'auteur prétend ici appliquer aux problèmes sociaux les règles empiriques qui ont fait leurs preuves dans les sciences d'observation. Selon lui, les seules sociétés heureuses sont celles qui sont restées fidèles à des institutions consacrées par une expérience séculaire et dont le contenu humain se ramène finalement aux principes du Décalogue. La crise actuelle de l'Europe vient de l'abandon de ces principes au profit des trois « faux dogmes » révolutionnaires : la liberté systématique, l'égalitarisme, l'individualisme, qui ont engendré l'instabilité familiale, l'émiettement des patrimoines, la guerre des classes et le déracinement des ouvriers. La paix sociale ne reviendra que par un rétablissement de l'autorité dans la famille, par le retour au système de l'héritier unique ou du moins privilégié ; dans le travail, à l'usine, où les patrons devront se considérer comme des pères pour leurs ouvriers, dans l'État enfin, qui devra certes respecter la propriété privée et rendre leur libre jeu aux cellules naturelles par une décentralisation administrative, mais pourra dans certains cas intervenir dans la vie économique. Ces thèses devaient avoir une grande influence sur la pensée bourgeoise de la fin du XIXe siècle : on les retrouvera chez des catholiques sociaux tels qu'Albert de Mun et elles seront une des sources de l'« empirisme organisateur » de l'école d'Action française.

RÉFRACTAIRES (Les). Ouvrage polémique de l'écrivain français Jules Vallès (1832-1885), publié en 1866. Aux yeux de l'auteur sont « réfractaires » ceux « qui ont juré d'être libres ; qui, au lieu d'accepter la place que leur offrait le monde, ont voulu s'en faire une tout seuls, à coups d'audace ou de talent ». Dans cet ouvrage, d'inspiration violemment révolutionnaire, Vallès exalte le prolétariat – et surtout la personnalité de ceux qui se sont faits ses champions. Parmi la foule anonyme des malheureux dont l'épopée nous est ici retracée se détachent quelques figures exceptionnelles, brossées avec une rare vigueur. Les aventures de certains de ces « réfractaires » (parfois transfuges du monde des sciences ou des arts : tels Fontan, Crusoé, Poupelin, Chaque, l'orientaliste) sont contées avec une verve caricaturale qui fait songer à celle du roman picaresque. Particulièrement remarquables par la vigueur de leur peinture sont les pages consacrées à un « illustre réfractaire », le critique Gustave Planche (1808-1857) : l'auteur y met en relief l'irrégularité de son existence, sa misère incessante, son mépris absolu des convenances sociales. Dans d'autres pages encore, notamment dans « Le Dimanche d'un jeune homme pauvre, ou le Septième Jour d'un condamné », Vallès, avec une causticité teintée de mélancolie, établit un parallèle entre ses aspirations et la misère dans laquelle il se voit contraint de vivre. Le « Bachelier géant » (qui conte les rivalités et les passions déchaînées autour d'une jeune fille) est un épisode romanesque plein de fantaisie. Avec la trilogie de *Jacques Vingtras* (*), *Les Réfractaires* constituent un remarquable document historique sur la France démocratique et révolutionnaire du XIXe siècle.

RÉFUTATION DE LA RÉFUTATION [*Tahāfut al-tahāfut*]. Ouvrage à visée polémique du philosophe médiéval d'expression arabe Averroès (1126-1198), en réponse à la *Réfutation des philosophes* du théologien musulman al-Ghazālī (Ṭūs, Iran oriental, 1058-1111), l'auteur du *Sauveteur de l'égaré* (*). Al-Ghazālī, pour qui seule l'expérience intérieure des mystiques saurait, en dernière analyse, fonder la certitude, entendait déconstruire l'édifice philosophique, en montrant notamment que toute sa partie métaphysique était inconsistante avec le reste ; à l'inverse, Averroès tente de démontrer que seule la philosophie, qui représente la forme la plus élevée et la plus pure du sentiment religieux, est en mesure de connaître Dieu dans toute sa vérité. Entre la « religion des philosophes » et celle des croyants ordinaires, il n'y a pas contradiction, mais complémentarité, chacune répondant aux besoins d'une catégorie différente d'individus : les croyances courantes, basées sur la révélation, ont essentiellement un rôle de régulation sociale, et ne font que refléter, dans un langage accessible à l'humanité moyenne, les vérités de la philosophie, auxquelles seul un petit nombre a la possibilité d'accéder. À l'inverse, la spéculation théologique (qu'al-Ghazālī mettait à peu près sur le même plan que la métaphysique des philosophes), tentant de mener une réflexion rationnelle sur des images et des métaphores, ne peut que répandre le doute et la perturbation dans les esprits sans apporter de solutions viables, et doit par conséquent être rejetée. Contestant l'accusation d'« élitisme » fréquemment portée contre les philosophes, Averroès s'attache également à démontrer, arguments historiques à l'appui, que ceux-ci, loin de mépriser les croyances et les normes des sociétés où ils vivent, s'y sont toujours scrupuleusement conformés dans leur comportement extérieur, cherchant simplement à les comprendre dans un sens plus pur et plus élevé. Comme toute l'œuvre d'Averroès, ce texte n'eut guère d'impact qu'en Occident médiéval, où il fut connu par une traduction latine du XIVe siècle.

J.-P. G.

REGAIN. Publié en 1930, ce roman de l'écrivain français Jean Giono (1895-1970) est le dernier de la trilogie intitulée *Pan* — les deux autres étant *Colline* (*) et *Un de Baumugnes* (*). Le thème en est la résurrection d'un village de haute Provence. Dans Aubignane ne restent plus que trois malheureux habitants : Panturle le braconnier, Gaubert le forgeron et Mamèche, une vieille Piémontaise sèche et noire qui y a perdu, aussitôt installée, son mari et son enfant. Les champs, réputés trop arides, sont laissés à l'abandon, et le village semblerait tout à fait mort si, de temps à autre, le vieux forgeron ne tapait, à coups clairs et réguliers, sur son enclume. Non pas pour travailler mais pour se dégourdir. Hélas, voilà qu'un automne, appelé par son fils, il s'en va lui aussi. Passe un morne hiver. Mamèche dit à Panturle qu'il lui faudrait une femme, qu'alors le village pourrait renaître. Il acquiesce, mais où la trouver ? C'est un sauvage, cet homme. Jusqu'à ce qu'elle meure, il s'est contenté de la compagnie de sa mère. Depuis, il se parle à lui-même. « Et si je t'en ramène une, demande Mamèche, tu la prends ? » « Oui », répond-il. S'achève l'hiver. Mamèche s'est mise, de son côté, à parler seule. Panturle la surprend plusieurs fois qui marmonne : « Il faut que ça vienne de toi d'abord si on veut que ça tienne » ou d'autres phrases de ce genre. Puis, sans crier gare, elle disparaît. Il se trouve que c'est juste au moment où le rémouleur Gédémus et Arsule, sa jeune compagne qui l'aide à tirer sa bricole, partent en tournée. Ils doivent commencer par traverser un immense plateau, nu et venteux. Voyant, de loin en loin, une forme noire sauter entre les herbes, ils prennent peur et changent de chemin. Ils se dirigent ainsi vers Aubignane, où Panturle, tout secoué par le printemps, pense aux femmes. Il guette Arsule, et fait une chute. Elle le sauve ; ils se découvrent l'un l'autre. Elle quitte le rémouleur pour Panturle. Très vite, la présence de cette femme transforme ce dernier. Il cesse d'être un sauvage. Il arrange sa maison. Il se met à la culture. Dès la première année, il produit le plus beau blé de la région. Séduite par ce succès, une famille de paysans revient au village. Arsule attend un enfant. Le sacrifice de Mamèche, morte sur le plateau, aura sauvé Aubignane. Cette histoire d'une terre régénérée annonce le courant écologique, dont Giono est l'un des précurseurs.

REGARD DU ROI (Le). Roman de l'écrivain guinéen Camara Laye (1928-1980), publié en 1954. Contrairement à *L'Enfant noir* (*), le second roman de Camara Laye se situe résolument en dehors de toute perspective autobiographique et il nous introduit, d'entrée, dans un univers de fiction où l'allégorie et le fantastique l'emportent de très loin sur toute autre considération.

Placé sous le patronage de Kafka, *Le Regard du Roi* prend paradoxalement pour héros — tout au moins à l'époque de sa publication — un Blanc... Clarence, cependant, n'est pas un Blanc comme les autres, puisque, après avoir été, pour d'obscures raisons, rejeté par ses pairs, il va s'engager dans une quête initiatique dans laquelle le Sud mythique, représenté ici par une forêt impénétrable, occupe une place essentielle. Véritable lieu de perdition où, sous l'influence de puissants aphrodisiaques, Clarence n'aura d'autre fonction que de satisfaire les nombreuses épouses d'un vieux Naba impuissant, le Sud finira pourtant par se révéler comme le lieu même de l'initiation et du salut, manifestés par ce mystérieux roi qui donne son titre au roman. L'arrivée du roi représente donc la dernière étape de la quête du héros, Clarence, dans le temps même où elle symbolise soit l'accès à la spiritualité la plus élevée, soit la délivrance par une mort rédemptrice.

J. Che.

REGARDEZ-MOI ! [*Look at me*]. Roman de l'écrivain anglais Anita Brookner (née en 1931), publié en 1982. Frances est bibliothécaire dans un institut de recherches médicales où elle classe tous documents artistiques en rapport avec la maladie et les médecins. Derrière un rempart d'images et de symboles funèbres, elle abrite une vie grise à laquelle elle tient, n'en connaissant pas d'autre. La salle de lecture où elle travaille est peu fréquentée, sinon par quelques ratés plus ou moins excentriques qui viennent s'y chauffer l'hiver. Frances est avant tout un œil. Elle s'oublie elle-même dans le regard qu'elle jette sur les autres, et cette triste humanité l'intéresse au plus haut point car elle devient la matière du roman qu'elle est en train d'écrire. Mais, au plus profond d'elle-même, Frances a des doutes sur sa vocation d'écrivain. Elle veut aussi exister dans les yeux des autres et connaître l'échange des regards. Un des médecins de l'institut la présente à sa femme, une sorte de vamp déséquilibrée et insolente. Fascinée par ce couple qu'elle juge idéal, Frances va être entraînée à partager leur vie et à être témoin de leur amour. Présente absente, écartelée entre la vie, ou ce qu'elle croit telle, et son désir d'écrire, elle prend pour de la matière romanesque le milieu bohème de ses amis. Le couple qui la manipule la jette dans les bras d'un homme qu'elle ne saura ou ne voudra retenir. Elle quitte alors l'animation des soirées entre amis, des dîners au restaurant, des cancans douloureusement spirituels et, renvoyée à sa solitude et à la faible humanité qui constitue son unique et véritable milieu, elle va se réfugier dans le silence du parc. Là, au long d'une méditation hivernale et nocturne, elle trouvera enfin son identité d'écrivain.

Avec ce roman cruel, parfois drôle mais toujours retenu dans l'excès comme dans l'émotion, Anita Brookner nous donne à lire bien plus qu'une étude de femme, un véritable parcours initiatique. — Trad. La Découverte, 1986. I. J.

REGARD FROID (Le). Ouvrage de l'écrivain français Roger Vailland (1907-1965), publié en 1963 et contenant des essais écrits entre 1945 et 1962. Ce livre se présente comme une apologie du libertinage. Mais, qu'est-ce qu'un libertin ? Un libertin, dit Vailland, est un homme de plaisir. Pour préciser ce qu'il entend par là, il donne, en distinguant plusieurs périodes, une esquisse du développement de la sexualité chez l'individu. Ces périodes sont la petite enfance, où la sensualité est confuse, chaotique et indéterminée, l'âge de l'onanisme solitaire, celui des conquêtes, celui de l'attachement exclusif à quelqu'un et enfin la maturité, quand « l'être de plaisir se différencie de la totalité de l'être, ainsi que la feuille, de l'arbre ». Cela posé, il remarque (pour le déplorer) que la plupart des hommes et des femmes s'arrêtent en chemin, notamment au donjuanisme systématique et à l'amour-passion. Le coureur est un obsédé, donc un esclave. En outre, son désir perpétuel l'inclinant au plus facile, il n'emporte que « les places fortes qui souhaitent être conquises ». C'est en somme lui qui est choisi, lui qu'on prend. Quant à la passion, « faire dépendre d'un seul être la satisfaction de ses désirs est en soi une cause de malheur ». Comparativement, le libertin paraît austère puisqu'il règle sa vie de façon à ce que la recherche de la volupté n'occupe pas, au détriment du reste, une place excessive. En revanche, cette recherche est menée avec un art toujours perfectionné, soit auprès de professionnelles (entremetteuses et filles), soit, suivant l'exemple de Valmont, comme un jeu de société qui exige énormément d'adresse et de rigueur. De tels principes ne peuvent être respectés que par un homme lucide et maître de lui. Mettant toute son âme à cultiver ces qualités, le libertin apprendra du même coup à ne pas se laisser mystifier, abuser par des illusions, emporter malgré soi sur des chemins où il aurait envie, mais juge déraisonnable, de s'aventurer. On retrouve ainsi et la racine et le premier sens de ce mot qui fut forgé au début du XVIIe siècle pour désigner le libre penseur, et qui ensuite évolua, chose qui ne doit pas étonner, la sexualité, particulièrement sujette à tabous, étant un des domaines où l'esprit critique conduit à un changement d'attitude particulièrement radical. Le XVIIIe siècle fut, par excellence, le siècle du libertinage et la France en fut le haut lieu. Aussi Vailland éprouve-t-il une vive sympathie pour les gens de cette époque. En témoignent les « Quelques réflexions sur la singularité d'être français », le piquant petit essai sur « La Clôture, la Règle et la Discipline » et surtout le remarquable « Éloge du cardinal de Bernis ». Il convient cependant de signaler deux textes (« De l'amateur » et « Le Procès de Pierre Soulages ») qui ont été inspirés par une préoccupation très différente. Vailland y prend en effet nettement position sur le problème de l'art engagé et du réalisme socialiste. Deux qualités essentielles, l'intelligence et l'aisance, rendent extrêmement attrayante la lecture de ce livre. Sans doute les idées de Roger Vailland sur le libertinage le révèlent-elles plutôt homme d'esprit qu'homme de cœur, mais il faut reconnaître qu'elles sont fort brillamment défendues. Le ton est vif, spontané. Le style, très naturel, évite aussi magistralement les facilités du journalisme que les lourdeurs du pédantisme. Vailland a également écrit un *Laclos par lui-même* (1953) et un essai intitulé *Le Surréalisme contre la révolution* (1948).

REGARDS ET JEUX DANS L'ESPACE. Premier et unique recueil de vers publié de son vivant, en 1937, par le poète canadien d'expression française Hector de Saint-Denys-Garneau (1912-1943). Écrits en partie dans des restaurants de Montréal où le poète avait l'habitude de passer ses après-midi, en partie dans le manoir familial de Sainte-Catherine de Portneuf (Québec), ces poèmes témoignent du profond désarroi et de la solitude d'un jeune homme brutalement mis en face de lui-même, de son destin, de sa mort. En 1934 en effet, alors qu'il vient de prendre conscience de sa vocation de poète, il apprend qu'il est atteint d'une lésion au cœur. Cette double révélation le jette dans une grave crise intérieure dont il ne sortira que pour mourir dans des circonstances demeurées obscures. Doué d'une sensibilité très vive, épris d'absolu, Saint-Denys-Garneau transforme progressivement sa poésie en un chant grave, déchirant, désespéré, qui épouse exactement l'itinéraire d'une aventure spirituelle extrême : celle qu'il vit lui-même. Commencée sous le signe nostalgique de l'enfance enjouée, de son vertige et de sa magie (dans « Jeux » et « Enfants », les deux premières parties du livre, l'auteur, comme l'enfant reconstruisant le monde avec des « cubes de bois », joue à rebâtir sa vie avec des mots), l'œuvre passe brutalement du versant clair et ensoleillé (voir aussi « Esquisses en plein air », charmantes aquarelles où s'inscrivent les jeux de l'eau, du soleil et des arbres) au versant sombre où le poète se voit acculé à la mort et cerné par une solitude sans nom. D'un seul coup, le monde s'écroule pour lui. Spectateur de sa vie, le voici jeté dans un rôle taillé à sa mesure : acteur de son destin, de sa mort. Le regard alors se retourne, se fait vision. Le poète peut bien jouer encore le jeu de la vie, il sait déjà que la mort dans son jeu est la carte gagnante. Même sa « maison fermée » ne le protège plus. Il se sent « seul avec l'ennui qui ne peut plus sortir / Qu'on enferme avec soi / Et qui se propage dans la chambre ». Et dehors, « le paysage demande grâce ». Le portrait qu'il trace de lui, sous le titre « Commencement perpétuel », dit assez dans quelle lucide obscurité il se tient : « Un homme d'un certain âge / Plutôt jeune et plutôt vieux / Portant des yeux préoccupés / Et des lunettes sans couleur / Est assis au pied d'un mur / Au pied d'un mur en face d'un mur » et il compte jusqu'à ce que tout finisse. Ayant abandonné tout espoir d'un bonheur terrestre, désormais sans illusion sur ce qui l'attend, Saint-Denys-Garneau ne se laisse pourtant pas aller au désespoir. Quelque chose en lui regimbe, sa foi chrétienne, sa volonté de communiquer l'essentiel de son expérience, n'importe, quelque chose le pousse à demeurer jusqu'au bout « les yeux ouverts », fût-ce pour racler le « fond même de l'inexistence ». Que « la mort qui fait son nid » comme un « oiseau dans sa cage d'os » ne s'envole pas sans emporter son cœur et son « âme au bec ». C'est ce double mouvement vers les autres et contre soi et ses ombres qui porte *Les Solitudes*, poèmes retrouvés et publiés, après la mort du poète, dans ses *Poésies complètes* (1949). L'œuvre lyrique de Saint-Denys-Garneau, dense comme un galet, frappe par l'âpre dépouillement et l'authenticité de sa voix brûlante et brisée. G. G.

REGARDS SUR LE MONDE ACTUEL et autres essais. Cet ouvrage de l'écrivain français Paul Valéry (1871-1945) parut dans une édition « nouvelle et considérablement augmentée », qui en constitue la version définitive, l'année de la mort de son auteur. C'est un recueil d'articles, de préfaces de livres, de textes inspirés au jour le jour à Valéry par une réflexion constante sur les modes de vie et de pensée propres à son temps. Pièces de circonstance, inspirées quelquefois par l'actualité la plus immédiate, quelquefois par les devoirs de l'homme public qu'était devenu, vers la fin de sa vie, Valéry, les textes qui composent les *Regards* nous intéressent doublement, d'abord parce qu'ils constituent une prise de conscience par un des esprits les plus remarquables de ce temps des particularités du monde actuel, et aussi parce qu'ils nous permettent de saisir la personnalité diverse de Valéry dans son étendue et dans ses limites. L'« Avant-Propos » insiste sur la difficulté de parvenir à une vue objective de l'évolution historique ; l'auteur tente de définir le statut de l'Europe, menacée par la croissance des germes qu'elle a elle-même déposés au sein des peuples non européens. La réussite de cette action universaliste de l'Europe constitue, en elle-même, le plus grave danger qui, présentement, la menace. C'est cet abaissement progressif de l'Europe, né de son imprudence, qui fait l'objet du texte suivant : « Notes sur la grandeur et décadence de l'Europe », que Valéry conclut par cet avertissement aux « nations croissantes » : « qu'il n'y a point d'arbre dans la nature qui, placé dans les meilleures conditions de lumière, de sol et de terrain, puisse grandir et s'élargir indéfiniment ». Dans « De l'histoire », Valéry revient sur l'idée que le passé de l'Europe et la conscience qu'elle en a sont à l'origine de nombre de ses faiblesses. Il montre ensuite dans « Fluctuations sur la liberté », texte qui est daté de 1938, à quel point ce concept est relatif et indéfinissable aussi bien du point de vue de l'homme privé que de celui de la collectivité. C'est comme des appendices à ces considérations que se présentent les deux textes suivants : « L'Idée de dictature », préface au livre de A. Ferro : *Salazar, le Portugal et son chef* (1934) et « Au sujet de la dictature ». Dans le premier de ces écrits, Valéry précise que « l'image d'une dictature est la réponse inévitable (et comme instinctive) de l'esprit quand il ne reconnaît plus, dans la conduite des affaires, l'autorité, la continuité, l'unité, qui sont les marques de la volonté réfléchie et de l'empire de la connaissance organisée ». Dans « Images de la France », l'auteur tente de définir objectivement un certain nombre de traits caractéristiques du visage de son pays, alors que, dans deux textes sur Paris, datés de 1937, contemporains donc de ses inscriptions du Palais de Chaillot, il expose la fonction et ce qui fait la « présence » de Paris. Après un bref texte, « Le Yalou », qui lui fut inspiré par la guerre sino-japonaise de 1895, Valéry en vient à des essais de portée plus générale : « Propos sur le progrès », « Pensée et art français », « Notre destin et les lettres », notes sur « La Liberté de l'esprit », « Économie de guerre de l'esprit » ; dans ces écrits, Paul Valéry s'attaque avec sa sobriété coutumière et son habituelle sagacité aux problèmes les plus vainement discutés, pour en préciser en quelques lignes les données. Enfin, l'œuvre se termine par quelques préfaces de livres ou discours dans lesquelles l'auteur ajoute quelques indications complémentaires aux idées exposées dans ses essais. Sans doute sommes-nous assez loin des *Variétés* (*) et de leur détachement spirituel : il n'empêche que là aussi la clarté de Valéry perce bien des brumes de l'esprit.

RÉGATES DE SAN FRANCISCO (Les) [*L'onda dell'incrociatore*]. Roman de l'écrivain italien Pier Antonio Quarantotti Gambini (1910-1965), publié en 1947. L'auteur relate (dans une structure narrative en abîme et en usant des dilatations et des contractions du temps du récit et du temps réel) le compagnonnage, dans le site du port de Trieste des années 30, de trois adolescents : une fille, Lidia, et deux garçons, Ario et Berto, depuis les jeux interdits d'une enfance encore récente jusqu'à leur maturité, advenue à la suite des trahisons perpétrées par les adultes. Ario principalement découvrira les passages infamants de marins anonymes auprès de sa mère restée sans mari ; ceux aussi d'Eneo, un personnage douteux de l'endroit, auquel Lidia cédera à son tour.

La vague déferlante qui, à la dernière page, traverse la darse est, selon le texte de présentation de l'œuvre, la manifestation dévastatrice de la vérité, « le symbole tragique du dévoilement de la réalité, qui emporte les sentiments, les rêves et les inquiétudes vécus dans le cadre de la madrague ». Le livre est bien un roman d'apprentissage, celui de l'accès mortifiant au réel, de l'approche sexuelle, des dégradations de l'innocence contaminée par la promiscuité des adultes. Le décor portuaire avec ses navires qui appareillent évoque alors l'appel du large et l'évasion salvatrice, la rencontre d'un père parti en Amérique ; mais, tout aussi fortement, les vertiges de la profondeur marine. La mer ainsi est un autre personnage ; le port, un site gynécologique reconstitué. Bien davantage que la navigation, les bateaux à quai suggéreront le réconfort du bercement associé à celui des radeaux, des bouées et du ponton flottant, où habitent les protagonistes. L'eau par suite est l'élément qui permet la fusion, garantie des retrouvailles gratifiantes, n'étaient son ambivalence et les menaces de l'engloutissement.

L'initiation érotique abordée par des pratiques à la limite des sévices, le fétichisme de la virginité, l'obsession de la défloration, avec l'envoûtement de la relation fusionnelle constituent dès ce roman une première élaboration d'une thématique qui deviendra typique dans les œuvres postérieures et dont l'expression recourt ici à la représentation de l'immersion dans la « chose océanique » et de l'attentat déplacé sur les flancs d'une mahonne pansue. C'est à l'aide d'un trépan que Berto et Ario transperceront la coque où Lidia et Eneo abritent leurs rendez-vous et qui sombrera, laissant croire à leur noyade et à la réussite d'un forfait : « Il ne perçut plus rien, ne comprit plus rien, il savait une seule chose : qu'il aurait voulu ne plus partir désormais, mais disparaître, s'anéantir, ne plus exister [...] De honte il désira être à leur place sous l'eau, plus au fond que la mahonne, mille mètres plus au fond. »

Ainsi s'amorçait le traitement d'un thème qui s'exaspérera dans les écrits postérieurs, celui de la scène primitive, avec les alibis permissifs de l'intrigue policière. Dès ce roman l'écrivain faisait état de son classicisme et de sa modernité à la fois. Aidé des instruments du genre romanesque et des moyens les plus simples du style réaliste, il atteignait à la vérité poétique du mythe. — Trad. Gallimard, 1949.

P. Ba.

RÉGENTE (La) [*La Regenta*]. Roman de l'écrivain espagnol Clarín (pseud. de Leopoldo Alas, 1852-1901), publié en deux tomes en 1884 et 1885. Après un succès de scandale lors de sa publication, *La Régente* et son auteur ont été un peu oubliés en Espagne pendant une centaine d'années. De nos jours, *La Régente* est considérée dans le monde hispanique comme « le meilleur roman espagnol du XIXe siècle » (Vargas Llosa). Grâce aux diverses traductions, il accède peu à peu au rang des chefs-d'œuvre de la littérature universelle.

Lorsque Clarín se décide à trente ans à écrire *La Régente*, il a déjà une certaine pratique de l'écriture littéraire et il sait ce qu'est le roman de son époque. Il a lu et étudié toute la production littéraire de ses contemporains espagnols et étrangers ; il vénère Balzac et Flaubert et analyse avec passion chaque nouveau roman de Pérez Galdós, de Zola... En 1881, il devient un ardent défenseur du naturalisme, dont il ne retient cependant que ce qui lui paraît un enrichissement de sa conception ouverte de l'art. Sa conception de l'homme et de la vie n'accepte pas l'exclusivisme positiviste ni le déterminisme mutilant prôné par Zola. L'art, pour lui, est totalité et la vérité est une recherche qui s'achemine au plus profond des êtres et des choses.

Ce premier roman qu'est *La Régente* est donc l'aboutissement d'une profonde vocation littéraire, vocation fortifiée par une réflexion passionnée sur l'écriture et par une capacité d'assimilation culturelle hors du commun. Il est surtout le produit de ce désir d'écrire qui, pour un écrivain réaliste, est à la fois oubli de soi et aventure de la conscience. Plus encore que Flaubert qu'il admire mais dont il s'avoue incapable d'adopter la discipline, Clarín *vit* ses personnages dans l'écriture qui leur donne vie et transforme en territoire mental l'espace observé. La réalité littéraire est tout imprégnée de la chaleur que lui communique son auteur.

Ce désir d'écrire se traduit aussi dans le plaisir des mots, qui donne à l'écriture, dans tous ses registres, une souplesse qui paraît naturelle et spontanée. C'est en cela aussi que ce roman est l'aventure d'une conscience qui, par la narration et au-delà de la narration, veut tout dire du monde.

La totale vérité du roman se situe bien au-delà du résumé que l'on pourrait en faire. On ne peut raconter l'action sans trivialiser le roman. Peut-on dire que *La Régente* – comme *Madame Bovary* (*) – est l'histoire d'un adultère ?

Dans le roman sont en action en permanence deux modalités narratives qui se mêlent, s'entrecroisent, se superposent et tissent tout à la fois et dans un même tissu la représentation d'une réalité extérieure et celle des mondes intérieurs. Le narrateur extérieur s'attache à peindre avec une complaisance ironique les mœurs et les mentalités d'une société de province (métonymie de l'Espagne du dernier quart du XIXe siècle) régie par le mensonge et l'hypocrisie. Le peintre de Vetusta est toujours un narrateur ironique qui vit et juge son monde à travers ses propres valeurs authentiques. *La Régente* est une satire de la société de l'époque et particulièrement des mœurs cléricales.

Cette écriture se révèle d'une surprenante efficacité quand le narrateur pénètre dans la conscience profonde de ses personnages. Le narrateur intérieur est un narrateur en sympathie, tout au moins quand il suit les mouvements intimes des deux personnages « supravetustains », Ana Ozores et le chanoine Fermín de Pas. C'est quand il pénètre dans ces « intérieurs troubles » que le narrateur révèle ce qu'il y a de plus profond dans l'être. Clarín, plus que tout autre romancier, a eu, avant Freud, l'intuition du tréfonds de l'être et a su s'en approcher en suivant le mouvement de la vie même.

En outre, dans la recherche d'une impossible unité de l'être, dans l'aspiration à « quelque chose » qui transcende l'existence, il y a coïncidence entre l'âme du personnage et la conscience de son auteur. Pour l'essentiel, la Régente est un « ego lyrique ». Elle est la poésie du cœur qui cherche à dépasser la prose de la vie. C'est pourquoi elle est aussi un ego universel. – Trad. Fayard, 1987. Y.L.

RÉGICIDE (Un). Roman de l'écrivain français Alain Robbe-Grillet (né en 1922). C'est le premier roman écrit par Alain Robbe-Grillet, en 1949. Refusé par Gallimard, accepté par les éditions de Minuit. Alain Robbe-Grillet, qui avait, entre-temps, à peu près achevé *Les Gommes,* préféra éditer d'abord son second roman. Trente ans après, ayant tenté de corriger son texte, puis s'étant résigné à le laisser tel, il le publiait enfin (1978). On y trouve déjà une maîtrise affirmée, la même vision du monde romanesque, et de ses soubassements théoriques, qui se fera jour dans *Les Gommes* et *Le Voyeur* (*), le prénom du personnage même, qui court dans toute l'œuvre, Boris, comme une sorte de furet. Boris sera encore présent lorsque Robbe-Grillet feindra de rompre son système romanesque avec *Le Miroir qui revient* (*).

Il y a même quantité d'éléments – le sac, la plage, le ciel gris, des décors et une certaine manière non pas floue, mais comme fugace, d'éléments de décors, une photographie (qui annonce, déjà, les films) – qui font d'*Un régicide* une sorte d'anthologie des thèmes, des moyens et des objets de la panoplie de l'œuvre de Robbe-Grillet. On pourrait, à partir de ce premier roman, dresser un inventaire à peu près complet de ce que l'on retrouvera dans toute l'œuvre (y compris, c'est le plus étonnant, dans l'œuvre « autobiographique »), à travers un bricolage du temps, une intrigue (ou une déconstruction de l'intrigue) bien plus évidente, et dérangeante pour le lecteur de cette époque, que les romans suivants. Se croisent pourtant, familiers, des paysages d'une clandestinité énigmatique, un voyage en rond, le mystère de toute action, l'incertitude du jugement (voyez Kafka), notamment, à travers un récit déjà exclusivement au présent et au passé composé, jamais, bien sûr, au passé défini.

Mais, pour la seule fois peut-être, la mort est ici indiquée, pour Boris, comme présente ; dans ses romans suivants, Robbe-Grillet, plus retors et maître du suspense métaphysique, se contentera de la suggérer, de loin, à travers un détail, l'ombre des grands chiens ou le bruit de l'eau dans son premier film, *L'Immortelle.* C'est la seule trace d'une possible naïveté dans un roman par ailleurs étonnamment sûr de ses moyens et de ses effets. J.-J. B.

RÉGIME DU SOLITAIRE [*Risâlah fitadbīr al mutawahhid*]. Œuvre de mystique et de morale du philosophe musulman d'Espagne Ibn Bājā ou Avempace (fin du XIe siècle – 1138), qui naquit à Saragosse. Sur un fond aristotélicien, cette œuvre est nettement platonicienne et s'inspire du *Banquet* (*). Elle montre comment l'homme « solitaire » peut, sans se séparer de la société, et participant en elle à ce qu'il y a de bien, s'élever néanmoins, par un développement graduel de ses facultés mentales, jusqu'à l'« intellect agent », degré suprême de la béatitude. Des extraits du *Régime du solitaire*, faits en hébreu par Moïse de Narbonne (XIVe siècle), nous permettent d'en retracer le plan. L'auteur commençait par distinguer deux sortes d'actions : animales et humaines. Les secondes se caractérisent par le libre arbitre et la réflexion. Il faut commencer par rendre ses actions tout à fait humaines. Puis, pour les rendre surhumaines, ou divines, il convient de rechercher le contact des êtres spirituels, qui constituent comme une échelle ascendante où ils se placent à des degrés divers d'immatérialité. On va ainsi des idées de l'âme individuelle jusqu'à l'intelligence en acte, dans laquelle n'existent que les substances spirituelles, formes des corps célestes, qui n'ont pourtant, outre leurs fonctions cosmiques, aucune relation avec l'excellence morale de l'homme. Des idées, on passe aux idées des idées, et de celles-ci aux idées abstraites ; enfin à la pure forme de l'« intellect agent ». Alors l'esprit, qui s'identifie avec elle, devient « intellect acquis ». La pensée d'Averroès se trouve déjà dans cette théorie, et c'est par Averroès que Thomas d'Aquin et Albert le Grand connurent l'enseignement d'Avempace. – Traduction partielle dans *Mélanges de philosophie juive et arabe* de Munk (A. Frank, Paris, 1859).

RÉGIMENT NOIR (Le). Second roman de l'écrivain belge d'expression française Henry Bauchau (né en 1913), publié en 1972. L'action se situe aux États-Unis, pendant la guerre de Sécession. Pierre, un jeune Européen, père imaginaire du narrateur, quitte sa famille et s'embarque avec son cheval pour l'Amérique. Engagé dans l'armée nordiste, il se bat avec fougue pour la libération des Noirs. Fait prisonnier, il est renvoyé dans le Nord par le général sudiste Jackson (qui le fascine). Avec Johnson, un esclave noir en fuite, Pierre met sur pied le premier régiment noir des États-Unis, lequel va jouer un rôle décisif dans la première défaite du Sud. Appelés par Sherman pour réprimer dans l'Ouest une révolte d'Indiens, Johnson et Pierre font alliance avec eux. Ils découvrent alors la richesse de la vie indienne et, au contact de Shenandoah, la fille du chef, dont ils sont l'un et l'autre amoureux, la « véritable Amérique », celle de la mémoire et du cœur. Gravement blessé, Pierre est soigné et sauvé par Shenandoah qui lui donne un nouveau nom : Cheval rouge. Johnson, de son côté, fait prisonnier par les soldats du Sud, est revendu comme esclave. Libéré par son propriétaire qui s'enfuit également, Johnson devient instituteur dans un petit village de Noirs affranchis. Là, il comprend peu à peu que cette guerre n'est pas la sienne ; il redécouvre ses propres racines et le sens du combat qu'il lui faut désormais mener auprès des siens. Quand Pierre le retrouve, tout a changé, tout les sépare. Lors de la fête du Grand Été, Pierre et Johnson s'affrontent en un combat rituel où chacun réalise la mesure de ses forces qui, en s'équilibrant, grandissent et s'enrichissent de leurs différences : « Jamais plus ensemble, ils ne seront plus jamais séparés. » Roman d'aventures, roman « inscrit dans l'Histoire » et dont les faits réels sont respectés, roman picaresque, *Le Régiment noir* est avant tout un roman d'initiation à travers lequel Bauchau s'efforce de résoudre la « sécession intérieure » qui angoisse sa vie. Ce « western de l'inconscient », pour reprendre la judicieuse définition de Paul Otchakovski-Laurens, permet à l'auteur de régler ses comptes avec un passé qui le déchire et de se réconcilier avec lui-même et les siens. Après *La Déchirure* (1966) qui dressait le portrait de sa mère, Bauchau s'attache ici à réinventer son père, à réengendrer dans la fiction celui qui rêva toute sa vie d'être officier et qui se passionnait pour la guerre de Sécession. Rien d'étonnant donc à ce que réapparaissent des personnages de *La Déchirure,* comme Olivier et cette Mérence, figure mythique, devenue noire ici pour l'occasion. Il n'est pas jusqu'au héros qui ne se dédouble, tantôt Johnson, tantôt Pierre, les deux faces en somme d'une même pièce : l'auteur lui-même. De là aussi cet incessant va-et-vient dans le roman entre les événements vécus par le héros et les souvenirs d'enfance du narrateur. Soutenu par un rythme vif, un ton épique, des phrases courtes mais denses, ce roman fascinant, où les niveaux de lecture se mêlent sans jamais rompre le fil du récit, réussit le pari de tenir le lecteur en haleine au long de 326 pages bien tassées de ce qu'il faut bien considérer comme une tentative psychanalytique de reconstruction du sujet. G. G.

REGISTRE DU MONDE [*Registro del mundo*]. Œuvre de l'écrivain équatorien Jorge Carrera Andrade (1901-1978), publiée en 1945. Sous ce titre, le représentant le plus significatif de la poésie équatorienne a réuni l'ensemble de sa production depuis 1922, année de la publication de son premier recueil : *Étang ineffable* [*Estanque inefable*], métaphore pour « la province », un de ses thèmes favoris, où il évoquait les coutumes simples de sa terre natale, à la manière d'un F. Jammes dont il subit alors l'influence. *La Guirlande du silence* [*La guirnalda del silencio*, 1926] constitue également un recueil de souvenirs, de notations, d'impressions qui reflètent la vie rurale de l'Équateur ou des pays voisins : poésie du réel, où abondent les images, les couleurs, et qu'anime un rythme alerte, empreint de joie de vivre, que ce soit pour décrire le « Haut plateau », la « Province » ou le « Cacaotier ». Les *Bulletins de mer et de terre* [*Boletines de mar y tierra*, 1930] furent écrits à la suite de divers voyages à travers l'Europe. Le voyage est d'ailleurs l'autre thème de prédilection du poète, qui déclare : « Ma vie fut une géographie... / Livre de cartes et de songes. » et c'est « Amsterdam au chocolat », « Hambourg sucré de neige », « Marseille aux barques peintes », « Paris, le premier port des hommes ». Carrera Andrade, qui se hisse d'emblée au rang des plus grands poètes d'Amérique latine, est alors très proche des créationnistes, « créant ses poèmes comme la nature crée des arbres » (Huidobro), concevant le poème comme un microcosme, une synthèse, une entité, à la façon d'un Reverdy qu'il connaît. Vision lumineuse, généreuse du monde, servie par d'admirables métaphores.

Ainsi dans « Bulletin de voyage », où il ressent douloureusement son départ : « La ligne de l'équateur / était un anneau de douleur / au doigt du cœur », mais perçoit vite la « réimportante » fraternité des hommes : « Les villes se parlaient au large de l'air. / Je découvris l'homme. Alors / je compris mon message. » Avec *Rôle de la pomme* [*Rol de la manzana*, 1935], Carrera Andrade reprend les thèmes familiers de ses premières compositions et décrit la colonie en Équateur, réservant une place de choix à Quito, « visage de pierre » qui « prie dans son fanal de pluie diaphane » ou rêve qu'elle est « une arche du ciel voguant ».

La même année, il publie *Le Temps manuel* [*El tiempo manual*] qui réunit la plupart des poèmes parus et évoque avec quelques autres les maux de la civilisation, qui a éloigné l'homme de la terre nourricière. Les villes sont des ruches mécanisées effrayantes : « La ville a une apparence minérale / La géométrie urbaine est moins belle / Que celle que nous apprenons à l'école » ; ou encore : « Il n'y a pas de Nord ou de Sud, d'Est ou d'Ouest / Seule existe la solitude multipliée. » Deux ans plus tard paraît à Paris sa *Biographie à l'usage des oiseaux* [*Biografía para uso de los Pájaros*], sorte de long soupir nostalgique où s'exhale le regret du temps passé en une magnifique succession d'images : « Le souvenir n'est plus qu'un nénuphar / qui montre entre deux eaux / son visage de noyé. » Ce thème du temps saisi dans son instantanéité comme dans sa durée alterne avec celui de la mort conçue à la fois comme un néant et un espace, et qui trouvera le poète « nu comme au premier jour », faisant tomber sur lui, « comme le sommeil a l'ombre, la poussière sans mémoire ».

Après la publication du *Registre du monde*, il faut attendre 1951. *Lieu d'origine* [*Lugar de origen*] et *Ci-gît l'écume* [*Aquí yace la espuma*] marquent nettement l'évolution du poète. L'élan vital fait place à la mélancolie de l'âge mûr. L'expérience intérieure a transformé l'âme de l'écrivain qui accepte avec résignation la mort et le triomphe final de la lumière. *Dicté par l'eau* [*Dictato por el agua*, 1951] reflète la vision cosmique du monde qui unit les hommes aux éléments de la nature comme autant de frères. Les images s'enchaînent autour de l'idée de la solitude. Le style est fortement empreint de préciosité comme pour affermir le fragile édifice conceptuel du poète. L'importance de la métaphore ne cesse de grandir. Dans *Famille de la nuit* [*Familia de la noche*, 1953], qui contient la très belle élégie à Pedro Salinas, Carrera Andrade retourne une fois de plus aux sources, à son enfance. Puis *Les Armes de la lumière* [*Las armas de la luz*, 1953] entraînent l'homme dans un dialogue avec le soleil, le jour, la lumière, symboles de la vie qui permet la rédemption : « La lumière fait naître toutes les formes / la lumière me regarde : j'existe. »

RÈGLE DES CINQ ORDRES D'ARCHITECTURE [*Regola delli cinque ordini d'architettura*]. Traité de l'architecte italien Giacomo Barozzi da Vignola, dit Vignole (1507-1573), édité à Venise en 1562. C'est le plus connu des traités d'architecture du XVIe siècle et il a joui de la plus heureuse fortune. Dans les troisième et quatrième livres de son *Architecture* — v. *Les Dix Livres d'architecture* (*) —, Vitruve avait donné les règles des ordres d'architecture en usage au temps d'Auguste, et en avait défini quatre : le dorique, l'ionien, le corinthien et le toscan. Vignole, se référant à Vitruve et profitant aussi des recherches sur l'architecture romaine postérieures au traité de Vitruve, définit les règles des ordres classiques, en y incluant le « composite », qui résulte de la fusion de l'ionien et du corinthien, dont il fit le fondement de toute véritable architecture. Sans se répandre en considérations philosophiques, Vignole s'attacha à donner des règles claires, d'une application facile, fondées sur des rapports peu nombreux et simples entre les proportions des édifices. L'unité de mesure est pour lui le module qui correspond au diamètre du fût de la colonne à sa base : de cette unité dépendent, dans les divers ordres, les autres proportions qui — et en cela il se sépare de Vitruve — n'ont cependant pas une valeur absolue qui lie l'architecte : l'auteur reconnaît qu'il convient souvent, pour des raisons de perspective, « d'augmenter ou de diminuer les proportions ». Le traité rédigé avec ordre et clarté a le caractère d'un manuel ou plutôt d'une grammaire élémentaire à l'usage des étudiants et des amateurs en architecture. Pendant trois siècles il eut un énorme succès, et on en fit des centaines d'éditions : dans de nombreux pays, il fut inséparable de la diffusion de l'architecture italienne qui, même dans les libertés de composition de l'art baroque, continua à se servir des éléments de style codifiés par Vignole. Avec le temps, la *Règle* devint cependant l'instrument d'un dogmatisme arbitraire et contraire au sens de l'histoire ; déjà Milizia, au XVIIIe siècle, raillait ces architectes qui, jusqu'à la vieillesse, n'avaient jamais eu entre les mains que le seul livre de Vignole. — Trad. *Livre nouveau ou Règle des cinq ordres d'architecture,* Petit, Paris, 1767.

RÈGLE DU JEU (La). Sous ce titre générique, l'écrivain français Michel Leiris (1901-1990) a poursuivi depuis 1948 une vaste entreprise qui compte quatre volumes publiés respectivement en 1948, 1955, 1966 et 1976.

Dans *Biffures*, le premier volume, il poursuit l'exploration inquisitrice entreprise avec *L'Âge d'homme* (*), souvenirs d'enfance, rêves, événements vécus ; cette quête est menée dans la double perspective du savant armé de fiches, qui vise à l'objectivité, et dans celle de l'homme qui entend, par son travail même, parvenir à la « plénitude vitale ». Le premier s'attache à l'analyse de phénomènes aberrants du langage. Faisant de ce dernier, qu'il le veuille ou non, un usage littéraire, il rectifie une image, amoindrit la portée d'une généralisation, se gourmande s'il se surprend à fabuler. Le second suscite une poésie des lieux, des circonstances, du « temps passé », s'ébat dans la comparaison et la métaphore, se laisse aller à l'association des sentations, suggère des prolongements imaginaires à ses observations et se prend lui-même à rêver, comme dans l'épisode des baladins de Lannion dont la portée dépasse de beaucoup l'événement, revêt une couleur mythique. Ainsi, la moitié des textes de *Biffures* (quatre sur huit) sont directement issus de rêveries sur des expressions que l'enfant saisissait confusément. Elles lui constituaient un monde magique dont les pouvoirs s'effacent à mesure qu'il grandit et découvre le sens véritable des mots : l'expression « reusement » pour « heureusement », « tetable » ou « totable » pour le vers du duo de Manon : « adieu notre petite table », « habillé en cour » pour « à Billancourt », « paranzoiseuses » pour « paroles oiseuses », « Moïse » qu'il rapproche de « Seine et Oise ». Encore les quatre autres textes, s'ils ne visent plus seulement à évoquer des souvenirs d'enfance, sont-ils faits de rêveries et de réflexions sur les mots, expriment-ils pour eux cet amour sensuel dont l'auteur se disait autrefois atteint et qu'il retrouve après une éclipse de plusieurs années. L'adulte ne diffère pas tellement de l'enfant que l'auteur a été. Son expérience surréaliste l'a replacé dans ce climat d'enfance où le langage jouit d'étonnants « pouvoirs de détection et d'exaltation... Tous les prétextes me seront bons pour traiter pratiquement le langage comme s'il était un moyen de révélation. Plus forte est ma tendance à voir dans ces jeux du langage des sortes d'expériences cruciales ».

L'épisode des baladins de Lannion illumine les pages parfois arides de *Biffures*. Pourquoi attendre que de nouvelles illuminations soient offertes par l'événement ? Dans *Fourbis*, le second volume, Leiris les suscite et substitue à l'amère constatation de *L'Âge d'homme* (« les mythes qu'on se forge permettent de vivre ») cet aveu que n'entache nulle culpabilité : il ne retient des choses qui lui sont arrivées que « celles seulement qui revêtent une forme telle qu'elles puissent servir de base à une mythologie ». À ce changement de front, il gagne cette liberté d'allure, cette aisance, voire cette virtuosité qu'on lui voit dans *Fourbis* et qui culminent dans l'admirable histoire de Khadidja, relation mythique d'une aventure vécue. Khadidja est une prostituée arabe de Beni-Ounif, à la limite du désert ; Michel Leiris, un maréchal des logis chimiste, mis au rancart de la guerre ; et leurs amours, celles « d'un sous-off d'occasion et d'une fille à soldats ». Cette triste réalité, ce n'est pas toute la réalité. Khadidja n'est pas seulement une prostituée, Leiris seulement un sous-officier. Ce sont deux êtres humains, deux mondes en conjonction. L'un porte avec soi l'Orient et son histoire, Rébecca, Rachel et Bérénice, le destin des races et des civilisations avec leurs mystères, leurs croyances, leurs modes de vie, l'avenir qu'elles construisaient. L'autre se voit sous les espèces du conquérant et du soudard, de l'aventurier et du hors-la-loi, tout empli de souvenirs classiques et de légendes, de complexes et de hantises. Obligé à mettre un terme au commerce entamé, il est Titus renvoyant Bérénice, Tristan qui perd Yseult. L'auteur s'ébat en plein mythe, certes, mais, le construisant pièce à pièce sous nos yeux à partir de la banalité des faits, il le dénonce du même coup et se soustrait à son emprise par le contrepoids réaliste qu'il lui donne : il l'avoue ouvertement en tant que création poétique. Les éléments de cette totalité soigneusement remis en place, les moments qui l'ont préparée revécus dans leur singularité, les acteurs ressuscités et prêts à rejouer leur rôle, l'auteur a mis le feu aux poudres. L'éclair durant assez longtemps pour fondre et éclairer tout ce qui l'a précédé et tout ce qui doit le suivre, on peut parler de mythe dans la mesure où le mythe qui s'avoue mérite de porter encore ce nom. Une telle activité éclaire la vérité qu'un homme veut prendre de lui-même pour peu qu'il se mette en scène avec l'objectivité et le manque de complaisance envers soi qu'on reconnaît à Leiris. *Fourbis* tranche sur les ouvrages antérieurs. Il en est la suite naturelle, et c'est pourtant le premier où l'auteur accepte son personnage, rompt avec l'attitude de psychosociologue de *L'Âge d'homme* ou celle d'auteur gauche et crispé, embourbé dans les hésitations et le ressassement, qu'on voyait dans *Biffures*.

Édifié d'une part sur les sables d'un idéal humanitaire sans cesse déçu par l'application, et d'autre part sur l'escarpement d'un suicide, *Fibrilles* est certes le plus mal assis des volumes de *La Règle du jeu*, mais il est aussi le plus ouvert et le plus fier. À première vue, il se présente comme une récapitulation des diverses impossibilités de l'auteur. Impossibilité de porter sur la Chine populaire le témoignage d'un promeneur ravi. Impossibilité d'établir en lui-même un équilibre viable entre le poète qui poursuit un « vieux rêve de pérennité » et l'homme de gauche que hante la « préparation d'un avenir plus juste ». Impossibilité enfin de faire coïncider le « temps de la vie » et le « temps du livre ». Au faîte de ces impossibilités vient soudain s'inscrire la plus sournoise : celle de ne plus pouvoir « tout dire » à sa compagne depuis qu'il mène une double vie sentimentale. Pris de vertige, Leiris décide de se donner la mort. Le cœur serré, nous assistons à ce qu'il appelle sa « descente aux enfers » puis à sa lente résurrection. Il tente de recouvrer son moi par un patient exercice du souvenir et de l'imagination. Son esprit devient un théâtre où défilent une suite de figures, doucement parodiques ou franchement histrioniques, surgies de son passé proche ou lointain. Cette longue marche vers autrui, ce pouvoir inégalable de réanimer la vie morte font de Leiris l'écrivain le mieux à même de retrouver le chemin du pays d'origine. Il tient le lecteur par la main et, par la vertu de son émotion créatrice, il ne cesse de le « conduire jusqu'au diamant ». Au terme de *Fibrilles*, qui est aussi une implacable autocritique, Leiris pense avoir abattu toutes ses cartes et il envisage d'arrêter le jeu. Pourtant, un quatrième volume est prévu, « les difficiles "Fibules" ou agrafes par le moyen desquelles il faudra que le tout s'ajuste ».

Avec *Frêle bruit* (paru en 1976) vient se clore une longue aventure d'écriture commencée près de trente ans auparavant. Le jeu n'aura pas fourni les règles dont il était cependant tributaire. Aux « Fibules » initialement prévues viendra se substituer le singulier indéterminé d'un bruit dont nous ne saurons rien si ce n'est qu'il s'efface. Pas de point d'orgue où tous les fils précédemment laissés parviendraient à leur sens en se nouant en une conclusion savamment orchestrée. Si tout est bien mis sous le signe d'une construction musicale, la « résolution » n'y est pas et le ton est désenchanté. « J'écris maintenant comme un chanteur dont la voix s'est à tel point perdue que s'éteint jusqu'à son envie de chanter. » « Voix cassée, voix blanche, voix morte, tel est devenu l'instrument dont c'est à peine si cet artiste ose encore jouer. » Sans rien perdre de sa tenue, le rythme s'est comme émietté, la continuité, brisée. Et si une même tonalité parcourt l'ensemble, elle ne trouve pour se déployer que les artifices de la dislocation. Le jeu se résout en jeux multiples qui viennent faire une dernière apparition sur la scène de l'écriture. Jeux de mots, jeux avec les mots, les sons, les sens, les règles, la mémoire, les lieux — la vie. « Toute ma vie peut-être, sous quelque angle que je la regarde, se sera passée à rêver à des là-bas dont les couleurs m'attiraient, sans pourtant me conduire à brûler mes ici. » Au début de *Fourbis*, parlant de ce que représente la mort pour lui, Leiris évoquait un « bruit grêle » qui le terrifiait alors qu'âgé de quatre ou cinq ans il séjournait à Viroflay. « Le bruit qui m'impressionne si fort est une sorte de grelottement rapide et continu, sûrement bruissement d'insectes. » Grêle ou frêle, le bruit n'aura pas fini de faire son œuvre en sous-main. Bruit « d'outre-tombe » dont la menace, l'âge venu et la proximité de la mort rendue encore plus inéluctable, vient hanter jusqu'aux dernières velléités de jouer. La vie est certes un jeu quoique personne n'en ait établi, de façon transcendante à son libre déploiement, les règles. Mais que tout soit jeu exige d'être justifié : « Ce que je ne peux admettre, c'est que ce jeu ne soit qu'un jeu. » Il y aurait comme une « tache aveugle » du jeu et de la vie qui empêcherait que le jeu ou la vie se referment sur eux-mêmes en une totalité dont on pourrait, comme après coup, fournir les règles. Si la règle du jeu ne peut que s'ébruiter, c'est qu'il n'y a pas de « maître mot » capable d'en procurer la formule. Ce qui donne sens n'a pas de sens. Tout le sens de l'entreprise n'aura été que d'avoir été entreprise jusqu'au bout, jusqu'en ce point quasi muet, aux confins de la mort, là où ne reste plus qu'un petit grignotement lancinant, à la fois très ancien et très proche. « Archipel ou constellation, image de la giclée de sang, déflagration de matière grise ou ultime vomissure » demeure pour le lecteur une très rare réussite verbale qui a su hisser la vie à ses sommets. F. W.

RÈGLEMENTS PAR MATIÈRE DES DYNASTIES SUCCESSIVES [*Lich triêu hiên chuong loai chí*]. Œuvre encyclopédique de l'érudit vietnamien Phan Huy Chu (1782-1840), écrite entre 1809 et 1819 en chinois, présentée au roi en 1821, traduite en vietnamien et éditée à Saigon (1957-1974) et à Hanoi (1960-1961). Elle traite en dix chapitres répartis en quarante-neuf volumes tous les aspects de la vie nationale des temps passés (géographie, biographies, fonction publique, rites, concours, finances, justice, armée, littérature, relations extérieures). Rare à cette époque, l'œuvre est aussi novatrice : l'auteur ne se contente pas de répertorier mais essaie de classer systématiquement, de l'ensemble aux détails, de l'essentiel aux nuances. Il introduit des explications et des discussions, il distingue les créations des critiques littéraires. Son effort d'objectivité en fait une œuvre moderne sinon scientifique, en un siècle où la monarchie recherche le modèle chinois, tandis que les lettrés insistent sur l'importance de l'héritage national. — Trad. partielle : Hanoi (E.F.E.O., 1908-1922 ; Revue indochinoise, 1924-1925) ; Huê, 1932 ; Saigon, 1938. T.-T. L.

RÈGLE MONASTIQUE de Pakhôme. L'anachorétisme et le cénobitisme sont nés en Égypte à l'époque de Constantin, l'un instauré par saint Antoine, l'autre par Pakhôme. Vers 320, en plein règne de Constantin, le moine copte Pakhôme (290 ? -346) fonda un monastère à Tabena, dans la Haute-Thébaïde, sur la rive droite du Nil ; ce premier monastère fut bientôt suivi de dix autres, dont huit pour les hommes et deux pour les femmes. Nous ne possédons pas le texte original de la *Règle monastique*, qu'il a sans doute dicté en langue copte. Mais, comme il arrive généralement aux institutions destinées à connaître une vaste diffusion, la base primitive de la discipline instituée par Pakhôme a dû être peu à peu élargie et modifiée par diverses traditions, pour la relation desquelles l'imagination des fidèles ne manqua pas de se donner libre cours. En 404, saint Jérôme traduisait en latin une version grecque de l'original copte de la *Règle*, telle qu'elle existait alors, et c'est cette version qui est unanimement reconnue aujourd'hui comme règle du cénobitisme pakhômien. Elle se divise en quatre parties unies entre elles par un lien purement fictif : chacune reprend le même sujet en de longues et fastidieuses redites. L'*Histoire lausiaque* (*) de Palladius fournit quelques données sur le premier texte pakhômien, dit « règle donnée par les anges ». Il en existe aussi des textes éthiopiens qui ne sont que des remaniements.

RÈGLE MONASTIQUE (La) de saint Benoît [*Regula monasteriorum*]. Œuvre d'une importance décisive pour le développement du monachisme en Occident, qui eut une vaste influence sur la production littéraire du Moyen Âge ; elle offre en outre un vif intérêt philologique, car le texte que nous en possédons, curieux pour les particularités de la langue dans laquelle il a été composé, est le résultat d'une très lente élaboration. La *Règle* en question est l'œuvre de saint Benoît de Nursie (480-547). Très largement inspirée des multiples écrits relatifs aux préceptes de vie monastique, elle en représente, pour ainsi dire, la rédaction et la codification officielles, la coordination, de la part de l'Église, de l'activité cénobitique jusqu'alors isolée, pour la sauvegarde du patrimoine de la foi à une époque de troubles et de transition. *La Règle de saint Benoît* eut bientôt le pas sur toutes les institutions monastiques du monde latin, et même sur la rigide discipline irlandaise : elle devint en somme, selon la volonté explicite du saint et le titre que lui donna le pape Pélage Ier, la « Règle des monastères » (« Regula monasteriorum »), la norme universelle de chaque couvent. L'attention vigilante que saint Benoît accorda aux besoins du temps fit qu'il put adapter le monachisme oriental, sévère et contemplatif, à l'esprit actif et conquérant de l'Occident latin. La *Règle* se propose précisément, en prenant l'Évangile pour guide, « de constituer une école du service du Seigneur », où l'« on prie et travaille », où l'abbé, « aux yeux de la foi, tient la place du Christ » et où chacun se sent uniquement « ouvrier de Dieu », appelé à « revenir par le labeur de l'obéissance à Celui dont l'avait éloigné l'oisive lâcheté de la désobéissance ». Écrite seulement pour les hommes, la *Règle* s'adresse à quiconque, « renonçant à ses propres volontés, est prêt à militer sous le vrai Roi, le Seigneur Christ, en prenant les très fortes et glorieuses armes de l'obéissance ». L'œuvre est précédée d'un prologue, où est clairement exprimé le sublime programme que se proposait le saint. Elle comprend soixante-treize chapitres, d'une perfection et d'une concision remarquables, d'un ton évangélique et solennel, plein d'autorité, réformateur, mais, en même temps, bienveillant et humain ; certains de ces chapitres, remplis de spiritualité, atteignent parfois aux plus hauts sommets de la mystique. — Trad. Desclée de Brouwer, 1933.

RÈGLES DE LA GUERRE ET DE LA BRAVOURE (Les) [*Adâb al-harb val-shajâ'é*]. Œuvre de l'écrivain persan Mohammad Mobârakchâh (XIIIe siècle), dédiée au prince turc Iltoutmich, sultan de Delhi de 1210 à 1236 ; elle fut sans doute écrite entre 1229 et 1236. Ces *Règles* sont une compilation de citations et d'anecdotes, comme la *Somme d'histoires* (*) de son contemporain Owfi. Divisé en quarante chapitres, l'ouvrage traite de l'exercice du pouvoir, de l'organisation de l'administration et, plus particulièrement, du commandement militaire. Les conseils que Mohammad Mobârakchâh donne au prince sont attribués à des personnages illustres, et ses anecdotes proviennent de divers ouvrages. Il sait tirer parti de la documentation très vaste dont il dispose. En fait, ses citations de conseils et d'anecdotes appuient et illustrent son exposé : « Devant un ouvrage si riche, on ne peut qu'être définitivement convaincu de l'importance que revêt la citation, dans tout un courant d'écriture persane, pour ne parler que de lui : si personnelle que soit une pensée, elle n'avance dans ce qu'elle expose que chaussée de citations » (C. H. de Fouchécour).

Les quatre premiers chapitres regroupent des conseils et des anecdotes destinés au prince, convié au pardon et à la générosité (chap. I), à la bonne intention mise en pratique dans l'exercice de la justice (chap. II), et à la miséricorde envers les plus pauvres (chap. III). Les conseils du chap. IV sont attribués aux personnages illustres de l'Iran ancien (Anouchirvân, Ardéchir, entre autres). Leur accumulation souligne la morale dont doit faire preuve le prince, ainsi que la manière de se comporter envers ses agents. Les derniers conseils du chap. IV sont ceux d'Anouchirvân : personne ne doit apprendre un métier autre que celui de son père, pour ne pas lui faire penser à changer de classe. Les rois sassanides, grâce à cette règle, étaient persuadés préserver la société du désordre.

Les trente-cinq chapitres qui forment l'essentiel de l'œuvre traitent de l'administration et de l'art militaire, avec toutes les notions morales que cela implique : le prince doit savoir choisir ses fonctionnaires et ne faire la guerre qu'à certaines conditions. Le dernier chapitre est un choix de conseils et d'anecdotes destinés au chef d'armée.

En résumé, l'on peut dire que l'auteur, dans le choix de ses citations, a dissimulé sa propre pensée : son intention morale a animé la composition de son ouvrage, à l'appui de conseils et d'anecdotes des littératures arabe et persane. M.-H. P.

RÈGLES DE LA MÉTHODE SOCIOLOGIQUE (Les). Ouvrage du sociologue français Émile Durkheim (1858-1917), publié en 1895. Cet enseignement épistémologique, très général, a souvent été résumé par la célèbre formule selon laquelle « il faut considérer les faits sociaux comme des choses ». Mais les explications trop rapides qui en ont été données ont surtout servi les détracteurs d'une entreprise perçue comme positiviste, à une époque où la physique commençait à rompre avec le déterminisme de Laplace et le naturalisme de Descartes, et l'épistémologie durkheimienne, plus subtile que ce qu'en ont retenu certains, mérite d'être reconsidérée. Dans une préface à l'édition de 1988, où il se propose de démontrer l'actualité de cet ouvrage, Jean-Michel Berthelot explique comment Durkheim a voulu « fonder la légitimité d'une sociologie scientifique sur une théorie de l'autonomie et de l'extériorité de son objet ». Le projet est donc indissociablement institutionnel et intellectuel : la sociologie ne pourra exister comme discipline universitaire autonome que quand on acceptera de considérer qu'une réalité extérieure aux individus peut faire l'objet d'un discours scientifique, en rupture donc par rapport au sens commun. Cette caractérisation du fait social par son extériorité est donc épistémologique et non pas ontologique. La valeur de cette épistémologie doit être jugée à partir de la fécondité de la méthode qu'en déduit Durkheim, et non en elle-même. Pour étudier les faits sociaux, il est tout d'abord nécessaire de les définir, afin d'abandonner les « prénotions » du langage courant, qui expriment un rapport idéologique au social : cette étape du travail du sociologue correspond à la délimitation de son objet, par la construction du concept qui permet de le subsumer. Il faut ensuite adopter une approche empirique à l'égard du phénomène délimité, et ordonner les données recueillies en construisant des types sociaux qui vont permettre la comparaison : « On n'explique qu'en comparant », a écrit Durkheim dans *Le Suicide* (*). Ces typologies permettent ensuite de rendre compte des variations observées et donc de proposer une théorie explicative du phénomène. Il est enfin indispensable de se livrer à l'« administration de la preuve », en vérifiant la validité de l'explication adoptée par de nouvelles observations. Présentés de façon systématique, ces principes peuvent sembler avoir vieilli, mais leur portée dépasse largement la présentation un peu figée qu'en donne Durkheim lui-même : le « raisonnement expérimental », permis par exemple par les statistiques – *Le Suicide* en constitue une illustration magistrale –, est la transposition à la sociologie de l'exigence de la preuve telle que Claude Bernard la mettait en œuvre par l'expérimentation en biologie. Aujourd'hui encore, pour un sociologue comme Pierre Bourdieu, cette exigence de scientificité et la reconnaissance de la spécificité du social constituent une rupture d'une audace exceptionnelle dans l'histoire des sciences.

F. Ch.

RÈGLES POUR LA DIRECTION DE L'ESPRIT [*Regulae ad directionem ingenii*]. Opuscule du philosophe et savant français René Descartes (1596-1650), publié à Amsterdam en 1701 en même temps que quelques autres écrits, dans les *Œuvres posthumes*, mais qui devrait être daté de son séjour à Paris (1626-1628) et serait, par conséquent, sa première œuvre philosophique, antérieure de dix ans au *Discours de la méthode* (*). L'ouvrage est incomplet et s'arrête à la règle XVIII ; des trois règles suivantes nous avons seulement les énoncés. Les premières correspondent à celles que développe la seconde partie du *Discours de la méthode.* « Diriger l'esprit de manière qu'il porte des jugements solides et vrais sur tous les objets qui se présentent : tel doit être le but des études. » Quant à leur objet, Descartes affirme qu'il ne faut pas chercher à connaître les opinions d'autrui, mais seulement se tourner vers ce qui se peut voir clairement, avec évidence, ou se déduire avec certitude. Par intuition, Descartes entend non pas la croyance dans le témoignage variable des sens, ou dans les jugements trompeurs de l'imagination, mais ce qu'un esprit sain et attentif peut comprendre, en ne laissant aucune ombre sur ce qu'il étudie. Il reconnaît, certes, que par cette définition il modifie la signification ordinaire du mot mais, dit-il, « je m'inquiète peu du sens donné par les écoles à mes expressions ». La méthode pour la recherche de la vérité est de réduire « les propositions obscures et embarrassées à de plus simples », ou, si nous partons de l'intuition des choses les plus faciles, de s'efforcer de s'élever par degrés à la connaissance de toutes les autres. Mais, avant tout, il faut, pour distinguer les choses simples des complexes et poursuivre la recherche avec ordre, chercher dans chaque série d'objets ou de vérités quel est l'élément le plus simple, et comment tous les autres en découlent. Pour compléter la science, il convient de passer en revue tous les objets qui ont rapport à notre but, et de les réunir dans une énumération exhaustive et méthodique. Si, dans la série des choses à examiner, il s'en rencontre une qui soit mal comprise, il convient de s'y arrêter et de renoncer, pour l'instant, à aller au-delà. Pour former son esprit, on s'exercera à retrouver par soi-même les découvertes déjà faites par d'autres, et à l'étude méthodique des disciplines plus simples et moins importantes. Pour affermir la certitude, pour élargir l'esprit, qu'on réfléchisse au rapport mutuel des propositions, simples et dérivées, et que, dans un mouvement continu de la pensée, on tâche à concevoir, comme à la fois distinctes et formant un tout, le plus grand nombre possible d'entre elles. Le volume des corps sera représenté à l'imagination au moyen de figures schématiques. Quand, dans un problème donné, nous découvrirons que les termes connus sont en relation de mutuelle dépendance avec les inconnus, et de telle manière que ces derniers en sont parfaitement déterminés, il faudra supposer connu ce qui ne l'est pas : c'est la méthode de l'algèbre. À cela suffisent les quatre opérations. Encore la multiplication et la division n'ont souvent pas besoin d'être effectuées. Les règles XIX, XX et XXI sont d'un caractère strictement algébrique. Les *Règles* sont d'une grande importance dans l'histoire de la méthodologie. Bien qu'incomplètes, elles occupent une place de premier plan dans l'œuvre de Descartes.

RÈGLES POUR LES ACTEURS [*Regeln für Schauspieler*]. Compilation de règles scéniques faite par l'écrivain allemand Johann Wolfgang Goethe (1749-1832) avec les auteurs Wolf et Grüner, en 1803, pour le théâtre de Weimar. Eckermann appelait « Catéchisme des acteurs » ces préceptes qui se rapportent à tous les éléments du jeu scénique et de la déclamation, enseignant la prononciation, la mimique — à laquelle est donnée une importance capitale —, le mouvement scénique et l'art du décor. L'acteur, d'après Goethe, doit rendre naturel le geste conventionnel de la scène ; c'est pourquoi Goethe édicte des règles sur la façon de se mouvoir en général, les gestes, la tenue des mains en particulier ; il rappelle à l'acteur qu'il ne joue pas son rôle pour lui-même ni pour la scène, mais pour le public, et qu'il doit donc respecter les bons usages. Cet opuscule, qui fait revivre le théâtre de l'époque, est la preuve de l'amour que Goethe portait au théâtre de Weimar et du prix qu'il attribuait à son activité de directeur, ne regrettant jamais le temps qu'il lui accordait et qui eût été précieux pour la création de nombreux chefs-d'œuvre laissés inachevés.

RÈGNE ANIMAL DISTRIBUÉ D'APRÈS SON ORGANISATION (Le) pour servir de base à l'histoire naturelle des animaux et d'introduction à l'anatomie comparée. Ouvrage du naturaliste français Georges Cuvier (1769-1832), publié entre 1815 et 1817, dans lequel l'illustre naturaliste recueillit les résultats de ses recherches, d'une importance capitale, sur la systématique zoologique. Il y présente un tableau complet de sa nouvelle classification des espèces animales, qui devait devenir bientôt célèbre. Avant lui, la tentative la plus complète tendant à ordonner systématiquement le règne animal était due à Linné, qui avait distingué six « classes » : Mammifères, Oiseaux, Reptiles, Poissons, Insectes et Vers ; Linné s'était surtout fondé sur les caractères différents de l'appareil de la reproduction et des modalités de reproduction. Cuvier remarqua que la classe des Vers était extrêmement hétérogène ; après avoir étudié particulièrement l'organisation compliquée des Mollusques (limaces, pieuvres, coquillages) et de certains Vers (sangsue, lombric) à travers des observations devenues classiques, il distingua quatre embranchements, en se fondant surtout sur la structure du système nerveux : les « Vertébrés » (Mammifères, Oiseaux, Reptiles, Batraciens ou Amphibiens, Poissons) ; les « Mollusques » ; les « Articulés » (Crustacés, Arachnides, Insectes, Annélides) et les Zoophites (Protozoaires, Cœlentérés, Échinodermes, Spongiaires). Les critères qui guidèrent Cuvier dans l'établissement de son système furent principalement les deux suivants : la « loi de corrélation des formes » qui considère que tous les organes sont liés par une corrélation étroite, de sorte que la forme de l'un détermine la forme de tous les autres (par exemple, chez les Rapaces, le bec et les serres crochus) ; et la « loi de subordination des organes », qui reconnaît une plus grande importance à certains organes ou systèmes d'organes, révélée par une plus grande constance de forme dans des espèces différentes. Ce fut justement la constatation de l'existence de quatre types fondamentaux de systèmes nerveux qui suggéra à Cuvier l'idée de la prééminence du système nerveux et de l'opportunité de choisir celui-ci comme base de la classification. Le système établi par Cuvier a laissé des traces ineffaçables, par la constitution des groupes des Vertébrés et des Mollusques. La conception d'un seul embranchement des Articulés, comprenant aussi les Vers annélides, rencontra moins de faveur, et les recherches ultérieures aboutirent à la séparation de l'embranchement hétérogène des Zoophytes en plusieurs embranchements distincts. La classification de Cuvier est néanmoins, parmi toutes les anciennes classifications, celle qui se rapproche le plus de la classification moderne ; elle met une fois de plus en lumière l'admirable précision des recherches morphologiques, qui est un titre de gloire impérissable de l'auteur des *Recherches sur les ossements fossiles* (*). Il faut remarquer que Cuvier, profondément croyant et partisan convaincu de créationnisme, n'approuvait pas la tendance évolutionniste de Geoffroy Saint-Hilaire, avec les recherches de qui — v. *Philosophie anatomique* (*) — ses études présentent cependant de nombreux points de contact.

RÈGNE DE LA MÈRE AU PATRIARCAT (Du) [*Das Mutterrecht. Eine Untersuchung über die Gynaikokratie der alten Welt nach ihrer religiösen und rechtlichen Natur*]. Œuvre fondamentale de Johann Jakob Bachofen (1815-1887), philologue et historien suisse d'expression allemande. Désireux d'opposer aux recherches de Mommsen et des historiens de son école une théorie générale, fondée sur l'intuition, Bachofen rassembla, sa vie durant, tous les mythes relatifs aux anciennes institutions, qu'il put trouver. Son érudition est immense, mais ce livre fondamental sur le matriarcat que nous analysons ici, et qui parut à Bâle en 1861, n'était, dans son idée, qu'une pierre apportée à l'édifice qu'il voulait construire et qui ne fut jamais achevé. En effet, ce volume imposant, qui comporte cent soixante-quatre paragraphes, dont chacun traite un sujet pris dans le domaine de la mythologie ou du droit coutumier antique, n'a ni division en chapitres ni table des matières, ce qui empêche toute utilisation rationnelle des renseignements — pourtant très nombreux et intéressants — qui y sont réunis. La théorie principale de Bachofen, qui a découvert le refoulement quelque cinquante ans avant Freud, réside dans l'affirmation que tous les peuples ont passé par une période d'exogamie, telle que nous la retrouvons encore maintenant chez certaines peuplades dites primitives. Ainsi, lorsqu'il étudie la légende de l'enlèvement des Sabines, Bachofen ne prétend pas qu'il s'agit là d'un fait historique, mais d'un mythe. Toutefois, comme l'homme — selon lui — est absolument dépourvu de ce que l'on pourrait appeler l'imagination « primordiale », c'est-à-dire qu'il est incapable d'inventer de toutes pièces un événement totalement étranger ou contraire à la réalité, cela signifierait que, si les annales de Rome nous ont conservé cette histoire, c'est qu'à une époque donnée les Romains ont dû passer par une période d'exogamie, voire de gynécocratie, état de choses qui — considéré comme humiliant pour le mâle — aurait été violemment refoulé dans le souvenir historique, mais dont Bachofen exalte la supériorité et la haute valeur humaine et sociale. En effet, pour lui, la mentalité féminine est irrationnelle, mais étroitement reliée aux forces naturelles qui régissent l'univers, tandis que la masculine représente l'élément rationnel, abstrait et opposé aux sources éternelles de la vie. De ce point de vue, Bachofen se rapproche de la conception nietzschéenne de l'univers ; quant à ses théories concernant l'historicité des époques dites « sans histoire », elles ont trouvé un écho chez certains savants modernes, tels que Menghin, de Vienne, dans son *Histoire universelle de l'âge de la pierre polie,* et Kern, dans son *Histoire universelle des civilisations préalphabétiques.* — Trad. Alcan, 1938 ; Aire, 1981.

RÈGNE DE LA QUANTITÉ ET LES SIGNES DES TEMPS (Le). Comme dans *La Crise du monde moderne* (*), parue en 1927, le philosophe français René Guénon (1886-1951) se propose dans cet ouvrage, publié en 1945, de relever quelques traits caractéristiques de la mentalité du monde moderne. Celui-ci, s'il est, en lui-même, une « anomalie et même une sorte de monstruosité », a cependant sa place dans les cycles de l'histoire, où il correspond exactement à la période extrême du Kali-Yuga, selon la tradition hindoue à laquelle René Guénon se réfère. Notre époque est déterminée par le déroulement du cycle, elle ne peut pas être autre chose que ce qu'elle est. Encore faut-il, pour la bien voir dans sa nature propre, s'élever au-dessus de la mentalité qu'elle donne en partage à ceux qui vivent en elle. Le point de vue que Guénon adopte pour ce dégagement spirituel est celui, exclusif, de la « tradition » ; et le problème central de son étude est la tendance, caractéristique en effet de notre temps, à tout réduire au point de vue quantitatif, dans les sciences, mais aussi dans d'autres domaines comme, par exemple, celui de l'organisation sociale. Notre époque est le règne de la quantité. C'est qu'elle va vers le point le plus bas de la phase cyclique, lequel revêt nécessairement l'aspect de la quantité pure. Et les sciences actuelles, sciences quantitatives, ne sont dans cette mesure même que des résidus dégénérés des antiques sciences traditionnelles, et ne peuvent rien expliquer. Notre arithmétique par exemple est aussi loin que possible de la science traditionnelle des nombres (que l'on retrouve dans le pythagorisme) ; notre géométrie « scolaire », de même, n'est qu'une caricature de la géométrie « sacrée », symbolique, dont on trouve quelques-unes des grandes lignes dans un autre ouvrage de René Guénon, *Le Symbolisme de la Croix.* Cette science sacrée était essentiellement qualitative. Guénon, dans son ouvrage, montrera la véritable nature de cette science traditionnelle, qui l'oppose en tout point à la science profane. Une telle critique de notre époque et de ses réalisations souligne l'opposition de l'Occident, source de la nouvelle pensée, et de l'Orient ; et, dénonçant les « méfaits » de l'individualisme occidental, elle oppose encore la multiplicité pure, vers laquelle notre monde tend, et l'unité du monde traditionnel. Guénon, décrivant les « signes des temps » (c'est-à-dire, selon l'Évangile, les signes précurseurs de la fin du monde, mais ici simplement de la fin du cycle), en arrive à dénoncer les pseudo-initiations par lesquelles on tente parfois de réagir contre l'étouffement de la tradition ; et aussi les duperies de la psychanalyse, les prophéties, qui se sont répandues, notamment pendant la dernière guerre, et ne sont que parodies. En vérité, la condamnation de ce monde occidental est sans appel. René Guénon devait d'ailleurs, dans les dernières années de sa vie, abandonner l'Europe et se convertir à la religion musulmane.

RÈGNE DU SILENCE (Le). Recueil de poèmes de l'écrivain belge d'expression française Georges Rodenbach (1855-1898), publié à Paris en 1891. Il comprend six parties : « La Vie des chambres », « Le Cœur de l'eau », « Paysages de ville », « Cloches du dimanche », « Au fil de l'âme » et « Du silence ». Dans la première, le poète rêve que les chambres ont une vie qui leur est propre, pleine de souvenirs et riche en secrets de toutes sortes : les vieux portraits, le soir, chuchotent entre eux ; le piano, dans son coin, attend que des doigts se posent sur ses touches et, quand les ombres de la nuit descendent et remplissent leurs angles de mystères, de mélancolie et de peur, les chambres meurent réellement (« Les persiennes sont des paupières se fermant / Sur les yeux des carreaux pâles, où tout se brouille / La pendule dévide avec monotonie / Les instants brefs de son rosaire d'agonie », XVII). L'eau (deuxième partie), tout comme les chambres, possède un cœur résigné à réfléchir tout ce que la vie exige : visages humains, arbres, maisons, ciel, nuages, battements d'ailes, mais tout ne fait que l'effleurer d'un fugace reflet (« Le cœur de l'eau [...] se conserve intact, comme un cœur de poète »). Rodenbach chante en des vers mélodieux la poésie de Bruges, les canaux morts aux eaux silencieuses et désertes qui s'en vont pleurer leur peine sous les ponts, et il souhaite que son âme soit comme un étang immobile et silencieux. Il chante aussi sa ville, les cloches dominicales, les heures lentes et les messes des grands jours de fête ; mais tout ceci ne l'attire point et il voudrait fuir pour se réfugier en une vie extatique qui précéderait l'ultime silence. Tels sont, avec des variantes, les thèmes fondamentaux de la poésie de Rodenbach. Il se rapproche du symbolisme par ses sujets de prédilection, mais la forme, le style et le rythme sont proprement traditionalistes. Il y a parfois des passages assez alambiqués et affectés, et la forme poétique ne réussit pas toujours à dissimuler l'insuffisance de la pensée. Rodenbach excelle surtout à exprimer les sensations fugitives d'un être qu'affinent le recueillement ou la douleur et le silence des tristes paysages de Flandre.

RÈGNE VÉGÉTAL (Le). Recueil de nouvelles de l'écrivain français Pierre Gascar (né en 1916), publié en 1981. Au nombre de sept, elles composent un livre de sagesse et de savoir où les plantes jouent le rôle que tiennent les pierres pour Roger Caillois. En une prose retenue mais complice, chaque récit montre un narrateur (avatar de l'auteur) trouvant dans l'observation de ce qui l'entoure une sorte de raison supérieure qui relativise ce qu'il vit en lui redonnant le sens de l'essentiel. À partir des éléments les plus humbles — une fougère, un champignon, une souche de saule —, un prisonnier de guerre oublie la mort, un enfant fait l'expérience de son irréductible mais féconde différence, un homme vieillissant se fortifie dans l'idée que « ce qui nous retire partiellement du monde extérieur nous renvoie vers le lieu de notre enracinement, vers notre élément originel, vers la vérité essentielle de notre existence ». Découvrant les efflorescences gélatineuses du plus ancien des végétaux terrestres, le nostoc, l'auteur, méditant sur le fait que ce « pur échantillon de la matière originelle vivante » (qui, de surcroît, nous survivra) est aussi le plus discret, le plus ignoré, s'interroge sur notre aberrante hiérarchie des valeurs. Loin d'être d'innocentes rêveries, ces récits, étayés par une profonde érudition et un sens quasi métaphysique du végétal, s'approchent, par leur questionnement de l'invisible dans le visible, de l'âme même de la nature.

R. Bl.

REGRETS (Les). Recueil de cent quatre-vingt-onze sonnets que le poète français Joachim du Bellay (1522-1560) composa en partie à Rome, sans doute en même temps que *Les Antiquités de Rome* (*) et qu'il publia la même année que celles-ci, en 1558, deux ans avant sa mort. Mais le poète laisse croire que c'est à partir de 1555 ou de 1556 qu'il entreprit d'écrire ces sonnets, « que de plus braves noms » il ne veut « desguiser, / Que de papiers journaux, ou bien de commentaires » (c'est-à-dire de journal intime et d'impressions). *Les Regrets* représentent en quelque sorte l'envers des *Antiquités de Rome*. Du Bellay est depuis six ans en Italie où il a accompagné son cousin, le cardinal Du Bellay, ambassadeur de France auprès du pape, à titre d'intendant de sa maison. Passé les éblouissements que lui procure la vue des monuments romains, la splendeur de la « Ville Éternelle », l'enthousiasme de Du Bellay, suggère-t-il, ne tint pas longtemps contre les ennuis du séjour. Chargé de besognes qui ne conviennent pas à ses goûts, spectateur des bassesses des courtisans du pape, il prend en aversion l'existence qui lui est faite. Il sait qu'en France d'autres ont profité de son absence pour le remplacer auprès des grands, qu'il est oublié. Mais surtout il est plein de nostalgie en évoquant son pays, sa campagne, la tranquillité de la vie rustique. Il n'a même plus le goût à écrire : « De la postérité, je n'ay plus de souci, / Ceste divine ardeur, je ne l'ay plus aussi, / Et les Muses de moy, comme estranges, s'enfuyent. » Mais il ne peut tout à fait se dispenser d'écrire : s'il ne se sent pas capable de composer une grande œuvre, il peut au moins noter, au jour le jour, ses impressions, ses dégoûts, ses « regrets ». C'est ainsi un nouveau genre littéraire qu'il invente et les premiers sonnets sont consacrés à le définir (I à VI). Du Bellay le fait en toute humilité ; il aurait voulu mieux faire, mais c'est tout ce dont il est capable : « Et moins veulx-je imiter d'un Pétrarque la grâce, / Ou la voix d'un Ronsard, pour chanter mes *Regrets*. » Le genre qu'il inaugure sera-t-il même digne du nom de poésie, il en doute : « Aussi veulx-je... que ce que je compose, / Soit une prose en ryme, ou une ryme en prose, / Et ne veulx pour cela le laurier mériter » ; il explique clairement qu'il ne veut pas se donner de peine quant à la forme de ses poèmes, il entend simplement livrer ses impressions comme elles lui viennent : « Je me plains à mes vers, si j'ai quelque regret ; / Je me ris avec eulx, je leur dy mon secret. » Et c'est justement cela qui fait le prix de ce recueil, si vivant encore maintenant par « l'apparence même d'un manque d'art » (V. L. Saulnier). Jusqu'alors, de Du Bellay on ne connaissait que l'artiste, difficultueux et contourné de *L'Olive* (*), plein de grandeur mais encore quelque peu guindé des *Antiquités ;* ici, c'est l'homme qui semble apparaître. Après les six premiers sonnets qui constituent une introduction, les autres poèmes se divisent en quatre parties d'inégale importance et d'inégale valeur : les sonnets VII à XLIX sont consacrés plus particulièrement à la nostalgie qui saisit l'exilé au souvenir de sa terre natale. Il se demande si, en quittant son pays, il n'a pas lâché les vrais biens pour des biens incertains ou imaginaires ; et quand il évoque la France et surtout la campagne angevine, l'émotion le saisit et passe intégralement dans la musique plaintive de ses vers ! C'est ce sentiment de nostalgie qui anime deux des plus célèbres et des meilleurs sonnets du recueil, le sonnet IX, si noble et si émouvant : « France, mère des arts, des armes et des loix », et le sonnet XXI, où perce une émotion profonde et tout intime : « Heureux qui, comme Ulysse, a fait un beau voyage. » La seconde partie, plus développée (sonnets L à CXXVII), est une satire parfois virulente de la cour romaine, de ses mœurs peu édifiantes, de l'hypocrisie des courtisans : certains des poèmes sont de petits croquis fort évocateurs ; dans d'autres percent une indignation, une ironie qui ont une grande puissance. Bien que ces derniers sonnets soient moins goûtés de nos contemporains, ce sont eux surtout qu'on admirait du temps de Du Bellay, et il faut reconnaître qu'il inaugurait là un genre et le portait à sa perfection. En cela, il est le prédécesseur de Régnier. Entre l'épigramme trop brève et la longue satire, il découvrait le sonnet satirique. Vauquelin de La Fresnaye remarquait que Du Bellay, le premier, « fit le sonnet sentir son épigramme » ; Richelet vante « la force avec laquelle il taxe les mœurs de son temps » ; quant à Ronsard, il décerna à son ami le nom de « grand Alcée angevin ». La dernière partie est loin d'avoir la force des deux premières : elle comprend les sonnets où Du Bellay raconte son retour (CXXVIII à CXXXVIII) et sa vie à Paris après son retour (CXXIX à CXCI). Le ton de ces derniers poèmes est assez pénible ; passé les premières joies du retour, il est accablé par ses infirmités. Devenu entièrement sourd et de plus en plus malade, il traîne deux ans et meurt subitement en 1560, à l'âge de trente-huit ans. Après quatre siècles, *Les Regrets* demeurent l'œuvre la plus vivante et la plus émouvante de Du Bellay, celle qui nous donne le sentiment d'être en communication directe avec cette âme délicate et noble.

REINE BERTHE (La). Essai historique de l'écrivain suisse d'expression française Charles-Albert Cingria (1883-1954), publié en 1947. Aux premières lignes de cet ouvrage, Cingria précise que la reine Berthe dont il se propose « témérairement » d'écrire l'histoire n'est pas « Berthe au grand pied », la mère de Charlemagne. Les temps sont un peu plus tardifs : le partage de l'empire par le traité de Verdun est accompli, et Lothaire vient lui-même, en 855, de diviser entre ses trois fils son propre royaume — la Lorraine à Lothaire II, la Provence à Charles, l'Italie à Louis II. Or, quatre ans après ce nouveau partage, Lothaire II va faire à son frère Louis II « une cession de territoire qui est, note Cingria, capitale pour l'histoire de notre pays ». On ne doit pas perdre de vue que ce pays est la Suisse : les territoires cédés comprennent notamment les villes de Genève, Lausanne, Sion « et les comtés qui en dépendent ». Ce cadeau n'était pas de pure générosité. Lothaire II se heurtait dans cette région à un seigneur « exacteur » et « frénétique », Hucbert, et sans doute n'était-il pas fâché de se débarrasser de ce personnage, avec lequel Louis II eut à son tour maille à partir. Mais, lassé de vaines poursuites, il finit par confier la charge de cette pacification à Conrad, comte d'Auxerre. Le prompt succès de Conrad dans cette entreprise lui vaudra tout naturellement comme récompense les fiefs d'Hucbert, que Rodolphe, fils de Conrad, transformera en royaume de Bourgogne (dite « transjurane »), délimité à l'ouest par la Saône, à l'est par l'Aar, et comprenant une partie de la Suisse et de la Savoie actuelles. C'est le petit-fils de Conrad, Rodolphe II, qui épousera Berthe, la fille d'un de ses ennemis réconcilié, et qui régnera en outre sur la Bourgogne cisjurane (soit toute la région comprise entre Lyon, Nice et Arles) après avoir obtenu la couronne d'Italie. Tant de détails pour donner au moins une idée de ce qui suivra, et dont le résumé se révèle impossible. Car il s'agit, ni plus ni moins, de l'histoire de l'Italie à une époque — le xe siècle — particulièrement troublée, où aux affrontements familiaux et féodaux s'ajoutent les conflits ethniques restés vivaces entre autochtones de vieille souche et envahisseurs lombards, ainsi que les rivalités entre Byzance et Rome — celle-ci à la fois comme siège de la papauté et symbole d'un empire d'Occident redevenu fragile et presque théorique après Charlemagne. Cingria a-t-il débordé son sujet ? N'oublions pas que, dans l'édition originale, au titre de la couverture (*La Reine Berthe*) la page de titre ajoute : *et sa famille (906-1002).* Or en effet la fille de Berthe et Rodolphe II, Adélaïde (morte en 999), fut successivement l'épouse de Bérenger II, roi d'Italie après Rodolphe II, et d'Otton Ier, roi de Germanie et empereur romain. Et représentons-nous que le moindre fil dépassant de cette période, si on tire dessus pour l'examiner, est si bien pris dans le tissu d'ensemble qu'on entraîne avec lui toute cette partie du monde connu. La tentative de Cingria se révèle donc d'une ampleur singulière, et le savoir dont il fait preuve un peu vertigineux. Quant à sa méthode, il en expose les principes plutôt comme une doctrine : « C'est donc moins l'histoire, écrit-il, que nous nous sommes proposé d'écrire que le témoignage de tour inimitable de ceux qui l'ont primitivement tracée, que nous nous sommes donné à tâche de montrer et de faire s'enchaîner de façon à produire un spectacle. » Ainsi aura-t-il largement recours aux documents (chroniques anciennes, iconographie) et aux énumérations ou tableaux auxquels il accorde une vertu poétique autant que pédagogique. Et, aussi exact que l'historien se soit voulu (parfois jusqu'à la manie), c'est en fin de compte le poète — le poète tout à fait singulier qu'est Cingria — qui fait la valeur vivante de l'ouvrage. Le xe siècle lui est aussi présent que le nôtre, et sa vivacité narrative avec ses remarques inopinées et son humour nous y plongent avec lui. N'a-t-il pas noté (toujours dans l'Avertissement) : « Il est très important que l'histoire soit drôle » ? Mais si l'on rit en effet assez souvent en lisant cet ouvrage savant (ce qui est déjà une réussite peu courante), ce n'est jamais au détriment du sujet. C'est parce qu'il a été traité — aussi scientifiquement que possible — par un écrivain dont le tempérament ne pouvait que se trouver à son aise dans cet énorme brassage d'êtres et d'événements, de frontières et de langues aussi incertaines les unes que les autres — en plein mouvement — en un point du globe et du temps où la culture propre de Cingria, si particulière, latine-byzantine, et d'un médiévalisme n'excluant ni l'avion ni la vapeur, trouvait un terrain d'élection pour s'épanouir et produire une de ses fleurs les plus élaborées, dans un domaine qu'il avait déjà illustré brillamment avec *La Civilisation de Saint-Gall* (*) (1929) et *Pétrarque* (1932). J. R.

REINE DES FÉES (La) [*The Fairy Queen*]. La plus importante partition théâtrale du compositeur anglais Henry Purcell (1659-1695), donnée en 1692 avec un succès considérable, n'est pas un opéra, mais un « masque » dans le goût anglais de l'époque — on pourrait dire une revue où toutes sortes d'épisodes musicaux avec des personnages étrangers au texte original et une luxueuse mise en scène se trouvent intercalés entre les scènes du *Songe d'une nuit d'été* (*) de Shakespeare. L'œuvre de Purcell consiste donc en une succession d'airs chantés et de danses, mais son défaut d'unité est bien compensé par ses qualités proprement musicales. L'œuvre est remarquable aussi bien par la fraîcheur de l'inspiration, pastorale et souvent proche du folklore, que par la subtilité de l'écriture, imprégnée d'italianisme et dont les chromatismes de l'air de basse « Next, Winter comes slowly » offrent peut-être le plus remarquable exemple. L'influence méridionale, avec son opulence décorative, se montre encore dans les vocalises et les traits de virtuosité de l'air « Hark, the ech'ing air » ou dans l'air da capo « Ye gentle spirits », mais la sensibilité originale de Purcell et son goût pour les longues mélodies se donnent libre cours dans des morceaux tels que « If love's a sweet passion », tandis que c'est une véritable « country-dance » de campagne anglaise que nous évoque le charmant dialogue du berger Corydon et de la bergère Mopsa.

REINE DES FÉES (La) [*The Faerie Queene*]. Poème du poète anglais Edmund Spenser (1552-1599), composé de stances de huit vers auxquels s'ajoute un neuvième vers de douze pieds (schéma ababbcbcc), métrique créée par le poète et adoptée dans la suite par James Thomson, Keats, Shelley et Byron. Le poème devait se composer de douze livres (divisés chacun en douze chants), mais Spenser n'en a laissé que six et des fragments du septième. Les trois premiers livres parurent en 1591, les derniers en 1596. C'est un magnifique monument poétique de la Renaissance qui a traversé les siècles et a marqué une date importante dans la littérature anglaise. Spenser ne rompt pas avec la tradition chevaleresque et chrétienne, mais il émaille son récit d'allégories païennes : les dieux de l'Olympe, les faunes et les dryades se mêlent aux chevaliers et aux seigneurs féodaux. Le récit de cette épopée ne se fait pas ; c'est une suite d'aventures compliquées, fabuleuses et allégoriques, qui se nouent et se dénouent. Le premier livre est dédié à la Reine Elizabeth, qui est certainement la « Reine des fées » et qui est aussi Belphébé, Mercilla ou Gloriana. On y voit le Chevalier à la Croix Rouge (« The Red Cross Knight »), pareil à un Saint-Georges, aux prises avec des Dragons, qui évite les embûches de l'Hypocrisie, qui défend la vierge Una (qu'il finira d'ailleurs par épouser) et qui est délivré par elle des pièges d'une magicienne, etc. Le second livre narre les aventures de sir Guyon (le Chevalier de la Tempérance) ; le troisième est la légende de Britomart et de Belphébé qui personnifient la Chasteté ; le quatrième est consacré à Triamond, le Chevalier de l'Amitié, et renferme aussi l'épisode de Blandamour et d'Amoret ; le cinquième est l'histoire d'Artegal, le Chevalier de la Justice ; le sixième, celle de sir Calidore qui personnifie la Courtoisie ; les fragments du septième font allusion à l'Immuabilité et à la Mutabilité. Ce poème est d'une richesse extraordinaire en inventions et en descriptions pittoresques : forêts enchantées, cortèges brillants et somptueux. Les moindres détails d'une armure, d'un vêtement féminin, d'un bijou même, y sont décrits avec amour. C'est le culte de la Beauté sous toutes ses formes ; certaines visions de jeunes filles et de nymphes sont exquises. Culte de la Beauté morale aussi ; les Vertus vaincront les Vices et sir Guyon ne se laissera pas séduire par Mammone le Tentateur, dont un terrible et magnifique royaume souterrain est décrit avec une imagination débordante. Les allégories historiques et religieuses sont nombreuses, et nombreux sont les ouvrages qui se sont appliqués à les expliquer toutes. On s'est plu à voir, en ce Chevalier qui combat pour Una, l'Église anglicane qui combat pour la Vérité ; Duessa, la Magicienne qui combat pour la Vérité ; Duessa, la Magicienne qui le retient dans ses pièges, représenterait l'Église catholique. D'autre part, le cinquième livre contient des allusions à la défaite des Espagnols aux Pays-Bas, à la mort de Marie Stuart. Mais ce qui importe surtout, c'est l'intense poésie qui se dégage de *La Reine des fées ;* c'est la beauté des images qui se succèdent, c'est la musique des stances et leur cadence monotone qui berce agréablement. Tout cela en fait une œuvre séduisante et originale, qui a valu à Spenser d'être nommé le « poète des poètes ». — Trad. partielle Aubier, 1950.

REINE DES POMMES (La) [*For Love of Imabelle*]. Roman policier de l'écrivain américain Chester Himes (1909-1984) publié en 1958. La reine des jobards, c'est Jackson, un Noir qui conduit le corbillard d'une entreprise de pompes funèbres. Il vit avec Imabelle, qu'il pare de toutes les vertus. Or celle-ci est arrivée à Harlem avec la malle de Slim, encore pleine des fausses pépites d'or qui servaient à son ancien acolyte lorsqu'il escroquait les gogos en leur vendant des actions pour une prétendue mine d'or californienne. Slim, Hank et Jodie, recherchés pour meurtre dans le Mississippi, retrouvent Imabelle à New York et délestent Jackson de toutes ses économies sous prétexte de transformer ses billets de dix dollars en billets de cent. Croyant Imabelle enlevée avec sa malle, il part à sa recherche au volant du corbillard aidé par son frère Jumeau Goldy qui, déguisé en bonne sœur, sert d'indic. Ed Cercueil et Le Fossoyeur, deux inspecteurs noirs particulièrement coriaces et incorruptibles, interviennent. Dans une première bagarre générale, Ed Cercueil est vitriolé et manque de perdre la vue ; ensuite, ils vont prendre leur revanche et permettre à Jackson de retrouver Imabelle, toujours innocente à ses yeux. L'intrigue a des allures de tornade et la peinture des habitants de Harlem est drolatique et non dépourvue d'accents céliniens pour décrire leur misère : « Le train passe, ébranlant le quartier tout entier, secouant ses habitants noirs dans leur lit grouillant de vermine, secouant les vieux os, les muscles douloureux, les poumons rongés, les fœtus agités dans le sein de filles sans mari... » De *La Reine des pommes* Wolinski avec la collaboration du jeune romancier noir Melvin Van Peebles a tiré une bande dessinée en 1968 et Bill Duke un film, *Rage à Harlem*, en 1991. — Trad. Gallimard, 1958.

D. B.d.M.

REINE JEANNE (La) [*La Rèino Jano*]. Tragédie en langue provençale en cinq actes et en vers de l'écrivain français Frédéric Mistral (1830-1914), publiée en 1890. Elle a pour héroïne la plus légendaire figure de l'histoire de Provence : Jeanne Ire, reine de Naples, comtesse de Provence et de Forcalquier (1326-1382), que les Provençaux ne virent tout au plus que six mois au cours d'un règne de près de quarante ans. Mais ils ont gardé le souvenir impérissable de cette jolie souveraine à la vie mouvementée, qui leur était venue par mer sur sa galère somptueuse pour se disculper auprès du pape Clément VI, en résidence à Avignon, d'avoir trempé dans l'assassinat de son jeune époux, le prince André de Hongrie. C'est tout le passé national de sa province que Mistral exalte dans ce drame, de six ans postérieur à *Nerte* (*), ce poème où, déjà, il avait promené ses lecteurs d'Avignon à Arles au temps du pape Benoît XIII. En parfait accord avec l'histoire, Mistral s'évertue ici à réhabiliter cette reine tant calomniée, que n'en glorifièrent pas moins Boccace et Pétrarque. Cette mégère aux quatre maris, ce monstre de perversité qui, au dire de maint chroniqueur, aurait fait assassiner trois de ses époux (André de Hongrie, Louis de Tarente et Jacques d'Aragon), Mistral la fait revivre sous les traits d'une souveraine libérale et prudente, ayant le culte de l'honneur, et dont les mariages successifs avaient pour but de s'assurer des héritiers directs. La pièce, qui débute à Naples, a son épilogue dans la grande salle consistoriale du palais d'Avignon. Deux personnages, d'ailleurs historiques (Philippine la Catanaise, gouvernante de la reine, et frère Robert, cordelier, précepteur du prince de Hongrie), entretiennent par leur inimitié le désaccord qui règne dans le couple princier. Bientôt s'accomplit le meurtre du prince, perpétré par la gouvernante à l'insu de la reine. Princes, chambellans, prélats, courtisans, astrologues, valets et pages, seigneurs hongrois, italiens et provençaux, sans oublier l'illustre Pétrarque, forment, à la fin de la pièce, une cour bariolée à Clément VI qui proclame l'innocence de Jeanne. Des romances (romance du page, chanson de Mélusine, chant des galériens) agrémentent cette histoire qui finit bien, aux cris de « Vivo la rèino Jano ! », par le châtiment de frère Robert qu'un courtisan perce de son épée en s'écriant : « A l'infèr, mounge indigne ! » [En enfer, moine scélérat !].

REINE MAB (La) [*Queen Mab*]. Petit poème du poète anglais Percy Bysshe Shelley (1792-1822), imprimé en édition privée en 1813 ; édition incomplète en 1839 ; complète dans les *Œuvres poétiques* (1904). Le poète imagine que Mab, la reine des Fées, emporte avec elle sur son char l'âme de Ianthe et la conduit au Palais des Enchantements où, en récompense de ses qualités terrestres, elle pourra connaître à la fois le passé, le présent et le futur. De là, elle voit la vanité des gloires humaines, les erreurs commises dans le passé par les hommes, le malheur du temps présent causé par ces erreurs ; elle écoute enfin la prédiction qui annonce des temps meilleurs, quand l'amour régnera sur la terre. Shelley, par la bouche de la Reine des Fées, vitupère les rois, les tyrans, les prêtres, les riches ; il s'attaque à la religion et à toutes les institutions qui lui paraissent s'opposer à l'évolution de l'homme vers cette éviction du mal, sur laquelle repose son espérance. Écrit alors qu'il avait dix-huit ans, ce poème révèle déjà ses dons, malgré certaines maladresses ; sa substance poétique reste cependant assez faible. Le jeune poète est surtout préoccupé des idées qu'il veut exprimer ; il se montre agressif et âpre, et se laisse entraîner par une passion toute juvénile. Sa pensée évoluera, néanmoins il sera toujours fidèle à cet acte de foi en la destinée humaine que contient *La Reine Mab.* Il restera convaincu que, guidés par l'amour, la charité et le sens de la justice, les hommes pourraient transformer leur vie et en chasser le mal. L'auteur n'avait pas eu l'intention de publier ce poème ; sévère critique de lui-même, il en voyait les imperfections ; il le fit imprimer en 1813 et quelques exemplaires seulement en furent donnés à des amis. Il en fit plus tard des extraits qui furent légèrement remaniés et furent publiés en 1816 sous le titre : *Le Démon du monde* [*The Daemon of the World*]. – Trad. Giraud, 1907-09.

REINE MARGOT (La). Roman historique de l'écrivain français Alexandre Dumas père (1802-1870), publié en 1845. L'intrigue assez compliquée, mais adroitement encadrée par la nuit de la Saint-Barthélemy (24 août 1572) d'une part et la mort de Charles IX (30 mai 1574) d'autre part, se concentre autour de trois thèmes principaux : l'amitié émouvante de deux gentilshommes, l'ambition effrénée de Catherine de Médicis et l'amour bouleversant de Marguerite de Valois. Annibal de Coconnas préfère mourir sur l'échafaud avec Hyacinthe de La Môle plutôt que de fuir et d'abandonner son ami, qui, blessé, ne peut s'évader de la chapelle des condamnés à mort. Catherine de Médicis, quoique instruite par ses astrologues qu'à la place des Valois monterait un jour sur le trône de France un Bourbon, le roi de Navarre et futur Henri IV, lutte désespérément contre l'inéluctable destin avec une bestiale fureur de mère et une satanique ambition de reine. Marguerite de Valois, la « reine Margot », fille de Catherine et épouse d'Henri de Navarre, quoique alliée en politique à son mari, est follement amoureuse de Hyacinthe de La Môle. Alors que celui-ci préfère la condamnation à mort plutôt que de compromettre Marguerite, la malheureuse reine, dans les ténèbres de la nuit, vient demander au bourreau la tête de son amant tombée sous la hache. À ces actions principales se relient, avec une vivacité constante, d'autres intrigues secondaires qui, dans leur ensemble, illustrent l'ambiance et les coutumes du Paris de Charles IX pendant les guerres de Religion. Ce roman, d'une psychologie superficielle et d'un style faible, manquant de souffle poétique mais construit avec une habileté savante, réussit à se faire lire avec plaisir pour l'agrément avec lequel l'auteur, dosant avec tact l'évocation historique et l'invention romanesque, fait défiler, comme à travers une lanterne magique, des scènes dramatiques et des épisodes extraordinaires, des figures exceptionnelles et des personnages curieux, évoquant tantôt les plus horribles massacres et la visite macabre des royalistes au cadavre de Coligny suspendu au gibet, tantôt les splendeurs des bals du Louvre ou les parties de chasse animées au bois de Vincennes. À travers ces « estampes » tragiques ou galantes, lugubres ou pittoresques, Dumas s'efforce de peindre l'atmosphère de la Renaissance raffinée et luxurieuse, cultivée et cruelle, cynique et superstitieuse.

REINE MÈRE (La) [*The Queen Mother*]. Drame en cinq actes en vers de l'écrivain anglais Algernon Charles Swinburne (1837-1909), publié en 1860. C'est une œuvre de jeunesse. Les sources en sont : Brantôme (1540 ?-1614) et l'*Historia mei temporis* de Jacques de Thou (publié entre 1604 et 1620). La Reine Mère, c'est Catherine de Médicis ; l'action se termine la nuit de la Saint-Barthélemy, au cours de laquelle périt Denise, dame de la Cour aimée de Charles IX. Le style imite celui des élisabéthains (Marlowe, Chapman, Shakespeare, Webster, Fletcher), mais on y sent aussi une influence préraphaélite (le volume est d'ailleurs dédié à Rossetti). Cette œuvre de jeunesse annonce déjà *Chastelard* (*) et *Anactoria* (*). Le personnage de Catherine, qui se perd en de solennels discours, manque de finesse ; celui de Denise est plus intéressant ; c'est une femme de mœurs légères (toute la Cour est corrompue), qui est choisie par Catherine pour devenir la maîtresse du roi et servir d'espionne. Le personnage de Charles IX est bien fait : c'est une espèce de monstre faible et violent, en proie à des crises de cruauté sadique. *La Reine Mère* est en somme une œuvre assez remarquable par sa forme, par sa puissance dramatique et par l'habileté avec laquelle l'auteur a utilisé ses sources historiques.

REINE MORTE (La). Drame en trois actes de l'écrivain français Henry de Montherlant (1896-1972), représenté et publié en 1942. Le sujet de *La Reine morte* est emprunté par Montherlant à la légende d'Inès de Castro, épouse secrète de l'infant Pedro de Portugal. Assassinée en 1355 par ordre du roi son beau-père, son époux, à peine monté sur le trône, la vengea cruellement. Montherlant a construit ce drame sur les indications historiques et les notations psychologiques que lui fournissait cette légende. L'action se passe au Portugal, « autrefois ». Le vieux roi don Ferrante est las de son trône, de son peuple et de son fils, don Pedro, dont il juge sévèrement la médiocrité. Il veut pourtant, avant de mourir, que les affaires de son royaume soient en ordre. Il fait venir la jeune infante de Navarre, dona Bianca, pour qu'elle épouse son fils. Mais Pedro dédaigne l'infante, et son père connaîtra bientôt la raison de ce dédain : son fils aime dona Inès de Castro, qu'il a épousée en secret. Extrêmement irrité, le roi essaie de faire annuler ce mariage ; mais le pape s'y refuse. Enfin Ferrante apprend, par dona Inès, qu'elle va avoir un enfant de Pedro ; il la fait alors exécuter, afin de préserver, dit-il, la pureté de la succession au trône. En fait, il avoue l'inutilité de son crime, mais se complaît dans l'atroce et veut surtout prouver à son entourage qu'il n'est pas faible : « Et dire qu'ils me croient faible ! » dira-t-il au moment le plus tragique du drame. Toute la pièce est dominée par la personnalité du roi Ferrante, qui, grandissant à chaque acte, semble perdre toute humanité. C'est un scélérat, mais en même temps il a de la délicatesse, de la gentillesse « et sans nul doute une double grandeur, celle du roi et celle du chrétien ». Il est toujours sincère : il tue, mais croit à l'immortalité de l'âme. Ferrante est étrange, et il le sait : « Cela est étrange, mais il n'y a que des choses étranges par le monde. Et tant mieux, car j'aime les choses étranges. » Il est profond et a horreur de la profondeur. Cette psychologie est en rapport étroit avec celle de dona Bianca : elle aussi est étrange et profonde ; ce qui fera dire à Montherlant que « lui et elle sont les deux êtres de valeur de la pièce ». Cette peur de paraître faible porte invinciblement don Ferrante à commettre certains actes qu'il sait nuisibles pour lui-même, mais contre la tentation desquels il est sans défense : il signe le traité avec le roi d'Aragon, tout en reconnaissant que c'est une erreur ; il se fie à Coelho alors qu'il sait que cette confiance est mal placée. De même, il fait tuer Inès, sachant que ce crime est inutile. « Plus je mesure ce qu'il y a d'injuste et d'atroce dans ce que je fais, plus je m'y enfonce, parce que plus je m'y plais. » Il la fait assassiner non pas par raison d'État, mais gratuitement. La tragédie de Ferrante est celle de l'homme absent de lui-même. Il ne croit plus à ce qu'il fait, et la principale raison de l'assassinat d'Inès réside dans ce que Montherlant désigne lui-même comme « sa haine de la vie ». La pièce est construite « à la façon d'une fleur ». Les deux premiers actes, dépouillés et d'une ligne extrêmement simple, s'opposent au troisième qui, lui, s'épanouit pleinement dans une surabondance d'images somptueuses et puissantes, propres à dépeindre avec force ce sacrifice inutile. Elle débute par un long monologue torrentiel et s'achève, après que don Ferrante est mort, par un grand silence.

REINE VICTORIA (La) [*Queen Victoria*]. Biographie de l'écrivain anglais Giles Lytton Strachey (1880-1932), publiée en 1922. L'auteur nous promène à travers la longue vie de la Reine (1819-1901). La jeune princesse Victoria, fille du prince Édouard de Kent et de la princesse Marie-Louise de Saxe-Cobourg, fut proclamée héritière du trône d'Angleterre à l'âge de onze ans. Sa mère et son oncle Léopold de Saxe-Cobourg, qui devint roi des Belges, veillèrent tendrement sur son enfance ; le chapitre du livre consacré à l'éducation d'une princesse anglaise, future reine, au début du XIXe siècle, est des plus intéressants. Le 30 juin 1837, Victoria, âgée de dix-huit ans, encore inconnue de ses sujets, monta sur le trône, et fit immédiatement preuve d'indépendance, en priant sa mère de la laisser dormir seule. La tutelle maternelle avait pris fin ; la jeune reine fit valoir son autorité, autorité qui montrait qu'elle était consciente de ses devoirs, et que venait tempérer un jugement averti. Victoria cependant écoutait avec déférence le vieux et illustre lord Melbourne, qui lui servait à la fois de conseiller et de secrétaire. Puis apparaît le prince Albert de Cobourg, son cousin, qui eut sur elle une influence décisive : elle l'épousa et l'aima profondément. Les pages qui ont trait à ce mariage, aux années de bonheur du jeune couple royal, aux dernières années du prince et au veuvage de la Reine suffiraient à justifier qu'on ait nommé Strachey le « maître de la biographie ». Strachey ne se contente pas d'évoquer la personnalité de la Reine, il ne s'en intéresse pas moins aux grands personnages de l'époque : lord Palmerston, l'aristocrate ; Gladstone le libéral, enfin le célèbre ministre conservateur, Disraeli. C'est ainsi que se déroule devant nous toute l'histoire de la Grande-Bretagne pendant une période de plus de soixante ans, période de grandeur et de prospérité qui prit le nom de la Reine, de cette étonnante personnalité dont on a pu dire qu'en elle « la jeune fille, l'épouse, la vieille femme ne font qu'une seule et même personne » ; vitalité, conscience, fierté, simplicité, telles furent les qualités qui l'accompagnèrent jusqu'à sa mort et qui firent d'elle le symbole même de toute une époque. — Trad. Payot, 1937.

REISEBILDER. Tableaux de voyage. Avec cet ouvrage, le poète allemand Heinrich Heine (1797-1856) achevait une période extrêmement féconde de sa production artistique. L'œuvre se composait primitivement de quatre petits volumes, parus entre 1824 et 1831, et groupait des pièces en prose et en vers. (Dans l'édition française, revue par Heine en 1834, les *Reisebilder* sont regroupés en deux volumes.) C'est précisément ce mélange de vers et de proses qui restitue le mieux l'état d'âme momentané du poète et caractérise l'essentiel de son écriture. Ces « impressions » ou « tableaux » de voyage sont plus que de simples descriptions de paysages ou d'anecdotes : l'observation du pays et de ses habitants conduit Heine à des remarques critiques et des réflexions politiques, dans lesquelles il s'attache à considérer les conditions sociales, culturelles et littéraires, tout en développant ses propres idées, avec un esprit riche et pénétrant. Cette œuvre est un véritable feu d'artifice, où la satire s'allie à la verve, où l'amertume se mêle aux nuances du sentiment et au charme de l'expression. La première partie : « Les Montagnes du Harz » [Die Harzreise, 1824], retrace les cinq journées que le jeune étudiant passa dans les montagnes du Harz pour échapper à la pesante atmosphère de l'université de Göttingen. Heine y décrit les expériences — jusqu'à ses rêves nocturnes — de ce séjour, usant d'une prose imprégnée de lyrisme, mais ne versant jamais dans les égarements romantiques et se prévalant toujours d'une observation attentive de la réalité. Le paysage revit ainsi sous sa plume, parfois restitué sous une forme symbolique. Ces pages, toutes de joie et de sérénité, ne laissent pas pressentir l'imminente déception amoureuse (la deuxième dans la jeunesse du poète) qui introduira, dans les parties suivantes, un thème nouveau et douloureux. La deuxième partie fut écrite au terme d'un séjour dans l'île de Norderney (1825-1826) et s'intitule précisément « L'île de Norderney » (1826). Ces poèmes constituent la première expression proprement originale du sentiment de la nature de l'auteur : la liberté des rythmes évoque, d'une manière qu'on pourrait qualifier d'« impressionniste », les mille visages de la mer, ses colorations, ses mythes et ses mystères. La ballade « Le Spectre de la mer » [Das Seegesenst], rehaussée dans le finale par la pointe d'« ironie romantique », si propre à l'auteur, fut vite célèbre. Cette deuxième partie s'achève sur une lettre en prose, datée de l'île de Norderney : l'auteur y renonce aux descriptions de paysage, ainsi qu'à toute recherche de style, pour se limiter à traiter, avec une hardiesse inaccoutumée, de diverses questions sociales, politiques et littéraires : lutte contre l'Église, la noblesse, louange de Napoléon et les mythes goethéens. Vient ensuite une troisième partie, intitulée « Le Tambour Legrand. Idées » [Das Buch Legrand. Idee, 1826] : « fragment autobiographique » renfermant les pages les plus poignantes et les plus belles peut-être que Heine ait écrites et qui lui fut inspiré par la déception amoureuse que lui procura Thérèse Heine, sœur d'Amélie, sa première passion. L'atmosphère mélancolique de cette histoire d'amour, avec ses accents élégiaques voilés d'un tremblant sourire, avec son émotion où le pathétique est tempéré par l'ironie, confère leur unité aux divers épisodes, apparemment disjoints et parfois même contradictoires. Un souvenir d'enfance en constitue l'élément principal : l'entrée glorieuse de Napoléon à Düsseldorf et l'épisode du petit tambour Legrand, dont les roulements éveillent l'écho frémissant de la Révolution française et de l'épopée impériale. La scène de son retour de captivité et de sa mort reprend l'émouvant motif de la célèbre ballade « Les Deux Grenadiers ». Dès la publication du premier volume des *Reisebilder,* dont l'audace politique le fit interdire par presque tous les gouvernements allemands, Heine se rendit à Londres, où, désormais convaincu de sa mission politique, il s'adonna passionnément à l'étude des institutions anglaises, groupant ses impressions dans « Fragments anglais », ou « Angleterre » [Englische Fragmente], qu'il publia comme quatrième partie des *Reisebilder,* dans l'édition de 1831, après le volume consacré à l'Italie, mais dont les principaux chapitres parurent dès 1827-1828 dans diverses revues. Le thème fondamental est la notion de liberté conçue comme une nouvelle religion — conception idéale dont, même en Angleterre, il ne trouve pas l'application. Le deuxième volume (1828) est intitulé « Italie » et comprend « Voyage de Munich à Gênes » [Die Reise von München nach Genua], « Les Bains de Lucques » [Die Bäder von Lucca], « La Ville de Lucques » [Die Stadt Lucca] et les « Nuits florentines ». Le « Voyage de Munich à Gênes » renferme des impressions de voyage, pochades et croquis, tableaux de genre, riches de couleur et de vie. Heine y manifeste également sa compréhension du mouvement italien pour l'indépendance tendant à secouer le joug autrichien. « Les Bains de Lucques » et « La Ville de Lucques » étaient conçus à l'origine comme des fragments d'un futur roman de voyage, mais demeurèrent tels. Les anecdotes y sont rares et l'Italie ne fait ici que servir de décor à des polémiques littéraires et religieuses. Les « Bains » ont pour thème essentiel le scandale littéraire suscité par le poète August von Platen, qui avait bassement attaqué Heine dans son *Œdipe romantique :* Heine, à son tour, dépasse ici les limites de la bienséance. Le thème de « La Ville de Lucques » est la religion : l'auteur se livre à de multiples variations polémiques, parodiques et sentimentales, prônant la séparation de l'Église et de l'État, recommandant à ce dernier l'indifférence en matière religieuse et aux hommes de son temps, comme à lui-même, d'adopter une attitude de « donquichottisme conscient ». Les *Reisebilder* obtinrent et continuent d'obtenir un très grand succès. Signalons que Heine tint à surveiller lui-même l'édition française *(Tableaux de voyage)* en collaboration avec plus d'un écrivain célèbre. Avec cette œuvre, en se prévalant de l'observation du réel pour développer ses idées et exprimer ses sentiments, dans un incessant balancement de l'émotion à l'ironie, Heine atteignait à la pleine possession de son style.

RELATION CRITIQUE (La). Essai du critique et écrivain suisse Jean Starobinski (né en 1920), paru en 1970, consacré à deux problèmes interdépendants : l'« activité imaginante » et l'« activité interprétative ». Ces deux problèmes font le lien entre les objets étudiés, qui relèvent autant de l'histoire de la médecine et de la psychologie que de la critique littéraire, dont l'auteur montre qu'elles convergent en un même point : l'intérêt pour les symboles et les formations symboliques. *La Relation critique* est composée de trois parties. La seconde relève de l'histoire de la médecine et de la psychologie ; l'auteur y étudie plusieurs aspects de la notion d'« imagination », dans la théorie des fluides, la médecine psychosomatique et le test de Rorschach. La troisième partie est centrée sur les rapports entre psychanalyse et littérature. Un premier chapitre examine le rôle joué dans la théorie freudienne par des personnages littéraires comme Narcisse ou Œdipe. Starobinski montre comment ces personnages, qui sont d'abord des formations imaginaires qu'il s'agit d'interpréter, fonctionnent ensuite comme instruments d'interprétation grâce auxquels Freud « explique » des configurations psychiques très diverses. La psychanalyse passe ainsi de l'activité interprétative à la « mythopoïèse », devenant elle-même fabricatrice de mythes. Le deuxième chapitre porte sur les personnages d'Hamlet et d'Œdipe, toujours étroitement associés par Freud. Un troisième chapitre explore les rapports entre le surréalisme et la psychanalyse, et en éclaire les impasses. Les apports les plus importants pour la littérature viennent des trois études de la première partie. Celle qui donne son titre au livre a joué un rôle essentiel dans les débats sur la critique des années 70. Elle discute la place de la théorie et de la méthode dans les études littéraires, les situant de préférence dans l'après-coup du retour sur soi. La compréhension critique exige pour Starobinski une démarche complexe, capable de coïncider avec l'œuvre, mais aussi de s'en détacher. Il la fait reposer sur la rigueur historique et philologique, mais ne dissimule pas qu'elle ne vaut que par l'interprétation qu'elle aventure, et que celle-ci, toujours de quelque façon anticipée, choisit et configure les éléments significatifs. L'acte critique se constitue ainsi dans un « trajet » qui va de l'œuvre à son auteur et à son contexte, et de l'œuvre à son interprète. Le troisième chapitre reprend ces questions en les éclairant par l'analyse fouillée d'un passage de Rousseau, qui constitue un modèle d'analyse textuelle (« Le Dîner de Turin »). Les généralisations qu'en tire Starobinski en font un apologue sur l'interprétation (le « cercle herméneutique »), digne d'être médité dans les études littéraires et dans toutes les disciplines qui ont affaire aux textes. Enfin, une étude très dense est consacrée à l'œuvre du stylisticien Leo Spitzer.

C. Re.

RELATION DES CHOSES DU YUCATAN [*Relación de las cosas de Yucatán*]. Œuvre de l'écrivain espagnol Diego de Landa (1524-1579), de l'ordre de Saint-François, publiée en 1566. Sa version française (1864), rédigée par l'abbé Brasseur de Bourbourg, comprend en outre les signes du calendrier, l'alphabet hiéroglyphique, une grammaire et un lexique de la langue maya. L'ouvrage commence par décrire le Yucatan, les trois États qui le composent, le gouvernement, le sacerdoce, la science, les livres. Un chapitre traite des calamités dont ce pays est le théâtre : ouragans, pestes, guerres qui précédèrent la conquête. Diego de Landa rapporte qu'un Indien annonça publiquement à ses compatriotes « qu'ils ne tarderaient pas à être assujettis à une race étrangère, que cette race leur prêcherait un dieu unique et la vertu d'un arbre qui, dans leur langue, s'appelle vahom-che, ce qui veut dire arbre érigé avec une grande vertu contre les démons ». L'auteur se garde de passer sous silence les atrocités commises par les Espagnols contre les indigènes : « Quelques grands seigneurs de la province de Cupul furent brûlés vifs, d'autres pendus... » Et ailleurs : « Je vis un grand arbre aux branches duquel un officier pendit un grand nombre de femmes indigènes, avec leurs petits enfants. » Pensant se disculper, les Espagnols « apportent pour exemple l'histoire, comme aussi le passage des Hébreux à la Terre promise où il y eut d'aussi grandes cruautés commises par ordre de Dieu ». Afin de défendre les indigènes contre leurs bourreaux, les franciscains s'établirent dans le Yucatan. Cependant, ils ne s'attirèrent pas la reconnaissance de leurs protégés : « Les principaux vices des Indiens étaient l'idolâtrie, la répudiation, les orgies où ils s'enivraient publiquement, l'usage où ils étaient de vendre et d'acheter des esclaves ; de là vint qu'ils commencèrent à haïr les religieux lorsque ceux-ci travaillèrent à les en détourner. » Bien entendu, les franciscains s'attirèrent le ressentiment de leurs compatriotes, qu'ils fussent prêtres ou militaires : « Mais en dehors des Espagnols, ceux qui donnèrent le plus de désagréments aux religieux, quoique en cachette, ce furent les prêtres, ce qui était assez naturel, puisqu'ils avaient perdu leur office et les profits qui leur en revenaient. » Suivent de très intéressants chapitres sur les châtiments infligés aux apostats (on supprime les sacrifices humains, mais on introduit l'Inquisition), sur les habitations, les ornements, les vêtements, les repas, les tatouages, la comédie, les instruments de musique, les ballets, les labours et les semailles, le commerce et la monnaie. « Les Yucatèques comptent de 5 en 5 jusqu'à 20, de 20 en 20 jusqu'à 100 ; de 100 en 100 jusqu'à 400 et de 400 en 400 jusqu'à 8 000. » L'auteur rend hommage aux femmes de ce pays, louant leur modestie et leur chasteté, et ne leur reprochant que leur coutume d'aplatir la tête de leurs enfants. La *Relation* s'achève sur les sacrifices cruels ou obscènes, les deuils, les statues renfermant la cendre des défunts, les idées de paradis et d'enfer, la computation de l'année et les signes qui président aux mois et aux jours. – Trad. Bertrand, 1864 (dans la *Collection des Documents dans les langues indigènes, pour servir à l'étude de l'histoire et de la philologie de l'Amérique ancienne,* tome III).

RELATION D'UN VOYAGE DE PARIS EN LIMOUSIN. Recueil de six lettres écrites en 1663 par le poète français Jean de La Fontaine (1621-1695) à son épouse, et publié à titre posthume en 1729 et 1820. Elles ont été écrites au moment où, à la suite de l'arrestation de Fouquet, son mécène, La Fontaine dut s'exiler, ou du moins marquer son souci de « se faire oublier » en province durant quelques mois, en compagnie de son oncle par alliance, Jannart, mêlé aux affaires de Fouquet (Mme Fouquet elle-même avait été aussi exilée à Limoges) : ils quittèrent Paris fin août 1663, et parvinrent à Limoges vers la mi-septembre ; les lettres retracent leur itinéraire durant cette période. Le genre de la relation épistolaire de voyage était alors en vogue, et La Fontaine pouvait penser à la publication d'un tel texte, en tout cas à une diffusion mondaine de ses lettres, par lectures et copies dans les salons, comme cela se faisait alors ; Racine, à la même époque, avait dû faire le voyage de Paris à Uzès et avait adressé, à La Fontaine entre autres, de telles lettres mondaines. Peu avant était paru avec succès le *Voyage en Languedoc* (*) de Chapelle et Bachaumont. Aussi le texte de La Fontaine ne relève pas tant d'une vraie correspondance privée et conjugale que d'un exercice de style mondain.

Il débute d'ailleurs par une adresse critique humoristique à son épouse, et en tire la justification que ses lettres auront l'utilité d'accoutumer celle-ci à connaître un peu d'histoire et de géographie. Tel qu'il le représente, ce voyage d'exil (un officier de justice est tout de même là pour accompagner et surveiller les deux voyageurs) s'apparente beaucoup à un voyage d'agrément. Il est entrecoupé de nombreuses étapes où l'on se repose et profite de l'occasion pour visiter le pays et les curiosités ou les monuments qui s'y trouvent. Il donne ainsi une description du Val-de-Loire, du château d'Amboise où il est allé en pèlerinage voir la pièce où Fouquet a été enfermé au moment de son arrestation, ou encore (lettre V) du château de Richelieu.

L'intérêt de ces lettres, au-delà de la simple anecdote, réside pour une part dans leur caractère de document sur les usages et les mentalités de l'époque. Mais d'un point de vue plus littéraire, outre leur humour, elles se présentent comme un exemple emblématique du style galant qui marque si fortement l'œuvre de La Fontaine. Signe proprement formel de cela : il y mêle des passages en vers, dès que le sujet ou le lieu décrit lui semble mériter une écriture plus travaillée, or le mélange des vers et de la prose était une des caractéristiques de ce style. Et c'est leur caractère même d'« exercices de style » dans le registre mondain alors à la mode qui leur confère un intérêt littéraire indéniable. A. Vi.

RELATIONS de Bentivoglio. Le cardinal italien Guido Bentivoglio (1579-1644), qui fut nonce apostolique en Flandre, puis en France, de 1607 à 1621, avant d'être élevé à la pourpre cardinalice, nous a laissé sur son activité diplomatique deux témoignages particulièrement précieux où s'affirment les qualités de l'homme et du diplomate : ce sont les *Relations au temps de ses nonciatures* [*Relazioni in tempo delle sue nunziature*], publiées en 1629, et les *Lettres diplomatiques* [*Lettere diplomatiche*]. Les *Relations* ont été écrites de 1607 à 1621 ; les plus remarquables appartiennent à la première période ; l'une, sur les Provinces unies de Flandre, comprend trois livres, riches d'informations importantes sur l'organisation administrative et les coutumes des diverses régions ; l'autre, relative aux provinces placées « sous l'autorité des sérénissimes archiduc Albert et archiduchesse doña Isabelle, infante d'Espagne, son épouse », contient d'utiles informations sur les mouvements religieux de l'époque. De la nonciature à Paris nous sont restés les chapitres sur les Huguenots de France et la relation sur la fuite d'Henri de Bourbon, prince de Condé. Celui-ci en effet, pour soustraire sa femme Marguerite de Montmorency aux désirs d'Henri IV, s'éloigna de Paris avec elle lors des dernières années qui précédèrent l'assassinat du roi ; cet épouvantable crime et l'émotion qui s'ensuivit sont racontés dans une page mémorable. On trouvera, dans les *Lettres diplomatiques,* un utile complément aux *Relations* se rapportant à son séjour à Paris. En effet, l'auteur y aborde les sujets les plus variés : politiques, religieux, littéraires et financiers. Sont particulièrement intéressantes les lettres où l'auteur nous entretient de ses difficultés avec les ordres religieux. On remarquera, ici et là, les portraits des principaux personnages de l'époque : Richelieu, Condé, Maurice de Nassau, Marie de Rohan, saint François de Sales, etc. Le style, tout de rectitude et de clarté, comme il convient à des informations d'ordre diplomatique, donne à l'ensemble de ces écrits une valeur littéraire certaine ; mais c'est surtout l'abondance des détails qu'elles contiennent qui en fait un remarquable document historique. – Trad. *Relations de Bentivoglio,* Rouillard, 1642.

RELATIONS de Cartier. Le célèbre navigateur français Jacques Cartier (1491-1557), chargé par François Ier de rechercher un passage vers l'Asie, quitta Saint-Malo en

1534 ; il gagna Terre-Neuve, puis, par le détroit de Belle-Isle, pénétra dans l'estuaire du Saint-Laurent. Au cours d'un second voyage, en 1535-1536, il remonta ce fleuve jusqu'au village indien de Hochelaga, sur l'emplacement duquel devait plus tard s'élever Montréal ; il prit possession de cette terre, jusqu'alors inconnue, qu'il baptisa Nouvelle-France, au nom de son roi. Par la suite, il accomplit deux autres voyages au Canada en 1541 et 1542. Ce sont les relations de ses deux premiers voyages qui nous sont parvenues, rédigées de sa main ; celle du deuxième voyage parut en 1545. Une excellente édition critique en a été publiée par Michel Bideaux (Montréal, 1986). Ces relations ont surtout un intérêt historique : pour les hommes du XVIe siècle, elles eurent la valeur d'un guide, tant le navigateur se montre scrupuleux sur les détails géographiques et maritimes. C'est d'ailleurs sur les choses de la mer que porte avant tout son attention, et il est plus minutieux pour noter la largeur et la profondeur du Saint-Laurent qu'habile à décrire les terres et les populations de l'Amérique. S'il saisit quelque trait pittoresque, Cartier l'enregistre sans commentaires : il note les vêtements des sauvages, leurs habitations, leur religion, leurs mœurs qu'il compare à celles des civilisés. Ce technicien sait mal rendre ses sentiments en face de la nature. Toutefois son exactitude est appréciable ; il ne cherche pas à étonner ses contemporains, qualité bien rare dans les récits des voyageurs de l'époque. Indirectement, ces *Relations* touchent à l'histoire littéraire ; Abel Lefranc a démontré dans son ouvrage : *Les Navigations de Pantagruel* (Leclerc, 1905), que Rabelais s'en était inspiré pour décrire les pérégrinations de Jamet Brayer, le pilote de Pantagruel — v. *Gargantua et Pantagruel* (*).

RELATIONS de Tortel. Recueil du poète français Jean Tortel (1904-1993) publié en 1968. À l'affût du moindre froissement, de la moindre fêlure qui s'insinue dans l'environnement le plus familier, le poète décèle ces « instants qualifiés » au cours desquels les objets entrent en relation, entamant un dialogue jamais refermé. Suspendu au-dessus du vide, le vers provoque un arrêt sur image, pour mieux faire glisser notre regard sur les arêtes du temps. Le titre de ce livre indique qu'il s'agit d'établir des passerelles entre le jardin-corps et le poème, inscrit en creux dans l'espace qu'il circonscrit. Au détour d'une feuille morte, cet espace se stratifie, couche d'humus où les élements, proportionnellement étudiés, s'agencent par niveaux et paliers. Notons la fréquence du vocabulaire topographique (terrasse, raccourcis, mesures, plans), associé à un lexique pictural et plastique (volumes, « composé de lumière et d'ombres », « tracé des branches »). Tout espace est ainsi délimité par un regard ambivalent qui transperce ou laisse durcir les choses derrière le vitrage. Le jardin réel est transformé au gré des mots, bêché par la langue, retourné par l'outil du poème ; comme un corps palpable, il respire, se modifie. Les couleurs chaudes (or, vert, noir, marron) donnent au jardin cet aspect tendre, épais et mou, grâce auquel nous y pénétrons mieux. « En vue de la métamorphose », ce jardin-texte est soumis à la loi du retournement, tandis que le désir fomente quelque complot contre la matière endormie : « Un mot, mais un autre à sa place, / Jardin rompu, la page déformée / Et moi, l'auteur de ce dégât. » O. H.

RELATIONS DE YI-TSIEN (Les) [*Yi-tsien-tche — Yijianzhi*]. Recueil de contes fantastiques composé par l'essayiste et nouvelliste chinois Hong Mai (1123-1202) entre les années 1161 et 1198, dans la tradition du genre tche-kouai (description d'anomalies, de faits ou de personnes sortant de l'ordinaire), développé à partir du IIIe siècle. L'ouvrage original devait compter deux mille sept cents anecdotes en quatre cent vingt chapitres, dont moins de la moitié a été conservée. Il représentait donc la plus grande collection d'histoires hormis le *Large recueil de l'ère T'ai-p'ing* (*). Hong Mai déclare rapporter les choses étranges entendues par lui, comme le faisait Yi-tsien d'après *Le Vrai Classique du vide parfait* (*) — d'où vient le titre du recueil. La matière du *Yi-tsien-tche* est tout à fait variée, et réunit des récits de rêves et de magie, d'immortels et de démons, de devins et de sorcières, des histoires de rétribution, de ministres honnêtes et de fils pieux. Mais l'ouvrage livre aussi bien des anecdotes que des prescriptions médicales, traite des poètes, de pharmacopée, de mœurs et de folklore ; autant du surnaturel que de l'humain, ce pourquoi on l'a considéré comme une source importante d'informations sur la dynastie des Song (960-1279). V. L.

RELATIONS DIPLOMATIQUES [*Relazioni diplomatiche*]. On désigne sous ce titre les documents qui nous sont restés de l'infatigable et généreuse activité que déploya l'écrivain italien Machiavel (Niccolo Machiavelli, 1469-1527) hors de Florence dans des fonctions d'importance diverse. Différents noms furent donnés à ces missions dans les actes officiels : on les appelle tantôt « expéditions », tantôt « légations », tantôt « commissions », selon l'importance de l'affaire. Nous avons les documents concernant dix « expéditions » (quatre auprès du seigneur de Piombino, deux auprès de Guichardin, une auprès des armées assiégeant Pise, une en divers points du territoire florentin, une autre auprès du seigneur de Monaco et une enfin au camp de la Ligue qui assiégeait Crémone) ; dix « commissions » (à Pistoie ; à Arezzo ; à Sienne ; à Pise, lors du Concile ; à Pise, en d'autres lieux du territoire et au-dehors, pour enrôler des soldats ; deux au camp mis devant

Pise ; deux dans le territoire) ; dix-sept « légations » (auprès de la comtesse Catherine Sforza ; du duc de Valentinois ; de Giampaolo Baglioni ; du marquis de Mantoue ; de l'Empereur ; au Chapitre des Frères Mineurs à Carpi, à Venise, à Mantoue ; deux à la cour de Rome ; trois à Sienne ; quatre à la cour de France). À ces documents, souvent prolixes, qui comprennent de nombreux rapports très détaillés, ainsi que des ordres de mission, des instructions officielles, des lettres de créance, des notes confidentielles, etc., il faudrait joindre d'autres écrits politiques mineurs de Machiavel, qui sont plus ou moins liés à son activité d'ambassadeur et de représentant de la République florentine. Il faudrait surtout rapprocher des *Relations diplomatiques* divers écrits de Machiavel qui, tout en se rapportant à telle ou telle mission particulière, dépassent, par l'inspiration et la portée, la contingence de chacune : *De la manière de traiter les populations révoltées de la Valdichiana* [*Del modo di trattare i popoli della Valdichiana ribellati*] ; *Description de la manière employée par le duc de Valentinois pour supprimer Vitellozzo Vitelli, Oliverotto de Fermo, le seigneur Pagolo et le duc de Gravina Orsini ; Résumé des affaires de la ville de Lucques* [*Sommario delle cose della città di Lucca*] ; *Rapport sur les choses de la France* (*) ; *Rapport sur les choses de l'Allemagne* (*) ; *Discours sur les affaires d'Allemagne et sur l'empereur* [*Discorso sopra le cose della Magna e sopra l'Imperatore*] ; *Instructions à Raffaello Girolami envoyé auprès de l'Empereur d'Espagne* [*Istruzione a Raffaello Girolami legato all' Imperatore di Spagna*]. Les ambassades de Machiavel s'étendent de 1499 à 1510, depuis la visite à Catherine Sforza, qui tenait Forli, jusqu'à la dernière légation à Piombino pour mettre fin à l'interminable guerre de Pise ; depuis les nombreuses enquêtes à propos de la guerre pisane et du comportement des mercenaires du roi de France jusqu'à l'ambassade à Paris pour y signaler des abus et demander des secours ; depuis la première rencontre avec le duc de Valentinois au camp français jusqu'à la visite à la Valdichiana qui se révolte pour favoriser la marche de l'ennemi. En janvier 1503, Machiavel est ambassadeur en Romagne auprès du duc de Valentinois, qu'il voit se débarrasser audacieusement, par le fameux massacre de Sinigallia, de quelques dangereux rivaux ; le même duc de Valentinois lui paraîtra faible et vaincu lors de sa légation à Rome à l'occasion du conclave tenu après la mort de Pie III. En 1504, il est de nouveau à Paris, et à Piombino toujours pour la guerre de Pise ; en 1505, il est à Sienne et auprès de Jules II devant Pérouse ; en 1508, dans le Trentin, auprès de l'empereur Maximilien. Il y a là de la part de Machiavel une prodigieuse activité, inspirée par un ardent amour de la patrie, dont l'accent perce souvent sous la prose sèche et nerveuse de ses rapides relations, bien différentes des froides et solennelles missions que ses maîtres lui assignaient.

RELATION SUR LE QUIÉTISME. Œuvre que Jacques-Bénigne Bossuet (1627-1704), prédicateur et théologien français, publia en 1698. C'est un document d'une importance primordiale sur la lutte que mena l'évêque de Meaux contre le quiétisme (doctrine enseignée par Molinos, jésuite espagnol — v. *Le Guide spirituel* (*) et le *Moyen court et très facile de faire oraison* (*) de Mme Guyon — qui prétendait que l'âme pouvait arriver, par la contemplation de Dieu, à une quiétude absolue) et contre son principal défenseur Fénelon. Ce dernier, nommé depuis peu archevêque de Cambrai, avait exposé l'essentiel de la doctrine nouvelle dans l'*Explication des maximes des saints* (*) (1697). Et Bossuet entendait montrer aux fidèles ce qu'une pareille position pouvait avoir d'équivoque. Une fois de plus, Bossuet considère la Foi comme un héritage sacré, auquel la moindre discussion, le moindre doute causent nécessairement quelque tort. De sorte que c'est pour chacun de nous un devoir impérieux que de taire ce qu'ont pu faire naître de vagues rêveries sentimentales, et de s'en tenir au concret et aux fortes affirmations que contiennent les textes sacrés, pour le triomphe de la vérité et du Christ. Si tenace et si rude fut la polémique dirigée par Bossuet contre son adversaire que Fénelon fut finalement condamné par la Curie romaine (1699), et envoyé en exil dans son évêché de Cambrai — v. aussi *Lettres* (*) de Bossuet.

RELÈVE DU MATIN (La). Roman de l'écrivain français Henry de Montherlant (1896-1972), publié en 1920. Ce premier ouvrage de Henry de Montherlant, écrit entre 1916 et 1918, est profondément inspiré par la jeunesse, le goût de l'action et du danger. C'est une sorte de poème en prose, fait de conversations dans lesquelles l'auteur est aux prises avec le monde qu'il découvre. C'est la période de l'innocence, de la pureté dans laquelle l'adolescent glorifie la noble camaraderie, la guerre, la mort et l'amour-propre. Montherlant raconte sa propre adolescence catholique et sa vie partagée entre la pratique des sports, une des grandes joies de sa jeunesse, et la création littéraire, qui prend une place de plus en plus grande dans sa vie. Pour Montherlant, « l'action est la sœur du rêve ». Cette œuvre de jeunesse n'est pas sans maladresse ; d'ailleurs, l'auteur déclare dans sa préface à l'édition définitive : « Les défauts sont visibles [...] Fleuri, tarabiscoté, impropre et prolixe, le style de ces pages est le plus souvent indéfendable. » Cette « maladie de la jeunesse » va jusqu'au bout, rentre dans la phrase, pour souvent en renforcer la pureté. Mais, au travers de quelques lourdeurs, on sent se dessiner le style varié, puissant et riche de celui qui, six ans plus tard, écrira *Les Bestiaires* (*). Tous les thèmes principaux de l'œuvre de Montherlant sont d'ailleurs déjà présents, et l'importance de cet ouvrage vient de ce que ces thèmes, qui seront plus tard analysés et repris avec la lucidité de l'âge mûr, sont ici traités avec la fougue et la naïveté de la jeunesse.

RELEVÉS D'APPRENTI. Recueil d'essais théoriques du compositeur français Pierre Boulez (né en 1925), publié en 1966. Paru trois ans après *Penser la musique aujourd'hui* (*) (1963), cet ouvrage réunit la plupart des écrits publiés par Pierre Boulez entre 1948 et 1962, en les regroupant thématiquement sous quatre rubriques : 1) « En vue d'une esthétique musicale », 2) « Pour une technologie », 3) « Quelques éclats », 4) « Notices pour une encyclopédie musicale ». Bien qu'il s'agisse d'un recueil, et que le lecteur soit invité à opérer un choix individuel dans la succession des textes, un tel ordonnancement est tributaire de la position adoptée par Boulez en face de l'évolution de la composition musicale au tournant des années 60, notamment sur les questions ayant trait aux différents degrés d'indétermination de la forme. Selon la perspective boulézienne, le choix des moyens techniques procède de celui des catégories esthétiques ; suivent alors les modes de présentation, qui adoptent un ton soit polémique, soit détaché. L'ordre chronologique de parution a suivi un parcours quelque peu inversé, en ce que les questions techniques ont précédé celles touchant l'esthétique : de 1948 à 1953, Boulez se distancie à la fois du néo-classicisme stravinskien et du dodécaphonisme schoenbergien, au moyen d'une coordination entre polyphonie et rythme d'après l'exemple du dernier Webern, aboutissant au sérialisme généralisé : *Éventuellement...* (1952) ; la recherche s'engage ensuite dans le domaine électronique d'une part (« À la limite du pays fertile », 1955), et sur les formes à parcours variable de l'autre (« Aléa », 1957) ; la dernière période (1958 à 1962) offre un bilan rétrospectif des étapes précédentes, les questions laissées en suspens seront reprises et approfondies dans *Penser la musique aujourd'hui*. Tour à tour technique et polémique, ce recueil offre un éventail assez complet du parcours accompli par Boulez de la découverte du sérialisme aux œuvres de la maturité, de la formulation théorique à l'expansion des moyens d'expression matériels et formels. Il demeure un document exemplaire de la transformation de la sensibilité musicale européenne au lendemain de la Seconde Guerre mondiale. R. Pi.

RELIGIEUSE (La). Roman de l'écrivain français Denis Diderot (1713-1784), écrit en 1760, d'abord diffusé dans la *Correspondance* (*) de Grimm en 1780, puis publié, après la mort de l'auteur, en 1796. Cette satire, pleine de mouvement, des mœurs dans un couvent de femmes au XVIIIe siècle est une chaleureuse apologie de la liberté individuelle. Comme *Le Neveu de Rameau* (*), ce roman procède à la fois du réel et de l'imaginaire, ayant pour origine les mésaventures de certaine demoiselle Suzanne Delamare, ou Saulier, ou encore Simonin, qui, en 1758, avait accusé sa mère de l'avoir enfermée de force à l'abbaye de Longchamp, puis au couvent Sainte-Marie de la rue du Bac, et une amusante mystification ourdie par Diderot, Grimm et quelques autres compères au détriment d'un de leurs amis, le marquis de Croismare, homme sensible qui s'était fort intéressé au sort de la jeune fille, sans parvenir à lui faire gagner son procès. Deux ans plus tard, le marquis, se trouvant dans ses terres de Normandie, se laisse aisément persuader que Suzanne, transférée dans un autre couvent, a réussi à s'échapper. Les lettres soi-disant signées par l'ex-religieuse émeuvent à ce point leur destinataire qu'il invite Suzanne à venir à Caen, où il lui trouvera un emploi honorable. La plaisanterie dura longtemps, jusqu'au jour où Diderot se décida enfin à faire mourir l'héroïne. Mais l'écrivain ne s'en tint pas là. En marge de cette correspondance, il avait entrepris un récit des malheurs de la religieuse, qu'il ne devait terminer que plus tard. Telle est l'origine de cet ouvrage, la contrepartie, disait Diderot, de *Jacques le Fataliste* (*), et qu'il estimait de ses meilleurs. Il y mit toute sa conviction : « Un jour, rapporte Grimm, qu'il était tout entier à ce travail, M. d'Alainville le trouva en larmes, disant : “Je me désole d'un conte que je me fais.” » Rien de plus subtilement malicieux que ce « conte » où sont crayonnées sur le vif des figures de moniales et de confesseurs, notamment la tendre abbesse de Longchamp dont le dessein « n'était pas de séduire, mais certainement c'est ce qu'elle faisait », la mère Sainte-Christine, méchante et férue de théologie, qui inflige à la jeune Suzanne un vrai martyre, la faisant flotter « entre la résignation et le désespoir », et surtout l'inoubliable supérieure de Saint-Eutrope, si prompte à déshabiller ses filles, à les baiser sur la bouche, et qui éprouve pour Suzanne le « goût » le plus vif : « Elle baissa les yeux, rougit et soupira ; en vérité, c'était comme un amant. » Le caractère de sœur Marie-Suzanne, religieuse malgré elle, approfondi dans son humanité charmante où la candeur fait si bon ménage avec la coquetterie : « Il y avait bien quelque chose de vrai dans ses louanges, dit-elle à propos de la supérieure de Saint-Eutrope, j'en rabattrais beaucoup, mais non pas tout. » Et de conclure avec gentillesse : « Je suis une femme peut-être un peu coquette ; que sais-je ? Mais c'est naturellement et sans artifice. » Sœur Suzanne en fin de compte, suivant les conseils d'un bénédictin, son confesseur, qui, lui aussi, est entré en religion malgré lui, recouvre la liberté, rompant ainsi des vœux qui, selon l'idée très chère à Diderot, « heurtent la pente générale de la nature ».

RELIGIO MEDICI. Ce singulier livre du médecin et écrivain anglais sir Thomas Browne (1605-1682) fut écrit en 1635 comme un « exercice privé », c'est-à-dire sans la moindre intention de le faire imprimer. Il circula quelque temps sous forme de manuscrit, suscitant partout le plus vif intérêt, jusqu'à ce qu'en 1642 sir Thomas en reçût, en hommage, un exemplaire d'une édition faite en fraude. Cette édition comportait tant d'erreurs et de défauts qu'il fut contraint, « bien qu'à contrecœur, de fournir une copie complète et véridique » de l'œuvre. Cette édition parut en 1643. Il est impossible de résumer le contenu de la *Religio medici,* car le livre ne présente ni trame ni schéma de pensée. C'est une confession, conduite selon les plus fugaces associations d'idées, de quelques opinions de l'auteur sur les principaux dogmes de la religion (première partie) et de la morale chrétienne (seconde partie). Sir Thomas repousse l'accusation d'hérésie ou d'athéisme, portée contre les médecins de son temps en général, et contre lui en particulier, par quelque zélé pasteur. Mais son anglicanisme est si tolérant qu'il se déclare prêt à vénérer toute autre forme de religion, « serait-ce même la papiste ». Il aime résoudre à sa façon le conflit qui oppose la science et la foi. Il reconnaît qu'il y a des dogmes qui dépassent les forces humaines et, en bon médecin qu'il est, il se garde bien de trop se fatiguer la tête. Empreint de mysticisme platonicien, dont il avait été nourri à l'université d'Oxford et à celle de Padoue, il voit le monde comme un magnifique vêtement aux couleurs infinies, qui cache une réalité mystérieuse. Sa curiosité est insatiable, son intérêt infatigable. Il s'échauffe à discuter de sujets qui auraient semblé à d'autres insignifiants, tels que les diverses dispositions d'âme des anges gardiens ou le combustible qui alimente pour toujours le feu de l'enfer. Il ne cache pas sa sympathie qui s'étend à toute forme d'êtres vivants, exception faite du diable et de la multitude. Il n'a pas de préventions : « Je digérerais une salade qui aurait été cueillie dans un cimetière tout aussi bien que si elle avait été cueillie dans un jardin. » « Si j'aperçois un crapaud ou une vipère, je ne découvre pas en moi le moindre désir de ramasser une pierre pour les détruire. » « Je contemple Français, Italiens, Espagnols ou Hollandais sans aucune idée préconçue !... j'ai pour tous la même révérence, le même amour et la même affection. » Dans une invocation qui termine le livre, il prie Dieu de bien vouloir lui conserver la paix de la conscience, la maîtrise de ses passions et l'affection de ses amis les plus chers : car, alors, il se sentira « assez heureux pour plaindre César ». Mais peut-être plus encore que dans le contenu, plus que dans la mentalité sympathique de l'auteur, la valeur de ce livre réside-t-elle dans le style : ample, souple, musical, toujours personnel, malgré l'imitation de la forme latine. *Religio medici,* traduit en latin en 1644, conquit d'un seul coup tout le continent, comme il avait déjà conquis l'Angleterre. À Paris, on crut que son auteur était catholique, mais l'Église mit le livre à l'Index en 1646. Ceci cependant n'en amoindrit pas le succès ; au contraire, les traductions en français, en flamand et en allemand augmentèrent pendant tout le XVIIe siècle. Depuis cette époque, la *Religio medici* n'a pas cessé de faire les délices des lettrés — Trad. Stock, 1947.

RELIGION (De la). Traité du philosophe et écrivain français Félicité Robert de Lamennais (1782-1854), publié en 1841. L'auteur estime que jamais n'ont paru aussi nécessaires les consolations de la religion ; dans son développement, parallèle à celui des conquêtes sociales, le christianisme a donné la foi aux affligés. La religion ne peut que faire croire à la justice ; de sorte que l'esprit humain, libéré du passé, se sent irrésistiblement entraîné vers l'idéal et vers la vérité. L'intelligence et l'amour sont les deux fondements d'une religion : la religion est donc la loi éternelle de l'humanité dans son effort de renouvellement. L'œuvre s'inspire des tendances démocratiques de Lamennais ; bien que s'attardant sur des points de doctrine, elle atteint à une chaleur, à une force de conviction qui l'apparentent aux *Paroles d'un croyant* (*) et au *Livre du peuple* (*).

RELIGION (La). Poème de l'écrivain français Louis Racine (1692-1763), publié en 1742 et se composant de six chants. Il se propose de montrer la vérité et la beauté du christianisme, en s'élevant contre les incrédules et les athées de tous les temps. La vérité fondamentale est l'existence de Dieu. La première preuve qui nous en est offerte est la beauté de la nature et l'harmonie universelle ; de plus, la recherche de ce Dieu par les hommes de tous les temps et de tous les pays, ainsi que la conscience intérieure que nous avons de sa nécessité dans le cosmos, nous confirment dans cette certitude (Chant I). L'homme entend en lui la voix de son Créateur ; le langage lui-même le guide pour retrouver le Verbe divin (II). Seul le Christ, qui vint après l'attente du Messie imposée au peuple d'Israël, peut donner la foi en la vérité divine (III). La venue du Sauveur et la divulgation de la bonne nouvelle sont de nouveaux et décisifs témoignages de la volonté divine (IV). La religion illumine l'esprit et donne au cœur la véritable paix : les philosophes souvent impies, qui nient cette vérité, sont dans l'erreur ; de même les déistes qui, par une tolérance universelle pour toute religion, propagent l'idée abstraite d'un Dieu : les uns et les autres sont à condamner, car ils augmentent l'orgueil criminel de l'homme (V). À plus forte raison, ceux qui renient la religion par leur mauvaise conduite sont à exécrer. Le Jugement dernier achèvera l'œuvre de la religion, révélée par la volonté divine le jour même de la Création.

RELIGION ANTIQUE (La) [*Die antike Religion*]. Essai du philologue et historien des religions hongrois d'expression allemande Charles Kérényi (1897-1973), publié en 1940. Kérényi a tenté de faire la synthèse de l'histoire des religions, de la philosophie et de la phénoménologie. Ainsi, dans ce livre, il se propose moins de nous donner une histoire des deux grandes religions antiques (grecque et romaine) que d'en dégager l'élément stable, et ce faisant il applique aux religions un point de vue réservé jusque-là à l'histoire de l'art. Pour cette dernière, il existe en effet un élément stable : la qualité artistique, qui ne distingue qu'entre le « vrai » et le « faux ». En cas d'absence de cette qualité, on ne saurait même pas envisager une histoire de l'art. Mais il en est de même pour les religions, car il existe une « qualité religieuse » que la longue expérience humaine doit permettre de juger comme « vraie » ou « fausse ». Ce parallèle amène l'auteur à en établir un autre entre le style des phénomènes artistiques et des phénomènes religieux. Par ailleurs, Kérényi propose une « philosophie de la religion antique » qui, tenant compte de la pensée philosophique contemporaine, décrit l'attitude religieuse grecque et romaine en fonction de la civilisation qu'elle sous-tend. Kérényi, par attitude religieuse, entend la manière qu'a l'homme de se présenter devant la divinité, et plus largement de se présenter devant l'absolu, ce qui l'amène à définir la relation des peuples grec et romain avec l'absolu. Un chapitre particulier est consacré au symbolisme dans la religion antique. Pour Kérényi, l'essence du symbole antique réside dans son caractère d'« abrégé ». Tel qu'il apparaît dans le culte sous forme d'acte rituel, cet abrégé était une nécessité : les mythes servant de base aux rites, on ne pouvait les reproduire qu'abrégés par des actes, mais ces actes n'étaient symboliques que dans la mesure où ils représentaient des initiations abrégées maintenant la distance entre le divin et l'humain. Ce rôle du symbole dans la religion antique est important, car l'homme de cette époque n'aurait pu, semble-t-il, se former une idée de l'absolu en dehors de son intermédiaire. — Trad. Georg & Cie, Genève, 1957.

RELIGION CHRÉTIENNE (De la) [*De christiana religione*]. Œuvre philosophique de l'humaniste italien Marsile Ficin (Marsilio Ficino, 1433-1499), composée en latin vers 1477. Elle est très importante pour qui veut approfondir la position spirituelle du célèbre fondateur de l'académie platonicienne florentine, et mieux saisir certains éléments de sa religion naturelle dans leur connexion avec les problèmes de la théologie chrétienne. Pour se défendre de l'accusation d'irréligion, Ficin s'efforce d'expliquer sa pensée suivant les données de l'orthodoxie catholique : il développe notamment cette idée, qui lui était si chère, selon laquelle il existerait un Dieu universel devant lequel tous les hommes, quelle que soit leur croyance, s'inclinent, pourvu qu'ils aient un cœur pur et qu'ils désirent le bien. Ses affirmations sont, ici, studieusement corrigées et transformées en une apologie des principes chrétiens. Néanmoins, de page en page réapparaît, toujours plus puissante, la conviction qu'il est possible d'instituer une religion universelle, où tous les hommes seraient unis dans l'amour de Dieu et de leurs propres frères, et cette religion ne peut être manifestement que la religion naturelle, vers laquelle nous sommes inévitablement portés, hors de tout mythe ou de toute foi aveugle. Ainsi philosophie et religion s'identifient en un platonique amour de la science, l'auteur s'étant fixé pour but (comme Érasme plus tard) de fondre la civilisation classique avec le message nouveau du christianisme. L'œuvre fut traduite en italien par l'auteur lui-même. — Trad. Beis, 1578.

RELIGION CONSIDÉRÉE DANS SA SOURCE, SES FORMES ET SON DÉVELOPPEMENT (De la). Œuvre en cinq volumes de l'écrivain français d'origine suisse Benjamin Constant de Rebecque (1767-1830) ; *De la religion* est vraiment l'œuvre de toute la vie de Benjamin Constant. Il en avait conçu le plan dans sa jeunesse et il y travailla jusqu'à sa mort, pendant les rares périodes de calme de sa vie agitée, surtout lors de son séjour en Allemagne ; il mentionne dans son journal qu'il est en plein travail en 1804. En 1830, la publication de la *Religion* n'était même pas achevée et le dernier volume ne parut qu'en 1831. Mettant à profit les innombrables lectures entreprises depuis son enfance, Constant utilisa en particulier les livres des historiens allemands de la religion : les *Idées sur la philosophie de l'histoire de l'humanité* de Herder et le *Discours sur la religion* de Schleiermacher ; enfin, dans le domaine français, *L'Esprit des lois* (*) de Montesquieu fut, selon son propre aveu, un guide dans ses travaux. La thèse que soutient Constant dans son gros ouvrage peut se résumer en quelques lignes. Essayant de dégager les constantes des différentes religions connues, il expose qu'elles dérivent toutes d'un sentiment religieux universel, « attribut essentiel, qualité inhérente de notre nature », et qu'elles sont les formes successives du développement, à travers le progrès du genre humain, de ce fait primitif commun. Dans leurs évolutions, les religions suivent un processus identique : à leur naissance, leurs particularités distinctives proviennent d'une adaptation provisoire d'une certaine forme religieuse à un état donné de civilisation ; mais cet accord se rompt fatalement, au moment où la civilisation s'est modifiée alors que les formes religieuses se sont, elles, figées dans la tradition ; enfin, les religions disparaissent lorsqu'elles ne peuvent plus satisfaire les nouveaux besoins spirituels nés du progrès des connaissances et de l'évolution de l'esprit humain. Une période d'incrédulité suit cette disparition jusqu'à ce qu'un nouvel accord, provisoire lui aussi, se fasse entre cette aspiration qui survit aux religions et le nouvel état de civilisation. Benjamin Constant pense que ces alternatives d'incrédulité et de foi déterminent en définitive un progrès de la religion, qui devient d'étape en étape de plus en plus parfaite et de mieux en mieux adaptée à ce sentiment religieux fondamental. Il suit ce développement à travers les religions des primitifs, de la Perse, de la Grèce, de la Scandinavie, les religions extrême-orientales, etc. Son livre étudie le problème religieux sous un angle encore inhabituel surtout en France, celui de l'étude comparée des religions et, partant de cette étude, il tente d'en tirer une philosophie de la religion. Cette discipline avait déjà fait ses débuts en Allemagne, peu avant la parution de son livre. Cependant, les sources d'une étude comparative des religions étaient encore insuffisantes à cette époque pour permettre à cette nouvelle discipline un développement vraiment scientifique. *De la religion* eut pourtant le mérite d'attirer l'attention des chercheurs sur ce domaine encore inexploré. L'ouvrage lui-même est d'une lecture intéressante : Benjamin Constant appuie sa thèse sur une érudition généralement solide, encore que quelquefois elle soit un peu incertaine ; ses développements, parfois embrouillés, n'en contiennent pas moins des vues profondes, ingénieuses et très audacieuses pour l'époque.

RELIGION DANS LES LIMITES DE LA SIMPLE RAISON (La) [*Die Religion innerhalb des Grenzen der blossen Vernunft*]. Œuvre du philosophe allemand Emmanuel Kant (1724-1804), publiée en 1793. Elle se propose de distinguer, à l'intérieur de la religion, les éléments d'une foi morale purement rationnelle, qui en constitue le sens, des éléments révélés, culturels, et de montrer la nature des rapports qui les lient. Après avoir défini la nature morale de l'homme comme ce fond subjectif, originel, impénétrable, préexistant aux actions individuelles, mais non déterminé par des causes physiques, en vertu duquel l'homme se fixe une règle fondamentale de conduite, Kant découvre en elle une disposition au bien, qui trouve son expression la plus parfaite dans l'adoption de la loi morale comme critère absolu, mais aussi un penchant au mal qui consiste non pas dans les inclinations sensibles, en elles-mêmes innocentes, mais dans la tendance à établir entre le mobile sensible et le mobile moral un rapport inverse à celui de l'ordre éthique, en subordonnant le second au premier. L'origine de ce mal est incompréhensible, puisqu'on ne saurait l'attribuer ni à l'hérédité des premiers ancêtres ni à aucune autre cause temporelle, mais seulement à notre liberté même, sans laquelle il ne saurait nous être reproché. Non moins incompréhensible est la possibilité de rétablir en nous la disposition au bien, qu'il nous faut admettre, puisque la loi morale nous en donne l'ordre impératif. Nous ne pouvons l'atteindre que par nous-mêmes, en vertu d'une révolution intérieure, véritable renaissance, où l'homme est soutenu par le sentiment de la noblesse de sa destination morale. Seules les religions impures font dépendre la conversion, et le redressement progressif de la conduite qui en résulte, d'un Dieu dispensateur de « faveurs » ; la religion morale au contraire pose l'effort personnel comme condition première d'une aide d'en haut, la grâce, nécessaire à suppléer à la faiblesse de l'homme. Dans la vie sensible, comme l'homme ne peut que se rapprocher graduellement de l'idéal du bien sans jamais l'atteindre, la lutte entre le principe du mal et celui du bien ne cesse jamais. Elle est représentée dans l'Écriture comme l'histoire d'une lutte entre deux principes extérieurs à l'homme. La théocratie judaïque ne connut que des lois du culte et des mœurs sans rapport avec l'intériorité de l'intention morale ; mais, avec l'apparition de Jésus-Christ, le principe du bien s'incarne parfaitement en un homme réel, modèle de tous les autres. Ainsi Kant découvre au Nouveau Testament un sens qui s'accorde avec la religion morale enseignée par la raison. L'acquisition du bien suprême, fin morale ultime, suppose la constitution d'une société éthique « fondée par et pour les lois de la vertu », qui s'étendrait progressivement à tout le genre humain. Dieu seul peut être le législateur d'une telle communauté, étant donné qu'en elle tous les devoirs fondés sur le commandement de la raison doivent pouvoir être représentés comme les commandements de Celui qui scrute les cœurs et connaît les intentions cachées. Une telle union morale des justes en une Église invisible ne peut se traduire en pratique que sous forme d'une Église visible, que l'homme doit soutenir par son activité. Mais, étant donné la faiblesse de la nature humaine, on tend dans celle-ci à concevoir la religion comme un culte et non comme un accomplissement de devoirs moraux, ce qui nécessite l'introduction de statuts qui présupposent une révélation et s'appuient sur la tradition et sur un livre déclaré sacré. Mais l'observance des statuts ne devrait pas être considérée comme une condition indispensable au salut, puisque tous les hommes ne peuvent les connaître, ni comme une fin en soi. La fin morale suprême implique donc la foi en un Dieu seigneur moral du monde, législateur sacré, conservateur bienveillant et administrateur, juge équitable, sur l'essence duquel nous ne pouvons avoir toutefois aucune lumière théorique. Ce « mystère », auquel l'homme ne peut accéder que sous forme d'« idée pratique », est devenu le fondement moral de la religion lorsqu'on commença à l'enseigner publiquement au moyen de formules solennelles, comme symbole d'une nouvelle ère religieuse. Reconnaissant dans le christianisme tant les éléments de la religion naturelle que ceux de la religion cultuelle (ou « savante »), Kant met en lumière les premiers par une analyse des enseignements moraux de l'Évangile, qui prêchent tous la pureté de l'intention plutôt que l'observation du culte ou le simple accomplissement de gestes extérieurs. Quant aux articles de foi révélée, ils présupposent la connaissance de faits historiques et de miracles, celle de textes sacrés dans la langue originale, c'est-à-dire toute une érudition (science des Écritures) ; aussi ne saurait-on en faire dépendre le salut de l'humanité ; les ignorants ne peuvent l'accepter qu'avec une foi servile. Une Église où domine le culte, quelle que soit la forme de son organisation (hiérarchique comme dans l'Église catholique ou démocratique comme dans l'Église protestante), est nécessairement un régime sacerdotal despotique qui « confisque à la multitude sa liberté morale ». Pour qu'il en soit autrement, l'enseignement de la doctrine de la vertu doit, dans une Église, précéder celui de la doctrine de la piété. En effet, l'idée de vertu existe en soi, puisqu'elle est gravée dans les cœurs, et l'homme s'élève jusqu'à l'idée de la divinité, législatrice de la vertu, en prenant conscience de celle-ci et de la dignité humaine. Avec cette philosophie de la religion, Kant dépasse nettement les positions des philosophes de son temps ; en effet, il découvre dans la raison la source d'une « foi pratique », capable d'explorer, par-delà le domaine étroit de la connaissance intellectuelle, le monde suprasensible. – Trad. Vrin, 1943 ; Gallimard, 1986.

RELIGION D'UN SCEPTIQUE (La) [*The Religion of a Sceptic*]. Essai de l'écrivain anglais John Cowper Powys (1872-1963), publié en 1925. Ce petit livre est né de la querelle entre chrétiens conservateurs et chrétiens modernistes et de sa résurgence dans les premières décennies de ce siècle. Le point de vue soutenu par l'auteur est celui d'un tiers irrité, mais le titre de l'essai indique bien que sa distance n'est pas une indifférence. Parmi les réflexions que lui suggère la « vieille controverse », certaines ont encore, aujourd'hui, leur force et leur importance. Rejetant la tendance moderne qui consiste à réveiller la foi par un appel à notre amour de la sensation (il n'est pas inutile de savoir que le livre fut écrit en Amérique), Powys exprime pour les croyants le simple désir de trouver dans les temples la « calme et triste musique de l'humanité ». Mais « une foi rationnelle est une contradiction dans les termes » et, pour beaucoup, le désir même de croire a disparu. « À la vérité, nous avons atteint un niveau de la conscience humaine où, pour les esprits de tour imaginatif, ce que nous appelons théologie est devenu mythologie, tandis que par moralité nous n'entendons plus que casuistique ; quant à la Rédemption, elle est devenue l'adaptation d'un certain type de tempérament au chaos de la vie. » Or Powys n'est pas contre cette vision de la religion comme mythologie. Au contraire : cela lui restitue le charme sacramentel qu'elle avait avant les dogmes. « Le christianisme est réduit à une philosophie appauvrie lorsqu'il n'utilise pas l'idée sacramentelle ; et c'est ce qui donne aux Églises romaine, anglicane et grecque leur supériorité sur les autres – hormis les Quakers », ajoute Powys.

Powys propose son interprétation de la religion : « L'humanité, en réalité, ne peut jamais adorer que la magie de l'univers. » Or celle-ci est complètement indépendante de la présence ou de l'absence de la foi. Ce qu'il appelle « compréhension esthétique » du secret de la religion, c'est l'adhésion à la proposition suivante : la poésie des traditions séculaires est le moyen d'« augmenter » l'existence de l'homme sur la terre et de lui faire supporter la confusion inhérente à l'expérience. La religion, pour Powys, est une recherche du temps passé, de la dimension collective de la conscience universelle. Alors la Résurrection prend un sens tout différent de la métaphysique ou de l'éthique : elle n'explique en rien le mystère de la vie, elle ne contribue en rien à l'édification de la force morale. Mais elle agit sur nous comme une subtile œuvre d'art.

Dans la Nativité, Powys voit « la vie réduite en ses termes les plus simples, puis rehaussée par la myrrhe et l'encens de la poésie pure ». Or il y a une fusion intime entre cette essence matricielle du christianisme et l'Occident, dont l'expression artistique se trouve dans *L'Idiot* (*) de Dostoïevski, et dans Shakespeare. En d'autres termes, le christianisme n'est que l'apogée d'une mythologie séculaire et anonyme et d'un besoin séculaire et anonyme de mythologie. L'inévitable passage du prophète au prêtre réduit l'inspiré au sacro-saint ; l'Église est fatalement conservatrice. Ce scepticisme n'a rien à voir avec la « pose complaisante de rectitude philosophique qui donne une sorte d'onction morale à tant de philosophes ». Il n'a rien de commun avec le stoïcisme. Il trouve dans la contemplation de la beauté quelque chose qui ressemble à l'amour du Christ. Sa plus haute expression est Shakespeare. « Ce qu'exige notre nature instinctive, c'est une mythologie, non une théologie. Sans l'élément mytho-poétique concret de la tradition, la théologie est aussi morte que la science des Aztèques. » La question « Suis-je sauvé ? » est morbide : elle aveugle l'homme au moment où lui apparaît un paysage adorable. « Né de la Vierge Marie [...] ressuscité d'entre les morts... » Le jour où ces mots ne provoqueront plus que l'émotion de la foi ou celle du refus, la poésie aura disparu d'entre les hommes, conclut Powys.

Cet essai, plus ambitieux qu'il n'y paraît, emprunte parfois, par coïncidence, ses méthodes à la psychanalyse et à l'anthropologie. Mais, contrairement au danger qu'Albert Béguin signalait si bien dans sa préface à *L'Âme romantique et le rêve* (*), Powys ne prétend pas *guérir* l'homme de la religion, au contraire : il entend conserver ce qui en elle est l'expression des rapports de l'homme avec le sacré des choses. Plus généralement, comme dans son œuvre romanesque, il entend redécouvrir un sens à l'existence par la simple conscience rehaussée de la beauté des éléments immémoriaux de toute vie.

M. Gr.

RELIGIONS AFRICAINES AU BRÉSIL (Les). Œuvre du sociologue et ethnologue français Roger Bastide (1898-1974), publiée en 1960. Après une première partie sur « Le Double Héritage », portugais et africain, du Brésil qui compte 6 % de Noirs et 37 % de mulâtres, descendants métissés des esclaves africains transportés entre le XIVe et le XIXe siècle, l'ouvrage est consacré à l'étude des religions afro-brésiliennes. Ayant longtemps vécu au Brésil et été accepté dans une secte religieuse, l'auteur connaît de première main les faits qu'il rapporte, à partir desquels il étudie deux problèmes : celui des interpénétrations de civilisations et celui des rapports entre les structures sociales et les valeurs religieuses. La transe extatique permet de mesurer le degré de cohésion ou de désagrégation du milieu social. Les cultes sont ici multiples : demeuré plus proche des cultes africains, le candomblé est encore le triomphe du surmoi, c'est-à-dire des normes collectives ; il offre à ses fidèles des personnalités de rechange entre lesquelles on peut choisir, mais qui ne sont pas en nombre infini : guerrier ou chasseur, guérisseur, agriculteur... Les sectes syncrétiques ou improvisées multiplient ces personnalités de rechange, elles effacent les caractéristiques des dieux, les dépersonnalisent, en font de vagues concepts où chacun peut insérer ses désirs, ses illusions ou son ressentiment. Le Brésil se caractérise par une double acculturation avec, exprimées en termes de civilisation indienne ou portugaise, d'une part la réinterprétation des traits culturels occidentaux comme le culte des saints ou le concubinage, d'autre part celle des traits culturels africains comme le culte des morts ou la transe mystique. D'où une modification du contenu des traditions, qui en viennent à symboliser et à signifier des valeurs nouvelles. Ces valeurs peuvent porter en elles les cicatrices des tensions sociales, elles gardent une spécificité qu'il revient au sociologue de décrire en reconnaissant la mesure dans laquelle elles sont des valeurs mystiques et non politiques.

D. P.

RELIGIONS ET LES PHILOSOPHIES DANS L'ASIE CENTRALE (Les). Ouvrage de l'écrivain français Joseph Arthur de Gobineau (1816-1882), publié en 1865. C'est un des plus importants ouvrages que Gobineau ait consacrés à l'Asie centrale, et particulièrement à la Perse, où il vécut de 1855 à 1858 et de 1861 à 1863, comme ministre de France. À côté du *Traité des écritures cunéiformes* et de l'*Histoire des Perses, Les Religions et les philosophies dans l'Asie centrale* forment, avec *Trois ans en Asie* (*), dont elles constituent le complément, et les *Nouvelles asiatiques* (*), œuvres d'imagination, un ensemble consacré à la mentalité, aux mœurs, à la civilisation persanes ; car ce que Gobineau entend ici par Asie centrale, c'est avant tout la Perse et, accessoirement, les pays environnants, la Syrie, l'Irak, le nord de l'Inde. Gobineau expose tout d'abord l'utilité de sa démarche. Il est devenu indispensable de connaître l'Asie, explique-t-il, parce qu'elle est à l'origine de notre manière de penser et du contenu même de notre pensée, mais aussi parce que, avec le développement du commerce européen, nous nous trouvons dans la nécessité de mieux pénétrer la mentalité des peuples avec lesquels nous serons appelés à avoir des relations de plus en plus suivies. Dans un premier chapitre, qui est une merveille de perspicacité psychologique, Gobineau définit le « caractère moral et religieux des Asiatiques », en général ; il y signale le goût des Asiatiques pour les spéculations théologiques, leur propension au syncrétisme qui les conduit aux plus étonnantes contradictions, leur habitude de divaguer, leur absence de « bon sens », traits qui nous rendent si difficile la compréhension de leur caractère. Ainsi, chaque Asiatique à la fois appartiendra par sa naissance à une certaine religion, y croira et la pratiquera ; il ne manquera pas cependant de se laisser séduire par des doctrines, non seulement totalement étrangères mais encore rivales, dont il changera d'ailleurs à toute occasion. Passant de ces principes généraux à un cas plus particulier, Gobineau analyse « l'islamisme persan » ; pour cela, il remonte jusqu'à Mahomet et au *Coran* (*), définissant dans une admirable analyse l'apport du Prophète (chap. III « La foi des Arabes, origine et développement du shiisme ») ; puis, exposant les raisons du schisme persan, il signale au passage l'existence d'une très ancienne tendance religieuse unique, propre aux Sémites, dont les différentes religions orientales ne sont que les dérivés, et qui réapparaît à l'état pur, de temps en temps, dans les hérésies ou les nouvelles révélations religieuses. Le chapitre IV est consacré à la philosophie persane, le soufisme, qui fit l'objet d'un enseignement continu et à demi secret, car il était suspect aux prêtres de la religion shiite. Le grand philosophe de la renaissance du soufisme fut, au XVIIe siècle, Moulla-Sadra. Gobineau donne ensuite un long catalogue détaillé des philosophes de l'école de Moulla-Sadra. Un chapitre intitulé : « Les libres penseurs. Le contact des idées européennes » précise ce qu'il faut entendre par libre pensée, mot qui n'a pas du tout le même sens en Asie qu'en Europe. Avec le chapitre VI (« Commencement du bâbysme ») débute une véritable histoire, fort détaillée et documentée, de ce mouvement singulier qui manqua de supplanter définitivement l'islamisme en Perse au milieu du XIXe siècle. Ce récit s'étend continûment du chapitre VI au chapitre XII. En 1843, un jeune homme appelé Mirza-Aly-Mohammed et plus tard surnommé le Bâb, alors âgé de dix-neuf ans, au cours d'un pèlerinage à La Mecque, décida de fonder une religion qui constituerait une nouvelle étape du développement religieux de l'humanité comparable à celle qu'avait cru marquer Mahomet lui-même par rapport à Abraham et à Jésus-Christ. Le jeune homme n'attaqua pas d'abord de front l'islam : il se contenta, au cours de sermons qui étaient suivis par une grande foule, d'attaquer les prêtres de la religion shiite. Ses attaques lui valurent une immense popularité parmi le vulgaire, et ses spéculations doctrinales attirèrent à lui quantité de philosophes et même de prêtres. Enfermé par ordre du gouvernement dans sa maison de Shyraz, le Bâb n'en continua pas moins à rayonner d'un vif éclat ; mais ce sont ses lieutenants demeurés libres qui répandirent sa doctrine au loin, évangélisant plusieurs provinces de l'Empire. Bientôt, le mouvement prit un tour guerrier et son développement fut favorisé par la semi-anarchie qui survint à la mort du roi. On vit alors des provinces entières tenues par les bâbys et il fallut un extraordinaire déploiement de forces guerrières, une suite de revers et de succès, pour venir à bout des hérétiques. Leur fanatisme, leur courage, leur résignation en face de la mort et dans les plus atroces supplices, le martyre du Bâb lui-même provoquèrent non seulement l'admiration des populations musulmanes, mais une foule de conversions. Toutefois, devant la persécution, le bâbysme devint un mouvement caché et par cela d'autant plus dangereux. On le vit lorsqu'une conspiration qui devait supprimer le roi échoua de peu. À l'époque où Gobineau écrivait, les choses en étaient restées là. L'auteur passe ensuite à l'examen des doctrines bâbystes. La théorie bâbyste des émanations divines est évidemment peu originale ; mais plus singulières sont les idées qu'elle expose sur le progrès de l'humanité dans la découverte progressive de Dieu, grâce à une suite de révélations et à l'apparition sur terre d'envoyés successifs de Dieu. Le bâbysme n'est donc pas à proprement parler une religion nouvelle, elle n'est qu'une nouvelle étape de la religion unique et universelle, dont les étapes sont le mosaïsme, le christianisme et l'islamisme. Les trois derniers chapitres de l'ouvrage sont consacrés au théâtre persan, qui venait seulement, à l'époque où Gobineau se trouvait en Perse, de se dégager des cérémonies religieuses. Gobineau nous décrit, avec une minutie toute scientifique mais également avec un sens réel du détail évocateur, ce nouveau genre littéraire, les « tazyèh », pièces destinées à commémorer les tragiques événements survenus dans la famille du Prophète, ainsi que le cadre très pittoresque dans lequel elles se déroulaient. À l'appui de son étude, Gobineau donne la traduction d'un de ces tazyèh, *Les Noces de Kassem*. Enfin, le livre s'achève sur une autre traduction, celle du *Ketab-É-Hukkam* ou *Livre des préceptes,* œuvre théologique majeure de la secte bâby. Ce qui étonne et émerveille dans ces analyses, si proches déjà, par l'esprit, des travaux ethnologiques et sociologiques contemporains, c'est que Gobineau parvient, à la fois, à nous faire comprendre le fossé qui sépare la mentalité asiatique de la mentalité européenne et à nous le faire franchir. La perspicacité constante de l'auteur est bien mise en valeur par son style sobre, mais dialectique et vivant, qui sait parfois se concentrer dans des formules frappantes. La première édition des *Religions* parut en 1865 chez Perrin, bientôt suivie d'une deuxième édition en 1866 chez le même éditeur. Mais il fallut attendre 1900 pour qu'une troisième édition voie le jour, encore était-elle due aux soins d'un professeur allemand, L. Schemann. En effet, à cette époque, Gobineau était presque complètement oublié en France, mais il avait acquis une grande réputation en Allemagne. Ce n'est qu'autour de 1920 que Gobineau eut enfin, dans son propre pays, l'audience qu'il méritait.

RELIGIONS ET MAGIE INDIENNES D'AMÉRIQUE DU SUD. Essai publié en 1967 par l'ethnologue américain d'origine suisse et d'expression française Alfred Métraux (1902-1963). Révéler le passé, comprendre le présent « pour conserver le souvenir ou l'image des petites civilisations » disparues ou en voie de disparition fut, a dit Métraux, « l'idée réellement fondamentale qui a inspiré [sa] carrière d'ethnographe » : quarante années consacrées à l'étude passionnée des cultures indigènes, américaines surtout, mais aussi polynésiennes et africaines. Ce livre posthume, volontairement restreint au domaine magico-religieux amérindien, montre deux aspects essentiels de ses recherches : la synthèse des informations éparses, parfois fragmentaires, qu'à partir du XVIe siècle les chroniqueurs nous ont léguées, et l'étude sur place des sociétés indigènes survivantes. Le chapitre « L'Anthropophagie rituelle des Tupinamba » extrait d'un des ouvrages qui lui valurent d'être, à vingt-six ans, l'un des plus jeunes docteurs ès lettres de France, est une description minutieuse et un essai sur la signification d'un rite aussi fameux que mal connu. Les articles, devenus classiques, sur « Le Chamanisme dans les civilisations indiennes des Guyanes et de l'Amazonie », « Le Chamanisme araucan » ont servi et servent encore de base à l'étude générale du système religieux qui, venu d'Asie, s'est diffusé dans tout le Nouveau Monde. Le messianisme sud-américain, dont Métraux montre que les traditions mythiques indigènes ont favorisé le développement, s'inscrit dans la problématique des sociétés traumatisées. L'homme-dieu Tupi-Guarani n'a pu susciter l'enthousiasme et la foi éperdue de son peuple que parce qu'il jouissait du prestige et de la vénération entourant le chaman. Ici, l'auteur utilise des chroniques et des récits, mais aussi des travaux contemporains qui mettent en lumière la généralité des causes de ces mouvements où s'exprime le désespoir de sociétés menacées dans leur existence. Dans le Chaco et la région andine, Métraux fit plusieurs missions. Sur les rives désolées du lac Titicaca, il retrouva chez les Chipaya des vestiges importants des cultes paysans de l'époque incasique, révélant un aspect de la religion autochtone sur lequel les témoignages historiques étaient restés muets. Des Toba-Piraga et des Mataco, semi-nomades de la plaine sèche et aride du Chaco, il apprit « l'infinie diversité des caractères et des talents au sein d'un petit groupe primitif » ; en enquêtant sur leur représentation du monde, il put montrer à la fois l'existence de thèmes mythiques panaméricains et l'originalité, la valeur esthétique des combinaisons multiples, subtiles, que chaque société humaine, fût-elle la plus pauvre et la plus démunie, réalise entre les croyances reçues et l'univers qu'elle perçoit.

RELIQUAIRE (Le). Premier recueil de vers de l'écrivain français François Coppée (1842-1908), publié en 1866. En ce temps-là, l'auteur se rattachait encore à l'école parnassienne, comme l'atteste la dédicace à Leconte de Lisle. On y sent pourtant déjà percer cet univers poétique qui restera le propre de Coppée chaque fois qu'il voudra évoquer un paysage parisien ou la vie des humbles : promenades printanières dans les bois de l'Ile-de-France, quand l'amour est de la partie et que la jeunesse paraît bien devoir durer toujours.

RELIQUE (La) [*A reliquia*]. Roman de l'écrivain portugais José Maria de Eça de Queirós (1845-1900), publié en 1887. Dom Teodoric Raposo raconte, dans un discours à la première personne, comment il a perdu le bel héritage de sa tante dona Maria do Patrocinio. Jeune homme paresseux et libertin, n'ayant pas d'autre idéal que de « rassasier sa jeune chair », il attend la mort de sa tante pour profiter de ses millions. Mais, comme la vieille bigote tarde à quitter cette vallée de larmes, dom Teodoric, pour mériter l'héritage, doit faire semblant d'avoir la foi, et, hypocritement, il se compose une double vie : l'une faite de la stricte observance des pratiques religieuses, avec visites aux sanctuaires et prières ; l'autre d'intrigues amoureuses et de dérèglements. La vieille fille, cependant, devinant sa nature sensuelle, épie maladivement les mœurs et les habitudes de son unique neveu, lequel se défend avec une ruse égale de la méfiance de sa tante et des intrigues des prêtres qui entourent la riche bigote. Afin d'éprouver la foi de son neveu, dona Maria do Patrocinio l'envoie finalement en Terre sainte pour y chercher une relique qui doit guérir son corps et lui assurer le réconfort de l'âme. Débarqué à Alexandre, dom Teodoric se dédommage de la longue surveillance de sa tante avec une gantière anglaise qui, à son départ pour la Terre sainte, lui laisse en souvenir une de ses chemises. Raposo visite les lieux où se déroula la Passion ; ne trouvant aucune relique à rapporter à sa tante, il cueille dans une haie une branche épineuse, en fait une couronne et la met à l'abri dans un riche étui, en se proposant de la présenter comme la couronne même qui ceignit la tête du Rédempteur. Sur le chemin du retour, Raposo veut se débarrasser du souvenir compromettant, mais, au lieu de jeter le paquet qui contient la chemise, il jette celui de la fausse relique. Arrivé à Lisbonne, il communique à la vieille sa découverte, et lorsque dona Maria, tremblante, défait le paquet sacré, au lieu de la relique, sous les yeux des prêtres et des magistrats réunis pour la mémorable cérémonie, apparaît la chemise de la gantière. Peu après, la tante meurt, laissant à l'Église tous ses biens. Ce roman a une nette intention satirique, à laquelle la bourgeoisie libérale de Lisbonne, encore attachée au conformisme traditionnel, prêtait plus d'un de ses traits. Mais cette intention, par ailleurs trop manifeste, confère aux personnages un aspect mécanique caricatural et bouffon. En combinant les souvenirs de son voyage en Égypte et en Palestine aux suggestions que lui fournit la lecture de *La Vie de Jésus* (*) de Renan et des *Mémoires de Juda* de Petruccelli della Gattina, l'auteur tenta, au moyen d'un songe qu'il attribue à son protagoniste, une reconstruction historique somptueuse et colorée de la tragédie du Golgotha, qui n'est pas sans détonner dans le climat de ce récit. Mais ce qui fait le prix de l'œuvre, c'est l'esprit de l'auteur, vif et sec, très proche de celui d'Anatole France, et son style très fortement influencé par les écrivains français de la fin du XIXe siècle et surtout par Renan. – Trad. Sorlot, 1941 (préface de Valery Larbaud).

RELIQUES. Dans ce recueil posthume de l'écrivain français Jules Tellier (1863-1889), publié en 1890, ont été rassemblés des morceaux épars de l'œuvre du poète. Cette œuvre en ses débuts s'attira la sympathie du groupe Barrès, Moréas, La Tailhède et de ses amis. Barrès fonda avec Tellier, par l'entremise de leur ami commun Charles Le Goffic, la revue littéraire *Les Chroniques* où Tellier donna des sonnets et ses meilleures proses ; il prêta son concours, entre autres, au quotidien *Le Parti national*, se plaisant à discuter avec Barrès, qui écrivait au *Voltaire*, d'un journal à l'autre. Le ton de ce dialogue nous est rendu par la dernière partie des *Reliques*, où l'exécuteur testamentaire de Tellier, Raymond de La Tailhède, réunit sous le titre « Journal d'un rhéteur » plusieurs articles et chroniques. Le poète s'y montre familier, désinvolte, lettré, parfois caustique, toujours d'une grande sûreté de jugement. Des poésies (« La Cité intérieure »), les « Notes de Tristan Noël », des notes de voyage (« De Toulouse à Girone »), quelques contes et apologues, enfin les « Proses » composent avec le « Journal » l'ensemble du recueil. C'est au styliste des « Proses » qu'il convient surtout de rendre hommage. Grand érudit, friand des bizarreries littéraires de toutes sortes, il aime à évoquer, dans une langue savante au rythme « plus subtil que ceux des vers », le banal quotidien, en dégageant ce qu'il faut de symbole pour le rendre insolite et précieux. On retrouve dans ce goût d'une excentrique élégance certaine parenté avec les recherches de Barrès. Tellier, « qui aima fiévreusement l'amitié, la beauté et le désespoir, a amalgamé dans une matière admirable ses trois complaisances ».

RELIQUES DE L'ANCIENNE POÉSIE ANGLAISE [*Reliques of Ancient English Poetry, consisting of Old Heroic Ballads, Songs and other Pieces of our Earlier Poets, Together with Some Few of Later Date*]. Recueil de ballades populaires anglaises, publié en 1765 par le poète et éditeur anglais Thomas Percy, évêque de Dromore (1729-1811). Elles appartiennent à une époque qui date d'avant Chaucer et va jusqu'à la fin du règne de Charles Ier ; elles furent presque toutes trouvées dans un vieux manuscrit « in-folio », datant de la seconde moitié du XVIIe siècle. Elles sont réparties en trois volumes, divisés eux-mêmes en trois parties contenant une série indépendante de poésies ; l'auteur, en adoptant ces divisions, entendait démontrer l'évolution de la langue et de la poésie anglaises. Dans la première partie du premier volume, après un article sur les ménestrels anglais, on trouve avec *Chevy Chase* (*) la plus célèbre des *Ballades de la frontière* (*) ; puis c'est l'histoire chevaleresque de *Sir Cauline*, amoureux de la fille d'un roi ; celle du *Roi Estmere* qui combat les Maures, déguisé en ménestrel ; celle enfin de *L'Enfant d'Elle* [*The Child of Elle*], où l'amour de deux jeunes gens fait cesser une vieille discorde. On y remarquera également une ballade sur le célèbre bandit Robin Hood — v. *Robin des Bois* (*) —, une autre ballade sur les dangers de la navigation dans les mers du Nord (*Ballade de sir Patrick Spens*), ainsi que la tragique histoire d'un parricide (*Edward, Edward*). *Edom of Gordon* est le récit d'une cruelle vengeance. La deuxième partie est shakespearienne ; soit que les ballades qui s'y trouvent aient inspiré Shakespeare directement comme *Jernutus, le juif de Venise* [*Jernutus, the Jew of Venice*] ou *Le Roi Lear et ses trois filles* [*King Lear and his Three Daughters*] ; soit que Shakespeare y ait fait allusion dans ses drames comme *Le Roi Cophetua et la jeune mendiante*, soit encore qu'il ait mis à contribution l'une de ces œuvres, en la modifiant : par exemple, la « Chanson du saule » [Willow, willow] dans *Othello* (*). La troisième partie contient non seulement des ballades qui se rapportent à l'insurrection du Nord au temps d'Élisabeth, mais aussi une aimable querelle entre le plaisir et l'honneur : *Ulysse et la Sirène* [*Ulysses and the Syren*], un éloge de l'amour conjugal : *Winifreda*, une chanson presque philosophique : *Mon esprit est pour moi un royaume* [*My Mind a Kingdom is to Me*] et quelques traductions de l'espagnol.

La première partie du second volume commence par une série de libelles et de chansons politiques et satiriques parmi lesquels *Le Tournoi de Tottenham* [*The Tournament of Tottenham*] qui ridiculise les mœurs chevaleresques ; puis, on y trouve une note pastorale dans *Harpalus* et dans *Robin and Makyne ; Brunette* est par contre un cri d'amour passionné. On arrive alors à la moitié du XVIe siècle et les poésies se ressentent des controverses religieuses de l'époque ; c'est pourquoi on trouve dans le second livre la *Ballade de Luther, du Pape, du Cardinal et du Laboureur* et les deux satires *John Anderson* et *Little John Nobody ;* l'élément romanesque y figure d'autre part avec *La Belle Rosamonde* [*Fair Rosamond*] et *Jane Shore*. L'élément allégorique domine dans la troisième partie avec *La Complainte de la Conscience* [*The Complaint of Conscience*] et *Simple Vérité et Aveugle Ignorance* [*Plain Truth and Blind Ignorance*]. Vient ensuite une série de chansons de fous (« mad-songs ») et le fameux *Lilli Burlero*, satire contre les papistes et les Irlandais qui eut tant de vogue pendant la révolution de 1688. Le troisième volume est consacré à des sujets romanesques. La première partie est composée de poèmes sur le roi Arthur ; la seconde contient quelques légendes sur *Guy de Warwick* (*), la mélancolique ballade *Belle Margaret et doux William* [*Fair Margaret and Sweet William*], la pitoyable histoire des *Enfants dans le bois* et la tragique *Fille de lady Isabelle* [*Lady Isabella's Daughter*]. Dans la dernière partie enfin, on trouve les ballades de Saint-Georges, la fantastique et romantique histoire des jumeaux *Valentin et Ursine*, ainsi que *Le Dragon de Vantley* [*The Dragon of Vantley*], parodie des vieilles ballades qui montre l'évolution du genre. Le recueil n'est pas parfaitement composé, mais il eut le mérite de faire connaître pour la première fois, au grand public, la poésie populaire, d'inspiration directe et spontanée. Les rythmes vigoureux, les répétitions de la ballade, agirent insensiblement pendant toute une génération sur l'esprit poétique anglais, qui renaîtra transformé et assimilé avec le romantisme.

RELIQUIAE d'Eugénie de Guérin. Publiées en 1855 par Barbey d'Aurevilly et son ami Trebutien, complétées en 1863 par *Journal et fragments* et en 1864 par les *Lettres.* Venue jusqu'à nous comme elle l'aurait souhaité, dans l'ombre de son frère tant aimé Maurice, Eugénie de Guérin (1805-1848) souffre mal d'être jugée en tant qu'écrivain. Elle ne cherche pas à composer. Tout ce qu'elle a écrit, lettres ou journal, n'est que le reflet des menus incidents de la vie monotone du Cayla, de passions aussi qu'on devine fort vives, mais que la pudeur religieuse vint toujours refréner. On dirait qu'Eugénie craint de lever devant elle-même le secret des sentiments qui la liaient à son frère. Barbey y voulut discerner de l'amour. On peut suivre en tout cas à travers ces confidences une sorte de jalousie candidement inconsciente pour ceux, pour celle qui avaient privé Eugénie de cette solitude à deux, Maurice et elle, qu'elle avait rêvée, sans compter avec la vie. Elle s'irrite de sentir la tierce présence qui s'est imposée entre eux. Maurice mort, et sa veuve remariée, Eugénie se réfugie dans sa fidélité. Mais ni le souvenir, ni ses humbles travaux de fille de province tout près encore de la campagne, ni sa correspondance avec quelques lointains amis, ni le subtil examen de conscience que mène cette âme pure ne parviennent à distraire Eugénie de « l'ennui, la plus maligne, la plus tenace, la plus emmaisonnée des influences ». Si le *Journal* nous révèle en elle une des rares femmes psychologues du romantisme, les *Lettres* un peu longues, un peu verbeuses, valent avant tout par la spontanéité des émotions et par la fraîcheur des images.

REMARQUES SUR LA LANGUE FRANÇAISE utiles à ceux qui veulent bien parler et bien écrire. Œuvre du grammairien français Claude Vaugelas (1585-1650), publiée en 1647 au terme d'un travail d'une quarantaine d'années (une première ébauche en avait été livrée en 1637, sous le titre d'*Observations*). Faisant suite à une *Préface* de quinze chapitres, rédigée en 1646 (chef-d'œuvre d'après Pellisson), où l'auteur expose l'essentiel de ses principes, les *Remarques* de Vaugelas sur la prononciation, l'orthographe, le lexique, la syntaxe et le style se présentent comme une suite, délibérément non classée et adressée aux honnêtes gens. Il s'agit, pour ce disciple de Malherbe, de produire ainsi une impression de naturel qui illustre formellement le postulat de sa réflexion linguistique : la toute-puissance de l'usage, auquel la raison même doit céder le pas et dont découle une conception de la langue comme état transitoire, potentiellement ouvert et non assujetti à une autre langue (grecque ou latine en particulier). Cependant, dès que Vaugelas explicite son postulat, ce dernier s'avère normatif. En effet, le grammairien distingue, d'une part, un usage seulement correct, propre à la majorité et à éviter (même s'il concède aux genres burlesque, comique et satirique le droit de s'en accommoder) et, d'autre part, un usage excellent et exemplaire, propre à une élite (la Cour), cautionné par l'Hôtel de Rambouillet ou l'Académie (Guez de Balzac, Voiture, Chapelain, Ménage, Patru...). Ce faisant, Vaugelas restreint singulièrement le champ d'application conceptuel de l'usage, le privant par exemple des apports de la langue populaire, en même temps qu'il transforme ses propres remarques en autant de règles savantes et fixes.

Même si les doctes lui ont reproché les fondements non scientifiques et trop mondains de ses définitions, son autorité fut telle que, dès le XVIIe siècle, « parler Vaugelas » est synonyme de parler de façon correcte — v., sous forme humoristique, Molière, *Les Femmes savantes* (*). Les *Remarques* furent rééditées par Thomas Corneille (1687), puis par l'Académie (1704), tandis que, peu avant la fin du XVIIIe siècle, Rivarol en confirmait l'excellence — v. *Discours sur l'universalité de la langue française* (*). De fait, l'idéal de Vaugelas, « ennemi des équivoques et de toute sorte d'obscurité » (J. Lacan), a longtemps assuré à la langue d'oïl suprématie diplomatique et rayonnement international. F. N.-D.

REMÈDES D'AMOUR (Les) [*Remedia amoris*]. Palinodie du poète latin Ovide (Publius Ovidius Naso, 43 av. J.-C.-17 apr. J.-C.) sur son propre poème *L'Art d'aimer* (*). Écrite avec beaucoup d'esprit, elle est riche en suggestions dont la valeur est diverse pour guérir la maladie amoureuse : parmi les sages conseils que le poète nous donne, il s'en trouve qui sont malicieux, d'autres burlesques, d'autres enfin fort libertins (le langage érotique n'étant pas toujours en soi des plus châtiés). Les exemples pris dans la mythologie abondent, ainsi que les allusions aux personnages des *Héroïdes* (*). Ces amours semi-divines, le poète en parle avec une ironie légère qui n'est pas exempte de politesse, tout comme il raille l'aveuglement de ces amoureux qui embellissent jusqu'aux défauts de leurs bien-aimées, appelant « Junon » une femme grasse et « miniature » une femme chétive. Le meilleur remède qu'on puisse proposer aux amoureux de ce genre est assurément le suivant : qu'ils songent aux réalités physiologiques auxquelles est soumise toute femme, fût-ce la plus belle. Ou encore, qu'ils s'amusent à exagérer mentalement certains défauts, voire à tenir pour des défauts tout ce qui n'en est pas. Seul un homme du monde, ayant fait un jeu tant de l'amour que de la poésie, pouvait écrire avec un pareil détachement sur un sujet si épineux. – Trad. Garnier, 1941.

REMPART DES BÉGUINES (Le). Roman de l'écrivain français, d'origine belge, Françoise Mallet-Joris (née en 1930). Publié en 1951, ce livre « a fait scandale, avant d'avoir fait impression », comme le souligne Claude Roy, par la modernité de son sujet et la jeunesse de l'auteur. Il décrit en effet l'apprentissage de l'homosexualité féminine et de l'âge adulte. Donnée hardie à l'époque : une adolescente de 15 ans, Hélène, vit seule avec son père, qui trop accaparé par sa maîtresse, Tamara, ne trouve plus le temps de s'occuper d'elle. Mais Hélène est fascinée par Tamara et succombe à son charme. Elles se retrouvent alors chez elle, sous le rempart des béguines. Le jour où Tamara accepte d'épouser son père, René, Hélène cesse de l'admirer puisqu'elle s'avilit pour de l'argent et elle devient elle-même « libre enfin ». Avec *La Chambre rouge* (1955), qui est la suite du *Rempart des béguines*, renaît la même équivoque : Tamara est mariée avec le père d'Hélène. Pour se venger, Hélène décide de prendre pour amant le décorateur Jean Delfau avec qui « flirte » sa belle-mère. Celle-ci l'apprend au retour d'un voyage en Italie et, folle de jalousie, menace Hélène de tout révéler à son père si elle ne met pas fin à cette liaison. Hélène refuse, par principes, et aussi parce qu'elle est finalement tombée amoureuse de Jean Delfau, qui lui propose de l'épouser pour mettre fin à ses menaces. Pourtant elle a une autre liaison. Jean l'apprendra et elle le perdra dans cette chambre rouge où elle rejoint ses amants, « riche d'ombres et de maléfices, abolissant le monde autour d'elle » : un lieu initiatique où se déroulent des jeux dangereux.

C. de C.

RENAISSANCE (La). Œuvre composée de cinq scènes historiques, que l'écrivain français Joseph Arthur de Gobineau (1816-1882) publia en 1877. Chaque scène porte le nom d'un personnage de la Renaissance italienne : Savonarole, César Borgia, Jules II, Léon X, Michel-Ange. Le titre de l'œuvre devait être *La Fleur d'or*, et l'œuvre devait paraître avec cinq essais servant d'introduction à chacune des cinq scènes. Puis Gobineau adopta le titre : *La Renaissance* et renonça aux essais qui restèrent inédits jusqu'en 1918, lorsque Schemann les publia en Allemagne, sous le titre primitivement choisi : *La Fleur d'or*. Par la suite, les essais furent également publiés en France, et en 1929 parut une édition française de *La Renaissance*, édition dans laquelle chaque scène est précédée de l'essai correspondant. Les « scènes » sont cinq monographies qu'anime un souffle héroïque et nietzschéen. Gobineau a prêté beaucoup de lui-même à ses personnages. Chacun d'eux porte le signe d'une filiation royale, signe que l'écrivain découvre avec complaisance en lui-même et qui vient de son aïeul nordique (*Histoire d'Ottar Jarl*) ; et comme l'écrivain, les cinq personnages manifestent un profond dédain pour la « forme d'esprit » de la société démocratique, et un grand désir d'aventures. Les cinq « scènes » foisonnent en jugements portés sur l'histoire, sur la politique, sur les arts et sur les hommes de la Renaissance ; et les discours que Gobineau place dans la bouche de ses personnages montrent à quel point il parvint à s'identifier à une époque qui eut la fortune d'être dominée par des personnages comme Savonarole, dont toute l'ambition était d'obtenir à force d'anathèmes une réforme ; comme César Borgia, né pour commander et pour vaincre, par tous les moyens quels qu'ils fussent ; comme Jules II, dont l'énergie n'avait point de bornes ; comme Léon X, amoureux des arts en tant qu'ils servent à la gloire ; comme Michel-Ange enfin.

RENAISSANCE (La) [*Studies in the History of the Renaissance*]. Recueil d'essais de l'écrivain anglais Walter Pater (1839-1894), publié en 1873. L'ouvrage eut une grande notoriété et exerça une réelle influence sur le goût européen à la fin du XIXe siècle. Dans la préface, l'auteur ayant reconnu la relativité du concept de beauté, et la vanité qu'il y aurait à tenter de trouver une formule abstraite et correcte pour l'intellect, déclare que seule est importante la réaction individuelle du critique devant l'œuvre d'art et les plus belles formes de la nature et de la vie humaine considérées comme des « puissances ou des forces capables de produire des sensations agréables ». Il n'y a pas de période ou de goût artistique prédominant, la seule recherche féconde est celle qui se fixe sur les expressions suprêmes d'une période ou d'un goût. C'est pourquoi, au lieu de faire l'histoire complète de la Renaissance, l'auteur nous donne des chapitres dans lesquels il traite des points saillants de ce mouvement complexe, qui, selon lui, commence bien avant les limites habituelles qui lui ont été assignées par les historiens. C'est ainsi que Pater retrouve certaines des idées qui devaient triompher au cours de la Renaissance dans deux fabliaux médiévaux français (« Two Early French Stories ») : *Aucassin et Nicolette* (*), *Amis et Amile* (*). Par une harmonieuse symétrie, il voit aussi en France le couronnement de l'art poétique de la Renaissance dans l'œuvre de Joachim du Bellay, si bien que le passage concernant ce dernier clôt la série de ces études historiques.

Le corps du volume est formé par des études sur Pic de La Mirandole, Botticelli, Luca della Robbia, Michel-Ange, Léonard de Vinci, l'école de Giorgione. L'étude sur Léonard de Vinci est plus connue que toute autre, elle contient un passage célèbre sur la Joconde :

dans son sourire impénétrable, Pater lit l'histoire mythique de la femme fatale, de ce type de femme romantique que Gautier et Swinburne ont contribué à créer (on peut même trouver dans les pages que Swinburne consacra à certaines études de têtes attribuées à Michel-Ange, pages contenues dans ses *Notes sur les dessins des anciens maîtres de Florence,* le modèle de celles que Pater a écrites sur la Joconde). Le passage le plus célèbre de Pater commence ainsi : « Cette image qui s'éleva ainsi, si étrangement au bord des eaux, exprime ce que les hommes en étaient venus à désirer, au cours de mille années » ; ce passage devint le bréviaire des critiques et des « esthètes », qui partent du charme piquant d'une œuvre d'art pour donner libre cours à leur imagination. Ces pages eurent un tel retentissement qu'aux alentours de 1900 elles mirent à la mode dans certains milieux, notamment sur le continent, le sourire ambigu de Mona Lisa. L'essai sur l'école de Giorgione suscita en Italie l'étude d'Angelo Conti sur le même peintre (1894), et fut à la source des idées contenues dans le discours de Stelio Effrena, dans *Le Feu* (*) de Gabriele D'Annunzio. Le principe qu'illustre Pater dans son essai est que « tout art aspire constamment aux conditions de la musique ». Le volume s'achève sur un passage, daté de 1867, qui concerne Winckelmann, le critique d'art néo-classique que Pater apprit à connaître à travers la littérature de Goethe et qui devait exercer une grande influence sur lui. Le style de Pater, tout en nuances, soigneusement étudié pour analyser et rendre dans leur complexité les sensations esthétiques, inaugure une nouvelle époque dans la critique et l'histoire de l'art. — Trad. Payot, 1917 ; *Essais sur l'art et la Renaissance,* Klincksieck, 1985.

RENAISSANCE AMÉRICAINE (La) [*American Renaissance : Art and Expression in the Age of Emerson and Whitman*]. Œuvre majeure du critique américain Francis Otto Matthiessen (1902-1950), publiée en 1941. C'est de ce livre capital que date (ou datait, jusqu'aux travaux de Sacvan Bercovitch) l'interprétation moderne des œuvres des grands écrivains américains du XIXe siècle : Emerson et Thoreau (auxquels le premier livre est consacré), Hawthorne, Melville et Whitman (chacun des trois suivants). On sait en effet qu'entre les années 1850 et 1855 parurent la plupart des œuvres majeures des cinq écrivains majeurs (à l'exception de Poe, le grand absent de ce livre entièrement consacré aux écrivains de la Nouvelle-Angleterre et de New York) de tout le XIXe siècle américain : en 1850 parurent *La Lettre écarlate* (*) de Nathaniel Hawthorne et *Hommes représentatifs* (*) de Ralph Waldo Emerson (dont le premier et plus célèbre essai, « Nature », avait paru dès 1836), en 1851 *Moby Dick* (*) de Melville, en 1854 *Walden* (*) de Henry David Thoreau, et en 1855 la première édition des *Feuilles d'herbe* (*) de Walt Whitman. Cette spectaculaire concentration méritait une explication, et c'est à ce problème que s'est attaqué Matthiessen dans son livre. La réponse tient, on s'en doute, dans la culture de l'époque, que Matthiessen analyse comme étant fondamentalement optimiste, visuelle (c'est la découverte de la photographie), métaphysique et organique (la philosophie emersonienne est l'héritière du transcendantalisme allemand, de Kant et Schlegel via Coleridge et Carlyle). C'est enfin, en particulier chez Whitman — mais aussi chez Melville —, une culture de l'air libre et des grands espaces, à l'opposé de la culture des intérieurs qui a marqué l'Europe, particulièrement l'Europe du Nord, l'Europe protestante dont tous ces écrivains rebelles sont issus peu ou prou. Mais les chapitres consacrés à la « vision du mal » chez Hawthorne, par exemple (on a assez reproché à Emerson de n'en avoir aucune), aux modes allégorique et symbolique qui marquent son œuvre ainsi que celle de son frère spirituel, Hermann Melville, à la tragédie du vengeur dans *Moby Dick*, et à l'expérimentation verbale chez Whitman ne sont pas moins bien venus ni moins bien écrits. On peut dire de ce livre qu'il est à la source du développement spectaculaire de l'« histoire culturelle » aux États-Unis après la guerre et, par exemple, de *La Machine dans le jardin* [*The Machine in the Garden*, 1964] de Leo Marx. M. Gr.

RENAISSANCE CHINOISE (La) [*The Chinese Renaissance*]. Ouvrage de l'historien et philosophe chinois Hou Che (1891-1962), publié en anglais, à Chicago, en 1934. L'auteur, qui joua un rôle important dans la transformation de la Chine contemporaine, fait dans ce livre le récit de la grande aventure de sa jeunesse : ce mouvement de la « Renaissance littéraire » qui accompagna le réveil du patriotisme chinois et l'avènement de la République, et qui permit à la Chine de jeter les bases d'une culture vraiment populaire, en même temps qu'elle commençait à assimiler avec enthousiasme l'héritage de l'Occident. Pour Hou Che et les quelques compagnons qui, vers 1910, commençaient avec lui leurs études universitaires aux États-Unis, il s'agissait avant tout de renverser le privilège absolu que les « lettrés », depuis plus de deux millénaires, s'étaient arrogé sur la vie intellectuelle chinoise en créant dans une langue recherchée et précieuse, nourrie d'expressions subtiles et formée de graphies savantes — le « kou-wen » —, une culture à jamais inaccessible au plus grand nombre. Ainsi, comme le montre Hou Che, le problème du langage commandait-il tous les autres : pour faire de la Chine une nation moderne, pour la mettre à l'école de la science et des techniques occidentales, il fallait substituer au « kou-wen », langage aristocratique, désuet et sclérosé, le langage même du peuple, le « pai-houa ». C'était, en somme, une transformation analogue à celle qui, en Europe, avait remplacé peu à peu le bas latin par les langues vulgaires de chaque pays (Hou Che se réfère d'ailleurs explicitement à la Renaissance européenne du XVIe siècle). Le grand défaut de la littérature chinoise, à ses yeux, est que la forme a pris le pas sur le fond : libérer la forme, c'était rendre au génie national son expression spontanée ; en même temps – Hou Che ne sépare jamais ces trois objectifs – c'était abolir le vieux ritualisme confucéen et poser les conditions nécessaires à l'assimilation de la pensée occidentale. Hou Che raconte ici les étapes de cette « renaissance », qui fut une véritable révolution, menée par la jeunesse enthousiaste des universités ; il évoque la fondation de la revue *Jeunesse nouvelle* [*Sin-t'sing-nieu*], en 1918, les divers manifestes qu'elle publia, l'audience immense qu'ils conquirent aussitôt. En 1920, le Bureau de l'Éducation ordonnait l'enseignement de la langue parlée [pai-houa] dans les écoles. La bataille était gagnée, mais bientôt, à l'intérieur même du groupe de la Renaissance littéraire, des divergences, annonciatrices d'une nouvelle et longue crise révolutionnaire, apparaissaient entre libéraux occidentalisés, dont l'animateur restait Hou Che, et romantiques prolétariens et marxistes tels que Kouo Mo-jo.

RENAISSANCE ET BAROQUE [*Renaissance und Barock, Eine Untersuchung über Wesen und Entstehung des Barockstils in Italien*]. Ouvrage de l'historien d'art suisse Heinrich Wölfflin (1864-1945), publié à Munich en 1888, et dans lequel l'évolution intellectuelle du grand disciple de Jakob Burckhardt atteint son point de perfection. Inspiré par un séjour à Rome et par l'*Histoire de la Renaissance* [*Geschichte der Renaissance,* 1867] du critique bâlois, l'ouvrage se propose de définir l'essence du style baroque qu'il met en parallèle avec l'art du XVIe siècle et auquel il reconnaît une valeur presque égale. Non pas tout à fait, cependant, car Wölfflin fait siennes les réserves de Burckhardt à l'égard de l'art du XVIIIe siècle, réserves qui ont fait partie des notions de tout homme cultivé jusqu'à la fin du XIXe siècle, bien que ce soit à Wölfflin que l'on doive la révision de la condamnation portée contre l'époque des « lumières ». Après une brève introduction dans laquelle l'auteur dit clairement son intention de faire une histoire de l'art et non une histoire des artistes, selon la distinction bien connue depuis Winckelmann, et après un résumé de la maigre bibliographie des ouvrages contemporains sur la question, Wölfflin divise son livre en trois parties. Dans la première il considère, comme caractères spécifiques de l'art baroque, le « pittoresque », le « grandiose », le « massif volumineux », et enfin le « mouvement » qui, en un certain sens, les résume tous. L'architecture baroque lui apparaît comme l'art du devenir et de la tension inquiète, et comme un triomphe du mouvement, réalisant, spécialement dans la construction des églises, la jouissance de l'illimité et de l'infini : ces conclusions ne sont pas sans rapport avec l'art de Wagner et la formule du « dionysiaque » de Nietzsche. Dans la seconde partie, Wölfflin se préoccupe de découvrir les causes de la transformation du style renaissant en style baroque ; il n'est pas sans une certaine perplexité quant à la naissance de ce nouveau sens du « corporel », de ce nouveau mode « physique » d'être et de sentir, montrant une influence certaine de la doctrine de l'« Einfühlung ». Wölfflin construit laborieusement un « concept spirituel » qui ne correspond à aucune situation historique déterminée mais à un sentiment, impossible à préciser, qui est la source de toute forme artistique. Dans la troisième partie, l'évolution du style est étudiée dans le cadre de chacune des formes de structure, considérées abstraitement : le plan, la façade, la colonne, le pilastre, la paroi ; enfin d'après les types : le palais, la villa, le jardin, la fontaine. Cette grammaire architecturale est rendue très vivante grâce à une série d'observations imprévues : l'analyse de quelques grands monuments met en lumière le tempérament exceptionnel du critique et son pouvoir pénétrant de « lire » les textes figuratifs. Cet ouvrage devait exercer une grande influence sur l'historiographie des arts. – Trad. Le Livre de Poche, 1966 ; Gérard Monfort, 1985.

RENARD (Le) [*The Fox*]. Nouvelle de l'écrivain anglais David Herbert Lawrence (1885-1930), publiée en 1923. En 1918, deux jeunes femmes émancipées, March et Banford, se sont installées dans une ferme quelque part dans la campagne anglaise pour élever des volailles. Elles forment presque un couple, dont la fragile Banford serait la femme et la robuste March l'homme. Leur entreprise est menacée par un renard qui fait des ravages dans leur poulailler. Ce renard annonce l'arrivée d'un autre mâle prédateur, un jeune soldat nommé Henry, petit-fils de l'ancien propriétaire de la ferme, dont la ressemblance avec l'animal est tout de suite soulignée. Henry est invité à rester. March retrouve progressivement sa féminité tandis qu'Henry montre son talent de chasseur en tuant le renard. Dans un passage impressionnant de sensualité, March caresse la dépouille du renard mort. Totalement sous le charme du jeune homme un peu fruste mais viril, elle voit en lui, plus que jamais, une sorte de réincarnation du renard. Les deux jeunes gens décident de se marier au grand désespoir de Banford qui oblige March à rompre avec Henry dès que celui-ci repart à l'armée. Mais il revient immédiatement et, aidant March à abattre un arbre, le fait tomber à demi accidentellement sur la pauvre Banford qui est tuée sur le coup.

March épouse Henry et doit le suivre au Canada, mais elle demeure insatisfaite. Il la veut soumise ; elle ne veut pas se perdre dans un amour charnel et fusionnel. Henry regrette presque d'avoir poursuivi une proie si peu consentante.

Dans cette œuvre très réussie, Lawrence passe avec un art consommé du niveau littéral de l'histoire à sa dimension fantasmatique et symbolique. La fin apparemment peu concluante de ce récit est très révélatrice des doutes qu'entretenait Lawrence quant à la possibilité de voir les gens de sa génération trouver une solution aux problèmes du couple. – Trad. Stock, 1928, 1961, 1983. G. Roy.

RENARD DANS LE GRENIER (Le) [*The Fox in the Attic*]. Roman de l'écrivain anglais Richard Hughes (1900-1976), publié en 1961. Après vingt-cinq années de silence, l'auteur du *Cyclone à la Jamaïque* (*) a conçu ce roman comme le premier volume d'une longue série, *La Condition humaine* [*The Human Predicament*], sorte de fresque historique de notre temps. Ce premier volume offre certaines similarités avec les anciennes œuvres de Hughes, qui établirent sa réputation. On y retrouve les mêmes dons de conteur, la prédilection de l'auteur pour les symboles et pour l'enfance, son thème favori. Cependant, *Le Renard dans le grenier* indique une évolution vers une direction nouvelle. L'action se passe en 1923. Dans la première scène, Augustin, le héros, personnage sans grande envergure, porte un enfant mort sur ses épaules. L'enfant est le symbole de son passé, mais il sert aussi à introduire l'action du récit. La petite ville galloise où vit Augustin l'accuse d'être responsable de la mort de l'enfant. Hanté par le souvenir de la Première Guerre mondiale, obsédé par le sentiment d'appartenir à une autre génération, Augustin décide de partir. Il va se réfugier chez un lointain cousin, un comte bavarois qui habite un curieux château romantique. Là, il tombe amoureux de sa jeune cousine, Mitzi, qui ne sait rien de sa passion et se prépare à entrer dans les ordres. Mais le récit dépasse vite le cadre de la vie au château pour nous faire revivre la période de l'entre-deux-guerres. Augustin traverse les événements marquants de l'histoire de l'Allemagne – échec du putsch de Munich et avènement d'Hitler – sans bien se rendre compte de leur nature et de leur importance. Le renard qui se cache dans le grenier est un homme plus jeune qu'Augustin, un nommé Wolff, qui a pris part aux guerres civiles de la Baltique, dont le rôle est mal défini dans l'intrigue, mais qui sert de contrepoint au personnage du héros. L'atmosphère – en particulier celle de la petite ville du pays de Galles au début du roman – et les situations sont fort subtilement rendues et les personnages historiques aussi convaincants que les personnages fictifs. Cependant le roman soulève des problèmes qui semblent demeurer sans réponse. – Trad. Stock, 1963.

RENARDE (La) [*Gone to Earth*]. Roman de l'écrivain anglais Mary Webb (1881-1927), publié en 1917. Hazel, jeune campagnarde, est une créature primitive, fille d'une bohémienne indépendante et révoltée. Solitaire, elle n'a pour amis que son père, entrepreneur de pompes funèbres dans un petit village, et surtout une renarde qu'elle a un jour recueillie à demi morte. Hazel elle-même a les yeux et l'allure d'une renarde. Sa vie s'écoule en courses joyeuses à travers la forêt, à cueillir des fleurs sauvages, à combler son âme des émotions de la nature. Un jour que Hazel, rentrée tard d'une foire, s'est presque égarée sur la route, elle est rejointe par Reddin, le châtelain du voisinage, qui l'héberge pour la nuit. Reddin, beau, solide et cynique garçon, qui passe son temps à chasser les renards et à courir les filles, espère que Hazel consentira à devenir sa maîtresse. Mais elle s'enfuit et il essaie en vain de la retrouver. À quelque temps de là, malgré les admonestations de sa mère, le jeune pasteur du village, amoureux de Hazel, se fiance avec la sauvageonne qui exige le jour du mariage d'avoir près d'elle sa renarde pendant toute la cérémonie ! Et, le soir, le jeune pasteur n'ose point partager la chambre de sa femme. Reddin poursuit la jeune mariée et l'oblige à venir à des rendez-vous en la menaçant de révéler à son époux qu'elle a jadis passé une nuit chez lui. Le jour de la Saint-Jean, Hazel va retrouver Reddin, devient sa maîtresse et s'enfuit. Le jeune pasteur essaie de la ramener et Hazel, que ses sens attirent vers Reddin mais dont l'âme est proche de celle de son mari, rentre avec celui-ci, qui lui pardonne, la considérant comme une enfant. Hazel, à qui sa belle-mère mène une vie odieuse, reviendra, après une nouvelle fugue, auprès de son mari, alors qu'une délégation de fidèles, émue par le scandale, vient adjurer le pasteur de divorcer. Au même moment, la renarde s'échappe et elle est bientôt poursuivie par la meute de Reddin. Hazel s'élance à son secours, mais se tue en tombant dans un ravin. Dans les paysages sauvages qui lui sont chers, Mary Webb a écrit une tragédie de l'instinct, balancé entre le bien et le mal, qu'il ignore également. Une fois de plus, elle a exprimé son aversion pour les préjugés et la brutalité de la vie rurale anglaise, mais ici avec un tour dramatique que n'ont point ses autres œuvres. – Trad. Éditions du Siècle, 1933.

RENAUD ET ARMIDE. Tragédie en trois actes de l'écrivain français Jean Cocteau (1889-1963), écrite en 1941, représentée au Théâtre-Français en avril 1943 dans une mise en scène de l'auteur, et publiée la même année. Composée en alexandrins, cette pièce respecte l'unité de temps, de lieu et d'action. Renaud, roi de France, est amoureux d'Armide, laquelle, sous la garde d'Oriane, se prépare à devenir fée. Armide est invisible, et Renaud aime en elle l'inconnu, l'idéal. Touchée par cet amour, Armide décide d'apparaître à Renaud, mais cette apparition, loin de satisfaire la passion de Renaud, l'éteint parce qu'elle supprime le mystère. Dégrisé, Renaud prend congé ; Armide en est réduite à le retenir par le seul pouvoir de ses « charmes », mais c'est un prisonnier, et non plus un amant, qu'elle garde. Un unique recours : lui donner l'anneau d'Orphée que les enchanteresses se transmettent depuis des siècles, et elle regagnera son amour ; seulement, redevenue par ce don une simple femme, Armide mourra au premier baiser de celui qui aura reçu l'anneau. Armide accepte ce double sacrifice de ses pouvoirs et de sa vie, donne l'anneau à Renaud, et meurt heureuse du baiser qui scelle l'amour retrouvé. Artificielle et froide dans l'ordre du théâtre, cette pièce demeure cependant une expérience intéressante dans l'ordre du langage, car les vers ont souvent une limpidité, une richesse d'invention et de sonorité qui témoignent étrangement du jaillissement poétique alors même qu'il est absent de l'action. On dirait la dépouille d'un rêve, celui d'une transparente histoire d'amour, dont serait demeuré flottant le souvenir.

RENCONTRES [*Encounters*]. Premier recueil de nouvelles de la romancière anglaise Elizabeth Bowen (1899-1973), publié en 1923. Son talent y est déjà manifesté et particularisé. Il s'agit de brefs récits, d'anecdotes de contenu léger, trivial même. Ce qui les distingue, c'est la fraîcheur et l'intensité de ce que l'œil a perçu. De fait, Elizabeth Bowen l'a confirmé dans la préface écrite pour une réédition du volume : « lieux, moments, objets, humeurs de l'année » sont bien à l'origine, chez elle, de la création littéraire. Anciennes demeures et hôtels, plages et jardins, et ces lieux eux-mêmes : la Riviera, Londres ou Paris, ne sont pas ici des cadres pour des « actions », mais le commencement d'un monde que les humains vont habiter et nommer.

Il a paru judicieux d'assembler sous le titre du premier d'entre eux les différents recueils de nouvelles d'Elizabeth Bowen : *Ann Lee* (1926), *Près de Charles* [*Joining Charles*, 1929], *Le Saut du chat* [*The Cat Jumps*, 1934], *Voyez toutes ces roses* [*Look at all those Roses*, 1941], *Pacte avec le diable* [*The Demon Lover*, 1945]. Ceux qui le suivent confirment et amplifient en effet le même appréciable don, et pour l'essentiel ce sont toujours des rencontres que le moment du jour ordonne.

Si l'approche et le ton demeurent identiques, le registre s'est amplifié. L'anecdote se développe et la comédie sociale gagne parfois en assurance, en résonance, en satire sous-entendue. Néanmoins, ce n'est pas tant sur ce terrain que les nouvelles d'Elizabeth Bowen s'imposent (ce sont ses romans qui proposeront des conflits, disposeront l'échiquier des drames, se voudront des études des comportements humains). La maturation se fait bien plutôt dans la variété des éclairages, dans les perspectives changeantes. La texture et la palette gagnent en richesse. Simultanément, aux brefs récits du début succèdent, peu à peu, des contes dans lesquels, tout particulièrement dans le dernier volume, un accomplissement se fait : les évocations atteignent une qualité de nostalgie poignante. Le coffret des lettres oubliées ; le fantôme de la maison effondrée ; le retour d'un homme dans la ville balnéaire où il vécut pendant son enfance, mais qui, en 1944, lui apparaît comme un méconnaissable labyrinthe de sacs de sable et de barbelés (et de maisons désertées, qu'étouffe le lierre) : ces différents récits n'ont guère été surpassés. — Trad. *Pacte avec le diable*, La Jeune Parque, 1947.

RENCONTRES AVEC DES HOMMES REMARQUABLES. Second livre de la trilogie du philosophe russe Georges Gurdjieff (1869-1949), publiée sous le titre général *Du tout et de tout. Rencontres avec des hommes remarquables,* édité en France, isolément, en 1960, avait été écrit en russe. Cet ouvrage est constitué de récits décrivant, selon Gurdjieff, le « contour extérieur de (sa) biographie ». Il y évoque les événements de son enfance et de son adolescence à Alexandropol dans le Caucase, puis ses pérégrinations en Turquie, Asie centrale, dans l'Hindu-Kush et le désert de Gobi. Dans un monastère qu'il nous décrit vivent ensemble des chrétiens, des musulmans et des hindous, « tous unis par le Dieu Vérité ». Si ces récits rendent un son d'indéniable authenticité, ils se démarquent d'une autobiographie au sens usuel du terme. En décrivant tour à tour chacun de ces « hommes remarquables » avec lesquels il partagea sa quête, Gurdjieff esquisse le modèle de l'homme nouveau que chacun de nous pourrait devenir. — Trad. Julliard, 1960 ; Stock, 1979 ; Éditions du Rocher, 1984. B. de P.

RENDEZ-VOUS À SAMARA [*Appointment in Samara*]. Roman de l'écrivain américain John O'Hara (1905-1970), publié en 1934. Dans le sillage de Hemingway, John O'Hara, avec une violence et un souci du détail peu communs, fait dans *Rendez-vous à Samara*, son premier ouvrage, le récit d'une déchéance, celle de Julian English, un snob de province, désemparé par une vie sans but, et chez qui les relations sexuelles tiennent la plus grande place dans sa conscience engourdie. Il connaîtra un réveil cruel, et finira par se suicider. Sur cette trame, l'auteur dépeint une ville moyenne des États-Unis, avec une fidélité dans le réalisme et un détachement presque chirurgicaux, une précision de sociologue doublée de l'art d'un grand écrivain. Bien que très influencé par Hemingway, autant dans les sujets qu'il développe que dans le style, John O'Hara se différencie de ce dernier par un rare jeu de nuances dans les conversations entre les personnages. Il établit la valeur dominante et fait l'analyse détaillée du milieu américain en révélant, avec finesse, la psychologie de chacun. Tout cela dans une langue vivante et variée, mêlant la vulgarité et la plus grande rigueur en des phrases courtes et alertes, propres à décrire avec densité et puissance cette histoire, qui ne serait autrement qu'une banale étude de mœurs entrecoupée de descriptions obscènes. John O'Hara ne devait d'ailleurs jamais retrouver cette puissance et cette brutalité qui donnent à son livre une vigueur exemplaire, pas plus dans ses contes amers comme *Mon copain Joe* [*Pal Joey*, 1940] que dans ses autres romans. — Trad. Éditions du Seuil, 1948.

RENDEZ-VOUS SECRET [*Mikkai*]. Roman de l'écrivain japonais Kôbô Abe (1924-1993), publié en 1977. « L'amour pour les faibles cache toujours une volonté de meurtre... » : c'est ce paradoxe provocant que l'auteur met en exergue. Le héros, qui est présenté par une fiche signalétique, a trente-deux ans. C'est un sportif « doué pour le patin à roulettes », ancien cover-boy qui a posé nu pour des revues homosexuelles ; il exerce le métier de représentant en « chaussures de saut ». Sa femme a disparu un beau matin, enlevée par une ambulance que personne n'a appelée. Le roman se déroule alors comme une double enquête : le protagoniste recherche sa femme, errant dans un hôpital qui semble avoir envahi la ville entière ; par ailleurs un certain « cheval » traque le représentant de commerce. Des bribes d'interrogatoires ont été enregistrées sur des cassettes, dont l'auteur fournit la transcription. Plusieurs documents administratifs sont reproduits : fiches d'admission à l'hôpital, cartes de visite. Le récit est par ailleurs entrecoupé de réflexions en parenthèses. Sur chacun des personnages qui apparaissent dans le roman pèse le soupçon : médecins de garde, réceptionniste, secrétaires, veilleur, infirmière, sous-directeur. Le passage constant de la troisième à la première personne concourt à brouiller les pistes, comme si l'auteur prenait plaisir au trouble qu'il fait naître chez le lecteur, malaise qui est intégré à l'intrigue même. Il s'agit pour le romancier d'établir entre la fiction et lui une distance qui l'empêche de céder à l'émotion dans les scènes les plus violentes ou les plus érotiques. Tantôt la voix du narrateur vient d'un magnétophone, tantôt elle est la simple transposition de ses pensées. Peu à peu, le protagoniste oublie l'objet de son enquête (sa femme disparue) pour se poursuivre lui-même : « Tant que je me poursuis moi-même, ce n'est que mon dos que je vois tout le temps. Mais ce qui me manque, c'est ce qui se trouve au-delà de mon dos. Par exemple, cet espace dont je n'avais pas soupçonné l'existence [...] ce sol où n'importe qui peut errer et qui n'appartient à personne... cette jalousie que le froid fige et qui ne laisse subsister que la forme de la colère, comme une traînée de lave. » Le rendez-vous secret du titre est une allusion à la seconde partie, plus sexuelle, où sont décrites les rencontres des « malades » entre eux, épiées par des voyeurs. Et progressivement le roman prend une orientation plus fantasmatique : une secrétaire nymphomane conçue dans une éprouvette, une fillette atteinte d'un mal mystérieux qui atrophie ses membres, une femme dont la chair mute en coton de couette. L'hôpital devient une galerie de monstres, dans une hallucinante atmosphère de fête foraine où l'on organise des concours d'orgasme. Au terme de ce délire onirique, le narrateur se retrouve lui-même, seul et déstructuré. — Trad. Gallimard, 1985.

R. de C. et R. N.

RENÉ. Célèbre récit de l'écrivain français François-René de Chateaubriand (1768-1848), publié d'abord en 1802 dans *Le Génie du christianisme* (*) (IIe partie, 3e livre), où il était destiné à illustrer l'affirmation de l'auteur que « le christianisme a changé les rapports des passions en changeant les bases du vice et de la vertu » ; en opposant perpétuellement les chagrins de la terre et les joies célestes, il a créé en nous une certaine tristesse inspirée par les maux présents, une vive espérance d'un bonheur, lointain encore, d'où découlent d'inépuisables rêveries. Plus particulièrement, l'épisode de *René* devait appuyer la théorie de Chateaubriand sur le « vague des passions » dans l'âme de ses contemporains. Selon lui, la suppression des ordres religieux par la Révolution priva les âmes inquiètes de leur dernière consolation, de leur refuge, la solitude du couvent ; c'est alors que naquit cette « coupable mélancolie qui s'engendre au milieu des passions lorsque les passions, sans objet, se consument d'elles-mêmes dans un cœur solitaire ». En 1805, *René* parut en volume où il était précédé d'*Atala* (*) ; dans l'édition des *Œuvres complètes,* même disposition. C'est qu'en effet *René* et *Atala* sont étroitement liés dans l'œuvre de Chateaubriand, où ils sont tous deux des épisodes détachés de cette œuvre immense que sont *Les Natchez* (*). Le lecteur a appris, dans *Atala,* que René se trouve en Amérique et qu'il s'est marié dans la tribu des Natchez. Mélancolique, il vit loin des hommes, dans les bois. Enfin, il confie le secret de sa tristesse à deux amis, le vieux chef aveugle, Chactas, et le père Souël, missionnaire au fort Rosalie : c'est une âme « trouble et agitée », mais il prétend être plaint et non condamné. Pour décrire la maladie morale dont il souffre, il commence son récit à son enfance. C'est, évidemment un peu arrangée, l'enfance de Chateaubriand à Combourg, entre un père trop austère et une sœur qu'il aime tendrement, Amélie (qui rappelle à beaucoup d'égards Lucile de Chateaubriand). C'est déjà un être grave, mélancolique, hanté par le spectacle de la mort. Désireux de rompre avec l'envoûtement qui le retenait dans son pays, il tente de s'intéresser aux grands spectacles de la nature. Il gravit l'Etna, mais c'est pour éprouver encore plus fortement le néant de la vie. À son retour, René retrouve cette sombre mélancolie. C'est alors qu'il lance l'imprécation fameuse : « Levez-vous vite, orages désirés qui devez emporter René dans les espaces d'une autre vie ! » Il ne reste plus à René, séparé de sa dernière consolation, sa sœur Amélie, qu'à se suicider. La jeune femme, à laquelle il écrit, devine son projet et le rejoint. Après lui avoir fait promettre de renoncer à se donner la mort, Amélie le quitte brusquement, en lui laissant une lettre où elle lui annonce qu'elle va entrer au couvent. René accourt auprès d'Amélie pour la dissuader de prononcer ses vœux. Mais il est trop tard, et elle lui demande de l'accompagner à l'autel à la place de son père défunt. Il assiste, la mort dans l'âme, à la cérémonie, et prend la résolution de passer en Amérique. Tandis qu'Amélie meurt en soignant une de ses compagnes atteinte d'une maladie contagieuse, René aborde sur le nouveau continent. La morale du récit est donnée par le père Souël et par Chactas. La maladie de René, c'est l'orgueil ; l'un avec sévérité, l'autre avec indulgence arrivent au même diagnostic, et Chactas ajoute : « Il faut que tu renonces à cette vie extraordinaire qui n'est pleine que de soucis ; il n'y a de bonheur que dans les voies communes. » Et le récit s'achève sur le retour au grand silence de la nature, rendu plus perceptible encore par « la voix du flamant qui, retiré dans les roseaux du Meschacébé, annonçait un orage pour le milieu du jour ».

Chateaubriand, en partie sans doute pour se disculper, a indiqué lui-même, dans la *Défense du Génie du christianisme,* ses précurseurs : « C'est Jean-Jacques Rousseau qui introduisit le premier parmi nous ces rêveries si désastreuses et si coupables. En s'isolant des hommes, en s'abandonnant à ses songes, il a fait croire à une foule de jeunes gens qu'il est beau de se jeter ainsi dans le vague de la vie. Le roman de Werther — v. *Les Souffrances du jeune Werther* (*) — a développé depuis ce genre de poison. L'auteur du *Génie du christianisme* a voulu dénoncer cette espèce de vice nouveau, et peindre les funestes conséquences de l'amour outré de la solitude. » On ne peut douter de la sincérité de Chateaubriand ; il est fort possible qu'il ait cru guérir le mal en le dépeignant ; il est possible qu'il ait cru condamner sincèrement ses propres erreurs de jeunesse. Sans doute, il n'a pas inventé le « mal du siècle », mais il lui a donné une nouvelle forme, la forme qui convenait à son temps. De plus, *René* n'est pas seulement un récit des conséquences désastreuses de l'amour de la solitude, c'est aussi le récit d'une passion plus ou moins reconnue comme telle, de l'amitié amoureuse d'un frère pour une sœur. Et par là Chateaubriand introduit une note quelque peu ambiguë qu'on ne trouverait pas dans Goethe, par exemple. Dès la parution de *René* dans *Le Génie du christianisme,* ce fut le succès, l'enthousiasme surtout, auprès de la jeune génération. On le préféra à *Atala,* non seulement à cause de ce qu'il faut bien appeler son actualité, mais parce que le style de *René* ne déconcertait pas par les mêmes hardiesses que celui d'*Atala.* En fait, ce n'est pas un remède à la mélancolie qu'apporta Chateaubriand ; au lieu d'en guérir son temps, il la mit à la mode. L'influence de *René* fut immense, non seulement sur des ouvrages immédiatement contemporains, comme l'*Obermann* (*) de Sénancour (publié en 1804, mais commencé un an avant la publication de *René*), l'*Adolphe* (*) de Benjamin Constant, l'*Édouard* (*) de Mme de Duras, mais principalement sur les grands écrivains romantiques ; Musset tel qu'on le retrouve dans les *Nuits* (*) et dans *La Confession d'un enfant du siècle* (*) directement inspirée de *René ;* Vigny, dans certaines pièces des *Destinées* (*), ainsi que dans le personnage de Satan d'« Éloa » — v. *Poèmes antiques et modernes* (*) ; un grand nombre de personnages de Hugo sont des descendants de René ; il n'est pas jusqu'à Alexandre Dumas père qui n'ait donné son « René », en composant *Antony* (*). Sans vouloir multiplier les exemples qui sont innombrables de l'influence exercée d'une manière durable par Chateaubriand, il faut enfin mentionner *Le Rouge et le Noir* (*) et surtout *Armance* (*) de Stendhal. La part de Chateaubriand dans la formation de cette mélancolie romantique qui devait envahir pour plusieurs décennies la littérature est considérable : on peut la comparer à celle de Goethe et de Byron, qu'elle dépasse même, du moins en France. *René* n'est pas une œuvre composée comme *Atala* de divisions symétriques, c'est un récit continu. Mais par son style constamment lyrique et la composition en strophes, par l'harmonie solennelle et plaintive du récit de René qui en occupe la presque totalité, c'est un poème, une ode au désespoir.

RENÉE MAUPERIN. Roman des écrivains français Edmond (1822-1896) et Jules (1830-1870) de Goncourt, publié en 1864. Avant *Germinie Lacerteux* (*), cette œuvre affirmait le talent des deux frères comme romanciers réalistes : elle prétendait peindre le monde de la bourgeoisie d'affaires, à la fin du second Empire, qui évolue ici autour de Renée Mauperin, type de la jeune fille « moderne » du siècle dernier, formée par l'éducation « artiste », enfant gâtée et émancipée qui supporte mal sa condition de fille du monde et voudrait briser le cercle rigide des convenances. C'est moins chez elle quelque goût pour l'anarchie qu'une exigence de sincérité généreuse et passionnée, que les auteurs ont rendue plus sensible en lui opposant les passions sinistres, orgueilleuses et vénales, qui agitent les autres personnages : Henri d'abord, le frère de Renée, jeune bourgeois calculateur qui n'aime rien que l'argent, mais assez perfide aussi pour voiler son égoïsme sous des dehors sérieux et modérés, qui lui valent l'admiration de la bonne société. Voulant réussir dans les affaires, Henri a décidé d'épouser la fille d'un marchand enrichi, Bourjot. Pour obtenir sa main, il séduit la mère, dont il devient l'amant et qu'il contraint, pour éviter le scandale, à lui donner sa fille et quelques millions de dot. Mais le père Bourjot, ancien libéral de 1830 que la fortune a converti à la monarchie conservatrice, ne veut pour gendre qu'un noble. Sans hésiter, Henri s'affuble d'une particule. Mais Renée, avertie des dessous sordides de ce mariage, prévient le légitime porteur du nom. Duel. Henri est tué. Et Renée, poursuivie par les remords, va mourir dans de longues souffrances. L'action est bien menée ; mais le livre vaut surtout par le dessin des caractères. Quelques personnages accessoires prennent une valeur exemplaire : ainsi l'abbé Blampoix, type du prêtre mondain, casuiste à la morale très lâche, qui sait offrir aux belles et riches dames une religion « légère, élastique, charmante » et non la religion « dure, laide et rigoureuse des pauvres »... Ainsi, Bourjot, l'ancien carbonaro, favorisé par le commerce, qui ne comprend plus rien au peuple dont il vient à peine de sortir, farouche anticlérical sans doute, mais qui trouve fort bon, pour l'ordre moral, que les ouvriers aillent à la messe. Les Goncourt ont pu ici user et abuser de leurs deux partis pris : mépris romantique et artiste du « bourgeois », passion anticléricale qu'on retrouvera, plus affirmée encore, dans *Madame Gervaisais* (*). En tout cas, *Renée Mauperin* était une œuvre assez dramatique, assez sensible (par les personnages de Renée et de la fille Bourjot), assez féroce aussi dans son humour, pour plaire. Elle fut beaucoup lue. Mais l'adaptation théâtrale qu'en fit Edmond en 1886 n'eut aucun succès.

RENÉ LEYS. Roman posthume de l'écrivain français Victor Segalen (1878-1919) commencé en novembre 1913, publié à peu près achevé en 1922. Il est né d'une histoire vécue, mais d'une histoire si romanesque en elle-même que Segalen eut bien peu de retouches à faire pour la transformer en fiction. Il avait fait la connaissance en juin 1910 d'un jeune Français nommé Maurice Roy qui s'exprimait en pékinois à la perfection. Tout en donnant des leçons de chinois à Segalen, il prétendait avoir partagé les jeux de l'empereur Kouang-Siu enfant et pénétrer à sa guise dans le Palais interdit. Il révéla même un jour qu'il était l'amant de l'impératrice douairière, veuve de Kouang-Siu, et qu'elle lui avait donné un fils. Pendant les troubles révolutionnaires de 1911, il affirme occuper un poste important dans la police. Tout cela est consigné dans le journal tenu par Segalen sur cette histoire et intitulé *Annales secrètes d'après Maurice Roy*. Malgré tous ses efforts, il n'a jamais réussi à savoir si Maurice Roy disait la vérité. Pour composer le roman, il a très peu changé les données du réel. Le livre se présente comme le journal d'un narrateur européen un peu naïf accueillant avec une forte dose d'incrédulité les révélations de plus en plus surprenantes de René Leys, personnage assez étroitement calqué sur Maurice Roy. Segalen, qui dans un projet d'*Essai sur une forme nouvelle du roman* avait condamné l'anecdote, le récit et l'auteur omniscient, a tenu la gageure de bâtir un livre sur des événements et des personnages hypothétiques décrits par un narrateur qui a l'impression de ne rien savoir de vrai. Ce roman très lié à l'esthétique théâtrale, tellement la fiction semble réelle et le réel fictif, est aussi parsemé d'ironie et d'humour. Et de joie aussi. Le livre est un mémento du bonheur goûté par Segalen pendant son séjour à Pékin. *René Leys*, cependant, commencé comme une parodie du roman populaire, reflète bien les préoccupations de son auteur : déception de voir les Chinois infidèles à leur prestigieux passé, déception de n'avoir pu pénétrer dans la Cité interdite, allégorie de l'Inaccessible, déception de l'esprit incapable d'atteindre à la vérité des choses et des êtres. L'aimable mascarade du début s'achève en tragédie par la médiocre révolution et la mort. Le seul fait incontestable est la mort de René Leys. Elle est aussi indéchiffrable que le reste. Comme tant d'autres œuvres de Segalen, *René Leys* se termine sur une absence, sur l'impossible audience de l'Absolu : « Je ne saurai donc rien de plus. Je n'insiste pas ; je me retire [...] respectueusement d'ailleurs et à reculons puisque le protocole le veut ainsi, et qu'il s'agit du palais impérial, d'une audience qui ne fut pas donnée, et ne sera jamais accordée. » « Le livre qui ne fut pas », avait écrit Segalen au seuil de *René Leys*. Le dernier mot du livre est « mystère ». Roman policier hypothétique, journal d'un séjour dans le bonheur à Pékin, méditation sur les rapports de l'Imaginaire et du Réel, Segalen a jeté dans cette œuvre si complexe et si riche, sous le masque de l'ironie, l'angoisse du poète en quête du secret des secrets. *René Leys* est le roman de la connaissance impossible. H. B.

RENVERSEMENT DES VALEURS (Le) [*Vom Umsturz der Werte. Der Abhandlungen und Aufsätze Zweite durchgesehene Auflage*]. Œuvre en deux volumes du philosophe allemand Max Scheler (1874-1928), publiée à Leipzig en 1915. L'auteur y a rassemblé, après révision, plusieurs essais qu'il avait écrits et publiés entre 1912 et 1914, et dont les plus importants sont : « Réhabilitation de la vertu » [Zur Rehabilitierung der

Tugend ») ; « Du ressentiment dans l'édification des morales » [Das Ressentiment im Aufbau der Moralen] ; « Les Idoles de la connaissance de soi » [Die Idole der Selbsterkenntnis] ; « Essais d'une philosophie de la vie » [Versuche einer Philosophie des Lebens] ; « L'Avenir du capitalisme » [Die Zukunft des Kapitalismus]. Appliquant la méthode phénoménologique et les idées qu'il avait développées dans *Le Formalisme dans l'éthique* (*), l'auteur étudie la situation spirituelle, contemporaine, en ce qu'elle révèle une grave crise intérieure de la bourgeoisie. Devant les tragiques vicissitudes traversées par la société bourgeoise et qui ont abouti à la Première Guerre mondiale, il croit découvrir les voies de la rédemption et de la reconstruction en un socialisme chrétien, dont il avait déjà examiné les aspects théoriques avec *De l'éternel dans l'homme* (*). De tous ces essais, le plus important est de loin l'étude sur le « ressentiment », qui prouve combien le titre de « Nietzsche chrétien » qu'on a donné à Scheler était mérité. Dans sa *Généalogie de la morale* (*) Nietzsche avait reproché à la morale chrétienne d'être née du « ressentiment » ; reprenant le problème, Scheler développe l'idée d'un nouveau christianisme, ou plus exactement d'un retour au christianisme primitif. Lorsque l'instinct qui nous porte à réagir contre une mortification que notre personnalité a subie se trouve inhibé, il « couve » au-dedans de nous-mêmes ; et s'il ne parvient pas à s'assouvir plus tard sous forme de vengeance, il empoisonne l'esprit ; il engendre de mauvais sentiments qui déforment notre faculté de jugement et nous portent à nier ces valeurs auxquelles nous ne pouvons atteindre ou qui appartiennent en propre aux personnes que nous haïssons. Telle est l'origine du ressentiment. En général, il apparaît chez des individus et, plus souvent encore, chez des groupes d'individus soumis à une servitude ; mais, lorsqu'il est très fort, il peut même « contaminer » d'autres groupes, d'autres individus, même des sociétés entières, et aller jusqu'à engendrer une éthique. Ce phénomène se manifeste sous son aspect le plus intéressant dans les jugements d'appréciation comparée entre nous-mêmes et autrui auxquels donne lieu le ressentiment. Ici, deux attitudes sont possibles : l'individu « noble », conscient de la plénitude de son être et de sa valeur personnelle, accepte en dehors de toute comparaison avec soi les valeurs dont d'autres individus peuvent être porteurs ; le « vulgaire » au contraire ne peut apprécier sa propre valeur qu'en se comparant à autrui. Si la vulgarité s'accompagne de force, on a l'ambitieux ; si elle s'accompagne de faiblesse, l'homme du ressentiment. Une société où prévaut la vulgarité forte est une société de concurrence, une société où domine le mythe du progrès ; mais là où prévaut le ressentiment, il donne naissance à tout un système d'évaluation, à une éthique, comme dans les sociétés bourgeoises auxquelles Scheler consacre une attention particulière. Cette morale est à l'opposé de la morale éternelle, caractérisée par une hiérarchie éternelle de valeurs, et représentée, selon Scheler, par le christianisme primitif, bien différent du christianisme bourgeois qu'un formidable courant de ressentiment a empoisonné et dénaturé. Mais l'appréhension des valeurs est un acte de la conscience ; or, d'après tous les philosophes depuis Descartes jusqu'aux idéalistes contemporains, cette conscience, loin de pouvoir se tromper, constitue le critère même de la vérité. C'est ce que nie catégoriquement Scheler dans « Les Idoles de la connaissance de soi » ; même la conscience « intérieure » est une cause d'erreurs, ou plus exactement d'illusions et de déformations de la vérité. Une philosophie fondée sur la méthode phénoménologique de l'intuition des essences doit affirmer que l'Être absolu est évident et parfaitement connaissable dans le domaine de l'expérience tant intérieure qu'extérieure. C'est sur cette possibilité de la connaissance de l'Être en soi que se fonde Scheler pour se réclamer d'une morale éternelle ; mais ce faisant il ne voit pas — comme on peut le constater dans son analyse du ressentiment — que ce sont précisément les diverses formes relatives de la connaissance et de l'éthique qui lui permettent de retrouver et d'approfondir les concepts d'être et de valeur qui, dans le cas contraire, perdraient tout dynamisme, n'étant accessibles qu'aux facultés contemplatives d'un petit nombre d'élus.

RÉORGANISATION DE LA SOCIÉTÉ EUROPÉENNE (De la). Ouvrage de l'économiste français Claude-Henri de Rouvroy, comte de Saint-Simon (1760-1825), publié en 1814 avec le sous-titre « De la nécessité et des moyens de rassembler les peuples de l'Europe en un seul corps politique, en conservant à chacun son indépendance nationale ». L'œuvre est d'une grande importance, par la perspicacité avec laquelle l'auteur reconnaît la nécessité de résoudre, sur le terrain politique, quelques très graves problèmes laissés sans solution par le régime napoléonien. L'idée de la collaboration entre les grands « compétents » (c'est-à-dire entre les savants de chaque branche du savoir) se présente comme un moyen facile propre à résoudre les problèmes de la Restauration. Aussi l'utopiste, qui rêve de nouvelles réformes, se tourne-t-il vers les souverains d'Europe, et souhaite leur union au nom de l'industrie et du progrès. Rien ne pourra faire obstacle à la marche du temps, et tous les préjugés s'écrouleront dans l'œuvre indispensable de réorganisation. La société sera fondée sur des principes clairs et sûrs, qui favoriseront le développement des activités commerciales et industrielles. L'activité économique sera étroitement liée à l'activité politique. Quelques grands événements se déroulent sur la scène européenne de la Restauration : le parlementarisme triomphe du despotisme, il se produit des révolutions populaires. Rien ne semble plus nécessaire que d'aller au-devant des aspirations de tous, vers un bien-être collectif, et de contribuer au bien-être des ouvriers et de tous les humbles. Si le régime parlementaire de type anglais est réellement efficace, il faut le prendre comme modèle dans une discussion de principe entre États et souverains, réunis dans une véritable confédération. La France, l'Angleterre et même l'Allemagne pourront prendre les rênes du progrès. La société sera rapidement réorganisée et connaîtra une période de prospérité. Il s'agit de fonder solidement cette paix, qui a toujours été l'une des aspirations fondamentales de l'humanité. Le fait de fixer les problèmes sur le plan économique permettra d'éviter qu'ils ne tombent dans les abstractions et ne soient alors malencontreusement niés. Il faut que les peuples se connaissent et aient des institutions communes : le nouveau système économique et politique que préconise Saint-Simon devra donc unir les esprits dans la réalisation d'une œuvre commune. L'ouvrage, qui abonde en éléments utopiques, est important comme document sur la vie économique et politique de la Restauration.

RÉPERTOIRE. Recueils d'essais critiques de l'écrivain français Michel Butor (né en 1926). En 1960, après trois romans et alors que paraît *Degrés* (*), Michel Butor rassemble vingt et un de ses essais. Il s'en tiendra dans chacun des quatre volumes qui suivent *Répertoire* (II, III, IV, V : 1964, 1968, 1972, 1982) au même nombre de textes. Ces volumes comprennent à la fois des études sur les œuvres d'art (Boulez, t. II ; Hokusai, Monet, Rothko au t. III ; Hérold, Steinberg, Giacometti, t. IV) et sur des écrivains (John Donne et Faulkner ; Dostoïevski et Kierkegaard ; Rabelais, Racine, Balzac, Rousseau, Chateaubriand, Proust, Breton). Des écrits de tous les siècles et de tous les domaines sont ainsi objets d'examen. À première vue, c'est donc la diversité qui frappe en ces volumes. Puis leur composition. Ils s'ouvrent sur des textes généraux : « Le Roman comme recherche » (t. I), « Le Roman et la Poésie » (t. II), « La Critique et l'Invention » (t. III), « Le Voyage et l'Écriture » (t. IV), « D'où ça vous vient » (t. V), et se terminent de façon semblable par un texte de portée générale. Le volume est, à la fois, un recueil, une organisation et un commentaire, en marge de l'œuvre romanesque personnelle. Constituée de cinq volumes, la série *Répertoire* est achevée. (La critique de Michel Butor s'élabore aujourd'hui à travers un nouvel ensemble intitulé « Improvisations sur... » — Rimbaud, Flaubert...) Le tome V de *Répertoire*, d'aspect plus ludique que les volumes antérieurs, se clôt sur un texte qui reprend le titre de l'ensemble, « Répertoire ».

Les principaux sujets de préoccupation de l'écrivain apparaissent au gré de ces études : le problème des organisations (roman et musique), des représentations imaginaires (les dieux et la science-fiction), du livre et des concerts de voix, des signes, qu'ils soient tracés sur une toile, constitués par un vêtement, exprimés par le visage. On peut mettre en parallèle une réflexion critique, sur la *Répétition* (*) de Kierkegaard, et une invention romanesque à quoi elle semble répondre, *La Modification* (*). La réflexion sur des formes mobiles chez Balzac ou Mallarmé introduit à la lecture de la série *Le Génie du lieu*. L'œuvre de Butor associe étroitement la réflexion critique et l'activité romanesque. L'étude initiale de *Répertoire III* conclut à la réciprocité de la critique et de l'invention : « Le monde produit *progressivement* sa propre critique et s'invente en nous difficilement. »

La critique de Butor ne dépend pas d'une théorie (sémiologique, sociologique, analytique...), mais s'élabore selon un système récurrent. D'une part, elle s'attache essentiellement au texte ; mais tout participe du texte et est produit par lui : la biographie d'un romancier appartient à ses écrits ; de l'autre, elle tend à faire du texte, ou de l'œuvre entière, une sorte d'éventail qui se déplierait progressivement. Ce que donne à voir le critique, ce n'est pas un exemple de sa dextérité : il doit nous convaincre que l'auteur ne pouvait pas œuvrer autrement qu'il l'a fait pour, justement, présenter des conflits sans les résoudre certes, mais de façon à ce qu'ils puissent l'être par les lecteurs. Baudelaire contant son rêve à Asselineau possède : « Un langage dont il n'a pas la clef. / Un langage dont il nous donne les clefs. » Aussi, sans ignorer l'efficacité d'aucun langage critique, Butor évite de les utiliser solitairement ; particuliers, ils parcellisent leur objet. La critique rend clair le projet fondamental de la littérature, qui est de présenter à tous une image de notre système de pensée où nous nous reconnaissions afin de pouvoir changer, et nous voir changer (*Répertoire* IV).

J. Rou.

RÉPÉTITION (La) [*Gjentagelsen*]. Œuvre du philosophe danois Søren Aabye Kierkegaard (1813-1855), écrite et publiée en 1843. Dans le sous-titre, l'auteur désigne cet écrit comme un « Essai d'expérience psychologique » et il en attribue la rédaction à Constantin Constantius, en hommage à Benjamin Constant, l'auteur d'*Adolphe* (*), dont *La Répétition* en un certain sens se réclame. En réalité, cependant, l'importance de l'œuvre dépasse sa valeur narrative et psychologique : par le concept de répétition, l'auteur entend exprimer l'acte, à la fois humble et héroïque, par lequel l'homme, une fois reconnue impossible la répétition d'un moment de son expérience, soit sur le plan esthétique, soit sur le plan éthique de l'adhésion aux principes de la morale courante, accepte, en vertu de l'absurde même, la vie comme un recommencement, une conversion qui s'ouvre au sentiment du prodigieux et du divin. La question que Constantin Constantius pose au commencement de son œuvre est double : la répétition est-elle possible dans l'expérience de l'homme ? Et que signifie-t-elle et qu'implique-t-elle ? Pour trouver une réponse, il se propose une expérience : il se rendra à Berlin pour retrouver l'impression agréable d'un premier séjour. Seule la répétition en effet, assurant l'éternité, peut rendre l'homme heureux, tandis que la réminiscence, le souvenir le rendent malheureux, attachés qu'ils sont à la nostalgie et au regret. Et pour Constantin, seul l'amour selon la répétition est heureux, au lieu que l'amour selon le souvenir n'est qu'une source de souffrance. De cet amour malheureux, l'auteur donne un exemple dans la personne d'un jeune ami (en fait, il s'agit de lui-même), également enclin à l'enthousiasme et à la mélancolie. L'ami de Constantius est amoureux, mais son amour commence dès le premier jour à se nourrir de la nostalgie du souvenir. La jeune fille qu'il aime est plutôt l'occasion que l'objet de sa passion ; ce qu'il aime en elle, c'est seulement l'idée, l'universel. Dans ce tourment, le génie de la création poétique vient à s'éveiller chez le jeune homme. Et il chante cette jeune fille sans qu'elle soupçonne le drame qu'il tient caché. Car il ne peut en effet penser à l'épouser, ce qui serait une duperie, ni à s'expliquer, car il ne serait pas compris. Mais comme, d'autre part, il n'a pas le cœur de briser, en l'abandonnant, le sentiment qu'il a éveillé chez la jeune fille, Constantin lui suggère de provoquer en elle le dégoût, et de tout faire pour se rendre odieux. Mais il n'en a pas le courage. Il part, sans donner de ses nouvelles.

Tout cela est arrivé, pense l'auteur, parce que le jeune homme ne croyait pas à la répétition. Mais, une fois commencé son voyage de Berlin, le voilà cruellement déçu. En réalité, rien ne se répète. La chambre est changée, le théâtre ne l'amuse plus. Ainsi la répétition au sens esthétique, c'est-à-dire celle, exacte, des sentiments d'autrefois, est impossible. Constantin rentre plein d'amertume : la vie prend tout et toujours, mais ne rend rien. C'est l'échec de l'esthétisme, et l'unique issue lui paraît être la mort. Ainsi finit la première partie. À quelque temps de là, le jeune ami envoie des lettres à notre auteur. Son amour l'a marqué vraiment. Il se refuse à l'oubli, se nourrit de souvenirs, et se tourmente à l'idée des souffrances qu'il a provoquées. Sa seule consolation, c'est le *Livre de Job* (*). Mais Job finit par se réconcilier avec Dieu, et obtient plus que ce qu'il avait perdu. C'est cela la répétition, et le jeune homme l'attend. Elle serait cette fois morale, consistant dans l'acceptation de la morale courante. Autrement dit, il attend un renouvellement de son être qui le rende capable de se marier. Mais même entendue ainsi, la répétition est impossible, car se marier serait tromper la jeune fille sur la nature des sentiments qu'il éprouve, et pire encore, ce serait un mensonge envers lui-même, en ceci qu'il mènerait à un compromis entre le réel et l'idéal. Finalement le jeune homme apprend que la jeune fille s'est mariée. Alors il redevient maître de soi et se calme. Car il appartient désormais à l'absolu, et peut le servir dans les périls. La répétition révèle enfin son vrai sens : elle est possible seulement comme un élan de soumission religieuse à l'inconnu.

Une lettre au lecteur sert de conclusion, dans laquelle l'auteur dénonce explicitement les limites de son récit, qui ne peut être le lieu idéal de la révélation religieuse. *La Répétition* a eu la plus grande influence sur le cours ultérieur de la philosophie. Heidegger — v. *Être et Temps* (*), 1927 — a fait de la répétition, transférée du plan religieux au plan métaphysique, le moment le plus important de ce qu'il nomme la transcendance, c'est-à-dire l'acte par lequel l'homme, prenant sur soi sa propre faute, sa propre facilité, sort de la dispersion pour atteindre l'être vrai. — Trad. Alcan, 1933 ; L'Orante, 1972, t. 5 ; Garnier-Flammarion, 1990.

RÉPONSE À JOB [*Antwort auf Hiob*]. Œuvre du psychiatre, psychologue et psychanalyste suisse Carl Gustav Jung (1875-1961) publiée en 1952. Dans ce livre, qui se heurtera aux plus vives résistances dans les Églises, Jung s'explique sur le problème religieux de l'homme moderne en présentant une analyse des transformations de l'idée et de l'expérience de Dieu de l'Ancien Testament jusqu'aux plus récents développements de la théologie contemporaine. Deux thèmes hantent cette mise en perspective passionnée de notre histoire : l'évidence du mal, que tend à dénier la conception d'un Dieu unique et bon, et la reconnaissance du féminin. Plus que dans aucune autre de ses œuvres, Jung exploite ici son attention de clinicien pour la vie propre des symboles et leur développement, en même temps qu'il s'attache à montrer la différenciation qui s'opère dans ce domaine par le fait de la conscience. L'édition française se termine par une postface d'Henry Corbin qui replace cette œuvre dans la dynamique des recherches de Jung. — Trad. Buchet-Chastel, 1964.

C. G.

RÉPONSE À LA QUESTION : QU'EST-CE QUE LES « LUMIÈRES » ? [*Beantwortung der Frage : Was ist Aufklärung ?*]. Œuvre philosophico-sociale du philosophe allemand Emmanuel Kant (1724-1804), publiée en 1784, la même année que l'*Idée d'une histoire universelle du point de vue cosmopolite* (*) et après l'étude sur *La Morale valable pour tous les hommes, sans exception de religion.* Les « Lumières » sont la libération de l'homme d'un état volontaire d'infériorité intellectuelle ou d'incapacité de se servir de l'entendement sans le guide d'un autre ; et ce, par manque de décision et de courage. Ce sont la paresse et la lâcheté qui mettent des hommes, intellectuellement majeurs, sous la direction de tuteurs qui se sont eux-mêmes institués tels. C'est si commode d'être mineur ! Un livre possède l'intelligence à ma place ; un directeur spirituel, un médecin ont une conscience, des connaissances que je n'ai pas ; ainsi, pourvu que je paie, je n'aurai plus aucun effort à accomplir. Et les tuteurs en question veillent à ce que la plus grande partie de l'humanité considère sa libération, non seulement comme incommode, mais aussi comme dangereuse, en lui signalant les périls qui la guettent au cas où elle se hasarderait à vouloir marcher seule. Les règles et les formules, instruments mécaniques nés de l'abus des dons naturels de l'homme, sont les chaînes qui maintiennent les hommes en tutelle ; rares sont ceux qui, grâce à une éducation de leur esprit par eux-mêmes, sont parvenus à s'en affranchir et à acquérir une démarche assurée. Il est plus facile à une collectivité de se libérer lentement, lorsque quelques-uns parmi les hommes qui lui sont préposés en qualité de tuteurs secouent le joug et cherchent à répandre autour d'eux l'idée d'une appréciation rationnelle de la valeur et de la vocation de chaque homme. C'est pourquoi, si une révolution peut suffire à mettre fin rapidement à l'oppression personnelle d'un despote, une multitude ne peut être éclairée que lentement ; car, du moment qu'elle n'aura pas été éduquée à penser par elle-même, elle sera le jouet de nouveaux préjugés. Qu'exige-t-on pour qu'elle le soit ? La plus innocente des libertés : celle de raisonner avec sa propre tête sur n'importe quel sujet ; « sapere aude ». Kant distingue cependant entre l'usage public de la raison, apanage de l'homme d'étude, qui doit toujours être libre, de son usage privé, qui peut au contraire être limité. Dans les affaires d'intérêt public une certaine discipline s'impose, pour que toutes les actions convergent vers des fins d'intérêt public, ou du moins n'annulent pas les efforts des autres. Ici, il ne s'agit plus de raisonner, mais d'obéir. Cependant, dans la mesure où un membre de l'ordre étatique appartient à l'humanité, il a le droit de raisonner et le devoir de formuler publiquement des observations et des critiques ; contribuable, il pourra, après s'être acquitté de ses impôts, dire ce qu'il pense au sujet de la justice de certaines formes d'imposition ; prêtre, il lui sera loisible, une fois qu'il aura exposé les doctrines de l'Église qu'il sert, d'exprimer son opinion sur les lacunes de tel ou tel symbole, ou de telle ou telle forme d'organisation ecclésiastique ou religieuse. Mais le premier, en tant qu'homme d'étude qui par sa voix et par ses écrits parle au grand public, le second en tant que ministre du culte dans l'usage public de sa raison, ont une liberté pleine et entière de se servir de leur raison et de parler en leur propre nom. Il serait absurde en effet que les tuteurs des peuples soient, eux aussi, tenus en tutelle ; cela ne servirait qu'à perpétuer les erreurs et les maux. Le premier devoir de l'État étant d'éduquer les citoyens à la liberté, le respect de la critique et de l'indépendance intellectuelle doit figurer parmi ses principes. La liberté de l'individu ne doit pas être restreinte plus qu'il n'est nécessaire pour constituer une action et une volonté extérieures communes, conditions de la communion intérieure qui naîtra de la loi morale. — Trad. *Qu'est-ce que les Lumières ?* La Renaissance du livre, 1917 ; Gallimard, 1986 ; et dans *Opuscules sur la philosophie de l'histoire,* Garnier-Flammarion, 1989.

RÉPONSE À SŒUR PHILOTÉE DE LA CROIX [*Respuesta a Sor Filotea de la Cruz*]. Lettre-plaidoyer de l'écrivain Sor Juana Inés de la Cruz (vers 1650-1695), signée le 1er mars 1691, publiée à Madrid en 1700. Sous le pseudonyme de sœur Philotée, un évêque mexicain avait exprimé publiquement son admiration pour les dons littéraires et intellectuels de Sor Juana, mais l'avait pressée de les mettre exclusivement au service de la religion. Dans un texte qui feint l'épanchement spontané, mais qui, en fait, est élaboré selon toutes les règles de la rhétorique, la religieuse réplique en racontant sa vie et les contraintes de sa situation personnelle. Elle en profite pour réclamer vigoureusement l'accès des femmes à l'étude. L'évêque fut sans doute convaincu, car il autorisa l'année suivante l'édition de poèmes clairement « féministes » que Sor Juana avait écrits sur sainte Catherine. — Trad. en annexe à *Humanisme et religion chez Sor Juana Inés de la Cruz* de M.-C. Bénassy, éd. Hispaniques, 1982 ; Gallimard, 1987.

M.-C. B.

REPOS DES RELIGIEUX (Le) [*De otio religiosorum*]. Ouvrage en latin composé par l'écrivain italien François Pétrarque (1304-1374) après une visite, rendue dans son couvent de Montreux, au frère Gherardo, bien connu par certains sonnets des *Rimes* (*). La paix, entrevue chez les chartreux, a gagné le cœur de l'auteur et l'a incité à la méditation. Les religieux trouvent le vrai repos ; ils sont libérés des luttes, de la recherche de l'argent et du désir de la gloire et du plaisir, toutes choses inutiles et qui conduisent à la ruine l'homme qui vit dans le monde. Mais ce repos ne peut être atteint qu'avec la grâce de Dieu. Pétrarque est encore incapable de se détacher de la terre, mais il attend de Dieu son salut. La sagesse des philosophes anciens est inefficace : seule la « Bonne Nouvelle » est un guide indéfectible. Cette référence à une culture fondée sur les Pères de l'Église est remarquable, bien qu'elle s'accompagne chez l'auteur d'une attitude plus mystique que doctrinale. Dans cette œuvre, comme dans *Sur ma propre* *ignorance et celle de beaucoup d'autres* (*), il s'agit plus d'une méditation, inspirée de saint Augustin, sur son histoire intime que d'un exposé systématique.

REPOSOIRS DE LA PROCESSION (Les). Œuvre du poète français Saint-Pol-Roux (pseud. de Paul Roux, 1861-1940), publiée en trois recueils de 1893 à 1907. Ces volumes de vers constituent, avec le drame *La Dame à la faulx* (*), l'essentiel de l'œuvre de Saint-Pol-Roux. Le premier recueil, publié en 1893 et en 1901, a pour titre : *La Rose et les épines du chemin.* Le poète y rassemble des « thèmes philosophiques, symboles de l'âme, notations de saisons, peintures d'heures, magies de phénomènes », poèmes déjà publiés dans diverses revues depuis 1885. Le principal intérêt du volume est dans le liminaire, véritable manifeste de l'« idéoréalisme », qui fera date dans l'histoire du symbolisme. L'épigraphe donne de cette doctrine un saisissant résumé : « Le pas de ma vie / la vie, ce pèlerinage de la mort ! / s'avance vers l'Idée à travers la Nature. » La tâche du poète, selon Saint-Pol-Roux, est de peindre le monde qui se trouve au-delà de notre nature objectivée et quotidienne. Il faut donc dématérialiser « le sensible pour pénétrer l'intelligence et percevoir l'idée », car le monde des choses n'est que « l'enseigne inadéquate du monde des idées ». Mais ce n'est point l'intelligence qui mènera cette recherche spirituelle : l'imagination, au contraire, par d'exaltantes images, transfigurera l'univers. Il appartient ainsi au poète de faire sans cesse naître le monde à une vie nouvelle : parce qu'il « continue Dieu », il est l'« être par excellence », capable d'exprimer le véritable langage de la Nature, pour s'être retrempé à ses sources originelles. Conception d'un mysticisme assez vague, mais dont la fierté esthétique a quelque grandeur et qui présente surtout l'intérêt d'être la plus parfaite expression du paradoxal idéalisme sensualiste, qui était au fond de toutes les diverses aspirations symbolistes, et qu'un Claudel, par son mysticisme chrétien, devait porter à sa plus grande puissance poétique. Dans le deuxième recueil, intitulé *De la colombe au corbeau par le paon* et publié en 1904, Saint-Pol-Roux, de la colombe symbole de l'innocence, de la fraîche aurore (réminiscences de Mallarmé), jusqu'au corbeau annonciateur des angoisses de la vieillesse, l'« oiseau d'ébène et des Ardennes », avant-garde de la mort, voulait « englober les joies et les pleurs, les clartés et les ombres de la vie universelle » ; mais aussi, soit qu'il évoque frustement le pèlerinage campagnard de Sainte-Anne, soit que par de riches images il rende sensible tout un passé immémorial, c'est une confession, une autobiographie poétique que propose ici l'auteur. Le troisième et dernier recueil, *Les Féeries intérieures,* publié en 1907, bien que de forme encore toute symboliste, marque une notable évolution sur le liminaire du premier volume des *Reposoirs :* nous sommes à la fin du symbolisme, et à la fin d'une époque dans l'œuvre du poète. Dans la première pièce, « Le Poète au vitrail », Saint-Pol-Roux explique en effet qu'il a été jusqu'à présent enfermé dans une tour, où il ne pouvait percevoir les impressions du dehors que par le moyen d'un vitrail, figurant une « Dame bariolée dont le verre épousait les lignes de plomb. » Mais il a brisé le vitrail. Et maintenant il va se mêler à la vie riche d'instincts et de passions. Même idée dans la pièce intitulée « La Poule aux yeux de cane » : un soir de printemps, des canetons aperçoivent le Cygne du Lac. Ils se hâtent vers lui : « éperdue, la poule poignarde de cris la solitude », mais en vain, car le Cygne glorieux entraîne déjà les canetons vers la Vie infinie. Sans doute Saint-Pol-Roux conserve le symbole ; mais il n'y veut plus voir une fin en soi, il lui faut maintenant que le symbole introduise à l'immensité de la vie. Plus d'un de ces poèmes en prose rappelle que Saint-Pol-Roux fut un des plus féconds inventeurs d'images du mouvement symboliste.

REPRÉSENTATION DU ROI SÉLEUCUS [*Auto de el Rei Seleuco*]. Comédie de l'écrivain portugais Luis Vaz de Camoens (1525 ?-1580), composée aux environs de 1546. Comme les autres « autos » de Camoens, celui-ci est en vers (« redondilhas » et « quintilhas »). Il est précédé d'une scène en prose, sorte de prologue. Antiochus, fils du roi Séleucus, s'éprend de sa belle-mère Stratonice. Dévoré par la passion, le prince guérit lorsque le médecin de la Cour, ayant découvert le motif de son mal, incite le roi Séleucus à céder Stratonice à son fils. La versification est facile, mais le principal intérêt réside dans la signification que cette œuvre de jeunesse a pu avoir dans la vie de l'auteur. En effet, le souvenir classique se mêlait peut-être, dans les intentions de Camoens, à un fait récent rapporté par la chronique royale : l'amour du prince João, le futur roi João III, pour sa belle-mère la reine Léonore. Il semble que c'est à ces allusions que le poète dut son exil de la Cour.

REPRÉSENTATION ET RÉALITÉ [*Representation and Reality*]. Œuvre du philosophe américain Hilary Putnam (né en 1926), publiée en 1988. *Représentation et Réalité* développe le chapitre IV de *Raison, vérité et histoire* (*) du même auteur et se présente comme une réfutation du fonctionnalisme, thèse selon laquelle on peut identifier les états mentaux à des états fonctionnels comme ceux d'un logiciel d'ordinateur. Putnam est lui-même à l'origine de cette thèse en philosophie. Elle a ensuite été développée par Fodor, un élève du linguiste Chomsky. Deux arguments sont essentiellement opposés à cette thèse : 1°) La signification de ce que nous disons ne peut être déterminée uniquement en fonction d'états mentaux isolés mais relativement à une situation générale de croyance. Putnam reprend ici ce que l'on appelle le « holisme » de Quine. Savoir ce que signifie le mot « chat », c'est savoir utiliser le mot dans des situations variées et en fonction d'un environnement humain et non humain, et non pas disposer d'une définition correspondant à un certain fonctionnement du cerveau. 2°) Les fonctionnalistes (et Putnam quand il l'était) sous-estiment la pratique interprétative réelle au profit d'entités théoriques. Putnam est conduit à refuser tout mentalisme, c'est-à-dire la thèse prévalente selon laquelle la signification de ce que nous disons se trouve dans notre esprit (sous la forme d'états mentaux, d'intentions ou d'idées). La prétention à décrire ce contenu mental est inacceptable si la signification est élaborée dans un environnement général et non dans le secret d'une intériorité mentale. Putnam réfute au passage la thèse de Feyerabend pour lequel la signification d'un terme comme « plante », par exemple, serait à ce point transformé par les connaissances acquises qu'il n'y aurait plus aucune identité du terme à travers le temps. Putnam ne veut pas que l'on tire cette conséquence de sa critique du fonctionnalisme. Il propose d'être « charitable » : quand nous employons un terme en nous référant à l'usage qu'en faisaient d'autres avant nous, nous devons laisser de côté certaines croyances. Être trop peu ou trop charitable est affaire d'interprétation. Putnam est aussi conduit à rejeter ce que l'on appelle la « conception sémantique de la vérité » de Tarski. La signification des propositions que nous employons n'est aucunement à analyser de façon logico-mathématique (sauf pour un langage qui est lui-même logico-mathématique). L'idée générale de Hilary Putnam est donc qu'une théorie du discours humain supposerait qu'on soit à même d'analyser à la fois tous les éléments, qui sont en nombre indéfini, qui entrent en jeu dans notre rapport au réel. Le fonctionnalisme a ce double défaut de réduire de façon inacceptable ce que l'on doit prendre en compte dans une analyse de la signification et d'être par sa prétention un « ersatz » de métaphysique absolue dont on pouvait croire, après Kant, que les philosophes, et plus encore les « scientifiques », s'étaient purgés. *Représentation et Réalité* apparaît ainsi comme une contribution majeure à la critique du positivisme quelque peu naïf de certains linguistes et présente l'esquisse d'une théorie originale de la signification. — Trad. Gallimard, 1990. R. Po.

REPRÉSENTATIONS SACRÉES de Calderón [*Autos sacramentales*]. Pedro Calderón de la Barca (1600-1681) est le dramaturge espagnol qui porta à son plus haut point de perfection le genre sacré des « autos sacramentales », œuvres dramatiques allégoriques en une seule journée, écrites à la gloire du Saint-Sacrement ou de la Vierge et qui étaient représentées à l'occasion de la fête du Corpus Domini. Les nombreux « autos » que composa Calderón sont presque tous parvenus jusqu'à nous : soixante-douze pièces furent publiées par Pando y Mier en 1717 (Madrid), et le même recueil (comprenant en outre *La protestación de la fe*) par Fernández de Apontes, en 1759. Il subsiste donc soixante-treize « autos sacramentales » sur les quatre-vingts que Calderón écrivit vraisemblablement. (De Lope de Vega nous n'en connaissons que quarante-deux, alors qu'il en écrivit une centaine.) Les « autos » ont toujours un sens allégorique, et l'argument qu'ils développent se rapporte à la philosophie, à la théologie ou à quelque histoire édifiante. Ils sont de cinq sortes et voici les meilleurs : a) bibliques : *Le Festin du roi Balthazar* [*La cena del rey Baltasar*], *Il y a des rêves qui sont des vérités* [*Sueños hay que verdad son*] ; — b) mythologiques : *Les Charmes de la faute* [*Los encantos de la culpa*] ; — c) mariaux [*autos marianos*], spécialement consacrés à Marie : *La Hidalga del valle, A María el corazón, Les Ordres militaires* [*Las ordener militares*] ; — d) historico-légendaires : *La Dévotion à la messe* [*La devoción de la misa*], *Don Fernando, le saint* [*El santo rey don Fernando*] ; — e) philosophico-théologiques : *Dieu, par raison d'État* [*A Dios por razón de Estado*], *Le Procès matrimonial* [*El pleito matrimonial*], *Le Grand Théâtre du monde* [*El gran teatro del mundo*], *La vie est un songe* [*La vida es sueño*], *Le Poison et la Theriaque* [*El veneno y la triaca*], *Le Peintre de son déshonneur* [*El pintor de su deshonra*] (à ne pas confondre avec le drame du même nom). De nombreux autres « autos » ont été écrits, échappant à cette classification.

Le propre de Calderón, c'est d'être tout ensemble un profond théologien, un grand poète et un dramaturge consommé. Il excelle à peindre les conflits les plus humains et les élève vers le divin. Il n'est pas rare, en effet, qu'il nous offre un même sujet sous ces deux formes différentes : drame et « auto sacramental » ; ainsi les comédies *Los tres mayores prodigios, Ni amor se libra de amor, El mayor encanto amor* et *Fortunas de Andromeda y Teseo* s'identifient respectivement avec les « autos » : *El divino Jasón, Psiquis y Cupido, Los encantos de la culpal* et *Andromeda y Teseo.* Du point de vue historique, les « autos » témoignent du splendide essor du théâtre religieux d'origine médiévale en Espagne, à une époque où — du fait de la Réforme — il était déjà en décadence dans le monde entier. La Contre-Réforme leur infusa une nouvelle vie, en les faisant servir à la proclamation de la présence réelle du Christ dans l'Eucharistie, que niaient les protestants, et la fête du Corpus Christi connut ainsi une grande popularité. Calderón soignait particulièrement la mise en scène et la décoration de ces drames sacrés. La continuité du spectacle, donné sur la place publique, était assurée grâce à cinq grands chars contenant des trappes, des roues de petites plates-formes, des globes peints..., tout un attirail enfin qui anticipe déjà sur les exigences du théâtre moderne. Le poète prenait aussi beaucoup de soin de la musique, fond sonore du drame, qui en accuse le relief. À Madrid, la première représentation de l'« auto » du Corpus se donnait devant le palais royal, à la fin de la procession, en présence du roi et de sa famille. Le peuple, fort intéressé par la signification théologique de la pièce, entourait les chars et les suivait tout le long du parcours. C'est d'ailleurs Calderón lui-même qui veillait à leur préparation. La veille du Corpus, il conviait, aux environs de la capitale, quelques invités de choix à une sorte de « répétition générale ». Quant au public, le spectacle, pour lui, était toujours l'occasion de belles surprises. Les « autos » connurent la faveur jusqu'au moment où un décret royal (1765) en interdit la représentation, sous prétexte que : « Ser los teatros lugares muy impropios y los comediantes instrumentos indignos y desproporcionados para representar los sagrados misterios. » Avec Calderón disparaissent les grands « autos sacramentales ». Après lui, le genre sera encore cultivé par Moreto, Bances Candamo, Zamora et quelques autres dramaturges de la fin du XVIIe et du début du XVIIIe siècle, mais sans retrouver son primitif éclat.

RÉPROUVÉS (Les) [*Die Geächteten*]. Souvenirs de l'écrivain allemand Ernst von Salomon (1902-1972), publiés en 1930 et couvrant la période 1918-1928. C'est le premier des récits autobiographiques de ce conservateur acharné qui n'accepta ni la défaite de l'Allemagne en 1918, ni l'instauration d'un régime républicain et social. Parce qu'il voulait échapper « aux conditions pesantes de l'existence », et qu'il considérait le guerrier comme le type représentatif de son temps destiné à surclasser aussi bien le bourgeois satisfait que le prolétaire affamé, Salomon s'engagea à dix-sept ans comme mitrailleur puis combattit à Berlin, sous Noske, les révolutionnaires de gauche, prit part aux expéditions des Corps francs dans les pays Baltes et en Haute-Silésie, et au coup d'État manqué de Kapp, complota contre les forces d'occupation et fut complice, en 1922, de l'assassin de Rathenau, de ce Kern qui tua « pour que le sang de cet homme sépare irréconciliablement ce qui doit être séparé à jamais ». Ainsi les « réprouvés » se sentent-ils désignés pour accélérer la chute de ce qui s'écroule. « Je ne supporterai pas, dit le chef des terroristes, que pour une dernière fois la grandeur s'élève de cette maudite société de notre temps » ; et il précise ainsi sa pensée : « Cette époque a produit pour une révolte finale son fruit le plus mûr, un fruit (Rathenau) qui contient en lui toute la pensée, toutes les valeurs, toute la morale, toute l'emphase, toute la dignité et toutes les croyances de son temps. » Dans ses souvenirs, l'écrivain ne cesse de louer l'intrépidité des hommes de son groupe « portant en eux la substance de l'Histoire » et de découvrir dans les idées des romantiques la justification de son existence. Salomon remâcha pendant cinq ans en prison son attachement à un passé révolu. Cette épopée romantique évoque avec verve le chaos des années troubles qui suivirent la Première Guerre mondiale, chaos qui contribua à entretenir l'esprit de négation et de violence qui animait Salomon et ses semblables. – Trad. Plon, 1931 ; et U.G.E., 1986.

RÉPUBLIQUE (De la) [*De republica*]. Traité politique de l'écrivain latin Cicéron (106-43 av. J.-C.), écrit sous forme de dialogue en 55 et publié en 51. Il imagine une conversation qu'il place en l'an 129 entre quelques personnages illustres des deux générations précédentes : Scipion Émilien, Lelius, Philus, Manilius, etc. Ce traité est construit sur le modèle de *La République* (*) de Platon, mais il évite ce qu'il y avait d'utopique dans les conceptions du philosophe grec et se rapproche davantage du système politique romain. Il se divise en six livres correspondant à trois journées. Dans le premier, Scipion distingue trois formes de gouvernement : la monarchie, l'aristocratie, la démocratie. Elles n'ont aucune valeur si elles sont isolées, mais groupées toutes trois, comme elles le sont dans l'État romain, elles portent l'organisation politique à une perfection achevée. Le second livre explique comment, pour atteindre une telle perfection, il faut que le législateur ne soit pas seul à bâtir une constitution, mais que celle-ci soit modelée par le peuple après des siècles d'expérience. Le troisième livre pose le problème de la justice. Deux personnages soutiennent deux thèses contradictoires : Lelius admet l'existence d'une justice naturelle, malgré la diversité des lois positives ; Philus pense, au contraire, que les lois sociales naissent de la nécessité et de la force, auxquelles on donne arbitrairement le nom de justice. Les quatrième et cinquième livres, très incomplets, traitent de certaines questions particulières à l'État romain. C'est dans le sixième, seul complet, que se trouve le fameux « Songe de Scipion » : Scipion a eu une vision qui lui permet d'exposer la théorie de l'immortalité de l'âme ; celle des bienfaiteurs de la patrie sera spécialement récompensée dans l'au-delà. Le Moyen Âge ne connut de ces six livres que le « Songe de Scipion » grâce à la transcription et au commentaire qu'en avait fait Macrobe. En 1819, l'humaniste italien Angelo Maï découvrit d'importants fragments des autres livres dans les palimpsestes du Vatican. – Trad. Les Belles Lettres, 1980.

RÉPUBLIQUE (La) [Ἡ πολιτεία ἢ περὶ τῆς δίκης]. Grand dialogue philosophique, en dix livres, du philosophe grec Platon (428 ?-347 ? av. J.-C.), composé, croit-on, entre 389 et 369. Il se présente, au début, comme une recherche sur le concept de justice, puis il s'amplifie jusqu'à contenir, dans un cadre de plus en plus complexe, tous les aspects des spéculations les plus mûries de Platon. Le dialogue n'est pas rapporté directement. Socrate raconte à un auditeur anonyme la conversation qu'il eût au Pirée la veille, chez le fils de Céphale, avec ledit Céphale et des amis. C'est le vieux Céphale qui provoqua la discussion, en se réjouissant que sa richesse lui ait permis de ne pas commettre d'injustices. Ce qui fait rappeler par Socrate la définition de la justice donnée par le poète Simonide : elle serait de dire la vérité et de donner à chacun son dû, le bien aux amis, le mal aux ennemis. Mais cette définition est réfutée par Socrate lui-même, qui observe que nuire à ses ennemis c'est les rendre plus méchants et injustes, et accroître par conséquent ce dont souffrent les hommes. Ici, Thrasymaque, modèle du parfait sophiste, se jette dans la discussion et définit le juste comme « ce qui profite au plus fort », à celui qui, dans l'État, gouverne pour son propre avantage, qualifiant de ridicules les hommes de bien qui par leur soumission se rendent malheureux, alors que l'injustice (et surtout la plus grande, la tyrannie) fait le bonheur des autres. À cette thèse, qui détruit toute valeur morale, Socrate oppose sa conception des gouvernants dévoués à la cité, et son identification de l'injuste, qui veut régenter les bons et les mauvais, et de l'ignorant, qui veut avoir raison contre ceux qui savent aussi bien que contre les autres. Seul le juste sait vraiment trouver le bonheur. Mais le problème avec cela n'est que posé, et, pour le mieux résoudre, on en vient maintenant à analyser l'État, cet « homme en plus grand ». Née de la nécessité de pourvoir aux besoins fondamentaux, et reposant sur l'échange des services, la communauté primitive est simple, saine et heureuse. L'apparition de nouveaux besoins, de la mollesse, etc., conduit au contraire la cité à une « bouffissure », au luxe, à la guerre entreprise par esprit de cupidité. D'où la nécessité de se défendre, et d'avoir des soldats. Dans l'État parfaitement ordonné, le goût de la possession est rejeté, et les soldats sont seulement des défenseurs et les gardiens de la cité. Leur éducation est une des grandes charges de l'État : gymnastique pour le corps et musique pour l'âme. Rien d'impur ou d'immodéré dans les fables ou les chants des enfants. Raffinements aussi bien que grossièretés sont à exclure. Aux plus hauts postes seront désignés les meilleurs des guerriers, ceux qu'on sait dévoués au bien public et insoucieux de leurs propres peines. Et l'on supprimera tout intérêt individuel. Communauté par conséquent d'habitation, de repas, de biens, de femmes et d'enfants. Mariages contrôlés par l'État ; les enfants nés de mariages non surveillés, infirmes de naissance, ou simplement faibles seront abandonnés. Les autres seront élevés publiquement, de telle sorte que, faute de reconnaître les leurs, tous les parents aimeront tous les enfants et réciproquement. Un petit bien sera consenti aux producteurs, artisans et paysans, car la misère les empêcherait de progresser dans leur art. Étant donné cet État idéal, où l'aptitude de chacun lui donnerait son rang social, Platon en exalte l'harmonie, la forte et saine pauvreté. Cet État est bon, c'est-à-dire savant, fort, sage et juste. La science y est l'apanage des gardiens, qui gouverneront donc. Aux soldats la force, qui est surtout civique et consiste à savoir ce qu'il faut oser. La sagesse est dans la modération et l'esprit d'ordre des gouvernants et des gouvernés. La justice, enfin, est l'harmonie même de l'ensemble, où chacun est à sa place et accomplit sa fonction. Dans l'individu, la justice est de même nature. Musique et gymnastique stimulent la raison, et l'aident à vaincre les désirs, ce qui permet la force, la science et l'équilibre profond. Pour qu'un tel État soit possible, il faut soit que les philosophes gouvernent, soit que le roi ou les chefs soient philosophes. Philosophe est celui qui, désirant la connaissance tout entière, oppose la science à l'opinion sujette à l'erreur. L'opinion a trait au monde sensible, changeant et soumis au devenir. La science aspire à l'immuable et consiste donc dans la contemplation d'une réalité idéale et absolue. C'est elle qui connaît le beau en soi, l'idée du beau toute pure. Et c'est donc aux philosophes, qui la contemplent, de gouverner. Il faut donc éduquer les meilleurs des guerriers par une série d'enseignements toujours plus ardus, qui s'achèvera par la connaissance du bien, qu'on expliquera par analogie. Comme le soleil donne aux choses sa lumière et à nous le pouvoir de les contempler, ainsi le bien répand la lumière du vrai et permet à l'esprit de le comprendre. Et comme le soleil fait vivre tous les êtres, de même le bien donne l'être à toute chose « qui est », encore qu'il soit lui-même supérieur à la vérité, à la science, à la vie. La distinction entre le sensible et l'intelligible est expliquée par Platon au moyen du célèbre mythe de la caverne. Qu'on imagine des hommes enchaînés dans un antre, le dos tourné à l'entrée, empêchés de tourner la tête, et obligés ainsi de ne rien voir sinon les ombres — projetées sur le fond de la caverne par la lumière d'un feu — des objets que d'autres hommes portent en passant derrière eux devant l'entrée. Ces prisonniers prendraient ces ombres pour les choses réelles ; libérés et tournés vers la lumière et éblouis, ils ne pourraient distinguer les objets jusqu'à ce qu'on les conduisît de force à la lumière et au bonheur. Ainsi sommes-nous enchaînés dans le monde sensible par les intérêts terrestres, nous prenons les ombres pour le vrai, et c'est seulement par l'ardue connaissance scientifique que nous pouvons accéder à la contemplation des idées. L'éducation des chefs devra se faire en vue de cette conversion au bien, notamment par une série ordonnée de sciences propédeutiques, arithmétique, géométrie, astronomie, harmonie des sons, qui préparent l'esprit à la contemplation suprême, donnée par la dialectique. Mais cette félicité sera rejetée par les chefs car ils se doivent aux devoirs de l'État.

Voici achevé le plan de cette république aristocratique, et certes difficile à réaliser. Quant aux autres formes d'États, ceux qui existent, et aux types d'hommes qui leur correspondent, l'examen en est également nécessaire si l'on veut comprendre ce qu'est l'injustice. Platon en distingue quatre : le régime « timocratique » de la Crète et de Sparte, l'oligarchie, la démocratie et la tyrannie, qu'il voit se succéder l'une à l'autre par corruption progressive de l'État idéal. Peu à peu, à l'empire de la raison se substituent la violence et l'ambition (gouvernement timocratique), puis le désir des richesses (oligarchie), puis la domination des bas appétits (démocratie). Tout devient scélératesse absolue avec la tyrannie. Et Platon décrit celle-ci pour la plus grande confusion de Thrasymaque. Le tyran dépouille ses concitoyens. Il n'a que des esclaves et pas d'amis, esclave lui-même de ses passions et de ses craintes. L'injustice donc ne profite pas à celui qui la pratique, même et surtout s'il reste impuni. Il est clair maintenant que justice et félicité coïncident, dans cette harmonie de l'âme qu'instaure la sagesse. En tant que celle-ci est la contemplation des modèles éternels, des idées, il résulte que l'art, imitation du sensible, doit être condamné. Les poètes surtout, par la tragédie et la comédie, excitent des passions violentes. Qu'on bannisse donc la poésie de la république, exception faite pour les hymnes adressés aux dieux et aux héros. Mais Platon lui-même est poète, et particulièrement à la fin de *La République,* lorsqu'il traite de l'immortalité de l'âme. L'âme est immortelle, puisqu'elle n'est pas détruite par les maladies du corps ni par son mal propre qui est l'injustice. Et Socrate parvient aux deux conséquences suivantes : d'une part, le nombre des âmes est constant, il ne saurait ni diminuer puisque les âmes ne meurent pas, ni augmenter puisqu'il faudrait que le périssable se change en impérissable, ce qui aurait pour résultat que tout deviendrait immortel dans le monde ; d'autre part, l'âme est une substance simple, donc indécomposable ; il faut donc l'étudier en elle-même et non dans sa provisoire association avec le corps. En définitive, la justice et son contraire ne peuvent recevoir leurs vraies sanctions que dans la vie future, c'est-à-dire dans la vie de l'âme séparée du corps. Ce que nous pouvons connaître de cette vie ne peut avoir que le caractère d'une révélation. C'est pourquoi Socrate a ici recours à un mythe, celui d'Er le Pamphylien, dont l'âme, dit-on, revint sur terre après avoir séjourné au royaume des morts. Le récit qu'il fit après avoir ressuscité évoque les pérégrinations souterraines de l'âme qui comparaît devant ses juges. Après avoir enduré les peines que leur ont méritées leurs vies impies, ou éprouvé le bonheur céleste auquel elles ont acquis des droits au cours de leur séjour terrestre, les unes et les autres choisissent librement le personnage en qui elles se réincarneront, puis elles boivent l'eau du fleuve Amélès qui leur fait perdre tout souvenir de leur vie passée, avant d'être lancées dans l'espace vers les lieux où va se produire le mystère de leur renaissance. Ce mythe, conclut Socrate, a été conservé pour servir à notre édification. Si nous y ajoutons foi, si nous pratiquons de toutes nos forces la justice, nous ne quitterons pas la voie ascendante, et, en accord avec les dieux, nous éprouverons le bonheur non seulement dans notre vie terrestre, mais dans ce voyage de mille ans que nous devons accomplir dans la vie future avant de nous réincarner. Que Platon ici se soit proposé de donner un fondement rationnel et métaphysique à sa politique, cela est certain, mais son ambition était plus vaste. Parvenu au sommet de son ascension philosophique, Platon, d'un regard assuré, mesure et récapitule ses découvertes, il embrasse d'un coup d'œil cet immense horizon qui, peu à peu, s'est étendu sous ses yeux, et il nous donne ainsi un panorama de sa pensée. Par là, il enrichit le patrimoine intellectuel de l'humanité tout entière et il étend notre propre horizon. Mais ce chef-d'œuvre a aussi des qualités de charme, de jeunesse et de vie qui le préservent pour toujours des atteintes du temps. — Trad. Les Belles Lettres, 1933-34 ; Gallimard, 1943.

RÉPUBLIQUE DES LACÉDÉMONIENS (La) [Λακεδαιμόνιων πολίτεια]. Œuvre attribuée aujourd'hui par les critiques les plus autorisés à l'écrivain grec Xénophon l'Athénien (426 ?-355 ? av. J.-C.). L'auteur vante la constitution donnée à Sparte par Lycurgue et voit dans l'abandon de celle-ci la cause de la décadence de la cité. Composé sans doute aux environs de 387 av. J.-C., l'ouvrage marque la sympathie de Xénophon pour toutes les manifestations de l'ordre spartiate ; mais, en constatant la décadence de la ville, il laisse percer le désir d'un rapprochement avec Athènes, sa patrie. Ce rapprochement semble être devenu effectif dans son traité sur *Les Revenus* (*) ; il semble aussi que l'on puisse en trouver l'expression dans certains textes consacrés à Socrate. Le style de *La République des Lacédémoniens* est négligé, ce qui a fait douter de son authenticité. Toutefois — et même à ce point de vue —, il rappelle d'autres ouvrages de Xénophon, tels que *La Cynégétique* (*) et certains passages des *Helléniques* (*). — Trad. Garnier, 1935.

RÉPUDIATION (La). Premier roman de l'écrivain algérien de langue française Rachid Boudjedra (né en 1941), publié en 1969. Ce roman, qui souligne le refoulement et la violence sexuels du milieu traditionnel aisé en Algérie, y fut perçu comme scandaleux, mais servit de détonateur à toute une génération de jeunes étouffant sous un régime s'appuyant sur l'islam pour brider l'expression de leurs revendications politiques autant que morales. Il ouvrit aussi la voie au renouveau d'une littérature maghrébine de langue française à partir d'un discours contestataire qui fut sa caractéristique principale durant les années 70. D'ailleurs, comme tous ces textes, *La Répudiation* ne vaut pas que par son contenu scandaleux ou même souvent scabreux : il s'agit aussi, implicitement, d'une intéressante réflexion sur la possibilité de raconter des souvenirs traumatisants, non seulement sexuels, mais aussi politiques : le récit le plus difficile à faire est sans doute celui de la mort d'un compagnon de maquis assassiné comme d'autres par les siens et non par l'armée française, pendant la guerre d'Indépendance de l'Algérie. Et le scandale du roman est aussi, de façon plus subtile, la mise en scène de la narration dont la destinataire, dans une situation qui parodie celle d'une cure psychanalytique, est la maîtresse française du narrateur, les ratés de la narration se confondant, par exemple, avec ceux de la relation érotique des deux protagonistes. Ch. Bo.

REQUESTE DES DICTIONNAIRES (La). Dans le vaste mouvement que suscitèrent la fondation de l'Académie française et la lente élaboration du *Dictionnaire de l'Académie française* (*), cet ouvrage de Gilles Ménage (latinisé en Aegidius Menagius, 1613-1692) occupe une place importante. Ecclésiastique protégé des grands, un des piliers de l'Hôtel de Rambouillet, savant érudit, de son temps un des meilleurs connaisseurs des origines de la langue, Ménage exerça une influence considérable sur la formation de la langue française classique. *La Requeste des dictionnaires,* son premier ouvrage (1649), est contemporaine des débuts des travaux de l'Académie qui, après avoir quelque peu hésité sur l'action qu'elle pouvait entreprendre, venait, sur le conseil de Chapelain, de se décider à commencer cette œuvre d'« embellissement de la langue » que devait être, dans l'esprit des académiciens, le *Dictionnaire. La Requeste* s'insurge déjà contre ce dessein à peine arrêté, elle s'oppose à cette fixation arbitraire de la langue, élève quelques objections contre la qualification des auteurs, et surtout défend les droits de l'ancienne langue, les privilèges de la langue inspirée du latin, contre les tentatives modernistes d'arrêter l'évolution du langage. Ménage fit, par la suite, concurrence à l'Académie en publiant les *Origines de la langue française* (1650), qui devait devenir *Le Dictionnaire étymologique,* puis, en 1673, les *Observations sur la langue française.* Mais il ne put venir à bout de son rival, Vaugelas, dont les *Remarques sur la langue française* (*) (1647) devaient si largement influencer la naissance du dictionnaire, au sein duquel il joua, d'ailleurs, un rôle de direction. L'œuvre de Ménage fit partie de ce courant auquel se rattachent des œuvres aussi diverses que la *Liberté de la langue française dans sa pureté* de Dupleix (1651), les *Doutes sur la langue française* du père Bouhours (1674) et le *Dictionnaire universel* (*) de Furetière (1690), courant qui se manifesta dès la fondation de l'Académie, se maintint encore après la publication du *Dictionnaire* (1694), et qui devait moins nuire au mouvement entrepris par les académiciens que constituer pour eux un stimulant, une concurrence, en remettant en cause les acquisitions qu'ils croyaient avoir faites, en les contraignant à revoir leurs points de vue et en les obligeant à une étude plus minutieuse. A. V.

REQUIEM d'Akhmatova [*Rekviem*]. Recueil de la poétesse russe Anna Akhmatova (1889-1966), publié en 1963 à Munich, avec cet avertissement de l'éditeur : « Cette suite de poèmes nous est parvenue de Russie et nous la publions à l'insu de l'auteur et sans son consentement. » Le poème n'a été publié en U.R.S.S. qu'en 1987, à la faveur du « dégel » de la perestroïka. Après la Révolution, Akhmatova avait été condamnée au silence ; en 1921, son ex-mari, le poète Nicolas Goumilev, avait été fusillé pour avoir été impliqué dans un complot antirévolutionnaire ; en 1935, son fils unique, Lev, fut arrêté et déporté. Pourtant, Akhmatova refusa toujours de s'exiler. À la veille de la guerre, l'interdit qui pesait sur son œuvre fut levé et elle put donner un recueil de poésies choisies, dont certaines inédites ; un peu plus tard elle exalta la Russie et le courage de son peuple dans des poèmes patriotiques — v. *Le Septième Livre* (*) — largement diffusés. Mais en 1946, Jdanov la prit nommément à partie et en fit l'un des symboles de l'art décadent et hostile au peuple soviétique. Le *Requiem* est le reflet de toutes ces persécutions, la somme aussi de toute la douleur qui planait sur la Russie en proie à un régime policier. Dans l'avant-propos, Akhmatova écrit : « Dans les années horribles de la toute-puissance de Yejov, j'ai passé dix-sept mois dans les files d'attente des prisons à Leningrad. Un jour quelqu'un a cru m'y reconnaître. Alors la femme aux lèvres bleues qui se tenait derrière moi [...], est soudain revenue à elle et, sortant de la torpeur qui nous était devenue coutumière, m'a demandé à l'oreille : "Et ceci pouvez-vous le décrire ?" J'ai répondu : "Je peux." Alors un semblant de sourire effleura ce qui jadis avait été son visage. » Akhmatova a conscience, en effet, de parler pour des millions de bouches condamnées au silence, et elle a conscience de la portée de son œuvre, de la valeur de son témoignage. Mais si elle parle des souffrances, elle garde confiance en l'avenir, et cet espoir contribue à magnifier son message, à donner un sens à la douleur. On n'oubliera pas cette vision : « Par régiments, des condamnés hagards / Fous de souffrir défilaient sous nos yeux, / Et les locomotives dans les gares / Sifflaient la chanson brève de l'adieu. / Les étoiles de la mort brillaient clair / Sous les bottes roussies de sang... » Mais l'horreur n'est pas ici mise en exergue pour condamner un monde ; la Russie ne doit pas se renier pour vivre, elle doit changer. Le style est imagé, précis, rapide, avec une limpidité incomparable et malheureusement intraduisible. — Trad. Éditions de Minuit, 1966.

REQUIEM de Berlioz. Ce *Requiem* pour ténor solo, chœur et orchestre demeure le plus colossal mouvement qu'un Français ait élevé à la gloire de l'art romantique. Œuvre du compositeur français Hector Berlioz (1803-1869), il fut écrit pour l'anniversaire de la mort des victimes de Fieschi ; mais la cérémonie ayant été annulée, l'œuvre ne fut exécutée que six mois plus tard pour célébrer la mémoire du général Danrémont, tué lors de la prise de Constantine. Cette première audition fut donc donnée aux Invalides le 5 décembre 1837. Berlioz avait réclamé quatre cent cinquante musiciens, et avait choisi un texte « d'un sublime gigantesque ». L'impression sur le public fut considérable et Berlioz raconte que « l'épouvante produite par les cinq orchestres et les huit paires de timbales ne peut se peindre. Un des choristes fut pris d'une attaque de nerfs et le curé des Invalides pleura sur l'autel un quart d'heure après la cérémonie ». Le *Requiem* de Berlioz est plus une œuvre théâtrale qu'un ouvrage religieux ; tous les effets, les contrastes les plus vigoureux sont utilisés pour frapper l'imagination : les fanfares étincellent, les chœurs se déchaînent, des sonorités vaporeuses évoquent la paix éternelle. Il s'agit davantage d'une vision dantesque du Jugement dernier que d'une prière funèbre ou d'une berceuse de la mort. L'ouvrage se divise en onze parties : L'« Introït » (Requiem et Kyrie) fait entendre les soupirs et les lamentations des morts qui n'ont pas encore trouvé le repos éternel. Le « Dies irae » vient les épouvanter. Les cuivres, répartis en quatre groupes, sonnent le « Tuba mirum » aux quatre points de l'horizon. C'est l'un des premiers exemples importants de spatialisation musicale, bien que Berlioz se soit contenté de reprendre, en l'amplifiant, un procédé inventé par les compositeurs vénitiens pour la basilique Saint-Marc et développé par J. S. Bach dans ses passions. Le monde entier s'écroule dans un gigantesque chaos ; les morts se lèvent de leurs tombeaux ; les cavaliers de l'Apocalypse traversent l'espace au grand galop ; la tempête divine souffle, les montagnes s'effondrent, l'océan recule épouvanté. Mais de ce tumulte s'élève un chœur d'hommes soutenu par les violoncelles, les contrebasses, deux cors et huit bassons : « Quid sum miser », l'homme implore sa rédemption. Seules les trompettes d'un Dieu vainqueur et vengeur emplissent le ciel : « Rex tremendae majestatis. » L'heure du pardon n'a pas encore sonné. Pourtant le Christ est mort sur la croix et le chœur a cappella chante doucement un cantique d'espérance. Le remords envahit le chœur des pénitents qui pleurent un « Lacrymosa », essayant d'apaiser les furieux sursauts de colère des cuivres. Et l'« Offertoire » apportera une promesse de bonheur indicible. Les âmes du purgatoire prient avec passion et soudain naît la certitude lumineuse de la bonté de Dieu. Mais, avant d'atteindre à ce bonheur ineffable, les âmes errent dans les espaces infinis que le mystère habite. « Hostias » : au chœur des hommes répondent trois flûtes et huit trombones. « Sanctus » : la gloire du Seigneur rayonne dans un ciel apaisé. Le ténor solo est ici soutenu par un chœur fugué. Enfin l'« Agnus Dei » évoque une fois encore la nuit angoissante du Purgatoire ; mais les voix des anges percent doucement les ténèbres. La prière de l'homme a été entendue : l'ineffable est réalisé. Le *Requiem* était l'œuvre préférée de Berlioz. En 1867, il écrivait à son ami Ferrand : « Si j'étais menacé de voir brûler mon œuvre entière, c'est pour ma *Messe des Morts* que je demanderais grâce. » Malgré son désir, ce ne fut pas son propre *Requiem* que l'on chanta à ses obsèques, mais un de ceux de Cherubini, personnage qu'il avait en horreur.

REQUIEM de Cherubini. Beethoven considérait le compositeur italien Luigi Cherubini (1760-1842) comme l'un des plus grands musiciens de son temps. Son influence aura en tout cas été considérable dans l'histoire de la musique ; il est une sorte de trait d'union entre la musique classique et la musique romantique. Il s'est essayé à tous les genres musicaux : il a écrit plus de cent opéras, plusieurs ouvrages symphoniques, des chœurs destinés à célébrer les journées historiques de la Révolution française, diverses pièces de musique de chambre, ce qui était tout à fait exceptionnel en un temps où l'on s'attachait surtout à composer des partitions exigeant un spectaculaire déploiement orchestral, enfin des œuvres religieuses et notamment la *Messe du sacre de Charles X* (1824) ainsi que le *Requiem en ut mineur*, joué pour l'anniversaire de la mort de Louis XVI et lors des funérailles de Berlioz. Ce *Requiem* est un ouvrage assez théâtral dont le sentiment religieux n'est pas absolument évident. Ses mélodies aux courbes gracieuses, pleines de séduction et d'émotion, ne sont pas très éloignées des airs que Cherubini inventait pour ses opéras bouffes. Il compte sept parties : un Introït très lent et mystérieux ; un Graduel dans un mouvement d'andante assez rêveur et extatique ; un Dies irae tumultueux, introduit par les trombones à l'unisson puis, à tour de rôle, sopranos, altos, ténors et basses entrent dans le jeu, pour amener un fortissimo qui s'impose progressivement ; un Offertoire ; un Sanctus sur un rythme de valse ; un Pie Jesu, larghetto ravissant de douceur et de paix chanté par les sopranos, puis repris par les ténors et le tutti ; un Agnus Dei conçu dans le même esprit. Ce *Requiem*, véritable berceuse de la mort, célèbre la joie de la vie éternelle beaucoup plus que la crainte de l'au-delà. Remarquablement écrit pour les voix, il reste le témoignage du style d'une époque de l'art religieux où le romantisme s'insinuait timidement dans les formes classiques les plus rigoureuses. En 1836, Cherubini écrivit un second *Requiem* pour ses propres funérailles.

REQUIEM de Denisov. Œuvre chorale, pour soprano, ténor et orchestre sur des poèmes de Francisco Tanzer et des textes liturgiques, en cinq parties, du compositeur russe Edison Denisov (né en 1929), créée par les chœurs et l'orchestre de la Neudeutsche Rundfunk en 1980. Si les textes liturgiques sont ici présents (en latin et en français), les cinq sections de ce *Requiem* usent de textes du poète autrichien Tanzer, écrits en trois langues : français, anglais et allemand. « Anflug des Lächelns », « Fundamental Variation », « Danse permanente », « Automatic variation », « La Croix ». L'œuvre est d'un grand lyrisme et oscille entre un langage tonal postromantique à la manière d'un Penderecki et une expression musicale atonale. Mi. Ri.

REQUIEM de Duruflé. Œuvre pour mezzo-soprano, baryton, chœur, orchestre et orgue du compositeur français Maurice Duruflé (1902-1986), composée en 1947. Ce *Requiem* s'inscrit dans la ligne de celui de Gabriel Fauré par la concision, la sobriété du discours et l'absence de *Dies Irae* (à l'exception du dernier verset, *Pie Jesu*). La référence constante aux mélodies grégoriennes lui donne un caractère hors du temps qui en fait l'une des œuvres majeures de la musique religieuse contemporaine. A. Pâ.

REQUIEM de Fauré. Le *Requiem* du compositeur français Gabriel Fauré (1845-1924) a joué un rôle essentiel dans la musique religieuse de notre temps. Exécuté pour la première fois en 1887, il venait après la série des *Requiem* romantiques qui étaient plus des ouvrages lyriques à grand spectacle que des actes de foi ou d'espérance. Un Berlioz, un Verdi et même un Cherubini se sont surtout intéressés aux visions apocalyptiques du Jugement dernier ; le Dies irae avait pour eux des attraits plus puissants que l'In Paradisium. Fauré, au contraire, n'a voulu entendre que les paroles rédemptrices du Christ et les chants apaisés des anges. Sa religion s'apparente à celle d'un Fra Angelico ou d'un saint François d'Assise. Il n'a pas décrit la colère divine, il a écrit une douce « berceuse de la mort ». L'ouvrage respecte la division liturgique de la messe des morts. Il fait appel à un orchestre, à un orgue, à un chœur, à un soprano et un baryton solos. L'Introït et le Kyrie exposent le thème fondamental de la partition. Rien de funèbre dans cette mélodie : une plainte calme, un peu inquiète, mais où la foi sèche les larmes, apaise la douleur. L'Offertoire débute par une longue phrase angoissée du chœur ; le baryton solo, accompagné par les violoncelles, reprend le thème initial dont les sombres couleurs se dissolvent peu à peu. Le Sanctus, par sa joie exaltée et confiante, fait un contraste saisissant avec les morceaux précédents. C'est une prière fervente qui s'achève sur un « Hosanna » triomphal. Le Pie Jesu est conçu dans le même esprit ; c'est une tendre méditation du soprano solo que soutiennent l'orgue et les violons. L'Agnus Dei, d'un mouvement assez rapide, est un hymne de bonheur, de sérénité, d'adoration. Le même motif mélodique de six mesures est chanté successivement par les ténors, puis le chœur, pour s'éteindre, piano, dans la voix des sopranos. Le baryton expose le thème du Libera me, repris, mezzo voce, par le chœur en ré mineur. Enfin, l'In paradisium débute par le doux murmure des harpes et de l'orgue. Les sopranos font entendre la prière doucement exaltée des anges. La partition s'achève dans la suave tonalité de ré majeur. L'âme s'est envolée de sa prison de chair et contemple les félicités de la vie éternelle. La publication récente de la version originale de ce *Requiem*, instrumenté pour un petit effectif en se privant volontairement des tessitures élevées, présente l'œuvre sous un jour beaucoup plus intime et conforme à l'esthétique fauréenne.

REQUIEM de Mozart. Dernière œuvre du compositeur autrichien Wolfgang Amadeus Mozart (1767-1791) composée, tout au moins à son début, dans des circonstances assez mystérieuses. Vers la fin de sa vie, Mozart, déjà fort malade, reçut la visite d'un inconnu qui, sans mot dire, lui remit une lettre et disparut. L'auteur de cette lettre — non signée — commandait à Mozart une *Messe de Requiem*, pour laquelle il se déclarait prêt à verser une forte somme. L'inconnu revint quelques jours plus tard et, après quelques recommandations, paya à Mozart une partie de la somme promise, à titre d'acompte. Il reparut plusieurs fois encore par la suite, afin de s'enquérir des progrès du travail. Cet inconnu n'était autre que le domestique du comte Franz von Walsegg, riche gentilhomme féru de musique, lequel commandait volontiers à des grands musiciens des morceaux qu'il faisait ensuite exécuter sous son propre nom. Mais ces circonstances singulières frappèrent vivement l'esprit de Mozart, déjà passablement affaibli par un labeur acharné : il se mit aussitôt à l'ouvrage, tout en étant intimement persuadé que ce *Requiem* serait sa dernière œuvre. Son pressentiment ne l'avait pas trompé : il ne put achever sa messe, qui fut complétée par son disciple Franz Xaver Süssmayer (1766-1803). Süssmayer ayant vécu, les dernières années de la vie de Mozart, dans une parfaite communion d'idées avec son maître, il est assez difficile de déterminer avec exactitude la part qui lui revient dans la composition du *Requiem*. Il semble en tout cas certain que, des douze morceaux qui le composent, seul le premier – le Requiem (adagio) suivi du Kyrie (allegro) fugué – soit entièrement de la main de Mozart. Les huit suivants auraient été orchestrés sous leur forme définitive par Süssmayer, sur des indications de Mozart (on a en effet retrouvé des notations et des ébauches qui garantissent l'authenticité de la ligne mélodique et des principales entrées instrumentales). Les trois derniers morceaux – Sanctus, Benedictus et Agnus Dei – seraient entièrement dus à Süssmayer, en dépit des affirmations de celui-ci. Toutes ces incertitudes font du *Requiem* une œuvre sur laquelle il est extrêmement difficile de porter un jugement. Le *Requiem* toutefois semble bien évoquer le renoncement, la contemplation de la mort, la méditation des principaux mystères de la foi, en une vision d'une sereine beauté. L'emploi fréquent du contrepoint et du style fugué – surtout dans le Kyrie et le « Quam olim Abrahae » du Domine Jesu – signifie, pour certains critiques, l'inexorabilité de la mort ; mais il convient aussi de ne pas oublier que contrepoint et style fugué étaient inséparables de la musique sacrée de l'époque. Bien davantage qu'une terrifiante vision du jugement, le *Requiem* évoque une résignation sereine, exempte de révolte ou de crainte.

L'instrumentation est d'une extrême sobriété : le compositeur n'utilise ni les flûtes, ni les hautbois, ni les clarinettes ordinaires, ni les cors ; mais il donne en revanche une importance toute particulière aux cors de basset, dont le timbre est plus grave que celui des clarinettes ordinaires. Bien que pleins de caractère et diligemment « rendus » (à noter l'effet d'un tremblement vibrato, assez lent, sur le « Quantus tremor est futurus »), les morceaux purement dramatiques, notamment le Dies irae et le Rex tremendae, ne sauraient égaler l'expression intime et poignante, la sincérité pénétrante des passages mélancoliques : le Recordare et le sublime Lacrymosa. Une des caractéristiques du style mozartien consiste dans l'application de la loi de symétrie périodique qui domine la construction mélodique. Elle se traduit par un jeu de questions et de réponses qui, confiées tour à tour aux quatre solistes (soprano, contralto, ténor et basse) et au chœur, sont d'un effet saisissant en dépit de la simplicité des moyens utilisés. On en trouvera divers exemples : dans le « Quantus tremor est futurus », déjà cité, où la basse s'isole en dehors des autres parties ; dans l'« Ingemisco » du Recordare, où piano et forte s'opposent continuellement ; dans le début du Lacrymosa, où staccato et legato, utilisés systématiquement, se répondent orchestralement ; ou encore dans l'admirable phrase du soprano « et semini ejus » qui conduit au finale de l'Offertoire – phrase dans laquelle un bref déploiement mélodique provoque un saisissant contraste avec le contrepoint serré du morceau. Ces procédés de composition, élémentaires en eux-mêmes, suffisent à rétablir une tension qui, sans être à proprement parler dramatique, semble bien être un des secrets du langage mozartien. C'est ainsi que le contrepoint haletant, au rythme heurté, du Rex tremendae pourrait paraître un peu artificiel s'il ne trouvait sa résolution dans les trois derniers temps de la mesure où toutes les voix se fondent dans la sereine invocation « salva me, fons pietatis ». Dans le Tuba mirum, les soli naissent, pour ainsi dire, l'un de l'autre, chaque partie s'enchaînant à la dernière note de la précédente, dans une écriture linéaire mais souple. Les grands ensembles choraux sont marqués par l'équilibre, la symétrie harmonique sensible tout particulièrement dans la résolution d'accords où les soprani se maintiennent à l'aigu (« luceat » et « Christe eleison » dans le Kyrie ; « homo reus » dans le Lacrymosa). La concision parfois excessive de certains morceaux doit être attribuée à la prudente rédaction de Süssmayer. On remarquera en effet que le Requiem, seul entièrement de la main de Mozart, est le plus long de tous : or, Mozart était loin d'être un compositeur concis. Généralement, et particulièrement lors de sa maturité, il se laissait aller à cette « divine longueur », cette complaisance envers son propre discours que l'on rencontre si fréquemment chez des lyriques, tels Schubert et Brahms. C'est peut-être à cet « inachèvement », plus encore qu'à l'uniformité de coloris ou à la convention d'expression de certains passages, qu'il faut attribuer le sentiment imprécis d'insatisfaction que laisse parfois à l'auditeur ce dernier chef-d'œuvre du grand musicien de Salzbourg. Des éditions modernes, se limitant aux seules parties de la main de Mozart et réalisées avec une plus grande rigueur que Süssmayer, commencent à gagner la faveur des chefs d'orchestre et à se substituer à la version traditionnelle.

REQUIEM de Rilke. Titre de trois élégies du poète allemand Rainer Maria Rilke (1875-1926), dédiées à trois défunts : à une amie, au comte Wolf von Kalckreuth, à un enfant. Le thème de la mort est prédominant dans l'œuvre de Rilke : du *Chant de l'amour et de la mort du cornette Christophe Rilke* (*) aux *Élégies de Duino* (*), il est continuellement repris et développé à travers des variations d'une profondeur telle qu'on n'en trouve pas de semblables dans la poésie moderne. Un « Requiem » clôt le *Livre d'images* (*), un autre est inséré dans le *Journal de Worpswede ;* mais les trois poèmes qui nous intéressent ici, et qui furent écrits en 1909 et publiés ensemble, occupent, dans l'œuvre de Rilke, une place à part, bien délimitée. Dans sa nudité, le langage y atteint à une force d'une grande pureté ; les images y sont douées d'une telle puissance d'évocation que, toute qualité musicale ayant été comme résorbée, elles n'en continuent pas moins à exprimer les symboles qu'elles sous-tendent dans toute leur plénitude. C'est pourquoi, outre leur sujet, ces trois *Requiem* ont, dans l'œuvre de Rilke, une importance de premier plan et constituent un prélude direct aux grandes *Élégies.* Le premier *Requiem* est dédié à l'artiste peintre Paula Modersohn, morte en couches. Le poète sent l'esprit de son amie rôder autour de lui, un esprit inquiet comme s'il avait oublié quelque chose sur la terre. Pourquoi n'a-t-elle pas trouvé la paix dans la mort ? De quoi a-t-elle peur ? Que lui veut-elle ? Désire-t-elle qu'il se rende dans ce pays qu'elle n'a jamais pu visiter et qu'il en rapporte pour elle des fleurs et des fruits, ces fruits qu'elle aimait tant peindre ? Ou bien veut-elle terminer son œuvre interrompue ? Voici : elle était comme un fruit qui devait mûrir lentement. Mais quelqu'un était venu, qui l'avait emportée ; elle avait dû alors consacrer toute son énergie à la maternité ; et, tout en sachant qu'elle nourrissait et faisait mûrir en elle-même sa propre mort, sans hésiter, elle avait accepté ce risque. Lorsque ce labeur fut achevé, elle voulut se récompenser : se récompenser elle-même, car personne ne pouvait connaître la récompense qui lui convenait. Elle s'assit sur son lit, se vêtit et se para devant le miroir : « Tu mourus ainsi d'une mort ancienne / et désuète dans la maison chaude / tu mourus la mort des femmes qui veulent s'enfermer et ne savent pas... » À la base du *Requiem,* on trouve « une idée très chère au poète : l'opposition entre deux modes de vie, l'un tout en profondeur, qui est la vie essentielle et méditative des femmes ("Sein") ; l'autre, extérieur et volontaire, qui est la vie active et trouble des hommes ("Wollen"). L'abandon infini de la femme à son destin rencontre le vouloir raide et fiévreux de l'homme. Elle est soumise ou brisée. Elle en peut mourir, mais sans révolte, parce qu'elle seule peut atteindre à cet idéal détachement, si difficile à l'homme, à cette vraie pauvreté... » (Geneviève Bianquis, dans *La Poésie autrichienne de Hofmannsthal à Rilke,* 1926).

Le deuxième *Requiem* est dédié au comte Wolf von Kalckreuth, poète qui se suicida à dix-neuf ans. Quoi donc a pu le pousser à cet acte irréparable ? Peut-être la conviction que la mort lui donnerait une possession plus réelle que l'existence. Mais n'est-il pas à présent moins près de la joie (la joie de vivre, le bonheur de respirer) qu'il ne l'était sur la terre ? L'univers tout entier s'est trouvé bouleversé par sa fin et de lui ne demeurera qu'un souvenir de destructeur, et non de créateur. Peut-être une jeune femme aurait pu le sauver, ou un homme plongé dans son travail, la vue d'une usine, d'un insecte laborieux..., mais le jeune homme n'a pas su comprendre ces vérités toutes simples, la valeur du travail. Il n'a senti que le vide dans sa vie et s'en est plaint dans ses vers. Oh, antique malédiction des poètes, qui se plaignent sans cesse au lieu de dire, qui jugent toujours d'après leur sentiment au lieu de se transformer dans leurs propres paroles, à l'image de ces bâtisseurs de cathédrales qui s'identifiaient à l'indifférence de la pierre. Si, une fois au moins, Kalckreuth avait vu comment le destin se coule dans un poème et se transforme en image, devenant à jamais immuable, il eût persévéré ! Mais peut-on lui reprocher quelque chose ? Ce qui se passe ici est tellement mystérieux ! D'autre part, pouvons-nous parler de victoire ? Oui, il faut supporter, persévérer. Le troisième *Requiem,* dédié à un enfant, est peut-être moins important, mais non moins suggestif que les précédents. Ce sont les impressions, pleines d'un douloureux et ardent étonnement, d'un enfant qui se trouve soudain dans une réalité qui n'est plus celle de tous les jours : valait-il la peine, se demande-t-il, de se graver dans la mémoire son propre nom, de savoir reconnaître le zèbre, la vache, l'éléphant ? Désormais tout ceci est comme au-delà d'une paroi liquide... Voici, j'étais seulement un germe, un germe qui s'abandonnait au vent, aux routes, pour devenir vent et routes. Mais vous autres, adultes, qu'étiez-vous ? — Trad. *Œuvres II,* Le Seuil, 1972.

REQUIEM de Schumann. Ce *Requiem* pour chœur et orchestre, daté de 1852, est une des dernières œuvres du compositeur allemand Robert Schumann (1810-1856) ; il est contemporain de la *Messe* pour chœur à quatre voix et orchestre, qui lui est d'ailleurs très inférieure. Il semble que, dans cet ouvrage, Schumann ait voulu exprimer avec une intensité plus forte encore que dans son *Faust* (*) sa certitude dans la rédemption et dans la vie éternelle. C'est l'ultime cri d'espérance d'un être qui se sent condamné et n'espère plus qu'en la bonté de son Dieu. *Requiem* romantique, certes, mais prière dont la sincérité profonde éclate à chaque mesure. C'est là sans doute l'œuvre la plus authentiquement chrétienne de toute la musique religieuse du XIXe siècle. Le *Requiem* est divisé en neuf parties suivant les normes de la liturgie. 1° Introït très lent et majestueux ; 2° Kyrie dans le même esprit : acte de foi ardente où le musicien se présente plein d'humilité sincère devant le juge suprême ; 3° Dies irae : les traits des violoncelles, puis des violons, traduisent la colère divine, colère qui se mêle au sourd regret des pécheurs ; la mélodie se fait de plus en plus âpre et tendue ; 4° Liber scriptus proferetur ; 5° Qui mariam absolvisti, chanté par les mezzo encadrés par le quatuor et les chœurs ; 6° « Libera me » : supplication intense, riche d'espérance frémissante ; 7° Offertoire ; 8° Sanctus : Schumann s'abandonne à la joie de pouvoir glorifier le Seigneur, c'est un hymne confiant d'une extrême simplicité ; 9° Benedictus : rythme haletant que vient détendre le chant de l'Agnus qui conclut sur une grande échappée de lumière et de calme. On a pu reprocher à ce *Requiem* des négligences dans l'orchestration. Schumann n'a jamais passé pour un orchestrateur très averti, mais il y a là des fautes qu'il n'aurait jamais laissé publier s'il avait été en possession de toutes ses facultés. Il faut surtout admirer l'esprit, le souffle, la force expressive de cette musique qui est son véritable testament de croyant.

REQUIEM de Verdi. Messe pour solistes, chœur et orchestre, du compositeur italien Giuseppe Verdi (1813-1901), créée en 1874. On connaît l'attitude de Verdi à l'égard de la religion : incrédule, en somme, au grand regret de Giuseppina Strepponi et malgré les timides exhortations de cette dernière. Incrédule certes, mais non pas au point de nier l'existence de quelque Être supérieur, personnifiant en quelque sorte les raisons profondes de toute justice. Considérée sous cet aspect, la religion n'est point absente du drame lyrique de Verdi, ce monde élémentaire et robuste, dominé par la passion. Menaçante et terrible dans *Nabucco,* elle se fait consolatrice dans *La Force du destin* (*) qui est peut-être l'opéra de Verdi le plus imprégné de religiosité. Il est aisé dans ces conditions de comprendre pourquoi Verdi, se disposant à traiter la forme musicale de la messe, fut attiré par cette variété particulière qu'est la messe funèbre. L'action y est, en substance, ramenée du ciel sur la terre ; le drame de l'homme en face de la mort, dernier pivot du théâtre de Verdi, s'y trouve au premier plan : enfin, dans cette messe, est évitée la terrible difficulté musicale que constitue pour toutes les autres messes le Credo. Exécutée à Milan, pour le premier anniversaire de la mort d'Alessandro Manzoni, objet de l'immense vénération de notre musicien, la *Messe* remonte en partie à une conception antérieure. À la mort de Rossini, en 1868, Verdi avait lancé la proposition, quelque peu chimérique, d'une *Messe de Requiem* que composeraient les plus grands musiciens italiens — Mercadante en tête — pour honorer la mémoire du grand disparu. Verdi avait choisi pour lui-même et avait préparé le « Libera me », qui est ensuite passé dans la rédaction définitive. Mais cette idée le poursuivait, et, au début de 1871, il avouait à son maître Mazzuccato que ses louanges pour le « Libera me » avaient presque fait naître en lui « le désir d'écrire plus tard la *Messe* en entier ». Sur cette messe a toujours pesé, comme une malédiction, l'équivoque de la religiosité. L'accusation commune, portée contre le *Requiem,* d'un caractère trop théâtral et mélodramatique, n'est pas encore totalement abandonnée même aujourd'hui, mais elle se trouve dépassée si l'on considère le caractère profondément humain et moral de la religiosité de Verdi. Libre des entraves de la vraisemblance dramatique, l'imagination musicale de Verdi s'enflamme toute au contact du problème, apparemment technique, de conduire le chœur et les quatre voix du quatuor d'après des exigences uniquement sonores. Tel est le noyau générateur de l'œuvre, et la chose est d'une évidence aveuglante dès le morceau du début, qui offre un caractère indéniable de « présentation » des voix. Le Requiem confié au chœur, le Kyrie voit entrer successivement, sur le même thème : ténor, basse, soprano et mezzo-soprano. C'est le vieux maître, le connaisseur incomparable de voix humaines, qui passe en revue son matériel. Ici, enfin, pas d'obligations fastidieuses d'exposer un fait antérieur, pas de servantes secondaires ni de conseillers superflus, mais liberté du chant déployé dans toute sa pureté. Ceci explique pourquoi les plus grandes beautés du *Requiem* doivent être recherchées dans les morceaux d'ensemble, d'une plus grande complexité, tandis que les grandes parties en solo (telles que le Ingemisco pour ténor, le Confutatis maledictis pour basse, l'unisson de l'Agnus Dei) sont parfois d'une inspiration moins sublime. En général, les dernières parties composées : le Sanctus, quelque peu bâclé, l'Agnus Dei et le Lux aeterna, n'atteignent pas à la hauteur des trois premières (Requiem et Kyrie, Dies irae et Domine Jesu), en particulier celle du Dies irae, dont le grandiose orageux lui a valu l'épithète de « michelangelesque ».

REQUIEM ALLEMAND (Un) [*Ein deutsches Requiem*]. Composition pour soli (soprano, baryton), chœur et orchestre, op. 45, du compositeur allemand Johannes Brahms (1833-1897), exécutée pour la première fois à Zurich et à Brême en 1868. C'est la plus vaste composition de Brahms, celle qui lui a valu, durant sa vie et depuis sa mort, sa renommée dans ce qu'elle comporte de meilleur ; mais elle reste une œuvre d'exception, destinée à un nombre limité d'exécutions. Il ne s'agit pas d'une messe de Requiem avec ses cinq parties fixes (Introït, Kyrie, Dies irae, Offertoire avec le Sanctus et l'Agnus Dei), mais d'une suite de méditations choisies librement sur le thème de la mort et de la vie future. Les biographes de Brahms affirment qu'il l'a écrit à la mémoire de sa mère. Le choix et l'ordre des morceaux signifient : consolez-vous, la mort est le destin commun, mais elle n'est pas un mal, car elle nous réunit à Dieu et nous ouvre les portes de la vie éternelle ; nous ne devons pas pleurer les morts qui sont les vrais vivants. C'est le thème classique de l'oraison funèbre dans le culte protestant, et aussi, même s'il est un peu moins systématique, dans le culte catholique. L'œuvre se compose de sept morceaux, y compris le quatrième, qui n'existait pas dans la première édition, tous choraux ; dans trois d'entre eux se trouvent également insérés des passages en solo. On peut diviser l'ouvrage en deux parties : les trois premiers morceaux qui expriment la lamentation, et les quatre derniers la consolation. Le premier (« Bienheureux ceux qui pleurent ») sert d'introduction et se termine dans la joie, sur cette idée que celui qui sème des larmes moissonnera avec joie et portera en chantant les gerbes d'épis. Le second et le troisième (les joyaux de l'œuvre) se terminent, l'un d'une manière suave, l'autre par une fugue qui, pendant toute sa durée, reste sur la pédale de ré, comme un symbole de l'éternité du royaume de Dieu (« Les âmes des justes sont dans les mains de Dieu et aucune peine ne les touche plus »). Avec le quatrième morceau commence la partie de consolation. Le cinquième renouvelle une tradition allemande : le défunt, représenté par un chanteur, dit qu'il est réconforté et promet de consoler les survivants « comme sait le faire une mère ». Dans le sixième, le baryton annonce la bonne nouvelle de la résurrection finale et le chœur s'exalte, ayant confiance en la victoire sur la mort (« Ô mort, où est ton dard ? Ô Enfer, où est ta victoire ? »). Puis il entonne les louanges, qui ne sont pas très différentes de celles de saint François aux créatures, dans une grande fugue, parcourue en ses divers épisodes par des expressions de piété simple et intense. Le dernier morceau se rattache au premier et reprend, sur les paroles : « Bienheureux les morts qui se sont endormis dans le Seigneur », les mélodies qui revêtaient celles de « Bienheureux ceux qui pleurent ». Après une dernière expression de douleur, l'œuvre s'achève sur une idée de repos, dans une sérénité religieuse.

REQUIEM POUR UNE NONNE [*Requiem for a Nun*]. Roman de l'écrivain américain William Faulkner (1897-1962), publié en 1951. Ce roman est divisé en trois « actes » dont chacun comprend lui-même deux parties : une évocation historique et lyrique du lieu où va se dérouler l'action, et une suite de dialogues à travers lesquels se développe l'action proprement dite. Les évocations, qui représentent environ la moitié du volume, semblent avoir pour but d'englober l'action — l'action par essence éphémère — dans le temps. On pourrait dire que Faulkner a voulu peindre une épopée sur le rideau qu'il va lever afin de nous mettre sous les yeux, avant l'apparition des personnages, la véritable scène sur laquelle se déroulent nos actes : une scène en proie aux ressacs et aux tourbillons du temps, un flot battu de tous les vents du passé et qui va s'y dissoudre pour augmenter encore la pression énorme et tragique de tout ce qui nous quitte et n'en finit pas de nous quitter depuis toujours.

Acte I, le Tribunal ; Acte II, le Dôme doré ; Acte III, la Prison. Évocations : la fondation et le baptême de la ville de Jefferson (ville imaginaire où Faulkner a situé la plupart de ses romans) devenue ville autour de son Tribunal et de sa Prison ; la fondation de la ville de Jackson, capitale de l'État dominée par le Dôme doré, palais du gouverneur. Évocation de la durée de ces lieux et des hommes qui les créèrent, dévorant peu à peu les forêts originelles et multipliant des actes que le temps, à son tour, dévorait pour en nourrir finalement les mémoires sous forme de souvenir, d'histoire et de légende. La terre en proie aux hommes, les hommes en proie au temps dont le flux est jalonné par quelques événements majeurs : la naissance des villes, la guerre de Sécession, la montée toujours croissante du Progrès avec ses routes, ses chemins de fer, ses avions.

Personnages : Temple et son mari Gowan Stevens — la Temple et le Gowan de *Sanctuaire* (*) ; Nancy Mannigoe, une Noire ; Gavin Stevens, oncle de Gowan et avocat ; le Gouverneur, Pete et Mr. Tubbs, un geôlier.

Action : Nancy Mannigoe comparaît devant le tribunal. Elle a tué l'enfant de Temple et de Gowan, ses maîtres ; condamnée à la pendaison, elle se contente de remercier le Seigneur. Gavin Stevens, qui a défendu Nancy, assiège Temple de sa présence — de sa présence qui est en soi l'exigence de la vérité. Temple se raidit contre l'aveu qui est en elle comme une tentation à la fois pacifiante et horrible ; elle part en voyage puis, quatre mois plus tard, revient brusquement l'avant-veille de l'exécution de Nancy. Après s'être à nouveau dérobée, elle appelle Gavin et accepte de se rendre avec lui chez le Gouverneur (Acte I). En pleine nuit, elle entreprend alors, face aux deux hommes (Gowan assiste caché à la scène), une confession qui est une sorte de survol d'elle-même, un survol d'abord lointain mais dont les cercles de plus en plus rapides et serrés l'amènent à dévoiler sa faute : à l'époque de *Sanctuaire*, quand elle avait été enlevée par Popeye et séquestrée par lui dans un bordel de Memphis, elle a connu le bonheur dans le mal ; la vie respectable qu'elle a menée ensuite auprès de Gowan n'était que surface, en elle subsistait, refoulée, la même soif de perdition. Si elle a engagé Nancy, l'ancienne putain, ce ne fut point par bonté mais pour échanger avec elle, en secret, des paroles et des confidences de putain. Un jour enfin est apparu Pete, jeune frère de l'amant (tué par Popeye) qu'elle avait eu à Memphis. Pete venait la faire chanter avec de vieilles lettres ; elle s'est donnée à lui, elle a volé pour lui, et elle se préparait à s'enfuir avec lui quand, pour l'en empêcher, Nancy a tué son enfant (Acte II). Malgré cette confession, le Gouverneur a refusé la grâce de Nancy parce qu'il ne veut pas s'opposer à sa volonté de sacrifice et de rachat. Temple, accompagnée de Gavin, va rendre visite à Nancy, et Nancy l'accueille dans la grâce et le détachement : elle est à présent du côté de la sérénité. Maintenant qu'elle a assumé sa part de mal, elle croit au salut ; toute sa vie présente se résume même en cette croyance qu'elle exprime crûment en disant : « J'peux m'envoyer Jésus aussi. J'peux m'Lenvoyer. » Est-ce pour faire sienne cette leçon que Temple, lorsqu'elle entend la voix de Gowan, court le rejoindre ?

Albert Camus (1913-1960), qui a tiré de ce roman une pièce en deux parties et sept tableaux représentée pour la première fois le 20 septembre 1956 au Théâtre des Mathurins, a écrit en avant-propos à la traduction française : « Le style de Faulkner, avec son souffle saccadé, ses phrases interrompues, reprises et prolongées en répétitions, ses incidences, ses parenthèses et ses cascades de subordonnées, nous fournit un équivalent moderne, et nullement artificiel, de la tirade tragique. C'est un style qui halète, du halètement même de la souffrance. Une spirale, interminablement dévidée, de mots et de phrases conduit celui qui parle aux abîmes des souffrances ensevelies dans le passé, Temple aux délicieux enfers du bordel de Memphis qu'elle voulait oublier, et Nancy à la douleur aveugle, étonnée, ignorante, qui la rendra meurtrière et sainte en même temps. » – Trad. M.-E. Coindreau, Gallimard, 1957. M. Gr.

REQUIEM POUR UN PAYSAN ESPAGNOL [*Requiem por un campesino español*]. Œuvre de l'écrivain espagnol Ramón José Sender (1902-1982), d'abord publiée à Mexico, en 1953, sous le titre *Mosén Millán*, puis rééditée à New York sous ce second titre en 1960. L'un des romans les plus significatifs sur le thème de la guerre civile et des années qui la précédèrent dans les campagnes d'Espagne. Mosén Millán, un curé de village aragonais, attend dans son église l'heure de dire une messe de requiem. Un poulain qui hennit du côté de la place fait resurgir dans sa mémoire le souvenir du défunt, Paco du Moulin, fils d'une famille de paysans, depuis le jour où il l'a baptisé jusqu'à celui où, vingt ans plus tard, ses ennemis politiques, les caciques du pays, l'ont fusillé. Le prêtre revoit Paco enfant de chœur, puis l'adolescent qui s'éloigne de lui pour se consacrer aux affaires de sa ferme, son mariage, les élections et les déchirements que suscitent au village les luttes sociales, les premiers crimes de la guerre civile. Paco doit se cacher ; découvert, il se défend à coups de fusil ; ses assiégeants font venir Mosén Millán pour parlementer avec lui, il se rend, on l'arrête, puis on le sort de sa prison pour le conduire au cimetière, où on l'exécute, après que le curé l'a confessé dans la voiture de ses justiciers transformée en confessionnal et dit « Ego te absolvo... ». C'est un garçon hébété mais conscient de sa pureté et de son innocence qui a interrogé quelques instants plus tôt Mosén Millán au cours d'un dialogue d'une exceptionnelle beauté dramatique. Ce roman est sans doute le chef-d'œuvre de Sender, romancier fécond et très doué. – Trad. Fédérop, 1978. C. C.

REQUINS (Les) [*Haiene*]. Roman de l'écrivain norvégien Jens Bjørneboe (1920-1976) publié en 1974. Roman d'aventures dans la tradition d'un Melville ou d'un Conrad, le livre retrace le dernier périple du brick « Neptune » qui, parti de Manille pour gagner Marseille, sombrera avant d'arriver. Prêtant sa plume au Norvégien Jensen, capitaine en second d'un équipage hétéroclite composé de gens de toutes races et de toutes nationalités, l'auteur nous fait assister à la montée puis au déchaînement d'une violence qui se traduit d'abord par toute une série d'affrontements individuels puis une sanglante mutinerie. Et, accompagnant le navire, il y a les requins, la cruauté à l'état brut, que rien ne semble distinguer de l'homme. Cependant la tempête se lève. Dès lors, confrontés au danger qui les menace tous, les ennemis d'hier sont obligés d'unir leurs efforts et de s'entraider. Derrière le récit, mené avec un art consommé et qui ne le cède en rien aux meilleurs du genre, l'auteur nous propose une image de la planète à l'orée de notre siècle, le voyage du « Neptune » se déroulant symboliquement en l'an 1899. Notre monde saura-t-il concilier les antagonismes de classes et de races pour trouver une voie commune ? Dans ce qui allait être son dernier roman, Bjørneboe nous délivre en tout cas un message d'espoir : « Bien sûr, la destruction est en nous tous. En chacun de nous, il y a un meurtrier. Mais il y a aussi un sauveur et un sauveteur. » É. E.

RÉQUISITIONNAIRE (Le). Récit de l'écrivain français Honoré de Balzac (1799-1850), publié en 1831. Un soir d'hiver en 1793, dans une petite ville de la Basse-Normandie, la demeure de la comtesse de Dey reste close, à la grande surprise de ses visiteurs habituels. La curiosité des citadins se perd en mille suppositions. Voici ce qu'il en est : par un message secret, la comtesse a appris que son fils, emprisonné pour avoir participé à l'expédition royaliste de Granville, allait tenter de s'évader et qu'il arriverait chez elle dans les trois jours. La mère est dans un état de grave surexcitation nerveuse : elle attend son fils, souhaite le revoir, mais vit dans la crainte que la tentative n'échoue. Pendant la nuit du troisième jour, un jeune réquisitionnaire, appartenant à un régiment de la République en marche à travers la province, frappe à la porte et présente un billet de logement délivré par le maire. La comtesse est consternée. Bien qu'elle ne perde pas courage encore, le doute qui l'assaille devient bientôt une certitude et elle meurt, torturée par la vision de l'horrible mort de son fils. À l'heure précise du dernier soupir de la comtesse, le jeune homme est fusillé. L'œuvre est intéressante par son effort pour sonder les secrets de l'âme humaine et par une croyance assez confuse aux phénomènes de télépathie et de magnétisme que l'on retrouve dans d'autres ouvrages plus importants de Balzac. Le plus souvent, en particulier dans *La Recherche de l'absolu* (*), le problème scientifique reste étranger au ressort créateur de l'œuvre ; ici, au contraire, le thème est lié parfaitement à la fiction, ce qui donne au *Réquisitionnaire*, en dépit de sa brièveté, une place à part dans la vaste production de Balzac.

RERUM ITALICARUM SCRIPTORES. Recueil monumental des chroniqueurs italiens depuis l'an 500 jusqu'à l'année 1500. Cette œuvre considérable a été conçue et réalisée par le prince des érudits italiens, Ludovico Antonio Muratori (1672-1750). L'auteur s'était depuis longtemps préparé à cet immense travail : en effet, il avait déjà publié trois volumes d'*Anecdotes latines* [*Anecdota latina*, 1697-1713] et un volume d'*Anecdotes grecques* [*Anecdota graeca*, 1709]. L'idée d'un recueil d'ensemble des chroniques et annales italiennes avait été envisagée par A. Zeno (1668-1750). Après la lecture du deuxième volume des *Anecdota latina*, Zeno écrivit à Muratori, lui demandant de réfléchir à une édition de toutes les chroniques qui porterait le titre : « Rerum Italicarum Scriptores hactenus desiderati », et qui serait composée « à la manière de Meibornj et Goldasto, lesquels avaient accompli un travail de ce genre pour l'Allemagne ». Mais Zeno, à la fin de 1714, avait déjà oublié son vaste projet ; Muratori, qui avait travaillé avec son ami, se sentit dans l'obligation de mener à bien un tel ouvrage. À la fin de 1719, Muratori avait déjà terminé quatre volumes, et en mars 1721, avec l'aide des typographes de la Société palatine, la composition du premier volume commençait. Entre 1722 et 1737, vingt-sept volumes in-folio parurent ; un an après la mort de Muratori, en 1751, un vingt-huitième volume fut publié comprenant appendices, opuscules et index. Le recueil s'ouvre avec *La storia miscella*, « qui est comme l'épine dorsale par laquelle le Moyen Âge se rattache à l'Antiquité » (Carducci). Viennent ensuite Procope de Césarée et Jordanès, qui ont collationné l'histoire de Cassiodore ; suivent les Catalogues, plus anciens, des pontifes romains, le *Liber pontificalis* de l'Église romaine, le *Chronicon* des évêques napolitains, et des œuvres plus significatives de la période lombarde, telles les histoires de Paul Diacre et celle d'Erchempert qui relate les faits survenus aux Lombards du Bénévent jusqu'en 889. On retiendra également de cette époque l'œuvre de Liutprand, l'écrivain certainement le plus vivant, plein d'idées, vif et « acerbe comme un moderne » (Carducci). Parmi les chroniques les plus connues qui suivent, il faut noter la *Cronica della Novalesa*, le *Libro Maiolichino* qui conte l'histoire des Pisans contre les habitants des Baléares, les Chroniques d'Othon et de Morena, témoins de la lutte entre Frédéric Ier et les Communes, etc. L'époque suivante et la période humaniste sont si riches en chroniques qu'elles occupent environ les deux tiers de l'œuvre.

RESCAPÉS (Les) [*Mnatsordats*]. Roman de l'écrivain arménien Hagop Ochagan (1883-1948), publié au Caire en trois volumes (1931-1934). Installé en 1926 à Chypre, Ochagan a écrit en l'espace de huit années une immense série de romans, qui comptent parmi les plus puissants de la littérature arménienne, entre autres *La Femme légère* [*Dzak Ptouk*], la trilogie des « Condamnés à cent un ans » : *Hadji Mourad, Hadji Habdullah, Suleïman Effendi* (trois figures de criminels, dont il raconte en détail le cheminement conduisant au meurtre), et *Les Rescapés*, dont la rédaction allait durer de 1928 à 1934. Le mot arménien « mnatsordats » signifie « ce qui reste », et c'est aussi le mot qui traduit les *Paralipomènes* (*) des Septante. Ochagan voulait « raconter ce qui reste de son peuple », après la catastrophe qui l'avait anéanti. Il voulait en particulier recréer en sa totalité le monde qui avait été le sien, jusqu'à la déportation. Ochagan avait conçu le roman en trois parties, « Le Chemin de la matrice », « Le Chemin du sang » et « Enfer ». Seules les deux premières ont été écrites et publiées. Elles racontent le monde précatastrophique dans l'effondrement tragique d'une famille, histoire de sexe (la matrice) et de meurtre (le sang), « matières premières » de tout roman, selon l'auteur. Ces deux parties racontent aussi la dernière phase de l'intrication violente entre le peuple dominant (les Turcs) et le peuple soumis (les Arméniens). La dernière partie, « Enfer », devait traiter de la catastrophe, en racontant divers épisodes de la déportation et de l'anéantissement des Arméniens. Ochagan n'a pas pu l'écrire. Il raconte bien plus tard qu'il a dû s'arrêter en 1934, parce qu'il allait « droit sur la mort ». Ma. N.

RÉSISTIBLE ASCENSION DE ARTURO UI (La) [*Aufhaltsame Aufstieg des Arturo Ui*]. Pièce de l'écrivain allemand Bertolt Brecht (1898-1956), publiée en 1941 et créée au « Berliner Ensemble » en 1959. Brecht est en Finlande quand il écrit *La Résistible Ascension*. Depuis 1933, il ne cesse de fuir les armées de son propre pays et pendant douze ans mènera la lutte antinazie. Les pièces de cette époque sont polémiques, mais Brecht y ébauche déjà les thèmes nouveaux qui seront ceux des œuvres de la maturité. *Arturo Ui* est composé en pleine période de transition ; il y traduit, transposé dans le milieu des gangsters de Chicago, l'ascension d'Hitler depuis l'incendie du Reichstag jusqu'à l'occupation de l'Autriche en passant par l'assassinat du chancelier Dollfuss. Et Brecht met en scène le comportement de l'homme de la rue face à ces événements. L'abondance faisant place au dénuement, cinq dirigeants du trust du chou-fleur, réunis en conseil d'administration, se mettent à la recherche d'une subvention. Ils adressent leur requête au vieil Hindsborough, modeste cantinier mais conseiller municipal intègre, qui refuse d'abord puis finit par accepter, devenant membre du trust, faisant voter la subvention, acceptant une maison de campagne. Dans le même temps, des tueurs en chômage sont rassemblés autour de leur chef Arturo Ui, en vue d'organiser le racket du chou-fleur. Arturo Ui, apprenant les dessous de l'affaire de la subvention, assiège Hindsborough afin d'obtenir sa caution. Rien ne fait fléchir le vieux conseiller municipal, persuadé qu'on n'osera pas ouvrir une enquête. Mais ce sont ses amis eux-mêmes qui exigent l'ouverture d'une enquête afin de le laver de tout soupçon ! L'enquête ouverte, les deux témoins principaux sont assassinés. L'enquêteur a parfaitement compris, et Hindsborough, sauvé du déshonneur et du châtiment, est contraint de se rendre à Ui. Celui-ci, dûment cautionné par le trust, présente aux détaillants de légumes de Chicago ce plan de « protection payante » qu'il avait conçu. Comme ceux-ci n'ont pas l'air convaincus, Gori, homme de main de M. Ui, met le feu aux entrepôts de l'un des détaillants. Au cours du procès, c'est un chômeur drogué arrivé la veille à Chicago qui sera accusé tandis que Gori fait valoir d'irréfutables alibis. Hindsborough, pris de remords, se confesse longuement dans son testament. Gobbola, acolyte d'Arturo, vient d'en rédiger un autre qu'il n'y aura plus qu'à substituer au document authentique. Cette opération faisant espérer de larges profits, des dissensions surgissent au sein de la bande, notamment entre Roma, chef des tueurs, et Gobbola-Gori ; les deux partis se disputent l'approbation du patron qui reste indifférent. Il ne sortira de son apathie que lorsque Gori lui présentera Mrs. Dollfoot, la femme du patron des légumiers de Cicero qui mène campagne contre lui. Dès lors, le sort de Roma est fixé, il sera abattu par surprise par Gobbola, et ses hommes mitraillés. M. Dollfoot, sous l'influence de sa femme, promet de mettre fin à ses attaques contre Ui, mais à condition que le commerce des choux-fleurs s'effectue sans effusion de sang. Cette condition n'est pas pour plaire à Arturo, Dollfoot subit le sort de Roma. Puis, cyniquement, Ui offre à la veuve son alliance et sa protection. Il demande la réunion des marchands de légumes de Cicero pour leur annoncer l'adhésion du magasin en gros de Mrs. Dollfoot au trust du chou-fleur ; celle-ci engage ses détaillants à mettre leur foi en M. Arturo Ui, mais ils ne se laissent guère influencer ; il leur faudra une démonstration de force pour qu'ils cèdent et votent « Oui ». Arturo remercie : rien ne l'empêchera de faire son chemin selon sa vocation ! Rien ne l'arrêtera, ni à Cicero, ni à Chicago, ni ailleurs ! On ne peut dissocier cette pièce d'une première allégorie du nazisme : *Têtes rondes et Têtes pointues* (*). On notera que, dans les deux cas, alors que l'hitlérisme a pris à l'imprévu les intellectuels allemands, Brecht en donne dès le début une analyse clairvoyante et démontre comment la bourgeoisie a recours à « l'homme providentiel » pour éviter la révolution et éluder les causes matérielles de la lutte des classes. « Le fascisme ne peut être combattu qu'en tant que capitalisme, en tant que le capitalisme le plus dépouillé... le plus oppressif et le plus fallacieux. Dès lors, à quoi sert de dire la vérité sur le fascisme si on ne dit rien contre le capitalisme qui le produit ? » Face aux « surhommes », il ne reste plus au peuple qu'à survivre et à ruser. — Trad. L'Arche, 1960.

RESSASSEMENT ÉTERNEL (Le). Recueil de deux nouvelles, « L'Idylle » et « Le Dernier Mot », publié en 1951 par l'écrivain français Maurice Blanchot (né en 1907). Au contraire du Thomas d'*Aminadab* (*) qui franchit la porte de la fabuleuse pension en tenant pour nul ce qu'il est en train de faire et pour inexistants son passé, ses proches, toute son autre vie qui est ainsi rejetée dans le dehors, le héros de « L'Idylle » n'accepte pas son séjour à l'« hospice ». Comme dans la plupart des romans de Blanchot, on ne sait ce qui se passe à l'extérieur, et on ne s'en préoccupe pas ; on est hors de ce dehors, jamais figuré, mais indiqué sans cesse par la blancheur de son absence, par la pâleur d'un souvenir abstrait. Même pour le héros de « L'Idylle », si soucieux de réintégrer une identité, un séjour, on sent que le présent absorbe tout, et Alexandre Akim, ou plutôt celui qu'on a ainsi arbitrairement baptisé — « ce nom étranger lui convenait aussi bien qu'un autre » —, préfère explorer les rapports ténébreux du couple Pierre-Louise, le directeur et son épouse. S'aiment-ils, se détestent-ils ? Voilà la seule question que se pose Akim. Et certes, si chacun peut voir le désespoir, les tourments mutuels, la haine qu'ils se portent, les expiations qui les blessent, Akim, lui, ne voit que leur amour et trouve heureuse la vie où une telle idylle a pu s'épanouir. Quant à l'hospice, à l'image de ce couple, on ne sait trop s'il y fait bon vivre ou si au contraire on y meurt de désespoir. Akim confie à l'un de ses compagnons, nouvel arrivé : « Vous apprendrez dans cette maison qu'il est dur d'être étranger, vous apprendrez aussi qu'il n'est pas si facile de cesser de l'être. Si vous regrettez votre pays, vous trouverez ici chaque jour plus de raisons de le regretter ; mais si vous parvenez à l'oublier, et à aimer votre nouveau séjour, on vous renverra chez vous, où, dépaysé une fois de plus, vous recommencerez un nouvel exil. » Akim mourra de n'avoir pas accepté de renier sa condition d'étranger. Ainsi l'instance fondamentale de la négation dans l'œuvre de Blanchot, comme dans sa pensée, est-elle la mort.

« Il y eut un temps où le langage cessa de lier les mots entre eux suivant des rapports simples et devint un instrument si délicat qu'on en interdit l'usage au plus grand nombre. » Le langage n'est ni la vérité, ni le temps, ni l'éternité, ni l'homme, mais la force toujours défaite du dehors ; il fait communiquer, ou plutôt laisse voir, dans l'éclair de leur oscillation indéfinie, l'origine et la mort. L'origine a la transparence de ce qui n'a pas de fin, la mort ouvre indéfiniment sur la répétition du commencement. Voici ce que découvre le héros du « Dernier Mot », qui compulse les archives d'une bibliothèque mystérieuse à la recherche du « mot d'ordre » d'abord, puis du dernier mot : « Jusqu'au dernier moment, je vais être tenté d'ajouter un mot à ce qui a été dit. » Au vrai, ce qu'est le langage, non pas ce qu'il veut dire, non pas la forme par laquelle il le dit, ce qu'il est en son être, c'est cette voix si fine, ce recul si imperceptible, cette faiblesse au cœur qui baigne d'une même clarté neutre l'effort tardif de l'origine, l'érosion matinale de la mort. Il n'est pas une existence qui, dans la seule affirmation du « Je parle », ne reçoive la promesse menaçante de sa propre disparition, de sa future apparition.

RESTITUTION DU CHRISTIANISME [*Christianismi restitutio*]. Ce livre du médecin et théologien espagnol Michel Servet (Miguel Serveto y Reves, 1511-1553), publié au début de 1553, fut la cause principale de sa mort tragique sur un bûcher de Genève. L'ouvrage, par son titre même, s'oppose violemment à l'*Institution de la religion chrétienne* (*) de Calvin. Servet incarne la tendance des partisans les plus exigeants de la Réforme qui, prônant un retour à la simplicité évangélique, poussaient leur critique jusqu'au cœur du dogme chrétien et combattaient la doctrine « scolastique » de la Trinité, intégralement maintenue par les protestants. Pour Servet, défenseur des doctrines panthéistiques, Dieu est énergie, activité, puissance infinie continuellement en action ; le Verbe n'est pas le Fils consubstantiel au Père, mais une disposition de Dieu par laquelle il lui plaît de se révéler, et qui devient personne réelle seulement dans le Christ. Quant au dogme de la Trinité, il a, selon Servet, une signification historique, mais non métaphysique, idée qui n'est pas sans affinité avec la doctrine de Joachim de Fiore. De même, sa conception de la foi se rapproche davantage d'Érasme et de Juan de Valdès que de Luther. L'amour du Christ et une charité ardente sont les traits dominants de la doctrine de Michel Servet. Son influence fut considérable, particulièrement en Italie, sur l'antitrinitarisme professé par les disciples de Lelio et de Fausto Socin — v. *Catéchisme socinien* (*).

RÉSURRECTION [*Voskresenie*]. Roman de l'écrivain russe Lev Nikolaïevitch Tolstoï (1828-1910), publié en 1899. C'est l'œuvre la plus importante de la dernière période de l'activité créatrice de Tolstoï, celle où se manifeste ouvertement sa conception de l'art mis au service de la moralité. Cependant, l'artiste l'emporte ici sur le moraliste ; la thèse est complètement absorbée dans la création. Le titre du roman peut se rapporter aux deux protagonistes : Nekhlioudov et Katioucha Masiova, bien que dans un sens différent. La jeune et gracieuse Katioucha, qui a cédé aux flatteries de son jeune maître et s'est laissé séduire par lui, ressuscitera spirituellement en expiant des fautes qu'en réalité elle n'a pas commises ; Nekhlioudov sera transformé par le martyre même de sa victime, qui le remettra spirituellement sur le droit chemin. Séduite puis abandonnée, n'ayant pu trouver un réconfort dans la maternité puisque son enfant meurt, Katioucha, qui n'a pas le courage de se tuer, se livre à la prostitution. L'accusation injuste, selon laquelle elle aurait empoisonné un de ses clients, la fait condamner aux travaux forcés par un jury où se trouve, par hasard, son propre séducteur Nekhlioudov. Devant l'injustice du verdict, qu'il a tenté en vain d'empêcher, il sent naître du plus profond de son âme le repentir et le désir de se racheter. La jeune fille, qui par sa beauté et sa grâce juvénile l'avait attiré autrefois, lui apparaît maintenant sous des dehors misérables et il porte, seul, la responsabilité de cet abaissement. Il veut réparer sa faute et suit la condamnée en Sibérie, avec l'intention de l'épouser ; mais elle refuse, se consacrant au contraire à un autre homme dont l'affection pour elle n'est pas justifiée à ses yeux, comme celle que lui porte Nekhlioudov, par la perspective du rachat. Si l'on compare *Résurrection* aux deux autres grands romans de Tolstoï, *La Guerre et la Paix* (*) et *Anna Karénine* (*), il a sur eux la supériorité de l'unité et de la perfection de la composition ; en effet, l'art ici est entièrement mis au service de l'idée, et tout l'intérêt se concentre sur les deux protagonistes et sur le processus de chute et de rédemption de l'un et de l'autre, que l'auteur examine en de pénétrantes analyses psychologiques. — Trad. Gallimard, 1946, 1981.

★ Le compositeur français Albert Roussel (1869-1937) a composé en 1903 un poème symphonique intitulé *Résurrection*.

RETABLE [*Retablo*]. Roman de l'écrivain italien Vincenzo Consolo (né en 1933), publié en 1976. Par son titre, cet ouvrage évoque les retables historiés dont les compartiments nous racontent mille et une aventures ; il met en scène principalement trois personnages : le moine Isidore et sa folie amoureuse pour Rosalie, Rosalie, une ravissante Palermitaine qui échappe à la misère en devenant la protégée d'un riche marquis, et Fabrizio Clerici, un artiste milanais qui entreprend un long voyage sur la côte orientale de la Sicile, à la fin du XVIIIe siècle, et choisit Isidore comme guide et compagnon de voyage. Fabrizio raconte ses impressions dans un journal qu'il dédie à la dame de ses pensées, à laquelle il voue un amour sans espoir. Par sa technique, le livre rappelle les récits picaresques où chaque rencontre est prétexte à une nouvelle histoire qui s'emboîte dans la précédente. À chaque aventure correspondent une voix, un ton, un style différents ; avec une étonnante virtuosité d'écriture, Consolo mélange le vigoureux franc-parler, aux inflexions dialectales, des brigands, le siculo-mauresque des pirates, le style plus élégant et un peu rococo de Fabrizio ou la langue à la fois fruste et passionnée d'Isidore ou de Rosalie. Il y a une évidente correspondance entre les choix stylistiques de Consolo et son objet de toujours qui est la Sicile, la Sicile foisonnante et aride, baroque et misérable, témoin de la lumineuse perfection de l'art grec comme de la sauvagerie de l'histoire.

À son atmosphère picaresque le livre doit son humour : la rencontre de Fabrizio avec un hobereau d'Alcamo qui se pique de belles-lettres, son compagnonnage avec un brigand qui commence par le dépouiller, puis lui rend tout en le suppliant de l'aider à soigner sa rage de dents, le personnage d'Isidore, ignorant et superstitieux, mais attachant par son impossible passion, sont d'une grande saveur. Cet humour n'est pas exempt de mélancolie : Fabrizio, épris de justice et d'harmonie, partagé entre le rêve d'un âge d'or et l'horreur du présent, est un peu notre contemporain. Dans la Sicile, image grossie du monde, dans ce voyage qui est une quête, Fabrizio retrouve l'énigme de la vie : les temples grecs de Ségeste ou Sélinunte, image d'une impossible perfection, voisinent avec la violence, la révolte et la misère. Son rêve d'harmonie et l'écriture à laquelle il le confie ne sont-ils pas une illusion, comme « le voile ambigu de l'antique Maya » qui cache l'insupportable réalité tout en la révélant ? La passion amoureuse n'est-elle pas la plus grande des illusions ? Isidore se défroque, vole et fait de la prison pour la belle Rosalie qu'il n'atteindra jamais. Rosalie a compris qu'elle aimerait toute sa vie Isidore, mais elle croit que, dans la misère, l'amour est une fleur qui se fane vite, et préfère la prison dorée que lui offre son marquis. Quant à Fabrizio, il ne cesse d'évoquer avec pudeur et nostalgie la belle Teresa, pour apprendre à la fin qu'elle en a épousé un autre. — Trad. Le Promeneur, 1988. G. de V.

RETOMBÉES DE SOMBRERO [*Sombrero Fallout*]. Roman de l'écrivain américain Richard Brautigan (1935-1984), publié en 1976. « Un sombrero se détacha du ciel pour atterrir dans la grand-rue de la ville : aux pieds du maire, de son cousin et d'une personne sans travail. » Telle est la première phrase de ce « roman japonais », ainsi que le précise l'auteur qui, à l'intérieur du texte, se présente comme « l'humoriste américain ». Pourquoi « roman japonais » ? parce que *Retombées de sombrero* alterne en contrepoint deux fictions : d'une part, les retombées très terrestres de ce mystérieux sombrero, glacé qui plus est ; de l'autre, les peines de cœur de « l'humoriste américain » que son amie japonaise Yukiko, une psychiatre originaire de Seattle, vient de quitter.

Trois protagonistes entourent d'abord le sombrero tombé du ciel, mais le cousin du maire et le chômeur en viennent bientôt aux mains pour savoir qui ramassera l'étrange couvre-chef. Le conflit dégénère très vite ; suite à une série de coïncidences aussi absurdes que malencontreuses, c'est bientôt la ville, puis l'État, et enfin toute l'Amérique qui se retrouvent à feu et à sang à cause d'un dérisoire sombrero trouvé par terre. Jusqu'à l'écrivain Norman Mailer, qui apparaît dans le récit afin de couvrir ces « événements tragiques » qui ensanglantent la nation, et qui déclare : « Ici, c'est l'enfer. » Pour Richard Brautigan et son lecteur, la fable politique est claire : nous vivons sur un entrepôt de dynamite, et la moindre étincelle, aussi futile soit-elle, suffira pour le faire exploser.

En alternance avec les chapitres de ce récit apocalyptique (et comique), nous découvrons l'existence malheureuse de « l'humoriste américain », abandonné par sa compagne Yukiko à San Francisco. Pour tromper l'ennui et sa peine, il écrit (l'histoire du sombrero, justement), erre dans son appartement, remâche sa douleur, multiplie les gestes futiles de l'absence, dans l'évier de la salle de bains trouve un long cheveu noir japonais, se transforme « en vieux fou qui pédale des quatre fers sur un plancher », s'abandonne à toutes sortes de rêveries jalouses, imagine son propre enterrement, téléphone à d'anciennes amies, se remémore sa rencontre avec Yukiko, leur amour, leur séparation, et finit par fredonner avec la radio, « un long brin de cheveu noir dans la main ».

Brautigan entrelace ici avec brio une fable politique tragi-comique et une évocation intimiste douce-amère. Aussi bien, il oppose un pastiche de récit linéaire à un univers onirique fait d'images tendres et tristes, cocasses ou surréalistes. Seul roman de Brautigan où l'auteur se mette explicitement et ironiquement en scène, *Retombées de sombrero* est l'un de ses livres les plus émouvants. — Trad. Bourgois, 1980. B. M.

RETOUCHES. Recueil de poèmes de l'écrivain français Daniel Boulanger (né en 1922), publié en 1970. Un peu à la manière des haïkus, ces poésies japonaises, brèves et diverses dans leur inspiration, Daniel Boulanger use dans *Retouches* de la forme brève, incisive. Art de la brièveté qu'il a hérité de son travail de réduction sur les formes narratives (nouvelles). Dans un texte liminaire au recueil, Daniel Boulanger explique sa démarche et définit ce qu'il entend par « retouches » : « Très tôt, je m'aperçus que les lettres d'amour que j'envoyais se ressemblaient toutes [...] je trouvai mes descriptions trop longues et mes cachettes bien théâtrales [...] je me suis mis à les réduire [...] à les concentrer en poèmes [...] je les appelai retouches. » Ces « lettres d'amour » ne seront pas réduites à leur plus simple expression mais suffisamment « retouchées » pour évoquer un arrière-monde riche et sensuel, plus sûrement que ne le ferait une simple lettre, « théâtrale ». Ainsi, les trois caractéristiques du recueil apparaissent clairement : un thème amoureux, traduit dans une langue dépouillée, avec un destinataire, l'être aimé ou le lecteur. La composition de *Retouches* ressemble à un inventaire à la Prévert. La série se prolonge avec *Volières* (1980), *Lucarnes* (1984), *Intailles* (1986), *Carillon* (1988), *Le Porte-Oeufs* (1989). Les *Retouches* sont un poème d'amour scandé par toutes les péripéties, les heurts et les malheurs auxquels s'affrontent les amants. Toute la palette des sentiments est évoquée par ces quelques titres : retouche à l'amour, à l'amour fou, à la passion. Mais aussi, poèmes noirs : retouches à l'infidèle, à l'abandonné, à l'adieu. Poèmes au lyrisme discret teintés d'humour noir le plus souvent comme le montre cette retouche à la guerre : « La, tra la la, nous avons plus de morts que vous, na. » Ritournelle macabre, fredaine funèbre : antithèse qui est bien dans la manière de ces retouches.

Ces lettres d'amour, comme le suggère « retouche à la Castille », où le poète compare une « lettre » à un « œil », pourraient être appelées clins d'œil.

P. Bl.

RETOUR (Le) [*The Homecoming*]. Pièce de l'écrivain anglais Harold Pinter (né en 1930), créée à l'Aldwych Theatre de Londres le 3 juin 1965 dans une mise en scène de Peter Hall, publiée à Londres la même année. Comme beaucoup de pièces de Pinter, *Le Retour* est un huis clos dans une maison londonienne ; la temporalité, concentrée en deux journées, justifie sur le mode réaliste la structure de la pièce en deux actes, et les personnages se voient essentiellement définis par leurs âges respectifs. Max, le vieux père, vit avec ses deux fils Lenny et Joey, et son propre frère Sam, chauffeur de taxi. Ce soir-là, dans la maisonnée à moitié endormie, c'est le « retour », en catimini, du troisième fils, Ted, brillant professeur établi en Amérique. Il est accompagné de sa femme Ruth, dont le comportement apparaît vite très trouble. Au matin, le vieux Max, furieux d'avoir été pris au dépourvu, commence par proférer des malédictions. Mais l'ire paternelle ne résiste pas à ce vrai bonheur : le retour de l'enfant prodigue. Ce revirement constitue une péripétie comique dont on voit les effets au début de l'Acte II : Ruth elle-même finit par être si bien acceptée qu'elle se prête lascivement aux désirs des frères avec, apparemment, la bénédiction du père, et l'accord tacite de son époux. Ted, sur le départ, ne cherchera que mollement à empêcher la réalisation du plan concerté par les hommes : il s'agit de conserver Ruth « au sein de la famille » en profitant de ses talents d'objet sexuel. Tous misent sur elle comme sur un bon cheval de tiercé : Max, qui évoquait au début de la pièce sa vocation manquée d'entraîneur, finit par en trouver la perverse réalisation.

Le Retour marque le triomphe de ce qu'on a appelé la « pinteresquerie » : sous le réel, sous le quotidien, l'inquiétante étrangeté. Les personnages, d'abord, ont une identité indiscernable. Leur âge est notre seul repère. Leur histoire, quand ils se racontent, est parsemée de contradictions ou d'affirmations à la vraisemblance incertaine. L'insolite, et le comique très particulier qui en découle, tient à la coexistence d'une vraie relation de famille avec ses hiérarchies, ses lois morales, ses nécessités économiques, et d'une sauvagerie fondamentalement sexuelle, dont Ruth est le catalyseur. Le dialogue est chargé de violence et d'érotisme, et le dérapage vers son expression physique toujours possible. Le langage, ici, menace comme un corps qui s'apprête à tuer parce qu'il n'a pas son content : « J'avais fait ce sandwich moi-même [...]. Maintenant je reviens et tu l'as mangé. » Inversement, la parole, lourde, déplacée, tient lieu de corps qui s'abandonne : « L'action est simple. C'est une jambe [...] qui remue [...] Mes lèvres remuent... » La pièce dans son ensemble est une représentation mimée de la violence brute, une danse sauvage à peine déguisée. C'est un art du « shadow-boxing », cet exercice silencieux, pratiqué par le petit frère Joey, qui consiste à travailler devant un miroir son jeu de poings et de jambes. *Le Retour* y invente sa poésie, aussi, par son rythme singulier fait d'exacerbations verbales et de silences, par ses échos intérieurs, par la résonance intempestive qu'ils trouvent en nous, à l'image de ces objets familiers insignifiants le jour qui s'animent la nuit pour « laisser échapper un petit bruit de tic-tac » (Lenny). — Trad. Gallimard, 1969.

A. Va.

RETOUR À BRIDESHEAD [*Brideshead revisited*]. Publié en 1945, ce roman de l'écrivain anglais Evelyn Waugh (1903-1966) s'efforce, selon l'auteur, de « suivre les cheminements de la volonté divine dans un mode païen ». Il nous présente les « Souvenirs sacrés et profanes du capitaine Charles Ryders ». Ce dernier, qui est aussi le narrateur, se trouve pendant la guerre dans un camp militaire proche du manoir de Brideshead où demeure une grande famille catholique, les Marchmain. Il s'était lié d'amitié avec Sebastian Flyte, le benjamin des Marchmain, alors qu'il étudiait à Oxford, et voilà que, vingt ans après, Ryder découvre le milieu familial de son camarade. Fasciné par la conduite uniquement inspirée par la tradition de cette lignée illustre qui sombre dans la décadence, il en devient le chroniqueur. Il n'y a guère de satire, et bien peu de comédie dans ce roman qui contraste avec *Hissez le grand pavois* [*Put Out More Flags*, 1942] auquel il succède, et rappelle *Une poignée de cendre* (*). La caricature fait place à un monde isolé et irréel tout aussi fantastique. La mort du vieux Marchmain, s'enfonçant dignement dans le passé de ses ancêtres les Croisés, dans un monologue pompeux, est une réussite du genre. Pourtant l'auteur contemple cet univers victorien avec sympathie, voire avec une nostalgie romantique. Ses souvenirs d'étudiant à Oxford ont une vivacité qui embellit la seconde partie du roman, située en 1912 par un retour en arrière. Certes, dans un vaste panorama social qui nous entraîne d'Oxford à Venise, les excentricités et la désuétude des Marchmain sont disséquées avec aussi peu de pitié que les vices de la société actuelle, mais le plus long et le plus ambitieux des romans de Waugh montre un intérêt inhabituel dans son œuvre pour les problèmes de la famille et de l'individu. – Trad. Robert Laffont, 1946.

RETOUR AU CALME. Recueil du poète français Jacques Réda (né en 1929), publié en 1989. Par sa composition et sa thématique, ce livre occupe une place de choix dans le cours d'une œuvre lyrique marquée par le goût de l'errance, le sentiment de la perte, la poursuite de la beauté dans la ruine et de l'éternel dans le fugitif. Après un long détour dans la prose, Réda « revient » en effet ici, de manière exclusive, au poème en vers. Qu'il écrive bref ou long, en vers libre, en alexandrins ou dans le moule du vers de quatorze syllabes qui lui est cher, c'est toujours avec un bonheur d'expression et un naturel dans le ton et le changement de rythme dignes des meilleures improvisations de jazz. Pour celui qui a fait de la contemplation vagabonde un art de vivre, le mot « retour » exerce une telle force d'attraction qu'il apparaît comme une des clefs de sa démarche. Peut-être ne part-on que pour mieux revenir, pour retrouver ce que l'habitude et la sécurité ont fait se perdre : soi, cette part d'éternité et d'innocence, ce savoir et ce vertige de l'enfance que le temps émiette et disperse à tous vents. Et qu'on recompose en « passant », dans le risque de l'inconnu, de l'oubli. Se perdre dans les « pays perdus » devient ainsi une manière de retour sur ces chemins entrevus qui nous suivent partout comme des ombres. S'il revient sur son passé, l'enfant qu'il fut, et sa jeunesse et ses amours en-allées et tous les êtres, les lieux qu'il a fallu quitter, Réda pour autant ne se lamente pas. Les regrets sont inutiles : nous ne sommes « qu'un souvenir », avec le « poids incompréhensible du vide entre nos mains ». Il reste au poète cette indéfinissable lumière qui le garde « flottant entre le charbon et les étoiles », la grâce de l'étonnement sans fin devant l'« excessive beauté du monde ». Une lucidité sereine et pleine de tendresse l'emporte, dans ces pages, sur l'angoisse et le désarroi qui, dans *Amen* (*), le premier livre, ponctuaient d'accents douloureux des thèmes identiques. Retour donc, mais pacifié ou, comme le souligne avec humour le titre : « retour au calme ». C'est avec une distance légère, moqueuse et comme baignée de « cette tendre buée / Qui fait croire au retour des jours heureux d'autrefois » que le poète colle son nez à la vitre du monde et fait son bonheur des « fragment(s) d'éternité » qui tremblent dans l'air. Les « nouvelles impressions ferroviaires » qu'il nous rapporte ont toutes « ce poids aérien / De mémoires et de sommeil qui se mélangent ». Chaque saison, à la campagne ou à la ville, lui donne à voir de ces petits tableaux méditatifs où le quotidien se lave les yeux. « La rançon de tant de beauté, écrit-il, c'est qu'elle passe (moi / Je l'accepte, comme le soir renonce à la lumière). » Jacques Réda ne pouvait ouvrir plus largement son livre qu'avec la série de poèmes tout bruissants de lumière sur laquelle il s'achève : « Un paradis d'oiseaux ». Là, dans la hauteur et la transparence du feuillage, dans le silence du « bleu », l'âme et le cœur peuvent enfin s'accorder, tous les retours se confondre dans le « paysage impalpable de l'origine ».

G. G.

RETOUR AU PAYS NATAL (Le) [*The Return of the Native*]. Roman de l'écrivain anglais Thomas Hardy (1840-1928), publié en 1878. Eustacia Vye aspire à une autre vie que celle qu'elle mène dans sa province du Dorset. Elle épouse Clym Yeobright, qui s'était fixé à Paris où il faisait le commerce des diamants et qui était revenu dans son pays natal pour y vivre en paix, en y travaillant d'une façon moins vaine. Sa femme espère le convaincre de retourner à Paris, mais Clym, dont la vue est menacée, doit se résoudre à faire d'humbles travaux dans le pays. Il découvre la liaison d'Eustacia avec Damon Wildeve, un de ses anciens amoureux, qui avait épousé la douce Thomasine Yeobright par dépit ; une scène violente éclate. Eustacia s'enfuit avec Wildeve et Clym deviendra prédicateur ambulant. L'action est bien menée, pour aboutir inexorablement à la catastrophe. La douce figure de Thomasine (qui est une exception dans l'œuvre de l'écrivain) sert à accentuer par contraste le personnage d'Eustacia, femme fatale qui bouleverse la vie de deux hommes. *Le Retour au pays natal* n'a peut-être pas l'ampleur des derniers romans de Hardy – v. *Tess d'Urberville* (*) et *Jude l'Obscur* (*) –, mais c'est un excellent roman, sombre et fort. – Trad. Nouvelles éditions latines, 1947 ; Nouvelles éditions Oswald, 1980.

RETOUR DE L'U.R.S.S. Œuvre de l'écrivain français André Gide (1869-1951), publiée en 1936. Ce petit livre, qui eut un immense retentissement, apportait sa conclusion douloureuse à une aventure de six années. Dès 1930 en effet, dans des fragments de son *Journal* (*) qui seront publiés en 1932, Gide marquait son évolution vers le communisme. On pouvait penser alors qu'il ne s'agissait que d'une attitude tout intellectuelle. Mais, dès qu'il eut affirmé ses nouvelles sympathies, assailli par des organisations de gauche qui lui demandaient conférences, présidences, signatures, Gide se trouva amené, d'abord un peu malgré lui, à un engagement politique plus précis. Il participera ainsi à des congrès, ira à Berlin avec Malraux demander la libération du leader communiste Thaelmann, signera de multiples pétitions : il n'en marqua pas moins sa ferme volonté de ne point se laisser embrigader. *L'Humanité* publie alors en feuilleton *Les Caves du Vatican* (*), mais Gide n'écrira point le roman « prolétarien » qu'on attendait de lui. Sa participation n'est vraiment active que lorsqu'il s'agit des problèmes de la culture ; il peut proclamer alors : « La cause de la vérité se confond dans mon esprit avec celle de la révolution » ; ou encore : « S'il fallait donner ma vie pour assurer le succès de l'U.R.S.S., je la donnerais aussitôt... », tout en continuant d'insister sur l'indépendance nécessaire de l'écrivain. En 1936, invité par le gouvernement soviétique, il part en Russie avec quelques autres écrivains, Eugène Dabit, Louis Guilloux. Cet homme de soixante-dix ans arrive là-bas avec la foi du néophyte. Mais bientôt l'observateur attentif ne manque point, au cours de son voyage, de noter les mille détails, assez tristes, de la vie soviétique, qui contredisent par trop le rêve qu'il s'est fait de la société future : misère générale, boutiques vides, retard de l'ouvrier russe sur les ouvriers des pays « capitalistes », inégalité des salaires, mais surtout absence d'esprit critique, ce en quoi la culture « prolétarienne » lui rappelait les pires travers de l'esprit « petit-bourgeois ». Aussitôt rentré en France, André Gide, très certain du retentissement, surtout sur la jeunesse, de sa conversion au communisme, n'hésite plus : il se fait un devoir de conscience de dire la vérité sur la Russie soviétique, comme il l'avait fait, en d'autres circonstances, dans son *Voyage au Congo* (*). Ainsi parut, vers le milieu de 1936, *Retour de l'U.R.S.S.* : livre ambigu, car s'y mêlent les amères découvertes du voyage et la foi que Gide affecte de conserver dans les destinées heureuses du communisme. Gide s'interroge : s'est-il trompé ? Bientôt, il pensera pouvoir répondre : non ! Le mythe de l'esprit d'Octobre, de la Révolution de Lénine et de Trotski, lui sert pour juger et condamner la Russie de Staline. Selon Gide, les maîtres du pays favorisent un retour vers les bases « capitalistes » de la société : mariage, famille, héritage. Ce ne sont là que des critiques de détail : Gide n'a pas encore perdu confiance dans l'avenir de l'U.R.S.S. Il rappelle que celle-ci s'est déjà montrée capable de brusques changements, il espère un « ressaisissement », il ne veut pas croire que le communisme ait échoué pour toujours. *Retour de l'U.R.S.S.* eut un immense succès et souleva naturellement la colère des écrivains de gauche. Certains amis intimes de Gide, comme Pierre Herbart, supplièrent l'auteur d'en ajourner la publication. Des ripostes, violentes, vinrent de Bergamin, de Romain Rolland, qui parlait de « mauvais livre » et accusait Gide de « double jeu ». Gide y fut sensible et, pour se justifier, donna des témoignages, dans ses *Retouches au Retour de l'U.R.S.S.* Ce fut une crise terrible dans la vie de Gide ; depuis 1931 – son *Journal* le montre –, il avait été littéralement obsédé par l'U.R.S.S. Jamais (sauf une brève adhésion à l'« Action française » en 1916), il ne s'était vraiment soucié de politique. Dans le communisme, il avait cru trouver la grande cause dont il sentait bien qu'elle lui manquait : « Qui dira ce que l'U.R.S.S. a été pour nous ? Plus qu'une patrie d'élection : un exemple, un guide... Il était donc une terre où l'utopie était en passe de devenir réalité. » Il lui fallait en rabattre. Mais Gide, dans sa déception, restait fidèle aux valeurs qui furent les siennes toute sa vie.

RETOUR DE PHILIPPE LATINOVICZ (Le) [*Povratak Filipa Latinovicza*]. Roman de l'écrivain croate Miroslav Krleža (1893-1981) publié en 1932. Le premier des grands romans de Krleža avait été précédé en 1923 d'une narration courte, *L'Île du diable* [*Vražji otok*], dont les personnages annonçaient ceux du *Retour* et évoluaient autour du même thème : le retour dans son pays natal d'un intellectuel croate exilé volontaire. La critique de 1932 salua *Le Retour* comme une étape nouvelle dans l'œuvre de Krleža, mais ne saisit pas toute la portée de ce roman considéré aujourd'hui comme l'un des plus importants de la littérature croate. Trois moments très distincts se partagent l'action : la journée que Philippe passe dans sa ville natale ; le séjour chez sa mère, à Kostanjevac ; le drame et le crime. La première partie est très différente des deux autres tant sur le plan de l'écriture que sur celui de la composition. C'est une très longue description (ou un monologue, ou une méditation), sous l'angle de vision du protagoniste, qui plonge ses racines dans les profondeurs d'une pure subjectivité, bien qu'entièrement écrite à la troisième personne. C'est dans cette structure qu'éclate tout l'art romanesque de Krleža qui parvient à faire une totalité harmonieuse à partir de multiples composantes : événements du passé, parfums, couleurs et sons du présent, réflexions sur la perte de l'identité, etc. Philippe, la quarantaine, est parti très jeune à l'étranger, chassé par sa mère pour inconduite. Après une carrière de peintre couronnée de succès dans différentes capitales européennes, il rentre chez lui, avec l'espoir de retrouver la paix, le goût du travail, le sens de l'art, et, peut-être, la vérité sur son père, dont il ignore tout jusqu'à l'identité. À Kostanjevac (deuxième partie), tous ses espoirs sont détruits. Sa mère ne lui inspire que répulsion, la société où elle vit aussi. Il reste impuissant à peindre. Sa vie n'est que décombres. Il rencontre une autre épave, une certaine Bobočka, une personne d'âge mur, sensuelle, séduisante, contemptrice de la société et destructrice de destinées. Très vite (c'est la troisième partie) le drame se nouera entre Philippe lui-même, cette femme et son amant du moment, les passions, les rancœurs, les tristesses, les jalousies se trouvant exacerbées par l'intrusion d'un personnage qui est comme le double honteux de Philippe, son envers, son ombre, l'incarnation de tout ce qu'il a de négatif en lui. Ce Kyriales, par sa vaste culture, son ironie perpétuelle, la précision de ses analyses, détruit tous les schémas intellectuels de Philippe, avant de devenir l'amant de Bobočka, et précipite définitivement le roman dans le désastre : il se jette sous un train, Bobočka cherche le salut dans la fuite, Philippe découvre que son père est l'odieux personnage avec lequel vit sa mère — à moins que ce ne soit un mensonge de plus — et le premier amant de Bobočka. Philippe tue Bobočka et reste seul dans la nuit de l'âme la plus désespérante.

Avec l'expérimentation du monologue intérieur sous toutes ses formes, l'absurdité existentielle poussée à l'extrême est la principale caractéristique de ce roman dont le protagoniste annonce tous les types d'intellectuels anéantis par la recherche du sens qui hanteront les œuvres romanesques ultérieures et inspireront nombre de jeunes auteurs. — Trad. Calmann-Lévy, 1957. J. M.

RETOUR DES CARAVELLES (Le) [*As naus*]. Roman de l'écrivain portugais António Lobo Antunes (né en 1942), publié en 1988. Le 25 avril 1974, le régime de Marcelo Caetano, successeur de Salazar, tombe. En 1975, les colonies portugaises d'Afrique obtiennent l'indépendance. Le retour des colons au Portugal est le thème du roman d'António Lobo Antunes. C'est un retour semé d'embûches, de désillusions, de nostalgie et de folie. Déchirés entre un passé africain riche et puissant et un présent portugais souvent sordide, ballottés d'un monde à l'autre, sans avenir, des hommes et des femmes essaient vainement de retrouver une assise. Cependant, le narrateur ne fait pas vibrer la corde sensible du lecteur en contant une histoire exemplaire. Il lui dévoile plutôt la brutalité de la situation : les hôtels sinistres, les souvenirs qui deviennent obsessions, les rendez-vous louches, la débrouille, l'alcool... La narration n'a d'ailleurs pas la tranquillité linéaire d'une aventure qui aurait un commencement et une fin. Les personnages ne se rencontrent pas. Chaque histoire personnelle est interrompue par une autre, puis reprise quelques chapitres plus loin, interrompant à son tour la précédente. Le narrateur, qui passe soudain du « il » ou du « elle » au « je », déroute le lecteur en même temps qu'il l'introduit dans l'intimité du personnage. Mais il ne se contente pas de le dérouter, il le perd systématiquement dans le temps : passé et présent sont amalgamés. Si le présent est celui de Lisbonne en 1975, le passé n'est pas seulement celui des souvenirs d'Afrique qui taraudent les personnages ; c'est surtout celui, plus lointain, des découvertes portugaises, quand les caravelles sillonnaient l'« océan ténébreux ». Une phrase commence au XXe siècle, finit au XVIe.

De cette narration émane une impression de grouillement, d'amalgame, de magma, de fantastique, dans lequel prennent forme des personnages extravagants, toujours pathétiques, qui portent les noms des plus grands navigateurs : Vasco de Gama, Magellan, Pedro Alvares Cabral, Diogo Cão... Ils reviennent, tristes et sans gloire, et ne se retrouvent plus dans le Portugal du XXe siècle. Le Portugal leur est terre étrangère. Ils n'ont plus la force de la conquérir.

En utilisant le nom des personnages historiques les plus célèbres et les plus chers au cœur des Portugais pour en faire des loques humaines, Lobo Antunes démystifie le glorieux passé portugais. Tous les rêves de conquête et de puissance sont évanouis et les rapatriés incarnent le retour à une désastreuse réalité. Le réalisme du récit, porté au paroxysme, débouche sur le fantastique. L'emploi d'images insolites, les métaphores, les phrases interminables tendues vers un final qui explose évoquent beaucoup plus la poésie que la prose romanesque. L'auteur y poursuit son travail sur les mots, qu'il choisit, cisèle, associe avec truculence. — Trad. Christian Bourgois, 1990. F. Be.

RETOUR D'EXIL [*Exile's Return*]. Ouvrage critique et autobiographique de l'homme de lettres américain Malcolm Cowley (1898-1989), publié en 1934, révisé et augmenté en 1951. L'auteur est connu pour ses poèmes : *Juniata bleue* [*Blue Juniata,* 1929], et *La Saison sèche* [*The Dry Season*, 1941], pour ses traductions de Gide, Barrès et Valéry.

De 1929 à 1944, il a fait partie du comité de rédaction de *La Nouvelle République* [*The New Republic*], qui fut l'un des magazines littéraires de gauche les plus importants des États-Unis. Cependant, *Retour d'exil,* sous-titré « Odyssée littéraire des années 20 », demeure son œuvre maîtresse. Cette étude analyse les réactions et les préoccupations des écrivains de sa propre génération, celle de l'après-guerre, au cours des années 20. L'ouvrage est en grande partie autobiographique, car l'auteur fit lui-même partie de la colonie des expatriés qui choisirent de vivre en Europe à l'époque du jazz, et il aida à fonder les magazines d'avant-garde *Broom* et *Secession.* Il caractérise les tendances principales des philosophies littéraires et sociales, qui inspirèrent ces écrivains exilés. On lui doit mainte formule frappante et mainte observation originale : sur le dadaïsme, sur la nouvelle critique des « professeurs en colère », sur le rôle éducatif de la guerre pour les « conducteurs d'ambulance », dont le plus célèbre est Hemingway, sur les « esthètes de Harvard » et les « rebelles de Greenwich Village ». Il évoque à merveille le climat culturel dans lequel se développe un écrivain, dresse la liste des ouvrages en vogue, cite les réactions des auteurs, discute les conséquences d'événements littéraires, comme le suicide de Hart Crane ou de Harry Crosby. S'aidant des critères extra-littéraires du radicalisme, Cowley conçoit ainsi la critique comme une manière de contribuer à l'éducation politique de l'écrivain. En cela il est proche du critique Kenneth Burke dont il utilise les concepts, les popularisant, les appliquant à d'autres auteurs. Son second ouvrage du même genre, *La Situation littéraire* [*The Literary Situation,* 1954], est consacré aux écrivains de la décennie précédente et traite principalement des problèmes pratiques et économiques de la profession littéraire aux États-Unis. Ses introductions aux œuvres de Faulkner, Fitzgerald et Hemingway constituent par ailleurs des études originales de l'action symbolique dans la fiction de ces écrivains.

RETOUR EN IRLANDE [*Come Back to Erin*]. Roman de l'écrivain irlandais Sean O'Faolain (1900-1991), publié en 1940. Alors qu'il était correspondant de la *Tribune* de Cork et de l'*Irish Statesman,* l'auteur avait commencé à écrire en gaélique. Il traduisit ainsi lui-même en irlandais sa nouvelle « Sous le toit » [Under the Roof] pour la publier en 1926 dans la revue américaine *The Dial.* Ses études de littérature anglaise et médiévale à l'université de Harvard lui permirent de prendre un certain recul vis-à-vis de son pays. Après deux recueils de nouvelles et deux romans, son *Retour en Irlande* établit sa réputation. Se cantonnant moins aux thèmes de la vie rurale, dont ses contemporains Padraic Colum et T. E. Murray disent la monotonie et l'âpreté, l'auteur s'attache surtout à montrer l'effet écrasant de la vie provinciale sur des natures originales qui doivent peu à peu abandonner leurs ambitions. Il insiste sur le désir d'évasion qui est à la source de l'émigration tout autant que la pauvreté, sur le rôle néfaste d'une religion bornée, mais aussi sur la paix spirituelle des petites gens qui mènent une existence routinière dans la retraite des petites villes. Il est le seul des écrivains irlandais de sa génération à pouvoir prétendre véritablement au titre de romancier parce qu'il a su peindre de larges fresques sociales sur le thème de l'abrutissement de l'individu par un catholicisme étroit et un sentiment nationaliste trop limité. Il excelle dans la nouvelle, dont il a publié trois volumes : *Folie d'une nuit d'été* [*Midsummer Night Madness,* 1932), *Une bourse de piécettes* [*A Purse of Coppers,* 1937] et *Thérèse* [*Theresa,* 1947], qui ont été réunis en un seul recueil en 1958. Il s'est beaucoup préoccupé de problèmes de création littéraire dans *L'Art de la nouvelle* [*The Short Story,* 1952]. Il a publié en 1957 une série de conférences données à l'université de Princeton sur le thème du personnage littéraire et de sa modification dans les œuvres contemporaines sous le titre significatif de *La Fin du héros* [*The Vanishing Hero*]. Critique fort exigeant de son Irlande natale et de ses compatriotes, l'auteur a donné de sa carrière une version « sans vantardise aucune, et d'un ton modéré » dans son autobiographie *Vive moi !* (*). — Trad. *Passions entravées,* choix de nouvelles, Gallimard, 1991.

RETOUR IMPRÉVU (Le). Comédie en un acte de l'écrivain français Jean-François Regnard (1655-1709), représentée pour la première fois par les Comédiens-Français le 11 février 1700. En l'absence de Géronte, son père, Clitandre, amoureux de Lucile, a mené la grande vie et a engagé les meubles de la maison. Géronte revient à l'improviste, et la situation critique va être sauvée par Merlin, domestique de Clitandre. Celui-ci, pour écarter Géronte, invente que la maison est hantée et, pour expliquer les exigences des créanciers, invente encore que Clitandre a fait des dettes pour acheter la maison de la tante de Lucile, dame Bertrand, qu'on prétend folle et qui se refuse à déloger. Géronte va se rendre chez dame Bertrand ; celle-ci est avertie par Merlin que le vieillard est fou. En attendant, Merlin découvre la cachette où Géronte enfouit son trésor et le fait dérober. Pour rentrer en possession de son argent, Géronte donne son consentement au mariage de Clitandre et de Lucile. Bien que l'intrigue ainsi que l'épisode du trésor soient tirés de Plaute — v. *Le Revenant* (*) —, la pièce n'en reste pas moins fort originale.

RÉTRACTATIONS [*Retractationum*]. Critique de ses propres œuvres par le théologien latin saint Augustin (354-430). L'ouvrage possède, comme *Les Confessions* (*) et les *Lettres*, un caractère autobiographique. Il fut écrit dans les dernières années de sa vie (426-428) et constitue, plutôt que de véritables rétractations, une révision critique des œuvres écrites jusqu'alors. « Je faisais une chose très nécessaire, c'était la revue de mes ouvrages... Je cherchais ce qui pouvait m'y choquer ou choquer les autres ; tantôt je me condamnais, tantôt je me défendais, en expliquant comment on doit entendre tel ou tel passage » (Migne, v. *Patrologie grecque et latine*, tome XXXIII, Lettre 224). Il y énumère ses écrits dans l'ordre chronologique, en expliquant le but, l'occasion et l'idée dominante de chacun d'eux, et en portant, au passage, un jugement sur lui-même. Le premier livre va de sa conversion en 386 à son élévation à l'épiscopat (env. 395). Dans son discours *Contre les philosophes de l'Académie* (*), écrit lorsqu'il était encore catéchumène, il condamne, entre autres, l'emploi de certaines expressions contraires à l'idée de Providence et se reproche d'avoir placé dans l'esprit aussi bien qu'en Dieu le bien suprême de l'homme. De son traité sur l'*Ordre* (*), il critique diverses phrases, comme celle où il avait appelé « vice » l'admiration, et il s'accuse d'avoir dit que les philosophes dépourvus de vraie piété se sauveraient par la lumière de la vertu. Dans *Les Soliloques* (*) et dans *Grandeur de l'âme* (*), il trouve divers points à reprendre, notamment, dans le second de ces ouvrages, d'avoir dit que l'« âme, si elle est privée du corps, n'est pas en ce monde », tout comme si « les âmes des morts n'étaient pas en ce monde ». Faisant la critique de son traité *Du libre arbitre* (*), il se repent de n'avoir pas prévu l'abus que les pélagiens feraient de tous les passages dans lesquels il parlait du pouvoir de la volonté, sans faire mention de la grâce divine. Il fait d'autres observations concernant les œuvres suivantes : *La Genèse contre les manichéens ; Sur la musique* (*) *; Le Maître* (*) *; Sur la vraie religion* (*) *; De l'utilité de croire ; Contre les manichéens ; De la foi et du symbole ; De la Genèse, commentaire littéral ; Sur le discours du Seigneur.* Le second livre des *Rétractations* concerne les ouvrages écrits pendant son épiscopat, jusqu'en 426 : en tout quatre-vingt-quatorze ouvrages, en deux cent trente-deux livres. À propos de son livre *Sur le bien du mariage*, il affirme que, s'il a défendu le mariage, c'est parce que ceux qui défendaient la virginité (allusion probable au *Contra Jovinianum* du bouillant saint Jérôme) avaient été jusqu'à l'excès inverse, en maudissant le mariage. Incidemment, nous apprenons par l'auteur que Jovinien avait eu tant de succès à Rome, en proclamant que la vertu dans le mariage a une valeur égale à celle des vierges consacrées, que, disait-on, de nombreuses religieuses s'étaient laissé aller au mariage, persuadées spécialement par l'argument suivant : es-tu, par hasard, meilleure que Suzanne, que Sarah, et les autres femmes de l'Ancien Testament ? L'examen rétrospectif qu'il fait de *La Cité de Dieu* (*) est particulièrement intéressant. Les *Rétractations* ont un caractère d'intimité et de candeur ; c'est une œuvre d'humilité et de sincérité qui non seulement conduit à mieux comprendre l'évolution de la pensée du grand docteur de l'Église, mais encore aide à connaître l'« envers » de ses œuvres, et avant tout l'âme de leur auteur. — Trad. *Œuvres*, Bibliothèque augustinienne, t. 12, « Les Révisions », G. Bardy, 1950.

RETRAITE SANS MUSIQUE (La) [*Nahandja arants yergui*]. Roman, publié en 1929 à Paris, de l'écrivain arménien Chahan Chahnour Kerestedjan (1903-1974), qui a également écrit en français sous le pseudonyme d'Armen Lubin. Il s'agit du roman « éponyme » de la diaspora arménienne, dans lequel plusieurs générations de lecteurs se sont reconnues, en particulier au Moyen-Orient. La trame du livre est fournie par les amours tragiques d'un jeune Arménien récemment immigré et d'une Française, figure de demi-mondaine semblable à celle qui hante la bourgeoisie et les romans français de la fin du XIXe siècle, avec quelques ingrédients propres à la liberté sexuelle, réelle ou supposée, du XXe. Ce roman de la hantise (les jeunes Arméniens vont être engloutis par la société française, dévorés par la sexualité, broyés par l'étranger) décrit la psychologie et la vie des récents immigrés dans le Paris des années 20.

Ma. N.

RETRAITE SENTIMENTALE (La). Cinquième et dernier roman de la série des *Claudine*, de l'écrivain français Colette (1873-1954), publié en 1907. Séparée de Willy, Colette a choisi de mettre une fois encore son personnage Claudine en scène, dans un ultime journal-confession. Il s'agit d'abord de liquider le rêve d'amour de son « sang monogame » : Claudine, seule dans sa propriété de Casamène, évoque, au sens magique du terme, un Renaud absent, éloigné d'elle par la maladie et par là même métamorphosé en une sorte d'homme idéal — personnage fantôme condamné à mourir pour que ne se ternisse pas l'image que se fait Colette de l'amour et du couple. Il meurt donc, et se pose alors le problème du choix d'un style de vie : l'œuvre se construit alors sur deux versants. D'un côté, voici Claudine entourée de deux hôtes de passage : Marcel, l'homosexuel de *Claudine à Paris* (*), et Annie, l'héroïne de *Claudine s'en va* (*), que sa liberté a égarée d'aventure passagère en aventure passagère ; c'est la voie de la perdition, celle des plaisirs, où la chair du partenaire de passage est traitée en simple « comestible » qui ne tire sa saveur que des élans toujours renouvelés, toujours déçus, de désirs condamnés à l'errance. De l'autre côté, dans une reprise du meilleur de *Claudine à l'école* (*), simplement alors suggéré, la nature, le jardin, les bêtes... et les livres, qui viennent s'ajouter, l'écriture ne faisant que redoubler les bonheurs d'exister : on a compris de quel côté devait pencher Claudine, Colette, elle, s'attelant aux *Vrilles de la vigne* (*).

M. Mer.

RÉUNION DE FAMILLE (La) [*The Family Reunion*]. Pièce de l'écrivain anglais Thomas Stearns Eliot (1888-1965), publiée en 1939. Ce troisième drame d'Eliot se situe, à la différence de *Meurtre dans la cathédrale* (*), dans un décor moderne tout en utilisant le thème de l'*Orestie* (*) d'Eschyle afin de présenter des conceptions chrétiennes à un public d'agnostiques sans avoir directement recours à un symbolisme chrétien. Il s'agit du retour d'un jeune noble, Harry, lord Monchensy, dans le manoir paternel dont sa mère, devenue veuve, veut lui confier la direction et la responsabilité. Harry ne se soucie guère des plans de sa mère, car il est en proie à ses propres terreurs et problèmes. Ses conversations avec sa tante Agathe et sa cousine Mary nous révèlent que Harry a tué, ou croit avoir tué, sa propre femme en la poussant à la mer durant une croisière. Il est hanté par sa culpabilité, ou plutôt par une hallucination plus complexe et plus profonde : depuis son meurtre, des Furies le poursuivent comme Oreste après le meurtre de Clytemnestre. Celles-ci se manifestent d'ailleurs sur la scène au chauffeur, aux domestiques, au public avec un réalisme un peu gênant. Pour aider Harry à recouvrer sa raison et sa paix intérieure, Agathe lui révèle les circonstances tragiques de sa naissance. Aimée passionnément par le père de Harry, elle l'a empêché de tuer Amy, sa femme, en partie parce que celle-ci attendait Harry. Le maudit comprend ainsi que sa propre culpabilité est peut-être un souvenir inconscient du désir de meurtre de son père. Même s'il a tué sa femme, il n'a peut-être été que l'instrument de l'inconscient familial, et la culpabilité en revient à son père. Il découvre en Agathe sa véritable mère spirituelle, tandis qu'Amy ne s'intéresse qu'à la fortune de la famille. Harry, comprenant que les Furies représentent moins une vengeance aveugle que les Euménides (leur autre nom), et qu'elles l'incitent à se purifier, lui et les siens, devient donc la conscience de la famille Monchensy, « son oiseau qui s'élance à travers les flammes du purgatoire », et il décide de quitter le manoir pour aller à la rencontre des Furies au lieu de les fuir. Sa décision change le destin de chacun : Amy, sa mère, meurt de voir ses espoirs déçus. Agathe continue sa tâche de directrice d'un pensionnat. Mary reprend goût à la vie et poursuivra ses études. Même Charles, dont la présence servait surtout à détendre l'atmosphère de la pièce, déclare : « Je commence juste à comprendre qu'il y a quelque chose que je pourrais comprendre. » Chacun s'aperçoit de la fragilité d'un état normal apparemment stable ; après avoir redouté la révélation d'un « atroce secret », il bénéficie de la catharsis assumée par le héros. Le message du poète : la minceur de la façade de sécurité apparente de la civilisation moderne, est transmis dans un langage volontairement terne, familier, quotidien qui contraste avec l'éloquence haute en couleur de *Meurtre dans la cathédrale.* Le chœur n'est pas une entité parlant à l'unisson, mais, comme dans *Sweeney agonistes* (*), la juxtaposition des découvertes et des impressions des membres les moins importants de la maisonnée. Il ne comprend pas les souffrances de Harry parce qu'elles manquent de matérialité. L'action dramatique est de même atténuée. La seule décision est prise à la fin par le héros qui décide de ne pas rester, et elle provoque la mort d'Amy. Celle-ci, qui représente le désir d'une vie stable et respectable, est décrite de l'extérieur, alors que les autres personnages sont analysés. Cela lui donne une consistance, une présence qui manquent aux porte-parole de l'auteur. Personnage égoïste et ordinaire, elle demeure, peut-être contre le désir de son créateur, plutôt sympathique dans sa simplicité et sa résolution, et cela nuit à l'unité de la pièce. C'est le reproche essentiel que l'on puisse adresser à un drame qui parle de la vie courante dans une langue volontairement grise avec la plus grande efficacité. — Trad. Le Seuil, 1956.

RÊVE (Le). Roman de l'écrivain français Émile Zola (1840-1902), publié en 1888. Seizième volume des *Rougon-Macquart* (*), ce conte de fées, écrit après *La Terre* (*) et avant *La Bête humaine* (*), dérange l'idée que l'on se fait de l'auteur. Angélique est trouvée, transie de froid, un matin d'hiver par les Hubert sous le porche de la cathédrale de Beaumont. Ils l'adoptent et lui apprennent leur métier de brodeur de vêtements et d'ornements d'église. Elle retrouve les techniques anciennes et devient extrêmement habile dans son art. La vie qu'elle mène désormais dans leur petite maison moyenâgeuse accrochée au flanc de la cathédrale, dans une atmosphère de travail et de religion, apaise peu à peu la nature colérique qu'elle tient de son ascendance : c'est la fille de Sidonie Rougon. Elle conserve toutefois une nature exaltée, s'enthousiasme pour la vie des saintes racontée dans la *Légende dorée* (*). Elle s'éprend d'un artisan verrier qui travaille dans la cathédrale, et qui est en fait le fils de monseigneur de Hautecœur. Malgré l'interdiction de leurs parents, qui ont peur de la passion dont ils ont eu à souffrir et dont ils veulent les protéger, les deux jeunes gens s'aiment. Angélique étant quasi mourante, ils consentent au mariage. La jeune fille meurt au sortir de l'église. *Le Rêve* est « la réalisation triomphale du rêve d'une jeune fille pauvre. Elle épouse le prince charmant, la beauté, la fortune, au-delà de tout espoir », note Zola qui a toujours eu un côté fleur bleue.

Il ne s'est pas contenté avec ce très bref récit de sacrifier à la mode renaissante de la religion et du mysticisme. Il nourrit cette belle histoire de rêves et de fantasmes, en particulier celui d'un bonheur d'où le corps serait exclu et qui serait protégé à la fois du temps et des autres, désir qui est pure folie. Transparaît aussi la crise qu'il traversait : « Moi, le travail, la littérature qui a mangé ma vie, et le bouleversement, la crise, le besoin d'être aimé. » Peu après, il rencontrera la jeune Jeanne Rozerot qui lui donnera deux enfants. C. Be.

★ Du roman de Zola fut tiré un drame lyrique en quatre actes et huit tableaux, musique d'Alfred Bruneau (1857-1934), livret de Louis Gallet (1835-1898), représenté à l'Opéra-Comique en 1891. La musique composée sur ce livre aussi peu naturaliste que possible est aussi voilée et aussi poétique que le sujet. Assez statique, elle s'apparente à la manière de Gounod et de Massenet ; cependant le mysticisme vague dont elle se teinte annonce l'impressionnisme et le symbolisme tout proches. Telle est l'allure générale de l'ensemble, où les principaux motifs ne sont point développés suivant les lois de la polyphonie, comme dans Wagner, mais simplement répétés avec une tendre insistance. Les thèmes eux-mêmes, toujours formés d'accords parfaits ou de timides dissonances, ont quelque chose de mystérieux et d'évocateur, comme on peut le voir dans la phrase du début, toute en accords de quinte et d'octave, et dont la tonalité est un peu désuète. L'atmosphère d'extase qui entoure l'héroïne est encore renforcée par les chœurs de caractère mi-religieux et mi-populaire ; toutefois elle sera troublée par les éléments du mélodrame qui font plus ou moins bien corps avec elle. L'insistance excessive des thèmes, peu développés et assez fades, tourne très vite à la monotonie. La valeur de l'œuvre sur le plan musical reste donc limitée, mais elle est intéressante dans la mesure où elle révèle les goûts d'une époque.

RÊVE AMÉRICAIN (Un) [*An American Dream*]. Roman de l'écrivain américain Norman Mailer (né en 1923), publié en 1965. Le roman débute sur un meurtre déguisé en suicide. Stephen Rojack, vétéran de la Seconde Guerre mondiale, étrangle sa femme Deborah Kelly et jette le cadavre par la fenêtre. Cet acte est pour lui le début d'une libération et d'un « voyage-découverte » au pays des pouvoirs occultes. Rojack fait l'expérience de polarités puissantes dès qu'il étrangle sa femme, ainsi que dans la scène suivante lorsqu'il couche avec Ruta, la bonne. En effet, les accouplements vaginaux puis anaux avec elle représentent pour le héros des choix plus métaphysiques que sexuels : doit-il opter pour l'univers de la fertilité ou celui de la stérilité, le monde autorisé ou interdit, quelles forces sataniques ce dernier libère-t-il, etc. Toute la nuit que dure le récit, Rojack va continuer à mettre à l'épreuve ces différentes polarités maileriennes. Passant du monde chic de Park Avenue à Harlem au Lower East Side, il quitte les modes conventionnels de vie et de pensée pour des lieux plus sombres et des expériences plus inquiétantes. Il ira de découverte en découverte : son beau-père, le milliardaire Kelly, dirige les services secrets et contrôle aussi bien la pègre que la police ; sa femme, agent de la C.I.A., prenait ses ordres à des sources obscures et lui communiquait une énergie méphitique.

Rojack rencontre les « forces mystérieuses » sous leurs aspects bénéfiques, lorsqu'il fait la connaissance d'une chanteuse de cabaret, Cherry (« cherry » signifie en argot « virginité »), et découvre avec elle l'amour et un désir de sexualité procréatrice. Au matin, l'ex-amant noir de Cherry, Shago Martin, viendra assassiner Cherry ; Rojack plus tard tuera Shago. Ensuite, armé du parapluie de celui-ci, symbole de la puissance de la communauté noire, Rojack affronte son beau-père. À la fin du roman, il part à Las Vegas, puis vers les jungles du Yucatán et du Guatemala, espaces sauvages à peine connus.

Le côté violent, provocateur, du livre ne doit pas faire oublier qu'il s'agit d'un voyage initiatique, que Rojack explore les différents niveaux de la réalité américaine mais surtout les régions où s'exerce la dynamique mystérieuse de l'univers. L'utilisation d'images, de métaphores (la lune, la jungle, le désert, le marais, les fonds marins) ouvre le roman sur ces domaines. Rojack apprend à accepter les forces qui s'exercent à travers lui. En fait, il se crée par le meurtre, la variété des rencontres sexuelles, l'expérience de la criminalité et de l'occulte, la confrontation, la fuite. Le héros comprend que « la magie, la crainte et la perception de la mort sont les racines de nos motivations ». Pour lui, notre société, en cherchant à oublier ces racines-là, s'est coupée de ces profondes sources d'énergie vers lesquelles lui, Rojack, va retourner, au point qu'à la fin du livre il se sent appartenir à une « nouvelle race » d'hommes. Pour conserver l'« âme neuve » qu'il se découvre, il sait qu'il lui faut vivre sur le fil du rasoir, au bord du précipice, sur le parapet (cette dernière image revenant dans de nombreuses scènes du roman). Il lui faut « garder présent à l'esprit le plus grand nombre de combinaisons impossibles », rester en contact avec deux mondes, vaguement définis par Mailer comme le monde démoniaque et l'organisé, l'intérieur et l'extérieur, le primitif et l'intellectuel, le magique et le politique, etc. — Trad. Grasset, 1967.
C. Gr.

RÊVE DANS LE PAVILLON ROUGE (Le) [*Hong-lo-meng — Honglou-meng*]. Composée par le romancier chinois Ts'ao Siue-ts'in (1715-1764), cette œuvre est considérée comme l'un des quatre grands romans classiques chinois. Ayant circulé sous forme manuscrite du vivant de l'auteur, elle décrit en quatre-vingts chapitres l'histoire d'une famille ; une suite lui fut adjointe sous forme de quarante chapitres, d'un auteur inconnu, mais qui fut complétée par Kao Eu et Tch'eng Wei-yuan de 1788 à 1791 – sans parler d'une dizaine de romans dont la valeur est insignifiante. D'après l'édition donnée par Kao Eu, le thème du roman est le suivant : grandeur et décadence d'une grande famille descendant des ducs Ning-Kouo et Yong-Kouo. Le personnage le plus important est l'arrière-neveu du duc Yong-Kouo, Tsia Pao-Yu, qui est venu au monde avec, dans la bouche, une pierre de jade couverte d'inscriptions. Deux cousines résident chez lui, dont l'une, Lin Tai-yu, est la fille de la sœur de son père, et l'autre, Pao-K'ai, la fille de la sœur de sa mère. L'amour qui lie Bo-yu à la première d'entre elles sert de fil conducteur au récit. Un jour, afin de recevoir dignement la sœur du héros, qui est une des favorites de l'empereur, le grand jardin Takouan-yuan a été ouvert, dans lequel Pao-Yu et ses deux cousines se sont installés pour mener une vie consacrée aux banquets et à la poésie. Mais cette existence délicieuse ne dure guère : désormais, les suicides et les maladies se succèdent autour de Pao-Yu, tandis que le beau jardin s'enfonce dans une brume chargée de tristesse. Kao Eu continue, à partir du chapitre 81, à décrire la décadence de la famille ; Pao-Yu, ayant perdu la pierre de jade, est atteint d'une grave maladie, tandis que la tuberculose dont souffre Tai-Yu s'est aggravée et que la sœur du héros meurt. Après la guérison de Pao-Yu, et à son insu, son mariage avec Pao-K'ai a été arrangé. Le jour des noces, en apprenant que son épouse est Pao-K'ai et non pas Tai-Yu, il tombe malade de nouveau et, tandis que l'assistance présente ses vœux de bonheur aux jeunes mariés, la délaissée meurt de tristesse dans un coin du jardin. Pao-Yu guérit grâce aux soins d'un bonze et s'adonne alors à l'étude, jusqu'au jour où il disparaît sans que sa famille soit avertie. Par une nuit de neige, son père rencontre un jeune homme aux cheveux ras, pieds nus, qui le salue de loin ; c'est Pao-Yu qui passe en compagnie de deux bonzes et disparaît dans l'ombre. Le roman se termine par un songe du héros au cours duquel celui-ci conquiert l'amour d'une ravissante jeune fille du monde des génies.

L'invention créatrice et l'imagination débordante des auteurs ne peuvent mieux se définir que par la foule innombrable de personnages (quatre cent cinquante environ) qui peuplent le roman et dont tous possèdent un caractère distinct. En outre, le délicat lyrisme qui imprègne cette œuvre considérable en fait peut-être le chef-d'œuvre de la littérature narrative chinoise. Dans une de ses poésies, l'auteur écrit : « Mon papier est rempli de mots délirants, inondé de larmes douloureuses ; tous disent que l'auteur est un sot, mais qui saura comprendre le sens et la valeur de ses écrits ? » Dès 1791 le roman connut un immense succès ; de génération en génération, il est devenu le monument littéraire qui a passionné le plus grand nombre de Chinois. Aujourd'hui, il constitue à lui seul l'objet de la plus importante branche de la critique littéraire en Chine, l'« étude du "Rêve" ». – Trad. Gallimard, 1981.

RÊVE DE BONHEUR [*San za chtastie*]. Recueil poétique du poète bulgare Pentcho Slaveykov (1886-1912), publié en 1907. Avec ce recueil, l'auteur réalise pleinement son nouvel idéal esthétique et crée le genre de la petite chanson lyrique. Le mélange de mélancolie, de gaieté et de douleur, rendu dans une atmosphère de rêve, est la confession pure et sincère du désir inassouvi de bonheur. C'est l'expression du « moi » créateur par le rêve ; le songe et le souvenir sont sources d'inspiration, symboles d'états d'âme, et révélateurs de l'impossibilité d'un plein épanouissement. En donnant une réalité extérieure à son univers subjectif, par une technique très avancée, en ce qui concerne la poésie bulgare, Slaveykov l'oriente définitivement vers le modernisme.

É. F.

RÊVE DE BRUNO (Le) [*Bruno's Dream*]. Roman de l'écrivain anglais Iris Murdoch (née en 1919), publié en 1969, dont l'intrigue plus ou moins fantastique conte l'histoire d'un artiste raté, Bruno Greensleave. Celui-ci, au soir de sa vie, contracte une maladie qui le fait ressembler aux araignées dont l'étude le passionne. Sentant sa mort prochaine, il veut mettre ses affaires en ordre : se réconcilier avec son fils Miles, artiste raté lui aussi, avec qui une unique réflexion, lors de son mariage avec Parvati, une jeune indienne, a suffi à le brouiller. Parvati, enceinte, disparaît dans un accident d'avion alors qu'elle se rendait en Inde pour faire accepter son mariage à ses parents. Plus confusément, il souhaite se réconcilier avec sa femme Janie, morte de chagrin après avoir découvert que Bruno entretenait une maîtresse. Bruno avait abandonné Janie malgré ses supplications de peur qu'elle ne le maudisse. La tentative de rapprochement entre le père et le fils échoue, ce qui ébranle considérablement les deux hommes. Diana, deuxième femme de Miles, et sa sœur Lisa, religieuse convalescente relevée de ses vœux, les réconcilient. Danby Odell, gendre de Bruno, et troisième veuf de la famille, s'éprend de Lisa après avoir brièvement courtisé Diana. Lisa lui rappelle Gwen, sa femme, unanimement admirée pour sa bonté, et qui est morte en essayant de sauver un enfant. Miles, témoin de cet amour, se met à aimer Lisa et découvre que celle-ci est éprise de lui depuis toujours mais qu'elle a refoulé sa passion. Elle l'encourage à en faire de même. Bruno perd son précieux album de timbres dans une crue. Lisa et Diana le réconfortent. Lisa, souffrant d'être enfermée chez Miles qu'elle aime, a la vision du bien, mais préfère entamer une liaison égoïste avec Danby qui poursuivra de plus belle son parcours narcissique. Miles est récompensé de renoncer à Lisa : pour la première fois, il peut pleurer sincèrement sa première femme. Diana, quant à elle, n'a plus personne à aimer que Bruno. Celui-ci, qui a toujours eu l'ambition d'écrire un livre sur les araignées (sans jamais y parvenir), meurt serein en croyant qu'il a enfin terminé son œuvre, et en prenant Diana pour Lisa. Sur son lit de mort, il a la vision de la nature de l'amour et comprend que les siennes ont été autant d'échecs égoïstes. Il prend conscience que, loin de vouloir le maudire, sa femme souhaitait lui accorder son pardon avant de mourir. Comme toujours chez Iris Murdoch (et comme chez Muriel Spark), la portée du roman transcende la destinée individuelle des personnages. Il associe une vision de l'homme prisonnier enchaîné de la Caverne platonicienne – esclave de son inconscient, doit-on lire – avec une soif de rachat inextinguible. *Le Rêve de Bruno* est une méditation non déguisée sur ces thèmes-là, mais, paradoxalement, en analysant la doctrine, la critique risque de masquer les extraordinaires qualités artistiques et littéraires du roman. L'humour, le scepticisme permettent d'éviter les écueils de l'abstraction et de la théorie. Diana se défait de ses entraves et sort de la caverne, Lisa suit le chemin inverse. Les angoisses de Bruno moribond combinent pathos, humour et grotesque. Comédie et tragédie coexistent dans une vision émouvante de l'homme confronté au mystère de sa propre disparition. La mort de Bruno rappelle qu'Éros et Thanatos sont indissociables, et que la vraie vie commence avec la prise de conscience de la réalité et des besoins d'autrui. Ainsi Iris Murdoch poursuit-elle, avec *Le Rêve de Bruno,* une méditation entamée quinze ans plus tôt et enrichie par les apports successifs de chacun de ses romans. – Trad. Gallimard, 1971. A. Bl.

RÊVE DE L'AMÉRIQUE (Le) [*The American Dream*]. Pièce en un acte du dramaturge américain Edward Albee (né en 1928), créée à New York en 1961 et à Paris en 1965. Cette pièce, sans doute la plus populaire d'Albee avec *Qui a peur de Virginia Woolf ?* (*), est la première où l'auteur utilise la cellule familiale pour s'attaquer à ce qu'il appelle le « grand cirque américain ». La famille qui apparaît au début de la pièce présente les caractéristiques archétypales qu'on retrouvera souvent dans son œuvre : un couple (ici Maman, femme dominatrice et castratrice, et Papa, mari impuissant et infantile) et une absence d'enfant. Le couple attend un plombier qui doit venir réparer les toilettes. La mère de Maman (Mémé) attend les gens qui doivent l'emmener à l'hospice. Le parallèle entre les excréments de la famille et la grand-mère n'est pas fortuit. Albee, avec un humour noir très caustique, trace à travers ce couple monstrueux le portrait d'une Amérique bourgeoise totalement vidée de sentiments, de désirs, attachée aux seules apparences, pour qui ne compte que la satisfaction matérielle. Leur absence de nom n'est pas fortuite non plus. La grand-mère n'en a pas, car on lui refuse l'humanité qu'elle est pourtant la seule à incarner dans cette pièce. Eux non plus, car, comme l'indique entre autres leur langage stéréotypé à la Ionesco, ils sont sans existence, sans âme et stériles. C'est d'ailleurs un enfant stérile, beau jeune homme-objet incapable du moindre sentiment et ange déchu du « rêve de l'Amérique », qu'on leur offre comme fils à la fin de la pièce. – Trad. Robert Laffont, 1965. G. D.

RÊVE DE L'ONCLE (Le) [*Djadjuškin son*]. Ce roman de l'écrivain russe Fedor Mikhaïlovich Dostoïevski (1821-1881), publié en 1859, est une des rares tentatives humoristiques de l'auteur. Mais cet humour ne réussit jamais à se libérer complètement de la pitié que l'écrivain éprouve pour ses personnages. Dostoïevski n'est plus l'auteur intime et ému de ses premières œuvres, et il n'a pas encore trouvé la voie qui le mènera à la création de ses chefs-d'œuvre. Il nous décrit ici la vie d'une petite ville de province avec ses commérages et ses intrigues. Une mère ambitieuse, Maria Alexandrovna, sa fille la belle Zina, un vieux prince déséquilibré mais riche, et un prétendant à la main de Zina sont les héros du récit. La mère voudrait faire épouser sa fille au vieux prince retombé en enfance et il a déjà fait son audacieuse proposition quand l'autre soupirant, son parent éloigné, réussit à le convaincre qu'il a seulement rêvé demander la main de la belle Zina. L'« oncle » croit effectivement avoir rêvé et cette conviction fournit, dans la dernière scène, le prétexte à certaines équivoques et altercations d'un franc comique qui rappelle les passages les plus heureux du *Revizor* (*) de Gogol. Certains traits satiriques sont intéressants, qui resteront isolés chez Dostoïevski, tels que ceux qui raillent la noblesse vaniteuse et ignorante du prince : celui-ci, « aimant plus l'art que la nature », fait raser la barbe de son cocher pour lui en faire mettre une fausse et veut enseigner le français à ses paysans ahuris. En réalité, le rire de Dostoïevski n'est jamais serein et trahit la souffrance que l'auteur éprouve devant la mesquinerie et l'incompréhension des hommes qui l'entourent. – Trad. in Dostoïevski, *Récits*, Bibliothèque de la Pléiade, 1969.

RÊVE DE MAKAR (Le) [*Son Makara*]. Nouvelle de l'écrivain russe Vladimir Galaktionovič Korolenko (1853-1921), publiée en

1885, très caractéristique de la manière de l'auteur. Makar est un pauvre paysan qui, vivant dans les forêts de la « taïga » sibérienne, s'est adapté aux mœurs des sauvages Yakoutes et, le ventre toujours plus ou moins vide, rêve de jours meilleurs. Il travaille du matin au soir, scie du bois, laboure, sème, fait tourner le moulin à bras — et boit. Mais, tout en buvant, il pleure, et déclare vouloir aller sur la « montagne sacrée » pour sauver son âme. Or, il advient que, la veille de Noël, ayant dérobé un rouble à deux réfugiés politiques à qui il devait livrer du bois, il s'enivre et s'endort. Dans son sommeil, il rêve qu'il est mort de froid, et comparaît devant Toïon, le dieu de la forêt. Il essaie tout d'abord de fléchir le dieu en lui contant, selon son habitude, force mensonges. Mais en vain : Toïon le condamne à être métamorphosé en cheval de poste. Makar devient alors éloquent. Il évoque la dure existence qu'il a menée, les privations qu'il a subies, la solitude morale dans laquelle il a vécu. Le récit du pauvre diable attendrit jusqu'aux larmes le dieu et les anges qui l'entourent. Le plateau de la balance de la justice, dans lequel se trouvent les péchés de Makar, lentement se soulève et devient plus léger que le plateau d'or demeuré vide : le dieu des bois fait alors justice à Makar. Cette nouvelle est délicate et puissante à la fois. *Le Rêve de Makar* présente un très grand intérêt pour l'histoire littéraire russe : la description qu'on y trouve de la vie en Sibérie, déjà fort précieuse au point de vue ethnographique, devient, sous la plume de l'auteur, extrêmement vivante et sensible à tous. — Trad. Povolozky, 1922.

RÊVE DE NEUF NUAGES (Un) [*Kuunmong*]. Roman de l'écrivain coréen Kim Manjung (1635-1692) écrit probablement vers 1687. Roman classique coréen par excellence, c'est-à-dire qui donne ses lettres de noblesse au genre, il reprend la tradition de ces innombrables textes chinois racontant un « rêve » plus ou moins symbolique, et qui ne sont pas sans évoquer une partie de la tradition baroque occidentale : « La vie est un songe. » Dans le contexte coréen, il vaudrait mieux évoquer la parabole zen du bouvier, évocation imagée de la quête du soi. Dans tous les cas, la leçon est claire : c'est celle de la vanité des bonheurs passagers.

Très moderne dans sa forme (il s'agit d'un véritable roman, avec descriptions et dialogues), *Un rêve de neuf nuages* évoque la confrontation bouddhisme-confucianisme, en un temps où le second a triomphé idéologiquement et politiquement. Un jeune bonze, Sŏngjin, meilleur disciple du maître Yukkwan, ébranlé par les tentations, se métamorphose en lettré confucéen, sous le nom de Yang Soyu, pour redevenir bonze à la fin de son parcours. Entre ces deux épisodes se déroule le rêve, lui-même composé de deux parties. Le lettré commence par rencontrer huit femmes, qu'il épouse dans la seconde partie. La première partie, fondée sur la diversité des femmes (servante, princesse, courtisane, fille du Roi-Dragon), regorge d'épisodes variés et interpolés, de poèmes échangés, de descriptions des cadres de vie différents. La seconde, qui analyse la valeur du succès et du bonheur qu'on en tire, est beaucoup plus psychologique. Mais la division du texte en deux parties, récit animé des rencontres et lente narration des succès, est une interprétation moderne. Le texte chinois le plus ancien est divisé en seize parties égales, dont rien n'indique qu'elles soient le fruit de l'intention de l'auteur. Il existe en effet une polémique fort ancienne concernant la langue dans laquelle le texte a été écrit. On sait aujourd'hui à peu près certainement que les versions coréennes ne sont que des traductions du chinois. Mais il semble bien, d'après l'onomastique, que ces versions chinoises soient elles-mêmes tardives, voire traductions d'une version coréenne antérieure et, probablement, originale. Le fait que l'action se déroule en Chine ne doit pas faire pencher vers la version « chinoise », car les variations et réflexions sur les pensées du temps ne pouvaient guère trouver d'autre cadre.

Le problème de la légende de la création du texte est plus aisé à trancher : Kim Manjung l'aurait rédigé, pour consoler sa mère lors de son premier exil, en l'espace d'une seule nuit...

Pa. Ma.

RÊVE D'UNE FEMME (Le) [*Drommen om en kvinde*]. Roman de l'écrivain danois Hans Christian Branner (1903-1966), publié en 1941. Un homme meurt et une femme accouche : c'est toute l'action de ce roman. Mais ce qui compte ici, c'est l'esprit des personnages, ou plutôt des symboles qu'ils représentent, car Branner tient à les considérer comme des symboles. La mort et la naissance incarnent ainsi la disparition d'une époque et l'apparition d'une nouvelle. L'inquiétude devant la guerre perce à travers tout le livre. Le rêve de l'auteur et le rêve du lecteur devront s'identifier.

RÊVE ET LA MORT (Le) [*Uni ja Kuolema*]. Recueil de vers du poète finnois Uuno Kaïlas (1901-1933), publié en 1931. L'auteur évoque les dialogues imaginaires qu'il entretient avec des amis qui lui furent particulièrement chers et qui maintenant ne sont plus. Dans la dernière partie de l'ouvrage (écrite durant un séjour en maison de santé), l'élément métaphysique domine son inspiration. Il s'y joint un sentiment de résignation virile, le poète ne voyant plus que deux issues pour son esprit malade et inquiet : l'une ouvrant sur le rêve et l'autre sur la mort. Parti de l'« expressionnisme », Kaïlas finit par s'assagir comme en témoigne un style concis qui répond, en tout point, aux consignes de la vieille école parnassienne.

RÉVEIL (Le) [*Intibâh*]. Roman de l'écrivain et publiciste ottoman Namïq Kemâl (1840-1888), publié en feuilleton dans la presse de Constantinople à partir de 1876. *Le Réveil* fut écrit pendant l'exil à Chypre de Namïq Kemâl, après le retour au pouvoir à Istanbul des conservateurs, et la condamnation de l'écrivain pour complot pendant la guerre russo-turque. Dans l'œuvre de Kemâl, il succède à un drame sentimental, *La Pauvre Fillette* [*Zavallï Cocuk*], dans lequel était clairement posée la question du statut de la femme dans la société islamique. Également pathétique, mais offrant une analyse psychologique plus poussée, le roman raconte comment un jeune homme est disputé à sa belle femme par une courtisane. « Premier roman turc moderne » (Bombaci), *Le Réveil* est encore caractérisé par un style prétentieux, redondant, prolixe en descriptions, en métaphores exagérées. Il est marqué par l'influence des romantiques français, Hugo en particulier, dont l'écriture mais aussi les aspects sociaux de son œuvre inspirèrent directement Kemâl.

S.A.D.

RÉVEILLE-TOI MON PEUPLE [*haqitsa ammi*]. Poème hébreu de l'écrivain juif lituanien Yehuda Leib Gordon (1830-1892), daté de 1863, paru dans l'hebdomadaire *Ha-Karmel* en 1866 puis dans le recueil *Poèmes de Yehuda* en 1868. Succédant à Nicolas Ier en 1855, Alexandre II avait en 1861 amélioré le sort des Juifs (comme celui des serfs) et aboli certaines mesures discriminatoires qui les frappaient. Le poète appelle ses lecteurs à répondre positivement aux offres nouvelles qui leur sont faites de s'insérer dans la société tsariste. En onze strophes de quatre vers rimés de onze pieds, Gordon appelle les Juifs à se réveiller d'un sommeil séculaire (« Réveille-toi mon peuple, jusqu'à quand dormiras-tu / la nuit est passée, le soleil luit / Réveille-toi, jette un regard autour de toi / Observe le lieu et l'époque où tu vis »). Il chante en particulier les louanges de l'Europe, « le plus petit continent / Et le plus grand par la sagesse », « un jardin d'Éden ». Le poète appelle ses frères à étudier la langue du pays où ils vivent, les sciences et les lettres, à pratiquer tous les métiers, y compris l'agriculture et le service armé. Dans un vers célèbre souvent mal interprété et qui a suscité mainte polémique, il popularise une formule qu'il n'a pas inventée : « Sois homme au-dehors et Juif dans ta tente. » Non appel à la dissimulation, mais à la conciliation harmonieuse de deux cultures, selon le programme des Lumières hébraïques. Mais le poète se faisait des illusions sur les sentiments des peuples envers Israël ; le renouveau de l'antisémitisme, la recrudescence des pogromes l'amenèrent à la conviction que le particularisme juif n'était pas responsable de l'hostilité des peuples. Il l'écrira dans des poèmes douloureux tels « Ma sœur bien-aimée », « Nous partirons jeunes et vieux », où il entrevoit la nécessité pour ses frères d'émigrer vers des cieux plus accueillants.

J. St.

RÉVÉLATEUR DE SECRETS (Le) [*megalleh temirin*]. Roman épistolaire de l'auteur galicien d'expression hébraïque Joseph Perl (1773-1839), paru en 1819. L'intrigue, difficile à résumer car les thèmes s'y imbriquent, tourne autour de la recherche par les Hassidim d'un certain Buch, un pamphlet en allemand dirigé contre eux, et dont la diffusion les déconsidère. Les lettres révèlent les petits côtés peu reluisants du mouvement, les rivalités qui déchirent les rabbins, les machinations qu'ils fomentent contre leurs adversaires, leur absence de scrupules ; il en ressort une image de rabbi hassidique âpre au gain, malhonnête, ivrogne — totalement différente de la réalité. L'intérêt de l'ouvrage tient à sa forme qui en fait un chef-d'œuvre littéraire : Perl prétend publier une correspondance réelle, providentiellement retrouvée ; il réussit effectivement à mystifier ses lecteurs dont beaucoup considérèrent cette correspondance comme authentique. Il en imite à merveille non seulement les idées et les préoccupations, mais encore le style, un hébreu truffé de fautes de grammaire, riche en citations d'ouvrages hassidiques, rendues grotesques ou odieuses lorsqu'elles sont séparées de leur contexte. Un riche appareil de notes marginales donne à l'ouvrage une caution scientifique, en indiquant la référence de toutes les citations, en justifiant les affirmations les plus saugrenues. L'ouvrage doit beaucoup au roman épistolaire et au roman picaresque alors en vogue. Il puise également dans une satire en latin du XVIe siècle, *Epistolae Obscurorum Virorum,* née de la controverse qui opposa le Juif renégat Pfefferkorn à l'humaniste chrétien Reuchlin, et que Perl ne connaissait que de seconde source. *La Machine à détecter l'homme juste* [*bohen tsaddiq,* 1838] imagine une enquête sur l'impression faite par ce premier livre sur les hassidismes ; il s'ensuit une nouvelle série de portraits satiriques ; leurs propos s'inscrivent sur une tablette magique et ne pourront être effacés que par le souffle d'une personne intègre ; tous les notables, tous les hommes pieux et honorés seront disqualifiés, seul un modeste paysan réussira.

J. St.

RÉVÉLATEUR DU GLOBE (Le). Œuvre de l'écrivain français Léon Bloy (1846-1917), écrite en 1879 et publiée en 1884. Ayant rencontré le publiciste catholique Roselly de Lorgues, alors vers la fin de sa vie, Bloy, encore à peu près inconnu, décida de reprendre le grand projet de ce dernier : écrire une apologie de Christophe Colomb pour hâter sa canonisation, dont on a plusieurs fois parlé en cour de Rome. Dans ce livre, un des premiers qu'il ait composés, Bloy révèle avec déjà beaucoup de maîtrise une des tendances fondamentales de sa pensée : il fait appel, en effet, à une interprétation rigoureusement théocratique de l'histoire du monde, pour présenter Colomb comme l'un de ces hommes supérieurs dont la vocation est de précipiter, par quelque coup décisif, la réconciliation de l'humanité avec le Christ. Comme toujours sensible à ce qu'il y a de plus mystérieux dans le cours des événements, Bloy est fasciné par l'étrange abandon d'une moitié de l'humanité, restée jusqu'au XVe siècle sans aucune relation avec le fait essentiel, juif et chrétien du salut. Il imagine que cette solitude ne pouvait être que la rançon d'une faute ancienne infiniment grave. En regard, Christophe Colomb apparaît comme une figure rédemptrice, mû par le seul désir de donner au Christ une humanité nouvelle. Bloy soutient sa thèse avec une conviction chaleureuse, mais Rome ne semble pas avoir prêté la moindre attention à ce livre, pas plus d'ailleurs que le public. L'auteur n'avait pas donné les preuves justificatives nécessaires à la cause de Colomb, mais il avait laissé là d'admirables pages auxquelles il fut rendu justice par la suite.

RÉVÉLATIONS [*Revelationes*]. Œuvre de la religieuse suédoise Birgitta Persson, canonisée et connue sous le nom de sainte Brigitte de Suède (1303-1373). Après la mort de son mari, avec qui elle avait entrepris un pèlerinage à Saint-Jacques-de-Compostelle en 1341-1343, elle s'établit en 1350 à Rome, où elle passa le reste de sa vie. Depuis sa première jeunesse, Brigitte avait eu des songes mystiques, mais ce ne fut qu'après la mort de son mari qu'elle eut sa première et véritable révélation, quand, en état d'extase, il lui sembla voir le Christ devant elle, qui lui disait : « Tu es mon épouse et ma médiatrice entre moi et les hommes. » Depuis lors, les révélations devinrent, si l'on peut dire, régulières : elle était l'élue, l'épouse du Christ. Ces révélations étaient avivées par une ardeur d'imagination et une richesse de sentiment extraordinaires. Elles furent transcrites avec soin, puis traduites en latin à l'usage des communautés chrétiennes. Quoiqu'elle descendît d'une famille très puissante, Brigitte était peu cultivée ; c'était pourquoi, dans ses révélations, on ne trouve aucune nouveauté d'idées, rien qui n'appartienne à la culture commune de son temps. Leur originalité est psychologique, elle consiste dans cette fantaisie vive, ces images splendides, cette ardente passion. Ces qualités apparaissent même à travers la traduction et le remaniement latin. Brigitte, en effet, dictait ses révélations en suédois, elles étaient ensuite mises en latin par son confesseur Pierre, prieur d'Alvastra, puis expurgées théologiquement d'abord par maître Mathias, puis par l'évêque espagnol Alphonse. Ses confesseurs, Pierre d'Alvastra et Pierre de Skenninge, les distribuèrent en sept livres. Brigitte n'en fut pas contente et chargea l'évêque Alphonse d'une nouvelle distribution. À celle-ci se rattache le VIIIe livre, *Livre de l'empereur du ciel adressé aux rois* [*Liber celestis imperatoris ad reges*], qui contient les révélations politiques. La première impression complète des *Revelationes* et des autres écrits de sainte Brigitte, selon le texte canonique conservé à Vadstena, fut faite à Lübeck, en 1492. — Trad. *Les Quinze Oraisons de sainte Brigitte*, Vve Vincent, Lyon, 1877.

RÉVÉLATIONS SUR LE MILIEU DES FONCTIONNAIRES [*Kouan tch'ang sien sing tsi — Guan chang xian xing ji*]. Roman de l'écrivain chinois Li Pao-tsia (Li Baojia, 1867-1906) qui commença à être publié en feuilleton en 1903 et, sous forme définitive, à la mort de l'auteur en 1906. Sous une présentation qui poursuit celle des romans traditionnels chinois, l'auteur trace une vaste fresque du monde des mandarins à la fin du XIXe siècle, avec plus de huit cents personnages. Le procédé narratif est celui déjà utilisé au XVIIIe siècle par Wou Tsing-tse dans la *Chronique indiscrète des mandarins* (*) : une suite d'épisodes sont raccordés entre eux par un personnage qui figure dans le suivant et l'introduit, ou par un incident qui forme le lien. On y voit que l'argent constitue le nœud des relations sociales, qu'il est sous-jacent au statut dans la bureaucratie, que les fonctionnaires, achetant de plus en plus leur poste, se remboursent de leur investissement sur le dos du peuple, qu'ils forment un réseau complexe de rivalités à l'intérieur d'une hiérarchie stricte, que la morale confucéenne traditionnelle n'est plus qu'une justification servant l'État et masque les agissements de ses employés, et que la bureaucratie, capable seulement d'oppresser le peuple, ne pouvait plus en conséquence que le craindre. La Chine s'enfonçait alors dans une situation semi-coloniale comme le montrent dans le roman les relations, surtout commerciales, avec les étrangers. Les femmes, épouses et concubines, doivent se rendre indispensables par leurs liens familiaux ou leur argent dans les intrigues sociales pour obtenir la sécurité, tandis que les courtisanes ne peuvent s'arracher à leur statut qu'en se faisant acheter. La conclusion tacite du livre, telle qu'elle dut apparaître aux lecteurs de l'époque, était que seule une révolution pouvait sauver la Chine d'un système inapte à se réformer.

J. P.

REVENANT (Le) [*Mostellaria*]. Cette comédie du poète comique latin Plaute (251 ?-184 av. J.-C.) doit son titre au « spectre » [mostellum] qui est censé devoir hanter les maisons inhabitées. Mais ici, le « spectre » n'existe que dans l'imagination, combien prolifique, de l'esclave Tranion. En l'absence de son père, Théopropide, le jeune Philolachès mène joyeuse vie dans la maison paternelle en compagnie de son ami Callidamate et de deux jeunes personnes peu farouches. Le père étant rentré inopinément, Tranion, pour qu'il ne voie point les quatre convives ivres morts, l'accueille sur le seuil et le conjure de ne pas rentrer dans sa demeure, devenue hantée, affirme-t-il, à la suite d'un assassinat. Philolachès, ajoute le drôle, a dû également fuir cette maison. Tranion vient à peine d'achever ce premier mensonge qu'il est contraint d'en inventer un deuxième ; en effet, un usurier arrive sur les lieux pour demander le règlement des sommes dilapidées par Philolachès pendant l'absence de son père. Questionné, l'astucieux Tranion assure que les sommes empruntées ont servi à acquérir une autre maison. Le père désirant visiter cette nouvelle résidence, Tranion s'arrange avec un voisin, Simon, qui lui prête sa propre demeure. Mais cette belle fable s'écroule d'un seul coup lorsque deux autres esclaves, fidèles à leur maître, mettent Théopropide au courant de ce qui s'est passé en réalité pendant son absence. Le délai que Tranion a obtenu a pourtant été utile, puisqu'il a permis aux deux jeunes gens de se dégriser. Callidamate plaide éloquemment la cause de son ami et réussit à obtenir le pardon de Théopropide, en promettant de rembourser de ses propres deniers les sommes dilapidées par Philolachès ; l'astucieux Tranion, qui pour plus de sécurité s'est réfugié au pied d'un autel, est inclus dans le pardon général. Le jeu éblouissant d'improvisations auquel se livre le menteur effronté a fait justement considérer cette comédie comme l'une des plus réussies de Plaute. Aussi fut-elle souvent plagiée au XVIe siècle en Italie ; en France, Regnard s'en inspira pour sa pièce *Le Retour imprévu* (*). — Trad. Les Belles Lettres, 1937 ; sous le titre *La Comédie du fantôme*, Gallimard, 1971.

REVENANTS (Les) [*Gengangere*]. Drame de l'auteur norvégien Henrik Ibsen (1828-1906), écrit à Sorrente et à Rome au cours de l'été de 1881 et publié la même année, c'est-à-dire après *Maison de poupée* (*). C'est une des œuvres les plus fameuses d'Ibsen, mais non une des plus grandes. Hélène Alving a fait construire un asile pour honorer la mémoire de son mari. Elle se prépare pour l'inauguration en présence de son fils unique, Osvald. Celui-ci, rentré de Paris depuis peu, choque, par ses libres propos de jeune homme qui a mené la vie d'artiste, le vieil ami de la famille, le pasteur Manders. Mais la mère n'en est pas scandalisée, car elle sait combien est ténébreuse la vie fondée sur le mensonge et sur un étroit conformisme. Elle avait épousé sans amour le lieutenant Alving, qu'elle abandonna, dans les premiers temps de son mariage, pour se jeter dans les bras du seul homme qu'elle savait pouvoir aimer, le pasteur Manders. Celui-ci, dominant ses propres sentiments et ne voyant dans cet acte que la rébellion à la Loi, l'avait reconduite chez son mari. Or, celui-ci n'était qu'un homme dissolu et ne cessa point de l'être : tel est ce que Manders apprend seulement maintenant, Hélène s'étant sacrifiée en silence, après la naissance d'Osvald, pour que le père de son fils parût à ses yeux un homme respectable. L'asile qu'elle vient de faire construire en hommage à son mari est son dernier mensonge. Cependant, le jeune homme, miné par un mal obscur (suite, d'après les médecins, des fautes du père), est menacé de perdre la raison. L'amour de Regine, une jeune fille qui a grandi dans la maison, pourrait le sauver ou du moins le rendre heureux. Aussi, plus tard, une fois que l'incendie aura détruit l'asile du chambellan Alving, verra-t-on Osvald manifester le désir d'épouser Regine. Dès lors, Hélène ne peut plus lui cacher que cette jeune fille est sa sœur, puisque née du même père. Regine s'enfuit. Dans ces conditions, Osvald exige de sa mère la promesse qu'elle lui donnera le poison qu'il porte dans sa poche, quand la folie s'emparera de lui : Regine, elle, l'aurait fait. La mère accède au désir de son fils, mais elle se retire horrifiée, quand Osvald s'écroule dans un fauteuil, hébété, en invoquant le soleil. *Les Revenants* sont un des drames d'Ibsen qui contribuèrent le plus à le rendre célèbre dans toute l'Europe. En Norvège, certains acteurs se refusèrent à interpréter Osvald et Regine, et les libraires ne voulurent pas vendre le livre. Par contre, le jeune romancier danois Hermann Bang n'hésita pas à monter sur les planches pour interpréter le rôle d'Osvald. À Berlin, le drame fut interdit. En Angleterre, la critique le jugea immoral et d'une répugnante obscénité. À Paris, représenté au Théâtre libre d'Antoine (première représentation le 30 mai 1890), sous le patronage spirituel de Zola, il s'encadra dans le vaste mouvement naturaliste, suscitant à la fois des critiques violentes et des adhésions passionnées. Il en fut de même en Italie, sous l'influence de l'acteur Zacconi, qui joua cette pièce durant des années. On ne peut nier que les théories de l'hérédité, apportées dans le roman par Zola, aient eu leur résonance chez Ibsen. Elles s'étaient déjà montrées dans le personnage du docteur Rank de la *Maison de poupée*. Mais *Les Revenants* sont moins le drame d'Osvald que celui d'Hélène Alving, figure strictement ibsénienne, dans laquelle on trouve la complète expression d'un des thèmes les plus typiques du dramaturge. Hélène expie la faute de s'être mariée sans amour et, une fois mariée, de n'avoir pas su se rebeller et d'avoir vécu dans le mensonge. Même la faute qu'elle se reconnaît en dernier lieu : n'avoir pas su donner à son mari le bonheur qui lui était nécessaire et l'avoir ainsi poussé de plus en plus vers le vice, n'est qu'une conséquence de sa première faute, celle de s'être vendue à un homme qu'elle n'aimait pas. Le drame d'Hélène a, dans les deux premiers actes, des accents élevés et puissants mais, dans le troisième, il est submergé par celui d'Osvald, assez pauvre de signification, et aboutit à une situation qui ne tient pas au fond du thème essentiel. – Trad. Plon, 1940 ; Porte-Glaive, 1988 ; Actes Sud, 1990.

REVENDICATIONS CONTRE LES TYRANS ou Du droit du prince sur le peuple et du peuple sur le prince [*Vindiciae contra tyrannos, sive De principis in populum populique in principem legitima potestate*]. Cette œuvre de polémique, qui parut en latin, sans date, et sous le nom de Junius Brutus, connut un immense succès. Elle était l'œuvre d'un huguenot français, Hubert Languet (1518-1581), diplomate qui fut en étroites relations avec Melanchton et plaida auprès de Charles IX la cause des protestants français. Après le massacre de la Saint-Barthélemy, Languet quitta définitivement la France et fut pendant quelque temps chargé d'affaires de l'électeur de Saxe à Vienne. Ce violent pamphlet, qui connut un immense retentissement et rendit le pseudonyme de Junius Brutus célèbre dans toute l'Europe, est une apologie du tyrannicide. Pour la première fois est exposée la doctrine de la souveraineté populaire, imprescriptible et inaliénable, de l'inviolabilité de la conscience et de la pensée, du caractère sacré de la liberté individuelle et des droits des peuples contre le souverain. Par là, les *Vindiciae contra tyrannos* furent le manifeste de ce vaste mouvement d'idées qui devait se développer, en particulier chez les protestants français, mais également chez des humanistes épris des libertés antiques comme George Buchanan (*Du droit de la royauté en Écosse*) et Étienne de La Boétie – v. *Discours de la servitude volontaire* (*). Les *Vindiciae contra tyrannos* furent aussitôt traduites en français par François Estienne sous le titre de *La Puissance légitime du prince.*

REVENUS (Les) [*Πόροι ἢ περὶ προσόδων τῆς Ἀθηναικῆς Πολιτείας*]. Opuscule qui traite de finances, nous prouvant que son auteur, l'écrivain grec Xénophon l'Athénien (426 ?-355 ? av. J.-C.), après avoir été longtemps un admirateur de Sparte et de son régime aristocratique, se réconcilia, sur ses vieux jours, avec sa patrie. L'ouvrage débute par une belle description d'Athènes et de ses environs. Il étudie ensuite les moyens d'accroître la population et les revenus de la cité par l'exploitation des mines d'argent du Laurium (en réalité épuisées), afin qu'Athènes devienne la promotrice d'un mouvement en faveur de la paix et réussisse à mettre fin à la guerre sainte qui affligeait particulièrement l'âme profondément religieuse de Xénophon. À propos de la dernière partie de l'ouvrage – dont le style, malgré les doutes qui ont été élevés sur son authenticité, est bien caractéristique de la manière de l'auteur –, on ne manquera pas de faire certains rapprochements avec le traité sur la paix d'Isocrate. – Trad. Garnier, 1932.

RÊVERIES D'UN PAÏEN MYSTIQUE (Les). Recueil de textes en prose et de poèmes de l'écrivain français Louis Ménard (1822-1901), publié en 1876 et, avec diverses additions fort importantes, en 1910 et 1921. C'est un livre qui jouit d'une certaine réputation par le fait qu'il présente, d'une manière volontairement contradictoire, à commencer par le titre, les attitudes et les enseignements d'un moderne habitué à l'esprit de l'art nouveau et cependant replié sur lui-même dans une méditation solitaire, et tourné vers un lointain passé. Helléniste distingué, admirateur fervent du classicisme en ses valeurs essentielles, Ménard, à travers ses méditations sur la vie et la mort, entend retracer sa quête de la sagesse antique. Certains dialogues, certains poèmes reflètent une connaissance précise de l'Antiquité, tels que « Le Banquet d'Alexandrie », où sont évoquées les discussions des philosophes et des savants alexandrins à la recherche de la vérité, et « La Légende de saint Hilarion », qui a pour sujet le tourment des tentations et le salut par la foi. La recherche de la sagesse est le motif fondamental de ces « variations », parfois paradoxales, sur les sujets les plus divers (« Le Diable au café », où l'auteur imagine un dialogue avec le diable, et « Socrate devant Minos », où, concevant la vie comme une épreuve, il affirme solennellement la supériorité de l'amour sur l'intelligence, même s'il conduit à la mort). Bien des pages, parmi lesquelles la « Lettre d'un mythologue à un naturaliste », espèce de fantaisie sur l'origine des insectes, montrent la variété de l'œuvre, mais aussi l'extrême dispersion de ses thèmes. L'amour de la forme parfaite, qui lui fait insérer dans sa prose des sonnets aussi artificiels qu'impeccables, explique le soin avec lequel ce livre fut composé. Outre leur valeur littéraire, ces rêveries demeurent intéressantes en ce qu'elles constituent un document vivant sur la période de l'histoire littéraire qui va des parnassiens aux symbolistes.

RÊVERIES DU PROMENEUR SOLITAIRE. Œuvre du philosophe et écrivain genevois d'expression française Jean-Jacques Rousseau (1712-1778). Lorsque Rousseau commence les *Rêveries*, il sait qu'il n'en a plus pour longtemps à vivre ; il sait aussi qu'il n'a plus rien à attendre des hommes, avec qui il ne veut même plus avoir de rapport. Depuis 1770, après son séjour en Angleterre qui a si mal tourné, Rousseau vit à Paris dans son quatrième étage de la rue Plâtrière. Il vient de terminer ses *Confessions* (*), mais il leur donne un complément : les *Dialogues (Rousseau juge de Jean-Jacques)*, plaidoyer où, pour la dernière fois, il se défend contre l'immense conspiration qui le cerne. Les *Dialogues* sont de géniales divagations et, de ce fait, ils constituent un document plus riche, plus original, en tout cas plus curieux encore que ses *Confessions.* Ces années, dans la vie de Rousseau, sont des années de folie : tous ceux qui l'approchent lui sont suspects, il n'est en sécurité nulle part, pas même dans la rue, où il s'imagine que tous les passants le reconnaissent, se moquent de lui et lui veulent du mal. Cependant, au printemps 1776, son état mental s'améliore : maintenant qu'il s'est soulagé dans ses *Confessions* et dans ses *Dialogues*, qu'il a livré à la postérité (les deux œuvres ne seront éditées qu'après sa mort) sa justification, il sent qu'il a accompli sa tâche. Il décide de ne plus se défendre, d'oublier dans la mesure du possible ses ennemis et de jouir dans le calme des dernières années qui lui restent à vivre. Ce détachement lui assure une stabilité et une quiétude qu'il n'avait plus connues depuis longtemps. Il fait chaque jour de longues promenades à pied qui le conduisent dans la campagne autour de Paris ; il revient à ses paisibles occupations et herborise en marchant. Rousseau attend la mort avec sérénité ; pour se préparer à rendre ses comptes à Dieu, il s'examine ; avec détachement, il revit les heures les plus heureuses de son passé. C'est ainsi qu'il se trouve amené à reprendre la plume, probablement dès le printemps 1776. Cette œuvre l'occupera jusqu'à sa mort. Il semble en effet qu'on puisse dater approximativement les quatre premières « Promenades » d'une période qui va du printemps 1776 au printemps 1777 ; les quatre suivantes seraient de 1777 ; enfin les neuvième et dixième « Promenades » auraient été écrites entre janvier et le 12 avril 1778. Lorsqu'il quitta Paris pour Ermenonville (20 mai 1778), où il se décidait enfin à accepter l'hospitalité du marquis de Girardin, Rousseau emportait avec lui le manuscrit inachevé des *Rêveries.* Il ne devait pas les terminer. Il mourut subitement le 2 juillet suivant. À sa mort, sa femme remit le manuscrit à Moultou, ami de l'écrivain, qui le publia en 1782, à la suite de la première partie des *Confessions*.

Les dix « Promenades » qui composent les *Rêveries* ont été écrites au jour le jour, sans ordre préétabli, au hasard des rencontres, des méditations, des souvenirs. La première « Promenade » expose la situation présente de Rousseau : « Me voici donc seul sur la terre n'ayant plus de frère, de prochain, d'ami, de société que moi-même. Le plus sociable et le plus aimant des humains en a été proscrit par un accord unanime. » Ainsi ses hantises ne se sont pas dissipées ; maintenant seulement il s'y résigne. Rousseau définit ensuite ce que seront ses *Rêveries :* « Ces feuilles ne seront proprement qu'un informe journal de mes rêveries [...] elles peuvent être regardées comme un appendice de mes *Confessions ;* mais je ne leur en donne plus le titre, ne sentant plus rien à dire qui puisse le mériter. » Rousseau sent que ses forces déclinent et l'abandonnent peu à peu ; son imagination devient moins vive : « Il y a plus de réminiscences que de création dans ce qu'elle produit désormais. » Sa faiblesse physique fait dégénérer en accident grave une simple chute : il a été renversé par un chien danois à Ménilmontant. Son retour, sanglant, chez lui provoque les cris et l'effroi de sa femme. Son retour à la vie, après un évanouissement prolongé, lui semble délicieux : « Tout entier au moment présent, je ne me souvenais de rien ; je n'avais nulle notion distincte de mon individu, pas la moindre idée de ce qui venait de m'arriver ; je ne savais ni qui j'étais ni où j'étais ; je ne sentais ni mal, ni crainte, ni inquiétude. » Le bruit de sa mort est répandu par ses ennemis. On veut ouvrir une souscription pour l'impression de ses manuscrits (Deuxième « Promenade »). Un vieillard doit apprendre à mourir, mais il faut qu'il ait, pendant sa vie, établi solidement ses principes d'action. C'est ce que lui-même a voulu faire, surtout à partir de sa quarantième année, époque qu'il s'était fixée « comme le terme de ses efforts pour parvenir ». Le principal résultat extérieur de cette réforme morale et religieuse fut de provoquer l'hostilité universelle et les attaques de ses ennemis qui se révélèrent alors. À l'évocation de la persécution qu'il a subie, Rousseau ne peut retenir son amertume. Il n'en a pas moins persévéré dans son attitude, et c'est ce qu'on ne lui a pas pardonné. Aussi, maintenant, ne lui reste-t-il plus qu'à « consacrer le reste de sa vieillesse à la patience, à la douceur, à la résignation, à l'intégrité, à la justice impartiale » (Troisième « Promenade »). Poursuivant cet examen de sa conduite, Rousseau proclame sa haine du mensonge ; il se rappelle avec honte un mensonge qu'il a fait dans sa jeunesse, en laissant accuser une cuisinière du vol d'un ruban dont il était le seul coupable. Il reconnaît qu'il y a même dans les *Confessions* quelques mensonges, mais ils sont involontaires : « J'avais mon intérêt à tout dire et j'ai tout dit. » Dans sa vie, il s'est toujours efforcé d'être véridique et il a plus souvent gardé le silence sur le bien qu'il a fait que sur le mal (Quatrième « Promenade »). La Cinquième « Promenade » est à juste titre la plus célèbre. Rousseau y évoque un des moments les plus heureux de son existence, son séjour à l'île de Saint-Pierre, située au milieu du lac de Bienne, près du lac de Neuchâtel, en Suisse. Là, il put se livrer pendant quelques mois à son goût de la méditation au milieu de la nature, à sa passion pour la botanique : ce fut comme une trêve dans sa vie, qu'il se rappelle avec émotion. C'est de loin la plus caractéristique des « Promenades » ; Rousseau fait de la rêverie, telle qu'il la comprend, une analyse subtile : l'âme, dégagée du passé, indifférente à l'avenir, tout occupée du présent, goûte le vrai bonheur. Il trouve, pour évoquer la seule consolation efficace, des accents magnifiques qui allient la simplicité et le dépouillement à l'émotion la plus sincère et la plus communicable. Reprenant ses promenades dans les environs de Paris, Rousseau va herboriser à Gentilly. Il y rencontre un petit mendiant, auquel il a toujours donné de bon cœur son aumône ; maintenant, il s'est presque créé une obligation vis-à-vis de cet enfant et elle lui pèse, d'autant plus que le petit, ayant appris qui il est, l'appelle de son nom. Rousseau, découvert, fait désormais un détour pour ne plus rencontrer le jeune garçon. Il en tire la conclusion que, porté par sa nature à bien traiter ses semblables, il en est détourné aussitôt qu'il paraît y être obligé. Il ne peut admettre de contrainte dans ce domaine. Voilà qui explique ses tristes relations avec la société de son temps. C'est bien la preuve qu'il n'est pas fait pour la vie sociale (Sixième « Promenade »). La septième « Promenade » est un éloge et un hymne de reconnaissance à la botanique. Rousseau s'étend sur les plaisirs qu'elle lui a procurés. Grâce à eux, il a eu de nouvelles occasions d'adorer la nature et d'oublier les persécutions des hommes. Cette promenade annonce particulièrement les œuvres du disciple de Rousseau, Bernardin de Saint-Pierre. La huitième « Promenade » est une nouvelle méditation sur ses misères d'autrefois et le calme de sa vie présente. Bien qu'elle ait été déplorable, Rousseau ne changerait pas sa destinée contre celle du plus fortuné des mortels. Et cependant, alors même que le monde le fêtait, il n'était pas vraiment heureux. Puis a éclaté le complot universel contre lui. Il a d'abord essayé de se défendre. Il n'a pu retrouver le repos qu'en se résignant et en étouffant les derniers sursauts de son amour-propre. Il est maintenant récompensé de sa patience, puisque, même si, au contact des hommes, il éprouve encore quelques mouvements d'humeur, la solitude lui apporte désormais l'apaisement. Avec la neuvième « Promenade », Rousseau revient sur une question pénible dont il a déjà parlé dans ses *Confessions :* l'abandon de ses enfants qu'il a mis, malgré lui, aux Enfants-Trouvés. Ses ennemis en ont profité pour faire de lui un père dénaturé et pour l'accuser d'haïr les enfants. Cependant, il éprouve beaucoup de tendresse pour l'enfance et a toujours énormément de plaisir à voir et à observer la jeunesse. S'il a dû se séparer de ses enfants, c'est qu'il se savait incapable de les élever. « Plus indifférent sur ce qu'ils deviendraient et hors d'état de les élever moi-même, il aurait fallu, dans ma situation, les laisser élever par leur mère qui les aurait gâtés, et par sa famille, qui en aurait fait des monstres. Je frémis encore d'y penser. » Après une nouvelle évocation de ses marches dans la campagne proche de Paris, en particulier à Clignancourt et à la Muette, il se souvient d'une fête champêtre chez Mme d'Épinay. Enfin, il s'étend sur sa rencontre avec un vieil invalide qui, ignorant encore qui il est, le traite comme un être humain. La dixième « Promenade » ne comprend que deux pages ; sa rédaction a été interrompue par la mort de l'auteur. C'est un dernier hommage ému à Mme de Warens, à l'occasion du cinquantième anniversaire de leur première rencontre.

Le charme des *Rêveries* vient principalement de ce qu'on y trouve Rousseau à l'état pur. Sans doute, ses hantises ne l'ont pas encore tout à fait abandonné, mais il est maintenant capable d'en parler avec un peu plus de détachement et d'abandon. Et c'est un nouveau visage de lui qu'il nous donne, épuré et comme définitif. Ici, nous le retrouvons avec son ingénuité naïve, sa sincérité indubitable, son intelligence qui n'est plus troublée par les polémiques et la passion. Surtout, les *Rêveries* nous dévoilent ses rapports si apaisants avec la nature. La perfection des végétaux satisfait les exigences du savant et elle prouve au croyant que l'Être éternel ne cesse de veiller sur ce monde qu'il a créé et qu'il continue inlassablement d'embellir. Pour Rousseau, la nature est une personne avec qui il s'entretient, auprès de qui il rêve ; aussi se soucie-t-il moins de la décrire que d'évoquer l'état qu'elle détermine en lui, que de reproduire les contemplations, les méditations et les rêveries qu'elle lui suggère. Ce sont ces contacts avec elle qui lui imposent ce style d'une très grande simplicité, d'un caractère très musical, dicté uniquement par le sentiment qui fait tout le prix des *Rêveries.* L'éloquence de Rousseau, encore un peu laborieuse dans les premières œuvres, déjà assouplie dans *La Nouvelle Héloïse* — v. *Julie ou la Nouvelle Héloïse* (*) — et dans les *Confessions*, s'adoucit en un véritable chant intérieur. On n'en finirait pas d'énumérer les œuvres où l'influence du Rousseau des *Rêveries* fut déterminante. C'est elle qu'on retrouve chez son disciple le plus direct, Bernardin de Saint-Pierre ; c'est elle qui détermine — ainsi que les *Souffrances du jeune Werther* (*) de Goethe — Chateaubriand à écrire *René* (*). Tous les poètes romantiques français subirent plus ou moins l'influence de ce modèle, depuis les *Méditations poétiques* (*) de Lamartine et certaines pièces des *Odes et Ballades* (*) ou des *Feuilles d'automne* (*) de V. Hugo jusqu'aux visions panthéistiques de Leconte de Lisle. L'influence des *Rêveries* ne fut pas moindre sur les prosateurs du XIXe siècle : on peut dire que partout où l'on trouve une évocation fraîche, vivante et sentimentale de la nature, aussi bien chez Michelet que chez George Sand, par exemple, on peut reconnaître la marque de Rousseau. De toutes les œuvres de Rousseau, c'est celle qui est la plus proche de nous, celle qui semble bien demeurer comme le véritable chef-d'œuvre de l'auteur.

RÊVERIES SUR LA NATURE PRIMITIVE DE L'HOMME, sur ses sensations, sur les moyens de bonheur qu'elles lui indiquent, sur le mode social, qui

conserverait le plus de ses formes primordiales. Cette œuvre de l'écrivain français Étienne Pivert de Senancour (1770-1846), publiée en 1799, passa inaperçue de la plupart des contemporains, mais elle présente aujourd'hui un grand intérêt en raison de ses affinités avec le célèbre roman du même auteur, *Oberman* (*). Dans la contemplation des paysages de montagne, Senancour épanche une mélancolie à la Rousseau et se grise de solitude, maudissant la société, mais cédant aussi — et non sans paradoxe — à l'utopie de régénérer le monde. « Je voulus, explique-t-il dans les préliminaires, tenter de ramener l'homme à ses habitudes primitives, à cet état facile et simple composé de ses vrais biens, et qui lui interdit jusqu'à l'idée des maux qu'il s'est faits. Je voulais montrer cet état si méconnu et indiquer cette route de rétrogradation, devenue si nécessaire et que l'on croit si difficile. » Le problème que Senancour essaie ici de résoudre, c'est, « comme l'enseigna Jean-Jacques, de restaurer chez l'homme d'aujourd'hui, dans leur naïve pureté, les besoins et désirs de l'être primitif, si la chose était possible » (André Monglond, *Le Journal intime d'Oberman*). Le livre comprend quarante-quatre *Rêveries*, écrites pour tromper l'« importune nullité des heures », sur les sujets les plus divers, tels que : « Saisons », « Sensibilité » (8) ; « Des affections tristes » (9) ; « De quelques moyens de bonheur » (12) ; « De l'ennui », « De l'activité, etc. » (14) ; « De l'usage des stimulants » (16) ; « Du christianisme » (36) ; « Montagne », « Terre libre », « Vie primitive » (40).

RÊVES DANS LE BRUIT ET LA FUREUR DU TEMPS [*Visuri in vuetul vremii*]. Recueil du poète roumain Alexandru Philippide (1900-1979), publié en 1939. « Au grand instant sans lendemain, / Je me séparerai de moi comme d'un autre... » L'obsession de la mort et du néant pousse le poète à une quête perpétuelle de l'absolu, non par désir d'être sauvé, mais pour donner à chaque instant de vie un maximum de sens et d'ardeur. Ces thèmes étaient déjà présents dans les précédents recueils : *Or stérile* [*Aur sterp*, 1922] et *Rochers frappés par la foudre* [*Stânci fulgerate*, 1930], mais celui-ci les porte à leur expression la plus dépouillée, la plus rigoureuse. Peu de métaphores, peu de sonorités et de couleurs : la phrase poétique ne cherche qu'une simplicité légère au bout de laquelle le poids des choses et du destin n'est présent que comme par transparence, mais il y gagne une intensité toujours renouvelée. Grâce à elle d'ailleurs, le poète finit par accéder à une durée qui, si elle n'annule pas la mort, en combat le vide désespérant (l'absence terrifiante dont elle ouvre la porte) par la certitude que toute création s'inscrit à contre-courant d'elle.

RÊVES DE BUNKER HILL [*Dreams from Bunker Hill*]. Roman de l'écrivain américain John Fante (1909-1983), publié en 1982. John Fante, que le diabète rendit aveugle à la fin de sa vie, dicta à sa femme Joyce ce dernier roman. Il s'agit du quatrième volet de la « saga d'Arturo Bandini », qui incluait déjà *Bandini* (*), *Demande à la poussière* et *La Route de Los Angeles*.

Ce roman picaresque relate les tribulations tragi-comiques d'Arturo Bandini, « alter ego » de John Fante, à Los Angeles, où il vit seul dans un hôtel minable de Bunker Hill. Nous sommes en 1934 ; Arturo, âgé d'une vingtaine d'années, a quitté sa famille pauvre et le Colorado, pour s'installer en Californie et devenir écrivain. Après les inévitables petits boulots, Bandini entre brièvement au service d'un agent littéraire, M. Du Mont, qui le charge de réviser des manuscrits de roman. À la suite d'une succession de bourdes burlesques, Bandini perd son emploi. La publication de quelques nouvelles dans des revues littéraires lui permet alors de travailler comme scénariste de cinéma. John Fante, qui a lui-même été longtemps scénariste à Hollywood, se livre alors à une critique au vitriol des milieux cinématographiques : ainsi, les producteurs embauchent des écrivains et les paient royalement pour adapter des romans qui ne sont même pas achetés ; ou encore on laisse un scénariste travailler plusieurs mois sur un projet qui sera finalement abandonné sans qu'on lui explique pourquoi. Inutile de dire que le bouillant Arturo Bandini rue très vite dans les brancards : son orgueil et sa fougue ne supportent pas qu'on révise l'un de ses scénarios « géniaux » pour en faire « une fadaise destinée aux midinettes ». Écœuré, il s'exile momentanément dans une maison au bord de la mer, avec « le Duc », un Sarde champion de lutte. Enfin, amoureux de la tenancière de son hôtel pouilleux de Bunker Hill, il y retourne et apprend que celle-ci est morte.

La rage de vivre, la fureur devant la bêtise des autres et la sienne propre, un désir forcené de réussite tant professionnelle qu'auprès des femmes, tels sont les traits saillants du caractère d'Arturo Bandini. Mais John Fante prend ici un malin plaisir à confronter son héros à des situations qui le dépassent : producteurs de cinéma sans scrupules, grandes bourgeoises californiennes qui se prennent pour des romancières, écrivains célèbres provoquent la perplexité comique de Bandini, ou ses colères encore plus désopilantes. Les dialogues, menés tambour battant, ainsi qu'une « mise en scène » haute en couleur font de *Rêves de Bunker Hill* un roman foisonnant, plein d'humour et d'émotions, et un témoignage de première main sur les milieux cinématographiques de l'entre-deux-guerres. — Trad. Bourgois, 1985. B. M.

RÊVES DE LA LOUVE (Les) [*Plaha*]. Roman de l'écrivain kirghiz Tchinguiz Aïtmatov (né en 1928). Écrit en russe, il a été publié en 1986. Le roman est construit par une série de retours en arrière. Les différents épisodes sont réunis par un fil conducteur : le destin de la louve Akbara et de son compagnon Tachtchaïnar. Les deux loups des steppes se sont réfugiés dans les montagnes proches du lac Issykkoul (le lieu privilégié des romans d'Aïtmatov). Cette fuite a été provoquée par une grande chasse aux antilopes des steppes, tuées par un groupe d'hommes armés de mitraillettes, se déplaçant en camions et hélicoptère. Cette bande d'assassins conduite par un certain Ober a ligoté et jeté parmi les corps des animaux un jeune homme : Avdeï Kallistratov.

Avdeï est un ancien séminariste, exclu pour hérésie, car il cherche un Dieu du monde moderne. Travaillant dans un journal destiné à la jeunesse, il rejoint les steppes d'Asie pour faire un reportage sur les groupes d'adolescents se livrant au trafic de la drogue (du chanvre indien). Il se lie à un de ces groupes, récolte avec lui du chanvre et fait par hasard connaissance d'une jeune femme, Inga. Au moment du voyage de retour, dans un wagon de marchandises, il est enfin présenté au chef de bande, Grichan. Dans un dialogue où Avdeï incarne le bien et Grichan le mal, le « saint » essaie de ramener au repentir le dévoyé. Mais ni Grichan ni ses compagnons n'écoutent Avdeï, le bien est vaincu et Avdeï est jeté hors du wagon en marche. Blessé, il délire. Aïtmatov introduit ici un chapitre où Jésus converse avec Ponce Pilate et où est reposé le problème du bien et du mal. Avdeï (dans sa fièvre ?) se voit comme un des protagonistes de la Passion et il essaie de sauver Jésus de Nazareth.

Avdeï est finalement découvert par un paysan qui le livre à la police. Il retrouve ainsi ses compagnons de voyage, qui ont tous été arrêtés, à l'exception de Grichan. Avdeï veut se faire reconnaître comme un des leurs et partager leur destin, mais ils le rejettent. Finalement, il est soigné à l'hôpital, où il revoit Inga. De retour à Moscou, il ne parvient pas à publier son article et décide d'aller rejoindre Inga avec laquelle il est resté en correspondance, mais ils se manquent. Avdeï est recruté par la bande de chasseurs qui se prépare à massacrer les antilopes. Quand il essaie de les arrêter, ils le ligotent (nous revenons alors au début du roman), le jugent et le crucifient. Avant de mourir, Avdeï revoit la louve.

Les deux loups vivent maintenant dans la montagne, ils se sont adaptés, et Akbara a mis au monde une portée de louveteaux. Un certain Bazarbaï, alcoolique, haineux, paresseux, passant devant la tanière, vole les petits. Poursuivi par les loups, il se réfugie chez Boston, son opposé à tous points de vue. Boston demande à Bazarbaï de rendre les louveteaux à leur mère, mais celui-ci refuse.

La louve, au désespoir, rôde autour du campement de Boston, où elle a vu pour la dernière fois ses petits. Et un jour elle s'empare du fils de Boston, un bébé d'un an et demi, et l'emporte. Le père se lance à leur poursuite et, d'un coup de fusil, tue la louve, mais aussi son fils. Il se rend alors chez Bazarbaï, le tue et s'enfonce dans les montagnes.

Quand ce roman est sorti, en 1986, la description de drogués, les scènes évangéliques, l'idée d'un mal triomphant en ce bas monde ont fait sensation dans le public soviétique. Depuis, les critiques ont souligné les faiblesses du roman qui, malgré son aspect audacieux, est finalement moins intéressant que des œuvres des années 60 ou 70 comme *Adieu Goulsary* ou *Il fut un blanc navire.* – Trad. Messidor, 1987. A. Be.

RÊVES DE PAROLES ET ÉTOILES NOIRES [*Wortträume und schwarze Sterne*]. Poèmes du poète et sculpteur français d'expression allemande et française Jean Arp (1887-1966), publiés en 1953. Fondateur du dadaïsme avec Richard Huelsenbeck, Hugo Ball, Tristan Tzara et Marcel Janco, Arp a réuni sous ce titre ses principaux poèmes écrits en allemand entre 1911 et 1952, et dont beaucoup avaient paru dans de précédents recueils : *La Pompe des nuages* [*Die Wolkenpumpe,* 1920], *La Jupe des pyramides* [*Der Pyramidenrock,* 1924], *Tu blanchis, tu noircis* [*Weisst du, schwarzst du,* 1930] et *Coquillages et Parapluies* [*Muscheln und Schirme,* 1939]. Dans son introduction, Arp explique comment il chercha à inventer une « espèce de poésie synthétique », alors qu'il ne se souciait, à ses débuts, que d'associer des mots de façon inhabituelle afin de railler le langage. Mais la véritable expérience poétique débuta, dit-il, « beaucoup plus tard quand je me rendis compte du sens profond de ces railleries dépourvues de sens ». Beaucoup de poèmes de *La Pompe des nuages,* une des œuvres les plus caractéristiques de l'auteur, sont proches des poèmes automatiques des écrivains surréalistes, et ils frappent par les expressions dialectales, la contraction de nombreux mots. À partir de là, Arp a cherché à découvrir le langage des choses qu'on croit inertes, le grincement, le gémissement, le hurlement, les lamentations, le craquement nocturne des meubles, qu'essaie de calquer le rythme de ses vers, cependant que l'a toujours séduit l'ambiguïté de certaines paroles et syllabes. En ce sens, Arp est demeuré fidèle au dadaïsme, comme le prouvent les récentes *Paroles avec et sans ancre* [*Worte mit und ohne Anker,* 1957], où l'on trouve pourtant plus de mélancolie et une approche plus profonde de la sensibilité tragique. Pour l'œuvre poétique en français, voir *Le Siège de l'air* (*) et *Jours effeuillés* (*).

RÊVES DE PIRATES [*Fribytterdromme*]. Premier recueil du poète danois Tom Kristensen (1893-1974), publié en 1920, et qui a été qualifié de « programme lyrique de l'expressionnisme danois ». Transposition directe des sensations, l'expressionnisme fut aussi le prolongement du symbolisme et du romantisme et de leur amour de l'exotisme. Presque chaque poème de ce recueil en témoigne avec des titres comme : « Rio de Janeiro », « Golden Gate », « Itokih » ou « Aden », ou des litanies comme celle du « Cercle Ringen » qu'auraient pu écrire Whitman, Hugo ou même Almqvist : « Port Saïd et Colombo, / Penang, Singapore / et Saigon, Hong Kong, Yokohama, / et Frisco, Chicago, / New York, Baltimore... » La fin du recueil se compose au contraire de poèmes très personnels comme « Ma Pipe » [Min Pibe] : « Je ne suis qu'un petit poète, / moitié penseur, moitié bouffon... » Tom Kristensen occupe une place beaucoup trop modeste. C'est un grand poète dont l'œuvre restera.

RÊVES D'UN VISIONNAIRE [*Träume eines Geistersehers erlaütert durch Träume der Metaphysik*]. Ouvrage du philosophe allemand Emmanuel Kant (1724-1804), écrit vraisemblablement en 1756 et publié anonymement en 1766. Cette œuvre, qui appartient à la période antérieure à la *Critique* — v. *Critique de la raison pure* (*) —, marque le rapprochement de Kant, formé à l'école du rationalisme de Christian Wolff, de l'empirisme de Hume. Le prétexte lui en fut fourni par les pressantes sollicitations de ses amis, qui désiraient avoir son opinion sur les visions du Suédois Swedenborg, fondateur d'une doctrine spirite. Dans la première partie, Kant examine tout d'abord le concept d'esprit, puis la possibilité d'une communion avec le monde des esprits. Il en arrive à la conclusion que nos sens ne nous permettent pas de constater l'existence des esprits, contrairement à celle de la matière, dont on peut avoir une connaissance empirique. Et puisqu'on ne peut la constater, on est, dans ce domaine, réduit à des hypothèses. La deuxième partie, historique, analyse le cas de Swedenborg et les récits de ses visions qui n'ont, aux yeux de Kant, d'autres garants que la « voix publique », dont le témoignage est des plus incertains ; Kant ne voit en elles que des hallucinations. Le champ d'investigation de la raison est limité ; elle ne peut se prononcer que sur ce qui est objet d'expérience. Pour ce qui est du monde des esprits, elle ne peut donc rien affirmer. Ce petit ouvrage est intéressant, d'abord en ce qu'il marque dans l'évolution de Kant une phase antimétaphysique ; ensuite parce qu'il montre l'attitude d'un esprit critique devant des mystères et des problèmes que la science n'a pas encore éclaircis. S'il juge avec une ironie sarcastique les fantasmagories du visionnaire suédois et s'élève contre une métaphysique dogmatique, il n'en penche pas moins vers une conception idéaliste du monde, opposée à l'aride construction de la science qui ne voit en lui qu'un ensemble d'énergies aveugles. — Trad. dans les *Annales médico-psychiques* (octobre-novembre 1936) ; Vrin, 1967 ; Gallimard, 1980.

RÊVEUR ET SON SCÉNARIO (Le) [*Kûsôka to shinario*]. Roman de l'écrivain japonais Nakano Shigeharu (1902-1979), publié en 1939. En décembre 1937, le ministère de l'Intérieur avait interdit la publication des écrits de Nakano, l'un des romanciers les plus influents du groupe dit « prolétarien ». L'écrivain, qui avait déjà passé deux années en prison, travailla quelque temps dans les services de la ville de Tôkyô, mais, quand la mesure prise à son encontre fut levée à la condition qu'il ne se mêlât plus de politique, il s'empressa de publier un roman d'apparence anodine, *Le Rêveur et son scénario.* Kuruma Zenroku, le héros de l'histoire, ressemble de si près à son auteur que l'on risque fort de le confondre avec lui : ancien membre d'un groupe littéraire d'extrême gauche, il est employé au service de l'état civil — mais son esprit est ailleurs. Aussi, lorsqu'un ami lui demande un scénario pour un film éducatif, s'empresse-t-il d'accepter. C'est le départ d'un long rêve éveillé ; il trouve son titre : *Le Livre et l'Homme*, et son imagination bat la campagne. Il achète un beau cahier, dont les pages resteront vierges. Le scénario défile dans son esprit, mais se dérobe dès qu'il s'agit de l'écrire. Toutefois, dans le désordre apparent des idées qui se suivent, amenées par les associations les plus baroques, Nakano trouva le moyen d'éviter la censure en touchant à tous les sujets interdits sans en avoir l'air. *Le Livre et l'Homme*, quel beau sujet pour le bon apôtre qui passe en revue une séquence après l'autre, pour les rejeter à chaque fois, après les avoir bien retournées au lecteur complice, lorsqu'il constate, d'un ton navré, que les mauvais esprits pourraient mal interpréter ses intentions ! Lu de nos jours, tout cela peut paraître anodin, mais, en 1939, c'était jouer avec le feu. Les manifestations de courage littéraire ont été à l'époque assez peu nombreuses pour que *Le Rêveur* mérite qu'on salue en lui l'exception prouvant que la liberté de l'esprit n'était pas entièrement étouffée par le totalitarisme, mieux, qu'elle savait à l'occasion se moquer avec humour des instruments de l'oppression.

RÊVEUSE BOURGEOISIE. Roman de l'écrivain français Pierre Drieu la Rochelle (1893-1945), publié en 1937. Fils de bonne bourgeoisie, mais de caractère faible et sensuel, avocat sans cause et sans scrupules, Camille Le Pesnel, grâce aux intrigues d'un abbé mondain, a épousé un riche parti, Agnès Ligneul. Camille avait une liaison, qu'il a promis de rompre, avec une modiste, Rose. Après quelques années de mariage, Agnès découvre que son mari continue de voir sa maîtresse. Elle confie son désarroi à ses propres parents, qui prennent le parti de Camille de crainte de voir le mariage brisé. Agnès, fortement attachée à son mari par une violente passion sensuelle, hésite d'ailleurs à divorcer. Rose, la maîtresse de Camille, se rend compte que celui-ci serait un homme fini s'il était privé de l'argent de ses beaux-parents ; elle multiplie les efforts pour réconcilier le ménage, car Agnès a quitté le domicile conjugal en emmenant ses enfants. Agnès est maintenant en butte aux pressions de son entourage, en particulier d'une vieille fille jalouse, qui voudrait la décider à divorcer. Rose décide alors de partir pour Alger et Camille revient vers sa femme, de nouveau conquise par lui. Lancé dans de mauvaises affaires, Camille multiplie de désastreuses reconnaissances de dettes et se trouve bientôt au bord de la faillite. Aux abois, il tente d'entraîner ses propres parents dans une affaire imaginaire, mais ceux-ci, prévenus, éconduisent l'escroc. C'est alors que commence le récit de Geneviève, la fille de Camille et d'Agnès. Elle nous apprend, entre autres choses, que son frère Yves rêve d'un beau mariage, mais que les parents de la jeune fille qu'il fréquente s'opposent à leur union. Ce sont alors des rendez-vous clandestins et Yves ne tarde pas à devenir l'amant de Mlle Maindron, tout en entretenant une liaison avec une femme mariée qui viendra faire du scandale chez ses parents. Brillant élève, Yves échoue pourtant à ses examens : il s'effraie bientôt de constater qu'il marche sur les traces de son père et s'engage dans l'armée d'Afrique. Blessé, ramené en France, il meurt à l'hôpital. Quant à Geneviève, qui fait du théâtre, après avoir eu plusieurs amants, elle fait la conquête du fils Maindron, qui l'épouse. Son mari est beau, riche, et a de sérieuses qualités ; mais Geneviève, par sensualité, lui préfère un amant assez laid, qui ne tarde pas à l'abandonner. Son mari la chasse et la jeune femme commence une nouvelle liaison avec un vieux journaliste, dont elle a un enfant et avec qui elle compte mener sa vie... Ce roman exprime parfaitement le pessimisme aigu de Drieu la Rochelle. L'histoire de ces deux générations d'une famille bourgeoise, de la déchéance croissante de cette famille, donne l'idée d'un cercle infernal où les fils doivent inéluctablement retrouver les vices des pères. On assiste ainsi à la mort de toute une société. Le roman est moins autobiographique que les précédents : pour la première fois, Drieu parvenait à créer un monde vraiment imaginaire. Il n'empêche que les caractères d'Yves, qui est un frère de *Gilles* (*), et de Camille lui ressemblent beaucoup : Camille en particulier est un Drieu poussé au noir.

REVIZOR (Le) [*Revizor* = « l'inspecteur général »]. Comédie en cinq actes de l'écrivain russe Nikolaï Vassilievitch Gogol (1809-1852), représentée à Saint-Pétersbourg en 1836. Le texte imprimé porte en épigraphe : « Ne t'en prends pas au miroir si tu as la gueule de travers. » Le thème de cette comédie fut suggéré à Gogol par le poète Pouchkine. Dans une petite ville de province, l'on apprend l'arrivée d'un inspecteur général. À l'époque de l'absolutisme bureaucratique et paternaliste de l'empereur Nicolas Ier, l'inspecteur général en mission était le personnage le plus redouté de l'empire, puisque c'est à lui qu'incombait le contrôle de l'administration provinciale et que, jouissant de pouvoirs très étendus, il pouvait prendre des mesures disciplinaires et des sanctions immédiates contre les fonctionnaires les plus haut placés de la région. Aussi la nouvelle suscite-t-elle une grande agitation parmi les notables du chef-lieu, car la corruption, qui règne dans tous les services, est inimaginable. Croyant reconnaître le fameux inspecteur en un jeune écervelé, Khlestakov, descendu depuis peu dans l'unique hôtel convenable de la ville, tout le monde rivalise d'ardeur pour conquérir ses faveurs. Sans bien comprendre de quoi il s'agit, le jeune homme ne tarde pas à profiter de l'aubaine, acceptant les réceptions, les dîners somptueux, les cadeaux et même l'argent, qui afflue de toutes parts. Il va jusqu'à se fiancer avec la fille du maire. L'intrigue se déroule à une cadence rapide, jusqu'au moment où le faux inspecteur, craignant des complications, s'éloigne en hâte de la ville, sous prétexte d'aller demander le consentement de sa famille pour son mariage. À peine est-il parti qu'apparaît le directeur des postes qui, ayant violé le secret de la correspondance, a appris qu'il s'agissait d'un imposteur. Tout le monde s'agite et pérore, lorsqu'un gendarme gigantesque, casqué, botté et ganté de blanc, paraît dans l'encadrement de la porte et annonce d'une voix impassible au maire : « Le haut fonctionnaire qui arrive, par ordre de Sa Majesté, de Saint-Pétersbourg vous invite à se présenter immédiatement chez lui. Il est descendu à l'hôtel. » Tous les personnages, frappés de stupeur, restent figés dans la pose où les avait surpris l'annonce du messager, et le rideau tombe sur cette « scène muette ».

Outre l'incomparable peinture des caractères, des types et de l'atmosphère générale, il faut souligner la portée sociale de cette œuvre, qui eut, en son temps, un retentissement considérable. Les types représentés étaient sous les yeux de tous, et la charge ne faisait qu'accentuer les côtés négatifs de la bureaucratie russe. L'on affirme qu'après avoir assisté à la première représentation du *Revizor* le souverain lui-même remarqua avec un sourire désabusé : « Tout le monde en a eu pour sa part, et moi un peu plus que les autres. » Bien que, pour le lecteur ou le spectateur de notre époque, la satire sociale ait quelque peu perdu de son actualité, les qualités formelles de cette comédie, aussi grandes que celles des meilleures œuvres de Molière, lui confèrent une valeur éternelle.

– *Le Revizor* a été traduit en français par P. Mérimée, sous le titre : *L'Inspecteur général* (réimpression, Hatier, 1927). Autres traductions : L'Arche, 1989, Flammarion, 1989.

RÉVOLTE (La) [*Răscoala*]. Roman de l'écrivain roumain Liviu Rebreanu (1885-1944), publié en 1932. Deuxième volet de ce qui devait être une fresque des trois grandes provinces roumaines, après la Transylvanie de *Ion* (*) et avant la Bessarabie dont le projet n'aboutira pas, faute de temps, *La Révolte* est l'interprétation romanesque des soulèvements paysans, des jacqueries qui ont ensanglanté l'histoire du royaume de Moldavie et de Valachie au cours de l'année 1907. On y retrouve un personnage-témoin privilégié qui fait le lien entre trois des œuvres de Liviu Rebreanu, *Ion*, *La Bête immonde* (*) et *La Révolte*, Titu Herdéléa, journaliste dans les deux derniers livres. Il va être au cœur des événements dramatiques mettant aux prises les paysans de la plaine de Valachie et ceux qui possèdent la terre, les boïeri, classe sociale des plus composites exerçant son pouvoir exorbitant de manières souvent diverses, tantôt avec la brutalité du seigneur médiéval méprisant le serf, tantôt avec une magnanimité paternaliste comme c'est le cas du personnage central, Miron Iuga. Entre les propriétaires, dont les domaines peuvent être immenses, jusqu'à plusieurs milliers d'hectares, ou de dimensions très moyennes, et ceux qui n'ont d'autre moyen d'existence que la force de leurs bras s'intercale souvent la catégorie redoutable et honnie des intendants que le système des fermes conduit en général à pressurer les paysans. De ce schéma conflictuel aigu, Liviu Rebreanu va extraire la matière d'un tableau infiniment nuancé, puissamment concret, de la société roumaine des premières années du siècle. Il lui aura fallu, comme il le confiera plus tard dans son journal de création, résister à la tentation du roman à thèse simplificateur. Rien qui n'en soit plus éloigné : aucun personnage, si progressiste soit-il, qui n'ait sa zone d'ombre, aucun tenant de l'ordre – devenu désordre – établi, qui ne soit plus victime que bourreau. C'est ainsi que Miron Iuga, le maître qui régnait jusque-là, avec toute la bonté que son appartenance à une classe dominante et son éducation lui permettaient, sur un petit État dans l'État, ne peut comprendre ce que la révolte de ses paysans signifie vraiment. Il ne veut et ne saurait y voir autre chose que la manipulation d'une masse amorphe par quelques mauvais sujets, lesquels vont à leur tour et, finalement, malgré eux, répondre à cette vision des choses en s'identifiant au modèle de malfaiteurs qu'on leur impose. La montée de la haine et de la peur dans les deux camps est remarquablement suggérée à travers une multiplicité de personnages tous différents les uns des autres malgré des intérêts communs. La rigidité désespérée de certains privilégiés n'est pas moins dramatique et poignante, dans le cas de Miron Iuga par exemple, que la volonté de conciliation, de concertation sociale, le désir de concessions de son fils Grigoré. Le phénomène social de la révolte une fois déclenché, tout effort humain, de résistance réactionnaire ou d'ouverture et de compréhension, devient tragiquement inefficace. Encore une fois, la formule traditionnelle du roman réaliste donne à Liviu Rebreanu les moyens d'une étude pénétrante, concrète, profonde, des phénomènes humains les plus impondérables, les moins contrôlables. L'étroite et mystérieuse imbrication des mouvements de masse et des déterminations psychologiques individuelles trouve ici son expression esthétique la plus achevée. La fresque n'est monumentale et symbolique qu'en exacte proportion de la finesse de tous les détails. J.-L. C.

RÉVOLTE DANS LA MONTAGNE [*Jürg Jenatsch*]. Roman historique du poète suisse d'expression allemande Conrad Ferdinand Meyer (1825-1898), publié en 1876. L'action du roman est dominée par la figure complexe et contradictoire du héros, le pasteur Jürg Jenatsch, chef des protestants des Grisons. Membre du sinistre tribunal de Thusis qui s'acharna contre les catholiques, il est contraint d'abandonner sa paroisse lorsque ces derniers, secondés par les Espagnols, reprennent le dessus. Complice dans l'assassinat du chef du parti catholique, Pompée de Planta, père de Lucrèce, son amie d'enfance, il voit sa demeure saccagée par les Espagnols et sa femme tuée par son propre frère ; c'est alors qu'il se réfugie en Allemagne pour participer à la guerre. Devenu le chef de la République vénitienne de Dalmatie, il s'allie secrètement avec les Français et revient dans sa patrie avec leurs armées victorieuses. Mais les Français n'accordant pas l'indépendance à la Suisse, Jenatsch, secondé par Lucrèce qui l'aime en dépit de tout, négocie avec les Espagnols, tandis que les Français seront contraints de battre en retraite. Bien que Jenatsch se soit converti au catholicisme, les partisans de Planta ne renoncent pas à la vengeance et décident de le tuer au cours d'un bal masqué. Lucrèce, qui était venue l'en avertir, découvrant alors que Jürg, loin de l'aimer, ne la considère que comme un instrument, le poignarde de sa main. Dans son héros, l'auteur a voulu incarner l'esprit helvétique dans la mesure où il est tout acquis à la cause de la patrie. En dépit de certaines faiblesses de composition, cette œuvre est un des meilleurs romans historiques que l'on ait écrits en langue allemande au cours du XIXe siècle. – Trad. Corréa, 1942.

RÉVOLTE DANS LE DÉSERT [*Revolt in the Desert*]. Œuvre de l'écrivain anglais Thomas Edward Lawrence (1888-1935), publiée en 1927. C'est un abrégé de son fameux livre qui parut en 1926, sous le titre *Les Sept Piliers de la sagesse* (*), et qui relate ses aventures en Arabie. Élaboré en un temps très court, alors que l'auteur s'était engagé comme simple soldat dans la R.A.F. à Cranwell, le livre eut un tel succès qu'il fut l'objet de cinq éditions successives. Il s'ensuivit que Lawrence quitta l'Angleterre pour se soustraire à une gloire qu'il jugeait vraiment excessive. Ayant même exigé, en 1927, que ce livre soit retiré de la vente, il en affecta finalement le produit à une œuvre d'assistance aux aviateurs. — Trad. Payot, 1928.

RÉVOLTE DANS LES ASTURIES. « Création collective » due en grande partie à l'écrivain français Albert Camus (1913-1960). Cette pièce en quatre actes, écrite en 1936 pour le Théâtre du Travail fondé par Camus à Alger, n'a pu être représentée, le maire, inquiet de son caractère subversif, privant la troupe de la salle prévue. Révolutionnaire par son sujet : l'insurrection des mineurs d'Oviedo qui, en 1934, proclamèrent une République ouvrière et paysanne, la pièce l'est aussi par la mise en scène préparée par Camus et inspirée de Piscator ; elle tend à « contraindre le spectateur d'entrer dans l'action ». Cette œuvre de jeunesse, qui décrit avec lyrisme et réalisme un épisode historique, véritable prélude à la guerre d'Espagne, témoigne de l'engagement politique de Camus, de son attachement à l'Espagne et de son désir d'un langage théâtral nouveau. J. L.-V.

RÉVOLTE DANS LES CÉVENNES (La) [*Der Aufruhr in den Cevennen*]. Roman inachevé de l'écrivain allemand Ludwig Tieck (1773-1853), le premier de ses récits historiques qu'il avait déjà dans l'esprit lorsqu'en 1806, à Francfort, il rencontra Sinclair qui lui donna à lire trois drames sur ce sujet. Plus tard, il se servit des *Mémoires* de Villars et d'autres personnages ayant pris part à ce mouvement, de l'*Histoire des Camisards,* publiée à Londres en 1774, et d'autres récits qui parurent plus tard. Le roman se situe pendant la sanglante guerre de religion, engendrée par le soulèvement d'une secte protestante des Cévennes, et qui dura de 1703 à 1705, par suite du fanatisme féroce des deux partis. On y voit apparaître les chefs des révoltés : Cavalier, Roland, Ravanel, Mazel ; et ceux des catholiques : Montrevel, Basville, Julien. Tous ces personnages conservent leur physionomie historique. Les protagonistes, par contre, sont imaginés : le vieux conseiller, Beauvais, homme timoré mais rassis, et son fils Edmond. Ce dernier incarne le déséquilibre que suscitent toujours de pareils troubles. Catholique fanatique d'abord, il rejoint les camisards avec la conviction d'être guidé par la grâce, après avoir assisté par pure curiosité à une assemblée des rebelles. Le vieux Beauvais, victime de la désertion de son fils, est fait prisonnier par les catholiques qui mettent le feu à sa demeure. Il parvient à s'enfuir avec sa jeune fille et se réfugie sous un faux nom chez une famille modeste où Edmond, qui a recouvré la « vraie foi », grâce à un prêtre représentant ici le véritable chrétien illuminé, le retrouve. C'est là que s'interrompt le récit, qui devait comporter une seconde partie. Beauvais devait être découvert ; Edmond lui sauvait la vie et s'enfuyait avec lui et sa sœur à Genève. Cette seconde partie devait fournir l'occasion de mettre en relief la férocité de Montrevel, qui devait être ensuite remplacé par Villars, lequel devait mettre fin au carnage. Tous les romantiques, de quelque confession qu'ils fussent, s'enthousiasmèrent pour cet ouvrage et insistèrent auprès de Tieck pour qu'il le termine ; mais l'auteur ne retrouva pas en lui le dynamisme nécessaire à une telle évocation.

RÉVOLTE DE LA SAINT-ÉLIE (La) [*Ilinden*]. Roman de l'écrivain bulgare Dimităr Talev (1898-1966), publié en 1953 ; c'est le troisième volume de sa grande trilogie consacrée aux luttes d'indépendance des Bulgares, et qui comprend par ailleurs *Le Candélabre de fer* (*) et *Les Cloches de Prespa* (*). Dans ce volume nous assistons à la phase qui, aux yeux des chefs révolutionnaires, devait amener l'indépendance et la liberté du peuple bulgare. Les principaux personnages sont : Boris Glaoushev, fils de Lazare Glaoushev, patriote convaincu que nous avons vu dans les livres précédents ; Kitan La Cigogne, Stepho Tserski, Velko Skornev, révolutionnaires et patriotes, Nia Glaousheva, la mère de Boris, etc. L'action se déroule à l'aube du XXe siècle, en Macédoine, qui à cette époque est encore province turque. À l'exemple des pays voisins et frères (Bulgarie, Serbie, Grèce), l'élite politique macédonienne cherche à rejeter le joug ottoman séculaire. Tâche difficile, surhumaine, compliquée par les appétits et les ambitions des pays voisins. Tout débute par une période de préparation fébrile et d'agitation clandestine : jeunes, vieux, femmes, enfants se trouvent en l'espace de quelques mois embrigadés dans l'organisation révolutionnaire dont l'arme efficace est le terrorisme. Le moteur de la révolution c'est le peuple : paysans, artisans, instituteurs, bourgeoisie avancée. Sur le fond de la révolte de la Saint-Élie se profilent les images des deux grands chefs révolutionnaires : Damé Grouev et Gotzé Deltchev. Après cinq siècles d'esclavage, un peuple entier croit à la possibilité de sa propre libération, aussi aucun effort, aucun sacrifice n'est-il épargné pour hâter la délivrance. L'auteur excelle lorsqu'il décrit l'élan de la foule, ses aspirations et son abnégation. Les images du doux Boris, de Dona, de Kitan, de Velko et de Rouja restent gravées dans notre mémoire. Mais, de l'autre côté, les autorités turques ne chôment pas :

arrestations et massacres se succèdent. La révolution éclate enfin, les révolutionnaires occupent les places fortes et les gorges des montagnes ; ils restent maîtres, ici et là, de la situation durant quelques jours, plus rarement quelques semaines, mais leur mouvement est bientôt écrasé, noyé dans le sang et le carnage. Le Turc triomphant est impitoyable. Grâce à l'intervention d'un haut personnage turc, Boris Glaoushev a la vie sauve ; tandis que les chefs sont tués, le peuple est arrêté, maltraité, pendu. Les Bulgares battus mais non soumis attendront des moments plus propices. Écrite dans une langue colorée et chaleureuse, cette épopée romanesque occupe une place importante dans la littérature bulgare.

RÉVOLTE DE L'ISLAM (La) [*The Revolt of Islam*]. Poème en douze chants du poète anglais Percy Bysshe Shelley (1792-1822), publié en 1818. Il l'avait déjà été, à la fin de 1817, sous une forme un peu différente et avec le titre : *Laon et Cythna ou la Révolution de la Cité dorée* [*Laon and Cythna ; or, The Revolution of the Golden City*]. Laon est un jeune homme épris de liberté et de vertu. Avec sa compagne Cythna, animée du même idéal, il tente de sortir les peuples de l'Islam de l'état d'esclavage où ils sont tenus. Les oppresseurs sont chassés ; les mensonges religieux, qui servaient à maintenir le peuple dans la servitude, lui sont dévoilés. Cependant, les oppresseurs, soutenus par des armées étrangères, reprennent le pays. La misère, la famine et la peste sévissent ; Laon et Cythna meurent sur le bûcher, sur le conseil d'un prêtre qui les immole pour conjurer la colère divine. L'oppression triomphe, mais temporairement, car le poème s'achève par l'inévitable chute des tyrans. Ce poème fut écrit à une époque où l'esprit de révolte contre la misère et l'injustice était ravivé en Angleterre par la triste condition du peuple après la chute de Napoléon. On y retrouve ce que Shelley a déjà exprimé dans *La Reine Mab* (*). Sa foi en la puissance des forces spirituelles et en la nature transitoire du mal, son enthousiasme et sa sincérité donnent à ses vers un accent émouvant ; mais souvent la préoccupation d'exprimer son idéologie enchaîne son inspiration et le poème s'en trouve alourdi.

RÉVOLTE DES ANGES (La). Roman de l'écrivain français Anatole France (François-Anatole Thibault, 1844-1924), publié en 1914. Des plus antireligieux, ce livre maintient l'esprit qui s'était fait jour dans *La Rôtisserie de la reine Pédauque* (*). Depuis quelque temps, le bibliothécaire du baron d'Esparvieu, héritier d'une vieille lignée de grands magistrats lettrés, a constaté que des livres ont été dérobés et jetés en désordre. Un jour que le baron reçoit sa maîtresse, la belle Mme des Aubels, laquelle, nous dit l'auteur, étant femme, trouvait un grand plaisir à se déshabiller, un ange lui apparaît sous les traits gracieux d'un adolescent complètement nu. Cet ange a décidé de s'incarner sous le nom d'Arcade, pour préparer dans les salons parisiens une nouvelle révolte des esprits célestes, qu'il espère appelée à plus de succès que celle de Lucifer. Arcade est en effet plein de griefs contre Dieu, et ces griefs sont ceux qu'on trouve dans un grand nombre de livres d'Anatole France : Jéhovah n'a pas créé le monde, il en a tout au plus organisé une partie, et fort mal ; il « est moins un Dieu qu'un démiurge ignorant et vain ! ». Un autre ange, Mirar, s'est installé au quartier Latin : Mirar ne se soucie ni de politique ni de théologie. C'est un artiste et, s'il se révolte, c'est par amour pour une chanteuse de café-concert. Arcade estime que le meilleur moyen pour armer la révolte est d'introduire la science humaine dans les hiérarchies célestes – et c'est pour cette raison qu'il dérobait les volumes dans la bibliothèque du baron d'Esparvieu. Un autre ange, incarné sous les traits d'une anarchiste russe, Zita, ne voit dans les projets d'Arcade qu'une stérile utopie. Par son truchement, France se livre à une critique amusée de la religion du progrès instaurée par le « courant des Lumières » ; les sciences, affirme-t-il, ont eu jusqu'à présent bien peu d'influence sur la conduite des humains. Aucune révolution céleste ne sera possible tant qu'on ne fera point appel aux basses passions et aux instincts des natures angéliques, tant qu'on n'aura point persuadé celles-ci qu'elles seraient plus heureuses étant libres. Le monde céleste, tel que le décrit Zita, ressemble étrangement à la société contemporaine. Il a ses ministres, ses généraux, ses dignitaires, ses petits-bourgeois ; la fraction la plus révolutionnaire, parce que la plus humiliée dans la distribution des honneurs et des places, est formée par les anges gardiens, « imbus des idées du siècle ». Après avoir promené ses anges dans la société parisienne qu'il peint avec un art remarquable de satiriste, France les emmène consulter un ange vénérable, Nectaire, de son état jardinier à Montmorency. Nectaire commence alors à refaire un *Discours sur l'histoire universelle* (*) mais où le moteur de l'histoire ne sera plus Dieu, comme chez Bossuet, mais Satan. Cette philosophie diabolique de l'histoire, France l'avait maintes fois esquissée, en particulier dans *Thaïs* (*). Satan devient le principe du Bien, du progrès, de la liberté, et Jéhovah le principe du mal, de l'obscurantisme, de la tyrannie. Les démons n'ont cessé d'agir pour les hommes : tout d'abord sous la forme des dieux antiques, les seuls dieux qui furent bons, jusqu'au moment où, vaincus par l'Asie juive, le triomphe de Yahvé entraîna en Europe une effroyable régression. La civilisation faillit être perdue ; fort heureusement, les démons reprirent le dessus, s'infiltrèrent dans le Moyen Âge catholique, s'installèrent même sur la chaise pontificale. Hélas, Luther, faisant renaître l'antique fièvre religieuse, contraignit l'Église à retourner à l'étroitesse et à la rigueur barbare des premiers chrétiens. Avec le XVIIe et le XVIIIe siècle français, les démons eurent leur revanche : car ce sont eux encore qui animèrent cette période merveilleuse de l'humanité. Dans la Révolution, malgré ses sympathies socialistes, Nectaire-France serait assez enclin à voir un mauvais coup de Jéhovah : les hommes de la Convention n'étaient-ils pas en effet des fanatiques de la vertu, le vice le plus funeste qui puisse accabler un homme d'État ? Nectaire, qui semble décidément avoir lu les volumes de la *Vie littéraire* d'Anatole France, est à tel point horrifié par le romantisme, d'inspiration trop chrétienne, qu'ayant vu pareille folie il décide de se désintéresser des humains et de faire retraite à Montmorency. Après de multiples épisodes, qui sont autant d'occasions pour l'auteur de se moquer des corps constitués, des catholiques, des bourgeois en général, la révolte des anges échoue sur les bords de la Seine. Arcade et ses amis conviennent d'agir directement dans le ciel et d'aller prendre contact avec Satan lui-même pour le décider à la revanche immédiate. Mais Satan, qui habite sur les bords du Gange, a fini par prendre goût à la terre et ne se soucie plus du royaume céleste. Après mûres réflexions, il se laisse pourtant fléchir par les instances des anges et, au cours d'une bataille décisive, il défait Yahvé, précipité dans la Géhenne, et se fait lui-même proclamer Dieu. Désormais revêtu de la puissance absolue, Satan cesse d'être l'esprit de liberté : sur terre, il laisse toutes les hiérarchies intactes, y compris le pape de Rome ! C'est le moment choisi par France pour nous apprendre que tout cela n'est qu'un rêve de Satan : le bon Lucifer, réveillé, met en garde ses disciples contre tout rêve de domination qui les rendrait aussitôt semblables à Jéhovah, tyrans comme lui, comme lui jaloux, querelleurs, ennemis des arts et de la beauté.

Ce livre ambigu accentue encore l'évolution politique d'Anatole France : jamais l'auteur n'a mis tant de virulence et d'ironie dans ses attaques contre la religion catholique, jamais il n'a trouvé un plaisir aussi évident à ridiculiser les bourgeois bien pensants, les partis de l'ordre et de la tradition. Au terme de cette évolution, où le scepticisme conservera cependant ses droits, il apparaît de plus en plus clairement que « le fléau de la balance » penche, tout compte fait, « pour le camp de la négation, de la subversion, et finalement de la Révolution » (Henri Clouard).

RÉVOLTE DES MASSES (La) [*La rebelión de las masas*]. Œuvre du philosophe espagnol José Ortega y Gasset (1883-1955) publiée en 1930. Ayant montré dans *L'Espagne invertébrée* (*) que la maladie politique de son pays tenait à la carence d'une grande aristocratie consciente de sa mission historique, Ortega applique ici ces vues à la crise de l'Europe contemporaine. Dans les sociétés les plus policées du monde, qui semblaient définitivement acquises aux vertus de libéralisme et de tolérance, notre temps a vu l'apparition d'un type d'homme tout nouveau : « l'homme-masse ». Jouissant de la sécurité trompeuse de l'héritier, exploitant les avantages d'une culture qu'il ne crée pas et ne comprend pas, ne se connaissant que des droits et point d'obligations, l'homme-masse ignore que la préservation des commodités et des beautés de l'existence exige un continuel effort. Il se laisse vivre. Cet homme-masse, dans l'esprit d'Ortega y Gasset, ne s'identifie d'ailleurs nullement à une classe sociale particulière. Toute société est définie par l'action réciproque d'une masse et d'une minorité sortie de la masse, jamais séparée d'elle, et constituant en quelque sorte son noyau animateur et directeur. Toute société exige le sacrifice envers une mission collective que l'élite, précisément, a pour fonction d'imposer à la masse. Mais les diverses patries européennes, prises en particulier, sont-elles encore capables d'inventer quelque grande entreprise qui tirerait l'homme-masse de sa béate torpeur ? L'auteur ne le croit pas. Seule, à ses yeux, la décision de construire une plus grande nation avec le groupe des peuples continentaux redonnera quelque vigueur au pouls de l'Europe. — Trad. Stock, 1938.

RÉVOLTE DES PÊCHEURS DE SAINTE-BARBARA (La) [*Aufstand der Fischer von St. Barbara*]. Récit de l'écrivain allemand Anna Seghers (1900-1983), publié en 1928. Cette première œuvre d'Anna Seghers retrace les épisodes de l'insurrection de pêcheurs d'une île de la Manche contre leurs armateurs. Réduits à une vie misérable, les pêcheurs s'empressent d'accueillir le meneur capable d'exprimer ce que tous sentent confusément et d'organiser la lutte contre les riches marchands et les armateurs injustes qui les exploitent. Quoique encore bien hésitante, cette lutte ne représente que les premiers pas de la révolution prolétarienne : aussi échoue-t-elle finalement, à la suite de l'intervention des soldats qui parviennent à l'étouffer malgré les efforts isolés d'un père de famille ou d'une jeune idéaliste réalisant un moment, dans l'action révolutionnaire, l'accomplissement de leur personnalité. Ce récit se distingue particulièrement par le relief de son tracé : dans une succession de tableaux, l'auteur recrée l'atmosphère déprimante du petit port perdu dans la brume et la pluie incessante, avec ses pêcheurs indigents, ses femmes décharnées, ses enfants maladifs et affamés. Cette première œuvre valut à son auteur le prix Kleist en 1928. — Trad. L'Arche, 1971.

RÉVOLTE DES TARTARES (La) [*Revolt of the Tartars*]. Récit de l'écrivain anglais Thomas De Quincey (1785-1859), publié en 1837, décrivant la marche des Kalmouks à travers les steppes de l'Asie pour fuir la domination des tsars et retrouver en Chine leur terre d'origine. Se servant des documents historiques laissés par l'empereur chinois Kien Long, traduits en français en 1776 par le père Amiot, et de l'essai publié en 1804 par l'Allemand Benjamin Bergmann, qui avait longuement séjourné chez les Kalmouks, De Quincey donne libre cours à son imagination pour décrire le brusque départ de cette vaste population, et sa progression irrésistible à travers déserts et montagnes. « Ces myriades de volontés unies par un même dessein, et cette force aveugle mais infaillible tendue vers un but si lointain, évoquent les instincts puissants qui président aux migrations dévastatrices des sauterelles. » Il compare cette fuite à d'autres grands exodes de l'Histoire, et souligne son caractère dramatique ; les scènes se succèdent : la levée de camp, le départ des chameaux, la traversée des étendues de sable ou de neige, le siège des forteresses russes, et les combats sanglants contre les Cosaques et les Bashkirs. Toujours en mouvement, poursuivis inlassablement par leurs ennemis, « comme une horde de fous poursuivis par une horde de démons », les malheureux Kalmouks arrivent enfin au bord du lac Tengiz, non loin du terrible désert de Gobi, où la plupart d'entre eux se noient sous les yeux mêmes de leur protecteur, l'empereur de Chine. La description du vaste nuage de poussière annonçant leur arrivée, et de la fureur des assauts du massacre final qui teinte les eaux du lac du sang des victimes, est un des plus beaux exemples de la « prose passionnée » chère à De Quincey. Ce texte illustre les thèmes qui lui sont propres : la fuite et la poursuite sans fin, la vengeance inexorable, la fatalité du destin, la mort, et la terreur de la mort. Le caractère « scénique » et « rhapsodique » de sa conception de l'histoire convient tout particulièrement à ce récit, l'un des meilleurs de l'auteur. — Trad. Actes Sud, 1984. A. Gr.

RÉVOLTÉS (Les) [*Die Aufgeregten*]. Drame inachevé de l'écrivain allemand Johann Wolfgang Goethe (1749-1832), écrit en 1793. Il représente, avec le *Grand Cophte*, le *Général de la garde nationale* et la *Fille naturelle* (*), la prise de position de Goethe à l'égard de la Révolution française et de ses répercussions en Allemagne. Breme de Bremenfeld, chirurgien et barbier de son village, typique figure de noble déchu, a adopté les idées révolutionnaires venues de France. À propos d'un long procès relatif aux droits de la châtelaine du pays — droits qui pèsent sur la population —, il ourdit un complot pour lui extorquer de force un document qui permettra de faire cesser cet état de choses. Cependant la comtesse, revenue d'un voyage à Paris, est, à l'insu de tous, convertie, elle aussi, aux idées nouvelles et a résolu d'abolir ses privilèges et de faire droit aux revendications de ses paysans. Malheureusement, elle ne retrouve pas le document, qu'un administrateur infidèle lui a soustrait pour en faire un instrument de chantage avec la partie adverse. À partir du troisième acte, nous ne conservons qu'un résumé de l'intrigue : on y voit la fille de la comtesse, la jeune Frédérique, sorte d'aristocratique Diane, menacer de son fusil l'administrateur afin qu'il lui rende le document. Du cinquième acte n'existe que le plan, dont on déduit que tout finit bien. Frédérique consigne solennellement le document à Breme, qui conclut par une docte harangue sociale. Le caractère de Frédérique est le plus intéressant ; elle ne renonce pas à ses propres droits et, si elle cède à la justice, elle ne cède pas à la force. La comtesse personnifie l'attitude que devait assumer l'aristocratie allemande en face de la révolution menaçante (il ne faut pas la laisser venir d'en bas) ; alors que Breme, qui, sans aucune haine pour les aristocrates, veut faire valoir les justes droits du peuple, représente la conduite idéale de la classe bourgeoise. Si l'atmosphère est révolutionnaire, il s'agit là d'une révolution n'intéressant que les classes dirigeantes et à laquelle ne participent pas les masses. Entre les tirades politiques ne manquent pas les passages idylliques qui ravivent le dialogue et l'action, conférant à l'ensemble de l'œuvre la vivacité d'une comédie : Caroline, fille de Breme, que son père considère comme une petite sainte, se laisse séduire par un jeune libertin, le cousin de la comtesse. Tous deux sont les symboles de la frivolité et de la corruption du XVIIIe siècle finissant. Leur font pendant Louise, nièce de Breme, et le conseiller, qui s'aiment d'un amour tranquille et honnête, ainsi qu'il convient au siècle de la moralité. — Trad. Gallimard, 1942 ; 1951.

RÉVOLTÉS DU « BOUNTY » (Les) [*The Mutiny and Piratical Seizure of H.M.S. « Bounty »*]. Œuvre du voyageur et géographe anglais sir John Barrow (1764-1848), publiée à Londres en 1831. C'est le récit d'un épisode de l'histoire de la marine anglaise, fameux par la relation qu'en ont fait de nombreux contemporains, et aussi quelques-uns de ceux qui, comme le capitaine Bligh, y prirent part. Ce compte rendu, très fidèle à la réalité historique, est rédigé dans un style vif et riche de détails. Le « Bounty » était commandé par le capitaine Bligh ; il fut envoyé en 1787 à Tahiti et en revint au début de 1789, chargé de fruits de l'arbre à pain ; il faisait voile vers le cap de Bonne-Espérance, en direction des Indes occidentales. Le 28 avril, Fletcher Christian, Alexander Smith (qui, plus tard, dans l'île de Pitcairn se fit appeler John Adams) et d'autres encore s'emparèrent du commandant et l'abandonnèrent en mer sur une chaloupe avec dix-huit hommes de l'équipage. La chaloupe arriva à Timor. Le « Bounty » fit voile vers Tahiti, où seize des vingt-cinq hommes qui restaient de l'équipage furent débarqués, puis arrêtés. Parmi ceux-ci, plusieurs moururent par la suite dans le naufrage du navire « Pandora ». Fletcher Christian, avec huit autres hommes et quelques Tahitiens, s'établit ensuite dans l'île de Pitcairn où ils fondèrent une colonie, dont John Adams devint le chef, et qui fut prise par le Gouvernement anglais sous sa protection. Le récit très animé et dramatique est coupé de scènes de combats et de massacres. Les faits réels qui y sont rapportés forment le thème d'un petit poème de lord Byron intitulé *L'Île* [*The Island*, 1823]. — Trad. Hachette, 1984.

RÉVOLUTION (La). Ouvrage de l'écrivain français Edgar Quinet (1803-1875), à la fois historiographique, politique et philosophique. Commencé en 1854, paru à la fin de 1865, il représente un peu le testament d'un républicain blessé par les échecs de 1830, de 1848 et par le coup d'État du 2 décembre. L'auteur juge la Révolution de 1789 à la lumière des événements ultérieurs, constatant que le césarisme est encore triomphant trois quarts de siècle après 1789. Cet ouvrage, non dépourvu d'intention polémique et qui mélange le récit historique et le commentaire, se propose de faire la critique de la Révolution au nom de la Révolution. Il tranche sur l'ensemble de la littérature dont la Révolution fait l'objet à cette époque. Mme Bernard-Griffiths a bien montré comment Quinet dessine dans ce livre, d'un même geste d'écriture, la mythification et la démythification. La Révolution dans son principe inaugure une ère nouvelle, et Quinet, qui croit à l'influence des grands hommes, célèbre ses héros ainsi que ses actes fondateurs comme le serment du jeu de Paume, la prise de la Bastille ou l'œuvre admirable de la Constituante qui démantèle la puissance de la monarchie. Mais alors que la Révolution, prise en bloc, demeure positive dans l'œuvre de son ami Michelet, le dessein s'inverse ici : la Révolution se dédouble. Génératrice dans son inspiration d'un monde nouveau et libre, elle retombe sous la Terreur dans la centralisation et le despotisme. La servitude réapparaît et avec elle l'idolâtrie et l'« esprit byzantin ». En historien et en philosophe, Quinet s'efforce de comprendre les raisons de cet échec. Il pense que la Révolution met en lumière le conflit dans l'histoire entre les forces de création et de répétition. Mais Quinet rejette l'explication facile de la fatalité. Paradoxalement, il met en évidence la timidité d'esprit des révolutionnaires qui contraste avec leur fureur apparente. La Révolution française n'a pas su être assez fondatrice dans le domaine social, politique et religieux. Quinet oppose à la terreur despotique, inhumaine et dérisoire d'un Robespierre une sorte de modèle de terreur fondatrice. Il dénonce les contradictions des révolutionnaires qui, dans la plupart des expédients auxquels ils ont eu recours, ont copié les agents de la monarchie despotique. La terreur a démoralisé la Révolution qui progresse inévitablement vers le militarisme et l'antirévolution. Jamais le despotisme n'engendre la liberté, semble conclure Quinet. L'ouvrage de ce penseur républicain anticonformiste passionna l'opinion. L'exilé de Veytaux ne voulait pas seulement convaincre ses contemporains de l'échec de la Révolution, mais de la nécessité de reprendre le combat pour un changement politique, social et religieux. Quinet affronta deux sortes d'attaques : celles des adversaires et celles des partisans de la Révolution, mais *Le Siècle* et *Le Temps* prirent nettement parti pour lui. Si on peut reprocher à Quinet une certaine intolérance envers le catholicisme, en qui il voit l'ennemi de tout progrès politique, social et moral, on peut apprécier son indépendance d'esprit ainsi que la subtilité ou la profondeur de son analyse critique. L'édition Belin de 1987 permet de redécouvrir cet ouvrage qui est capital pour la connaissance de ce penseur romantique. G. P.

RÉVOLUTION DANS LA PAIX [*Revolução dentro da paz*]. Recueil d'écrits et de discours de l'archevêque brésilien Helder Camara (né en 1909), publié en 1968. Scandalisé par la situation de l'Amérique latine qu'il considère comme une insulte à la Création, celui qui s'appelait un « petit évêque du tiers-monde » s'est battu sans relâche pour une mutation des structures économiques et politiques, nationales et internationales, sur la base d'une non-violence active. Cela explique le titre du recueil. À travers un engagement dans les problèmes du sous-développement, on voit dans ces textes la relation entre l'action et la pensée, et surtout entre le spirituel et le temporel, entre une foi profonde en Dieu et l'intervention dans la réalité sociale et politique. J.-P. L.

RÉVOLUTION ET LA LIBERTÉ (La) [*Sewra azadî*]. Recueil de poèmes de l'écrivain kurde Cegerxwin, surnom de Cheikh Moussah Hessein (1903-1984), publié en 1954, neuf ans après la parution de son ouvrage *Poèmes de cœur meurtri* (*). L'auteur a beaucoup évolué pendant cet intervalle. Ce n'est plus le patriote qui a un seul objectif : la libération de sa patrie. Désormais, il exige de très profondes réformes de structure et des changements sociaux radicaux. C'est pourtant l'un des très rares intellectuels kurdes qui n'a eu aucun contact avec la littérature occidentale : toute sa culture est puisée dans l'héritage oriental, et au kurde il ajoute la connaissance de l'arabe et du persan. Ceci ne l'empêche d'ailleurs pas d'être très « moderne ». Le grand événement pour lui, c'est l'éphémère république kurde de Mahabad, en Iran. La destruction de cet État qui ne vécut qu'un an a fait naître une nouvelle vague d'espérance chez les patriotes kurdes. D'ailleurs, vingt ans après, Mollah Mostapha Barzani, défait en Iran, reprendra les armes pour un Kurdistan autonome en Irak. Cette atmosphère héroïque n'empêche pas l'auteur de chanter l'amour, mais elle alimente surtout les poèmes patriotiques, politiques et sociaux. Les vers de *La Révolution et la Liberté* enflamment l'âme des patriotes qui en connaissent par cœur de longs extraits. La poésie constitue la forme fondamentale de l'expression chez les auteurs kurdes actuels et l'œuvre de « Cœur meurtri » en constitue le sommet. Mais l'auteur n'est pas exclusivement un poète. C'est un intellectuel très actif qui a publié une grammaire de la langue kurde et qui a entrepris l'édition d'un important dictionnaire kurde ; il a écrit une *Histoire du peuple kurde* et surtout il a traduit le chef-d'œuvre de Cheref el-Dine Khan, prince de Bitlis, *Les Fastes de la nation kurde* [*Cheref Nameh*]. Cet ouvrage capital de la littérature historique kurde a été écrit en persan au XVIe siècle. La traduction française de François Charmoy avait paru au XIXe siècle, et il a fallu attendre près de cent ans pour que paraisse la traduction kurde ! Par la diversité de son œuvre et l'importance de ses écrits, « Cœur meurtri » est la grande figure de la littérature kurde contemporaine.

RÉVOLUTION ET LA LIBRE PENSÉE (La). Œuvre posthume de l'historien français Augustin Cochin (1876-1916), publiée en 1924. Au moment de sa mort, pendant la Grande Guerre, Cochin travaillait à une gigantesque histoire de la Révolution, en chantier depuis sa sortie de l'École des chartes en 1902. Cette histoire devait être précédée d'un long *Discours préliminaire,* dont les brouillons furent retrouvés et publiés, selon le classement de l'auteur, par un disciple, l'abbé Ackermann. Ce livre posthume est donc une esquisse très fidèle de la synthèse des idées du XVIIIe siècle que préparait l'historien. Comme beaucoup d'auteurs catholiques et réactionnaires depuis deux siècles, Cochin donne, dans la préparation de la Révolution, une importance prépondérante à la franc-maçonnerie. Il montre d'abord comment, de 1750 à 1789, au nom de la vérité philosophique, les « Sociétés de pensée » ont « socialisé la pensée ». À l'époque, on assiste en effet à une prolifération de ces sociétés, soit découvertes, comme les Académies, les groupes littéraires et scientifiques, soit occultes, comme les loges maçonniques. Toutes prétendent œuvrer au nom de la liberté de pensée. Mais c'est une libération toute apparente, car elle se produit en vase clos, sans que le public y participe activement, étant donné le secret des loges. Ce caractère de chapelle, particulier aux sociétés de pensée du XVIIIe siècle, s'affirme dans la deuxième période de l'évolution philosophique et politique, de 1789 à 1793 : l'opinion « éclairée » se transforme en partis, en clubs, qui pèsent sur les autorités politiques par les moyens les moins spirituels : chantage, corruption, menaces. La liberté, thème moral dominant cette seconde phase, est toute formelle : elle cache la socialisation progressive de la vie publique, qui s'achève dans la troisième période, de 1793 à 1794, où les sociétés populaires (Jacobins, etc.) exercent une tyrannie ouverte sur les personnes au nom de la Justice et de l'Égalité. La libération des biens est ainsi payée par l'asservissement moral : l'homme réel et personnel est peu à peu éliminé par l'homme socialisé, tout passif et fictif, aux mains de l'organisation des clubs. La thèse d'Augustin Cochin, à laquelle il n'eut pas le temps de mettre la dernière main, se présente sous une forme très abstraite. L'érudition en est admirable. Mais il est possible — et on l'a fait depuis — d'élever des critiques à l'égard de son caractère systématique : en effet, les « Sociétés de pensée » sont loin de rendre compte à elles seules du phénomène révolutionnaire et démocratique ; de plus, il semble que l'auteur ait surestimé le rôle de la franc-maçonnerie.

RÉVOLUTION FRANÇAISE (La). C'est la grande œuvre de l'historien français Albert Mathiez (1874-1932), professeur d'histoire de la Révolution française à la Sorbonne, qui succéda dans cette chaire à Alphonse Aulard. L'œuvre comprend trois volumes publiés de 1922 à 1927 et s'arrête au 9 Thermidor. Elle fut continuée par le successeur d'Albert Mathiez dans la chaire de la Sorbonne, Georges Lefebvre, qui donna deux volumes : *Les Thermidoriens* (1937) et *Le Directoire* (1946), s'arrêtant au 18 Brumaire. Après les grands travaux romantiques sur l'histoire de la Révolution française (en particulier les œuvres de Thiers, Mignet, Michelet, Louis Blanc — v. *Histoire de la Révolution française* (*) et *Histoire de France* (*) —, œuvres dans lesquelles se mêlaient un authentique sens de l'histoire, mais aussi des préoccupations littéraires et politiques), la réaction critique avait commencé à se manifester avec l'œuvre d'Edgar Quinet, *La Révolution* (*). Par la suite, Taine avait composé une œuvre grandiose, mais insuffisamment documentée, et inspirée par des préjugés politiques et idéologiques : *Les Origines de la France contemporaine* (*). Ce n'est qu'avec Alphonse Aulard et son école que devait commencer l'étude patiente et minutieuse des innombrables documents du temps, étude qui n'est pas encore terminée mais qui devait permettre l'élaboration d'une histoire scientifique de la Révolution. Aulard concentra le résultat de ses multiples travaux dans son ouvrage l'*Histoire politique de la Révolution française* (*) (1901). D'abord accueillie avec enthousiasme, cette œuvre fut rapidement l'objet de vives critiques, Aulard ne s'intéressant qu'à l'aspect politique de la Révolution. Son disciple Albert Mathiez devait se séparer de lui sur ce point. Devenu son successeur en Sorbonne, Mathiez poursuivit l'immense travail d'investigation déjà entrepris. *La Révolution française* contient la somme de ses expériences. Avec cette œuvre, on était enfin parvenu à une vue globale du grand événement. L'œuvre destinée au grand public est dépourvue de tout appareil critique, de tout caractère érudit, mais elle repose sur la plus solide documentation. Elle est divisée en trois parties : I. « La Chute de la royauté » ; II. « La Gironde et la Montagne » (divisé en deux livres : « La Fin de la Législative », « Le Gouvernement de la Gironde ») ; III. « La Terreur ». Cette histoire suit pas à pas le déroulement des événements et ne s'encombre d'aucune considération théorique ; Mathiez se veut historien et homme de science. Il ne résulte cependant aucun sentiment de sécheresse de cette méthode rigoureuse, grâce à des raccourcis savants, des résumés où l'essentiel, et seulement l'essentiel, est exposé. Par ailleurs, Mathiez publia *La Réaction thermidorienne* en 1929. À sa mort, il laissait d'importants manuscrits qui portaient sur la suite de l'histoire de la Révolution ; c'est cette œuvre laissée inachevée que publia, en 1934, J. Godechot sous le titre : *Le Directoire*, du 11 brumaire an IV au 18 fructidor an V. Quant aux trois volumes de *La Révolution française*, ils furent complétés dans le même esprit et selon la même méthode par G. Lefebvre. Cette œuvre de synthèse est appuyée et complétée par les très nombreux travaux publiés sous les auspices de la « Société des études robespierristes » que fonda Mathiez en 1907 ; ils parurent dans l'organe de cette société : les *Annales révolutionnaires* devenues en 1911 *Revue historique de la Révolution française* et, à partir de 1924, *Annales historiques de la Révolution française*. Par ces multiples travaux, Mathiez, chercheur probe bien qu'engagé, grand critique, devait constituer l'histoire classique de la Révolution française. Son œuvre a été traduite en de nombreuses langues.

RÉVOLUTION MONDIALE ET LA RESPONSABILITÉ DE L'ESPRIT (La). Œuvre du philosophe et écrivain allemand Hermann Keyserling (1880-1946), publiée en 1934. C'est, à la lumière de l'expérience, une étude sans idées préconçues de la crise spirituelle que traverse aujourd'hui l'humanité. L'évolution qui se prépare contient d'ailleurs, aux yeux de Keyserling, les germes d'un nouvel ordre dans le domaine de l'esprit. Il y a conflit, dit-il, entre les générations nouvelles et la mentalité de la vieille Europe, mais ce conflit n'annonce pas une décadence : c'est, précise le philosophe, l'erreur de l'intellectualisme de s'attarder à des concepts périmés, alors qu'une révision des valeurs s'impose. Nous entrons dans une ère où les « forces telluriques » sont en révolte contre l'esprit, et ces forces – négatives, si l'on tient que c'est dans l'esprit que réside le meilleur de l'homme – n'en constituent pas moins des énergies élémentaires vitales et émotives qui donnent à la vie son plein rayonnement. Ces forces prennent-elles le dessus, c'est alors le triomphe du courage et de la foi, expressions primordiales de l'esprit, sur la culture et l'intellectualisme. Mais aussi, il convient d'empêcher qu'une telle poussée, obscure et aveugle, n'impose définitivement son joug à la vie humaine. Telle est, selon Keyserling, la terrible responsabilité de l'esprit, et, loin de se réfugier dans une opposition stérile, il devra faire preuve de compréhension créatrice. Ainsi contenues, dominées par l'esprit, les forces de la terre pourront engendrer une révolution spirituelle qui ne saurait avoir un caractère intellectualiste. Keyserling, en conclusion, appelle de ses vœux une culture assez vaste et conciliante pour accueillir à la fois toutes les forces de la terre et toutes les forces de l'esprit. – Trad. Stock, 1934.

RÉVOLUTION ROMAINE (La) [*The Roman Revolution*]. Essai de l'humaniste et historien néo-zélandais Ronald Syme (1903-1989), publié en 1939. Paru alors que l'auteur n'avait que 36 ans – un âge de début de carrière dans le monde universitaire –, ce livre, sans doute une des grandes œuvres de la littérature anglaise du XXe siècle, est rapidement devenu un best-seller de l'histoire ancienne, constamment réédité et traduit dans le monde entier. Comme le précise R. Syme dans l'introduction de la première édition, la trame en est simplement chronologique, couvrant la période qui s'étend de la dictature de César à l'établissement du principat augustéen, soit la transition de la République à l'Empire. Il est divisé en chapitres qui correspondent à autant d'étapes dans la dégradation des institutions romaines traditionnelles et dans l'établissement du principat. Mais cet ouvrage est en fait puissamment original tant par la forme que par la nouveauté de l'analyse. Féru de littérature – il avait hésité à poursuivre des études de littérature française plutôt que d'histoire –, R. Syme a tenu à faire de son travail un livre agréable à lire. De plus, rompant en cela avec la tradition académique, il n'a pas hésité à prendre position et à user de son humour parfois cinglant, on s'en souviendra en le lisant. La critique qui est faite de la prise du pouvoir par Auguste et du nouveau régime est implicitement une condamnation du totalitarisme triomphant des années 30. Des titres de chapitre comme « La Première Marche sur Rome » (chap. 9), « Dux » (chap. 21), « La Mise en condition de l'opinion » (chap. 30) sont évocateurs. Mais, au-delà de ces aspects formels, il faut relever deux points essentiels, qui ont marqué l'étude de l'histoire ancienne. D'une part, l'extraordinaire érudition nécessaire à ce travail. Toutes les sources touchant à la période étudiée sont analysées à fond, les mentalités et les comportements sont reconstitués – quitte à faire preuve parfois d'imagination –, et surtout les biographies des principaux acteurs sont minutieusement établies. On doit ainsi à R. Syme d'avoir montré l'importance de la prosopographie – et pas seulement des biographies de grands hommes – pour la connaissance des mondes anciens. Son dernier livre, *The Augustan Aristocracy* (1983), développe cette recherche. D'autre part, en mettant en lumière le rôle des individus et de leurs interactions par des jeux subtils d'alliances et de ruptures, le poids des moyens financiers et des clientèles héréditaires et l'efficacité de la violence, R. Syme rompait avec la tradition juridique allemande qui dominait l'histoire romaine depuis Théodore Mommsen. Ainsi, Auguste passait du rang de fondateur d'un nouvel ordre, pacifique et bien structuré, à celui d'aventurier qui aurait réussi. Dans le même temps, R. Syme montrait comment l'idéologie augustéenne avait su faire oublier les sanglants massacres qui ont amené la prise du pouvoir, et la liquidation des vieilles familles qui pouvaient faire obstacle à sa conservation. On sait, depuis *La Révolution romaine,* que le principat reposait en grande partie sur l'incroyable fortune personnelle d'Auguste, et que l'unanimité des contemporains, plus qu'à la « paix retrouvée », était due à la vigilance de la censure et de la propagande. – Trad. Gallimard 1967 (d'après la 2e édition, 1952).

M. Ta.

RÉVOLUTIONS DE FRANCE ET DE BRABANT (Les). Sous ce titre, le publiciste français Camille Desmoulins (1760-1794) fit paraître le 28 novembre 1789, c'est-à-dire dès les premiers jours de la Révolution, un journal qui, comme tant de publications de l'époque, se proposait d'expliciter les idées nouvelles. À partir du 73e numéro, le journal changea son titre primitif contre celui de : *Révolutions de France et de Brabant, et des royaumes qui, arborant la cocarde nationale, mériteront une place dans les fastes de la liberté.* Le dernier numéro, le 36e, parut en juillet 1791, après l'épisode du Champ-de-Mars, quand Desmoulins dut présenter sa démission de journaliste. Il ne s'agit pas d'un journal destiné à diffuser des nouvelles, mais d'une série d'éloquents pamphlets, appuyés sur une érudition brillante. *Les Révolutions de France et de Brabant* constituent une des œuvres les plus remarquables de la littérature politique française, absolument indispensable pour la connaissance de l'époque et de son esprit. On y retrouve les qualités habituelles à toutes les œuvres de Camille Desmoulins, orateur passionné et même virulent, qui va de l'ironie la plus cinglante aux déclarations emphatiques, où se donne libre cours un tempérament généreux, tout en contrastes.

RÉVOLUTIONS DES ORBES CÉLESTES (Des) [*Nicolai Copernici thorunensis de revolutionibus orbium caelestium libri VI*]. C'est l'œuvre fondamentale de l'astronome polonais Nicolas Copernic (1473-1543). Il y expose le système auquel il a donné son nom. Selon les affirmations de Copernic lui-même, l'idée du mouvement héliocentrique lui vint, pour la première fois, durant sa jeunesse. Sachant que d'autres avant lui avaient déjà pensé que le Soleil était au centre du système planétaire, et prévoyant que cette hypothèse abolirait bien des complications du système géocentrique, il chercha à instaurer un système qui devait être par la suite perfectionné par Galilée et Kepler. Une idée aussi nouvelle, aussi révolutionnaire, était difficile à accepter pour le public de son époque. De plus, on croyait qu'elle ne pouvait s'accorder avec les Écritures saintes. Ces raisons empêchèrent Copernic d'exposer publiquement ses théories. C'est seulement vers la fin de sa vie que, poussé par ses amis et ses admirateurs, il fut amené à révéler avec beaucoup de réserves ses idées, et enfin à confier le manuscrit de son *De revolutionibus* à l'impression ; on rapporte que la première épreuve lui fut remise sur son lit de mort. Le manuscrit fut acheté en 1626 par le comte Nostitz, et ses descendants le conservent encore. La première édition est celle de Nuremberg, parue effectivement l'année de la mort de Copernic (1543) ; elle fut réimprimée en 1566 (à Bâle) avec une lettre de Rheticus, l'un de ses disciples, et en 1873 à Thorn par les soins de la « Societas Copernica Thorunensis » avec la *Narratio prima* de Rheticus. Une version polonaise se trouve dans l'édition de Varsovie de 1854, et une version allemande dans celle de Thorn de 1879. Les six livres du *De revolutionibus* contiennent les points essentiels suivants : la démonstration de la sphéricité de la Terre, du triple mouvement qui l'anime, la définition de la sphère céleste et les théorèmes sur les triangles sphériques, une énumération des constellations, la définition du jour et de sa durée, de la naissance et de la disparition des étoiles. L'auteur traite de la précession des équinoxes, donne les tables de la prostaphérèse, des signes équinoxiaux et de l'obliquité, ainsi que du mouvement du Soleil, du mouvement de la Lune et de ses anomalies ; enfin les tables des parallaxes du Soleil et de la Lune. Au sujet du mouvement de Saturne, de Mars, de Vénus, de Mercure et de Jupiter, il fournit les tableaux de leurs prostaphérèses et la détermination de leurs latitudes. Dans le dixième chapitre du premier livre, « De l'ordre des orbes célestes » [De ordine caelestium orbium], il démontre son hypothèse : « Au milieu de tout repose le Soleil. En effet, dans ce temple splendide, qui donc poserait ce luminaire en un lieu autre, ou meilleur, que celui d'où il peut éclairer tout à la fois ? Or, en vérité, ce n'est pas improprement que certains l'ont appelé la prunelle du monde, d'autres Esprit, d'autres enfin son Recteur. » Le système de Copernic n'est pas précisément le système héliocentrique qui est, aujourd'hui, reconnu comme la base même des découvertes de Kepler et de Newton : il admettait en effet les épicycloïdes pour donner la raison du mouvement elliptique, tandis que celles-ci n'étaient plus nécessaires pour représenter cette partie du mouvement qui dépendait uniquement du déplacement de la Terre autour du Soleil. Selon le système de Copernic, le centre de l'univers se trouvait dans le Soleil, lequel était immobile dans l'espace ; quant aux orbites circulaires qui étaient autour de lui, elles n'étaient pas parcourues par les planètes elles-mêmes, mais par le centre d'une petite circonférence le long de laquelle elles se mouvaient, animées d'un mouvement uniforme. Malgré cette erreur et d'autres imperfections, le fait que Copernic ait établi la doctrine du mouvement de la Terre, avec une telle évidence qu'elle fit abandonner l'illusion des sens, constitua un remarquable progrès dans la voie d'une connaissance exacte du système planétaire. Copernic fit revivre avec cette œuvre une ancienne idée, opposée aux préjugés et aux dogmes religieux de son époque, en s'appuyant sur des preuves nouvelles et sérieuses, bien que pas entièrement convaincantes. Il dédia son œuvre au pape Paul III pour ne pas être accusé d'éviter le jugement des hommes les plus compétents et les plus illustres, et parce que l'autorité du Saint-Père, s'il approuvait son hypothèse, pouvait le préserver des persécutions. – Trad. Presses universitaires, 1934 ; Blanchard A., 1987.

RÉVOLUTION SEXUELLE (La) [*The Sexual Revolution*]. Essai du psychanalyste et penseur d'origine autrichienne Wilhelm Reich (1897-1957), publié en 1945. Réfugié en 1939 aux États-Unis pour fuir l'Allemagne nazie, Reich s'est attaché à reprendre et à réunir, pour en donner une version américaine, divers écrits traitant des aspects pratiques, sociaux et politiques de la sexualité — en particulier « Maturité sexuelle, continence, morale conjugale » (Vienne, 1930), la « Crise sexuelle » (Paris, 1934), « La Sexualité dans le combat culturel » (Copenhague, 1936). Rien de comparable, dans ce recueil, aux développements psychanalytiques novateurs de *L'Analyse caractérielle* (1933), aux intuitions psychopolitiques fécondes de *La Psychologie de masse du fascisme* (1933) ; on est loin, de même, des amplifications lyriques ou philosophiques d'œuvres comme *L'Éther, Dieu et le diable* (1951), *La Superposition cosmique* (1951) ou *Le Meurtre du Christ* (1953). Si *La Révolution sexuelle* demeure cependant l'ouvrage le plus célèbre de Reich, et une référence majeure pour divers mouvements de contestation et de subversion de l'après-guerre, il le doit à la franchise, à l'audace et à la cohérence des revendications formulées par Reich et aux perspectives claires et concrètes qu'il ouvre.

Fidèle à ce qu'il estime être le principe de base de la psychanalyse (son premier ouvrage, *La Fonction de l'orgasme,* publié à Vienne en 1927, portait cette dédicace : « À mon maître, le professeur Sigmund Freud, en témoignage de profond respect »), Reich tient la libido, définie avant tout comme énergie sexuelle, pour l'élément constitutif déterminant de la structure humaine. Mais la libido, dans son effort pour parvenir à une forme heureuse d'équilibre rationnel, grâce à une capacité d'autorégulation qui lui serait inhérente, se heurte à des contraintes, des interdits, des modalités diverses de répression et de dérégulation qui, outre qu'ils entretiennent une véritable « misère sexuelle » dans le corps social, sont générateurs de toutes sortes de troubles : névroses, psychoses et « biopathies » diverses (*La Biopathie du cancer,* 1948).

Reich s'attaque tout particulièrement à ce qu'il nomme la « morale sexuelle conservatrice », source principale de répression et de refoulement de la pulsion sexuelle, par le biais surtout de son « appareil d'éducation » privilégié, la « famille autoritaire », qui exerce sur l'enfant, dès la naissance, une action répressive constante, brutale ou sournoise. Mais d'autres appareils sont aussi à l'œuvre : l'école, les organes et institutions d'État, les idéologies politiques et religieuses... Contre ce système à vocation et aux effets mortifères, Reich réclame que confiance et liberté soient accordées aux forces de vie que représente essentiellement à ses yeux la libido, et qui s'expriment par des revendications précises, telles que contrôle des naissances et liberté de contraception, reconnaissance de la sexualité chez l'enfant, information et liberté sexuelle des jeunes, suppression des mesures répressives frappant l'homosexualité, etc. Ainsi s'ouvrirait, affirme Reich, la voie vers un « nouvel ordre scientifique et rationnel de la vie ». – Trad. Plon, 1968. R. D.

RÉVOLUTION SURRÉALISTE (La). La revue qui parut sous ce titre le 1er décembre 1924 marquait la naissance officielle du plus grand mouvement poétique contemporain. Elle avait pour directeurs Pierre Naville et Benjamin Péret. D'aspect sévère, sans recherches typographiques, elle se voulait semblable à une publication scientifique et lançait cet appel aux lecteurs : « L'activité inconsciente de l'esprit semble n'avoir été explorée qu'à des fins discutables (psychologiques, médicales, métaphysiques, poétiques). La révolution surréaliste se propose de libérer absolument cette activité : il faut aboutir à une nouvelle déclaration des droits de l'Homme. » D'emblée, il ne s'agit donc pas d'apporter du nouveau dans la littérature mais du nouveau dans la vie. Il est d'ailleurs précisé que le lecteur trouvera des « chroniques de l'invention, de la mode, de la vie, des beaux-arts et de la magie », et rien qui ressortisse à l'activité littéraire proprement dite. La partie expérimentale est constituée par des récits de rêves et des textes automatiques. Une enquête est ouverte, qui pose la question fondamentale : « Le suicide est-il une solution ? » Le nº 2 est marqué par l'apparition des noms d'Artaud et de Leiris, par la publication des réponses à l'enquête, et par un manifeste : « Ouvrez les prisons, licenciez l'armée. » Composé par Artaud, le nº 3 demeure celui où s'est exprimée le plus violemment toute la révolte d'une jeunesse en butte aux vieilles institutions figées. Sous la conduite d'Artaud, le ton devient âpre, incisif, véhément, il n'hésite plus au bord de la poésie mais se durcit pour devenir « blessant ». Cinq courts manifestes en témoignent : Lettre aux recteurs des universités européennes, Adresse au pape, Adresse au Dalaï Lama, Lettre aux écoles du Bouddha, Lettre aux médecins-chefs des asiles de fous. À partir du nº 4 (juillet 1925), André Breton prend la direction de la revue. Il redoutait le « paroxysme » d'Artaud sous prétexte qu'il risquait d'épuiser trop vite les forces du mouvement et pensait qu'il fallait se préoccuper d'action positive plutôt que de « sommations ». En fait, une crise est ouverte qui pourrait se résumer ainsi : le surréalisme, qui veut révolutionner la vie, doit-il se joindre au parti communiste qui, sur un autre plan, poursuit un but semblable ? La crise ne cessera de se développer et finira par amener l'éclatement du groupe, mais le souci politique ne diminue pas l'activité spécifiquement surréaliste. Le dernier numéro de la revue (nº 12, 15 décembre 1929) marque le début d'une nouvelle phase d'activité créatrice avec l'adhésion au groupe de René Char, Luis Buñuel et Salvador Dali. Écrivains, et particulièrement doués, les surréalistes voulurent échapper à leur « vocation » pour être tout entiers à la « vie ». Dans son ensemble, *La Révolution surréaliste* permet de saisir sur le vif leur tentative de résoudre les contradictions et de l'écriture et de la vie ; elle est ainsi le fidèle reflet d'un moment capital dans l'évolution de l'« esprit moderne ».

RÉVOLUTION TRAHIE (La). Œuvre de l'homme politique russe Lev Davidovitch Trotski (Leiba Bronštein, 1879-1940), publiée en 1937. Cette œuvre ne peut être séparée de l'ouvrage fondamental de l'homme politique communiste : l'*Histoire de la Révolution russe* [*Istorija russkoj revoljucii*], publié à Berlin sous le titre *Geschichte der Russischen Revolution*, en deux volumes : *La Révolution de Février* [*Februar Revolution,* 1931] et *La Révolution d'Octobre* [*Oktober Revolution,* 1933]. Après avoir donné un tableau d'ensemble de la situation politique et économique russe dans la période immédiatement prérévolutionnaire, Trotski montre, corrélativement à la décadence des classes bourgeoise et aristocratique, le processus d'affirmation et de dépassement de soi de la classe prolétarienne ; dans cette période préparatoire de la Révolution, la prise de conscience par les masses laborieuses de leur oppression est, selon la leçon de Marx, décisive. Trotski insiste beaucoup sur ce point : tandis que la société bourgeoise tombait dans l'inertie et l'automatisme, « il s'accomplissait dans les masses ouvrières un processus spontané et profond, non seulement de haine grandissante contre les dirigeants, mais de jugement critique sur leur impuissance, d'accumulation d'expérience et de conscience créatrice ». Dans le premier volume de son *Histoire, La Révolution de Février,* il donne aux masses non dirigées et organisées l'initiative du soulèvement : les 90 000 ouvriers anciens combattants qui, en se révoltant, ouvrirent le premier acte de cette révolution surprirent par leur action aussi bien les chefs d'extrême gauche que les classes dirigeantes, absorbées par la conduite de la guerre. Faute d'avoir à leur tête un groupe organisé, ces troupes durent attendre huit mois pour prendre le pouvoir — délai qui fut employé à la formation de cadres révolutionnaires expérimentés. Les journées d'octobre, dans ces conditions, n'apparaissent plus que comme l'éclatante confirmation d'une victoire, déjà lentement acquise dans les mois précédents. Et les dernières pages du livre, qui évoquent le triomphe de la Révolution, sont naturellement centrées autour de Lénine, dans lequel Trotski voit « l'homme sorti de la terre », gigantesque solitaire, mais vivante expression de l'âme russe. Écrite après la rupture de Trotski avec les nouveaux chefs du communisme, l'*Histoire de la Révolution russe* est marquée par les rancunes personnelles de l'auteur : exaltant la conscience spontanée des masses, et en cela s'opposant à Lénine, il tend quelque peu à diminuer l'action du parti bolchevik.

La Révolution trahie est, elle aussi, moins un ouvrage historique qu'une analyse politique de la Russie stalinienne, un livre de polémique, où le ton du pamphlet tient souvent lieu d'analyse. Étudiant les différents aspects de la Russie moderne et la nouvelle Constitution soviétique, Trotski reconnaît sans doute à l'U.R.S.S. de gigantesques réalisations industrielles et un effort agricole plein de promesses. Il n'en reste pas moins qu'elle demeure très en retard sur le monde capitaliste pour la technique et l'organisation. Surtout — et c'est la grande critique de Trotski — elle tend de plus en plus à ressembler au vieux monde capitaliste, le stalinisme ayant transformé l'État révolutionnaire en État bureaucratique, de type bonapartiste et plébiscitaire. L'auteur reconnaît d'ailleurs que des circonstances extérieures particulièrement difficiles (1924-1926) ont favorisé la naissance et la croissance de la nouvelle classe des bureaucrates, la Russie ayant été contrainte, après la défaite du prolétariat allemand, de vivre sur elle-même et d'adopter la célèbre politique économique connue sous le nom de N.E.P., nouvelle économie qui favorisa, selon lui, l'ascension de la bureaucratie. Le sort de la Russie communiste est intimement lié, pour Trotski, à celui de l'Europe et du monde : si le prolétariat mondial ne faisait, lui aussi, sa révolution communiste, il y aurait de fortes chances pour que le césarisme triomphât définitivement en Russie. Nous touchons ainsi à la question décisive dans le désaccord de Trotski et de Staline. Les plus vigoureuses pages de *La Révolution trahie* sont consacrées à montrer la nécessité de la Révolution à l'échelle du monde : sans une telle révolution, l'U.R.S.S. est amenée à conclure des traités avec le monde capitaliste, dont elle renforce ainsi la position. *La Révolution trahie* semble ainsi l'œuvre d'un esprit dont on admire la rigueur et le goût des solutions radicales mais qui, en dépit de sa constante préoccupation des faits, en reste souvent à des solutions toutes théoriques. — Trad. *Histoire de la Révolution russe,* Le Seuil, 1950 ; *La Révolution trahie,* Grasset, 1937 ; Plon, 1969.

REVOLVER À CHEVEUX BLANCS (Le). Recueil du poète français André Breton (1896-1966), publié en 1932. Dans la préface, après avoir exalté l'imagination, Breton décrit longuement la maison où il aimerait disposer pour ses amis autant de pièces mystérieuses qu'il est en chacun de sollicitations au rêve. L'essentiel de ce texte, qui est une prise de position importante, tient sans doute dans ces trois phrases clés : « Imagination n'est pas don mais par excellence objet de conquête. » — « Je dis que l'imagination... n'a pas à s'humilier devant la vie. » — « L'imaginaire est ce qui tend à devenir réel. » Le poète sera donc celui qui, ouvrant prophétiquement le réel à l'imaginaire, prendra la parole en disant : « Il y aura une fois... » (titre de cette préface et ses derniers mots). Si les poèmes qui forment ce recueil représentent pareils coups de sonde, c'est moins à travers le temps qu'à travers un « espace du dedans » où se cristallisent, en longues traînées de mots, des images révélatrices du paysage mental. La poésie est ainsi une façon d'explorer en soi-même quelque chose de plus vaste que soi, et de hanter ce carrefour où notre destin individuel croise le destin général. Breton, chaque fois qu'il lance un premier vers, entreprend un nouveau voyage : il prend le risque de se fier à l'imaginaire, et l'imaginaire relance au hasard le dé du langage pour faire surgir, parmi les chiffres de tant de mots rangés à la fin côte à côte, un sens qui crépite entre eux — quelque chose à lire infiniment entre les lignes et qui n'existerait pas sans elles, même si cela les dépasse ou en supporte mal le piège. Parfois il n'y a qu'images s'enchaînant, parfois ébauche de discours, comme dans « Les Attitudes spectrales » où le poète dit : « Je n'attache aucune importance à la vie / Je n'épingle pas le moindre papillon de vie à l'importance / Je n'importe pas à la vie / Mais les rameaux du sel les rameaux blancs / Toutes les bulles d'ombre / Et les anémones de mer / Descendent et respirent à l'intérieur de ma pensée / Ils viennent des pleurs que je ne verse pas / Des pas que je ne fais pas qui sont deux fois des pas / Et dont le sable se souvient à la marée montante... »

REVUE DE BELLES-LETTRES (La). À l'origine (sa fondation remonte à l'année 1877) minces fascicules mensuels publiés par des Sociétés d'étudiants de Suisse romande (de Lausanne, Genève, Neuchâtel et Fribourg), c'est à partir de 1914 que la revue débutera véritablement. Orientée soit vers le théâtre, la politique, la philosophie ou la poésie, au gré de ses directeurs successifs, elle connaîtra dans les années 20, grâce à Pierre Beausire, une période d'ouverture. Mais c'est en 1964 que la revue prendra son véritable essor et deviendra une publication débordant largement ses origines locales. Tour à tour dirigée par les poètes et écrivains : Pierre-Alain Tâche (1964-1968), Rainer Michael Mason (1968-1972), Florian Rodari (1973-1988) et Olivier Beetschen (depuis 1989), la R.B.L. se fera reconnaître par la richesse et la qualité de ses sommaires faisant appel aux meilleurs écrivains et critiques du moment. Certains cahiers spéciaux feront date : en 1972, Paul Celan, en 1981, Ossip Mandelstam, en 1975, Philippe Jaccottet, en 1976, Jacques Dupin, en 1991, Vladimir Holan et Jean Roudaut... En 1988, la R.B.L. a donné un cahier spécial, florilège qui résume bien les orientations et ouvertures esthétiques et poétiques de ces dernières années, on y trouve rien moins que les noms d'auteurs qui y écrivent plus ou moins régulièrement : Yves Bonnefoy, Jean Tortel, Philippe Jaccottet, Vladimir Holan, Pierre-Alain Tâche, Paul de Roux, Guy Goffette, Umberto Saba, Mario Luzi, Anne Perrier, Claude Esteban, Jacques Dupin, John E. Jackson, Lorand Gaspar, Jean Starobinski, André du Bouchet... Éditée avec soin, illustrée avec goût et recherche, la R.B.L. s'impose comme l'une des toutes premières revues de poésie de notre époque. F. W.

REVUE DE PARIS (La). Revue littéraire fondée à Paris en 1829 par le docteur Louis-Désiré Véron, dans l'intention de procurer aux jeunes écrivains l'audience d'un vaste public. Appréciée dès sa parution dans un cercle d'élite, elle fut le premier organe de la presse périodique à publier des romans, eut pour collaborateurs Benjamin Constant, Balzac, Musset, Casimir Delavigne, Lamartine, Vigny, Sainte-Beuve, Eugène Sue, etc., et offrit à ses lecteurs une sélection d'œuvres diverses, qui répondaient aux tendances littéraires de la génération nouvelle. François Buloz, directeur de *La Revue des Deux Mondes* (*), constatant le succès de *La Revue de Paris*, s'en assura la propriété (1834) et dirigea conjointement les deux revues. En 1845, *La Revue de Paris* interrompit sa publication ; elle reparut en 1851 sous l'impulsion d'un groupe où figuraient notamment Maxime Du Camp, Théophile Gautier et Arsène Houssaye. Mais, peu à peu, elle se transforma en organe politique de teinte démocratique et dut cesser de paraître en 1858, à la suite de l'attentat d'Orsini. Deux ans auparavant, la revue avait publié *Madame Bovary* (*) de Gustave Flaubert. *La Revue de Paris* reparut en 1894. Ses directeurs ont été successivement James Darmesteter, Louis Ganderax, Marcel Prévost et Ernest Lavisse, André Chaumeix, Marcel Thiébaut...

REVUE DES DEUX MONDES (La). Périodique littéraire, historique et artistique français. Le premier numéro de *La Revue des Deux Mondes* a paru pour la première fois à Paris, 12, rue de Bellechasse, le 1er août 1829. Elle venait d'être fondée par Prosper Mauroy et Ségur-Dupeyron. En 1830, elle absorbe *Le Journal des voyages,* est acquise par l'imprimeur Auffray qui s'adjoint pour collaborateur un Savoyard de 27 ans, François Buloz. Celui-ci devient rédacteur en chef en février 1831 et, dès juillet, la revue publie deux livraisons par mois. Sous l'habile direction de Buloz, la revue rassemble tous les auteurs célèbres. Chateaubriand, Lamartine, Stendhal, Dumas père, Hugo, Balzac, Marceline Desbordes-Valmore y collaborent. Alfred de Vigny, George Sand, Alfred de Musset, Mérimée, Sainte-Beuve, Gérard de Nerval, Théophile Gautier y révèlent le meilleur de leur talent. En 1855, elle publie vingt-sept pages de vers d'un inconnu qui est Baudelaire. Jetant un pont entre la France et l'étranger, elle révèle dès 1855 Ivan Tourgueniev, demande des articles sur l'Amérique à Fenimore Cooper ; sur l'Italie à la princesse Belgiojoso, à Ferrari ou au ministre Mateucci ; sur la Pologne au prince Czartorisky, à Julien Klaczko ou à Michel Podczasyndki ; sur les principautés moldovalaques au prince Nicolas Bibesco. Elle publie des romans de Dora d'Istria, des vers de Heinrich Heine, des récits de Th. Bentzon, Bret Harte, Willie Collins. Ses tables des matières prouvent que rien de ce qui compte dans le monde ne lui échappe. Le 15 septembre 1865, quarante ans avant les premiers envols contrôlés, Edgar Saveney publie un remarquable article sur *L'Aviation et les aviateurs.* En 1877 Charles Buloz, qui succède à son père, publie Eugène Fromentin, Leconte de Lisle, Victor Cherbuliez, Octave Feuillet. Taine, Fustel de Coulanges, Victor Duruy, Gaston Boissier y rénovent les études historiques. Melchior de Voguë fait connaître ici à l'Europe la littérature russe. Heredia publie des sonnets qui formeront *Les Trophées* (*). Brunetière devient directeur en 1894. Les romanciers ou conteurs sont alors Ludovic Halévy, Anatole France, Guy de Maupassant, Paul Bourget, René Bazin ; les historiens : Albert Sorel, Joseph Bédier, Albert Vandal, Frédéric Masson. De 1906 à 1915, sous la direction de Francis Charmes puis, de 1916 à 1937, sous celle de René Doumic, une nouvelle génération fait son apparition aux sommaires, avec les noms de Pierre Loti, Maurice Barrès, Henri de Régnier, Gérard d'Houville, René Boylesve, Henry Bordeaux, François Mauriac, Anna de Noailles, Gabriele D'Annunzio, Kipling, Édith Wharton, Joseph Conrad. *La Revue des Deux Mondes* est encore une institution prestigieuse. Au cours des décennies suivantes, elle s'écartera de plus en plus de la littérature vivante et ne sera plus enfin qu'un titre illustre du passé.

REVUE D'HISTOIRE LITTÉRAIRE DE LA FRANCE. Cette publication trimestrielle est l'organe de la « Société d'histoire littéraire de la France ». Elle paraît depuis 1894, avec une éclipse de sept années (1940-1946). C'est par excellence la grande revue universitaire française. Dès l'origine, elle a appliqué dans tous ses travaux une méthode rigoureusement scientifique, devenant ainsi un incomparable instrument de recherche et de culture. S'inspirant d'une tradition toute de prudence, son conseil d'administration comprend des membres de l'Institut, des professeurs de l'enseignement supérieur (Sorbonne et Collège de France) et de l'enseignement secondaire, ainsi que des hommes de lettres. Dans le domaine de l'érudition et de la critique des textes, la *Revue d'histoire littéraire* poursuit, en l'adaptant aux exigences des méthodes modernes, l'effort de ces grands « antiquaires » que furent, aux XVIe et XVIIe siècles, les bénédictins de Saint-Maur et l'Académie des inscriptions. Cette constance d'un même esprit scientifique se reflète dans l'unité de son aspect, qui n'a guère changé depuis le temps où elle avait pour animateurs Gaston Boissier, Ferdinand Brunot, Arthur Chuquet et Gustave Lanson, et où le Sommaire de la revue était réparti comme suit : un certain nombre d'articles de fond, une série de documents, communications érudites et contributions diverses, des comptes rendus quelque peu austères mais d'une grande précision technique, maintes notices littéraires et bibliographiques, une tribune des lecteurs, avec demandes et réponses ; puis ces autres rubriques : revue de la presse périodique, comptes rendus des livres nouveaux, ventes d'autographes, etc.

REVUE EUROPÉENNE (La) (1923-1930). Directeur : Philippe Soupault (1897-1990). Comité de direction : Edmond Jaloux, Valery Larbaud, André Germain, Philippe Soupault. Éditeur : Simon Kra (éditions du

Sagittaire). En même temps paraissait une série d'ouvrages dans la « Collection de la Revue européenne ». Au sommaire du premier numéro (1er mars 1923) : « Lettres inédites » de Dostoïevski ; « Souvenirs de la vie littéraire » de Maxime Gorki ; « Jean Giraudoux » par Edmond Jaloux ; « Inauguration d'une nouvelle ligne » par Valery Larbaud ; « Poèmes » par François Mauriac ; « Le Sergent de ville » par Drieu la Rochelle ; « Gaurisankar » par Joseph Delteil ; Chroniques ; Romans, Poèmes, Music-hall ; Lettres anglaises ; Lettres allemandes ; Lettres russes. Les chroniques du mois : analyse et critique des ouvrages littéraires parus le mois précédent par Delteil, Soupault, Émile Dermenghem, Mathias Lubeck, Marcel Arland. Dans son article, « Inauguration d'une nouvelle ligne », Valery Larbaud tente de souligner la différence entre la Critique et l'Histoire littéraires : « Ce que je reproche aux manuels, c'est de mêler l'histoire littéraire, qui est science, à la critique, qui est art. C'est de traiter littérairement un sujet purement scientifique [...] Y a-t-il moyen de mettre fin à ces erreurs possibles ? Et quel serait ce moyen ? Nous l'entrevoyons. C'est la forme qu'il faut changer. Il faut renoncer à la forme littéraire. À un sujet scientifique, il faut une forme scientifique. Plus de discours, plus de dissertation, plus de critique... » *La Revue européenne* est l'une des meilleures revues de l'entre-deux-guerres et peut-être la seule à montrer une telle diversité et une telle clairvoyance (grâce à Philippe Soupault pour les écrivains surréalistes et à Valery Larbaud pour les écrivains étrangers). Les sommaires devaient particulièrement illustrer le titre de la revue, qui entretenait des tendances fort modernistes, puisque le lecteur trouvait régulièrement les plus grands noms des littératures étrangère et française : Tagore, Asturias, Virginia Woolf (« Rêverie sur un mur »), « Brecht (« Légende du soldat mort »), Wedekind, Sherwood Anderson (« L'Œuf »), Rilke (« Sonnets à Orphée »), Ortega y Gasset (« L'Origine sportive de l'État »), Gorki (« Petite ville »), Chesterton, Thomas Mann ; des essais : Michael Stuart, « James Joyce au travail », une introduction à *Work in Progress*, c'est-à-dire à *Finnegans Wake* (*) en élaboration ; Philippe Soupault : « Isidore Ducasse, comte de Lautréamont » ; René Lalou : « Le Koubla Khan de Coleridge » ; Geneviève Bianquis : « Jean-Paul Richter » ; W. B. Yeats : « Oscar Wilde » ; des articles de Marcel Brion sur Else Lasker-Schüler, de Valery Larbaud sur William Carlos Williams ; des poèmes de E. E. Cummings, Gottfried Benn, A. Blok, Ernst Toller ; des textes de Milosz, Jouve, Tzara, Vitrac, Valéry, Aragon – *Le Paysan de Paris* (*) –, Breton, Reverdy, Cendrars, et dans certains numéros des articles nerveux, tendus, courts à l'extrême, signés H. M. (Henri Michaux).

REVUE UNIVERSELLE (La) (1920-1934). Revue bimensuelle dirigée par l'essayiste français Jacques Bainville (1879-1936). Rédacteur en chef Henri Massis. Au lendemain de la Première Guerre mondiale, de nombreux écrivains français signent un programme dont les idées essentielles étaient les suivantes : refaire l'esprit public en France par les voies de l'intelligence ; tenter une fédération intellectuelle du monde par la pensée française. Une revue générale se devait de réaliser ce programme en participant à la réorganisation économique et intellectuelle de la France. Et dès le premier numéro (avril 1920), *La Revue universelle* se proposait un programme d'une impressionnante densité. Aussi bien par le choix de ses collaborateurs, de ses critiques (Ghéon, Dumézil, Jaloux, Kemp, Le Cardonnel) que par les articles qui composent ses numéros, la revue semblait convenir à une élite intellectuelle. Les travaux littéraires, philosophiques, historiques, politiques des écrivains de la renaissance intellectuelle et nationale faisaient l'objet d'études et ses idées s'annonçaient comme devant entrer pour une partie active dans la préparation du nouvel ordre mondial. Avoir une doctrine et l'exposer, enseigner et renseigner, tel était son programme que ses débuts réalisèrent et qui firent bien augurer de son avenir. « *La Revue universelle*, écrivait Thibaudet, est fondée pour exposer les idées françaises et pour les faire rayonner au-dehors ; elle ne sépare pas les deux tâches, ses directions apparaissent clairement et font prévoir une œuvre intéressante et utile, belle en soi et qui après notre victoire devait absolument être faite. »

RHADAMISTHE ET ZÉNOBIE. Tragédie en cinq actes du poète tragique français Prosper Jolyot de Crébillon (1674-1762), représentée en 1711 et considérée comme le chef-d'œuvre de l'auteur. Composé selon le plus mauvais goût du temps, c'est un mélange d'horreurs, voilées de ce qu'en langage juridique on nommerait circonstances atténuantes. Zénobie, fille du roi d'Arménie, Mithridate, a été fiancée à son cousin Rhadamisthe, fils de Pharasmane, frère de Mithridate. Les deux frères se sont cependant querellés et Mithridate a refusé son consentement au mariage. Rhadamisthe, furieux, a tué Mithridate et enlevé Zénobie, qu'il a par la suite poignardée et jetée dans le fleuve Araxe. C'est ici le début de la tragédie, et ces événements antérieurs font l'objet d'une longue exposition. Mais Zénobie, qui n'est pas morte, est prisonnière sous le nom d'Isménie à la cour de Pharasmane et est aimée de celui-ci et de son fils Arsame, lesquels ignorent qu'elle est respectivement leur belle-fille et belle-sœur. Survient Rhadamisthe passé au service des Romains et devenu leur ambassadeur ; il n'est reconnu ni de son père ni de son frère. Il retrouve Zénobie, et son amour se réveille plus furieux que jamais. Il se fait reconnaître de sa femme, et celle-ci, attachée à son devoir plutôt qu'à l'amour, puisque désormais elle aime Arsame, promet de le suivre n'importe où. Rhadamisthe et Zénobie fuient, Pharasmane les poursuit et tue celui qui lui ravit la femme aimée. Quand il vient à savoir qu'il a tué son fils, il cède Zénobie à Arsame et les prie de s'éloigner pour ne pas faire renaître en lui la jalousie. L'ambiguïté de ce mélodrame, qui marque bien le passage entre le théâtre tragique du XVIIe siècle et celui de Voltaire, réside surtout dans la recherche voulue de l'atroce, gardant cependant aux personnages une conscience morale conventionnelle, qui ne suffit pas à leur donner une véritable humanité. La situation de Zénobie, disputée par le père et les deux fils, a été suggérée à Crébillon par celle de Monime dans *Mithridate* (*) de Racine.

RHAPSODIE DES CARPATES [*Kárpati rapszódia*]. Roman de l'écrivain hongrois Béla Illés (1895-1974), écrit entre 1937 et 1939, durant l'émigration de l'auteur en Union soviétique ; publié en 1941, le jour du déclenchement des hostilités entre l'Union soviétique et l'Allemagne. L'œuvre, en trois tomes, expose la tragédie hongroise de 1918-20. Elle débute à la fin du siècle dernier et brosse un vaste tableau de la Hongrie d'avant 1914. L'action se passe surtout en Russie subcarpatique, province appartenant tour à tour à la Hongrie et à la Tchécoslovaquie et peuplée de Russes, de Hongrois, de Juifs et de Tchèques, image même de la monarchie austro-hongroise et de son caractère multinational. Les deux personnages principaux du roman sont deux amis : Géza Bálint, intellectuel révolutionnaire hongrois, à plusieurs égards l'autoportrait de l'auteur, et Mikola Petruchevitch, ex-bûcheron ruthène, devenu chef de l'insurrection populaire. Le destin des autres personnages du roman est lié à celui des deux héros : ce sont les « hommes de la forêt », bûcherons et paysans ruthènes, hongrois ou juifs, les aventuriers de la politique et des affaires, prophètes, agents secrets, militaires, etc. Illés campe ses personnages avec un art remarquable, non sans une certaine veine grotesque, d'ailleurs traditionnelle dans la littérature hongroise. Toute l'œuvre est composée sur un mode ironique. « La monarchie des Habsbourg s'est écroulée, écrit l'auteur dans sa conclusion, mais les problèmes économiques et ethniques n'en étaient pas pour autant résolus. »

RHAPSODIES. Recueil de poèmes de l'écrivain français Pétrus Borel (1809-1859), dit le Lycanthrope, publié en 1832. Dès ce premier livre, la figure de l'écrivain, alors tout jeune, apparaît comme définitivement fixée dans une attitude excentrique qui surprit ses contemporains, sans cependant lui valoir d'emblée l'immortalité. Romantique de la première heure, Pétrus Borel, chef de file des poètes maudits, ne l'est pas moins dans sa vie que dans son œuvre, et ses chants il les compare à la bave qui annonce le gazouillis sur les lèvres de l'enfant, ou encore à ces scories que le métal rejette en bouillonnant dans le creuset. Pauvre et fier, Borel proclame sa foi républicaine : n'est-il pas le Lycanthrope (c'est-à-dire l'homme-loup) assoiffé d'une liberté sans limite ? Scandé avec vigueur, son vers charrie cependant nombre d'images puériles ou outrancières. Si les poèmes que lui inspire la haine politique (son hymne au poignard dans « Sanculottide ») sont assez faibles, Pétrus excelle à chanter les êtres qui lui sont chers : son frère mort, ses amis, ses compagnons d'idéal, tous ceux qui viennent au secours de sa misère, ou que malmène une critique stupide et injuste. Parfois, il promène les fantômes de la désillusion, de la vengeance et de la mort parmi les tombes. En de rares occasions, cependant (« Agarite »), le poète voile sa détresse d'un sourire malicieux. Mais le véritable héros des *Rhapsodies*, c'est en définitive Pétrus lui-même, dans sa solitude qui tantôt le comble d'orgueil et tantôt lui arrache des gémissements : alors il jette un regard d'envie au pistolet libérateur, ou rêve en vain d'une ondine aux yeux bleus qui se languirait d'amour. À moins qu'il n'exprime la souffrance de l'homme égaré en plein désert, ou de cet autre qui a faim et réclame sa part de soleil (« Désespoir », « Isolement », « Hymne au soleil », « L'Aventurier »). Si, dans sa mansarde, le poursuit l'importune rumeur d'un clavecin, il compare les joies de ce monde au triste plaisir d'une foule qui danse devant un bûcher (« Doléance »). Rappelons enfin ces ultimes strophes où Pétrus Borel peut se vanter de n'avoir nourri son Pégase de nul grain qui n'ait d'abord germé en son âme (« Léthargie de la Muse »).

RHAPSODIES HONGROISES. Dix-neuf pièces pour piano du compositeur hongrois Franz Liszt (1811-1886). Selon une opinion communément répandue, le compositeur aurait songé à ces rhapsodies à l'époque où, en tant que pianiste, il avait remporté, en Hongrie, un éclatant succès — c'est-à-dire entre 1839 et 1840. Leur composition toutefois se situe de 1840 à 1853 pour les quinze premières (en ut dièse mineur ; fa dièse, si bémol ; ré mineur ; fa dièse mineur ; mi bémol, dite « Carnaval de Pesth » ; mi majeur ; la mineur ; ut dièse mineur ; la mineur ; fa mineur ; ut dièse mineur ; fa mineur ; la mineur, dite « Marche de Rákóczi ») et en 1880 pour les quatre dernières (en la majeur ; si bémol ; fa dièse et ré mineur). Le recueil comprend en outre une *Rhapsodie espagnole*, également composée en 1880. À son retour dans sa patrie, Liszt avait été accueilli et acclamé comme un héros national, et ses concerts étaient devenus de véritables événements musicaux, qui déchaînaient l'enthousiasme populaire. Liszt, de son côté, avait retrouvé, avec une vive émotion, les aspects musicaux caractéristiques de son pays ; il s'était tout particulièrement attaché à la musique tzigane (qui devait, en plus des *Rhapsodies*, lui inspirer le poème symphonique *Hungaria*). Leur instrumentation savante, leurs thèmes tour à tour brillants ou sentimentaux ont valu aux *Rhapsodies hongroises* une immense popularité qui, pour méritée qu'elle soit, est tout au détriment des nombreux autres morceaux, plus remarquables encore, du compositeur. Ainsi que Liszt l'a lui-même indiqué dans son ouvrage intitulé *Des Bohémiens et de leur musique en Hongrie* (1859), les *Rhapsodies* entendent être une espèce d'épopée nationale de la musique tzigane. Le titre de *Rhapsodies* a été choisi par Liszt afin de « désigner l'élément fantastiquement *épique* [...] l'expression de certains états d'âme dans lesquels se résume l'idéal d'une nation ». En ce qui concerne l'épithète de « hongroises », qui paraît peu compatible avec l'idée de « nation » tzigane, Liszt explique : « Nous avons nommé en outre ces rhapsodies *hongroises*, parce qu'il n'eût pas été juste de séparer dans l'avenir ce qui ne l'avait pas été dans le passé. Les Magyars ont adopté les Bohémiens pour musiciens nationaux [...] La Hongrie peut donc, à bon droit, réclamer comme sien cet art qui se lie aux plus intimes, aux plus doux souvenirs de chaque Hongrois. » Ce commentaire est loin d'avoir satisfait tous les Hongrois : nombreux sont ceux qui, par la suite, reprochèrent à Liszt de confondre Magyars et Tziganes. Mais, pour Liszt le romantique, la chose n'avait qu'une importance toute relative ; il avait été séduit par la richesse mélodique et la variété des rythmes de la musique tzigane, la liberté de sa forme, la fantaisie incroyable de ses improvisations. C'est ce qui explique que les *Rhapsodies hongroises*, vraisemblablement conçues par Liszt comme de simples transcriptions, devinrent des compositions originales, dans lesquelles la fantaisie du musicien crée, autour de thèmes tziganes, une ornementation sonore d'une extrême variété.

RHAPSODIES ROUMAINES. Ce sont les partitions les plus connues mais pas les plus représentatives du compositeur roumain Georges Enesco (1881-1955). Ces œuvres illustrent avec bonheur des motifs folkloriques originaux selon des principes énoncés par Enesco : juxtaposition, et non point transformation de ces éléments, leur seule amplification possible étant celle de la progression dynamique, par leur reprise, leur répétition et de puissants effets orchestraux. En d'autres termes, Enesco prétendait tirer l'inspiration du chant populaire, tout en en respectant scrupuleusement la forme et l'expression originales. Les motifs, chants et danses utilisés pour l'élaboration de ces rhapsodies présentent un caractère oriental marqué car le folklore roumain est beaucoup moins influencé par le voisinage des peuples slaves que par des traditions venues de l'Égypte et même des Indes, amenées par d'anciens peuples, aujourd'hui désignés comme « Tziganes ». La première *Rhapsodie*, en la majeur, est plus souvent exécutée que la seconde. Elle débute par un solo de clarinette en forme d'improvisation, à quoi répond le hautbois, auquel se joignent bientôt les autres instruments à vent, puis les cordes. Ils se partagent un thème bientôt pris dans un mouvement accéléré. Un second thème, d'une grande ampleur mélodique, est énoncé par les cordes, repris par l'alto solo, cependant que des rythmes de danses roumaines sont entendus à l'accompagnement. Un long trille de l'orchestre introduit une danse vive, suivie d'une sorte d'improvisation à la flûte, que soutiennent d'énergiques motifs rythmiques. L'allure croît vertigineusement. D'autres motifs de danses populaires se succèdent, aboutissant à un tutti endiablé. Après un bref silence, la clarinette énonce une joyeuse mélodie orientale, que soutiennent des rythmes énergiques. La rhapsodie s'achèvera brutalement sur un vigoureux tutti. La seconde *Rhapsodie*, en ré majeur, moins colorée, contraste totalement avec la première. À part une petite danse paysanne confiée à l'alto solo, elle fait surtout appel à des thèmes nostalgiques. Les deux partitions furent données en première audition en 1901, à Bucarest, sous la direction du compositeur.

RHAPSODIE SUR UN THÈME DE PAGANINI. Œuvre pour piano et orchestre (op. 43) du compositeur russe Serge Rachmaninov (1873-1943), écrite et créée en 1934. La partition se compose d'une série de vingt-quatre variations sur le thème du *Caprice pour violon n° 24* de Paganini, en contrepoint duquel se profile le thème grégorien du *Dies irae,* cher à Rachmaninov puisqu'on le retrouve dans une demi-douzaine de ses œuvres. Page de grande virtuosité, la *Rhapsodie* constitue une sorte de cinquième concerto dans la production du musicien russe, riche d'une imagination et d'un sens évocateur trop rares dans les concertos, parfois trop lyriques et propices aux effusions sentimentales. A. Pâ.

RHAPSODY IN BLUE. Rhapsodie pour piano et orchestre du compositeur américain George Gershwin (1898-1937). Écrite en 1924, c'est la première œuvre solide avec laquelle l'auteur abandonna le succès facile des comédies musicales du cinéma et des « revues » en s'efforçant d'intégrer les caractéristiques rythmiques, instrumentales et thématiques du « jazz » aux modes savants de la musique européenne, en l'occurrence le poème symphonique à la façon de Strauss. Malheureusement, quelque chose de l'emphase et de la mégalomanie instrumentale du modèle est passé dans l'imitation américaine, étouffant en partie la fraîcheur et la pureté des éléments du jazz. « Blue » est une expression américaine signifiant tristesse, nostalgie ou mélancolie ; ce sentiment caractéristique a donné naissance à un thème de danse et de chant populaire non moins caractéristique, dont s'est inspiré Gershwin lorsqu'il a voulu célébrer la vie intense et tumultueuse des métropoles, des foules laborieuses, le vacarme des grandes avenues au pied des gratte-ciel, l'insatisfaction et la tristesse réprimées de l'individu perdu dans la foule. Phénomène typiquement américain : le sentiment éclôt, ténu et délicat, sur un sol de ciment et d'asphalte, dans la rigidité géométrique de la vie moderne. Musicalement, cette œuvre se compose de divers éléments : les cris insolents d'une instrumentation de jazz multicolore, attirante par la banalité de son allégresse bruyante et facile ; le repliement élégiaque et désolé sur la nostalgie des archets et des saxophones ; et, au fond de tout cela, le rythme obstiné et frénétique du jazz, comme le piétinement d'une foule énorme et affairée. Il ne s'agit donc pas d'une œuvre légère ou burlesque, ainsi que pourrait le laisser croire son aspect extérieur particulièrement brillant ; mais d'une œuvre profondément sentie, exprimant en partie la tragique contradiction de la vie moderne dans les grandes capitales, constructions arides de ciment et d'acier.

RHÉTORIQUE d'Aristote [*Τέχνη ῥητορική*]. Œuvre attribuée au philosophe grec Aristote (384-322 av. J.-C.). Sur l'art de l'orateur, deux œuvres prétendues d'Aristote nous on été conservées : la *Rhétorique à Alexandre* (*), attribuée à Anaximène de Lampsaque, mais qu'il faut peut-être reporter au commencement du IIIe siècle av. J.-C., et qui est certainement l'œuvre d'un compilateur postérieur à Aristote, et la *Rhétorique,* en trois livres. On a contesté l'authenticité du troisième livre, qui effectivement semble mal rattaché aux précédents. Mais, aujourd'hui, on l'a rendu à Aristote. L'œuvre doit avoir été écrite entre 329 et 323. Elle fait partie des écrits « acroamatiques », destinés au seul public des étudiants, et représente sans doute le commentaire de leçons faites par Aristote sur ce sujet. D'abord celui-ci définit les caractères de son entreprise : elle ne sera pas un nouveau manuel de rhétorique, comme il y en a tant, qui se contentent d'enseigner les artifices susceptibles de réveiller les passions des juges et de séduire les esprits, sans s'occuper pourtant de l'« enthymême » (qui est pour Aristote l'argumentation sans fondement certain). De plus, les auteurs précédents ne s'occupaient que de l'art de l'avocat et négligeaient celui du politique. La *Rhétorique,* au contraire, veut donner les moyens techniques qui permettent tous les genres oratoires, ceux qui conviennent aux exigences psychologiques, morales et intellectuelles de tous les auditoires et qui se servent pour cela des enseignements d'une morale et d'une psychologie préalablement bien fondée. Quant à l'objection possible que la rhétorique peut être inutile, voire nuisible, Aristote la combat en observant que l'art de bien parler a le mérite de permettre à l'homme de concourir de la meilleure façon à la défense de la justice et du bien contre les artifices de l'injustice. Qu'on puisse mal user de la rhétorique est bien entendu possible. Mais de quoi ne peut-on mal user ? Étant donné la définition de la rhétorique comme moyen, non tant de persuader que d'étudier — ce qui permet dans chaque cas d'entraîner l'assentiment de l'auditeur —, Aristote distingue trois genres fondamentaux de l'art oratoire : judicaire, délibératif, épidictique. Puis il classe les façons de persuader ou « preuves », communes aux trois genres, en « techniques » et « non techniques », « logiques et objectives », « morales et subjectives ». De celles qui sont non techniques, il parle peu, parce qu'elles lui paraissent étrangères à la véritable rhétorique. Il s'agit des témoignages, confessions, déclarations que l'on apporte à l'orateur pour faciliter sa tâche : ce sont des éléments ajoutés. Les preuves techniques, au contraire, sont partie intégrante de l'art de la rhétorique, et Aristote en parle longuement dans les deux premiers livres. Elles sont la trouvaille de l'auteur et forment le noyau de l'argumentation. Nous citerons seulement les plus importantes : l'« enthymême », raisonnement déductif équivalant au syllogisme de la dialectique, et l'« exemple », raisonnement inductif, qui convient particulièrement aux genres délibératif et épidictique. Parmi les preuves morales, notons : le caractère de l'orateur, c'est-à-dire l'impression, parfois décisive, qu'il sait produire par ses propres qualités morales sur l'auditoire ; et la bonne ou mauvaise disposition de l'auditoire, strictement déterminée par les passions et les sentiments, et que l'orateur sait créer par sa parole. À ce propos, Aristote analyse avec beaucoup de finesse les sentiments fondamentaux de l'homme. Puis il donne des conseils sur le bon emploi, selon le lieu, l'auditoire, les circonstances, de tel ou tel des arguments. Le troisième livre ouvre la voie à la *Poétique* (*). Il traite de la présentation du discours, de la voix, du geste. Le passage sur les parties du discours (exorde, narration, péroraison) est particulièrement important. La *Rhétorique* a libéré l'art de parler de l'asservissement dans lequel Platon le tenait, eu égard à la morale et à la philosophie. Elle cesse d'être l'instrument de la démonstration pour devenir un art indépendant. — Trad. Les Belles Lettres, 1938.

RHÉTORIQUE de Fichet [*Rhetorica*]. Traité de l'écrivain français Guillaume Fichet (1433-1480 ?), docteur en Sorbonne et recteur de l'université de Paris, publié dans cette ville en 1471. Il marque une date importante dans l'étude des rapports des lettres françaises avec l'humanisme italien. Guillaume Fichet, poursuivant l'œuvre de Nicole de Clamanges qui avait remis à l'honneur l'enseignement de la rhétorique dans les écoles de France, accentue encore, dans cet ouvrage, l'éloge d'une tradition culturelle indispensable à la civilisation française. À l'étude strictement grammaticale des œuvres de l'Antiquité, Fichet entend substituer une culture humaine qui tienne un plus grand compte du réel, de la vie, et suscite une ardeur nouvelle pour les grandes méditations du passé. Fichet préconise notamment une meilleure connaissance des doctrines de Platon ; il tient que la rhétorique n'est pas seulement l'art du bien parler, mais aussi celui de former l'esprit, de se familiariser avec la pensée des Anciens et, grâce à eux, de mieux comprendre les valeurs morales et les nécessités politiques. Les idées très nettes de Guillaume Fichet sur le souhaitable épanouissement d'une culture française rénovatrice ont été reprises par son disciple Robert Gaguin ; il les a développées dans différentes épîtres adressées à des savants et à des princes (notamment au cardinal Bessarion et au pape Sixte IV).

RHÉTORIQUE À ALEXANDRE [Ρητορικὴ πρὸς Ἀλέξανδρον]. Ouvrage de rhétorique qui nous a été transmis avec les œuvres d'Aristote, mais certainement antérieur à ces dernières et attribué au rhéteur grec Anaximène de Lampsaque (IVe siècle av. J.-C.), disciple du rhéteur Zoïle et de Diogène, précepteur d'Alexandre le Grand, qu'il suivit en Asie. L'éloquence est classée par l'auteur en deux genres (populaire et judiciaire) et en sept espèces, les six premières formées de couples contradictoires et visant à persuader et dissuader, accuser et défendre, rechercher les mobiles et examiner les conséquences des faits. L'auteur étudie les moyens internes et externes aptes à prouver les affirmations de l'orateur, les caractères formels de l'éloquence, les principes essentiels de la composition, les divisions du discours. L'ensemble est complété par deux appendices : le deuxième, constitué par des sentences éthico-politiques, traite en grande partie de l'ouvrage lui-même et peut être tenu pour une compilation postérieure. Cet ouvrage, qui a ses sources dans les orateurs attiques, présente quelques points communs avec la logique aristotélicienne tout en lui demeurant nettement inférieur, l'absence d'une solide base philosophique se faisant sentir chez l'auteur. Toutefois, malgré l'absence de rigueur logique, l'ouvrage suit un certain ordre ; son but est d'enseigner et de persuader à tout prix.

RHÉTORIQUE À HÉRENNIUS [*Rhetorica ad Herennium*]. Traité de rhétorique en quatre livres, attribué à divers auteurs latins comme Cornificius ou, à tort, Cicéron. Composé à Rome en 85 av. J.-C., il est dédié à un certain Hérennius dont on ne sait rien. L'auteur traite des cinq parties de la rhétorique : invention (livres I et II), correspondant aux deux livres *De l'invention* (*) de Cicéron ; disposition, prononciation, mémoire (livre III) ; élocution (livre IV), et des trois genres oratoires : judiciaire, délibératif et démonstratif. Le traité, qui porte la marque de l'école de Rhodes où Cicéron avait reçu l'enseignement du rhéteur Apollonius, révèle un constant souci de substituer au grec la terminologie latine. – Trad. Les Belles Lettres, 1989.

RHÉTORIQUE FABULEUSE. Recueil d'essais de l'écrivain français André Dhôtel (1900-1991), publié en 1983. En Afrique du Sud, un savant découvre que certains arbres, des acacias, s'adressent des signaux tanniques d'une telle intensité que cela leur permet de déployer une stratégie stupéfiante. Nous sommes en pleine rhétorique fabuleuse. Ainsi la rhétorique, « art de bien dire » selon de benoîts lexiques rompus à la tautologie, se trouve-t-elle soudain dotée dans le monde végétal d'une efficacité supérieure. Voilà qui doit remplir d'aise Stanislas Peucédan, ce philosophe « attentif au sujet de la conversation et soucieux d'éviter qu'elle fût dirigée dans un sens déterminé ». Mais sans doute ajouterait-il qu'ici encore nous cherchons à « ramener (le monde) à un ordre idéal ». Or, « il n'y a pas de monde sans un autre monde qui donne vie aux images les plus singulières et les plus nécessaires ». Il suffit de regarder « autrement », de voir sous un « autre jour », ou « d'entendre le logos », comme dit Philippe Barthelet à propos des présocratiques. Ce que Dhôtel dénonce par le truchement de ce philosophe passionné d'a-philosophie qu'est le bonhomme Peucédan, c'est la conviction d'une possible connaissance « rationnelle » de l'univers. Alors que la science est fondée sur un postulat sinon réducteur, du moins unificateur, de « convergence », l'univers n'est tissé que d'une infinité de divergences, il est le lieu de tous les paradoxes et de toutes les surprises. « Rien, dit Peucédan, n'est assuré que la *présence*, et toute présence digne de ce nom est inexplicable à l'infini. » « L'univers d'alentour n'est pas formé d'objets délimités une fois pour toutes » (ce qu'enseigne la logique formelle), mais de « *réseaux* de différentes natures qui font que le monde serait fait de plusieurs dessins, disons de plusieurs mondes, dont certains sont pour nous inconcevables ou célestes, mais parfois visibles et sensibles comme l'arc-en-ciel... » Que l'on ne s'y trompe pas, Dhôtel n'est ni farfelu ni naïf, et sa pensée d'un « autre monde » (qui n'a rien à voir avec le paradis des religions) trouve de troublants échos dans les mathématiques non euclidiennes, et paraît illustrer comme par mégarde, mais avec une étonnante prescience, la théorie des quanta.

Les critiques n'y ont rien vu, bien sûr. Car la critique a besoin de références à des systèmes, et rien n'est moins systématique que l'ondoyant discours de Dhôtel, et Peucédan, ni causaliste ni finaliste, mais un peu parent de celui d'Héraclite, ce gêneur. Seul Reumaux a justement noté que la logique de Dhôtel est une « logique en archipel », une logique « autre que celle de la pensée par catégories ». Trois exemples choisis dans l'univers floral, celui des champignons, et celui de Rimbaud : ainsi se déploie « une science subtile de l'égarement », où il est question de « découvrir certaines impossibles et lumineuses ouvertures ou fissures ». N'est-ce pas la démarche même des vrais chercheurs, dont le souci constant est de se dépouiller d'une « rhétorique qui est composition arbitraire de figures » ? Dhôtel est trop modeste pour se poser en philosophe, mais on le sent jubiler lorsqu'il retourne, littéralement comme une chaussette, les pantins de nos certitudes et nous enseigne que « ce qu'on appelle réalité n'est rien d'autre qu'une affaire légendaire ». Chacun de nous est un pèlerin : « Il lui faut apprendre à vivre dans l'intervalle du savoir et de la vision, et faire les pas précis qui l'emportent vers la vérité. » Quelle vérité ? Cette lumière, ou cette musique, dit Dhôtel dans ses *Rimbaldiana*, venues « d'ailleurs que de notre pensée ». J.-C. P.

RHIN (Le). Lettres à un ami. Cette œuvre de l'écrivain français Victor Hugo (1802-1885) parut en 1842. Hugo est alors en pleine période créatrice : il vient de donner quatre recueils qui contiennent quelques-uns de ses plus beaux poèmes : *Les Feuilles d'automne* (*), *Les Chants du crépuscule* (*), *Les Voix intérieures* (*) et *Les Rayons et les Ombres* (*). Il occupe une situation de tout premier plan dans la vie littéraire française et vient d'entrer à l'Académie française. Pour se reposer de ses travaux et pour faire un pèlerinage vers cette région rhénane si chère aux romantiques, il se met à voyager ; il compte bien rapporter de ses pérégrinations des matériaux pour ses œuvres à venir. Ce sont ces matériaux qu'il nous livre, sous une forme très libre, dans *Le Rhin, Lettres à un ami.* En effet, c'est sous la forme de lettres, peut-être fictives d'ailleurs, que Hugo rassemble à chaque étape ses impressions. Il entreprend un premier voyage, assez long, en 1838, de juillet à octobre. Partant de Paris, il se promène d'abord sur les bords de la Meuse, à Aix-la-Chapelle, puis remonte le Rhin de Cologne à Mayence, pousse jusqu'à Francfort et finit sa randonnée par Worms, Spire et Heidelberg. Il repart en août 1839, cette fois c'est l'Alsace, la Forêt-Noire, la Suisse qu'il traverse ; son point d'arrivée est Lausanne. Il y a de tout dans ces pages : des paysages, des visites de monuments, des histoires qu'il a entendu raconter, des contes folkloriques, des aventures de voyage. À vrai dire, Hugo trouve en Allemagne ce qu'il est venu y chercher : des burgs hautains habités par des fantômes de chevaliers, hantés d'histoires diaboliques, des cités médiévales, des paysages conformes à l'âme romantique. Et déjà on voit s'ébaucher ici le décor des *Burgraves* (*) et naître les dessins à l'encre noire qui reflètent d'étrange façon l'univers de Hugo. Mais il y a aussi cette gaieté de jeune homme, ce parti de rire des mille aventures du voyage et de ne pas prendre trop au sérieux les histoires noires qu'il raconte.

Une longue lettre (la lettre XXI, datée de Bingen, août 1838) est particulièrement curieuse ; elle est consacrée tout entière à la « Légende du beau Pécopin et de la belle Bauldour » : Hugo y traite, avec une ironie, qui parfois fait long feu, et une verve endiablée, une légende inventée de toutes pièces, mais qui s'inspire de la manière des conteurs romantiques allemands. Malheureusement, il n'y a pas dans *Le Rhin* que de fraîches histoires ou de pittoresques légendes, pas seulement des impressions vivantes de poète : il y a la Conclusion, dans laquelle Hugo ne peut se tenir de nous exposer plus lourdement ses idées sur l'Allemagne et la France et sur leurs relations réciproques. Quoi qu'il en soit, *Le Rhin* est une œuvre remarquable par son entrain, la curiosité inlassable du voyageur et son talent exceptionnel d'évocation.

RHIN ALLEMAND (Le) [*Sie sollen ihn nicht haben*]. Chanson patriotique du poète allemand Nicolaus Becker (1809-1845), publiée en 1840. À cette époque, le pacha d'Égypte Méhémet Ali, révolté contre la Sublime Porte, ayant conquis la Syrie et menaçant Constantinople, la question d'Orient se trouva brusquement ouverte. Les États d'Europe semblèrent sur le point d'en venir aux mains en une conflagration générale. Au nationalisme français, nourri par le romantisme et par les souvenirs de l'épopée révolutionnaire et impériale, répondait outre-Rhin le mouvement de la « Jeune Allemagne », qui alliait au libéralisme politique le désir de faire rentrer dans le sein de la communauté nationale en formation les peuples de langue allemande sous domination étrangère. La chanson de Becker devint aussitôt le cri de ralliement de la jeunesse étudiante.

Elle disait en effet : « Vous ne l'aurez pas, le Rhin libre d'Allemagne, quoique, semblables à d'avides corbeaux, vous croassiez après lui ! [allusion à la protestation française contre les traités de 1815] ; / Vous ne l'aurez pas tant que ses ondes tranquilles conserveront leur verte parure, tant que la rame résonnante frappera ses vagues ! / Vous ne l'aurez pas le Rhin libre d'Allemagne, tant que le feu de ses vins échauffera les cœurs ! / Tant que, dans son lit, il restera des rochers, tant que la flèche des cathédrales se réfléchira dans le miroir de ses eaux ! / Vous ne l'aurez pas le Rhin libre d'Allemagne, tant que ses fiers enfants se marieront avec ses sveltes jeunes filles ; / ... / Vous n'aurez pas le Rhin libre d'Allemagne, tant que vous n'aurez pas enseveli dans ses flots les ossements de son dernier défenseur ! » – Trad. Duverger, 1840.

★ La réaction fut naturellement très vive en France ; elle vint de deux grands poètes, Musset et Lamartine. Ce dernier, à qui Becker avait dédié son poème, répondit en mai 1841 par sa célèbre *Marseillaise de la paix*, hymne à l'internationalisme et à la fraternité européenne, remarquable par sa belle éloquence et son inspiration caractéristique de l'humanitarisme romantique. Là où Becker voyait un champ de bataille, Lamartine célèbre le fleuve du tourisme et du commerce, dont la richesse si diverse symbolise la source commune des deux peuples campés sur ses bords : « Roule libre et splendide à travers nos ruines, / Fleuve d'Arminius, du Gaulois, du Germain, / Charlemagne et César, campés sur tes collines, / T'ont bu sans t'épuiser dans le creux de leur main. » Au ton agressif de Becker, Lamartine oppose à dessein un hymne ému à la double grandeur de la France et de l'Allemagne : celle-ci, ardente sous son extérieure gravité, pays des sentiments profonds, des pensées infinies, celle-là, avant-garde de l'humanité en marche vers le progrès, terre du désintéressement, dont les citoyens « vont semant la terre et ne moissonnent pas... ». Le poète, en effet, concilie fort bien son amour du genre humain avec son patriotisme, il est vrai, tout idéal et religieux. La France, à ses yeux, n'est plus un corps limité dans l'espace et dans le temps, mais uniquement une « idée » : « Ma patrie est partout où rayonne la France, / Où son génie éclate aux regards éblouis ! / Chacun est du climat de son intelligence : / Je suis concitoyen de tout homme qui pense, / La vérité, c'est mon pays ! » Et, s'élevant au-dessus du débat franco-allemand, il pose la question de la légitimité des nations : « Nations, mot pompeux pour dire barbarie, / L'amour s'arrête-t-il où s'arrêtent vos pas ? / Déchirez ces drapeaux ; une autre voix vous crie : / L'égoïsme et la haine ont seuls une patrie. / La fraternité n'en a pas ! » Ainsi *La Marseillaise de la paix*, qui, comme Michelet, voit d'abord dans la France le soldat de l'humanité et le Christ des nations, se place dans la même inspiration que l'ode politique les *Révolutions* (1831), où Lamartine caressait déjà le rêve d'une démocratie politique transfigurée par l'idéal chrétien.

★ Malgré son éloquence religieuse et ses accents prophétiques, la réplique de Lamartine plut moins que celle composée par Musset en juin 1841 : Musset jugeait que le ton humanitaire de *La Marseillaise de la paix* répondait fort mal à la provocation de Becker. En deux heures de temps, il improvisa *Le Rhin allemand*, une chanson alerte, pleine de verve railleuse, encore plus humiliante pour l'adversaire que ne l'avait été la hargne de Becker, car elle rappelait à plaisir les humiliations encore récentes que les Français avaient fait subir à la Germanie : « Nous l'avons eu, votre Rhin allemand ! / Il a tenu dans notre verre... / Si vous oubliez notre histoire, / Vos jeunes filles, sûrement / Ont mieux gardé notre mémoire, / Elles nous ont versé votre petit vin blanc. » Tel est le ton de Musset : celui d'un aristocrate qui se vante avec hauteur d'avoir séduit les filles d'un valet ! Par cette verdeur gaillarde, elle est aussi française que l'était *La Marseillaise de la paix* par son généreux idéalisme.

RHINOCÉROS. Pièce de l'écrivain français Eugène Ionesco (1912-1994), créée en 1958 au Schauspielhaus de Düsseldorf, dans une mise en scène de K. H. Stroux, publiée en 1963. Treize ans après la création de *La Cantatrice chauve* (*), Ionesco atteint avec *Rhinocéros* une notoriété mondiale. Dès *Amédée* (*), son théâtre s'est orienté dans une double direction : d'un côté, un langage plus épuré, moins ludique, et un certain retour au personnage et à sa psychologie, qui se concrétisera avec le Bérenger de *Tueur sans gages* (*) ; de l'autre, une mise en scène toujours plus visuelle, qui ne renonce ni au décor ni aux machines. *Rhinocéros* réussit à sa manière une synthèse dans l'œuvre de Ionesco, entre l'invention et le retour à un certain classicisme – voire à la convention. C'est peut-être ce qui explique le fabuleux succès de la pièce, servie par des metteurs en scène aussi prestigieux que Jean-Louis Barrault et Orson Welles.

Comme dans *Amédée* ou *Tueur sans gages*, l'intrigue, divisée en trois actes, est simple, linéaire et « naïve ». Nous sommes sur la place d'une petite ville de province : un café, une épicerie, une petite société typique, à la Marcel Pagnol – mais aussi un « Logicien », Bérenger, son ami Jean. L'animation enjouée du lieu est troublée par des barrissements qui vont vite trouver leur origine : « Oh ! un rhinocéros ! » Chacun propose une hypothèse explicative ; mais une querelle à l'enjeu très ténu éclate entre Jean et Bérenger, qui se séparent brouillés (acte I). Le second acte nous entraîne d'abord dans le bureau où Bérenger est employé ; y apparaissent ses collègues, son patron, M. Papillon, et Daisy, la secrétaire dont il est amoureux. On évoque l'événement, tandis que se manifestent les premières métamorphoses en rhinocéros et les déprédations qu'elles entraînent. Dans un second tableau, Bérenger assiste, impuissant et inquiet, à la propre métamorphose de Jean. L'acte III est celui du débat : une discussion philosophique s'engage sur la nécessité ou non de résister aux ravages de l'épidémie. Tous, même Daisy, succomberont à la « rhinocérite » – sauf Bérenger : « Je suis le dernier homme [...] Je ne capitule pas ! »

Tiré d'un récit de rêve publié par la suite

dans *La Photo du colonel* (1962), *Rhinocéros* a la puissance d'invention onirique des meilleures pièces de Ionesco : sur fond de réalisme, même très conventionnel – la ville et sa population, un microcosme social déjà présent dans *Tueur sans gages* –, les rhinocéros ont la force d'une vision de cauchemar trop crédible. Si l'on assiste à de véritables débats d'idées sur l'opportunité d'une résistance à la nouvelle norme, le langage, ici encore, a la poésie et la drôlerie du mécanisme trop bien agencé. Ionesco, pourtant, se défend d'avoir fait une pièce comique : « Je ne fais pas de littérature [...] Je fais du théâtre. »

Mais la grande nouveauté de *Rhinocéros* dans l'itinéraire dramatique de Ionesco, c'est l'introduction de la signification. La pièce est, selon son auteur, une parabole : celle de la lutte presque involontaire, probablement impuissante mais irrépressible, de l'individu contre le nazisme et, partant, contre toute forme de « massification ». *Rhinocéros* serait ainsi une pièce didactique – le didactisme étant une des revendications récurrentes, et la plus surprenante, de Ionesco. Mais c'est précisément l'ambiguïté – innovation et convention, désir d'identification et nécessité d'une distanciation – qui fait la force du message, humaniste, de *Rhinocéros*. A. Va.

RHODA FLEMING. Roman de l'écrivain anglais George Meredith (1828-1909), paru en 1865. C'est un de ses meilleurs avec *Victoria, L'Égoïste* (*) et *La Carrière de Beauchamp* (*). Il a pour thème la séduction d'une jeune fille par un jeune homme d'un rang social supérieur et le drame qui en découle pour elle et pour sa famille. Dahlia et Rhoda sont les deux filles, fort belles, d'un modeste propriétaire terrien. Dahlia, qui séjournait à Londres chez son oncle, cède à Edward, jeune homme de bonne famille, qui l'emmène sur le continent. Rhoda, restée à la ferme, la défend farouchement et se consacre à sa recherche quand la malheureuse, abandonnée, se cache. Après de multiples péripéties, elle la retrouve ; mais alors c'est elle qui exige son mariage avec un homme abominable (qu'elle ne sait pourtant pas avoir été payé pour épouser Dahlia) ; c'est elle qui écarte violemment Edward qui, pris de remords, revenait à temps ; c'est elle donc qui fait le malheur de sa sœur, par une sorte de fanatisme du devoir et de la respectabilité. Le caractère, assez curieux, de Rhoda ferait seul l'objet d'un roman, et c'était l'intention première de Meredith qui avait commencé à écrire un *Rhoda Fleming* beaucoup plus court, avec le sous-titre *Simple histoire* [*Plain Story*], qu'il destinait à la revue *Once a Week*. Mais il a sacrifié au goût de son temps et le personnage y perd de son relief. Cette « simple histoire » est devenue un long, très long roman aux nombreux personnages et aux intrigues enchevêtrées, riche en coups de théâtre et en épisodes mélodramatiques. Quelques-uns des héros offrent la particularité de surprendre par des volte-face inattendues. Rhoda nous apparaît d'abord comme assez vaine et superficielle puis entière et forte ; Robert, l'assistant du fermier Fleming, qui se présente comme un bon heune homme sérieux, sobre et parfaitement indifférent à la beauté des filles qui vivent sous le même toit que lui, se transforme soudain en héros justicier et en amoureux passionné de Rhoda, et nous apprenons qu'il fut autrefois batailleur, buveur et assez mauvais sujet. Comme dans ses autres œuvres, Meredith dépeint ici avec son grand talent la société de son temps, la jeunesse dorée de Londres, dépensière, cousue de dettes et vivant dans l'attente de l'héritage paternel. C'est un beau roman qu'on lit encore aujourd'hui avec intérêt, bien que les problèmes qu'il pose ne soient plus à l'ordre du jour.

RICANEMENT DE GROZDANA (Le) [*Grozdanin kikot*]. Roman de l'écrivain serbe de Bosnie Hamza Humo (1895-1970), publié en 1927. Figure dominante parmi les intellectuels musulmans de la Bosnie-Herzégovine, l'auteur a fait revivre dans ce roman lyrique toutes les mœurs pittoresques de sa province. Sa langue mélodieuse exprime avec bonheur un monde imprégné de panthéisme, où la femme, la nature et la beauté sous toutes ses formes sont également aimées par des hommes pénétrés à la fois du caractère fugace et merveilleux de la vie. Une grande sensualité s'élève donc de ces pages, mais aussi une sagesse tranquille, les mêmes que celles qui font le charme des *Rubaiyyat* (*) d'Omar Khayyam. Il y mêle toutefois les accents d'une protestation contre l'injustice sociale, qui font résonner à travers ce long poème « oriental » l'écho des préoccupations les plus modernes. On retrouvera le même ton dans les nouvelles recueillies sous le titre : *Sous la meule du temps* [*Pod zrvnjem vremena*, 1928] et dans le roman : *Les Maisons sous les ruines* [*Zgrade na rusevinama*, 1939].

RICERCARI de Frescobaldi. Compositions instrumentales de style polyphonique, publiées par le compositeur italien Girolamo Frescobaldi (1583-1643) dans deux recueils respectivement intitulés : *Ricercari e canzoni franzese fatte sopra diversi oblighi in partitura, per organo* (Rome, 1615, et Venise, 1626 et 1642, en même temps que les *Capricci* [*]) et *Fiori musicali di diverse compositioni* (Venise, 1635). Comme toutes les formes traitées par Frescobaldi, celle du ricercare dérive de la technique italienne de l'orgue du début du Cinquecento ; c'est la forme polyphonique par excellence : elle est en effet fondée sur le principe de l'imitation, c'est-à-dire de la répétition successive d'un thème ou sujet par les diverses parties à un intervalle déterminé (généralement à la quinte supérieure ou inférieure). Le terme de « ricercario » ou « ricercare » indique précisément l'esprit de ce genre de composition, dans lequel les parties semblent se poursuivre, ou encore se rechercher continuellement (on utilise également le terme de « caccia » et celui de « fugue », ce dernier étant destiné à désigner la forme la plus moderne et la plus parfaite du genre). Dans le cadre de ce qu'il est convenu d'appeler le style fugué, on a pu assimiler le ricercare au motet vocal de l'époque – à tort d'ailleurs, leur structure étant essentiellement différente. Il est d'ailleurs compréhensible que les formes encore neuves de la musique instrumentale aient subi, dans une certaine mesure, l'influence de celles de la musique vocale, déjà parvenues à leur plein épanouissement. De toutes les formes traitées par Frescobaldi, le ricercare est la plus sévère, la plus linéaire ; sa rigueur s'oppose à la liberté des *Toccatas* (*), bien que ces deux modes d'expression revêtent, au fond, le même caractère de spiritualité mystique. Il se caractérise par la diversité de ses thèmes, qui rapidement se fondent, laissant ainsi à l'auditeur une impression de grande homogénéité. Les titres choisis font état des particularités techniques de chaque morceau : par exemple, « Ricercare à quatre sujets », « Tonalité obligée », « Chromatique », « Basse obligée sans réalisation », etc. Les quelques *Ricercari* qui figure dans les *Fiori musicali* sont destinés à être exécutés au cours des offices religieux (après le Credo de la messe) ; mais leur caractère (extrême simplicité des sujets, polyphonie austère et pure) reste identique. Les tonalités, comme dans les *Capricci* et les *Canzoni*, généralement plus archaïques, moins marquées que dans les *Toccatas* et surtout les *Partitas* (*), s'inspirent encore, dans une large mesure, des modes du Moyen Âge ; on n'en relève pas moins dans les *Ricercari* certaines audaces (Frescobaldi y utilise, notamment, la gamme chromatique).

RICHARD (Le) [*De Rijke Man*]. Œuvre du romancier hollandais Arthur Van Schendel (1874-1946), publiée en 1936 ; deuxième roman de la trilogie « protestante » qui commence par *Une tragédie hollandaise* (*) et s'achève par *Les Oiseaux gris.* Bien que ces trois œuvres soient distinctes l'une de l'autre, leurs héros ont ce trait commun qu'ils relèvent tous d'une certaine classe moyenne dont l'esprit étroit contraste assez curieusement avec l'ampleur des problèmes religieux qu'ils se trouvent avoir à résoudre. L'action du *Richard* se situe dans les bas quartiers d'Amsterdam, environ au début de ce siècle. Son héros n'est autre qu'un jeune homme qui distribue ses biens aux pauvres, selon la parabole évangélique. Il va sans dire qu'il deviendra bientôt la proie de profiteurs et d'escrocs de la pire espèce, y compris sa belle-famille, qu'il sera renié par ses amis qui le jugent fou et berné par ses propres enfants. Travaillé par le besoin de donner toujours davantage, il se trouve lui-même réduit à la misère : dure épreuve qui lui permettra de connaître les effets de la gratitude sincère, de mesurer le peu de bien qu'il a pu faire en dépit de ses prodigalités. Divers héritages lui permettent certes de poursuivre son action, car il est incorrigible. Mais à quoi bon, puisqu'il a perdu la confiance en ses amis. Désormais, tout seul il erre sans répit à travers la ville jusqu'à ce que la mort le délivre enfin de lui-même. Ce roman amer est sans doute le moins accompli de la trilogie en question. Tous les personnages, en effet, y apparaissent avec un aspect parfois trop schématique. Quant au style, il est classique au sens le plus pur du mot.

RICHARD II [*The Tragedy of King Richard the Second*]. Drame en cinq actes en vers du poète dramatique anglais William Shakespeare (1564-1616), écrit probablement entre 1595 et 1596, publié en in-quarto en 1597, 1598, 1608 et 1615 et dans l'in-folio de 1623. La source principale en est la *Chronique* de Holinshed, dans sa deuxième édition (1587) puisque la scène 4 de l'acte II utilise un passage qui ne figure pas dans l'édition de 1577. Il faut noter encore : la *Chronique* de Hall, les *Guerres civiles* de S. Daniel, la traduction anglaise (par Berners) des *Chroniques* (*) de J. Froissart, et une autre chronique française, la *Chronique de la trahison et de la mort de Richard II d'Angleterre*, attribuée à Jean le Bel. On a cru pendant longtemps à l'influence de Christopher Marlowe (1564-1593), mais des études récentes établissent que la seconde et la troisième partie d'*Henri VI* (*) de Shakespeare sont antérieures à l'*Édouard II* (*) (1592) de Marlowe, ce qui prouve que Shakespeare est bien l'initiateur de ce genre de drames. L'influence de Marlowe est cependant indéniable et les personnages d'Édouard II et de Richard II se ressemblent ; Richard II, roi faible et indolent, exerce soudain son pouvoir d'une manière tout arbitraire en bannissant Henry Bolingbroke, fils de Jean de Gand (John of Gaunt), et Thomas Mowbray, duc de Norfolk. Peu après, il agit pourtant en souverain clément, cédant aux prières que Jean de Gand lui adresse pour son fils. Mais la maladie de Jean le fait changer d'avis et, à sa mort, il confisque ses biens, car il a besoin d'argent. Pendant un séjour du roi en Irlande, Bolingbroke envahit l'Angleterre avec une troupe de rebelles ; Richard II revient, vitupère ses ennemis et trace le portrait du souverain idéal, capable de dominer les événements et protégé par le Ciel qui lui envoie ses anges. Selon les nouvelles qu'il reçoit, il passe de l'exaltation à l'extrême abattement et se retire enfin dans son château de Flint, pour se poser en victime de la trahison des siens. Le comte de Northumberland, envoyé auprès de lui en parlementaire, lui expose que Bolingbroke ne demande que ce qui lui est dû, et le roi accorde une entrevue d'où il sort vaincu. Bolingbroke fait une entrée triomphale à Londres, où il est proclamé roi sous le nom d'Henri IV. Dans la fameuse scène de la déposition, Richard se compare au Christ. Cette scène, comme l'a fait observer Walter Pater, a toute la solennité rituelle de la messe et donne au drame une signification symbolique : c'est bien l'agonie du Dieu sacrifié sur l'autel. Retiré dans son château de Pomfret, Richard y est assassiné. Le drame, qui sait rendre la vie aux événements historiques, contient également une intéressante étude de caractère qui annonce déjà *Hamlet* (*). En face de ce roi étrange, faible et instable, se dresse le personnage de Bolingbroke, qui, habile et dépourvu de toute sensibilité, feint de ne lutter que pour un héritage, alors qu'il nourrit d'autres ambitions ; sa sagacité, sa modération, sa dureté lui assurent le trône. Ce contraste intéressant donne sa valeur à un drame qui est bien digne de l'auteur de *Hamlet* et du *Roi Lear* (*). – Trad. Formes et Reflets, 1954-1961.

RICHARD III [*The Tragedy of King Richard the Third*]. Drame historique en vers et en prose du poète dramatique anglais William Shakespeare (1564-1616), écrit aux environs de 1593 et imprimé en in-quarto en 1597, 1598, 1602, 1605, 1612, 1622 et dans l'in-folio de 1623. Les faits historiques sont presque tous puisés dans les chroniques d'Edward Hall ou Halle : *L'Union des deux nobles et illustres familles d'York et de Lancaster* [*The Union of the two noble and illustre Famelies of Lancestre and Yorke*, 1548] et de Raphael Holinshed, qui elles-mêmes sont tirées des *Anglicae Historiae* (1534) et de l'*Histoire du roi Richard III* (1513), d'ailleurs incomplète, attribuée à Thomas More. Le personnage du duc de Gloucester, Richard, l'usurpateur, existe déjà dans la troisième partie d'*Henri VI* (*). Richard cache ses projets diaboliques avec une parfaite hypocrisie et manœuvre si bien qu'Édouard IV met en prison George, duc de Clarence, leur frère à tous deux, qui est ensuite assassiné et jeté dans un tonneau de malvoisie. Il fait la cour à Anne, veuve d'Édouard, prince de Galles, au moment même où elle suit le cercueil de son époux – épisode qui fait penser à la situation de la matrone d'Éphèse dans le *Satyricon* (*) de Pétrone ; après avoir insulté le séducteur, Anne accepte ses hommages. À la mort d'Édouard IV, Richard, devenu régent pendant la minorité d'Édouard V, complote pour s'emparer du trône. Il fait enfermer à la Tour de Londres le jeune souverain et son frère, le duc d'York, et se fait proclamer roi, avec la complicité du duc de Buckingham. Les fils du roi sont assassinés et les pairs adversaires de l'usurpateur bannis. Pour affermir sa situation, Richard répudie Anne afin d'épouser sa jeune nièce, Élisabeth d'York, fille d'Édouard IV. Dans une scène analogue à celle où il avait conquis Anne, il persuade la reine Élisabeth, veuve d'Édouard IV, de consentir à ce mariage. Buckingham, qui a à se plaindre de l'ingratitude de Richard III, complote contre lui et se déclare partisan d'Henry, comte de Richmond. Il est capturé et mis à mort. Mais les troupes de l'usurpateur se rencontrent avec celles des rebelles à Bosworth (1485). Après une nuit hantée par l'apparition de ses victimes (on suppose que la scène n'est pas de Shakespeare), Richard est tué dans la bataille. Richmond devient roi sous le nom d'Henry VII. Une scène essentielle est celle où la vieille reine Margaret, veuve du roi Henry VI, maudit tous les responsables du malheur de son époux et des siens. Le déroulement du drame, dans la suite de ces imprécations, donne à la vieille femme un caractère d'Érinye. Le style est maniéré, emphatique, plein d'artifices, d'invectives, d'interjections. Le mot « sang » se répète constamment tout au long de l'ouvrage. Le caractère de Richard est brossé vigoureusement, mais sans finesse. On pourrait douter que cette psychologie et ce style assez sommaires soient de Shakespeare, mais il faut songer non au Shakespeare des grandes tragédies de la maturité, mais au débutant encore mal dégagé de l'influence de ses prédécesseurs et en particulier de Christopher Marlowe (1564-1593). L'épisode de la mort des enfants d'Édouard, raconté par un personnage qui fait penser au messager des tragédies classiques, a inspiré le célèbre tableau de Paul Delaroche (1797-1856). L'exclamation de Richard qui cherche une nouvelle monture à Bosworth : « Un cheval, un cheval ! Mon royaume pour un cheval ! », est souvent citée. – Trad. Formes et Reflets, 1954-1961.

RICHARD CŒUR DE LION. Opéra-comique en trois actes, livret de l'auteur dramatique français Michel Jean Sedaine (1719-1797), musique d'André Ernest Modeste Grétry (1742-1813), représenté à Paris en 1784. Dans le château de Linz, Richard Cœur de Lion est enfermé ; il a été fait prisonnier après les glorieux exploits qu'il a accomplis pendant la croisade. Blondel, un de ses fidèles, arrive près du château, faisant semblant d'être aveugle. Apprenant qu'un mystérieux prisonnier y est gardé, il suppose que c'est son roi. Le même jour arrive dans le pays, avec sa suite, Marguerite, comtesse de Flandre et d'Artois. Connaissant l'amour qui existe entre elle et le roi Richard, Blondel joue sur sa viole un air que Richard a composé pour elle. L'entendant de sa prison, le roi, surpris, se met à le chanter. Blondel a ainsi la preuve que sa supposition était fondée, et il communique la découverte à Marguerite. Cette dernière et sa suite, composée de chevaliers et de gens d'armes, décident de délivrer Richard. Après avoir attiré le gouvernement de la forteresse à un bal, ils le cernent. Puis ils donnent l'assaut au château et réussissent à s'en emparer. Richard embrasse Marguerite, au milieu de la joie générale. C'est l'œuvre du musicien belge qui présente la plus grande valeur et le plus d'intérêt du point de vue artistique ; avec elle, Grétry a porté l'opéra-comique de la fin du XVIIIe siècle à des hauteurs qui n'avaient jamais été atteintes.

RICHARD FEVEREL [*The Ordeal of Richard Feverel, a History of a Father and Son*]. Roman de l'écrivain anglais George Meredith (1828-1909), publié en 1859. Sir Austin Feverel a été abandonné par sa femme qui s'est enfuie avec son meilleur ami. Profondément meurtri et déçu, à la fois dans son amour et dans son amitié, il est résolu à élever son fils Richard de façon à lui épargner la souffrance qu'il endure. Richard ne fréquentera donc pas l'école et n'aura pas d'amis de son âge ; mais, à dix-huit ans, il rencontre Lucy Desborough, nièce d'un fermier de son père, et devient amoureux d'elle. Sir Austin fait tout pour rompre leurs fiançailles et, quand un mariage secret les a unis, tout pour les séparer. Il arrive à retenir Richard loin de sa femme. À Londres, Richard se laisse enjôler par une belle dame ; il prolonge son absence jusqu'au moment où il apprend que sa femme a eu un enfant et que sir Austin s'est réconcilié avec elle. Tout semble s'arranger ; mais Richard, ayant appris que lord Mountfalcon avait des vues sur sa femme, le provoque en duel et est gravement blessé. Lucy devient folle à la suite de cette émotion et meurt. C'est le premier grand roman de George Meredith. Au dire des critiques, son art ne fera que se perfectionner au cours de sa carrière d'écrivain : pourtant *Richard Feverel* est un de ses romans les plus réussis ; on y sent ses qualités de psychologue, de penseur et de moraliste. Lucy, bien qu'elle soit moins vigoureusement dessinée que d'autres héroïnes de Meredith, est une douce figure de femme qui sait aimer profondément et humblement. Ce roman renferme déjà les principaux thèmes de Meredith ; il reflète le dualisme qui existe chez lui entre les tendances de la deuxième période du romantisme et celles, froidement positives, de la société anglaise de son temps. — Trad. Gallimard, 1938.

RICHE MÉCONTENT OU LE NOBLE IMAGINAIRE (Le). Cette comédie de Samuel Chappuzeau (1625-1671), écrivain français, représentée en 1662 par les comédiens de l'Hôtel de Bourgogne, annonce à certains égards *Le Bourgeois gentilhomme* (*) de Molière. Selon la formule de Lisette, l'argent « seul en ce jour / Ainsi que de la guerre est le nerf de l'amour ». Souhaitant favoriser le mariage de son maître Lysandre avec Aminte, fille de l'avare Géronte, la servante imagine un stratagème. Elle fait accroire au rival de Lysandre, le bourgeois enrichi Raymond, qu'Aminte méprise la fortune et préfère le brillant du « nom et des armes » : la rusée soubrette procure à Raymond une généalogie fictive, moyennant cent écus qu'elle remet à Lysandre. Celui-ci obtient aussitôt la main d'Aminte, au grand dépit du « noble imaginaire » qui est désormais un « riche mécontent ». D. Be.

RICKSHAW FANTÔME (Le) [*The Phanthom Rickshaw*]. Nouvelle de l'écrivain anglais Rudyard Kipling (1865-1936), publiée en 1888. Jack Pansay, fonctionnaire anglais, s'éprend, sur le bateau qui le ramène aux Indes, d'Agnès Keith Wessington, femme d'un officier en garnison près de Bombay. Ils se retrouvent à Simla pendant les vacances d'été ; la passion du jeune homme flambe comme un feu de paille ; celle de la femme, plus profonde, la consume lentement. Jack se fiance avec Kitty Mannering ; la pauvre Mrs. Wessington n'est plus que l'ombre d'elle-même. Un jour, Jack la rencontre affaissée dans son « rickshaw » (véhicule à deux roues) tiré par deux « jampanees » en livrée blanc et noir ; son douloureux visage est devenu diaphane. Il a pourtant le courage de lui annoncer ses fiançailles. « Jack, mon chéri, je suis convaincue que c'est un malentendu [...] un affreux malentendu, et nous redeviendrons bons amis un de ces jours. » La réponse est brutale ; elle se renverse, défaite sur ses coussins, et meurt une semaine plus tard. À quelques mois de là, sortant avec sa fiancée de chez l'orfèvre à qui il venait d'acheter sa bague de mariage, Jack voit le rickshaw tiré par les hommes en blanc et noir, qui lui barre le chemin. À moitié évanoui, il est porté dans un bar ; la vision se reproduit au cours d'une promenade à cheval avec Kitty ; et le soir même, nouvelle apparition suivie d'une conversation sur la voie publique avec le fantôme blond. On croit qu'il est ivre. Le médecin lui dit alors qu'il s'agit ou de delirium tremens ou d'hallucinations. Le traitement n'y fait rien : nouvelles apparitions et nouvelles conversations avec le fantôme et les êtres invisibles. L'une de celles-ci a lieu devant Kitty, qui en apprend plus que Jack ne l'aurait voulu ; elle le cravache en plein visage et rompt ses fiançailles. Delirium tremens, épilepsie, folie héréditaire ? Quelle version donner au public ? demande le médecin. Jack choisit l'épilepsie : le rickshaw fantôme est désormais pour lui la seule réalité. Cette nouvelle saisissante, qui est le récit d'une obsession singulière, ne se réclame d'aucune doctrine sur l'au-delà. — Trad. Stock (dans le recueil *Sous les déodars,* 1910) ; U.G.E., 1980.

RIDEAU BAISSÉ. Recueil de textes de réflexion du metteur en scène français Gaston Baty (1885-1952), publié en 1949. Au début, il y avait la tragédie qui illuminait la nuit antique. Et Rome est arrivée avec la « pantomime obscène et le mime pire ». Et le mauvais a pris demeure au théâtre. Or, grâce à la liturgie, le vrai théâtre revient. « Ainsi l'Église, durant les siècles noirs, préservait la semence du drame. » Les « mystères » seront l'expression dramatique de l'âme médiévale. Hélas, « au matin du XVIIe siècle, le théâtre entre dans la littérature ». L'hérésie janséniste règne en maîtresse, le décor est exclu : « Sire, le mot a achevé sa conquête. » Il faudra attendre les romantiques pour briser cette malédiction du mot-roi, mais « l'œuvre est imparfaite » et, « s'il plaît à Dieu », viendra un jour « l'œuvre parfaite ». Ces affirmations de Gaston Baty, contenues dans la partie « Le Masque et l'Encensoir » (textes des années 20), ont occulté les réflexions novatrices de l'auteur, dans la droite ligne des recherches de Craig et Appia. Il va dépoussiérer les classiques (« Visage de Shakespeare ») en étudiant les sources, les époques, les origines (« Le véritable péché de Phèdre, ce n'est pas l'inceste, c'est le désespoir » — v. « Phèdre et la mise en scène »). C'est au metteur en scène que reviendra le privilège de traduire notre « intégrale vision du monde ». « Le poète a rêvé une pièce. Il en met sur le papier ce qui est réductible aux mots. Mais ils ne peuvent exprimer qu'une partie de son rêve. Le reste n'est pas dans le manuscrit. C'est au metteur en scène qu'il appartiendra de restituer à l'œuvre du poète ce qui s'en était perdu dans le chemin du rêve au manuscrit. » L'émotion est au cœur de la pensée de Baty, hors du temps, émotion que seul le théâtre peut nous donner et dont rien ne restera après la représentation. Mais comme l'arbre finit dans l'âtre, « ne s'est-il pas appliqué à [ne] vivre que dans l'attente de cette minute où sa flamme devrait danser ? ». A. Le.

RIEN À VIVRE. Recueil du poète français Lucien Becker (1912-1984), publié en 1947. Cet ouvrage est caractéristique de la poésie et de la pensée de Lucien Becker. Les poèmes qui le composent, écrits en vers irréguliers, avec un vocabulaire volontairement limité, disent d'une façon poignante la conception que le poète se fait de l'homme, du monde. Dans ces pages, par un effort de lucidité et le refus de toute illusion, transparaissent les thèmes de sa solitude au cœur d'une ville qui l'emprisonne. C'est que Lucien Becker oppose le milieu urbain à la nature, image de la liberté, de la joie, de la beauté. Or la solitude est le lot de chacun ; ce que Lucien Becker évoque en des termes significatifs : « Je traverse seul la terre / sans rien voir de mes yeux ouverts. » Il faudra seulement la présence de la femme, et peut-être celle de l'amour, pour que l'homme, dans sa détresse, son exclusion du monde, connaisse quelques rares moments de bonheur. Pourtant, si Lucien Becker célèbre la femme dans les derniers poèmes du recueil, il n'en conserve pas moins sa lucidité : seul l'érotisme est le moyen de refaire temporairement obstacle à la pensée de la mort omniprésente dans le livre. La femme est ce refuge dont le poète célèbre la beauté, la sensualité en des termes émouvants, grâce à des images d'une particulière richesse. Aussi son absence laisse-t-elle place à la mort, au désespoir : « Je te cherche en moi comme dans une ville déserte. » Hanté par la mort, Lucien Becker trouve des accents pathétiques pour la dire mais non pour s'y opposer : la résignation, l'indifférence marquent cette poésie d'une façon inéluctable et c'est ce qu'exprime ce recueil dans sa sobriété, son intensité, et cela avec une constance parfaite. M. A.

RIEN DE TEL QUE LE SILENCE [*No hay cosa como callar*]. Comédie en vers, en trois journées, de l'écrivain espagnol Pedro Calderón de la Barca (1600-1681), publiée pour la première fois en 1639. Don Juan, un jeune libertin obligé d'aller à la guerre, abandonne sa fiancée Marcela et interrompt la cour qu'il faisait à une autre femme, Léonor. Mais, s'étant avisé en cours de route qu'il avait laissé chez lui certains papiers, il retourne en secret à la maison où son père, dans l'intervalle, a donné l'hospitalité à Léonor, qui vient d'être victime d'un incendie. Dans l'obscurité, le jeune homme abuse d'elle, puis repart, non sans laisser, toutefois, un médaillon contenant le portrait de Marcela. Léonor décide de se taire, mais avec l'aide du médaillon elle identifie sans peine son oublieux amant. Don Juan, à son retour, courtise de nouveau Marcela ; mais celle-ci, ayant appris que son portrait est entre les mains de Léonor, préfère recevoir les hommages du propre frère de cette jeune femme. Désormais, c'est le médaillon qui va devenir le personnage principal. Après bien des péripéties, nous retrouvons don Juan dans la maison de Léonor, et cette dernière croit venu le moment de rompre son silence. Mais cette fois, c'est don Juan qui a peur de la vérité (en présence du frère de Léonor) : à peine a-t-elle commencé son récit, il lui coupe la parole en offrant de l'épouser. *Rien de tel que le silence* est une comédie parfaitement nuancée et charpentée où tout concourt à préparer le dénouement. Pour ce qui est des caractères, celui de don Juan, certes, n'a rien d'inédit, mais la figure de Léonor ne manque pas d'originalité. Dans le théâtre de Calderón, elle représente, en effet, un de ces cas fort rares où une femme défend elle-même son honneur sans recourir à son père ou à ses frères.

RIENZI. La vie du tribun romain Cola di Rienzo ou Rienzi (1313-1354) nous est connue en particulier grâce à une *Chronique* anonyme du XIVe siècle, qui appartenait à l'origine aux *Historiae romanae fragmenta,* vaste narration historique en vingt-huit chapitres, pour la plupart maintenant égarés. Cette narration, primitivement écrite en latin, nous est seulement connue dans sa rédaction en dialecte romain. L'auteur de la *Chronique* qui nous intéresse était médecin et avait fait ses études à Bologne : c'est tout ce que nous savons de lui. Composée certainement vers 1357-1358, la *Chronique* relate les événements de la ville de Rome entre 1325 et 1357, ainsi que l'histoire des États européens et de la Turquie à la même époque. C'est à des érudits du XVIe siècle que revient l'initiative d'avoir isolé du reste des *Fragmenta* les deux chapitres consacrés à Cola di Rienzo. Ces chapitres furent publiés à Bracciano, en 1624, sous le titre *Vie de Cola di Rienzo* [*Vita di Cola di Rienzo*]. De nos jours, cet important document a été réédité par Ghisalberti (Florence, 1928). La vie du « tribun du peuple romain » est décrite avec fraîcheur et perspicacité. En effet, le chroniqueur anonyme, tant dans la description des humbles origines du héros que de celle de ses vices et de ses vertus, s'est employé à mettre en lumière tous les éléments de cette biographie exceptionnelle entre toutes. Nicolas, fils du tavernier Lorenzo et de la blanchisseuse Maddalena, manifesta, dès sa jeunesse, un fort penchant pour les idées fantastiques et grandioses : ayant lu les anciens livres d'histoire et d'éloquence, il s'enthousiasma jusqu'au point de rêver de restaurer, dans cette Rome délaissée par les papes établis en Avignon, l'autorité glorieuse de l'Empire et du peuple. En sa qualité de notaire, doué d'éloquence et de passion politique, Cola s'adressa au peuple et lui enjoignit de ne pas s'écarter du chemin de ses ancêtres. Désireux de réformer l'État romain, il s'empara du Capitole et, s'adressant à la foule, il l'exhorta à ressusciter l'antique gloire romaine, fût-ce au prix des plus grands sacrifices. Dans l'intention d'assurer la paix, il s'adresse au pape et aux princes de l'Europe. Son faste de grand seigneur frappe l'âme populaire ; sa gentillesse, ses dons, sa justice font espérer de grandes choses. Pour délivrer la ville de l'arrogance des « barons », il les fait arrêter au Capitole, mais il est par la suite forcé de les laisser en liberté ; ceux-ci, pour se venger de l'affront, complotent contre lui. Parmi les barons les plus puissants, il y a les Colonna ; Rienzo triomphe d'eux et fait tuer trois membres de leur famille. Enorgueilli par ses succès, il devient tyrannique et hautain ; le peuple s'agite au lieu d'obéir à ses ordres et le force à fuir. Entre-temps, le légat pontifical, Annibaldo di Ceccano, le déclare hérétique et arrive à Rome pour lutter ouvertement contre lui. Après la mort d'Annibaldo, Cola se rend auprès de l'empereur Charles IV de Bohême, où il est bien accueilli. Arrêté par l'évêque de Prague, il est mené en Avignon. Il se justifie, obtient la révocation de son excommunication et même l'absolution. Il rentre alors à Rome, avec le légat, pour y chercher de nouveaux succès ; le légat en personne le nomme sénateur de Rome. Les partisans des Colonna conspirent à nouveau contre lui et c'est en vain que Cola met le siège à leur forteresse de Palestrina. À cause d'un nouvel impôt, le peuple se révolte : Cola, au Capitole, est attaqué et assassiné misérablement et ses cendres seront dispersées. La vie d'un tel personnage est évoquée avec une grande vigueur, dans des scènes où dominent les éléments pittoresques et dramatiques.

★ L'histoire du tribun inspira le roman historique : *Rienzi ou le Dernier des tribuns* [*Rienzi*] de l'écrivain anglais Edward George Bulwer-Lytton (1803-1873), paru en 1835, juste un an après le succès des *Derniers jours de Pompéi* (*). Bulwer-Lytton travailla tout particulièrement à ce récit, qui cependant ajoute assez peu à sa renommée. Cet ouvrage a vieilli plus que tous les autres écrits de Bulwer, parce qu'il répondait beaucoup trop au goût de son époque. – Trad. Sans éditeur, Paris, 1889.

★ Du roman de Bulwer a été tiré le sujet d'un opéra en cinq actes, *Rienzi,* dont le texte et la musique furent écrits par le compositeur allemand Richard Wagner (1813-1883). L'opéra fut représenté à Dresde en 1842. En l'absence de Rienzi, les Orsini essaient d'enlever sa sœur Irène. Mais les Colonna, parmi lesquels Adriano qui aime la jeune fille, la défendent par les armes ; la foule qui intervient avec le cardinal Albornoz s'efforce en vain de réconcilier les deux partis. À l'arrivée de Rienzi, la révolte éclate. Bien qu'Adriano soit noble, il se mêle à la plèbe en révolte. Lorsque le tribun apparaît, en armes, sur le seuil du temple, escorté par le légat pontifical, l'émeute est victorieuse ; Rienzi est le maître de Rome. Les nobles conspirent pour le tuer ; Adriano refuse son concours. Un Colonna brise la pointe de son poignard sur la cotte de mailles de Rienzi, et comme le peuple réclame la mort du criminel, Rienzi, cédant aux supplications d'Irène et d'Adriano, lui pardonne. Les nobles, outragés par cette clémence qu'ils jugent par trop humiliante, loin de s'apaiser, soudoient le peuple et l'on voit les défections se multiplier. Le pape y ajoute l'excommunication. Rienzi finit par se trouver seul contre tous, à l'exception d'Irène qui est même disposée à repousser Adriano pour défendre son frère. Enfin, la foule prend d'assaut et incendie le palais de Rienzi, qui meurt sous les ruines, avec les deux amoureux. *Rienzi,* composé avec l'espoir de le faire représenter à Paris, garde encore la structure du « grand opéra ». Des marches, des défilés, des hymnes à la liberté, des danses, des grands duos, des airs remplissent ces cinq actes à la Meyerbeer, où l'émotion véritable tient peu de place. Citons ici le jugement, très valable, de Wagner lui-même : « Malgré tout, cet ouvrage de jeunesse n'est pas à jeter au panier... » En effet, il contient, en plus de l'ouverture, de nombreuses pages très belles ; mais l'on est encore fort loin de ce style personnel auquel Wagner parviendra dans ses opéras postérieurs.

★ Le même sujet a été mis en musique par

d'autres auteurs : remarquons le *Rienzi* du Russe Wladimir Kaschperow (1827-1894), représenté à Florence en 1863, et l'opéra du même nom d'Achille Peri (1812-1880), représenté à Milan en 1867.

★ C'est d'un épisode de la vie de Cola di Rienzo que s'est inspiré l'écrivain tchèque Prokop Chocholoušek (1819-1864) dans son roman *Cola di Rienzo,* publié en 1856. L'intérêt de cet écrivain (qui, en général, prend toujours comme décor de ses romans l'histoire de son pays) pour les aventures d'un tribun italien peut s'expliquer par le souvenir, demeuré vivant chez lui, de ses études à l'université de Padoue. De toute façon, la trame du roman est tout à fait tchèque ; elle concerne le voyage de Cola à Prague, pour présenter à l'empereur et roi Charles IV son projet de restauration de l'Empire romain. À cette mission de Cola se mêlent de nombreuses histoires intimes de courtisans et d'autres citoyens. Ce qui permet à l'auteur de décrire les milieux de Prague qui avaient des contacts avec l'Italie. Dans son ensemble, le roman apparaît plutôt comme un tableau de mœurs que comme une véritable page d'histoire.

★ Pietro Cossa (1830-1881) tira de la chronique du Moyen Âge son poème dramatique *Cola di Rienzi,* en cinq actes et un prologue, représenté en 1873 et publié à Turin en 1879.

★ Le Polonais Adam Asnyk (1838-1897) écrivit un drame historique, *Cola di Rienzi.*

RIG-VEDA [*Veda des strophes*]. La plus ancienne et la plus importante des quatre collections – *Saṃhitā* (*) – qui constituent la première littérature née sur le sol indien et rédigée dans la forme archaïque du sanskrit, le védique. Le *Rig-Veda* compte 1 028 hymnes (de 1 à 58 strophes), soit 10 462 strophes (*ṛg/c/k*, prononcé en français rig-) ou 40 100 vers réparti(e)s en dix « maṇḍalas » ou « cercles ». À l'intérieur de chacun de ceux-ci, le classement des morceaux s'opère selon l'importance de la divinité, le nombre des stances, etc. Parmi ces dernières, on citera la *Triṣṭubh*, 4 × 11 syllabes (les 2/5 du texte), la *Jagatī*, 4 × 12 syllabes (1/5 du *Rig-Veda*). Notons la présence occasionnelle de refrains. Le *Rig-Veda* fut composé en Inde du Nord-Ouest. Selon une tradition indienne, le *Rig-Veda* est « apauruṣeya » [incréé]. La science historique, elle, a bien du mal à fixer une date pour le recueil. Selon l'Indien B. G. Tilak et l'Allemand Jacobi, il remonterait respectivement à 6000 ou à 4500 avant notre ère, et cela en raison de l'état du ciel décrit dans certains hymnes. En fait, il n'est pas possible de dater la compilation (attribuée au sage Vyāsa) ni la mise par écrit du *Rig-Veda*, ni a fortiori la composition orale de ses hymnes. Même si certains remontaient à une époque précédant l'arrivée des Aryens dans l'Inde : en effet, quelques divinités célébrées dans le *Rig-Veda* (Mitra, Varuṇa, Indra, les Nāsatyas ou Aśvins) apparaissent dès le XIVe siècle avant notre ère à Mitanni (Mésopotamie) dans un traité conclu entre un prince local et des Aryens sans doute en transit – les parties les plus anciennes de notre recueil virent probablement le jour entre 1200 et 1000 av. J.-C. Les dix « maṇḍalas » ne sont pas apparus simultanément. On place en premier ceux dits « familiaux », parce que attribués à des sages inspirés (« ṛṣi »), membres de familles sacerdotales (celles des Atris, des Bhāradvājas, etc.), c'est-à-dire II à VII (priorité chronologique de V ?). À ce groupe originel se seraient peu à peu agrégés les livres VIII et I, puis IX. Quant au livre X, il est décidément plus récent tant par la manière de traiter un thème que par la langue. Il annonce les *Upaniṣad* (*) et contient quelques morceaux qui évoquent la matière de l'*Atharva-Veda* (*).

La transmission du texte s'est faite oralement pendant des siècles et avec une fidélité extraordinaire (pas de variante textuelle) ; il en est encore ainsi de nos jours, et des procédés très élaborés de diction-mémorisation ont été mis au point. Ainsi à la « récitation continue » [saṃhitā-pāṭha] s'oppose la « récitation mot à mot » [padapāṭha], où l'on fait abstraction des règles d'euphonie [sandhi] qui altèrent les finales de mots ou les combinent avec les initiales des suivants. Ainsi le groupe « tathaivāsit » compte trois mots qui, en padapāṭha, se lisent tathā-eva-āsīt, « Il en était bien ainsi ». La récitation [pāṭha] et la prononciation de la langue rigvédique sont respectivement codifiées et décrites dans un traité de phonétique, le *Ṛkprātiśākhya.* Ultérieurement le *Rig-Veda* a été commenté à plus d'une reprise. La paraphrase la plus fameuse est celle de l'érudit Sāyaṇa (XIVe siècle de notre ère), qui, bien que séparé de l'original par plus de deux mille ans et donc souvent contestable, reste un recours permanent en cas de difficultés d'interprétation. Sāyaṇa avait été précédé par d'autres comme Skandasvāmin.

Ajoutons que le *Rig-Veda* est pour l'Inde ce que *La Bible* (*) ou les Évangiles sont pour l'Occident chrétien. Il sert de référence et d'autorité en permanence, quand bien même il n'est pas parfaitement connu. Au niveau du contenu, le *Rig-Veda* apparaît d'emblée comme un panégyrique des grands dieux aryens. Le premier dans le cœur et la bouche des *ṛṣis* est Indra, le dieu guerrier et pécheur, le héros qui pourfend le monstre Vṛtra et délivre les vaches – c'est-à-dire les Eaux – retenues en captivité. Voici VIII, 89, 5 qui chante cette prouesse, laquelle se retrouve dans l'*Avesta* iranien : « Lance en avant (ton arme) contre (Vṛtra) avec audace, toi l'audacieux. Que ta gloire soit grande ! Fais que les Eaux Mères s'écoulent rapidement. Tue Vṛtra ! Conquiers le soleil ! » Autour d'Indra se groupent de fugitives réminiscences de l'invasion aryenne et de la destruction des cités indigènes : Mohenjo-daro, mais surtout

Harappa, c'est-à-dire peut-être *Hariyūpīyā* de VI, 27, 5. Objets de louanges aussi le redoutable Varuṇa et le bienveillant Mitra ; le lumineux Viṣṇu et le sombre Rudra (ancêtre de Śiva) ; Savitar, le soleil et Uṣas, l'aurore ; les Aśvins, cavaliers jumeaux ; les Maruts qui escortent le dieu du vent Vāyu et personnifient l'orage ; Viśvakarman, l'universel forgeron, et Prajāpati, le maître des créatures qui triomphera dans les *Brāhmana* (*) ; la liqueur sacrée du soma et enfin Agni, le dieu du feu, ainsi célébré dans la première strophe du *Rig* : « J'invoque Agni, le chapelain, le prêtre divin du sacrifice, l'oblateur qui confère le plus de trésors. Agni a été digne d'être invoqué par les poètes d'autrefois et par ceux d'aujourd'hui : qu'il amène les dieux ici. » De tous, l'invocateur attend faveurs et récompenses en échange de ses prières.

D'autres hymnes sont liés au rituel, soit qu'ils s'y réfèrent, soit qu'ils invoquent des objets y intervenant : les pierres du pressoir à soma, les chariots qui le transportent, le beurre fondu. D'autres morceaux sont spéculatifs. Ils se risquent à poser des connexions [bandhu] entre les éléments du cosmos, entre l'homme et l'univers ; ils soulèvent les questions les plus audacieuses sur l'origine de celui-ci. Ainsi en X, 129, 1 : « Ni le Non-Être n'existait alors, ni l'Être. Il n'existait ni l'espace aérien, ni le firmament au-delà. Qu'est-ce qui se mouvait puissamment ? Où ? Sous la garde de qui ? Était-ce l'eau, insondablement profonde ? » Certaines pièces sont sui generis : la complainte du joueur malchanceux (X, 34) ; l'hymne aux grenouilles (représentant les Brahmanes, VII, 103), le dialogue entre l'humain Purūravas et la nymphe céleste Urvaśī (X, 95). La langue rigvédique est archaïque et obéit à des règles strictes. Le ton a été conservé, alors qu'il se perdait en Iran ; les consonnes cérébrales (ṭ/ṭh/ḍ/ḍh) se développent. La composition nominale est moins exploitée que la dérivation. La catégorie verbale prolifère : formes multiples (par exemple de subjonctif et d'aoriste qui se raréfieront plus tard), préverbes détachables et mobiles ad libitum, etc.

Les premiers indianistes, frappés par l'exotisme et la fraîcheur des hymnes, y voyaient les paradigmes de la poésie « primitive » (Max Müller) ; d'autres (Bergaigne) parlaient de « galimatias ». En réalité, ces prières sont des œuvres savantes et précieuses, composées lors de tournois où des poètes rivalisaient d'originalité pour obtenir les « prix de victoire » offerts par les patrons du sacrifice. D'où la place qu'occupent dans ces œuvres la polysémie, les mots clés chargés de symbolisme et d'ambiguïté, les doubles sens, etc. Il va de soi qu'il y a aussi des strophes de faible valeur littéraire et qui enchaînent mécaniquement les formules passe-partout. L'analyse des personnages divins et des mythes esquissés dans le *Rig*, ainsi que leur rapprochement avec ceux d'autres peuples indo-européens, ont donné lieu à une mythologie comparée dont le représentant le plus notable est G. Dumézil. Pour qui se lance dans la linguistique et la grammaire comparée des langues indo-européennes, la connaissance de la langue du *Rig* est un passage obligé.

La dernière en date des traductions complètes et commentées du *Rig-Veda* est celle, en allemand, de K. F. Geldner, 3 vol. (+ 1 vol. d'index), Harvard Oriental Series 33, 1951-57. Elle fait autorité. L. Renou a traduit un peu plus de sept cent cinquante hymnes (sur mille vingt-huit) dans diverses publications : *Études védiques et pāṇinéennes*, Paris, 1955-69 ; *Hymnes spéculatifs du Veda*, Paris, 1956 ; *Hymnes et prières du Veda*, Paris, 1938 ; *La Poésie religieuse dans l'Inde antique*, Paris, 1942 ; *Le Veda* (en collaboration avec J. Varenne), Paris, 1967. Sont à épingler le tome VI des *Études védiques*.... sur « Le Destin du Veda dans l'Inde » ; et du même auteur, *Histoire de la langue sanskrite*, Paris-Lyon, 1956 ; *Grammaire de la langue védique*, Lyon-Paris, 1952. La doyenne des éditions du texte du *Rig-Veda* est celle de F. Max Müller, Oxford, 1856, 4 vol. (avec le commentaire de Sāyaṇa), rééd. Delhi, 1983. La critique textuelle du *Rig* est l'œuvre de H. Oldenberg. Dans l'ouvrage de A. Bergaigne, *La Religion védique d'après les hymnes du Rig-Veda*, Paris, 1963 (3 vol. + 1 vol. d'index), on trouvera une présentation magistrale de l'idéologie védique à base de connexions entre les divers plans de la réalité. Il existe des traductions du *Rig-Veda*, intégrales ou partielles, dans les diverses langues européennes, et une infinité d'études de détails. En ce qui concerne les divinités, citons les monographies de H. Lüders sur Varuṇa, de J. Brereton sur les Ādityas, de B. Oguibenine sur Uṣas, etc. J.-M. V.

RIMAS. Poèmes de l'écrivain espagnol Gustavo Adolfo Bécquer (1836-1870), inclus dans ses *Œuvres* [*Obras*] publiées en 1871. *Rimas* est le titre que Bécquer donna à un recueil de 79 poèmes qu'il réécrivit de mémoire ou à l'aide de copies après la disparition d'un premier manuscrit au cours de la révolution de septembre 1868. À sa mort, ses amis découvrirent ces textes, dépourvus d'ordre apparent, dans les dernières pages d'un gros registre intitulé humoristiquement « Livre des moineaux » [Libro de los gorriones] ; ils classèrent les poèmes de manière à suggérer une intrigue romanesque, à l'instar de l'*Intermezzo lyrique* de Heine, et ils les placèrent à la fin des deux volumes d'*Œuvres* qu'ils publièrent par voie de souscription. On trouve ainsi successivement les rimas sur l'art et la poésie (I à IX), de l'amour exalté (X à XXIX), de l'échec amoureux (XXX à LIV), de la mélancolie, du rêve et de la mort (LV à LXXVI) ; trois rimas trop désespérées ou accusatrices furent supprimées par les premiers éditeurs. Les éditions modernes reprennent ces dernières et complètent le recueil par une douzaine de poèmes découverts après 1871 ; elles ne sont pas toutes expurgées de quelques textes dont l'inauthenticité a été prouvée.

La rime becquérienne se caractérise par sa simplicité, sa force, son appel aux sentiments les plus secrets et intimes. Elle mêle l'oralité courante à des images de la poésie savante qu'elle épure. Elle privilégie la rime assonante. Elle tire des effets puissants de l'anaphore, du parallélisme strophique, de la symétrie dans la composition. Les registres dominants sont ceux du fragment de réflexion amoureuse et de la confidence de journal intime, ce qui a longtemps fait des *Rimas* le prototype de la poésie subjective moderne en Espagne.

Ce subjectivisme atteint cependant à l'universalité par le choix de l'essentiel et l'évacuation des précisions de lieu et de temps.

Dans son article sur *La Solitude* [*La soledad*, 1861], Bécquer distinguait la « poésie objective, poésie de tout le monde », qualifiée de « magnifique et sonore », qu'il avait pratiquée avant d'arriver à Madrid en 1854, et la « poésie subjective, poésie des poètes... naturelle, brève, sèche », faite d'« étincelles électriques ou de feu », qui est celle des chants populaires qui ont inspiré Trueba et Ferrán, celle aussi des *Doloras* (*) de Campoamor et des *Rimas*. La forme plus élaborée de celles-ci doit beaucoup aux traductions de poèmes de Heine que Sanz avait publiées en mai 1857 dans *El Museo Universal*.

Exemplaires par leur puissance introspective et leur sobriété formelle, les *Rimas* ont contribué jusqu'à nos jours à la formation des plus grands poètes du monde hispanique : Rubén Dario, Juan Jiménez, Antonio Machado, Jorge Guillén, Luis Cernuda, entre autres. — Trad. Office de Publicité, Bruxelles, 1946. R. P.

RIMBAUD LE NÉGOCIANT [*Rimbaud negustorul*]. Plaquette de vers du poète roumain Mircea Dinescu (né en 1950), publiée en 1985. Placer sous le signe de Rimbaud un recueil de poèmes n'a rien qui puisse étonner de la part d'un poète comme Mircea Dinescu que sa précocité, son talent poétique inné et un goût évident de la provocation tonique rapprochent du météore de la poésie française. Le placer sous le signe de Rimbaud négociant l'est encore moins, c'est choisir délibérément le côté prosaïque et négatif pour un renversement des valeurs révélateur. Rien n'est plus symbolique de la démarche de Dinescu que ce poème où s'entremêlent inextricablement le goût de la variation sur un thème totalement pris à rebours, le plaisir d'une écriture à la fois hermétique et terriblement éloquente. Pour un lecteur roumain en effet, les allusions sont évidentes : comment ne pas identifier dans les vers : « Creusez un aut'canal, faites un aut'grand fossé / que notre flegme ainsi ne tarisse jamais / car c'est pas en jouant de la flûte de Pan / c'est au son de ses chaînes que Rimbaud va passer / et rondouillard encore Rimbaud le négociant », de très parlants clins d'œil ? Les mots « canal » (de combien de tragiques canaux la mémoire collective roumaine ne s'est-elle pas enrichie depuis 1945 ?), « flûte de Pan » (instrument de musique populaire), « chaînes » ne sont évidemment pas innocents. Tout l'art est ici dans la cohérence formelle donnée par le travail sur la langue - ou la trouvaille inspirée, les deux n'étant pas incompatibles - à un ensemble d'éléments composites qui viennent créer un sens dont la valeur ne résulte pas de leur simple somme mais d'une réaction chimique ou alchimique. C'est dans un retour spontané aux moyens traditionnels de la poésie que Dinescu découvre ses meilleures armes. Il sait user sans effort visible du vague et de l'incantation sonore pour créer un climat suggestif plus qu'une signification précise. Que ce Rimbaud le négociant soit un possible symbole de la dégradation du poète, de son asservissement, cela paraît peu contestable. Que la réception qui lui est faite : « Et que le port soit plein pour bien le recevoir / d'innombrables drapeaux et de belles fanfares, / comme mages à l'étable que viennent donc les maires, / qu'il boite ou qu'il soit mort, qu'est-ce que cela peut faire ? / faut l'introniser père, père de tous ses pairs ! » soit une parodie grinçante des manifestations culturelles grotesques et solennelles des régimes totalitaires n'est pas niable. Mais l'essentiel est sûrement à chercher dans le sentiment de rotondité parfaite de l'ensemble que constitue le poème. La poésie de Mircea Dinescu, tout en étant profondément tributaire de ce que l'on pourrait appeler le vécu d'une époque, trouve sa valeur réelle dans le dépassement qu'elle sait opérer en direction d'une valeur universelle. Elle se moule si justement, si plastiquement sur ce qu'elle exprime qu'elle réussit à paraître en constituer la formulation la plus adéquate. Nulle part ailleurs dans la multiforme production poétique roumaine les deux catégories traditionnelles de la forme et du fond ne se sont aussi parfaitement confondues : « Bourdonnement des absentes abeilles / Sur un infime mal et un bien tout pareil / Sans moi ma mort s'en va et appareille. » J.-L. C.

RIMBAUD LE VOYOU. Essai de l'écrivain français d'origine roumaine Benjamin Fondane (1898-1944), paru en 1933 (nouvelle édition augmentée en 1990). Briseur d'idoles, Fondane par cet essai se refuse violemment à élever un monument de plus à la gloire de Rimbaud. Les biographies que l'on peut écrire sont avant tout rédigées avec la vie du biographe. L'écriture n'est point un miroir neutre où viendrait se refléter le monde extérieur, fini, donné, mort, mais aventure, recherche, quête d'un sens hypothétique, jamais assuré d'être trouvé. La lumière rétrospective que jetterait la soi-disant « conversion » du Rimbaud mourant sur laquelle Claudel (et bien d'autres) fonde son interprétation apparaît à Fondane comme une usurpation, un « happy end » de mauvais roman. La fin d'une vie ne conclut rien, elle ne peut servir de principe d'explication à une existence qui, si elle s'arrête, ne s'achève pas. Le sens d'une vie fait corps avec elle, elle n'est pas le but vers lequel celle-ci tendrait comme vers une délivrance. (C'est pourquoi aussi Fondane polémique avec les surréalistes, André Breton en tête, contre l'usage « moralisateur » qu'ils feront du poète.) « L'œuvre de Rimbaud juge le catholicisme ; la vie de Rimbaud juge le surréalisme ; elle vomit "le système logique" qu'on lui a fait avaler de force : elle porte plainte contre X... pour "abus" de miracles. » Ce que l'auteur essaie, allant de la vie à l'œuvre, et réciproquement, c'est de montrer en quoi Rimbaud a échoué, et en quoi son échec est éclairant pour notre situation. Échec, car il n'a pas pu s'en tenir aux idéaux bien romantiques qu'énonçait la *Lettre du voyant* (*) et qu'il a dû rompre, revenir à sa véritable nature de « voyou » – ce que dit *Une saison en enfer* (*). Cet « échec » nous éclaire sur la dimension tragique de toute existence : à la recherche d'un sens nous devons le trahir (mener une vie de « voyou ») afin de mener notre vie jusqu'au néant, jusqu'à la stupeur : « Qu'est mon néant auprès de la stupeur qui vous attend ? » F. W.

RIMES de Bembo [*Rime*]. Publiées en 1530 et rééditées en 1535 (sans compter l'édition posthume de 1548 par les soins de Gualteruzzi), les *Rimes* de l'écrivain italien Pietro Bembo (1470-1547) sont un document sur les goûts de la Renaissance plutôt qu'une œuvre poétique en soi et pour soi. En un style élégant, mais avec une inspiration bien froide, l'écrivain exprime d'une manière nouvelle la richesse psychologique et les raffinements du *Canzoniere* (*) de Pétrarque. Les situations sont calquées sur celles qu'offrait le grand poète du XIVe siècle, même si les images et la forme d'art reflètent des critères proscrits par Bembo dans ses œuvres doctrinales : *Les Azolains* (*) et les *Proses en langue vulgaire*. Ainsi sur des exemples célèbres sont calquées quelques-unes des meilleures poésies : « Oiseau solitaire, si tu vas pleurant... » [Solingo augello, se piangendo vai], qui compare la vie du petit animal à l'amour malheureux du poète. Parfois l'image de l'amour : « J'étais étendu las » [Giaceami stanco] et la vision de la nature : « Cet antique rivage de notre pays » [Questa del nostro lito antica sponda], semblent inspirées par un sentiment plus sincère. Cette œuvre, en accord avec les règles qu'imposait l'imitation des humanistes, codifia le goût de toute une époque en matière de poésie amoureuse.

RIMES de Boccace [*Rime*]. Sous le titre général de *Rime*, il faut comprendre toute la production poétique dispersée de l'écrivain italien Jean Boccace (1313-1375). Les sonnets sont en majorité ; on trouve aussi quelques ballades et un sirvente : en tout cent vingt-six poèmes ; il faut y joindre un petit groupe de sonnets, probablement de Boccace, mais sur lesquels la critique philologique ne s'est pas prononcée avec une certitude absolue, et qui constituent un appendice aux poésies d'attribution certaine. Écrits à des époques diverses, approximativement à partir de 1336, ce sont pour la plupart des poèmes d'amour, dont le sujet est lié à des événements ou à des souvenirs de l'agréable séjour que Boccace fit à Naples. Viennent ensuite des épîtres, des poésies morales, et le galant sirvente écrit à la louange des belles Italiennes, inspiré probablement par un sirvente analogue de Dante, aujourd'hui perdu, auquel il est fait allusion dans la *Vita nuova* (*) et dans « Le Carrosse » [Carroccio] – v. *Poésies* (*) du poète provençal Raimbaut de Vaqueiras. De toute la production littéraire de Boccace en langue vulgaire, ces poésies sont, dans l'ensemble, la partie la moins heureuse au point de vue de l'art ; elles témoignent d'un éclectisme de lettré, qui unit avec une savante complaisance les langueurs de Pétrarque aux idéaux du « dolce stil nuovo » (pareillement éloignés des tendances les plus naturelles du tempérament de Boccace) et aux galanteries des troubadours ; rarement l'auteur parvient à fondre avec art ces divers motifs. Il faut chercher la meilleure part du recueil dans les sonnets, où pointent certaines élégances délicates d'idylle, certains traits plus joyeusement galants et sensuels ; ainsi dans les deux sonnets les plus connus : « À la poupe d'une petite barque était assise... » [Su la poppa sedea d'una barchetta) et « Autour d'une fontaine, dans un petit pré... » [Intorno ad una fonte, in un pratello] ; dans ce dernier, la fraîche élégance de l'idylle s'achève sur un mot galant savoureux. À ces sonnets de jeunesse, que l'on peut appeler « napolitains », s'oppose le groupe des sonnets écrits plus tardivement, d'une résonance plus sombre et plus grave. Il en est trois parmi ceux-ci qui présentent un certain intérêt historique et littéraire ; écrits vers la fin de 1373 ou au début de 1374, d'une allure fièrement polémique, ils s'adressent à un détracteur inconnu qui avait accusé Boccace de prostituer la poésie en révélant au peuple les sens cachés du poème dantesque ; on sait en effet qu'entre 1373 et 1374 Boccace avait commenté publiquement *La Divine Comédie* (*) à Florence.

RIMES de Burchiello [*Rime*]. Les poésies de l'écrivain italien Domenico di Giovanni, dit Burchiello (1404-1448), ont été recueillies avec beaucoup d'autres, certainement apocryphes, dans les *Sonnets de Burchiello, de Bellinciani et autres poètes florentins à la manière de*

Burchiello (Londres, en fait publiés à Lucques, 1757). Ces vers ne sont pas uniquement un objet de curiosité érudite et une plaisante lecture pour les amateurs de facéties. Un véritable don poétique habitait, en effet, Burchiello, barbier à Florence, dont la boutique était devenue un cercle de lettrés, de demi-lettrés, d'amateurs, et aussi une officine de critiques mordantes et de farces. Cependant son inspiration n'est pas simplement bouffonne ; il sait avec grâce tracer de petites scènes plaisantes, comme celle où il dépeint la lutte entre la Poésie et le Rasoir, se disputant la faveur du poète, ou la petite fable de la fourmi heureuse d'avoir trouvé un fer à cheval, « beau palais royal avec de belles murailles », mais obligée de l'abandonner parce qu'il ne s'y trouve rien à manger. Il consacre de petits tableaux amusants à sa propre vie, l'état de piété forcée où le réduit la maladie, les reproches des siens lorsqu'il veut rester à veiller en écrivant des vers. Burchiello a un sens très vif du détail pittoresque et bizarre, qu'il exprime en vers bien frappés : ce sont ces dons qui caractérisent la manière portant son nom, appelée aussi « maniera oscura » (manière obscure). On suppose, en effet, que ces poèmes contiennent des allusions à la vie publique ou privée des contemporains, d'où leur obscurité pour nous. Il semble aussi que, bien souvent, Burchiello, amateur de rimes, de rythmes, de mots plaisants à l'oreille, n'ait pas cherché à donner un sens à l'ensemble du poème, qui est un prétexte à un feu d'artifice d'images, de sons, de noms historiques, mythologiques, ou savoureusement populaires. L'auteur considère toujours son œuvre comme un jeu ; il se conforme au modèle de Dante et des poètes du XIIIe siècle, mais sans tomber dans la parodie : son attitude est seulement désinvolte et sans préjugé à l'égard de la littérature savante dont il ne raille que la fausse érudition. Ce simple amusement s'élève pourtant jusqu'à la poésie véritable. Le génial barbier eut une grande vogue en Toscane et au-dehors. À sa suite, il s'est formé une véritable tradition, qui s'honore de noms illustres, dont celui de Michel-Ange, et dure jusqu'au XVIIe siècle avec Carlo Gozzi, qui attaqua Goldoni dans un almanach à la Burchiello, *La Tartana degli Influssi.* Mais le vrai continuateur de Burchiello est l'auteur de *Morgant le géant* (*), Luigi Pulci.

RIMES de Cavalcanti [*Rime*]. Du poète italien Guido Cavalcanti (1260-1300) nous possédons quelque cinquante chansons, ballades et sonnets, ayant pour la plupart un thème amoureux. Le poète y reprend la conception de l'amour énoncée dans les poésies de Guido Guinizelli – v. *Rimes* (*), en accentuant le caractère « courtois ». La dame magnifiée de Guinizelli devient chez lui une image purement idéale, mais nous ne retrouvons pas pour autant les aspects rédempteurs de l'amour, conception qui devait trouver chez Dante une forme achevée : pour lui, l'amour est avant tout pouvoir de destruction et de mort : « Souvent de sa puissance mort s'ensuit » [Di sua potenza segue spesso morte], et l'image de la mort, qui revient avec insistance dans ses vers, s'associe à celle de la femme, à la fois objet d'émerveillement et de désarroi. Le caractère sentimental de son inspiration prévaut surtout dans les sonnets et les ballades (surtout dans les dernières, où le poète semble avoir trouvé le mode d'expression propre à son génie). C'est le cas de la joyeuse ballade « Fraîche rose nouvelle » [Fresca rosa novella] où, célébrant la dame de ses pensées, Cavalcanti la compare au printemps dont elle a les tendres couleurs et le parfum, avec une simplicité de ton qui rappelle les chansons populaires. On retrouvera cette simplicité dans le sonnet « Vous avez en vous les fleurs et les frondaisons » [Avete in voi li fiori e la verdura] et, avec des accents plus personnels encore, dans l'admirable « Qui est celle qui vient et que chacun regarde » [Chi è questa che ven ch'ogn'om la mira]. Avant Pétrarque et comme nul ne l'avait fait avant lui, Cavalcanti évoque ce qu'on appelle les intermittences du cœur. Témoin les quatre sonnets suivants : « Je vis les yeux » [Io vidi gli occhi], « Un amoureux regard » [Un amoroso sguardo], « Lorsqu'il me faut de mort retirer vie » [Quando di morte mi coven trar vita] et « Ma nouvelle et profonde infortune » [La forte e nova mi disavventura]. Mais la poésie de Cavalcanti trouve sa plus haute expression dans la ballade « Car je n'espère jamais retrouver » [Perch'io non spero di tornar giammai], que le poète composa pendant une maladie au cours d'un voyage en France. Il faut mentionner à part la ballade « Dans un bosquet rencontrai pastourelle » [In un boschetto trovai pastorella], où l'auteur reprend le thème des pastorales françaises. Le violent sonnet satirique contre les Buondelmonti, ses adversaires politiques, ceux dans lesquels il reproche au poète Guido Orlandi d'avoir utilisé en la dénaturant sa doctrine amoureuse et à Dante de s'être écarté de leur idéal commun, voilà autant d'œuvres qui nous révèlent chez Cavalcanti à la fois l'homme d'action, partisan fougueux et violent, et le philosophe en quête de solitude et de recueillement, bien digne d'être « le premier ami » de Dante, lequel trouva auprès de lui encouragements et conseils et lui dédia la *Vita nuova* (*). Cavalcanti fut un grand poète, spirituellement plus proche de Pétrarque que de Dante, et considéré à juste titre, en dépit de la minceur de son œuvre, comme le premier poète italien digne de ce nom.

RIMES de Cino da Pistoia [*Rime*]. La production du poète italien Guittoncino de' Sighibuldi (1270?-1336/37), dit Cino da Pistoia, constitue, même si l'on ne tient compte que des poèmes d'une attribution certaine, le chansonnier le plus abondant des poètes du « dolce stil nuovo ». Ses contemporains l'accusèrent de trop cultiver le lieu commun. Cino da Pistoia se contente en fait de reprendre, sans les renouveler, les motifs et les thèmes illustrés par Guinizelli, Cavalcanti et Dante. On est surtout frappé par la facilité d'écriture de certains poèmes, qui contraste avec le tour guindé et même contourné de l'ensemble du recueil : c'est qu'en fait Cino da Pistoia était dénué d'inspiration personnelle et ne pouvait s'élever à quelque qualité qu'en empruntant sa matière à d'autres poètes. Aussi son œuvre demeure-t-elle surtout comme un document sur le goût de l'époque : on y retrouve en effet l'ensemble du répertoire de la poésie amoureuse du temps. – Trad. sous le titre *Rime d'amore*, Charlot, 1942.

RIMES de Dante [*Rime*]. Recueil des poésies lyriques du poète italien Dante Alighieri (1265-1321), dont la composition s'échelonne de la jeunesse à la maturité et à l'exil, jusqu'au moment où son activité se concentre dans la création et l'achèvement de *La Divine Comédie* (*). Au début de ce recueil se placent les poésies lyriques de jeunesse que Dante choisit et ordonna, en les insérant dans le schéma psychologique et narratif de la *Vita nuova* (*). Vinrent ensuite s'ajouter les trois « canzoni » morales du *Banquet* (*), parmi les quatorze déjà composées, ou à composer, qu'il se proposait de commenter. Les poésies, qui restèrent en dehors de ces deux recueils partiels, nous parvinrent dispersées dans des manuscrits contenant les anciennes poésies en langue vulgaire. Toutefois, il en est certainement qui ont été perdues, comme le « sirvente » à la louange des soixante dames nobles de Florence, auquel il est fait clairement allusion dans la *Vita nuova* (VI, 2). À partir des premiers recueils imprimés de poésies anciennes (Milan, 1518 ; Venise, 1518 ; Florence, 1527), le nombre des poésies « extravagantes » attribuées à Dante augmenta sans cesse, jusqu'à ce que parût l'édition critique des *Œuvres de Dante* publiée sous l'égide de la « Società Dantesca Italiana » (Florence, 1921), édition établie par Michèle Barbi. Une fois les œuvres authentiques distinguées des apocryphes et des douteuses, les *Rimes* considérées dans leur ensemble et dans leur variété restent un document significatif sur le long travail d'élaboration de la langue et du style que Dante dut mener, tout au long de sa vie. Autodidacte dans l'art « de dire des mots en vers », il commença, comme tous les jeunes, par faire de la « littérature » ; et en effet, les sonnets échangés par lui avec Dante de Maiano sont de la littérature, littérature de son temps et de son milieu encore sous l'influence provençale et sicilienne. Dante développe et discute les thèmes classiques de la casuistique amoureuse qui lui sont proposés ou qu'il propose lui-même, dans un langage impersonnel d'une grande tenue intellectuelle et selon les règles médiévales de l'ornement rhétorique, avec des jeux de mots subtils et des rimes précieuses. Mais déjà, dans les premières poésies lyriques de la jeunesse, le poète se montre et, par le dur exercice de la composition, il affine les moyens de sa technique expressive avec un goût toujours plus vif du mot simple et clair, familier et évocateur. Reprenant les sujets de l'amour courtois qui lui parvenaient marqués désormais par une longue carrière littéraire, il les traite dans les ingénieuses combinaisons métriques du sonnet triplé et de la strophe isolée ; il les renouvelle par la sincérité du sentiment et par la variété du ton et du rythme. Il se détache de l'influence de Guittone d'Arezzo et mûrit dans un climat de jeunesse lyrique, insouciante et galante. Dans le fameux sonnet « Guido, je voudrais que toi, et Lapo et moi... » [Guido, vorrei che tu e Lapo ed io], le thème provençal du « plaisir » [plazer] est renouvelé par une belle ouverture de caractère fantastique. L'inspiration n'est pas encore capable de se soutenir longtemps et elle se morcelle, mais un accent de vérité vécue ne tarde pas à s'affirmer et à dominer le répertoire des sujets traditionnels. À la suite de Cavalcanti, Dante traduit son sentiment et sa pensée en des mouvements de style d'une grâce délicate et souple. La ballade « Pour une couronne que j'ai vue » [Per una ghirlandetta] est un bouquet de motifs mélodiques, dont le parfum léger se répand dans une atmosphère de tendresse et de souvenirs. Quant à la ballade : « Dis, Violetta, qui, dans l'ombre d'Amour » [Deh, Violetta, che in ombra d'Amore], elle est tout entière faite de la musique intérieure d'une âme amoureuse remplie de désir et d'espoir : en effet, cette beauté que l'amant trouve dans les yeux de la femme aimée n'est-elle pas le signe d'une bonté incapable de trahir ? Sujets courtois chantés avec une légèreté limpide de parole ; sentiments qui s'épanouissent et se communiquent, harmonieux et musicaux, et comme débarrassés du poids de la passion. C'est un optimisme fondamental qui porte le poète à exalter l'amour auquel, dans ses colloques secrets avec son âme, il s'abandonne avec confiance ; de là le ton joyeux du sonnet à la Garisenda et du sonnet sur la chasse. Mais de cette conception sereine et contemplative de l'amour, Dante passe bientôt à une conception infiniment plus dramatique, pleine de cette angoisse et de cet effroi que la beauté spirituelle suscite au plus profond de nous-même : ce sont alors les deux « canzoni » extravagantes, dédiées toutes deux à Béatrice. Le poète se mesure là à une matière nouvelle et la domine avec une rigueur scolastique. Cette nouvelle expérience confère une plus grande vérité et un caractère plus concret à sa poésie essentiellement musicale et rêveuse, dédiée désormais à l'expression du pur sentiment. Plongeant jusque dans ces profondeurs où la vie intime, hors de l'amour, se désagrège et se brise, les images de la douleur et de la mort surgissent de façon imprévue aux yeux du poète qui s'y contemple avec une imagination hallucinée.

Mais c'est avec la canzone « Dames qui avez l'intelligence de l'amour » [Donne ch'avete intelletto d'amore] que Dante prendra une plus claire conscience de lui-même et du monde qui l'inspire. Il inaugure, ici, les « nuove rime », en célébrant dans Béatrice ce que la charité des anges exalte auprès de Dieu : le mystère agissant d'une âme de bien, qui, descendue du ciel pour faire des miracles, est réclamée par le ciel à la terre. Soutenues par un puissant souffle lyrique, les paroles qui louent comme un don de la Providence la beauté de la créature tranchent sur le ton uni et didactique de la canzone et créent cette atmosphère frémissante d'admiration, qui entourera désormais la femme aimée. Dans cette atmosphère s'épanouissent plusieurs sonnets et notamment le célèbre « Noble et courtoise paraît ma dame, quand elle salue » [Tanto gentile e tanto onesta pare] : ici, le sujet du poème, dans un élan contenu de tendresse, de douceur secrète et de mélancolie voilée, conquiert avec bonheur la forme qui lui convient. Avec une légèreté de ton et une clarté d'accents admirables, la poésie surgit de la surabondance contemplative ; c'est alors comme la voix d'une âme qui s'écoute dans le silence et se confesse humblement dans un chant de louange : tel est le « doux style nouveau » [dolce stil nuovo] de Dante, qui, parvenu au sommet de ses aspirations, a trouvé dans la beauté immatérielle de l'être qu'il aime les raisons suprêmes qui lui manquaient ; le poète a désormais compris la signification et l'importance morale de son œuvre. Toutefois, ce lyrisme exemplaire, dont l'expression la plus haute se remarque dans les sonnets de « louange » (« loda »), ne tarde pas à s'affaiblir, pour laisser la place à de sombres angoisses, toutes mêlées de pleurs. La pensée que Béatrice devra un jour mourir s'impose à l'âme de Dante, qui en est accablé ; il voit cet événement comme tout proche et cette obsession s'abat sur lui avec impétuosité. Ce sujet inspire la canzone « Une dame compatissante, ornée de jeunesse » [Donna pietosa e di novella etate], qui s'achève en une suite de visions, où se fait jour la foi ingénue du poète invoquant la grâce d'une « bonne mort ». Dans les poésies postérieures à la mort de Béatrice, une orientation nouvelle de l'art de Dante se dessine à travers les effets d'un courageux examen de conscience. Dans une canzone telle que « Si tu aperçois mes yeux gonflés de larmes » [Li occhi dolenti per pietà del core] et dans le sonnet : « Couleur d'amour, expression de pitié » [Color d'amor e di pietà sembianti], on voit le poète recueillir avec simplicité et clarté, et pourtant à travers les grâces stylisées de l'école, les contradictions intimes de son cœur inquiet. À ce point de son expérience, Dante atteint aux limites mêmes de l'art : au-delà, il n'y a plus que l'amour de Dieu qui puisse s'exprimer. Dans la canzone « Vous qui, par votre parole, faites mouvoir le troisième ciel », l'amour pour Béatrice n'est pas renié, mais il est dépassé par le nouvel amour que la philosophie morale a fait naître en lui. Il en est de même avec la canzone « Amour qui, dans mon esprit, me parle ardemment », où le poète célèbre la beauté de la philosophie considérée dans son essence comme la Sagesse créée. Ces deux canzoni se placent dans l'atmosphère sentimentale de la *Vita nuova* dont elles conservent les attitudes et les mouvements de style : elles sont de « douces rimes d'amour » (« dolce rime d'amore »). Mais le souffle lyrique qui les traverse est plus robuste et plus soutenu, plus vaste et plus constant. La seconde surtout est l'expression éloquente d'une âme qui prend conscience d'elle-même et de la force qui la meut. Dans un passage ultérieur Dante considérera la philosophie non plus en elle-même, mais du point de vue humain, et il en exposera le caractère original, chargé de distinctions et d'argumentations. Le style deviendra nécessairement âpre et subtil, c'est le cas des canzoni consacrées à la noblesse, au charme (vertu de la vie courtoise) et à la générosité, véritables petits traités moraux dont la forme poétique repose sur l'ingéniosité de la métrique, sur l'agilité du vers et sur la recherche de la rime. Ses traités ne sont pas exempts de passion avec des flambées de colère et des traits de sarcasme ; ici apparaissent toutes les ressources du moraliste et de l'orateur.

Parmi les nombreuses poésies de circonstance que Dante a laissées, on s'intéressera particulièrement à sa dispute avec Forese Donati, antérieure à 1296, qui prit naissance comme un jeu, dans un moment de joie spirituelle, pour se transformer en un échange d'injures et d'accusations vulgaires. Toutefois, il n'y a pas là un simple jeu littéraire, de ton réaliste, car la vivacité du langage populaire sera plus tard utilisée par le poète avec un art consommé quand il évoquera la dispute entre Sinon et maître Adam dans le cercle infernal des faussaires. Même dans cette dispute, Dante, supérieur à son adversaire, sait refréner le ressentiment et la réplique pour discipliner sa parole en allusions hardies et évocatrices. Il trouve des moyens d'expression plus pénétrants encore, fondés sur des métaphores fulgurantes, dans un groupe de poésies dites « petrose », du nom symbolique de donna Pietra, dame dure comme la pierre. Ces poésies semblent avoir été écrites un peu avant l'exil. Dante y trace une comparaison sous diverses variantes entre l'âme en proie à l'amour sans espoir et des tableaux de l'hiver, la pluie, la neige et le gel devenant pierre dans des paysages désolés. Ici Dante s'inspire de l'art d'Arnaut Daniel, lui empruntant le schéma métrique du sizain, où la pensée restant immobile sur elle-même se diversifie dans l'espace fixe des six rimes comme à travers un prisme. Dans l'artistique recherche des difficultés formelles, Dante rivalise avec l'inventeur du sizain, qui fut le « meilleur fabricant de la langue maternelle », et pour réaliser quelque chose de nouveau, il forge le sizain triplé ou doublé.

Les *Rimes* postérieures à l'exil respirent un climat de sérieux et de gravité, où s'exprime une conception toujours plus profonde et plus sensible de l'amour : celui-ci y est présenté en harmonie avec cette loi de justice que toute personne humaine porte inscrite en elle-même. Le poète y revient tantôt aux « douces rimes d'amour » en l'honneur de la philosophie, ou aux canzoni du « doux style », tantôt à l'exaltation de la sagesse grâce à laquelle il se conquiert lui-même. Vivant désormais solitaire parmi les hommes, il se juge lui-même et les juge d'un ton ferme et apaisé (cf. les deux sonnets adressés à Cino da Pistoia et la canzone à Malaspina). Cependant la conscience morale de Dante s'est faite désormais une suffisante médiatrice entre les passions de l'homme et la loi de justice qui s'impose à lui, pour que la raison ne soit pas violée ni le cœur trompé dans ses aspirations profondes. À cette loi de justice qui est dans notre nature, et qui dans les choses est l'équivalent créé de la raison éternelle et créatrice, Dante a consacré la plus magnifique des canzoni du « beau style » : « Trois dames sont venues autour de mon cœur » [Tre donne intorno al cor mi son venute]. Ce poème se rattache au modèle du « stil nuovo », mais sur un ton différent, plus solennel et plus austère. L'amour dont il y est question est l'obéissance de la volonté humaine au bien moral, comme fin nécessaire de toute activité vraiment humaine ; il est aussi la conscience morale de Dante, qui, en se repliant sur lui-même, s'exalte à l'imagination d'un monde supérieur de justice conforme aux vœux secrets de son cœur. *La Divine Comédie* est déjà ici en germe avec son contenu philosophique, son ton de prophétie et sa confiance dans l'avenir. Le monde de perfection spirituelle, que Dante a connu au matin de sa vie par la médiation de Béatrice, s'est rempli, à travers son expérience, d'un contenu rationnel, objet d'une volonté consciente. – Trad. Gallimard, 1965.

RIMES de Davanzati [*Rime*]. On a coutume de compter le Florentin Chiaro Davanzati, qui vécut dans la seconde moitié du XIIIe siècle, au nombre de ces poètes dits de transition, dont les œuvres marqueraient en quelque sorte le passage de la poésie d'inspiration provençale à celle du « dolce stil nuovo ». Dans sa production de jeunesse, Davanzati s'en tient étroitement aux poètes provençaux qu'il imite et souvent même traduit ; il subit par la suite l'influence de Guittone d'Arezzo, atteignant ainsi à une poésie plus personnelle, d'une fraîcheur et d'une pureté qui annoncent le renouveau poétique ultérieur. Davanzati est essentiellement un poète d'amour, mais se montre également sensible aux événements contemporains : il s'inspire aussi de sujets politiques et, dans le genre, son poème le plus connu est « Ah, douce et joyeuse terre florentine » [Ai dolze et gaie terra florentina], probablement écrit en 1267, lorsque la seigneurie de Florence fut offerte à Charles d'Anjou. Dans ses poèmes d'inspiration amoureuse, Davanzati, tout en empruntant fréquemment au langage et à l'idéal chevaleresque, participe largement à cette spiritualisation de la doctrine d'amour qui trouvera son expression achevée dans les poèmes de Cavalcanti et de Dante. Sans tomber dans l'abstraction, Davanzati parvient à entourer la femme d'une aura stellaire préludant aux splendeurs de l'aube. Qu'on se rapporte à ce sujet aux sonnets « Point ne m'en étonne » [Non me ne meraviglio] et « Lorsque resplendissante apparaît la lumière » [La risplendente luce quando appare], ce dernier repris par Dante dans un des plus beaux sonnets de la *Vita nuova* (*).

RIMES de Della Casa [*Rime*]. Les poésies de l'écrivain italien Giovanni Della Casa (1503-1556) occupent dans le pétrarquisme une place marquante, du fait qu'elles apportèrent des innovations importantes dans la structure du vers et dans le choix des thèmes, malgré un recours à l'élégance formelle et au répertoire conventionnel de la tradition littéraire. Le thème le plus caractéristique de ce poète est un penchant à la mélancolie élégiaque, comme dans le célèbre sonnet « Ô sommeil, ô fils placide de la calme, tiède et sombre nuit » [O sonno, o de la queta, umida, ombrosa / Notte placido figlio], dans lequel le poète exprime avec un noble détachement le tourment de l'ennui et la vanité des choses. Ailleurs, le thème de la jalousie maladive et l'invocation à Dieu, « Cette vie mortelle » [Questa vita mortal], accentuent la tendance à la méditation qui distingue Della Casa de la foule banale des pétrarquistes du siècle, et même de Bembo. De nombreux sonnets sont consacrés aux amitiés de l'auteur et à ses relations avec d'illustres personnages de l'époque, transposant dans une atmosphère de noblesse et d'élégance jusqu'aux faits les plus communs, affections, enthousiasmes et chagrins, mais en visant toujours à la perfection du style.

RIMES de Enzio [*Rime*]. Deux poèmes (un sonnet et les strophes initiales d'un poème qui ne nous est pas parvenu), attribués au fils de l'empereur Frédéric II de Souabe, Enzio (1220 ?-1272). Leur date de composition demeure incertaine. La poésie de Enzio relève directement – et logiquement – des motifs de la poésie des troubadours ; elle se manifesta surtout à la cour de Frédéric et on a pris l'habitude de l'appeler « poésie sicilienne ». On retrouve la phraséologie et les thèmes particuliers aux poètes provençaux, transposés ou traduits, non sans un excès de recherche, dans une langue qui faisait alors ses preuves en tant que langage poétique. Et c'est précisément dans cette recherche et cette ambition artistique que résident tout l'intérêt et la réelle importance historique et documentaire des poésies de Enzio et des autres poètes de la même école.

RIMES de Guinizelli [*Rime*]. Les poésies du poète italien Guido Guinizelli, (1230/40-1276), de la noble famille bolonaise des Principi, qui influèrent tant sur la formation de Dante et des amis de ce dernier, révèlent une personnalité particulièrement originale. On trouve en effet mêlées, chez Guinizelli, une extrême sensibilité et une vigueur de pensée qui le conduisirent à un approfondissement des images et des sentiments. Chez lui, la violence même de la passion nous apparaît toujours contenue par une réflexion attentive qui lui permet de varier son discours. Reprenant les thèmes amoureux de la poésie provençale et italienne, et de la littérature doctrinale du Moyen Âge, il en tira une conception de l'amour qu'on jugea nouvelle, bien que cette nouveauté ne relevât point tant des éléments constitutifs de cette conception que de l'aspect sous laquelle celle-ci était présentée, de l'empreinte en somme de la personnalité de l'auteur et du « climat » des communes italiennes dont il était issu. L'amour ici n'est plus un péché, mais bien plutôt la résurrection de la grâce et de la noblesse originelles de l'âme, se révélant à celui qui les possède à travers la sublime beauté d'une femme, celle-ci conduisant alors l'amant vers la perfection spirituelle. La nouveauté de cette poésie ne manqua pas de susciter surprise et dissensions dans les milieux poétiques de l'époque. Mais il y avait tant de vigueur dans les images de Guinizelli, tant de puissance de suggestion dans sa doctrine d'amour, qu'elle ne pouvait qu'être entendue par des esprits jeunes et passionnés, dédaigneux du commun et du vulgaire, et tendus vers un monde empreint d'un haut idéalisme. Tels furent Guido Cavalcanti et Dante, ainsi que leurs amis Lapo Gianni et Gianni Alfani, qui prirent le poète bolonais pour maître et communièrent dans une même admiration, unis par un credo poétique et moral propre à leur procurer la conviction d'appartenir à une véritable aristocratie de la culture et du sentiment.

RIMES de Guittone d'Arezzo [*Rime*]. Le poète italien Guittone d'Arezzo, connu également sous le nom de Fra Guittone (1225 env.-1293), nous a laissé un des recueils les plus copieux du XIIIe siècle : on lui attribue en effet plus de deux cents sonnets, quarante-quatre chansons, six ballades et huit ébauches d'épîtres. Guittone est sans aucun doute le plus représentatif de ces poètes toscans que tout manuel de littérature présente comme un groupe de transition entre l'école « sicilienne » et le « dolce stil nuovo ». On distingue nettement dans la production poétique de Guittone des poésies de jeunesse sur des thèmes d'amour ; des poèmes d'inspiration morale et religieuse, écrits après la conversion de l'auteur qui entra dans les ordres vers 1265 ; et le groupe de poèmes d'inspiration lyrique et civique. Dans ses poèmes d'amour, Guittone adopte les thèmes traditionnels, sans parvenir toutefois à y intégrer les trois éléments caractéristiques de son art : une verve proprement populaire, le goût de la préciosité et un penchant pour les formules lapidaires et les raccourcis évocateurs qui révèlent une indéniable puissance. D'ailleurs, si l'expression pèche par excès de recherche, elle n'est jamais conventionnelle et conserve un tour original, particulier à l'auteur. Dans ses poèmes d'édification, archaïsmes et verve populaire répondent parfaitement à l'austérité morale de l'argument. La plus connue et peut-être la plus célèbre des poésies de Guittone est la chanson « Hélas ! c'est maintenant saison de la profonde douleur » [Ahi lasso ! or è stagion di dolor tanto], écrite à l'occasion de la défaite des guelfes à la bataille de Montaperti (1260).

RIMES de Iacopo da Lentini [*Rime*]. Parmi les poètes du premier mouvement poétique italien, dit de l'école sicilienne, Iacopo da Lentini (première moitié du XIIIe siècle) fut le plus célèbre et celui dont le plus grand nombre de poèmes nous est parvenu : on lui attribue en effet une quarantaine de sonnets et chansons. Il fut également le premier à user du sonnet, genre qui fit fortune dans la poésie italienne et dont il passe pour être l'inventeur. Dans le plus célèbre de ses sonnets, « Amour est un désir qui vient du cœur », l'auteur expose avec beaucoup de perspicacité le processus d'idéalisation amoureuse, en opérant une synthèse des doctrines opposées selon lesquelles l'amour aurait une origine sensuelle ou spirituelle, problème qui fut amplement discuté par les poètes du XIIIe siècle. La renommée de Lentini fut en vérité la conséquence de son défaut majeur : un style par trop guindé. Toutefois, il s'agissait là d'un effort fait en vue de renouveler les vieux thèmes poétiques de l'école sicilienne. C'est en ce sens que l'œuvre de Iacopo da Lentini amorce toute l'évolution de la doctrine de l'amour qui trouvera son terme dans les poèmes de Cavalcanti et de Dante.

RIMES de Lope de Vega [*Rimas*]. On désigne généralement sous ce titre trois livres, dont l'ensemble constitue une partie très importante de l'œuvre lyrique de l'écrivain espagnol Lope Félix de Vega Carpio (1562-1635) : *Rimas* (Séville, 1604), *Rimas sacras*

(Madrid, 1614) et *Rimas humanas y divinas del licenciado Tomé de Burguillos* (pseud. de Lope de Vega) [Madrid, 1634]. La « Primera parte » des *Rimas* contient deux cents sonnets qui se trouvaient déjà dans un précédent livre du poète : *La Beauté d'Angélique* – v. *Angélique* (*). Seules les églogues, épîtres, épitaphes, etc., de la « Segunda parte » étaient publiées pour la première fois. Réimprimées avec le même texte, à Lisbonne en 1605, les *Rimas* furent éditées de nouveau à Madrid en 1609, mais cette fois la seconde partie était remplacée par *Le Nouvel art de faire les comédies* (*). Dans le prologue de ces *Rimas* dédiées à son ami et mécène don Juan de Argujo, Lope de Vega tente de justifier l'esthétique littéraire dont il s'était inspiré dans ses œuvres antérieures – *L'Arcadie* (*) et *La Beauté d'Angélique* –, et définit avec une profonde érudition son attitude à l'égard du classicisme et de la Renaissance. Dans l'œuvre de Lope, les *Rimas* représentent en effet le puissant apport de la poésie italienne de la Renaissance, laissant déjà entrevoir, à côté de nombreuses imitations – parfois intégrales – de Garcilaso de la Vega, l'avènement du genre baroque, de caractère profondément national et populaire. Les deux cents sonnets de la « Première partie », dont quelques-uns ont été fréquemment reproduits dans les anthologies, datent des dernières années du XVIe siècle et fourmillent d'allusions biographiques. C'est ici le triomphe du genre, artificiel et difficile entre tous, que l'on a appelé le « cultéranisme ». Ces sonnets, alors très en vogue, recèlent dans leurs tercets ou quatrains les plus savantes combinaisons, les plus subtils enchevêtrements de rimes (ainsi, les sonnets 16, 19, 32, 52, 53, 61, 65, 93, 127, 191). Dans certains cas (sonnet 200), il n'a pas moins fallu que la géniale aisance de Lope pour venir à bout d'obstacles insurmontables. Ou bien encore le poète composera un sonnet avec des vers entiers de l'Arioste, de Camoens, de Pétrarque, du Tasse, d'Horace, de Garcilaso, qu'il accompagne de notes érudites. Non moins révélateurs sont les sonnets 126 et 137, où les mots s'assemblent sans lien apparent, aux hasards d'une énumération plaisante. De style très Renaissance, les deux cents sonnets sont fort divers quant à l'inspiration, avec toutefois, comme dans le théâtre du même auteur, une prédominance marquée de l'amour. Tantôt les sonnets (7, 42, 50, 103, 108, 173, 185) constituent par leur sujet même des vers d'amour, ou sont dédiés à la mémoire de la première maîtresse du « Phénix » (tels les splendides sonnets 30 et 31), à moins qu'ils ne chantent « Lucinda », l'actrice Micaela de Luján (sonnets 3, 4, 8, 14, 44, 65, 84, 120, 127, 133, 135, 136, 143, 146, 155, 158, 162, 170, 174, 175, 179) ; tantôt le poème, inspiré de *La Bible* (*) (sonnet 5), de la mythologie (sonnets 6, 13, 21, 35) ou de l'histoire (sonnet 46), n'en porte pas moins l'empreinte de l'obsession amoureuse. L'amour est absent, cependant, de quelques sonnets dédiés à Guzmán el Bueno (17), au poète Liñán de Riaza (54, 76), à Andromède (70), à Judith (78, l'un des sonnets les plus célèbres pour son coloris digne d'un Véronèse), au Destin (93), à Léandre (96, d'une grande originalité de forme), à don Rodrigo de Silva (100), à Juan Bautista Labaña (115, écrit en termes astrologiques), à Quevedo (128), à Madrid (adieu poignant et ironique à cette ville, au moment de la quitter, 142) et à Inés de Castro (181, une des meilleures poésies qui lui aient été consacrées), etc. Le sonnet 199, inspiré par une pensée de Sénèque, se termine par ces vers lapidaires : « No la miseria en el morir consiste, / solo el camino es triste y miserable / y si es vivir la vida solo, es triste. »

La « Segunda parte » des *Rimas* de Lope, dédiée à son amie doña Angela Vernegali, qui l'avait soigné avec dévouement, comprend les poèmes suivants : « Églogue I, Au duc d'Albe », son ancien bienfaiteur, dont il avait été le secrétaire. Dans cette composition directement influencée par Garcilaso, trois bergers échangent leurs propos en d'impeccables tercets ou stances à l'italienne qui alternent avec des refrains fort originaux. Sous le travestissement pastoral, on devine le duc, son épouse et une autre femme apparemment éprise de ce seigneur. Le dialogue, d'une lenteur conforme aux lois du genre, est animé, cependant, par maintes images, métaphores ou « concetti » au service d'une passion ardente. Dans l'« Églogue II », un certain Elisio, qui ne serait autre que l'auteur, se plaint d'essuyer le mépris de son aimée Camilla Lucinda. Plus émouvante et presque théâtrale est l'« Églogue III » (« Farmaceutriá », d'un mot grec qui veut dire sorcière), composée de tercets où Tirsis conte à Meliso ses amours, en présence d'un sorcier. Dans l'« Églogue IV » (« Silva »), Lope déplore, par le truchement d'Apollon, le trop grand nombre des mauvais poètes et souhaite que le goût prenne pour arbitre « Lasso (Garcilaso) en España y en Italia Tasso ». La « Descripción de La Badia », poésie du genre précieux, nous transporte dans le jardin du duc d'Albe à Salamanque. « A la creación del mundo » est un « romance » dans lequel Lope de Vega énumère, avec une puissance d'évocation peu commune, les objets de toute espèce qui lui sont les plus agréables. L'élégie « A la muerte del rey Felipe II el Prudente », à la mémoire du roi d'Espagne, perd beaucoup de sa grandeur pour avoir été composée sous forme de romance octosyllabique assonancé. Plus vivante, et tout imprégnée de grâce, est la célèbre épître « Al Contador Gaspar de Barrionuevo », précieuse pour les détails autobiographiques qu'elle renferme. Citons enfin, parmi les « Epitafios fúnebres », dernière partie du recueil, celles dédiées à Sixte Quint, à Philippe II, à Sébastien de Portugal, etc.

Les *Rimes sacrées* [*Rimas sacras*], « Primera parte » (la seconde partie n'a pas vu le jour), contiennent cent sonnets, dix « glosse », deux compositions en huit rimes, vingt-huit romances, onze chansons, quatre compositions en tercets, deux idylles et deux villanelles, d'inspiration religieuse et d'une mystique splendeur. Des cent sonnets, dont plusieurs ont été maintes fois édités, on retiendra particulièrement celui, si dramatique, que le repentir inspira au poète (1), ceux aussi, en forme de prière (14 et 15), où sont les plus beaux tercets que la piété ait inspirés à Lope de Vega. D'autres sonnets, tels que « L'Ingratitude humaine et l'Amitié divine » (18), « A un crâne » (43), « La Brièveté de la vie » (72) et tant d'autres (2, 7, 50, 89), dont la perfection technique égale celle des poésies profanes. Les « Romances », qui évoquent la Passion du Sauveur, sont empreints d'un réalisme, audacieux parfois, mais toujours émouvants, et dans la pure tradition castillane (« A la Corona », « A Cristo en la cruz » et surtout « Al levantarle en la cruz » qui a le relief d'un groupe sculpté). Non moins admirables sont ces compositions en octosyllabes : « Las lágrimas de la Magdalena », où l'on discerne l'influence de Tansillo, et « Revelaciones ». Les vers « A la muerte de Carlos Félix », à la mémoire d'un fils du poète et de sa seconde femme Juana de Guardo, sont beaucoup plus qu'une « canción » [chanson] – comme dit l'auteur – mais une élégie débordante d'amertume où la poésie coule à flots. Les *Rimas sacras* furent écrites pour la plupart à ces instants de crise où, dans l'âme ardente et sincère de l'écrivain, une mystique ferveur l'emportait momentanément sur l'ardeur des sens. Repentir plus poignant encore d'être si éphémère : l'artiste y a mis tout son génie, désormais orienté vers le divin, dans un élan qui l'apparente aux grands mystiques de la Contre-Réforme.

Les *Rimes humaines du licencié Thomas de Burguillos* [*Rimas humanas y divinas del licenciado Tomé de Burguillos*] contiennent, dans la première partie, cent soixante et un sonnets, auxquels il convient d'ajouter celui des « Preliminares » que Lope signa d'un pseudonyme : « El conde Claros » ; dans la seconde partie : deux chansons, un sonnet, deux compositions en « espinelas » ou dizains octosyllabiques, une « glossa », le poème *La Gatomachie* (*). La troisième partie est constituée par les « Rimas divinas » qui renferment deux églogues, un « villancico », un sonnet, deux compositions en « espinelas », deux « glosse » et trois « romances ». Lope use souvent du pseudonyme « Tomé de Burguillos » pour se moquer de ses créations littéraires, prévenant ainsi, non sans malice, des critiques plus malveillantes. Tel est souvent le ton de ses *Rimas humanas y divinas* dans lesquelles le picaresque Tomé parvient sans peine à égaler le meilleur « Phénix ». Très célèbre également est la série des sonnets dédiés à Juana, ou Juanilla (2, 3, 7, 16, 17, 19, 21, 22, 30, 40, 53, 69, 75, 86, 98, 100, 126, 146, 148, 151, 157), que les érudits ne sont pas parvenus à identifier. Mentionnons aussi les sonnets suivants : « A la muerte de una dama » (peut-être s'agit-il de Micaela de Luján ?) ; « Quéjesele una dama de un bofetón que le había dado su galán » (67), qui a pour origine les amours de Lope avec Elena Osorio ; « La pulga » (97), « Al retrato de una dama después de muerta » (149) (Isabel de Urbina, première femme du poète), ainsi que les très amusants sonnets au Manzanares (121-155) et la spirituelle « letrilla » (« Hoy cumple trece y merece »), dédiée à Antonia Clara, la fille chérie du poète. Parmi les « Rimas divinas » qui forment la troisième partie du livre, les plus réussies sont les deux églogues et le « Villancico » dédié « Al nacimiento de Nuestro Señor ». Dans ce dernier poème, Lope a mis une grâce, un naturel qui font penser aux crèches rustiques de son temps. C'est aussi une délicieuse naïveté populaire qui distingue les Églogues I et II, ou encore des poésies comme « Al santo Niño de la Cruz » et « A la dichosa muerte de sor Inés del Espiritu Santo », où le vers bref est d'un si heureux effet. Enfin, sous le nom de « Poésies », Lope de Vega a désigné l'ensemble des compositions diverses qu'il a publiées en dehors de son œuvre dramatique, et auxquelles il faut ajouter *La Filomena, con otras diversas rimas, prosas, y versos* (Madrid, 1621) et *Laurel de Apolo con otras rimas* (Madrid, 1630). A nous en tenir à cette brève analyse, il apparaît clairement que les poésies de Lope de Vega puisent à trois sources d'inspiration : sa passion amoureuse, sa ferveur religieuse, son sens de l'ironie et du burlesque. Cependant, il convient de remarquer que, quel que soit son état d'âme du moment, le poète laisse toujours paraître, avec une sincérité toute spontanée, le secret de sa vie intérieure. C'est là son trait distinctif, avec ce don de perpétuel renouvellement au contact de la vie qui lui fait convertir en poésie tout ce qu'il touche, avec autant de bonheur dans la composition la plus raffinée que dans le plus humble refrain.

RIMES de Michel-Ange [*Rime*]. Sonnets, madrigaux, tercets, fragments divers, le sculpteur et poète italien Michel-Ange (Michelangelo Buonarroti, 1475-1564) écrivit environ deux cent cinquante poésies, de sa jeunesse à son extrême vieillesse. Pendant quelque temps il caressa le dessein d'en tirer son « Canzoniere » et, vers 1546, il en prépara un choix en vue de la publication, mais il renonça finalement à son projet. Ce n'est qu'en 1623 que ses œuvres étaient éditées, par les soins de son arrière-neveu et homonyme, qui en lima les aspérités et les corrigea librement ; une version plus fidèle en fut donnée au siècle dernier par les soins de Guasti (1863) et de Frey (1897). Dès le XVIe siècle, Berni, en les opposant à la poésie conventionnelle des pétrarquistes, louait fort quelques-unes d'entre elles (« Lui, il dit des choses ; vous, vous dites des mots ») ; mais les modernes les ont admirées encore davantage. Ils y ont retrouvé l'esprit de ses chefs-d'œuvre et ont été portés à parfaire dans leur imagination les images mal assurées du poète, en accord avec les puissantes représentations du sculpteur et du peintre ; certains même sont allés jusqu'à déclarer qu'ils préféraient, comme étant une expression plus authentique et plus directe de l'esprit de l'artiste, sa poésie rude et confuse à son œuvre d'architecte, de sculpteur et de peintre. La vérité est qu'on ne peut placer les *Rimes* sur le même plan que les autres œuvres de Michel-Ange ; elles appartiennent plutôt, pourrait-on dire, à une zone intermédiaire entre les songes héroïques, qui se déploient et s'apaisent dans les créations de l'artiste, et les confessions directes de ses *Lettres* (*) où, dans une langue et une syntaxe tout à fait populaires, se révèle l'artiste au cœur sombre et passionné, orgueilleux et humble, perpétuellement mécontent de soi-même et du monde, ouvert aux sentiments les plus simples et les plus sincères. En s'essayant à la poésie, Michel-Ange se distrait et se repose du douloureux travail de la création et du tourment quotidien, ou bien il cherche à fixer dans une forme durable une pensée longuement méditée, un idéal caressé, un mouvement de l'âme. Il plaisante parfois ; c'est ainsi que, dans un sonnet, il trace une caricature de sa personne, déformée par les terribles fatigues qu'il endura lorsqu'il travailla aux fresques de la Sixtine ; dans une pièce burlesque, il se décrit, « pauvre vieux, esclave par la force des autres », avec ses misères et ses malheurs. Il se complaît aussi de temps à autre à des jeux d'élégante galanterie, comme dans le sonnet juvénile : « Combien se réjouit, heureuse et bien tressée... » [Quanto si gode lieta e ben contesta...], qui est de sa meilleure veine. Il laisse éclater sa colère contre la Rome de Jules II dans le terrible sonnet : « Là, tout calice en casque et en glaive se mue... » [Qua si fa elmi, di calici, e spade], et sa douleur sur les temps présents dans la fameuse épigramme sur sa *Nuit :* « Le sommeil m'est cher... » [Caro m'è il sonno...]. Il manifeste l'admiration qu'il a nourrie toute sa vie pour Dante, si affectueuse et si profonde, et d'autant plus grande, dirait-on, qu'il sentait l'esprit de celui-ci plus différent du sien ; il lui a consacré deux sonnets, dont le premier s'achève sur le désir fameux et magnanime : « Or, que ne suis-je lui ! En tel sort ici-bas / Né pour un même âpre exil, avec même vertu / Du monde j'offrirais le plus heureux état » [Foss'io pur lui ! ch'a tal fortuna nato / Per l'aspro esilio suo con la virtute / Darei del mondo il più felice stato !]. Selon l'esprit platonique du siècle, qu'aimait son âme d'artiste, il chante son amitié et son admiration pour le jeune Tommaso Cavalieri et sa dévotion pour Vittoria Colonna, la consolatrice d'élection : « À quoi me pousse la force d'un beau visage ? / Car il n'est rien d'autre au monde qui me réjouisse : / À m'élever vivant parmi les esprits élus... » [La forza d'un bel viso a che mi sprona ? / Ch'altro non è ch'al mondo mi diletti : / Ascender vivo fra gli spirti eletti]. Parfois aussi il relève, sur un ton plaisant ou dramatique, les contradictions d'autres amours plus sensuelles, ou bien il avoue une tristesse enracinée et jamais vaincue : « Amour, à toi je ne le cache pas / Que je suis jaloux des morts » [Amor, a te nol celo / Ch'io porto invidia a' morti], ou encore le désir angoissé d'un renouveau spirituel et son espérance humble et craintive dans le secours divin. Il ne réussit pas toujours à conduire ces tentatives littéraires jusqu'à leur terme ; de nombreuses poésies sont restées inachevées, d'autres ne sont que de simples notes ou des ébauches ; il faut considérer aussi comme fragmentaires celles (et il y en a plus d'une) où l'auteur, après avoir épuisé en quelques vers le motif initial, s'est ingénié à donner une conclusion en raisonnant froidement et en subtilisant sur sa propre pensée. Dans toutes enfin, on voit clairement combien le langage (qui ne peut plus être celui de ses lettres) secourt mal l'intention de l'artiste : fréquentes sont les expressions forcées et obscures, et, pour quelques inversions qui donnent un relief nouveau et singulier à l'image, il en est beaucoup qui ne sont que de pénibles contorsions de phrases. Même dans le plus célèbre des sonnets de Michel-Ange, « À la nuit » [Alla notte], rudesses et obscurités ne manquent pas ; et surtout, ce rythme de lassitude et de langueur qui devrait le pénétrer reste en un certain sens hors de la poésie. Pour toutes ces raisons et malgré les accents vigoureux qui s'y rencontrent, on les lit surtout comme le témoignage unique d'un esprit unique, qui sentit le besoin de s'assujettir à cet exercice littéraire afin de mieux éclairer — davantage pour lui-même que pour les autres — des pensées et des sentiments qui lui étaient chers. Particulièrement heureuses sont les poésies où apparaît mieux, dans des alternatives de tension et d'abattement, la personnalité morale de l'auteur ; ainsi ce tercet solitaire, tellement plus poétique que d'autres compositions plus amples et plus laborieuses : « Comme la flamme se fait plus grande à mesure que la tourmente / Le vent ; toute vertu qu'exalte le ciel / Resplendit d'autant plus qu'elle est plus outragée » [Come flamma più cresce più contesa / Dal Vento, ogni virtù che'l cielo esalta. / Tanto più splende, quant'è più offesa]. De même encore le dialogue — dont le sens n'est pas seulement politique — entre les Florentins exilés qui implorent un regard de leur patrie aimée, tombée au pouvoir d'un seul, et la cité qui les réconforte en leur disant qu'ils sont plus heureux que le tyran qui la possède : « Une grande passion maîtrisant une grande foule. / C'est un état moins heureux que celui des amants. / Qu'un malheur plein d'espérance » [Che degli amanti è men felice stato / Quello ove il grand desir gran copia affrena / Ch'una miseria di speranza piena]. Il y a aussi les octaves inspirées à Michel-Ange déjà octogénaire par le « plaisir inconnu » qu'il éprouva en contemplant les montagnes de Spolète et la vie simple des paysans ; elles trouvent leur sommet dans la représentation des monstres étranges qui sont le tourment et le cauchemar des habitants des villes : le Doute, « armé et boiteux », qui tremble sans cesse ; le Pourquoi, maigre, qui dans l'obscurité essaie, et réessaie sans cesse ses multiples clés ; le Comment et le Peut-être, géants aveugles qui s'en vont à tâtons, étendant sur toutes choses leur grande ombre. Mais peut-être le vers de Michel-Ange réussit-il mieux à vaincre les obstacles de l'expression dans les sonnets — composés presque tous en 1555 — où le viel artiste se tourne vers Dieu avec un nouvel abandon et semble trouver, même en parlant de ses propres misères, un réconfort jamais éprouvé auparavant : « Il n'est sur la terre chose plus vaine / Que celle où, loin de toi, je suis et m'abandonne » [Non è più bassa o vil cosa terrena / Che quel che senza te mi sento e sono]. Dans un autre, Michel-Ange tente de résoudre les contradictions de son être : « Mon cœur voudrait vouloir ce qu'il ne veut, Seigneur » [Vorrei voler, Signor, quel ch'io non voglio]. L'art même lui semble maintenant chargé d'erreurs, et il ne peut désormais apaiser son esprit : « Ni peindre ni sculpter ne sauvent de ses peines / L'âme en face voyant la Passion divine / Entrouvrir sur la croix ses bras qui nous reprennent » [Né pinger né scolpir fie più che quieti / L'anima volta a quell'amor divino / Ch'aperse a prender noi'n croce le braccia] ; de cet état d'humilité absolue s'élève son invocation craintive : « Seigneur, crève la toile ! et romps ce mur jaloux / Qui, par sa dureté, hors du monde recule / Le soleil de ton aube ici-bas mise en cendres ! » [Squarcia 'l vel tu, Signor, Rompi quel muro / Che con la sua durezza ne ritarda / Il sol della tua luce al mondo spenta !]. Ici non plus les aspérités ne manquent pas ; mais il n'y a plus trace des laborieux syllogismes de beaucoup d'autres compositions ; un flot d'éloquence émue, sinon de poésie, s'écoule librement dans ces vers, qui sont comme la conclusion ou, mieux, le dernier écho du drame de Michel-Ange. — Trad. *Sonnets,* La Pensée Universelle, 1977 ; *Épitaphes,* Alinea, 1983 ; *Poèmes,* Mazarine, 1983.

RIMES de Pétrarque [*Rime extravaganti*]. On a coutume de désigner sous ce titre de *Rimes « extravagantes »* ou sous celui de *Poésies éparses* [*Rime disperse*] un certain nombre de poésies de l'écrivain italien Pétrarque (1304-1374) qui ne figurent pas dans le recueil appelé communément aujourd'hui le *Canzoniere* (*) ; il s'agit de poésies dont les autographes nous sont parvenus, ou qui ont été attribuées à Pétrarque sur la foi de divers manuscrits. On trouve là les ébauches de certaines compositions figurant dans le *Canzoniere,* un autre début et une autre fin par exemple de la « canzone » « Que dois-je faire ? » [Che debb'io far ?], des sonnets dont les rimes ou les sujets seront repris dans d'autres sonnets du recueil définitif. Ce sont des morceaux que l'auteur n'a pas réussi à conduire à la perfection voulue et qui sont restés à l'état brut ; des pièces qui font allusion à d'autres amours, comme cette charmante ballade — d'abord insérée dans le *Canzoniere,* puis éliminée — qui développe l'opposition entre un nouvel amour et son ancien et constant amour pour Laure : « Une dame apparaît souvent dans mon esprit. / Mais une autre s'y trouve constamment. / Et je crains que mon cœur brûlant ne se brise » [Donna mi vene spesso nella mente / Altra donna v'è sempre ; / Ond'io temo si stempre il core ardente] ; enfin des poèmes composés sans grand soin pour satisfaire aux demandes de quelques trouvères ou répondre à l'invitation de nobles dames, de seigneurs et d'amis. Parmi ces derniers, il faut ranger aussi les sonnets que, selon la mode du temps, le poète ne pouvait refuser d'écrire pour répondre à ceux qu'il avait reçus ; à part quelques-uns d'entre eux qui ont trouvé place dans le *Canzoniere,* il les a jugés indignes d'être compris dans les œuvres que lui-même a reconnues et approuvées. Toutefois on ne peut considérer comme authentiques toutes les pièces qui nous sont parvenues sous son nom. On peut néanmoins, même dans l'incertitude présente, reconnaître dans plusieurs de ces poèmes — avec sûreté pour quelques-uns, avec un certain degré de probabilité pour d'autres — l'accent propre à Pétrarque et tirer de leur confrontation avec d'autres pièces du *Canzoniere* une idée plus précise sur la façon de travailler de cet artiste raffiné et jamais satisfait. S'il ne faut pas chercher des chefs-d'œuvre dans ce recueil, on y trouve souvent pourtant des images fraîches et vives, quelque phrase poétique, parfois plus spontanée que celle de la rédaction plus mûrie sur le même sujet. Entre toutes les *Poésies éparses,* la plus importante est la canzone « Ce que notre nature a de plus digne » [Quel ch'à nostra natura in se più degno], dont l'authenticité fut, à tort, mise en doute et qui fut composée en 1341 à l'occasion de la conquête de Parme par Azzo de Correggio, ami du poète, et par ses trois frères.

RIMES de Stampa [*Rime*]. Recueil de poèmes de la poétesse italienne Gaspara Stampa (1523 environ-1554), publié en 1738. Les poésies amoureuses de Gaspara s'ordonnent en une sorte de roman, succession d'états d'âme plutôt que de faits de chronique. Gasparina — qui choisit de se nommer poétiquement Anassilla, de l'Anaxus, nom latin du Piave qui baignait les terres de son amant, le comte Collaltino di Collato — chante dans un amour qui est tourment spirituel et sensuel, l'éloignement de l'aimé et la jalousie qui l'assaille, puis, lorsque le comte l'eut quittée, la naissance d'un nouvel amour, et enfin le repentir. Les madrigaux se font la part belle dans ces poésies aux notes languides et tendres, et la virtuosité mélodique rachète la facilité frisant le conventionnel des images. – Trad. *Poèmes*, Gallimard, 1991.

RIMES du Tasse [*Rime*]. Ensemble poétique comprenant environ deux mille pièces diverses, sonnets, chansons, madrigaux, composés par le poète italien Torquato Tasso dit le Tasse (1544-1595) en marge de ses activités principales, avec une noble prodigalité, sans que cet auteur ait jamais pensé en faire un recueil, ce que, d'ailleurs, le caractère disparate de cette production eût rendu impossible. On distingue les « Rimes pour Lucrèce Bendidio », « Rimes pour Laure Peperara », « Rimes amoureuses et extravagantes », « Rimes de circonstance et de louange » et « Rimes sacrées », ensemble reflétant divers aspects de la vie tourmentée du poète : le jeune homme amoureux, le courtisan parfait, habile à tourner des compliments aux dames et à faire l'éloge des chevaliers, le lettré raffiné, sensible à toutes les suggestions d'une vaste culture littéraire, le prisonnier de Sainte-Anne, adressant infatigablement des suppliques aux puissants, le grand infortuné enfin, cherchant dans la poésie religieuse le réconfort et l'édification. Rares sont pourtant ces poèmes qui nous révèlent la vie intime de l'auteur et aucun n'appartient aux poésies amoureuses ; Lucrèce et Laure sont des figures évanescentes et c'est dans *La Jérusalem délivrée* (*) qu'il faut chercher le grand poète de l'amour. Mais toutes ces poésies sont d'un art parfait et d'une grande sensibilité, même dans les morceaux de circonstance. De nombreux madrigaux, composés pour être mis en musique et chantant déjà dans la libre alternance des septénaires et des hendécasyllabes, dans le jeu des rimes et des assonances, sont magnifiquement réussis ; beaucoup de chansons et de sonnets sont d'une élégance et d'une émotion incomparables. Les poésies religieuses sont moins originales.

RIMES de Uberti [*Rime*]. Mal dissociées à l'origine du caractère essentiellement doctrinal du *Dittamondo,* considérées par la suite plus particulièrement dans leur qualité littéraire, les *Rimes* du poète italien Fazio degli Uberti (1305 ?-1367 ?) sont aujourd'hui comptées au nombre des plus vigoureuses expressions du XIVe siècle italien. Ces poèmes de circonstance, politiques pour la plupart, furent publiés en édition critique, en 1883, par Rodolfo Renier. L'auteur aborde tour à tour avec bonheur les thèmes élevés, la chanson d'amour, le madrigal, la satire, et certains poèmes peuvent être considérés au même titre que la poésie d'inspiration politique de Dante et de Pétrarque. Les poésies d'inspiration amoureuse empruntent à la fois aux motifs littéraires et populaires : la femme y est chantée dans le goût des poèmes « courtois », mais le poète échappe au formalisme grâce à des accents d'une volupté raffinée. Sans atteindre à une réelle unité d'expression, cette œuvre n'en confirme pas moins la fécondité d'un des esprits les plus originaux et les plus cultivés du « Trecento ».

RIMES ET RYTHMES de Carducci [*Rime e ritmi*]. Recueil de poèmes de l'écrivain italien Giosuè Carducci (1835-1907), publié en 1899, puis intégré dans les *Poésies complètes*, dont il constitue le dernier livre. C'est en somme le livre du déclin, reflétant le drame de l'auteur vieillissant, conscient de l'affaiblissement de ses facultés créatrices. D'où l'atmosphère de ferveur solennelle, quasi religieuse, dont sont empreints certains poèmes du recueil : « Dans le cloître du Saint » [Nel chiostro del Santo], « L'Église de Polenta » [La chiesa di Polenta]. On voulut voir dans ce fait un retour de Carducci à la foi, alors qu'il ne s'agissait en réalité que d'une réconciliation historique et sentimentale avec les mythes consolateurs de la religion chrétienne. C'est plutôt dans les satisfactions élevées de la poésie et de la culture qu'il chercha son dernier réconfort, dans l'exaltation du « Risorgimento » (« Cadore » ; « Piémont ») et de la civilisation de la Renaissance : « À la ville de Ferrare » [Alla citta di Ferrara]. On décèle également dans *Rimes et Rythmes* comme une cristallisation des tours poétiques propres à l'auteur ; la technique révèle ses formules et tend à devenir tour de main : cela est particulièrement sensible dans les grandes odes historiques, d'une construction savante et vigoureuse, mais d'une technique ouvertement littéraire. La meilleure de ces odes est « Piémont » [Piemonte], d'une structure ample et rigoureuse, dernière et noble sublimation de l'idéal patriotique et du culte religieux envers les artisans du « Risorgimento », transfigurés par le poète dans un climat épique. À signaler également la virtuosité un peu trop accentuée du célèbre poème « Jauffré Rudel », évoquant l'histoire romantique du trouvère épris de la comtesse de Tripoli et qui ne reçut un baiser de sa belle qu'au moment de mourir. En revanche, il convient de souligner la perfection de « Midi alpin » [Mezzogiorno alpino] et la vigueur d'accents du poème « Obsèques du guide » [Esequie della guida]. *Rimes et Rythmes* permettent de mieux connaître la personnalité de Carducci, dont certains aspects apparaissent ici en pleine lumière.

RIMES NOUVELLES [*Rime nuove*]. Le plus important recueil de vers du poète italien Giosuè Carducci (1835-1907), figurant dans le volume des *Poésies* entre *Intermezzo* et *Odes* *barbares* (*). Carducci y rassembla sa production poétique de 1861 à 1887. Les *Rimes nouvelles* se différencient de *Iambes et Épodes* (*) par un caractère à la fois lyrique et psychologique, propre à une maturité toujours ardente, mais désormais apaisée et sereine. Quant aux *Odes barbares*, elles s'en différencient par la métrique, une réelle virtuosité dans la variété des thèmes et des attitudes et, surtout, l'absence de toute orgueilleuse affirmation. Non que toute trace de polémique ait disparu ici, mais le poète s'est enfin réconcilié avec le monde et il s'abandonne à l'évocation toute romantique de son enfance et de sa jeunesse (« Devant San Guido », « Souvenirs d'école », « Nostalgie », etc.). Il en résulte une tonalité intimiste qui constitue la véritable nouveauté de ces poèmes. Toujours dans le goût romantique, Carducci, s'inspirant des chroniques de l'époque, se plaît à évoquer l'histoire des communes italiennes. On retrouve l'inspiration révolutionnaire et jacobine des *Iambes et Épodes* dans le caractère passionné et épique des douze sonnets du *Ça ira*. Notons encore, dans le domaine de la poésie intimiste, l'admirable « Pleur antique » [Pianto antico], écrit à l'occasion de la mort du fils unique du poète. Sur un plan nettement opposé, on retiendra les raffinements humanistes et parnassiens des trois « Printemps helléniques » [Primavere elleniche], qui annoncent, hormis la métrique, le climat des *Odes barbares*. Les *Rimes nouvelles* s'achèvent sur un « Congé », symbole en quelque sorte de la conception carduccienne de la poésie : le poète y est comparé à un robuste ouvrier, lequel, après avoir jeté dans un creuset les « éléments de l'amour et de la pensée », les souvenirs et les gloires de sa race, et en avoir tiré des glaives pour la liberté, des couronnes de victoire pour les triomphes et des diadèmes pour la beauté, « pour lui, pauvre artisan / fait une flèche d'or / et la lance contre le soleil / la regarde s'élever et resplendir / jouit du spectacle et ne demande rien de plus », conception qui est précisément celle des *Odes barbares*.

RINCONETE ET CORTADILLO [*Rinconete y Cortadillo*]. L'une des meilleures *Nouvelles exemplaires* (*) de l'écrivain espagnol Miguel de Cervantès Saavédra (1547-1616), composée entre 1601 et 1604. On en connaît une seconde version avec quelques variantes qui ne portent que sur la forme, trouvée dans un manuscrit appartenant au cardinal Niño de Guevara. Sur la route qui va de Castille en Andalousie, deux jeunes vagabonds, Rincón et Cortado, se rencontrent à la porte d'une taverne. D'un seul coup d'œil, ils se reconnaissent du même acabit : échangeant avec une gravité tout espagnole leur nom et qualités (tricheur l'un, chapardeur l'autre), ils décident de devenir amis et scellent leur alliance en dépouillant un imprudent muletier qui se laisse entraîner à faire le troisième dans leur partie de cartes. Sans soupçonner la véritable profession de ses deux partenaires, le muletier voudrait leur reprendre son argent, mais les autres n'hésitent pas à se servir de leurs armes. Ayant trouvé place dans une diligence qui se rend à Séville, pour n'en pas perdre l'habitude, ils font main basse sur une valise appartenant à un Français voyageant en leur compagnie. Arrivés à Séville, après une brève enquête judiciaire, ils deviennent commissionnaires et Cortado inaugure son nouveau métier en volant la bourse d'un sacristain. Mais un autre garçon qui a observé la scène, Petit-Crochet, les avertit que pour voler sur la place de Séville il faut passer par la douane du señor Monipodio, c'est-à-dire s'inscrire sur les registres de la société secrète des ruffians de Séville. Accompagnés de Petit-Crochet, qui les instruit des rites et des statuts de l'honorable association (dont il énumère les ramifications parmi les policiers et les truands, les mendiants et les clercs), les deux vauriens se présentent à Monipodio. Celui-ci, après les avoir examinés, les accueille dans la confrérie sous les noms de Rinconete et de Cortadillo et les exempte du noviciat réglementaire. Tandis que se célèbre l'admission des deux nouvelles recrues, un policier vient réclamer la bourse du sacristain : Cortadillo la lui remet, ce qui lui vaut de la part de Monipodio l'appellation de « bon ». Puis nos deux garnements participent au dîner offert par les dames à leurs souteneurs, dîner interrompu par l'arrivée de la prostituée Cariharta qui vient se plaindre des mauvais traitements que lui fait subir l'entremetteur Repolido. Monipodio promet de faire justice, tandis que les femmes ici présentes se complaisent à rappeler à la prostituée les preuves d'affection que lui a données son ami. Mais voici Repolido en personne : vexé par l'attitude narquoise de ses « confrères », il s'apprête à provoquer une bagarre générale, lorsque Cariharta accourt se réfugier dans ses bras. Les querelleurs apaisés, Monipodio congédie tout ce beau monde et, après avoir donné sa bénédiction à chacun, convoque toute la bande pour le dimanche suivant. Cette nouvelle est une des plus réussies du recueil ; l'auteur y révèle pleinement son sens de la couleur, le don merveilleux qu'il possède de donner du relief à la plus humble réalité pour la rendre poétique. Les caractères sont tracés, les types individualisés avec une richesse d'accent et une profondeur psychologique qui font merveille. Cervantès se complaît à souligner avec ironie les difformités d'un monde qui a perdu toute loi morale et n'a plus d'autre base que l'instinct, qui a transformé la religion en superstition et l'honneur en préjugé. Certes, cette hypocrisie trouve sa condamnation dans l'effarement des deux héros en face du spectacle des voleurs récitant le rosaire, chacun leur tour toutes les semaines, ne volant pas le vendredi et s'abstenant de toute conversation le samedi avec les femmes portant le nom de Marie ; mais le sourire de l'auteur semble émaner d'une conscience qui observe et se garde bien de juger. – Trad. Viardot, 1891 ; Gallimard, 1937.

RIP VAN WINKLE. Conte de l'écrivain américain Washington Irving (1783-1859), publié d'abord dans le *Livre d'esquisses* (*) en 1819, et souvent réimprimé par la suite. C'est un véritable petit chef-d'œuvre. Rip Van Winkle est un garçon un peu fantasque, qui a épousé une virago passablement acariâtre. Sa seule consolation est de s'en aller dans la montagne avec son fusil pour y chasser les écureuils. Un jour qu'il est en train de contempler le paysage, il s'entend appeler par son nom : c'est un homme drôlement accoutré qui porte sur ses épaules un énorme tonneau. Rip lui donne un coup de main. Il atteint ainsi avec lui une esplanade où se trouve un petit groupe d'hommes en train de jouer aux quilles, tous vêtus comme son mystérieux compagnon. Ayant goûté avec eux de la bière du fameux tonneau, il tombe bientôt dans un profond sommeil. Quand il se réveille, il découvre à sa grande surprise qu'il se trouve à l'endroit même où, la veille, il s'était attardé pour admirer le paysage. Sauf qu'il est recru de fatigue et que son fusil est couvert de rouille. Quant au village, il s'est vraiment métamorphosé : sur l'enseigne de l'auberge, le portrait du roi d'Angleterre a fait place à celui de Washington. En un mot, son petit somme a duré vingt ans ! Reçu avec affection dans la maison de sa fille qui a épousé entre-temps un riche fermier, il apprend que sa femme est morte depuis longtemps et qu'il pourra impunément passer le restant de ses jours à ne rien faire. Sous sa fraîche poésie, ce conte ne laisse pas d'évoquer par endroits les *Lettres de mon moulin* (*) d'Alphonse Daudet. – Trad. Payot, 1945.

★ *Rip,* opéra-comique en trois actes et cinq tableaux, paroles de Meilhac (1831-1897) et de Gille, musique du compositeur Robert Planquette (1848-1903), donné pour la première fois en France au Théâtre des Folies dramatiques, en 1884. *Rip* avait été joué à Londres, d'abord en version anglaise, sous le titre de *Rip-Rip,* et y avait connu un très grand succès. Le thème de l'œuvre est tiré de la légende américaine que Washington Irving a popularisée. Il s'agit des aventures de Rip Van Winkle qui s'endort pour vingt ans au milieu des montagnes d'Amérique du Nord. Les aventures de son réveil en sont contées avec esprit et grâce. L'œuvre a acquis une grande célébrité et certains airs de Planquette nous sont très familiers, tel celui de Rip : « C'est un rien, un souffle, un rien », ainsi que le trio : « Mes enfants, sachez... » et le quatuor dit « de l'amour ».

RIRE (Le). Essai sur la signification du comique. Ouvrage du philosophe français Henri Bergson (1859-1941), publié en 1899. Le rire, qui est toujours provoqué par quelque chose d'humain, a certainement une fonction sociale. On ne rit en effet qu'avec la complicité d'autrui. Le rire est une réaction contre tout ce qui, dans la vie, nous apparaît comme mécanique ; il se produit en nous chaque fois que nous remarquons dans les paroles ou les gestes de quelqu'un un excès d'automatisme. Ainsi rit-on aussi bien des vices que des vertus quand les uns et les autres apparaissent dans ceux qui les possèdent comme un mécanisme qui les gouverne. Le rire est donc une sorte de geste social. Par son moyen la société rappelle à l'ordre ceux qui s'écartent de l'activité véritable, les distraits, les originaux, par exemple, tous éléments de désagrégation du social. Bergson fonde sa théorie sur une analyse très fine des différentes catégories du comique : comique des formes, des mouvements, des situations et des mots, des caractères enfin. À ce dernier comique, tout le troisième chapitre est consacré, avec des exemples empruntés surtout au théâtre, qui est le lieu où le comique apparaît à la fois comme une forme de l'art et comme une fonction de la société. La comédie n'appartient complètement ni à l'art ni à la vie. L'art, selon Bergson, n'est qu'une vision plus complète et immédiate de la nature et de l'âme, réservée à quelques hommes. Il tend toujours à l'individuel, parce qu'il sait se défaire des catégories générales qui relèvent de l'action habituelle et utilitaire des hommes. La comédie au contraire est tournée vers le général. Contrairement au drame, qui pénètre notre âme la plus obscure par l'analyse de ce que nous sommes en chacun de nous, elle extrait de l'humain des types généraux, qui nous font rire par le spectacle de leur automatisme et nous rappellent (c'est la fonction sociale de la comédie) à l'observation de nous-mêmes et à la règle commune, qui accroît notre utilité dans la société. *Le Rire* est une des meilleures œuvres de Bergson. Son intérêt est double : esthétique, mais aussi métaphysique. Son idée, en effet, du flux de la vie réelle, qui échappe à la connaissance conceptuelle, annonce déjà *L'Évolution créatrice* (*).

RIRE DE LAURA (Le). Roman de l'écrivain français d'origine belge Françoise Mallet-Joris (née en 1930) publié en 1985. Ce livre est « une sorte de post-scriptum à *La Maison de papier* (1970), qui traduisait l'âge d'or de l'éducation. Dans Laura, on est passé à l'âge de fer. Même si les relations ont été très heureuses et très harmonieuses avec les enfants petits, il arrive un moment où, devenus adolescents et adultes, ils paraissent complètement étrangers », dit l'auteur. C'est ce que ressent Laura vis-à-vis de son fils Martin, en partant avec lui pour Strasbourg. Elle fuit Paris où il a failli mourir (suicide manqué ?) et se réfugie avec lui dans un hôtel pendant trois jours. Elle essaie alors de le comprendre dans un tête-à-tête de plus en plus difficile. Mais c'est elle qui est remise en question car elle n'a pas vu grandir ses enfants, absorbée par son amour pour Théo, son mari, un brillant chirurgien. Martin est donc parti vivre chez son professeur, Marc-André, un utopiste, qui voulait créer une communauté dans sa maison parisienne. Or Martin s'est révélé alors un meneur d'hommes impitoyable, provoquant le malheur pour certains et le suicide de Marc-André. Chacun, la mère comme le fils, s'enferme dans sa propre solitude. Laura découvre la médiocrité de sa vie personnelle et s'aperçoit que son existence n'est pas celle à laquelle elle aspirait. Cependant, la troisième nuit de ce tête-à-tête, après avoir pris un amant éphémère pour se libérer, elle accepte cette situation dans un rire désabusé, tragique et enivrant : « Le rire arrivait enfin aux lèvres de Laura, ce rire sanglotant, roucoulant, ce soulagement de tout l'être, enfin elle était délivrée, elle vivait, elle était là, elle acceptait. » Le rire régénérateur et miroir de vérité ou premier cri de la vie ?

C. de C.

RIRE JAUNE (Le). Ce roman de l'écrivain français Pierre Mac Orlan (1882-1970) fut écrit en 1913. Un fantastique allègre le distingue. En même temps, *Le Rire jaune* est un ouvrage ambigu. À peu près la première moitié de ce récit de deux cents pages est en effet assez indifférente envers ce que nous nommons littérature. L'auteur est encore mal détaché, dirait-on, de ses débuts dans les métiers reconnus par la vie sociale : dessinateur et peintre, rédacteur de petits textes cabrioleurs pour périodiques dits humoristiques. Verve et drôlerie imprègnent une invention dès l'abord peu commune (un oncle qui est une véritable légende dans la marine meurt de rire à la table de famille où se trouve le narrateur adolescent). Néanmoins, il faut attendre encore que le sujet atteigne son ampleur épique pour que la littérature à l'état sauvage se mue en littérature. Après un épisode consacré à la Légion étrangère apparaissent les premiers symptômes reconnus par l'opinion d'une épidémie incontestable : le rire jaune ou la mort par le rire. De ce moment, le livre va de toute nécessité grand train, à travers ses « rebondissements » tragi-comiques. Un savant fou invente la « mélancolyase », laquelle doit délivrer de « cette formidable force d'ennui que beaucoup de gens prédestinés portent en eux ». C'est en vain, et l'épidémie va déchaîner des émeutes d'une grande stupidité. Le narrateur et l'un de ses amis fuient alors la capitale et s'efforcent de gagner Rouen, et l'épopée devient picaresque. Dans une ferme ils rencontrent un bonhomme élégiaque qui n'a pas voulu prendre part au pillage des villes agonisantes. Là, ils se restaurent, puis reprennent la route. Bientôt ils ont tout loisir de contempler le passage du cataclysme : Rouen, avec ses carcasses d'édifices noircis par le feu, avec ses tramways renversés et ses habitants étalés le ventre en l'air, Rouen silencieuse. Un peu plus tard, le narrateur croit être le seul humain encore en vie avec l'homme-tronc, dit Prince-Hamlet, dont il est devenu la nourrice sèche. Celui-ci lui donne des conseils, quant au futur et au devenir même : « Il faut retourner cette terre nourricière avec nos bras. » Ce thème est développé comme un discours de distribution de prix. Alors le narrateur, de toutes ses forces, lance l'homme-tronc dans le vide, du sommet d'une falaise. Quelques humains survécus réapparaîtront (Françaises et Français éliront un nouveau président de leur république). Le meilleur du livre est d'un conteur de tradition, quoiqu'il y manque la délibération intellectuelle, à la Swift ou à la Voltaire. Un apologue de quelques pages, « La Bête conquérante », complète, dans les éditions récentes, *Le Rire jaune.* Il fut écrit après guerre (1919), mais la parenté des deux textes est figurée dans le ton burlesque et fantastique : le coup de couteau d'un égorgeur maladroit, le paysan Putride, libère chez un cochon le don d'intelligence, et par conséquent la parole. Ce qui avait été l'accident heureux provoqué par un abruti deviendra méthode, et cette méthode sera appliquée aux chats, chiens, moutons et bœufs. Le temps viendra où les hommes seront soumis aux bêtes. Ils se différencieront alors en hommes de trait, hommes de selle et hommes de somme. C'est vers l'an 4000 que sera retournée cette intéressante situation.

RISQUES ET PÉRILS. Contes du poète français Pierre Reverdy (1889-1960), écrits entre 1915 et 1928, publiés en 1930, et comprenant « La Poésie reine du vide », « Le Hachischin », « Le Buveur solitaire », « Les Amants réguliers », « La Conversion », « Les Hommes inconnus », « Le Passant bleu », « La Place dangereuse », « Maison hantée ». Qu'est-ce qu'un miroir, lorsque l'œil n'y contemplant que l'absence parvient à déchiffrer son propre labyrinthe : une image narrative dévidant sa fable, que la parole, alternativement perdue et retrouvée, rend transparente ou opaque, sans jamais cesser de maintenir le silence dont l'immobilité précipite la fuite vertigineuse des choses et la blancheur statique des formes, tout en isolant l'homme-paysage de sa structure et de ses éléments cosmiques. L'homme-miroir entretient, jusqu'à l'extrême limite, une certaine puissance de pénétrer ses métamorphoses, de commander les moteurs secrets agissant les images qui l'habitent. Victime, honnête homme, silhouette, étranger, le personnage du conte tente de fuir vers l'oubli et aboutit à soi : cerceau des métamorphoses où dehors et dedans figure le miroir qui, loin d'effacer sa présence, l'accentue, la déforme et la multiplie. Entre le ciel et le mur, la glace et la mer, l'homme aux doigts de cristal, traînant après soi un enchaînement de formes et d'ombres, se traverse, se recommence, marque ses métamorphoses sur son propre cadran. Le vide déborde la ligne tendue de l'horizon. Il ne reste de la terre qu'une flaque. Tout est vide autour de l'homme qui reste seul au moment où commence sa chute dans l'autre monde. Les étoiles demeurent et le mystère d'une fenêtre qui s'éclaire près de l'horizon. « Le monde bâille / Comme la mer entre ses deux falaises. » Et l'homme se racontant se perd pour un autre, tourne comme le tournesol et la ligne spirale de l'escalier au fond duquel apparaît la porte de l'azur, qui est peut-être celle d'un autre labyrinthe. Alors, écrire un poème qui soit de la même matière que sa forme : cri scellé dans l'image.

RITES DE PASSAGE [*Rites of Passage*]. Premier volet de la trilogie marine écrite par le romancier anglais William Golding (1911-1993) entre 1980 et 1989. Cette trilogie, dernière en date des œuvres de l'écrivain, relate, à travers le journal d'Edmund Talbot, jeune aristocrate du siècle des Lumières, les péripéties de la longue traversée d'un groupe d'immigrants vers l'Australie. À son habitude, Golding isole son anecdote des remous de l'histoire contemporaine (l'action se situe au début du XIXe siècle), la confine dans un espace clos (le vieux rafiot reprenant sous une autre forme la métaphore de l'île, de la nef ou du rocher battu par les flots). Une fois de plus, l'écriture assume une forme nouvelle, celle du roman épistolaire permettant au lecteur de partager les réflexions d'Edmund Talbot, plus précisément son journal de voyage destiné à « divertir et édifier » son parrain, aristocrate bien en cour, à qui il doit le poste qu'il va occuper aux antipodes. La trilogie est fondamentalement une œuvre de l'écriture. S'y enchevêtrent le journal du narrateur, celui du révérend Colley, le journal de bord du commandant Anderson, les billets qui passent entre Zenobia, prostituée vieillissante, et ses admirateurs, écriture qu'exaltent les références répétées à Goldsmith, Fielding, Richardson, Smollett, ou Sterne. *Rites de passage* se développe autour de l'opposition entre Talbot et Colley, l'aristocrate et le roturier, l'homme de science et l'homme de Dieu, et leurs journaux, le premier héritier de Locke pour qui l'homme doit avant tout « connaître [les choses] qui ont trait à sa conduite » à qui s'oppose le second dont l'imagination romantique bouillonnante se place sous l'égide de Coleridge et de la « puissance de forces dépassant les diktats du moi ». L'intrigue figure le cheminement de Talbot du rationalisme à une prise de conscience de la perspective romantique à la suite de la dégradation, puis du suicide de Colley (enivré puis sodomisé par un matelot), homme de Dieu rongé par le doute, le remords du péché dans un environnement privé de Dieu et donc, pour lui, insupportable. Talbot comprendra que « l'écriture est comme la boisson, il faut apprendre à la contrôler ». *Coup de semonce* [*Close Quarters,* 1987] et *La Cuirasse de feu* [*Fire Down Below,* 1989] poursuivent et terminent le périple du vieux navire, cinglé par les embruns, battu par l'océan, à demi démantelé dans les péripéties du voyage au long cours, naviguant lentement vers sa destination, portant en son flanc sa cargaison disparate de passagers, « étincelles divines mises au supplice par les extases, les tourments et les torpeurs de l'existence ». Edmund progresse vers la lucidité, l'appréhension de la complexité du monde et de sa propre dérisoire petitesse. Sélection, sobriété, contrôle sont les maîtres mots du journal. À l'instar des autres personnages de Golding, le héros se relit, apprend, tire les conclusions de ses erreurs. Il remarque en particulier que le journal ne peut rendre compte d'actions humaines tridimensionnelles qui le dépassent largement. Il admet sa déception de voir que l'illusion dramatique ordonnée ne pouvait refléter le foisonnement de la vie. Il a cru être le spectateur d'une pièce, il a cru écrire un drame à mi-chemin entre comédie et tragédie, il pensait avoir une connaissance supérieure des choses, il comprend en fin de compte son orgueil, son arrogance, ses faiblesses et « tout ce qu'il y a de monstrueux sous le soleil et sous la lune ». Trilogie historique, trilogie d'idées, qui a valu à William Golding d'être comparé aux plus grands, aux Coleridge, aux Conrad, aux Melville, ce qui donne une idée du talent de ce romancier de la condition humaine. – Trad. Gallimard, 1983, 1988, 1991. A. Bl.

RITES DE PASSAGE (Les). Œuvre de l'ethnographe et folkloriste français Arnold Van Gennep (1873-1957), écrite et publiée en 1909. Aujourd'hui couramment admise, l'expression désigne les rites qui préparent, réalisent et consacrent un changement d'état et de situation, soit des personnes, soit des choses. L'auteur distingue trois moments : séparation, marge, agrégation. Les rites préliminaires séparent la chose ou la personne du milieu dont elles faisaient partie : exclusion de l'étranger, réclusion de la fille pubère ou de la veuve, etc. Les rites d'agrégation comprennent ceux par lesquels l'être qu'il s'agit de promouvoir est accepté, reçu par la communauté dont il doit faire partie : adoption, présentation de l'enfant, intronisation du prêtre, sacre du roi, rituel des funérailles définitives. Les rites de marge sont intermédiaires entre les premiers et les seconds : c'est le séjour au bois où l'on éprouve le jeune initié, la période de deuil, etc. La notion est aujourd'hui reconnue par tous, et l'expression a passé dans la langue. Toutefois, à vouloir trop l'élargir, l'auteur affaiblit son propos : il n'est pas de rite qui n'implique quelque passage, partout séparations et agrégations se combinent d'une manière inextricable. Tout rite est à la fois positif et négatif. D. P.

RITES ET CÉRÉMONIES [*Yi li*] (v. *Classiques chinois*).

RITUEL DE PÂPANIKRI DE COMANA. Dans la vaste littérature rituelle des Hittites, ce document occupe une place importante. Il décrit une cérémonie très compliquée, de caractère lustral, riche en rites magiques, sacrifices, récitations, conjurations, translations de statues de divinités et déplacements d'objets sacrés. Il y est question aussi de la cérémonie à accomplir quand, durant l'accouchement d'une femme, la chaise obstétrique subit un dommage en quelqu'une de ses parties. Le titre du rituel est d'ailleurs le suivant : *Quand, une femme étant assise sur la chaise obstétrique, la cuvette de la chaise est endommagée ou qu'un de ses pieds est brisé.* Il est impossible d'établir l'époque à laquelle remonte ce texte rituel qui a été édité en allemand par Sommer et Ehelolf : *Das hethitische Ritual des Pâpanikri von Komana* (1924).

RITUELS [*Rituelen*]. Roman de l'écrivain néerlandais Cees Nooteboom (né en 1933), publié en 1980. Le roman a reçu en 1982 le prestigieux prix américain « Pegasus Prize for Literature », qui lui a ouvert une carrière internationale. Le roman comprend trois parties, qui décrivent trois épisodes de la vie du personnage principal Inni Wintrop. La construction du roman n'est pas chronologique. La première partie, la plus courte également, a comme titre « Intermezzo. 1963 » et elle décrit comment, après six années, le mariage d'Inni Wintrop avec le modèle Zita échoue. Il n'a pas de métier fixe, il n'a pas d'ordre déterminé dans la vie et il a régulièrement des relations avec d'autres femmes. Zita tombe finalement amoureuse d'un photographe italien ; quand Inni Wintrop découvre qu'elle l'a définitivement quitté, ivre, il tente de se suicider, mais il se rate. La deuxième partie, « Arnold Taads. 1953 », se déroule dix ans auparavant. Tout au centre se trouve ici l'amitié d'Inni Wintrop avec un homme plus âgé, Arnold Taads. Contrairement à Inni Wintrop, le solitaire Taads a minutieusement organisé sa vie en respectant un horaire de fer. Inni Wintrop apprend à connaître la jeune fille Petra et il remplace la religion catholique, dans laquelle il a été éduqué, par un service pour la dame. La troisième partie, « Philip Taads. 1973 », décrit comment, dans un commerce d'objets d'art japonais, Inni Wintrop rencontre le fils d'Arnold Taads. Inni Wintrop est fasciné par une théière cérémoniale, et à partir de ce moment il rend régulièrement visite à Philip Taads, qui fait montre de la plus grande érudition quant à ce genre d'objets. Comme son père, Philip mène une existence de moine solitaire, inspirée par le bouddhisme zen et ordonnée comme un rituel. Quelques jours après qu'il a organisé une authentique cérémonie de thé pour Inni Wintrop, Philip se suicide. Wintrop ainsi que le père et le fils Taads sont convaincus du caractère chaotique et absurde de la vie et du monde. Par contre ils croient, sans aucune référence à une croyance établie, à l'unité fondamentale de tout ce qui existe. Inni Wintrop diffère des deux Taads parce qu'il ne veut ni ne peut vivre cette unité dans des formes ou des rituels étrangers à la vie. Wintrop a la ferme conviction que la certitude donnée par ces rituels est illusoire. Il se laisse donc entraîner par la vie. Il oppose à la formalisation et au ritualisme des deux Taads le contact avec la terre et la femme. L'équilibre propre à la femme le préserve du chaos et de l'absurdité de la vie. Dans son dégoût de la forme restreignante et figeante, Inni Wintrop est un authentique disciple de Witold Gombrowicz. — *Rituels* a été adapté à l'écran en 1989 par Herbert Curiel. G. W.

RITUELS LITURGIQUES BABYLONIENS (Les). Outre ceux, fort nombreux, du culte exorcistique — v. *La Littérature exorcistique en Mésopotamie* (*) —, il nous en reste un assez petit nombre qui concernent le culte liturgique proprement dit : à l'honneur et l'avantage des dieux. Ils sont, en général, de basse époque, mais vu le caractère conservateur bien connu du culte, ils reflètent un cérémonial sans doute beaucoup plus ancien. Ils prévoient tous les gestes, tous les mouvements, toutes les manipulations, non moins que les prières qui les accompagnent, dont il arrive qu'ils ne citent que les premiers mots, le texte intégral se trouvant recopié sur des tablettes à part. On peut en citer ici au moins deux. D'abord celui qui détaille le *Culte quotidien du grand dieu Anu,* dans son temple d'Uruk, le fameux Éanna. Il prescrit principalement, avec minutie, l'ordonnance et le menu des quatre repas quotidiens que l'on offrait au dieu, nous faisant ainsi bien comprendre comment, dans cette religion anthropomorphique, le « service » des dieux, le Culte, consistait avant tout à offrir aux dieux les mêmes biens — mais avec plus de magnificence — nécessaires à leur vie que ceux que l'on procurait aux hommes, et principalement aux souverains. Il nous reste également une partie du *Cérémonial de la grande Fête du Début de l'Année nouvelle,* à Babylone, où dominait le dieu Marduk : elle durait onze jours, marqués chacun de grandes cérémonies, voire d'une procession grandiose, scandées de longues et solennelles adresses à Marduk et à d'autres dieux, desquelles le texte est recopié mot à mot. — Trad. in Fr. Thureau-Dangin, *Rituels accadiens,* p. 61-125 et 127-154, E. Leroux, Paris, 1921. J. B.

RIVAGE DES SYRTES (Le). Roman de l'écrivain français Julien Gracq (né en 1910), publié en 1951. Il reçut le prix Goncourt, que l'auteur refusa. À la suite d'un chagrin d'amour, un jeune homme bien né prie son gouvernement de lui accorder la faveur d'une affectation lointaine. Conformément à une tradition plusieurs fois séculaire, il est nommé « observateur » auprès d'une garnison, poste auquel sa noblesse et son éducation lui donnent droit, premier échelon par où doivent passer ceux qui, dans ce pays, peuvent prétendre à une brillante carrière politique. L'unité qu'il doit rejoindre a pour mission de surveiller la mer des Syrtes, à l'extrême sud du territoire. De l'autre côté de cette mer se trouve le Farghestan, État avec lequel la république d'Orsenna est en guerre depuis la bagatelle de trois cents ans. Guerre platonique s'il en fut. Elle a débuté à grand fracas mais on l'a bientôt laissée mourir, et on ne s'est abstenu de signer la paix que par crainte de la réveiller. Les vaisseaux des deux antagonistes, ne voulant pas courir le risque de se rencontrer, évitent de franchir certaines lignes convenues. Tandis que la côte du Farghestan semble très animée (le port de Rhages est la capitale de ce pays), la région qu'à Orsenna on nomme le « rivage des Syrtes » est quasiment un désert, sablonneux ici et marécageux là. Seules s'y accrochent de loin en loin quelques grosses fermes, vivant principalement de l'élevage des moutons. Il n'est pas besoin de beaucoup de marins pour faire sentinelle au bord d'une mer éternellement vide. Aussi sont-ils, pour la plupart, loués comme bergers. L'existence est paisible à l'« Amirauté ». Outre Aldo (l'observateur) n'y sont cantonnés que quatre officiers : un vieux capitaine et ses jeunes lieutenants. Rien ne se passe et on a l'impression que rien, jamais, ne se passera. Aldo envoie ponctuellement ses rapports, mais ils sont, bien entendu, fort brefs. Disposant de la majeure partie de son temps, il l'occupe à lire ou à chasser, à rêver ou à courir à cheval. Il aime à se retirer dans une salle souterraine où, tout au long d'après-midi immobiles qui lui paraissent couler aussi insensiblement qu'un songe, il se laisse aller à contempler les cartes de ce pays inaccessible et par là même fabuleux : le Farghestan. Le capitaine Marino, qui l'y surprend un jour, ne lui cache pas sa réprobation. Honnête gardien d'un ordre immuable, il s'alarme de tout ce qui pourrait y porter atteinte et entend que chacun, à l'Amirauté, vive placidement, les yeux au sol, comme si le Farghestan n'existait pas. Mais il n'est pas en son pouvoir d'exiger le départ de l'Observateur, et c'est en vain qu'il le prie de se rendre à ses raisons. Peu après, celui-ci décide de visiter Sagra, port depuis longtemps déserté dont les ruines sont réputées belles. Il y aperçoit un bateau qui n'est pas immatriculé. Un homme au teint curieusement mat, armé d'un fusil, en interdit l'approche. Informé, Marino consent en bougonnant à effectuer une patrouille. Les étoiles brillent, les vagues déferlent, la côte sommeille. Il estime inutile sinon malsain de renouveler l'expérience. Du reste, l'attention d'Aldo est détournée de ce qu'il a vu à Sagra par ce qu'il découvre à Maremma. Bâtie au bord d'une lagune, Maremma est la seule ville qui ait réussi, dans cette province déshéritée, à se maintenir à peu près vivante. Elle croupit, mais ne s'étiole pas tout à fait. Or, voici qu'elle semble se réveiller de son engourdissement. Elle est subitement devenue à la mode et les rejetons des plus nobles familles d'Orsenna y ont afflué, rouvrant de vieux palais oubliés. Aldo y retrouve quelques-uns de ceux qu'il avait quittés pour ce qu'il croyait être un exil. Il se lie avec Vanessa Aldobrandi, héritière d'une lignée de grands seigneurs dont beaucoup furent des figures marquantes. Les soirées qu'elle donne sont très prisées, peut-être parce qu'on y parle plus librement et avec plus de gourmandise qu'ailleurs. Les sujets de conversation ne sont pourtant pas variés. Un mot qui, naguère, n'inspirait que de routinières plaisanteries revient constamment sur les lèvres. Le mot Farghestan. Impossible de démêler l'origine et la portée de ces rumeurs confuses, d'où il ressort vaguement ceci : « quelqu'un » ou « quelque chose », on ne sait, s'y serait emparé du pouvoir. D'après le petit peuple de la ville, ce bouleversement mal connu ferait peser sur Orsenna une menace directe, grave et précise. Des prophètes improvisés haranguent, sur les places publiques, des foules complaisantes. Cependant, Vanessa invite Aldo à faire avec elle une promenade en mer. Celui-ci a l'occasion ainsi de constater que la barque clandestine appartient à la jeune femme. Sans doute parce que le trouble qu'il éprouve a des raisons plus banales, il se dispense de lui demander des explications. Laissant l'équipage sur le navire, ils gagnent en barque l'îlot rocheux et inhabité de Vezzano. Douée d'un sens certain de la mise en scène, Vanessa a choisi cet avant-poste romantique pour se donner à l'homme qu'elle a su séduire. À la nuit tombée, ils grimpent, malgré leur lassitude, sur la plus haute colline de l'île. De cet endroit, ils peuvent admirer un spectacle particulièrement capable de les fasciner : la lune en se levant dévoile au loin le dôme du Tängri, volcan au pied duquel s'étend la ville de Rhages... L'envie de voir ce dôme de plus près s'est infiltrée dans l'âme du jeune homme. Elle sera fatale au pays entier, mais Aldo n'encourra aucun reproche, même de son gouvernement car, la fièvre de Maremma s'étant répandue partout, il n'a fait en lui cédant qu'écrire une page d'histoire dont tous ses compatriotes, obscurément, rêvaient. Il manquait à cette nation sclérosée l'énergie nécessaire pour secouer le joug d'une routine vieillotte, démolir, à grands coups de marteau joyeux, des rouages compliqués et désuets dont le fonctionnement trop parfait et trop lent, au lieu d'être seulement un facteur d'ordre, provoquait une véritable paralysie. Dans ces conditions, il est normal que tous les regards se soient tournés vers le Farghestan. Orsenna n'osait se l'avouer, mais elle était prête à payer n'importe quel prix pour échapper à l'ennui étouffant où, de génération en génération, elle s'enlisait toujours davantage. Condamnée à respirer un air filtré, confiné et tiédi, absolument inoffensif mais absolument insipide, elle en vint à préférer, à appeler de tous ses vœux et en fin de compte à déchaîner la violence saccageuse d'un cyclone. Il n'est bien sûr pas concevable qu'un chef d'État prenne de sang-froid une décision aussi grosse de conséquences tragiques, ni qu'un peuple proclame bien haut que le seul espoir qui fasse battre son cœur est celui d'une catastrophe. Mais le jour où se présente une pente, où il suffit de ne pas l'éviter pour y glisser, il est facile de succomber, hypocritement, à la tentation. Le Farghestan est pour Orsenna ce gouffre où on s'empresse de se jeter en feignant la pondération et la prudence. Julien Gracq a su rendre tout cela très clair, mais ce qui est plus méritoire encore, il a su tisser, avec un art admirable, l'atmosphère ouatée, ambiguë et sourdement fébrile qui, souvent, est caractéristique des maladies mortelles. Elle baigne le roman entier, elle lui donne une tonalité dont on n'a pas l'habitude et dont le charme est, peut-être pour cette raison, d'autant plus puissant, une luminosité qui, comme la blancheur indécise de certaines heures hivernales, est diffuse, estompée, indéfinissable. Ce climat, qui s'accorde si bien avec cette insolite histoire de suicide collectif, laisse une subtile et tenace impression de trouble.

RIVAGES ROSES (Les) [*Τά Ρόδιν' ἀκρογιάλια*]. Longue nouvelle, d'une centaine de pages, de l'écrivain grec Alexandros Papadiamandis (1851-1911). Publiée en 1907, elle occupe dans l'ensemble de l'œuvre une place exceptionnelle. Cette nouvelle regroupe en effet toutes les tendances formelles de l'écrivain, extrêmement variées, allant du conte picaresque à l'analyse psychologique et du récit historique à la description lyrique. Elle pourrait être définie comme un mélange ludique du Boccace du *Décaméron* (*) et des découvertes freudiennes ; ou encore comme un petit air romantique repris et modulé par Diderot. Le narrateur est amoureux d'une femme de son village. Un matin, au point du jour, il se trouve dans une barque d'où il peut contempler et admirer la femme aimée, assise auprès de sa fenêtre donnant sur la mer. Il souffre, il soupire — le romantisme littéraire grec vient juste d'expirer — et n'ose avouer son secret à personne. Puis il s'éloigne vers le large et là il songe fugacement au suicide. Les eaux sont limpides, cristallines, et il se décide en fait à nager ; se laissant porter à la surface de l'eau, il tombe aussitôt dans une sorte de léthargie et se laisse descendre vers les profondeurs obscures. Nous le retrouvons sur une plage éloignée du village, sauvé par un ami d'école au surnom de « Mal-Assorti ». Ce Mal-Assorti essaie, habile psychanalyste avant la lettre, d'arracher à son ami son secret et s'appuie, pour y parvenir, sur les histoires de deux personnes qui les ont rejoints ; ces histoires d'amours malheureuses, à la fois tristes et comiques, racontées l'une après l'autre, occupent toute la deuxième partie de la nouvelle. Le terrain pour la confession est ainsi soigneusement préparé. Car, après avoir sauvé la vie de son ami, le Mal-Assorti se sent autorisé à scruter son âme, à s'emparer de sa vie intime ; face à ses stratégies, l'autre résiste et feint de ne pas avoir de secret ; et à la question finale de son sauveteur, qui lui demande s'il a encore en mémoire les vers romantiques qu'il écrivit dans sa jeunesse, il répond « Non ». Ainsi se terminent la nouvelle et l'interrogatoire indiscret. Habitués à un monde qui exige la transparence, gavés d'une littérature avide de secrets personnels, nous ne pouvons qu'être surpris par cette nouvelle. Elle est la parodie de nos aspirations profondes, la dérision de notre « idéal » de sincérité. Le « Non » des *Rivages roses*, à l'aube de notre siècle, fait entendre peut-être un ultime cri face à la violation massive et systématique de l'intimité, et un des derniers plaidoyers pour une littérature relevant du libre domaine du jeu et du plaisir de l'esprit. — Trad. in *Nouvelles*, Athènes, 1965. L. Pr.

RIVAUX (Les) [*The Rivals*]. Comédie de l'écrivain irlandais Richard Brinsley Sheridan (1751-1816), représentée pour la première fois en 1775. Les protagonistes de cette comédie, qui, avec *L'École de la médisance* (*), rencontra un succès plus durable que les autres, sont deux couples d'amoureux : le capitaine Absolute et Lydia Languish, Faulkland et Julia Melville. Grâce aux aventures du premier couple, Sheridan ridiculise les jeunes filles exaltées par la lecture des romans, tandis que les déboires du second sont une plaisante satire des comédies sentimentales qui connaissaient alors une grande vogue. Lydia veut un amour entouré de mystère, elle désire être enlevée et prétend que l'élu renonce à sa dot. C'est pourquoi Absolute, qui la connaît bien, se fait passer pour un officier ruiné, Beverley. Il la courtise en secret. La tante de Lydia, Mme Malaprop, célèbre pour son pittoresque langage émaillé à tort et à travers de mots ronflants, interdit à la jeune fille tout rapport avec cet inconnu et la tient prisonnière chez elle. Lydia, ravie de cette situation romanesque, refuse tout autre projet de mariage et se complaît à échanger des billets clandestins avec Beverley. Sir Anthony Absolute, père du capitaine, ignorant l'idylle des deux jeunes gens, complote de marier son fils avec cette riche héritière. Aussi, lorsque le capitaine est présenté à Mme Malaprop, il doit s'engager à délivrer Lydia des assiduités importunes de l'inexistant Beverley. D'autre part, à la demande d'un ami, épris lui aussi de Lydia,

Absolute se charge de rechercher Beverley et de le provoquer en duel. Autant Lydia est capricieuse, autant Julia est raisonnable et sentimentale. Faulkland est d'une jalousie morbide, mais Julia supporte avec sérénité ses insolences et ses sautes d'humeur. À la dernière scène, les « rivaux » vont se rencontrer sur le terrain. Mais à ce moment Absolute révèle à ses amis qu'il est Beverley, tandis que, alertés par les domestiques, arrivent Lydia, Julia, Mme Malaprop et sir Anthony. Ils ne tardent pas à pardonner et, naturellement, tout finit bien. Le mérite de cette comédie, comme de beaucoup d'autres du même genre, réside surtout dans le dialogue enjoué, pétillant d'esprit, qui compense la lenteur de l'action et la psychologie conventionnelle des personnages. Il est facile de reconnaître en ceux-ci, sous le déguisement intelligent que leur a donné Sheridan, les types de l'ancien répertoire. — Trad. Imprimerie Forest et Grimaud (Nantes, 1873).

RIVIÈRE (La) [*Sot*]. Roman de l'écrivain soviétique Leonid Maximovitch Leonov (né en 1899), publié en 1930. Cette œuvre illustre exemplairement la littérature soviétique des années 30, « la littérature des plans quinquennaux », en soulevant un problème, apparemment nouveau pour Leonov, mais qu'annonçait déjà le communiste Pavel dans *Les Blaireaux* (*) : la lutte entre l'homme nouveau et la nature, le constructeur et les éléments. Les deux héros sont d'anciens partisans, mais à la différence de Vekchine, personnage du *Voleur* (*), ils ne se laissent pas tromper par les apparences et gardent intacte leur foi. Ils ont en effet conservé l'enthousiasme romantique des luttes révolutionnaires et ne craignent pas le travail ingrat et monotone. Les ingénieurs Ouvadiev et Potemkine s'efforcent de dompter le cours impétueux de la Sot et d'utiliser les richesses encore vierges des forêts profondes qui la bordent, afin d'alimenter un combinat de papier. Néanmoins, les « constructeurs de l'avenir » ont encore à faire face à un ennemi de l'ordre nouveau, Vissarion, un ancien garde blanc, rêvant au « triomphe des éléments de la nuit sur la lumière de la raison ». C'est la première fois que Leonov condamne d'une manière aussi nette cet anarchisme russe qui avait toute sa sympathie dans *Les Blaireaux*. Ce mouvement de rapprochement de l'intelligentsia et du Parti amorcé dans *La Rivière* trouve son achèvement dans l'œuvre suivante de Leonov, *Skoutarevski*. — Trad. Rieder, 1936.

ROBE DE BAL D'ANNA (La) [*Anina balska haljina*]. Recueil d'essais de l'écrivain serbe Dušan Matić (1898-1980), publié en 1956. Le poète et l'essayiste sont inséparables chez Matić : ses essais se prolongent en poèmes, ses poèmes se terminent en essais. Dès son premier texte, publié en 1922 dans la revue *Les Chemins* [*Putevi*] et intitulé « La Vérité en tant que construction » [Istina kao konstrukcija], il a exprimé ce qui sera le thème fondamental de sa pensée, à savoir la supériorité de la création sur toute forme de construction littéraire. Cette notion de « création », aussi vaste et aussi floue que la vie elle-même, Matić ne la précise pas davantage, mais il l'illustre par ses manifestations concrètes afin de nous en faire percevoir la vibration. Le leitmotiv auquel il revient sans cesse dans ses essais est celui des contacts et relations entre la pensée, la littérature et la vie. Ainsi dans le texte qui a donné son titre au présent recueil, et qui est l'un des plus significatifs. Matić, qui l'écrivit en 1942, en pleine guerre, s'y interroge sur le réalisme en décrivant Tolstoï en train de rechercher dans les journaux de mode la robe qu'il mettra sur les épaules d'Anna Karénine. « Il ne s'agit pas, écrit Matić, de choisir entre le rêve et la réalité, entre le rêve et le combat, entre l'action et la pensée, entre la pensée et le cœur, entre le cœur et le corps, entre le corps et l'esprit, etc. Donc entre les rêves et les journaux de mode. Donc entre Anna Karénine et Nadja, entre le surréalisme et le réalisme. Je ne vois pas en quoi cela diminuerait l'amour d'une femme [...] si je la vois penchée, soucieuse, sur un journal de mode, en train de choisir avec inquiétude et application la coupe de sa blouse [...] Pensez-vous que ce vain souci pour la coupe d'une blouse jettera une ombre sur son sacrifice généreux, au cas où ce sacrifice deviendrait nécessaire ? Non, il prêtera son charme fragile à la cruauté du sort, que la vie toujours nous apporte. Ce n'est que dans cette complexité que résonne l'homme dans sa plénitude. Ces années de guerre me l'ont appris. » Désormais, Matić ne se préoccupera plus que de réconcilier les termes en apparence opposés de poésie et de réalisme, de pensée et de sensibilité, notamment dans un second recueil d'essais : *Sur la sellette du jour* [*Natapet dana*, 1961], qui comprend entre autres textes importants : « Un nouveau Rimbaud — En Abyssinie ou bien à l'Association des écrivains serbes » [Novi Rembo u Abisinijz ili u udruženje knjizevnika], « Le film n'est qu'une partie de la poésie » [Film je samo deo poezije], « Tout nouveau-né apporte un nouveau point de vue sur le monde » [Svako dete koje se rodi, znači nov pogled na svet] — v. *Alea jacta* (*) et *Poésies* (*). — Trad. de « La Robe de bal d'Anna » in *Europe*, n°s 415-416 ; de « Un nouveau Rimbaud » in le *Nouvel Essai yougoslave*, Maribor, 1965.

ROBE PRÉTEXTE (La). Roman de l'écrivain français François Mauriac (1885-1970). Publié sous sa forme définitive en 1914, il a été en fait écrit sur plusieurs années (de 1911 à 1914) de façon éclatée : cinq nouvelles (*Le Cousin de Paris, Camille, Le Paradis, La Robe prétexte, Tous les royaumes du monde*), publiés dans *La Revue hebdomadaire* et *La Revue de Paris,* constitueront les temps forts du roman actuel. Les troubles, les inquiétudes, le tourment de l'infini, les scrupules que l'auteur connut dans sa jeunesse se retrouvent dans son œuvre poétique – voir *Orages* (*) – et dans ses deux premiers romans *L'Enfant chargé de chaînes* (*) et *La Robe prétexte,* dont le héros, Jacques, jeune homme catholique par éducation et par nature, lutte contre le péché de la chair qui le sollicite. Ainsi que le fut Mauriac, le petit Jacques est un enfant triste, qui ne joue pas, qui n'est préféré d'aucun maître et que ses professeurs raillent pour son aspect chétif. En hiver, Jacques goûte l'enchantement des feux de bois, à l'heure crépusculaire où le jeu des flammes peuple la pièce d'ombres dansantes. Autour de lui, quelques êtres composent la figuration la plus austère et la plus provinciale qui soit : une grand-mère distinguée et dévote, sa garde-malade, parente pauvre, habituée du salon et de la table, l'abbé Maysonnave, érudit et conciliant, un oncle débauché, sa femme résignée depuis longtemps à ses états et qui s'intéresse uniquement aux questions de préséance. Née de ce ménage disparate, Camille, un peu plus âgée que Jacques, est la compagne exubérante du petit orphelin taciturne. Dans ce milieu, les cérémonies religieuses constituent, pour les enfants, les événements, les distractions, la seule matière de leurs souvenirs. Plié aux rigueurs d'un catholicisme strict, Jacques vit dans la crainte du mal. Sa première communion laisse dans son âme une empreinte définitive ; déjà sa préparation a éveillé les grandes pensées : goût de la perfection, sens de la mort et de l'éternité, sentiment du péché et tous les scrupules de conscience qui peuvent en résulter. Une dualité déchire Jacques, le monde l'attire et le déçoit. Le temps fera fleurir le premier amour, dont la fraîche Camille est l'objet tout indiqué. Amour secret, timide, scrupuleux, qui aura besoin de la jalousie et du scandale pour se connaître. Parloir de couvent, rues de Bordeaux, cimetière familial, distributions de prix, foires, dîners de famille, tout est décrit avec une légèreté aiguë et profonde. *La Robe prétexte* marque, dans l'œuvre de François Mauriac, la fin d'une première étape, qui comme pour bien des romanciers est « la peinture directe de leur belle âme et de ses ouvertures métaphysiques ou sentimentales ».

ROBE ROUGE (La). Drame en quatre actes de l'auteur dramatique français Eugène Brieux (1858-1932), représenté pour la première fois le 16 mars 1900 au théâtre du Vaudeville. Fils d'ouvrier, lui-même employé de commerce avant de débuter comme auteur dramatique, Brieux se spécialisa dans des pièces à caractère social, d'où l'intention moralisatrice n'est cependant jamais absente. Dans *La Robe rouge,* qui fut un de ses plus grands succès, Brieux se livre à une critique, par endroits passablement mordante, des mœurs de la magistrature, qu'il juge non corrompue certes, mais dévorée par l'ambition et plus soucieuse de faire carrière que de rendre la justice. La « robe rouge » dont il s'agit est celle de conseiller à la Cour, que Vagret, simple procureur de la République à Mauléon, brûle de conquérir ; mais il est bien trop honnête pour cela, même s'il n'hésite pas, pour plaire à ses supérieurs, à prononcer des réquisitoires impitoyables. Plus malin que lui, le juge d'instruction Mouzon, cynique et débauché, réussira, avec l'appui d'un député, à se faire nommer à ce poste. Dans sa simplicité, l'intrigue ne manque pas d'invraisemblance. Mouzon envoie en cour d'assises l'innocent Etchepare, dont Vagret demande la tête ; puis celui-ci, pris de doutes, intervient au dernier moment auprès des jurés, au grand dam du président et du procureur de la République. Mais Etchepare est ruiné : non seulement il a perdu le peu qu'il possédait pendant le procès, mais il a appris la faute passée de sa femme Yaneta, dont Mouzon a voulu se venger. Aussi Yaneta tue-t-elle Mouzon à la fin du quatrième acte. Comme il arrive souvent, la partie « noire » est bien meilleure que la partie « rose » de la pièce ; Mouzon est plus vivant que le brave Vagret. Avec tous ses défauts (on est loin de Mirbeau, que Brieux rappelle à plus d'un égard), la pièce est loin d'être dépourvue d'intérêt.

ROBERT. Œuvre de l'écrivain français André Gide (1869-1951), publiée en 1930. Ce journal de Robert, le mari d'Éveline, compose une sorte d'« École des maris » qui ferait suite à *L'École des femmes* (*). Il s'agit cette fois d'un petit roman sous la forme d'une lettre de protestation, envoyée par le mari après la publication du journal de sa femme. Mais cette apologie de soi tourne finalement à la confusion de Robert. Il apparaît bien ici tel que l'avait dépeint Éveline : non pas mauvais homme, mais victime de ses préjugés, de ce personnage moral et bien-pensant qu'il veut à tout prix assumer devant les autres et devant lui-même, alors qu'il n'a même pas la force de s'en montrer digne. De fait, c'est un conformiste banal, assez artificiel, trop médiocre pour soutenir un dialogue vraiment intéressant avec sa femme : on le comparerait presque à l'Amédée Fleurissoire des *Caves du Vatican* (*). Mais, ayant par trop défavorisé ce personnage qui représente tout ce qu'il déteste, Gide a laissé perdre quelque richesse au débat ouvert ici entre les deux morales : celle de Robert, qui subordonne toute émotion à un modèle fabriqué, et qui échoue dans l'impuissance et l'hypocrisie, celle d'Éveline qui n'est que naturelle. De l'aventure lamentable de Robert, c'est pourtant un engagement à l'expérience sincère, à la disponibilité totale pour la vie, qu'on peut négativement tirer :

conclusion parfaitement accordée avec les thèmes généraux de l'œuvre gidienne.

ROBERT ELSMERE. Roman de l'écrivain anglais Mrs. Humphrey Ward (Mary Augusta Arnold, 1851-1920), publié en 1888. Il décrit la lutte d'une âme qui perd la foi et qui cherche une nouvelle religion. Il y a probablement dans la trame de l'histoire un élément autobiographique. En effet le père de Mary Ward, Thomas Arnold, était passé successivement de l'anglicanisme au catholicisme, pour revenir ensuite à sa foi primitive. L'action se situe d'abord dans la vallée de Westmoreland. Les trois sœurs Leyburn, dont l'aînée Catherine possède une force de volonté inébranlable et une foi fanatique, font la connaissance d'un jeune pasteur : Robert Elsmere. Il épouse Catherine ; tous deux s'installent à Murewell dans le Sussex et Robert se donne entièrement à sa mission. Mais bientôt, au contact du châtelain, homme très cultivé et profondément sceptique, la foi du jeune pasteur fléchit. Après de longues discussions, il se rend compte que pour lui le Christ n'est plus Dieu, mais seulement un homme. Il renonce donc à sa charge, sa loyauté lui interdisant de prêcher un dogme qu'il ne reconnaît plus. Mais la foi de sa femme est restée intacte, ce qui provoque entre eux des heurts douloureux. À Londres où ils se sont réfugiés, leur dissentiment ne fait que s'aggraver jusqu'à les séparer complètement. Elsmere se voue à l'instruction du peuple, en continuant à chercher une nouvelle religion fondée sur la raison. Il finit par créer avec quelques disciples la « Nouvelle fraternité de Jésus-Christ ». Mais peu après, épuisé par une vie harassante, il meurt sans renier ses doutes, au grand désespoir de Catherine. Le roman révèle une profonde pénétration spirituelle et une immense sympathie humaine, mais il est desservi par sa forme trop diffuse, le rappel insistant du thème, le manque de vie de certains caractères. Plusieurs d'entre eux évoquent des personnages réels, ce qui augmente l'intérêt du livre. C'est ainsi que Langham, l'esthète incapable d'aucune décision, victime d'un sens critique excessif, qui a perdu toute simplicité et toute spontanéité, représente Walter Pater, l'initiateur de l'esthétisme.

ROBERT GUISCARD, duc des Normands [*Robert Guiskard, Herzog der Normänner*]. Fragment de tragédie de l'écrivain allemand Heinrich von Kleist (1777-1811), commencée en 1803, remaniée à plusieurs reprises et jamais achevée. L'auteur voulait en faire son chef-d'œuvre et opérer la synthèse de la tragédie classique et du théâtre romantique d'inspiration shakespearienne. En 1804, à Paris, Kleist, dans un moment de désespoir, brûla son manuscrit presque achevé, et ce malgré le jugement enthousiaste de Wieland qui voyait en lui le créateur de la nouvelle tragédie allemande. En 1807, Kleist refit de mémoire les dix premières scènes, qui furent publiées dans la revue *Phöbus*, qu'il dirigeait avec Adam Müller. Robert Guiscard est le type même du despote génial, dont la puissance s'écroule à l'apogée de sa gloire, vaincue par des forces inéluctables. L'action se déroule sur le fond grandiose de la lutte entre deux mondes : le Nord (avec les Normands, barbares idéalisés) qui menace le Sud (Constantinople, symbole de la civilisation antique). Robert Guiscard, duc des Normands d'Italie, met le siège devant Byzance pour venger l'affront subi par sa fille Hélène, veuve de l'empereur de Grèce et frustrée de ses droits, mais aussi pour réaliser ses plans de domination universelle. Déjà, deux princes grecs sont prêts à lui ouvrir les portes de la ville et à le proclamer empereur. Mais une épidémie de peste se déclare dans le camp des Normands et le bruit court que le duc lui-même en est atteint. L'armée est prise de panique. Guiscard se présente alors à ses troupes et parvient, par sa prestance et sa volonté, à dissiper les craintes : mais le mal a fait son œuvre et, saisi d'une faiblesse soudaine, Robert Guiscard doit être soutenu ; un instant plus tard, la duchesse, sa femme, tombera inanimée. Le fragment s'achève sur la prière du peuple normand qui demande, par l'entremise du vieil Arnim, d'être ramené en Italie. Les conflits du drame demeurent ainsi en suspens ; mais ces quelques scènes initiales, qui atteignent à la grandiose solennité de la tragédie antique, font de cette œuvre une des plus monumentales créations de la littérature allemande.

ROBERT LE DIABLE. Opéra en cinq actes du compositeur allemand Giacomo Meyerbeer (1791-1864), sur un livret des auteurs dramatiques français Eugène Scribe (1791-1861) et Casimir Delavigne (1793-1843), créé à Paris en 1831. *Robert le Diable* est le premier « grand opéra » que Meyerbeer ait composé après son installation à Paris, où ce genre théâtral avait déjà été triomphalement accueilli. Le faste déployé lors de ces spectacles, la qualité exceptionnelle de leurs interprètes, les ballets qui les rehaussaient de leur éclat (dans *Robert le Diable,* la « vedette » du ballet des Nonnes était la célèbre Taglioni) justifiaient le succès remporté auprès du public par le « grand opéra », si violemment critiqué par Weber, Berlioz et Wagner. L'intrigue de *Robert le Diable* est tirée de l'Histoire mais surtout de la légende. Un être diabolique a séduit Berthe, fille du duc de Normandie : le fruit de cette union, Robert, a été surnommé « le Diable », en raison de la cruauté dont il fait preuve depuis sa tendre enfance. Chassé par ses vassaux pour ses méfaits, Robert se réfugie en Sicile (où commence l'action). Il s'y fiance avec la princesse Isabella ; mais, ayant outragé le père de celle-ci, il serait mis à mort s'il n'était sauvé par un mystérieux personnage, Bertram. Celui-ci, toutefois, veut le réduire à sa merci ; il le pousse à miser au jeu, et Robert, la veille même du tournoi où il compte se battre afin de gagner la main d'Isabella, perd tout ce qu'il possède. Il n'a d'autre issue que la fuite, mais, sur le conseil de Bertram, il s'empare d'un rameau magique qui pousse sur la tombe de sainte Rosalie, et qui doit lui permettre d'enlever Isabella. Au cours de cette scène, les tombeaux s'entrouvrent, livrant passage à des Nonnes qui, ayant renouer à leurs vœux de leur vivant et vêtues de longs voiles, exécutent une danse provocante afin de décider Robert à cueillir le rameau. Une fois parvenu dans la chambre d'Isabella, ému par ses supplications, Robert brise le rameau magique et s'enfuit. Une fois encore, Bertram s'offre à l'aider ; il finit par lui dévoiler le mystère de sa naissance, et par lui révéler qu'il est son propre père ; puis il tente de se l'attacher à jamais par un pacte diabolique. Mais Alice, sœur de lait de Robert, intervient, lui rappelle les exhortations de sa mère et le fera rentrer dans le droit chemin tandis que Bertram disparaîtra. Une des principales raisons du succès foudroyant remporté par ce mélodrame réside précisément dans le choix du livret. Scribe y avait habilement réuni tous les éléments susceptibles de plaire au public de l'époque : romanesque, coups de théâtre, situations violemment dramatiques, avec un judicieux dosage de merveilleux et de macabre. Sur cette intrigue, Meyerbeer a composé une partition qui, bien que n'égalant pas encore celle des *Huguenots* (*) ou de *L'Africaine* (*), se signale néanmoins par la richesse dramatique, le style aimable, la couleur instrumentale et vocale qui, plus tard, caractériseront ses œuvres.

ROBES BLANCHES (Les) [*Belye odeždy*]. Roman de l'écrivain russe Vladimir Doudintsev (né en 1918). Ce roman, qui était écrit depuis longtemps, n'a pu paraître qu'en 1987, avec la libéralisation de la censure, dans la revue léningradoise *Neva*. L'auteur y évoque le drame qu'a été l'anéantissement de la génétique en U.R.S.S. à la fin des années 40 par un agronome inculte, promu académicien par Staline : Lyssenko. Si le livre s'appuie sur des faits réels, l'intrigue, fort embrouillée, est, elle, pure fiction. Le héros, Fiodor Diojkin, est, au départ, le bras droit de l'académicien Riadno (Lyssenko dans la réalité) ; il est envoyé par ce dernier dans une station expérimentale pour y mettre de l'ordre et y repérer les « mendélistes-morganistes ». Mais Diojkin se laisse peu à peu convaincre par la justesse des positions scientifiques qu'il est venu combattre. Tout en faisant semblant de continuer la tâche que lui a confiée son chef, il défend en secret les généticiens et le nouvel hybride de pomme de terre, résistant au gel, qu'ils ont obtenu.

Strigalov, le chef de file des scientifiques, héros sans peur et sans reproche, finit par être arrêté et disparaît dans les camps. Mais Diojkin, aidé par quelques personnes (dont la jeune scientifique qu'il aime, Lena), sauvera quelques tubercules de la nouvelle pomme de terre.

À la fin du roman, après la mort de Staline, nous assistons à la déconfiture de Riadno et de ses séides, et à la victoire de Diojkin, qui vit heureux avec Lena. L'idée maîtresse du roman (il faut lutter contre les « Riadno » avec leurs propres armes, en mentant et trompant pour le bien de la cause), a suscité quelques réserves en U.R.S.S. Néanmoins, *Les Robes blanches* ont fait sensation car c'était le premier livre à aborder en U.R.S.S. un épisode particulièrement tragique de l'histoire de la science à l'époque stalinienne. — Trad. Robert Laffont, 1990.

ROBIN DES BOIS [*Robin Hood*]. C'est le personnage le plus célèbre des ballades populaires anglaises, un bandit qui vivait dans la forêt, et dont les aventures et l'exceptionnelle adresse au tir à l'arc ont traversé les siècles. Jusqu'au début du XIVe siècle, il existait de nombreuses ballades sur Robin Hood, mais elles ont été perdues. La tradition du XVe siècle présente Robin Hood comme un valeureux bandit, généreux et loyal, plein de dévotion pour la Vierge, mais intraitable à l'égard des évêques hypocrites et des cruels shérifs. Dans certaines versions plus tardives, sa bravoure lui attire les faveurs du roi ; mais il abandonne rapidement la Cour, ne pouvant résister au désir de retrouver la forêt. La tradition populaire de la fin du XVIe siècle et du siècle suivant, tout en gardant quelques-uns des traits principaux, insiste sur une aventure particulière : Robin Hood rencontre un boucher (parfois c'est un potier, ou un villageois, ou encore un mercier), le provoque, est battu par lui, et l'enrôle dans sa bande. L'amour et la connaissance de la forêt, le désir du braconnage (les vieilles lois normandes prévoyaient la bastonnade et même la mort pour ceux qui osaient chasser le cerf en bande) sont, dans les récits de cette époque, complètement oubliés. Le nom de Robin Hood n'évoque plus que d'étonnantes aventures dans lesquelles la chasse joue un rôle infime. Pour obéir au goût du temps, Robin Hood prit des lettres de noblesse en devenant comte de Huntingdon, et devint le contemporain de Richard Cœur de Lion (1157-1199). Qu'il ait réellement existé, rien n'est moins certain. Walter Scott donna, dans *Ivanhoé* (*), une nouvelle version de la légende.

★ Sous le titre de *Robin Hood et Guy de Guisborn* [*Robin Hood and Guy of Guisborne*] nous est parvenue une vieille ballade anglaise, dont on ne connaît ni l'auteur ni la date de composition, et qui fut incluse dans les *Reliques de l'ancienne poésie anglaise* (*) que

Percy (1729-1811) publia en 1765. C'est la plus célèbre des nombreuses œuvres dédiées à Robin Hood. Robin Hood et Little John, se trouvant ensemble dans une forêt, aperçoivent un homme sous un arbre ; Little John décide de lui demander son nom. Robin Hood s'offense des paroles de Little John et le menace de lui rompre les os ; Little John prend alors le chemin de Burnesdale. Il est arrêté par les hommes du shérif et ligoté. Pendant ce temps, Robin Hood a demandé à l'homme de la forêt qui il était ; celui-ci a répondu : « Je suis Guy de Guisborn et j'ai juré de faire prisonnier un certain Robin Hood. — Je suis Robin Hood », répond le bandit. Et tous deux luttent jusqu'à ce que Robin Hood ait tué Guy et lui ait tranché la tête. Il se revêt alors de la dépouille de Guy et sonne du cor ; le shérif croit que Guy de Guisborn s'est assuré de la personne de Robin Hood ; il va à sa rencontre et tous deux s'en reviennent au village. Continuant à se méprendre sur l'identité de Robin Hood, le shérif consent à libérer Little John auquel il donne l'arc de Guy. Ayant tout à coup compris son erreur, le shérif s'enfuit, mais il est tué par une flèche de Little John. La véhémence et la simplicité avec lesquelles le récit est mené se retrouvent dans nombre de ballades anglaises tout imprégnées d'une même poésie populaire.

★ Enfin au XIXe siècle, lorsque les poètes et les romanciers anglais s'intéressèrent aux antiques légendes de leur pays, celle de Robin des Bois connut un regain de succès. À côté d'*Ivanhoé* de Walter Scott (1771-1832), l'œuvre la plus célèbre sur ce thème est le roman *Maid Marian* de Thomas-Love Peacock (1785-1866), l'œuvre la plus populaire de cet auteur, publiée en avril 1822, mais écrite dès l'automne 1818. Peacock a plusieurs fois tenu à préciser la date de la composition de l'ouvrage, car il fut accusé d'avoir plagié *Ivanhoé,* paru après 1818. C'est un roman légendaire plus qu'historique. Peacock ne s'est guère soucié d'approfondir ses sources historiques et il prend de grandes libertés avec les faits. L'action est censée se dérouler au XIIe siècle, mais l'auteur ne se donne pas la peine de reconstituer les scènes médiévales ; l'œuvre contient d'innombrables anachronismes, et certains paraissent même avoir été voulus par le romancier. L'intrigue de Peacock suit d'assez près la légende : Robert Fitz-Ooth, duc de Loksley et de Huntingdon, va se marier avec la belle Matilda Fitzwater, fille du baron de Arlingford, à l'abbaye de Rubygill. Mais la cérémonie n'est pas achevée qu'une troupe nombreuse de soldats du prince Jean envahit la chapelle : le chef des soldats déclare hors la loi Robert Fitz-Ooth. Celui-ci parvient à s'échapper avec ses fidèles, gagne la forêt de Sherwood et devient Robin Hood. Matilda, rentrée dans son château, est enfermée par son père, mais elle s'évade et rejoint son fiancé dont elle va partager désormais la vie aventureuse. Avec elle, les hors-la-loi reçoivent aussi leur plus étrange recrue, et certainement le personnage le mieux caractérisé du livre ; le confesseur de Matilda, frère Michel, qui prendra aussitôt le nom de frère Tuck, comme sa pénitente prend celui de Maid Marian. Entre-temps, le prince Jean, tombé amoureux de Matilda, mais plusieurs fois éconduit par elle, s'en va assiéger le château de son père. Le prince est défait, mais le château brûle et le vieux baron rejoint sa fille, son futur gendre et les hors-la-loi. Après plus d'une aventure dans la forêt, Robin Hood et ses amis rencontrent un étrange chevalier. Celui-ci se découvre : c'est le roi Richard qui revient de Terre sainte. Il rend aux hors-la-loi leurs titres et leurs domaines, et Robin peut enfin épouser Maid Marian. Le récit s'achève : Peacock nous assure qu'après la mort de Richard Robin et sa femme sont retournés dans la forêt de Sherwood, et qu'ils y ont vécu longtemps, très longtemps ensemble... *Maid Marian* présente un mélange de romantisme et de comique burlesque, de farce, qui rappelle parfois Rabelais. Ce dernier élément est surtout apporté par frère Tuck, digne compagnon littéraire de frère Jean des Entommeures, dont Peacock s'est à coup sûr inspiré. Renouvelant la vieille légende de *Robin des Bois,* l'auteur essaie de donner une satire de son propre temps, critiquant les classes supérieures et même le gouvernement. L'ouvrage de Peacock, maintenant popularisé par toutes les adaptations enfantines et les films qu'on en a tiré, ne connut pas le succès immédiat ; celui-ci ne vint que lorsque Planché, huit mois après la publication, eut tiré de *Maid Marian* une version dramatique avec musique. — Trad. Delagrave, 1949.

ROBINSON CRUSOÉ [*The Life and Strange Surprising Adventures of Robinson Crusoe, of York, Mariner*]. Roman de l'écrivain anglais Daniel Defoe (1660-1731), paru en 1719. C'est un des livres les plus célèbres de toute la littérature mondiale. L'origine historique de son sujet est connue : c'est l'aventure du marin Selkirk, qui avait été abandonné en 1705 dans l'île de Juan Fernandez, au large du Chili, aventure qui avait suscité en Angleterre une vive émotion. En 1709, le capitaine Rogers, hardi navigateur qui faisait le tour du monde, l'avait délivré après quatre ans de solitude, alors qu'il était presque revenu à l'état sauvage. Le capitaine Rogers avait publié le récit de son voyage, et l'intérêt des lecteurs se concentra sur les pages racontant *Comment Alexandre Selkirk vécut quatre ans et quatre mois seul, sur une île.* Daniel Defoe approchait alors de la soixantaine ; au cours de sa vie qui fut agitée et tourmentée, il avait beaucoup écrit, non pas des romans, mais des pamphlets politiques. Ayant des filles à marier, il avait besoin d'argent. Aussi songea-t-il à se servir de l'histoire de Selkirk : il se rendit chez l'éditeur Taylor, à qui il soumit le projet suivant : « La vie et les étranges et surprenantes aventures de Robinson Crusoé, marin d'York, qui vécut vingt-huit ans complètement seul sur une île déserte, au large des côtes d'Amérique, non loin de l'embouchure du grand fleuve Orénoque, ayant été jeté au rivage à la suite d'un naufrage où tous les hommes périrent excepté lui. » Taylor donna à Defoe la commande d'un volume de trois cent cinquante pages à écrire sur ce canevas. Le nom de l'auteur ne figurait pas sur le volume, pas plus qu'il ne figura sur les autobiographies fictives qu'il fit paraître dans la suite – v. *Moll Flanders* (*), *Lady Roxana* (*), *Histoire et vie du colonel Jacque* (*) et *Journal de l'année de la peste* (*) ; le lecteur devait croire à des Mémoires authentiques. Robinson Crusoé (Crusoé est le nom d'un vieux camarade d'école de l'auteur) est un garçon dévoré du désir d'aventures ; malgré les sages conseils paternels, il s'enfuit de chez lui, s'embarque à Hull, fait naufrage à Yarmouth, s'embarque de nouveau, est alors capturé par un pirate barbaresque de Salé où il reste deux ans ; il s'évade en barque avec un petit esclave mauresque nommé Xury, qu'il vend à un capitaine portugais, lequel l'emmène au Brésil. Robinson s'y établit comme planteur, puis juge plus profitable de se livrer à la traite des nègres. Mais le vaisseau où il comptait ramener sa cargaison de bois d'ébène fait naufrage près de l'embouchure de l'Orénoque, et Robinson, seul survivant, échoue sur une île déserte. Après avoir emporté de l'épave les armes et les outils qui peuvent lui être nécessaires, le rescapé se construit une cabane et, avec une ingéniosité inouïe, organise son existence solitaire. Tour à tour chasseur de chèvres, éleveur, menuisier, maçon, terrassier, jardinier, vannier, il arrive en outre « à une perfection inespérée en poterie de terre », se confectionne des hauts-de-chausses « faits de la peau d'un vieux bouc » et parvient à se façonner une pipe qui tire à merveille. Robinson fait si bien qu'au bout d'un an il a pourvu aux nécessités essentielles de la vie, non sans subir, il est vrai, des tremblements de terre, la fièvre, la solitude. L'île est bien déserte, en effet. Robinson, ayant construit une pirogue dans l'espoir de gagner quelque terre voisine, échappe de peu à un nouveau naufrage. De retour à son « heureux désert », il constate le débarquement de cannibales, avec un de leurs congénères prisonnier qu'ils s'apprêtent à manger : c'est le serviable Vendredi, ce « bon sauvage » qui, bientôt, attendrira Bernardin de Saint-Pierre. Robinson le libère et, devenu éducateur, lui apprend à détester la chair humaine, à porter un pantalon et à adorer le vrai Dieu. « Nous avions la parole de Dieu à lire, et son Esprit pour nous diriger, tout comme si nous eussions été en Angleterre. » Les cannibales apparaissent de nouveau, en compagnie de deux autres prisonniers dont le premier est espagnol et le second (comme par hasard...) le propre père de Vendredi. Robinson envoie alors ces deux hommes sur un canot, à la recherche de colons blancs, isolés quelque part dans les Caraïbes. Accoste enfin un navire européen, dont l'équipage révolté cherche à se débarrasser de ses officiers. Robinson aide ces derniers à mater les mutins qui, pour leur punition, devront désormais coloniser l'île. Après 28 ans, 2 mois et 19 jours passés loin du monde civilisé, Robinson Crusoé, accompagné du fidèle Vendredi, cingle vers l'Europe. Devenu riche à millions (car ses amis, pendant ce temps, ont fait prospérer ses plantations du Brésil), il rentre en Angleterre, se marie et a trois enfants. Le succès du livre incita l'auteur à en écrire la suite. Le second volume, aussi copieux que le premier, est intitulé : *Les Ultimes Aventures de Robinson Crusoé, constituant la seconde et dernière partie de sa vie, et des étranges et surprenants souvenirs de ses voyages autour du globe, écrits par lui-même.* Publié au mois d'août de la même année 1719, il avait donc été écrit en quelques mois. Le succès en fut aussi grand. Robinson retourne dans son île, colonisée cette fois. Les colons doivent lutter contre les cannibales. Le reste du volume raconte les voyages de Robinson à Madagascar, aux Indes, en Chine et son retour en Europe, après avoir traversé l'Asie de Pékin à Arkhangelsk. Il faut noter qu'à part quelques brèves escapades sur le continent, dans sa jeunesse, Defoe n'avait guère quitté l'Angleterre ; il est donc le fondateur de cette solide race d'écrivains qui racontent de merveilleux voyages sans jamais quitter le coin de leur feu. Jules Verne sera un de ceux-là. Tout ce qui se rapporte aux voyages plut énormément dans *Robinson Crusoé*, au point de masquer le nœud du récit. Il fallut *L'Émile* (*) de Rousseau pour attirer l'attention sur ce qui est l'idée maîtresse de l'œuvre : la lutte de l'homme seul contre la nature, la reconstitution des premiers rudiments de la civilisation humaine, sans autre témoin que sa propre conscience, sans autres moyens que son énergie, son adresse, son ingéniosité. À l'époque où vécut Daniel Defoe, ce protestant non conformiste, tour à tour pamphlétaire, politicien, voire carambouilleur, et qui avait tâté de la prison, *La Bible* voisine souvent avec le livre de comptes, et l'originalité du roman consista « non pas à créer un genre nouveau, mais à concilier deux genres qui existaient déjà : le livre pieux et la relation de voyage » (Paul Dottin, *Daniel Defoe et ses romans*). Une chose est certaine, c'est que ce récit d'aventures, écrit à la hâte avec le seul souci de gagner de l'argent, est une réussite incomparable. S'identifiant pleinement avec son héros, Defoe traduit, en effet, les aspirations du public d'alors, si avide de découvertes mystérieuses et d'aventures au-delà des mers : « C'est Defoe, observe Jean Prévost, qui, le premier dans les temps modernes, éleva la littérature populaire au niveau des œuvres chères à l'élite. Il prépara la prodigieuse éclosion des romans réalistes au XVIIIe siècle. Il lança le mouvement qui aboutit, avec Richardson, à imposer aux lettrés les goûts de la masse. » De Pope à Hippolyte Taine, en passant par Chamfort et Rivarol, ce roman que, par l'effet d'un malentendu, l'on relègue trop souvent au rayon de la littérature enfantine a suscité l'admiration des meilleurs esprits : « Trois livres, écrit André Malraux dans *Les Noyers de l'Altenburg* (*), tiennent en face de la prison : *Robinson, Don Quichotte* (*), *L'Idiot* (*)... Le premier lutte par le travail, le second par le rêve, le troisième par la sainteté. » Des millions de lecteurs se sont reconnus en Robinson Crusoé.

★ Certes, on peut citer des précédents aux aventures de Robinson Crusoé : en France, par exemple, *Les Aventures de *** ou les Effets surprenants de la sympathie* (1713) de Marivaux. Aussitôt après la publication du roman de Defoe, on vit pulluler les imitations : partout surgirent maintes « robinsonnades » (pastiches, suites, paraphrases, pièces de théâtre, parodies, etc.). Citons tout d'abord en Angleterre l'œuvre publiée sous le titre *L'Hermite* [*The Hermit*] en 1727 par un certain Edward Dorrington (mais généralement attribuée à Peter Longueville), puis sous le titre *Les Aventures de Philip Quarll* (1727), héros quelque peu mystique, qui vécut seul pendant cinquante ans, dans une petite île des mers du Sud ; en 1751, Robert Paltock (1697-1767) raconta la vie et les aventures d'un certain Peter Wilkins, œuvre inspirée à la fois de *Robinson* et des *Voyages de Gulliver* (*). En France, rappelons *Les Aventures et les surprenantes délivrances de James Dubourdieu et de sa femme*, parues moins de six mois après la mise en vente de *Robinson ;* en Allemagne, le *Robinson allemand* de J.- H. Campe (1779) qui, traduit en plusieurs langues, eut une renommée presque égale à celle de l'original ; *Le Nouveau Robinson* (1786), traduction du *Robinson allemand ; Le Robinson suisse* (1813), récit tiré par Johann-Rudolph Wyss (1781-1830) d'un ouvrage pédagogique de son père, le pasteur Johann-David Wyss ; une traduction en fut adaptée pour les petits Français par la baronne de Montolieu (1824), qui donna ensuite une *Continuation du Robinson suisse*, que devait piller J.-R. Wyss, pour donner une nouvelle forme à son *Robinson suisse*. On peut citer encore *Le Robinson des glaces* (1835) d'Ernest Fouinet (1790-1845), enfin un grand nombre de Robinsons à l'usage de la jeunesse : Robinsons de Paris, du Havre, de Fontainebleau, *Emma ou le Robinson des Demoiselles*, etc. La liste est fort longue qui aboutit au *Robinson Crusoé* raconté « à ses jeunes amis », par Paul Reboux (1877-1963) en 1934.

★ Au théâtre, une pièce pour tréteaux inspirée de *Robinson* fut jouée, dès 1721, à la Foire Saint-Germain. En 1805, un *Robinson Crusoé*, mélodrame de Pixérécourt, avec musique de Puccini, eut un retentissant succès. 1867 vit la représentation, à l'Opéra-Comique, du *Robinson Crusoé* de E. Cormon et H. Crémieux, musique de Jacques Offenbach (1819-1880). Et combien de mélodrames, vaudevilles, opérettes et œuvres fantaisistes telles que *Robin cru Zoé, ou la Méprise sans ressemblance*, par Gabriel et de Forge (1825). – Les principales traductions françaises de *Robinson Crusoé* sont celles de Van Offen et Thémiseul de Saint-Hyacinthe dont le succès dura tout le XVIIIe siècle (Amsterdam, 1720) ; de Feutry (1766) et Montreille (1768) ; *Histoire corrigée de Robinson Crusoé* (Paris, an III) ; l'édition de luxe Panckoucke (1800) ; les deux traductions rivales de Mme Tatsu et de Pétrus Borel, publiées respectivement les 12 et 21 mars 1835 (celle de Pétrus Borel, parue d'abord en livraisons, fut éditée, en 2 volumes, l'année suivante) ; celles de Fournier (1852) et de Battier (1877). Une édition intégrale de la traduction de Pétrus Borel, « la plus minutieusement exacte de toutes », a été donnée par la librairie Gallimard, avec une préface de Jean Prévost (1939).

ROBINSONS SOUS-MARINS. Roman d'aventures de l'écrivain français Danrit (pseud. d'Émile Driant, 1855-1916), publié en 1908. Il s'agit encore une fois chez cet auteur d'un roman qui nous raconte une catastrophe, ici un accident de sous-marin en baie de Bizerte. Le sujet était alors d'actualité, les sous-marins en étant à leurs débuts (Laubeuf avait mis au point le premier submersible, le « Narval », en 1899) et l'on déplorait la perte de nombreux bâtiments. Le roman cherche à susciter l'émotion du jeune lecteur, auquel il est destiné en priorité, en maintenant un très fort suspense, en peignant les affres de la faim et de la soif, les horreurs de l'engloutissement, la tentation du suicide. Danrit crée l'effroi pour mieux faire passer son message et montrer que seules la foi catholique et la discipline permettent de triompher des plus terribles difficultés ; il exalte le Breton qui prie et l'oppose au mauvais marin du Midi qui chante « L'Internationale ». L'œuvre ne se réduit pourtant pas à une thèse présentée de façon un peu simpliste ; elle comporte aussi des suggestions techniques et quelques jolies notations sur les paysages de Tunisie.

P.-J. D.

ROB ROY. Roman de l'écrivain écossais Walter Scott (1771-1832), publié en 1818. Il se passe pendant la période qui précéda de peu la révolte jacobite de 1715. Il met en lumière le contraste de la vie tranquille d'une partie de l'Écosse et celle plus aventureuse qu'on trouvait de l'autre côté des Highlands. Le personnage qui donne son titre au roman a réellement existé : c'était le proscrit MacGregor. Mais le véritable héros de l'histoire est un Anglais, Francis Osbaldistone, fils d'un riche marchand de Londres. Ayant été chassé par son père dont il refusait de prendre le métier, il s'est réfugié à Osbaldistone Hall, dans le nord de l'Angleterre, chez son oncle Hildebrand, grand chasseur et solide buveur.

Il y trouve les filles de Hildebrand et sa nièce, Diana Vernon, une créature de haut rang. Un des fils, Rashleigh, qui a pris la place de Francis dans la maison de commerce de Londres, complote avec les jacobites et nourrit de sombres desseins vis-à-vis de Diana qui aime Francis et en est aimée. Les machinations de Rashleigh pour se débarrasser de Francis et ruiner son père sont découvertes par Diana et plus encore par Rob Roy. Rashleigh, qui avait pris la tête de l'affaire commerciale, disparaît et Francis, pour empêcher la ruine de son père, se rend chez Rob Roy, dans les Highlands avec Nicol Jarvie, de Glasgow, un fort amusant personnage. Il assiste à une bataille entre Rob Roy et les Anglais et à une prodigieuse évasion du bandit. Rashleigh est contraint de restituer ce qu'il a pris. Il est ensuite mis à mort par Rob Roy pour avoir trahi ses amis jacobites. Francis se réconcilie avec son père et épouse Diana. La trame du roman est banale et conventionnelle telle que l'exigeait le goût de l'époque, mais les personnages sont intéressants : Diana est plaisante et émouvante ; le serviteur fanfaron Andrew Fairservice et l'écuyer Nicol Jarvie incarnent bien les vertus et les faiblesses des Écossais. Hector Berlioz (1803-1869) a composé en Italie une *Ouverture de Rob Roy.* – Trad. Tallandier, 1931.

ROCAMBOLE de Ponson du Terrail (v. *Drames de Paris, Les*).

ROCHER DE BRIGHTON (Le) [*Brighton Rock*]. Roman de l'écrivain anglais Graham Greene (1904-1991), publié en 1938, à la fois « divertissement » et première œuvre capitale de l'auteur ayant une tendance « catholique ». Le héros de ces aventures policières est un chef de bande de dix-sept ans, le vicieux Pinkie qui s'en prend à Ida Arnold, une femme généreuse débordant de franche sexualité, d'enthousiasme et de joie de vivre. Trahison, meurtre et vengeance se déchaînent dans les bas-fonds d'un Brighton bruyant et étincelant. Tandis qu'Ida représente le bien, Pinkie tient le rôle du Malin, et par son ambition et sa cruauté démoniaque atteint à une sorte d'ascèse. L'usage continuel de la métaphore et les procédés narratifs contraignent le lecteur à ne percevoir la situation que par les yeux de Pinkie, ce qui gauchit ses réactions personnelles. L'attirant Pinkie est avant tout un gangster et un déséquilibré. Cet ancien enfant de chœur qui voulait être prêtre devient un criminel à cause du dégoût que lui inspirent la femme et l'amour – un souvenir de sa petite enfance, celui de ses parents vautrés sur un lit, le poursuit comme une malédiction. Mais la lutte implacable qui oppose Ida et le tueur dépasse le cadre de la psychanalyse. La vocation du mal, le manque total de pitié font de Pinkie un personnage très consciemment satanique, que le réalisme du cadre et des circonstances rend plus que plausible. Paradoxalement, Greene semble voir en lui le pécheur qui se trouve plus susceptible de recevoir la visitation de la grâce qu'un chrétien normal. Brighton, c'est l'enfer, mais les damnés seront peut-être un jour les seuls élus : la perversion spirituelle apparaît ainsi sous des dehors attrayants et la bonté va souvent de pair avec la faiblesse. *Le Rocher de Brighton* traduit un équilibre précis entre une attitude morale et un certain milieu social, caractéristique de l'avant-guerre. Le message final, amené par des images de laideur et de répulsion, ne laisse au lecteur aucune illusion : la petite Rose, la veuve de Pinkie, écoute, le cœur battant d'amour, l'enregistrement au magnétophone qu'il a fait pour elle... et s'entend vouer à tous les diables. Cet univers cruel dont la grâce est absente, c'est le monde des hommes traqués, de la terreur et du désespoir, celui de *L'Agent secret* (*) et du *Troisième Homme* (*). – Trad. Robert Laffont, 1947.

RODANTHÉ ET DOSICLÈS [*Τὰ κατὰ Ῥοδάνθην καὶ Δοσικλέα*]. Roman en vers de l'écrivain byzantin Théodore Prodromos (1115-1166). Si, dans ses lettres, l'auteur a employé les règles et le style de la poésie en langue vulgaire, il se conforme ici, comme dans tous ses ouvrages de caractère plus élevé, aux usages des grands classiques. Son modèle principal est Héliodore, avec lequel il a de nombreux points de contact. Ce roman, divisé en neuf livres, conte la fuite d'une jeune fille d'Abydos, Rodanthé, enlevée par Dosiclès avec l'aide de quelques amis. Parvenus à Rhodes, les deux amants sont attaqués par des malfaiteurs et séparés. Après mille péripéties, Rodanthé est vendue à Chypre comme esclave, tandis que Dosiclès est destiné à être sacrifié aux dieux. Il parvient à s'échapper, se rend à Chypre et y retrouve celle qu'il aime. Peu après, les parents des jeunes gens arrivent d'Abydos, car l'oracle de Delphes leur a indiqué la route à suivre pour rejoindre les fugitifs. Ils regagnent tous Abydos où les noces seront célébrées. Ce roman, qui laisse percer l'effort de l'auteur pour imiter les classiques, manque généralement de cette spontanéité qui fait le charme de ses *Lettre à l'Empereur, Lettre à l'Empereur Kalojoannès, Lettre à Sébastocrator* – v. *Poèmes* (*). Mais cette œuvre compte dans la littérature byzantine d'inspiration classique grâce à son unité artistique et aux nombreux épisodes qui traduisent bien la sensibilité propre à l'auteur. – Trad. *Les Amours de Rodanthé et Dosiclès*, dans la Collection des romans grecs (Merlin, 1823).

RODÉO. Ballet du compositeur américain Aaron Copland (1900-1990), donné en octobre 1942 par Agnès De Mille et les ballets russes de Monte-Carlo, au Metropolitan Opera de

New York, relevant de la même esthétique que *Billy the Kid* (*). L'argument met en scène une jeune cow-girl, qui cherche ingénument à s'attirer les attentions et les hommages de ses « confrères » par ses prouesses de cavalière (scène I), mais ne recueille qu'indifférence de leur part ou ironie des jeunes filles de la ville, venues danser au ranch. La scène II (scène du bal) voit le triomphe de la jeune cow-girl qui, abandonnant son accoutrement masculin, revêt cette fois une toilette et obtient enfin les faveurs d'un des cow-boys, et se joint à la fête. Copland a également employé ici de nombreux chants populaires, en particulier dans la scène initiale, le très connu *If he'd be a buckaroo*, dont le rythme très caractéristique, habilement modifié, sert de base à un développement symphonique très étudié, mais plein d'une vigueur et d'une allégresse entraînantes, et qui dépeint avec une grande efficacité l'activité du Ranch et les préparatifs du Rodéo. On note d'autres emprunts encore dans le *Saturday night Waltz* (scène du bal) et surtout dans le *Hoe Down* final, qui est une véritable « reproduction » d'une chanson populaire extraite de l'œuvre d'Ira Forbes : *Tradition et musique d'Amérique*. Par contre, l'épisode intitulé « Corral Nocturne » est entièrement original.

Aaron Copland a su exprimer, par le caractère même des personnages principaux, des traits essentiels de l'âme et de la civilisation américaines. Copland en a tiré une suite symphonique reprenant l'essentiel du schéma scénique et de sa traduction musicale.

RODERICK HUDSON. C'est le premier roman publié en volume (1874) de l'écrivain américain Henry James (1843-1916). Son héros est un jeune avocat plein d'avenir qui, soudain, abandonne sa carrière, sa mère, sa douce fiancée Mary Garland, pour s'en aller à Rome étudier la sculpture. Là-bas, son génie se révèle, et il produit quelques œuvres de valeur. Mais bientôt sa verve s'épuise par suite d'un amour malheureux. Follement épris en effet de la belle Christine Light, il a été éconduit par les parents de cette dernière : on veut qu'elle épouse un prince italien. Rowland Mallet, un ami du héros, veut le guérir de cette passion sans espoir, et dans cette intention il fait venir d'Amérique Mary Garland, la fiancée de Roderick, certain que son dévouement triomphera de tout. Mais l'arrivée de la jeune fille est loin d'avoir le résultat qu'il escomptait : Christine est trop supérieure à sa rivale pour que celle-ci puisse lui disputer le cœur de Roderick. Il est toujours plus épris d'elle, mais comme Christine, après avoir en vain essayé de rompre avec son prince, est obligée de l'épouser, le jeune homme se laisse persuader par sa mère, qui est venue le rejoindre elle aussi, d'entreprendre un voyage pour l'oublier. Mais, en Suisse, la fatalité place à nouveau sur son chemin la belle Christine, désormais mariée. Heureusement, les complications qui allaient naître de cette rencontre sont évitées : Roderick meurt en tombant accidentellement dans un précipice. Si l'on compare *Roderick Hudson* aux autres romans de James, on voit aussitôt combien sa psychologie est superficielle : le processus de la déchéance de Roderick est trop rapide ; les personnages, depuis Rowland jusqu'à la dangereuse Christine, nous semblent manquer de relief. Toutefois, malgré tous ses défauts, ce premier ouvrage d'Henry James est significatif : il laisse entrevoir dans une certaine mesure ce que sera l'œuvre du grand romancier. — Trad. Hachette, 1884 ; Fayard, 1976.

RÔDEUR (Le). Premier roman de l'écrivain français Pierre Herbart (1904-1974), paru en 1931. Deux récits composent ce roman. Le premier, écrit sous la forme d'un journal à la première personne, intitulé « Journal de Serge », constitue l'archétype, l'expression parfaite du roman, à la fois son argument et son commentaire ; le second relate pas à pas, jusqu'au suicide suggéré, l'enchaînement des expériences de Serge, personnage venu de Russie en France, marqué par une profonde solitude, et qui va faire naître chez tous ceux qu'il approche un désespoir mortel, provoquant des accidents tragiques, détruisant, mais involontairement, ce qu'il touche. Tout en s'inscrivant dans un monde d'une épaisse réalité, à la Mac Orlan (Toulon, le port, les bars, la cocaïne, les affranchis), la narration prend un caractère onirique, irréel, où se succèdent la mort, la solitude et la nuit — au rythme des évanouissements et des endormissements alcooliques, de l'hébétude d'un sommeil dans lequel Serge se noie avec une effrayante régularité comme pour échapper au monde. Pendant ces absences, les univers basculent : Ivan se fait arrêter alors que Serge dort dans le lit d'Annouchka, Angelo se pend durant une nuit d'alcool, Jojo et Loulou disparaîtront pendant que l'homme parfaitement seul est plongé dans le sommeil de la cocaïne. Mais la nuit apporte par moments à Serge la détente, la douceur des corps ensemble, comme si tout était possible, l'aube restant un instant de vérité absolue. Pourtant avec le piège du sommeil vient l'épaississement de la réalité — car l'homme seul propage son mal destructeur sans savoir l'arrêter — provoquant l'abattement des êtres, la montée de la tension qui les unit. S'agit-il du rêve, ou de la réalité, ou, pour plus de convenance, la réalité aurait-elle un moment emprunté au cauchemar ses personnages, ses lieux figés, ses êtres en fuite, ses situations outrées, ce village par exemple où se retire Serge, où la vie serait facile pour qui aurait le sens de la « douceur d'homme » ? Le rôdeur est alors le lien coupable, physique et tangible entre ces êtres qu'il touche de son infirmité meurtrière, le regard lucide sur le désespoir (mot-fétiche du roman), cette puissance malheureuse et non agissante qui naît de la grande solitude, de la faiblesse, de cette incapacité à vivre et à rencontrer l'humain – et Serge ira, par omission, jusqu'à provoquer la mort de Loulou, une prostituée qui crache le sang, en la faisant dormir sur le carrelage froid. « Quand tu rencontreras des gens comme moi, fuis-les », dit Serge à Jean – le pur, le rescapé, le témoin –, faisant à ce moment-là preuve d'une clairvoyance qu'on ne lui avait pas connue, tout en pensant : « Encore un que j'aurai pu détruire. » Ce fatal engourdissement, ce constant sentiment de l'inéluctable, cette culpabilité première qui empêche de s'adonner à la vie s'achèveront enfin sur un bateau qui fait le service de Bastia, où le narrateur est monté après avoir écrit son *Journal*, mais aussi entrevu la solution du suicide. Il s'endormira sur le pont entre des soldats et des Italiens, sans que l'on sache toujours la part du rêve et celle de la réalité, sans que l'on puisse affirmer que ce bateau ne sera pas le lieu d'un nouveau drame. V. W.

RODMOOR. Roman de l'écrivain anglais John Cowper Powys (1872-1963), publié en 1916. Voici, après *Bois et Pierre* (*), le second roman de Powys, dédié « à l'esprit d'Emily Brontë ». Rodmoor est une lande au bord de la mer, dans le Norfolk, à l'est des « Hauts de Hurlevent ». C'est la seule œuvre de Powys qui se situe dans cette région, quoique, dans *Les Enchantements de Glastonbury* (*), elle soit le lieu de retour ardemment souhaité par John et Mary Crow et leur ami commun, Tom Barter. Rodmoor est donc le héros du livre : la lande et la mer sont une présence totale, envahissante, obsédante même. Le mot seul « séduit et trouble » simultanément Adrian Sorio – préfiguration d'Adam Skald dans *Les Sables de la mer* (*) –, que nous voyons d'abord à Londres, retour d'Amérique du Sud, avec la charmante et un peu victorienne Nance Herrick. Celle-ci doit aller retrouver sa tante à Rodmoor. Adrian l'y suit, et tout, dès lors, dans la vie des personnages, est voué au pouvoir suprême du lieu. « C'est la mer », dira Philippa Renshaw. « Notre mer est différente. Elle nous dévore par l'intérieur. » Adrian fait la connaissance de la demi-sœur de Nance, Linda, dix-huit ans, sauvage, passionnée, brune et détestée par sa tante. C'est la première d'une merveilleuse série d'études des relations psychiques entre deux femmes, où Powys ne connaît aucun rival.

Apparaît donc la famille Renshaw, hobereaux locaux profondément enracinés dans les traditions et dans le sol côtier. Brand Renshaw, « personnage d'aspect frappant et formidable », et sa sœur Philippa, « épicène », semblable à une « prêtresse d'Artémis », suggérant une « créature irréelle, née de la magie médiévale », sont les véritables émanations du lieu, vivant en accord profond, presque occulte, élémental, avec la nature, ce qui leur donne une supériorité quasi diabolique sur les nouveaux arrivants. « Votre maudit Rodmoor, gémit Adrian, me dépasse complètement. » Quand Brand, comme c'est fatal, tombe amoureux (mais l'expression est bien faible pour les passions powysiennes) de Linda (« l'une de ces attirances soudaines entre homme et femme qui, si souvent, impliquent [...] la menace d'une tragédie ») et la possède de façon métaphorique autant, sinon plus, que physique (il la baptise, sur la plage sauvage, d'une poignée d'écume), Philippa, qui assiste en voyeuse à l'une de leurs rencontres, et qui la ponctue d'un rire faunesque, jette naturellement son dévolu sur Adrian. Alors elle s'oppose violemment à la douce Nance : « Leurs deux voix, s'élevant et s'apaisant dans une lamentable litanie d'antagonisme élémental – cruel comme la vie, plus profond que la mort – flottaient autour de Sorio, dans les ténèbres parfumées, comme des flots de poison opposés. » Cependant Baltazar Stork, ami des deux hommes, curieux esthète très peu powysien, profondément malheureux, accède au monde élémental de Powys en se suicidant dans la petite rivière au nom symbolique (Loon, c'est-à-dire la Folle).

L'intrigue, forte et simple en raison du nombre limité des personnages et de leur irrésistible appartenance aux éléments opposés dans un « antagonisme séculaire », mène lentement, sans violence, à la tragédie : c'est assez rare chez Powys, dont les futurs romans auront au contraire tendance à s'achever en de vastes résolutions élémentales ou même cosmiques (l'inondation des *Enchantements de Glastonbury*). Adrian mort, Philippa, dans une scène magnifique (« Thrène »), s'attache littéralement au cadavre de son amant, et pénètre dans la mer, l'arrachant ainsi, à jamais, à sa rivale : « Unis solidement, tant par les bras serrés de la jeune fille que par la corde qu'elle avait nouée autour d'eux, la mer du Nord, dans son reflux, emporta leurs corps dans les ténèbres. Loin de la terre, elle les emporta, sous le ciel brumeux et aveugle, loin du malheur et de la folie, et quand l'aube vint enfin, tremblante, sur l'inquiète étendue d'eau, elle ne trouva que les moutons blancs et les mouettes blanches. Les deux amants avaient coulé ensemble : hors d'atteinte de l'humanité, hors d'atteinte de Rodmoor. »

Ainsi s'achève ce très beau roman, techniquement plus réussi que *Bois et Pierre*, fort et brut comme une marine fouettée par le vent. Le triomphe de la fille ambiguë et maléfique sur la bonne et douce « norme » qu'est Nance est significatif ; mais plus encore est le fait qu'il implique la mort. La division de l'homme powysien entre Adrian et Brand, de même que la division de la femme powysienne entre Linda et Philippa, est au cœur des tensions intimes dans lesquelles Powys puisera sans relâche la force de sa création. Elles annoncent le souhait de Rook dans *Givre et Sang* (*), qui est peut-être la parole la plus révélatrice de l'œuvre : « Que n'était-il possible d'avoir des relations amoureuses avec les arbres, avec les éléments, comme en ont les personnages de la mythologie ! » Dans *Givre et Sang*, qui suit *Rodmoor* de neuf ans pendant lesquels Powys écrivit quatre ou cinq livres d'essais, l'issue tragique n'est pas la fin de l'œuvre : elle est suivie d'une sorte de postface dans le mode chaleureux de l'humanisme vers lequel tend déjà l'auteur, comme vers une terre riche et hospitalière où se résoudront ses tensions. Ce qui est remarquable dans ces deux romans complètement oubliés, c'est que la puissance d'écriture n'y est pas encore pléthorique, comme elle le deviendra avec les *Enchantements.* De sorte qu'on y trouve un Powys encore un peu rauque, certes, et point aussi opulent que dans les grands chefs-d'œuvre, mais tout près d'être à son meilleur, et sans le défaut majeur que deviendra sa prolixité. En outre, à tous points de vue, *Rodmoor* est le véritable portail d'une œuvre romanesque qui, par son ampleur et les mines de psychologie et de « métapsychologie » qui s'y ouvrent, peut être considérée comme l'une des plus importantes du siècle.

M. Gr.

RODOGUNE, princesse des Parthes. Tragédie en cinq actes de l'auteur dramatique français Pierre Corneille (1606-1684), qui fut représentée à Paris, sur la scène du théâtre du Marais, en 1644. Cléopâtre, reine de Syrie, s'était persuadée que son époux Démétrius Nicanor, vaincu et fait prisonnier par les Parthes, était mort. Pour se défendre d'un usurpateur, elle avait épousé en secondes noces son beau-frère Antiochus, qui sera tué par les Parthes. Démétrius, qui n'était point mort, étant revenu dans ses États en ramenant avec lui Rodogune, la jeune sœur du roi des Parthes, avec l'intention de l'épouser, Cléopâtre fit assaillir le cortège : Démétrius périt et Rodogune fut capturée. Au premier acte, Cléopâtre vient de faire rappeler les deux fils de Démétrius, Séleucus et Antiochus, qui furent élevés loin de la Cour. Suivant le traité de paix conclu avec les Parthes, Rodogune doit épouser celui des deux princes qui régnera. Les jumeaux sont l'un et l'autre amoureux de Rodogune ; mais, retenus par leur mutuelle affection, ils jurent de s'en remettre à la décision de leur mère. Celle-ci doit révéler, ce qu'elle a toujours tenu secret, lequel des deux est le premier-né, et par conséquent le successeur au trône. Cléopâtre, qui hait la jeune princesse, promet le trône à celui des deux qui tuera Rodogune. Jugeant cette menace, dont elle est avertie, comme une rupture du traité conclu entre son frère et Cléopâtre, Rodogune s'en considère comme dégagée elle-même et peut alors se souvenir de la promesse de vengeance qu'elle avait faite à Démétrius mourant. Comme les deux frères, qui se défient désormais de leur mère, s'en remettent au choix de Rodogune pour décider qui d'eux deux régnera et l'épousera, et comme elle ne veut pas faire dépendre ce choix de son inclination, elle déclare qu'elle épousera celui qui vengera son père. Désespéré et refusant de choisir entre sa mère et sa maîtresse, Séleucus abandonne la couronne et Rodogune à Antiochus, mais celui-ci se contente d'espérer que, s'il les obtient, ce sera par les seuls effets conjugués de la nature (la révélation de son droit d'aînesse) et de l'amour (de Rodogune pour lui). Aussi, à l'acte IV, Antiochus, en offrant sa vie à Rodogune à la place de sa mère, la force à avouer que c'est lui qu'elle aime, et par amour elle choisit de se remettre aux termes du traité de paix dont les droits sont plus forts que la vengeance : elle épousera sans murmurer celui que Cléopâtre aura désigné comme le nouveau roi. Or celle-ci, incapable de faire céder Antiochus, fait semblant de se rendre et le désigne comme l'aîné, avec la ferme intention de se venger ensuite des deux amants ; ne réussissant pas à éveiller le ressentiment ou la jalousie dans l'âme de Séleucus, elle décide de les faire tous périr. À l'acte V, Cléopâtre a déjà fait tuer Séleucus, et n'attend plus que de se venger d'Antiochus et de Rodogune, quelles qu'en soient les conséquences : « Tombe sur moi le ciel, pourvu que je me venge ! » Après avoir présenté son nouveau roi à la foule des courtisans, elle présente la coupe nuptiale empoisonnée à Antiochus : la nouvelle que Séleucus est mort assassiné l'empêche de boire, mais les dernières paroles du mourant laissent planer le doute sur l'auteur de l'assassinat, Cléopâtre ou Rodogune. Désespéré, Antiochus ne veut écouter ni les accusations de l'une ni la défense de l'autre, et, se résignant à attendre d'être la nouvelle victime de l'une ou de l'autre, décide d'« achever l'hyménée » : Rodogune l'empêche de boire la coupe, devenue suspecte, mais Cléopâtre s'en empare et, après avoir bu, la tend à nouveau à Antiochus ; cependant l'effet du poison est trop prompt, et elle meurt dans les imprécations sans avoir pu entraîner les amants dans sa mort.

Avec *Rodogune,* la pièce préférée de Corneille, commence la série des tragédies « implexes », où l'action ne découle pas tout simplement de l'enchaînement des événements. On en a déduit à tort depuis deux siècles qu'elle était inutilement compliquée, ce qui a causé la désaffection dont elle est encore victime aujourd'hui, et dont on ne sauve généralement que le cinquième acte pour son tragique shakespearien. En fait, cette complexité est toute relative : elle ne tient guère qu'au mystère de la naissance des deux jumeaux que Cléopâtre tient entre ses mains, et qui crée un effet de suspension durant quatre actes ; quatre actes employés par Cléopâtre à tenter de se venger de Rodogune par l'entremise de ses fils ; qui révèlent le caractère monstrueusement ambitieux d'une mère dénaturée ; qui placent les jumeaux dans la situation pathétique d'avoir à choisir entre la mort de celle qu'ils aiment et la mort de leur mère ; qui construisent le rôle magnifique d'une femme menacée, coincée entre un serment à un mort et un traité engageant la paix d'une région, et qui doit subordonner l'expression de son amour à l'exécution de l'un ou de l'autre. On voit que, si Corneille construit une intrigue très largement personnelle à partir d'éléments empruntés à l'histoire, la nouveauté de *Rodogune* n'a pas consisté pour lui à abandonner la fidélité à l'histoire et les grandes réflexions politiques pour se jeter dans le romanesque. La réflexion politique n'est pas absente puisque Corneille définit à travers l'affrontement entre Cléopâtre et ses deux fils la ligne de démarcation entre le tyran et le roi légitime, variation sur un thème déjà présent dans *Cinna* (*). Ce qui est nouveau, c'est qu'en abandonnant un type d'intrigue dont la progression et le dénouement reposent sur les actes d'un héros il tourne le dos au fondement de ses premières tragédies, qui était issu du système dramatique de la tragi-comédie. En ce sens, et paradoxalement, la structure de *Rodogune* est moins romanesque que celle d'*Horace* (*). C'est que Corneille, en montrant des héros qui se débattent entre les mains d'un personnage qui les écrase et qui ne doivent leur salut qu'au hasard (ou à la Providence), a, en fait, renoué avec la structure de la tragédie grecque. Et ce n'est pas seulement le caractère de Cléopâtre qui renvoie à la violence de Médée ; toute sa situation renvoie au mythe de Médée (une femme qui tue sa rivale et ses propres enfants pour se venger de l'homme qui l'a trahie), comme la situation des héros renvoie à la fois au mythe d'Électre (les héros doivent tuer leur mère pour venger leur père) et au mythe des frères ennemis. On comprend mieux ainsi la préférence de Corneille pour *Rodogune :* en « contaminant » une histoire hellénistique par le mythe grec, en modernisant en outre cette structure par un enjeu politique et un drame amoureux (indispensable à la tragédie française), et en moralisant, dans une perspective chrétienne, cette histoire où la Providence non seulement sauve les héros, mais punit le coupable sans leur ensanglanter les mains, Corneille avait voulu donner le modèle d'une tragédie moderne et chrétienne qui fût capable de rivaliser avec celle des Anciens. G. F.

ROI CERCUEIL (Le) [*King Coffin*]. Roman de l'écrivain américain Conrad Aiken (1889-1973), publié en 1935. L'auteur avait déjà publié *Voyage bleu* [*Blue Voyage,* 1927], où il adaptait la méthode employée par James Joyce dans *Ulysse* (*), et surtout *Grand cercle* [*Great Circle,* 1933] quand parut ce récit dans la meilleure tradition picaresque. *Grand cercle* reste un roman psychologique et sérieux : il nous fait partager, au cours d'une semaine d'analyses stimulées par l'abus du whisky, les remords d'un Bostonien quinquagénaire, qui découvre à son retour de voyage son épouse dans les bras de son meilleur ami. L'excès même et la profusion du roman poétisent ce lent triomphe du héros sur sa jalousie. Loin d'être ridicule, la situation s'apparente à un itinéraire spirituel. *Le Roi cercueil,* par contre, montre l'évolution d'un jeune mégalomane, semblable au Lafcadio de Gide, qui veut mettre en pratique les principes mal compris du surhomme nietzschéen. Ses lectures à demi digérées le conduisent à la folie et au suicide. L'action très rapide transforme en comédie-ballet les préparatifs d'un crime, qui n'ont pourtant rien à envier aux machinations des personnages de Dostoïevski. Chaque geste du héros, lorsqu'il se dispose à assassiner gratuitement un agent de publicité, devient drôle, voire burlesque, parce que l'étudiant est en réalité la victime d'un monde qu'il croit purger d'un aspect nouveau de sa futilité. Dans son désir de camper un personnage de justicier grandiose, le héros est si maladroit que, se fût-il résolu à tuer, il n'aurait eu aucune chance de camoufler son crime. Le thème de la manie de l'immersion totale de l'être dans sa conscience, cher à Aiken, est ici porté aux limites de l'absurde. La satire affectueuse d'une société d'esthètes universitaires, que l'auteur connaissait bien, mêle au badinage une peinture féroce de la conscience aliénée. Tout en demeurant le descendant de la grande tradition culturelle de la Nouvelle-Angleterre, le romancier prend un recul suffisant pour en voir la sclérose et pousse plus loin que Henry James lui-même l'identification de la conscience morale à la prise de conscience intellectuelle. En 1940, *Conversation* vint clore le cycle romanesque de Conrad Aiken. L'intrigue peut se résumer comme une dispute éternelle et amère entre une épouse confite d'habitudes puritaines et de préjugés sociaux et son pauvre peintre de mari, aux vantardises charmantes. L'acrimonie contenue dans ces querelles conjugales devient paradoxalement, grâce au contrepoint lyrique d'un admirable automne au Cap Cod, une sorte de contrepoison amer mais bienfaisant, une manière de célébrer la joie de vivre. Plus connu par ses poèmes, comme *La Terre triomphante* (*), et ses essais critiques, dont *Scepticismes* [*Scepticisms,* 1919], Aiken, qui fut l'un des premiers à présenter Emily Dickinson au public américain, se consacra principalement à la poésie.

ROI DAVID (Le). Cette œuvre du compositeur suisse Arthur Honegger (1892-1955), qui porta son auteur au premier plan de l'actualité musicale, fut composée rapidement de février à avril 1921, pour les représentations de plein air, au théâtre du Jorat, à Mézières (Suisse). *Le Roi David* fut d'abord un psaume dramatique en vingt-huit morceaux, sur un texte inspiré de *La Bible* (*) établi par l'auteur dramatique vaudois René Morax (1872-1963) ; l'exiguïté du site avait contraint Honegger à se contenter d'un orchestre de quinze exécutants ainsi répartis : six bois, quatre cuivres, harmonium, piano, timbales, gong, tam-tam, contrebasse. Deux ans plus tard, l'ouvrage devint un oratorio pour grand orchestre, soli, récitant et un chœur qui occupe une place essentielle dans l'œuvre de Honegger. Ni le nombre ni la répartition des morceaux n'ont été modifiés, les quatre parties demeurent : *a)* David berger, chef et conducteur d'armée ; *b)* David roi ; *c)* David roi et prophète ; *d)* la Mort de David (psaume de Clément Marot). La partition n'a rien d'aussi révolutionnaire que les manifestes des Six pouvaient le faire attendre, on y sent même un retour vers Haendel ; les procédés employés sont une synthèse habile des courants musicaux de l'époque, le langage concis n'exprime que l'essentiel. Sans doute la personnalité de Honegger s'est-elle épurée et affirmée depuis, il n'en reste pas moins que *Le Roi David* plut et n'a pas cessé de plaire.

ROI DE BÉOTIE (Le). Volume de « contes et récits » de l'écrivain français Max Jacob (1876-1944), publié en 1921, divisé en deux parties : « Par le gros bout de la lorgnette » et « Nuits d'hôpital et l'aurore ». Max Jacob fait parler dans la première partie une série de petites gens. Cela constitue des sortes de « physiologies des employés », selon la mode romantique, ou des monologues, comme à la fin du XIXe siècle en écrivit Cros, et désira le faire Mallarmé. Ces seize récits sont écrits sans méchanceté, mais avec espièglerie (« En province, les femmes se soutiennent pour tomber »). En chaque voix, en chaque situation, l'auteur reconnaît la sienne propre. Des événements imaginaires servent de support à une émotion vraie. La compassion et la tendresse l'emportent sur l'ironie.

La seconde partie évoque plus ouvertement un fait autobiographique. Le 27 janvier 1920, Max Jacob, qui se rendait à une représentation du *Tricorne* (*) de Manuel de Falla à l'Opéra, fut renversé par une voiture, place Pigalle : « Que Dieu pardonne à ces bandits comme je le fais ici, mais que Dieu nous préserve de leurs coups. » Conduit chez la « marquise Lariboisière » (c'est-à-dire à l'hôpital), il se fait le porte-parole des malades, et des revenants : « Les nuits d'hôpital me feraient souvenir de l'enfer si j'étais le Dante. » Le récit est effectivement un parcours des cercles de la douleur, avec un humour et une générosité constants, qui transforment la plainte en défense des pauvres et de l'humanité, la traversée des salles d'hôpital en passage douloureux des seuils. Le narrateur porte le nom de Max Jacob et occupe le lit 33 ; il fait choix d'un héros sympathique, Schwevischenbung, et commente la rédaction de son récit (« Le chapitre est manqué, je le recommence »). Par ce moyen s'établit une distance entre la souffrance supportée (« Animalité, folie, hurlements ») et sa narration, où la compassion l'emporte sur l'apitoiement de soi, le souci de style sur le cri ; le travail poétique est donné pour un lieu douloureux de composition spirituelle de soi. J. Rou.

ROI DE CHAIR ET DE SANG [*Melekh bassar va-dam*]. Roman de l'écrivain israélien Moshé Shamir (né en 1921), publié en 1954. Après des romans ancrés profondément dans le présent, Moshé Shamir écrit *Roi de chair et de sang,* roman historique constituant un véritable tournant dans son œuvre, accueilli avec enthousiasme aussi bien par la critique que par le public. L'époque des Hasmonéens, et plus précisément celle d'Alexandre Jannée (126-76 av. J.-C.), sert de toile de fond à ce grand roman épique qui dépeint les liens conflictuels entre Alexandre Jannée, roi, chef militaire et grand prêtre, et Absalom, à qui revenait la royauté, mais qui n'a pas su faire valoir ses droits, étant homme de réflexion et non d'action, un personnage témoin de l'histoire mais ne la faisant pas. En arrière-plan de ces rapports, Shamir brosse, avec une grande fidélité historique, une multitude de détails frappants par leur véracité et un profond attachement à la réalité, un tableau du peuple de Judée dans toute sa complexité. On y trouve les pharisiens représentant la culture juive et les classes moyennes, hostiles à la politique d'expansion du roi, les sadducéens issus des classes aisées et influencés par la culture grecque, ainsi qu'une très riche galerie de personnages, prêtres, paysans, soldats, marchands et sages. Les moments dramatiques abondent dans le roman : lors de la cérémonie au Temple, par exemple, le jour du Kippour, Alexandre Jannée, écartant Absalom, s'arroge la fonction de grand prêtre ; ou encore, lors d'une grande fête, Simon, fils de Shetah, représentant les pharisiens, apostrophe le roi, l'accusant de ne pas être de la dynastie de David, élu du seigneur, mais un simple roi de chair et de sang. Le roman de Moshé Shamir excelle également par sa langue. Il puise sa richesse dans la Mishnah et toute la littérature rabbinique, faisant renaître des expressions tombées en désuétude depuis des générations. L. P.

ROI DES ALPES ET LE MISANTHROPE (Le) [*Der Alpenkönig und der Menschenfeind*]. Comédie de l'auteur comique autrichien Ferdinand Raimund (1790-1836), créée le 17 octobre 1828 au théâtre de la Leopoldstadt de Vienne. Dans cette « féerie originale romantique et comique », Raimund conserve le schéma caractéristique de la comédie populaire viennoise des XVIIIe-XIXe siècles : l'intervention, dans le monde « inférieur » des humains, de personnages du monde supérieur des génies, ainsi que l'intrigue amoureuse traditionnelle, celle de l'amour du jeune couple contrecarré par la volonté paternelle. Mais ses ambitions vont aussi plus loin, comme le prouve déjà le choix même du motif : celui du misanthrope, emprunté visiblement par l'auteur à *Timon d'Athènes* (*) de Shakespeare. Le misanthrope Rappelkopf, héros de la comédie, sera amené par le Roi des Alpes Astragalus, après épreuves et subterfuges magiques, à s'amender. Si les effets magiques sont toujours présents, Raimund s'oriente ici clairement vers la comédie de caractère. Rappelkopf, insupportable tyran domestique atteint d'une véritable manie de la persécution fait obstacle au mariage de sa fille et du jeune peintre qu'elle veut épouser. Le Roi des Alpes décide de leur venir en aide et veut « guérir » le misanthrope de sa haine du genre humain. Il le fait revenir, sous l'apparence de son beau-frère, dans sa famille, où Rappelkopf peut entendre ce que ses proches disent réellement de lui et, second temps de la guérison, il revêt lui-même l'apparence de Rappelkopf, lui donnant ainsi le spectacle de sa propre folie et de son aveuglement. Astragalus est certes encore le représentant du monde féerique ayant recours aux artifices magiques de la métamorphose, mais il revêt aussi l'aspect d'un « médecin des âmes » qui entend amener l'hypocondriaque, par la connaissance de soi-même, à accepter finalement de voir le monde tel qu'il est, partagé entre le bien et le mal. La leçon de la pièce rejoint celle des autres comédies de Raimund : l'acceptation du monde, la condamnation de l'orgueil et de la démesure de l'homme qui prétend s'ériger en juge. Si le fond de cette comédie est donc sérieux, les scènes comiques nées des quiproquos suscités par la confrontation du misanthrope avec son sosie Astragalus sont toujours d'une remarquable efficacité.

ROI DES AULNES (Le) [*Erlkönig*]. Le recueil des *Chansons populaires* (*) de Herder (1744-1803) contenait, entre autres choses, une chanson lyrique danoise : *La Fille du roi des elfes* (Herder traduisit « roi des aulnes »). Suivant leur coutume, les elfes dansent la nuit sur les prés. Dans sa promenade nocturne, sir Oluf, les ayant rencontrés, est plusieurs fois invité à la danse par la fille du roi des elfes. Il refuse. Alors la jeune fille le frappe au cœur, puis, le remettant en selle inanimé et livide, le renvoie chez lui. Le lendemain matin, qui est le jour des noces d'Oluf, lorsque sa fiancée arrive avec les invités, sir Oluf gît mort derrière un rideau écarlate. La ballade de l'écrivain allemand Johann Wolfgang Goethe (1749-1832), composée en 1732, est une libre interprétation du chant danois. Un père chevauche la nuit, tenant son jeune fils entre ses bras. L'enfant frissonne à la vue du roi des aulnes. Tandis que son père s'efforce de le calmer, l'enfant ne fait que répéter les paroles que vient de lui susurrer le roi des aulnes. La terreur s'empare de l'enfant : menacé de toutes parts, devant le danger qui s'approche l'enfant pousse un cri, un cri de douleur et de souffrance, car il vient d'être touché. Qu'est-il arrivé au juste ? Le père s'épouvante à son tour et, lorsqu'il arrive au seuil de sa maison, il n'a plus dans ses bras qu'un enfant mort. En dépit d'un fonds commun (croyance aux elfes, ces divinités aériennes, éprises de danses nocturnes sur les prés, qui semblent inviter les humains à se joindre à elles, mais en réalité leur apportent la mort), les différences entre la ballade populaire et celle de Goethe sont évidentes. La ballade danoise se compose de trois scènes : la rencontre nocturne du cavalier avec la fille du roi des elfes ; le dialogue de sir Oluf, frappé à mort, avec sa mère ; le triste matin du jour nuptial. La ballade goethéenne comporte moins d'aventures, mais elle est plus intense, plus dramatique et plus mystérieuse. Le père en effet ne s'aperçoit pas de la présence des elfes ; seul l'enfant, plus proche des forces démoniaques, les distingue dans la nuit avec une horreur croissante. Le charme de la ballade naît justement de ce mystère et de cette terreur sacrée. — Trad. *Ballades,* Aubier, 1944.

★ Cette ballade fut mise en musique par Johann Friedrich Reichardt (1797-1884) ; par Bernhard Klein (1793-1832) ; par Franz Schubert (1797-1828), en 1815 ; par Karl Gottfried Löwe (1796-1869) en 1817. De toutes ces compositions, la plus importante est celle de Schubert qui est devenue célèbre. Tout en étant chronologiquement le second lied que composa Schubert (D 328), elle révèle déjà totalement sa personnalité ; c'est sans aucun doute l'un de ses chefs-d'œuvre par sa haute puissance dramatique et la singulière richesse de ses effets. Sur le fond de l'accompagnement tumultueux du piano, qui représente musicalement la chevauchée tragique, s'élève le dramatique colloque des trois voix : celle, frêle, de l'enfant délirant ; celle, plus grave, du père qui cherche à dissiper les visions de son fils ; celle enfin, magique et insinuante, du roi des aulnes. La mélodie se précipite, courant à sa conclusion, lorsque le tumulte fait brusquement place au saisissant effet final : un récitatif prononcé presque sans voix sur les deux derniers mots.

ROI DES AULNES (Le). Roman de l'écrivain français Michel Tournier (né en 1924), publié en 1970 (prix Goncourt la même année). Une première ébauche de cette œuvre, écrite en 1958, n'a été reprise que dix ans plus tard, après la publication du premier roman, *Vendredi ou les Limbes du Pacifique* (*) ; elle était, semble-t-il, dépourvue de la « dimension mythologique » expérimentée dans *Vendredi.* Lorsque Tournier revient à ce projet, il le place cette fois, d'emblée, sous le signe du mythe : *Le Roi des aulnes* (*) est l'un des plus célèbres poèmes de Goethe, présentant une figure maléfique qui emporte un enfant dans la mort. Le thème de l'ogre, central dans le roman, apparaît donc dès le titre, et le recours au mythe est encore souligné par le nom du héros, Abel Tiffauges, qui renvoie à *La Bible* (*) comme à Gilles de Rais. Cependant ce héros n'est qu'un petit garagiste parisien qui découvre, après la défection d'une femme, son attirance ambiguë pour les enfants, symbolisée par la « phorie », le fait de porter, soit dans un rapt meurtrier à la façon du roi des aulnes, soit dans un sacrifice, comme le fait saint Christophe pour l'Enfant Jésus. Lorsque la guerre de 1939 éclate, Tiffauges est mobilisé puis fait prisonnier en Allemagne. À cette trame historique se mêle à nouveau le mythe, puisque l'Allemagne nazie est elle-même une ogresse, dévoreuse de chair fraîche, qui fait de Tiffauges le pourvoyeur d'enfants d'une Napola. Tout le roman, que ce soit à travers le journal de Tiffauges ou le récit d'un narrateur anonyme, est centré sur les obsessions de ce héros mythomane : dans chaque événement de sa vie, celui-ci recherche la confirmation d'un destin exceptionnel d'ogre — bénéfique ou maléfique — et s'identifie à de nombreux modèles prestigieux, témoins de sa difficulté à trouver une identité.

Le Roi des aulnes est l'un des romans les plus sombres et fascinants de Tournier : les enfants éveillent indéniablement le sadisme ingénu de Tiffauges, et il faudra la révélation tardive et fulgurante d'un jeune Juif, réchappé des camps de concentration, pour que le héros prenne conscience de sa complicité avec le nazisme et la rejette. C'est l'« inversion bénigne » par laquelle ses tendances prédatrices sont définitivement sublimées en don de soi. Une dizaine d'années plus tard, Tournier est revenu au thème du monstre naissant et de sa rédemption, dans son récit *Gilles et Jeanne* (1983). Gilles de Rais, déjà dans l'ombre de Tiffauges, apparaît ici bouleversé par sa rencontre avec Jeanne d'Arc, et surtout par sa mort sur le bûcher. Il semble chercher, à travers des enfants androgynes et innocents comme elle, à réactualiser son supplice et à retrouver sa présence. F. M.

ROI DES DEUX-SICILES (Le) [*Król Obojga Sycylii*]. Roman de l'écrivain polonais Andrzej Kuśniewicz (1904-1993), paru en 1970. L'action du roman se déroule au moment de l'assassinat de l'archiduc François-Joseph à Sarajevo, le 28 juin 1914, qui déclencha la Première Guerre mondiale. Emil R., jeune officier autrichien, rejeton fragile de la grande bourgeoisie éclairée (son père est un riche avocat viennois), est un esthète raffiné, pervers, d'un sado-masochisme tout cérébral, et qui se sait mystérieusement condamné à cause de sa passion pour sa sœur Élisabeth, femme-enfant dominatrice et inquiétante. Emil R. a-t-il réellement assassiné, pour assouvir autrement ses tendances incestueuses, Marika Hurban, la jeune prostituée gitane ?

Ce tableau extraordinaire d'une civilisation à l'agonie, « inventaire scrupuleux de la mémoire d'un écrivain, une mémoire cultivée, d'ailleurs, comme on cultive une plante en pot », cette évocation envoûtante de ce que fut la fin de la monarchie des Habsbourg, qui marqua aussi la fin réelle du XIXe siècle tant sur le plan psychologique que sur le plan politique, social ou artistique, évoque par certains aspects les œuvres de Musil et de Broch. Son style poétique possède un éclat et une sensualité baroques. C'est à la fois l'exaltation du langage, du monde, de l'histoire dans une atmosphère nostalgique où se côtoient ironie et tragique. Ce roman, le « mieux charpenté, le plus savamment construit », avec une action qui progresse et un « suspense », c'est-à-dire un « vrai » roman, selon un critique polonais, fut salué, dès sa parution en Pologne, comme un chef-d'œuvre et confirme la place de son auteur dans la littérature polonaise. — Trad. Albin Michel, 1978. L. Dy.

ROI DES ÉCHECS (Le) [*Ts'i-wang — Qiwang*]. Récit de l'écrivain chinois A Tch'eng (né en 1949), publié en 1984. Le narrateur y fait le portrait d'un « fou d'échecs », rencontré dans le train qui les emmène tous deux travailler dans une campagne reculée. Passant de la curiosité à l'amitié, il finira par aider le personnage malingre, idiot, mais doué du génie du jeu, à se transcender dans l'apothéose d'une partie multiple jouée « en aveugle » contre neuf adversaires simultanés. Le meilleur de ceux-ci, un vieux sage, reconnaîtra le « fou » devenu « roi des échecs » comme celui qui saura perpétuer la tradition. Le récit, outre la description du jeu « siang-ts'i » (assez proche de nos échecs) et de sa stratégie, contient des considérations remarquables sur la faim, la gloutonnerie, la peur de manquer et la gourmandise. — Trad. in *Les Trois Rois*, Alinéa, 1988. V. L.

ROI DES MONTAGNES (Le). Roman de l'écrivain français Edmond About (1828-1885), publié en 1857. Il est malaisé de faire une analyse succincte de ce roman parce qu'il est composé d'un fourmillement d'anecdotes et qu'en en extrayant deux ou trois épisodes on risque d'en diminuer la vie et la couleur. Hadji Stavros, le roi des montagnes, est un dangereux chef de bande qui, pour gagner sa vie et nourrir ses troupes, dévalise les voyageurs visitant les montagnes de l'Attique. Son organisation constitue à elle seule une sorte de gouvernement financé par des actionnaires, auxquels Hadji Stavros doit rendre compte de ses opérations malhonnêtes, à l'aide de bilans et de procès-verbaux dont la cocasserie constitue peut-être les passages les plus savoureux de l'ouvrage. About était un trop habile écrivain pour ne pas tirer tout le parti qu'offrait un sujet aussi fertile en peintures, combats, persécutions, pillages, etc., et trop spirituel pour ne pas s'amuser de situations aussi invraisemblables. Et pourtant, si l'on fait la part de l'invraisemblance, on doit reconnaître la valeur de certains portraits tracés sur le vif (celui de Mary-Ann et de Mme Simons en particulier), un réel don d'observation, et enfin un ton plein d'entrain dans la narration. Excepté celui, parfois artificiel, du dialogue. *Le Roi des montagnes* demeure un modèle du genre narratif par la rapidité de son récit, son côté incisif, sa progression constante jusqu'au dénouement, et cette passion contenue, violente, qui semble sourdre tout au long de l'ouvrage et rappelle parfois les meilleurs moments de Mérimée.

ROI DE THULÉ (Le) [*Der König in Thule*]. Ballade de l'écrivain allemand Johann Wolfgang Goethe (1749-1832). L'auteur nous dit lui-même l'avoir écrite et lue à des amis, à Francfort, en 1774. Elle fut mise une première fois en musique par le baron K.-S. Seckendorff [*Volksund andere Lieder*, 3e série, 1782]. Le texte qui figure dans la première rédaction de *Faust (Urfaust)* offre certaines variantes. On en note aussi quelques-unes dans les deux premières strophes de la rédaction définitive qui figure dans le « Fragment », publié en 1790. C'est cette version qu'on retrouve dans la troisième et dernière rédaction de *Faust* (*), où Goethe la fait chanter à Marguerite, conférant ainsi au monologue de l'héroïne une grâce poétique qui contraste heureusement avec la gravité du monologue de Faust. La ballade se compose de six strophes de quatre vers, en rimes alternées. On y conte l'histoire du roi de Thulé, qui conservait pieusement une coupe d'or que lui avait léguée une femme aimée ; et chaque fois qu'il y buvait, ses yeux s'emplissaient de larmes. Lorsqu'il sentit sa fin prochaine, il distribua ses terres, ses villes et ses richesses, mais conserva la coupe. Puis, ayant réuni ses chevaliers dans son château surplombant la mer, il but une dernière fois dans le précieux hanap, le jeta dans les flots, le regarda s'enfoncer lentement et disparaître, et ferma ses yeux pour ne plus les rouvrir. Symbole de la fidélité absolue, cette ballade est empreinte de la fraîcheur et de la spontanéité des chants populaires, restituées avec un art consommé, un raffinement littéraire et une saveur proprement romantique qui la rendirent bien vite célèbre dans toute l'Allemagne, puis à l'étranger, inspirant en outre de nombreux musiciens, entre autres Zelter, Schumann, Schubert, Liszt, Gounod et Berlioz. — Trad. Aubier, 1944.

ROI D'YS (Le). Légende théâtrale d'inspiration bretonne, en trois actes et cinq tableaux, du compositeur français Édouard Lalo (1823-1892) sur un livret d'Édouard Blau, créée à Paris en 1888. Le royaume d'Ys s'apprête à célébrer le mariage de Margared, fille du roi, avec le prince Karnac ; ces noces doivent marquer la fin de la terrible guerre qui met aux prises le roi et Karnac. Mais Margared aime en secret Mylio, camarade d'enfance, parti depuis longtemps sur un navire qui n'a plus donné de nouvelles et que l'on croit perdu. La deuxième fille du roi d'Ys, Rozenn, aime également Mylio et c'est précisément à l'instant où elle invoque passionnément son retour que ce dernier paraît sur la scène. Mylio et Rozenn échangent ainsi un serment d'amour. Sur ces entrefaites, le prince Karnac arrive à Ys pour les noces : mais Margared, mise au courant par sa sœur du retour de Mylio, refuse de se rendre devant l'autel. Et Karnac, rompant le pacte de paix, provoque à nouveau le roi. C'est Mylio qui relèvera le gant et se fera le champion du roi d'Ys, qui lui promet la main de Rozenn pour prix de sa victoire. Exaspérée par la jalousie, Margared, au cours d'une violente altercation avec sa sœur, souhaite la mort de Mylio et s'enfuit, après que Rozenn a vainement essayé de la retenir. Mylio, victorieux de Karnac, fait un retour triomphal, acclamé par le peuple réuni devant la chapelle de Saint-Corentin, patron du pays. Karnac, de son côté, survivant à ses blessures, maudit les démons qui ne l'ont pas aidé au cours du combat. C'est alors que Margared vient le trouver et lui révèle que la ville est protégée de la mer par une digue dont la rupture condamnerait les habitants à la mort. Karnac défie alors saint Corentin d'opérer un miracle : le tombeau s'ouvre et l'ombre du saint paraît devant Karnac et Margared atterrés. Margared s'agenouille, mais Karnac n'entend pas renoncer à son entreprise, et, tandis que se déroulent les noces de Rozenn et de Mylio, il oblige Margared à le mener jusqu'à la digue où il fait ouvrir une brèche. La population, terrorisée, se réfugie sur une colline ; Mylio tue Karnac ; Margared, repentante et désespérée, est retournée parmi les siens : au moment où les flots vont atteindre la colline, elle avoue son crime et se jette dans la mer, en invoquant de saint Corentin la grâce d'un miracle pour son expiation. Le saint apparaît alors et apaise les eaux, tandis que la foule s'agenouille et prie pour le salut de l'âme de Margared. La musique que Lalo composa pour cette légende révèle une grande maîtrise : parfaitement adaptée aux nécessités de la scène, elle ne tombe jamais dans les effets vulgaires et renferme des pages suggestives. Sa forme musicale rappelle celle de Massenet, sans en avoir cependant les mollesses, mais aussi sans atteindre au talent, fût-il quelque peu efféminé, de l'auteur de *Manon* (*). L'ouverture du *Roi d'Ys* est bien construite et amplement développée. Les chœurs enfin sont heureusement animés ; la scène du miracle final, avec les accords des voix en sourdine, est particulièrement réussie.

ROI ESPRIT (Le) [*Kròl Duch*]. Dernier poème, qui est d'ailleurs inachevé, de l'écrivain polonais Juliusz Słowacki (1809-1849). La première partie en fut publiée en 1847, mais la suite ne fut rendue publique qu'après la mort du poète. Il se fonde tout entier sur la croyance de Słowacki en la réincarnation. Bien davantage : partant du principe que chaque nation possède un génie particulier, l'auteur est convaincu que la Pologne est sous la garde du Roi Esprit, lequel, s'incarnant successivement dans diverses personnalités politiques, peut ainsi mener la nation polonaise vers son glorieux destin. Reprenant le thème de la légende grecque d'Er, fils d'Arminius, transmise par Platon — v. *République* (*) — et suivant laquelle Er, tué à la guerre, ressuscita douze jours plus tard et put donner à ses concitoyens une idée de la vie d'outre-tombe, Słowacki fait se réincarner l'esprit d'Er successivement dans plusieurs êtres qui furent les artisans de la grandeur de la Pologne. D'abord Popiel, ancêtre légendaire de la noblesse polonaise et champion de la lutte contre l'idolâtrie ; ensuite le roi Miecislas, enfin le roi Boleslas le Preux ; chacune de ces figures historiques ressemble par un trait à Słowacki lui-même, lequel, vraisemblablement, se considérait comme la dernière incarnation de cet Esprit Roi. Le poème, divisé en cinq parties comportant chacune un nombre inégal de chants, est écrit en octosyllabes. La perfection de sa forme et l'harmonie extraordinaire de ses rythmes doivent beaucoup à la valeur exceptionnelle du poète, mais elle est, en même temps, le produit d'un long et patient « polissage ». C'est l'œuvre la plus parfaite de Słowacki, et peut-être même de toute la poésie polonaise de cette époque.

ROI ET LA REINE (Le) [*El rey y la reina*]. Œuvre de l'écrivain espagnol Ramón José Sender (1902-1982), publiée en 1948. Il s'agit là d'une fiction mi-réaliste mi-allégorique, comme le montre bien l'argument : au moment du soulèvement madrilène, lors de la guerre d'Espagne, un duc abandonne son palais où reste cachée sa femme dans l'une des chambres de la tour. Elle est protégée par le jardinier, Romulo, qui l'a vue nue dans sa piscine — elle ne songeait même pas à se dissimuler aux regards d'un homme du peuple —, et qui s'est épris d'elle bien qu'il ait perçu son dédain. Il découvre alors qu'elle reçoit des visites nocturnes et surprend le visiteur, qui n'est autre que le duc qu'on croyait mort, qu'il livre aux milices et qui est fusillé. La duchesse met alors tout en œuvre pour s'échapper de la tour, en utilisant l'amour de Romulo. Mais lorsqu'elle peut enfin s'enfuir, il est trop tard : elle est tombée amoureuse du jardinier et reste cachée pour ne pas mettre les jours de celui qu'elle aime en danger. Et c'est elle qui meurt. Le principal intérêt de ce livre naît de l'étrangeté des relations entre le jardinier et la duchesse, et de l'évolution lente de leurs sentiments. Il n'y a pas chez Sender l'idée d'une thèse égalitaire, mais plutôt le besoin de prouver qu'une situation exceptionnelle ramène les êtres à leur essence, à leur nudité, et qu'elle brise toutes les autres exigences. Pour Sender, le roi, c'est l'homme ; et la reine, l'illusion, l'idéal qu'il poursuit — souligner la poésie chatoyante de cette fable en l'encadrant d'une dense réalité est l'une des subtilités de l'auteur, qui ne se soucie d'ailleurs nullement de la vraisemblance des faits, et cherche avant tout à transporter le lecteur dans un monde nimbé de mystère. — Trad. Le Seuil, 1984.

ROI JÉSUS (Le) [*King Jesus*]. Roman de l'écrivain anglais Robert Graves (1895-1985), publié en 1946. Ce roman, qui se situe à bien des points de vue dans la lignée de *Moi, Claude* (*), élabore un mythe contraire à celui de la passion et de la résurrection du Christ. Graves renverse complètement la tradition judéo-chrétienne. Le Jésus de son livre n'est pas le Sauveur sacrifié mais l'héritier perdu du trône de Juda. La méthode de Graves est analytique : il s'agit pour lui de retrouver intuitivement les événements oubliés en suspendant volontairement le cours du temps. Il faut s'exercer à penser entièrement en termes contemporains. Son porte-parole et narrateur, Agabus de Decapolis, apparaît comme un théoricien détaché, capable de réconcilier et d'expliquer les divergences qui régnaient dans la tradition synoptique. L'auteur reconstruit les événements et réinterprète les paroles de Jésus à la lumière de sa conviction qu'il était le roi légitime des Juifs, né de Marie et de Joseph, adopté par la seconde Marie connue sous le nom de Marie-Madeleine, et promis à la troisième Marie, sœur de Lazare. Ces diverses hypothèses expliquent pour Graves le mystère de l'Immaculée Conception, l'attitude de Pilate envers Jésus et les paroles inscrites au-dessus de la croix. La vérité a été cachée, nous dit Graves. Il lui appartient de la révéler à la manière d'un détective. Comparable au *Moi, Claude*, *Le Roi Jésus* s'apparente également, par la hardiesse de ses hypothèses et sa technique d'interprétation, aux recherches faites par Graves sur les mythes religieux et littéraires celtiques dans *La Déesse blanche* (*).

ROI LEAR (Le) [*King Lear*]. Tragédie en cinq actes en vers et en prose du poète dramatique anglais William Shakespeare (1564-1616), écrite en 1605-1606, représentée en 1606. Les premières éditions furent publiées en 1608, sous le titre : *La Vraie Chronique de la vie et de la mort du roi Lear et de ses trois filles* [*The True Chronicle Historie of the Life and Death of King Lear and his Three Daughters*], puis en 1619 (second in-quarto), 1623 (in-folio) et 1655. L'histoire de Lear et de ses filles — une des légendes qui ont le plus retenu les érudits — est relatée par Geoffrey de Monmouth — v. *Histoire des rois de Bretagne* (*), Holinshed *(Chronicle)* et John

Higgins (1574) en son *Miroir des magistrats* [*Mirrour for Magistrates*], œuvre limitée des *Mésaventures des nobles dames et gentilshommes illustres* (*) de Boccace et de *La Chute des princes* (*) de John Lydgate. On la retrouve enfin dans la *Reine des fées* (*) d'Edmund Spenser. Cette légende, que Shakespeare connaissait, notamment pour avoir lu un drame intitulé *La Tragique Histoire du roi Leir* (1605), n'est pas sans quelque ressemblance avec celle de Cendrillon et la figure de Cordélia est une des nombreuses incarnations de l'enfance vertueuse et persécutée. Lear, roi de Grande-Bretagne, vieillard autoritaire et mal avisé, a trois filles : Gonerille, duchesse d'Albany, Regane, duchesse de Cornouailles, et Cordélia, à la main de laquelle prétendent le roi de France et le duc de Bourgogne. Ayant résolu de partager le royaume entre ses filles dans l'exacte mesure où elles lui portent de l'affection, Lear leur demande comment elles l'aiment. Gonerille et Regane protestent alors d'un profond amour filial et chacune reçoit un tiers du royaume. Quant à Cordélia, modeste et digne, elle dit aimer son père « lorsque le devoir le commande ». Irrité d'une telle réponse, le roi divise la part de Cordélia au profit de ses sœurs, leur demandant seulement à l'une et à l'autre de mettre cent chevaliers à sa disposition. Le duc de Bourgogne s'étant retiré, le roi de France accepte Cordélia sans dot. Le comte de Kent, qui a pris le parti de Cordélia, est banni, mais il accompagne le roi sous un déguisement. À peine ont-elles pris le pouvoir, Gonerille et Regane, démasquant leurs âmes perfides, refusent à Lear l'escorte de chevaliers qu'il avait demandée. Indigné de leur refus, le vieillard les quitte et s'en va, errant dans la campagne, alors que souffle la tempête. Le comte de Gloucester prend pitié du vieux roi ; mais, dénoncé par Edmond, son bâtard, on l'accuse de complicité avec les Français qui viennent de débarquer en Angleterre sur l'instance de Cordélia, et le duc de Cornouailles lui fait crever les yeux. Edmond, du reste, avait déjà commis une autre vilenie en calomniant son frère Edgar, fils légitime de Gloucester, et ce dernier, pour fuir la colère paternelle, avait dû se cacher dans une chaumière en pleine lande. Or, c'est précisément près de cette chaumière que Lear, accompagné du fou de la Cour et du fidèle Kent, va chercher refuge. Le roi, réduit à l'extrême misère, ressent alors pour la première fois toute la profondeur de la détresse humaine. L'épreuve, cependant, a été trop dure, et il perd la raison. Kent le mène à Douvres où Cordélia le reçoit affectueusement. Gonerille et Regane, de leur côté, se sont toutes deux éprises d'Edmond, devenu comte de Gloucester, Gonerille, afin d'empêcher sa rivale, restée veuve, d'épouser Edmond, l'empoisonne, mais bientôt on découvre à la lecture d'une lettre qu'elle veut aussi supprimer son mari. Démasquée, elle se tue. Edmond, accusé de trahison, est tué par Edgar au cours d'un « jugement de Dieu », mais, vainqueur des Français, il a déjà donné l'ordre de pendre Cordélia, faite prisonnière. Elle meurt sous les yeux de son père, qui expire à son tour, terrassé par la douleur. Le duc d'Albany, qui avait blâmé l'ingratitude de Gonerille, monte sur le trône. Quant à Edgar, qui s'était fait le guide de son père aveugle et l'avait sauvé du suicide, il est rétabli dans toutes ses dignités. Le drame, un des plus puissants de Shakespeare, et qui commence comme une fable du Moyen Âge, ne cesse de gagner en profondeur, sans qu'il soit possible, du reste, d'en tirer une morale, sinon peut-être ces paroles d'Edgar à son père : « Les hommes doivent souffrir leur départ comme leur venue ici-bas : le tout est d'être prêt » [Men must endure Their going hence, even as their coming hither : Ripeness is all]. Il n'est pas jusqu'à la tempête qui ne soit à l'image de notre triste monde ; elle souffle au centre du drame, elle renverse Lear, et c'est en quelque sorte toute l'humanité qui se désespère par la bouche du roi, que la cruauté des hommes et des éléments a rendu fou. Cette désespérance est encore accrue par la folie simulée d'Edgar ou les paroles du bouffon. Comme l'a observé Schlegel : « De même que dans *Macbeth* (*) Shakespeare a atteint le point culminant de la terreur, il est descendu, dans *Le Roi Lear,* au plus profond de la pitié. » — Trad. par Armand Robin, Formes et reflets, 1954-61 ; par Yves Bonnefoy, Mercure de France, 1965.

★ Comme les autres tragédies de Shakespeare, *Le Roi Lear* a été adapté par le poète dramatique français Jean-François Ducis (1733-1816), et représenté à Paris en 1783.

★ *Le Roi Lear* a inspiré diverses compositions musicales, entre autres : une ouverture du compositeur français Hector Berlioz (1803-1869), composée en 1832 ; une autre d'Antonio Bazzini (1818-1897) ; une musique de scène de Mily Balakirev (1837-1910), composée entre 1858 et 1861 ; un opéra incomplet de Felipe Pedrell (1841-1922) ; une ouverture de Paul Dukas (1865-1935), composée en 1883 et un poème symphonique (op. 21) de Félix Weingartner (1861-1942).

ROI LEAR DE LA STEPPE (Le) [*Stepnoj korol' Lir*]. Nouvelle de l'écrivain russe Ivan Sergueïevitch Tourgueniev (1818-1883), publiée en 1870. Tourgueniev appartient à la grande école naturaliste russe de Gogol, Pissemski et Gontcharov, mais son réalisme est souvent mitigé par des reflets de mélancolie presque romantique. Dans ce *Roi Lear,* l'auteur raconte, en la puisant dans ses souvenirs de jeunesse, l'histoire d'un petit propriétaire rural, qui, chassé par ses filles de sa propre maison, se venge en la détruisant de ses mains. Charlov est un homme gigantesque, bon mais autoritaire : un jour, convaincu, à la suite d'un rêve, qu'il doit mourir dans peu de temps, il fait don de tous ses biens à ses deux filles. Les deux femmes, d'un commun accord, après une série de vexations et de mauvais traitements, finissent par mettre leur père à la porte. Charlov supporte tout en silence pour ne pas les compromettre ; mais à la fin la patience lui manque et, devenu féroce, il monte sur le toit de la maison qui fut la sienne et commence à le démolir. S'il ne réalise pas son projet, c'est seulement parce que, entraîné par le poids d'une poutre, il tombe et se tue. Dans les dernières scènes, Tourgueniev atteint, par les moyens les plus naturels, à de puissants effets d'une véritable grandeur épique ; ailleurs, à l'aide de quelques phrases, il fait surgir tout à coup un monde d'oppression et de misère. L'observation est toujours juste et aiguë, et, de ce point de vue, cette œuvre est un document particulièrement évocateur de la vie sociale russe de l'époque. — Trad. Gallimard, Bibliothèque de la Pléiade, t. 3, 1986.

ROI L'EMPORTE SUR LE SANG (Le) [*Más pesa el Rey que la sangre*]. Drame en trois journées du dramaturge espagnol Luis Vélez de Guevara (1579-1644). Il évoque la noble figure d'Alonso Pérez de Guzmán (1246-1309) qui se mit aux ordres du sultan marocain Ibn-Yousouf Yagoub, à condition de ne pas avoir à combattre contre la Castille. Pérez conquit pour Sancho IV le Brave, roi de Castille, la ville de Tarifa qu'il défendit ensuite (1293) contre l'Infant rebelle don Juan (allié avec le sultan Ibn-Yagoub) bien qu'il fût menacé de voir tuer son fils qui se trouvait dans le camp ennemi. La menace fut suivie d'effet et Alonso reçut pour sa loyauté le titre de « bueno » sous lequel il est connu dans l'histoire. Dans le drame, Alonso est contraint d'abandonner la Castille à cause de la méfiance que lui témoigne le roi Sancho parce qu'il a pris parti pour les cousins du roi dans leur lutte contre celui-ci. Alonso se rend en Afrique auprès d'Aben Jacob, après avoir confié son fils Pedro au frère du roi, Enrique, qui cependant projette de s'exiler à cause de ses dissensions avec le souverain. Alonso offre à Aben Jacob de le servir, à condition qu'il ne combatte pas contre le roi de Castille : « Bien qu'offensé par sa défaveur, je dois en tant que noble remplir mes obligations ; les offenses des rois sont la part des sujets. » Alonso s'acquiert de grands mérites, mais le roi maure en prend ombrage et le héros est contraint de revenir. Il arrive à Tarifa où il retrouve sa femme, venue le rejoindre. Il est nommé commandant de Tarifa qu'assiège Aben Jacob ; dans le camp de celui-ci, Enrique, s'alliant avec l'infidèle, fait arrêter Pedro et, pour obliger Alonso à se rendre, fait exposer sous les murs de la ville le fils d'Alonso, enchaîné comme un prisonnier. « Où portez-vous, ainsi lié, cet agneau innocent qui sait tout juste bêler ? » demande Alonso. Enrique lui ayant posé le cruel dilemme que l'on sait, Alonso lui lance au visage cette fière réponse : « Le roi l'emporte sur le sang. » Et comme l'ennemi ne croit pas qu'un Espagnol puisse hésiter devant un tel choix, Alonso lui jette un poignard du haut des murs, au cas où il n'aurait pas les moyens de mener à bien son dessein. D'en bas Pedro appelle son père. « Ne m'appelle pas père, Pedro [...] Ce mot attendrirait les diamants. Meurs en bon chevalier. » Pedro réplique : « Je ne t'ai pas appelé pour t'implorer lâchement, mais pour te dire que je suis content de mourir pour Dieu, pour toi et pour ma mère. » Un peu plus tard, tandis qu'Alonso se restaure, un cri retentit qui lui fait craindre que la ville ne soit en péril. Mais ce cri est celui de son fils, dont le meurtre vient d'être commis publiquement sous les remparts. C'est alors qu'arrive le roi Sancho : après avoir rendu hommage à la dépouille du jeune héros, il récompense son fidèle sujet. Les motifs habituels au théâtre de Lope de Vega reviennent dans ce drame, mais ils s'approchent davantage de la réalité psychologique et la structure des caractères y apparaît plus poussée. Vélez de Guevara trouve les accents les plus chauds pour représenter la douceur de la vie familiale, mettant ainsi en valeur le sacrifice du vaillant Alonso.

ROI LÉPREUX (Le) [*Król Trędowaty*]. Roman sur les croisades de l'écrivain polonais Zofia Kossak (1890-1968), publié en 1937. Nous sommes à Jérusalem où règne Baudouin IV miné par la lèpre, mais dont le caractère fait courageusement face aux événements qui se précipitent après l'assassinat de Montferrat, comte de Jaffa, héritier du trône, et époux de la propre sœur du souverain : la belle et frivole Sibylle. Sur ces entrefaites, Lusignan, un chevalier du Poitou, dont la famille est riche en quartiers de noblesse, mais pauvre en numéraire, conçoit un fol projet : pourquoi un des siens ne ceindrait-il pas la couronne de Jérusalem ? Il fait venir son frère cadet Gui, beau comme Apollon, bon soldat, mais être médiocre. Sibylle n'en tombe pas moins follement amoureuse. Un véritable conte de fées s'ébauche, car les Lusignan comptent Mélusine parmi leurs aïeules. Gui finit par épouser la provocante princesse, mais roi sans envergure, il se laisse manœuvrer par son entourage et entreprend une désastreuse expédition contre le célèbre Saladin. Les chrétiens sont écrasés à Hátin et Gui fait prisonnier. Le roman, qui se déroule tel un film à épisodes, fait ressortir la faiblesse interne des États francs d'Orient, les ambitions et les rivalités mettant aux prises les puissants barons. Certes, ils sont toujours prêts à se battre, mais sans être animés par l'ancienne foi. Ce qui fait dire à Saladin, méditant sur leur désastre : le Dieu des chrétiens ne les a pas abandonnés, ce sont eux qui l'ont trahi.

ROI MALGRÉ LUI (Le). Opéra-comique en trois actes du compositeur français

Emmanuel Chabrier (1841-1894). C'est en 1886 que Chabrier écrivit la partition du *Roi malgré lui* sur un livret de Paul Burani et Émile de Najac. La première représentation fut donnée au Théâtre de l'Opéra-Comique le 18 mai 1887, mais l'incendie de ce théâtre interrompit la carrière de l'ouvrage qui ne fut repris qu'épisodiquement et connut surtout un grand succès en Allemagne, grâce au ténor Van Dyck. Le rideau du premier acte se lève sur le somptueux décor de la salle d'un palais royal. Henri de Valois vient d'arriver en Pologne où il doit être couronné roi. Ses compagnons regrettent la France, hormis Nangis qui revient d'un voyage à travers les provinces polonaises et en a rapporté un air de Mazurka fort alerte. Fritelli, sorte d'ambassadeur italien, incarné par un baryton bouffe, n'est pas du tout satisfait de la situation. Ses lamentations sont interrompues par l'arrivée de la jeune Minka qu'un soldat brutalise. Galant, Nangis prend sa défense et en tombe amoureux. Minka le remercie en chantant une Romance pleine d'émotion et de grâce. Henri de Valois, lui aussi, regrette la France. Minka lui apprend qu'elle aime bien les Français depuis qu'elle a vu Nangis ; elle ne sait pas qu'elle s'adresse au roi et lui raconte que la révolte gronde. Fritelli tremble de tous ses membres, malgré les encouragements de la belle Alexina, Henri, lui, est enchanté : il rêve de retourner à Paris, il aidera les conspirateurs à le chasser. Avec la complicité de Fritelli, il fait subitement arrêter Nangis pour s'emparer de son identité. Alexina, qui se souvient de l'avoir rencontré jadis à Venise, est prête à l'aider. Fritelli se désespère de plus en plus. Au deuxième acte, sous le masque de Nangis, Henri arrive dans le palais du Palatin Laski où l'on conspire ferme, au milieu d'une fête polonaise endiablée. Henri propose à Laski de l'aider. Pendant ce temps, Nangis et Minka se disent leur amour, la jeune fille roucoule une chanson tzigane. Henri, qui revient à son palais, évoque au son d'une barcarolle ses amours vénitiennes avec Alexina. Mais la conjuration passe à l'action. Un duo passionné de Nangis et de Minka est interrompu par l'arrivée des conspirateurs, qui prennent Nangis pour le roi. Henri lui ordonne de jouer le jeu. Seulement les événements tournent mal, car Laski veut tuer son prisonnier. On cherche un bourreau. Heureusement, la garde française s'est ressaisie et disperse les manifestants. Henri jure à Laski de chasser tout de même le roi. Et en effet, au troisième acte, dans une auberge près de Cracovie, on attend toute la Cour qui regagne la France. Fritelli est venu en avant-garde ; Minka se désespère : elle prend Nangis pour le roi et craint qu'il n'ait été assassiné. Mais à la joie générale, Nangis paraît et dévoile toute l'histoire. Les deux amoureux vont pouvoir s'aimer en paix, d'autant mieux que le roi Henri fait son entrée et les marie sur-le-champ. Mais Henri ne quittera pas la Pologne, on apprend que le peuple s'est soulevé en sa faveur et l'a plébiscité. Henri sera, malgré lui, roi de Pologne. La musique de cet ouvrage est pimpante, fraîche, allègre, pleine de poésie et de vie. Son orchestration, haute en couleur, ses mélodies délicates ou bienvenues en font un des chefs-d'œuvre de l'opéra-comique français.

ROI MIRACULÉ (Le). Roman de l'écrivain camerounais Mongo Beti (né en 1932), publié en 1958. Dernier texte appartenant au cycle des romans de l'époque coloniale, le livre s'articule autour du conflit qui oppose deux personnages emblématiques de cette période : d'une part le père Le Guen, successeur du malheureux révérend père Drumont – le héros du *Pauvre Christ de Bomba* (*), d'autre part Essomba Mendouga, le chef de la tribu des Essazam, le roi miraculé.

Gravement malade, et sur le point de passer de vie à trépas, le roi recouvre en effet brusquement la santé à la suite du baptême que lui a administré sa tante, chrétienne dévouée. En néophyte zélé, il s'engage alors auprès du père Le Guen à répudier ses vingt-neuf femmes, et à n'en conserver qu'une seule, la plus jeune. Cette décision suscite évidemment la colère des épouses délaissées : sous la conduite de la première d'entre elles, Makrita, elles déclenchent alors une véritable bataille rangée qui met gravement en péril l'ordre colonial. Une situation intolérable pour les autorités, et qui aboutit finalement au rétablissement du statu quo au sein de la tribu des Essazam, et à la mutation d'office du missionnaire trop zélé.

L'opposition quelque peu manichéenne entre les deux groupes de personnages en présence est cependant corrigée et nuancée par la place accordée dans le roman à un troisième personnage, Bitama, un jeune intellectuel qui, tout en se montrant aussi impitoyable à l'égard des excès du système coutumier que de l'entreprise d'évangélisation, milite en faveur d'un authentique dialogue des cultures.

J. Che.

ROI NICÉPHORE (Le) [*El rey Nicéforo*]. Roman de l'écrivain basque d'expression espagnole José María Salaverría (1873-1940), publié en 1919. Ce sont les aventures extraordinaires d'un roi lassé par l'hypocrisie de ses courtisans, et qui voulut devenir simple citoyen. Ce roman, à vrai dire, pourrait aussi bien être classé dans tout autre genre littéraire. Quoi qu'il en soit, ce récit très humain est plein d'inattendu et d'humour. L'auteur a bien évoqué ce drame d'un souverain toujours tenu dans l'ignorance de la vérité, et son dépit de n'être qu'une sorte de simulacre. En endossant les habits d'un ouvrier, ce n'est pas tellement le monde qu'il veut connaître, mais lui-même, en sa propre personne. Tous les personnages du roman sont des comparses. Seul ici compte

Nicéphore, ce roi qui, dégoûté d'un semblant de pouvoir, prend enfin la résolution de devenir un homme véritable.

ROI PASTEUR (Le) [*Il re pastore*]. Drame musical de l'écrivain italien Métastase (Pietro Trapassi, 1698-1782), représenté à Vienne en 1751 avec une musique de Giuseppe Bonno (1710-1788) et mis en musique depuis par beaucoup d'autres compositeurs, notamment Niccolo Jommelli (1714-1774) à Stuttgart en 1755 ; Gluck (1714-1787) à Vienne en 1756 ; Piccinni (1728-1800) à Naples en 1760, et Wolfgang Amadeus Mozart (1756-1791) à Salzbourg en 1775. Alexandre le Grand libère le royaume de Sidon du tyran Straton, qui se donne la mort. Le vainqueur n'en profite pas pour dominer ce pays ; il rétablit dans ses droits l'héritier légitime du royaume, Abdolonyme, qui vivait sous le nom d'Aminte comme un simple berger, ignorant lui-même son origine. L'œuvre montre l'opposition pathétique, dont Aminte souffre, entre la douce simplicité de sa vie passée et la grandeur où il est porté. Il aime tendrement Élise, jeune fille de Phénicie, de l'antique lignée de Cadmos. Un amour égal unit Tamiris, fille de Straton, et un noble du royaume, Agénor. Mais Alexandre, soucieux d'affermir le trône en unissant l'ancien et le nouveau pouvoir, presse Aminte d'épouser Tamiris. Agénor s'inclinerait, si les deux femmes ne se révoltaient et n'allaient jusqu'à douter d'être encore aimées. Aminte se désole de ce conflit entre les intérêts du royaume et son amour ; il n'abandonnera pas Élise, il préfère reprendre sa vie pauvre de pasteur. Alexandre trouve la solution : Aminte sera à la fois roi et pasteur ; il épousera Élise, tandis qu'Agénor et Tamiris recevront une terre de la générosité du conquérant macédonien. L'œuvre est riche de moments pathétiques et en même temps de rêveries suaves et idylliques ; les duos des deux couples, les ariettes, la peinture délicate d'un cœur passant du bonheur au désespoir atteignent au sommet de l'art de Métastase.

ROI PÊCHEUR (Le). Pièce de l'écrivain français Julien Gracq (né en 1910), publiée en 1948 et représentée en 1949. La légende du Graal n'a pas eu la fortune des mythes grecs qui, aujourd'hui encore, inspirent de nombreux artistes. Wagner est le premier qui ait tenté de redonner vie à cette légende, Julien Gracq, impressionné sans doute par le génie du musicien, a tenté de le suivre. Sa pièce a pour cadre le château où le Graal est gardé, comme on le sait, par un vieux roi affligé, en punition de ses fautes, d'une plaie inguérissable. Ce roi fait mener aux chevaliers qui l'entourent une vie lugubre, mais relativement douillette. Lorsque Perceval se présente, il craint d'être dépossédé de sa charge et s'évertue à l'éloigner. Mais l'insistance de sa femme Kundry rend vains ses artifices. Le jeune preux va-t-il lui succéder ? Non, car au dernier moment, le vieillard lui ayant représenté avec beaucoup d'éloquence qu'une parfaite plénitude est un bonheur inhumain, il s'abstient de formuler la question magique. Écrit de façon à la fois simple et noble, ce texte n'est pas sans beauté. Malheureusement, les personnages manquent un peu de vie. Il n'y a que la spontanéité encore enfantine de Perceval qui touche vraiment. De plus, en faisant de son roi pécheur un roi « pêcheur », Julien Gracq a notablement diminué la portée de son œuvre. Il l'a embrumée, noyée dans le vague et l'abstrait. On peut se demander, en outre, s'il ne commettait pas une erreur en s'essayant au théâtre. Son goût des atmosphères floues et son art tout en demi-teintes et en suggestions savantes ne paraissent pas s'y prêter.

ROI ROGER (Le) [*König Rother*]. Poème en allemand médiéval (dialecte franconien), composé vers 1150 par un auteur inconnu, peut-être un ecclésiastique partisan de la haute aristocratie guelfe de l'entourage de Guelfe VI de Bavière, oncle de Henri le Lion. L'œuvre s'inspire en partie de la grande geste du roi normand Roger II de Sicile (1101-1154), l'homme le plus célèbre de son temps (guerre contre l'empereur Lothaire III, conquêtes de Tunis et de Tripoli, expédition contre Byzance). Mais le poète, fondant la figure du roi normand avec celles des deux rois lombards Autharis (son légendaire voyage en Bavière pour demander la main de Théodelinde) et Rotharis, fait de son héros le grand-père de Charlemagne. Dans *Le Roi Roger*, poème composé, selon la coutume, en vers épiques de quatre mesures, on retrouve le thème bien connu de la demande en mariage, assez fréquent dans les poésies d'alors. Roger charge les fils de son vieux conseiller Berchter de se rendre à Byzance pour y demander à l'empereur Constantin la main de sa fille, non sans avoir convenu au préalable de trois airs de harpe, comme signe éventuel de reconnaissance. Parvenus à Byzance, les émissaires sont faits prisonniers. Roger, déguisé, se met alors en route avec une escorte imposante et de riches trésors. Sous le nom de Dietrich, il se fait passer pour un seigneur que le roi Roger a chassé de son royaume. Par l'entremise d'une fidèle servante, le faux Dietrich pénètre dans les appartements de la princesse et dépose à ses pieds une paire de souliers d'or, en disant : « Tes pieds s'appuient sur le sein du roi Roger. » À ces mots, la jeune fille tressaille : ne vient-elle pas, sans le savoir, de se donner symboliquement au roi ? À quelque temps de là, Roger, dissimulé derrière une tapisserie, se mettra à jouer, pour la plus grande émotion de la princesse, le premier des trois airs convenus. Dans la joie générale qui suit cette reconnaissance, les fils du vieux Berchter sont libérés ; quant à nos deux amoureux, profitant du siège de la ville par l'empereur de Babylone, ils réussiront à s'enfuir et à regagner Bari. Mais ce n'est pas fini : un rusé chanteur ambulant, au service de Constantin, ravit à Roger son épouse et la ramène à Byzance. Roger riposte alors en mettant sur pied une puissante armée et, après maintes péripéties, reconquiert — pour toujours — sa femme. Ce poème est une vivante évocation du monde chevaleresque dans l'Allemagne du Moyen Âge, avec ses fêtes, ses cortèges, la magnificence des vêtements et des armes ; il nous renseigne précieusement sur le contrat de fidélité qui liait alors les vassaux à leur suzerain.

★ Le conquérant normand a inspiré un opéra en trois actes de Karol Szymanowski (1882-1937) : *Le Roi Roger* [*Krul Rogher*], représenté à Varsovie en 1927. Le compositeur polonais en avait puisé l'idée dans les *Tableaux d'Italie* [*Obrazt Italii*] de l'écrivain russe Muratov. Cette œuvre, d'une grande force dramatique et d'un intense coloris orchestral et vocal, est inspirée par le mysticisme du Moyen Âge. Elle évoque l'initiation du roi Roger aux mystères dionysiaques, dans la double magnificence des mélodies grégoriennes et de la poésie de l'Orient.

ROIS (Livres des). Sous ce titre sont désignés quatre livres de l'Ancien Testament — v. *La Bible* (*). Les deux premiers, appelés aussi *Livres de Samuel*, relatent particulièrement les actions de ce prophète et chef du peuple hébreu. Le troisième et le quatrième ont trait aux périodes postérieures et nous mènent jusqu'à la Captivité. Les deux livres de Samuel rapportent les faits survenus en Israël depuis la fin de la Judicature jusqu'au règne de David. Après l'épisode de Samson qui, doué d'une force surhumaine, fut néanmoins victime de sa passion pour l'étrangère Dalila, les malheurs d'Israël allaient toujours en empirant. Dans le sanctuaire de Silo (aujourd'hui Selun, entre Naplouse et Jérusalem) où était conservée l'Arche d'Alliance, deux prêtres cupides, Ophni et Phinées, spéculaient sur les offrandes des fidèles sans que leur père, le juge et grand-prêtre Éli, ait le courage de s'y opposer. Cependant qu'à l'intérieur l'anarchie s'étendait chaque jour un peu plus, l'ennemi menaçait les frontières. À Apheq, près de Silo, au cours d'une rencontre avec les Philistins, environ quatre mille Israélites trouvèrent la mort et l'Arche d'Alliance tomba aux mains du vainqueur. C'est alors que Yahvé, voulant sauver de la ruine le peuple élu et préparer sa rénovation religieuse et morale, suscita Samuel, le dernier des juges. Né dans la tribu de Lévi, consacré à Dieu dès sa naissance et élevé à l'ombre du sanctuaire de Silo, Samuel se prépare à sa mission. Par la victoire de Miçpa, Samuel prend sur les Philistins une revanche qui redonne confiance à Israël dans les promesses de Yahvé ; et du même coup la lutte contre l'idolâtrie s'en trouve ranimée. Il en résulte, dans les tribus, un réveil religieux et national qui aboutit à l'institution d'un pouvoir fort ; Samuel — dont les préférences vont au régime théocratique — obéit néanmoins à l'ordre divin en consacrant Saül (de la tribu de Benjamin) roi d'Israël. À ce choix, aussitôt ratifié par le peuple, Dieu, par plusieurs signes, manifeste son acquiescement (I *Rois*, X, 1-24). Le premier monarque d'Israël inaugure son règne par de brillantes victoires ; mais, s'étant rendu coupable d'une faute — dont le texte du livre saint ne permet pas de mesurer l'importance —, il est détrôné, et sa descendance privée de tous droits à la couronne. L'œuvre de restauration est poursuivie avec plus d'éclat par David (1012-972 av. J.-C.), le préféré de Yahvé, fils d'Isaïe, de la tribu de Juda, qui avait reçu clandestinement l'onction royale alors qu'il était encore un jeune berger. Sa victoire sur Goliath lui avait valu les faveurs de la Cour ; mais, ayant excité la jalousie du roi Saül, il dut s'enfuir au désert. Appelé à régner d'abord sur Juda, puis, sept ans après à la mort d'Ichhaal, fils de Saül — son compétiteur —, sur toute la nation, David triomphe des Jébuséens, importante tribu de la terre de Chanaan, conquiert Jérusalem qui devient la nouvelle capitale d'Israël, défait successivement les Moabites, les Édomites, les Ammonites, les Iduméens et les Philistins, consolide la monarchie et rétablit dans son intégrité primitive le culte de Yahvé. Il réforme la législation, se fait construire un palais splendide, institue une armée permanente, et transporte l'Arche d'Alliance de Cariatiarim à Jérusalem. Mais David ternit son règne par le meurtre d'Urie, un des officiers de son armée, dont il convoitait la femme, Bethsabée. Il se repentit de ce crime, qui lui valut une série de malheurs, et mourut en 972, septuagénaire, après quarante ans de règne. Poète, David a composé beaucoup de psaumes dont quelques-uns ont une portée messianique. Les *Livres des Rois*, qui tout d'abord n'en constituaient qu'un seul, furent divisés en deux parties dans la version des Septante et dans la *Vulgate*. S'ils portent aussi le nom de Samuel, c'est parce que ce prophète fut le consécrateur des deux premiers rois d'Israël, Saül et David. L'auteur, dont on ignore l'identité, retrace les hauts faits de ces trois personnages ; mais son but, c'est, tout en contant l'histoire de la race de David, d'attester la fidélité de Yahvé à ses antiques promesses relatives au Messie. Quant au style, c'est celui de l'âge d'or de la littérature hébraïque.

Les deux derniers livres sont la relation des trois cent quatre-vingt-six années qui — d'après la chronologie la plus communément admise — s'étendent de l'avènement de Salomon (972) à la fin du royaume de Juda (586). Ce sont de brefs récits inspirés des chroniques des rois, pleins d'omissions, de néologismes et de tournures araméennes. L'auteur, voulant célébrer la justice de Dieu, raconte les péchés d'Israël et spécialement son idolâtrie lorsqu'il bâtit des stèles sur toutes les collines et sous chaque arbre vert, provoquant la colère du Très-Haut (III *Rois*, XIV, 22-23). La tristesse de ces récits, cependant, est atténuée par l'évocation des promesses et des bienfaits de Yahvé qui, au milieu des plus graves désordres, ne manquèrent jamais au peuple élu. L'authenticité des deux derniers livres est confirmée par les inscriptions assyriennes et par quelques documents égyptiens et moabites. Le premier roi dont il est parlé est Salomon (972-932 av. J.-C.), le souverain magnifique qui édifia le temple de Jérusalem. Il brilla dans la diplomatie comme dans les lettres, sut s'attirer l'amitié de la puissante Égypte et réussit à épouser la fille du pharaon. Le règne de Salomon fut heureux du point de vue des relations extérieures ; mais ce roi qui avait demandé à Yahvé la sagesse eut le tort de se laisser séduire, sous l'influence de femmes étrangères, par d'autres dieux que celui d'Israël. En outre, son goût immodéré du faste pesa lourdement sur le peuple qui, écrasé d'impôts, se révolta après sa mort. Les dix tribus du Nord, lasses d'être rançonnées sans la moindre contrepartie et indignées de voir que la tribu royale de Juda était exemptée d'impôts, se plaignirent à Roboam, fils de Salomon ; ce dernier, mal conseillé, les éconduisit. Elles décidèrent alors de secouer le joug, et se séparèrent de Jérusalem pour donner la couronne à Jéroboam Ier. À partir de ce jour jusqu'à la prise de Samarie (922) par les Assyriens, les Hébreux eurent deux rois : celui d'Israël, régnant sur dix tribus, et celui de Juda qui se limitait à la tribu de Juda et de Siméon, et à une partie du territoire de Benjamin. Mais les tribus septentrionales, non contentes d'avoir obtenu l'indépendance politique, voulurent s'émanciper du point de vue religieux et subirent des influences païennes venues d'Égypte et de Chanaan. Ce régime, qui dura à peine deux cent dix ans, vit se succéder neuf dynasties au milieu des plus grands troubles. Parmi les nombreux rois de Juda, certains, comme Asa (911-870), Ozias (781-740), Ézéchias (716-687) et Josias (640-609), furent excellents, mais d'autres cruels et impies. Ce royaume de Juda eut à soutenir beaucoup de luttes : sous Roboam, il combattit contre Sheshonq, roi d'Égypte, qui s'empara de toutes les richesses de Jérusalem. Presque chaque règne (jusqu'à 722) fut troublé par quelque invasion des Israélites du Nord : Ozias dut mettre sur pied une armée puissante pour avoir raison des Édomites, des Philistins, des Ammonites et de diverses tribus arabes, mais ce furent les Assyriens qui donnèrent les plus grandes difficultés aux deux royaumes. Sous les règnes d'Achaz et d'Ézéchias, le royaume de Juda fut saccagé par Salmanasar (730), Sennachérib, Asarhaddon (630-668) et Assurbanipal (668-628), rois d'Assyrie. Après les Assyriens, les néo-Babyloniens firent des incursions sans nombre. Enfin, Nabuchodonosor (604-561) rasa Jérusalem en 587 et déporta à Babylone la population de Juda réduite à l'esclavage. – Trad. œcuménique de *La Bible*, 1988.

ROI S'AMUSE (Le). Drame historique en cinq actes, en vers, de l'écrivain français Victor Hugo (1802-1885), représenté à Paris en 1832. Cette pièce, qui n'eut que peu de succès lors de la première représentation, fut immédiatement interdite par la censure, et donna lieu à un procès. L'action se situe à la cour de François Ier. Triboulet, « fou du roi », est soupçonné d'avoir, hors de la Cour, une femme et un foyer, une vie intime, en somme, dont il garde jalousement le secret. La cruauté et la stupidité des courtisans s'acharnent sur ce mystère, et ils trament contre Triboulet une farce féroce, au terme de laquelle le malheureux découvre que la femme que tout le monde prend pour son épouse, et qui est en réalité sa fille unique et bien-aimée, Blanche, a été séduite par le roi lui-même : en effet, François Ier, ignorant l'identité de la jeune fille, est parvenu à toucher le cœur de la tendre et romanesque Blanche, en se faisant passer aux yeux de celle-ci pour un simple étudiant. Après cette révélation, Triboulet, dissimulant son désespoir et sa fureur sous ses pitreries, n'en ourdit pas moins sa vengeance : il envisage de faire assassiner le roi par un sicaire une nuit où le monarque se rendra, déguisé, à un autre rendez-vous d'amour. Mais Blanche, découvrant les desseins de son père, se substitue à son amoureux et se fait tuer à sa place. La pièce est riche en moments dramatiques et offre d'attachants motifs humains et satiriques, typiquement romantiques : la douleur de Triboulet qui perd sa seule raison de vivre, le seul rayon de pureté dans son existence dénaturée, par l'ignoble métier que lui a imposé le destin ; la passion amoureuse de Blanche, trop confiante et naïve, contrastant avec la capricieuse et presque infantile insouciance de ce roi qui se révèle l'égal du plus vulgaire libertin ; la stupide férocité des courtisans, qui ne soupçonnent pas un instant qu'un « fou » puisse avoir un cœur et une âme comme tous les hommes. La pièce fut pourvue d'une noble et ardente Préface, dans laquelle Hugo protesta contre l'arbitraire de la censure lorsqu'il publia son drame. L'intrigue est demeurée célèbre pour avoir inspiré, sur un livret de Francesco Maria Piave (1810-1876), un des plus beaux opéras de Verdi (v. ci-après), dans lequel Triboulet est devenu Rigoletto ; François Ier le duc de Mantoue, et Blanche Gilda.

★ *Rigoletto* est le dix-septième opéra du compositeur italien Giuseppe Verdi (1813-1901), représenté au théâtre de la Fenice de Venise en 1851. Classé comme mélodrame, cet opéra se compose de treize morceaux sans prélude, partagés en trois actes. La censure vénitienne s'opposa à une adaptation fidèle du drame de Hugo, jugeant qu'on ne pouvait représenter sur scène un monarque absolu face à un misérable bouffon ; que la malédiction lancée sur Rigoletto (Triboulet) par le courtisan qu'il venait de railler offensait les âmes respectueuses de Dieu ; que les aventures amoureuses étaient représentées sans pudeur. Verdi avait centré son œuvre sur le thème de la malédiction et avait d'ailleurs primitivement adopté pour titre *Malédiction* [*Maledizione*] ; rebelle aux exigences de la censure, il s'efforça de conserver les caractéristiques du drame de Hugo qu'il jugeait « original et puissant ». *Rigoletto* marque dans la production de Verdi un progrès énorme, soit dans la conception dramatique, soit dans la pureté et l'efficacité de l'expression. Deux personnages se détachent : Rigoletto et Sparafucile, l'un achevé dans tous ses aspects et étudié dans ses états d'âme successifs, l'autre superbement campé, tous deux humanisés et portés à la dimension poétique. Gilda et le duc ont de très belles mélodies, mais la valeur dramatique de ces deux rôles reste imprécise : la première demeure inconsistante dans son ingénuité ; le second, balançant continuellement entre l'amour sincère et la galanterie, ne s'impose pas davantage.

★ Le compositeur français Léo Delibes (1836-1891) a composé une musique de scène pour la reprise de la pièce de Victor Hugo à la Comédie-Française le 22 novembre 1882.

ROI SANS DIVERTISSEMENT (Un). Publié en 1947, ce roman de l'écrivain français Jean Giono (1895-1970) est le premier de la série dite des *Chroniques*. L'action se situe pour l'essentiel de 1843 à 1847, mais est racontée au XXe siècle. Dans un village du Trièves (en Dauphiné), village non nommé mais qui est en fait Lalley, se dresse un hêtre magnifique. Les hivers sont longs dans les Alpes : pendant des mois et des mois, le village, coupé de tout, est enfoui dans la neige et dans la brume. À une certaine époque, au siècle dernier, une jeune femme y est comme engloutie par cette indécise et opaque blancheur. Elle ne laisse pas la moindre trace. Pourtant, il est bien certain que personne ne l'a enlevée. Il aurait fallu un prestidigitateur, venu de nulle part. Pas moyen de percer le mystère, il n'y a qu'à passer l'éponge, oublier. Un dimanche, à l'heure de la messe, un homme est attaqué. Quelqu'un a essayé de l'étrangler. Il a eu le temps de crier, son père celui d'accourir et de tirer un coup de fusil, mais ils n'ont qu'entrevu la silhouette de l'agresseur ; et, dans l'étable, un cochon, balafré de multiples entailles, ruisselle de sang. Plus lourde encore que la neige et la nuit, la peur s'appesantit sur le village. Enfin, c'est l'éclaircie du printemps. Puis un automne opulent, puis à nouveau... Cette fois, la victime est un homme. Des gendarmes arrivent, sous le commandement du capitaine Langlois, ancien soldat de la guerre d'Algérie, âgé de plus de cinquante ans. Ils multiplient les recherches, les rondes, les consignes. Peine perdue. À leur nez et à leur barbe, le plus fort et le plus malin des villageois se volatilise. Heureusement qu'un matin Frédéric II (l'auteur l'appelle ainsi parce qu'il est le second de la dynastie des Frédéric qui, de père en fils, se transmettent la scierie) aperçoit un individu qui se glisse à bas du hêtre. Il grimpe y jeter un coup d'œil, et y découvre, parmi des ossements, le cadavre d'une jeune villageoise. Il saute à terre en vitesse et, avec des précautions de Sioux, file l'inconnu. Celui-ci, d'un pas placide et régulier, monte et redescend des collines enneigées. Après avoir abattu une bonne vingtaine de kilomètres, il atteint le petit bourg de Chichilianne, et, tout naturellement, rentre chez lui. C'est un certain M. V. ; Frédéric II n'a plus qu'à aller quérir Langlois. Lequel rendra justice, à sa façon, en traitant l'assassin d'égal à égal et en l'abattant de deux coups de pistolet dans le ventre. Ainsi se termine le premier épisode du roman. Dans le suivant, Langlois, qui a donné sa démission et est venu s'établir dans le village, organise avec une minutie de stratège une gigantesque battue, avec tous les hommes disponibles, pour traquer un énorme loup. Quand il l'a acculé à une falaise, il l'abat comme il a abattu M. V., de deux coups de pistolet dans le ventre. La troisième partie, la plus obscure à première lecture, place aux côtés de Langlois une ancienne prostituée, tenancière de café, surnommée Saucisse, une vieille dame de la bonne bourgeoisie, Mme Tim, originaire du Mexique, et un gros procureur royal agile, « amateur d'âmes ». C'est essentiellement Saucisse qui raconte cette partie de l'histoire. Langlois va, avec elle et Mme Tim, rendre visite, sous un prétexte, à la veuve de M. V., pour essayer de comprendre ce qu'était cet homme. Mais il s'assombrit, dépérit presque sans l'avouer, et ses amis s'inquiètent. Mme Tim organise en vain une fête à son château. Langlois se fait construire un bungalow, puis un labyrinthe. Il demande finalement à Saucisse de lui trouver une femme. Ils vont à Grenoble et dénichent une charmante mais bourgeoise Delphine. Mais deux mois plus tard, au retour de l'hiver, Langlois, après avoir fait couper le cou à une oie et l'avoir regardée saigner dans la neige, se fait sauter la tête en fumant une cartouche de dynamite. Saucisse et Delphine resteront dans le bungalow à remâcher leur histoire. Giono n'explique rien de son personnage ni de sa mort, sauf en citant Pascal : « Un roi sans divertissement est un homme plein de misère. » Langlois est un homme supérieur qui s'ennuie de façon existentielle. La chasse au loup, le mariage n'ont été pour lui que des succédanés inefficaces. Il se rend compte que M. V. tuait et versait le sang pour échapper à son ennui. Il est donc le semblable de M. V. Il risque de devenir comme lui. S'il se tue, c'est pour ne pas céder à la tentation de tuer — en particulier de tuer Delphine. Une femme ardente aurait pu le satisfaire. Mais, par jalousie, la vieille Saucisse, connaisseuse, en a choisi une qui ne l'était pas. Ce beau roman sombre marque l'installation de Giono dans une nouvelle période, avec ses études de caractères hors du commun et sa psychologie imaginaire, avec ses ellipses et sa concentration, et surtout avec un sens, nouveau chez lui, du mal qui est ancré en l'homme. Giono a tiré de son roman, sous le même titre, le scénario et les dialogues d'un film remarquable, réalisé par François Leterrier en 1963.

ROI SE MEURT (Le). Pièce de l'écrivain français Eugène Ionesco (1912-1994), créée en 1962 au théâtre de l'Alliance française dans une mise en scène de Jacques Mauclair, publiée en 1963. À quelques mois d'intervalle, en pleine époque de conquête du cosmos, deux pièces de Ionesco, très différentes dans leur facture et leur visée, étaient portées à la scène : *Le Piéton de l'air* et *Le Roi se meurt.* Après la première, Ionesco revient à la fantaisie de ses débuts ; quant à la seconde, elle n'est rien moins qu'un « essai d'apprentissage de la mort ». Écrit en vingt jours, *Le Roi se meurt* renoue à sa façon avec la tradition classique, son dépouillement, sa pureté un peu cérémonieuse — *La Cérémonie* était le titre primitif de la pièce.

Si celle-ci n'adopte pas la division en actes, elle n'en est pas moins structurée autour d'une action unique : la mort du personnage-fétiche de Ionesco, Bérenger, « le Roi ». Trois grands moments en assurent la progression. Le premier est, en l'absence du Roi, mais en présence de ses deux femmes, de la bonne, du Garde et du Médecin, celui de l'annonce de sa mort inéluctable dans un royaume en perdition : « Le soleil est en retard. J'ai pourtant entendu le Roi lui donner l'ordre d'apparaître. » Le second est, peu après son entrée en scène, l'annonce faite au Roi lui-même de l'imminence de sa mort. Bérenger, roi de l'Univers, nie son impuissance à régner. Le troisième moment, le plus long, nous introduit au cœur du drame : « La cérémonie commence ! » Dès lors, nous vivons avec Bérenger les étapes à la fois spirituelles et physiques de son agonie : après le refus de la mort, l'angoisse et l'appel au secours. Une fois la prise de conscience acquise, il s'agit d'accompagner le Roi jusqu'à son abdication délibérée. Tous quittent progressivement la scène ; le monde — le décor — disparaît en même temps que le Roi.

Si l'on retrouve dans *Le Roi se meurt* le mélange des genres et des registres de langue cher à Ionesco, il est clair que la pièce, dans sa ligne implacable, rejoint une tradition qui remonte peut-être aussi loin que l'*Œdipe Roi* de Sophocle. Certains personnages revêtent même la fonction du Chœur tragique : le Garde, dont le rôle se borne à faire des annonces (« Le Roi se meurt »), et Juliette, la femme de ménage, qui retrouve ici et là les inflexions de la déploration. La langue, si elle n'exclut pas l'humour, renonce aux facéties et aux jeux de mots des premières pièces : Ionesco invente avec *Le Roi se meurt* ce que l'on pourrait appeler une grammaire métaphysique : la conjugaison des deux verbes clefs, être et mourir, et l'usage limite des pronoms personnels jusqu'au renoncement fatal au « moi » en sont les premiers éléments. C'est que, on l'aura compris, Bérenger incarne l'universalité de la condition humaine ; sa mort, comme pour tout homme, s'identifie à la disparition de l'Univers (« L'État, c'est moi »). Mais au-delà, Ionesco trouve ici l'adéquation parfaite d'un propos spirituel avec la forme la plus sublime de la publicité, le théâtre. La parole s'y fait proclamatoire ; la temporalité interne de la pièce se superpose à la durée de la représentation ; l'espace scénique, toujours insuffisant pour le personnage — comme dans *Amédée* (*) —, délimite exactement le champ de l'individu. A. Va.

ROIS-MAGES (Les). Recueil de poèmes de l'écrivain français André Frénaud (1907-1993), publié en 1943. Écrits en captivité, ces poèmes apparaissent comme un chant d'espoir, une affirmation des pouvoirs de l'imagination humaine. Née authentiquement dans les granges lorraines ou dans les camps de prisonniers, cette poésie emprunte peu à la rhétorique des images. Frénaud n'exprimait alors qu'une sorte d'écœurement contenu (« Les Premiers Jours » ou « Le Départ de Diemeringen ») dont la fantaisie triviale a des relents de cuir et d'eau noire. En contrepoint à ces évocations des misères du soldat et de l'homme s'ajoutait une inquiétude voilée d'où filtrait un pur lyrisme. Le sentiment d'une certaine fidélité désespérée envers cette étoile que les rois mages poursuivent inlassablement, la tension perpétuelle de l'homme voué par le malheur à vivre de ses propres moyens, telles apparaissent désormais les harmoniques du chant de Frénaud. Il demeure ainsi qu'à force de repliement sur soi-même, de solitude partagée avec des compagnons de douleur, cet homme, qui se jugeait « inacceptable » et ne connaissait qu'un pessimisme sans appel, deviendra un poète de l'espoir. Le grand poème en vers réguliers « La Plainte du Roi-Mage » apparaît donc comme la conscience prise par l'homme de son destin. Écart qui se joue entre le refus et une fuite dans l'espérance. Après la vaine tentative du Roi-Mage de se perdre dans l'aventure puis dans son pouvoir créateur, la fin du poème exprime la nécessité d'assurer sa destinée dans la communauté des hommes : « Étoile dans mon sang, j'irai où tu m'égares / Je suis pris, je n'ai pas fini la longue marche. » Au néant, seule la poésie peut arracher l'homme sans lui apporter pour autant de réel apaisement. À travers cette quête sans conclusion, le poète s'approfondira et prendra son poids d'homme.

Les démarches essentielles des *Rois-Mages* ne s'apparentent en rien à l'anecdote ; la captivité n'en fournit pas le thème, à peine le prétexte. Par la discontinuité de l'écriture moderne jointe aux mouvements classiques, par l'apparition d'un alexandrin brisé par une image violente, par le fond de légendes rhénanes sur lequel se profilent ses poèmes (« Poèmes de Brandebourg »), par le moyen de la notation simple et du fait divers, André Frénaud rappelle Apollinaire. Cependant, à cela il faut ajouter toute une rhétorique du terre-à-terre, de la sensation immédiate, une construction verbale à travers laquelle se lit la vision qu'a Frénaud de ses personnages fabuleux.

ROIS MAUDITS (Les). Cycle historique de l'écrivain français Maurice Druon (né en 1918). Il se compose de sept volumes : *Le Roi de fer* (1955), *La Reine étranglée* (1955), *Les Poisons de la couronne* (1956), *La Loi des mâles* (1957), *La Louve de France* (1959), *Le Lis et le Lion* (1960), *Quand un roi perd la France* (1977). Il fut remanié en 1965 car l'auteur avoue que, lors de la composition des *Rois maudits*, il a accordé « moins de soin à la forme qu'à la recherche documentaire, la vraisemblance des personnages, et la poursuite d'une méthode du roman historique qui permît l'exercice de l'imagination sans l'écarter du réel ». C'est une fresque historique, évoquant le XIVe siècle, sous Philippe IV le Bel et ses descendants. Mais elle est plus soucieuse de pittoresque que des ressorts profonds de l'histoire. À Philippe IV le Bel, monarque impitoyable, succède Louis X le Hutin, prince médiocre. Des clans se forment et les crimes, les empoisonnements, les trahisons se succèdent. Louis X meurt empoisonné : « Dans la nuit, se tordant de douleur, il avait de lui-même demandé les sacrements. » Philippe V, dit le Long, se fait sacrer à Reims puis Charles IV le Bel prend la couronne. Les Valois remplacent les capétiens. Leur accession au trône conduira à la guerre de Cent Ans. Philippe VI de Valois est couronné grâce au parjure et criminel Robert d'Artois « sans qui rien ne se fait au royaume de France ». Le règne de Jean II clôturera ce tableau où se bousculent les drames, les meurtres, les adultères, les viols, les haines et les scandales. Après un grand succès de librairie, une série télévisée rendit ce cycle plus populaire encore. C. de C.

ROI TORRISMOND (Le) [*Il re Torrismondo*]. Tragédie de l'écrivain italien Torquato Tasso (le Tasse, 1544-1595), d'abord commencée en 1574 sous le titre : *Galealto, roi de Norvège,* remaniée et achevée en 1586. Germond, roi de Suède, est épris d'Alvida, fille du roi de Norvège, son mortel ennemi ; par amitié pour Germond, Torrismond, roi des Goths, accepte d'aller demander Alvida en mariage, se proposant de la conduire à son ami. Mais pendant le retour, il ne peut résister à la grâce d'Alvida, qui le croit son époux et se donne à lui. Dévoré de remords et désireux de réparer sa faute, il offre sa sœur Rosemonde en mariage à Germond ; mais il découvre que sa véritable sœur n'est pas Rosemonde, mais Alvida qui, en raison de sombres prédictions, avait été enfant l'objet d'une substitution. Alvida comme Torrismond mettent fin à leurs jours. Le Tasse se propose encore une fois de donner sous une forme renouvelée une œuvre antique, en l'occurrence l'*Œdipe Roi* — v. *Œdipe* (*) — de Sophocle, d'où le rôle conféré à l'inceste et à sa découverte. Ce drame est rendu avec une vérité intense de sentiments et les traits les plus réussis. Le chœur final, qui chante la vanité des choses humaines destinées au néant, exprime puissamment l'inconsolable tristesse dans laquelle désormais avait sombré le Tasse.

ROLAND AMOUREUX (Le) [*Orlando innamorato*]. Poème de chevalerie de l'écrivain italien Matteo Maria Boiardo (1441-1494). Inachevé à la mort de l'auteur, il devait comprendre une centaine de chants groupés en trois parties ; sous sa forme actuelle, il ne se compose que de soixante-neuf chants dont vingt-neuf pour la première partie, trente et un pour la seconde et neuf pour la troisième. La première édition (Venise, 1486) ne contient que les deux premiers livres, la seconde (non datée, mais probablement de 1495) en contient trois et la troisième (Venise, 1506) donne l'ouvrage complet. Le sujet est extrait du *Cycle carolingien* (*) devenu traditionnel à l'époque. Lors d'un grand tournoi offert par Charlemagne à l'occasion de Pâques, une demoiselle merveilleusement belle et mystérieuse fait dans Paris une entrée imprévue et sensationnelle, accompagnée de quatre géants et d'un guerrier. L'amour fait aussitôt un grand ravage dans les cœurs des vaillants guerriers réunis à Paris, et particulièrement dans celui de Roland (Orlando) et de Renaud (Rinaldo). Cette demoiselle est Angélique (Angelica), fille du roi de Cathay, et le guerrier l'accompagnant est son frère Argail qui, confiant dans ses armes enchantées, défie les plus illustres chevaliers. Ferraguo (Ferraù) l'abat et le tue. Angélique s'enfuit, poursuivie par Roland et Renaud ; mais pendant sa fuite, elle boit sans le savoir à la fontaine enchantée de l'amour, et s'éprend de Renaud, qui boit au contraire à la fontaine de la haine et se met à la fuir. À ce moment le roi sarrasin Gradasse (Gradasso), pour s'emparer de Bayard, le cheval de Renaud, et de Durandal, l'épée de Roland, envahit l'Espagne, que défend le roi Marsile (Marsilio), allié de Charlemagne. Renaud s'élance à la rencontre de Gradasso, mais Angélique le fait enlever par le mage Malagigi et transporter dans une île lointaine. Gradasso défait Marsile, attaque l'armée des Français, la vainc et fait même prisonnier Charlemagne. Astolphe (Astolfo), qui commande à Paris, propose à Gradasse un combat singulier, le bat, puis part à la recherche de Roland et de Renaud. La guerre embrase aussi l'Orient où Agrican (Agricane), roi de Tartarie, amoureux éconduit, donne l'assaut à Albracà, refuge d'Angélique. Astolphe et Roland arrivent à temps, et le dernier vainc Albracà. Renaud, échappé de son île, accourt pour arracher Roland à l'influence d'Angélique ; un duel en découle entre les deux cousins, mais Angélique parvient à faire partir Roland pour une lointaine entreprise. Pendant ce temps, en Afrique, Agramant (Agramante), pour venger son père, tué par Roland, prépare une expédition contre la France avec de terribles guerriers comme Roger et Rodomont (Rodomonte) ; ce dernier débarque en Provence, tandis que Marsile, à l'instigation du traître Ganelon (Gano), attaque par les Pyrénées. Renaud et Roland se réconcilient ; Renaud rentre en France, mais Roland n'écoute que son amour et va à Albracà qu'assiège de nouveau Marphise (Marfisa). Pour rejoindre Renaud, Angélique persuade le candide Roland de la ramener en France. Seulement il arrive qu'Angélique boit cette fois à la fontaine de la haine, et Renaud à la fontaine de l'amour, intervertissant les rôles et compliquant singulièrement la situation. Les deux cousins, rentrés en France, se battent férocement, mais l'empereur met fin au duel, et, pour les soustraire à la fatale demoiselle, il la confie au vieux Naime de Bavière. D'ailleurs la France est à nouveau assaillie de toutes parts et le poème se termine par le siège de Paris. L'action sera reprise et continuée par l'Arioste dans son *Roland furieux* (*). L'abondance de cette matière est inventée pour le plaisir des seigneurs et chevaliers réunis pour « entendre des choses neuves et délectables » ; elle est laissée en réalité à la fantaisie du poète ; il lui manque un enchaînement logique. Mais, si l'action apparaît un peu confuse, l'atmosphère fantastique de la narration est particulièrement captivante. L'auteur s'est attaché surtout aux épisodes particuliers qui sont remplis d'une véritable substance poétique. Le seul sujet qui fasse en quelque sorte l'unité du poème est l'amour, force puissante, mais synonyme d'arbitraire et de caprice : pour lui on entreprend des guerres féroces, et pour l'image fugitive d'une femme on abandonne sa patrie. La grandeur épique, les combats, la valeur restent en surface. Dans ce jeu merveilleux de l'imagination, il y a un détachement voulu de la réalité et une ironie implicite à l'égard des vieux sujets que l'auteur a entrepris de chanter. Boiardo se plaît à jouer avec ses personnages. Il est un poète moins harmonieux et élégant que l'Arioste, mais il est plus énergique et sa forme a plus de relief ; dans certains épisodes enfin, il a plus de grandeur épique. Il a encore la simplicité du conteur populaire, qui s'affirme jusque dans la langue, inégale et dure, mais colorée et vivante, marquée parfois de quelques traces de dialecte. Aussi devait-elle heurter les esprits délicats des lettrés du XVIe siècle, et l'on vit alors surgir des remaniements de l'ouvrage, dont le plus célèbre est celui de l'écrivain toscan Francesco Berni (1497 ?-1535), *Remaniement du « Roland amoureux »* [*Rifacimento dell' « Orlando innamorato »*], commencé avant 1532 mais publié en 1532 en compétition, dit-on, avec le *Roland furieux* de l'Arioste. Berni améliore de beaucoup la langue, qui devient très pure, et « met un vêtement toscan au chef-d'œuvre lombard ». Une autre refonte de faible valeur, quoique célèbre au XVIe siècle, a été effectuée en 1545 par Ludovico Domenichi. – Trad. *Roland l'amoureux*, Vve David, 1769.

ROLAND FURIEUX (Le) [*Orlando furioso*]. Poème héroï-comique de l'écrivain italien Ludovico Ariosto, dit l'Arioste (1474-1533), publié pour la première fois en 1516, et, dans sa version définitive, en 1532. Dans ce très long poème de plus de quarante mille vers répartis sur quarante-six chants, dont la structure de base est le huitain, l'Arioste fait sienne la synthèse de son prédécesseur Boiardo, auteur du *Roland amoureux* (*), entre cycles bretons (aventures héroïco-amoureuses des chevaliers errants de la Table ronde) – v. *Cycle breton* (*) – et cycles carolingiens (guerres de Charlemagne et de ses paladins contre les Infidèles) – v. *Cycle carolingien* (*). Il reprend assez exactement les aventures des personnages principaux là où Boiardo les avait laissées, et adopte également, parfois, le ton comique, qui correspond à la démystification progressive de la chanson de geste médiévale.

L'épine dorsale du récit épique est constituée par l'affrontement entre les armées chrétiennes et les troupes païennes d'Agramant, qui est l'alter ego oriental de Charlemagne. Bloqué dans Paris, qui subit l'assaut terrifiant du héros païen Rodomont, Charlemagne repousse l'ennemi avec l'aide de Renaud, et, profitant de la discorde qui règne dans le camp d'Agramant, refoule les païens jusque dans Arles, où une nouvelle défaite les oblige à repasser la mer en catastrophe, tandis qu'Astolphe conduit une offensive victorieuse en Orient, dans les royaumes ennemis. Les chrétiens font leur jonction à Bizerte, qui est prise d'assaut. Agramant tente de sauver la situation par un défi personnel, mais les derniers espoirs païens sont anéantis par Roland, Olivier et Brandimart, dans le grand duel de Lipadusa. Au cours de cette geste, exploits individuels ou collectifs, batailles rangées, batailles navales, sièges et poursuites permettent au poète de déployer toutes les richesses de son imagination épique. Les grands duels ne manquent pas non plus puisque les différents héros sont lancés également dans la quête, plus personnelle, d'objets prestigieux et emblématiques, comme le cheval de Renaud, l'épée de Roland ou l'écu de Roger. Dans ces affrontements, presque tous les grands héros païens trouvent la mort : Gradasso, Mandricardo, Rodomont, Agramant.

Mais c'est la quête amoureuse qui est, le plus souvent, la cause de ces rivalités. Tous les héros y sont engagés, à des degrés divers, et de même qu'ils perdent et retrouvent, au hasard de l'errance, le fil du discours guerrier, de même ils rencontrent et quittent sans cesse, volontairement ou non, l'objet de leur amour. Ces aventures sont construites comme une symphonie à thèmes multiples sur lesquels l'Arioste brode des variations. Les unes disent les déviations auxquelles conduisent des passions malheureuses : trahison et abandon de l'homme ou de la femme que l'on cesse d'aimer (Olimpia et Bireno) ; torture morale ou physique infligée à l'amant (Gabrina et Filandro) ; persécution de la femme qu'on aime et qui n'aime pas (Guenièvre, Dalinda et Polinesso ; Tanacro et Drusilla) ; simple vengeance par jalousie (Tristan et Clodion). À ces récits, plus ou moins entachés de violences sanglantes, répondent d'autres aventures qui interdisent d'affirmer que l'Arioste, en amour, est un sombre pessimiste : ce sont les amours érotico-élégiaques de Ricciardetto et Fiordispina, de Giocondo, Astolfo et Fiammetta, d'Adonio et Melissa, où tout se termine le mieux du monde, dans une tonalité humoristique et égrillarde. On retrouve toutes ces variantes lorsqu'il s'agit des héros principaux : obscénité (Angélique et l'ermite) ; érotisme bucolique (Sacripante et Angélique ; Mandricardo et Doralice ; Angélique et Médor ; Roger et Angélique) ; érotisme et luxure (Roger et Alcine). Ces héros peuvent avoir des amours malheureuses (Rodomont et Roland), ou heureuses (Roger, Mandricardo). Les dames peuvent être chastes jusqu'au sacrifice de leur vie (Isabelle et Fleur-de-Lys), ou légères et coquettes (Doralice, Orrigille) ; tout comme leurs chevaliers : Roland est d'une chasteté pathologique ; Roger, Ricciardetto, Sacripante savent ne pas dédaigner une occasion qui se présente.

Parmi ces gestes héroïco-amoureuses, il en est trois qui sont plus particulièrement significatives des intentions du poète. Celle de Roger et Bradamante, qui, après des péripéties héroïco-sentimentales nombreuses, aboutit à la féminisation de la vierge guerrière et à l'accession de Roger au rang de héros majeur. (Le thème de l'hyménée, qui la couronne, ouvre la voie au thème dynastique, puisque les seigneurs de Ferrare ont pour ascendant ce couple mythique.) Celle d'Angélique, qui est une épopée burlesque des malheurs de la vertu. La jeune fille, qui est une création de Boiardo, ne cesse en effet de parcourir tous les lieux du poème, poursuivie par ses prétendants qui se disputent ses charmes comme un butin de guerre, obsédés, comme elle, par son pucelage. Convoitée par les plus grands, dont Roland et Renaud, elle finira par s'amouracher d'un fantassin de l'armée d'Agramant, aux boucles blondes et à la joue lisse, le jeune Médor, qu'elle emmènera dans les palais de son père. C'est précisément cet épisode qui marque le point culminant de la geste de Roland. Ce héros de la grande tradition épique carolingienne, que Boiardo avait rendu amoureux, est, pendant toute la première moitié du poème de l'Arioste, en quête d'Angélique, qu'il ne rencontre jamais. Il a, pour cela, déserté le camp de Charlemagne, et sa quête obsessionnelle le conduit progressivement à la folie : lorsqu'il arrive au lieu des amours d'Angélique et Médor, où les noms des amants sont gravés sur tous les arbres, il devient « furieux » et détruit tout ce qu'il trouve sur son chemin. L'Arioste le tient alors à l'écart de toute aventure épique sérieuse et donne une tonalité burlesque à cette geste de la folie amoureuse, qui prend fin avec le retour du héros au bon sens et sa réintégration dans son rôle de soutien de l'empire.

Comme dans les romans arthuriens, enfin, les chevaliers et les dames font des rencontres fabuleuses, tombent dans des pièges maléfiques. Ce sont les harpies, le monstre marin qui dévore des jeunes filles, le géant cannibale Caligorante. C'est l'île des Amazones, où tous les mâles sont exterminés, l'île des plaisirs luxurieux d'Alcine, le château d'Atlant, où chaque nouveau venu croit apercevoir ce après quoi il court, ce qui contraint les chevaliers qui y sont attirés à errer dans un jeu d'illusion, qui n'est pas sans rappeler leurs vaines quêtes tout au long du labyrinthe du poème. Ce dernier exemple est une bonne illustration de l'attitude de l'Arioste à l'égard d'un merveilleux traditionnel auquel il ne croit plus et sur lequel il exerce tout au long du poème un évident effort de rationalisation. En témoignent également les grands voyages de découverte d'Astolphe et de Roger, qui se démarquent de l'errance incontrôlée des héros de passion. Sur l'hippogriffe, cheval ailé que l'Arioste dit « naturel » et non magique, Roger découvre en perspective plongeante tous les rivages de l'Orient, et annonce explicitement les grands voyages des caravelles de Colomb. Quant à Astolphe, qui s'envole sur le même hippogriffe jusqu'à la lune, il fait un voyage moins imaginaire qu'il n'y paraît, puisqu'il découvre là-haut tout ce que perdent les hommes ici-bas, notamment le bon sens de Roland, contenu dans une grande fiole, que le bon Astolphe fera respirer au chevalier pour le sortir de sa folie.

Les très nombreux personnages de l'Arioste, impliqués dans des situations multiples et variées, dessinent une échelle des êtres révélatrice du système de valeurs sur lequel se fonde le poème. Longtemps considéré comme une rêverie désengagée, destinée à sortir le poète des soucis du siècle, et dont la préoccupation majeure eût été esthétique, le poème de l'Arioste est de plus en plus perçu par la critique comme une œuvre fortement ancrée dans la réalité. En témoigne la forte présence de l'actualité, qui sert constamment de référence à l'Arioste, et notamment dans les débuts de chant, pour donner à ses épisodes une signification qui n'est pas d'ordre purement esthétique. Dans ces passages, la présence des éléments constitutifs de la Renaissance italienne fait du monde imaginaire de la chevalerie la transposition idéale d'un système de valeurs auquel l'Arioste, parfaitement conscient du modèle culturel que l'Italie peut transmettre à l'Europe, adhère profondément. La grande réussite du *Roland furieux*, c'est sa construction, qui, sous une apparente dispersion, masque une rare cohérence poétique entre chaque détail et l'ensemble. – Trad. Hatier, 1928. R. B.

ROLLA. Poème de l'écrivain français Alfred de Musset (1810-1857), publié en 1833 dans *La Revue des Deux Mondes* (*). Cette œuvre est la première du recueil des *Poésies nouvelles* – v. *Poésies* (*) de Musset ; mais, composée juste avant le début de la liaison de Musset et de George Sand, elle se rattache encore, par le sujet et par le héros, aux *Premières poésies* (*) et marque, dans l'art du poète, une transition décisive. Rolla est le frère de Frantz et d'Hassan du *Spectacle dans un fauteuil* (*), une nouvelle figure de l'« enfant du siècle », qui trouvera sa parfaite expression dans l'Octave de la *Confession* (*). À 19 ans, maître d'une certaine fortune, Rolla gaspillera son bien en quelques années dans une vie anarchique et voluptueuse, et, lorsqu'il aura tout dépensé, il se tuera comme il en avait fait le serment, après une dernière nuit de débauche. Ce coureur de filles faciles a un tempérament d'aristocrate sauvage, il est fier de son « mépris des peuples et des lois » ; son mal, c'est l'ennui, la crainte affreuse de l'habitude, qui « lui donne la nausée », car elle « fait de la vie un proverbe ». Musset idéalise ce héros assez terne : Rolla, à ses yeux, est « grand, loyal, intrépide, superbe » et, comme Hassan de *Namouna*, il porte au plus profond de son caractère, malgré sa vie de débauche, le rêve d'une absolue pureté, qui le rend « naïf... comme l'enfance ». Le choix de ce personnage et de cette aventure sans grande originalité ne saurait expliquer le succès immense et immédiat du poème, ni que toute une génération se soit reconnue avec ferveur dans *Rolla.* C'est que l'anecdote tient ici assez peu de place. Comme dans *Namouna* ou *Mardoche*, l'essentiel du poème tient dans de longs développements où Musset se confesse lui-même, avec une vérité dépouillée de toute affectation de dandysme, qu'il n'avait encore jamais atteinte. Cette « divagation merveilleuse » est l'expression d'un dédoublement : en face du Rolla extérieur, perdu de débauche, c'est le Musset intérieur qui proteste, élève ses nostalgies magnifiques de la pureté perdue et toujours espérée, rejette la responsabilité de ses vices loin de lui, sur l'époque, sur la société. La banale histoire d'un débauché se hausse ainsi à la hauteur du drame religieux qui fut celui de Musset lui-même : et c'est d'abord l'évocation des premiers matins de l'humanité, des temps de l'adolescence du monde, de la jeune Grèce antique « où tout était divin, jusqu'aux douleurs humaines... », puis du renouveau chrétien, des audaces heureuses de la foi nouvelle. Mais ces temps ne reviendront plus, Musset le sait bien. Il est convaincu, comme tous ses contemporains, que le christianisme est mort : « Je ne crois pas, ô Christ ! à ta parole sainte... / Je suis venu trop tard dans un monde trop vieux. » Musset ne pose donc point la question de la foi d'un point de vue personnel, mais par rapport à toute son époque, dont il ne se sépare pas. Son regret est d'ailleurs bien moins celui d'un croyant que d'un fils de Rousseau : c'est le rêve de l'homme simple et naturel, d'un temps utopique où les passions étaient bonnes, où l'homme pouvait les vivre sans être corrompu par elles. Rolla éprouve le besoin d'un idéal, quel qu'il soit ; s'il lance à Voltaire l'apostrophe célèbre : « Dors-tu content, Voltaire ?... », c'est parce que Voltaire est à ses yeux le ricaneur sans illusions qui a contraint la génération suivante à voir l'homme tel qu'il est et qui a chassé du monde moral non seulement le religieux, mais le romanesque, la rêverie, l'idéal sous toutes ses formes. Rolla attend un nouveau Dieu, comme l'attendaient nombre de ses contemporains, sous l'espèce d'un Sauveur quelconque, homme, prince, démon, ange. Il semble que Musset espère alors une rédemption par l'amour : et c'est ce que Rolla trouve près de la jeune fille dont il n'avait cru obtenir que du plaisir. Aujourd'hui encore, ce poème mal équilibré et souvent déclamatoire a la valeur d'un remarquable document sur l'époque et contient des plaintes si sincères que leur effet n'est en rien affaibli.

ROMAN (Le). Essai de l'écrivain français François Mauriac (1885-1970) publié en 1928. L'auteur s'est longuement expliqué sur sa technique dans deux ouvrages, *Le Roman* et *Le Romancier et ses personnages* (1933), ainsi que dans plusieurs préfaces. Sa méthode consiste essentiellement dans la fusion des deux grandes écoles : celle de la clarté latine et celle de la complexité slave et nordique. À la cohérence des personnages de Balzac et par souci de ne pas appliquer aux êtres « un ordre arbitraire, une logique extérieure », pourquoi ne pas adjoindre une part d'incohérence ? Aussi bien l'être apparent et l'être réel n'obéissent-ils pas aux mêmes lois, et présentent-ils des divergences, des contradictions extrêmes. Tout personnage de Balzac acquiert une certaine unité par le fait de sa passion dominante. Dostoïevski considère la conscience humaine comme un écheveau embrouillé. Profiter de la leçon des maîtres russes et anglo-saxons, sans renoncer à l'apport de l'école gréco-latine d'où est issu le roman français, voilà à quoi tend l'esthétique de Mauriac. S'expliquant à propos des romanciers de son temps, l'auteur se définit lui-même et fournit des données utiles sur les traits essentiels de sa technique. Des tendances du roman et des moyens d'exécution passant aux personnages, Mauriac explique comment il entend les rapports entre le romancier et les créatures nées de son esprit, et il lui plaît de les comparer aux rapports de Dieu et de ses créatures. Selon Mauriac, pour réaliser le roman où l'homme serait représenté sous son double aspect raisonnable et impulsif, trois facteurs devraient entrer en jeu : connaissance de l'homme, autonomie du personnage, chasteté du style. Il écarte donc du débat qu'il engage les romanciers qui « sous un léger déguisement sont eux-mêmes tout le sujet de leurs livres » et ceux qui « copient patiemment les types qu'ils observent autour d'eux ».

ROMAN BOURGEOIS (Le). Roman de l'écrivain français Antoine Furetière (1619-1688), publié en 1666. Alors que les romans à la mode de Mlle de Scudéry et de ses imitateurs mettent en scène les personnages de l'Antiquité, en leur prêtant arbitrairement les sentiments galants et la rhétorique amoureuse des « Précieuses », Furetière entend célébrer, lui, des héros plus quotidiens, des muses plus contemporaines, sans trop se préoccuper du sublime. Son livre est un roman bourgeois parce qu'il a pour personnages les Parisiens du temps, les Français moyens, qui vivent en dehors de la gravité et de la pompe du monde futile de la Cour et de la haute société. Pendant deux livres qui n'ont pas beaucoup de liaison entre eux, Furetière se consacre au récit de plusieurs aventures amoureuses. Une belle fille, Javotte, est courtisée par divers prétendants : elle est la fille d'un pauvre diable de procureur, Vollichon, qui vit entre les tribunaux et ses pratiques, et ne pense pas à la marier. Parmi les galants qui tournent autour d'elle se trouve un petit avocat tout pommadé, Nicodème, qui finit par obtenir la sympathie de la famille. À ce moment s'insère dans l'ouvrage l'histoire d'une sotte bourgeoise, Lucrèce, qui, rêvant d'un grand mariage, se laisse prendre au piège par un astucieux marquis ; mais celui-ci, qui n'est riche que d'espérances et de belles paroles, rejoint son régiment à la première occasion ; et la malheureuse se trouve vite dans une telle position qu'elle doit chercher en toute hâte un père pour l'enfant qui va naître. Justement Nicodème lui avait fait, en plaisantant, une promesse de mariage par écrit ; un procureur, Villeflatin, s'intéresse à la chose, intente un procès à l'imprudent jeune homme et fait manquer son mariage avec Javotte. Désespoir des deux jeunes gens, dont l'union est ainsi contrecarrée ; ils inventent d'abord des subterfuges, mais bien vite Javotte est introduite par des amis dans la société précieuse où, enflammée par des romans comme *L'Astrée* (*) et autres badinages littéraires, elle rêve à l'amour romanesque et se sauve avec un certain Pancrace. Ainsi, tandis qu'on essayait de la faire épouser par un pauvre avocat de causes perdues, Jean Bedout, celui-ci consentait au contraire à devenir le mari de la sentimentale et frivole Lucrèce, désormais dans une situation urgente. Dans le second livre, quelques figures, que l'on avait déjà rencontrées dans le premier, où elles personnifiaient la satire de la société galante, se retrouvent en compagnie de nouveaux personnages dans une trame fort embrouillée, compliquée encore par des énumérations de livres à la mode qui sont fort maltraités ; dans cette partie, les digressions abondent : il y est question, en particulier, de l'histoire de Charroselles, de Collantine et de Belastre, sous les noms desquels sont aisément reconnaissables le romancier Charles Sorel, auteur de l'*Histoire comique de Francion* (*), et d'autres contemporains. D'évidentes allusions à Madeleine de Scudéry, auteur du *Grand Cyrus* (*), et à Ninon de Lenclos permettent de trouver la clé des personnages de Polymatie et de Polyphile. Dans l'ensemble, le récit donne une vision très réaliste et très vivante du monde des procureurs et avocats du quartier Maubert ; ils y sont dépeints comme de pauvres diables, petits-bourgeois pleins de vanité tels qu'ils étaient dans la vie quotidienne. L'œuvre s'intègre dans ce courant de réalisme « moyen » que relève un sens piquant de la satire et, de ce point de vue, elle n'est pas sans rappeler le Boileau du *Lutrin* (*) et des *Satires* (*). Cette interprétation réaliste du roman peut être complétée par une prise en compte du travail de Furetière sur les particularités et les tics linguistiques de la bourgeoisie, tels qu'ils apparaissent, notamment, dans la langue propre aux techniques et aux métiers. De même faut-il relever la manière dont il dénonce le matérialisme en soulignant le rôle que joue l'argent dans le destin des personnages ou dans différentes situations (la tarification des mariages et l'exhibition de la pauvreté d'écrivains comme Mythophilacte), sans oublier la valeur expressive des descriptions d'intérieurs bourgeois saturés d'objets encombrants comme les salons précieux sont saturés de mots creux. D'autres analyses permettront de considérer *Le Roman bourgeois* comme un « anti-roman » rompant avec les conventions romanesques contemporaines par le choix d'un titre antithétique (le roman issu de l'épopée met en scène des héros d'exception et non de vulgaires bourgeois) ; par la présence d'un avis « Au lecteur » ironique ; par la parodie : ouverture burlesquement imitée de Virgile, utilisation grotesque de thèmes et de motifs tirés de l'*Amadis* — v. *Amadis de Gaule* (*) —, de *L'Astrée* ou du *Grand Cyrus* ; et par le refus des procédés narratifs ordinaires (la déclaration d'amour attendue est remplacée par l'intrusion d'un auteur qui confesse qu'il ne peut la restituer puisqu'il ne l'a pas entendue et qui renvoie ironiquement à celles, conventionnelles et intercheangeables, qui se trouvent dans tous les autres romans). On peut aussi s'interroger sur les décalages introduits par l'incohérence du *Roman bourgeois* en comparant ce texte aux romans comiques contemporains. Il a bien les aspects satiriques, parodiques, ironiques de ces récits, mais il n'en a ni la drôlerie roborative ni la complétude narrative : il rompt avec leur conception carnavalesque du comique (le rire laissant la place à l'humour noir) et avec leur conception romanesque de l'intrigue. Il met en effet en question les concepts classiques de sens, d'ordre, d'unité (cf. Michèle Vialet, *Triomphe de l'iconoclaste*), par l'opposition entre les deux parties, entre les deux adresses aux lecteurs, par la délégation au seul relieur de la responsabilité de sa transformation en livre. Le livre premier, inachevé (que donnera l'enlèvement de Javotte ?) comporte des dédoublements de l'action (Javotte/Lucrèce) et des « héros » (substitution de Bedout à Nicodème). Le livre second n'est en aucune sorte la suite et la conclusion du premier, aucun des personnages intéressés par l'intrigue initiale ne réapparaît, l'univers dépeint n'est plus exactement le même, les portraits des protagonistes deviennent de simples caricatures, des séquences autonomes et hétérogènes viennent rompre la continuité narrative. Cette partie consacrée à la dénonciation des travers du milieu judiciaire s'apparenterait donc plutôt au genre de la nouvelle. D'où une duplicité possible du livre : un roman parodique inachevé suivi d'une nouvelle satirique devant être lus séparément. Mais ces deux fictions distinctes sont reliées ensemble et paradoxalement présentées sous l'unique appellation de roman. Elles comportent un même personnage, Charroselles, simple introducteur à « L'Historiette de l'amour égaré », dans le premier livre, élément essentiel du second, par le rôle central que jouent ses aventures procédurières et maritales avec Collantine. Le monde de la chicane dépeint autour de celle-ci était déjà esquissé au début avec la présentation du procureur Vollichon ; les situations burlesques amenant les citations d'œuvres célèbres engageaient déjà un réquisitoire contre la récupération économique et sociale de la littérature. Mais le lien le plus net entre les deux livres réside dans la mise en miroir d'histoires d'amour parodiques, dérisoires et grotesques, qui font du *Roman bourgeois* une variation burlesque sur le thème de la quête amoureuse trouvant son unité dans cette logique du décalage perpétuel. P. Ro.

ROMANCERO. Dans la littérature espagnole, on entend par « romancero » un recueil de « romances », de même que « cancionero » — v. *Cancioneros* (*) — signifie un recueil de « canciones ». Le terme « romance », quand il est employé adjectivement, veut dire « roman », ou « en langue vulgaire », et désigne le plus souvent les langues néo-latines. Toutefois, lorsqu'il s'agissait d'une composition poétique, ce mot signifiait « écrit en langue romane ». De la fin du XIVe siècle date l'emploi de « romance » dans le sens de composition, tel que nous l'entendons aujourd'hui. Les deux premiers romances, au sens moderne du mot, sont le *Trescientas* ou *Le Labyrinthe de la Fortune* (*) de Juan de Mena (env. 1444) et, dans de plus vastes proportions, la *Préface et lettre au connétable du Portugal* du marquis de Santillana, écrite quelques années plus tard. Avec le poème : « Moricos, los mis moricos, los que ganáis mi soldada », dit aussi « de la prise de Baeza », apparaît le « romance de frontière » [romances fronterizos], ainsi appelé parce qu'il s'inspire des combats que se livraient les chrétiens et les Maures aux confins du royaume de Grenade. Comment se formèrent ces romances ? On a toutes raisons de penser avec Menéndez y Pelayo — dont la thèse fut reprise par Menéndez Pidal — qu'ils dérivent des anciennes chansons de geste. Quelques fragments de ces chansons ont d'ailleurs survécu dans des romances tels que la *Première chronique générale* (*) et dans les poèmes que les jongleurs récitaient sur les places publiques. L'interminable chanson de geste, si goûtée au temps du régime féodal, subit les conséquences de son déclin à l'avènement de la classe bourgeoise, qui n'en retint qu'un petit nombre d'épisodes. L'opinion de Menéndez fait bon marché de la thèse romantique soutenue par le célèbre collectionneur de romanceros Agustin Durán (*Romancero général,* 1828-1832), qui voyait dans les romances la première manifestation de la littérature espagnole. Ce point de vue, auquel se sont ralliés, avec des nuances diverses, certains érudits modernes, se heurte pourtant à une objection d'importance : la métrique du romance primitif est indiscutablement épique ; on en tient la preuve dans l'usage du vers de seize syllabes, et surtout — comme l'a soutenu Milá y Fontanals — dans cette présence d'un souffle épique qui est un de ses caractères essentiels. Menéndez Pidal a pu démontrer que deux des plus anciens romances proviennent respectivement de la *Segunda Gesta de los Infantes de Lara* — v. *Les Sept Infants de Lara* (*) — et de la *Gesta de Sancho el Fuerte*. À ces deux romances se rapportent les épisodes légendaires concernant Charlemagne, Tristan et Iseult, Pélage, don Rodrigue, le Cid, Fernán González. Les personnages de l'épopée primitive espagnole survivent donc dans le *Romancero* avec, toutefois, plus de bonhomie dans le ton et l'attitude que n'en permettaient les gestes guerrières. Ainsi s'opéra insensiblement le passage du ton épique au lyrisme du romance que l'on peut alors définir comme une composition épique et lyrique, en vers de seize syllabes liés entre eux par l'assonance.

Le romance « classique » se développe de

la fin du XIVe siècle à la fin du XVIIe. Dédaigné par les gens instruits, il survit néanmoins dans les campagnes et dans les villes de province, comme une des expressions traditionnelles de la poésie espagnole. En effet, il n'y a pas de région de la péninsule Ibérique qui ne possède son romancero, où les analogies d'une inspiration commune s'agrémentent de légendes locales dans le dialecte du cru, sans compter les romanceros composés dans des milieux particuliers tels que le *Romancero Judio* (édité par R. Gil, à Madrid, 1911) concernant les Juifs chassés d'Espagne en 1492, et le *Romancero de Germania.* Après un long oubli, le *Romancero* suscite, à la fin du XVIIIe et au XIXe siècle, l'enthousiasme des lettrés de l'Europe entière. L'helléniste écossais Thomas Blackwell, faisant allusion aux romances dits « moriscos », voit en eux une des plus vivantes productions de la poésie populaire. Thomas Percy, dans *Reliques de l'ancienne poésie anglaise* (*), fait un parallèle entre les romances et les ballades d'Écosse. Herder, Goethe, Mérimée, Hugo et le romantisme avec toute sa ferveur se passionnent pour le folklore des pays d'Europe — ballades écossaises de Douglas Percy, *Chevy Chase* (*), *Robin des Bois* (*), chants épiques allemands, scandinaves, français, italiens, etc. Quant à la poésie populaire du romance espagnol, austère, concis, réaliste et d'un accent si humain, c'est, aux yeux des romantiques, la quintessence de la poésie populaire jaillissant spontanément. Dès lors, poètes et savants traduisent, commentent un peu partout le *Romancero,* et bientôt les Espagnols cultivés vont, eux aussi, participer à cette résurrection de leur trésor national. C'est ainsi que Menéndez Pidal, avec l'aide de sa famille et de ses disciples, a sauvé de l'oubli d'innombrables romances, recueillis en Europe et en Amérique.

Quant aux diverses sortes de romances, les spécialistes distinguent : le romance « ancien », le romance « savant » et le romance « artistique ». Les premiers — sobres et pleins de fraîcheur — sont ceux-là dont nous parlions, et qui se rattachent aux anciens poèmes épiques : ils comprennent eux-mêmes des romances historiques, mythologiques et ces « romances de frontière » dont il a déjà été question. Au nombre des romances historiques figure le cycle des *Sept Infants de Lara* où, pour la première fois, la vieille Castille exprime sa volonté de secouer le joug du royaume de León, et le cycle du *Cid* (*), le typique héros castillan, chef des armées chrétiennes redouté des Maures. Parmi les romances apparentés à ceux des cycles carolingien et breton et qui durent leur grande vogue à l'inspiration chevaleresque, citons : le romance de Rocafrida (« En Castilla está un castillo que se llama Rocafrida, / al castillo llaman Roca, y a la fonte llaman Frida ») ; les amours de Montesinos (« En París está doña Alda, la esposa de don Roldán ») ; le très populaire romance de Gerineldo (« Gerineldo, Gerineldo, paje del rey más querido ») dont Menéndez Pidal n'a pas trouvé moins de trois cents variantes, et aussi les romances de « Don Tristán » (« Herido está don Tristán de una muy mala lanzada, / diérasela el rey su tio por celos que de él cataba ») ; le romance du « Comte Claros de Montalván » (« Media noche era por filo, los gallos querian cantar, / conde Claros con amores no podia reposar »), l'un des plus remarquables quant à l'intrigue ; ceux aussi où sont célébrés Mélisande, Lancelot, le comte Alarcos. Dans les « romances mythologiques », le poète anonyme chante, par exemple, Hélène et la guerre de Troie, ou bien il évoque de façon bouffonne un Virgile de légende tel que le concevait le Moyen Âge. Le « romance de frontière » présente cette particularité, assez rare dans les poèmes épiques, de relater des faits qui concordent chronologiquement avec la réalité historique : tels sont — outre le romance déjà cité, « Moricos, los mis moricos... » — « Abenámar », qui relate une expédition dirigée par Jean II (1431) jusque sous les murs de Grenade (« Abenámar, Abenámar, moro de la morería / el día que tu, nasciste grandes señales había »), et celui qui célèbre la mort d'un vaillant capitaine au siège d'Alora en 1434 (« Alora, la bien cercada, tu que estás en par del río »). Les romances « savants », qui font leur apparition au début du XVIe siècle, répondent à un engouement des milieux cultivés pour un genre jusque-là méprisé. À cette époque paraissent des compilations comme le *Cancionero de Romances* (Anvers, entre 1545 et 1550 ; réimprimé à Madrid en 1914 avec une préface de Menéndez Pidal), la *Silva de Romances* (2 vol., Saragosse, 1550) et le premier *Romancero general* (1600), plusieurs fois réédité au cours du même siècle, qui connaissent le plus grand succès. Ces romances savants sont d'habiles refontes ou imitations des anciens poèmes que signèrent des artistes connus (parmi lesquels Alonso Fuentes, Lorenzo de Sepúlveda, Pedro Mexia, Ginés Pérez de Hita, Juan de Timoneda, etc.), mais qui ont perdu la fraîcheur primitive. Extrêmement abondant et d'une grande beauté est le troisième groupe de romances, celui des romances « artistiques », où le ton devient non plus épique mais lyrique. Un certain nombre d'entre eux sont signés parfois même de noms illustres (Lope de Vega, Cervantès, Tirso de Molina, Quevedo, Góngora, Valdivielso) ; mais d'autres, d'origine populaire et qui ont beaucoup de grâce, sont demeurés anonymes. Mentionnons également certaines sélections datant presque toujours du XVIIe siècle, qui n'ont pour sujet qu'un seul personnage ou un événement déterminé (le Cid, les Infants de Lara, le Siège de Zamora, etc.). Très révélateurs de l'évolution des mœurs sont aussi les romances d'allure familière dans lesquels des héros comme Charlemagne, Rodrigue, etc., semblent descendre de leur piédestal, et même se transforment en personnages de comédie. Un autre aspect notable de l'histoire des romances, c'est la faveur dont ils jouirent en Amérique latine : ces *Romances de América,* étudiés par Menéndez Pidal (Buenos Aires, 1945, 4e édit.), ont eu leur vie propre et leur originalité certaine. L'Espagne, cependant, n'en continue pas moins à cultiver le romance : rappelons, entre autres, ceux de Meléndez Valdés, et aussi les « romances historiques » du duc de Rivas. À notre époque, le *Romancero gitan* (*) de Federico García Lorca a interprété les anciens romances avec une finesse extrême. En Italie, les romances furent propagés sous la domination espagnole et rassemblés dans divers recueils : *Cancionero de Stúniga*, dans lequel figurent deux écrits composés vers 1442 ; *Cancionero Classense* ; *Cancionero hispano-italiano Pironti* ; *Cancionero di Napoli ; Romancerillos* de l'Ambrosienne de Milan et de Pise et *Romancero musicale* de Turin.

ROMANCERO de Heine [*Romanzero*]. Recueil de vers du poète allemand Heinrich Heine (1797-1856), publié en octobre 1851. Il réunit les poèmes composés au cours des dernières années de la vie de l'auteur, environ à partir de 1846, l'année où Heine fut atteint de paralysie, jusqu'en septembre 1851, date du post-scriptum en prose, où le poète se livre à un examen de conscience, conférant en quelque sorte à l'ensemble du volume une certaine unité de pensée. L'œuvre comprend trois parties : « Histoires » [Historien], « Lamentations » [Lamentationen] et « Mélodies hébraïques » [Hebraische Melodien]. Les « Histoires » se composent d'une série de « romances » (genre poétique adopté pour l'ensemble du recueil auquel il donne son titre) : certains avaient déjà été publiés en français dans *La Revue des Deux Mondes,* quelques semaines avant la publication du volume, à Hambourg. Le premier romance, « Rhampsenith », s'inspire d'un épisode du deuxième livre des *Histoires* (*) d'Hérodote : macabre aventure d'un adolescent qui parvient à s'emparer du trésor royal en déjouant les embûches qui ont déjà coûté la vie à son frère. C'est en s'aidant d'un bras enlevé au cadavre de ce dernier qu'il est parvenu à ses fins, et le roi, émerveillé par tant de ruse, lui donne la main de sa fille, au lieu de le châtier. Parmi les plus célèbres romances, citons : « Marie Antoinette », « Charles Ier », « Asra », où en quatre strophes se trouve exprimée toute la poésie mystérieuse de la tribu maure des Asra, « qui meurent d'amour » ; « Voyage nocturne » où la nuit, le clair de lune et la mer exaltent le rêve d'un amant jusqu'au délire et lui font tuer celle qu'il aime, « sans motif précis » (commente l'auteur dans une lettre adressée à son ami Schloss qui déplorait le manque de clarté du poème). Le cycle s'achève par une courte poésie, « Vitziputzli », qui a le Mexique pour cadre et illustre le moment de transition entre deux religions, lorsque l'ancien Dieu, détrôné par le Christ, revêt un aspect démoniaque (ce qui advient toujours, selon Heine, lorsque le culte d'une divinité se substitue à celui d'une autre). Les « Histoires » sont empreintes d'une sorte d'exotisme qui relève beaucoup moins de ce cosmopolitisme propre au XVIIIe siècle que de la quête du pittoresque, du rare et de l'inouï, allant jusqu'à l'hallucination. Dans les « Lamentations », cet exotisme se mue en pure nostalgie. De sa « tombe matelassée », le poète évoque son passé : mirages de la jeunesse, souvenirs littéraires (« Solitude dans le bois »), pessimisme cruel (« Atrides espagnols »), symphonie funèbre (« Vieille chanson »), sentimentalisme (« Autodafé »), souvenirs d'enfance (« Souvenirs »), où Heine reprend le récit de la mort de son petit camarade Guillaume déjà relatée dans les *Reisebilder* (*). « Lazare », deuxième partie des « Lamentations », qu'il convient de compléter par une série de poèmes rassemblés sous le même titre dans les *Poésies posthumes,* offre un caractère plus proprement lyrique. Le poète s'identifie au pauvre lépreux de l'Évangile, ramassant les miettes de vie qui lui sont concédées et les transmuant en poésie pour les offrir du fond de sa solitude et de sa résignation. Mais le souvenir des anciennes révoltes n'est pas apaisé. Il jaillit encore par endroits, comme dans « Testament », poème fait de sarcasmes et de douloureux accents. Le troisième livre, « Mélodies hébraïques », emprunte son titre à Byron. Là encore, il s'agit d'un retour au passé, mais un passé plus intime et plus lointain. « La Princesse Sabbat », tirée d'un conte arabe, s'inspire des études bibliques et talmudiques auxquelles l'auteur s'adonna passionnément dans ses dernières années. Également significatif, le poème dédié au poète médiéval « Jehuda ben Halevy », dans lequel l'auteur exalte aussi l'apport à la culture médiévale de deux autres poètes, Salomon ibn Gabirol et Moïse ibn Esra. Enfin « Discussion » apporte une note burlesque sur les controverses entre rabbins et franciscains à la fin du Moyen Âge, le vaincu se voyant contraint d'embrasser la foi du vainqueur : les deux antagonistes s'injurient sans parvenir à se convaincre et le poème s'achève sur une conclusion ironique. Les « Mélodies hébraïques » reflètent la nouvelle attitude religieuse de Heine, qui renie dans l'« Appendice » l'hégélianisme et le panthéisme qu'il avait antérieurement adoptés et affirme sa foi dans le Dieu justicier et redoutable de ses pères. Certains des poèmes du *Romancero* comptent au nombre des plus vigoureux que le poète ait écrits : il déclara lui-même y voir « son propre sang changé en vers », usant en ceci des mêmes termes que Baudelaire. La première édition est de 1851. — Trad. Michaud, 1908 ; voir aussi *Les Écrits juifs de Henri Heine,* Rieder, 1926.

ROMANCERO GITAN [*Romancero gitano*]. Célèbre recueil de vers de l'écrivain espagnol Federico García Lorca (1898-1936). Publié à Madrid en 1928, il devait bientôt être traduit en plusieurs langues et servir la gloire de Lorca dans le monde entier. On sait que la veine du poète est essentiellement populaire. Étant toujours resté fidèle à son origine paysanne, il puise à la source plutôt que dans l'œuvre de ses devanciers : à savoir dans cet amas de légendes et de croyances qu'englobe la tradition orale. Andalou des pieds à la tête, il s'appuie donc sur le folklore d'Andalousie, lequel passe, à juste titre, pour un des plus riches qui soient. Cet effacement volontaire n'est pas uniquement le fait de l'humilité. Peu enclin aux abstractions, Lorca, pour créer, eut toujours besoin de la matière des choses. Ce goût du concret sent bien son Espagne, puisqu'on le retrouve jusque dans le propos de certains mystiques – à commencer par saint Jean de la Croix. Notre poète se fonde donc sur le folklore. Trop foncièrement original pour avoir envie de le paraître, il se soucie peu que cette matière soit usée jusqu'à la corde. Que lui importe, en effet, ce pittoresque, s'il peut atteindre au-delà le cœur de la créature ? Il chante ici les gitans, car il voit en eux les seuls êtres qui ne soient pas entièrement déchus de cet état d'innocence qui s'enveloppe sous le nom d'Âge d'or. Ce n'est point là se payer de mots : dans un siècle où tout vise à l'uniformité, la gitanerie entend faire secte à part car la liberté lui est un trésor qu'elle préfère à tout. Toute l'attention de Lorca se concentre donc sur ce gitan. Mais il est bien trop artiste pour oublier la nature environnante. De la flore andalouse, il retient avant tout l'œillet, le jasmin, le nard et le basilic. De la faune, la colombe, le poisson, le chien et surtout ces chevaux un peu fous dont l'écume évoque celle de la mer. Ce bestiaire assez capricieux appelle un monde plus subtil : les anges et les saints. Disons en outre que la lune joue un grand rôle dans ce jardin ; sans oublier l'ombre qui sans cesse rôde à l'entour : les gendarmes, la garde civile, bref, le meilleur soutien de l'ordre. Usant d'une matière des plus surannées, Lorca use par surcroît d'une forme qui est à l'avenant. Il ressuscite, en effet, un genre depuis longtemps tombé en désuétude : ce « romance » dont le vers est l'octosyllabe, assez proche, au fond, de la ballade et de la complainte, et qui relève comme elles de la poésie populaire. Cela ressemble à une gageure. Lorca, pourtant, la soutiendra jusqu'au bout. Il triomphe grâce aux ressources de son langage. D'un grand savoir en matière de prosodie, fidèle aux savantes leçons d'un Góngora, il possède toutes les qualités d'un virtuose du verbe. Féru de la vie concrète, il a la passion des couleurs. De l'exubérance de ces dernières naît le bariolage de son style. Mais ce sens de l'enluminure est loin d'oblitérer chez lui le goût de l'harmonie poétique. Fidèle ami du grand Manuel de Falla, le poète était très connaisseur en musique. C'est dire qu'un constant souci musical domine ses moindres poèmes. Sous le couvert de cet élément mélodique, une verve inouïe se dépense dans le *Romancero gitan* : le pleur y alterne avec le sourire, sans détruire jamais ce fond taciturne qui caractérise l'Espagne. Autrement dit, le goût du sang et de la mort.

Chacun de ces romances figure un petit drame. Un drame, parfois, tout intérieur et des plus gracieux. Par exemple, cette « Nonne gitane » qui s'efforce en vain de résister à quelque obsession amoureuse : « Sur la toile jaune d'or / Elle voudrait bien broder / Les fleurs de sa fantaisie. » Ou la jeune « Preciosa » que le vent courtise : « Enfant, laisse-moi lever / Ta robe pour te bien voir / Ouvre dans mes doigts très vieux / La rose bleue de ton ventre. » Enfin, la « Femme adultère » : « Ses cuisses s'enfuyaient sous moi / Comme des truites effrayées / Une moitié tout embrasée / L'autre moitié pleine de froid. » Mais le plus souvent tout réclame l'effusion de sang : « À l'heure où les taurillons rêvent / De passes de giroflée / Des voix de mort retentirent / Auprès de Guadalquivir. » Voici une autre évocation : « Au beau milieu du ravin / Les poignards de Albacète / Beaux de sang ennemi / Brillent comme poissons. » Enfin, la mort d'« Antonito el Camborio » : « De sang ennemi il baigna / Sa cravate cramoisie / Mais il y avait quatre poignards / Et il fallut bien succomber. » Il arrive qu'il y ait rémission dans la fièvre : quand le poète s'avise de chanter quelque cité andalouse. Grenade, Séville et Cordoue seront à tour de rôle sous le signe de leurs patrons respectifs : saint Michel, saint Gabriel et saint Raphaël. Mais le sang revient de plus belle dans l'admirable « Martyre de sainte Eulalie » : « De la gorge de la sainte / Sort un jet de veines vertes / Son sexe tremble, embrouillé / Comme un oiseau dans les ronces... » « Mille petits arbres de sang / Opposent leurs troncs humides / Aux mille bistouris du feu... » ; « De temps à autre résonnent / Des jurons à crête rouge / Les soupirs de l'enfant sainte / Brisent le cristal des coupes / La roue aiguise ses lames / Et ses crochets suraigus. » Dans le *Romancero* plus qu'ailleurs, Lorca étale, si l'on peut dire, toutes ses cartes sur le tapis. On s'en souvient : si sa veine est populaire, son écriture est, en revanche, des plus savantes. C'est dire qu'il nous propose un art où la rudesse fait bon ménage avec la préciosité, la recherche avec la négligence, le naturel avec le tarabiscotage. Or, si parfaite est la fusion de ces contraires qu'on n'aperçoit jamais la moindre discordance. Un tel équilibre tient du miracle. Il faut remonter au Siècle d'or pour trouver chez un poète d'aussi incroyables ressources. Comme l'a écrit Antonio Machado, Lorca est le dernier aède. Qu'on ne cherche pas ailleurs la raison de son empire sur la poésie espagnole. Tel est le *Romancero gitan*. – Il fut traduit en français pour la première fois par Félix Gattegno (Alger, éd. Charlot, 1942), ensuite par Paul

Verdevoye (Paris, la Nouvelle Édition, 1945) avec une préface de Jean Camp ; puis par André Belamich (Gallimard, 1961).

ROMANCERO SPIRITUEL (Le) [*Romancero espiritual para recrearse el alma con Dios. Y redención del género humano. Con las estaciones de la vía crucis*]. Recueil de romances mystiques de l'écrivain espagnol Lope Félix de Vega Carpio (1562-1635), publié vraisemblablement à Pampelune en 1619, mais dont la plus ancienne édition connue porte la date de Saragosse, 1622. Le poète ne fait aucune allusion à cette œuvre dans son *Épître à Claudio Conde*, et Montálban, son disciple et biographe, ne la mentionne même pas dans la *Fama póstuma*, pour cette raison, sans doute, que Lope de Vega la considérait comme une suite des *Rimas sacras* – v. *Rimes* (*). Quelques-uns des quarante-deux romances que contient le volume avaient été déjà publiés dans les *Poésies ;* quant aux autres compositions (les « stations » de la vía crucis), on y retrouve la ferveur naïve et populaire des « Rimas » et de mystiques transports qui rappellent les *Soliloques* (*). Dans le *Romancero*, cependant, la quête de Dieu s'inspire non seulement du « desengaño » et de la « vanitas vanitatum », mais aussi – et sans que soit rompu le charme poétique – de motifs puisés dans la tradition et la liturgie. Le poète exalte la Nativité, la Passion, le Saint-Sacrement, l'union de l'âme avec le Christ. Il y a, dans ces romances, une candeur, un ravissement qui font penser aux *Miracles de la Vierge* (*) de Berceo. Dans ces poèmes (notamment dans la « Villanesca al Santisimo Sacramento », ainsi que dans les deux romances dédiés « Al seráfico padre san Francisco » et « A las llagas », où le divin prend les couleurs d'un réalisme très humain), on voit transparaître, cependant, sous l'imagerie populaire, la profonde culture théologique de Lope de Vega. Naïveté trop voulue, et qui nous rappelle que la « difficile facilité » du poète s'accommode parfois du raffinement du « cultisme ».

ROMANCES de Góngora [*Romances*]. Recueil de poèmes du poète espagnol Luis de Góngora y Argote (1561-1627), qui marque une première orientation, pleine de fougue juvénile, vers un art de formes colorées, de tons chauds et sensuels. L'auteur y traite des thèmes d'inspiration populaire, sous une forme mélodieuse et musicale, élégante et gracieuse et déjà pleine de préciosité. Nous y voyons le futur poète de *Polyphème* (*) et des *Solitudes* (*) triompher, par un façonnage minutieux du vers, d'une matière souvent imprécise ou d'un prosaïque réalisme. Góngora, dans ses *Romances*, traduit son propre monde spirituel, pénétré avec une lucidité aiguë dans l'infinie variété de ses nuances. Ce ne sont que palpitations de vie et de joie, accents ingénus et gracieux, rêves d'amour lourds de sensualité refoulée, allusions satiriques et malicieuses ; le tout sur un ton léger, dans le rythme d'un vers fragile et chantant. Góngora y redonne de l'attrait à des thèmes aussi vieux que ceux du regret et du souvenir douloureux (« Lloraba la niña », « La más bella niña ») ou agréable (« Hermana Marica »). Mais il sait aussi bien faire revivre, en une peinture énergique, les « romances fronterizos » et les « moriscos » de jadis. Ce sont cependant ses compositions mythologiques sur Angélique et Médor, Héro et Léandre, Pyrame et Thisbé, qui donnent le mieux la mesure de son art, par leur ton quelque peu ironique et souvent franchement malicieux.

ROMANCES de Zorrilla. Les romances ou « leyendas » du poète espagnol José Zorrilla (1817-1893) sont l'expression la plus pure du romantisme espagnol. Répartis en plusieurs volumes de poésies que l'auteur publia entre 1837 et 1882, ils s'inspirent du *Romancero* (*) où, de tout temps, la tradition ibérique a puisé. Ces romances ont pour cadre les paysages de Tolède, de Grenade ou de Burgos, et les personnages qui les animent sont les types traditionnellement consacrés par la fantaisie populaire, mais Zorrilla leur prête en outre une anxiété spécifiquement romantique et toute la tendresse de son cœur. Un des premiers et des plus célèbres est « À bon juge meilleur témoin » [A buen juez, mejor testigo], inspiré de la légende tolédane du Christ de la Vega (où l'on voit Jésus élever le bras pour attester que Diego Martínez avait bien promis le mariage à Inés qu'il a trahie). « Pour la vérité, le temps ; pour la justice, Dieu » [Para la verdad, el tiempo ; y para la justicia, Dios] provient également du folklore : c'est la mésaventure d'un assassin miraculeusement confondu le jour de ses noces ; on trouve, en effet, dans ses mains la tête même du rival qu'il avait tué. C'est aussi une tradition populaire qui a donné naissance à « Las dos rosas », histoire d'un chevalier qui épouse le démon changé en femme. Le même sujet a été traité dans *Le Magicien prodigieux* (*) de Calderón, dans *La Dame au pied de chèvre* d'Herculano et dans *Corza Blanca* – v. *Légendes espagnoles* (*) de Bécquer. « El capitán Montoya » s'apparente à la légende de *L'Étudiant de Salamanque* (*) d'Espronceda et à certaines versions des aventures de *Don Juan* (*). Les *Cantos del Trovador* (1840-1841) font revivre d'autres légendes, dont la plus connue est l'« Histoire d'un Espagnol et de deux Français » qui a elle-même pour origine celle du comte García Hernández. Non moins colorées et suggestives sont : « La Princesse doña Luz » où apparaît la figure de Pélage, roi des Asturies ; « Marguerite la tourière » [Margarita la tornera], qui reprend le motif de *Sœur Béatrice* (*), etc. Le poète a adapté d'autres légendes encore dans *Vigilias del estío* (1842) : « El talismán » et

« El montero de Espinosa » dont l'auteur fera le drame *Sancho Garcia* ; « Dos hombres generosos » a pour sujet la noble émulation de deux chevaliers qui s'accusent chacun pour un délit qu'ils n'ont pas commis. Légendes encore, l'inspiration de *Recuerdos y fantasías* (1844), et principalement « El caballero de la buena memoria » (un chevalier a tué un homme, mais sa mère l'absout de son crime ; un jour vient où il lui faut venger la mort de son frère : alors, se souvenant de ce pardon, il pardonne à son tour). Le même volume contient « Los borceguíes de Enrique II », épisode de la lutte entre les Maures et les chrétiens, et « Une aventure de 1360 » d'après la légende de Pierre le Cruel. « Le Lis de la forêt » [La azucena silvestre] a pour héros Garín, l'ermite de Montserrat. « Le Défi du démon » [El desafío del demonio] et « Le Témoin de bronze » [El testigo de bronce] sont des variantes du Christ témoignant en faveur de la justice. Zorrilla a écrit d'autres légendes se rapportant au cycle carolingien et au Moyen Âge : « Las píldoras de Salomón » (sur le Juif errant), « La Pasionaria », etc. Mais c'est surtout la vieille Espagne qui l'inspire : ainsi, dans la *Leyenda del Cid* (1885), où il relate les épisodes les plus connus du *Romancero du Cid* – v. *Le Cid* (*) – et de vieilles chroniques. Tous ces thèmes, il les pare d'une sensibilité romantique et vaporeuse, leur donnant ainsi une jeunesse nouvelle grâce au miracle de la poésie.

ROMANCES HISTORIQUES [*Romances históricos*]. Recueil de romances de l'homme politique et écrivain espagnol Angel de Saavedra, duc de Rivas (1791-1865), publié en 1841. Dans cet ouvrage, Saavedra, initiateur, avec Martínez de la Rosa, du romantisme en Espagne, contribue – plus encore peut-être que dans ses drames – à définir le nouveau climat littéraire. Compte tenu de réminiscences françaises et anglaises maintes fois relevées, on y discerne surtout la persistante tradition, essentiellement espagnole, des « romances », qu'il s'agisse de la forme (l'ancien octosyllabe assonant) ou des larges emprunts faits par le poète aux légendes nationales. Les « romances », au nombre de soixante-neuf, ont pour sujet l'histoire, à moins qu'ils ne soient imaginés par Saavedra lui-même ; mais dans tous, on retrouve le coloris, l'imagination, souvent même le mouvement dramatique du *Romancero* (*). Les meilleurs sont précisément ceux qui, inspirés par la vieille Espagne, se prêtent le mieux aux qualités descriptives du conteur et à son sens du raccourci. « El conde de Villamediana », par exemple, qui évoque les amours de ce gentil poète pour la reine Isabelle de Bourbon, ou encore « Don Álvaro de Luna », où revit le fameux connétable de Jean II. Le duc de Rivas a consacré, en outre, six romances à la légende de Christophe Colomb (« Recuerdos de un gran hombre ») et cinq à la conversion de saint François Borgia (« Un solemne desengaño »). À la chronique espagnole encore se réfèrent ses autres romances : « El Alcázar de Sevilla », « Una antigualla en Sevilla », légende de don Pedro le Justicier ; « Un castellano leal », sur la loyauté du comte de Benavente ; « Una noche de Madrid en 1578 », sur l'assassinat de Juan Escobedo et les amours de la princesse d'Eboli, etc. On doit aussi à Saavedra des romances de pure fantaisie comme « La vuelta deseada », où sont contées les romantiques vicissitudes d'un exilé politique, ou « El cuento de un veterano », drame de sang et de vengeance. Le dernier romance (sur la capitulation des troupes françaises à Bailén) exalte les héros de la guerre d'indépendance.

ROMANCES POUR VIOLON ET ORCHESTRE de Beethoven. Il existe deux romances pour violon et orchestre du compositeur allemand Ludwig van Beethoven (1770-1827) : la *Romance en sol majeur*, op. 40, de 1805 et la *Romance en fa majeur*, op. 50, de 1805. Elles appartiennent toutes deux à ce qu'il est convenu d'appeler la première manière de Beethoven, et furent composées à l'époque de la jeunesse heureuse du compositeur, alors qu'à Vienne il était fêté, merveilleusement accueilli et protégé par toute la haute aristocratie viennoise. La *Romance en fa*, la plus célèbre, ressemble à maints égards à l'Andante ou variations du *Quatuor op. 18 nº 5* – v. *Quatuors* (*) de Beethoven. Pour la façon dont le violon est traité, elle se rapproche du *Concerto pour violon et orchestre en ré majeur* (*), op. 61, qui fut écrit cependant beaucoup plus tard. Toutes deux témoignent d'un sens mélodique d'une grande ampleur et d'un souffle qui ira en s'élargissant dans les œuvres postérieures.

ROMANCES SANS PAROLES [*Lieder ohne Worte*]. Pièces pour piano du compositeur allemand Felix Mendelssohn (1809-1847), réunies en huit fascicules publiés de 1834 à 1868 (les deux derniers étant posthumes). Les *Romances sans paroles* occupent, dans la production du compositeur, une place toute particulière. Ces pages, quoique d'un esprit et d'une facture très classiques, trahissent plus qu'aucune autre composition les liens profonds qui unissent Mendelssohn au mouvement musical romantique. « Qui ne s'est jamais, à la tombée de la nuit, assis à son piano et n'a, sans presque s'en apercevoir, en pleine improvisation, fredonné une douce mélodie ? Si l'on peut alors, par hasard, trouver avec ses seules mains l'accompagnement de cette mélodie – si surtout on est un Mendelssohn – ce sont alors les plus belles "romances sans paroles" du monde. » Ainsi parle Schumann de ces compositions si typiques du romantisme allemand et qui, par leur concision et leur structure mélodique, peuvent être considérées comme la transposition pour piano d'un lied. Dans les huit fascicules des *Romances sans paroles* se trouvent des pages qui comptent parmi les plus belles, les plus inspirées de Mendelssohn. On pourrait reprocher à certains morceaux une sentimentalité un peu mièvre qui, bien plus qu'à la partition elle-même, est imputable à la façon dont celle-ci est trop souvent interprétée. Car Mendelssohn, lorsque l'inspiration lui fait quelque peu défaut, a tendance à se rapprocher de la rigueur classique bien plutôt que des épanchements romantiques — sans toutefois que l'on puisse pour autant, comme on n'aurait pas manqué de le faire plus tard, vers la fin du XIXe siècle, l'accuser d'académisme. La tradition musicale d'un XVIIIe siècle encore tout proche inspire à Mendelssohn des pages d'une perfection sereine. Parmi les « romances », citons le mélancolique « Chant de gondolier vénitien » ; la « Fileuse » ; la « Chanson de printemps », vibrante d'arpèges qui évoquent le bruissement des feuilles nouvelles ; la « Marche funèbre » enfin, d'une tristesse toute virile, qui, composée en 1843, a accompagné, orchestrée par Moscheles, les funérailles de Mendelssohn en 1847.

ROMANCES SANS PAROLES. Recueil du poète français Paul Verlaine (1844-1896), publié en 1874. Renchérissant sur la manière qu'il avait inaugurée dans *La Bonne Chanson* (*), l'auteur évolue hardiment vers un art beaucoup plus libre. Dépris de l'influence parnassienne, il se dépouille par surcroît de ses autres masques. Il devient cet homme véridique, soucieux de tirer toute chose de lui-même. Sa voix prend un nouvel accent, riche en inflexions inouïes et mûr pour ce chant profond qui sillonne toute son œuvre et demeure inimitable. On sait que la matière de *Romances sans paroles* se rattache aux heures les plus noires de sa vie sentimentale : la liaison particulière avec Rimbaud, la rupture dont l'épilogue fut le fait divers de Bruxelles, le tribunal correctionnel et les maux qui s'ensuivirent. Verlaine compose tout son livre en prison. Bien qu'il n'y chante encore que des amours profanes, il se révèle poète lyrique dans toute l'acception du terme. Le recueil comporte une vingtaine de brefs poèmes qui sont groupés de la manière suivante : « Ariettes oubliées », « Paysages belges » et « Aquarelles ». Il faut y ajouter un texte de plus longue haleine, intitulé « Birds in the Night » : « Vous n'avez pas eu toute patience, / Cela se comprend par malheur, de reste / Vous êtes si jeune et l'insouciance / C'est le lot amer de l'âge céleste. » La plus subtile naïveté se fait jour dans les « Ariettes » : « Il pleure dans mon cœur / Comme il pleut sur la ville. / Quelle est cette langueur / Qui pénètre mon cœur ? » Ou la mélodie la plus imprécise : dans l'interminable « ennui de la plaine / La neige incertaine / Luit comme le sable ». Il arrive même que tout se réduise à un simple balbutiement : « Ô triste, triste était mon âme / À cause, à cause d'une femme. » Dans « Aquarelles », on trouve l'incomparable élégie intitulée « Green », laquelle passe à juste titre pour un des morceaux les plus achevés de la poésie universelle : « Voici des fruits, des fleurs, des feuilles et des branches / Et puis voici mon cœur qui ne bat que pour vous. / Ne le déchirez pas avec vos deux mains blanches / Et qu'à vos yeux si beaux l'humble présent soit doux. » (Yves-Gérard Le Dantec observe que ce poème rend exactement le même timbre que les *Roses de Saadi* de Marceline Desbordes-Valmore : « J'ai voulu ce matin te rapporter des roses... ») On sait que le recueil de Verlaine passa d'abord inaperçu. Il n'obtint un certain succès que douze ans plus tard, lors de sa réimpression, en 1887. Aujourd'hui, certes, la plupart de ces poèmes vivent dans la mémoire de très nombreux lecteurs. On le conçoit : pareille musique prévaut sur bien des sortilèges. Thibaudet, d'ailleurs, y voyait le « point le plus haut de la fusée verlainienne ».

ROMAN COMIQUE (Le). Roman de l'écrivain français Paul Scarron (1610-1660), dont la première partie parut en 1651 et la seconde en 1657.

Encombrée d'un hétéroclite et volumineux bagage, une charrette fait un soir son entrée au Mans et s'arrête devant le tripot de la Biche. Elle est occupée par une femme, un jeune homme déguenillé et un vieillard, respectivement nommés la Caverne, le Destin et la Rancune. Tous trois font partie d'une troupe de comédiens, dont le reste est retenu ailleurs par suite d'une rixe. Afin d'être hébergés gratuitement, les arrivants proposent de donner un échantillon de leur répertoire pour le plaisir de l'hôtellerie. Ils endossent la défroque de clients de passage et un pugilat général se déclenche au retour de ceux-ci. La Rapinière, lieutenant de Prévôt, qui a pris part au combat, emmène les comédiens loger chez lui. Peu après survient le reste de la troupe. Complète alors, elle se compose de : Destin, la Rancune, l'Olive, Mlle de l'Étoile, la Caverne, sa fille Angélique, Roquebrune, poète-auteur et metteur en scène ; plus quelques valets doublés d'apprentis acteurs. Autour de Mlle de l'Étoile se réunissent bientôt les élégants de la ville, notamment un certain Ragotin qui devient le souffre-douleur de la compagnie et auquel surviennent les plus malséantes aventures. Au milieu de ces avatars vient s'intercaler l'histoire de Destin et de Mlle de l'Étoile, véritable mélodrame aux rebondissantes complications. Après l'enlèvement d'Angélique, que suit celui de l'Étoile, tout s'arrange plus ou moins : ainsi se termine l'œuvre, brusquement interrompue. Divers écrivains ont tenté d'achever l'œuvre de Scarron. La suite, la plus connue, celle dite d'Offray, libraire à Lyon, semble remonter à

1662. Due à un ancien secrétaire de Ménage nommé Girault, chanoine au Mans après Scarron, elle a pour objet de dénouer les intrigues entassées dans les deux premières parties. Elle est sans valeur littéraire. Une autre suite, parue chez Barbin en 1679, et attribuée à Préchac, est loin de manquer d'entrain.

Scarron possède au plus haut point le don d'animer ses personnages et de mettre en lumière les traits saisissants de leur caractère. Tous, même les comparses, sont doués d'une vitalité singulière. Appartenant à des milieux divers, ils se côtoient et se mélangent de la façon la plus divertissante. Tout cela, répétons-le, est rapporté dans une langue hautement savoureuse, aisée, directe, farcie de boutades et que vient tempérer parfois la plus exquise émotion. Certaines figures spécialement poussées se détachent avec un relief saisissant. Ragotin, petit-bourgeois prétentieux, hargneux et querelleur, galant et empressé auprès des femmes, mais content de lui et ridicule physiquement et moralement ; Destin et l'Étoile, tombés par suite de circonstances malheureuses dans une condition inférieure, couple sympathique, gracieux, conservant sa dignité dans l'épreuve ; Angélique, enfant de la balle, enjouée, rieuse, libre d'allure, non démunie de délicatesse, qui sait se faire respecter autant que fille bien née ; la Caverne, vieille théâtreuse recrue de fatigue et dont l'âme se réveille, lorsque le sort de son enfant est en jeu ; la Rapinière, un brutal sous des airs de jovialité, qui abuse de ses pouvoirs de prévôt et pressure la province ; enfin la Rancune, vieux cabotin déchu, aigri, crevant de vanité et d'envie, méchant et sournois, la création la plus étonnante de l'ouvrage. Si la connaissance du milieu manceau a nourri bien des descriptions des halles ou des tripots locaux, leur insertion dans le récit n'est pas à relier seulement au réalisme, mais s'inscrit aussi dans la logique du roman comique qui s'oppose au roman héroïque tout en le parodiant, appelant cette représentation de lieux, d'objets et de personnages familiers, voire triviaux. Ce rabaissement burlesque permet en outre de répondre, par des scènes relevant de la farce, des plaisanteries grivoises, des situations carnavalesques, aux promesses comiques contenues dans le titre d'un livre qui est aussi le roman des comédiens. L'expérience théâtrale de Scarron et sa fréquentation des troupes se reflètent ainsi dans l'éloge du sérieux des acteurs et de la vertu des actrices, mais aussi dans l'art avec lequel sont mises en scène et décrites certaines batailles grotesques, avec un réel sens de l'animation et de la gestuelle, où les chutes font boule de neige, où, dans la cacophonie, les coups donnent à la phrase une allure débridée.

L'existence malheureuse de Scarron a, plus profondément, déterminé l'une des structures essentielles du roman : celle du dédoublement des personnages. Il a perdu sa mère à trois ans, et a dû subir l'hostilité d'une marâtre voulant le spolier : son héros, le Destin, se trouve dépossédé de son identité et en proie à la haine d'un demi-frère. Les couples antagonistes, avec les pôles maléfiques que sont Saldagne et Saint-Far, perpétuelles menaces, transforment une histoire originelle tragique en fable romanesque. Est-ce un hasard, si, par-delà l'hommage au lieu magique de *L'Illusion comique* (*), la mère adoptive du héros, figure protectrice, est une comédienne nommée la Caverne ? Il s'est perdu lui-même à trente ans, quand il a été métamorphosé de l'état de beau jeune homme à celui de « cul-de-jatte », paralysé, tordu (« je suis tout circonflexe », « je suis un raccourci de la misère humaine »), en proie à d'atroces et permanentes douleurs. Le couple d'opposés : le Destin, jeune homme agile et séduisant, et Ragotin, nabot maladroit et ridicule, remplit une fonction compensatoire qui exorcise le désespoir par une double projection libératrice — vers le passé et l'idéal, vers le présent et la dérision. Ces reflets contraires en lesquels se dissout l'image insupportable du moi font de la fabulation romanesque et burlesque une forme de revanche contre l'insoutenable réalité.

Cette dualité se retrouve dans les structures narratives organisées selon l'art du contrepoint, par l'alternance de dialogues attendrissants, de prouesses chevaleresques, de péripéties aventureuses et de répliques bouffonnes, d'échecs lamentables, de catastrophes drolatiques. Un même système d'écho ou de jeux de miroirs inversés unit l'histoire cadre et les histoires espagnoles intercalées par analogie entre les héros et les héroïnes, mais surtout par parallélisme de situations. Une telle architecture romanesque et la remarquable utilisation des décalages des langages révèlent une conscience aiguë des problèmes formels chez un auteur trop vite jugé léger et fantaisiste. Mais l'aspect le plus moderne du *Roman comique* est sans doute à chercher dans l'utilisation du paratexte (écart entre les titres des chapitres et leurs contenus, incipit parodiques, préfaces ironiques) et dans les multiples et facétieuses intrusions de l'auteur par lesquelles s'engage le dialogue avec le lecteur. Pour le plus grand plaisir de celui-ci, qui, interpellé, pris à témoin, séduit, moqué, sollicité de suppléer à la paresse de l'écrivain, bénéficie ainsi du privilège rare de visiter ce mort vivant dans le monument qu'il s'est bâti pour que l'éternité le retrouve vif et délié, tel qu'il était avant d'être atteint de paralysie.

ROMAN D'ALEXANDRE (Le) (v. *Alexandre*).

ROMAN DE BRUT (Le) [*Li Romans de Brut*]. Long poème composé en 1155 par Robert Wace (vers 1110 - vers 1180), poète anglo-normand natif de Jersey, élevé à Caen, puis chanoine à Bayeux, auteur de plusieurs autres poèmes et légendes de saints en vers. *Le Roman de Brut* est une traduction de l'*Histoire des rois de Bretagne* (*), mais une traduction vraiment libre, une sorte d'adaptation : en effet l'auteur explicite la pensée parfois obscure de Geoffroy de Monmouth ; allégeant le texte en plus d'un endroit, il concilie les contradictions qui s'y trouvent et s'efforce avant tout de rendre vivant son récit. Le titre du poème vient du nom du Troyen Brutus, héros éponyme des Bretons. En ce qui concerne le récit de la geste d'Artus, Wace est le premier à faire mention de la Table ronde autour de laquelle Artus faisait asseoir ses guerriers « tous honorablement et de manière tous égale. Aucun d'entre eux ne pouvait se targuer d'être assis plus haut que ses pairs ». Wace composa son poème à l'intention de la célèbre Éléonore d'Aquitaine, qui fut reine de France, puis d'Angleterre. *Le Roman de Brut* est le premier texte français en notre possession dont le sujet soit breton. — Il a été édité par J. Arnold (2 vol., Société des anciens textes français, Paris, 1938-1940).

★ *Le Roman de Brut* de Wace, remanié, a donné naissance à un poème intitulé *Brut*, composé aux environs de 1200 par le prêtre Layamon (ou Laweman). Le poème est écrit en vers ; il est à noter toutefois que le rythme hésite encore entre la rime proprement dite et l'allitération. Ce poème est l'un des premiers textes qui ait été rédigé en langue vulgaire (« Middle English »). Brut signifie *Brutus ;* Layamon rapporte fidèlement, comme Wace l'avait déjà fait avant lui, la curieuse légende selon laquelle l'ancêtre des Bretons serait un certain Brutus, petit-fils d'Énée. Fait singulier : tout au long du poème, Layamon, pourtant d'origine purement saxonne, prend ouvertement parti pour les Bretons contre les oppresseurs saxons. Ce fait, en ce qu'il trahit les sentiments de l'auteur, ainsi que ceux de ses concitoyens à l'égard des envahisseurs normands, confère au poème, sur le plan proprement historique, une importance toute particulière : sa langue et son esprit en effet prouvent à quel point Saxons et Bretons s'étaient identifiés les uns aux autres. Les additions faites par Layamon au texte de Wace sont peu nombreuses ; elles ont presque toutes trait à la légende d'Arthur, légende qu'il a enrichie de certains détails, de caractère surtout fantastique. Citons, entre autres, le récit des derniers moments d'Arthur, qui expire en disant : « Je veux m'en aller en Avalon, chez la plus belle de toutes : la reine Argante, qui pansera mes plaies... Puis je rentrerai dans mon royaume ; et je vivrai avec mes Bretons en grand déduit de cœur. » À l'instant même où il prononce ces mots, on voit arriver, porté par les vagues, un petit esquif occupé par « deux femmes merveilleusement parées » qui s'emparent d'Arthur et s'en retournent avec lui. Ainsi s'accomplit la prophétie de Merlin. Et les Bretons attendent encore le retour d'Arthur. Dans le *Brut* de Layamon sont pour la première fois contées les légendes du roi Lear et de Cymbeline, qui ont par la suite inspiré Shakespeare. Mais le poète semble avoir une prédilection marquée pour les descriptions de batailles ; les raffinements du courtisan Wace ne sauraient satisfaire ce prêtre guerrier, qui ne se complaît que dans les scènes de meurtre et de violence.

ROMAN DE FAUVEL (Le). Parmi les nombreux romans du début du XIVe siècle, celui-ci témoigne d'une étrange imagination satirique. L'auteur principal nous en est connu depuis les travaux de Ch.-V. Langlois : c'est le poète français Gervais du Bus, notaire de la chancellerie royale sous Philippe le Bel, donc contemporain et appartenant au même milieu que l'auteur présumé du *Roman du comte d'Anjou* (*), Jehan Maillart. Nous ignorons sa date de naissance (fin du XIIIe siècle), mais nous savons qu'il vivait encore en 1338. Il a signé la deuxième partie du roman, il y a donc eu probablement d'autres auteurs, antérieurs à lui. Fauvel est un cheval allégorique, fourrier d'antéchrist, personnage très humain, personnification de la ruse hypocrite et de la fausseté des gens du siècle. Ses aventures singulières sont un prétexte à amples discours sur la fin du monde, la place de l'homme dans la nature, celui-ci étant considéré comme un microcosme reproduisant l'ordre qui règne dans le macrocosme, discours prononcés par des personnages allégoriques : Fortune, Vaine Gloire, Mélancolie, Nature, et qui ne sont pas sans rappeler la seconde partie du *Roman de la Rose* (*) ; on y trouve aussi des tableaux où s'exprime la satire dans une atmosphère apocalyptique. Fauvel épouse Vaine Gloire. Installé en France (« Le beau jardin de grace plain / Ou Dieu par especiauté / Planta le lis de roiauté / Et y sema par excellence / La franche graine et la semence / De la flour de crestienté. / Et d'autres flours a grant plenté : / Flour de paix et flour de justice. / Flour de foy et flour de franchise. / Flour d'amour et flour de franchise. / Flour d'amour et rose espanie / De sens et de chevalerie »), donc installé en France, Fauvel n'a de cesse qu'il ne mette à mal ce beau jardin, qu'il le saccage et le salisse grâce à la bande de petits Fauveaux qu'il a engendrés. Fort heureusement, « le Lis de Virginité [La Vierge] / Qui prist en soi la deïté / Sauve la flour de France » et Fauvel est jeté en prison. Il y a, dans ce *Roman*, une critique désespérée des mœurs contemporaines, dont n'ont disparu ni l'efficacité ni l'émotion sincère qui étreint le poète. L'aisance de la versification en octosyllabes en rend facile la lecture malgré les nombreuses longueurs et digressions. *Le Roman de Fauvel* connut une grande popularité à l'époque de sa publication ; il fut continué et enrichi par plusieurs auteurs du XIVe siècle : le plus marquant d'entre eux fut Raoul Chaillou de Pestain, lui aussi haut fonctionnaire royal, successivement bailli d'Auvergne, de Caux et de Touraine (mort en 1337). Ses additions, qui datent de 1312-1322, sont donc contemporaines de Gervais du Bus ; de lui citons un « charivari » inséré dans *Fauvel*, qui démontre une belle virtuosité et une connaissance très sûre de la langue. – *Le Roman de Fauvel* a été édité par A. Långfors (Société des anciens textes français, Paris, 1914-1919).

ROMAN DE GOYA (Le) [*Goya oder Der arge Weg Erkenntnis*]. Roman de l'écrivain allemand Lion Feuchtwanger (1884-1958), publié en 1951. Si la liaison mouvementée de Goya avec la duchesse d'Albe est le sujet principal de ce livre, du moins permet-elle de brosser un tableau vivant de l'Espagne du XVIIIe siècle, de nous guider à travers un « Musée imaginaire » et de nous y décrire les tableaux, les gravures, les dessins du grand peintre. Pour écrire ce livre, Feuchtwanger a réuni une documentation considérable. Nous éclairant sur ses desseins, il déclare : « J'ai voulu montrer combien d'expériences personnelles et sociologiques profondes, avec la prise de conscience de ces expériences, doivent coïncider afin que puisse être créé de l'art véritable. » Cette biographie romancée tente en effet de donner aussi bien une explication de la genèse des tableaux de Goya, doublée de l'analyse du drame intérieur du peintre, qu'une fresque animée d'une époque et d'un pays. Deux phrases ont guidé l'écrivain dans son travail. L'une de Mark Twain à Kipling : « Réunissez d'abord les faits qui vous intéressent, déformez-les ensuite. » L'autre, d'Aristote : « La représentation artistique de l'histoire est une activité et un but plus sérieux que sa restitution exacte ; car l'écrit littéraire va au cœur même des choses. » – Trad. Calmann-Lévy, 1953.

ROMAN DE GUILLAUME DE DOLE. Roman courtois français en vers, qui date de l'an 1210 environ. L'auteur, le poète français Jehan Renart (début XIIIe), l'appelle *Le Roman de la Rose* : mais l'érudit qui le découvrit plus tard préféra lui donner le nom d'un de ses personnages pour ne pas le confondre avec l'autre *Roman de la Rose* (*), beaucoup plus célèbre, de Guillaume de Lorris et Jean de Meun. Conrad, empereur de Germanie, sage, courtois et généreux, est très aimé de ses chevaliers et de ses sujets, lesquels désirent beaucoup qu'il se marie. Un jour, son ménestrel Jouglet lui parle de la très belle sœur de Guillaume de Dole, chevalier des plus valeureux et l'empereur convie ce dernier à lui rendre visite. Reçu avec honneur, Guillaume participe à un tournoi, et Conrad pense à épouser sa sœur Liénor ; mais le sénéchal du roi, jaloux de la faveur dont jouit Guillaume, parvient à gagner la confiance de la mère de Liénor et apprend que la jeune fille porte sur la hanche le signe d'une rose rouge. Il peut ainsi se vanter d'avoir été son amant. Devant la douleur et le mépris de Guillaume et des autres membres de la famille, la jeune fille cherche à confondre le sénéchal menteur. Arrivée à la Cour, où sa beauté fait sensation, elle envoie secrètement une ceinture au sénéchal, comme si c'était le cadeau d'une dame aimée, puis elle l'accuse devant toute la Cour de l'avoir prise de force. Traduit en justice, le sénéchal voit son innocence reconnue, mais aussi celle de Liénor. L'empereur, heureux, l'épouse. Roman d'amour et de chevalerie, c'est un des plus attrayants dans le genre. C'est une merveilleuse peinture de la vie des chevaliers, avec les fêtes et les divertissements d'une cour raffinée et un peu libre, à qui l'œuvre est dédiée. Elle est coupée de nombreuses chansons connues et aimées de cette assemblée de courtisans, nouveauté qui eut des imitateurs comme Gerbert de Montreuil dans le *Roman de la Violette* (*). – *Guillaume de Dole* a été édité par F. Lecoy (Champion, Paris, 1962) et traduit par J. Dufournet, J. Kooijman, R. Ménage et Ch. Tronc (Champion, Paris, 1978).

ROMAN DE JEHAN DE PARIS (Le). Parmi les romans en prose français du XVe siècle, il en est peu d'aussi charmant que cet écrit anonyme qui commence par ces mots : « Cy commence ung noble et tres excellent romant nommé Jehan de Paris, roy de France. » C'est très vraisemblablement un roman à clef ; en effet l'héroïne y est appelée une fois Anne et l'histoire semble bien être une transposition des amours de Charles VIII et Anne de Bretagne. On a quelque raison de penser qu'il fut composé pour la reine alors qu'elle séjournait à Lyon, attendant le retour de Charles VIII parti en expédition en Italie. L'œuvre semble pouvoir être datée des environs de 1480 ; elle fut publiée pour la première fois à Lyon en 1533, mais seulement en 1580 à Paris. L'infante d'Espagne a été, dès sa naissance, promise au dauphin de France, alors âgé de trois ans. Lorsqu'elle a quinze ans, elle est recherchée en mariage par le roi d'Angleterre, qui est un vieillard. Celui-ci, se rendant en Espagne, passe par Paris et s'arrête à la Cour. Le jeune dauphin se rappelle alors la promesse qui lui a été faite d'épouser l'infante. Mais comme il désire la connaître avant de demander sa main, il se rend incognito à la cour d'Espagne. Là, malgré le train somptueux qui l'accompagne, il se fait passer pour Jehan de Paris, fils de marchand. Le contraste entre le caractère princier de sa suite et ce qu'il prétend être est souligné avec insistance. La jeune infante s'éprend cependant de ce roturier qui a si fière allure et les jeunes gens s'aimeront avant que l'identité du jeune roi soit reconnue. Sans doute les données de cette histoire ne sont point nouvelles ; elles appartiennent à une antique tradition et ressemblent même singulièrement à l'intrigue d'un roman en vers de Philippe de Beaumanoir, *Jehan et Blonde*. On y trouve la même promesse ancienne, le même voyage de compagnie des deux rivaux, l'incognito, l'Anglais ridiculisé. Seulement la mentalité a complètement changé. *Jehan et Blonde* appartient encore au courant de l'amour courtois et le héros doit passer par de pénibles épreuves, alors que *Jehan de Paris* s'inscrit déjà dans la tendance de l'amour galant. C'est une œuvre caractéristique des débuts de la Renaissance française : l'accent y est mis sur les plaisirs de la vie, sur les prestiges de la beauté, sur le luxe ; les personnages centraux sont déjà ici des modèles de beauté harmonieuse, d'équilibre heureux : ils sont possédés du désir de jouir de la vie. Le récit est d'une grande sobriété, il est alerte et léger, écrit dans une langue riche, savoureuse, mais déjà épurée, mesurée. — Ce roman a été édité par E. Wickersheimer, Paris, 1923.

ROMAN DE LA MOMIE (Le). Récit publié en 1858, dans lequel l'écrivain français Théophile Gautier (1811-1872) évoque, avec son admirable talent de coloriste, la vie de l'Égypte dans les temps bibliques, et qui demeure une œuvre très caractéristique du goût romantique. Un lord extrêmement riche et un savant allemand réussissent à pénétrer dans le tombeau, encore inviolé, d'un pharaon, situé dans la vallée des Rois, et y trouvent intacte la momie d'une très belle jeune fille à qui un embaumement soigneux a laissé, à travers les âges, l'apparence de la vie. À côté d'elle, un papyrus explique le mystère de la présence d'une momie féminine dans un sépulcre évidemment destiné à un roi. Tahoser, orpheline d'un grand prêtre, se mourait d'amour dans son fastueux palais pour un très bel inconnu qui ne paraissait même pas s'apercevoir de sa beauté et de son luxe princier. Lorsque, par un innocent subterfuge, elle quitte son palais déguisée et sans être vue, elle réussit à se faire accepter par pitié comme servante dans la maison de l'aimé, Poeri. Mais elle découvre en lui un Hébreu, époux d'une belle jeune femme juive, laquelle devait vivre dans le misérable quartier où le pharaon contraignait le peuple esclave à habiter. Tahoser aurait toujours pu vivre près de Poeri comme seconde épouse, renonçant à sa patrie, à son luxe, à ses dieux, pour le suivre à travers le désert vers la terre promise et la femme juive était prête à la considérer comme une sœur ; mais le pharaon, qui s'était épris de Tahoser au cours d'une fête publique, la faisait, pendant ce temps, rechercher par ses serviteurs et ses ministres dans toute la ville ; son refuge découvert, il vint en personne l'enlever. L'ayant conduite dans son palais, il mit à ses pieds toutes ses richesses et jusqu'à la couronne de reine, avec une passion que les doux refus de la jeune fille stimulaient encore. Lui, l'inaccessible, attendit humblement d'elle un signe d'amour qu'elle ne lui accorda que lorsque, finalement vaincu par la douleur de la mort de son premier-né, il eut cédé aux avertissements de Moïse et laissé partir le peuple hébreu. Mais l'orgueil reprit le dessus, et le pharaon, s'étant lancé à la poursuite des fugitifs, disparut dans les flots de la mer Rouge. C'est ainsi que Tahoser régna quelque temps sur l'Égypte ; étant morte dans la fleur de l'âge, elle fut enterrée dans le fastueux hypogée que son mari s'était fait construire. Malgré l'intrigue sentimentale, l'histoire est assez peu attachante, les personnages ne sont qu'un prétexte pour évoquer avec une rare précision picturale une ambiance à demi historique, à demi légendaire, recréée à partir de nombreux documents archéologiques.

ROMAN DE L'ANNEAU (Le) [*Cilappatikāram*]. *Le Roman de l'anneau* du poète tamoul Ilaṅkō-Aṭikaḷ est un texte ancien dont on situe la date de composition vers le milieu du ve siècle. Traditionnellement compté parmi les cinq grandes épopées tamoules [*Aimperunkāppiyaṅkaḷ*], *Le Roman de l'anneau* est un long poème narratif en trente chants dont le premier tiers est situé en pays Cōla (Pukār), le second en pays Pāṇḍya (Maturai) et le trosième en pays Cēra (Vañci). Kōvalan, fils de marchand, délaisse son épouse Kaṇṇaki pour la grande danseuse Mātavi. Ils ont ensemble une fille Maṇimēkalai (qui sera l'héroïne de l'œuvre du même nom) — v. *Maṇimēkalai* (*). Suite à une querelle, Kōvalan, ruiné, retourne auprès de Kaṇṇaki qui lui offre de vendre son anneau de cheville (contenant un rubis) pour obtenir le capital nécessaire à une nouvelle entreprise commerciale. Ils se rendent à Maturai, la capitale du royaume Pāṇḍya. Là, après avoir confié Kaṇṇaki à des bergers, Kōvalan va trouver un bijoutier pour lui vendre l'anneau. Par un funeste concours de circonstances, le bijoutier qui venait de dérober l'anneau de cheville de la reine Pāṇḍya se saisit de l'occasion pour faire accuser Kōvalan du vol, se mettant ainsi au-dessus de tout soupçon. Le roi fait tuer Kōvalan, sans enquêter davantage. Lorsque la malheureuse Kaṇṇaki apprend que son époux a péri, elle prouve l'innocence de son mari en brisant le second anneau qui libère alors un rubis et non des perles comme celui de la reine. Le roi meurt de remords et la reine s'évanouit et meurt à son tour. Kaṇṇaki s'arrache le sein qu'elle jette sur Maturai qui s'enflamme aussitôt. Elle part pour le pays Cēra où elle se livre à une ascèse intense suite à laquelle Kōvalan apparaît sur un char divin et l'emmène. Lorsque le roi Cēra apprend ce qui s'est passé, il décide de se rendre dans l'Himalaya pour rapporter une pierre afin d'y faire graver l'image de Kaṇṇaki. L'expédition est victorieuse, une pierre est rapportée. Un temple est construit à Vañci pour Kaṇṇaki, l'épouse chaste et loyale devenue déesse d'un culte populaire. *Le Roman de l'anneau* présente un tableau très chatoyant de la culture tamoule ancienne qui semble alors avoir atteint un sommet de raffinement artistique. — Trad. Gallimard, Connaissance de l'Orient, 1961.

E. S.

ROMAN DE LA ROSE (Le). Ce poème allégorique est une des œuvres les plus importantes de tout le Moyen Âge français et celle qui exerça la plus forte influence sur la littérature des siècles suivants. Il est composé de deux parties qui se font suite, mais ne sont pas de la même époque et ne procèdent pas du même esprit. La première partie fut écrite par Guillaume de Lorris (né au début du XIIIe, mort entre 1237 et 1240) vers 1225-1240 ; l'auteur était fort jeune, puisqu'il nous dit au commencement de son œuvre que le songe qu'il entreprend de raconter, il le fit « il y a plus de cinq ans, lorsqu'il était dans sa vingtième année ». Guillaume de Lorris écrivit quatre mille vingt-huit vers et le poème resta interrompu à sa mort. L'œuvre connut sous cette forme un immense succès pendant près de quarante ans. Vers 1275, elle fut reprise par Jean Clopinel ou Chopinel, dit Jean de Meun ou de Meung, du lieu de sa naissance, Meung-sur-Loire (né vers 1250, mort avant 1305). Celui-ci l'augmenta d'environ dix-huit mille vers, près de cinq fois ce qu'avait écrit Guillaume de Lorris (dont l'œuvre cependant paraissait presque terminée). En fait, son propos est tout à fait différent de celui de son prédécesseur, et l'œuvre ainsi composée est singulièrement hétérogène. Elle n'en connut pas moins une faveur éclatante et unique dans l'histoire littéraire. C'est que les additions de Jean de Meun avaient redonné de l'actualité au poème et qu'elles représentaient des tendances très vivantes dans la société du temps. Du XIVe au milieu du XVIe siècle, ce fut l'œuvre la plus lue de toute la littérature française. En témoignent les nombreux manuscrits qui en sont parvenus jusqu'à nous. Ayant été, à l'époque, très en avance sur son temps, la partie rédigée par Jean de Meun devait connaître la faveur des premiers humanistes, pas seulement en France, mais à l'étranger : Pétrarque la loua très vivement, le poète anglais Chaucer en traduisit sept mille vers et toute son œuvre se ressent de cette influence. Sa vogue était telle encore un siècle plus tard que Christine de Pisan, en 1399, proteste contre le mal que le *Roman* dit des femmes et sa violence montre bien qu'il était alors dans toutes les mémoires. Le chancelier de l'Université, Gerson, empruntant d'ailleurs la forme même du *Roman de la Rose*, crut bon de condamner les hardiesses de Jean de Meun dans sa *Vision de Gerson* (1402). *Le Roman de la Rose* connut un regain d'actualité quand Clément Marot le récrivit en français moderne et le publia en 1527. À cette époque, Sibilet le proclamait encore « l'*Iliade* et l'*Énéide* de la France ». La Pléiade même, si sévère pour l'œuvre poétique du Moyen Âge, estimait fort *Le Roman de la Rose*, au moins dans la version qu'en avait donnée Marot. Ce n'est qu'au milieu du XIXe siècle qu'on revint au texte original de l'œuvre. Enfin, Ernest Langlois en donna une édition scientifique, en 5 volumes, parus de 1914 à 1924 (Société des anciens textes français) ; cette édition est accompagnée d'une Introduction et de notes qui constituent une étude importante de l'œuvre.

Nous ne savons à peu près rien du premier rédacteur, Guillaume de Lorris. C'était à coup sûr un homme cultivé, il écrivait pour l'aristocratie de son temps et traitait son sujet avec la méthode et l'esprit des clercs. Ce qu'il voulait offrir, c'était un nouvel *Art d'aimer* (*), un code de l'amour courtois ; aussi l'influence de l'œuvre d'Ovide, surtout au travers d'une adaptation où ce poème est mis en action par quatre personnages, le *Pamphilus*, est-elle fort sensible. L'idée du songe, la personnification de la bien-aimée par une rose n'étaient pas non plus originales : Guillaume de Lorris s'est amplement servi de ses devanciers ; mais il a cependant créé une œuvre très personnelle et si réussie qu'elle est parvenue à faire oublier tous ses précédents. Voici le songe du poète : un matin de mai, il va se promener dans la campagne ; il se trouve soudain devant le haut mur d'un verger. Ce mur est « portrait dehors et entaillé / À maintes riches escritures » et l'auteur de commencer une longue description des « images » peintes sur ce mur. Ce sont d'affreuses figures : la Haine, la Vilanie, la Convoitise, l'Avarice, l'Envie, la Tristesse, la Vieillesse (prétexte à une évocation assez conventionnelle, mais fort belle, du Temps), puis Papelardise, enfin Pauvreté. Ces images symboliques défendent l'accès du verger de Déduit. La porte en est ouverte au jeune homme par Oyseuse (Oisiveté) qui le conduit à un pré. Là, les oiseaux chantent, une douce musique se fait entendre ; là se trouvent Déduit (le Plaisir), Liesse, qui chante, Beauté, Richesse, Courtoisie, et encore d'autres personnages allégoriques. C'est l'image d'un joyeux divertissement aristocratique du temps. Tous sont vêtus comme de grands seigneurs, chantent et dansent. Voici paraître le dieu d'Amour, avec ses arcs et ses flèches. Tandis que le poète se laisse envoûter par cette atmosphère exquise et par la délicate ordonnance du jardin, son regard tombe en extase devant l'image d'un bouton de rose qui apparaît dans la fontaine de Narcisse. Amour lui décoche alors cinq de ses flèches. Le poète devenu l'Amant n'a plus dès lors qu'un désir, celui de cueillir la rose. Aussi se met-il au service d'Amour qui lui dicte ses commandements : c'est tout un art d'aimer, en huit cents vers, imité de l'œuvre d'Ovide. L'Amant reste seul devant la rose, quand vient à lui Bel-Accueil, fils de Courtoisie, qui lui permet de s'approcher du buisson de roses. Mais survient Dangier, accompagné de Male-Bouche (la

Médisance), de Peur et de Honte, qui le chassent. C'est alors que Raison descend de sa tour, le sermonne et tente de l'arracher à cette passion fatale. Mais l'Amant n'écoute que les conseils de l'Ami qui l'engage à persévérer dans son entreprise. Grâce à l'Ami, le courroux de Dangier, défenseur de la rose, s'apaise ; Franchise et Pitié ramènent Bel-Accueil, lequel autorise l'Amant à s'approcher de la rose et à lui dérober un baiser. Mais Male-Bouche a vu la scène et s'empresse d'avertir Jalousie. Celle-ci fait ceindre d'un mur le parterre de la rose et construire une tour où on enferme Bel-Accueil. L'Amant, tenu à l'écart, se lamente en un long monologue. C'est là que s'arrête le récit. Ainsi qu'on le voit, l'allégorie se développe tout au long de cette première partie. Cette analyse psychologique de l'Amour avec les obstacles qu'il lui faut surmonter, les combats qu'il lui faut soutenir, n'est ni neuve ni originale. Guillaume de Lorris en arrive, à force de généraliser, à faire une œuvre complètement abstraite. Tout élément individuel est ici éliminé. Choisissant une rose pour personnifier la dame élue, il ne reste plus au poète qu'à projeter sur une multitude de personnages les réactions de la bien-aimée, réactions qui se détachent d'elle, qui lui deviennent parfaitement extérieures. Il en est, somme toute, de même avec l'Amant ; lui aussi se dédouble en Oyseuse, la conseillère d'amour, l'Ami qui entretient sa flamme, Raison qui tente de le ramener à elle. Ainsi ce n'est plus tant les deux héros qui combattent que deux groupes opposés et le débat interne se trouve par le fait même totalement extériorisé. Le résultat de cette transposition est assez inattendu. Si le héros n'existe presque pas en lui-même, la bien-aimée, elle, est purement fictive. Elle n'agit ni ne parle, ne manifeste aucun sentiment ; elle n'est pas seulement passive, c'est un objet, toute sa personnalité s'est volatilisée. Ainsi — et peut-être sans l'avoir voulu —, en poussant à ses ultimes conséquences l'amour courtois, Guillaume de Lorris est parvenu à l'anéantir. Ne compte plus ici que la lutte ; la femme n'est rien, sinon une proie. Didactique, la première partie du roman l'est constamment ; en effet, il n'est aucun de ces simulacres allégoriques qui ne manque de donner à l'Amant d'utiles leçons, leçons de civilité tout d'abord, voire d'hygiène : « Lave tes mains et tes dents cure », leçons de maintien destinées aux gens qui veulent faire figure dans le monde, subtil apprentissage de la galanterie. Cependant, malgré son propos, Guillaume de Lorris est rarement sec et ennuyeux ; il y a dans ses descriptions un grand charme et certaines des scènes du verger ne sont pas sans évoquer l'art de la tapisserie qui devait fleurir plus tard ; certains de ses portraits témoignent d'un savoir-faire particulièrement subtil, surtout lorsqu'il s'agit d'individualiser de l'extérieur, par l'apparence physique, ses personnages. D'autre part, si l'on ne considère que la forme, la première partie du *Roman de la Rose* est un des plus purs chefs-d'œuvre du XIIIe siècle ; la langue est fraîche, souple, élégante ; le style est ferme et éloquent.

Nous sommes un peu mieux renseignés sur le second rédacteur du *Roman :* Jean de Meun. C'était un homme considérable et respecté, docteur en théologie et fort érudit ; il avait donné des traductions de Boèce et de Végèce qui faisaient autorité. La seconde partie du *Roman de la Rose* ne fut apparemment pour lui qu'une œuvre de jeunesse entreprise dès sa sortie des écoles. En fait, Jean de Meun s'est assez peu soucié de continuer la fiction de son prédécesseur ; pour lui, elle n'est guère qu'une occasion d'étaler ses fraîches connaissances, en y mêlant d'âpres polémiques, de violentes satires. La transition entre les deux parties du *Roman* n'est assurée que par quelques vers : « Cy endroit trépassa Guillaume / De Lorris, et n'en fit plus psaume, / Mais, après plus de quarante ans / Maistre Jean de Meun ce romans / Parfit, ainsi comme je treuve ; / Et ici commence son œuvre. » Puis on entre dans le vif de l'action. Raison descend à nouveau de sa tour, mais son caractère a quelque peu évolué d'un auteur à l'autre, elle est devenue savante et sentencieuse. Son discours compte plus de deux mille vers, c'est un traité méthodique de l'amour et des passions, émaillé d'exemples moraux tirés des écrits des Anciens. Ce discours répudie toute la conception de l'amour courtois qui avait fait le sujet de la première partie. Pour l'Amant désolé, Raison n'a que de l'ironie. Seule sa jeunesse l'excuse. C'est elle qui l'a égaré dans les sentiers de l'amour, mais il existe bien d'autres formes plus honnêtes de l'affection. Suit un long développement sur la justice et la fortune, le bien et le mal. Après avoir écouté Raison avec attention, l'Amant s'impatiente et renvoie la raisonneuse dans sa tour. Il se réfugie auprès d'Ami, lequel entreprend à son tour un long sermon sur les moyens de séduire les femmes et se livre à une amusante satire du mariage. Dans ce discours, on relèvera des morceaux particulièrement intéressants, d'une grande hardiesse de pensée, sur l'âge d'or, la naissance de la société, le pouvoir royal, les institutions chevaleresques. Mais l'application des théories d'Ami ne procurent à l'Amant que déboires. Fort heureusement, Amour rentre en scène. Il décide de tenter, sans plus tarder, l'assaut de la tour où Bel-Accueil est enfermé. Il appelle alors le ban et l'arrière-ban de ses vassaux, parmi lesquels Courtoisie, Largesse, Franchise, Pitié, Hardiesse, ainsi que deux nouveaux personnages : Abstinence-Contrainte et Faux-Semblant, fils d'Hypocrisie. Amour ayant prié ce dernier d'expliquer comment il agit, Faux-Semblant se lance dans un discours qui est la partie la plus célèbre de l'œuvre de Jean de Meun. Faux-Semblant, c'est l'hypocrisie ou plutôt c'est l'hypocrisie de ceux qui en font métier : les prêtres et les moines. Faux-Semblant est menteur fieffé, larron sans pénitence, et c'est parce qu'il est rusé et sans scrupules qu'il a tant de pouvoir non seulement sur les gens de bien qui ne le soupçonnent pas, mais aussi et surtout sur les orgueilleux, les rusés, les astucieux, les ambitieux. Vivement repris par Amour, qui prétend qu'il ne peut exister de religieux menant une vie telle que celle qu'il décrit, Faux-Semblant réplique : l'habit ne fait pas le moine, et sous la robe se cachent aussi bien la sainteté que la pire scélératesse. Lui-même n'est pas toujours moine, il est « Protée » en personne, il peut prendre toutes les apparences, et jamais ses paroles ne répondent à ses actes, ni ses actes à ses paroles. Faux-Semblant pense en avoir assez dit, lorsque Amour lui commande de poursuivre. Suit une longue diatribe, d'une grande violence, contre les moines, suivie d'une apologie de Guillaume de Saint-Amour qui avait défendu les maîtres séculiers de l'Université contre les dominicains — v. *Poésies* (*) de Rutebeuf. Voilà donc trouvé l'allié idéal pour exécuter les volontés d'Amour ; c'est à lui qu'on confie les tâches dont personne ne veut se charger. Avec l'aide d'Abstinence-Contrainte, son habituelle compagne, il égorge Male-Bouche et Bel-Accueil est délivré. Notre Amant semble parvenu au bout de ses peines et s'apprête à cueillir la rose, lorsque surgit la cohorte des ennemis, Dangier, Peur et Honte, qui enferment de nouveau Bel-Accueil et chassent l'Amant. Un combat sans merci s'engage alors entre les personnages : les partisans de Dangier ne sont pas loin d'être vainqueurs quand Vénus, rassemblant ses troupes, les lance à l'assaut de la forteresse. Jean de Meun nous fait brusquement quitter le champ de bataille pour nous transporter dans la forge de Nature, ouvrière de vie et de mort, sous le contrôle de son chapelain, Génius, ordonnateur de la Création. Nature se confesse à Génius et c'est un nouveau discours si long que Génius l'interrompt et s'indigne du bavardage féminin. Cette confession de Nature est une vaste revue encyclopédique, où Jean de Meun a rassemblé toutes les connaissances du temps. Opposant ce qui se passe effectivement dans le monde et ce qui devrait s'y passer, Nature esquisse le tableau d'un monde où l'homme se soumettrait à ses lois : alors régneraient l'harmonie, le bonheur universels. On voit ensuite Nature philosopher fort savamment sur le libre arbitre, la valeur des songes, les visions somnambuliques ; elle condamne l'astrologie et nie que l'apparition de comètes signifie la mort des grands personnages, ce qui l'amène à définir la véritable grandeur. Les princes ne valent pas plus par eux-mêmes que les laboureurs ; les clercs, parce qu'ils sont instruits, ont plus de chance d'accéder à la grandeur, mais la véritable science ne saurait aller sans conscience et la vraie grandeur, c'est celle du cœur. En conclusion, Nature expose que toutes choses en ce monde sont soumises à ses lois. C'est folie que tenter de s'y soustraire. Et parmi ses lois, il est la loi d'amour, à laquelle on ne peut se dérober. Pourquoi donc refuser à l'Amant ce qu'il sollicite à bon droit ? La réplique de Génius est fort longue, et passablement inutile à l'action, puisque le chapelain se contente de développer certains des problèmes les plus ardus de la philosophie. Ensuite il se rend au camp des assiégeants et relève leur courage. Après cette intervention, un dernier assaut donne la victoire et l'Amant cueille la « rose vermeille ». Le jour se lève, il s'éveille.

Avec Jean de Meun, nous avons complètement changé de registre. C'est sans grande conviction, ni de sa part ni, il faut bien le dire, de la part de son lecteur, qu'il mène jusqu'à la fin l'intrigue que lui a léguée son prédécesseur ; le jeu de l'amour courtois ne l'intéresse pas et probablement n'est plus une des préoccupations essentielles de son temps. Ce qu'il se propose, et ce qui fit son succès à son époque, ce n'est rien moins que, sous le voile de personnages qui sont d'ailleurs des porte-parole, de mettre à la portée d'un public lettré sans doute, mais non spécialisé, d'un public en quelque sorte, d'honnêtes hommes, les connaissances des savants. Outre le charme certain de quelques passages, c'est donc pour nous, avant tout, un document sur la culture de la fin du XIIIe siècle. Cette encyclopédie entend faire le tour de toutes les questions, même les moins poétiques : problèmes de la scolastique, disputes de théologiens, de philosophes et de moralistes. Si, tout au long d'un grand épisode, la Raison fait entendre sa voix, c'est pour proclamer une doctrine faite de modération, de mépris des circonstances fortuites, où l'on reconnaît la leçon de l'Antiquité. Un autre passage essentiel, assez mal écrit d'ailleurs, est l'évocation de la forge de Nature, qui crée sans se lasser les êtres les plus divers, tandis que la Mort les guette pour les détruire et que l'Art s'efforce, en vain, de saisir ses secrets pour l'imiter. La confession de Nature est pleine d'une éloquence pathétique et qui fait image, elle décrit la vie permanente des espèces qui subsistent par-delà la disparition des individus, l'harmonie du monde astral, celle du monde terrestre qui n'est troublée que par la folie des hommes. Parfois, Jean de Meun atteint à l'ampleur, à la noblesse du *De natura rerum* — v. *De la nature* (*) de Lucrèce. C'est au nom de la nature qu'il s'indigne de l'ascétisme, des excès du renoncement, où il ne voit qu'hypocrisie, et dont il fait une satire âpre et truculente. C'est aussi parce qu'il lui semble aller contre les lois de nature qu'il condamne l'amour courtois (bien qu'il soit le thème de son œuvre) ; il n'a que mépris pour ses mièvreries. Pour lui, l'amour c'est l'amour charnel et les luttes qu'il entraîne, le combat sans merci de l'homme et de la femme. Jean de Meun n'est cependant pas un adversaire de la religion chrétienne ; mais, en pré-humaniste, il tente de concilier la sagesse des philosophes antiques et la morale de l'*Évangile*.

Ce n'est donc pas la variété qui manque à l'œuvre de Jean de Meun, il passe, avec aisance, des sommets de la philosophie à la satire la plus colorée et la plus cynique.

Ce qui surprend toujours lorsqu'on aborde *Le Roman de la Rose*, c'est qu'il soit œuvre d'humanistes, procédant de deux esprits bien différents et explicitant de manière exemplaire l'évolution des esprits. Le poème de Guillaume de Lorris est un art d'aimer, et si tout l'amour courtois, qui va bientôt disparaître, s'y exprime, il est déjà tout imbu des Anciens, d'Ovide en particulier ; celui de Jean de Meun est une encyclopédie, où l'auteur rassemble en nobles discours toutes les données de la science et de la philosophie, c'est aussi un ample poème cosmologique. Ainsi, chacun, dans son genre propre, a réuni tout ce qu'il était possible de rassembler sur deux sujets aussi importants ; mais alors que Guillaume de Lorris se tourne vers un passé qui bientôt n'existera plus, Jean de Meun entrevoit l'avenir et annonce le XVIe siècle humaniste. Par là, *Le Roman de la Rose*, œuvre la plus significative de tout le Moyen Âge français, se trouve situé au tournant que prit, entre ces deux dates extrêmes de composition, l'esprit français ; on y trouve, assez singulièrement réunis, deux courants de pensée qui sont en quelque sorte deux constantes principales de la littérature française. – *Le Roman de la Rose* a été édité par F. Lecoy (3 vol., Paris, Champion, 1965-1970) et traduit par A. Lanly (5 vol., Paris, Champion, 1971-1976).

ROMAN DE LA VIOLETTE ou de Gérard de Nevers. Roman d'aventures, en vers, du trouvère français Gerbert de Montreuil (XIIIe siècle). Le roman se bâtit sur le pari que fait un chevalier, le comte Lisiard de Forez, de séduire Euriaut, la dame aimée par le comte Gérard de Nevers, qui en a vanté la beauté et la fidélité. Lisiard découvre, au moyen d'un artifice, qu'Euriaut porte depuis la naissance sur son sein une marque, une violette, dont Gérard connaît seul l'existence : il se targue, sur cette preuve, d'avoir gagné son pari. Le roi Louis, à la cour duquel appartiennent les chevaliers, malgré la sympathie qu'il éprouve pour Gérard, est lui-même frappé par le récit de Lisiard. Gérard, le héros du roman, emmène sa dame dans la forêt et l'y abandonne. Il s'ensuit une longue série d'aventures. En dépit de leur séparation, les deux amants ne peuvent oublier leur amour. En vain, de nobles chevaliers offrent leur cœur à Euriaut ; de son côté, Gérard n'est détaché qu'en apparence de sa dame ; il parviendra à la fin du roman à la sauver du bûcher sur lequel elle va monter, condamnée sur une accusation mensongère. Gérard la défend ; sûr de son innocence, il soutient un duel, en est vainqueur et libère la dame. Il peut maintenant accuser Lisiard, cause première de leurs malheurs et de ses aventures ; il sort victorieux du duel et on célèbre enfin les noces des deux amants. Le *Roman de la Violette* développe des motifs qui se trouvent aussi en d'autres romans français, tel le *Roman de Guillaume de Dole* (*). Inspiré d'une tendance aristocratique, il représente, tout au moins en partie, la littérature de la haute société française à l'époque qui marque l'apogée de la civilisation médiévale. On y retrouve l'influence des romans de Chrétien de Troyes et particulièrement de *Yvain ou le Chevalier au Lion* (*) et, en quelques endroits, de certaines chansons de geste. Gerbert de Montreuil, en suivant l'usage introduit par Jean Renart avec son *Guillaume de Dole,* a inséré dans son poème de nombreuses chansons qui, bien connues des lecteurs, devaient ajouter à l'agrément du roman. Un grand nombre des personnages du roman sont historiques, bien que les noms soient souvent altérés : nobles chevaliers et dames célèbres de l'époque, intimes du roi Louis VIII. Le *Roman de la Violette,* l'un des plus caractéristiques parmi les romans d'aventures, est remarquable par la vivante représentation qu'il nous donne des coutumes du monde aristocratique de son temps. – Le *Roman de la Violette* a été édité par L. Buffrun (Paris, Société des anciens textes français, 1928) et adapté par G. Truc (Paris, 1931).

ROMAN DE LÉONARD DE VINCI (Le) ou la Résurrection des dieux [*Voskresšie Bogi,* litt. : *Les Dieux ressuscités*]. Roman que l'écrivain russe Dmitri Sergueïevitch Merejkovski (1865-1941) publia en 1902, et qui constitue la seconde partie de la trilogie : *Le Christ et l'Antéchrist* – v. *Julien l'Apostat* (*) – et *Pierre et Alexis* (*). Dans *Léonard de Vinci,* l'auteur reprend la thèse qu'il avait déjà soutenue dans *Julien l'Apostat,* à savoir qu'il est nécessaire de faire une synthèse du paganisme et du christianisme et de réconcilier en quelque sorte le bien et le mal. L'auteur propose, en fait de conciliateur, le personnage de Léonard de Vinci, et le représente au milieu des dieux anciens qui fêtent leur résurrection. Comme on l'avait déjà vu dans *Julien l'Apostat,* l'affabulation poétique s'appuie sur des éléments historiques assez fidèles. Le tableau de l'époque de la Renaissance et de la vie de Léonard, dans la multiplicité de ses formes, est parmi les plus réussis qu'ait jamais composés Merejkovski, encore qu'assez souvent la couleur l'emporte sur la ligne générale du dessin. Le Léonard qui guette avec curiosité les soubresauts des condamnés à mort, pour faire usage de ces observations dans son œuvre, n'est pas moins intéressant que le Léonard qui peint la « Cène » ; le Léonard qui travaille à la construction d'une machine qui lui permette de voler n'est pas d'une moindre envergure que le Léonard qui conçoit temples et palais. Mais, en dépit de toute la grandeur de cette époque, la Renaissance est seulement apparente ; les trésors de l'Antiquité finissent sur un bûcher, et c'est ainsi que périssent les meilleures créations de Léonard de Vinci, conçues suivant l'esprit d'un âge mythique. En bref, le monde latin fait échec à toute tentative d'unification, de réconciliation entre le christianisme et le paganisme. On retrouve ce thème cher à Merejkovski dans le personnage de Pierre le Grand — v. *Pierre et Alexis* (*). — Trad. Gallimard, 1926.

ROMAN DE MÉLUSINE. Roman français en prose de Jean d'Arras (XIVe siècle). Mélusine et ses sœurs, Palestine et Mélior, filles de la fée Pressine et de son mari Elinas, roi d'Albany (Écosse, en celtique), voulant châtier leur père qui a trahi son épouse, l'enferment dans une montagne du Northumberland d'où il ne pourra plus s'échapper. La fée, regrettant son époux, punit sévèrement ses filles. Mélior est enfermée au « chastel de l'Esprevier en la Grant Arménie », où elle devra entourer de ses soins un épervier dont la garde lui est confiée : elle pourra tout concéder aux preux chevaliers qui parviendront au château, sauf son amour. Palestine, enfermée dans une montagne de l'Aragon, devra garder le trésor de son père, jusqu'au jour où un chevalier de sa famille viendra la libérer. Mélusine, la plus coupable, subit le châtiment le plus dur : chaque samedi, la partie inférieure de son corps, à partir de la taille, se transforme en serpent. Si un chevalier accepte de l'épouser, en faisant serment de ne pas chercher à la voir en ce jour funeste, elle sera une femme heureuse. Mais manquerait-il une seule fois à son serment, elle serait condamnée à conserver sa forme horrible jusqu'au jour du Jugement universel : elle apparaîtra alors à tout homme de son lignage le jour où il sera près de mourir. Elle aura des fils, malgré tout ; et ils seront nobles et preux. Mélusine, par art de magie, attire à elle Raimondin, fils du roi des Bretons, qui fuit à travers la forêt, ayant tué sans le vouloir son oncle, le comte Almery de Poitiers. Elle lui prête assistance et elle l'amène à l'épouser. Des enfants naissent, fiers et courageux, mais chacun d'eux porte sur son visage un signe visible de l'infamie maternelle : l'un a sa joue marquée d'une patte de lion, un autre n'a qu'un seul œil, ou une dent de longueur démesurée, ou encore une tache velue qui dépare son nez. Grâce aux arts magiques de leur mère, ils connaissent une vie heureuse. Mélusine élève une merveilleuse forteresse, le château de Lusignan, et étend leur domaine sur le Poitou, la Guyenne, la Gascogne, la Bretagne. Mélusine a toujours paru à Raimondin un miracle de bonté ; elle élève ses enfants avec sagesse, elle leur forme une âme grande et généreuse. Mais, victime un jour du parjure de Raimondin qui a épié et découvert sa terrible transformation, elle disparaît en prenant la forme d'un serpent ailé. Son mari, repentant et désespéré, s'enferme dans un cloître. La légende veut que de Mélusine soit issue l'illustre lignée des Lusignan (Mère-Lusigne), alliée à un grand nombre de nobles familles, qui toutes se targuent de leur origine surnaturelle et de leur grande et malheureuse aïeule.

Au cours du XVe siècle, la version poétique du roman de Jean d'Arras, due à un certain Couldrette (*Le Livre de la vie de Mellusigne*), contribua considérablement à la diffusion de la légende qui fut bientôt connue en Angleterre comme en Allemagne. Déjà au XVe siècle, on trouve une première traduction allemande due à Thüring von Ringoltingen (1456). Un premier roman populaire, publié à Strasbourg en 1474, connut une grande faveur en Allemagne. Historiens et chroniqueurs, en remontant dans l'histoire de nombreuses familles, la rattachaient à la légende de Mélusine et en tiraient les conclusions qui leur plaisaient. Une simple ressemblance de noms était un prétexte suffisant : on refaisait les blasons et les armes.

Au XVIe siècle, Paracelse appelle les ondines du nom de Mélusines : filles du roi, désespérées de leurs péchés, elles dénaturent la fable traditionnelle ; transformées par le diable en spectres ou en monstres horrifiants : « On croit qu'elles vivent, dépourvues d'une âme raisonnable, en un corps fantastique, et qu'elles se nourrissent des éléments ; avec ceux-ci, elles s'évanouiront lors du Jugement dernier, sauf si elles épousent un homme. Cette union, seule, peut leur permettre de mourir d'une mort naturelle. » Mélusine, suivant la prédiction maternelle, devait apparaître sous sa forme de serpent, comme une messagère de mort, aux hommes de sa descendance. Jean d'Arras, à qui semble due cette légende, dit que Mélusine apparut au roi de Chypre trois jours avant son assassinat, qui eut lieu le 3 janvier 1369. Elle serait ensuite apparue aux défenseurs de la forteresse de Lusignan au cours de leurs luttes contre les Anglais. Une légende semblable vécut au Luxembourg : Siegfried, premier comte de Luxembourg, épouse une femme qui porte le nom de Mélusine et lui promet de ne pas essayer de la voir le samedi. Piqué de curiosité, il l'épie et la voit, avec horreur, changée partiellement en poisson. Depuis ce jour, la malheureuse revient de temps en temps au château, sur la margelle du puits ou sur la tour ronde qui porte son nom ; elle frappe trois coups aux maisons d'alentour, la veille du jour où la mort doit faire son œuvre.

On a essayé de donner à Mélusine une personnalité historique, en l'identifiant avec l'une ou l'autre des nombreuses nobles dames de l'époque. Jean d'Arras a voulu créer une œuvre divertissante à la fois et didactique, dans le goût de son temps : il y expose en effet les enseignements utiles pour la formation d'une élite de grands seigneurs. Le récit, vivant et pittoresque, donne une image intéressante de la société féodale. Le Roman de Mélusine a été édité par L. Stou (1932) et traduit par M. Perret, Stock, 1979.

★ À travers le remaniement de Thüring von Ringoltingen et les romans populaires qui en dérivèrent, l'histoire de la belle Mélusine devint l'un des thèmes préférés de la poésie allemande de l'époque romantique depuis Brentano (1778-1842) jusqu'à Grillparzer (1791-1872).

★ Wolfgang Goethe (1749-1832) s'inspira de la légende de Mélusine en écrivant son conte fantastique, *La Nouvelle Mélusine* [*Die neue Melusine*] ; conçu probablement dès l'époque de l'idylle de Sesenheim et composé certainement avant 1797, il ne fut publié que dans les *Années de voyage de Wilhelm Meister* (*). Goethe encadre la légende des grâces d'un décor XVIIIe siècle. Un jeune voyageur rencontre une dame mystérieuse, dont la beauté resplendissante n'est pas sans le séduire. Après un entretien rempli de coquetteries et d'esprit, elle lui confie une cassette qu'il devra garder précieusement, en la transportant d'étape en étape dans sa voiture. D'étranges petites clefs, les richesses que la cassette enferme, la promesse d'une prochaine visite de la belle inconnue augmentent le mystère et l'enchantement de la mission. Mais le jeune héros qui n'a rien de l'ascète, arrivé à une grande ville, se trouvant riche de l'argent inépuisable de la cassette, cède à toutes les tentations, mène joyeuse vie, passe de souper en souper ; la galanterie, le vin et le jeu finissent par lui attirer une affaire ; dangereusement blessé par son rival, il est transporté mourant à son hôtel. C'est alors que la mystérieuse dame apparaît à son chevet pour le soigner. Ils s'aiment et reprennent ensemble le voyage. Un jour, la belle inconnue disparaît ; et la nuit, dans l'obscurité de la voiture, son amant croit voir une lueur filtrer par les joints de la cassette. À travers une fente, il arrive à apercevoir une salle somptueusement meublée ; sa maîtresse, vivante, à n'en pas douter, mais réduite à des proportions minuscules, s'y promène, un livre à la main. Le jeune homme se sent devenir fou. Mais le lendemain, vers le soir, elle revient à lui, dans sa chambre ; elle se jette dans ses bras et lui raconte qu'elle est fille d'Eckwald, roi des nains. Elle lui retrace l'histoire mythique de ce peuple, auquel il fut donné le premier l'usage de la raison. Au fur et à mesure du progrès des hommes, les nains se sont faits toujours plus humbles ; ils tendent à diminuer et à disparaître comme toutes les choses d'ici-bas. Cela est d'autant plus vrai pour la famille royale qui a maintenu très pur le sang de la race. Il est donc permis à une princesse de chercher parmi les hommes un époux qui apporte un renouveau de vigueur à la race mourante. Mais l'homme choisi doit faire preuve de tempérance et de moralité. Le jeune homme, très épris, accepte de voir sa taille se réduire à celle de la princesse des nains. Dès lors, les noces peuvent être célébrées. Mais l'homme devenu nain, en dépit de son amour, se sent très malheureux ; il comprend pour la première fois « ce que les philosophes entendent par idéal ». L'idéal qu'il a de lui-même l'obsède même en rêve, où il se voit en géant. Il ne peut résister plus longtemps, et, jetant la bague magique qu'il porte sur lui, il redevient ce qu'il était. L'enchantement de la cassette est rompu, il la retrouve, encore pleine de monnaies ; il retrouve également sa voiture. Mais l'or et son voyage ont une fin, comme toute chose en ce bas monde. Tout le conte est traité d'une main légère, avec une fine et souriante ironie. La légende a inspiré aussi un beau roman, *Mélusine* (*), à Franz Hellens (1881-1972).

ROMAN DE MIRAUT, chien de chasse (Le). Récit de l'écrivain français Louis Pergaud (1882-1915), publié à Paris en 1914. On n'y retrouve pas les jeux mouvementés ni la verve scatologique de *La Guerre des boutons* (*) ; l'auteur ne se contente pas de peindre ses personnages, il vit en eux : ici c'est un couple de paysans que tourmente leur dissemblance. L'homme est indépendant, il aime la chasse, la forêt, ses mystères et ses pièges ; il s'accorde chaque joie possible, ne connaît que le moment présent et le vit selon son caprice. Au village, sa popularité est grande, on aime son humeur conciliante qui n'est pourtant qu'une expression de son indifférence. La femme, âprement créatrice, éprise des quelques biens dont elle enrichit son foyer, sévère à tout désordre, infatigable, investit tout son amour en travail, car le travail seul peut nourrir son espoir. Un jour, on leur fait présent d'un petit chien, bon chasseur, Miraut. Entre l'homme et la bête une affection profonde s'établit et mobilise l'agressivité de l'épouse. Et pourtant, d'indulgence en privilèges, Miraut prend en grandissant des libertés excessives, devient tueur de poules, braconnier. Il suscite tant d'ennuis qu'il faut s'en séparer, en le vendant à un homme riche du canton. C'est ici que le récit prend toute sa grandeur : car le chien exilé revient, retrouve, jour après jour, le chemin qui le ramène à la maison de son premier maître. On le renvoie, on le bat. Il revient. Le paysan est déchiré entre sa fidélité à la bête et l'obligation de s'en séparer. Le dernier chapitre, quand enfin le chien a compris qu'on ne veut plus de lui et qu'il hurle de faim et de douleur dans les bois pendant que l'homme et la femme tremblent en silence dans leur maison, introduit dans l'œuvre une qualité d'émotion inoubliable.

ROMAN DE RENART. Depuis le milieu du XIIe jusqu'à la fin du XIIIe siècle s'épanouit dans tout l'Occident, et surtout en France, une floraison de poèmes héroï-comiques, dont les personnages sont les animaux, non pas caractérisés génériquement comme dans les *Fables* (*), mais profondément individualisés, devenus des héros d'épopée ;

leurs aventures, leurs querelles, leurs démêlés sont plaisamment formés à l'image de la société des hommes. Le lien qui relie ces poèmes est leur héros principal, le goupil (« vulpes »), personnage d'une malice et d'une ruse extraordinaires, toujours prêt à une nouvelle fourberie, et ajoutant toujours la dérision aux dommages. Son prénom, Renard, devait se substituer dans la langue française au nom de l'espèce, ce qui témoigne de la faveur exceptionnelle dont le genre jouit et de sa vitalité profonde.

★ Le *Roman de Renart*, qui comprend un ensemble de très nombreux poèmes français, en vers octosyllabiques, pour la plupart anonymes, différents par leur époque, leur langage et leur valeur, totalisant plus de vingt-cinq mille vers, est le pendant populaire de la littérature épique et chevaleresque qui est essentiellement aristocratique. La question, longtemps controversée, des origines du *Roman de Renart*, cherchées dans la tradition orale ou dans la fable classique, a fait l'objet d'un important ouvrage de Lucien Foulet (*Le Roman de Renart*, 1914), étudiant les sources et la formation du *Roman* et établissant la chronologie des « branches » (appellation qui se trouve déjà dans les poèmes). C'est dans une ordonnance chronologique qu'il convient de grouper les quelque vingt-sept branches que nous possédons, afin de débrouiller un écheveau singulièrement compliqué. En effet, les différents poèmes nous ont été conservés sous forme de recueils remontant au XIIIe siècle, réunissant un certain nombre de branches en une succession variable, parfois soudées ensemble ou même insérées l'une dans l'autre, sans souci d'ordre chronologique, ni parfois d'ordre logique. Les premières branches connues remontent aux environs de 1175 ; les dernières ne se situent pas au-delà de 1250. Les poèmes ultérieurs, bien que le nom de Renart figure dans leur titre, n'en conservent que le personnage et ne font plus partie de son épopée.

Sources du *Roman de Renart*. – Presque tous les éléments principaux et de très nombreux épisodes du *Roman* se trouvent dans un poème latin, l'*Ysengrimus*, précédant d'un quart de siècle les premières branches connues. Quelques épisodes dérivent des Fables de Marie de France – v. *Ysopet* (*) –, ou d'autres recueils comme les *Romulus*, imitant les fables de l'Antiquité classique. Enfin, quelques éléments proviennent de la *Disciplina clericalis*, recueil de contes d'origine orientale, composé par un juif converti, Pierre Alphonse, au début du XIIe siècle. Son ouvrage, qui fut traduit plus tard en français (fin XIIe siècle), était fort répandu. Nous nous arrêterons plus en détail sur l'*Ysengrimus*, en raison de son importance.

Ysengrimus. – Poème en distiques latins, de Nivard, clerc flamand qui le composa en 1152 ; il comprend plus de six mille cinq cents vers, distribués en sept livres. Il en existe une rédaction abrégée, l'*Ysengrimus abbreviatus*, de six cent quatre-vingt-huit vers, qui a longtemps porté le nom d'*Ysengrimus* et où l'on croyait voir, à tort, une ébauche ayant précédé de plus de cinquante ans le poème lui-même, alors connu sous le nom de *Reinardus Vulpes*. Livre I : Rencontre d'Ysengrimus, le loup (du germanique « isan », fer, et « grim », masque ou casque) et de Reinardus, le goupil (du germanique « ragin », conseil, et « hart », dur ; bon au conseil) ; vol d'un bacon (jambon) que le loup mange seul, ne laissant à Reinardus que la corde qui l'attachait ; il s'excuse en alléguant les règles de son couvent. Reinardus fait pêcher Ysengrimus avec sa queue, qui reste prise dans la glace, et attire sur le malheureux le prêtre et ses ouailles en s'attaquant au coq de l'église. Livre II : Ysengrimus échappe à la mort, mais perd sa queue tranchée par un coup de hache. Rencontre d'Ysengrimus avec quatre béliers qui, par ruse, le surprennent et le laissent pour mort. Livre III : Le roi lion, Rufanus, tombé malade, est soigné par Ysengrimus qui tâche de perdre Reinardus absent. Mais celui-ci, survenu, s'improvise à son tour médecin et persuade le roi de faire écorcher Ysengrimus dont la peau le guérira. Livre IV : On lit au roi et à la Cour le poème composé par l'ours sur le pèlerinage entrepris pour la guérison du roi par Bertiliana la chèvre, Carcophas l'âne, Berfridus le bouc, Rearidus le cerf, Joseph le mouton, Gerardus le jars et Sprotinus le coq. Reinardus guide les pèlerins qui s'arrêtent la nuit en une auberge isolée. Ysengrimus demande l'hospitalité aux pèlerins effrayés. On l'épouvante à son tour en servant à table d'innombrables têtes de loups, alors que c'est toujours la même qui revient. Rossé par ses hôtes coalisés, il attaque l'auberge avec onze compagnons. Carcophas l'âne, voulant se mettre en sûreté sur le toit, tombe et écrase deux loups. Les pèlerins sont saufs, mais trouvent que le pèlerinage a assez duré et que la compagnie de Reinardus est dangereuse. Celui-ci retrouve Sprotinus le coq : en le poussant à imiter son père qui chantait si bien les yeux fermés, il le saisit et l'emporte. Mais le coq l'incite à répondre aux vilains qui le poursuivent et s'échappe ainsi des mâchoires desserrées. Livre V : Deuxième rencontre de Reinardus et du coq, perché sur un arbre. Reinardus demande à l'embrasser, car la paix générale est proclamée. Sprotinus se méfie et annonce à Reinardus l'arrivée de deux chiens ; le goupil détale, car, dit-il, ils ne connaissent peut-être pas la nouvelle. Il rencontre le cuisinier d'un couvent, qui le tonsure et lui donne des pâtés. Comme Reinardus en fait goûter à Ysengrimus, celui-ci décide de devenir moine. Tonsuré par le renard, il entre au couvent de Mont-Blandin, où on lui donne à garder les brebis. Cependant, Reinardus visite la tanière du loup, son compère, outrage ses petits et, poursuivi par la louve, regagne son terrier. La louve, emprisonnée dans l'entrée trop étroite, subit les derniers outrages, sous les yeux d'Ysengrimus qui a été chassé du couvent. En effet, les moines, après s'être esclaffés en l'entendant chanter « cominus ovis » pour « Dominus vobiscum » et « agne » pour « amen », l'ont trouvé au cellier ivre mort au milieu des fûts débondés. Ysengrimus libère sa femme ; violentes menaces du couple bafoué. Suit une aventure de Corvigarus le cheval avec la cigogne et ensuite avec Ysengrimus, à qui il décoche un terrible coup de pied sur le front. Livre VI : Au milieu d'aventures qui ne seront pas reprises dans le *Roman de Renart* figure la chasse de Reinardus et Ysengrimus avec Rufanus le lion, suivie d'un partage maladroit de la proie par le loup et du partage fait par le goupil, enseignant la façon d'agir envers les rois et les supérieurs. Livre VII : Le poème se termine par la funeste aventure d'Ysengrimus avec Salaura la truie. Il est tué et dévoré. Reinardus pleure sa mort. Nous retrouverons dans le *Roman de Renart* la plupart des épisodes de l'*Ysengrimus*. Non seulement la ressemblance des détails, mais, comme l'a observé Foulet, la concordance dans l'arbitraire du groupement des aventures, sont les meilleures preuves d'une filiation directe. L'esprit est tout autre : l'*Ysengrimus* est œuvre de clerc érudit et œuvre satirique. Le goupil et le loup, qui dans les fables sont simplement un goupil et un loup, sont ici « des clercs en rupture de cloître » (Foulet). Ils seront, dans les anciennes branches du *Roman de Renart*, « des chevaliers féodaux, et qui le savent ». – L'*Ysengrimus* a été édité par E. Voigt (Halle, 1884) et traduit par E. Charbonnier (Vienne, Verlag Karl M. Halosar, 1983).

Le **Roman de Renart.** – Les plus anciennes « branches », les meilleures, ont une fraîcheur, une vivacité, une spontanéité charmantes ; elles n'ont point d'autre but que celui de divertir. Les poètes s'amusent des tours pendables joués par Renart aux autres ou que les autres lui jouent, et leur récit alerte et simple, que les dialogues remplissent de vie, ne laisse point paraître d'intentions moralisatrices ni satiriques. De l'ensemble naît une prodigieuse parodie de la société féodale où l'on se gausse de tout, mais sans avoir l'air d'y toucher ; où tout est bafoué, la chevalerie comme la religion, les dames, les barons, les prêtres, les miracles, le noble et le vilain, mais avec un sens du comique, une sobriété d'expression et une légèreté de touche admirables. Toutes les branches n'ont pas les mêmes qualités, et souvent le poème s'alourdit, le sens de la mesure se perd. On ne connaît pas les noms des auteurs, hormis Perrot ou Pierre de Saint-Cloud, auteur présumé des deux plus anciennes branches, un certain Richard de Lison, et un « prêtre de la Croix-en-Brie », présumés auteurs de deux branches plus tardives (nous désignerons les branches par la numération qui leur est attribuée dans l'édition Ernest Martin : Strasbourg, 1882-1887). On peut séparer dans les branches anciennes deux groupes distincts de poèmes. Le premier groupe, composé entre 1170 et 1190 (ou peut-être seulement 1180), comprend les branches les plus intéressantes (II – V*a* – III – IV – XIV – I – X) : il apparaît comme la source d'où dérive le *Reinhart Fuchs* allemand (1180 env.) qui en est une sorte de traduction libre. Un second groupe, composé entre 1190 et 1205 environ, comprend les branches VI – XII – VIII – VII – XI – IX – XVI – XVII. Il est encore de beaux poèmes parmi celles-ci ; mais, déjà, dans nombre d'entre elles la vision se déforme, l'esprit se modifie. Une décadence se prépare, qui sera sensible dans la plupart des branches plus tardives (XIII – XXII – XXIII – XXV – XXVI – XVIII – XIX – XX – XXI).

PREMIÈRE PÉRIODE. – *Poème de Pierre de Saint-Cloud* (Br.II-V*a* ; 1174-1177 env.). « Seignor, oï avez maint conte », commence le poète, « de Pâris et Hélène, et de Tristan... et fables et chançons de geste..., mais onques n'oïstes la guerre... entre Renart et Isengrin. » Son héros nous est présenté en une suite d'aventures malheureuses qui campent bien son incorrigible nature de fripon retors. « Tout coiement, le col baissié », il rode autour de la ferme « (de) messires Coutenz des Noes – uns vilains qui mout iert garniz. » Chantecler le coq rabroue ses poules peureuses qui ont pressenti le danger ; il surveille néanmoins, « l'un oil ouvert et l'autre clous, l'un pié crampi et l'autre droit » ; puis il s'endort et fait un rêve prémonitoire, savamment expliqué par Pinte, sa poule préférée. Renart a laissé se calmer l'agitation. Il va enfin se jeter sur le coq qui s'est abandonné au sommeil, mais Chantecler l'esquive. Renart cherche comment l'« engingnier ». Il lui vante la voix de son père Chanteclins, qui se faisait entendre d'une lieue en chantant les yeux fermés. Piqué au vif, le coq chante, d'abord méfiant, ne fermant qu'un œil puis, imprudent, les deux yeux clos. Renart l'emporte dans sa gueule, poursuivi par la « bone feme dou mesnil » et les vilains qui l'injurient. Ne leur répondrez-vous point ? insinue le coq. Et Renart, desserrant les dents pour parler, perd sa proie qui, du haut d'un pommier, le nargue. Renart est resté sur sa faim ; ayant rencontré une mésange qui donne la becquée à ses petits, il va essayer de la duper. Il la prie de descendre l'embrasser. Dant Noble, le lion, a fait jurer la paix à tous les barons, explique-t-il. Mais dame Mésange se défie. Elle accepte pourtant de l'embrasser, s'il ferme les yeux. Et elle lui chatouille le museau d'une poignée de brindilles, en découvrant ainsi le traquenard. À deux reprises, elle berne le goupil, en une scène délicieuse, spirituellement dialoguée. Et voilà des chasseurs avec leurs chiens. Renart « trouse ses paniaus » et détale, poursuivi par les moqueries de la mésange : « Ce est la pes que disïez ? » La paix est jurée, dit Renart, mais ces chiens sont bien jeunes ; ils ne le savent peut-être pas encore. « Revenez m'embrasser ! » persifle la mésange. Renart fuit devant les chiens, et voilà un convers avec deux limiers en laisse ; il va les lancer sur lui. « Ne le faites pas », prie Renart. « Vos estes preudom et ermites, / ne devrioiz a nul endroit / a nul home tolir son droit. » Cette course est un pari « entre moi et ceste chienaille ». Le convers, sportif, le recommande à Dieu et à saint Julien. Sorti de danger, Renart rencontre Tibert le chat, seul et sans escorte. Le poète précise son dessin, et le dialogue est bien celui de deux barons du roi Noble, s'alliant, en dépit d'anciennes querelles, pour la guerre que Renart fera à Isengrin. Puis les deux chevaliers se défient à la course et Renart essaie de mener Tibert sur un piège qu'il connaît : mais Tibert est malin ; il esquive le piège et y fait prendre son rival. Sauvé à grand-peine des vilains qui surviennent, Renart traîne sa fatigue, ses blessures et sa faim jusqu'à un arbre près de la rivière. Il s'endort. Le matin vient ; et sur l'arbre Tiecelin le corbeau s'apprête à déguster le fromage volé dans une ferme voisine où on l'avait mis « soleiller ». Distrait par les flatteries de Renart, Tiecelin, qui tient « le bon formache entre ses piez », le taisse tomber. Renart n'a garde de le prendre. Il se plaint de l'odeur. Que Tiecelin veuille bien venir l'ôter de sous le nez du pauvre blessé !... Tiecelin, malgré sa méfiance, manque d'être happé et y laisse quelques plumes. Croassant son indignation, il jure bien ne plus se laisser prendre, et Renart passe sa faim sur le fromage. Ragaillardi, flânant dans la forêt, il découvre la tanière d'Isengrin. Dame Hersent, la louve, qui allaite sa couvée, ne lui fait pas mauvais accueil. « Pourquoi ne vient-il jamais voir sa commère » ? C'est qu'Isengrin, le connétable, le hait et l'épie : il raconte partout que Renart aime d'amour Hersent. Elle se fâche. Puisque, innocente, on l'accuse, mieux vaut être coupable. Et Renart profite de sa ruse. Après quoi, assuré du silence de sa complice, il insulte et maltraite les louveteaux, pille les provisions et déguerpit. Les fils d'Isengrin, malgré les recommandations d'Hersent, racontent tout à leur père qui revient de la chasse. Hersent nie ; elle se déclare prête à en faire la preuve par serment. Isengrin ne sait plus que penser. Il fait jurer à sa femme de châtier sans merci Renart si l'occasion se présente. Renart fuit jusqu'à son terrier, Isengrin s'égare dans la poursuite, Hersent s'engouffre derrière le goupil dans l'entrée de la tanière, où elle reste prise comme dans un étau. Renart, ressorti sans doute par une autre issue, profite de la situation en se gaussant de sa complice, cette fois, involontaire. Le pauvre Isengrin, survenant, ne peut plus douter de son malheur. Et le rival le berne, en soutenant — à prudente distance — qu'il aidait Hersent à sortir du mauvais pas. Isengrin libère sa femme à grand-peine.

Br. V*a* (1174-1177 env.). — Hersent, après avoir essuyé les reproches et les injures d'Isengrin, a une idée. Pourquoi ne pas porter la chose « a la cort Nobles le lion » où se tiennent les plaids et se rend la justice ? Voilà les époux en voyage vers la cour du roi Noble. Le plaid commence : Hersent se disculpe de son mieux ; son mari porte plainte. « Isengrin a son claim finé / et li lion son chief cliné / si commence un poi a sourire... » Mais il fera justice, encore que l'on puisse admettre des circonstances atténuantes si Renart a agi par amour. Noble demande l'avis de Musart le chameau, légat du pape, qui, en une docte oraison mélangée de latin, de français et d'italien — car il est lombard —, conclut à la nécessité d'une punition si la faute est prouvée. La Cour délibère, et, ayant écarté juridiquement l'opportunité d'un jugement, remet la question à un arbitre. La discussion a montré qu'Isengrin n'est pas seul à se plaindre du malfaisant seigneur de Maupertuis. On évoque les « renardies » que nous connaissons déjà. Grimbert le taisson (blaireau), cousin et défenseur de Renart, amènera celui-ci à la Cour. Dimanche, après la messe, les deux adversaires se présenteront à Roonel le mâtin, chargé d'arbitrer le conflit. Mais Isengrin va voir l'arbitre en secret, le gagne à sa cause, le complot s'ourdit. Le dimanche la Cour se rassemble, les deux partis se groupent. Mais voilà du nouveau : Roonel le mâtin, hélas, n'est plus ; son corps gît dans un fossé. Isengrin soudain déclare qu'un serment lui suffira. Que Renart jure son innocence sur les « corps saints » ! Quelle relique peut mieux convenir que la dent de Roonel, ce saint homme ? On va au fossé. Brichemer le cerf, sénéchal, lit la formule du serment. Mais Renart a vu bouger le nouveau saint. Et, s'élançant parmi la foule, il fuit vers Maupertuis. Roonel est à ses trousses, toute une meute de dogues derrière lui, quarante féroces « gaignons » qu'il a postés, prévoyant aux alentours, Heurtevilain, Passe avant, Escorchelande li barbez, Outrelevriers, Violez li malflorez ; d'autres coupent la route au fugitif. La poursuite est épique, digne d'une chanson de geste. Perdant le sang de ses blessures, le baron traqué fond sur son château, le gagne, s'y enferme, nargue ses ennemis impuissants. — Ce court résumé ne peut donner qu'une faible idée de la saveur du poème de Pierre de Saint-Cloud. Ses croquis un peu secs, mais vivants et justes, la verve de ses dialogues, l'adresse de la progression qui, en partant de la fable, nous fait accepter cet étonnant monde d'animaux, grands seigneurs et grandes dames, qui restent pourtant des animaux ; tout cela est impossible à rendre. Musart le chameau ridiculise peut-être Pierre de Pavie, légat du pape Alexandre III, venu mettre la paix entre Charles VII (qui serait donc le roi Noble) et Henri II d'Angleterre. Les contemporains ont dû s'amuser de nombreuses allusions qui ont perdu, pour nous, leur sel.

Additions et branches indépendantes de la première période (1175-1190). — Le poème de Pierre de Saint-Cloud dut rencontrer tout de suite le succès, ce qui explique le grand nombre de branches de la même époque et d'auteurs différents qui se forment autour du poème primitif et que parfois les copistes des manuscrits que nous possédons ont intercalées dans l'œuvre de Pierre de Saint-Cloud au moyen de raccords malhabiles : c'est le cas des branches V et XV. D'autres sont restées indépendantes (Br. III et Br. IV). Déjà commencent les imitations, reprenant les thèmes connus et y ajoutant de nouveaux épisodes : c'est le cas de la Br. XIV. Toujours à la même époque, un poète, dont malheureusement le nom n'est pas connu, donnait une suite excellente au poème de Pierre de Saint-Cloud : c'est la Br. I (*Le Plaid*). Ensuite les imitateurs et les continuateurs se multiplient. Nous ne résumerons brièvement que *Le Plaid*, nous contentant d'indiquer le sujet des autres branches. – Branche V (1175-1177 env.) : Renart vole un bacon (jambon) qui est mangé par Isengrin (imité d'*Ysengrimus*). Renart et le grillon : ce deuxième épisode est probablement imaginé par l'auteur qui se révèle très inférieur à Pierre de Saint-Cloud. – Branche XV (même époque ?) : Renart trouve une andouille que Tibert emporte et qu'il va manger au sommet d'une croix en narguant son compagnon. Aventure de Tibert et des deux prêtres qui convoitent sa fourrure. Le poème rappelle la manière de Pierre de Saint-Cloud, ce qui explique qu'il ait été introduit souvent dans la Br. II, entre l'épisode de Renart et Tibert et celui de Renart et Tiecelin. – Branche III (1178 env.) : Renart vole les anguilles aux charretiers en faisant le mort. Isengrin, qui en goûte, accepte de se faire moine. Renart le tonsure à l'eau bouillante, puis le fait pêcher avec sa queue qui reste prise dans la glace. Isengrin est rossé et perd sa queue (*Ysengrimus* L. I-II). Comme la Br. IV qui suit, c'est plutôt un conte isolé qu'un prolongement du *Roman*. L'aisance du récit, sa finesse d'observation, ses dialogues alertes et spirituels, ses paysages dessinés d'un trait en font l'une des branches les plus intéressantes. – Branche IV (1178 env.) : Renart, la nuit, prenant son propre reflet dans l'eau du puits d'un couvent pour Hermeline sa femme, entre dans l'un des seaux et dégringole au fond. Isengrin survient et, abusé par la même méprise, croit voir Renart avec Hersent. Renard prétend être mort et au Paradis. Alléché par ses descriptions, Isengrin entre dans l'autre seau et, plus lourd, il fait remonter, en descendant, le seau où est Renart, qui s'enfuit. Quand les moines viennent tirer l'eau du puits, ils assomment Isengrin à coups de bâtons et de chandeliers. Le conte, très agréablement tourné, se trouve ébauché dans les fables classiques, et presque tel qu'ici dans la *Disciplina clericalis*. – Branche XIV (1178 env.) : Renart, Tibert, et le lait dans la huche. Remaniement de l'épisode de Chantecler. Aventures de Renart et Primaut, frère d'Isengrin, au moustier, où ils s'enivrent, disent la messe, sonnent les cloches et ameutent le village. Primaut répète, sur le conseil de Renart, le vol des poissons aux charretiers. Primaut, mené par Renart voler les bacons du vilain, ne passe plus, repu, par le trou d'entrée. Primaut, les oisons gras et les chiens. Toujours rossé, il châtie Renart, puis fait la paix. Renart le fait jurer sur son corps saint qui est un piège et l'y laisse comme parjure. Dans l'ensemble, la branche est inférieure aux précédentes.

Une suite au poème de Pierre de Saint-Cloud : **Le Plaid** (Br. I : env. 1180). – L'auteur inconnu de la Br. I écrit quelques années à peine après Pierre de Saint-Cloud. Moins parfaite peut-être dans son ensemble que le poème de celui-ci, la Br. I contient quelques scènes parmi les meilleures de tout le *Roman de Renart*. C'est la mieux construite de toutes les branches, la plus connue, et aussi la plus imitée (à partir du Hollandais Willem dès le XIIIe siècle, jusqu'à Goethe, au siècle dernier). Les personnages du *Plaid* sont étonnants de vie, dessinés avec la sûreté de main, la sobriété de moyens du grand artiste. Une véritable comédie se joue devant nous, aux reparties malicieuses, intelligentes, justes, aux multiples rebondissements, à l'ironie légère. Et, comme chez Pierre de Saint-Cloud, nous nous émerveillons du miracle d'équilibre entre ce monde humain fantastique et de ce monde animal réel, fondus et enchevêtrés en un contrepoint savant. Le poète reprend le récit où Perrot l'a interrompu. Renart ayant esquivé le serment, la querelle reste entière entre lui et Isengrin. Le roi a réuni une fois sa Cour, et Isengrin réclame justice contre l'adultère. « Isangrin, laissiez ce ester : / vos n'i porriez riens conquester / a ramentevoir vostre honte. » C'est un malheur qui arrive à tout le monde, même aux rois. Mais les ennemis de Renart s'insurgent, Brun l'ours, Bruianz le taureau. Dame Hersent, en soupirant, rougissante, se déclare prête à prouver par l'eau chaude, par le feu, son serment d'innocence. Le concile demande le jugement. Le roi Noble hésite encore. Pourquoi Isengrin n'accepterait-il pas le serment proposé par sa femme ? Isengrin n'en veut pas. Et si elle était brûlée ? Il se vengera donc lui-même, et cela ne tardera pas. Noble se fâche : la paix est jurée. Gare à qui l'enfreindra. Isengrin ne sait plus que faire. La partie semble gagnée pour Renart. Mais un cortège s'approche. Chantecler, Dame Pinte, « et Rouse et Noire et la Blanchette / atraînent une charroite / ennoree d'une cortine : / dedanz gisoit une geline ». Dame Pinte exhale sa douleur : cinq frères et cinq sœurs, elle avait, que Renart a mangés. Pinte s'évanouit, imitée par ses compagnes. Émoi. Les barons se lèvent de leurs sièges. Chantecler pleure aux pieds du roi. Sire Noble pousse un soupir royal : le monde en tremble ; Coarz le lièvre en prend les fièvres pour quatre jours. Qu'on enterre Dame Coupée en grande pompe ; qu'on lui élève un tombeau en marbre. Les cérémonies finies, Renart sera mandé à la Cour et grande vengeance en sera prise. Brun est dépêché au château de Maupertuis. Entre-temps les choses empirent pour le malfaisant baron : Dame Coupée, la martyre, fait des miracles ! Coarz le lièvre s'est guéri de ses fièvres en couchant sur le tombeau ; Isengrin, conseillé par Roonel le mâtin, saute sur l'occasion, se plaint de mal d'oreille, couche sur la dalle miraculeuse et se déclare guéri. Cependant Brun est arrivé à Maupertuis ; il transmet le commandement du roi. Renart n'a qu'une idée : quel mauvais tour jouer à l'ours ? Il jette nonchalamment : Je devais en effet aller à la Cour, mais non sans avoir bien déjeuné. À la Cour, il faut être « riche home » pour être bien traité ; un « povres hom » comme lui « ne siet a feu, ne siet a table », on lui mesure ce qu'il mange et ce qu'il boit. Aussi, en réfléchissant à ses malheurs, il a fait honneur à son miel nouveau. — Miel ? Le pauvre Brun donne dans le panneau. Il rentrera à la Cour, la peau du museau et des pattes arrachée par l'étau du tronc à moitié fendu dont Renart enlève perfidement les coins, pendant que Brun cherche le miel promis. Roué de coups par Lanfroi le forestier et les vilains, il devra encore subir, en passant devant Maupertuis, les railleries de Renart se plaignant d'avoir été frustré de sa part de miel. La colère du roi est terrible. Plus de miséricorde ! Que Tibert aille enjoindre au sinistre baron de se présenter sans retard : il peut se dispenser d'apporter or ou argent ; seule la corde pour se faire pendre ! Tibert n'en mène pas large. Il met des ménagements dans son ambassade. Mais Renart l'accueille avec une rondeur, une bonhomie charmantes. À plus tard les affaires sérieuses ! Parlons chasse. Parlons ripailles. Tibert se tirera avec peine de l'aventure où il est entraîné dans la maison d'un prêtre des environs. Quand il rend compte à la Cour de son échec, le ressentiment du roi se tourne sur Grimbert le blaireau, cousin et défenseur de Renart. Grimbert ira bien chercher son cousin : mais point sans avoir le sceau du roi. C'est juste, reconnaît Noble. Muni du message avec le sceau royal, Grimbert part. Les deux cousins se font fête. Le sage Grimbert attend d'avoir dîné pour remettre son pli. Cette fois le baron tremble. Plus de merci. Il se sent perdu. Il se confesse à Grimbert de tous ses méfaits, ceux que nous connaissons, d'autres que nous ignorions. Il jure de s'amender, et Grimbert l'absout, « moitié romanz, moitié latin ». Le ton devient épique dans les adieux du baron à ses enfants, dans la prière qu'il adresse à Dieu en quittant son manoir. Le baron et son conseil prennent la route. Voilà un couvent de nonnains ; Renart propose de visiter le poulailler. Ayant écouté les sages remontrances de Grimbert, il ne manquera pas toutefois de tendre le cou vers les gélines avec regret. Mais le « haut baron » reparaît, et avec quelle grandeur, dans la défense de Renart devant la Cour, tour à tour hautaine, cynique, habile et nuancée, ne dédaignant pas dans sa péroraison la corde de l'émotion, tout en terminant sur un dernier défi. Rien n'y fait ; avant même que Grimbert ait fini de plaider, Isengrin se lève, tout le Conseil le suit. « Renart li rous fremist et tranble : / bien set que sa mort est jurée. » « Or vodroit estre a Maupertuis » en son bon château aux fortes défenses ! Les barons discutent ; une plaisanterie de Sire Belin le mouton, sur les mésaventures d'Isengrin qu'il n'aime guère, est vertement rabrouée par Bruianz le taureau. C'est fini. « Tuit escrïent : Or a la hart ! / que nos pandromes ja Renart ! » « Et Renart ot les iaux bandez. / Or l'en mainent as forches pandre, / ha ! las, qu'il ne se puet desfandre ! » Grimbert tente la dernière chance : que l'on fasse grâce de la vie à Renart, et il prendra la croix... Le roi se laisse fléchir ; les ennemis de Renart écument. La croix est apportée, avec l'écharpe et le bourdon. La reine, « Madame Fiere l'orgeillose », se recommande aux prières du nouveau croisé qui lui demande en don son anneau ; il le passe à son doigt ; il prend congé du roi et éperonne son cheval... Découvrant Coarz derrière une haie, il l'empoigne, l'entraîne, le brocarde. Du haut de la colline qui surplombe l'assemblée encore agitée, le baron rebelle arrache furieusement ses enseignes de croisé, les jette vers le roi avec de sanglants outrages ; Coarz en a profité pour se sauver. Le roi Noble met le félon hors la loi ; les barons se lèvent en grande rumeur ; la poursuite s'engage (qui a moins d'allure que le final de la Br. V*a*). Encore une fois, Renart parvient, blessé mais sauf, à gagner « son bon chastel et son donjon », où sa femme et ses enfants l'entourent, lavent ses plaies, le baignent, le soignent, sans oublier de lui servir un fin morceau de géline pour son dîner.

Imitateurs et continuateurs du Plaid. — *Le Plaid* suscita immédiatement des imitations, non seulement les Branches I*a* et I*b*, qui sont placées à la suite de la Br. I dans les Ms. du *Roman de Renart*, mais encore les Branches VI et X, et beaucoup plus tard la Br. XXIII. Une branche franco-italienne, la Br. XXVII, est également inspirée des branches I et V*a*. Branche I*a* (env. 1180) : très inférieure à ses modèles. Siège de Maupertuis, Viol de la Lionne, Capture de Renart, relâché grâce à la rançon apportée par Hermeline, repris ensuite à l'arrivée du convoi funèbre de Pelez le rat (pâle reflet du cortège de Dame Coupée). Renart fuit en blessant le roi. — Branche I*b* (env. 1180) : meilleure que la Br. I*a*, mais sans atteindre à la maîtrise du poème de Pierre de Saint-Cloud ou du *Plaid*, ni des Br. III et IV. Renart et le teinturier. Mariage d'Hermeline avec Poincet le blaireau, cousin de Grimbert, et vengeance de Renart, déguisé en joueur de vielle anglais. — Branche X (entre 1180 et 1190) : imitation de la Br. I, dans l'ensemble peu intéressante. Missions malheureuses de Roonel et de Brichemer. Maladie du roi. Pour le guérir, Renart demande la peau d'Isengrin et de Tibert et une partie de celle de Brichemer avec l'une de ses cornes ; Tibert arrive à sauter par la fenêtre, les deux autres sont écorchés. La deuxième partie provient de l'*Ysengrimus*, L.III. — Branche VI (env. 1190) : la première partie est calquée sur les branches antérieures. Le plaid ; missions de Brun et de Tibert ; Dame Pinte ; aventure de Renart avec Chantecler, Mésange, Tiecelin, Isengrin (pêche à la queue). Puis, duel judiciaire Renart-Isengrin ; Renart succombe et serait pendu sans l'intervention d'un bon moine. Loin de manquer de talent, l'auteur n'a pas l'envergure cependant de Perrot : le dessin est chargé, comme déjà dans la Br. X, et tourne à la caricature.

DEUXIÈME PÉRIODE (1190-1205 env.). — Les recueils du début du XIIIe siècle que nous possédons comprennent sept autres branches. Les épisodes sont imités des branches de la première période, ou bien pris dans la matière non encore utilisée d'*Ysengrimus*, ou tirés de *Disciplina clericalis*. Branche XII (1190 env.) : nous connaissons le nom de l'auteur, Richard de Lison, peut-être un clerc, car il connaît fort bien les choses de l'Église ; il en plaisante allègrement, mais sans méchanceté. Il reprend les motifs déjà vus en Br. XV et Br. XIV, mais avec un esprit plus satirique. Son poème est l'un des meilleurs de cette période, avec la Branche IX. — Branche VIII (env. 1190) : Pèlerinage de Renart avec Bernard l'âne et Belin le bouc. Bataille contre Primaut et ses compagnons, gagnée grâce à la chute de l'âne et du bouc, qui écrase les loups. Sujet tiré d'*Ysengrimus*, L.IV. Récit vivant et spirituel. — Branche VII (env. 1195-1200) : Renart, bloqué par l'inondation sur une meule de foin, se confesse à Hubert l'escoufle, et finit par croquer son confesseur. Cette Branche, éhontée comme le plus grossier des fabliaux, est, d'après Foulet, l'œuvre d'un clerc, et d'un clerc défroqué ! — Branche XI (env. 1196-1200) : Renart mange les petits de Drouin le moineau. Chasse au faucon. Faux bruits de la mort de Noble. Renart épouse la Lionne et se proclame empereur. Mauvaise parodie des romans de chevalerie, outrée et gauche. — Branche IX (env. 1200) : l'auteur nous est connu comme « le prêtre de la Croix-en-Brie ». Ce n'est plus ici le monde des barons du Roi Noble ; l'auteur nous décrit, avec des touches précises et justes, la vie du village, les coutumes rustiques, la maison d'un vilain cossu, Liétard, qui a menacé l'un de ses bœufs de le livrer à l'ours. Renart sauve à Liétard son bœuf que Brun réclame ; il obtient le coq promis, après diverses aventures, en menaçant le vilain de le dénoncer au comte Thibaut pour avoir tué l'ours. Le sujet est tiré de *Disciplina clericalis*. — Branche XVI (env. 1202) : Renart et Isengrin chassent avec le Roi Noble. Renart partage habilement la proie, de façon à satisfaire le Lion. Le sujet est tiré directement d'*Ysengrimus*, L.VI. — Branche XVII (env. 1205) : Ayant tout perdu au jeu des échecs, victime d'un dernier pari, Renart passe pour mort. Pendant les funérailles, le faux mort happe Chantecler, porteur de l'encensoir, et disparaît. Joyeuse parodie des choses de l'Église, pleine de verve et pétillante de malice.

Décadence du Roman de Renart (1205 à 1250 env.). — On compte encore une dizaine de branches plus tardives, en général sans grand intérêt, qui peuvent se classer en deux genres différents : ce sont de longs poèmes, remaniant les épisodes connus et y ajoutant par-ci par-là quelques éléments nouveaux ; ou bien des récits isolés qui s'approchent plutôt de la fable ou du fabliau. On peut comprendre dans le premier groupe : Branche XIII. Le début en est original : Chassé par un châtelain, Renart échappe aux recherches, caché au milieu des dépouilles de goupils pendues au plafond de la salle du château. Ensuite le poème répète des épisodes connus (Renart « enseigne » la corneille sur la meule de foin et vole la barque du vilain ; teint en noir et sous le nom de Chufflet, il trompe Isengrin et abuse d'Hersent, etc.). — Branche XXII : Renart se venge des ravages faits par ses associés Brichemer, Chantecler et Isengrin dans un champ labouré en commun, en les faisant cruellement mutiler au profit du roi, par une ruse imitée de celle de la Br. X (le roi malade). — Branche XXIII : c'est une reprise du *Plaid*. Accusations d'Isengrin, de Brun, de Tibert, de Chantecler, de Pinte. Renart échappe à la pendaison en offrant à Noble la fille du roi Yvoris. Il apprend la magie à Tolède et s'en sert pour se venger de ses ennemis. — Branche XXIV : Création des animaux, issus de la mer aux coups frappés sur les flots par Adam (animaux domestiques) et par Ève (animaux sauvages, parmi lesquels Isengrin et Renart, son neveu). Premier tour joué par Renart à son oncle, en lui volant ses bacons (jambons) et en feignant de croire qu'il se lamente d'un vol imaginaire. Ces « Enfances Renart », quoique chronologiquement tardives et artistiquement médiocres (sauf l'épisode très spirituellement conté des bacons), furent introduites par tout un groupe de Ms., entre le prologue du Poème de Perrot et le viol d'Hersent, et placées en tête du recueil.

Le deuxième groupe comprend : Branche XXV. Renart déjoue la prudence de Pinçart le héron, en jetant au fil de l'eau d'innocents paquets d'ajoncs ; caché dans le troisième, il emporte sa victime. Meule de foin, inondation et vol du bateau du vilain. — Branche XXVI : Renart trouve Tibert le chat, Roux l'écureuil, Blanche l'hermine et Frémont la fourmi jouant une andouille à la marelle. Fuite générale. Tibert grimpe avec l'andouille sur une croix. Mais, distrait par Renart et sa souris imaginaire, il laisse tomber sa proie. — Renart n'apparaît pas dans les branches suivantes, succession d'aventures dont Isengrin est le héros principal. Branche XVIII : Isengrin se sauve du piège creusé par le prêtre Martin, en bondissant sur la tête du prêtre tombé à son tour dans la fosse. Sujet pris dans un court poème latin du XIe siècle, *Sacerdos et lupus*. — Branche XIX : Isengrin s'offrant d'enlever l'épine du pied de Rainsent la jument, celle-ci lui décoche un magistral coup de pied et se sauve au galop de son dangereux médecin. Dans *Romulus*, on trouve une scène semblable (« Le Cheval et le Lion ») ; l'épisode existe aussi dans l'*Ysengrimus*, L.V. – Branche XX : Isengrin renversé et rompu par les deux béliers Bernard et Belin dont il arbitre le différend en jugeant la rapidité de leur course. L'épisode vient directement d'*Ysengrimus*, L.II (où deux des quatre béliers s'appellent comme ici Bernardus et Belinus). – Branche XXI : court fabliau de cent soixante vers, naïf et grossier. Isengrin, l'ours Patou et un vilain décident que le bacon trouvé sur le chemin appartiendra au gagnant d'une singulière exhibition. Dame Ame, prenant la place de son mari, sort victorieuse du concours. – On pourra lire le *Roman de Renart* dans les éd. d'E. Martin (3 vol., Paris-Strasbourg, 1882-1887), de M. Roques (6 vol., Paris, Champion, 1951-1963) et de N. Harano, N. Fukumoto et S. Suzuki (2 vol., Tokyo, France Tosho, 1983-1985) ; dans les traductions de M. de Combarieu et J. Subrenat (Paris, 10/18, 1981), de J. Dufournet et A. Méline (Paris, Garnier-Flammarion, 1985) ; dans les adaptations de P. Paris (Paris, 1861), de M. Genevoix (Paris, 1958) et d'A. M. Schmidt (Paris, 1963).

★ Rédactions franco-italiennes du XIIIe siècle. – Deux manuscrits (*g* et *i*), que G. Paris et L. Sudre tenaient pour très anciens et que Foulet date du milieu de XIIIe siècle, présentent des fragments du *Roman de Renart*, en un singulier langage à mi-chemin entre le français et l'italien. Le plus important, où l'on avait cru voir le remaniement d'un original perdu, antérieur à I-V*a*, semble être au contraire une libre version de ces branches. Il forme la Branche XXVII.

★ Poèmes de la fin du XIIIe et du XIVe siècle. – L'esprit des poèmes s'est modifié entièrement avec le temps ; le souffle épique de la première période, animant cette bouffonne représentation de toute la société féodale, s'est épuisé ; l'épopée parodique dégénère dans la caricature ou dans le fabliau – v. *Fabliaux* (*). D'autre part, la moquerie souriante, daubant sur tout et sur tous, est devenue satire ; l'allégorie va s'introduire dans les poèmes qui continuent de faire de Renart leur héros : Renart devient l'incarnation du mal. Ce n'est plus le *Roman de Renart*. Nous ne ferons que citer : *Renart couronné* (env. 1260-1268), poème satirique de Philippe de Novare. – *Renart le Bestourné* (env. 1261-1270) de Rutebeuf, poème allégorique et satirique, montre le roi Noble qui a abandonné l'autorité aux ordres religieux, symbolisés par Renart, ce qui mène le royaume à la ruine. – *Le Couronnement Renart*, d'un poète flamand dont le nom n'est pas connu, reprend vers la même époque le sujet et les idées de Rutebeuf : Renart, successeur du Roi Noble, est impitoyable avec les humbles, servile avec les puissants. – *Renart le Nouvel* (1289), poème de Jacquemart Gielée, de Lille, flétrit la « renardie » dominant le monde ; il présente quelques parties charmantes, dignes des anciennes branches, mais il est alourdi par les allégories et les digressions morales et satiriques. – *Renart le Contrefait* enfin (env. 1319-1342), d'un poète anonyme du nord de la France, est une vaste chronique encyclopédique, où la satire se mêle à l'érudition et aux allégories ; Renart devient un étrange personnage moralisateur, très éloigné de son modèle ancien. On lira les éditions, pour *Renart le Bestourné*, d'E. Faral et J. Bastin (Paris, Picard, 1959-1960) ; pour *Le Couronnement de Renart*, d'A. Foulet (Paris-Princeton, 1929) ; pour *Renart le Nouvel*, de H. Roussel (Paris, Société des anciens textes français, 1961) ; pour *Renart le Contrefait*, de G. Raynaud et H. Lemaître (Paris, 1914).

★ Le *Roman de Renart* trouve dès les débuts une large diffusion en dehors de la France et suscite des imitations ou des traductions. *Reinhart Fuchs* [*Renart le Goupil*] ou encore *Isengrinus Nöt* [*Le Malheur d'Isengrin*] de l'Alsacien Heinrich der Glichezaere, écrit vers 1180, dans le mètre habituel des poèmes allemands du Moyen Âge, le vers de quatre mesures, nous est parvenu seulement en partie dans sa rédaction originale (685 vers, soit environ un tiers du poème). Le restant appartient à un remaniement ultérieur. Considéré longtemps comme le chaînon reliant les plus anciens Ms. français à un hypothétique original perdu, antérieur au XIIe siècle, il semble être au contraire une traduction libre de nos premières branches. Foulet a montré la concordance précise des cinq premières aventures du *Reinhart Fuchs* original avec les branches françaises (Renart et Chantecler ; Renart et Mésange ; Renart et Tiecelin ; Aventure de chasse ; Renart et Tibert). Dans ces premières aventures, le héros joue de malchance. Il s'allie ensuite au loup, qui est toujours victime de ses ruses (Aventures VI-XVI). Vrevel le lion, qui a mal à la tête et croit que le Ciel le punit de sa négligence dans l'administration de la justice, réunit le conseil des animaux. Seul le goupil est absent, et on l'accuse de tous les méfaits ; il est condamné. Échec des missions de l'ours et du chat ; succès du blaireau. Renart offre au roi de le guérir et demande la peau du loup, celle de l'ours, etc. Tous les animaux visés s'enfuient. Seuls les amis de Renart restent auprès du roi qui, guéri, met l'éléphant à la tête du royaume de Bohême d'où il sera bientôt chassé, élève le chameau à la dignité d'abbesse du couvent d'Erstein d'où les nonnes le précipiteront dans le Rhin. Renart finit par empoisonner le roi lui-même, et avec le blaireau, seul survivant, il retourne à Maupertuis. Tout le poème est une violente satire du clergé et de la vie de Cour. Vrevel, « Seigneur sans Dieu », régnant par la terreur, cache peut-être Frédéric Ier Barberousse. Mais les faibles, qu'il opprime, parviennent à se venger. La chevalerie et l'amour – éléments principaux de la civilisation « courtoise » – sont parodiés. L'astuce et la fourberie dominent le monde ; le rire railleur du « bon Reinhart », revenant impuni et triomphant à son château, est la digne conclusion du premier grand poème satirique allemand.

★ Vers 1250, le poète néerlandais Willem remania librement *Le Plaid*, dans son *Reinaert* qui suit assez fidèlement la Br. I jusqu'à la condamnation du goupil ; celui-ci sauve sa vie en prétendant connaître un trésor caché. Reinaert exprime le désir d'aller à Rome en pèlerinage et part en compagnie du bouc et du lièvre ; en passant à Maupertuis, il fait du lièvre son dîner et celui des siens et charge le bouc de rapporter la tête de sa victime au roi lion.

★ Le *Reinaert* de Willem fut à son tour remanié en 1378 par un autre poète flamand qui y ajouta une deuxième partie, non dépourvue de vivacité didactique et satirique.

★ Un autre remaniement réussi fut réalisé, un siècle plus tard (1480), par Hinrek van Alkmar, qui le compléta avec des remarques morales en prose et fit des divers épisodes le miroir des conditions politiques, sociales et religieuses de son époque. Une traduction libre ou une adaptation de l'ouvrage de H. van Alkmar en bas saxon, comportant six mille huit cent quarante-quatre vers, fut imprimée à Lubeck en 1498 sous le titre *Renart le Goupil* [*Reynke de Vos*]. Elle modifie sensiblement l'idée primitive du roman, en lui donnant une signification sociale précise et en y ébauchant une théorie des classes de la société. Sa préface divise les animaux, comme les hommes, en quatre catégories : paysans et ouvriers ; bourgeois et commerçants ; clergé ; princes, nobles et chevaliers ; au-dessus de tous, le roi. Le *Reynke de Vos* connut une faveur extraordinaire : il fut traduit en haut allemand en 1544, en latin en 1567, en danois, en suédois, en anglais ; on en tira des ouvrages populaires ; en 1752, Gottsched en fit une adaptation en prose, et sur la fin du siècle Goethe en tira son *Reinecke Fuchs*.

★ Le *Renart le goupil* [*Reinecke Fuchs*] de l'écrivain allemand Johann Wolfgang Goethe (1749-1832) est la traduction libre, en hexamètres, du poème bas allemand *Reynke de Vos*, faite surtout comme un exercice de style. L'ouvrage fut publié en 1793, et le choix d'un sujet si lointain des problèmes du moment, alors que la Révolution française secouait le monde sur ses bases, reflète bien l'aristocratique détachement de Goethe à l'égard de la politique. *Renart le goupil* est l'une des œuvres où Goethe s'est distancié le plus tôt de l'actualité immédiate, ironisant sur l'animalité indélébile de l'homme et prônant une moralité bourgeoise parfois terre à terre. – Sur le *Roman de Renart* et ses avatars, on pourra lire les ouvrages de J. Batany (Paris, S.E.D.E.S., 1989), R. Bossuat (Paris, Hatier, 1957), J. Flinn (Paris, P.U.F., 1963), L. Foulet (Paris, Champion, 1914), J. Scheidegger (Genève, Droz), E. Suomela-Härmä (Helsinki, 1981), K. Varty (Oak Villa, New Alyth, 1988, et Leicester University Press, 1967), J. Dufournet et coll. (Paris, Champion, 1990).

ROMAN DE ROU (Le). Ce long poème en octosyllabes du poète anglo-normand Robert Wace, né à Jersey (vers 1110 - vers 1180), est en fait une longue chronique rimée qui raconte l'histoire de la Normandie depuis Rollon (Rou) jusqu'à la conquête de l'Angleterre par les Normands, et est poursuivie jusqu'à la bataille de Tinchebray (1106), bataille livrée par Robert Courteheuse (fils aîné de Guillaume le Conquérant mais déchu de ses droits à la couronne) contre son frère, Henri Ier Beauclerc, lequel devait reconstituer l'unité du patrimoine paternel. L'œuvre est dédiée à Éléonore d'Aquitaine, grâce à l'héritage de laquelle la dynastie des Plantagenêts, qui venait de succéder à celle fondée par Guillaume le Conquérant, devait posséder une immense part de la terre de France. Ce poème est très caractéristique de la littérature anglo-normande qui fleurit après la conquête, littérature écrite en langue française, mais très différente par son esprit de celle du continent. Composée essentiellement d'œuvres historiques, histoires et chroniques en vers, cette littérature demeure peu sensible aux aspects esthétiques ; elle est toute didactique et utilitaire, car elle a une mision ; les Anglo-Normands arrivaient dans un pays tombé dans l'ignorance, où des races ennemies, encore mal fusionnées, s'opposaient ; elle avait donc pour tâche d'instruire et d'unifier. Comme celle des œuvres de ce temps, la langue du *Roman de Rou* est à la fois une langue écrite, savante, détachée de sa souche vivante et contaminée, sinon dénaturée, par ses contacts avec des idiomes d'origine différente. Au point de vue historique, cette œuvre est d'un grand intérêt ; Wace se préoccupe avant tout d'exactitude, son récit est minutieux et précis, et en ce sens déjà moderne, surtout si on le compare avec les grandes œuvres françaises contemporaines, qui sont de vastes épopées où l'exactitude est délibérément sacrifiée à l'expression poétique, par exemple la *Chanson de Roland* (*). – *Le Roman de Rou* a été édité par A. J. Holden (3 vol., Société des anciens textes français, Paris, 1970-1973).

ROMAN DE SINOUHE (Le). C'est l'un des textes narratifs les plus longs et les plus attrayants qui nous soient parvenus de l'Égypte antique. Parmi les autres textes du même genre, il jouit, auprès des lecteurs égyptiens, d'une grande renommée, d'ailleurs méritée, ainsi que le prouve le nombre des copies et des fragments datant d'une époque que l'on peut situer entre la XIIe et la XXe dynastie au moins (XXIe-Xe siècle avant J.-C.). Sinouhe

(Sinuhe), le protagoniste, fut l'un des personnages les plus en vue de la cour égyptienne et il était, en outre, comme nous dirions aujourd'hui, attaché à la Maison de la reine Nofrit, épouse du pharaon Sesostris Ier (XIIe dyn.). Quand le roi Amenemhat Ier mourut après un long règne, durant les dernière années duquel il eut son fils pour co-régent, Sinouhe, qui se trouvait, à la suite d'une expédition militaire menée contre les populations de Libye et de Cyrénaïque, à l'ouest du Delta, surprit involontairement un conciliabule assez délicat que tenaient plusieurs fils du roi. La connaissance de ce qu'il avait appris fortuitement lui parut chose dangereuse et il décida, sur-le-champ, de s'enfuir d'Égypte.

C'est là que commence le roman du héros, lequel se dirige immédiatement vers la frontière orientale et franchit la muraille que le pharaon avait fait ériger pour arrêter « ceux qui traversaient le sable », c'est-à-dire les Bédouins d'Asie. Il connaît, durant cette marche hâtive, la torture de la soif, à tel point qu'il s'exclame : « C'est là le goût de la mort. » Il est secouru par des Asiatiques qui se trouvent dans les parages avec leur bétail. Poursuivant son voyage, il atteint la cité de Byblos et s'arrête à Quédem, sur le Jourdain, où il passe un an et demi. L'hospitalité lui est offerte par Ammiense, chef de tribu de la région montagneuse de la Palestine. En conversant avec Ammiense, Sinouhe révèle la raison de sa fuite et fait, dans un style noble, un grand éloge du successeur d'Amenemhat Ier, Sesostris Ier. Sinouhe, qui s'est attiré les faveurs du chef syrien, reçoit en don des terres fertiles et épouse la fille de celui-ci. Les années s'écoulent heureuses et lui apportent des enfants vigoureux. Il est chargé de diriger des expéditions contre des tribus voisines, arrogantes et insolentes, et un jour relève le défi d'un bravache de la région venu le provoquer dans sa tente ; sous les yeux de ses gens, exultant de joie, il lui fait mordre la poussière et s'empare de tous ses biens.

Mais, malgré cette existence heureuse et fortunée qui se poursuit par une vieillesse sereine, le souvenir du lieu « où le cœur trouve sa paix », la patrie, ne s'endort pas dans l'âme de Sinouhe. C'est une pensée qui devient toujours plus lancinante, alors que « les yeux deviennent lourds, les bras faibles, alors que les jambes refusent d'obéir, que le cœur bat plus lentement et que la vie approche du trépas ». Le roi Sesostris entend parler de Sinouhe, et un jour le fugitif reçoit l'ordre de retourner en Égypte : Sinouhe ne doit pas mourir parmi des étrangers et être enseveli selon des rites étrangers. Cet ordre emplit Sinouhe de joie. Après avoir réparti ses biens entre ses fils, il se met en route vers l'Égypte, précédé d'un messager. Les fils du roi et les hauts dignitaires de la Cour l'accueillent à l'entrée du palais et l'introduisent auprès du pharaon. Les princes royaux intercèdent en faveur de Sinouhe et obtiennent qu'il soit accueilli avec bienveillance et honneur. D'habiles masseurs font disparaître de sa personne la marque des années, il est épilé, coiffé ; avec plaisir, il endosse de magnifiques vêtements et se laisse oindre d'huiles précieuses. Le récit se termine sur la description de sa demeure et de la pyramide funéraire qui lui est destinée, signes tangibles de la considération dans laquelle le roi le tient. Écrit en une langue classique très belle, ce texte, par ses allusions historiques, constitue un chapitre important de l'histoire de la littérature égyptienne. – Trad. Maisonneuve, 1949 ; *Textes sacrés et textes profanes de l'ancienne Égypte,* Gallimard, 1987.

ROMAN DES ORIGINES ET ORIGINES DU ROMAN. Essai du critique français Marthe Robert (née en 1914), publié en 1972. L'intérêt de Marthe Robert pour la problématique du roman d'un côté, pour la pensée freudienne de l'autre, avait déjà été révélé au public par de nombreux essais lorsque parut cette réflexion sur l'origine et l'essence du genre romanesque. On ne fut donc pas surpris d'y retrouver la méthode personnelle de l'auteur : un dépliement systématique et raisonné des enjeux de la littérature, éclairé par la lecture inlassablement approfondie de quelques œuvres maîtresses (celles de Cervantès, de Defoe, de Balzac, de Flaubert, de Dostoïevski, de Kafka par exemple). Toutefois, s'agissant d'un corpus aussi vaste que celui du roman dans sa généralité, il ne pouvait être question seulement d'analyses ponctuelles. Il convenait d'y appliquer un schéma unificateur. Ce schéma, Marthe Robert l'emprunte à une découverte de Freud mentionnée dès 1897, mais exposée en 1909 dans *Le Roman familial des névrosés* : celle d'une « forme de fiction élémentaire, consciente chez l'enfant, inconsciente chez l'adulte normal » qui, malgré de sensibles variations selon les cas, jamais ne change « de décor, ni de personnages, ni de sujet ». Ce petit « morceau de littérature silencieuse », ce « texte non écrit » raconte la désillusion de l'enfant déçu dans son amour pour ses parents, qui, se regardant comme délaissé par le couple « roturier », s'invente un couple de parents « nobles » dont il serait l'enfant adopté. Mais la découverte de la différence sexuelle l'amène bientôt à ne plus rêver que sur le père, royal et chimérique, alors que la mère demeure roturière et proche. Au stade de l'« enfant trouvé » succède le stade du « bâtard ». Ce scénario définit le genre du roman ; mieux, il est le genre même. Car le roman « imite un phantasme d'emblée romancé ». Son souci de « faire vrai », mais aussi son appel au rêve et au retrait du monde, son « contenu obligé » et sa « forme indéterminée » ne se comprennent que par la fascination de ce « patron » inconscient.

Aussi le roman connaît-il principalement deux héros : Don Quichotte qui rêve en enfant trouvé, et Robinson, le bâtard qui change le monde. « À strictement parler, il n'y a que deux façons de faire un roman : celle du "bâtard" réaliste, qui seconde le monde tout en l'attaquant de front ; et celle de l'"enfant trouvé", qui, faute de connaissances et de moyens d'action, esquive le combat par la fuite ou la bouderie. »

Cette lecture du genre, Marthe Robert l'applique ensuite aux contes, aux mythes aussi bien qu'aux œuvres des romantiques allemands ou au *Château* (*) de Kafka. Elle y reconnaît l'alternance de ses deux « points de vue » sur le roman. Mais, par-dessus tout, elle vérifie sur d'abondants exemples la validité du partage entre ces deux grandes tendances romanesques — illustrées entre autres par les imitateurs respectifs des deux grands modèles : la « robinsonnade » et la « donquichotterie ». Quant au roman contemporain, « il est pris tout entier dans cette dialectique du "oui" au monde et du "non" à la réalité qui est pour toute œuvre marquante non seulement la source d'une foule d'idées neuves, mais comme la tension même de la création ».

Dans deux études finales, « Tranches de vie » (« La Recherche de l'absolu » et « En haine du roman »), Marthe Robert analyse la puissance de la figure du bâtard chez Balzac, fils spirituel de ce grand bâtard historique que fut Napoléon ; chez Flaubert, en revanche, et en particulier dans les *Mémoires d'un fou* (*), elle relève les traces actives d'une « scène primitive » qui achève la vision du roman familial.

Il devait revenir à la patience, à l'immense culture et au don de vision qui caractérisent la critique de Marthe Robert, de réussir ce tour de force : la psychanalyse non d'un individu ou d'une œuvre, mais bien d'un pan entier de la littérature, qui est aussi un versant de la psyché. C. D.

ROMAN DES TROIS ROYAUMES (Le) [*San-kouo-tche yen-yi — Sanguozhi yanyi*]. Grand roman de l'écrivain chinois Louo Kouan-tchong, plus connu sous le pseudonyme de Luo Pen, qui vécut à la fin de la dynastie des Yuan (1280-1367) et au début de celle des Ming (1368-1644). L'œuvre, fort populaire, se compose de cent vingt chapitres et fut écrite sur le sujet de l'histoire des Trois Royaumes, dont la chronique fut rédigée par Tch'en Cho (233-297) sous le titre *San-kouo-tche* [*Chronique des Trois Royaumes*]. À la fin de la dynastie des Hou Han (25-220), l'affaiblissement de la maison impériale fut tel que le pouvoir tomba entre les mains des ministres, et que l'empire fut divisé en trois États : Ts'ao Ts'ao, Premier ministre de la Cour, occupa la Chine septentrionale, instaurant la dynastie des Wei : Soun Ts'iuan s'empara de la Chine centrale dont il était le gouverneur et y installa les Wou, en faisant de Wou-tch'ang sa capitale ; et Lio Pei, membre de la famille impériale, prit possession de la partie supérieure du Yang-tse-tsiang, et y fonda la dynastie des Chou-han. Une fois que ces personnages eurent disparu, leurs descendants ne surent pas garder le pouvoir, et en 256 après J.-C., un général conquit les trois États et instaura la dynastie impériale des Tsin. C'est autour de ces faits, qui avaient déjà inspiré de nombreux dramaturges, conteurs et autres narrateurs au cours des siècles précédents (depuis le IXe siècle, et l'on connaît un *P'ing-houa des Trois Royaumes* publié vers la fin du XIIIe siècle), que Louo Kouan-tchong construisit l'intrigue de son roman. Mêlant langue vernaculaire et langue classique, usant de dialogues et de scènes plutôt que de descriptions, l'auteur précipite son récit historique en une sorte de torrent romanesque qui emporte plus de quatre cents personnages. On y trouve tout d'abord maints épisodes sur la guerre, épisodes au cours desquels triomphe non la force des armées, mais la ruse. C'est pourquoi le personnage qui domine toute l'œuvre est Tchou-ke Liang, mage et stratège, habile « chef d'état-major » de Lio Pei, qui doit se garder non seulement des généraux ennemis et des adversaires de Ts'ao Ts'ao, mais aussi de Tcho Yu, général qui est l'allié de Wou. Nombre de récits relatent des traits de son caractère et les stratagèmes dont il usait. Une fois, assiégé dans une ville sans qu'il lui fût possible de s'échapper, il décida d'ouvrir toutes les portes de la forteresse, de sorte que l'ennemi flaira quelque piège et s'éloigna, laissant ainsi à Tchou-ke le loisir d'organiser la défense. Une autre fois, son adresse est mise à l'épreuve par Tcho Yu. Il a promis, sur sa tête, de se procurer cent mille flèches en trois jours. Tcho, qui souhaite sa mort, se met en travers, autant qu'il lui est possible de le faire ; mais Tchou-ke Liang dont la sagacité n'est jamais en défaut a son plan : il fait préparer vingt barques avec une épaisse ceinture de broussailles ; et par un matin fortement embrumé, il s'approche de la flotte ennemie en donnant le signal de l'attaque. Ts'ao Ts'ao, se croyant assailli, commande la contre-attaque, et une nuée de flèches fond sur les barques et reste prise dans les broussailles. Une fois que le brouillard s'est dissipé, Tchou-ke Liang revient triomphant avec l'énorme butin. C'est ainsi qu'à travers d'innombrables épisodes se dessine l'un des personnages les plus légendaires du roman et, à travers la longue tradition théâtrale et populaire qui l'a précédé et s'est enrichie de plus belle à partir du XIVe siècle, de toute l'histoire de Chine. Les autres personnages historiques que le roman met en scène sont eux aussi figés en types d'ailleurs bien souvent infidèles à ce que fut très probablement la « réalité ». Ainsi, Ts'ao Ts'ao, homme de lettres et stratège génial, incarne-t-il le comble de la félonie, le « prince des traîtres » ; tandis que Kouan Yu est un parangon de loyauté et de bravoure, alors qu'il fut semble-t-il un personnage bien plus falot au regard de l'Histoire.

La popularité extrême du *Roman des Trois Royaumes* est sans doute due au thème éternel en Chine de la reconquête de l'Empire morcelé, mais peut-être plus encore au vivier de stratagèmes militaires et de stratégies du pouvoir qu'on y trouve sous forme romancée – alors que ce vivier est ailleurs constitué par l'ensemble des annales dynastiques, des traités stratégiques et des écrits des penseurs. C'est bien ainsi en tout cas que le conçoivent les Chinois, tous familiers de Tchou-ke Liang, Lio Pei, Tchang Fei, Kouan Yu et Ts'ao Ts'ao, et que Mao Tseu-tong le lut comme de droit. – Trad. (la première intégrale en français) sous le titre *Les Trois Royaumes,* Flammarion, 1987-89.

ROMAN DE THÈBES. Poème anonyme français, que certains attribuent sans preuves à Benoît de Saint-More, auteur du *Roman de Troie* (*) ; il semble donc avoir été écrit vers 1150, et d'après sa langue, dans le Poitou nord-occidental. Léopold Constans l'a publié en édition critique en 1890, sous le titre de *Roman de Thèbes* (son titre primitif étant *Estoire de Thèbes*). Le sujet est l'histoire mythique de cette ville. Une introduction d'environ mille vers raconte les aventures d'Œdipe ; elle est suivie par un long et diffus récit de la guerre des Sept contre Étéocle ; c'est donc une autre *Thébaïde* (*) qui, selon toute vraisemblance, est directement inspirée de celle de Stace. Mais ce n'est pas une imitation servile ; le roman reflète la mentalité du XIIe siècle, son goût et sa façon d'interpréter l'Antiquité ; il fait partie du *Cycle classique* (*). Le monde gréco-romain est transformé en un monde féodal, chevaleresque et ecclésiastique ; la mythologie grecque n'y figure pas ; on y trouve la description d'innombrables batailles et de recensements d'armée, ainsi que des chroniques sur les félonies, les assemblées et les procès féodaux. On y sent donc l'influence des chansons de geste et en particulier de la *Chanson de Roland* (*) ; il s'y ajoute cependant un certain parfum de courtoisie. De plus, l'état d'esprit qu'observe l'auteur à l'égard du sujet qu'il traite est très particulier : c'est presque de l'indifférence ; il n'y voit que matière à récits et reste insensible à la sombre et dramatique poésie de Stace. Son attention se porte sur les détails ; il ne voit que le côté extérieur des choses et des héros : rencontres d'armées, chocs, aspect des personnes, vêtements, ornements, couleurs et formes. En somme, compte seulement ce qui se voit. De plus le poète use d'un système tout personnel ; il taille dans l'original latin, il insiste, modifie, amplifie, ajoute des scènes, invente de toutes pièces ou s'inspire de modèles épiques médiévaux ou de récits de croisades, épisodes à grands développements. Il reste cependant toujours dans le ton du poème, sans introduire le moindre déséquilibre, faisant preuve d'une haute conscience artistique. – Le *Roman de Thèbes* a été édité par G. Raynaud de Lage (2 vol., Paris, Champion, 1966-1967) et traduit par A. Petit (Paris, Champion, 1990).

ROMAN DE TROIE. La légende troyenne, transmise à travers les auteurs latins et surtout à travers l'*Énéide* (*), devint l'un des grands thèmes de la littérature romanesque du Moyen Âge – v. *Cycle classique* (*) – et donna lieu à un nombre considérable d'élaborations différentes dans toutes les langues de l'Occident.

★ Dans l'ordre chronologique, ce thème apparaît pour la première fois avec les *Éphémérides de la guerre de Troie* (*), attribuées à un certain Dictys de Crète, témoin oculaire des faits racontés, mais qui est en réalité une paraphrase de remaniements grecs de l'*Iliade* (*), faite par le soi-disant traducteur latin Lucius Septimius (IVe siècle). En mélangeant l'épopée homérique et l'épopée post-homérique, en remplaçant l'appareil mythologique par des éléments fabuleux, l'auteur a laissé là un récit romanesque de la guerre de Troie, allant de l'enlèvement d'Hélène par Pâris jusqu'au retour des héros grecs dans leur patrie.

★ Nous trouvons au VIe siècle une autre narration fabuleuse, l'*Histoire de la ruine de Troie* [*De excidio Trojae historia*], attribuée également à un prétendu témoin des faits, Darès le Phrygien. L'auteur anonyme raconte que l'œuvre de Darès a été trouvée à Athènes par Cornélius Nepos et traduite en langue latine pour être dédiée à Salluste. Les noms illustres des deux historiens ne sont qu'une étiquette placée sur ce récit pseudo-historique dont le but est de raconter à nouveau le récit homérique, non sur le mode épique ou poétique, mais d'une façon prosaïque et presque critique. En opposition ouverte avec Homère, Darès se pose en partisan des Troyens : attitude qui, dans le fond, était mieux prisée par les Romains, déjà convertis par l'*Énéide* de Virgile à l'aversion contre les Grecs. Le succès que connut cet ouvrage au cours du Moyen Âge fut immense. Il fut transposé en vers – pour ne citer que l'exemple le plus illustre – dans *Le Roman de Troie* (voir ci-après), dont plusieurs dizaines de manuscrits nous ont été conservés.

★ *Le Roman de Troie,* poème comprenant environ trente mille vers octosyllabiques rimés en dialecte tourangeau, fut composé vers 1165 par Benoît de Sainte-More, probablement le même « maistre Beneeit » qui, à peu près à la même époque, versifiait, à la demande d'Henri II Plantagenêt, une chronique des ducs de Normandie. Le poème est dédié à Aliénor de Guyenne, reine d'Angleterre. Une édition critique, due à Léopold Constans, fut publiée sous le titre le *Roman de Troie,* à Paris, en six volumes, entre 1904 et 1912. Le roman appartient au cycle épique que l'on est convenu d'appeler le *Cycle classique* (*). Il raconte l'histoire fabuleuse de Troie, non pas selon Homère, qui n'était alors connu que de nom, mais en suivant surtout les traces des deux textes latins de Dictys le Crétois et de Darès le Phrygien. Le poème de Benoît de Sainte-More commence donc avec l'entreprise des Argonautes et la première destruction d'Illion ; il raconte la renaissance de la ville, l'histoire du siège et le départ de l'armée grecque coalisée, en nous informant du sort des différents héros, à commencer par Ulysse. Bien que l'auteur déclare son intention de rester fidèle aux sources auxquelles il puise, il modifie largement, il amplifie surtout, en ajoutant mille détails, avec une inspiration aisée, une élocution nette, agréable et attachante, mais qui n'évite pas toujours une certaine platitude de la phrase et du vers. Dans son poème, on retrouve – plus accentué que dans le *Roman de Thèbes* (*), qui lui est très proche dans l'ensemble – le goût, d'une part, pour la science faite de curiosité, d'autre part, pour la galanterie chevaleresque. Il a un faible pour les histoires d'amour et sa fantaisie s'y attache avec une application particulière. Entièrement de son invention est probablement le long épisode de la passion malheureuse et de la mort de Troïlus, amant comblé de Briséis tant qu'elle est près de lui, mais qu'elle délaisse pour Diomède dès qu'elle quitte le camp troyen pour le camp des Grecs. L'histoire de Troïlus devait être reprise plus tard par Boccace dans son *Philostrate,* par Chaucer dans *Troylus and Criseyde,* et devenir, en passant dans les mains de Shakespeare, un thème célèbre de la littérature européenne – v. *Troïlus et Cressida* (*). *Le Roman de Troie* a été partiellement traduit par E. Baumgartner, 10/18, 1987.

★ Le poème de Benoît de Sainte-More eut une carrière triomphale au Moyen Âge, et particulièrement en Allemagne, où Othon de Frisingue, l'oncle de Frédéric Barberousse, avait donné pour aboutissement de la *translatio imperii* le Saint Empire romain germanique, la puissance suprême étant passé de Rome aux Grecs, des Grecs aux Francs, des Francs aux Lombards et enfin des Lombards aux Germains. On connaît en effet plusieurs adaptations du poème en langue allemande. Le premier en date fut le *Chant de Troie* [*Liet von Troye*], poème composé entre 1190 et 1210 par Herbort von Fritzlar à la demande du landgrave Hermann de Thuringe (1190-1217). Réduisant de moitié la longueur du texte de sa source, le *Roman de Troie* (*) de Benoît, Herbort avait conçu son récit comme une introduction à l'*Énéide* (*) de Heinrich von Veldeke et renvoie expressément à cette dernière pour la suite de l'action. Le récit commence par l'expédition des Argonautes et la conquête de Troie par Hercule, et se déroule jusqu'à la mort d'Odyssée, tué par son fils. Herbort, qui dit être clerc, consacre seize mille des dix-huit mille cinq cent quarante-huit vers de l'œuvre à la description de la guerre de Troie au travers de vingt-trois batailles. L'esprit de l'œuvre est très différent de l'idéal courtois introduit en Allemagne par Veldeke : les héros sont des guerriers évoqués avec réalisme. Les femmes donnent l'image de la dame vénérée du roman de chevalerie, bien que Herbort accorde une grande place aux épisodes d'amour : aux amours d'Hélène et de Pâris, le poète ajoute en effet l'histoire de Jason et de Médée, celle de Troïlus et de Briséis et surtout celle d'Achille et de Polyxène. Teintée de réalisme, la peinture de la femme introduit en Allemagne les canons de l'art du portrait féminin littéraire. L'évocation des charmes des belles du *Roman de Troie* y obéit à un partage qui fera école : aux chastes héroïnes revient la sobre évocation d'une beauté abstraite, à Hélène l'accumulation des traits concrets de sa beauté, image de la séduction et de la faute. J.-M. P.

★ La *Guerre de Troie* [*Trojanischer Krieg*] de Konrad von Würzburg (1230-1287) est encore un remaniement du poème français, en moyen haut allemand, comprenant quarante mille quatre cent vingt-quatre vers. L'auteur, né à Würzburg, vécut d'abord à Strasbourg, puis à Bâle où il mourut. Formé par l'étude des œuvres de Hartmann von Aue et de Gottfried de Strasbourg, son style est d'une rare élégance et sa versification d'une aisance remarquable. Ses meilleures œuvres, de courts poèmes, sont d'une grande beauté. Dans la *Guerre de Troie,* œuvre si vaste qu'il la comparait « à la mer infinie », le poète bavarois se servit – pour les faits antérieurs dont ne parlait pas le modèle français – de la rédaction latine de Pindare de Thèbes et de l'*Achilléide* (*) de Stace. Et dans cette partie de son œuvre, il donna libre cours à sa fantaisie, en perdant de vue l'ensemble du récit et en s'attardant à des détails secondaires. Il laissa inachevé son poème, qui trouva un continuateur médiocre. Celui-ci raconta en dix mille vers la conclusion de la guerre de Troie et le retour des Grecs dans leurs foyers, d'une façon encore moins heureuse. Le travestissement de la vie des Grecs, à la mode germanique de la chevalerie médiévale, est ici outré au point de devenir risible.

★ Un autre poème allemand sur le même argument, *La Guerre troyenne* [*Der Trojaner Krieg*] – dite de Göttweig (nom du couvent où le manuscrit était conservé) –, a été composé vers 1300. Il n'est pas supérieur au poème de Konrad, ni au *Chant* de Herbort von Fritzlar. Comme ceux-ci, il habille l'épopée grecque à la mode courtisane, en introduisant des motifs et des attitudes venant du « cycle breton » et de la saga de Théodoric. Il convient de mentionner, parmi les autres remaniements ultérieurs, trois romans en prose : l'un de Hans Mair, un autre de Heinrich von Braunschweig, et un troisième, anonyme.

★ On trouve, en Italie, le célèbre remaniement du chroniqueur et poète sicilien Guido delle Colonne (XIIIe siècle) : *Histoire de la destruction de Troie* [*Historia destructionis Troiae*], achevé en 1287, imprimé pour la première fois en 1473 environ et publié, en une médiocre édition critique, par Griffin en 1936. En se servant du poème de Benoît de Sainte-More (qu'il ne nomme pas), Guido delle Colonne offre à ses contemporains, en une forme plus synthétique et en une langue plus connue, le travestissement médiéval des deux mystifications littéraires de l'épopée d'Homère, attribuées l'une à Dictys de Crète, l'autre à Darès de Phrygie. L'ouvrage réunit toutes les déformations subies par l'épopée troyenne : le rationalisme des récits de Darès et de Dictys, le travestissement médiéval du *Roman de Troie* avec son ton sentimental et son esprit aventureux et chevaleresque. Guido y apporte quelque chose de nouveau : un soin minutieux des détails, qui peuvent ajouter à la crédibilité des faits racontés, et un ton moralisateur qui s'exhale en de nombreuses digressions (sur la fausseté de la religion païenne, sur les tristes conséquences du défaut de courtoisie des princes, sur les dangers de la promiscuité des jeunes gens et des femmes au cours des réjouissances et des fêtes, etc.). La compilation de Guido fut traduite dans presque toutes les langues et eut une diffusion qui dépassa même celle du poème original de Benoît de Sainte-More. — Trad. *La grant destruction de Troye, avec la généalogie de ceulx par qui elle fut édifiée et destruicte,* par Jehan Trepperel, à Paris (sans date).

★ Aussi bien du poème français que de son remaniement par Guido delle Colonne, on connaît plusieurs traductions espagnoles qui portent le titre de *Crónica Troyana.* L'une d'elles, conservée par un manuscrit de l'Escurial, fut terminée en 1350 ; une autre, en galicien, dont le manuscrit publié en 1900 avait appartenu au marquis de Santillane, est considérée comme le plus ancien document de la littérature galicienne. On connaît encore une traduction bilingue (en galicien et en castillan), une traduction en castillan qui passe pour être de Jaïme Conesa (1367), enfin, de très nombreuses traductions espagnoles.

★ Mentionnons encore, en Italie, une *Petite histoire troyenne* [*Istorieta troiana*], version en prose vulgaire du *Roman de Troie* de Benoît de Sainte-More, ou plus probablement dérivant d'un remaniement du poème, car elle est en plusieurs points abrégée ou fort éloignée de son modèle. Elle nous est parvenue incomplète, en un manuscrit de la bibliothèque Laurentienne de Florence, remontant aux premières années du XIVe siècle ; elle porte un titre mi-italien, mi-français, « Questo è il libro de la destruction de Troie ». Tous les héros de la seconde guerre de Troie sont décrits avec minutie ; voici, par exemple, la description d'Ulysse : « Fut riche roi et fut noir, barbu et velu, gros et court et fort, sage et subtil, et le plus beau parleur que l'on sût ». Le manuscrit s'interrompt alors que commence une revue des « rois, ducs et barons » grecs et de leurs navires. C'est l'ouvrage le plus remarquable au point de vue artistique, entre tous ceux qui traitent en langue italienne vulgaire de la guerre de Troie.

★ Un remaniement dramatique de l'ouvrage de Guido delle Colonne fut composé en français par Jacques Milet (1425 env.-1466). On ignore si son *Istoire de la destruction de Troye la Grant,* qui comporte environ vingt-huit mille vers, a été jouée. C'est l'un des rares exemples du théâtre profane en France au XVe siècle ; cet ouvrage eut, en tout cas, un succès littéraire considérable, attesté par le grand nombre de manuscrits et d'éditions anciennes que nous possédons (la première impression est de 1484 (Paris, chez Jehan Bonhomme) ; une édition moderne, par Edmund Stengel, a été publiée à Marburg et Leipzig en 1883. L'action, divisée en quatre journées, débute avec le refus de la part des Grecs de restituer Hésione, sœur de Priam, qu'ils avaient enlevée ; Priam permet alors à Pâris d'enlever Hélène à Ménélas. L'action se poursuit avec le débarquement des Grecs dans la Troade et par une série de batailles, au cours desquelles tombent Patrocle, Hector, Achille, Pâris et la reine des Amazones. Le drame se termine par l'entrée du cheval de bois dans la ville, le pillage, le massacre, la fuite d'Énée et le départ de l'armée grecque victorieuse. Le poète prend ouvertement le parti des vaincus et s'évertue à noircir les Grecs sur lesquels il rejette la responsabilité de la guerre. Cela part d'un sentiment national, car l'auteur accepte la fable, vivante depuis le VIIe siècle jusqu'au XVIe, de l'origine troyenne des Francs. En dépit de son ton pathétique, le drame de Milet est jugé indigeste et languissant par les critiques ; mais on peut à bon droit louer sa versification, riche de rythmes et de mélodie, d'un timbre qui pourrait faire penser à Métastase.

ROMAN D'OLOF (Le) [*Romanen om Olof*]. Cycle de quatre romans autobiographiques de l'écrivain suédois Eyvind Johnson (1900-1976) réunis en un seul volume en 1945 et dont les différents volets s'intitulent : *C'était en 1914* [*Nu var det 1914,* 1934], *Voici ta vie* [*Hä har du ditt liv,* 1935], *Ne te retourne pas !* [*Se dig inte om !,* 1936] et *Finale de la jeunesse* [*Slutspel i ungdomen,* 1937].

Cette œuvre importante décrit quatre années de la jeunesse de l'auteur, autodidacte élevé par une parente, dont il se sépara à l'âge de quatorze ans pour gagner sa vie comme flotteur sur les fleuves du grand Nord. Les faits extérieurs sont frappants, mais ce qui compte pour l'auteur, c'est le monologue intérieur de son héros ; toutefois, les parties les plus artistiques de ce cycle sont les cruelles « sagas » incorporées dans le cours du récit — Trad. de la seule première partie, Stock, 1944.

ROMAN DU CHÂTELAIN DE COUCY ET DE LA DAME DE FAYEL. Roman en vers, composé vers la fin du XIIIe siècle par un poète du nord de la France, Jakemon Sakesep (selon certains, il s'agirait, d'après un acrostiche trouvé dans la dernière partie du poème, de Jacques Bretel). Renaut, châtelain de Coucy, fier chevalier et bon poète, aime la dame de Fayel qui tout d'abord, fidèle à son mari, repousse l'amour du chevalier. Mais touchée par la chaleur du sentiment dont elle est l'objet, elle accorde à Renaut de porter ses couleurs en un tournoi. Le chevalier accomplit des prodiges de vaillance et peu à peu la dame est conquise. Elle reçoit son amant la nuit, avec la complicité d'une chambrière fidèle, Isabelle, qui est prête, si jamais le seigneur de Fayel découvrait la chose, à faire croire que le chevalier vient pour elle. Mais une dame, amoureuse de Renaut et jalouse, révèle au mari le secret qu'elle a découvert : grâce à Isabelle, les amants esquivent le danger. En redoublant de précaution, ils continuent de se voir, aidés par Gobiert, un serviteur dont la dame de Fayel s'est assuré le dévouement. Les soupçons du mari sont encore une fois mis en éveil et il a recours à une ruse. Il feint de vouloir se croiser et il annonce qu'il emmènera sa femme en Terre sainte. Renaut songe immédiatement à prendre lui-même la croix et se joint aux chevaliers de Richard Cœur de Lion. Au moment de partir, le seigneur de Fayel simule la maladie et renonce à l'entreprise, au grand désespoir des deux amants. La dame donne une tresse de ses cheveux à Renaut qui part. Le châtelain de Coucy se couvre de gloire contre les Sarrasins ; il est blessé par une flèche empoisonnée, et avant de mourir il demande à Gobiert, qui l'a suivi, de faire embaumer son cœur, de l'enfermer en un coffret avec la tresse de cheveux et de le porter à sa dame. Lorsque Gobiert arrive à Fayel avec ses précieuses reliques, il est surpris par son ancien seigneur qui s'empare du coffret et, mû par sa vieille haine et sa jalousie, prépare une terrible vengeance. Il fait accommoder par son cuisinier comme un mets délicat le cœur du malheureux Renaut et le fait servir à sa femme ; puis, lorsqu'elle y a goûté, il lui révèle sa vengeance et lui montre la tresse. La dame fait serment de ne plus jamais goûter aucun mets, ayant goûté celui-ci qui est le plus noble de tous. Elle tombe évanouie et meurt.

L'histoire du châtelain de Coucy et de la dame de Fayel appartient au cycle bien connu du « cœur mangé ». De très nombreux contes, des nouvelles, des poèmes du Moyen Âge rapportent, avec des variantes plus ou moins notables, cette histoire qui se trouve déjà dans un conte du Pendjab. On la retrouve dans une des *Vies de troubadours* (*), celle de Guillaume de Cabestanh (XIIIe siècle) ; elle forme le sujet d'un conte du *Novellino* (*), recueil italien anonyme du début du XIVe siècle, et du neuvième conte de la quatrième journée du *Décaméron* (*) de Boccace ; elle se retrouve également dans un conte se rapportant au poète allemand Reinmar de Brennenberg (XVe siècle). Dans tout ce groupe de versions, le mari lui-même tue ou fait tuer le rival, pour lui arracher le cœur et le faire manger à l'infidèle. En un second groupe — auquel appartient la *Fable du cœur* [*Die Herzmärchen*] de Konrad von Würzburg (XIIIe siècle) et un sermon latin du XVe siècle —, l'amant meurt en Terre sainte et le cœur, apporté par un messager, tombe entre les mains du mari. Ces dernières versions dérivent évidemment des autres et présentent un caractère un peu moins cruel, mais aussi moins de vraisemblance. Dans le *Roman du châtelain de Coucy,* l'auteur a pris le personnage historique du poète Guy, châtelain de Coucy, mort en 1203, pour en faire le héros de son roman, et lui a attribué des chansons effectivement composées par ce poète. Le *Roman* est de lecture facile et agréable ; il est vivant et intéressant du fait de l'analyse psychologique assez fine et de la représentation réaliste de la vie de son époque. Il connut un grand succès et devint rapidement célèbre, ainsi qu'il ressort des allusions qu'on en trouve en d'autres ouvrages, et des versions qui en furent faites en d'autres langues (flamande, du XIVe siècle ; anglaise, du XVe siècle). — La Société des anciens textes français a donné en 1936 une édition critique de ce roman par M. Delbouille sous le titre : *Roman du castelain de Couci et de la dame de Fayel.* Il existe une traduction du roman par A. Petit et F. Suard (Corps 9 Éditions, Troesnes-La Ferté-Milon, 1986).

ROMAN DU COMTE D'ANJOU. Deux manuscrits du XIVe siècle, dont l'un appartint à la bibliothèque de Colbert, nous ont transmis ce roman français dont l'auteur, bien que son nom soit dissimulé dans deux vers à l'interprétation douteuse, semble bien être Jehan Maillart, notaire de la chancellerie de Philippe le Bel et chanoine de Tournai, né dans la seconde moitié du XIIIe siècle et qui mourut avant 1327. L'œuvre, en tout cas, est datée de 1316 ; elle est composée de 8 156 octosyllabes, à rimes plates, groupés en couplets. L'auteur insiste dans son prologue sur la valeur morale du *Roman* et sur le fait qu'il s'agit d'« une aventure véritable / Molt estrange et molt merveilleuse » ; il semble qu'elle lui ait été racontée par Pierre de Chambli, seigneur de Viarmes et conseiller de Philippe le Bel à qui le poème est dédié. Un comte d'Anjou est resté veuf avec sa fille unique, parée de toutes les grâces et de toutes les vertus. L'amour paternel se transforme tout à coup chez lui en une passion incestueuse, à laquelle sa fille ne peut échapper qu'en fuyant le toit paternel. Devenue une simple ouvrière en dentelles, elle est remarquée par le jeune comte de Bourges qui l'épouse. Pendant une absence de son mari, elle met au monde un petit garçon. Mais la comtesse de Chartres, tante du comte de Bourges, remplace le message qu'on portait à l'heureux père : elle lui fait annoncer que la jeune femme est accouchée d'un être monstrueux à forme d'animal. Le comte ordonne de tuer la mère et l'enfant. Fort heureusement les serfs qu'il a chargés du meurtre sont pris de pitié devant le sourire de l'enfant et laissent s'enfuir la malheureuse comtesse et son fils. Ayant dévoilé à son retour la vilenie de sa tante, le jeune comte part à la recherche de sa femme et la retrouve parmi les miséreuses que l'évêque d'Orléans entretient de ses aumônes. Il découvre du même coup que l'évêque est l'oncle de sa femme et qu'elle appartient au plus haut lignage. La comtesse de Chartres paie de sa vie sa honteuse action. Il s'agit là d'une histoire courante parmi les romanciers du Moyen Âge, qui avait déjà donné lieu à de nombreux contes, notamment la *Manekine* de Philippe de Beaumanoir. Avec ceux-ci, cependant, le *Roman du comte d'Anjou* présente un certain nombre de différences tranchées qui en font une œuvre originale et significative. L'histoire, habituellement légendaire, est ici rationalisée ; nulle intervention surnaturelle, nulle invraisemblance, mais un souci du détail réaliste et qui frappe. Plus même qu'une histoire de grands seigneurs, c'est une histoire bourgeoise par les traits de la vie commune, les scènes de comédie, les scènes de genre. Jehan Maillart s'arrête avec complaisance aux détails précis, matériels, de telle sorte que son œuvre est un document des plus précieux sur la vie au XIVe siècle. Il n'y manque même pas l'intérêt littéraire : la forme élégante, aisée, avec ses mots colorés, ses tours familiers, venus de la langue parlée, annonce déjà ce langage vert et plein d'humour mis en œuvre un siècle plus tard par Villon — v. *Poésies* (*) — ou déjà au XIVe siècle par l'auteur des *Quinze Joyes de mariage* (*). — Le *Roman du comte d'Anjou* a été édité par M. Roques (Paris, Champion, 1931).

ROMAN DU LIÈVRE (Le). Œuvre de l'écrivain français Francis Jammes (1868-1938), publiée en 1903. Ce conte champêtre, qui donne son nom à tout un recueil, écrit dans une langue harmonieuse et rythmée, est plein d'une familiarité avec le monde animal et la nature tout entière que peu de poètes, avant Francis Jammes, avaient à tel point éprouvée. Le lièvre de ce livre n'est pas, comme ceux de La Fontaine, un sage travesti en bête pour enseigner les hommes. Lièvre est ici tout seul ; s'il pense aux hommes, c'est pour les craindre et les fuir ; il aimerait sans doute les ignorer et l'auteur lui-même se garde d'apparaître de peur de le troubler. Pour nous le rendre plus proche, pour suggérer comment Lièvre se confond avec tous les accidents du paysage, l'auteur l'affuble de surnoms terreux fort étranges : courte-queue, poil de chaume, oreillard, patte-usée. Les premières pages peignent la journée de l'animal, combien mouvementée : les inquiétudes de Lièvre qui a peur de sa propre ombre, ses courses pour fuir les chasseurs, ses gambades lorsqu'il aperçoit sa bien-aimée, qu'il lui saute au cou et la couvre de baisers au milieu des oseilles sauvages ; sa nuit enfin, partagée entre quelque festin de carottes et les plaisirs de l'amour... Un jour pourtant, un homme s'approche de Lièvre sans l'effrayer : c'est que l'homme est vêtu de bure et qu'il s'appelle François. Les animaux font cortège au saint d'Assise, Lièvre se joint à eux et, derrière la robe, trottine jusqu'au Paradis : là, chacune des bêtes s'épanouit en émotions bienheureuses : « Ils ne voyaient dans leurs rêves ni la terre, ni le paradis tels que nous les concevons et voyons. Ils songeaient à des étendues diffuses où se confondaient leurs sens ». Mais Lièvre n'est guère heureux dans un Paradis trop céleste, où rien ne lui vient rappeler sa vie d'ici-bas : « Il se prenait à déplorer ce luxe du ciel. Et il était comme le jardinier devenu roi, qui, obligé à chausser des sandales de pourpre, regrette ses sabots lourds de glaise et de pauvreté ». Il va trouver François : « Rends-moi, lui dit-il, mes sillons pleins de boue, rends-moi mes sentes argileuses. Rends-moi la vallée natale où les cors des chasseurs font remuer les brumes... Rends-moi ma peur. Rends-moi l'effroi... Et va dire à Dieu que je ne puis plus vivre chez lui ! » Lièvre s'en revient donc sur la terre, pour y retrouver les odeurs des champs, le museau de sa belle, ses inquiétudes et la mort. Ce récit réaliste qui tourne bientôt au conte religieux forme une peinture exacte, scrupuleuse, vivante et mouvementée. Jammes a su rendre parfaitement l'intimité d'une bête avec toute une nature qui jamais ne peut lui être indifférente, mais toujours le signe d'une crainte ou d'une joie. C'est là sans doute le chef-d'œuvre de Francis Jammes.

ROMAN D'UN JEUNE HOMME PAUVRE (Le). Roman de l'écrivain français Octave Feuillet (1821-1890), publié en 1858 et qui devait rester le modèle du roman à la fois social et sentimental, genre très prisé dans la seconde moitié du XIXe siècle. Maxime Odiot, marquis de Champcey d'Hauterive, outre son titre, n'a hérité de son père que des dettes. Pour vivre, il accepte la place d'intendant auprès de la riche famille des Laroque d'Arz. S'il lui est facile de cacher sa naissance aristocratique, sa distinction innée et sa noblesse d'âme sont visibles pour tout le monde et lui concilient l'estime de tous ceux qui l'approchent et surtout de Marguerite, unique héritière des Laroque. Cependant la calomnie connaît les chemins les plus secrets et les plus sûrs ; ainsi parviennent à la jeune fille des insinuations malveillantes qui la font douter de Maxime, la troublent et la font tellement souffrir qu'elle accepte de se fiancer avec un voisin de campagne, le riche et grossier M. de Bévallan. Heureusement, la tour d'Elven existe, isolée parmi les champs, démantelée, envahie par le lierre : là se passe entre les deux jeunes gens, qui se sont rencontrés et se sont confessé un amour réciproque, une pathétique et dramatique scène. S'étant aperçus qu'ils ont été enfermés par erreur dans ces ruines, tout d'abord Marguerite croit que Maxime l'a attirée là pour la compromettre par ce moyen, mais tout de suite éclate le désintéressement et la noblesse du jeune homme qui n'hésite pas à se jeter de la tour pour sauver la réputation de sa compagne. Étant sorti miraculeusement sain et sauf de cette aventure, le jeune homme pauvre quitte le château des Laroque où il n'a plus le goût de vivre désormais. Avant de partir, il a découvert et généreusement détruit un document prouvant que, par suite d'une lointaine et romanesque affaire, la fortune des Laroque provient de la famille des Champcey et aurait dû lui retourner de droit. Mais son absence est brève ; la vieille demoiselle de Porhoët, qui avait beaucoup d'affection pour lui, meurt, laissant à Maxime sa fortune ; ainsi il peut offrir son nom à la jeune fille aimée. Malgré les romanesques inconséquences qui, dans le recul du temps, acquièrent une saveur vieillotte qui n'est pas sans agrément, ce livre peut encore intéresser comme l'expression d'une société mue à la fois par le sentiment et le sens de l'argent. Sur le même sujet, et en conservant ce titre, Feuillet a composé un drame en cinq actes et sept tableaux qui fut représenté en 1858.

ROMAN D'UN SPAHI (Le). Œuvre de l'écrivain français Pierre Loti (1850-1923), parue en 1881. Ce roman est le premier que l'auteur, qui avait publié l'année précédente *Le Mariage de Loti* (*), ait signé du pseudonyme qui devait le rendre célèbre. Le spahi Jean Peyral est un Cévenol qu'on a transplanté au Sénégal. Auprès d'une jeune Noire, Fatou-Gaye, qui s'attache à lui, il oublie ses Cévennes natales, sa promise, et n'écrit plus à sa vieille mère. Il meurt bravement dans une expédition contre les Noirs. Fatou-Gaye tue son enfant et se tue ensuite pour ne pas survivre à Jean Peyral. À sa parution, ce roman parut avoir un double mérite : il évoquait des pays que l'actualité mettait au premier plan. Il introduisait un air nouveau dans la littérature conformiste que suscitaient les expéditions coloniales. On vanta la « grande préoccupation d'exactitude » que révélait cette « œuvre terriblement vraie » et on lui fit un succès. Mais dans ce genre même Loti a été, depuis, bien dépassé. On sait aussi que le pessimisme qu'il affiche dans ce roman fait partie de son personnage littéraire et se retrouve dans tous ses livres. En revanche, les descriptions de la nature équatoriale, le tableau de la plaine de Saint-Louis, alors forêt vierge, la mort du spahi sont, à juste titre, considérés comme des morceaux d'anthologie.

ROMANESQUES. Roman de l'écrivain français Jacques Chardonne (1884-1968), publié en 1937. L'auteur a défini cet ouvrage comme une étude sur les difficultés du bonheur à deux. C'est que, selon lui, le bonheur ne vit que de se détruire pour se renouveler. Octave et Armande sont mariés depuis dix ans, mais leur amour est resté brûlant : c'est de la passion qui dure. Cependant Octave n'est pas seulement amoureux, c'est un psychologue de l'amour. Il se penche vers Armande avec le désir de la recréer telle qu'il la souhaite. Mais Armande a précisément vécu pour Octave depuis qu'elle l'a rencontré, elle en vient à douter d'être aimée véritablement. Elle en vient à regretter d'avoir abdiqué sa personnalité. Or Octave la surprend un jour bavardant avec un jeune homme. Entraîné par une curiosité méphistophélique, il poussera Armande vers ce garçon. Que veut-il savoir ? Que cherche-t-il ? En tout cas, ce qu'il éprouve bientôt c'est une intolérable jalousie, d'ailleurs absurde parce qu'Armande lui reste fidèle. Le gâchis n'en est pas moins là. Octave tentera même de se suicider. Cela provoquera chez Armande une dépression nerveuse. Ainsi rien dans l'histoire de ce couple n'est provoqué par le réel : c'est l'imagination qui est responsable de tous les malheurs des héros. Des revers de fortune viendront les distraire d'eux-mêmes et les empêcher de se tourmenter davantage en s'imposant d'épuisantes épreuves. Dans ce roman, les deux personnages ont pris l'auteur comme confident : leur histoire est racontée à la première personne et ce n'est pas la moindre singularité de l'œuvre.

ROMAN EXPÉRIMENTAL (Le). Titre d'un article qui a fait scandale à sa publication en septembre 1879 et du recueil dans lequel l'auteur, l'écrivain français Émile Zola (1840-1902), l'a repris en 1880. Depuis 1863, Zola multiplie les articles de critique littéraire. Il aime théoriser. Il mène sa première campagne contre la littérature à la mode, idéaliste et moralisatrice, défendant une littérature de la vérité, reprenant aux sciences leur méthode et leurs apports, en 1865-1866. Il a pour maîtres Taine et Littré. Il conserve toutefois une place prééminente à la personnalité de l'artiste, définissant l'œuvre d'art, roman ou tableau, le combat est le même, comme un « coin de la nature vue à travers un tempérament ». Le champ d'investigation du romancier est désormais le réel tout entier. Il n'y a pas de sujet tabou. Il doit tout dire, tout montrer, mais dans le seul but de faire comprendre les lois du fonctionnement de l'homme et du monde, la vérité étant seule morale : « La vérité purifie tout comme le feu » (1866).

Pour répondre aux scandales soulevés par *L'Assommoir* (*) (1877) et *Nana* (*) (1880), il part à nouveau en campagne. S'appuyant sur l'*Introduction à la médecine expérimentale* (*) de Claude Bernard, il échafaude la théorie du roman expérimental. Le romancier n'est plus seulement un observateur. Il doit être un expérimentateur, montant une expérience dont le résultat doit confirmer l'hypothèse dont il a eu l'idée d'après ses observations. Zola applique donc aux faits humains et sociaux la méthode utilisée pour l'étude des corps bruts, en physique et en chimie, et que Claude Bernard a appliquée à celle des corps vivants. « Nous montrons le mécanisme de l'utile et du nuisible, nous dégageons le déterminisme des phénomènes humains et sociaux, pour qu'on puisse un jour dominer et diriger ces phénomènes. En un mot, nous travaillons avec tout le siècle à la grande œuvre qui est la conquête de la nature, la puissance de l'homme décuplée. » Les critiques furent et restent nombreuses. Elles ne voient pas l'accent mis par Zola sur l'invention chez le romancier, sur l'intuition et l'imagination dont le rôle est capital pour le savant comme pour le romancier. C. Be.

ROMAN HISTORIQUE (Le) [*A történelmi regény*]. Œuvre théorique du philosophe hongrois György Lukács (1885-1971), publiée en 1954. Dans ce livre, Lukács cherche à définir le roman historique en examinant son évolution. Celle-ci commence avec la Révolution française, atteint son apogée avec Scott, Pouchkine et Balzac, entre dans sa période de déclin au moment de la crise du réalisme bourgeois, représenté notamment par Flaubert et Stefan Zweig, et aboutit à l'humanisme démocratique moderne. Lukács examine la nature des rapports entre l'histoire et le roman historique : celui-ci exprime à la fois une actualité historique en pleine gestation, donc difficilement saisissable, et une réalité anachronique. C'est pourquoi le passé doit être intégré au présent (c'est la préhistoire du présent), et il ne faut surtout pas le considérer sous l'angle de vue des temps présents. Mais, d'autre part, le roman historique est conditionné par l'infrastructure socio-historique de l'époque de sa création. Aussi, pour assurer dans le roman historique la continuité entre le passé et le présent, convient-il surtout de peindre des personnages de condition et d'envergure moyennes ; les personnalités historiques n'apparaissent qu'au moment de la crise. Lukács compare enfin le roman et le drame historiques, et affirme que le véritable roman historique ne se distingue pas du roman tout court. – Trad. Payot, 1965.

ROMAN INACHEVÉ (Le). Long poème de l'écrivain français Louis Aragon (1897-1982), publié en 1956. À première vue on pourrait juger qu'il ne fait que reprendre et développer la trame du poème précédent : *Les Yeux et la Mémoire*, publié en 1954. Ce dernier, tout entier en vers comptés et rimés (alexandrins, octosyllabes, vers de quatre syllabes, strophes de trois alexandrins et un octosyllabe), apparaît déjà comme une autobiographie poétique où la jeunesse de l'auteur est évoquée en raccourci, mais de manière significative (à propos du surréalisme : « Je jure qu'au départ c'était comme une eau pure »), où son évolution politique, son adhésion au communisme (« Vois-tu j'ai tout de même pris la grande route », dit-il au jeune homme qu'il fut) tiennent la première place ; et tout naturellement, les événements du temps de la rédaction du poème entrent dans l'œuvre, l'interrompant, comme la guerre du Guatemala (« Le 19 juin 1954 »), ou lui donnant sa conclusion poétique et politique comme les accords de Genève de juillet 1954 (« Chant de la paix »). Et non moins naturellement s'introduit ici la perspective de l'avenir, comme une réflexion profondément politique, que le poète rattache aux méditations qu'a fait naître en lui le roman d'Elsa Triolet : *Le Cheval roux*, publié l'année précédente. (« Rêver de l'avenir est chose singulière. / Ceux qui n'y rêvent pas sont des briseurs de grève / ils sont les ennemis de l'avenir nombreux. ») Mais dans ce poème profondément « pensé » se font entendre des notes qui présagent une musique différente autour de thèmes analogues : « Un jour je m'en irai sans en avoir tout dit / Ces moments de bonheur, ces midis d'incendie ». Ou encore : « Un poème écrit à la troisième personne / N'est jamais ce cri des entrailles que l'on croit... »

Le Roman inachevé est, lui, le poème à la première personne où, si les mêmes événements et situations revivent, c'est cette fois ressentis à partir des sensations, des souffrances, des rêves de l'homme qui les a vécus. Violemment personnelle, donc elle aussi partielle, inachevée, mais autrement, cette nouvelle autobiographie, qui ne retient de la vie de l'auteur que des morceaux dont le souvenir présent recompose un « roman », se développe comme un chant torrentueux. Sans cesse la violence du torrent fait éclater les formes et mètres utilisés. À l'octosyllabe et à l'alexandrin s'ajoute maintenant un vers de seize syllabes, recréé par Aragon, après avoir été essayé au XVIe siècle ; à d'autres moments, le récit en vers fait soudain place à la prose, ici appelée par le paroxysme poétique lui-même. Dans ce triptyque défilent, à l'appel presque involontaire du « Je me souviens », qui rythme la première partie, des images plus ou moins lointaines. Avant même le surréalisme, voici l'enfant et sa mère, des femmes auprès de lui, et puis la guerre, celle de 1914, où le poète imagine un moment être mort et effacer ce qui a suivi, l'occupation en Allemagne, Dada et le surréalisme. Voici dans la seconde partie du triptyque que réapparaît ce temps (des années 20) où « commence la grande nuit des mots ». Et le poète de 1956 de se retourner vers ses « amis d'alors ». Mais ces années-là sont aussi pour l'homme vieillissant qui se souvient (« Je ne récrirai pas ma vie. Elle est devant moi sur la table ») celles de voyages et d'amours désordonnées, à Londres, en Italie, en Allemagne, du désespoir des passions qui se brisent. La troisième partie, où revit la rencontre d'Elsa et la renaissance du désespéré, se situe davantage dans le monde de 1956 par son décor même, tandis que des fragments de conversations, un humour renouvelé consciemment des fatrasies du Moyen Âge en modulent le ton. L'homme que l'auteur est devenu rêve pour lui-même (« Ô forcené qui chaque nuit attend l'aube et ce n'est que l'aube, une aube de plus... ») ; il revoit ses voyages en U.R.S.S. avec Elsa, mais aussi les guerres, la défaite, 1944, tout cela ramassé dans une partie intitulée : « Les Pages lacérées ». La « Prose du bonheur et d'Elsa » conclut le « roman », au-dessus des tourments, des désespoirs secrets de l'homme, par l'affirmation du bonheur. Il est probable qu'avec *Le Roman inachevé* la poésie d'Aragon de la période de l'après-guerre a atteint son sommet.

ROMAN NATURALISTE (Le). Le critique français Ferdinand Brunetière (1849-1906) a réuni, sous ce titre, douze essais écrits entre 1875 et 1883, qu'il publia à Paris en 1883, et dans lesquels il examine la littérature réaliste et naturaliste dans ses plus importants représentants : Flaubert, Zola, Daudet, les Goncourt ; un essai est consacré à un roman russe, deux à des romans anglais. L'attitude de Brunetière est en opposition nette avec la théorie et la pratique du naturalisme sous quelque nom et quelque forme qu'il se manifeste, parce qu'il soutient qu'il menace l'avenir de l'art de « la même dégradante transformation » dont le positivisme menace la philosophie. Littérateur d'une profonde et sévère culture, il établit presque une hiérarchie dans les plaisirs esthétiques et considère comme d'un ordre inférieur ceux que l'impressionnisme, le naturalisme et autres mouvements semblables peuvent procurer ; il n'est pas juste de considérer l'auteur comme privé de toute sensibilité esthétique ainsi que l'ont prétendu ses adversaires, mais il est de fait que toujours sa raison prévaut sur sa sensibilité. Il sent cependant le charme de la prose musicale de Flaubert, il est conquis par la grâce aimable de Daudet et, bien qu'entouré de réserves, son éloge de *Madame Bovary* (*) fait preuve d'une grande clairvoyance. En vrai classique, il ne conçoit le drame de la passion que comme une lutte entre le devoir et l'instinct et répugne à la simple représentation objective de ce dernier : la réalité, admet-il, est le point de départ, mais il ne suffit pas de voir, il faut sentir et aussi penser. Il se refuse à reconnaître ces facultés chez Zola, qu'il poursuit parfois avec une ironie cinglante dans le chapitre sur « Les origines du roman naturaliste ». Plus que des considérations esthétiques, ce sont des préoccupations morales qui le rendent hostile au naturalisme français ; bien qu'il déclare considérer l'art comme indépendant de la morale, il oppose aux Français les naturalistes anglais et notamment George Eliot, parce que ces derniers manifestent un évident sens moral. Brunetière exprime ses pensées avec une précision qui confine à l'âpreté. Sa critique apparaît quelquefois inspirée par des sympathies personnelles, dont il sait d'ailleurs donner habilement une justification logique. Figure austère et un peu isolée parmi les critiques et les littérateurs de la fin du XIXe siècle, Ferdinand Brunetière a laissé là une œuvre partisane certes, mais qui résume toutefois assez bien l'ensemble des critiques que l'on peut faire au naturalisme et qui analyse finement certains aspects de ce mouvement : par exemple, l'impressionnisme de Daudet.

ROMAN RUSSE (Le). Ouvrage critique de l'écrivain français Eugène Melchior de Vogüé (1848-1910), publié en 1886. Dans le but de rapprocher le peuple français du peuple russe, l'auteur passe en revue les manifestations les plus originales de la pensée russe au XIXe siècle : le nouveau roman témoigne de l'énergie d'un peuple qui, tout en n'étant pas encore parvenu à résoudre ses problèmes les plus urgents, n'en exprime pas moins dans son art le meilleur de lui-même : sa ferveur religieuse et sa foi dans l'avenir de l'humanité. Après la période romantique, dominée par la grande figure de Pouchkine, l'œuvre des écrivains, et surtout des romanciers russes, présente un indéniable caractère d'originalité : tout en attaquant de front les problèmes nationaux et sociaux inhérents à son époque, elle fait le procès de la civilisation et met son espoir dans un monde nouveau. Plus encore que la qualité littéraire, le roman russe prise la qualité humaine. C'est pourquoi il apporte à la France et au reste du monde un témoignage de premier ordre sur les fonctions de la littérature devant les problèmes sociaux et laisse en même temps prévoir ce que seront ses tendances futures. L'ouvrage de Vogüé insiste tout particulièrement sur l'œuvre de Tolstoï, Gogol, Tourgueniev et Dostoïevski, et, à travers elle, sur les diverses crises spirituelles du peuple russe, de l'évolution politique à l'abolition du servage, aux conspirations et au mysticisme. Du point de vue historique, ce livre fit sensation : il découvrait en effet à l'Europe un monde jusqu'alors inconnu et riche en beautés de toutes sortes.

ROMANS de Klabund. Les principaux romans de l'écrivain allemand Klabund (pseud. d'Alfred Henschke, 1890-1928) – *Moreau* (1916), *Mahomed* (1917), *Bracke* (1918), *Franziskus* (1921), *Spuk* (1922), *Pjotr* (1923), *Borgia* (1928), *Raspoutine* (1928) – sont des visions lyriques sur de grandes personnalités, violentes, robustes, au-delà du bien et du mal, traversées par le désir et la cruauté. Klabund est attiré par les extrêmes : les contrastes violents lui plaisent ; rêve de puissance occulte chez Raspoutine, fresque grandiose de Pierre le Grand, bâtisseur d'empire aux instincts cruels. La passion des origines hante cet écrivain ; les grandes forces élémentaires se conjuguent âprement dans ces romans lyriques, sobres et violents. Klabund dramaturge est toujours présent dans ces romans construits comme des pièces, dont les chapitres sont des scènes ; les dialogues ont l'efficacité théâtrale. *Borgia* montre clairement la technique romanesque de Klabund. Le livre est divisé en quarante-huit petits chapitres, précédés d'un prologue et suivis d'un épilogue. On remonte à l'origine mythologique des Borgia descendants d'Ixion ; c'est l'occasion de scènes dans la nature primitive entre les hommes et les dieux : érotisme et violence parmi les centaures. Origine mythique, grandeur et décadence des Borgia, il peint à larges traits cette Italie du XVIe siècle de Machiavel, de Michel-Ange, du Tasse et du moine Savonarole. Chaque chapitre brosse le tableau d'un événement important ; l'histoire se déroule comme une suite de récits brefs, presque tous d'égale importance, et qui, orchestrés, donnent au roman l'allure d'une immense fresque où règnent les Borgia. Univers de luxure, d'incestes, de meurtres : c'est du sang, de la volupté, de la mort. C'est la vie et la mort de Rodrigue Borgia qui désire la toute-puissance papale afin de posséder l'Italie entière. C'est « un homme, un désir, une volonté », Jupiter tonnant et orgiaque. Sa faim est insatiable : femmes, domaines, fonctions. Il est de la race des maîtres, les inférieurs lui cèdent. Ses deux fils César et Juan sont de la même étoffe, sa fille Lucrèce, beauté sensuelle, est le grand personnage féminin du roman. Leur emblème héraldique est le taureau, il rappelle leur origine espagnole. Le récit de leurs conquêtes féminines, masculines et politiques est une vaste corrida pleine de chaleur, de cris, de crimes, de sexe. Élu pape Alexandre VI, Rodrigue continue sans honte sa vie mouvementée. Intelligence puissante, il sait jouer la comédie : la rencontre de Savonarole et du pape est une grande farce. Klabund donne une vie surprenante à ces deux hommes si contraires, l'orgiaque Alexandre VI et l'ascète, épris de justice et de liberté, indomptable petit moine sec. L'écriture est brutale, rapide, concentrée, douée d'un dynamisme nerveux, sans floritures. Le chapitre trente-trois, le plus long, le plus cruel, est consacré à la torture de Savonarole qui meurt en extase, prononçant un discours apocalyptique. Le lyrisme noir de Klabund se délivre ici avec virulence. Machiavel rencontre le pape : ces hommes sont des centaures, amoraux, qui ont horreur de la tiédeur et veulent l'unité de l'Italie. On retrouve dans toute l'œuvre de Klabund cette frénésie et cette exaltation des grandes forces instinctives. Fiévreux, sans peur, chacun va à l'extrême de son tempérament. Le style est toujours d'une grande sobriété : « Aucune litanie ne fut chantée ; les fossoyeurs eurent peine à mettre dans le cercueil le cadavre gonflé d'Alexandre Borgia. Ils enfoncèrent la masse de chair d'un poing brutal comme on entasse la farce dans une oie vidée. » Ainsi finit l'un des derniers chapitres, à la mort d'Alexandre VI. « Ils étaient doués des qualités les plus hautes de l'esprit et du corps. Ils étaient destinés à gouverner le monde, mais eux-mêmes se sont laissé gouverner par les diables et les mauvais esprits. Ce n'étaient pas des âmes basses aux aspirations mesquines. » Klabund, comme Nietzsche, a horreur des faibles et des tièdes. L'épilogue est consacré au dernier Borgia qui devient saint François Borgia, mais à sa mort le ciel et l'enfer le refusent : il deviendra un errant, éternel étranger « sans trêve entre le ciel et l'enfer, sans trouver d'asile nulle part ». Ce récit a un ton très moderne : morale de la supériorité, du chef et thème de l'exil. On retrouve ces thèmes chez Gottfreid Benn, qui consacra d'ailleurs un essai à Klabund. – Trad. *Borgia,* Flammarion, 1931.

ROMANS de West. Titre de la traduction française des *Œuvres complètes* [*The Complete Works*] de l'écrivain américain Nathanael West (pseud. de Nathan Weinstein, 1903-1940), publiées en 1957 et comprenant quatre courts romans : *La Vie rêvée de Balso Snell* [*The Dream Life of Balso Snell,* 1931], *Miss Lonelyhearts* [*Mademoiselle Cœur-Brisé*, 1933], *Un million tout rond* [*A Cool Million,* 1934] et *L'Incendie de Los Angeles* [*The Day of the Locust,* 1939]. Presque inconnue de son vivant et pratiquement oubliée durant près de vingt ans, l'œuvre de West est un réquisitoire terrible contre le confort et le conformisme de la vie américaine, une dénonciation de sa consigne du bonheur masquant un vide et une solitude atroces. On conçoit donc que cette œuvre, rejetée d'abord dans l'ombre par la guerre, ait ensuite pu être tenue au secret, tant que la mode fut exclusivement à l'optimisme et à la glorification de la liberté américaine. Quant à la violence du réquisitoire, elle s'explique par l'époque où fut composée l'œuvre de West : époque de la grande crise économique des années 30, de la mauvaise conscience et de l'effondrement des valeurs, de la montée des dictatures en Europe et de l'approche inexorable de la guerre.

Influencée par le surréalisme, *La Vie rêvée de Balso Snell* est une féerie, au cours de laquelle le personnage se retrouve dans le cheval de Troie et y fait la rencontre d'un certain nombre de figures étonnantes, notamment d'un homme nu qui se dit Maloney l'Aréopagite et est en train d'écrire la vie de sainte Puce, la puce du Christ. Le symbolisme érotico-métaphysique et les outrances de langage de cette œuvre de jeunesse cèdent souvent la place à un humour noir qui traduit très efficacement le désarroi et la désagrégation de la personnalité, mais la critique demeure toute subjective. Le roman suivant, *Miss Lonelyhearts,* est au contraire très achevé, West étant déjà en possession de ce style rapide, caustique et brillant qui fait son originalité. Miss Lonelyhearts (Mademoiselle Cœur-Brisé) est le rédacteur chargé, dans le *Post Dispatch* de New York, de la page du courrier du cœur. L'obligation de fournir chaque jour des réponses à des correspondants désespérés se transforme bientôt en un insupportable cauchemar, sa générosité première devenant de l'amertume quand il constate qu'il n'est qu'un dispensateur d'illusion. Une intrigue minable avec une correspondante le conduira à une fin absurde, le mari, infirme et jaloux, venant l'abattre juste au moment, où, croyant avoir découvert Dieu et une autre raison de vivre, il se précipitait à sa rencontre pour le serrer dans ses bras avec toute l'ardeur de sa générosité renouvelée. Dans *Un million tout rond,* le personnage central, Lemuel Pitkin, jeune Américain en quête de la réussite, est la victime de politiciens escrocs. Pitoyable instrument, il perd successivement un œil, ses dents, son scalp, un bras, une jambe, avant d'être assassiné par un tueur et transformé en martyr de la cause fasciste. Fresque du chaos hollywoodien, *L'Incendie de Los Angeles* dépeint la horde d'arrivistes et de ratés qui se presse dans la capitale du cinéma, Babylone moderne appelant le feu vengeur et purificateur. Le roman contient des scènes d'une cruauté effroyable, notamment un combat de coqs et surtout l'émeute finale, la foule rassemblée pour l'arrivée des stars se transformant soudain en une bête monstrueuse qui écrase, piétine et lynche.

La leçon de cette œuvre violente jusqu'à la frénésie, Monique Nathan, présentatrice de l'édition française, la tire en ces termes : « Il n'y a que la destruction qui soit une fin en soi. L'art n'est plus une issue, ni la religion, ni l'amour, ni même la mort. Le suicide n'est plus une obsession assez forte pour s'y réfugier. Dans cette œuvre vouée à la mort violente, les automates, trop bien remontés, ne peuvent que s'étriper inexorablement. » Et plus loin : « Pour parler d'apocalypse, il n'est pas nécessaire d'emboucher la trompette. Rien ne fait mieux apparaître les chancres de la société américaine que le ton du guignol. On peut lire l'œuvre de Nathanael West comme une farce ou une parodie funèbre qu'ont traitées avant et en même temps que lui les grands écrivains de son époque. Mais son réquisitoire, beaucoup plus violent, aboutit à un nihilisme total. Aucune idéologie, aucune institution et jusqu'au corps même de l'homme, rien n'est épargné. » Car la critique de West débouche sur une mise en question de la vie elle-même, effrayante, insupportable et terrible. — Trad. Éd. du Seuil, 1961.

ROMANS NATIONAUX (Les). C'est sous ce titre qu'Erckmann-Chatrian (les écrivains français Émile Erckmann, 1822-1899, et Alexandre Chatrian, 1826-1890) réunit une dizaine de romans et de nouvelles publiés par Hetzel en édition populaire, avec le plus grand succès. Sous cette forme parurent, abondamment illustrés, les ouvrages suivants : *Histoire d'un conscrit de 1813* (1864) et sa suite : *Waterloo* (1865). Comme tant d'autres romans d'Erckmann-Chatrian, c'est, avec beaucoup de vérité, la description des troubles que la guerre apporte dans la vie quotidienne. C'est l'histoire de Joseph Bertha, apprenti chez un vieil horloger de Phalsbourg, dont le bon sens saura faire face aux événements les plus écrasants. Contraint de quitter sa cousine Catherine dont il est épris, il aura, sur le champ de bataille, la vision de l'Empereur « calme, froid, comme éclairé par le reflet des baïonnettes... » Rentré dans ses foyers après Leipzig, Joseph épouse Catherine : c'est la paix (et la réaction légitimiste). Mais voici l'Aigle qui débarque : l'ancien conscrit reprend le sac, et cela nous vaut, avec un tableau complet de la Restauration de 1814, le récit strictement militaire des marches et contremarches qui aboutirent à Waterloo. — *Madame Thérèse ou les Volontaires de 92* (1863) : Mme Thérèse, vivandière de l'armée de Moselle, laissée pour morte après la bataille d'Anstatt, a été recueillie et sauvée par un brave médecin allemand, le Dr Jacob. L'auteur évoque à la fois un glorieux épisode de la guerre pour la liberté où les trente mille volontaires de Hoche affrontaient les quatre-vingt mille hommes de Brunswick, et l'irrésistible cheminement de l'amour dans le cœur d'un célibataire endurci, thème qui sera repris dans *L'Ami Fritz*. — *Pourquoi Hunebourg ne fut pas rendu* : courte nouvelle relatant un épisode de 1815. Sommé de se rendre par l'archiduc Jean d'Autriche, le commandant d'une forteresse défendue par quelques vétérans répond : « J'ai fait dresser un état des provisions de bouche, et je suis bien trop gourmand pour quitter une place si bien approvisionnée. » — *L'Invasion* (1867), d'abord publiée sous le titre *Le Fou Yegof* (1862) : c'est la lutte sans merci de montagnards vosgiens contre l'envahisseur. Pendant quatre jours, ils tiennent tête à soixante mille Autrichiens qui, finalement, s'enfuient en débandade pour ne pas périr écrasés par les monceaux de roches qui ont fait parmi eux des trouées sanglantes. L'épisode s'aggrave de la présence d'un traître (le fou Yegof) et s'agrémente d'une histoire d'amour, avec pour héroïne une petite bohémienne abandonnée (un autre récit des *Romans nationaux*, consacré aux Romanis et aux Allmanis, a pour titre : *Les Bohémiens sous la Révolution*). Les personnages de *L'Invasion* — sabotiers, bûcherons, flotteurs ou contrebandiers — sont des gens du peuple à l'âme simple, « cloués au travail par le sentiment du devoir » et, dans la pensée des deux écrivains, leur sursaut de patriotisme symbolise, conformément à l'idée chère à Augustin Thierry, l'éternelle rivalité des Celtes blonds et des Germains roux. – *Le Passage des Russes* : nous sommes en 1814. En quelques heures, les Cosaques défilent, à l'insu de tous, sous les canons de Phalsbourg qui auraient dû les arrêter six semaines. – *Histoire d'un homme du peuple* (1865) : parti pour la capitale, « un beau soir doré d'octobre 1842, sur l'impériale de la diligence », J.-P. Clavel, fils d'un bûcheron des environs de Saverne (il s'agit en réalité d'Erckmann), constate que Paris est toujours la ville « où les plus malins en province, ceux qui se croient uniques, sont étonnés, en arrivant, d'en trouver des douzaines de leur espèce ». Bientôt il fera un récit vécu de la révolution de 1848. Et de s'écrier naïvement : « On veut que les révolutions soient terribles. Eh bien, j'ai vu qu'elles marchent en quelque sorte toutes seules quand l'heure de la justice est arrivée. » Ce sont des souvenirs de ce temps où « les étudiants, les ouvriers, les bourgeois, enfin tous les braves gens, descendaient bras dessus bras dessous la rue de la Harpe, au milieu de mille cris de Vive la Réforme ». – *La Guerre* (1866) : ces scènes dialoguées, réparties en tableaux, vont du départ de Souvorov de l'Italie, que ses troupes occupaient, jusqu'à la mort du feld-maréchal russe. Cela nous mène de la boutique du fripier Zampieri à la salle du Conseil des Anciens, aux Tuileries, où le président annonce, triomphant, que les troupes russes, après avoir forcé le Saint-Gothard, ont été battues par l'armée de Masséna. – *Le Blocus* (1867) : c'est, « raconté par le père Moïse, de la rue des Juifs », le blocus de Phalsbourg, au temps où la France « restait pieds et poings liés entre les griffes des kaiserlicks ». Moïse, qui faisait trafic de fer et de vieux habits, s'avise que, s'il convertit son fonds en eau-de-vie, il fera fortune dans la ville bloquée. Vite il commande à Pézenas « douze pipes d'esprit-de-vin ». Mais auront-elles le temps d'arriver ?... Si ce n'est pas la fortune, ce sera la ruine. Les douze pipes arrivent enfin, mais, aux abords de Phalsbourg, les Cosaques déjà s'en emparent. Heureusement pour le Juif, le brave sergent Trubert, auquel il donne l'hospitalité, s'en va, avec vingt-cinq de ses hommes, délivrer les voitures en souffrance : Moïse est sauvé. – *Le Capitaine Rochart :* un ancien volontaire des chasseurs francs montagnards, engagé au lendemain de Valmy, exprime avec finesse la jalousie des vainqueurs de Hohenlinden, moins favorisés que l'armée d'Italie. Et le capitaine, au soir de sa vie, fait cette constatation désabusée : « Pour donner des trônes aux Bonaparte, nous avions dépensé tout le sang de la France... »

D'inspiration patriotique et militaire au premier chef, avec un vif sentiment du péril dont sont menacées les régions frontières, et une tendresse touchante pour leur petite patrie, l'œuvre des deux conteurs alsaciens ne pouvait manquer d'émouvoir les foules, surtout après nos revers de 1870. Cette perpétuelle évocation du danger n'est pas exempte, cependant, d'une certaine monotonie. On rapporte à ce propos un mot du sculpteur Préault conversant chez Théophile Gautier : « C'est, disait-il, l'*Iliade* de la frousse. » – Les *Romans nationaux* furent bientôt suivis d'une autre série intitulée *Contes et romans populaires*, comprenant dix-sept romans ou nouvelles, et surtout de *L'Ami Fritz* (*) (1864), le roman le plus populaire d'Erckmann-Chatrian. Alors que, dans *Les Confidences d'un joueur de clarinette* (1863), Kasper, homme d'âge mûr devenu amoureux de sa cousine Margredel, n'obtient finalement de la belle que cette réponse décourageante : « Je t'aimerai toujours comme un frère... », l'ami Fritz, âgé de trente-six ans, épousera la blonde Sûzel, fille de son fermier, qui en a dix-sept à peine. Mais l'autobiographie, dans l'œuvre d'Erckmann, étant très importante, le dénouement de ce dernier livre apparaît aussi arbitraire que celui du joueur de clarinette était naturel. Dans *L'Ami Fritz* nous est décrite l'éclosion d'une passion vive et fraîche que l'auteur avait jadis éprouvée sans la pouvoir mener à bonne fin. Fritz Kobus, joyeux compère de petite ville, borne son ambition à fumer des pipes, vider des chopes, « se faire du bon sang », et ne veut rien entendre lorsque le rabbin David Sichel le presse de convoler. Mais, un jour qu'on lui apprend les prochaines fiançailles de Sûzel, Fritz se sent soudain devenir « comme une chandelle des prés dont un coup de vent disperse le duvet dans les airs... » Et lui qui avait refusé une vingtaine de brillants partis se voit accorder la main de la fille des champs. *L'Ami Fritz* fut joué avec succès à la Comédie-Française (1876). Les opinions républicaines d'Erckmann-Chatrian donnèrent à ce spectacle une grande résonance politique, les élections de février ayant envoyé à la Chambre une forte opposition qui ne tarda pas à entrer en conflit avec Mac-Mahon, président de la République.

ROMAN THÉÂTRAL (Le) [*Theatral'nyj Roman*]. Roman de l'écrivain russe Mikhaïl Boulgakov (1891-1940), écrit en 1936 et publié en 1966. C'est une œuvre largement autobiographique, Boulgakov y évoquant avec beaucoup d'humour son entrée dans le monde de la littérature et dans celui du théâtre. Le livre se présente comme l'ouvrage d'un certain Maksoudov. Celui-ci s'est suicidé non sans avoir au préalable prié un camarade de publier ses écrits. Maksoudov est un journaliste qui écrit des sketches pour une modeste revue *La Navigation* (nous y reconnaissons *Le Sifflet* [*Gudok*], revue éditée par les cheminots et dont Boulgakov fut le collaborateur). Maksoudov a écrit un roman, *La Neige noire :* il s'agit, de toute évidence, de *La Garde blanche* (*). Comme *La Garde blanche,* le roman est partiellement publié dans une revue éphémère ; l'auteur, nouveau Candide, découvre le milieu littéraire et ce milieu le déçoit. Les écrivains qu'il rencontre semblent en effet s'employer plus volontiers à bien manger et à se dénigrer mutuellement qu'à écrire leurs livres. Au passage, nous reconnaissons Leonov, Pilniak, Alexis Tolstoï et Slezkine, l'ami-ennemi de Vladicaucase, sous les noms transparents de Lesosekov, Agapenov, Bondarevski et Likospastov. Maksoudov, assailli par le doute après avoir lu les ouvrages des célébrités de l'époque, en vient à la conclusion qu'il n'a nulle envie de devenir un écrivain de leur sorte.

Vient ensuite la « période théâtrale » de Maksoudov. Il a déjà commencé à écrire une adaptation de son roman pour la scène (et Boulgakov nous permet d'assister à la naissance de l'écriture théâtrale), quand lui parvient une proposition du Théâtre indépendant (il s'agit bien évidemment du Théâtre d'Art). Maksoudov découvre donc l'univers de ce théâtre, avec ses conflits et ses traditions. Parmi des comédiens et des metteurs en scène de moindre envergure, nous reconnaissons les célèbres figures de Nemirovitch-Dantchenko et de Stanislavski, dénommés respectivement Aristarch Platonovitch et Ivan Vassilievitch. Comme leurs noms l'indiquent, le premier brille dans ses prétentions et sa fatuité, le second fait régner la terreur chez les collaborateurs du Théâtre indépendant, où son fameux « système » a force de dogme (Ivan Vassilievitch renvoie à Ivan le Terrible). Le redoutable metteur en scène exige que l'auteur modifie son texte en fonction du résultat scénique qu'il veut obtenir, car c'est la seule chose qui compte à ses yeux. Maksoudov devra encore subir de nombreuses épreuves. Mais son amour passionné du théâtre s'est révélé à lui... *Le Roman théâtral* est certes une satire très drôle, mais il doit aussi se lire en contrepoint des autres œuvres de Boulgakov, notamment du *Maître et Marguerite* (*), dont il est tout à la fois une variante et un commentaire. Ce roman brillant, à la verve jaillissante, donne à sentir de façon quasi palpable le douloureux bonheur de la création littéraire. — Trad. Robert Laffont, 1966. M. G.

ROMANTIQUES (Les) [*Yasamak Güzei Seydir Kardesim*]. Roman du poète turc Nâzim Hikmet (1902-1963), écrit en 1960. Le titre turc de cet ouvrage est : « Il fait bon vivre, mon frère » ; le titre « Les Romantiques » est celui du feuilleton publié à Moscou durant l'année 1962. De caractère autobiographique, le roman entremêle deux drames parallèles : au temps présent celui d'Ahmet, qui, mordu par un chien, alors qu'il est recherché avec ses camarades pour des raisons politiques, ne sachant pas si la bête lui a communiqué la rage et ne pouvant se faire soigner, doit attendre pendant quarante jours les manifestations éventuelles de la maladie. En définitive, la rage ne se déclarera pas, mais au cours de ces heures, de ces jours d'angoisse qu'Ahmet supporte avec une sérénité stoïque mais aussi avec une lucidité aiguë, les images de son passé l'obsèdent. Il s'agit du drame qu'il dut vivre en U.R.S.S. alors qu'il était très jeune, et qui le sépare définitivement de sa bien-aimée. Grâce à ce va-et-vient entre le présent et le passé, entre Izmir et Moscou, se dessinent et se superposent le drame révolutionnaire et le drame d'amour, mêlés à d'autres drames encore, à celui de Suleiman et à celui de Ziya, qui assument comme Ahmet une vie de lutte et de souffrance. Le thème du romantisme révolutionnaire apparaît ici de manière particulièrement concrète et permet de saisir des aspects peu connus du mouvement progressiste en Turquie, avec les événements déterminants qui marquèrent l'histoire du monde depuis les années 1920, la vie quotidienne dans la jeune république des Soviets, la mort de Lénine, les sombres jours de l'Empire ottoman en agonie, sous l'occupation, les prisons turques, les tortures. L'avenir même qui est lié à celui de l'auteur en train d'écrire son livre est évoqué de telle sorte qu'on a la vision globale du devenir historique d'une époque et de la pensée politique qui la conditionne. Le style direct et indirect alterne avec les monologues intérieurs, et on passe sans transition du passé au présent et au futur, suivant le rythme des associations d'images, de sentiments ou de situations. Le caractère poétique de cette prose à un pouvoir évocateur qui rappelle les longs poèmes épiques de Nâzim Hikmet. — Trad. Messidor, Temps actuels, 1982.

ROMANTIQUES ALLEMANDS (Les) [*Die Romantik,* I, II]. Essai de l'écrivain allemand Ricarda Huch (1864-1947), publié en 1899 et 1902. Ce livre, insondable et qu'on ne saurait résumer, est écrit par un auteur en visite chez les romantiques. Il comporte deux tomes, *Apogée du romantisme* [*Blütezeit der Romantik,* 1899] et *Dispersion et décadence du romantisme* [*Ausbreitung und Verfall der Romantik,* 1902]. Ce ne sont pas de simples chapitres d'histoire littéraire. Ricarda Huch s'y confronte avec elle-même, se penche sur des portraits de famille et découvre sa ressemblance avec ses ancêtres. Elle décrit ses personnages avec une admirable intuition psychologique, depuis les frères Schlegel jusqu'à La Motte-Fouqué, au point d'adopter parfois leur style. Pour sauver la littérature et l'esprit de la platitude du naturalisme régnant, elle essaie de révéler à ses contemporains l'essence profonde des romantiques. Ce n'est donc pas une étude critique qu'elle écrit, mais une apologie, une défense et illustration de l'antithèse romantique entre la douce réserve d'Apollon et la divine ivresse de Dionysos. Il n'est pas vrai, proclame-t-elle, que le conscient et l'inconscient ne peuvent s'unir en une synthèse. Les premiers romantiques allemands, Novalis surtout, en sont une preuve illustre. Chercheurs et savants infatigables, c'est précisément leur science qui fait éclore leur génie. L'idéal de l'esthétique romantique est une union du sentir et du savoir, des Lumières et du « Sturm und Drang ». Tout en sachant que la vie de l'esprit est trop compliquée pour se laisser réduire à des formules, Ricarda Huch affirme que le romantisme est la reconstitution de l'unité primitive de l'homme, de l'Adam primitif ou de l'androgyne, réunissant en lui les principes d'une humanité supérieure. Tout ce qui est dit par la suite sur la religion, l'amour, l'ironie, les caractères, l'émancipation spirituelle de la femme repose sur cette idée. Dans le tome II, consacré aux générations romantiques puînées, elle juge beaucoup moins les hommes et les œuvres que leur idéologie plus relâchée. Se sentant très éloignée de l'art du romantisme de Heidelberg ou de Berlin, elle parle peu du lied ou de la poésie populaire, n'ayant que faire des murmures de la fontaine, du clair de lune et du chant du rossignol ! D'où sa conception du déclin inévitable du romantisme dû à une nouvelle rupture de l'harmonie entre le système ganglionnaire et le système cérébral. En exaltant les facultés éternelles du romantisme, Ricarda Huch a voulu lutter contre son déclin qui, à ses yeux, s'est amorcé à la fin du XIXe siècle. Bien au-delà des hommes et du luxe de détails pittoresques et instructifs dont cette étude est abreuvée, le romantisme devient ainsi un cheminement intérieur et un appel à se dépasser. – Trad. Pandora, 1978.

G. U.

ROME, NAPLES ET FLORENCE. Œuvre que l'écrivain français Stendhal (Henri Beyle, 1783-1842) publia en 1817 ; l'auteur, « officier de cavalerie », « qui a cessé de se considérer comme français depuis 1814 », y prend le pseudonyme sous lequel il devait devenir célèbre. Le récit s'attache à l'itinéraire fictif d'un voyage que l'auteur aurait fait en 1816 et 1817, de Milan à Bologne, Florence, Rome, Naples, et par la suite de Rome à Florence, Bologne, Ancône, Padoue, Venise et Milan. En réalité, Beyle vit Padoue et Venise en 1813 et en 1815. En 1827, l'œuvre fut imprimée dans une seconde version entièrement refaite et augmentée du double environ ; l'itinéraire y est simplifié, bien qu'il s'y ajoute quelques déviations (par exemple en Calabre), ce qui permet à Stendhal de s'étendre davantage sur les anecdotes et les coutumes. L'Italie de ce temps permettait au jeune auteur de croire qu'il allait au-devant du bonheur : le magnifique développement des arts, la légèreté et, tout à la fois, le caractère absolu des sentiments, haine ou amour, les habitudes d'une société galante et pleine de vie le rendent intensément attentif au présent et curieux de cette civilisation séculaire. Rome, Naples et Florence lui semblent être les trois villes de l'esprit, pour la liberté des entretiens, l'activité des peintres et des musiciens, et la beauté des femmes. En proie aux transports d'un hédonisme raffiné, Stendhal passe avec ravissement d'un lieu à un autre, des lacs lombards aux rives de l'Arno et au Vésuve, ne celant point son dédain pour les « âmes sèches » qui ne comprennent pas la beauté de la création artistique et l'agréable vie d'une société qui n'a de comptes à rendre qu'à elle-même et qui aspire aux plus hautes destinées. Et c'est dans son éloge de Milan que le livre atteint à une parfaite originalité sur le plan littéraire. Plus tard, Stendhal devait compléter ce brillant aperçu sur l'Italie au XIXe siècle par ses *Promenades dans Rome* (*).

ROMÉO ET JULIETTE. Une légende siennoise, dont Masuccio de Salerne (XVe siècle) tira l'argument d'un de ses contes (*Novellino,* 22), est à l'origine d'une tradition littéraire dont la tragédie de Shakespeare est la plus haute expression.

★ Le thème fut d'abord traité par Luigi Da Porto (1485-1529), gentilhomme vicentin, homme de lettres et soldat, auteur des *Lettres historiques* sur la Ligue de Cambrai. Il existe deux rédactions de sa nouvelle, *Juliette et Roméo* [*Giulietta e Romeo*], composée en 1524. La plus importante s'intitule *Histoire récemment retrouvée de deux nobles amants* [*Historia novellamente ritrovata di due nobili amanti*] ; elle fut publiée une première fois à Venise sans date, puis en 1535 après la mort de l'auteur. Ce fut lui qui transporta le lieu de l'action à Vérone et qui changea le prénom des malheureux amants : Giannozza et Mariotto devinrent Giulietta et Roméo, prénoms qui furent maintenus dans toutes les littératures. Da Porto situe l'intrigue au temps de Bartolomeo della Scala, podestat de Venise de 1300 à 1304. Se fondant sur une interprétation erronée d'un vers de Dante (« Puis on aperçoit les Capulets et les Montaigus... », *Purgatoire,* VI), il imagine que l'antagonisme existant entre ces familles fait seul obstacle à l'union des jeunes gens, et que, dans la rixe qui s'ensuit, Roméo tue un cousin de Giulietta, ce qui entraîne sa fuite et la catastrophe. Il concentre surtout l'intérêt sur la passion amoureuse. Tous les autres personnages ne servent qu'à mettre en relief cette passion : en particulier l'amour pudique et intrépide de la jeune fille. Le canevas assez sommaire de ce petit chef-d'œuvre ne manque pas de charme. Bandello le retoucha – v. *Nouvelles* (*). Il tenta de motiver les événements et de justifier la conduite des personnages. Mais la délicate poésie de Da Porto disparaît dans cette refonte, dont le principal mérite est d'avoir offert à Shakespeare la trame de son immortelle tragédie.

★ Le premier qui porta cette légende à la scène fut le grand poète espagnol Félix Lope de Vega Carpio (1562-1635) avec son drame *Les Capulets et les Montaigus* [*Castelvines y Monteses*]. Roselo et Julia s'aiment, mais sont séparés par la haine mutuelle de leurs parents. Contrainte par son père d'accepter un autre fiancé, au moment des noces, Julia s'écroule comme frappée de mort. Sa dépouille ayant été déposée dans la crypte de l'église, Roselo, de nuit, vient l'y retrouver ; au son de sa voix, Julia se réveille. *Castelvines y Monteses* est l'un des drames les mieux construits de Lope de Vega. La poétique légende y est déjà saisie dans ses thèmes essentiels.

★ La tragédie en cinq actes en vers et en prose du poète dramatique anglais William Shakespeare (1564-1616), *Roméo et Juliette* [*Romeo and Juliet*], fut écrite selon certains en 1591, et selon d'autres environ l'année 1595. Elle fut publiée dans l'in-quarto de 1597, puis en 1599, en 1609 et dans le fameux « Folio » de 1623. Les variantes des différents textes ont été minutieusement étudiées. Le thème de la « mort vivante », destiné à trouver sa suprême expression dans ce drame — v. l'étude de H. Hauvette, *La Mort vivante,* Paris, 1933 —, atteignit Shakespeare à travers une curieuse filière. L'œuvre de Matteo Bandello (1485-1561) fut traduite en français par Pierre Boisteau. La version de ce dernier fut à son tour traduite en anglais dans *Le Palais du plaisir* de William Painter et reproduite avec quelque liberté par Arthur Brooke dans son poème *La Tragique Histoire de Roméo et Juliette* [*The Tragicall Historye of Romeus and Juliet,* 1562], où Shakespeare puisa presque toutes les données matérielles de sa pièce. En raison de leur commune origine, on est tenté de rapprocher la tragédie de Shakespeare de celle de Lope de Vega et de celle de Luigi Groto (*Adriana,* 1578). C'est parfaitement ridicule, car ici le génie de Shakespeare transforme tout d'un bout à l'autre, surtout dans l'étude des caractères. Témoin la donnée suivante : les Montaigus et les Capulets, les plus grandes familles de Vérone, sont ennemies. Roméo, fils du vieux Montaigu, assiste, masqué, à une fête donnée par les Capulets. Il se croit épris d'une certaine Rosaline, mais, à la vue de Juliette, il découvre ce qu'est la véritable passion. Après la fête, pendant laquelle les jeunes gens se sont pris l'un pour l'autre d'un violent amour, Roméo se poste sous la fenêtre de Juliette. Il l'entend confesser ses sentiments pour lui. Il lui parle et obtient son consentement à un mariage secret. Grâce à frère Laurent (Friar Laurence), Roméo épouse Juliette le jour suivant. Ce même jour, Mercutio, ami de Roméo, rencontre Tybalt, neveu de Dame Capulet. Ce dernier est furieux, car il a découvert la présence de Roméo à la fête. Ils se querellent. Roméo intervient ; Tybalt le provoque, mais, à mots couverts, le jeune homme évoque leur récent lien de parenté et refuse de se battre. Mercutio, indigné de cette attitude conciliante, tire l'épée. Roméo tente de séparer les adversaires ; il ne réussit qu'à offrir à Tybalt l'occasion de porter à Mercutio un coup mortel. Ce que voyant, Roméo tue Tybalt. Il est condamné à l'exil et, le jour suivant, après avoir passé la nuit avec Juliette, il quitte Vérone pour Mantoue, accompagné par le moine. Le père de Juliette la presse d'épouser le comte Pâris. Sa nourrice, qui avait favorisé son union avec Roméo, lui conseille d'obéir. Juliette se laisse convaincre par frère Laurent : la veille des noces, elle boira un narcotique qui la fera paraître morte pour quarante heures. Le frère se charge de prévenir Roméo qui la fera sortir du sépulcre et la conduira à Mantoue. Juliette met le conseil en pratique. Mais le message n'atteint pas Roméo, car frère John qui devait le remettre est consigné dans une maison suspecte de contagion. C'est la nouvelle de la mort de Juliette qui lui parvient. Il se procure alors chez un apothicaire un poison violent et se rend au tombeau des Capulets pour voir Juliette une dernière fois. Devant le caveau, il rencontre Pâris et le tue en combat singulier. Après avoir embrassé Juliette, Roméo avale le poison. Juliette se réveille devant le cadavre de Roméo et se poignarde. Les chefs des deux familles adverses, bouleversées par la catastrophe qu'a provoquée leur haine mutuelle, se réconcilient sur-le-champ. La pièce n'est pas de la même veine que les autres tragédies de Shakespeare. Ici, en effet, la catastrophe n'est pas causée par la personnalité des héros, mais par une simple combinaison fortuite de circonstances extérieures. Si bien qu'au XVIIIe siècle on put altérer le dénouement du drame, en lui donnant une conclusion plus heureuse. Toutefois, par son style même, Shakespeare montre clairement qu'il tenait son sujet pour un sujet tragique dans toute la force du terme : à savoir, une passion fulgurante qui se voit anéantie par la fatalité. La toile de fond est celle des premiers drames du poète anglais, l'Italie conventionnelle des *Deux gentilshommes de Vérone* (*) et de *Peines d'amour perdues* (*). De tout le théâtre shakespearien, *Roméo et Juliette* est l'œuvre la plus riche en métaphores hardies. Dans les paroles de Roméo plus encore que dans les *Sonnets* (*), on retrouve les « concetti » des prédécesseurs de Shakespeare. Mais l'euphuisme n'est pas seulement une enjolivure, comme dans les pièces de John Lyly et de Robert Greene : il renforce ici le pathétique. De même, l'angoisse de la mort n'est pas moins pesante pour se faire jour dans le décor gracieux d'un jardin à l'italienne. L'œuvre est d'une grande variété de ton. Shakespeare y marie le raffinement aux grossièretés, la pudeur à la truculence, la fantaisie ailée aux images les plus funèbres. Cette diversité même fit le délice des romantiques. John Keats s'en inspira dans sa *Veille de sainte Agnès* (*) qui est une variation sur le thème de *Roméo et Juliette.* Ils furent surtout fascinés par les motifs macabres tels que la scène du tombeau des Capulets (qui exerça peut-être une influence sur certains contes fantastiques de Poe) et la tirade de Juliette (« Dis-moi de me cacher auprès de serpents... »), qui semble être à l'origine de maintes situations qu'on trouvera dans les « romans noirs » de la fin du XVIIIe siècle.

Roméo et Juliette est probablement la pièce la plus connue et la plus populaire de Shakespeare. Il existe, dans toutes les langues, d'innombrables imitations et adaptations dont la valeur est très contestable.

★ En Angleterre, Thomas Otway dans son *Caius Marius* (1679-1680) situa l'action dans la Rome ancienne. En Italie, Luigi Scevola (1770-1819) réduisit le chef-d'œuvre aux fameuses unités ; ce fut une catastrophe. En France, Jean-François Ducis (1733-1816) avait défiguré l'œuvre dans un *Roméo et Juliette* (1772) d'où disparaissait la figure de frère Laurent. Montaigu, à l'exemple du comte Ugolin de Dante, dévore ses fils dans sa prison. Roméo devient un terrible guerrier, fils adoptif des Capulets, élevé aux côtés de Juliette sous un faux nom. — Trad. par Pierre-Jean Jouve, Formes et Reflets, 1954-1961 ; par Yves Bonnefoy, Mercure de France, 1968.

★ Parmi les nombreux autres poètes et dramaturges qui s'inspirèrent de la légende, il faut rappeler l'Espagnol Francisco de Rojas Zorrilla (1607-1648) : son drame, *Los bandos de Verona*, est tiré de Lope de Vega ; l'Allemand Christian Felix Weisse (1726-1804) qui se servit du texte de Shakespeare. Notons enfin le petit poème en dialecte véronais *Juliette et Roméo, histoire en vers d'un poète populaire*, de l'Italien Vittorio Betteloni (1840-1910), qui reprit avec un sens poétique meilleur une ébauche en vers due à un certain Clixia de Vérone (1553).

★ Le thème de *Roméo et Juliette* inspira également un groupe important de musiciens. Rappelons les œuvres de Georg Benda (1722-1795), Gotha, 1776 ; de Nicola Zingarelli (1752-1837), Milan, 1796.

★ *Les Capulets et les Montaigus* [*I Capuleti e i Montecchi*], opéra en deux actes du compositeur italien Vincenzo Bellini (1801-1835) sur un livret de Felice Romani (1788-1865), fut exécuté pour la première fois à Venise en 1830. C'est le sixième opéra de Bellini. Il fut couronné d'un succès tel que le public porta l'auteur en triomphe après la troisième représentation. La tragédie de Shakespeare est réduite à un schéma très concis. Bellini, s'il n'a pas encore atteint à la pleine maturité, trouve toutefois dans cet opéra des accents lyriques qui soutiennent la comparaison avec les meilleures pages de *Norma* (*) et de *La Somnambule* (*). La personnalité de Bellini s'exprime surtout dans le second acte : l'atmosphère de profonde douleur, l'impression de fragilité humaine, exposées par une délicate et mélancolique sensibilité romantique, définissent dans le mode exact le caractère de chaque personnage. Après la première représentation, *Les Capulets et les Montaigus* furent exécutés pendant plusieurs années sans le duo final auquel on préféra celui de Nicola Vaccai (1790-1848), contenu dans son *Juliette et Roméo* (Milan, 1825), opéra qui obtint un grand succès dû, pour une bonne part, à l'interprétation de la Malibran.

★ Le compositeur français Hector Berlioz (1803-1869) a tiré du drame de Shakespeare une symphonie dramatique, *Roméo et Juliette*, qui consistait, d'après l'idée du compositeur, en un essai de « musique dramatique », c'est-à-dire un mélange fondu de musique symphonique et de musique chorale. Il apparaît que, de ce point de vue formel, Berlioz ait échoué. En effet, au milieu d'une forme difficile à appréhender et compte tenu des remarquables qualités de la partition, il semble que, comme disait Dukas, « il n'ait fait que juxtaposer la musique vocale et la musique instrumentale sans les fondre ensemble ». L'une des grandes nouveautés de la partition est d'avoir confié les rôles de Roméo et de Juliette à l'orchestre seul, alors que les autres protagonistes sont incarnés par des solistes vocaux ou le chœur. L'introduction symphonique s'intitule « Combats, tumulte, intervention du prince ». C'est un morceau assez brillant. Un prologue vocal le suit avec les strophes et le « Scherzo » de la reine Mab. La deuxième partie de *Roméo* est formée de trois épisodes : le bal chez Capulet, la scène d'amour et la reine Mab. Ces trois scènes, spécialement la scène d'amour, révèlent des pages d'une surprenante beauté. Le convoi funèbre de Juliette, sorte de fugue chorale, clôt majestueusement une partition dont l'originalité a longtemps déconcerté musiciens et auditeurs.

★ *Roméo et Juliette*, opéra en cinq actes du compositeur français Charles Gounod (1819-1893) sur un livret de Jules Barbier et de Michel Carré, fut représenté au Théâtre lyrique à Paris, le 27 avril 1867. L'œuvre est remarquable sur bien des points et la verve mélodique de Gounod, son art et son sens de l'harmonie excellent à humaniser les héros shakespeariens. L'ensemble de l'œuvre est admirablement construit et l'écriture orchestrale même est d'une vigueur et d'une intelligence qui n'échappent pas au simple auditeur. Parmi les airs les plus connus, « La Valse de Juliette » au Ier acte, le célèbre « Ah ! lève-toi soleil » et la « Ballade de la reine Mab » ; le « Duo du Balcon » au IIe acte, d'un sentiment très expressif ; la « Bénédiction nuptiale » donnée par le père Laurent aux deux jeunes héros au IIIe acte, avec sa grandeur et son sentiment religieux ; les morts de Tybalt et Mercutio que suit la condamnation à l'exil de Roméo désespéré. La fin du IIIe acte est d'une belle envolée et la résolution de Roméo appartient à un sentiment profondément théâtral. Au IVe acte, le célèbre duo de Roméo et Juliette, « Ah ! non, ce n'est pas le jour, ce n'est pas l'alouette », est un des plus beaux duos d'amour que le théâtre lyrique français compte parmi ses pages. Au Ve acte, la scène des tombeaux et de la mort est poignante, la musique est sincère, spontanée et émouvante. Peut-être la partition de *Roméo et Juliette* a-t-elle légèrement souffert du succès prodigieux du *Faust* (*) de Gounod mais, à bien des points de vue, *Roméo et Juliette* égale les plus beaux moments de cette dernière partition et mérite de demeurer comme une des œuvres maîtresses du répertoire lyrique français.

★ Plus récemment, le thème fut repris par Riccardo Zandonai (1883-1944), dans son opéra *Juliette et Roméo* sur un livret de A. Rossato, représenté au Costanzi de Rome en 1921.

★ Parmi les autres compositions musicales, citons l'œuvre de Filippo Marchetti (1831-1902), Trieste, 1865 ; l'Ouverture de Tchaïkovski (1840-1893), 1869 ; le ballet *Roméo et Juliette* de Serge Prokofiev (1891-1953).

ROME SOUTERRAINE [*Roma sotterranea*]. Ouvrage posthume de l'archéologue italien Antonio Bosio (1575-1629), publié par Giovanni Severano en 1632. L'œuvre a été inspirée par cette fervente renaissance chrétienne, que saint Philippe de Néri entreprit dans la Rome « profanée » par le néo-paganisme de la Renaissance et que vint stimuler la découverte fortuite, sur la Voie Salaria, en 1578, d'un vaste terrain de catacombes à cinq étages avec fresques, tombes et inscriptions encore intactes. Bosio, le premier, entreprit l'exploration systématique des anciens cimetières chrétiens des faubourgs de Rome : après avoir servi de lieu de sépulture pour les fidèles jusqu'à la fin du IVe siècle, au culte des martyrs du Ve au VIIIe siècle, ils avaient été presque entièrement oubliés, recouverts de terre et, au début du XVIIe siècle, ils tombaient en ruine. Les recherches, poursuivies de 1567 à 1629, eurent pour résultat cet ouvrage vraiment grandiose, indispensable pour reconstituer le cadre de la vie chrétienne dans les premiers siècles du christianisme. Il se divise en quatre livres, dont trois sont de l'auteur et le quatrième de son savant éditeur. Le premier livre est une introduction sur les martyrs, dans laquelle Antonio Bosio utilise les recherches et les écrits du célèbre cénacle romain de saint Philippe de Néri (Baronius, Ugonio, Gallonio, Severano) ; on voit bien ici que ces explorations furent avant tout inspirées, malgré l'utilisation d'une méthode scientifique, par un souci d'apologétique religieuse. Le second et le troisième livre consignent les résultats des recherches et donnent même des renseignements sur certains cimetières dont il n'est pas resté de trace. En dehors des sépultures déjà repérées, Bosio a retrouvé : sur la Via Portuense, les cimetières de Pontien et des martyrs Abdon et Sennen, avec leur crypte ; sur la même voie, le cimetière des Juifs qui vivaient à Rome au Transtévère voisin ; au-dessus de la Voie Appienne et de la Voie Ardéatine, une vaste région sépulcrale : le cimetière de Domitilla ; le cimetière de Pierre (l'exorciste), Marcellin et Tiburce sur la « Via Lavicana », avec quatorze chambres ; un grand cimetière de la Voie Tiburtine, identifié comme étant celui de sainte Cyriaque, de dimensions importantes et riche d'inscriptions ; sur la Voie Nomentane, une grande partie du cimetière de sainte Agnès ; au-dessus de la Voie Salaria, une vaste région sépulcrale, désignée par l'auteur sous le nom de cimetière de Priscilla, et enfin les cimetières au-dessus de la Voie Flaminienne, avec la chambre de saint Valentin. Bien qu'Antonio Bosio admette parfois certaines croyances populaires reconnues depuis sans fondement, l'œuvre de cet archéologue infatigable demeure capitale. Le quatrième livre, de Severano, est un commentaire savant des figures bibliques et des symboles funéraires qu'il interprète en restant pleinement fidèle au symbolisme des premiers écrivains chrétiens, avec d'inévitables erreurs d'application. Il faudra attendre le XIXe siècle pour voir naître des œuvres d'archéologie chrétienne d'une telle érudition, supérieures il est vrai par la méthode de recherche.

★ C'est en effet seulement avec l'œuvre monumentale de Giovanni Battista De Rossi (1822-1894) : *Rome chrétienne souterraine* [*Roma sotterranea cristiana*], publiée en quatre volumes et trois atlas en 1864-1867 et 1877-1898 et continuée par Marucchi, Wilpert et d'autres archéologues et épigraphistes, qu'on eut un relevé complet et une étude savante des catacombes de Rome. De Rossi fonda également le célèbre « Bulletin d'archéologie chrétienne », qui devait devenir par la suite l'organe de la Commission pontificale d'archéologie chrétienne. — Trad. sous le titre : *Rome souterraine, résumé des découvertes de M. De Rossi dans les catacombes romaines et, en particulier, dans le cimetière de Callixte,* Didier, 1872.

ROMPEZ ! [*Rozchod !*]. Roman de l'écrivain tchèque Karel Konrád (1899-1971), publié en 1934. Après avoir participé aux recherches de l'avant-garde poétiste et surréaliste, Konrád a écrit avec ce livre l'histoire de sa génération, obligée de quitter l'école pour participer à une guerre qui la concernait d'autant moins que les Tchèques ne ressentaient qu'hostilité à l'égard des Austro-Hongrois, leurs oppresseurs, qui les obligeaient à se battre à leurs côtés. Les deux personnages principaux : le peintre Josef Hubáček et Purkyně, l'arrière-petit-fils du grand physiologiste, qui meurent tous deux prématurément, sont des personnages réels. La Grande Guerre terminée, la vie nouvelle au sein de l'État libéré pourrait enfin reprendre dans l'enthousiasme, mais hélas, c'est la campagne contre les prétentions sur la Slovaquie du régime communiste hongrois de Béla Kun, et les jeunes de Konrád condamnent cette guerre, pourtant autrement motivée, comme la précédente. Ce roman, où les parties lyriques alternent avec des passages documentaires, est donc une mise en accusation sincère et forte de la guerre, de toutes les guerres, et une défense passionnée de la vie libre. On le place à côté d'un autre grand roman, *Le Brave Soldat Chvéïk* (*) de Hašek.

RONDE (La) [*Reigen*]. Suite de saynètes de l'écrivain autrichien Arthur Schnitzler (1862-1931), écrites en 1896 et publiée en 1900. Ces dialogues sont au nombre de dix. Ayant pour thème le commerce amoureux : plus exactement, la manière dont un couple se comporte avant comme après l'acte d'amour. Dix couples nous seront présentés, que l'auteur place chaque fois dans une situation différente. L'intention de dévoiler ce que les hommes en général s'efforcent de dissimuler était assez audacieuse ; toutefois, l'auteur a su éviter toute complaisance licencieuse. Ce thème un peu scabreux, Schnitzler l'a traité avec tact et discrétion. Sa meilleure trouvaille consiste en ceci qu'il nous fait vraiment parcourir tous les degrés de l'échelle sociale. Il nous offre ainsi toute la gamme des attitudes que peut fournir le même fait ; du désir de l'être inculte aux raffinements de l'aristocrate. Voici les dix couples en question : la fille et le soldat ; le soldat et la femme de chambre ; la femme de chambre et le jeune homme ; le jeune homme et la jeune femme ; la jeune femme et son mari ; le mari et la grisette ; la grisette et l'homme de lettres ; l'homme de lettres et l'actrice ; l'actrice et le comte ; le comte et la courtisane. — Trad. Stock, 1931.

RONDE (La) et autres faits divers. Nouvelles de l'écrivain français Jean-Marie Gustave Le Clézio (né en 1940), publiées en 1980. Ces nouvelles, comme autant de petites balances où l'on pèse la vie, disent chacune à leur manière le déséquilibre qui demeure entre l'agression du monde moderne — que celle-ci s'exerce contre les lieux (« Villa Aurore », « Orlamonde ») ou contre les êtres (le viol d'Ariane, l'émigration clandestine dans « Le Passeur ») — et le fragile espoir placé dans la beauté. L'équilibre peut parfois être atteint dans un geste paradoxal qui tout ensemble libère, a valeur de révélation dans l'expérience intérieure et en même temps, dans le monde des hommes, signifie la défaite : la mort ou l'emprisonnement (« L'Échappé », « Le Jeu d'Anne », « David »). La coïncidence entre ces deux significations contradictoires est pour le héros la porte qui ouvre sur l'univers du mythe. J.-M. S.

RONDEAUX ET AUTRES POÈMES [*Rondos un andere lider*] et **FABIUS LIND** [*Fabius Lind*]. Recueils de poèmes de l'écrivain yiddish Aron Leyelès (1889-1966), parus respectivement en 1926 et en 1937. *Rondeaux et autres poèmes* est la démonstration réussie que l'on peut plier la poésie à des considérations formelles et adapter à la langue yiddish des formes issues d'autres cultures : rondeau, ballade, villanelle, sonnet sont quelques-uns des titres de ce recueil. Leur consonance « classique » en français ne doit pas leurrer sur la modernité d'une écriture qu'on pourrait rapprocher peut-être d'Apollinaire. *Fabius Lind,* dont le nom apparaît dans le dernier poème de ce volume, élargira près de dix ans plus tard le champ des recherches poétiques de Leyelès. Il s'en explique dans une intéressante Préface où il répond aux accusations d'intellectualisme que la critique a portées contre lui : « N'est-ce pas la tâche fondamentale du poète que d'expérimenter avec les mots ? » Pourtant, la maturité lui fait renoncer au ton agressif du manifeste moderniste « En soi » [In Zikh] dont il fut en 1919 un des théoriciens, s'il demeure fermement opposé au sentimentalisme romantique autant qu'au futurisme dévoyé de Marinetti ; il conçoit le modernisme comme un effort pour embrasser tous les acquis de l'humanité et comme une synthèse entre l'intellect et la sensibilité. Ainsi, le personnage de Fabius Lind lui permet-il, soit en le faisant parler à la première personne (poèmes du cycle « Journal de Fabius Lind ») soit en le montrant de l'extérieur, de tracer une étonnante autobiographie spirituelle qui renouvelle le thème du miroir et du double, débarrassé de tout pathos romantique, et juxtapose portraits, rêves, souvenirs, méditation sur la peinture ou sur des lectures (*Tristan et Isolde* (*), ou traduction de *La Bible* (*) par le poète yiddish Yehoash, ou Byron, Heine, Opatoshu, Glatstein). L'écho de l'histoire traverse le « Poème au peuple juif » ou les textes sur le Birobidjan, les grèves, Sacco et Vanzetti, la guerre d'Éthiopie, etc. « La Nuit de Moscou, décembre 1934 » est un exemple particulièrement frappant du pouvoir visionnaire de cette poésie qui même en prenant l'actualité pour thème ne verse jamais dans l'illustration militante. N. Dé.

RONDEAUX ET AUTRES POESIES, de Charles d'Orléans. Parmi les poésies que nous a laissées le poète français Charles d'Orléans (1394-1465), *Ballades, Chansons, Complaintes, Caroles* et *Rondeaux,* ces derniers surtout sont les pièces qui lui valurent de renaître et de retrouver aujourd'hui des admirateurs. L'œuvre poétique de Charles d'Orléans connaît le succès au XVe et même au début du XVIe siècle, puis elle est oubliée pendant deux siècles et redécouverte au XVIIIe par l'abbé Sallier à la Bibliothèque royale (manuscrit 1104), lequel en publie des extraits en 1734. Une édition moderne a remplacé toutes les précédentes, c'est celle des *Œuvres* (2 volumes), publiée par Pierre Champion dans les « Classiques français du Moyen Âge » (Paris 1923-1927). Fils de Louis d'Orléans, célèbre par son luxe et son goût pour les arts, et de Valentine de Milan (Valentine Visconti), laquelle a apporté en France le reflet de la culture de la Renaissance italienne, il épouse, en 1406, Isabelle de France, fille de Charles VI. Tout semble donc devoir lui préparer une vie de prince cultivé et fastueux, mais une série de catastrophes fond sur sa famille et sur lui-même dès 1407. Son père est assassiné par les séides de Jean sans Peur, son cousin, le duc de Bourgogne ; et la France se divise en deux partis rivaux, les Orléans, devenus bientôt les Armagnacs, et les Bourguignons : ces dissensions intérieures se compliquent de la présence sur le sol français des Anglais que les Bourguignons soutiennent. Le jeune Charles devient, malgré lui, chef de parti ; sa mère et sa femme meurent, et tandis que Jean sans Peur triomphe à Paris et se fait absoudre de son crime par les théologiens, Charles vend les joyaux de son père pour payer des hommes d'armes. À partir de 1410, il se rallie avec les siens aux Armagnacs et mène une vie pleine de dangers dans la campagne, avec les bandes sauvages des « routiers » gascons. En 1414, nouveau renversement de situation : Charles épouse Bonne d'Armagnac ; il obtient le désaveu royal du meurtre de son père et paraît à la Cour. L'année suivante (1415), à la bataille d'Azincourt, il est fait prisonnier et emmené en Angleterre, où il restera vingt-cinq ans. Une miniature célèbre le représente à la Tour de Londres, contemplant mélancoliquement la Tamise, sillonnée de barques, de vaisseaux, dont certains font voile pour la France. Au milieu de ses gardiens, il écrit. Quand il rentre en France en 1440, il n'a qu'une idée : ramener la paix entre la France et l'Angleterre. Il est trop tard : Charles VII, après l'épopée de Jeanne d'Arc, est en train de reconquérir, place après place, son royaume. Charles se tourne alors vers Milan et tente d'y faire valoir les droits de sa mère ; il n'arrive en Milanais que pour trouver François Sforza qui vient de s'emparer du duché. En 1450, Charles renonce définitivement à toute ambition, il se retire au château de Blois, écrit et s'entoure de poètes. Ce petit-fils et père de roi (Louis XII) n'a jamais joué un grand rôle politique ; il a passé la majeure partie de sa vie caché, ou en prison, enfin dans la retraite ; ce serait donc une vie manquée s'il n'y avait eu la consolation de la poésie, qui permit seule à son nom de survivre. Charles d'Orléans l'avait toujours cultivée, elle ne fut d'abord qu'un divertissement élégant, un accessoire de sa vie de cour ; elle devint, sous le coup des malheurs qui l'accablaient, un long dialogue avec lui-même, où le travail et la réussite de la forme adoucissent l'amertume du poète, en la prolongeant dans l'avenir, en en faisant une œuvre d'art, où la rancœur devient poétique mélancolie. On suit assez bien dans son œuvre cette lente évolution ; ce sont d'abord de petites pièces alambiquées et conventionnelles à la mode du temps ; puis, à l'époque de sa captivité, les ballades où la sincérité du sentiment se dissimule encore souvent sous les habitudes littéraires du siècle ; enfin, revenu de toutes ses illusions et ayant renoncé à jouer un rôle politique, c'est le meilleur de lui-même qu'il nous donne ; il a trouvé la forme qui lui est propre : le rondeau ; il a rendu très personnel cet usage de sentiments humains personnifiés, qu'avait mis à la mode *Le Roman de la Rose* (*), surtout il est parvenu à une forme qu'on ne peut qualifier que d'exquise, mince, délicate, suprêmement gracieuse. Par là, il dépasse tous les poètes de son temps.

Ce sont de charmants petits poèmes d'amour que les *Chansons* (nous en possédons une centaine), toutes proches encore par leur esprit et par leur style des poésies des troubadours, et qui annoncent déjà la poésie amoureuse du XVIe siècle ; mais par la clarté de la langue, la simplicité harmonieuse du style, l'enjouement tendre des sentiments, elles demeurent beaucoup plus vivantes, beaucoup plus directes pour nous que les unes et que l'autre. Parmi les plus célèbres, il faut citer : « Dieu, qu'il la fait bon regarder / la gracieuse, bonne et belle ! », « Dedens mon sein, pres de mon cueur », « Je ne prise point teiz baisiers » ou « Vostre bouche dit : Baisiez moy ». C'est la même grâce un peu mince, mais vigoureusement rythmée, que nous trouvons dans les *Caroles,* chansons à danser, telles que « Las ! Merencolie, / Me tendrès vous longuement ». Les *Complaintes* ont une tout autre résonance. Écrites en octosyllabes ou en décasyllabes, elles ont une noblesse, une grandeur qui conviennent bien à leurs sujets : le regret de la France, comme dans la complainte qui commence par ces vers : « France, jadis on te vouloit nommer. / En tous pays, le tresor de noblesse » et qui comprend dix strophes de neuf vers se terminant toutes par l'invocation : « Tres crestien, franc royaume de France ! » ; ou le regret de la dame comme dans « Ma seule Dame et ma maîtresse ».

Les *Ballades* occupent, elles, une place majeure dans l'œuvre de Charles d'Orléans. Nous en possédons plus de cent. La vie mélancolique et tout intérieure du poète exilé et qui voit mourir loin de lui tous ceux qu'il a aimés, y est exprimée. Les sentiments qui les animent, c'est l'amour pour la dame lointaine : « La première fois, ma Maistresse. / Qu'en votre presence vendray. / Si ravy seray de liesse / Qu'à vous parlez je ne pourray » ; l'évocation de ses charmes « nonpareilles », le deuil qu'il mène à sa mort : « Las ! Mort, qui t'a fait si hardie. / De prendre la noble Princesse / Qui estoit mon confort, ma vie. / Mon bien, mon plaisir, ma richesse ! », ou « Quant Souvenir me ramentoit / La grant beauté dont estoit plaine ». C'est encore un sentiment amoureux qu'il éprouve pour sa patrie dans la ballade : « En regardant vers le païs de France » ; et pour la paix, dans la ballade « Priés pour paix, doulce Vierge Marie ». Sans doute règne dans les *Ballades,* plus que partout ailleurs, l'allégorie ; les sentiments, les événements sont personnifiés, il y a « Plaisant Penser » et « Dangier », « Espoir » et « Reconfort », mais le procédé est discret et Charles d'Orléans s'en détache de plus en plus ; déjà, nous y trouvons ces gracieuses évocations de la nature au printemps, de ce « premier jour du mois de May », qui font la gloire du poète et sont, pour nous, aussi caractéristiques du commencement du XVe siècle que les miniatures des *Grandes Heures du duc de Berry*. Enfin, certaines ballades plus tardives évoquent la fin de sa vie, sa retraite à Blois au milieu d'une petite cour lettrée qui, sous sa direction, s'adonnait à d'amicaux concours de poésie et qui, un jour, reçut un poète vagabond, François Villon. Ici, apparaît le nouveau et fidèle compagnon du prince, cet « escollier de Merencolie », maintenant « chastier, despoillié tout nu, / Es derreniers jours de sa vie » ; ce nouvel ami qui le « retient », c'est « Nonchaloir ». Car c'est bien là le mot qui donne la clé de l'œuvre du poète : « nonchaloir » c'est-à-dire, renoncement, désir de se garer des coups du sort, épicurisme assez amer, morne douceur à laquelle il se résigne mal.

C'est dans les *Rondeaux* que s'exprime le mieux l'originalité de Charles d'Orléans ; le genre existait avant lui, mais il lui a donné un tour inimitable : il atteint avec lui une perfection qui ne sera pas dépassée. Ces petites pièces sont assez différentes par leur structure des rondeaux classiques des troubadours ; elles se composent de trois strophes, la première de quatre vers, la seconde de trois et la troisième de cinq, à rimes embrassées ; mais si la forme est fixe, le vers change constamment de mètre et de rythme, allant de la forme la plus fantaisiste (« Fiés vous y ! / A qui ? / En quoy ? / Comme je voy / Riens n'est sans sy ») à l'ample décasyllabe (« Tant sont les yeuix de mon cœur endormis / En Non-chaloir, qu'ouvrir ne les pourroye »). La variété du ton également est fort grande : tantôt ce sont d'amusantes plaisanteries, sans pédanterie, comme le rondeau écrit sur certaine mésaventure amoureuse de son secrétaire (« Maistre Estienne Le Gout, nominatif. / Nouvellement, par maniere optative, / Si a voulu faire copulative »), tantôt ce sont de petites pièces où le poète exprime son renoncement aux joies de l'amour (« J'ay esté poursuivant d'Amours. / Mais maintenant je suis herault »), à la tentation des plaisirs (« Quant j'ay ouy le tabourin ») ; ou encore il confie son ennui : « Le monde est ennuyé, de moy, / Et moy pareillement de lui » ; son amertume de n'avoir point été un favori du sort (Je ne suis pas de cez gens la / A qui Fortune plaist et rit »). Qu'est-ce que la vie d'ailleurs (« Plus de desplaisir que de joye, / Assez d'ennuy, souvent à tort, / Beaucoup de soucy sans confort ») ; la seule chose à faire est de « passer sa vie / Le plus aise qu'on peut en chiere lie ». Aussi Charles veut-il oublier toutes les injustices du sort, ne plus se perdre dans son désenchantement, mais cueillir les quelques plaisirs qui lui restent, observer le spectacle constant qu'offre la nature à une âme délicate qui a renoncé à tout dans ce monde et qui sait voir : ce sont alors, nées de ce sentiment, les plus belles pièces qu'il ait écrites, les plus charmantes poésies françaises depuis les troubadours : « Les fourriers d'Esté sont venus / Pour appareiller son logis », « En regardant ces belles fleurs », « Ce mois de May, ne joyeux, ne dolent », et surtout les deux pièces les plus célèbres : « Yver, vous n'estes qu'un vilain. / Esté est plaisant et gentil » et « Le temps a laissié son manteau / De vent, de froidure et de pluye, / Et s'est vestu de brouderie. / De soleil luyant, cler et beau ». Là, plus d'artifices, plus d'abstractions, mais la veine la plus pure, l'inspiration la plus déliée, le langage le plus délicat et le plus sobre.

Sans doute Charles d'Orléans est-il un héritier direct des troubadours, dont il sait retrouver, par-delà les exercices savants des poètes du temps qu'il a lui-même longuement pratiqués, la saine et savoureuse simplicité ; mais lorsqu'il reprend des thèmes que tous les poètes avaient traités depuis le XIIe siècle, il le fait avec une ingéniosité, une habileté de grand artiste qu'il est seul à posséder. Il introduit une grâce nouvelle, une discrétion mélancolique, une distinction qui n'est point encore tout à fait de la préciosité ; et les correspondances qu'il établit spontanément entre les états d'âme et les impressions que lui suggère le spectacle changeant et harmonieux du monde, le rapprochent singulièrement des poètes modernes et nous permettent de l'aborder comme un contemporain. Avant Villon, dont la figure contraste si violemment avec la sienne, Charles d'Orléans est le plus grand poète du XVe siècle et peut-être le plus grand de tout le Moyen Âge.

RONDO. Roman de l'écrivain polonais Kazimierz Brandys (né en 1916), paru en 1989. S'il couvre la période 1930-1970, il a pour cœur la Seconde Guerre mondiale, l'Occupation. Cependant, il ne faut voir celle-ci que comme la toile de fond d'une superbe histoire d'amour. « Ce n'était pas seulement la guerre, c'était aussi la vie. »

Lors de la déclaration de la guerre, Tom, un obscur figurant des théâtres de Varsovie, décide de fonder un réseau de renseignement, *Rondo*, dans l'espoir de reconquérir la femme qu'il aime, Tola, une actrice célèbre d'une grande fragilité mentale. Elle sera sa seule recrue. Mais peu à peu Tom se trouve pris à son propre jeu : Rondo, sous la pression des événements, va évoluer indépendamment de lui. La guerre terminée, le nouveau pouvoir (communiste) demande à Tom des comptes qu'il est bien en peine de fournir. C'est ainsi qu'il se retrouve enfermé dans une prison stalinienne pour une durée de vingt ans. Soucieux de rectifier certains détails de son aventure après la publication d'un article concernant Rondo, Tom se lance dans une véritable confession. D'aucuns ont vu dans cette « historiette » le reflet d'une longue méditation de l'auteur sur la crise de notre temps, ce que dément Brandys, pour qui *Rondo* a été plus une « imitation amusante de la forme romanesque qu'un roman sérieux ».

Rondo, si l'on en croit les déclarations de l'auteur dans les *Carnets Paris, 1985-1987* [*Miesiące*], sera son dernier roman. Il est intéressant de comparer *Rondo* à son premier roman, *Le Cheval de bois* [*Drewniany koń*, 1946], et d'établir un parallèle entre Tom et le jeune intellectuel bourgeois sur l'échec moral et politique duquel il ironisait. *Le Cheval de bois* avait été écrit pendant la guerre, et c'est par lui que Brandys avait fait son entrée en littérature, à l'aube du réalisme socialiste. — Trad. Gallimard, 1989. L. Dy.

ROQUEVILLARD (Les). Roman de l'écrivain français Henry Bordeaux (1870-1963), publié en 1906. Il nous fait pénétrer, à l'heure la plus dramatique de son histoire, dans une famille bourgeoise de Savoie — gens de loi de père en fils, — dont le chef, l'avocat Roquevillard, est un modèle de probité et d'attachement à la tradition. Avocat lui-même, Henry Bordeaux donne pour ressort à ce drame un article du Code qui va suffire à faire pleuvoir sur toute la famille des calamités sans nombre. François Roquevillard, au soir de sa vie, subit une terrible épreuve : son fils Maurice ayant enlevé la brune Édith Frasne, femme d'un notaire de Chambéry chez lequel il s'initiait à la procédure, celle-ci a emporté de chez elle une somme égale au montant de sa dot, et le notaire, pour se venger, accuse l'amant de vol. Maurice n'a rien à se reprocher, mais les apparences sont contre lui, car il refuse de se justifier pour ne pas accuser sa maîtresse. L'honneur de la famille est en jeu et il ne reste aux Roquevillard qu'un seul moyen d'éviter la flétrissure : obtenir du notaire qu'il retire sa plainte, en lui versant la somme dont on l'a frustré. Mais pour cela, il faudra vendre « La Vigie », le domaine très aimé où Me Roquevillard vient de surveiller les vendanges... Lorsque celui-ci consulte sa fille Marguerite : « Sauvez Maurice ! lui répond-elle... Si vous pensez que la vente soit nécessaire, n'hésitez pas... En tout cas, prenez ma part ! » Les Roquevillard, c'est ce sursaut de solidarité d'une famille pour parer à ce qui la menace, et aussi la série des malheurs domestiques involontairement causés par Maurice. Mais la plaidoirie du vieil avocat, qui a pris lui-même la défense de son fils, constitue la page maîtresse du roman (« Rendez-le moi, dit-il aux juges : toute sa race et moi-même nous répondons de son innocence ! »). Maurice sera acquitté à l'unanimité. Le vieux Roquevillard, en qui sa bru ne voit rien de plus qu'un grand homme de petite ville, a, dans la pensée de l'écrivain, la valeur d'une « autorité sociale » selon Le Play, capable de tous les renoncements pour assurer la continuité de sa race dans l'honneur. La psychologie est, ici, collective, familiale au premier chef (« Il n'y a pas — estime Henry Bordeaux — de beaux destins individuels... ») et le romancier nous laisse entendre qu'Édith Frasne n'aurait sans doute jamais déserté le foyer conjugal si la maison n'avait pas été vide.

ROSAIRE (Le) [*Čëtki*]. Deuxième recueil de la poétesse russe Anna Akhmatova (1889-1966), publié en 1914. Il représente avec *Soir* [*Večer*, 1912] l'essentiel de l'œuvre de jeunesse d'Akhmatova et de sa contribution à l'« acméisme ». Akhmatova, qui commença à écrire à onze ans, rejoignit en 1910 le mouvement acméiste (du mot grec « akme », sommet), qui s'opposait au mouvement symboliste. L'acméisme, à l'époque des débuts littéraires de la poétesse, était animé par Nicolas Goumilev, qu'Akhmatova allait bientôt épouser. Les acméistes prônaient un retour au concret, sur la « planète Terre », dans un « monde sonore, coloré, doté de formes, de poids et de durée ». Le mot clair et précis est matériau de construction et non pont entre le « réel » et le « plus réel » des symbolistes. L'acméisme rappelle l'école parnassienne française. « En 1910, dit Anna Akhmatova dans une courte préface au recueil de ses poèmes paru en 1961, la crise du mouvement symboliste a été suffisamment marquée et les poètes débutants n'adhéraient plus à ce mouvement. Certains rejoignaient le futurisme, d'autres l'acméisme. Je suis devenue acméiste. » C'est donc sous la bannière de ce courant que la poésie d'Akhmatova se révèle héritière du classicisme russe. Mais le trait le plus personnel de l'écriture d'Akhmatova, c'est sa force sous-jacente, c'est le lyrisme contenu qu'elle enferme avec un rare sens de la mesure dans des formules poétiques aussi succinctes qu'évocatrices.

Fait de précision et de clarté, le discours poétique de la jeune Akhmatova est harmonieux. La source d'inspiration du *Rosaire* et du *Soir,* c'est le monde des émotions intimes, son sujet central, c'est le destin de la femme. Dans ses toutes premières œuvres, Akhmatova est déjà capable de donner une résonance universelle à un autoportrait lyrique, et ceci avec une exquise économie de moyens, avec une finesse et une précision du dessin qui font penser à une épure, bien plus qu'à un croquis. Dans une de ses poignantes poésies de la dernière époque, l'« Épilogue » (Epilog) du recueil *Requiem* (*), on lit : « Oui, je connais les traits qui se déforment, / Sous les paupières vient nicher la peur, / Et le profil devient cunéiforme / Sous le stylet pointu de la douleur. » C'est avec « le stylet pointu de la douleur » que sont ciselées plutôt qu'écrites toutes les poésies d'Anna Akhmatova, dont le sens inné du tragique a trouvé une matière inépuisable dans la réalité de son époque et dans sa propre biographie. — Trad. in *Poème sans héros et autres œuvres,* F. Maspero, 1982.

ROSALINDE [*Rosalynde*]. Roman pastoral de l'écrivain anglais Thomas Lodge (1558 ?-1625), publié en 1590. C'est une histoire de haines et d'amours, mais qui se termine bien. La première haine est celle du fils aîné de Jean de Bordeaux, Saladin, qui, mécontent de la part d'héritage que lui a laissée son père, s'empare de celles de ses deux frères, Ferdinand, étudiant à Paris, et Rosader ; loin de se soucier de l'éducation de ce dernier, il décide de le faire périr dans un tournoi où lui sera opposé un champion. Mais Rosader réussit à tuer ce dernier. Bien plus, il s'éprend de Rosalinde, la nièce de Torrismonde, l'usurpateur du royaume de France, qui, en compagnie de sa cousine Alinde, assistait à la compétition. Saladin ne réussit pas davantage dans une seconde tentative pour faire disparaître son frère : l'ayant fait enfermer dans une prison, le serviteur de Rosader, Adam Spencer, le libère et s'enfuit en sa compagnie dans la forêt des Ardennes. Là, après de nombreuses péripéties, le serviteur et son maître rencontrent le roi exilé, Gerismonde, qui est tout heureux de pouvoir venir en aide au fils de son vieil ami Jean de Bordeaux. Dans la même forêt viennent se réfugier, pour y mener un vie pastorale, Rosalinde, travestie en page sous le nom de Ganymède, et sa cousine Alinde. Saladin lui-même arrive dans la forêt, chassé à son tour par l'usurpateur. Rosader, rendant le bien pour le mal, le sauve de la griffe d'un lion qui allait le tuer, et l'incite à se repentir. Les deux frères, réconciliés, réussissent à libérer des bandits Ganymède et Alinde ; cette dernière tombe amoureuse de son libérateur Saladin. Le roman se termine par le mariage des deux couples d'amoureux, la victoire des armées de Ferdinand et l'accession au trône du roi qui en avait été banni. L'intrigue de ce récit inspira Shakespeare, dans *Comme il vous plaira* (*). Entre ces deux œuvres (de valeur artistique fort différente), on remarque cependant un certain parallélisme : toutes deux opposent à la vie de cour, artificielle et néfaste, la vie selon la nature ; tandis que l'une conduit au crime, l'autre suscite les plus nobles sentiments. C'est là un thème que l'on retrouve, tout au long du XVIe siècle, tant dans les poèmes de chevalerie que dans le drame et dans le roman.

ROSEAU (Le) [*Trostnik*]. Titre définitif d'un recueil de la poétesse russe Anna Akhmatova (1889-1966), intitulé d'abord, lors de sa parution en 1940, *Le Saule* [*Iva*]. Il rassemble des poèmes écrits entre 1922 et 1940, période durant laquelle Akhmatova avait été condamnée au silence, sans qu'elle acceptât pour autant de s'exiler. La poésie était en effet pour elle « le lien qui l'unissait à son pays et à son peuple », et renoncer à son pays eût été sans doute pour elle renoncer à la poésie. Ces œuvres lyriques reflètent les épreuves traversées par l'auteur, mais sur un ton beaucoup plus voilé que dans *Requiem* (*) : « À la mort je livre ma mémoire / Et que mon âme en pierre se transforme / Pour de nouveau apprendre à vivre. » Le rythme s'est assoupli encore depuis *Anno Domini MCMXXI* (*), et les vers d'Akhmatova se déploient avec une aisance infinie ; la langue est sonore, mais avec grâce, et la précision n'y est qu'un comble de beauté. Tout le génie profond de la langue russe est présent dans ce lyrisme comme épuré, transparent, ou la science du poète n'a approfondi le langage que pour le rendre à la simplicité. — Trad. in *Poésies,* Seghers, 1959.

ROSEAUX AGITÉS PAR LE VENT [*Kaze ni soyogu ashi*]. Roman de l'écrivain japonais Ishikawa Tatsuzô (1905-1985), publié de 1949 à 1951. Ce très long roman est en fait un plaidoyer pour les intellectuels libéraux qui tentèrent, avant et pendant la guerre, de s'opposer à la politique désastreuse des militaires nationalistes. La documentation est de première main, puisqu'il s'agit d'un milieu que l'auteur connaissait particulièrement bien ; les personnages eux-mêmes sont souvent identifiables et les événements relatés le sont avec le souci d'exactitude qui caractérise le grand journaliste que fut aussi Ishikawa. Celui-ci cependant ne prétend pas faire œuvre d'historien. S'il emprunte la forme et les techniques du roman, c'est pour se donner la liberté d'interpréter l'histoire selon ses propres critères, de proposer sa propre vision des faits et sa propre interprétation de l'échec qu'il constate sans faiblesse ni complaisance. Un tel ouvrage ne peut se résumer. Aussi nous faut-il nous contenter d'en indiquer les lignes de force. Le personnage central est Ashizawa, directeur de *La Nouvelle Critique,* revue libérale influente dans laquelle il faut reconnaître *Chûôkôron,* revue dont l'auteur fut le collaborateur dès les années 1930. En fait, plus que son directeur, c'est la revue elle-même qui est, si l'on peut dire, l'« héroïne » du roman. Toute la première partie est faite des efforts d'Ashizawa et de son beau-frère et collaborateur Kiyohara pour maintenir contre vents et marées la ligne politique de la publication, afin de faire entendre la voix de la raison au milieu des cris hystériques d'une presse entièrement aux ordres. Ils espèrent l'appui des « ministres civils », anciens libéraux dont ils croient — ou feignent de croire — qu'ils interprètent la pensée secrète. Il leur faudra déchanter lorsque ceux-ci leur confirment eux-mêmes qu'ils sont totalement impuissants. La revue cependant paraît encore, car le pouvoir espère par des pressions fort peu discrètes obtenir le ralliement d'un organe dont la disparition ferait du bruit. Le propre fils d'Ashizawa, le jeune Kunio, le dénoncera à la police avant de s'engager dans le corps des « pilotes de la mort » ; son gendre Okabe, rédacteur en chef de *La Nouvelle Critique,* lui conseille de s'incliner. Le vieil homme biaise et louvoie et, par une ironie du sort, c'est Okabe qui est arrêté en 1943, et impliqué dans l'« affaire de Yokohama », montée de toutes pièces par des policiers à l'imagination fertile, pour qui les journalistes libéraux étaient de dangereux « communistes ». Ashizawa se décide enfin à suspendre la parution de sa revue lorsque, la plupart de ses collaborateurs ayant été arrêtés, on prétend lui imposer des articles rédigés par les services de propagande. Quant à Kiyohara, il a accepté de travailler pour les services d'information de la marine qu'il croit plus « libéraux » que ceux de l'armée, croyance que partage d'ailleurs la police elle-même. Mais la fin de la guerre approche, Tôkyô croule sous les bombes, et la voix de l'empereur annonce enfin la capitulation, dans un jargon d'un autre âge. Okabe revient, auréolé de la gloire du martyr ; l'affaire de Yokohama a été jugée au lendemain de l'armistice en vertu de lois caduques, mais non encore abrogées, par un tribunal terrorisé à son tour ; la dernière audience a été une farce énorme, où le procureur chantait les louanges des accusés, à qui le président demandait de lui dicter ses attendus. La revue va bientôt reparaître, mais Ashizawa éprouvera des difficultés avec ses rédacteurs, poussés en sous-main par Okabe, qui jugent son libéralisme trop tiède. Kunio, par miracle, a échappé à la mort. Toujours aussi fanatique, il est devenu un militant communiste intransigeant, qui cette fois traite son père de « vieux réactionnaire de droite » ; il rompra d'ailleurs bientôt avec ses nouveaux amis. Après une grève de ses journalistes à laquelle il résiste fermement, Ashizawa se trouvera écarté de façon inattendue en vertu des lois d'épuration pour avoir « collaboré avec le régime militaire ». Désabusé, il décide d'écrire une « Histoire des atteintes à la liberté d'expression ».

Tel est le thème central du roman, mais nous sommes loin d'avoir épuisé les richesses de cette œuvre touffue qui foisonne en épisodes secondaires. Il eût fallu évoquer longuement les malheurs de Yôko, la belle-fille d'Ashizawa, dont le mari est mort des mauvais traitements que lui a infligés l'adjudant Hirose. Ce dernier est lui-même un personnage essentiel du récit : cynique et intelligent, il profitera, dès qu'il sera démobilisé, des ressources de l'heure ; enrichi par le marché noir, il sera candidat « indépendant démocrate » aux élections de 1946 ; mais pour lui aussi la roue tourne : il est battu, et le jour même où, avec une belle inconscience, il va demander la main de Yôko, il est arrêté par la police américaine comme criminel de guerre ; aurait-on su, se demande-t-il, qu'il a « comme tout le monde » tué des prisonniers ? Lui aussi, comme les libéraux, comme Kunio, comme Yôko et comme tant d'autres, n'aura été, somme toute, qu'un « roseau agité par le vent ».

ROSE BERND. Drame de l'écrivain allemand Gerhart Hauptmann (1862-1946), paru en 1903. Il semble que cette œuvre marque, en quelque sorte, le retour de l'auteur au naturalisme, avec la reprise d'un thème déjà largement exploité — rappelons seulement *Résurrection* (*) de Tolstoï — celui de la jeune paysanne dévoyée qui se perd et tue « le fruit de sa faute ». L'idée semble avoir été suggérée à Hauptmann par une séance du tribunal à laquelle il avait été appelé à siéger comme juré. Rose cède à l'amour de son patron, lequel est marié à une femme qui l'aime, mais qui est infirme et immobilisée. La famille de cultivateurs à laquelle appartient Rose regarde naturellement la fille déchue avec le plus profond mépris. Mais il y a pire : un mauvais sujet qui, le premier, s'est aperçu de l'état de Rose, veut profiter d'elle et l'y oblige par une sorte de chantage, tandis que le patron de la jeune fille espérera jusqu'au bout trouver une solution d'ailleurs impossible à la situation. Sur cette sombre toile de fond, l'auteur a su dessiner la figure délicate, contrastant avec toutes les autres, de la femme du maître de Rose, une femme au grand cœur qui se tourne affectueusement vers la pauvre fille pour l'inviter à se confier à elle. L'instant culminant du drame est précisément celui où Rose résiste aux affectueuses avances de cette voix maternelle, se fermant ainsi fatalement la voie du salut possible. Dès cet instant, son destin est fixé et avec une sûreté si implacable que l'on croit assister non aux aventures d'un drame réaliste, mais à une « Schicksaltragödie » (tragédie du destin), tant la malheureuse Rose est pas à pas poussée au crime. Dans un moment de désespoir, elle tue en effet l'enfant qui lui est né. Et à la fin du drame, son bouleversement intérieur se traduit par un cri : « Je ne voulais pas qu'il vive ! Il ne devait pas souffrir mon martyre ! » (acte IV, dernière scène). *Rose Bernd* est une des œuvres les plus réussies du théâtre d'Hauptmann et de tout le théâtre allemand inspiré par l'esprit du naturalisme. — Trad. *Pauvre fille, Rose Bernd*, Librairie Molière, 1905.

ROSE DE PERSONNE (La) [*Die Niemandsrose*]. Recueil de poèmes du poète français d'expression allemande Paul Celan (1920-1970), publié en 1963. Les poèmes de *La Rose de personne,* le quatrième recueil, qui forment incontestablement le centre de l'œuvre (le sommet dans un fronton), ont été écrits entre 1959, date de parution de *Grille de parole* [*Sprachgitter*], et 1963. Dans cet ensemble qui se continue jusqu'au cycle breton (III) de l'été 1961, l'un des plus homogènes, avec « Le Menhir », l'« Après-midi » (de Brest) ou « Kermorvan », les compositions de la dernière partie se distinguent du reste. Elles ont été écrites après une interruption. Il est arrivé à Celan de thématiser le tarissement, l'expérience de l'absence, comme il le fait dans le poème « Kolon » (« Aucune main de gagnée... » ; « main » est pour l'écriture), portant témoignage de ce passage à vide qui a précédé la délivrance. Ce sont les grands textes de l'été 1962, comme « La Syllabe douleur » ou « Avec le livre de Taroussa », relayés par « Fenêtre de chaumière » (mars 1963) ; l'élargissement et l'amplification épique, au sein même de la contraction lyrique, répondent à « Strette », le vaste finale de *Grille de parole,* mais la composition s'en distingue par la force, sans doute plus intransigeante, par une allure plus ouverte, plus libre et plus conquérante. Celan s'y est aventuré aux confins de sa poésie, poussant jusqu'à une pointe extrême l'arrachement et la maîtrise de l'abîme. La liberté, issue du vide, convertit la vacuité en abondance, elle prend la mesure d'un pouvoir illimité, de création par la résistance, et vice versa.

Avec la division par laquelle la poésie s'est coupée de la langue s'ouvre un espace nouveau : il est le produit d'une limite que la négation d'une réalité première ne cesse de retracer, le contrechamp offert à l'aventure verbale. La reconquête des domaines perdus, s'accomplissant à même la perte, peut se présenter comme une découverte de continents inconnus surgis des mers du néant. L'acte de la nomination est saisi dans l'objet qu'il fait surgir, qui se fait voir comme un mot (mot-et-chose). Rien, dans tout ce qui a été laissé, qui ne puisse virtuellement revenir sous une forme nouvelle, comme un jalon dans l'exploration de l'empire de la mort, manifestant le pouvoir du langage poétique tel qu'il se reconstitue à neuf, et se déploie au sein du vide, en lui et contre lui, exploitant ses forces. Un mouvement de bascule fait osciller les poèmes entre l'étude des moyens et les « mondes » qui s'en dégagent ; entre le dialogue que la personne du poète entretient avec la parole, en deçà des effets obtenus, et au-delà des prodiges du pouvoir démiurgique. Beaucoup de poèmes de Celan, comme « Qu'est-ce qui advint ? » ou bien « Où tomba le mot ? », ont pour sujet les conditions de l'écriture, troublées ou intactes. Ils plongent dans une méditation sur la justesse du dire et sur le rôle de la personne physique, puis ces éléments premiers s'animent et suscitent les rencontres, sans que la dimension réflexive (autoréflexive) disparaisse jamais.

Les formes poétiques les plus diverses sont reprises dans *La Rose de personne,* dessaisies de leur rythme, au profit d'un autre qui l'investit, s'en empare et le brise. Il le découpe, puis ne découpe plus rien, mais progresse librement dans l'espace ouvert par la coupure, cherchant son chemin dans la ligne d'une parfaite conformité au désespoir, à l'absence d'espoir. Dans les poèmes plus larges du cycle IV, le mouvement se fait plus narratif, plus assuré, parfois victorieux, dans des triomphes qui conduisent jusqu'à une résurrection des morts dans le texte, par la justesse du verbe et dans des ripostes contre toutes les formes de la préparation et de la non-dénonciation du meurtre. La violence antichrétienne d'un poème blasphématoire comme *Psaume* témoigne de cette lutte d'un militantisme poétique contre l'effacement des responsabilités. La patrie des Juifs a été transportée par les nazis dans le néant. La place de la thématique juive, plus importante que dans d'autres recueils, s'explique par une volonté, suscitée sans doute par l'incompréhension, d'aller plus loin dans l'engagement aux côtés des Juifs contre toutes les priorités traditionnelles, grecques ou hölderliniennes, qui ont sombré dans le massacre qu'elles ont contribué à produire.

Le choix de l'exil et toutes les positions prises aux côtés de la personne et du côté de la poésie, se situant sur la voie qu'il a suivie de l'Est et des lieux de l'irréparable à l'Ouest, projetant dans ses propres migrations poétiques le prototype de ses « méridiens », l'un des itinéraires où les destins sont reliés par une cassure. « En tous/lieux, existe un *ici* et un *aujourd'hui,* et un éclat/issu du désespoir,/où entrent les dissociés, avec leurs/bouches aveuglées. » Ce sont les méridiens que trace dans l'ubiquité une verticale, s'appuyant sur les pôles que marquent l'abîme et la lumière qui lui répond dans l'espace de la création verbale, l'enceinte s'ouvrant sur un règne plus vrai parce que « toujours second ». Le recueil est dédié à la « mémoire » de Mandelstam, plutôt à ce qui a pu lui être prêté, a posteriori, en fait de mémoire. Le poète russe sera lui-même devenu un autre, revivifié à la hâte par la magie d'un exploit ultime, par un souffle qui parvient à intégrer l'essoufflement. — Trad. Nouveau Commerce, 1979. J. Bo.

ROSE DE SABLE (La). Commencé en août 1930, achevé en février 1932, ce roman de l'écrivain français Henry de Montherlant (1896-1972) prend sa source dans les quatre années que Montherlant a passées en Algérie (1929-1933) — même si l'action est située au sud du Maroc. En 1930, Montherlant renonça à publier ce livre. Inspirée dans *Le Songe* (*) par le patriotisme, son œuvre ne pouvait brusquement exprimer le repentir devant les méfaits des troupes françaises qui, en 1930, occupaient indûment le Maghreb. — Une publication partielle a lieu en 1954 sous le titre *Histoire d'amour de La Rose de sable,* la publication intégrale de *La Rose de sable* ne se produisant qu'en 1968.

Le lieutenant Lucien Auligny, petit-fils de général, a fait Saint-Cyr. Il a hérité de sa mère le goût du dévouement patriotique, le sens du devoir et de l'honneur. Il part pour le Maroc, rêvant de la vie de colonne, du baroud et de la croix. Sa mission est de servir l'Empire qui fait partie du destin de la France.

À Tanger, Auligny rencontre par hasard un camarade de collège, le peintre Guiscart, qui ressemble comme un frère à Montherlant. Guiscart conçoit l'abandon des colonies françaises sur le mode badin et décadent. Tout à ses plaisirs, et en chasse tous les jours, rien ne change vraiment pour lui et tout lui indiffère dans le territoire très circonscrit où il mène ses amours clandestines.

À Casablanca, Auligny prend très au sérieux son ordre de route pour Birbatine, une ville fictive sur la piste transsaharienne sans cesse obstruée par des raids de dissidents marocains. Arrivé dans sa garnison, Auligny n'y trouve pas l'ordre, la rigidité d'une occupation, malgré les quinze cents soldats qui stationnent là. Il découvre le monde de bonheur simple et rustique qu'est l'oasis des « cueilleuses de branches ».

Auligny pourrait évidemment faire le coup de feu dans l'une des attaques d'intimidation qui, en une nuit, anéantissent quelque pauvre village terrorisé. Mais il veut garder les mains propres. L'amour sera son refuge. Il couche avec une petite prostituée arabe, une fillette qu'on lui a fournie. Par elle, il découvre l'âme musulmane et sa douceur de vivre. Le plaisir qu'elle lui donne, la tendresse qu'il ressent vont l'aider à comprendre la sympathie qu'il a pour l'indigène.

Un officier amoureux est un soldat prêt à désobéir. Auligny peut-il préférer ses sentiments pour la fillette à l'opinion de sa caste, de sa famille, de ceux qu'il estime le plus dans sa patrie, même s'il juge les principes colonialistes faux et arbitraires ? Auligny vit un cas de conscience. Dans cette incertitude qui le rend fragile et inopérant, il est surpris par une émeute. Il accepte la mort pour en finir avec les contradictions du monde et les siennes propres. Pris à Fez, dans la même émeute, Guiscart sort indemne. Il va continuer à appliquer son principe essentiel : « La vie n'est qu'un jeu et un passe-temps. » P. Si.

ROSE D'OR (La) [*Zolotaja roza*]. Œuvre de l'écrivain russe Constantin Paoustovski (1892-1968), publiée en 1952. L'auteur donne à ce livre le nom russe de « povest », c'est-à-dire de récit ou de longue nouvelle, mais il ne s'agit pas d'une œuvre d'imagination. Ayant longtemps dirigé un séminaire de jeunes écrivains sur les problèmes de la prose, Paoustovski se propose en fait de faire connaître au public ses réflexions sur le métier d'écrivain. Mais il demeure un romancier, et ses considérations théoriques sont entrecoupées de récits : il rapporte des traits biographiques de grands écrivains russes, comme Tolstoï, Pouchkine, Tchekhov, ou français, comme Flaubert, Balzac ou Maupassant. Il raconte également comment il a composé certains de ses propres ouvrages, comme *Kara Bougaz*. Mais ces divers éléments sont précédés par un récit dans lequel il rapporte l'histoire d'une éboueur parisien qui filtre les ordures des bijoutiers pour en extraire de la poudre d'or et faire fabriquer la rose qui donne le bonheur à celui qui l'a reçue en cadeau. Le récit symbolise le travail de l'écrivain qui fouille la réalité pour en extraire la matière de son œuvre. Le métier demande un courage sans failles, semblable à celui des marins qui luttent sans relâche contre la mer. Il s'agit en effet d'une lutte, parfois pénible, qui exige une véritable vocation et un amour absolu du métier. L'inspiration n'est pas en effet un don du ciel ; si elle survient comme l'éclair, elle est amenée par un long travail de préparation qui ne peut être que la connaissance de tous les aspects de la vie. « L'imagination se fonde sur la mémoire et la mémoire sur les faits réels. » Aussi bien faut-il admettre que, s'ils sont réellement vivants, les personnages se révoltent contre l'auteur et n'en fassent qu'à leur tête. Mais l'auteur retrouve la maîtrise quand il s'agit de la rédaction ; on exige de lui une « langue de diamant ». Mais celle-ci à son tour ne peut être acquise qu'au prix de longues recherches et d'un commerce constant avec les hommes de tous les métiers et de toutes les régions. Paoustovski évoque avec amour certains langages de métier, comme le langage des forestiers, et il ne manque pas l'occasion de faire lui aussi un éloge de la langue russe, langue aux richesses encore insoupçonnées. En parlant de l'écrivain en général, c'est lui-même que l'auteur décrit. On devine dans ce livre quelle est sa méthode favorite : l'observation de la réalité, le récit d'un fait authentique, discrètement modifié par l'imagination et rendu dans une prose impeccable, pure de toute maladresse comme de tout académisme. Mais, plus que le roman, le genre favori de l'auteur ne serait-il pas en dernier ressort la biographie, dont il donne quelques exemples à la fin de son livre, lorsqu'il parle de Tchekhov, Blok, Gorki, Grine, Bagritski ? Ne serait-ce pas plutôt le récit autobiographique, genre dont il donnera avec l'*Histoire d'une vie* (*) une illustration magistrale ?

ROSE ET LA CROIX (La) [*Rosa i Krest*]. Drame en quatre actes du poète russe Alexandre Alexandrovitch Blok (1880-1921), publié en 1915. Blok se fait ici le chantre de l'amour chevaleresque. L'action de *La Rose et la Croix* se situe en 1208, époque de la croisade contre les albigeois. Isaure, épouse du comte Archimbald, est séquestrée dans la tour d'un château du Languedoc par son mari, jaloux d'un bel inconnu – portant, peinte sur sa poitrine, une rose noire – que sa femme a aperçu en songe. Bertrand, un jeune chevalier épris d'Isaure, part à la recherche du mystérieux personnage. Il le trouve, mais s'aperçoit qu'il s'agit d'un vieux poète, fils d'une fée, qui confond ses rêves avec la réalité. Amené en présence d'Isaure, le candide vieillard chante à la jeune femme la chanson qu'elle entendait en songe ; la châtelaine, toutefois, ne reconnaît pas en lui le chevalier à la rose noire. Entre-temps, l'arrivée des albigeois a déchaîné la bataille : le valeureux Bertrand réussit à mettre l'ennemi en fuite ; mais il a reçu une profonde blessure à la poitrine, à l'endroit même où il cache une rose tombée des mains d'Isaure. Pendant que la jeune femme passe la nuit avec le beau page qui l'aime, Bertrand fait le guet. La rose, lentement, se teinte du sang qui coule de la blessure ; mais Bertrand, mourant, trouve encore la force de faire le signal qui doit prévenir Isaure de l'arrivée du comte Archimbald et la châtelaine, grâce à cet ultime dévouement, sera sauvée. Ce drame, d'inspiration nettement occidentale et plus particulièrement française, où l'on retrouve les traditions des romans courtois, s'apparente, pour la forme, aux œuvres symbolistes ; il est caractéristique de la première manière de Blok. Le lyrisme de *La Rose et la Croix*, la subtile élégance de ses vers lui valurent un très vif succès auprès des cercles littéraires russes. — Trad. in *Œuvres dramatiques*, L'Âge d'Homme, 1982.

ROSE JAUNE (La) [*Sárga rózsa*]. Nouvelle du romancier hongrois Mór Jókai (1825-1904), publiée en 1893. Deux jeunes gens, Alexandre Decsi, le gardien de chevaux, et Cecco Lacza, le bouvier, se disputent l'amour de Clairette, fille de l'aubergiste de Hortobágy. Clairette finit par choisir Alexandre ; le bouvier, résigné, lui laissera en souvenir une superbe rose jaune. Mais Alexandre, prenant pour un gage d'amour ce qui ne voulait être qu'un geste d'adieu, manifeste dès lors envers Clairette une certaine froideur. Pour le reconquérir, la jeune fille lui fait boire un philtre d'amour, qu'elle a préparé elle-même et qui empoisonne Alexandre à demi. À peine rétabli, ce dernier provoque son rival en duel, le tue et abandonne définitivement Clairette. Cette œuvre, la dernière qu'écrivit Jókai, peut être considérée comme son chef-d'œuvre. Le récit, concis et coloré, renferme d'admirables descriptions de la « puszta » et demeure comme un document caractéristique de l'engouement pour les sujets populaires qui se manifesta dans la littérature hongroise de l'époque. — Trad. Ollendorff, 1895.

ROSEMONDE. L'épisode de Rosemonde et de la coupe du roi Alboin, raconté par Paul Diacre dans l'*Histoire des Lombards* (*), a inspiré souvent les auteurs tragiques, depuis la Renaissance.

★ La première *Rosemonde* [*Rosmunda*], tragédie en cinq actes de l'humaniste italien Giovanni Rucellai (1475-1525), achevée en 1516, marque l'année où naquit la tragédie régulière. Alboin, roi des Lombards, après avoir vaincu à la guerre Cunimond, roi des Gépides, le tue et fait prisonnière sa fille Rosemonde. La jeune fille, malgré la défense d'Alboin, essaie, avec l'aide de sa fidèle nourrice, d'enterrer son père. Mais Falisque, lieutenant d'Alboin, arrête la princesse et tranche sous ses yeux la tête du cadavre, sur l'ordre du seigneur lombard, puis il traîne devant le roi Rosemonde, accusée de désobéissance. Le roi la fait emprisonner. Toutefois Falisque, pour sauver Rosemonde du déshonneur, et pour l'aider à se venger, pousse le roi à épouser la courageuse princesse. Elle consent à ces malheureuses noces pour mieux tramer sa vengeance. Dès la fin du repas nuptial, le noble Almachilde, qui depuis son adolescence était lié à la princesse par un amour partagé, ayant appris que le roi, ivre, avait contraint son épouse à employer comme coupe le crâne de Cunimond, décide avec la nourrice qu'Alboin sera tué, durant son sommeil, grâce à un subterfuge, et ainsi s'accomplit la vengeance de Rosemonde. La tragédie eut du succès. Elle met en lumière, ainsi que la *Canace* de Sperone Speroni (1500-1588) le goût de l'époque pour les sujets horribles et sanglants.

★ Les aventures de Rosemonde inspirèrent en 1592 à l'Anglais Samuel Daniel (1562-1619) une poésie qui s'intitule *La Plainte de Rosemonde* [*The Complaynt of Rosamund*].

★ En Espagne, la légende donna naissance au drame *Mourir en pensant tuer* [*Morir pensando matar*] de Francisco de Rojas Zorilla (1607-1648), qui s'inspira probablement de la tragédie de Rucellai.

★ Au même thème est dédié le drame, en cinq actes, *Rosemonde,* de l'écrivain suédois Urban Hiärne (1641-1724), représenté en 1665 : c'est la première tragédie de la littérature suédoise qui ait une valeur littéraire. Le jeune Hiärne imita de près l'humaniste hollandais Zevecotius, qui écrivit lui aussi une *Rosemonde.* L'histoire suit fidèlement le récit de Paul Diacre. Aux côtés de la reine, on trouve, au centre de l'action, Elmichi, le personnage le mieux réussi et le plus humain de la tragédie. Le désir de vengeance de Rosemonde est en effet représenté d'une façon trop grossière (les invectives sortent à flots de la bouche de la reine) et cet aveugle sentiment vindicatif, alimenté par des apparitions (réminiscences de *Hamlet*) de l'ombre du roi Cunimond, ne s'harmonise pas bien avec l'ambition qui poussera la reine exilée et insatisfaite à accueillir les avances du préfet de Ravenne, Longino, et à empoisonner son second époux, Elmichi. Ce dernier, au contraire, est représenté avec beaucoup plus de cohérence et de finesse. Devenu l'instrument de la vengeance de Rosemonde, accusé à tort de concubinage avec la reine, son âme est déchirée ; car il ne sait s'il doit être injustement tué pour une faute qu'il n'a pas commise, ou frapper à mort, injustement, son roi. Le remords ne l'abandonne pas lorsqu'il a tué Alboin et épousé Rosemonde : l'ombre du prince mort le poursuit, et ainsi, sans avoir trouvé la paix, mortellement fatigué, il prévoit sa fin prochaine. La prosodie, la langue, les nombreuses réminiscences mettent tout de suite en évidence une facture classique. Toutefois, pour comprendre cette œuvre, il faut ne pas penser aux auteurs tragiques italiens du XVIe siècle, ni aux grands Français du XVIIe, mais se référer au drame anglais de l'époque élisabéthaine.

★ Une série de drames sur le même thème commence avec la tragédie *Rosemonde* [*Rosmunda*] du dramaturge italien Vittorio Alfieri (1749-1803). Conçue en 1779 et publiée en 1783, elle s'inspire des pages de Machiavel sur Rosemonde ; mais le poète inventa de fond en comble le sujet. Il imagina que Rosemonde, après la mort de son mari Alboin (tué par elle et par Almalchilde, qui a commis ce délit par amour pour elle) n'est pas encore rassasiée de vengeance. Elle est heureuse de persécuter Romilda, fille innocente d'Alboin, qu'elle garde auprès d'elle comme prisonnière, et qu'elle hait parce qu'elle a deviné l'amour d'Almalchide pour la jeune fille. Il en résulte un enchevêtrement de passions, puis d'aventures, inextricable. Nous assistons au heurt des deux complices du crime : Rosemonde, qui méprise le faible Almalchilde et souffre de sa trahison; et Almalchilde qui a honte du crime qu'il a commis et voudrait se révolter contre Rosemonde et rendre le trône à Romilda, qu'il aime et qui le repousse, pleine d'horreur. Puis nous voyons la rivalité entre Almalchilde et Ildovaldo, heureux amant de Romilda, rivalité qui provoque une véritable bataille. Cette conception, comme on le voit, est éminemment mélodramatique ; elle atteint son point culminant dans la dernière scène, où Rosemonde tue Romilda sous les yeux des deux hommes qui l'aiment. Mais la figure de Rosemonde est vraiment poétique, avec sa haine frénétique qui est un furieux désir de destruction, un besoin d'anéantir Almalchilde, Romilda, le monde entier et elle-même. Avec la même sincérité (et c'est là un autre aspect de la poésie d'Alfieri) est conçu le personnage de Romilda, noble figure de victime, digne, dans la conscience qu'elle a de son destin, et dans l'attente d'un avenir qui ne peut lui apporter que la douleur, puis la mort. — Trad. Michel Lévy, 1856.

★ Le drame historique *Rosmunda,* écrit en 1839 par l'Espagnol Antonio Gil y Zarate (1796-1861), est écrit dans le goût romantique.

★ Romantique est aussi la tragédie intitulée *La copa de marfil* (1844) de José Zorrilla (1817-1893).

★ Plus importante, bien que ne faisant pas partie de ses œuvres principales, est la tragédie *Rosemonde, reine des Lombards* [*Rosamund, Queen of the Lombards*] d'Algernon Charles Swinburne (1887-1909), publiée en 1861.

ROSEMONDE, PRINCESSE DE CHYPRE [*Rosamunde, Fürstin von Cypern*]. Drame romantique en quatre actes de Wilhelmine Christine von Chezy, musique de scène du compositeur autrichien Franz Schubert (1797-1828), représenté à Vienne en 1823. L'action, un peu surchargée de détails chorégraphiques, a comme protagoniste Rosemonde, qui, élevée à la campagne, ignore qu'elle est princesse de Chypre. Le seul à connaître le secret est le ministre Fulgence ; voulant s'emparer du trône, il médite de tuer la jeune fille. Mais cette dernière est sauvée par le prince de Candie, qui l'épouse et punit le ministre traître. La musique que Schubert écrivit pour commenter l'action se compose de onze morceaux, qui se suivent dans cet ordre : Ouverture ; Intermezzo entre le Ier et le IIe acte ; Bal ; Intermezzo entre le IIe et le IIIe acte ; Le Clair de lune (romance pour soprano) ; Chœur des esprits ; Intermezzo entre le IIIe et le IVe acte ; Mélodie des bergers ; Chœur des bergers ; Chœur des chasseurs ; Air de ballet. L'Ouverture, qui fut donnée lors de la première représentation de l'opéra, fut ensuite publiée par Schubert sous le titre *Alfonso e Estrella* (op. 52), tandis que l'Ouverture, qui actuellement porte le nom de *Rosamonde* (op. 26), fut composée par Schubert pour l'opéra *La Harpe magique* [*Zauberharfe,* 1820] et fut ensuite publiée par lui sous le titre actuel en 1828. Cette ouverture, qui dans sa simplicité et sa fraîcheur reflète ce qu'il y a de meilleur dans l'art de Schubert, est devenue une de ses œuvres les plus populaires. On peut en dire autant des intermezzos et de l'air de ballet : alors que le succès ne sourit pas à l'ouvrage à la représentation, ces pièces continuent à affirmer dans les concerts — où elles sont exécutées sous forme de suite — leur vitalité symphonique. Dans l'Intermezzo séparant le IIIe acte du IVe, le second trio avait été composé plus tôt, en 1819, comme un lied, sous le titre « Der Leidende ». La romance « Le Clair de lune » est un très beau lied dans le style caractéristique de Schubert.

ROSENCRANTZ ET GUILDENSTERN SONT MORTS [*Rosencrantz and Guildenstern are Dead*]. Pièce de l'écrivain anglais Tom Stoppard (né en 1937), représentée en marge du Festival d'Édimbourg par des étudiants d'Oxford en 1966, reprise au National Theatre de Londres en 1967 dans une mise en scène de Kenneth Tynan, publiée à Londres en 1967. Pièce quasi mythique des années 60, *Rosencrantz et Guildenstern sont morts* a assuré la popularité de Tom Stoppard ; son adaptation cinématographique se voit couronnée du lion d'or au Festival de Venise en 1990.

Rosencrantz et Guildenstern sont morts n'est pourtant pas, a priori, d'un accès facile et immédiat. C'est une réécriture de *Hamlet* (*), auquel la pièce emprunte les deux personnages secondaires de Rosencrantz et Guildenstern, mandés à Elseneur par la reine et son nouvel époux afin, en tant qu'anciens camarades d'étude, de faire entendre raison à Hamlet. La pièce de Shakespeare ne fournit pas seulement la trame : des scènes entières s'y voient reproduites « dans un ordre différent » (Guildenstern). Surtout, l'éclairage — et c'est bien une affaire de lumière, de technique théâtrale — n'est pas le même : Rosencrantz et Guildenstern deviennent les héros malgré eux de l'histoire, Hamlet étant relégué au rang de personnage secondaire, le plus souvent muet, quand bien même « toute cette affaire n'a aucun sens sans lui ». La pièce, divisée en trois actes, raconte un voyage : la vie de Rosencrantz et Guildenstern, en route pour Elseneur, est d'emblée placée sous le signe du hasard : du jeu – pile ou face, comme les clochards de Beckett –, des rencontres – celle des tragédiens sera déterminante. L'Acte II reprend littéralement des fragments de la pièce de Shakespeare, comme la pantomime des comédiens. Mais le meurtre réel est escamoté ; demeure l'ultime mission de Rosencrantz et Guildenstern : conduire Hamlet en Angleterre. Soumis aux aléas d'une destinée toujours plus absurde, ils finissent par disparaître « de la vue ». Nul ne saura que « Rosencrantz et Guildenstern sont morts ». Ultime emprunt littéral à *Hamlet,* qui donne son titre à la pièce : leur mort y est programmée, parce qu'elle a déjà eu lieu.

« Words, words, words. » Les mots sont ici le piège de Rosencrantz et Guildenstern. Seconds rôles dans *Hamlet,* ils ne sont pas en mesure de soutenir l'éclairage qui leur est soudain donné. Perdus dans *Hamlet* comme dans un pays dont l'existence n'est pas avérée (eux-mêmes ne croient à l'Angleterre que comme une « conspiration de cartographes »), ils semblent pitoyablement aspirer à l'existence. Mais le couple qu'ils forment, comiques comme des Laurel et Hardy métaphysiques, est déjà une dérision d'identité. Leur complicité tient à leur capacité, cependant toujours insuffisante, à jouer, à mimer l'altérité : s'exercer à être Hamlet devrait leur permettre de le prendre en défaut. Mais ils restent ce qu'ils sont, piètres Hamlet, piètres comédiens. Ce dérisoire-là leur donne une humanité vraie : « Qui sommes-nous pour que tout converge vers nos morts minuscules ? »

Un certain recul nous permet aujourd'hui de mesurer le réel plaisir que procure *Rosencrantz et Guildenstern sont morts :* la liberté si joyeuse accordée à des êtres tout petits nous associe à une « dérive » euphorique, et infinie. La « mort » de nos deux héros n'est bien qu'une disparition. « Chaque sortie, assure le comédien, est une entrée quelque part ailleurs. » – Trad. Le Seuil, 1967. A. Va.

ROSES À CRÉDIT. Roman de l'écrivain français d'origine russe Elsa Triolet (1896-1970), publié en 1959. C'est le premier volume d'un cycle consacré au XXe siècle et intitulé : « L'Âge de nylon ». Elsa Triolet fait naître son héroïne, Martine, dans un monde encore resté à l'âge de la pierre : la découverte qu'elle fera du nouvel âge en marge duquel elle est restée la marquera d'une façon brutale. Qu'arrive-t-il à cette enfant magnifiquement pourvue par la nature mais si chichement gâtée par les hommes ? À l'ordure qui entoure son berceau, elle oppose le rêve d'une netteté parfaite. À la solitude, elle oppose le rêve d'un amour à peine entrevu sous les traits de Daniel Donelle, fils d'un horticulteur renommé. À la misère enfin, le rêve d'un monde organisé et impeccable, sous le signe du confort le plus moderne. C'est le mirage du plastique, du réfrigérateur, de la machine à laver et du « cosy-corner ». Le rêve de netteté sera accompli lorsqu'elle quittera l'immonde cabane à rats, où sa mère sacrifie à l'amour avec les hommes les plus divers, pour entrer dans le salon de coiffure de Mme Donzert, qui l'adopte comme une seconde fille. Plus tard, elle ira dans un grand institut de beauté, à Paris, que fréquentent les stars, les reines du monde, les grandes dames du tout-Paris, avec lesquelles elle ira même jouer au bridge.

Le rêve d'amour se réalise en Daniel, qui suit la tradition familiale en étudiant le métier d'horticulteur à Versailles : sa passion est de créer des fleurs nouvelles, notamment une rose qui allierait à l'odeur des roses anciennes la forme des fleurs modernes. Martine est restée fidèle à son amour d'enfant. Daniel la découvre par hasard à Paris, et ce qu'il pensait ne devoir être qu'une aventure devient une passion. Ils se marient. Mais voici la faille dans cette vie si heureusement organisée : pour réaliser le dernier rêve, la petite Martine-perdue-dans-les-bois, surnom resté d'une aventure de jadis, va se jeter dans une succession d'achats à crédit, qui l'obligeront à travailler, à rester seule, alors que Daniel doit aller dans les plantations familiales ; l'appartement, les meubles, le confort, tout s'achète à crédit, et Martine devient l'esclave de ses désirs. Elle est entrée dans un cercle infernal, dont elle sortira innocente, mais ayant perdu Daniel et le goût de vivre. Il ne voyait plus en elle cette ancienne et mystérieuse profondeur qui la lui rendait chère. Il se détourne et s'éprend d'une autre. Nous sommes à la fin. Revenue dans la cabane de sa naissance afin d'y régler « la succession » de sa mère, elle y connaît une aventure douteuse. Elle s'y endort seule : on la retrouve dévorée par les rats. C'est le moment que choisit Daniel pour réussir à créer la rose de sa passion. Il l'appelle « Martine Donelle », ce n'est plus la rose de sa joie, mais la rose de sa douleur. Dans ce roman, l'auteur veut donc montrer un certain degré extrême de l'état de choses présent : où triomphe l'idéal du confort net et mécanique, au détriment du mystère des êtres. Viendront ensuite : *Luna-Park* (*) et *L'Âme* (*).

ROSE SECRÈTE (La) [*The Secret Rose*]. Recueil de contes et légendes du poète irlandais William Butler Yeats (1865-1939), publié en 1897. Ces histoires font suite au *Crépuscule celtique* (*), et présentent à nouveau un choix de légendes et de mythes : monde fantastique peuplé d'ombres ou d'hallucinations, monde de métamorphoses où l'initiation et la quête modèlent l'homme parfait. Cette initiation, symbolisée par la Rose mystique, est le principe d'unité où l'alchimie spirituelle concilie les antinomies, et donne un centre aux forces contraires qu'elle équilibre. Pour Yeats, qui voyait dans ce mélange des contraires la noblesse même de l'art, la rose était aussi bien naturelle que spirituelle ; c'est là que réside l'originalité de *La Rose secrète*, où chaque histoire laisse affleurer cette dialectique de la nature et de l'esprit : passage de la vie à la mort, de la mort à une vie nouvelle, transmutation du corps en esprit, de l'homme en Dieu, de la vie en art, quête ésotérique et esthétique ayant la rose pour emblème. Yeats ne considérait pas ces histoires comme de simples fantaisies empruntées au folklore, mais comme la signature de choses et d'idées invisibles ; chaque personnage, chaque lieu se voit ainsi investi d'une symbolique complexe, dont l'auteur même ne prétend pas embrasser l'étendue : « Les symboles sont les plus grands de tous les pouvoirs, qu'ils soient utilisés consciemment par les maîtres de la magie, ou à demi inconsciemment par leurs successeurs : le poète, le musicien et le peintre. » — Trad. Presses universitaires de Lille, 1984. P. H.

ROSES ROUGES POUR MOI [*Red Roses for Me*]. Drame en quatre actes de l'écrivain irlandais Sean O'Casey (1884-1964), publié en 1943 et représenté au New Theater de Londres en 1946. Le jeune Ayamonn Breydon est un militant syndicaliste très écouté à cause de son ardeur et de sa générosité ; inlassable, il consacre le peu de temps que lui laissent son travail et son activité politique à lire, à dessiner, à écrire des chansons. Cette fougue et cette dépense perpétuelle de soi énervent la belle Sheila Moorneen, sa fiancée, qui préférerait qu'Ayamonn pense un peu plus à leur « avenir » et brigue une bonne place au lieu de se mettre les autorités à dos avec son syndicat et ses discours. Une grève est en préparation ; elle le supplie de n'y pas prendre part, mais il refuse violemment et c'est presque la rupture. Les patrons ayant repoussé la misérable augmentation de un shilling réclamée par les ouvriers, la grève éclate en effet et, lors d'une manifestation dont il avait pris la tête, Ayamonn est tué par la police. Sur cette trame et autour du personnage d'Ayamonn, la pièce est animée par une série de caractères pittoresques et hauts en couleur : Mme Breydon, la vieille mère d'Ayamonn, inquiète de son ardeur mais toute compréhension à l'égard de ses idées malgré le rigorisme de sa foi ; le révérend Clinton, qui s'efforce de prévenir la violence, mais reconnaît le bien-fondé de la révolte des pauvres ; l'inspecteur Finglass, officier réactionnaire, fermement décidé à maintenir la « racaille » au rang où « Dieu l'a mise » ; Brennan O'The Moor, vieillard burlesque que son avarice n'empêche pas d'être secourable à l'occasion ; Mulcanny, sceptique passablement ridicule qui n'a de cesse d'expliquer à tous les passants que Dieu est mort, au risque de se faire lapider ; Roory O'Balacaun, balourd et borné, fanatique du celtisme ; Forster et Dawzard, bigots aussi bêtes que méchants.

Œuvre d'un révolutionnaire militant, cette pièce au langage savoureux est traversée par un souffle de jeunesse et d'espoir — espoir symbolisé au IIIe acte par la brusque transfiguration de Dublin, illuminée par une lumière qui laisse entrevoir, au-delà de l'injustice, de la misère et de la lutte apparemment stérile du moment, un avenir d'égalité et de bonheur. Les thèmes généraux : la lutte des classes, l'inertie du sous-prolétariat paralysé par la peur ou par une morale hypocrite, la nécessité de la lutte révolutionnaire, sont incarnés avec force, surtout dans le personnage d'Ayamonn dont l'action et le sacrifice se résument peut-être dans cette réplique : « La vie n'est pas une chose unique, mais une foule de choses, une grande flamme multicolore, bonne à regarder, à sentir, et qui ne peut aveugler celui qui l'aime. Laisse les timorés aller sur la pointe des pieds par les chemins où poussent des fleurs de papier. Mes pas me mèneront là où fleurissent les roses les plus rouges, et qu'importent les épines, aussi longues et aussi blessantes qu'elles soient. » — Trad. L'Arche, 1959.

ROSMERSHOLM. Chef-d'œuvre de l'écrivain norvégien Henrik Ibsen (1828-1906), et l'un des plus grands ouvrages du théâtre moderne ; il fut conçu par l'auteur aussitôt après *Le Canard sauvage* (*), sous le titre *Les Chevaux blancs*, et publié en 1886. La femme du pasteur Johannes Rosmer — dernier descendant d'une famille dont l'austérité était proverbiale — est morte en tombant dans le bief d'un moulin. Libre désormais de la crainte de lui faire de la peine, Rosmer brûle de professer les idées qui ont longtemps mûri en lui. Il se sent un autre homme, il a renié la religion de ses ancêtres, il voit dans le bonheur le but de la vie, il est animé par le désir de travailler pour le peuple, « affranchissant les esprits et purifiant les volontés ». Il est d'ailleurs incité à rompre tout lien avec le passé et à se jeter dans l'action par Rebecca West, sauvage créature, qui a assisté Mme Rosmer dans ses dernières années et qui a eu une grande influence sur la soudaine transformation du pasteur. Mais au moment même où Rosmer se croit à l'entrée d'une nouvelle vie, la blessure, comme dans tant d'autres drames d'Ibsen, le mal secret, se manifeste qui bouleversera son existence. Il a cru, jusqu'alors, que sa femme s'était tuée dans une crise de folie et qu'il n'était pour rien dans cette mort. Mais le frère de Beate, indigné par l'apostasie de Rosmer, insinue dans son âme un doute, qui déjà l'accuse : pourquoi Beate est-elle devenue folle ? Alors commence une impitoyable enquête psychologique qui mettra face à face Rosmer et Rebecca, dans un crescendo d'émotion qui atteindra son paroxysme dans la confession de la femme et dans la « catharsis » ou purification finale. Rebecca, dès son entrée dans la maison de Rosmer, a ressenti pour lui une violente passion ; créature faite toute d'instincts et dépourvue de scrupules, elle n'a reculé devant rien pour le conquérir. Elle a fait croire à Beate qu'elle-même était aimée de Rosmer, et Beate, qui souffrait déjà d'une obsession qui lui faisait considérer sa stérilité comme une faute, a glissé vers la folie ; c'est pourquoi finalement elle s'est tuée, croyant qu'il était de son devoir de libérer ceux qu'elle croyait être déjà amants. Rosmer regarde alors avec horreur celle dont il avait fait la pure compagne de son nouvel idéal. La femme qu'il a devant lui n'est pourtant déjà plus la Rebecca impitoyable et perfide qui a conduit Beate au suicide. À mesure qu'elle brisait les obstacles qui la séparaient de Rosmer, la noblesse de ce dernier, l'atmosphère de cette maison où elle vivait l'ont inconsciemment domptée et purifiée. C'est pour cette raison qu'elle avait déjà refusé à Rosmer de devenir sa femme. Et au moment même où Rosmer, désormais avili, se sent incapable d'enseigner les hommes, toute la personne de Rebecca, comme transfigurée, lui donne la preuve vivante que son pouvoir sur l'être le plus déchu n'est pas une illusion. Rosmer ne demande qu'à la croire, mais quelle preuve pourra-t-elle jamais lui donner, qui effacera tous les mensonges passés ? Beate, en se jetant dans le bief, lui a en effet donné, sans qu'il le sache, la suprême preuve d'amour ; Rebecca pourrait-elle refaire le chemin de Beate ? Elle s'y déclare prête, avec un enthousiasme qui fascine Rosmer : il ira donc avec elle sur le pont qui franchit le bief. Qui de nous suit l'autre ? demande Rebecca. Nous ne le saurons jamais, répond Rosmer, « car maintenant nous ne faisons qu'un ». Et tous deux, se tenant par la main, s'éloignent vers l'acte suprême qui consommera leurs noces spirituelles, sûrs de conquérir dans « le grand amour qui renonce » la pureté de la conscience, unique source de joie. La grande conciliation entre le bonheur et le devoir survient, comme une ascension solennelle et inattendue, au seuil de la mort. Libéré, depuis *Le Canard sauvage* (*), de toute intention polémique ou didactique, Ibsen s'affirmait en *Rosmersholm* comme un dramaturge d'une grande puissance lyrique. Les passions dévorantes, l'exaltation de la sensualité dans l'amour, la conscience de la faute et le besoin d'expiation poussé jusqu'à l'anéantissement, cet élan, comparable à la grâce, vers la seule parcelle d'absolu offerte à l'homme dans un monde sans Dieu, tout cela, qui résume la vie d'Ibsen et son tourment, s'exprime dans *Rosmersholm,* et surtout dans le dernier acte, avec la simplicité et l'intensité de l'art le plus parfait. Beaucoup plus que pour *Brand* (*), on peut ici parler d'une influence de la philosophie kantienne ; en effet, c'est dans cette pièce que la loi morale de Kant trouve son expression poétique la plus convaincante. – Trad. Plon, 1941.

ROSSIGNOL COMBATIF (Le) ou le Bosquet poétique et religieux [*Trutz-Nachtigal, oder geistlichs poetisch Lustwaldlein*]. Recueil de vers du poète allemand Friedrich von Spee (1591-1635), publié après la mort de l'auteur, en 1649. Si l'auteur se place sous le signe du rossignol, c'est parce que, dit-il, cet oiseau par son chant inimitable lance un défi à tous ses congénères. Entendez par là qu'un poète allemand peut rivaliser avec les meilleurs poètes grecs et latins. Le « rossignol » lance ses roulades au lever de la lune comme du soleil. Aussi notre jésuite s'en va-t-il à travers bois pour tenter de l'apercevoir, tout comme il veut déceler la présence de Jésus-Christ dans les beautés de la nature. Bien que les métaphores de Spee pèchent souvent par trop de maniérisme, il faut reconnaître que l'auteur montre beaucoup d'imagination dans le baroque. Les divers chants sont écrits en forme de dialogue, dans le ton de l'idylle et de la pastorale. Le Christ y est représenté sous les traits du berger Daphné, la lune veille sur son troupeau d'étoiles, et le monde entier ressemble à une crèche. Dans la *Chanson d'amour à l'époux Jésus*, cette sorte d'érotisme religieux est si douceâtre qu'il en devient déplaisant et ne fait que dégrader les accents si beaux du *Cantique des cantiques* (*) dont il s'inspire. Spee exerça sur son siècle une énorme influence et parvint à gagner au catholicisme une bonne partie de l'Allemagne cultivée. L'hymne des *Lamentations du Christ au jardin des Oliviers* [*Christi Klage am Ölberg*] est devenu un air religieux populaire dans la musique de Brahms. En 1817, Clemens Brentano transposa les vers de Spee sous une forme romantique et les dédia à Luisa Leusel.

ROSSIGNOL DE L'EMAJÕGI (Le) [*Emmajõe öpik*, auj. *Emajõe ööbik*]. Recueil de poèmes de la poétesse estonienne Lydia Koidula (pseud. de Lydia Michelson, née Jannsen, 1843-1886), publié en 1867. C'est bien sur les bords de l'Emajõgi, cette rivière qui traverse la ville de Tartu, qu'a résonné le chant romantique de cette poétesse de vingt-quatre ans, dont ce recueil, paru sans nom d'auteur, est le deuxième et le dernier. Une partie des poèmes est consacrée aux émotions intimes – la douleur de la solitude, les joies de l'amour, les sentiments maternels (« Cœur de mère ») qui se fondent avec la nature environnante (« Envole-toi ! »), et l'arrivée du printemps. La voix du rossignol, l'abondance des étoiles, les fleurs et les feuilles sont autant d'appels qui parlent au cœur. L'influence du romantisme allemand est perceptible, de même que dans les poèmes patriotiques. De vibrants hymnes (« Ma patrie est mon amour », « À toi jusqu'à la mort », « Terre estonienne » et « Cœur estonien ») ont été mis en musique. Mais Koidula médite aussi sur le triste destin de l'Estonie, sur les six siècles d'asservissement de son peuple, sur son désir de liberté : « Ma patrie, ils t'avaient enterrée / de leurs mains noires et lourdes. » Ainsi rejoint-elle son compatriote, l'écrivain Friedrich Kreutzwald, dont le *Kalevipoeg* (*) chante le combat pour l'affranchissement. La poésie de Koidula est empreinte d'enthousiasme et d'espoir (« Pourquoi pleures-tu ? »). Car elle se nourrit de la montée du mouvement national estonien. Rimée, sa poésie n'en rappelle pas moins par son rythme les formes populaires. E. T.

ROSSIGNOL DE WITTENBERG (Le) [*Die Wittembergisch Nachtigall*]. Poème allégorique, paru en 1523, par lequel le poète allemand Hans Sachs (1494-1576) apporta sa contribution à la lutte religieuse, en faveur de la Réforme. À la pâle clarté enchanteresse de la lune (la doctrine catholique), les brebis (les chrétiens) ont été égarées par le lion (le pape Léon) et entraînées dans le désert de la fausse pratique religieuse ; nombreuses sont celles qui ont été ses victimes et celles des loups (les prêtres), tandis que des serpents (moines et religieuses) leur suçaient à toutes le sang. Mais un chant s'élève à l'Orient et annonce l'aube d'un jour nouveau : « Éveillez-vous, le jour approche : j'entends, dans la verte haie, chanter un doux rossignol ! » C'est l'aube de la nouvelle foi, de la Réforme, et le doux rossignol est Luther, qui ramènera le troupeau au Christ, à son vrai Pasteur. Les chrétiens devront suivre son appel et se libérer de l'esclavage de l'Antéchrist (le pape), sans prêter stupidement l'oreille à la voix du bouc, du porc, du colimaçon et du chat (les quatre polémistes catholiques Emser, Eck, Cochläus et Murner). Ce poème de sept cents vers, rimés deux par deux, et qui fut transformé en chant par le poète, eut une large résonance et fut abondamment diffusé ; mais il suscita aussi une violente opposition à laquelle Hans Sachs répondit par quatre dialogues en prose vifs, subtils, combatifs, pleins de foi dans le triomphe de la Réforme. C'est dans cet esprit qu'il continua à composer, mais il ne participa plus ensuite à la polémique religieuse et se contenta d'obéir aux inspirations de sa muse simple et populaire.

★ Sous le même titre *Le Rossignol de Wittenberg* [*Näktergalen i Wittenberg*], le romancier et dramaturge suédois August Strindberg (1849-1912) composa en 1903 un drame en cinq actes. C'est une biographie dramatisée de Luther : chaque acte correspond à l'une des périodes de la vie du réformateur, depuis son enfance jusqu'au triomphe de sa réforme. Ce Luther est un violent, un homme inhumain (« Je ne pardonne jamais à un ennemi avant de lui avoir rompu bras et jambes ») et Strindberg lui-même, sentant l'absence de poésie de son héros, privé de doutes et de scrupules, de pitié et d'amour, chercha vainement à suppléer à ce vide intérieur par une richesse d'ornementation, évoquant les plus grands personnages de l'époque, d'Érasme à Lucas Cranach, d'Ulrich von Hutten à Hans Sachs. – Trad. in *Théâtre complet,* t. V, L'Arche, 1986.

RÔTISSERIE DE LA REINE PÉDAUQUE (La). Œuvre de l'écrivain français Anatole France (François-Anatole Thibault, 1844-1924), publiée en 1893. Ce roman satirique affirmait clairement, après *Thaïs* (*), la nouvelle direction, d'un scepticisme ironique et voltairien, où s'engageait Anatole France. L'action se déroule au début du XVIIIe siècle. Jacques Ménétrier, le narrateur, a été surnommé Jacques Tournebroche, en raison des fonctions qu'il remplit dans la boutique de son père, rôtisseur de la rue Saint-Jacques, à l'enseigne de la Reine Pédauque. Parmi les clients de la maison, Tournebroche a fait d'étranges connaissances : un capucin ivrogne, une femme de chambre de mœurs fort légères, un gentilhomme un peu fou et surtout un abbé d'esprit raffiné, grand savant, docteur en théologie, maître ès arts, que son goût trop prononcé pour les jolies dames et ses opinions qui sentent le fagot ont mis en marge du clergé et réduit, pour vivre, aux pires expédients. Le rôtisseur demande à l'abbé Jérôme Coignard de pourvoir à l'éducation de Jacques Tournebroche en échange du gîte et du couvert. Coignard initie donc son élève au grec, au latin et à une très étrange morale, pendant que la femme de chambre l'initie à l'amour. Mais M. d'Astarac, un gentilhomme gascon de grande fortune, qui a quelque peu perdu la tête à force de lire des ouvrages de magie et d'alchimie, passant près de la rôtisserie, croit voir une sylphide dans le feu de la cheminée : il en déduit aussitôt qu'une déesse a marqué sa prédilection pour Jacques Tournebroche, qui se trouve ainsi appelé aux plus hautes destinées, et prend en charge le garçon et son précepteur pour l'aider dans ses recherches kabbalistiques. Coignard et Tournebroche coulent des jours heureux chez M. d'Astarac, qui possède, outre une bonne table, une magnifique bibliothèque. Mais une expérience chimico-magique ayant donné de mauvais résultats, un incendie embrase la maison. Coignard et son élève sont obligés de prendre la fuite, d'autant plus qu'ils se sont gravement compromis dans des fredaines nocturnes en compagnie d'un jeune chevalier. Ils s'en vont donc, non sans avoir subtilisé quelques diamants à M. d'Astarac, diamants qui d'ailleurs sont faux ! Mais le jeune chevalier a enlevé la nièce et maîtresse du Juif Mosaïde, qui aidait d'Astarac dans ses recherches et qui est maintenant aux trousses des voyageurs : Coignard, que le Juif prend pour le séducteur de sa maîtresse, est poignardé et, après avoir toutefois copieusement injurié son confesseur, il fait une fin très édifiante, pleuré par Tournebroche, qui regrette dans son « bon maître » le « plus gentil esprit qui ait jamais fleuri sur la terre ».

Cette folie gaie, tout à fait dans le goût des romans du XVIIIe siècle, peut être à juste titre considérée comme un chef-d'œuvre du genre : Anatole France avait enfin trouvé sa voie, celle d'un disciple de Voltaire, aussi bien pour la forme que pour l'ironie : il y montrait un brio incomparable à manier les idées, tout en ne les prenant jamais trop au sérieux. Mais cette façon souriante d'accepter les faiblesses humaines, cette indulgence si large pour les aigrefins et les professeurs de débauche, les innombrables sarcasmes décochés à travers tout le livre à la vertu et à la religion ne manquèrent point de surprendre et d'effrayer ceux qui avaient admiré l'auteur du *Crime de Sylvestre Bonnard* (*). C'est déjà une bien étrange philosophie de l'histoire qu'enseigne M. d'Astarac : dans cette conception, en effet, l'univers est animé par une multitude de génies. Jéhovah n'est que l'un deux et non pas le plus parfait ; bien au contraire, il est fait d'une matière grossière, qui crée tout de travers, un démiurge, à la rigueur, un Dieu certainement point. Le véritable porte-parole de France, c'est l'abbé Jérôme Coignard, le « bon maître », et on appliquera plus tard respectueusement ce surnom à l'auteur lui-même. Coignard enseigne une morale des plus laxistes ; il dispense à pleines mains ses absolutions aux fripons et son caractère est si indulgent qu'il n'en veut même point aux honnêtes gens ! Ceux-ci pourtant ne laissent pas d'être gravement coupables, surtout ces femmes trop sages « qui s'obstinent avec trop de superbe dans leur altière vertu » et « se regardent comme une façon de Saint-Sacrement naturel » ! Ne faut-il point pécher, argumente l'abbé, puisque « les meilleurs saints furent des saints pénitents ? » Faut-il se soucier d'être honnête selon le monde, puisque la seule justice est la justice divine (ce qui excuse sans doute le vol des diamants de M. d'Astarac) ? Et s'il est, à la rigueur, permis d'être vertueux, on se doit bien garder de l'être trop, car « la vertu, comme le corbeau, niche dans les ruines ». Coignard s'étonne aussi beaucoup que les mortels, dont la vie, dit-il, est réglée uniquement par la faim et par l'amour, soient devenus citoyens, qu'ils se soient ingéniés à inventer toutes sortes de barrières pour refréner leurs plaisirs ; d'où il conclut que les lois sont en contradiction avec la nature. La philosophie de Jérôme Coignard est donc bien l'anarchie, mais combien souriante, ironique, aimable : le « bon maître » n'a rien d'un sévère réformateur social, il se plaît surtout à faire enrager les tenants des idées établies.

ROTROUENGE DU CAPTIF. Cette chanson – la « rotrouenge » ou « rotruenge » est une chanson sans refrain sur un sujet de caractère personnel – est une des rares œuvres authentiques qui nous soient parvenues de Richard Cœur de Lion (1157-1199), roi d'Angleterre et trouvère célèbre en son temps. On sait que Richard Ier, fils d'Henri II prit part, avec l'empereur Frédéric Barberousse et le roi de France Philippe Auguste, à la troisième croisade. De violentes dissensions éclatèrent bientôt entre les chefs de l'expédition, à la suite desquelles Richard se fit d'irréconciliables ennemis. Le plus acharné d'entre eux, le duc d'Autriche, Léopold, dont Richard traversait, sous un déguisement, les États, le retint captif pendant deux ans. C'est de sa prison que Richard composa la noble chanson dont il est ici question. Il y éclate en violents reproches contre ses sujets qui le laissent en prison : autrefois ils l'aimaient, mais ils semblent l'avoir oublié « Forment m'amoient, mes or ne m'aimment grain », c'est « que mors ne pris n'a ami ne parent ». Et cependant « Ce sevent bien mi homme et mi baron, / Englois, Normant, Poitevin et Gascon, / Que je n'avoie si povre compaignon, / Cui je laissasse por avoir [pour de l'argent] en prison ». Qu'ils sachent que s'ils le laissent deux hivers prisonnier, « honte en avront ». Il y a dans cette courte chanson, au rythme bien frappé, plus que de l'apitoiement sur soi-même, une rancœur, et surtout un sentiment d'orgueil blessé qui nous touchent encore. – La *Rotrouenge du captif* a été éditée et traduite par J. Dufournet dans l'*Anthologie de la poésie lyrique française des XIIe et XIIIe siècles* (Gallimard, Paris, 1989, p. 96-99).

ROUDINE [*Rudin*]. Roman de l'écrivain russe Ivan Sergueïevitch Tourgueniev (1818-1883), publié en 1855. C'est le premier roman de Tourgueniev, encore imparfait du point de vue artistique, mais déjà très personnel pour ce qui est du thème central et de la construction (un problème qui s'incarne dans un héros et la réaction de la société relativement à ce problème tant en théorie que dans la pratique quotidienne de la vie). L'action est très simple et dénuée de véritables éléments dramatiques. Un jeune homme, Dmitri Roudine, arrive par hasard, en compagnie d'un ami, dans la maison de campagne d'une femme à la mode de la capitale, Daria Mikhaïlovna Lasunskaïa. Par son éloquence, il y fait la conquête de tout le monde : la maîtresse de maison, sa fille Natacha et les invités. La richesse de son langage plein de poésie, la variété de ses arguments, le mystère dont il s'entoure lui-même, passant de considérations sur la beauté aux problèmes sociaux, font que ses débuts chez Mme Lasunskaïa sont des plus brillants et que, venu chez elle passer une soirée, il demeure son hôte pendant plusieurs mois. Le charme qu'il exerce prend une teinte particulière en ce qui concerne la jeune Natacha. Il trouve du reste avec elle une autre forme d'éloquence, que lui inspire l'attitude admirative de la jeune fille : l'éloquence de l'amour. Mais il ne s'agit que de mots, de sorte que lorsque Natacha, à qui sa mère refuse son consentement (elle a fini par comprendre le peu de consistance de la nature de Roudine), se tourne vers lui, il ne trouve rien de mieux à lui dire que de se plier à la volonté maternelle. C'est une attitude analogue, à peu de chose près, à celle d'Eugène à l'égard de Tatiana dans *Eugène Onéguine* (*) de Pouchkine. Naturellement, il ne reste plus à Roudine qu'à quitter la maison dont il a été si longtemps l'hôte. Dans un épilogue que le romancier ajouta plus tard, il meurt sur les barricades, à Paris, pendant la révolution de 1848. Dans ce roman, ce qui frappe avant tout, c'est le caractère abstrait du héros ; l'action est des plus minces et se déroule presque toute en fonction des discours de Roudine et de son histoire. Elle est relatée surtout, et pour diverses raisons, sur un ton peu favorable, par son ami Leznev. Le personnage, en outre, manque d'unité. En Roudine, Tourgueniev veut représenter la génération des jeunes idéalistes de 1830-1840, adonnés à une philosophie tout compte fait assez creuse et peu propre à l'action. L'auteur avait eu tout d'abord une intention satirique (on a dit qu'en Roudine il avait voulu représenter sous un mauvais jour Michel Bakounine, alors aux débuts de sa propagande anarchiste) ; mais par la suite, s'étant pris d'un regret nostalgique pour l'époque qu'il décrivait, l'auteur atténua le dessein initial qu'il s'était fixé et manifesta un peu plus d'indulgence à l'égard de son héros. Ajouté plus tard, l'épilogue, où il fait de Roudine une véritable apologie, en témoigne assez ouvertement. Roudine reste cependant l'un des représentants les plus marquants de ce qu'on appelle les « inutiles », les « hommes de trop » [lišnie ljudi], lesquels avaient déjà fourni à Tourgueniev le sujet de plusieurs de ses contes (*L'Hamlet de l'arrondissement de Chtchigrov, Jacques Pasynkov, Le Journal d'un homme de trop*). Il s'agit en l'occurrence d'un type d'homme qui sera abondamment, et pendant longtemps encore, décrit par les romanciers russes. — Trad. Gallimard, Bibliothèque de la Pléiade, 1981 ; Stock, 1984.

ROUE ROUGE (La) [*Krasnoe koleso*]. Roman de l'écrivain russe Alexandre Soljenitsyne (né en 1918) dont le premier volume parut en Occident sous le titre *Août 14* en 1972. *La Roue rouge* est une énorme narration, sous-titrée par son auteur « récit en segments de durée », et divisée en tomes appelés « nœuds ». Dans le roman *Le Pavillon des cancéreux* (*), on lit cette explication : Nerjine et Sologdine, qui sont hantés par l'histoire de leur pays, discutent en sciant du bois dans la cour de la prison sur la façon d'écrire l'histoire : « Montre-toi à la hauteur de ta science du calcul, dit Sologdine. Mets en pratique le principe des points nodaux. Comment étudie-t-on un phénomène inconnu ? Comment devine-t-on une courbe qui n'est pas apparente ? Par exploration continue, ou bien par ponction ? — Inutile d'y revenir ! On cherche le point de rupture, le point de retour, les points extrêmes, les points zéro. Ça nous donne toute la courbe... » Telle est l'ambition de ce récit qui, en son premier « acte » comporte quatre « nœuds », huit tomes et des milliers de pages. La roue rouge est un symbole auquel on peut trouver énormément d'antécédents dans la symbolique humaine : la roue de fortune, la roue zodiacale, la roue d'yeux dans la vision du prophète Ézéchiel... On voit dans le texte un moulin incendié se mettre à tourner comme une roue de feu « Affranchie ! Inéluctable ! Tout écrasante ! Voici la roue ! ! ! ».

Dès l'âge de treize ans, nous a confié l'auteur, l'histoire le tourmentait, comme elle tourmente son personnage de Nerjine dans *Le Premier Cercle* (*). Où, quand, comment l'histoire russe a-t-elle déraillé, est-elle sortie de ses gonds ? *La Roue rouge* répond à cette question, ou tente d'y répondre. Son créateur s'est fait historien, archiviste, infatigable chercheur, il a arpenté les paysages de la Première Guerre mondiale, Zurich à la recherche de Lénine, Kiev à la recherche de Stolypine qui s'y est fait assassiner. Il a dépouillé pratiquement toute la presse de l'avant-guerre russe, tous les débats du parlement russe, la Douma, tous les Mémoires, il a lancé des appels à l'émigration russe pour qu'elle lui adresse les inédits qu'elle détient, il a eu des réseaux d'amis qui chassaient le document pour lui, il a fait bâtir sa maison-bibliothèque de Cavendish au Vermont tout exprès, réservant un étage pour chaque « nœud » en gestation... Son projet est né sous le titre de Tolstoï : écrire un moderne *La Guerre et la Paix* (*), mais débarrassé de la fausse philosophie de l'histoire tolstoïenne, qui nie le rôle de la volonté individuelle dans les choses de l'Histoire. Puis la formule tolstoïenne a faibli, le mélange de chapitres « civils » et de chapitres « militaires » de la première rédaction d'*Août 14* a cédé du terrain à une autre méthode, plus didactique, où les chapitres panoramiques, qui sont d'immenses leçons d'histoire, collations de documents, souvent animées par l'ironie, ont envahi la trame du récit. Les chapitres-écrans, qui sont empruntés à la technique cinématographique, et qui décrivent une sorte d'écran, zooment sur des gros plans visuels, tel ce corps boursouflé d'un cheval éventré après la bataille en Prusse, se font plus rares dans *Octobre 16*, mais envahissent la narration dans *Mars 16*. C'est que les nœuds, si scientifique que soit leur choix, ont leur propre vie et échappent partiellement à la volonté de leur créateur. *Août 14* va se lester d'un énorme implant dans sa seconde version, autour de l'assassinat de Stolypine en 1911 à Kiev, et autour de la famille du monarque. Tandis qu'*Octobre 16* se ralentit jusqu'à une immobilité parfois insupportable, et ce parce que le front est stabilisé, mais aussi parce que tout est en suspens, y compris le jugement de l'auteur qui cherche à éclairer de son phare les visages des fauteurs du désordre. Enfin, dans *Mars 17* le rythme est frénétique, mais l'action rapportée comme sous un microscope, tant tout est haché, grossi sous la loupe de l'observateur qui semble perdre la vue d'ensemble, qui fouille les visages et perd l'aimantation générale. Et ces sautes de rythme, ces embardées de l'énorme vaisseau narratif sont peut-être ce qu'il y a de plus fascinant dans *La Roue rouge*, car, après tout, une omniscience de l'auteur nous eût semblé indéfendable. Parmi les textes dans les textes, il y a les « Carnets » de l'écrivain Kovyniov dans *Octobre 16* ; en fait, il s'agit d'un texte authentique, dû à l'écrivain cosaque Krioukov, celui que Soljenitsyne tient pour l'auteur véritable du *Don paisible* (*). Ces fragments chantent le « sein douillet de la vie » et notent les prémices d'une licence et d'un chaos moral qui vont bientôt submerger la Russie. Cette injection du texte de Krioukov, comme celle des documents parlementaires, des encarts publicitaires, des dictons populaires, des coupures de journaux, donnent au texte de Soljenitsyne une sorte de trame extra littéraire, un enracinement dans le terreau même de l'Histoire. Les proverbes jouant un peu le rôle de chœur populaire prononcent en sourdine des jugements énigmatiques, comme dans *La Fille du capitaine* (*) de Pouchkine, alors que les coupures de journaux donnent une allure très moderne, à la Dos Passos.

Si l'on analyse *Août 14*, on voit que l'œuvre dans sa version définitive est comme lestée par les retours portant sur le passé, et intitulés « fragments des nœuds passés ». Ce lest est centré sur le terrorisme, maladie russe par excellence, de l'intelligentsia en particulier : le portrait du terroriste Bogrov, conjugué avec le magistral portrait en pied de Stolypine, en qui l'auteur voit le seul recours qu'avait l'ancienne Russie, et avec la description de l'aveuglement et des lâchetés de la police secrète : ce triple faisceau de lumière, comme au cirque lorsqu'un acrobate s'élance dans les cintres, éclaire violemment la grande scène de l'assassinat de 1911, Bogrov monte au mât vertigineux tel l'acrobate qui ne voit plus que la conque noire des regards centrés sur lui...

Mais ce lest rétrospectif n'est là que pour contrebalancer le récit central, celui de la première défaite russe dans la guerre, en 1914, l'anéantissement de la Ire armée russe du général Samsonov dans les marais de Prusse orientale. Une autre image organise le texte, une image paysanne, le fléau qui bat le blé sur l'aire : le projecteur de Soljenitsyne se porte sur un groupe de rescapés, conduit par un colonel lucide et courageux, conscient du désastre. Tandis que Samsonov, tel un « agneau de sept pouds », est sacrifié et se suicide parce qu'il a perdu « le mot juste » et la vue juste des choses, Vorotyntsev œuvre à sauver ce groupe de hasard, qui symbolise toute la Russie. Il a à côté de lui le paysan Blogadariov, homme simple, chantre à l'église de son village, et qui a le courage sans phrase des preux russes. Tous deux vivent ensemble le « battage » sur l'aire de cette épreuve terrible, et leurs vies privées croisées vont constituer une trame importante des nœuds de *La Roue rouge. Août 14* est un vrai poème de l'action militaire, du « labeur guerrier » qui sépare les couards des purs. Les conversations sous le ciel étoilé en attendant la bataille sont les moments les plus intenses.

« Moi, je ne sais pas voir plus grand que la Russie », dit un des personnages. Et c'est un peu vrai aussi de son créateur. Au nom d'une vision mystique de la Russie, l'ironie de l'auteur se déchaîne contre les couards, les menteurs, les faussaires en patriotisme ou en défaitisme. Ses héros à lui ont pour devise « Feci quod potui, faciant meliora potentes » (j'ai fait ce que j'ai pu, que ceux qui le peuvent fassent mieux), mais à côté de cette grandeur à la Caton il y a une autre coloration, celle du parler populaire, avec ses métaphores animales ou agricoles, sa verve de « byline », ses imprécations de pleureuse. Et à côté du gouffre tragique où va la Russie, il y a un hymne calme au labeur paysan ou industriel qui confère à cette épopée convulsive des accents d'Hésiode russe : célébration du village, de la coopérative agricole, de l'ingénieur attaché à son travail. La philosophie politique de l'œuvre est influencée par le fameux recueil des *Jalons*, où d'anciens marxistes ralliés à l'idéalisme philosophique, mais toujours préoccupés de justice sociale, avaient dénoncé comme le mal russe la confusion de la « pravda-justice » et de la « pravda-vérité ». La vérité avant tout ! disaient Beerdiaeff et Serge Boulgakov, et leur disciple Soljenitsyne tente d'appliquer leur précepte au désastre qui a suivi. À travers tous les débats politiques ou historiosophiques que mènent les acteurs de *La Roue rouge*, on a l'impression que le type secrètement préféré par Soljenitsyne dans cette immense galerie de personnages historiques ou fictifs, c'est celui qui est passé par le feu de la révolte mais a su la maîtriser, l'intérioriser, et se convertir au réel, c'est-à-dire aux « petites actions », au labeur quotidien. C'est la raison pour laquelle un des bolcheviks bénéficie d'une curieuse indulgence de sa part : Chliapnikov, le « clandestin modèle », celui qui se voue à l'œuvre politique comme ses parents vieux croyants se vouaient à l'œuvre de piété. Tandis que la cible de tous les sarcasmes est le chef du parti « cadet », Milioukov, et ce parce qu'il se laisse aller à la calomnie envers la famille impériale sans respect pour l'honneur des êtres, par irresponsabilité verbale et incontinence oratoire. Soljenitsyne ici se rapproche plus qu'on ne croit de son personnage de Lénine, dont le portrait est teinté de sympathie secrète, du moins pour ce qui est de l'appréciation du caractère.

Octobre 16 s'achève sur la confession d'une femme, une pécheresse, qui s'accuse d'être indirectement coupable de la mort de son enfant né dans l'adultère. Elle est entrée dans l'église par hasard, et se confesse, mais elle refuse intérieurement l'absolution que lui donne le prêtre en levant sur elle son étole. Et ce refus du pardon devient symbole de toute la Russie, qui, elle aussi, a refusé, en quelque sorte, le pardon de ses péchés et s'est obstinée, enferrée, condamnée elle-même. *Mars 17* s'attache à montrer la violence de cet aveuglement. Les cinq cent trente et un chapitres de ces quatre tomes émiettent l'action, la fragmentent à l'extrême : scènes de rues, discours des hommes politiques, conjurations, intrigues de Milioukov, « cirque » de Kerenski ; un vide immense se crée, tout a lâché d'un seul coup : des milliers d'abandons de poste, de petites lâchetés, seuls quelques naïfs résistent au raz de marée. Les chapitres s'ordonnent selon les journées, du 23 février au 9 mars. Jamais pareille tentative de coller à l'événement multiple n'avait été tentée. Ici le pathétique n'est pas dans l'« unanimisme » de la vie, comme dans les vingt-sept tomes des *Hommes de bonne volonté* (*) de Jules Romains, mais dans l'implosion d'une société entière en quelques jours. Le désarroi qui s'affiche sur le visage du tsar aux ultimes pages du livre est le désarroi d'une société entière.

Alors que l'œuvre de Soljenitsyne dans sa première moitié est baignée dans la glorification de l'être, toute pénétrée de lumière et traversée par la vision de la perfection, ici la lumière décline d'un bout à l'autre du roman. Les stations de lumière deviennent non plus des transverbérations de tout le réel par la perfection, mais des lieux refuges, loin de l'action qui éclate comme une grenade. Ces stations de paix relative sont à présent confinées au territoire de l'église, comme au chapitre 430, où Véra Vorotyntsev se rend à l'office et écoute les paroles de l'ecténie liturgique : « Car Tu as créé solidement l'univers de façon qu'il ne s'ébranle point », et ajoute mentalement : « Ne s'ébranle point sous nos révoltes... » L'ironie n'a plus ici la force libératrice de l'ancienne verve soljénitsynienne, celle qui secouait l'auteur de *L'Archipel du goulag* (*) : elle est devenue simple plainte, et se poursuit par la prière des vêpres : « Aide-nous, Seigneur, à nous garder sans péché en ce soir. » Le sacré qui baignait toute l'œuvre de Soljenitsyne s'est maintenant réfugié dans l'enclos du temple. L'historien aux prises avec le document, littéralement envoûté par celui-ci, poursuit l'événement minute par minute, et la technique des « nœuds mathématiques » dont nous parlions au début de ce texte est conduite pratiquement à l'absurde : aucune courbe ne se dégage plus de ce fourmillement. Une multitude de lâchetés suffisent-elles à expliquer un événement aussi colossal ?

Le mot est la force qui meut *La Roue rouge*, le mot soljénitsynien, non pas archaïque, mais novateur, quoique extrait des tréfonds potentiels de la langue, plus chargé d'énergie que jamais, empruntant au dicton sa rapidité goguenarde, forgeant d'époustouflantes innovations grammaticales, comme le comparatif d'un adjectif formé sur « roue », « rouesque » si l'on peut dire... La réalité devient ainsi, par ces étranges précipités syntaxiques et lexicaux, une succession d'explosions langagières. Cette langue, variée au possible, est toujours reconnaissable à son énergie, à sa force de renouvellement qui font penser à des poètes comme Khlebnikov ou Tsvetaïeva.

Un des personnages fictifs les plus attachants de *La Roue rouge* est un vieil archiviste, qui rencontre au début du roman deux jeunes gens qui vont s'enrôler pour la guerre, bien qu'ils soient tolstoïens et donc partisans de la non-violence. Il leur déclare qu'ils font bien de ne pas suivre leur propre logique, que les lois organiques de la vie sont plus fortes que notre logique ou notre conviction. Vers la fin de l'immense roman, au chapitre 641, Varsonofiev a un rêve, il se trouve dans une église qui est en Russie, qui est la Russie, mais l'église est investie de démons redoutables. On s'est rassemblé pour le rite de la pose des sceaux sur l'église, il s'agit de la fermer rituellement avant que les démons n'y entrent : « La puissance démoniaque approche en toute hâte afin que le rite ne puisse avoir lieu : ils ne veulent pas que l'église ait le temps d'être scellée. Mais pour le rite on n'a pas le droit de se dépêcher : maintenant tous ils doivent se coucher à plat ventre sur les dalles et faire tous ensemble en rampant le tour de l'église, et alors seulement seront posés les sceaux. » Ce lent ramper dans l'église assaillie par les démons, cette non-hâte sacramentelle face à une force qui piaffe et rugit, c'est un peu tout le paradoxe de *La Roue rouge* : une résistance insensée, obstinée, à la destruction. Et, face aux démons, la lenteur forcenée d'un récit qui se voudrait un exorcisme... — Trad. Fayard, 1983.

G. N.

ROUGE ET LE NOIR (Le). Roman de l'écrivain français Stendhal (Henry Beyle, 1783-1842), publié en novembre 1830. C'est vraisemblablement en 1829, d'après les indications de Stendhal lui-même — bien qu'il prétende, dans l'avertissement du *Rouge et le Noir,* avoir écrit son livre en 1827 —, qu'il conçut l'idée de ce roman. Quant à l'intrigue proprement dite, elle lui fut fournie par la réalité. Stendhal était un lecteur passionné de *La Gazette des Tribunaux :* dans les numéros du 28 au 31 décembre 1827, il trouva le compte rendu d'un procès qui était alors en train de se juger, aux assises de l'Isère, c'est-à-dire dans son pays d'origine. Voici le fait divers qui donna lieu à ce procès : Antoine Berthet, fils de petits artisans, est distingué de bonne heure par son curé pour sa vive intelligence. Celui-ci le fait entrer au séminaire, d'où il sort bientôt pour raisons de santé. Il devient alors précepteur des enfants d'un certain M. Michoud et, peu après, l'amant de la maîtresse de maison. Un nouveau séjour dans un séminaire, le grand séminaire de Grenoble cette fois, ne dure pas plus que le premier. Berthet trouve alors une nouvelle place de précepteur chez M. de Cordon. Mais on découvre bientôt qu'il a une liaison avec la fille de la maison. Chassé, ne sachant que devenir, aigri de n'avoir pu être jusqu'à présent qu'un domestique, il jure de se venger. Et dans l'église de son village natal, tandis que son ancien bienfaiteur, le curé, officiait, il tire un coup de pistolet sur Mme Michoud. En décembre, il passe devant la cour d'assises, est condamné à mort et exécuté le 23 février 1828. Il avait vingt-cinq ans. Telle est l'histoire qui hante Stendhal et qu'il ne modifiera presque pas en écrivant son roman. *Julien,* c'est ainsi qu'il l'appelle alors, semble donc avoir été ébauché en 1829. Comme à son ordinaire, Stendhal laisse le manuscrit reposer, pour écrire les *Promenades dans Rome* (*). Il aurait repris le dossier de *Julien* en janvier 1830 ; mais il dut travailler très vite puisque, dès avril 1830, il passait un contrat avec l'éditeur Levavasseur. Le tirage commença dès le mois de mai, cependant il ne fut terminé qu'en novembre. Encore n'est-ce pas Stendhal lui-même qui relut les dernières épreuves ; nommé consul à la suite de la révolution de Juillet, à Trieste, il se préparait au départ et se désintéressait tout à fait de ce qui arriverait à son livre. Le titre qu'il avait définitivement arrêté était *Le Rouge et le Noir.* On a beaucoup et fort savamment disserté sur la signification de ces mots. Sans doute faut-il y voir le symbole des deux voies possibles qui eussent pu s'ouvrir devant un tempérament tel que celui de Julien Sorel : l'armée, où il eût pu réaliser ses espérances, mais qui, depuis la chute de l'Empereur, lui était fermée ; le clergé, où il lui fallait se résigner à entrer si, dans la société de la Restauration, il voulait jouer un rôle que la modestie de son origine lui eût interdit dans tout autre position. Cette interprétation s'appuie en partie sur le fait que pour *Lucien Leuwen* (*) Stendhal avait également pensé à des couleurs pour symboliser, ou bien les différentes carrières de son héros (*L'Amarante et le Noir*), ou bien l'opposition des idées politiques de ses principaux personnages (*Le Rouge et le Blanc*). Mais une indication intéressante est fournie par M. Pierre Martino : *Le Rouge et le Noir* serait une allusion à la roulette ; c'est, en effet, à ce jeu de hasard que se réfèrent deux titres d'ouvrages anglais contemporains que Stendhal a très bien pu connaître.

En épigraphe, *Le Rouge et le Noir, chronique de 1830* porte : « La vérité, l'âpre vérité. Danton. » Immédiatement, Stendhal pose, en quelques traits précis, le décor, géographique d'abord (c'est la petite ville de Verrières, sur le Doubs), mais surtout social et politique. Avec le portrait du vieux Sorel, le scieur, de M. de Rénal, le maire, et du curé Chélan, homme probe et honnête menacé par la « Congrégation », et l'évocation des rivalités provinciales, Stendhal nous définit l'atmosphère dans laquelle s'est formé son héros. Julien, le troisième des fils du vieux Sorel, n'est pas comme ses frères un hercule bûcheron : peu propre physiquement aux travaux de force, Julien a saisi tous les moyens de s'instruire ; il a interrogé les vieillards, les uns et les autres lui ont donné des leçons ; surtout il a lu, et son bréviaire est le *Mémorial de Sainte-Hélène* (*). Or, par goût de l'ostentation, M. de Rénal décide de prendre le jeune Sorel, qui sort du séminaire, comme précepteur de ses enfants. Le jeune homme, dont l'enfance avait été marquée par ses rencontres avec les troupes napoléoniennes et son admiration pour l'Empereur — ce qui lui avait donné l'ambition de faire carrière dans l'armée —, puis, qui s'était résigné, observant le pouvoir pris par les prêtres, à entrer dans les ordres, voit dans sa nouvelle situation une occasion de fréquenter le beau monde et — qui sait ? — d'y faire son chemin. L'extrême timidité de Julien, sa jeunesse le font traiter immédiatement avec beaucoup d'indulgence par la très belle et très sentimentale Mme de Rénal. Julien, qui n'a jamais connu de femme et surtout n'a jamais approché une femme d'un tel rang social, est ébloui et conquis. Cependant, lorsque avec maladresse elle veut lui remettre un présent, il fait montre d'une fierté ombrageuse qui surprend agréablement Mme de Rénal. Insensiblement et sans le savoir elle-même, elle devient amoureuse de Julien ; un petit incident lui fait découvrir les sentiments du jeune homme : celui-ci repousse assez brutalement les avances d'Élisa, la femme de chambre de Mme de Rénal, qui veut l'épouser ; puis un malentendu rend la jeune femme jalouse. Une parole dure de M. de Rénal, l'attitude de sa femme, que Julien interprète mal, le font se révolter : son traitement est augmenté, mais il refuse une proposition d'un des ses amis de s'associer à lui pour un commerce. Il ne veut pas de petits moyens : il a dix-neuf ans ; à cet âge Bonaparte avait commencé sa carrière, il faut qu'il rattrape le retard. Julien est devenu un homme à la mode, à Verrières ; mais ses rapports avec Mme de Rénal n'ont pas échappé à l'attention assidue de la petite ville, et M. de Rénal reçoit une lettre anonyme qui lui raconte son infortune. Bien qu'il ne croie pas à ces racontars, Rénal pense qu'il serait opportun de se séparer de Julien : sa femme, elle-même, le convainc de cette nécessité, car elle commence à prendre peur, elle se voit damnée. Julien est envoyé par le curé Chélan au grand séminaire de Besançon ; mais, avant de partir, il vient rendre, clandestinement, visite à la jeune femme. Celle-ci est si émue et si triste qu'elle lui paraît froide et qu'il croit qu'elle ne l'aime plus. À Besançon, Julien, effrayé par l'accueil du directeur du séminaire, l'abbé Pirard, a une syncope. Petit à petit, il se fait avec prudence et cautèle à sa nouvelle vie remplie d'humiliations. Sans le vouloir il se trouve mêlé à des intrigues, qui amèneront l'abbé Pirard à rendre d'importants services à un grand seigneur franc-comtois, le marquis de La Mole, lequel vit à Paris. Le marquis y appelle l'abbé et, sur la recommandation de celui-ci, fait de Julien son secrétaire. Nouvelle visite d'adieux à Mme de Rénal ; ayant tout d'abord repoussé le jeune homme, elle s'abandonne à lui et le cache tout un jour dans sa chambre. Cette imprudence manque de mal finir et Julien échappe de justesse à des coups de feu. À Paris, il réussit à maîtriser ses nerfs ; toujours aussi susceptible, il parvient à se faire passer pour flegmatique. Son esprit, son intelligence, sa culture, son caractère lui conquièrent vite l'estime et l'affection du marquis ; une série d'incidents (dont un duel) lui font une place dans le monde. Son génie sombre, son apparente maîtrise de lui intriguent la société aristocratique dans laquelle il vit. Le marquis le comble de faveurs et lui fait avoir une décoration, et lorsqu'on raconte, à l'insu de Julien, qu'il est le fils naturel d'un grand personnage, ami du marquis, celui-ci se prête au jeu. Le caractère ombrageux et énergique de Julien tranche si fort sur la médiocrité élégante des jeunes gens qui l'entourent que la fille du marquis, Mathilde de La Mole, s'intéresse à lui. L'apparente indifférence du jeune homme à son égard fait tourner cette curiosité en passion. Mathilde, jeune fille méprisante, qui n'estime vraiment que la force de caractère, est décidée à faire preuve de la plus grande audace. Elle attire Julien dans sa chambre et se livre à lui. Celui-ci ne retire aucun plaisir de cet amour. Mais, lorsque la jeune fille, prise de remords et de dégoût pour elle-même, commence à haïr celui qui fut son amant d'une nuit, Julien sent s'éveiller en lui le feu de la passion. Rendu furieux par la froideur de Mathilde, il fait le geste de la tuer. Pleine d'admiration, Mathilde se sent cette fois sincèrement éprise. La joie de Julien est de peu de durée, Mathilde semble s'éloigner et il doute à nouveau si elle l'aime. Son inexpérience des femmes augmente ses angoisses. Cependant Mlle de La Mole a maintenant tout décidé dans sa tête : elle deviendra la femme de Julien, c'est le seul moyen qu'elle ait de se distinguer. Aussi, lorsque Julien tente une nouvelle escalade de sa fenêtre, est-il reçu à merveille ; c'est le parfait bonheur. Mais cela dure peu : un minime incident le plonge de nouveau dans le malheur, et il ne voit plus en Mathilde qu'un orgueil monstrueux.

C'est alors qu'une singulière mission l'éloigne quelque temps de l'hôtel de La Mole : on se sert de lui comme d'un envoyé auprès d'un très haut personnage résidant à l'étranger, de la part d'une conspiration qui groupe les plus hauts personnages de l'État et de l'Église de France. Au cours de cette mission secrète, Julien, qui manque de succomber aux manœuvres de ceux qui ont intérêt à la faire échouer, reçoit à Strasbourg les conseils d'un de ses amis, rencontré par hasard. De retour à Paris, il commence, suivant ses conseils, à faire une cour assidue à une personne très en vue, la maréchale de Fervaques, dont l'oncle, évêque, tient la feuille des bénéfices, c'est-à-dire dispose de toutes les charges ecclésiastiques du royaume. Mathilde s'aperçoit de cette manœuvre ; la voilà suppliante, prête à s'enfuir avec ce petit secrétaire. Quant à Julien, il arrête froidement sa conduite ; ce qu'il faut, c'est « lui faire peur » ; « l'ennemi ne m'obéira qu'autant que je lui ferai peur, alors il n'osera me mépriser ». Mathilde découvre qu'elle est enceinte ; dès lors elle se conduit avec intrépidité, elle écrit à son père pour le lui apprendre. La fureur du marquis éclate, mais elle dure peu ; il ne sait cependant quelle mesure prendre, l'attitude de sa fille l'effraie. Il se décide enfin, dote le jeune homme, lui fait changer son nom : voilà Julien richement pourvu, noble, devenu lieutenant de hussards. Rien ne semblerait maintenant pouvoir s'opposer, sinon à son bonheur, du moins à sa réussite ; mais entre-temps, M. de La Mole est allé aux informations, il a écrit à Mme de Rénal. La réponse de celle-ci, dictée par son confesseur, accable Julien. Le marquis, désormais assuré que Julien n'a cherché à séduire Mathilde qu'à cause de sa fortune, écrit à sa fille (« Renoncez franchement à un homme vil, et vous retrouverez un père ») et joint à ce mot la lettre de Mme de Rénal. Dès qu'il est mis au courant, Julien part pour Verrières, se rend à l'église pendant la messe, prend place derrière Mme de Rénal et, à l'élévation, tire sur elle deux coups de pistolet. Encore sous le coup de l'émotion, Julien agit avec calme ; de sa prison, il écrit à Mathilde : l'idée de la mort n'est pas « horrible à ses yeux » : toute sa vie n'avait été qu'une « longue préparation au malheur ». Il apprend que Mme de Rénal n'est pas morte ; cependant pour lui la question est claire : il a voulu tuer, il doit mourir. Les visites auprès du jeune détenu se succèdent : c'est d'abord son protecteur, le vieux curé Chélan, et l'entrevue est déchirante ; puis ce sont les deux femmes, toutes deux enragées à le sauver. Mlle de La Mole remue ciel et terre et combine les plans les plus machiavéliques pour le sauver ; elle s'humilie, elle conspire. Mme de Rénal non seulement lui pardonne, mais elle veut obtenir du jury sa grâce. Au milieu de ces allées et venues, Julien reste froid ; il est parfaitement résigné, il sait qu'il va mourir et que rien ni personne ne peut plus le sauver ; il demande seulement qu'on le laisse en paix. Il s'accuse lui-même. Furtivement, cependant, l'horreur de la décomposition qui attend son corps l'effraie. Cette fermeté extérieure, il en donne la preuve éclatante devant la cour d'assises. Son crime est atroce, il l'a prémédité ; ce que les jurés verront en lui, c'est « un paysan qui s'est révolté contre la bassesse de sa fortune ». On voudra, en le châtiant, « décourager à jamais cette classe de jeunes gens qui, nés dans une classe inférieure et en quelque sorte opprimés par la pauvreté, ont le bonheur de se procurer une bonne éducation, et l'audace de se mêler à ce que l'orgueil des gens riches appelle la société ». Une telle déclaration rend inutiles toutes les manœuvres entreprises de l'extérieur, et le verdict est la mort. Julien refuse de faire appel, malgré les supplications de Mathilde et de ses amis : quant à Mme de Rénal, elle veut se tuer, mais doit promettre à Julien de ne pas attenter à ses jours. Serein, Julien marche au supplice. « Jamais cette tête n'avait été aussi poétique qu'au moment où elle allait tomber. » Stendhal n'évoque l'événement lui-même que par ces mots : « Tout se passa simplement, convenablement, et de sa part sans aucune affectation. » Julien est enterré dans une grotte de la montagne voisine, conformément à son désir. Mathilde, renouvelant le geste qu'eut envers un de ses ancêtres, qui fut son amant et mourut décapité, la reine Marguerite de Navarre, prend la tête de Julien sur ses genoux dans sa voiture, tandis qu'elle suit le cortège funèbre. « Madame de Rénal fut fidèle à sa promesse. Elle ne chercha en aucune manière à attenter à sa vie ; mais, trois jours après Julien, elle mourut en embrassant ses enfants. »

Le Rouge et le Noir est l'incontestable chef-d'œuvre de Stendhal. Jamais il n'a atteint à une telle puissance, à une mise en œuvre aussi parfaite de ses moyens littéraires et de ses idées ; jamais il n'est allé aussi loin, aussi profond en lui-même. Pourtant non seulement le roman n'est pas autobiographique, mais jamais Stendhal ne s'est trouvé dans des situations semblables à la plupart de celles où se trouve son héros. Julien Sorel est Stendhal comme Fabrice Del Dongo – v. *La Chartreuse de Parme* (*) et *Lucien Leuwen* (*) –, nous dirons même comme Mathilde de La Mole et comme *Lamiel* (*) ; il est Julien Sorel comme Flaubert est *Madame Bovary* (*). Cependant le caractère de Julien est intimement lié à la personnalité profonde de Stendhal : s'il n'a pas réellement vécu les situations où il place – ou plutôt, où la vie place – son héros, il aurait très bien pu les vivre, et même, peut-on dire, il les a vécues sinon dans les faits, du moins dans son imagination, dans sa pensée ; bien avant de composer *Le Rouge et le Noir,* il est certain – toutes proportions gardées – que Stendhal s'est trouvé, aux débuts de sa propre carrière et à nouveau sous la Restauration, dans les dispositions mentales de son héros ; il en a vécu les réactions, il a eu les mêmes attitudes. En soi, les événements réels importent peu, ou plutôt ils n'importent que dans la mesure où ils agissent sur la personnalité, sur le caractère. Si les circonstances n'ont pas fait qu'il ait eu à vivre réellement les aventures de Julien Sorel, il n'est pas douteux que Stendhal, étant donné son caractère, eût aimé se conduire comme son héros. Ainsi Julien Sorel naît-il de la rencontre exceptionnelle d'une histoire, somme toute assez banale, d'un fait divers et de dispositions intimes préalables ; en lisant ce fait divers dans le journal, Stendhal a probablement senti que Sorel était un être de sa race, et il a découvert ainsi, en lui, des dispositions qui, pour ne s'être pas encore manifestées, lui demeuraient peu claires, mais que leur rencontre avec l'événement devait illuminer. Bien avant *Le Rouge et le Noir,* donc, Stendhal contenait un Julien Sorel en puissance ; mais ce n'est que de sa rencontre avec les faits que celui-ci pouvait naître et se développer, de telle sorte que Stendhal vit, ici, par l'entremise de son héros, et par procuration, une des vies qu'il aurait pu avoir. Au demeurant, ce processus est celui même de la création chez les grands romanciers ; mais chez Stendhal il est si exemplaire qu'il atteint à la perfection du genre, dans la mesure où l'auteur y reste constamment fidèle dans l'élaboration et la composition de son roman, qu'il tend à le reproduire exactement sans le pervertir par des procédés ou des artifices. Autrement dit, nous avons là l'expression d'une expérience romanesque à l'état brut.

On a beaucoup discuté la fin du *Rouge et le Noir.* On a même affirmé : « Personne ne dira plus de mal du dénouement du *Rouge et le Noir* qu'il [Stendhal] n'en disait lui-même. » Ce ne sont que les critiques modernes qui lui ont rendu justice. Charles du Bos explique, le premier, cette fin hâtive, qui court à bride abattue, cette action frénétique de Julien par l'état de somnambulisme « dans lequel nous plongent certains accès d'enthousiasme intérieur » ; c'est dans cet état qu'il se trouve alors et dont il ne se réveille qu'une fois en prison. Convenons que cette fin du roman est, en fait, une admirable analyse pathologique. Comme le signale si justement Henri Martineau, dans sa préface au *Rouge et le Noir* (La Pléiade, Gallimard, 1947) : « Dès l'instant où, ayant lu la lettre de Mme de Rénal que lui tend Mathilde, Julien prend sa résolution implacable, quarante lignes suffisent à raconter les événements jusqu'au second coup de pistolet qui atteint Mme de Rénal. S'est-il passé trois jours, ou cinq, depuis que Julien a quitté Paris, peu importe. Et ce n'est pas, on ne saurait trop y insister, parce que Stendhal juge peu intéressants ou difficiles à raconter les sentiments de Julien... mais parce que Julien n'éprouve alors aucun sentiment. Sa pensée ordinairement si active est annihilée, il galope, ayant devant les yeux une unique image à atteindre, un seul geste à exécuter. » Ce n'est que lorsqu'il se réveille de cette longue crise d'inconscience que « nous retrouvons le Julien qui nous est familier. La machine à réfléchir recommence à fonctionner ». À vrai dire, c'est justement cette fin qui contribue à faire du *Rouge et le Noir* un authentique chef-d'œuvre :

c'est ici la revanche de l'événement sur l'homme qui s'était montré plus fort que l'événement, c'est même, pourrait-on dire, la revanche de l'événement sur le romancier lui-même, si exclusivement psychologue. Cette lutte sournoise et violente de l'individu contre la société ne pouvait s'achever, valablement, que de cette manière. Outre le caractère inévitable de cette fin, il faut convenir que cette évocation si sobre, si dépouillée de la réalité, que Stendhal nous laisse entrevoir plutôt qu'il ne la montre, témoigne d'une extraordinaire maîtrise de composition et de style, et que son rythme haché laisse le lecteur bouleversé et pantois.

Dans tout l'œuvre de Stendhal, Julien Sorel apparaît comme la figure centrale autour de laquelle rayonnent toutes les autres, il est la personnification complète du « héros de l'énergie » cher au romancier. Extraordinairement doué, calculateur mais incapable de transiger non seulement par orgueil mais par respect de soi, courtisan et diplomate quand il le faut, et cependant d'une susceptibilité presque maladive, il accumule les réussites mais aussi les bévues ; il se jette dans les pires maladresses comme s'il était pris de vertige, mais il sait conquérir l'estime de ceux qu'il approche et ceci est d'autant plus remarquable que leur première réaction est de le mépriser. Ce qui lui manque, c'est l'« expérience de la vie » ; l'éducation qu'il a reçue lui a donné des ambitions mais pas les moyens de les satisfaire, des connaissances mais pas de règles de conduite. Et l'œuvre de Stendhal est, par certains côtés, une violente protestation contre cette société qui, si elle suscite de telles personnalités, est incapable d'en tirer parti, contre ce gaspillage des énergies. C'est elle qui pousse Julien Sorel au crime, comme si, embarrassée d'avoir donné naissance à un tel héros, elle ne pouvait trouver d'autre solution que de le supprimer. Par là, *Le Rouge et le Noir* a une portée très générale, mais il a aussi une signification précise, liée étroitement aux conditions sociales de son temps. L'armée, l'administration napoléonienne, la gloire des champs de bataille étaient, sous l'Empire, cette soupape de sûreté qui n'existe plus. La société, du temps de la Restauration, s'est comme refermée sur elle-même : elle s'est figée dans une hiérarchie apparemment immuable, elle s'est sclérosée sous l'influence du clergé, la « Congrégation » surveille les consciences. Un être comme Julien Sorel, et à certains égards comme Stendhal lui-même, ne pouvait qu'étouffer. Ce qui est piquant, c'est que Stendhal ait écrit *Le Rouge et le Noir* à l'extrême fin de la Restauration, et qu'il en ait corrigé les épreuves en entendant les fusillades de la révolution de Juillet. *Lucien Leuwen* compose, en quelque manière, le pendant du *Rouge et le Noir,* non pas seulement parce que c'est le roman des débuts dans la vie d'un jeune « héros de l'énergie » sous la monarchie de Juillet, mais parce que, alors que Julien est dépourvu de tout, il doit se faire entièrement lui-même. Lucien souffre des trop grandes facilités qui lui sont faites, il doit se délivrer de son personnage tel que l'ont fait la famille et la société, pour devenir lui-même. *Le Rouge et le Noir* est donc comme le négatif de *Lucien Leuwen.* On pourrait même poursuivre l'analogie en comparant entre eux les personnages secondaires : Mme de Chasteller et Mathilde de La Mole, et surtout le marquis de La Mole et M. Leuwen ; ce dernier, banquier puissant, est, mutatis mutandis, sous la monarchie de Juillet, ce que fut le marquis de La Mole, grand seigneur, sous la Restauration. À côté du héros, la figure la plus intéressante du *Rouge et le Noir* est, à coup sûr, Mathilde de La Mole, « héros de l'énergie » elle aussi, d'autant plus fière que Julien est humilié, mais sachant au fond parfaitement mépriser ce monde auquel elle appartient et dont elle sait bien qu'un jour ou l'autre il succombera sous les coups d'êtres tels que Julien mais qui, eux, réussiront ; jeune fille capable de toutes les folies, mais capable aussi de faire preuve du plus extraordinaire courage. C'est en somme d'un mélange des deux caractères de Julien Sorel et de Mathilde de La Mole que devait naître plus tard, dans l'esprit de Stendhal, le personnage pourtant si original de *Lamiel. Le Rouge et le Noir* était sans doute, dans le dessein, l'œuvre de Stendhal la plus difficile à réaliser, les obstacles ici étaient accumulés comme à plaisir ; c'est ce qui fait de cette œuvre la plus réussie, la plus géniale de l'auteur et, à tous égards, le plus grand roman français du XIXe siècle. Tel ne fut point cependant l'avis des contemporains. La critique ne manqua pas d'en distinguer les qualités exceptionnelles, l'apport entièrement neuf que Stendhal offrait, par ce livre, au roman français. Mais la satire de la société, le caractère « jacobin » de Julien Sorel avec lequel, malgré les précautions prises, l'auteur semblait bien être d'accord, inquiétèrent même ceux qui admiraient le plus le roman. Stendhal en tira surtout la réputation d'être un individu fort dangereux. Il reprit à diverses reprises *Le Rouge et le Noir,* en 1831, en 1835, en 1838 et 1840 ; aussi existe-t-il, à côté de l'édition originale, plusieurs autres qui comportent des additions et des corrections ; enfin l'édition posthume de 1854 a été entièrement remaniée : toutefois il ne semble pas que toutes les corrections qu'on y trouve soient le fait de Stendhal lui-même.

ROUGON-MACQUART (Les). Histoire naturelle et sociale d'une famille sous le second Empire. Ensemble de vingt romans publiés par l'écrivain français Émile Zola (1840-1902) entre 1871 et 1893 : *La Fortune des Rougon* (*) (1871), *La Curée* (*) (1872), *Le Ventre de Paris* (*) (1873), *La Conquête de Plassans* (*) (1874), *La Faute de l'abbé Mouret* (*) (1875), *Son Excellence Eugène Rougon* (*) (1876), *L'Assommoir* (*) (1877),

Une page d'amour (*) (1878), *Nana* (*) (1880), *Pot-Bouille* (*) (1882), *Au bonheur des dames* (*) (1883), *La Joie de vivre* (*) (1884), *Germinal* (*) (1885), *L'Œuvre* (*) (1886), *La Terre* (*) (1887), *Le Rêve* (*) (1888), *La Bête humaine* (1890), *L'Argent* (*) (1891), *La Débâcle* (*) (1892), *Le Docteur Pascal* (*) (1893). C'est en 1867-1868 que Zola a l'idée de composer une vaste fresque concurrençant *La Comédie humaine* (*) de Balzac qu'il relit avec enthousiasme. Il a d'autres modèles : Stendhal, les Goncourt dont il admire *Germinie Lacerteux* (*) (1865), Flaubert, auxquels il se réfère nommément dans les notes préparatoires qu'il rédige alors pour faire entendre sa voix originale. Il a construit *Thérèse Raquin* (*) (1867) sur la théorie des quatre tempéraments. *Madeleine Férat* (1868) s'appuie sur celle de l'imprégnation, reprise à Michelet et à une célèbre étude contemporaine, le *Traité philosophique et physiologique de l'hérédité naturelle* du Dr Lucas : une femme est à jamais « imprégnée » par son premier amant, tous ses enfants ressembleront à celui-ci même s'ils ont un autre père. Zola, qui s'intéresse à la physiologie, science de pointe, trouve dans l'hérédité telle que la définit le Dr Lucas avec ses multiples possibilités de combinaisons (reproduction, imitation) et ses cas d'invention (l'innéité), une manière de se différencier de ses prédécesseurs, un outil pour « classer scientifiquement les matières », un fil conducteur permettant à un ensemble de thèmes, d'obsessions, d'images, à la vision d'une société emportée par une course folle au pouvoir, à l'argent, à la satisfaction de ses appétits, qu'il a déjà décrite, en particulier dans *Les Mystères de Marseille* (1867), de prendre corps et de s'organiser en un tout cohérent. Il fait l'histoire d'une famille dont les deux branches, la légitime, les Rougon, la bâtarde, les Macquart, irradient dans toutes les couches de la société en province et à Paris. L'hérédité transmise par l'aïeule, Tante Dide, se diversifie grâce au jeu des tempéraments et des milieux en une infinité de possibles que le romancier explore par la construction de l'arbre généalogique de la famille : chacune de ses feuilles correspond à un personnage et chaque personnage est au centre d'un roman. Zola n'utilise pas, sauf pour Saccard, le retour des personnages comme Balzac. L'hérédité des privilèges a été abolie avec la Révolution de 1789, mais il existe une autre hérédité, que l'on commence à découvrir, beaucoup plus terrible, à laquelle on ne peut échapper, celle des mystères du sang, des dégénérescences, des névroses, de la folie, les tares transmises par les ancêtres, nouveau fatum, angoisse d'une époque qui voit se brouiller les limites du normal, du sain. Telle est l'hérédité qu'explore Zola, cette peur de l'inconnu, des débordements de la « bête humaine », des coups de folie qui entraînent l'homme, des « végétations sourdes du crime » qui naissent dans le crâne d'un enfant, de l'instinct de mort, toujours là, tapi, prêt à submerger la raison. Il met en scène le combat d'Éros et Thanatos. On s'est gaussé de sa « prétention » scientifique sans voir qu'elle était – et reste – un des aspects les plus neufs de ses romans : une manière de s'opposer à la tradition idéaliste en faisant de son œuvre une entreprise de dévoilement du corps humain et de ses zones d'ombre, s'appuyant sur l'état le plus avancé du savoir de l'époque et surtout sur des intuitions très novatrices à propos des comportements humains, confirmées par la suite.

Entreprise de dévoilement de l'homme, *Les Rougon-Macquart* sont aussi une entreprise de dévoilement du corps social. Ils visent à donner une vue exhaustive de la société du second Empire, et, plus largement, Zola ne reculant pas devant un anachronisme, de la société de la seconde moitié du XIXe siècle. Il a fait des enquêtes sur le terrain, a lu des livres, s'est documenté auprès d'amis ou de spécialistes. Travail énorme dont témoignent les dossiers qu'il a conservés. Il rend compte de l'époque de mutation politique, économique, religieuse, artistique, philosophique, inaugurée par 1789 : progrès inouïs des sciences entraînant de considérables avancées technologiques bouleversant l'économie, les conditions de travail et les manières de vivre, développement des chemins de fer, des grands magasins, des banques, de la Bourse, spéculation, grands travaux de modernisation des villes, architecture du fer et du verre. Zola est, comme ses amis peintres, un grand amoureux de Paris et du nouveau paysage urbain, qu'il aime à décrire, attentif à capter comme eux les jeux de l'ombre et de la lumière. Il aborde, enfin, toutes les grandes questions du moment, qui restent pour beaucoup les nôtres : syndicalisme, émergence des masses, essor des grandes villes et ses conséquences, problèmes de l'éducation, justice, question agraire, art... Il adhère à son époque de capitalisme conquérant et à ses mythes, tout en mettant en lumière ses excès, les deuils qu'elle entraîne. Face au développement du luxe, il peint la misère et l'exploitation.

Les Rougon-Macquart présentent cette société soumise à la loi darwinienne du plus fort et menacée d'explosion, à travers un réseau d'images et de mythes. Zola crée un univers souvent onirique dans lequel tout s'anime, prend une vie monstrueuse comme l'alambic du Père Colombe, la mine du Voreux, le Grand Magasin ou les Halles de Paris. Il excelle à raconter des histoires, à bâtir un engrenage dramatique simple et efficace, reprenant au mélodrame et au roman noir situations, émotions brutes, combat manichéen du bien et du mal. *Les Rougon-Macquart* constituent ainsi un document historique, technique, sociologique, méthodique et irremplaçable sur la société française de la seconde moitié du XIXe siècle, fait par un homme généreux, au regard curieux et précis. Mais plus qu'au reportage lui-même nous sommes actuellement plus sensibles à son investissement par le rêve et le symbole, par les angoisses et les obsessions d'un être déchiré, à la subversion du projet scientifique initial par le fabuleux et l'épique, qui font de la geste une œuvre complexe, scandaleuse par ses mises en question et toujours moderne. C. Be.

ROULEMENTS DE TAMBOURS POUR RANCAS [*Redoble por Rancas*]. Roman de l'écrivain péruvien Manuel Scorza (1928-1983), publié en 1970. Premier volume d'un cycle intitulé « La Guerre silencieuse » et consacré aux révoltes paysannes qui agitèrent la sierra centrale du Pérou, les hautes terres inhospitalières de Cerro de Pasco, de 1950 à 1962, sous la dictature du général Odría et le gouvernement oligarchique du président Manuel Prado Ugarteche. L'auteur, qui y participa à partir de 1960, a souvent conservé les noms réels de ceux qui en furent les protagonistes, et emprunté à la réalité des actions que l'art, une imagination baroque et l'humour noir ou rose transfigurent. À Rancas, un tyranneau local et primitif, le juge Montenegro, terrorise une population indienne d'éleveurs misérables et sans défense. La rusticité du juge et la candeur de ses victimes sont à l'origine d'épisodes d'une cruelle cocasserie. Mais le jour où un train s'arrête pour la première fois dans la petite gare et y dépose des hommes en noir et des rouleaux de barbelés, Rancas se trouve plus directement menacé. Une société nord-américaine, la Cerro de Pasco Corporation, qui possède les mines du sous-sol, a en effet décidé de clôturer en surface toutes les terres afin d'élever le bétail de sa section agricole. Les barbelés condamnent à mort l'élevage nomade des communautés. Héctor Chacón, dit le Nyctalope, engage le combat de la révolte. Hélas ! celui-ci n'aboutit qu'au massacre des comuneros, exterminés par la garde d'assaut et par les hommes de main des latifundistes. « Au Pérou, constatera, amer, Manuel Scorza, il y a cinq saisons : l'hiver, le printemps, l'été, l'automne et le massacre. »

Dans *Garabombo l'Invisible* [*Garambo, el invisible*] (1972), deuxième volume du cycle, Scorza recourt au réalisme magique pour présenter un personnage peu commun que son audace et son courage rendent invisible et qui profite de ce pouvoir pour mener à son tour une lutte clandestine contre les puissants et leurs alliés, avocats, juges, préfets, militaires. Un nouveau massacre pulvérise l'espoir de Garabombo et de ses partisans. Mais déjà le didactisme révolutionnaire de l'auteur se précise sous la fiction. Chacón, l'homme lucide, perd la bataille parce qu'il agit en solitaire, et Garabombo, bien qu'il ne soit plus seul, est vaincu parce qu'il confond, comme souvent en Amérique latine, le mythe et la réalité. Or il n'y a pas de combat social sans une connaissance profonde des origines, même lointaines, et des raisons de ce combat. Dans *Le Cavalier insomniaque* [*El jinete insomne*] (1977), l'Indien Raymundo Herrera effectue en rêve son dernier voyage — un voyage de deux cent soixante-neuf ans — dans l'histoire de sa communauté de Yanacocha. Ce témoin exceptionnel a vu se succéder les générations qui toutes ont vécu les mêmes exactions, les mêmes révoltes, les mêmes échecs. La rage de découvrir les mêmes crimes impunis lui ôte le sommeil, et dans son insomnie il forge une arme redoutable : la mémoire. Si l'arme de Raymundo Herrera ne peut empêcher un nouveau massacre, elle ouvre une ère nouvelle : celle de la colère collective des dépossédés et d'une action que la connaissance sort de son archaïsme pour l'organiser plus efficacement, comme le prouve *Le Chant d'Agapito Roblès* [*Cantar de Agapito Robles*, 1978]. Les masses rurales en révolte l'emporteraient peut-être sans l'isolement géographique qui permet la répression loin des témoins. Et le poncho en feu d'Agapito Roblès a beau incendier toute la région, il n'entrave pas la marche des gardes d'assaut qui, envoyés de Lima, l'« anti-Pérou », montent pour châtier les conjurés. Dans le dernier volume du cycle, *Le Tombeau de l'éclair* [*La tumba del relámpago*, 1979], une vieille Indienne aveugle, doña Añada, tisse sans relâche sur une couverture l'histoire de la communauté de Tusi (Cerro de Pasco). Dans son égarement, l'aveugle confond le passé avec le futur et tisse celui-ci. Ainsi l'éleveur Remigio Villena découvre-t-il qu'il n'est pas un homme mais un mythe tressé par doña Añada ; il s'échappe de la couverture et la brûle pour agir, pour vivre ses propres luttes représentées par le don prémonitoire de l'aveugle, pour intervenir dans ce combat bien réel de la récupération des terres, démontrant que la lutte est aussi la victoire contre la fatalité que semblent incarner les riches et le pouvoir. « Dans mes romans, dira Scorza, il y a une marche vers la conscience, les protagonistes évoluent vers la lucidité. » S'ils ne triomphent jamais, ils évoluent lentement de la conscience mythique à la conscience historique, germe libérateur. — Trad. *Roulements de tambour pour Rancas,* Grasset, 1972 ; *Le Chant d'Agapito Roblès,* Belfond, 1982 ; *Garabombo l'Invisible*, Grasset, 1976 ; *Le Cavalier insomniaque*, Belfond, 1979 ; *Le Tombeau de l'éclair*, Belfond, 1984. C. C.

ROULOTTE (La) [*La carreta*]. Roman de l'écrivain uruguayen Enrique Amorim (1900-1960), publié en 1932. Puisque Amorim appelle roman *La Roulotte*, aucun de ses critiques n'a osé le contredire, bien qu'ils remarquent que « sa technique romanesque est faible » ou que « la structure manque d'harmonie ». Cette remarque exprime l'étonnement produit sur le lecteur par le style fort particulier d'Amorim : l'histoire bondit inopinément d'un personnage à un autre, ou s'attarde sur un personnage secondaire au détriment des principaux, ou néglige le fil central de la narration au profit d'un incident marginal, ou interrompt tout à coup une action pour commencer à en raconter une autre, ou fait reparaître un personnage avec une force nouvelle après une longue absence. Ces procédés pourraient sembler gratuits ou défectueux du point de vue conventionnel de la continuité narrative ; mais c'est qu'Amorim essaie (et réussit) à établir une logique du souvenir, ou encore mieux une logique de l'attention. Le sujet de *La Roulotte* convient parfaitement à ses buts : c'est le voyage accidenté, sans itinéraire précis, à travers la campagne uruguayenne, d'une troupe de paysannes devenues des prostituées ambulantes, et d'hommes qui font leur vie autour d'elles pendant un temps plus ou moins long, selon que le hasard, l'argent ou le sentiment le leur permettent. C'est pour cela que, malgré les seins grands et durs des femmes, les vengeances terribles, les intenses odeurs émanant des hommes et des troupeaux, les grincements de la roulotte sur des chemins défoncés, tout cela extraordinairement décrit, les objets et les êtres vivants gardent un air de fantômes, les relations humaines se forment et se défont comme la fumée (père et fils, époux et épouse, frère et sœur, tout couple est aussi fragile que la fumée), le temps présent se peuple de souvenirs, et comme les souvenirs il s'estompe sans qu'on sache comment. « Le silence pèse sur les hommes », placés dans cet univers d'ombres, qui ne trouvent pas que leur demeure soit le centre de la terre, mais un « rancho » quelconque dans l'immensité du monde, et qui craignent de ne pas avoir choisi un chemin par eux-mêmes : c'est le chemin qui les traîne malgré eux. Pour affirmer la possibilité de construire leur propre destin, les hommes s'accrochent aux passions irrationnelles, aux attitudes désespérées, aux souvenirs, faute d'autre chose. Ainsi l'Indien Ita fait-il l'amour avec sa femme déjà morte, ainsi Matacabayo cherche-t-il obstinément à ignorer que sa force physique n'est déjà qu'une légende, ainsi la roulotte traîne-t-elle en passant tous ceux qui préfèrent le vagabondage errant à la permanence indéfinie dans un coin oublié du monde. Efforts inutiles, car lorsque l'homme se trouve saisi par sa destinée, il est trop tard pour réagir : lorsqu'un personnage est entraîné par l'action du roman, sa vie est faite principalement de souvenirs, de la nostalgie des aventures, de l'absence de la femme, d'une patrie perdue. *La Roulotte*, publiée pour la première fois en 1932, est aujourd'hui encore une des plus importantes œuvres d'Amorim. — Trad. Gallimard, 1960.

ROUSLAN ET LIOUDMILA [*Ruslan i Ljudmila*]. Poème épique de l'écrivain russe Alexandre Sergueïevitch Pouchkine (1799-1837). Composé entre 1817 et 1820, il ne fut publié qu'en 1822, en raison de l'exil qu'eut à subir l'auteur, pour ses opinions trop avancées. Disons tout de suite que c'est l'œuvre d'un débutant, mainte influence s'y fait sentir. *Rouslan et Lioudmila* s'apparente, en effet, aux *Bylines* (*) (épopées populaires russes) ; mais la substance même du poème est tirée du *Roland furieux* (*) de l'Arioste. Le soir même de ses noces, le valeureux prince Rouslan se voit enlever sa jeune épouse Lioudmila. Le ravisseur est un magicien bossu, qui s'efforce, mais en vain, de gagner les bonnes grâces de sa captive. Secondé par un autre magicien, Rouslan, après de nombreuses aventures qui rappellent celles du preux Roland, arrive au séjour du ravisseur, situé dans les montagnes du Nord ; après trois jours de combats acharnés, il triomphe enfin du magicien, retrouve Lioudmila dans un jardin enchanté et la délivre. Les épisodes tragi-comiques abondent dans ce poème : le jeune prince est successivement aux prises avec une monstrueuse tête sans tronc, au souffle mortel, avec un rival et avec le magicien bossu, qui fait effectuer à son agresseur, cramponné à sa grande barbe, un long voyage à travers les airs. Bien qu'il s'agisse d'une œuvre de jeunesse, on y remarque toutefois déjà la maîtrise de la langue, la qualité de l'expression poétique qui, par la suite, feront de Pouchkine le plus grand des poètes russes. — Trad. *Œuvres poétiques*, t. 2, L'Âge d'Homme, 1981.

★ Du poème de Pouchkine a été tiré le livret du mélodrame fantastique en cinq actes *Russlan et Ludmila*, du compositeur russe Mikhaïl Glinka (1804-1857). Cette œuvre, la seconde en date du compositeur, fut représentée à Saint-Pétersbourg en 1842. La partition, compte tenu de quelques pages de goût italien, est strictement conforme au programme « nationaliste » formulé par les « Cinq ». Le sujet de la pièce, l'époque à laquelle se situe l'action, tout contribue à conférer à cette musique un caractère fantastique. Comme les autres œuvres des « Cinq » (sans excepter celles de Moussorgsky), *Russlan et Ludmila* se pare d'un exotisme qui ne sut pas remporter les faveurs de la critique ou du public ; aussi la première représentation de cette œuvre obtint-elle un succès bien inférieur à celui du premier opéra de Glinka : *La Vie pour le tsar* (*) (1836). La partition toutefois compte des pages qui sont loin d'être négligeables ; citons notamment l'ouverture, le prologue du barde Bayan, les chœurs de la cérémonie nuptiale, les airs du magicien Finn et de la magicienne Naïna, le chœur persan, le nocturne de Ratmir, les ballets dans le jardin enchanté, ainsi que le finale.

ROUSSALKA (La) ou l'Ondine [*Rusalka*]. Drame inachevé du poète russe Alexandre Sergueïevitch Pouchkine (1799-1837), écrit en 1832, publié en 1837. Si l'on en croit Jdanov, l'ouvrage serait une refonte de l'œuvre de l'écrivain allemand Karl Friedrich Gensler : *Das Donauweibchen.* Pouchkine, cependant, s'est constamment reporté à la tradition poétique et folklorique russe. C'est l'histoire de la fille d'un meunier qui, ayant été séduite par un prince, se jette dans le Dniepr et est transformée en ondine. Un jour, elle envoie à l'oublieux la fillette née de leur amour, et le prince, qui vient de se marier, sent soudain une force magique qui l'entraîne vers le fleuve. Le drame de Pouchkine s'arrête au moment où, surgissant de la rive, la petite fille de l'ondine apprend au prince que la fille du meunier l'aime toujours et l'attend. Le poète, en définitive, s'est inspiré beaucoup moins de l'œuvre de Gensler que des nombreux chants et légendes russes où apparaît la figure mythique de la Roussalka et, tout en conservant leur fraîcheur régionale, il en a merveilleusement saisi la portée universelle. Typiquement russes sont, par exemple, la figure du vieux meunier et la scène du banquet nuptial. — Trad. par Tourgueniev et Viardot, Hachette, 1862 ; Œuvres poétiques, t. 1, L'Âge d'homme, 1981.

★ L'écrivain allemand Frank Wedekind (1864-1918) est l'auteur d'un drame : *Die Fürstin Russalka*, représenté en 1897.

★ Le drame de Pouchkine est surtout célèbre pour avoir fourni le livret de l'opéra en trois actes *Roussalka* d'Alexandre Dargomijski (1813-1869), représenté à Saint-Pétersbourg en 1856. « Je veux, avait écrit le compositeur, que la musique soit identique au texte, je veux la vérité et le réalisme. » L'opéra, s'il n'a pas atteint ce degré de ressemblance, est néanmoins, en certains de ses aspects, d'une saisissante vérité (ainsi, le personnage du meunier fou, devenu classique dans l'histoire de l'opéra grâce à des interprétations inoubliables : Osip Petrov, Fédor Chaliapine).

★ Un ballet pantomime, *La Roussalka*, de Lucien Lambert (1858-1945), fut représenté à Paris en 1911 ; Vassili Kalinnikov (1866-1901) a composé une ballade *(La Russalka)* pour soli, chœurs et orchestre. Citons enfin *Rusalka*, opéra tchèque d'Anton Dvořák (1841-1904), composé en 1901.

ROUTE (La) [*P't*]. Roman en trois parties de l'écrivain bulgare Stoyan Daskalov (1909-1985), publié entre 1945 et 1955. Ce roman-fleuve de deux mille pages décrit la position du parti communiste à la veille de la Seconde Guerre mondiale, et sa participation à la lutte clandestine durant le conflit. Tocho Garvanski, dit Gartcho, en est le personnage central. Originaire d'une contrée montagneuse, orphelin dès sa naissance, il descend chercher fortune dans la plaine. En l'espace de quelques années, de simple commis dans la forge de Kamen, il deviendra, après mille péripéties et prouesses, le chef d'un groupe de maquisards de sa région, toujours grâce au parti, à sa « sage politique » et à son infinie « générosité ». L'auteur a essayé de présenter un parti communiste omniprésent, agissant, qui ne recule devant aucune difficulté. Gartcho aura ainsi la chance de bénéficier constamment du même amour indéfectible et de la même compréhension de la part de ses camarades plus âgés, cependant qu'il suivra une route toute tracée : au service du parti et du peuple, avec l'U.R.S.S., à travers souffrances, prison, vie difficile et maquis. Une foule de personnages, plus ou moins indispensables, des « positifs » et des « négatifs » (le « réalisme socialiste » affecte particulièrement cette différenciation), se meuvent à plaisir dans les pages de ce roman intarissable. Kamen, l'employeur de Gartcho, restera le petit artisan aux idées avancées, mais sa femme Maritza se laissera atteindre par la rouille « petite-bourgeoise » ; leur fille Péna aime Gartcho, mais elle en épouse un autre ; des instituteurs infatigables apprennent aux commis miséreux l'alphabet et la table de multiplication. Certains, tout communistes qu'ils soient, flanchent lorsque des risques apparaissent, et au moment de gagner le maquis nombre de « combattants » s'apercevront qu'ils traînent qui un vieux rhumatisme, qui un lumbago récalcitrant. D'autres, par contre, se découvrent des responsabilités familiales jusqu'alors inexistantes. Pourtant, une fois de plus, le parti vaincra ; il doit gagner à tout prix. Dans ce roman, Daskalov, sans éviter une partialité par endroits irritante, réussit à donner vie à nombre de scènes.

ROUTE (La) [*The Road*]. Pièce de théâtre de l'écrivain nigérian Wole Soyinka (né en 1934), publiée en 1965. En prose comme en poésie, Soyinka n'a cessé de célébrer la fascination qu'il ressent pour le thème de la route, lieu de toutes les libertés mais aussi de tous les dangers. Dans la pièce qu'il a consacrée à cet espace de vie et de mort, le dramaturge décrit d'abord l'activité intense de ces chemins d'asphalte qui parcourent la forêt et où se célèbrent de nouveaux rites d'adoration. Les divinités de ce culte moderne sont les voitures (si possible les plus belles, les plus rapides et, donc, les plus redoutables) et les prêtres en sont les chauffeurs et, en particulier, les chauffeurs de camions. Complètement aliénés par le mythe occidental de la vitesse, ces hommes (dont les sobriquets — Zorro, Indian Charlie ou Humphrey Bogart — sont empruntés à l'imagerie hollywoodienne) conduisent à tombeau ouvert leurs véhicules qui portent des noms ironiques, comme « sans tarder, sans danger » et assurent ainsi des services meurtriers « entre le ciel et l'enfer ». Obligé pour des raisons évidentes de mise en scène, d'immobiliser l'action de sa pièce, Soyinka choisit comme décor un tournant particulièrement dangereux. Entre une église et un cimetière, c'est là le rendez-vous des policiers, des militaires, des commerçants, des racoleurs de passagers, des chauffeurs, bref de tous les usagers de la route. Certains ne font que passer mais d'autres y sont arrêtés comme en attente d'une nouvelle destination qui sera sans doute la dernière. Par exemple, Kotonou (le célèbre chauffeur qui sillonnait jadis avec panache les routes de l'Afrique de l'Ouest) végète maintenant là, revivant sans cesse l'accident qu'il a évité de justesse sur un pont pourri. Murano, le miraculé de cette collision sanglante, est, depuis, resté muet, sans doute pour avoir, en ces instants de révélation, perçu un secret qui ne doit pas être divulgué. Mais le personnage le plus énigmatique de ce groupe de morts-vivants est Professeur, un prêtre déchu qui se livre à des commerces peu communs. Tout en pillant les épaves qui résultent des accidents qu'il a provoqués, il poursuit des expériences mystiques fort peu orthodoxes et s'épuise à jouer avec la mort pour trouver le Verbe : « Et vous ne m'avez apporté aucune révélation ? Vous n'avez pas trouvé de mots ou de verbes brisés là où le pont les a avalés ? » L'intrigue va se dénouer lorsque, lassé de ne pas voir venir la « confrontation finale » qu'il désire tant, Professeur tente de l'anticiper en s'efforçant de reconstruire un état de possession centré autour du culte d'Ogun, le dieu favori des chauffeurs. Cet apprenti sorcier ne mourra pas, comme il le souhaite, des mains du dieu outragé mais, plus prosaïquement, de celles d'un chauffeur effrayé. Et la pièce se terminera par une péroraison ambiguë où il demandera aux usagers de la route d'être aussi traîtres qu'elle. Le verbe reste donc à jamais séquestré et la mort se cache toujours derrière les dieux. La pseudo-quête « métapsychique » de cet intellectuel dévoyé échoue sans doute parce qu'il s'est laissé séduire par des mirages narcissiques. Pour Soyinka, le chemin vers le salut ne peut en effet qu'être celui d'une aventure collective qui réunirait hommes et dieux et leur permettrait, peut-être, d'exorciser ensemble la mort. – Trad. Hatier, 1988.

D. Co.

ROUTE AU TABAC (La) [*Tobacco Road*]. Roman de l'écrivain américain Erskine Caldwell (1903-1987), publié en 1932. L'ouvrage a pour cadre géographique la partie ouest de la vallée de la Savannah, dans l'État de Géorgie. Épuisées par la monoculture du tabac puis du coton, les terres de cette région ont été peu à peu abandonnées par les riches propriétaires. Livrés à eux-mêmes, les anciens métayers et les petits fermiers ne peuvent faire face aux frais d'exploitation et, pressés par les dettes et la faim, doivent bientôt aller chercher du travail dans les villes. Certains, pourtant, victimes de leur amour de la terre, s'obstinent à rester et connaissent la plus abjecte déchéance. Tel est le cas du héros de *La Route au tabac,* Jeeter Lester. À la terre, il a tout sacrifié, même ses enfants. Ada, son épouse, lui en avait donné dix-sept. Cinq sont morts, presque tous les autres ont fui leurs parents et la misère. Les Lester n'ont donc plus auprès d'eux qu'une fille de dix-huit ans, Ellie May, que défigure un monstrueux bec-de-lièvre, et un garçon de seize ans, Dude. L'an passé, une autre fille, Pearl, qui n'avait que douze ans, a été mariée à un voisin, Lov. Pour obtenir Pearl, Lov a donné à Jeeter « des couvertures et près d'un gallon d'huile de machine, sans compter sa propre paye d'une semaine, c'est-à-dire sept dollars ». Dans la cabane vit aussi la vieille grand-mère Lester, dont personne ne se préoccupe et que la faim rend à demi folle. Aucun des Lester ne sait lire. Comme tous les « pauvres Blancs » des romans de Caldwell, ils sont non seulement terriblement démunis, mais abrutis, dépravés, dégénérés. Le père est frappé d'aboulie. « Pour tout ce qu'il voulait faire, Jeeter faisait toujours dans sa tête des plans très détaillés, mais, pour une raison ou une autre, il n'accomplissait jamais rien. » À sa fille, dont il doit depuis des années faire recoudre le bec-de-lièvre, il finit par déclarer : « C'est Dieu qui t'a créée comme ça, et c'est comme ça qu'Il voulait que tu sois. Des fois, je me demande si ça ne serait pas un péché de prétendre y changer quelque chose, parce que ça serait refaire ce qu'Il a déjà fait lui-même. » Son épouse, Ada, que dévore la pellagre, ne songe qu'à se procurer du tabac pour apaiser sa faim et une robe neuve pour le jour de sa mort. Ellie May, qui a été traumatisée par sa disgrâce physique et mène auprès des siens une vie quasi animale, est enfiévrée par des désirs lubriques ; Dude enfin, son frère, a l'âge mental d'un enfant de douze ans. Au début du roman, Lov, le mari de Pearl, rentre chez lui avec un gros sac de navets. Pour atteindre sa maison, il doit passer devant la cabane de sa belle-famille qui, au grand complet, surveille sa progression sur la « route au tabac ». Lov sait que les Lester, affamés, vont essayer de s'emparer des navets, mais il a renoncé à faire un détour à travers champs car il veut se plaindre de la conduite de sa femme : Pearl, après plusieurs mois de mariage, refuse d'adresser la parole à son époux et de partager son lit. Cependant, Ellie May parvient à aguicher Lov et, profitant de la distraction de son gendre, Jeeter s'enfuit dans les bois avec le sac de navets. Peu après, les Lester reçoivent la visite d'une voisine, Bessie Rice. Après avoir mené une « vie de péché », celle-ci a été tirée des griffes du démon et épousée par un prédicateur ambulant. Veuve, « sœur » Bessie poursuit l'œuvre de son mari. L'évangéliste, qui est analphabète, n'appartient à aucune secte connue mais a sa propre religion : « Elle n'a pas de nom officiel. Le plus souvent je l'appelle simplement "Sainte". Je suis la seule à en faire partie pour le moment. » Sœur Bessie a décidé d'épouser le jeune Dude, qui a près de vingt-cinq ans de moins qu'elle. Bien qu'il soit quelque peu effrayé par l'absence de nez qui singularise le visage de l'évangéliste (« lorsqu'il lui regardait le nez, il avait l'impression de regarder dans l'ouverture d'un fusil à deux coups »), l'adolescent l'accepte cependant pour épouse : Bessie lui a en effet promis de consacrer ses économies à l'achat d'une automobile. Sœur Bessie veut faire de son jeune mari un évangéliste et parcourir avec lui le pays. Tous deux se rendent donc à la ville, où ils se marient et achètent une Ford neuve, véhicule qui, entre les mains inexpérimentées de Dude, deviendra en moins d'une semaine une lamentable épave, bosselée et asthmatique. Pour sa première promenade, le ménage renverse une charrette conduite par un Noir, mais ne s'arrête même pas auprès de la victime. Jeeter, Dude et Bessie se rendent ensuite à Augusta pour vendre une charge de bois. Ils ne parviennent pas à écouler leur marchandise et, surpris par la nuit, vont coucher dans un hôtel borgne, où sœur Bessie avouera le lendemain n'avoir guère pris de repos. Peu après, une querelle éclate entre Bessie et ses beaux-parents, et le ménage doit quitter la cabane des Lester. Dans sa précipitation, Dude écrase sa grand-mère avec la Ford, événement qui ne trouble d'ailleurs guère la famille. Quelques instants plus tard, Lov vient annoncer à Jeeter que Pearl, qu'il avait tenté d'attacher à son lit, s'est enfuie à la ville. Le soir, Jeeter, en remplacement, envoie Ellie May à la maison de Lov. Cependant, le vieil homme, par un ultime espoir de semailles, s'est décidé à brûler les broussailles qui couvrent ses champs. Mais, dans la nuit, le feu prend une ampleur imprévue et dévore la cabane et ses occupants. Au matin, après avoir enseveli les restes de ses parents, Dude déclare : « M'est avis que je vais emprunter une mule quelque part et de la graine et du guano, et que je vais me faire pousser une récolte de coton... J'ai comme une idée que l'année sera bonne pour le coton. Des fois, j'pourrai peut-être faire une balle par arpent, comme papa parlait toujours de le faire. » C'est avec *La Route au tabac*, son troisième roman, que Caldwell fut révélé au grand public américain. Le livre eut des millions de lecteurs et la pièce qui en fut tirée tint l'affiche à Broadway durant plusieurs années. Indépendamment de ce succès, on peut considérer l'ouvrage comme l'un des deux ou trois meilleurs romans de l'auteur — avec *Les Voies du Seigneur* (*) et, peut-être, le célèbre *Petit Arpent du Bon Dieu* (*). C'est ici que, pour la première fois, les héros caldwelliens apparaissent dans ce complet dénuement qui les place aux frontières de l'animal et de l'humain. « Loin d'être accablés par le sentiment d'une fatalité ou d'une culpabilité, ils paraissent aussi dénués de préoccupations morales qu'ils le sont de ressources matérielles [...] Libérés par leur pauvreté et leur souffrance de toutes les conventions « humanistes » et chrétiennes, de toute arrière-pensée morale ou philosophique, ils s'imposent d'abord à nous par leur nudité païenne, leur condition primitive » (John Brown). C'est par son « innocence » défiant tout jugement éthique que nous fascine en effet cette œuvre cruelle et comique. — Trad. Gallimard, 1938.

ROUTE DANS LES TÉNÈBRES (La) [*An ya kôro*]. Roman de l'écrivain japonais Shiga Naoya (1883-1971), écrit de 1919 à 1937. L'œuvre de cet auteur est composée, pour l'essentiel, de brèves nouvelles, souvent autobiographiques, qu'elles soient ou non écrites à la première personne. *La Route dans les ténèbres* occupe une place à part, ne serait-ce déjà que par ses dimensions : c'est un très long roman, comportant deux parties nettement distinctes, publiées à une dizaine d'années d'intervalle. Le roman tout entier est un assemblage d'anecdotes, dont le seul lien est la présence continue du personnage central, Kensaku, jeune intellectuel de famille bourgeoise. Les antécédents de celui-ci sont évoqués dans un court prologue où il rapporte, à la première personne, quelques souvenirs d'enfance qui se révéleront significatifs. On découvrira très vite, en effet, que ces quelques pages livrent toutes les clés du roman, par la manière même dont les personnages principaux y sont présentés. C'est ainsi, par exemple, que le grand-père, qui apparaît soudain dans l'univers de l'enfant après la mort de sa mère, éveille en lui une antipathie immédiate, dont il comprendra progressivement les raisons. Or c'est à ce grand-père, un homme vulgaire qui vit avec une jeune maîtresse, O-Ei, que Kensaku sera désormais confié. Tel est le milieu, foncièrement différent de celui de sa maison natale, où il va grandir, et c'est là qu'il fera son « éducation sentimentale ». Dès le premier chapitre, nous retrouvons un Kensaku adulte, se livrant à des débauches systématiques dans lesquelles il recherche désespérément une dérivation à l'attirance qu'exerce sur lui O-Ei. Les « ténèbres » dans lesquelles il se débat ne sont d'ailleurs pas faites seulement de cet amour inavouable ; pour peu qu'on sache lire entre les lignes, le lecteur aura deviné la tare originelle qui pèse sur le subconscient de Kensaku : il est né des relations coupables de sa mère avec le grand-père abhorré. C'est alors que l'attendrissante anecdote du prologue — ce morceau de bravoure si souvent cité dans les anthologies pour enfants des écoles — prend une signification tout autre, et combien inquiétante : un enfant de quatre ans, trompant la surveillance des adultes, parvient à se hisser au sommet d'un toit, et, tout fier, contemple le monde sous un aspect pour lui insolite, quand soudain il rencontre un regard de sa mère qui le fige ; ce regard, la douceur appuyée d'un appel, puis la colère et les larmes de cette femme lorsque enfin il est ramené en lieu sûr, il s'en souviendra toujours, et ce n'est que bien plus tard qu'il y découvrira soudain tout l'amour qu'elle lui portait. La « route » que dorénavant il suit « dans les ténèbres » est celle d'une quête douloureuse et vaine : ce qu'il désire inconsciemment, c'est un amour de cette qualité-là. Dans cette perspective, tout s'éclaire, et chaque morceau du puzzle vient prendre sa place, nécessaire et précise, dans le tableau qui se compose ; ce qu'on pouvait prendre pour une simple succession d'anecdotes, exercices de style à propos de faits et d'expériences du personnage central, devient un ensemble cohérent et prend un sens qu'on peut qualifier de grandiose. C'est précisément cela qui manquait aux nouvelles dites autobiographiques de l'auteur, dans lesquelles la présence encombrante de sa personnalité nuisait à la vérité interne, même et surtout lorsque la vérité externe atteignait à la plus minutieuse perfection. Ici, au contraire, l'auteur s'efface du devant de la scène et s'abrite derrière le décor fictif dont il entoure les ténèbres de sa propre conscience. On pourrait donc dire que ce roman est une autobiographie au second degré, où la fiction et l'expérience vécue se fondent dans une œuvre qui est la somme des tâtonnements de la jeunesse et de l'âge mûr de Shiga Naoya.

ROUTE D'ÉMERAUDE (La). Roman de l'écrivain belge d'expression française Eugène Demolder (1862-1919), publié en 1899. L'action se passe en Hollande, au XVIIe siècle : Kobus, dont la mère est morte en le mettant au monde, vit avec son père, Balthazar, meunier des environs de Dordrecht, qui l'élève avec une très raisonnable tendresse. Le jeune homme semble devoir faire un excellent meunier, jusqu'au jour où son père, pour distraire ses veillées, lui offre une vieille bible à images, qui va changer son destin. C'est en effet pour l'adolescent une révélation de l'art, et Kobus décide d'être peintre. Le roman de Demolder va nous conter les avatars de cette impérieuse vocation. Loin de chercher à contraindre son fils, Balthazar l'amène à la ville et le fait entrer dans l'atelier du célèbre peintre Frantz Krul ; le jeune homme se passionne pour son art, mais aussi pour tous les prestiges de la vie ; et l'amour ne tarde pas à mettre en question sa vocation : nous suivons les aventures sentimentales de Kobus avec la servante Lisbeth, puis avec Siska, enfant trouvée, pêcheuse devenue modèle, par qui Kobus se voit trahi et abandonné. C'est alors que son génie se réveillera. Kobus retourne auprès de son père, travaille, produit des œuvres qui lui gagnent l'estime du grand Rembrandt et lui assurent, en quelques années, gloire et richesse. L'amour, qui avait failli le perdre, vient alors couronner sa destinée : Kobus trouve l'« émeraude », la charmante fille du bailli de Dordrecht ; il l'aime, s'en fait aimer et finit par l'épouser. Dans cette histoire d'un « apprentissage », Demolder a trouvé le prétexte de brosser le vaste tableau d'une Hollande lumineuse, coloriée et enivrée de passions. À la suite de Kobus, nous pénétrons ainsi dans les palais et les ateliers, aussi bien que dans les tripots et les camps militaires ; nous rencontrons des peintres et des horticulteurs fameux, nous participons à la vie de richesses, d'aventures et de voluptés de la Hollande de l'époque. Inférieur peut-être, au point de vue technique, au *Jardinier de la Pompadour* (1904), ce livre est remarquable tant par la fougue du style que par la richesse de l'émotion.

ROUTE DES FLANDRES (La). Roman de l'écrivain français Claude Simon (né en 1913), publié en 1960. *La Route des Flandres* est la suite ou le complément de *L'Herbe* (*) : les souvenirs de guerre de Georges. Nous y retrouvons ses parents (Pierre et Sabine), le domaine avec le kiosque où Pierre se réfugie pour travailler, les bavardages insipides de Sabine. À quoi s'ajoutent de nouveaux motifs de la saga familiale : Reixach, le cousin de Sabine, et leur ancêtre général. Sur le plan de l'écriture aussi, *La Route des Flandres* apparaît comme la continuation, et parfois la radicalisation, de l'expérience menée dans *L'Herbe.*

La guerre, c'est le long hiver inactif de 1939-40. Mais c'est surtout mai 40. La débâcle, l'escadron anéanti, le capitaine de Reixach abattu, sous les yeux de Georges, par un soldat ennemi. Puis le train qui emmène les prisonniers vers l'Allemagne du Nord, et la vie au camp. Ce qui nous vaut des évocations inoubliables : les marches nocturnes, les cantonnements, la pluie. Puis, dans le printemps radieux, la route de la défaite avec ses chevaux morts, ses véhicules calcinés, ses villages désertés. Enfin la vie misérable dans les baraques du stalag. Mais, tout autant que de ce vécu, le roman est fait des interminables rêveries de Georges et de son ami Blum. Pourquoi Reixach s'est-il laissé tuer en s'avançant à découvert sur la route ? Avant la guerre, Reixach avait épousé une très jeune femme qui lui avait fait acheter des chevaux de course et engager un jockey, Iglésia, devenu son ordonnance. Selon certaines rumeurs, Iglésia aurait été l'amant de Corinne. D'autre part un ancêtre, dont Georges ne connaît que le portrait, qui fut républicain et général, est mort dans des circonstances mystérieuses à son retour chez lui, après une défaite. Il y a eu enfin, dans un cantonnement d'hiver, la brève apparition d'une jeune paysanne probablement adultère. À partir de ces différents motifs se développe, chez ces jeunes hommes sevrés de femmes, une rêverie placée sous le double signe de l'érotisme et du suicide, et qui produit des effets fascinants de contamination. L'adultère probable de la paysanne semble confirmer celui de Corinne, et l'un et l'autre déteignent sur la reconstitution hypothétique du destin de l'ancêtre. Ce serait pour avoir surpris à son retour sa femme avec un amant qu'il aurait été assassiné. Et c'est aussi parce que Reixach savait l'inconduite de Corinne qu'il s'est laissé tuer. Cependant, le général commandant l'unité à laquelle appartient l'escadron de Georges s'est suicidé au moment de la débâcle. Selon la légende familiale, c'est pour avoir été battu par les Espagnols que l'ancêtre avait choisi de se tuer. Ce pourrait donc être pour les mêmes raisons que Reixach a préféré mourir. Mais comment savoir ? Si l'Histoire est un éternel recommencement, elle peut cautionner aussi bien la version honorable du suicide des deux officiers que celle de leur mort consécutive à leur infortune conjugale. Après la guerre, Georges retrouve la trace de Corinne. Après l'avoir si longtemps rêvée et désirée, il devient son amant, espérant ainsi connaître enfin la vérité. Mais si Iglésia a fini par avouer ses relations avec elle, Corinne les nie. À qui des deux se fier ? La contamination du réel par l'imaginaire — d'autant plus trompeuse que les scènes imaginées sont aussi précises et riches, cohérentes et convaincantes que le vécu — finit par rendre suspects les faits apparemment les mieux avérés. Georges en vient à se demander s'il a vraiment vu Reixach tomber en brandissant son sabre ou s'il a « cru le voir ou tout simplement imaginé après coup ou encore rêvé ». Ajoutons à cela nos incertitudes de lecteur : au terme des longues phrases-dérives du récit nous ne savons plus d'où nous sommes partis.

Même insécurité en ce qui concerne l'énonciation. Quand le récit est à la première personne, nous avons souvent le sentiment que le discours et les récits de Georges s'adressent à Blum (lequel est mort au camp). Mais n'est-ce pas plutôt que le héros évoque ou se rappelle devant Corinne ce qu'il racontait à Blum ? Ou encore qu'il se souvient plus tard de la nuit avec Corinne où il se rappelait ses discours à Blum ? Le destinataire et le statut même de ces récits sont incertains, tout comme il est difficile de localiser dans le temps le moment où le propos est tenu.

Puissance de la vision et incertitude du réel. Histoire et fiction (*Les Géorgiques* (*) nous permettront de mesurer combien l'ancêtre, dans *La Route des Flandres,* est encore un personnage de fiction). Rêverie à partir de l'Histoire qui déréalise celle-ci. Tels sont les aspects majeurs de *La Route des Flandres.*

J.-L. S.

ROUTE DES INDES (La) [*A Passage to India*]. Roman de l'écrivain anglais Edward Morgan Forster (1879-1970), publié en 1924. C'est le plus éclatant témoignage du nonconformisme de l'auteur. Sous le couvert d'une fiction, ce dernier soulève, en effet, tout le problème de l'impérialisme britannique dans l'Inde. Le livre suscita des discussions passionnées et connut un regain d'actualité après le départ des Anglais. Dans la petite ville de Chandragor, les fonctionnaires de Sa Majesté et leurs familles sont régis par des idées toutes faites qui, pour eux, ont valeur de dogme. Ils professent notamment que « l'homme qui sort des rangs est perdu », qu'« on ne peut courir le lièvre et chasser avec les chiens » et que la catastrophe fut inévitable, « toutes les fois que des Anglais et des Indiens essayèrent de se lier intimement ». Forster a donné beaucoup de vie à tous ces conformistes de stricte observance, et qui, au nom du bon ordre, tiennent pour négligeable le mystère de l'Inde. Mais voici que deux femmes fraîchement débarquées d'Angleterre, l'une vieille (Mrs. Moore) et l'autre jeune (miss Adela Quested), prétendent naïvement aller à la recherche de l'« Inde vraie » et se lient d'amitié avec un médecin musulman, le Dr Aziz, garçon loyal qui les convie à une excursion, pour lui fort dispendieuse, aux grottes de Marabar. Festoyer avec un Indien !... Au club, c'est un vrai scandale. La malchance aidant, miss Quested, dont l'équilibre nerveux laisse à désirer, pense mourir d'effroi en entendant l'écho dans une des grottes, et sort bouleversée, assurant qu'Aziz a voulu lui faire violence. Aziz va passer en jugement, et déjà les officiels triomphent, lorsque Adela, prise de remords, avoue qu'elle a faussement accusé le jeune médecin. Miss Quested, dès lors, a « renié les gens de sa classe » et Aziz est acquitté, mais la vie, pour lui, n'en devient pas moins impossible ; et jusqu'à la fin — encore qu'il se soit réfugié dans une jungle lointaine — il devra rester « en observation ». C'est aussi le fiasco de l'amitié qu'il vouait au sympathique professeur Fielding, principal du petit collège de Chandragor, à qui son amour de l'indigène vaut cependant une réputation de séditieux... « À bas les Anglais en tout cas. Voilà qui est sûr ! », s'écrie finalement Aziz désabusé. « Déguerpissez, mes amis, et en vitesse vous dis-je. Nous pouvons (entre Indiens) nous haïr mortellement, mais c'est vous que nous haïssons le plus. » — Trad. Plon, 1927 ; Bourgois, 1985.

ROUTE DIFFICILE (La) [*Ni song lou nan — Ni xing lu nan*]. Série de dix-huit poèmes écrits par le poète chinois Pao Tchao (Bao Zhao, 404 ?-466 ?). L'unité de l'œuvre est le thème de la mort, exprimé ou sous-jacent. La vie est pleine de souffrances (le poète vivait à une époque particulièrement troublée, et l'influence du bouddhisme était alors très importante), et le propos du poète est ici de donner une leçon de sagesse qui permette à l'homme de supporter son sort. — Trad. *Sur les berges du fleuve*, La Différence, 1992.

J. P.

ROUX LE BANDIT. Roman de l'écrivain français André Chamson (1900-1983), publié en 1925 ; il compose le premier volet de *La Suite cévenole*, laquelle comprend par ailleurs *Les Hommes de la route* (*) et *Le Crime* *des justes* (*). L'auteur a été influencé par sa première enfance passée dans le pays cévenol. Il a trouvé dans ces lieux de soleil couchant et d'âpre montagne (le haut massif de l'Aigoual), la beauté farouche et la présence d'un univers fabuleux : il est fils de sa terre. Ce premier roman est un récit de veillée fait par des paysans cévenols. Roux le bandit est pour Chamson l'incarnation de la liberté ; l'homme simple qui refuse l'éphémère et cette montée de l'Histoire qui va bouleverser sa race. Contre toutes les forces sociales, il reste ce qu'il aurait été à n'importe quelle époque. Roux vit dans les Cévennes et, parce qu'il suit la parole de Dieu, qu'il respecte la sévère morale camisarde, il choisit de déserter au moment de la mobilisation générale et se terre dans la montagne. Roux n'a pas obéi à la peur, seulement répondu à l'appel de sa conscience, quitte à choisir la souffrance. À la fin de la guerre, condamné, il n'en est pas moins respecté, pardonné, défendu par les mères et les sœurs ayant perdu sur le champ de bataille fils et frères, et qui restent toutes seules à la montagne pour travailler la terre. Le public littéraire fit un accueil favorable à cette œuvre puissante, chaleureuse, atteignant à une profonde grandeur épique et religieuse.

ROYAUME DE CE MONDE (Le) [*El reino de este mundo*]. Roman de l'écrivain cubain Alejo Carpentier (1904-1980), publié en 1949. L'intrigue plonge le lecteur dans l'atmosphère colorée de Cap Français, à Saint-Domingue, à l'aube du XIXe siècle. Ti Noël, l'esclave noir, parcourt la ville avec son maître, M. Lenormand de Mézy, et c'est là prétexte à Carpentier pour l'une de ces descriptions fourmillantes et baroques à souhait dont il a le secret. Le retour à la plantation souligne l'étrange coexistence du monde arriéré et superstitieux des Noirs, soumis au Vaudou et à son grand prêtre le sorcier Mackandal, avec le monde raffiné mais décadent des colons blancs. Mackandal, dont le bras a été broyé par mégarde dans un étau, s'enfuit et jette un sort au domaine de Mézy, et bêtes et gens périssent d'un mal étrange, y compris la femme du maître. Le sorcier est repris, exécuté, mais il ressuscite et c'est comme sur son impulsion qu'éclate la révolte des Noirs de Saint-Domingue : explosion de meurtres, de pillages et de viols, qui força les colons à s'exiler à Santiago de Cuba. La vie à Santiago est magistralement évoquée, mélange de nonchalance et de corruption, comme celle de Cap Français, que vient réveiller l'arrivée de Pauline Bonaparte et de son époux, le général Leclerc. Languide et sensuelle, Pauline Bonaparte emplit le roman d'un envoûtement équivoque, illustré par les massages lascifs que lui fait son nègre, Soliman. Mais elle traverse ce monde de décomposition comme un rêve, car la mort de son époux la ramène bientôt en France. Cependant Ti Noël, qui a perdu son maître et erre au hasard, revient à Cap Français où il retrouve la propriété de Mézy transformée en un royaume autonome que dirige l'ancien cuisinier noir de la famille. Il s'agit du royaume d'Henri Christophe, dont Carpentier brosse un admirable tableau où se mêlent la cupidité, la ruse et l'infantilisme. Le suicide d'Henri Christophe revêt une ampleur shakespearienne, où le bruit et la fureur ne le cèdent qu'à l'épouvante dans le palais vide, disloqué, sanglant, où Soliman masse la statue de Pauline par Canova avant de devenir fou. Ti Noël, quant à lui, échappe au destin, et, revêtant les formes les plus diverses, continue Mackandal pour l'éternité. Roman bref et puissant, *Le Royaume de ce monde* est une fresque bigarrée et grouillante où la richesse stylistique de Carpentier trouve sa mesure. Donnant à l'histoire la dimension du présent, à la réalité celle de la fiction la plus fantasmagorique, il crée pour le lecteur un univers de maléfices et de philtres inconnus que des personnages inquiétants manient sur un fond de carnage, qui laisse un goût de cendre et de sang. — Trad. Gallimard, 1954.

ROYAUME ENCHANTÉ DE L'AMOUR (Le) [*Zauberreich der Liebe*]. Roman de l'écrivain tchèque d'expression allemande Max Brod (1884-1968), publié en 1928. L'intérêt réel de ce livre n'est pas d'ordre romanesque : il est d'avoir mêlé à un drame d'amour, avec son idylle et sa fin tragique, la figure de Garta dont on ne tarde pas à voir qu'elle est celle de Kafka. Max Brod nous aide à entrevoir la nature exceptionnelle du dessein secret de son ami à travers ses lectures, ses expériences assez souvent fragmentaires, ses réactions, ses préoccupations, sa soif d'absolu moral et religieux, son besoin de lucidité et d'utilité, son éducation des forces spirituelles par l'activité pratique et sociale. Tenant de la biographie romanesque, ce récit librement imaginé approche dans de remarquables pages le personnage de Franz Kafka dans ce qu'il a de plus humain et de plus quotidien. — Trad. « Je sers », 1936.

ROYAUME-FARFELU. Œuvre de l'écrivain français André Malraux (1901-1976), dont une première version remonte aux environs de 1920, à l'époque de *Lunes en papier* (*), et publiée en 1928 (deux autres publications avaient eu lieu auparavant, en 1925 dans le journal *Indochine* sous le pseudonyme de Maurice Sainte-Rose et en 1928 dans la revue *Commerce*). « Histoire », précise le sous-titre, histoire somptueuse tout entière tissée d'images d'épopée. L'Orient qui paraît au bout d'on ne sait quel naufrage est peuplé de marchands de phénix, de dragons, de sirènes, et le Petit-Mogol, prince de ce pays, écoute ses messagers lui parler de l'Enfer « avec son ciel plein d'étoiles violettes », ou bien de cette ville, capitale du tsar mangeur de poissons, d'où « montaient des nuages de duvet bleu pâle : offrande aux idoles du vent ». Le Naufragé est nommé historiographe du prince et suit son armée à la conquête d'Ispahan. En chemin, il écoute Idekel lui parler des démons des mages, du Grand Incendie et des mains des vainqueurs, qui devenaient des coupes où foisonnaient les perles. Ispahan est sans défense, mais les habitants l'ont entourée de tant de murs enchevêtrés que nul n'en peut trouver les portes ; la ville se dérobe et se dérobera toujours, protégée seulement par les scorpions et les démons des ruines « qui n'ont pas de visage et qui vivent dans notre propre corps ». Peu à peu, l'armée se défait dans le silence, les scorpions suffisant à la mettre en déroute, et le Naufragé, recueilli par une caravane, retourne à Trébizonde pour y faire commerce de coquillages et de sirènes. Exacte dans son rythme, chaque phrase est le lever d'une vision chargée de couleurs, d'objets bizarres, de gestes très anciens, et de l'une à l'autre phrase on accède d'un mouvement naturel au fabuleux. Et l'on regrette à la fin que l'auteur, en reniant cette œuvre pour une mythologie plus moderne, ait renié cette splendeur grave du style où se fondaient si bien son imagination et sa pensée.

ROYAUME JUIF (Le) [*Di Yiddishe Melukhe*]. Recueil de nouvelles de l'écrivain américain d'expression yiddish Lamed Shapiro (1878-1948), publié en 1919. La traduction française réunit des nouvelles de plusieurs recueils de l'auteur, à partir d'un regroupement thématique sur le thème des pogroms, obsession récurrente de Lamed Shapiro, comme en témoignent les deux documents publiés en annexe de la traduction et qui encadrent temporellement la quasi-totalité de sa production littéraire : « Autodéfense », poème composé en 1905, et « Rachel pleurant ses enfants », fragments inachevés datant de la période de la Seconde Guerre mondiale, au moment où Shapiro, après avoir désespérément tenté de se détacher de l'horreur de ce thème, envisage de renouer avec son ancienne inspiration.

Directement inspirées par le récit d'événements ayant lieu pour la plupart dans la région natale de Shapiro, l'Ukraine, au cours des années 1905, 1914 et 1919, ces nouvelles scandent le mouvement croissant de la terreur et de la folie. D'un réalisme amplifié et dépassé par les obsessions de l'auteur, elles mettent en scène une violence presque insoutenable, soit directement : « Le Baiser », soit par l'intermédiaire de la réminiscence du traumatisme ancien : « Déverse ta colère », « Dans la ville morte ». Elles ont pour décor le lieu clos des maisons juives dévastées par les pogromistes ou l'espace plus vaste des régions traversées par les cohortes des fuyards. « La Croix » se termine en Amérique, dans les plaines d'un avenir encore incertain, alors que la nouvelle « Déverse ta colère » semble prophétiser l'inutile errance de ceux qui veulent échapper au passé. — Trad. Le Seuil, 1987. C. K.

ROYAUTÉ (De la) [Περί *βασιλείας*]. Discours sur les devoirs d'un roi représentant, chronologiquement, le premier ouvrage composé par le philosophe grec Synésios de Cyrène (370 ?-413), élève de la célèbre philosophe néo-platonicienne Hypatie et évêque de Cyrène. En l'an 400, envoyé à Constantinople par ses concitoyens, chargé d'une mission que nous connaissons mal, il y prononça ce fameux discours en présence de l'empereur Arcadius. Ce texte, préparé d'avance, fait le portrait idéal d'un roi selon les traditions de la rhétorique et de la philosophie dont l'auteur se réclamait ; ce portrait est imité de ceux laissés par Xénophon, Isocrate, Dion et Chrysostome. Tout en s'inspirant de cette riche tradition, Synésios n'en exprime pas moins certaines vues personnelles et reprend, avec une forte conviction, des principes déjà posés par d'autres. Il en est ainsi, par exemple, quand il parle de la nécessité pour le roi d'être au milieu de ses soldats ou lorsqu'il considère la générosité comme l'une des plus importantes vertus d'un prince. Au point de vue historique, certains passages sont également intéressants : ceux qui ont trait aux dangers courus par l'Empire romain à cette époque du fait des multiples erreurs politiques des chefs. Ce discours peut être rattaché au livre des *Égyptiens* (*), où nous trouvons représenté, sous forme pratique, ce que Synésios énonce ici théoriquement. — Trad. C. Lacombrade (thèse), Paris, 1951.

ṚTUSAMHĀRA [*La Ronde des saisons*]. Œuvre célèbre, attribuée au grand poète indien Kālidāsa (IVe-Ve siècle apr. J.-C.). C'est une suite de cent cinquante strophes qui est divisée en six chants, chacun d'eux étant comparé à l'une des six saisons que comporte le calendrier indien : c'est en quelque sorte un tableau des merveilles de la création. Son pittoresque, d'ailleurs, ne laisse pas de comporter un élément tout à la fois érotique et sentimental. Ainsi l'amour de la nature et l'amour « tout court » forment-ils les deux grands thèmes du *Ṛtusaṃhāra*. La première strophe de chaque chant donne les principales caractéristiques de la saison à laquelle ce chant est consacré ; la dernière est une sorte de doxologie profane. Le poète nous dépeint l'été avec ses alternances de chaleur diurne et de fraîcheur nocturne, si propice aux ébats amoureux ; les autres saisons suivent, apportant chacune ses dons et ses splendeurs ; mais, qu'il fasse chaud ou froid, qu'il vente ou qu'il pleuve, chaque saison a un côté qui favorise l'amour chez les hommes. Dans son genre, le *Ṛtusaṃhāra* est un petit chef-d'œuvre, dans lequel, de la première à la dernière strophe, on sent vibrer l'âme indienne, si pleine de sensibilité, qui sait voir et apprécier l'harmonie de la nature. — Trad. anglaise, Calcutta, 1970.

RUBÂ'IYYÂT. Les « rubâ'iyyât » (au singulier : rubâ'i ») ou « quatrains », forme métrique étrangère à la poésie arabe classique, ont été surtout utilisés par les poètes persans. Le genre fleurit jusqu'aux débuts de la poésie lyrique iranienne, et de nombreux rubâ'iyyât furent attribués dans la suite à maints poètes et même à des savants. Mais on désigne le plus souvent sous ce nom les quelque mille quatrains attribués à Omar Khayyâm (mort en 1122). Disciple fervent d'Avicenne, dont il lisait constamment les œuvres, les commentant à ses propres élèves, Omar Khayyâm emprunta à son maître spirituel la forme poétique des quatrains. Mais les *Rubâ'iyyât* de Khayyâm sont de loin supérieurs à ceux d'Avicenne, tant par leur admirable concision que par la profondeur des sentiments exprimés. Le nombre de quatrains change avec chaque copiste ; le plus ancien recueil que nous connaissons (daté de 1423) contient deux cent six rubâ'iyyât ; celui d'Ouseley (bibliothèque Bodléienne, 1461) en contient cent cinquante-huit ; certains recueils comptent environ cinq cents quatrains. La raison de cette diversité et l'absence de toute certitude quant à leur attribution à Omar Khayyâm s'expliquent par le fait que, le « divân » d'Omar Khayyâm ayant été mis à l'Index par les autorités religieuses de l'Islam, il ne put être copié que « sous le manteau », ce qui permit toutes les erreurs et facilita les interpolations. Cette mise à l'Index fut la conséquence de l'horreur que Khayyâm professait ouvertement pour tout dogmatisme. Les philologues, qui se sont préoccupés de séparer l'authentique de l'apocryphe, ont fait un certain portrait du poète : Omar Khayyâm apparaît tour à tour comme un mystique et comme un épicurien. « Veux-tu que ta vie repose sur une base solide ? Veux-tu vivre quelque temps, ayant le cœur affranchi de tout chagrin ? Ne demeure pas un instant sans boire du vin, et alors, à chaque respiration tu trouveras un nouvel attrait à ton existence », conseille le Khayyâm épicurien (quatrain 422). « Dans la mosquée, dans la madrasé [école religieuse], dans l'église et dans la synagogue, on a horreur de l'enfer et on recherche le paradis ; mais la semence de cette inquiétude n'a jamais germé dans le cœur de celui qui a pénétré les secrets du Tout-Puissant », réplique Khayyâm le mystique (quatrain 46). Et Khayyâm le philosophe d'ajouter : « Fréquente les hommes honnêtes et intelligents. Fuis à mille farsakhs loin des ignorants. Si un homme d'esprit te donne du poison, bois-le ; si un ignorant te présente un antidote, verse-le à terre » (quatrain 223). Dans ses *Rubâ'iyyât,* Omar Khayyâm chante avec la même facilité et la même maîtrise la vie brève de l'homme, cette vie qui « n'est séparée de la mort que par l'espace d'un souffle » (quatrain 20), le mystère de sa destinée, la beauté incomparable de la nature et, surtout, les effusions ardentes de l'amour. Certains commentateurs ont voulu voir dans cette série de quatrains une glorification de l'amour mystique. En effet, certains mystiques (saint Jean de la Croix par exemple ou sainte Thérèse d'Avila) n'ont-ils pas exprimé leurs sentiments par des phrases qui peuvent prêter à confusion, le langage mystique empruntant les mêmes mots que ceux qui servent à chanter l'amour charnel ? Mais, en ce qui concerne Omar Khayyâm, aucune indication sérieuse ne permet d'accepter ou refuser cette théorie. Ce qui a toujours étonné les commentateurs, c'est que la plus grande partie des quatrains de ce grand poète sont consacrés à la glorification du vin. « Tu as mis en nous une passion irrésistible [l'amour du vin], ce qui équivaut à un ordre de Toi, et d'un autre côté, Tu nous défends de nous y livrer... », proteste le poète dans le quatrain 226. Il explique que l'interdiction de boire du vin par Mahomet ne fut que le résultat d'un accident stupide, un soldat ivre ayant tué une chamelle de son frère Ali. Il va même jusqu'à dire (quatrain 37) : « Tant que je ne suis pas ivre, mon bonheur est incomplet... » Faut-il penser que, tel Paracelse, Omar Khayyâm ne pouvait être véritablement lui-même que lorsque le vin abolissait en lui les barrières que forment, en tout homme, l'éducation, les règles de la bienséance et de la morale ?

★ Le premier traducteur des Rubâ'iyyât fut le savant autrichien Joseph von Hammer-Purgstall (1774-1856), qui, dans son *Histoire des belles-lettres persanes* [*Geschichte der schönen Redekünste Persiens*], parue à Vienne en 1818, traduisit, pour la première fois, vingt-cinq « rubâ'iyyât » d'Omar Khayyâm. Mais l'attention du monde occidental sur cette œuvre unique ne fut attirée qu'en 1859, par une petite brochure de l'orientaliste anglais Edward Fitzgerald (Edward Purcell, 1809-1883) : *Les Rubâ'iyyât d'Omar Khayyâm transposés en anglais* [*The Rubâ'iyyât of Omar Khayyâm rendered into English verse*]. Cette brochure, qui ne contenait que soixante-quinze quatrains, était un véritable chef-d'œuvre, mais un chef-d'œuvre de littérature anglaise, bien que d'inspiration persane. En effet, Fitzgerald, pour obtenir un poème cohérent, n'hésitait pas à prendre ici et là des moitiés de quatrains pour en faire des entiers, à les modifier considérablement et même à en composer de nouveaux, « à la manière de ». C'est ainsi que, dans ces premiers soixante-quinze quatrains présentés au public anglais, quarante-neuf seulement sont des traductions, et encore pas toujours fidèles, de ceux d'Omar Khayyâm. L'œuvre de Fitzgerald a elle-même été traduite en vers français par Yves-Gérald Le Dantec (Falaize, Paris, 1954).

★ La première traduction française, celle de J.-B. Nicolas (qui fut interprète à l'ambassade de France à Téhéran), vit le jour en 1857. Théophile Gautier, l'ayant découverte, la salua par un article dithyrambique, dans *Le Moniteur universel* (8 décembre 1867). Cette traduction, très sérieuse et qui est consultée encore maintenant, porte sur quatre cent soixante-quatre quatrains, traduits en prose. La traduction d'Arthur Guy, portant sur trois cent vingt-huit quatrains traduits en décalque rythmique avec rimes à la persane, parut à la Société française d'éditions littéraires et techniques en 1935. – *Les Quatrains d'Omar Khayyâm*, Champ libre, 1980.

RUBÂ'IYYÂT de Roumi. Recueil de quatrains du poète mystique persan Jalâl al-Dîn Roumi (1207-1273). L'édition persane de Foruzanfar en comporte deux mille. Une excellente traduction française de deux cent soixante-seize quatrains avait paru en 1946 à Istanbul, due à Assaf Hâlet Tchelebi. La traduction la plus récente présente plus d'un millier de quatrains groupés selon divers thèmes ; l'amour, la quête, la beauté, la vision, le chant du monde, la mort mystique, etc. Cette division, qui n'existe pas dans l'édition persane, a voulu préciser, dans le parcours de l'âme à la recherche de l'absolu, des étapes et des états spirituels, le sentiment dominant étant toujours, chez Roumi, l'amour : amour du Bien-Aimé divin, du « visage sans visage ». Il s'agit toujours d'aller du signe à la chose signifiée, ainsi ce merveilleux quatrain : « En souvenir de ta lèvre, je baise le rubis de ma bague, / N'ayant pas celle-là, je baise celui-ci / Ne pouvant parvenir à ton ciel, / Je me prosterne et je baise la terre. » La forme prosodique des *Rubâ'iyyât* entraîne, de par sa concision, d'extrêmes difficultés de traduction : ils condensent tout un ensemble d'allusions, de jeux de mots, d'allitérations, qu'on ne peut transposer dans une autre langue, d'où le choix douloureux auquel ont dû se borner les traducteurs. – Trad. Albin Michel, 1987.

E. de V.-M.

RUBAN AU COU D'OLYMPIA (Le). Ce livre de l'écrivain français Michel Leiris (1901-1990), paru en 1981, prenant la suite des quatre volumes composant *La Règle du jeu* (*), l'on pourrait être tenté d'y voir le naturel prolongement d'une entreprise autobiographique qui a peu d'équivalent dans l'histoire. Mais, s'il s'agit bien encore ici de textes que l'on peut dire autobiographiques, ils ne répondent plus au projet initial de découvrir, voire d'inventer, des règles établissant un rapport nouveau – éthique et poétique – au monde. Par certains côtés proche de *Frêle bruit* (*) (dernier volet de *La Règle du jeu*) en ce que le texte a perdu sa compacité, s'est comme disloqué sous le poids d'une réalité à la fois fuyante et menaçante, le *Ruban* s'aventure plus loin encore dans la hantise d'une dépossession radicale. « Si je dis ici, c'est plus pour "dire" que pour dire quelque chose. » Le monde se retire, échappe à toute volonté de lui trouver ordre et sens (la vieillesse et ses divers « naufrages », la disparition progressive et toujours violente des êtres connus et aimés, et la mort qui envahit tout...), déceptions et regrets prennent la place de volonté et désirs. Reste le surgissement de la réalité qui, dans son opacité quasi minérale, fait irruption et provoque un affrontement redouté. Le monde semble comme émietté en fragments à partir desquels il est impossible de reconstituer une totalité. Tout est comme donné « à la vitrine », spectacle ou représentation auxquels on ne peut participer réellement qu'en y surimposant ses propres stratagèmes dérisoires. Théâtre qui ne renvoie, miroir déformant, que l'image insupportable et grotesque de soi. La quête d'un rapport non purement feint avec le monde reste toutefois à l'horizon des espérances. Et le moyen d'y parvenir sera lui aussi extirpé de cette réalité fantomatique : « Comment passer autour du cou des choses – de quelques-unes du moins parmi celles avec lesquelles j'entre en commerce – le ruban qui les rendra, pour moi comme pour ceux à qui j'en parlerai, aussi présentes, pressantes, que l'Olympia de Manet avec son cou barré de noir ? » Le détail réel (le ruban) a comme pour fonction de redonner corps à une réalité dont la chair s'est évanouie. Et ce ruban qui court tout le long du livre revient tel l'indice d'une rémission possible. Mais le soupçon guette : « Ce ruban de largeur et de longueur modestes a-t-il été le fil qui me gardait de totalement m'égarer dans le dédale où l'écriture m'entraînait, ou ne dois-je voir en lui qu'un ajout futile dont j'aurais usé comme une coquette le fait de ses fanfreluches ? » Mais ce détail, où l'art permet de renouer les fils d'une réalité risquant à tout moment de se dissoudre, est un signe matériel que rien ne peut éliminer. Fêtu qui, tout insignifiant et chétif qu'il soit, n'en est pas moins la planche de salut pour celui qui sombre. Fil ténu que la Parque ne pourra trancher, « le ruban au cou de la courtisane » fonctionne comme un piège et permet de tenir en respect le mal dont souffre l'être.

F. W.

RUCHE (La) [*La colmena*]. Roman de l'écrivain espagnol Camilo José Cela (né en 1916). Interdit par la censure espagnole, il fut publié en Argentine en février 1951. *La Ruche*, c'est Madrid en 1942, à l'heure la plus sombre du franquisme. Trois ans après la fin de la guerre civile, vainqueurs et vaincus se côtoient, aux prises avec la même amertume. Écrasés par l'engrenage de la dictature, ils ont tout perdu : la liberté, le plaisir de vivre, l'espoir même, chez les vainqueurs, d'un changement possible. Occupé à cacher aux yeux des autres sa propre détresse, chacun, dans ce pays d'orgueil et de préjugés, s'enferme dans sa solitude. Si, instinctivement, on cherche à revenir à d'anciennes habitudes, celle si madrilène du café, par exemple, c'est moins par plaisir que pour intriguer son semblable par des propos qui permettent de se masquer à soi-même son propre vide moral. Dans cette « ruche » où une infinité de personnages vont et viennent comme des abeilles, il n'y a pas de protagonistes, même si Martín Marco, l'intellectuel, ou doña Rosa, la patronne du café, réapparaissent un peu plus souvent que les autres comparses au cours d'une parade de cauchemar. Certains êtres qui ne font ici que quelques apparitions momentanées ont, psychologiquement, autant d'importance, qu'il s'agisse de la sensuelle Julita, fille de la bigote doña Visi, ou du gardien de la paix Julio García, ou même de Seoane, le musicien : « Seoane est un homme qui préfère ne pas penser ; ce qu'il veut, lui, c'est que les journées passent à toute allure, le plus vite possible et qu'on n'en parle plus. » Car derrière ces ombres flottantes d'une société nivelée par la dictature se tiennent les véritables personnages du roman : l'ennui, la peur, l'angoisse, le désespoir, et leur exutoire, la sexualité. Ce sont eux qui animent et guident chacun, dictant l'une ou l'autre des deux seules attitudes possibles devant l'absurdité de l'existence : le cynisme ou la résignation. Cette absence de personnage principal a pour conséquence immédiate la disparition d'une intrigue centrale, aucun lien directeur ne reliant entre elles ces scènes multiples de la vie madrilène durant la Seconde Guerre mondiale. Une centaine d'intrigues se nouent, presque toutes d'ordre sentimental, qui, à aucun moment, ne se dénouent, parce que tout dénouement, dans une telle situation, est impossible. Il en résulte une angoissante impression de vertige, de nausée, vertige et nausée d'une société sans spiritualité, étrangement archaïque dans un monde moderne, mais caractéristique de tout État en dictature. Une telle suite d'instantanés, surpris avec la précision d'une caméra, aurait pu ne pas dépasser les limites d'un document. Le grand mérite de Cela est d'avoir su élever un ensemble aussi complexe à la hauteur de l'œuvre d'art en donnant à chaque scène, à chaque personnage, un éclairage très personnel, extraordinairement pathétique. Et cela avec une ironie glacée, féroce, une ironie à l'espagnole, celle qui inspire les chefs-d'œuvre auxquels *La Ruche* se rattache : l'ironie picaresque. — Trad. Gallimard, 1958. C. C.

RUDE HIVER (Un). Roman de l'écrivain français Raymond Queneau (1903-1976), publié en 1939.

L'action de ce roman se situe au Havre, en 1916, où le lieutenant Bernard Lehameau, trente-trois ans, ayant eu la jambe brisée à Charleroi, se trouve en permission de convalescence.

Lehameau traîne en son cœur une blessure plus profonde et moins aisément guérissable : treize ans plus tôt, sa jeune épouse et sa belle-mère sont mortes calcinées dans l'incendie d'un cinéma de la ville. Il conserve, depuis ce jour, une violente haine du Créateur et de ses créatures, mais aussi de la République française, des francs-maçons, des Juifs, des syndicats, de l'éducation laïque, et même de la démocratie. Peut-être aussi des femmes puisque, depuis treize ans, il ne s'est approché d'aucune.

Et puis, voici qu'un autre incendie, celui d'un navire-hôpital, consomme la disparition d'une infirmière britannique pour laquelle, justement, il commençait à se sentir de l'inclination. Tout semble donc se concerter pour que Lehameau s'abandonne à la déréliction la plus définitive. Mais non : par la grâce d'une très jeune fille, il parviendra à oublier ses haines et à refuser la fatalité. Son congé terminé, il retourne au front, « comme tout le monde », dit-il, décidé à délivrer son existence des caprices d'une destinée aveugle et indifférente.

Trois aspects d'*Un rude hiver* méritent particulièrement d'être notés. C'est d'abord un merveilleux roman d'amour, ce qui paraît d'autant plus remarquable que, en 1939, le genre n'était pas à la mode, parmi les littérateurs sérieux, tant s'en faut. Ensuite, il illustre un des thèmes favoris de Queneau : le retour à la vie par l'amour d'une femme. On l'avait déjà rencontré dans *Odile* (*) et *Les Enfants du limon* (*). On le retrouvera, beaucoup plus tard, dans *Le Vol d'Icare* (*). Enfin, ce roman développe, d'une manière assez subtile, le problème des rapports du fils au père. Les allusions à *Hamlet* (*) y sont nombreuses : outre le nom du héros (hamlet = hameau), l'avant-dernier chapitre décrit une visite dans un cimetière qui parodie la célèbre scène des fossoyeurs.

C'est que *Un rude hiver* est rempli de notations autobiographiques. Le Havre est la ville natale de Queneau. En 1916, il avait treize ans, l'âge de voir comment la guerre s'installe dans le port, dans les rues, dans les boutiques, dans les maisons, dans les esprits. L'âge aussi où l'on commence à porter sur les hommes et le monde des regards exigeants, où l'on se retient pour ne pas leur demander des comptes.

On sait aujourd'hui, en outre, que les opinions « réactionnaires » exprimées par Bernard Lehameau étaient celles d'Auguste-Henri Queneau, ancien militaire de carrière. Il est donc tentant d'imaginer que le changement d'attitude du lieutenant blessé, à la fin du roman, est une façon de rejeter l'autorité paternelle, au moins dans le domaine des idées. Que l'élément moteur de cette émancipation soit une femme aimée ne peut qu'en renforcer le caractère libérateur. J. B.

RUE (La) [*Di Gas*]. Roman de l'écrivain yiddish Isroel Rabon (1900-1942), publié en 1928. Ce récit à la première personne d'un soldat démobilisé après la Première Guerre mondiale est une longue errance hallucinée à travers une ville, à travers la mémoire, à travers un univers où la frontière entre le rêve et la réalité est brouillée, où le fantastique, le grotesque, le macabre se mêlent. Le cadre temporel dans lequel se situe cette narration – trois ou quatre mois – est constamment brisé par des incursions dans le passé, réelles ou fantasmatiques : l'enfance du narrateur, les épisodes au front ou les récits d'autres personnages rencontrés au cours de pérégrinations surtout nocturnes. Il en est de même de la structure spatiale à la fois une et disloquée, grand périple picaresque et irréel à travers pays et continents, mais parcours immobile dont la parole du/des narrateur(s) est seule garante et dont le lieu de convergence inéluctable est la ville avec ses parcs, ses rues aux façades lépreuses, ses gares, ses hospices, son monde d'illusion représenté par le cinéma et l'arène du cirque.

Comme les lieux, les personnages sont en marge non seulement de la société mais surtout du réel et de l'onirique : un pope prophétique, un cordonnier fou, un poète suicidaire, un clown moribond, un athlète qui sème amour et mort, une femme, sainte et putain, les monstres de l'hospice, la foule hâve des tisserands en grève et loqueteuse et difforme des mendiants, chemineaux et ivrognes.

Ce roman déroutant se situe pour l'écriture entre Joseph Roth, Kafka, Bruno Schulz et Ungar, visuellement entre Otto Dix, Soutine et Grosz. – Trad. Julliard, 1991. R. E.

RUE CASES-NÈGRES (La). Roman de l'écrivain martiniquais Joseph Zobel (né en 1915), publié en 1950. La réussite du film qu'en a tiré la cinéaste Euzhan Palcy en 1983 a beaucoup contribué à la popularité de l'ouvrage. Zobel y transpose son expérience personnelle d'enfant pauvre, sorti de la misère grâce à sa réussite scolaire. Son héros et narrateur, José Hassam, porté par l'ambition d'une grand-mère héroïque, échappe au sort commun des enfants de la rue Cases-Nègres, condamnés à être enrôlés dans les « petites bandes », chargées des tâches subalternes sur les plantations, avant de s'épuiser, adultes, au travail de la canne. José, bon élève de l'école primaire du bourg voisin, est reçu au concours des bourses et est admis au lycée de Fort-de-France. Ce qui fait la force du roman, c'est, beaucoup plus que sa fidélité attendrie à des souvenirs d'enfance, sa configuration de mythe de formation : il fait vivre la métamorphose d'un être, dans le passage du village à la ville, du mythe à l'histoire, de l'oralité à l'écriture. L'écriture classique adoptée par le romancier, parfaitement conforme aux modèles de la rédaction scolaire, trouve alors une admirable justification : le narrateur, parvenu au terme de son initiation par l'école, utilise l'art d'écrire transmis par ses maîtres pour raconter l'histoire de ceux de la rue Cases-Nègres, qui n'ont pas appris à écrire. José Hassam peut alors rendre justice au vieux M. Médouze, gardien des contes, des légendes et des devinettes, qui lui a appris à vivre. Il faut lire *La Rue Cases-Nègres* comme l'une des plus émouvantes et des plus admirables introductions à l'anthropologie antillaise. J.-L. J.

RUE DE LA SARDINE [*Cannery Row*]. Roman de l'écrivain américain John Steinbeck (1902-1968), publié en 1945. La scène est à Monterey, port de la côte californienne qui avait déjà servi de cadre au célèbre *Tortilla Flat* (*) du même auteur. La populeuse et peu respectable rue de la Sardine, proche de la mer, abrite mille vies misérables, industrieuses et souvent étonnantes. Aucune intrigue suivie ne relie donc les divers récits qui composent le volume. Mais les mêmes personnages reparaissent d'une histoire à l'autre et l'ouvrage ne tombe jamais dans le disparate. Les événements contés gravitent autour de trois points principaux : l'épicerie de Lee Chong, le « Laboratoire biologique de l'Ouest », domaine de « Doc », le « Palais des coups », masure qui sert d'abri à Mack et à sa bande de joyeux lurons. Lee Chong, dont la boutique contient les produits les plus hétéroclites, est le créancier de tous les gens du quartier. Commerçant tout-puissant et astucieux, il n'est cependant pas insensible aux drames qu'il côtoie. « Doc », lui, exporte à travers les États-Unis toute la faune terrestre et sous-marine de la côte du Pacifique. C'est un amateur de grande musique et un cœur généreux ; il est vénéré et admiré par tous les habitants de la rue de la Sardine. Mack et ses copains, les personnages de premier plan du roman, vivent de chapardages et de petits travaux occasionnels, refusant l'esclavage de tout travail suivi. Ce sont des anarchistes sans théorie ni aigreur, de grands individualistes et, comme nous le laisse entendre l'auteur, de véritables sages. Leurs aventures, comme celles des héros de *Tortilla Flat*, sont aussi nombreuses que variées et savoureuses. Truculentes, picaresques, cocasses, les histoires de *Rue de la Sardine* témoignent d'une sensibilité aux choses de la nature, d'une tendresse envers les humbles et d'un amour de la vie qui réjouissent le cœur et l'esprit. – Trad. Gallimard, 1947.

RUE DES BOUTIQUES OBSCURES. Roman de l'écrivain français Patrick Modiano (né en 1945), publié en 1978, couronné par le prix Goncourt. « Je ne suis rien. Rien qu'une silhouette claire, ce soir-là, à la terrasse d'un café. » Par cette phrase emblématique débute le récit de Guy Roland, détective amnésique à qui son patron a fourni l'identité qu'il porte désormais. Mais Guy a décidé de recouvrer sa mémoire, son passé, donc soi-même : quête incessante et harassante de Bottins défraîchis en témoins retrouvés, au cours de laquelle être reconnu ou ne l'être pas se confond dans la même angoisse. Plus le mystère s'éclaircit, moins l'on approche de la vérité. Et si les souvenirs n'étaient que mirages, la mémoire, un leurre, à la fois glace sans tain et miroir dont le réfléchissement ne livre qu'illusions ? Tandis que le lecteur s'interroge, Modiano l'entraîne dans une prenante enquête « mnemo-policière ». Que Guy Roland se reconnaisse en Freddie Howard de Luz, qu'il s'identifie à un Pedro Mc Evoy, avant de se retrouver dans un possible Jimmy Stern, qu'importe. Tout passé est mort. Et les êtres ou les histoires que croise ou retrouve Guy demeurent d'obscures boutiques à souvenirs le long de la rue de nos vies. Mais c'est à ces « petits riens » qu'en apatrides de nos existences nous nous attachons. Ces « petits riens » sur lesquels Modiano brode son insistante et musicale prose, à l'instar de ces bagatelles dansantes que composa Mozart. Il est vrai que rien vient du latin *rem* et que cette racine est celle du mot réalité... Y. P.

RUE DES ESPRITS [*Szellemek utcája*]. Recueil de poèmes de l'écrivain hongrois Milán Füst (1888-1967), publié en 1947. Il rassemble les poèmes écrits par Füst entre 1911 et 1947 et se divise en trois parties : poèmes « nouveaux » (1934-47), poèmes « anciens » (1911-34), « ébauches » comprenant sept poèmes que l'auteur ne considère pas comme ayant atteint leur forme définitive. Grand maître du vers libre, mais toujours fortement rythmé, Füst a introduit dans la poésie hongroise des accents tout à fait nouveaux, qui se caractérisent par la puissance du souffle, l'insolite envoûtant des images et une solennité proche parente de celle des psaumes et de certains récits bibliques. Toujours ouverts sur d'immenses horizons, majestueux même quand leur rythme est heurté, les poèmes de Füst évoquent généralement une fatalité qui leur confère une sorte de grandeur hiératique. M. Galéotti écrit à ce sujet : « La profonde conviction que le destin sera toujours plus fort que l'homme, et qu'il est vain d'essayer de s'y soustraire, donne à la poésie de Füst une passivité résignée en même temps qu'elle lui confère je ne sais quelle grandeur, un accent d'universalité si fort qu'il va jusqu'à abolir tout caractère national. » Constamment à la recherche de la sensation de l'absolu, Füst replace tout sentiment dans le cadre d'un cosmos inexorable et lui donne, ce faisant, une perspective universelle et infinie. Par ailleurs, l'idée de la mort, toujours sous-jacente, fait vibrer à travers les images la douleur même de la condition humaine. La poésie de Füst est aux antipodes de l'impressionnisme : elle est austère, dure, consciente, déchirée, car ce visionnaire ne perd jamais le contrôle de son imagination, mais tire au contraire de cette lutte intérieure, de cette sorte de mortification perpétuelle, une force suggestive, qui est le trait profond de toute son œuvre. L'influence de Füst sur la poésie hongroise contemporaine est considérable, en particulier sur toute l'avant-garde, qui l'estime autant que Lajos Kassák, lequel déjà lui devait beaucoup. – Voir aussi *L'Histoire de ma femme* (*).

RUE DES MEURT-DE-FAIM (La) [*New Grub Street*]. Roman de l'écrivain anglais George Gissing (1857-1903), qui tire son nom d'une rue de Londres habitée à cette époque par des écrivains et des artistes généralement sans ressources. Reardom, jeune romancier d'avenir, épouse Amy, une belle fille, de surcroît intelligente, qui a peut-être été séduite par son talent plus que par lui-même. Un enfant leur est né et le ménage semble d'abord heureux. Mais les premières difficultés financières surviennent : Reardom, à cause de ses multiples soucis, ne peut plus travailler en paix, et se sent à la fin incapable de créer ; l'amour s'atténue aussi. La situation entre les époux, toujours plus tendue, aboutit à une séparation, Reardom renonce à écrire et cherche un emploi. Amy retourne dans sa famille avec l'enfant. Reardom se sent dès lors un homme fini, dont la vie est lamentable. Il reverra sa femme dans de tragiques circonstances : la mort de son fils ; et cette douleur l'accablera toute sa vie. Autour de cette histoire, il s'en déroule d'autres : celle de Biffen, le meilleur ami de Reardom, malheureux comme lui, dont le personnage est campé de façon très vivante par Gissing, et celle du jeune Milvain, type de l'écrivain en vogue, sans scrupule, qui pratique l'art comme un métier, et qui épousera Amy lorsque celle-ci aura fait un riche héritage. La fin du roman montre le bonheur de ces deux êtres superficiels pour qui seul compte l'argent. Ce roman, qui dépeint le monde littéraire anglais de la fin du siècle dernier, nous donne aussi le portrait de l'auteur lui-même, qui eut à subir des épreuves matérielles et morales assez pénibles. On y sent son idéal de sincérité et de loyauté, et ses aspirations de rénovateur. C'est grâce à cette œuvre que Gissing peut être considéré comme un des précurseurs des grands romanciers anglais modernes. – Trad. Éd. de la Revue blanche, 1902 ; et, sous le titre *La Nouvelle Bohème*, P. U. de Lille, 1978.

RUE PROFONDE (La). Récit de l'écrivain français Paul Gadenne (1907-1956), publié en 1948. Une chambre étroite, un homme qui, soir après soir, essaie d'écrire un poème, et la rue profonde où monte la nuit. Fenêtres, cheminées, paysage, bruits de maintenant ou de jadis, ce qui piétine à l'orée de la mémoire n'est peut-être pas d'aujourd'hui. Mais les images ne se commandent pas, et les mots qui viennent sont bien usés pour dire ce bonheur éphémère, ou ce visage irrémédiable qui s'affirme avec l'ombre. L'homme parle et écrit, il rencontre au hasard des rues la femme dont la nostalgie a dicté, au fond, son poème, plus que l'ombre montante et le cri de la rue. La femme est là apparue, incarnée ; elle donne un rendez-vous, n'y vient pas. Une autre est chez elle, quand l'homme va frapper à sa porte, une autre qui lui ressemble et n'est pas elle. La vie recommence ; le poème n'est plus que mots usés, bons pour le feu. Il n'aurait pas fallu vouloir nommer, mais simplement essayer de cerner l'absence. « J'avais dû me tromper de voie : je n'avais pas trouvé de mots assez purs. Ce qu'il aurait fallu, c'était que chacun d'eux reflétât ce visage unique qui était derrière tous les mots, derrière la vie. » Gadenne a su transposer le mystère de l'écriture en une histoire simple, où les mots ne s'épuisent pas à vouloir dire ce qui les dicte, mais y vont naturellement, presque banalement. Ainsi nul symbolisme, une expérience à peine transposée et qui parle au cœur autant qu'à l'esprit, car sont également présentes les choses racontées et l'ombre qu'elles projettent, ou supportent, et leur mutuelle leçon.

RUES DANS L'AURORE (Les). Roman de l'écrivain français André Dhôtel (1900-1991), publié en 1945. Cette longue histoire touffue, s'étendant sur de nombreuses années, prend racine au début du siècle, à Véziers, bourgade calme et bourgeoise de l'Est. Deux hommes fortunés, Roncier et Casteaux, se combattent sournoisement pour asseoir leur domination sur le faubourg du Siourd, le quartier pauvre et insouciant de Véziers. Roncier comme Casteaux pensent atteindre leur but en devenant acquéreurs des terrains à bâtir du Siourd. Ils calculent qu'en bâtissant sur ces terrains des logements pour les ouvriers ils auraient ceux-ci à leur merci. Mais ils rencontrent de grosses difficultés avec Darroux, l'actuel propriétaire des terrains convoités qui, lui, ne se soucie que d'en tirer le maximum de profit. M. Leban, qui est chargé par Roncier de manœuvrer en sous-main auprès de Darroux, a un fils, Georges, dont la prédilection pour les mensonges et les inventions va gonfler démesurément l'affaire. De simples racontars de gosses, grossis par la voix de la bourgade, sont ainsi à l'origine d'une polémique ardente et venimeuse. L'insouciance de Georges Leban amènera même au grand jour le secret que Roncier s'efforçait de dissimuler : Mme Juliette Roncier cache dans les environs une fille, Anne-Marie, qu'elle a eue de Brice, le frère de Casteaux. Georges tombera amoureux de cette Anne-Marie, rencontrée par hasard, et sa mort mystérieuse le laissera rêveur et nostalgique. Dans l'hostilité générale, il ne rencontre que l'amitié de Louis Grovey, jeune révolté du Siourd qui le fait adopter par son milieu. Cette amitié ne se démentira pas, puisque, bien des années plus tard, Louis Grovey et sa femme aideront Georges Leban à s'enfuir avec Jeanine, la deuxième fille qu'a eue Juliette Roncier de Brice Casteaux. Tout autant que l'histoire de Georges, c'est la chronique d'une petite ville qui se déroule sous nos yeux. Cette calme et digne bourgade, avec ses notables, ses rues propres et tranquilles, où seuls les écoliers mettent un peu d'animation, contraste avec le quartier ouvrier qui préfère son laisser-aller et son indépendance, dans des maisons branlantes, entourées de jardins et de terrains vagues, de mares. Mais la condamnation que l'ennui fait peser sur cette ville peut être balancée par l'imagination d'un enfant. Et nous reconnaissons bien ici le propos de Dhôtel ; sa prédilection pour les rêves, pour les humbles, les fols (Antoine, le frère des Casteaux), les conduites fantasques, prouve une fois de plus qu'il voit là le meilleur et le plus beau de la vie.

RUGBY. Œuvre symphonique du compositeur suisse Arthur Honegger (1892-1955). Elle évoque, sans vouloir à proprement parler les décrire, « les attaques et les ripostes du jeu, le rythme et la couleur d'un match au stade de Colombes » (Honegger). Ainsi se trouvent traduits en langage musical l'intérêt et le goût que Honegger conçut très jeune pour divers sports, et en particulier le football et le rugby : il hésita d'ailleurs à donner à son œuvre l'une ou l'autre de ces appellations. D'une inspiration proche de *Pacific 231* (*), *Rugby* en diffère un peu cependant par sa structure plus libre, une orchestration plus allégée. Au choral unitaire de *Pacific* s'oppose — quoique dans un esprit d'abstraction un peu semblable, accentué par une écriture de caractère contrapuntique — la fantaisie formelle de *Rugby*, proche du rondo et de la variation. L'œuvre se divise en deux parties principales : la première comprend une sorte d'introduction caractérisée par une grande diversité rythmique au milieu de laquelle l'énoncé du thème principal s'ébauche, pour s'affirmer ensuite, dans la partie médiane de cet épisode, par l'intermédiaire des violons, des flûtes, des hautbois puis des cors ; un court motif de caractère animé et populaire clôt ce premier volet et servira lui aussi de base aux variations de la seconde partie. Celle-ci, après l'exposé d'un nouveau motif, conduit à une série non systématique de variations sur les deux thèmes principaux de la première partie, diversement exposés, ornés et accompagnés, variations animées des multiples ressources contrapuntiques, d'une écriture très complexe, où l'indépendance des diverses parties, l'opposition polytonale des timbres ne nuisent en rien cependant à la clarté et au dynamisme de cette œuvre, dont l'inspiration inhabituelle concourt par une sorte de paradoxe à une construction extrêmement solide et équilibrée. — *Rugby* fut exécuté en première audition le 1er octobre 1928 par l'Orchestre symphonique de Paris sous la direction d'Ernest Ansermet.

RUINES (Les) ou Méditations sur les révolutions des empires. Ouvrage de l'érudit et écrivain français Constantin François de Chassebœuf de Volney (1757-1820), publié en 1791. Mêlant dans des décors à l'antique les récits de voyage aux digressions philosophiques, les épanchements lyriques aux violentes polémiques, Volney allie dans *Les Ruines* le libéralisme et l'athéisme de l'*Encyclopédie* (*) à la religiosité caractéristique de la révolution du sentiment opérée par Rousseau et Bernardin de Saint-Pierre. Après une rêverie mélancolique sur les vestiges de Palmyre où il déplore le triste sort des mortels, le narrateur voit soudain apparaître le Génie des tombeaux : celui-ci, l'entraînant dans les airs, lui montre le spectacle de la terre et lui révèle, en de longues tirades sur le perfectionnement de l'homme et la méchanceté des tyrans, les causes de la chute des États. Comme la plupart des hommes de son siècle, Volney est convaincu que la nature humaine tend vers le meilleur, par le simple mouvement de sa sensibilité. Il suffit donc de ne pas résister à cette exigence et de l'éduquer : l'obstacle au progrès, « c'est l'ignorance, qui égare [l'homme] dans les moyens, qui le trompe sur les effets et sur les causes ». Aux maux de l'ignorance s'ajoutent d'ailleurs la méchanceté des tyrans et de leurs ministres, l'orgueil des pouvoirs et l'inégalité sociale. Le Génie des tombeaux présente alors à l'auteur des spectacles qui laissent bien augurer du destin de l'humanité future : la Constituante consacre le droit des peuples, les tyrans sont confondus et, devant le genre humain rassemblé, les prêtres avouent leur imposture. Volney reprend en effet toute l'argumentation de son siècle contre les religions, où il ne voit qu'une fausse physique, une divinisation des forces naturelles dans un culte astrologique. Néanmoins, il existe chez tout homme un besoin de surnaturel : mais, ce besoin étant l'effet de la loi même de notre nature, les religions dogmatiques deviennent inutiles. De plus, par leur esprit de certitude, elles nuisent à cet esprit de doute où Volney voit la condition de tout progrès. Cet ouvrage, qui par son emphase et son style pseudo-biblique est aujourd'hui d'une lecture difficile, a le grand intérêt d'être un fidèle miroir de la sensibilité européenne à la fin du XVIIIe siècle. Il eut dans tout le continent un immense succès.

RUINES D'ATHÈNES (Les) [*Die Ruinen von Athen*]. Ouverture op. 113 et musique de scène op. 114, que le compositeur allemand Ludwig van Beethoven (1770-1827) écrivit en 1811 pour le drame d'August von Kotzebue (1761-1819) ; travail médiocre, mais de grand effet, représenté pour l'inauguration d'un théâtre de Budapest qui eut lieu en février 1812. Cette musique écrite sur commande révèle tout au plus la main de Beethoven, mais assurément pas son esprit. Il désignait lui-même en plaisantant l'ouverture comme une petite pièce de divertissement (« kleines Erholungsstück »). On y trouve entassés, sans ordre clairement défini quant à la forme, les morceaux de la musique de scène. Ceux qui eurent le plus de succès et qui se distinguent par une certaine plasticité mélodique extérieure sont la Marche turque, vive et colorée, dont le thème a été repris par Beethoven lui-même dans les *Variations pour piano*, op. 76 ; un chœur de derviches, d'expression à la fois démoniaque et grotesque ; et une Marche solennelle en mi bémol majeur, pour chœurs et orchestre. Le spectacle, entièrement remanié par Richard Strauss, fut repris à Vienne pour la célébration du centenaire de la mort de Beethoven en 1927.

RUINES DE PARIS (Les). Cet ouvrage, publié en 1977, marque un tournant dans l'œuvre du poète français Jacques Réda (né en 1929). Après la trilogie poétique – *Amen* (*), *Récitatif*, *La Tourne* – fondée sur la dépossession et l'exil, Réda prend son parti de cette « vie incompréhensible » : il sera ce passant en marche « vers l'absolu », qui n'aspire plus qu'à « rentrer dans le giron de la masse idéale et briller ». Ce faisant, il inaugure une veine très riche que les œuvres suivantes s'attacheront à explorer : le vagabondage méditatif, sorte de déambulation lyrique à l'usage des anges et des gardes-barrières, à laquelle un Cingria, un Henri Calet ont donné à leur manière ses lettres de noblesse. Ennemi de l'emphase, de l'excès verbal autant que des phosphorescences crues du néon, maniant l'humour avec élégance, Réda laisse courir sa phrase au rythme du paysage qu'il parcourt, non sans lui redonner de temps à autre un coup de pédale opportun, ni sans satisfaire par un petit « break » à ses envies de roue libre, la « basse ambulante » soutenant le cœur au niveau des yeux. Cela donne une belle suite de proses poétiques d'une grande souplesse, entrecoupées de poèmes en vers, qui tracent sur un ton désabusé mais souriant l'itinéraire d'une flânerie distraite et curieuse à la fois. Selon l'humeur, le temps qu'il fait, courses ou corvées, Réda arpente les vieilles rues de Paris, plus attentif à ce qui disparaît ou résiste encore à l'appétit des promoteurs qu'au clinquant de la nouveauté, qu'au triomphalisme monumental. Car les ruines sont un miroir pour l'homme, les terrains vagues un « plan de méditation ». Ils nous enseignent « autant qu'une obscure espérance la solitude et l'effroi de la mort ». Un constat lucide qui, loin de désespérer le poète (« Le désespoir n'existe pas pour un homme qui marche, à condition vraiment qu'il marche »), le porte toujours plus léger, plus humble, vers plus d'attention et de détachement. Appelé par « l'espace inaltérable (qui) saute et s'accroît » sans cesse, Réda poursuit sa quête dans les banlieues de Paris et, au gré du rail et des routes buissonnières, revisite comme en pèlerinage les provinces enfouies de l'enfance ou ces lieux de rendez-vous (les ponts de Fribourg, les abords de la Pétrusse, ...) « avec un autre qui manque » toujours. Peu importe à la fin si la réponse reste « introuvable », le poète a gagné en chemin une « sagesse » qui l'« exalte, (le) simplifie, (le) transforme comme religieusement en pure attente de rien » : « Je me contente en passant, écrit-il, du peu qui se révèle. » Avec *Châteaux des courants d'air* (1986), c'est « aux confins du banal et du magique », dans son quartier de Vaugirard puis dans le Paris populaire cher à Calet que Réda, fatigué, dit-il, des « grands dépaysements », entraîne son lecteur. De proses en poèmes, de haltes en stations (des jardins, un pont, une église, des « passages »), de saison en saison, de rue en rue, le poète dresse un inventaire allègre et minutieux des métamorphoses de la capitale. Mais comme la poésie « trouve toujours (son compte) avec les trains », c'est par un tour enchanteur des gares de Paris, ces « châteaux des courants d'air », que l'auteur termine ce livre où souffle, sous la nostalgie, le petit vent frondeur de la liberté et du rêve. G. G.

RUMPELSTILZCHEN. Conte des écrivains allemands Jacob (1785-1863) et Wilhelm (1786-1859) Grimm. Pour se faire bien voir du roi, un meunier lui raconte que sa fille est capable, en filant de la paille, d'en tirer un fil d'or. Il plonge ainsi sa fille dans un abîme de soucis ; car le roi, sous peine de mort, lui impose de donner une preuve de son habileté. Elle ne peut que pleurer. Mais voici qu'apparaît un petit homme, Rumpelstilzchen : « Que me donneras-tu en récompense si je fais ton travail ? » La première fois, elle lui donne un collier, la seconde une bague, mais à la troisième épreuve qui doit valoir à la jeune fille d'épouser le roi, elle n'a plus rien à donner. « Tu me donneras ton premier enfant », lui dit Rumpelstilzchen. Ainsi, un an après, lorsque la nouvelle reine met au monde un enfant, le petit homme vient réclamer son dû ; et la reine, désespérée, fond en larmes : « Tu seras libérée de ta promesse, concède le gnome, si tu parviens à savoir mon nom », car il se croit certain de son incognito. Mais la reine arrive à le découvrir. « C'est le diable qui te l'a dit, c'est le diable qui te l'a dit ! » s'écrie le petit homme, et dans sa fureur, il frappe le sol du pied avec tant de violence qu'il s'engloutit dans la terre. Cette croyance dans la valeur magique du mot et du pouvoir que l'on peut exercer sur une personne ou une chose, en connaissant son nom, remonte à la plus haute Antiquité : les philologues ont reconnu, avec raison, dans le conte de Rumpelstilzchen, une très ancienne légende. — Trad. Édit. Alfa, 1948 ; Nord-Sud, 1983.

RUPTURE [*Doan Tuyêt*]. Roman à thèse de l'écrivain vietnamien Nhât Linh (1906-1963), publié en 1935. L'auteur y donne un souffle militant au romantisme et pratique résolument la littérature engagée. L'intrigue est construite avec une progression dramatique toujours soutenue. Loan, jeune fille moderne, aime Dung, militant révolutionnaire, mais doit se résigner par pression familiale à épouser Thân, apathique et veule, qu'elle ne connaît pas ; Thân est de plus sous la dépendance de sa famille conservatrice. Au cours d'une violente scène de ménage, où elle est battue par sa belle-mère, elle tue accidentellement son mari. Acquittée après un habile et émouvant plaidoyer — qui est en même temps un plaidoyer pour une certaine morale sociale —, Loan quitte sa belle-famille puis reçoit des nouvelles de Dung, qui souhaite renouer avec elle. Loan accepte avec joie et exhorte ses contemporaines à rompre avec la grande famille traditionnelle qui étouffe tout bonheur individuel. T.-T. L.

RUPTURES DE DIGUES [*Vo dê*]. Roman de l'écrivain vietnamien Vu Trong Phung (1912-1939), paru en feuilleton en 1936, édité en 1957. Ce roman réaliste décrit les épreuves d'une famille modeste qui tente de mener la révolte contre le système colonial et sa cohorte d'intermédiaires, de fonctionnaires indigènes souvent corrompus et arrogants. Phu, dont le père est mort en déportation à Poulo Condore et le frère Minh en prison pour subversion, doit participer aux corvées d'entretien des digues du fleuve Rouge. Devant les conditions misérables des travailleurs, il tente de fomenter une révolte. Arrêté, il parvient à s'enfuir grâce à la fille du chef de district, Kim Dung, hanoienne occidentalisée, dont il a fait la connaissance au cours d'un séjour dans la capitale. Les deux jeunes gens éprouvent de la sympathie l'un pour l'autre. Devant retourner à la campagne pour s'occuper de sa mère, il est témoin des difficultés de la vie rurale, et prend conscience du fossé qui le sépare de Kim Dung, qu'il retrouve au cours d'une promenade, et comprend que tout amour est impossible entre eux. Les digues se rompent, la misère des paysans est grande. Ce roman aborde pour la première fois les problèmes sociaux liés à un système politique, mais croit à « un Vietnam au sein d'une France plus juste, plus humaine ». T.-T. L.

R.U.R. [*Rossum's Universal Robots*]. Drame d'anticipation de l'écrivain tchèque Karel Čapek (1890-1938), représenté pour la première fois au Théâtre national de Prague, en 1921. Un sous-titre précise : « Drame collectif en trois actes avec une comédie en guise d'introduction. » L'action, qui se situe dans les temps futurs, se déroule sur une île appartenant à un certain Réson (Rossum, tiré du tchèque « rozum » = raison, comme « Robot » est un néologisme du tchèque « robota » = travail). Le prologue nous montre Hélène Glory arrivant d'Europe et débarquant dans l'île où se trouve une fabrique d'« ouvriers artificiels » : les « Robots ». Elle est accueillie par le directeur général, Harry Domin, qui l'entretient du vieux Rossum (lequel découvrit en 1932 le secret de la matière vivante et tenta de « fabriquer » l'homme) et du neveu de Rossum qui simplifia l'anatomie humaine et mit au point la fabrication des Robots. Hélène et Harry finissent par se marier. Dix ans plus tard, la révolution des Robots éclate en Europe, et Harry essaie en vain de cacher l'événement à sa femme. Un ami de Harry, l'architecte Alquist, est devenu entre-temps un farouche ennemi du progrès, convaincu que la fabrication artificielle des Robots empêche désormais les naissances. Hélène, qui n'a pas d'enfants, influencée par sa gouvernante, Nounou, se décide à brûler les documents de Rossum concernant la fabrication des hommes-machines, ce qui empêche Harry de fabriquer des Robots « nationalistes » destinés à combattre les rebelles. Sur ces entrefaites, ces derniers prennent d'assaut la demeure du directeur et de ses collègues. En réalité, le responsable du soulèvement est le docteur Gall, lequel, à la demande d'Hélène, a doté quelques centaines de Robots de la faculté d'excitation nerveuse. Les négociations avec les rebelles se révèlent inutiles : ils massacrent tout le monde à l'exception de l'architecte Alquist, le seul qui ait travaillé de ses mains. Aucun homme n'ayant survécu à la révolte, le comité des Robots demande à Alquist de trouver le moyen de fabriquer des hommes artificiels : mais Alquist n'y parvient pas. En fin de compte l'humanité sera sauvée par un jeune couple, les « Robots » Primus et Hélène, lesquels, en fait, sont humains puisqu'ils s'aiment ; Hélène rit (alors que les Robots ne rient jamais) et chacun de ces amoureux est prêt à donner sa vie pour l'autre. Alquist salue en eux le nouvel Adam et la nouvelle Ève. La croyance aveugle dans le progrès scientifique et mécanique est l'objet de cette satire. L'auteur a su lui donner une forme des plus vivantes. — Trad. Cahiers dramatiques du théâtre Hébertot, 1924.

RUSE (La). Roman de l'écrivain français Paul Adam (1862-1920), publié en 1903. Il fait suite à *La Force* (*) et à *L'Enfant d'Austerlitz* (*). La série de ces romans se conclut avec *Au soleil de juillet* (*). Le fils du colonel Héricourt, Omer, jeune avocat, élevé chez les jésuites qui lui confient certains de leurs procès, souffre de l'intransigeance religieuse de sa mère qui, pour le salut de son âme, aurait voulu le voir entrer dans les ordres. Le retour de son oncle Edme Lyrisse, qui, exilé, a pris part aux mouvements révolutionnaires pour l'indépendance de la Grèce, réveille en lui l'âme héroïque de son père. Mais sa faiblesse morale, l'ambiguïté de son caractère toujours hésitant entre l'héroïsme et la prudence, entre l'idéal et l'intérêt, n'arrivent pas à se guérir. Il est attiré par le charme d'Elvire Gresloup, son amie d'enfance, fille d'un ardent jacobin : il est sensible à tous les avantages d'un mariage qui le justifierait auprès de sa mère du refus d'embrasser l'état ecclésiastique, mais il craint la fermeté et la sévérité d'âme de la jeune fille ; il lui préférerait la sensualité espiègle et passionnée de Dolorès Alvina, une orpheline espagnole protégée par sa sœur Denise Héricourt. Entraîné par l'oncle Edme dans les milieux révolutionnaires, il se bat en duel, y est admis dans une loge de carbonari, et suit enfin son oncle en un voyage à Rome pour renouer les liens entre les loges révolutionnaires. Après avoir pris part à un complot pour sauver des documents compromettants tombés aux mains de la police pontificale, après une bataille rangée avec ses sbires à l'issue de laquelle il s'enfuit par mer, Omer sait qu'il épousera la « force d'Elvire », cette force qui manque à son âme. Le contraste continuel entre les aspirations héroïques et la crainte — contraste peint avec beaucoup d'efficacité dans le récit du duel, dans celui de l'émeute à Paris et de la mêlée avec les troupes pontificales —, le conflit entre un idéal de liberté politique et l'attachement aux commodités d'une vie aisée et d'une carrière brillante, entre la sincérité de la jeunesse et la ruse jésuitique sont admirablement représentés par l'auteur dans l'étude des aspects multiformes et opposés du caractère du protagoniste, certes aiguillonné par le souvenir de l'héroïsme paternel, mais aussi marqué par les maladives exaltations mystiques de sa mère.

RUSSIE EN 1839 (La). Ouvrage de l'écrivain français Astolphe Louis Léonor, marquis de Custine (1790-1857). Publié pour la première fois à Paris en 1843 — il parut le 13 mai —, ce récit de voyage du marquis de Custine connut cinq rééditions de 1843 à 1854 ; il parut également sous les titres *Voyage en Russie, La Russie,* et *Lettres de Russie*. C'est incontestablement le chef-d'œuvre de Custine, et son ouvrage le plus célèbre. Après une longue éclipse, les œuvres de Custine ont été récemment rééditées et ont connu un regain de succès.

Composée à son retour de Russie, vraisemblablement en 1840, cette relation est écrite sous forme de lettres, ce qui lui valut son quatrième titre. Custine avait déjà, auparavant, rédigé deux récits de ses voyages — *Mémoires de voyages*, publié en 1830, et *L'Espagne sous Ferdinand VII*, parue en 1838 —, dans lesquels on sent déjà les mérites d'écriture et d'observation de *La Russie en 1839* ; ce dernier ouvrage fit de Custine un écrivain célèbre.

Livre tout de circonstance, « bien fait pour ne pas survivre à ce qu'il peint » : après plus d'un siècle, il surprend, entraîne, ébranle l'imagination. Sans doute il vaut par l'intelligence et la clairvoyance du voyageur, par la sagacité de l'observation, par « la vivacité et la diversité du sentiment et du jugement », le don du tableau et du portrait ; c'est cette vocation de spectateur que Custine décèle si bien en lui-même. Par cette fiction des *Lettres de Russie*, il a su se préserver du dogmatisme qui est son grand défaut dans le reste de son œuvre, il regarde et ne fait que rapporter ce qu'il voit. C'est un modèle de reportage – on y rencontre même le modèle de l'interview : celle qu'il prend au tsar –, « mais cet excellent journaliste est un écrivain : sinon, bien sûr, il n'y aurait pas de livre ». Il a le mouvement, la couleur et le trait ; sa langue est ferme, non point compassée, appliquée, comme dans ses romans : preste, chatoyante, souple, elle vibre avec la pensée et la sensation dans une sorte d'« impressionnisme romantique ». On trouve dans *La Russie en 1839* des traces de « grand style » ; il lui arrive même de laisser tomber un vers qui vaut « mieux que tous ses poèmes ensemble », non sans échos : « On dirait que la nuit doit consoler du jour. » Mais il y a autre chose : un choc tire de Custine ces frémissements et ces éclats ; jusque-là, le voyage était pour lui un spectacle « où il trouvait sans doute ses plus purs plaisirs, et rien que du plaisir » ; c'est la Russie qui lui arrache ce cri : « Le voyage est un drame. » Pour Astolphe de Custine, c'est un bouleversement ; il était parti en s'efforçant de n'avoir pas de préjugés, avec cette exigence de vérité qui sera toujours sa plus grande qualité.

Plus encore que monarchiste, il est aristocrate dans l'âme ; c'est aussi sa doctrine, et non pas seulement sa naissance, son tempérament. L'objet initial du voyage est de plaider une cause, celle de son ami polonais Gurowski, qui « lui tient au cœur », auprès d'un pouvoir dont il doit attendre tolérance et générosité ; et voilà que, « face à la servitude, et plus encore à l'effrayant silence où tout un peuple est muré, le marquis de Custine devient une sorte de révolutionnaire ». Il lui arrive même parfois de nourrir quelque chose comme une pensée socialiste : la découverte des peines de l'homme, de l'exploitation de ces peines, provoque sa prise de conscience. « Le moindre luxe, écrit un biographe, le plus innocent plaisir lui apparaissent désormais "teints de sang". Aussi prononce-t-il un jugement très dur et "qui sera ressenti durement". » Cette phrase sera célèbre : « Il n'y manque rien... que la liberté, c'est-à-dire la vie » ; elle symbolise peut-être mieux que toute autre ce qu'est *La Russie en 1839*. « Je me demandais ce que l'homme a fait à Dieu pour que soixante millions de ses semblables soient condamnés à vivre en Russie », écrit-il ; la Russie que Custine a jugée est celle de Nicolas Ier, héritière de celle d'Ivan IV. Custine désigne les ambiguïtés, il discerne les « traces profondes qui ne s'effaceraient pas dans la destruction ». Ce qui l'a peut-être le plus frappé dans l'« âme russe », chez le peuple russe, c'est cette acceptation de la servitude, et une mystique et plus encore une « volupté de la servitude ». Custine justifie la révolution russe, et, en fait, il l'annonce : « Nos petits-enfants ne verront peut-être pas l'explosion que nous pouvons cependant présager dès aujourd'hui comme inévitable. » Il se moque un peu de lui-même lorsqu'il note « j'ai le cœur visionnaire », propension qui lui fait écrire : « Il y a autant d'avenir, et peut-être plus, dans ce pays longtemps compté pour rien, qu'il y en a dans les sociétés anglaises implantées sur le sol d'Amérique. » Et il conclut : « Ce qu'il faudrait à ce peuple, c'est une religion indépendante et conquérante. »

« Il serait injuste de penser, écrit Yves Florenne, que les yeux de Custine ont été dessillés, sa clairvoyance aiguisée, parce que la grâce de Gurowski lui a été refusée. » Le mur de silence auquel se heurte en Russie le marquis de Custine, le mur derrière lequel le Russie ne vit pas, il fait plus que le découvrir et le scruter, « il s'y heurte lui-même ». Plus tard Balzac feindra de rompre bruyamment avec Custine, dans la crainte que cette amitié compromettante n'attire quelques représailles sur Mme Hanska. Et, du côté russe, on lui fait grief de s'être montré ingrat, d'avoir manqué aux lois de l'hospitalité ; personne ne voit là-bas ce qu'il y a d'ironie dans les deux réponses qu'il fait, l'une à un Russe qui lui demande – comme tous les Russes – ce qu'il dira de son pays : « J'y ai été trop bien reçu pour en parler » ; la seconde, au tsar lui-même : « Il y a des choses si étonnantes dans ce pays que pour les croire il faut les avoir vues de ses yeux. »

RUSSIE ET L'ÉGLISE UNIVERSELLE (La). Ce livre du philosophe russe Vladimir Sergueïevitch Soloviev (1853-1900), écrit en français et publié à Paris en 1889, est le résumé d'un ouvrage beaucoup plus vaste, en sept volumes, que l'auteur n'avait pu faire paraître en Russie, le premier volume ayant été dès 1887 interdit par la censure. Après un exposé mordant de l'état déplorable de l'Église russe, dont il combat les tendances politiques et administratives, l'auteur propose un plan complet de réformes touchant non seulement les rapports entre l'autorité religieuse et l'autorité civile en Russie, mais aussi les rapports de l'Église russe avec le monde occidental et l'Église catholique romaine. À travers un réseau serré d'arguments historiques, philosophiques et théologiques, il parvient à nous offrir une des plus persuasives apologies du catholicisme que l'on connaisse. Il affirme la nécessité pour l'Église russe d'être reliée à un centre religieux universel, la papauté, dont il reconnaît la suprématie fondée sur le droit divin. Sur cette base, il construit son projet d'union des Églises, prêchant en outre entre les deux pouvoirs, civil et religieux, une étroite alliance sans confusion ni division, condition indispensable du progrès social. Le livre se propose donc d'étudier comment la Russie pourrait se plier aux exigences de cet idéal. Il se divise en trois parties. Dans la première, critique et polémique, l'auteur s'attache à démontrer l'impossibilité où se trouvait alors la Russie d'accomplir cette mission théocratique ; la seconde est un exposé théologique et historique des raisons de l'unité universelle fondée par le Christ (la monarchie ecclésiastique) ; la troisième est consacrée à l'application du principe de la Trinité auquel l'auteur emprunte l'idée de l'unité active et féconde à laquelle il donne le nom d'« unité pluraliste ». Il voit enfin dans l'union de la théocratie (Trinité sociale) et de la théosophie (Trinité divine) l'épanouissement de toutes les sciences et de toutes les forces humaines et surnaturelles, qui satisfont en lui à la fois le mathématicien, le métaphysicien et le mystique. Résolu à unir pour vivifier, Soloviev rêve ainsi de rassembler sous l'égide du pape et pour le plus grand triomphe du Christ l'Occident qui tend à se séparer de Rome et l'Orient que le schisme en a déjà séparé.

RUSTRES (Les) [*I rusteghi*]. Comédie en dialecte vénitien du dramaturge italien Carlo Goldoni (1707-1793), représentée pour la première fois en 1760. Cet ouvrage est considéré généralement comme le chef-d'œuvre de Goldoni et certaines de ses scènes comme les plus belles du théâtre comique de tous les temps. Le vieux Lunardo promet de donner en mariage sa fille Lucietta à Filippetto, fils de son ami Maurizio : cet accord, selon l'usage ancien, est conclu entre les pères et doit rester ignoré des enfants, qui ne se verront pour la première fois qu'au moment du mariage. Margarita, femme de Lunardo et belle-mère de Lucietta, et Marina, belle-sœur de Maurizio, à l'instigation de Félicie, femme de Canciano, ami des deux vieillards non moins austère qu'eux, permettent une rencontre des deux jeunes gens. Filippetto, avec l'aide du comte Riccardo, s'introduit, masqué, dans la maison de Lunardo, le soir où ce dernier a réuni ses amis Maurizio, Canciano et Simon, un autre « rustre », pour fêter le mariage convenu. La rencontre est découverte. Les sévères vieillards veulent rompre la promesse ; mais Félicie, avec sa sagesse et sa loquacité, réussit à les ramener à la raison et les noces se célébreront. La comédie oppose le vieux monde de Venise et un petit monde féminin, malicieux et sensé, tandis qu'au dehors se déroule la folie du carnaval. En mettant en scène quatre personnages dotés de la même rudesse conservatrice, d'une part, et le bavardage léger des femmes, d'autre part, Goldoni dépasse la comédie de caractère et atteint la comédie de mœurs. Deux atmosphères s'y opposent, l'une chargée du poids d'une tradition devenue rituelle, l'autre ingénument rebelle, dans une intimité familiale faite de confidences et d'indiscrétions. — Trad. Éditions sociales, 1957.

RUTH (Livre de). C'est le huitième livre de l'Ancien Testament — v. *La Bible* (*). On ne peut déterminer avec précision la date à laquelle se situent les événements rapportés dans le *Livre de Ruth*, et nous ignorons qui en fut l'auteur. Le style ne ressemble ni à celui des *Juges* (*), ni à celui des deux premiers livres des *Rois* (*). Il a souvent été attribué à Samuel, mais cette assertion n'est pas fondée. Il fut probablement écrit peu après la mort de David, la généalogie qui clôt le livre s'achevant sur ce roi. L'histoire de la belle-fille de Noémi, narrée dans les quatre chapitres de ce récit, pourrait servir d'introduction aux livres de Samuel (I et II des *Rois*), car ils traitent des origines de la lignée de David. Si l'épisode du dernier juge, Samuel, n'offre rien de très consolant, celui de Ruth, qui est rapporté immédiatement après, apparaît comme particulièrement édifiant et semble convenir aux humbles et aux affligés. L'événement a lieu au temps des Juges. Élimélech de Bethléem, fuyant la famine, a émigré en terre moabite, avec sa femme, Noémi, et ses deux fils, Mahlon et Kijyon. Ces derniers, en âge de prendre femme, ont choisi pour épouses deux jeunes filles de Moah (contrée située à l'est de la mer Morte), Orpa et Ruth. Mais Élimélech et ses deux fils sont emportés par la mort et la vieille Noémi se résout à regagner le pays de Chanaan, afin d'y apaiser son deuil et son amertume. Orpa retourne dans sa famille, mais Ruth, qui n'est pas juive, ne veut pas abandonner sa belle-mère. Modèle de piété filiale, Ruth, usant d'un droit concédé aux veuves, aux étrangers et aux pauvres, assure sa subsistance en allant glaner les épis laissés par les moissonneurs. Elle fait ainsi la connaissance de Booz, homme pieux et honnête, qui n'est autre qu'un de ses riches parents. Entre eux naît aussitôt un sentiment profond, mais qu'ils gardent tous deux dans le silence de leur âme. Cependant, Noémi vient opportunément rappeler à Booz leur parenté et celui-ci, se conformant à la loi, consent à épouser la jeune Ruth qui devient ainsi l'ancêtre de David. Cette indication généalogique est également un des buts du livre. Le *Livre de Ruth* est une idylle d'une fraîcheur poétique incomparable, alliant une grâce exquise à la délicatesse de la touche. Les personnages de Noémi, de Ruth et de Booz s'élèvent à la pureté de véritables symboles, sans rien perdre de leur simple vérité. Ce livre inspira à Victor Hugo son célèbre poème *Booz endormi*, qui figure dans *La Légende des siècles* (*), et au peintre Nicolas Poussin, un tableau intitulé *Ruth et Booz* (Louvre). — Trad. œcuménique de *La Bible*, 1988.

RUY BLAS. Dame en cinq actes et en vers que l'écrivain français Victor Hugo (1802-

1885) fit représenter en 1838 au théâtre de la Renaissance avec le célèbre comédien Frédérick Lemaître. *Ruy Blas* est l'avant-dernier des grands drames de Hugo. Il parvient à évoquer, de la manière la plus romantique, la ruine de la monarchie espagnole et l'épuisement de la monarchie autrichienne à la fin du XVIIe siècle : « Dans *Hernani* (*) le soleil de la Maison d'Autriche se lève ; dans *Ruy Blas*, il se couche », dit l'auteur lui-même dans sa préface. Ruy Blas est un valet : orphelin, nourri par charité dans un collège, il n'a pu acquérir que des connaissances fragmentaires, une éducation incomplète. Mais la faim rend débrouillard. Ruy Blas est devenu valet de chambre de don Salluste, grand d'Espagne, hier ministre puissant, aujourd'hui en disgrâce à cause d'une mésaventure : le gentilhomme a séduit une fille d'honneur de la reine, et il a refusé de l'épouser. Don Salluste ne supporte point d'être traité avec cette rigueur et décide de se venger. Tout d'abord, il songe à se servir de don César de Bazan, l'un de ses cousins, réduit à la misère ; mais don César refuse de se prêter aux desseins de son parent. Don Salluste se résout alors à faire passer Ruy Blas pour don César, et à en faire l'instrument de sa justice. Ruy Blas est introduit à la Cour, où il gagne les bonnes grâces de la reine, la jeune Maria de Neubourg, femme de l'incapable Charles II ; de son côté, Ruy Blas est séduit. Et voici que se réalise ce que don Salluste espérait : Ruy Blas, un valet, devient l'amant de l'orgueilleuse reine. Cependant, Ruy Blas se prend à son personnage ; nommé ministre, il s'emploie aux affaires de l'État, fait appliquer différentes réformes, et acquiert du même coup une grande popularité. Dans ces conditions, don Salluste intervient : il donne rendez-vous à la reine dans un pavillon isolé, en se servant du nom de Ruy Blas, et il lui révèle toute l'intrigue. Mais Ruy Blas, pour venger la reine et la sauver, assassine don Salluste et se tue lui-même. Si l'action est parfois invraisemblable et les caractères schématiques, la pièce abonde en scènes touchantes et terribles. Le style est d'un éclat et la versification d'une science et d'une fantaisie qui forcent l'admiration.

S

SABBAT (Le). Œuvre de l'écrivain français Maurice Sachs (1906-1945) publiée, posthume, en 1946. Le projet de Maurice Sachs de relater les expériences de sa vie sous l'angle de l'analyse morale date de 1936. Mais ce n'est qu'en avril 1939 – il a trente-trois ans – qu'il apporte à Buchet et Chastel, les directeurs de la maison Corréa, le manuscrit du *Sabbat*, sous-titré « Souvenirs d'une jeunesse orageuse » et dédié à son ami américain Henry Wibbels. (Sachs ne pouvait confier son manuscrit à Gaston Gallimard avec lequel pourtant il était lié par contrat car ses droits à la *N.R.F.* se trouvaient bloqués.) Ses éventuels futurs éditeurs ne pouvaient qu'être alléchés par les thèmes du livre, qui est un récit des hauts faits de sa vie : sa famille extravagante, sa rencontre éblouie avec Jean Cocteau suivie, des années plus tard, de puissants ressentiments réciproques, sa conversion par Jacques Maritain, son amitié avec Max Jacob, ses visites à André Gide, sa tournée de conférences aux États-Unis, son mariage blanc avec la fille d'un pasteur presbytérien, ses tentatives de complaire à Pierre Fresnay et Yvonne Printemps, son entrée aux éditions de la *N.R.F.*, etc. Les éditeurs lisent *Le Sabbat*, le trouvent très accompli et même pathétique. Emballés, ils prévoient de le faire paraître le 15 septembre 1939. Mais en raison de la déclaration de guerre, la publication se trouve différée. En 1940, disposant des épreuves de son livre, Sachs en fait lire les premiers chapitres au philosophe Ferdinand Alquié qui sera séduit par les considérations sur le thème du destin, de la malédiction, de la vocation au mal. Sachs demande à Jean Paulhan de publier les deux premiers chapitres dans *La Nouvelle Revue française* (*). Paulhan refusera, exaspéré par leur style incantatoire. Durant l'été 1942, à Anceins en Normandie avec Violette Leduc, Sachs fera lire son livre à la jeune femme qui en sera émue jusqu'aux larmes, ainsi qu'elle le racontera dans *La Bâtarde* (*). Mais elle trouve Sachs injuste envers Cocteau. Elle lui demande de supprimer le passage acide le concernant. Sachs refuse, disant qu'il a trop souffert. En 1943, dans son « Lager », à Hambourg, où il est travailleur volontaire, Sachs renie son livre. Il projette de le récrire en y ajoutant une suite, mais d'une tout autre façon : « Je me suis mis à mes vrais Mémoires, écrit-il à un jeune ami, sur le mode de Casanova ; 497 le larmoyant et vertueux *Sabbat...* » *Le Sabbat*, tel que nous le connaissons, paraîtra en décembre 1946, après la mort de son auteur, chez Corréa. Avec succès : le tirage de vingt-cinq mille exemplaires est vite épuisé. La presse, de Robert Kanters à Maurice Nadeau, est unanime dans l'éloge. Succès entaché d'ailleurs de virulentes polémiques, venant d'écrivains issus de la Résistance. On lit, dans *Les Lettres françaises* : « Sachs est allé jusqu'au bout de l'ignoble en se vautrant dans la trahison à l'égard de sa patrie et de sa race comme il s'était vautré dans le stupre, le mensonge, l'escroquerie. » Mais le livre eut ses fervents défenseurs, notamment avec Étiemble qui relève d'abord ses mérites proprement littéraires : les portraits de Cocteau, de Gide, de Max Jacob, de Jacques et Raïssa Maritain, « qui font de Sachs un maître de ce genre ».

H. R.

SABLES DE LA MER (Les) [*Weymouth Sands*]. Roman de l'écrivain anglais John Cowper Powys (1872-1963), paru aux États-Unis en 1934 sous le titre *Jobber Skald* et en Angleterre en 1935 sous le titre précité. L'action se situe au début du XXe siècle, à Sea-Sands, petite ville de la côte anglaise, installée, avec ses maisons confortables et sagement alignées, dans un défi tranquille à la brutalité des éléments qui la cernent – d'abord à la mer qui est partout, pénètre tout et qui, non plus seulement spectacle, menace éternelle du dehors, mais milieu, ouvre les solitudes résignées, les existences assoupies, à la circulation d'une vie plus intense, plus impitoyable aussi. Dans ce microcosme où s'exercent et s'équilibrent toutes les forces de l'univers, chaque personnage possède son pôle antagoniste, son soleil ou ses satellites. Ainsi en va-t-il de ces ennemis mortels, Adam Skald le Caboteur et Dogberry Cattistock, qu'oppose un différend au sujet des carrières d'oolithe du pays — Skald, colosse aux pieds d'argile, Cattistock, homme d'affaires de génie, compact comme un galet, qui élève l'extrême avarice à la dignité de la passion la plus désintéressée. Quant à Magnus Muir, ce vieux garçon, répétiteur de latin, il vit timidement dans le souvenir de son père et les rêveries érotiques que lui inspire le corps de sa jeune fiancée, Curly ; Richard Gaul, l'intellectuel, est comme l'ombre de cette ombre. Mais plus mystérieuse encore est la solidarité qui, des frères Jerry et Sylvanus Cobbold, le fou professionnel et le fou mystique, fait une seule et même entité affectée de signes contraires. Car c'est la même soif d'absolu qui détermine le mépris jovial de Jerry pour l'humanité entière et l'état de perpétuelle adoration où Sylvanus s'oublie, le même besoin qui incite l'un, clown célèbre, « Atlas fragile », à porter sur la pointe de son rire toute la détresse du monde, et choisit, chez l'autre, l'exutoire de discours donquichottesques adressés aux passants. Vierges folles ou vierges sages (Peg Grimstone, Daisy Lily), précieuses marionnettes, (Curly, les danseuses Tissty et Tossty), anges du mal ou belles esclaves (Lucinda, femme de Jerry, sa sœur Hortensia), des femmes tendent la trame d'une intrigue complexe dont le fil le plus pur est celui que permet de suivre une jeune étrangère, Perdita Wane, demoiselle de compagnie de Mrs. Cobbold. La conscience de sa fragilité et de son « insignifiance » ne l'empêche en rien d'obéir au premier mouvement du destin, celui que déclenche un geste enfantin de Skald. Mais ce géant débonnaire, porté par la jeune fille aux dimensions d'un demi-dieu marin, dissimule dans sa poche, à l'intention du Bouledogue, un galet semblable à celui qu'il a jeté par jeu dans la mer. Comment Adam et Perdita se perdent et sont rendus l'un à l'autre à l'extrême de l'épuisement, comment Cattistock force par un bluff l'estime des carriers et, par son comportement imprévu, déconcerte et ensable le projet meurtrier de Skald, comment Magnus perd Curly, et Sylvanus sa liberté (les esclandres du vieil original et les relations ambiguës qu'il entretient avec les vierges du pays le conduisent au Musée de l'Enfer — l'asile d'aliénés du Dr Brush), l'auteur nous l'apprend à sa guise, creusant simultanément tous les tunnels des aventures individuelles. Ainsi est rendu cruellement sensible le fait que chacun, dans cela même qui l'oppose aux autres, a ses raisons, a profondément raison. Mais, sous l'écume anecdotique, au niveau où il ne peut plus être question de rendre ces raisons compatibles, les animaux humains retrouvent l'usage d'antennes très subtiles, communiquent entre eux et s'échangent librement. Dans ce continuum psychologique, les individualités se réfractent les unes dans les autres ; il arrive que le mal médité par quelqu'un éclate dans l'action d'un autre (la perversité de Lucinda est à peine perceptible dans son comportement apparent), que les personnes subissent d'étranges métamorphoses (ainsi le passionnément objectif Dr Brush devient-il femme sous le regard de Sylvanus). Vus de ces profondeurs, les « moi » se dissolvent, ont l'irréalité dansante du reflet de soleil que Sylvanus reconnaît partout avec ravissement et qu'il appelle Trivia. De là naît le vertige qu'éprouvent les amoureux du livre. Cet amour qu'ils percevaient comme le chant de leur moi intime se perd dans le bruit de leur sang, dans la rumeur de la vie aveugle et toute-puissante qui court au fond d'eux-mêmes, dans les « litanies de la matière ». Perdita a la hardiesse de penser que l'amour fou qui la livre à Skald ne la concerne pas : « Je resterai pareille. » Tous connaissent la tentation de l'inhumain, de l'inanimé. Le moment vient où ils ne sentent plus leur chair et aspirent même à ce que s'évanouisse comme un spectre la conscience qui hante encore leur futur squelette. Ainsi, seules demeurent en présence les grandes forces qu'il n'est plus permis à l'homme de nommer — ces forces que Sylvanus l'illuminé honore de petits saluts furtifs et dont il recueille les vibrations grâce au médium du corps féminin. Que la vie humaine, dans son effort dérisoire, est une insulte vaine à sa source et à sa fin : la glaire originelle et l'os du squelette, nul langage, hors les plus grands, n'a relevé ce défi avec plus d'éclat que celui-ci. — Trad. Plon, 1958 ; Bourgois, 1983. M. Gr.

SABLIER [*Peščanik*]. Roman de l'écrivain yougoslave d'expression serbo-croate Danilo Kiš (1935-1989), publié en 1972. Le violent ressac des siècles a fait des confins mythiques polono-ukraino-roumano-serbo-magyars une terre élue des hommes à force d'en être chassés ou d'y être ramenés. Sur ces vagues houleuses, les Juifs errent plus fugitifs encore, plus prisonniers de limites insaisissables qu'aucun horizon ne contient. Chacun porte en soi ses frontières. Eduard Sam, le protagoniste de *Jardin-Cendre* (*), est à la fois foudroyé par leur faisceau et enfermé dans leur cage ; malgré tout il est vivant et libre.

En 1942, après le massacre de Novi-Sad, où Juifs et Serbes ont payé un lourd tribut à la haine des Hongrois, Eduard Sam est encore un être vivant, faible, certes, enfoncé davantage dans sa folie, mais capable de penser. Il fait fi de l'analyse, de la logique, son appréhension est synthétique, venue du tréfonds de sa conscience enténébrée. Il est susceptible d'effectuer les actes les plus terre à terre qu'exige une condition quasi animale imposée par un pouvoir organisé dont il ne connaît ni les ressorts ni les mobiles, seulement les manifestations ultimes, à la fois les plus prégnantes et les plus stupides, les plus cruelles aussi ; dans le même temps où son raisonnement vacille, il égrène la longue litanie des victimes qui tombent tous les jours, à chaque heure, autour de lui, et, sans établir de lien avec elles, il sait, par la lucidité que lui donne la folie, qu'il marche vers la fin, pas la sienne, celle de Saint-Jean.

La vie d'Eduard Sam se concentre dans d'humbles gestes : il gratte le sol, il quémande chez le boucher, il resquille une bûche de bois, il va de ville en ville pour obtenir tel ou tel certificat, il renifle la bière blonde... On le voit partout en proie à une activité intense. Sa vie palpite, saisie en tenaille entre une réalité légale et étatique qui a juré sa perte et une existence sociale et familiale fondée sur la misère et la haine. Il se noie dans un brouillard de plus en plus dense, il est au centre d'un moment historique crucial dont les données historiques lui échappent. Il passe à côté de la mort sans la voir de son regard d'homme, en la saisissant pourtant dans toute la fulgurance de sa pensée. Les lois antisémites ne sont pour lui que des incommodités, des vexations, des difficultés qui s'ajoutent au fardeau déjà lourd de la vie quotidienne. Jamais Eduard Sam ne prend conscience d'un système, sa vie est pour lui un phénomène ordinaire vécu au jour le jour, sans lien autre que de conjoncture avec le reste du monde. Il est essentiellement nécessaire et ne se pose pas de question. Sa paix est inscrite dans une frénésie chaotique.

Le dire ici l'emporte sur le dit, car l'ambition est extra-romanesque et se situe au cœur d'une méditation active et pragmatique sur le temps : le temps qui passe, le temps vécu, compté, caché sous les rides, du moi solitaire, le temps démultiplié du groupe social. La volonté de Danilo Kiš est de restituer le temps mutilé de la mémoire informe, le temps distendu et figé du souvenir.

Paradoxalement la forme romanesque qui est forme du temps ne peut pas être l'histoire du temps : là où le temps est l'axe principal il n'y a plus de roman. Aussi sommes-nous dans un univers dénué de pathétique, où tout est dédramatisé, où l'intrigue n'est qu'un support tout juste esquissé ; quand les nœuds blessent, il s'agit d'un épiphénomène, d'une efflorescence de la conscience, une angoisse monstrueuse qui lacère les entrailles. Manifestation complexe où le sens vaut alors plus que l'expression, même et surtout si celle-ci est achevée. Danilo Kiš est à la fois un maître d'œuvre et un appareilleur : chaque élément semble nécessaire, inéluctable, et s'impose dans la forme et l'alliance qu'il lui donne. Pascale Delpech, par sa traduction, rend parfaitement compte de cela. De cette construction rigoureuse s'élève une impression diffuse, et c'est ce tremblement dans l'air qui est la réalité érigée contre l'apparence. D'un ensemble de faits concrets, d'objets palpables, de notions véritables ne naissent pas une vérité, une présence indubitable. La négation de l'objet, de son miroir fallacieux, du kaléidoscope faussement répété dans le changement à l'infini, est une affirmation de soi triomphante au milieu du monde, affirmation qui donne corps au monde et le révèle à la conscience. Voilà le regard magistralement asservi par un détournement esthétique d'une rare qualité.

Depuis 1932, date de la montée du nazisme, Eduard Sam est fou. Sa conduite objective échappe à toute préhension et n'est que la proie de supputations. Le doute demeure. Il ne sait clairement qu'une chose : qu'il embrasse et enfante la mort. — Trad. Gallimard, 1982. L. K.

SACRÉ (Le). L'élément non rationnel dans l'idée du divin et sa relation avec le rationnel [*Das Heilige. Über das Irrationale in der Idee des Göttlichen und sein Verhältnis zum Rationalen*]. Ouvrage capital du théologien allemand Rudolf Otto (1869-1937), publié en 1917 et plusieurs fois remanié depuis cette date ; des suppléments placés à la fin du livre a été tiré un autre volume, *Mémoire sur le « numineux »* [*Aufsätze. Das Numinose betreffend*, 1923]. Otto a publié plusieurs ouvrages sur les rapports entre la conception scientifique et la conception religieuse du monde et, après une mission aux Indes, des travaux d'histoire comparée des religions. Dans *Le Sacré*, il tente de définir et d'expliciter ce qu'a de particulier et d'unique le sentiment du religieux ; selon lui, cet élément propre est le « numineux » (néologisme tiré du mot latin *numen*). Puis il examine une à une les composantes de cette notion, à la fois très simple et très complexe, qu'on ressent mieux qu'on ne la comprend ; ce sont le sentiment de l'état de créature éprouvé par l'homme, celui de se trouver en face d'un mystère (« mysterium tremendum » mais aussi « fascinans »), en face du tout autre, de l'inexplicable. Otto passe ensuite en revue les moyens d'expression du numineux, qu'ils soient directs, telle la solennité de la communauté lors d'une cérémonie, ou indirects, comme l'effrayant, le terrible, le sublime ; il étudie également comment les différentes religions, les différentes formes d'art l'ont exprimé ou suggéré. Cet ouvrage, important en soi, prend toute sa résonance dans l'atmosphère religieuse de l'époque où il fut écrit, car il remet en lumière le fondement irrationnel de la religion qu'on avait longtemps sous-estimé. — Trad. Payot, 1949.

SACRE DU PRINTEMPS (Le). Roman de l'écrivain français Claude Simon (né en 1913), publié en 1954. Le héros, étudiant en mathématiques, petit puritain féru d'ordre et de rigueur, s'entend mal avec sa mère (parce qu'elle s'est remariée) et avec son beau-père. Pour rendre service à la sœur d'un élève qui a besoin d'argent, il s'offre à négocier la vente d'une bague. L'aventure tourne à sa confusion. Il se voulait pur et dur, il a été séduit et mené. La jeune fille qu'il croyait plus chaste que les autres avait besoin d'argent parce qu'elle attendait un enfant. Et son beau-père n'est pas l'homme haïssable qu'il imaginait. Faillite d'un projet de vie et d'un prétendu savoir.

Le roman propose déjà quelques thèmes simoniens : la guerre d'Espagne, l'Histoire comme une éternelle répétition, le couple initiateur/initié. Le beau-père, quand il était occupé à faire passer des armes aux républicains espagnols, a vécu lui aussi la faillite d'une vue des choses idéaliste. C'est ce savoir désabusé qu'il transmet au cadet, tenant le rôle que jouera, dans des romans postérieurs, l'oncle Charles. Et l'aventure du beau-père, dans le récit intercalé que nous en lisons, couvre, à seize ans de distance, les mêmes trois jours que celle du héros : l'histoire est un éternel recommencement, qu'il s'agisse de celle des individus ou de la grande Histoire, avec ses guerres, ses lieux obligés et ses dates qui se recouvrent — v. *Les Géorgiques* (*) et *L'Acacia* (*).

J.-L. S.

SACRE DU PRINTEMPS (Le). Le 29 mai 1913, jour de la création du *Sacre,* le compositeur russe Igor Stravinski, célébré unanimement pour *L'Oiseau de feu* (*) et *Petrouchka* (*), se heurtait à l'incompréhension du public et d'une bonne partie de la critique. Superficiellement appréciés, en effet, les deux ballets antérieurs n'avaient révélé que les chatoiements d'un héritier particulièrement brillant de Rimski-Korsakov. Avec *Le Sacre,* pourtant, ne faisaient que s'affirmer des conquêtes dissimulées par l'anecdote dans les œuvres qui avaient fait la gloire de l'auteur. L'inconsistance du livret est ici caractéristique : tableaux de la Russie païenne en deux parties « décrivant » des rites printaniers : « Adoration de la terre » (danse générale, crescendo) et « Le Sacrifice d'une élue », afin de s'assurer une année faste. En fait la symétrie assez exacte des épisodes et de leur traduction musicale, celle aussi des combinaisons de rythmes et des timbres instrumentaux montre que le problème essentiel était d'ordre exclusivement musical, quitte à lui donner un souffle dramatique capable de l'imposer. Que la polytonalité du *Sacre* provienne de celle de *Petrouchka,* que sa prodigieuse unité rythmique trouve sa source dans les meilleurs passages de *L'Oiseau de feu,* échappa aux critiques du temps qui crurent à une imposture ou une « révolution ». Maurice Ravel, seul, vit que la nouveauté du *Sacre* ne résidait ni dans l'écriture, ni dans l'instrumentation, ni dans l'appareil technique, mais seulement dans l'audace des résultats. Insensiblement, pourtant, c'est l'aspect « musique pure » de la partition qui l'imposa, si bien qu'elle figure aujourd'hui parmi les best-sellers du disque et même en des collections bon marché. La chorégraphie de Nijinski (dénoncée d'ailleurs par Stravinski) avait donc masqué le vrai visage d'une œuvre dont la *Symphonie en trois mouvements* — v. *Symphonies* (*) de Stravinski — constitue l'exact écho symphonique. Ce n'est que repensé selon cette optique que *Le Sacre,* paradoxalement, fut récemment rendu à la danse, une danse non plus pittoresquement barbare, mais inspirée par l'ordre profond qui donna naissance à cette magistrale bacchanale. On ne saurait insister trop en effet sur ce qu'il y a de profondément gracieux dans *Le Sacre du printemps,* grâce et équilibre qui, pour n'être pas exactement « grecs », n'en constituent pas moins l'expression d'un lyrisme dont la puissance ne saurait masquer la sérénité. De même que dans *Les Noces* (*), la froideur spectrale de l'œuvre secrète une joie plus profonde et plus durable que celle de toutes les « orgies » romantiques.

SACRÉ ET LE PROFANE (Le). Essai de l'écrivain français d'origine roumaine Mircea Eliade (1907-1986), publié en 1956. Cet essai clair et synthétique vise à fournir au grand public une introduction générale et raisonnée à l'étude phénoménologique et historique des faits religieux. En 1917, avec *Le Sacré* (*), Rudolf Otto ouvrait un champ de recherches nouvelles : l'analyse des modalités de l'expression religieuse. Mais, surtout sensible au côté irrationnel de celle-ci, il ne se donnait pas comme objet la totalité de l'expérience du sacré. Eliade, tout en s'inscrivant dans la même perspective, entend quant à lui étudier le comportement de l'« homo religiosus », dans sa dialectique complète avec ses terreurs, mais aussi sa raison. C'est ce second aspect que toute son œuvre met en évidence dans les sociétés archaïques et orientales. Le point de départ de l'essai, comme de toute recherche phénoménologique sur les structures ultimes de la conscience de l'homo religiosus, c'est l'opposition du sacré et du profane qui est double. D'une part, ce sont deux modalités d'être-dans-le-monde dont la seconde (la profane) est récente, problématique et issue de la première. D'autre part, ce sont les deux termes initiaux de la dialectique de l'hiérophanie qui caractérisent la vision sacrale du monde. Eliade ne se contente pas de décrire les structures abstraites de l'homo religiosus pour les opposer à celle de l'homme profane, il nourrit son analyse d'exemples les plus divers sans croire pour autant avec Tylor ou Frazer à une réaction uniforme de l'esprit humain ; l'analyse phénoménologique atteint, au-delà des différences de « religions » mais les maintenant, la structure toujours répétée de l'opposition fondamentale qui caractérise toute « religiosité ».

Les deux premiers chapitres très denses de l'essai d'Eliade esquissent l'analyse de l'expérience de l'espace et du temps pour l'homo religiosus. Dans l'opposition initiale du sacré et du profane, à travers laquelle se structure tout le vécu de l'homo religiosus, le temps et l'espace se donnent comme non homogènes. L'espace est morcelé, c'est l'hiérophanie qui en révèle les points fixes, les zones réelles ; c'est par elle que se fonde le monde. Eliade illustre ce point par l'examen de la manière dont sont vécues la demeure humaine et la demeure divine par la conscience religieuse. Il oppose à la « machine à habiter » de Le Corbusier, à la maison de l'homme profane, la demeure construite selon un rituel qui réitère la cosmogonie, sur un plan qui est « imago mundi ». De même, à l'opposé du temps historique et profane linéaire et homogène, la conscience religieuse conçoit un temps cyclique, rompu par les fêtes et les récitations de mythes qui l'une et l'autre sont retour aux origines, réitération cosmogonique, possibilité pour l'homme d'être contemporain des dieux.

Les deux autres chapitres de l'essai explicitent la vision religieuse du monde à partir de cette architectonique. La nature entière, des sphères ouraniennes aux eaux de la mort, des enfantements de la vie à la paresse des astres, est emprisonnée dans les rets d'une parole rituelle qui la fonde et la rend insignifiante. Le monde parle aux consciences religieuses parce qu'il est, pour elles, créé, et que tout geste sacré, toute parole sacrale, vise à réitérer cette création. En prenant pour exemple les « sites parfaits », ces jardins qui furent la passion des taoïstes chinois du XVIIe siècle, Eliade montre comment s'est désamorcée et défaite cette vision « en miroir » de la nature sacrée. La vie humaine dans son accomplissement est pensée et sentie par l'homo religiosus selon la même structure. Elle est comme l'espace, le temps et la nature, morcelée ; elle a ses fêtes, ses mythes, ses seuils. Une brève phénoménologie des rites de passage et des initiations à la sexualité, à la mort et au sacré suffit à illustrer ce point.

Pour conclure, Eliade s'interroge sur la seconde opposition du sacré et du profane : non plus celle qui, pour la conscience religieuse, fonde le monde et la vie, mais celle qui différencie comme deux modes de l'être-au-monde la conscience religieuse et la conscience profane. Pour la conscience profane, le sacré est conçu comme obstacle à la liberté, mais l'homme moderne est-il vraiment profane ? peut-être pour le savoir devrait-on concevoir une histoire de la religiosité. Conçue et vécue pour elle-même et en elle-même, elle devient ensuite figure de la conscience déchirée pour être aujourd'hui « oubliée » ; cela ne signifierait nullement sa disparition, mais plutôt qu'elle parlerait aujourd'hui, à travers les théologies de la mort de Dieu et dans l'insignifiance de la vie journalière, le langage de l'inconscient.

SACREMENT DE L'AMOUR (Le) ou l'Amour de Mitia [*Mitina Ljubov'*]. Roman de l'écrivain russe Ivan Bounine (1870-1953), publié en 1925. Mitia, un étudiant moscovite, est éperdument amoureux d'une jeune fille nommée Katia. Celle-ci, qu'amuse la gaucherie du garçon, fréquente un milieu d'artistes bien propre à la détourner de la passion dont elle est l'objet. Mitia tombe bientôt dans un état de jalousie si insupportable qu'il décide de quitter Moscou. De retour au village, il est repris par l'atmosphère rustique de son enfance et voit son obsession grandir. Les courts billets que la jeune fille lui adresse de temps à autre le jettent dans des transports d'attendrissement ou de fureur jalouse. L'image de Katia ne lui laisse plus de répit. Autour de lui, les objets les plus médiocres semblent lui parler de son amour. Et, s'il lui arrive un jour de tromper Katia avec une villageoise, il n'a pas cessé d'être fidèle : dans cette passade, il s'est encore efforcé de retrouver son souvenir. Il suffira dès lors qu'il reçoive de Katia une lettre de rupture pour qu'il se suicide. Ici l'intrigue importe moins que l'étude des ravages qu'une seule idée peut faire dans l'âme d'un jeune homme. L'action est presque nulle : dès les premières pages, elle est dessinée, achevée dans ses traits essentiels, et l'événement final est bien moins la lettre de Katia, simple occasion, que le complet anéantissement par la jalousie de la personnalité du jeune homme. La figure de Katia suggère parfaitement l'indéfinissable mystère de l'amour. Cet amour prend ici l'aspect d'un démon, irréductible à la passion physique, qui, lorsqu'il a effleuré un être, ne l'abandonne qu'après l'avoir terrassé. — Trad. Stock, 1925.

SACREMENTS DE LA FOI CHRÉTIENNE (Des) [*De sacramentis christianae fidei*]. Ouvrage du théologien et mystique Hugues de Saint-Victor (env. 1097-1141), moine puis prieur et directeur des études à la célèbre abbaye de Saint-Victor à Paris. Cette œuvre, composée sans doute après 1136, constitue le premier système complet de dogmatique de la haute époque scolastique. Le mot « sacrements » est pris ici dans le sens général des choses sacrées, et nous sommes en réalité en présence d'une sorte d'exposé sommaire du destin de l'humanité, exposé divisé en deux parties, du commencement du monde à l'Incarnation du Verbe, d'une part, et de l'Incarnation au Jugement dernier, d'autre part. « Le logicien comprend d'abord, puis il croit ; le théologien croit d'abord, puis il comprend ; le mystique parvient à la connaissance par la seule contemplation. » Cette dernière position est celle de Hugues, qui s'appuie avant tout sur l'expérience interne de la foi. Tandis que les platoniciens et saint Augustin partent de l'âme, au sommet de l'échelle des êtres pour s'élever jusqu'à Dieu, Hugues part du premier acte de la conscience humaine, la révélation de son existence, don d'une cause qui lui est extérieure. La contingence de l'âme, comme la contingence des choses extérieures, nous renvoient à un Créateur qui n'a pas eu de commencement. L'âme trouve en elle-même une trace, un avertissement et un souvenir de la divine Trinité : dans la substance, l'intelligence et la volonté qu'elle reconnaît en elle. L'Église, « Corps du Christ, vivifiée par un seul esprit, unifiée par une seule foi et sanctifiée », date du commencement du monde et lui appartient par la grâce et la charité ; en elle, il y a deux vies, céleste et terrestre, et donc deux peuples, deux pouvoirs, deux hiérarchies, dont la spirituelle l'emporte sur la temporelle. Les deux grands problèmes de la science (ainsi que de la prescience et de la prédestination) et de la volonté divines retiennent l'auteur, qui traite longuement des dons naturels et surnaturels du premier homme et de sa chute. Hugues est ensuite conduit à examiner le problème de l'Incarnation et de la Rédemption, celui de la grâce et du libre arbitre, ainsi que celui des sacrements en général et en particulier. Quatre livres sont consacrés à la morale ; ils traitent de la fin de l'homme, du Décalogue, des préceptes, des vertus et des vices, de la prière, des vœux. L'influence d'Hugues de Saint-Victor fut, notamment au XIIe siècle, particulièrement grande dans toutes les branches du savoir. Les manuscrits du *De Sacramentis* se multiplièrent, et il en fut fait des résumés en vers et en prose ; des extraits en furent recueillis dans des compilations théologiques ; les notes marginales des traités de l'époque renvoient souvent à l'ouvrage de Hugues. Pierre Lombard a puisé dans les *Sacrements* et, plus encore, dans la *Somme des sentences* [*Summa sententiarum*] du même auteur (ce dernier ouvrage étant plus riche de références aux Pères de l'Église), en leur empruntant des idées, des expressions et des pages entières. Certes, son style et sa langue, sa phrase nette et naturelle, sa chaleur ainsi que son charme pénétrant ont eu une grand part dans l'influence qu'il exerça. Mais, surtout, il y a en Hugues de Saint-Victor une inégalable ferveur dans la recherche. — On peut lire le *De sacramentis* dans la Patrologie de Migne, t. CLXXVI.

SACRIFICE D'ABRAHAM (Le). Le sacrifice d'Abraham est l'un des épisodes bibliques qui a inspiré le plus fréquemment les artistes chrétiens et que l'on retrouve dans la littérature de tous les pays. La *Genèse* (*) raconte que Iahvé, voulant éprouver la foi d'Abraham, lui ordonna d'immoler son fils Isaac. L'enfant lui-même porta sur ses épaules le bois destiné à son bûcher ; mais, au moment où le patriarche levait son couteau, un ange descendit du ciel pour arrêter son bras, et la voix du Seigneur bénit Abraham et sa postérité. Dès le IIIe siècle, cet épisode se trouve représenté sur les sarcophages et sur certaines mosaïques. Par la suite, l'iconographie vit naître des chefs-d'œuvre tels que les bas-reliefs de Ghiberti et de Brunelleschi, la grande fresque de Raphaël dans les « chambres » du Vatican, les tableaux d'Andrea del Sarto, de Rembrandt, de Rubens, etc.

★ Ce récit inspira aussi de nombreux drames religieux. Le plus célèbre, en Italie, est le « mystère » intitulé : *Abraham et Isaac* [*Abramo e Isacco*] de l'écrivain italien Feo Belcari (1410-1484), joué pour la première fois en 1449 dans l'église de Santa Maria Maddalena in Cestelli, à Florence. Le sujet, ainsi que le dit le titre, est tiré de *La Bible* (*). Un seul et même décor représente les lieux où l'action se situe : la scène est entourée de rideaux ; d'un côté, deux traverses de bois sont reliées par une toile formant porte ; à droite, un talus auquel on accède par deux ou trois marches symbolise la montagne sur laquelle se dérouleront les préparatifs du sacrifice. La pièce débute sur l'apparition de l'ange qui expose le sujet aux spectateurs en se référant à *La Bible*, puis l'action se développe, très sobrement, suivant fidèlement jusqu'à la fin l'antique récit. Elle s'achève sur le retour joyeux du père et du fils. On pourrait aisément reprocher à l'œuvre de Feo Belcari un manque d'éléments dramatiques. Mais, ce que veut l'auteur, c'est simplement amener son pieux auditoire à une contemplation religieuse et dépouillée. Le mètre employé est l'octosyllabe. L'auteur n'étant pas un primitif, il serait vain de rechercher dans son œuvre les accents infiniment délicats que l'on trouve dans les pièces religieuses du siècle précédent. Cependant, homme sincère et pieux, Feo Belcari a su, en plein humanisme, conserver à son « mystère » un peu de la grâce désuète du Moyen Âge, un peu de son parfum, sans tomber dans l'imitation.

★ Il existe, parmi les pièces les plus anciennes du théâtre anglais, un « miracle play », du cycle d'York (XVe siècle), inspiré par le sacrifice d'Abraham ; l'intensité dramatique et la vigueur avec lesquelles le sujet a été traité sont en tous points remarquables. Pour sa part, la France possède le « mystère » d'*Abraham sacrifiant* de l'écrivain calviniste français Théodore de Bèze (1519-1605), qui fut représenté en 1550. L'auteur le composa à la demande des autorités académiques de Lausanne, qui souhaitaient une pièce susceptible d'être jouée par les étudiants. L'action, qui suit strictement le texte biblique, se déroule rapidement. La langue est aisée, elle a une grâce et une simplicité naïves qui étonnent chez ce farouche polémiste. Les adieux de Sarah et d'Isaac sont particulièrement émouvants. Pour justifier peut-être le dualisme calviniste qu'il professait, Théodore de Bèze a voulu introduire Satan parmi ses personnages.

★ En Espagne, la plus ancienne pièce sur le même thème est l'*Auto del sacrificio de Abraham*, conservé dans le « Códice de autos viejos », recueil de drames religieux en un acte publiés par la suite dans la « Colección de autos, farsas y coloquios del siglo XVI » (1865) et dans la « Biblioteca hispanica » de Léo Rouanet (1901). La représentation nous en paraît liée à un office religieux. Ce drame est traité de manière très sommaire, et ses protagonistes sont dépourvus de tout caractère qui aurait pu les mettre en relief.

★ Il existe un *Sacrifice d'Abraham* en onze cent cinquante-neuf vers pentadécasyllabiques rimés, d'un poète grec inconnu, que certains ont voulu identifier avec l'auteur de l'*Érotokritos* (*), Vincent Cornaros, mort en 1677 ; c'est le drame le plus ancien du théâtre crétois ; il fut vraisemblablement imprimé pour la première fois en 1635. L'argument de ce drame, ou plutôt de cette tragédie, est l'histoire d'Abraham à qui Dieu a commandé d'immoler son fils pour mettre sa foi à l'épreuve. Abraham obéit mais, au moment où le sacrifice va être consommé, un ange paraît au sommet de la montagne, suspend la main du patriarche et lui révèle le dessein du Seigneur en même temps que sa satisfaction. Il est à noter que, dans ce drame, l'unité d'action est rigoureusement observée et se conforme aux diverses exigences dramatiques, toutes fort opportunément respectées par l'auteur.

★ En Allemagne, il convient de mentionner le poème en quatre chants de Christoph Martin Wieland (1733-1813) : *Les Épreuves d'Abraham* [*Der geprüfte Abraham*], publié en 1752. Œuvre de jeunesse, elle se distingue néanmoins par l'élégance de sa forme et la profondeur des sentiments exprimés.

★ La musique trouva dans le récit biblique un riche sujet d'inspiration. L'œuvre la plus célèbre est le livret de Francesco Baldinucci pour un oratorio, dont la partition ne nous est pas parvenue ; l'on sait toutefois que c'est Baldinucci qui donna une forme définitive à ce genre (division en deux parties, distribution des voix des solistes et des chœurs). Grâce à Baldinucci, l'oratorio acquerra peu à peu l'aspect d'un « parfait mélodrame ».

★ Le « drame sacré » de Belcari a inspiré l'*Abraham et Isaac* de Giacomo Carissimi (1605-1674), l'un des plus célèbres oratorios de ce compositeur, quoiqu'il n'atteigne pas à la puissance de *Jephté* (*) ou de *Jonas* (*). D'autres oratorios sont dus à Alessandro Scarlatti (1659-1725) : *Le Sacrifice d'Abraham* ; à Giovanni Antonio Ricieri (1679-1746) : *Le Sacrifice d'Isaac*, etc.

SACRIFICE D'AMOUR [*Love's Sacrifice*]. Tragédie en cinq actes du dramaturge anglais John Ford (1586-1639?), écrite en 1625 et publiée en 1683. L'action se passe à la cour du duc de Pavie. Bianca, la belle épouse du duc, est passionnément convoitée par Fernando, le favori de ce dernier. Bianca, pure et loyale, s'en alarme, car elle garde à son mari, qu'elle aime tendrement, la plus grande fidélité. Elle s'emploie donc à raisonner le jeune homme. Impuissante à tempérer l'ardeur de ce feu, elle se résigne à son malheur : elle décide de lui céder et de se suicider ensuite. Quand elle révèle ses intentions à Fernando, le jeune homme est si bouleversé qu'il jure aussitôt de tout mettre en œuvre pour dominer sa passion. Il consent à l'aimer d'un amour platonique. Mais Florimonde, la sœur du duc, est fort éprise de Fernando. Ayant eu vent du commerce de ce dernier avec Bianca, elle entend se venger de l'injure. Avec l'aide d'un secrétaire du duc, elle prépare un piège qui permettra au duc de surprendre Bianca en une conversation qu'il croit criminelle. Fou de jalousie, il la tue sur-le-champ. Quand de la bouche de Fernando il saura plus tard toute la vérité, il sera si ému qu'il se donnera la mort. Fernando, d'ailleurs, en fera autant : il s'empoisonne sur la tombe de la duchesse. Bien qu'elle soit des plus violentes, cette tragédie est loin de tomber dans les excès d'horreur que suppose obligatoirement le théâtre élisabéthain. De même que dans ses autres drames, John Ford s'emploie ici à créer des caractères que leurs passions mènent d'ordinaire jusqu'aux pires égarements et qui tentent désespérément de conjurer les forces noires du Destin.

SADDHARMAPUNDARĪKA [*Le Lotus de la bonne loi*]. Œuvre bouddhique indienne écrite en sanskrit ; c'est un des textes les plus importants du cycle connu sous le nom du « Grand Véhicule ». Dans cette œuvre composée vers le IIIe siècle de notre ère, il ne reste que peu de chose de l'antique doctrine du Buddha historique. Celui-ci est présenté ici comme un dieu supérieur à tous les autres, le père de l'humanité. Toutes les voies sont bonnes pour atteindre l'illumination ; mais, pour des raisons démonstratives, la *Saddharmapundarīka* n'en énumère que trois : celle des enfants, celle des « pratyekabuddha » et celle des « bodhisattva ». En réalité, c'est la grâce du Buddha qui décide par quelle voie l'élu pourra atteindre l'illumination. À ce titre, le Buddha est comparé au médecin qui ouvre les yeux aux aveugles, car les hommes sont des aveugles-nés. Des images de ce genre abondent dans le récit, mais, répétées à satiété, lassent quelque peu la patience du lecteur européen. L'œuvre comporte des parties en prose et d'autres en vers ; ces dernières sont les plus anciennes. — Trad. par Eugène Burnouf : *Le Lotus de la bonne loi,* 1852.

SADE MON PROCHAIN. Essai de l'écrivain français Pierre Klossowski (né en 1905), publié en 1947. Dans une première partie, l'auteur étudie « Sade et la Révolution ». Le Divin Marquis éprouva la Révolution jacobine comme un concurrent détestable qui déformait ses idées et compromettait son entreprise : alors que Sade voulait instaurer le règne de l'homme intégral, la Révolution veut faire vivre l'homme naturel. Pour ceci, elle embauche toutes les forces qui, au fond, appartiennent à l'homme intégral et devraient contribuer à son épanouissement. Le régicide, en tant que simulacre de la mort de Dieu, mène l'homme vers cet état. Puis Klossowski brosse une « esquisse du système de Sade » restituant l'évolution chronologique de la pensée du Marquis, avec les différentes phases de son processus dialectique. C'est ainsi que le problème du Mal, d'abord nié dans le « Dialogue entre un prêtre et un moribond » avec l'existence de Dieu, et, si l'on veut, intellectuellement résolu, se retrouve posé dans toute sa rigueur et sous une forme quasi théologique dans la première version de *Justine* (*) sous-titrée *Les Malheurs de la vertu.* C'est à cette époque que Sade conçoit le plan des *Cent vingt journées de Sodome* (*) où il jette les bases d'une théorie des perversions et en prépare la métaphysique, développée surtout plus tard dans *Juliette* (*). On y trouve l'exacte définition du problème du Mal dans la conscience sadiste : le malheur d'« être vertueux dans le crime et criminel dans la vertu ». Mais, pour Sade, la substitution à Dieu de la « Nature à l'état de mouvement perpétuel » signifie non pas l'avènement d'une ère plus heureuse de l'humanité, mais seulement le commencement de la tragédie : on pressent le motif nietzschéen qui oppose aux souffrances de l'innocent une conscience qui accepte de souffrir sa culpabilité parce qu'elle ne se sent exister qu'à ce prix. Revenant ensuite à Sade lui-même dans une troisième partie intitulée « Sous le masque de l'athéisme », Klossowski tente de rapprocher le Marquis des grands hérésiarques de la gnose : dans le mythe qui associe la pureté à la destruction, la conscience sadiste ne fait que décrire comment elle parvient à se connaître pour jouir de sa propre organisation. C'est la notion de « Delectatio morosa » formée par les docteurs de l'Église médiévale que le critique retrouve chez Sade. À cette longue étude sur l'auteur de *La Philosophie dans le boudoir* (*) Klossowski a joint deux essais. Le premier, « La Tentation du possible », est une étude sur Kierkegaard et son interprétation du *Don Juan* (*) de Mozart. Le second, « Le Corps du néant », concerne l'expérience de la mort de Dieu chez Nietzsche et la nostalgie d'une expérience authentique chez Georges Bataille. Ce n'est point un hasard si Klossowski a regroupé ces auteurs. Pour lui, en effet, Sade, Kierkegaard, Nietzsche et Bataille sont les membres d'une « communauté sacrée, universelle mais secrète » ; leur existence isolée préfigure l'Église de quelques autocrates spirituels.

SADKO. Opéra du compositeur russe Nicolas Andréevitch Rimski-Korsakov (1844-1908) écrit entre 1894 et 1896. Le livret s'inspire d'une *Byline* (*) dont on trouve les sources à Novgorod au XIe siècle. La ville était alors un port de commerce prospère. L'audace d'un barde nommé Sadko, conseillé par le Roi des Mers, lui permit de fréter divers bateaux et de faire fortune. Mais un jour le Roi des Mers réclame à Sadko d'épouser sa fille. Guidé par saint Nicolas, le héros feindra d'accepter et, après diverses péripéties, retrouvera son épouse terrestre et ses richesses, tout en étant célébré, désormais, comme un héros national, son esprit d'aventure ayant ouvert de nouvelles routes maritimes aux commerçants de la ville. Ainsi Sadko est-il le type même du héros populaire audacieux, inventif, volontiers roublard, mais inspiré par-dessus tout par l'amour de sa patrie. On devine donc la passion et le soin que mit Rimski-Korsakov à composer un opéra dont la donnée littéraire (par ailleurs pimentée d'un athéisme très subtil) était riche de symbolismes et de prolongements multiples. L'opéra entier est voué au peuple et à la mer, deux des motifs d'inspiration fondamentaux de l'auteur. Comme *Boris Godounov* (*), il débute et il s'achève par une grande scène populaire, mais le problème essentiel du compositeur fut d'exprimer sans disparate les deux mondes complémentaires de la féerie et du réalisme, osmose dont la subtilité et la variété de climats demeurent l'une des dominantes de son art. Le célèbre Chant du Viking et le Chant de l'Hindou ne sont qu'un des aspects d'un ouvrage particulièrement riche en grands airs, ensembles, duos et chœurs ; le sommet du brio est atteint dans l'immense « scène du pari » où se conjuguent, s'opposent, dialoguent ou s'accumulent différents chœurs et des soli de la plupart des personnages. Sans doute l'influence de Wagner sur une parure orchestrale particulièrement rutilante est-elle manifeste, mais, comme dans *La Légende de la cité invisible de Kitège...* (*) ou *Le Tsar Saltan* (*), Rimski-Korsakov dépasse son modèle trop littéraire pour brasser substance musicale et livret avec un souffle épique digne de Moussorgski et Borodine. Ainsi, par-delà l'allégorie, rayonne un des chefs-d'œuvre les plus inspirés de la musique russe.

SAGA DE FRIDHTHJÓF [*Fridhthjófssaga*]. Saga romanesque composée par un anonyme scandinave entre le XIIIe et le XIVe siècles : écrite en prose, elle est rehaussée ici et là par des strophes dans le style des *Eddas* – v. *Chants de l'Edda* (*) – Fridhthjóf, fils de Thorstein, vit entouré de nombreux guerriers dans ses terres de Framme ; habile dans tous les jeux athlétiques, versé dans les arts, il est en outre, malgré sa jeunesse, le puissant vassal des deux jeunes rois Helge et Halfdan, pour le compte desquels il gouverne une partie des terres de Sogn. Ses suzerains ne sont pas cependant aussi riches que lui, ni dotés d'autant de qualités ; aussi voient-ils d'un mauvais œil la popularité dont il jouit et le faste de sa cour. Fridhthjóf aime et est aimé de sa jeune sœur de lait, la belle Ingeborg, sœur de Helge et de Halfdan, auxquels il demande la main de la jeune fille. Les deux rois repoussent avec mépris la requête de leur vassal, et Fridhthjóf rompt avec eux. Mais sur ces entrefaites le roi Ring, à Ringerike, considérant les deux rois comme une proie facile, leur demande tribut en les menaçant de leur déclarer la guerre en cas de refus. Helge et Halfdan acceptent la guerre et, avant de se mettre en campagne, envoient Ingeborg, avec huit dames de sa suite, à Baldershage, lieu sacré se trouvant sur la rive opposée du fjord : là, hommes et femmes doivent vivre séparément, danses et fêtes sont tenues pour sacrilèges. Mais, les rois à peine partis, Fridhthjóf débarque à Baldershage avec huit hommes de sa garde ; et, tant que dure l'absence des rois, danses et fêtes se succèdent. À Ringerike, pendant ce temps, Helge et Halfdan, à la tête de leur petite armée, se trouvent devant le roi Ring et ses troupes innombrables : épouvantés, les deux frères demandent à parlementer. Ring y consent, mais demande en contrepartie la belle Ingeborg pour épouse. À leur retour, les jeunes rois, apprenant l'outrage commis par Fridhthjóf, décident sa perte. Ils l'envoient alors avec son navire « Ellide » aux Orcades pour recouvrer les tributs qui leurs sont dus, mettent à sac son domaine pendant son absence et, se servant de deux sorcières, Heid et Hamglaana, font déchaîner une tempête sur la route de l'« Ellide ». Fridhthjóf tue les sorcières, les flots s'apaisent et il aborde sain et sauf. Mais lorsqu'à son retour il retrouve son palais en ruines et Ingeborg mariée à un autre, il se rend à Baldershage, insulte Helge et Halfdan, incendie le lieu sacré, s'embarque avec ses hommes et navigue le long des côtes en guerroyant. Il se rend enfin chez Ring, qui l'accueille affectueusement et avec de grands honneurs, le retient à sa Cour et, au terme de sa vie, le proclame duc et régent de ses terres jusqu'à la majorité de ses fils. À la mort du roi Ring, Fridhthjóf et Ingeborg se marient. Helge et Halfdan se rebellent contre l'union de leur sœur à un vassal et lui déclarent la guerre. Helge est tué, Halfdan se rend et Fridhthjóf s'empare de leurs terres, prenant le titre de roi de Sogn. Le style de la *Saga de Fridhthjóf* est celui, tardif, des sagas dites du « temps ancien », dans lesquelles les sobres récits des sagas « islandaises » ont fait place au goût des aventures sentimentales, du romanesque et de l'exotisme.

★ La *Saga de Fridhthjóf* a naturellement séduit les écrivains romantiques : ainsi l'écrivain suédois Esaias Tegnér (1782-1846) se complut à l'adapter (1825). L'œuvre de Tegnér se compose d'une série d'épisodes narratifs, lyriques, dramatiques, de versification diverse selon la nature de l'inspiration. Répondant opportunément au goût de son époque, c'est à cette version de la *Saga de Fridhthjóf* que Tegnér a dû surtout sa renommée.

SAGA D'EGILL [*Egilssaga*]. Composée au cours du XIIIe siècle, cette saga relate l'histoire du plus grand scalde du Xe siècle, Egill Skallagrimsson (900-982). Elle chante d'abord les exploits de Ulf qui, durant sa jeunesse, avait pris part à plus d'une expédition de Vikings et qui, la nuit, se transformait en loup-garou (d'où son nom de Kveldúlf, c'est-à-dire « loup-chauve-souris »), et de ses fils Thórólf et Skallagrim (c'est-à-dire Grim « le chauve »). Cette première partie traite surtout des relations de la famille de Kveldúlf ; elle évoque, en outre, la vie de Harald à la belle chevelure, alors occupé à étendre sa domination sur toute la Norvège au détriment des roitelets locaux réduits au vasselage. Les messagers de Harald se présentent chez Kveldúlf, mais celui-ci déclare qu'il est désormais trop vieux pour devenir vassal de qui que ce soit. Son fils Thórólf, par contre, attiré par l'aventure, entre au service d'Harald et prend une part importante à la bataille de Hafrsfjord (872), qui décida de la victoire du roi. Mais bientôt, calomnié auprès de son seigneur, il fut dépouillé de ses droits féodaux et assassiné alors qu'il se préparait à émigrer. Le vieux Kveldúlf, informé de la mort barbare de son fils, envoie à Harald son autre fils, le gigantesque Skallagrim, demander raison. Celui-ci, après avoir défié Harald, s'embarque avec tous les siens pour l'Islande. Commence ensuite l'histoire d'Egill, le plus jeune fils de Skallagrim, qui dès l'âge de trois ans fit l'admiration de son entourage pour avoir composé une strophe scalde. Egill prend part à la vie mouvementée des pirates viking : le voici en Suède, puis en Angleterre à la cour du roi Aethelstan, pour lequel il prend part à la bataille de Brunanburh (937), où son frère Thórólf devait trouver la mort. Devenu le mari de la veuve de son frère, il reprend avec le fils d'Harald, Erik à la hache sanglante, le vieux différend de leurs pères. Tombé par hasard au pouvoir de celui-ci, Egill se sauve grâce au premier scalde norvégien qu'il compose durant la nuit de sursis qui lui a été accordée. Deux autres chants célèbres d'Egill, conservés par la *Saga,* sont arrivés jusqu'à nous : l'un est un chant de douleur pour la mort de son fils bien-aimé Bodvar, noyé en mer, et contient l'éloge de la poésie — le plus parfait des arts — qui sait tirer la joie de la douleur ; l'autre est un chant de louange pour le fidèle Arinbjörn, qui lui avait conseillé d'écrire le poème en l'honneur du roi Erik, ce qui lui valut d'avoir la vie sauve. Egill ne fut pas seulement un guerrier et un poète, mais un homme expérimenté dans la médecine et dans la magie runique. L'auteur de la *Saga* s'est servi pour son œuvre soit des chants d'Egill insérés comme témoignage biographique des faits les plus importants, soit de récits oraux. L'expérience des hommes et des choses, la valeur littéraire, l'amour pour la poésie, l'hommage rendu par l'œuvre tout entière à Egill Skallagrimsson, rendent vraisemblable la thèse qui veut que l'auteur de la *Saga* soit Snorri Sturluson (1178-1241), l'auteur de l'*Edda* (*)

et d'*Heimskringla* (*Saga des rois de Norvège*). De toute manière, cette saga occupe parmi toutes les autres une place éminente. Étayée de faits, elle n'en est point écrasée ; elle trace de tous les personnages qui en sont les héros, et dans la limite des faits, un portrait net et sûr. La saga naît de la curiosité du passé, du désir de maintenir vivant le souvenir des événements et des personnages mémorables. On trouve dans ce genre des œuvres plates et d'autres qui possèdent une véritable valeur littéraire, des œuvres dictées par la curiosité de faits matériels et d'autres par un amour généreux du courage, de l'habileté, de la poésie. La *Saga d'Egill* fait partie de ces dernières et compte parmi les plus célèbres.

SAGA DE GÖSTA BERLING (La) [*Gösta Berlings Saga*]. Roman de l'écrivain suédois Selma Lagerlöf (1858-1940), publié en 1891, et qui rendit soudain célèbre la petite institutrice qu'était alors son auteur. Gösta Berling, le héros de ce roman, est un prêtre assez étrange, enclin à la boisson. Un beau jour, ses fidèles dénoncent ses frasques au chapitre. Quand l'évêque arrive pour enquêter sur cette affaire, Gösta, pris de panique, fait un sermon si noble que ses adversaires sont contraints de retirer leur plainte. Il n'empêche qu'après divers incidents le pauvre homme perd son office et se voit expulsé du presbytère. Il devient alors une sorte de vagabond, et il finit par entrer dans la fameuse compagnie des « Chevaliers d'Ekeby ». Dès lors, l'aventure de Gösta se mêle à l'histoire de la compagnie en question. Ces « Chevaliers » sont un groupe d'anciens militaires mi-aventuriers mi-artistes qui s'enfoncent dans la bohème, autour d'une femme qui les héberge et les gouverne et qu'on appelle la « Maîtresse ». Après l'arrivée de Gösta et en raison de la mauvaise influence d'un autre nouveau venu, Sintram, la discorde fait son entrée dans la compagnie : les « Chevaliers » en arrivent peu à peu à détester leur bienfaitrice. Dans un accès d'humeur, l'un d'eux l'accuse même publiquement d'adultère. La « Maîtresse », chassée par son mari, est alors réduite à mendier son pain à travers les champs couverts de neige. Les « Chevaliers » demeurés les maîtres incontestés de la mine d'Ekeby s'arrêtent de l'exploiter, gaspillant peu à peu les biens accumulés depuis plusieurs années. Pendant ce temps, une sorte de malédiction semble peser sur la vie de Gösta qui porte malheur à tous ceux qu'il rencontre. Son charme devient fatal aux jeunes filles et ses plaisanteries ont un effet désastreux sur les hommes. Les « Chevaliers », jadis tant admirés, s'attirent enfin le mépris général et se voient contraints de se remettre au travail. C'est alors que la vieille « Maîtresse » réapparaît : pour mourir hélas, mais en ayant pardonné leur trahison aux « Chevaliers ». Ces derniers se dispersent à tout jamais. Ce roman s'inspire en partie des légendes dont la tradition s'était maintenue dans le Värmland (où naquit l'auteur). Ces éléments, heureusement assimilés et mis en lumière par son grand talent de conteur, expliquent le caractère absolument original de *La Saga de Gösta Berling*. Ici se révèle une double source d'inspiration : le sens du fantastique, celui du sentiment religieux. Ce roman inspira en 1923 à Mauritz Stiller *La Légende de Gösta Berling*, un des premiers films interprétés par Greta Garbo.

Dans les délicieuses pages autobiographiques intitulées *Saga sur une saga* [*En saga om en saga*], et publiées en 1908, Selma Lagerlöf a retracé la genèse de *La Saga de Gösta Berling*. L'auteur avait passé son enfance et sa prime jeunesse dans la ferme paternelle de Mårbacka : c'était une enfant fluette et maladive « si bien qu'elle ne pouvait partager les jeux des autres enfants, mais trouvait en revanche grand plaisir à la lecture et à l'évocation des légendes d'autrefois ». Plus tard, elle se rendit à Stockholm pour y faire ses études. C'est là que, par un matin d'automne (en 1881), au sortir d'un cours d'histoire littéraire, la jeune fille s'avisa que les guerriers débonnaires de Runeberg et les soudards insouciants de Bellman étaient un merveilleux sujet de poème ; car le monde de sa propre enfance n'était pas moins singulier que celui de Fredman ou du héraut Stal. Dès lors, la jeune fille décida d'écrire la saga des « Chevaliers » du Värmland, et cette idée ne la quitta plus. Mais il fallut bien des années avant qu'elle ne la réalisât. Ce ne fut en effet qu'en 1890 que Selma Lagerlöf envoya une série de chapitres, formant un tout, à un concours ouvert par la revue *Idun*. Elle remporta le prix. L'année suivante, *La Saga de Gösta Berling* était publiée. — Trad. Club français du livre, 1950 ; in *Œuvres*, I, Stock, 1976.

SAGA DES FORSYTE (La) [*The Forsyte Saga*]. Œuvre romanesque en six volumes de l'écrivain anglais John Galsworthy (1867-1933). L'auteur se propose d'y brosser un vaste tableau de la société anglaise depuis l'époque victorienne jusqu'à nos jours, en contant l'histoire d'une famille de la haute bourgeoisie. Le premier volume, qui parut en 1906, s'intitule : *Le Propriétaire* [*The Man of Property*]. Il débute par une réunion de famille qui a lieu le 15 juillet 1886 à l'occasion des fiançailles de June Forsyte avec l'architecte Philip Bosinney. Y sont présents les dix enfants de Jolyon Forsyte I, qui fit la fortune de la famille au temps de la grande expansion économique qui marqua la première moitié du siècle. Ce sont dix vieillards solides et résolus (car la longévité, outre le respect des convenances, est l'apanage des Forsyte). Parmi eux se trouvent « Jolyon le Vieux », James, George, Timothy. Jolyon le Jeune manque à la réunion ; c'est un caractère indépendant, passionné et sentimental, qui est brouillé avec son père et toute la famille à cause de sa rupture avec sa première femme ; il avait refait sa vie. Le représentant typique de la seconde génération est Soames, le fils de James : c'est le « propriétaire » actuel ; il est accompagné de sa femme, la belle Irène. Celle-ci et Bosinney, le fiancé de June, se plaisent tout de suite et Soames va favoriser leurs rencontres en chargeant le jeune architecte de construire pour lui la belle demeure de Robin Hill, près de Londres. Irène, qui n'a jamais aimé Soames qu'avec tiédeur, éprouve maintenant de l'aversion pour lui ; elle le lui avoue avec loyauté. Bosinney rompt avec June. Celle-ci se résigne, mais Soames ne peut admettre que sa femme cesse de lui appartenir. Pour se venger, il intente un procès à Bosinney au sujet de la construction de Robin Hill et obtient le droit de rompre son contrat avec lui. La situation financière de Bosinney devient donc précaire. D'autre part, Soames, sortant de sa réserve de galant homme, use de ses droits envers sa femme de façon brutale. Bosinney, hors de lui, torturé par la jalousie, erre comme un malheureux, parcourant la ville en tous sens, lorsqu'il tombe victime d'un accident. Soames, comme le dit George Forsyte, est responsable de sa mort. Irène, horrifiée, s'enfuit. On la retrouvera dans ce prélude au deuxième volume qu'est *Dernier été* [*The Indian Summer of a Forsyte,* 1917]. Elle est alors installée à Robin Hill, que le vieux Jolyon a acheté pour son fils avec lequel il s'est réconcilié. C'est un épisode plein de charme ; le vieil homme, le seul des Forsyte qui ait une certaine liberté d'esprit, comprend la jeune femme et l'aime tendrement. Irène l'écoute parler de son fils qui est au loin et qui a perdu la femme qu'il aimait ; elle l'assiste à ses derniers moments : la mort vient le prendre doucement, un bel après-midi d'été, alors qu'il est assis à l'ombre d'un arbre. Le deuxième volume proprement dit est intitulé *Aux aguets* [*In Chancery,* 1920]. Irène, persécutée par Soames, s'enfuit à Paris où elle retrouve Jolyon le Jeune. Celui-ci, fidèle au désir de son père, l'accueille, et ces deux êtres, blessés par la vie, se rapprochent et finissent par s'aimer. Soames, à Londres, est séduit par la beauté provocante d'une jeune Française, Annette, fille du propriétaire d'un grand restaurant ; il décide de divorcer pour des raisons assez obscures qu'il ne s'avoue pas toutes, mais dont les principales sont son mépris pour Irène et le désir d'avoir un fils. Il rompt donc avec la tradition des Forsyte et fait scandale en recherchant les preuves de l'adultère d'Irène avec Jolyon et en la traînant devant les tribunaux pour obtenir le divorce. Irène et Jolyon, quoique innocents, ne se défendent pas ; les circonstances les incitent à lier leurs existences et ils se marient. Soames épouse Annette ; Fleur, leur fille, naît le jour même de la mort du père de Soames. Ainsi s'achèvent les deux premiers livres, où l'écrivain, après avoir tracé l'histoire de la première génération des Forsyte, solide et immuable, a étudié la crise de la deuxième, c'est-à-dire les heurts entre les principes traditionnels et les passions, ces passions que, dans son puritanisme austère et aveugle, la société victorienne se refusait d'admettre.

Le troisième volume *À louer* [*To Let,* 1921] se passe vingt ans plus tard ; la Première Guerre mondiale a eu lieu ; la mentalité anglaise a changé ; il y a plus d'audace, plus de liberté dans la pensée et dans les mœurs. La première génération des Forsyte a disparu, la seconde a vieilli et cède la place à la troisième qui a vingt ans : Fleur, fille de Soames et d'Annette ; Jon, fils d'Irène et de Jolyon ; Holly, fille du premier amour de Jolyon, demi-sœur de Jon, qui, elle aussi, a épousé un Forsyte. Ils se retrouvent tous chez June, laquelle tient une galerie de peinture (signe des temps) où Soames, amateur de peinture classique et traditionnelle, contemple, scandalisé, des toiles d'avant-garde. Jon et Fleur s'éprennent l'un de l'autre ; ils ont toutes les facilités, grâce aux mœurs nouvelles, pour se fréquenter. Leurs deux familles s'opposent fermement à leur mariage. Jon, qui est très attaché à ses parents, est prêt à se résigner, mais Fleur est plus combative ; il y a alors certaines scènes pénibles au cours desquelles Jon apprend les raisons de l'aversion de sa mère pour Soames et sa famille. Jolyon, déjà âgé, meurt, tourmenté de savoir dans quelle situation morale se trouve sa femme. Soames, qui a une adoration pour sa fille, s'humilie devant Irène, mais en vain, car Jon, laissé libre, sacrifie son amour à sa mère. Irène et Jon quittent l'Angleterre pour la Colombie britannique, et l'on voit écrit sur la vieille maison de Robin Hill : « À louer ». Avec *Le Singe blanc* [*The White Monkey,* 1924], quatrième livre de la « Saga », commence, sous le titre générique de : *Une comédie moderne* [*A Modern Comedy*] la seconde série du cycle, qui se termine par *La Cuillère d'argent* [*The Silver Spoon,* 1926] et *Le Chant du cygne* [*Swan Song,* 1928]. Fleur a épousé, sans amour, Michael Mont, le fils d'un baronnet qui est codirecteur d'une grande maison d'édition. Lancée dans une trépidante vie mondaine, elle s'entoure d'une société brillante et disparate qui peuple son « salon chinois » où l'on voit un tableau représentant un singe blanc tenant un fruit dans sa main. Décidée à jouir de la vie, elle n'est pas sans avoir quelques « flirts », mais elle s'efforce d'éviter toute complication sentimentale. Cette mentalité est bien dépeinte dans l'épisode principal ; un jeune poète, Wilfrid Deserd, affolé par sa coquetterie et sa beauté, se prend pour elle d'une violente passion. Michael s'en émeut ; conscient de n'avoir jamais inspiré d'amour à sa femme, il est prêt à se sacrifier ; mais Fleur se reprend et rompt cyniquement avec le jeune poète qui, désespéré, part pour les colonies. On a l'impression à ce moment que la situation mondaine prime tout pour la jeune femme ; on la voit se passionner pour la carrière politique de son mari, qui s'est fait élire au Parlement et qui est le champion d'un nouveau système politico-économique, le « foggartisme ». Ce qui donne à l'auteur l'occasion d'esquisser des scènes fines et réelles de la vie politico-mondaine. Le sixième volume se déroule en partie pendant la grève générale de 1926 ; nous y voyons le retour de Jon et la reprise, entre lui et Fleur, de leur amour d'adolescents. L'énergie de Soames évite de justesse un scandale. Soames meurt dans un incendie, en essayant de sauver sa collection de tableaux ; avec lui disparaît le dernier des « vrais » Forsyte. *La Saga des Forsyte* obtint un succès considérable (surtout à partir du *Singe blanc*). Le style est toujours alerte et concis. Ce roman-fleuve restera comme un document des plus précieux sur la réaction esthétique et morale de l'Angleterre du début de ce siècle contre l'austérité victorienne. — Trad. Calmann-Lévy, 1949-1950.

SAGA DE THÉODORIC [*Thidhreks-saga*]. Roman composé en Norvège vers la moitié du XIIIe siècle. Il retrace les légendes que suscita le personnage de Théodoric le Grand. La *Saga* commence par la naissance du héros, son enfance et ses exploits de jeunesse, pour en arriver successivement à décrire l'accession au trône du célèbre roi ostrogoth, ses relations avec Attila et avec le roi Ermanarik, la lutte victorieuse qui l'opposa au célèbre Sigurdhr de la légende des *Nibelungen* — v. *La Chanson des Nibelungen* (*) —, sa fuite devant Ermanarik excité par un mauvais conseiller, Sifka ; son alliance avec Attila ; son expédition malheureuse contre son oncle Ermanarik ; la reconquête, après un long exil, de son royaume légitime détenu par l'usurpateur Sifka ; ses noces avec la belle Yseult et, enfin, sa disparition sur un diabolique et noir palefroi. La légende d'Ermanarik vient ainsi se mêler intimement au cycle de Théodoric. Mais d'autres légendes germaniques sont insérées dans le récit, lui conférant une plus grande variété ; celles des Nibelungen en premier lieu, puis celle de Gauthier et d'Hildegonde, de Wieland et de son fils Vidga, ainsi que d'autres récits aventureux et chevaleresques. L'auteur du roman entend ouvertement faire œuvre d'agrément, comme il le déclare lui-même dans sa « Préface ». Les hauts faits qu'il relate, de Théodoric et de ses compagnons, de Sigurdhr meurtrier de Fafnir et des Nibelungen, des Huns et des Russes ; l'action, qui se déroule tour à tour en Italie, en Hongrie, en Russie et d'autres pays septentrionaux ou orientaux, ne pouvait manquer de ravir le lecteur. Pour comprendre le climat historique qui présida à la naissance de cette œuvre, il conviendra de rappeler qu'à l'époque, sous le roi Hákon Hakonarson, la Norvège s'ouvrait favorablement aux éléments de culture européenne qu'elle était en mesure d'assimiler. Les sources de ce roman, en majeure partie constitué de légendes allemandes continentales, furent en effet des chants et récits allemands, surtout bas-allemands. Ces textes ayant été perdus depuis, la *Saga de Théodoric* demeure d'une haute valeur pour la tradition légendaire. Elle se situe, dans l'histoire littéraire, à côté de la plus récente *Saga des Vólsung* (*), qui lui est très proche tant par la forme que par le contenu. Ainsi le roman héroïque s'édifia en Norvège, au XIIIe siècle, sur la vieille tradition indigène de la saga, tandis qu'en Allemagne le poème héroïque avait pris naissance un peu plus tôt avec le poème des *Nibelungen* et celui de *Gudrun* (*). On retiendra en outre que, presque à l'époque où le roman fut écrit, étaient rassemblés les chants de l'*Edda* (*). Les différentes parties de la *Saga* offrent un intérêt inégal ; ceci n'est pas pour surprendre dans une œuvre de compilation. Ajoutons qu'elle abonde dans le sens du merveilleux et de l'exotisme d'effet facile (combats avec des dragons ailés, des éléphants, etc.) et qu'elle est dénuée de cet effort de construction et de l'approfondissement des situations psychologiques qu'on relève, par exemple, dans *La Chanson des Nibelungen,* auquel l'esprit se réfère spontanément en raison de certaines similitudes évidentes.

SAGAS. Récits en prose, de longueurs inégales, éventuellement agrémentés de strophes scaldiques, composés en Islande de la fin du XIIe siècle à celle du XIVe. Le substantif vient du verbe *segja,* dire, raconter, ce qui circonscrit bien son propos. Lequel est historique en dernière analyse, au sens que pouvait avoir l'épithète à l'époque envisagée. Mais il vaudrait sans doute mieux dire que saga s'applique à une façon de raconter, un style, plus qu'à un contenu donné. Et il n'y a aucune possibilité de confondre saga et poésie, *Saga* et *Edda* (*) notamment, non plus que de prendre les sagas pour des textes religieux, bien qu'il arrive à certaines d'entre elles de faire état de réminiscences païennes.

La critique scientifique s'est longtemps attachée aussi à retracer la genèse du genre. Théories romantiques aidant, on a d'abord cru que les sagas relevaient de la tradition orale et illustraient le « génie conteur de la foule », à quoi se prêteraient certains maniérismes d'écriture et d'indubitables évocations de traditions anciennes. À l'inverse, une école, moderne, férue de philologie et de comparatisme, veut faire des sagas des récits à l'école de l'historiographie classique et de l'hagiographie médiévale, toutes deux en latin. Il est vrai que l'Islande, peuplée par des Norvégiens et des Celtes à partir de 874, héritière, à ce titre, d'une double tradition conteuse, mais ne disposant pas d'écriture propre (les runes se prêtent mal à la consignation de textes longs) aura dû attendre la christianisation — qui fut officielle dans l'île à partir de 999 — pour apprendre à écrire et pour faire la découverte, aussi, de tout le trésor de textes sacrés ou classiques que véhiculaient les clercs. Il ne fait guère de doute, aujourd'hui, que ce soit sur ces modèles et ces incitations que les Islandais se soient mis à rédiger les sagas. Celles-ci tiennent de l'historiographie antique un sens de l'Histoire et une volonté très caractéristique de saisir l'homme en action, en marche ; elles doivent à l'hagiographie le principe d'organisation de la relation de la vie du héros ainsi que la volonté de dégager une leçon, d'ordinaire exemplaire, de ses dires. Ce n'est pas nier carrément, ce disant, la tradition orale : le culte de la famille ou *aett,* fondamental dans le paganisme germano-nordique ancien et illustré par les généalogies dont nous avons conservé un grand nombre, celui du droit, de la loi sacrée dont nous trouvons sans peine l'illustration patente dans plus d'une saga qui n'est, en quelque sorte, que le procès-verbal d'un cas particulièrement compliqué ou exemplaire, les strophes scaldiques qui ne pouvaient se transmettre autrement que par voie orale pendant des siècles, tout cela indique qu'un élément oral a dû présider à la lente élaboration du genre. Mais il reste que le « produit fini » est d'une telle élaboration, d'une telle réussite dans son rendu final que l'on doit imaginer un auteur — lequel est, en règle très générale, demeuré anonyme — tout à fait conscient de son art et dominant son texte. À telle enseigne qu'à l'heure actuelle, la critique parvient à discerner des « écoles » centrées autour des principaux monastères qui s'étaient fondés dans l'île, et obéissant à des schèmes précis d'écriture.

Quant au sujet, on distingue cinq catégories de sagas islandaises, qui peuvent fort bien avoir vu le jour simultanément, à partir de la fin du XIIe siècle, donc, encore qu'il ne soit pas interdit de suggérer une succession dans le temps qui obéirait à la taxinomie proposée ici. En ce cas viendraient en premier lieu les sagas royales *(konungasögur)* qui retracent la vie des grands rois de Norvège et de Danemark. Le chef-d'œuvre du genre est la *Heimskringla* (ou *Sagas des rois de Norvège, Nòregs konunga sögur*) de Snorri Sturluson (1178-1241), qui regroupe seize sagas allant des origines mythiques *(Ynglinga saga)* à l'époque où vivait l'auteur : le fleuron de cette collection est la *Saga de Saint Òlàfr.* Snorri est remarquablement en avance sur son temps pour la méthode rationnelle qu'il suit dans ses œuvres et aussi pour un sens, très augustinien, de l'Histoire (chargée de manifester un plan divin, faite d'un enchaînement rigoureux de causes et de conséquences, centrée sur les grands hommes) que sert son style rapide et concis. Différentes sont les sagas dites de familles ou, plus souvent, des Islandais *(Islendingasögur) :* ce sont les plus célèbres. Elles rapportent les faits et gestes, de leur naissance à leur mort, de prestigieux Islandais du passé — en général vivant au Xe siècle — et exposent leur vision de la vie : celle-ci est exemplaire parce qu'elle aura manifesté comment un homme doit se faire l'artisan conscient de son propre destin, en triomphant des épreuves qui lui sont tendues et en restant fidèle à une éthique de l'honneur et de la vengeance, tout à fait caractéristique de cette culture. Le joyau du genre est la *Saga de Njàll le Brûlé,* mais il faut citer aussi la *Saga d'Egill fils de Grimr le Chauve,* la *Saga de Snorri le godi,* la *Saga de Grettir le Fort* et la *Saga des Gens du Val-au-Saumon.* Ce sont de grands textes sobres et rudes qui se rapprocheraient de notre roman historique mais qui valent surtout pour des portraits d'hommes et de femmes de grande stature, marchant sans faillir vers la consommation de leur destin dans une atmosphère comme raréfiée où un laconisme tragique est la règle. Parallèlement à cette catégorie de sagas existent les sagas dites de contemporains (*samtidarsögur*) parce que leurs auteurs furent contemporains des événements qu'ils rapportent, ces sagas-là faisant la chronique de l'île entre début du XIIe siècle et fin du XIIIe siècle, date à laquelle l'Islande passera sous le joug norvégien, puis danois. Le chef-d'œuvre du genre est la compilation intitulée *Sturlunga saga (Saga des Sturlungar* ou descendants d'un certain Sturla) qui relate, avec un doigté et une discrétion admirables, comment l'île perdit son indépendance à cause d'inexpiables rivalités entre les grands chefs locaux, mais on peut préférer la collection des *Sagas des Evêques* (d'Islande, bien entendu) [*Byskupa sögur*] pour la connaissance intime qu'elles manifestent du menu détail de la vie quotidienne. Restent les sagas légendaires (en vérité, sagas des temps très anciens, *fornaldarsögur*) qui exploitent tout le trésor de légendes ou de traditions héroïques de la Germania. C'est à cause d'elles que l'on a pu parler des sagas comme de textes religieux. En effet, la *Völsunga saga,* par exemple, dédouble les poèmes eddiques du cycle héroïque de Sigurdr meurtrier de Fáfnir ou la *Saga de Hervör et du roi Heidrekr* se fait l'écho de très lointains événements historiques tout en livrant des coutumes rituelles intéressantes. On range également dans les sagas, enfin, pour des raisons d'écriture essentiellement, des textes qui sont, en fait, des traductions ou plutôt des adaptations de romans courtois français (Chrétien de Troyes) ou allemands : on les appelle sagas de chevaliers, *riddarasögur.* Nous disposons de la sorte d'une *Ivens saga (Yvain ou le Chevalier au lion)* ou d'une *Parcevals saga.* De même, toutes nos grandes chansons de geste ont été adaptées en vieil islandais sous le titre de *Karlamagnùss saga,* et le *Roman de Tristan* a fait l'objet d'une *Tristrams saga.*

Quelle que soit la catégorie à laquelle elles appartiennent, les sagas sont des œuvres bien littéraires qui valent, on l'a dit, avant tout pour leur style. Celui-ci se définit aisément : réalisme et économie en sont la loi. Le récit court à son terme sans faille et comme pressé d'y parvenir. Les digressions ne se rencontrent pas, résumer une saga reviendrait, à la limite, à la recopier. En second lieu, ces récits pratiquent constamment la litote, ce qui leur confère une sorte de pudeur tout à fait expressive, notamment lorsqu'il s'agit de faire admettre le sort à peu près toujours tragique des grands personnages qui sont mis en scène. Un autre moyen parvient au même but : c'est un humour acide, à froid, qui permet de lutter contre une tension devenue insupportable.

Les sagas islandaises comptent au nombre de nos grands genres européens. Elles valent surtout, de nos jours encore, pour l'idéal de vie qu'elles illustrent implicitement. Et qui n'est pas héroïque avec hyperbole. L'idéal, pour un être humain, c'est de faire, ici et maintenant, ce pour quoi le destin, valeur suprême de cet univers, l'a créé. Les outrances sont repoussées aussi bien que veulerie ou lâcheté : ces textes méprisent le *garpr,* le fier-à-bras autant qu'elles détestent le couard. C'est aussi pourquoi leur vision du monde reste équilibrée : elle est rude, sans mièvrerie et sans tendresse — trait qui ne va pas sans les affaiblir aux yeux de certains. Mais les sagas sont des œuvres fortes, décantées. Elles exaltent avec une fermeté fruste la valeur suprême pour l'être humain : la vie. Encore faut-il que celle-ci paraisse acceptable aux yeux de celui qui la possède. Elle ne peut l'être que si elle a respecté les grands impératifs d'honneur et d'action que lui ont dictés ses ancêtres. Point de lyrisme ni de sentimentalisme, mais des hommes debout affrontant à visage ouvert un destin nécessairement cruel puisqu'il les mènera à la mort, mais sans révolte ni désespoir puisque telle est la condition humaine ! — Trad. Gallimard, 1987 ; Aubier, 1973, 1976 ; Payot, 1979, 1980, 1983.

R. Bo.

SAGE (Le) [*De sapiente*]. Traité d'anthropologie du philosophe et mathématicien français d'expression latine Charles de Bovelles (Carolus Bouillus, 1479-1566), composé en 1509, publié à Paris en 1510-1511. L'homme est le centre et l'épilogue de l'univers, car il réunit tous les aspects de la nature : substance matérielle, vie, sens, raison ; il participe de l'inertie de la pierre, de l'avidité de la plante, de la luxure de la bête, de l'intelligence de l'âme raisonnable. Et cela de trois façons différentes et pour trois différentes raisons : par la nature, par l'âge et par la vertu ; et pour chacune de ces manières, selon les quatre aspects et grades définis plus haut. De toutes les filles de la nature, essence, vie, sensibilité, raison, cette dernière seulement est parfaite et digne de prévaloir sur ses sœurs. Seul le savant est véritablement homme ; l'ignorant est incomplet et imparfait : ayant des oreilles, des yeux, un cœur, il n'entend, ni ne voit, ni ne comprend. Trois êtres seulement sont immatériels : Dieu, l'ange, et l'âme humaine. L'homme participe de leur manière de connaissance, à travers la raison, l'intelligence et l'esprit. Or, si la matière, qui n'a presque pas d'existence, n'est point engendrable, si elle est incorruptible, immuable, subsistante, immortelle, combien plus immortelle doit être l'âme. Les biens du corps sont situés entre les deux maux extrêmes, de l'excès et du défaut ; les biens de l'âme sont tels, entièrement et universellement. Le sage agit toujours librement, car il possède l'intelligence, la faculté, la volonté, principes de nos actions ; tandis que l'ignare manque de l'une ou de l'autre. Le savant est donc le « terme véritable et parfait de toutes les choses matérielles contenues dans le firmament, et comme un dieu terrestre et mortel » : mortel son ensemble, mais non ses parties, car le corps se résout en atomes, et l'âme, d'une substance éthérée, ne se dissout point par la mort, mais subsiste intacte et immortelle. Deux sont les mondes intellectuels, l'un au-dessus, l'autre au-dessous du firmament ; deux les mondes sensibles, le monde sublunaire et le corps humain. L'homme savant est l'âme du monde : comme l'âme et le corps forment l'homme, l'homme et le monde forment l'univers ; et comme l'âme est nécessaire pour que l'homme subsiste, l'homme est nécessaire et indispensable pour que l'univers soit complet et subsiste : en particulier, le sage, véritable âme du monde. La sapience est une sorte d'humanité ; elle forme, avec l'homme de la nature, monade initiale, une dyade : un « homme-homme ». Le pouvoir de la sagesse humaine n'étend pas seulement à une dyade, mais bien à une triade, le nombre de l'homme et l'accroissement de l'humanité. L'homme avec sa triple connaissance, raison, imagination, sens, est trois fois triple : dans l'âme (intellect, mémoire : synthèse, concept) ; dans le corps (imagination, corps : spectre sensible) ; dans le monde (âme, monde : espèce sens) ; et il contient toutes les choses, en absorbant la nature entière, en contemplant et en imitant toutes choses. Rien ne lui est particulièrement propre, car tout ce qui est le propre de toute chose lui est commun. La nature a engendré et enfanté deux hommes : l'un, le plus grand, que nous appelons le monde ; l'autre, moindre, qui porte le nom particulier d'homme ; le premier contient en acte toutes les choses, le second, en puissance, la réalité universelle. En toute substance du monde se cache quelque chose d'humain : l'homme est le miroir de l'univers ; la nature le forma en dehors de toutes les choses, pour qu'il pût refléter celles-ci, pour que la nature pût prendre en lui conscience d'elle-même. L'auteur s'étend ensuite sur l'analyse et la confrontation des empreintes multiples de la Trinité divine, dans l'homme et dans la nature entière : il en passe en revue plus de quarante. Il multiplie les tableaux, les schémas, les allégories étranges, les symboles fantastiques qui rapprochent curieusement ses œuvres de celles de Joachim de Flore ; plus équilibrées, en dépit d'une fantaisie débordante, que celles de l'abbé calabrais, elles s'enrichissent des apports de la pensée des humanistes, surtout Pic de La Mirandole et Nicolas de Cues, mais souvent n'en sont pas moins absconses. L'œuvre de Charles de Bovelles élabore, au seuil du XVIe siècle, avec des méthodes et des idées originales, le concept de la Trinité de l'autoconscience de saint Augustin et le contenu de la « vita modernorum » des scolastiques de la décadence ; on y retrouve également certains motifs de l'humanisme chrétien et particulièrement du « divin Denys » (pseudo-Denys l'Aréopagite). Son insistance à marquer distinctement l'opposition qui existe entre le macrocosme de la nature et le microcosme de l'homme, ainsi que la notion qu'il se fait de la réintégration des différences dans l'unité et de la nature dans l'homme, devancent la dialectique des contraires.

SAGES ET ROYALES ŒCONOMIES D'ESTAT, DOMESTIQUES, POLITIQUES ET MILITAIRES DE HENRY LE GRAND (Mémoires des). Ouvrage de l'homme d'État français Maximilien de Béthune, duc de Sully (1559-1641), publié en 1638. Cette édition, qui ne comporte que deux tomes, fut imprimée clandestinement au château de Sully par un imprimeur d'Angers. Il existe plusieurs versions manuscrites. Au dire des commentateurs, la première aurait été écrite entre 1611 et 1617. Venant à peine de dépasser la cinquantaine, Sully n'était pas affaibli par l'âge et il pouvait espérer que sa disgrâce ne serait pas définitive. Bien différente était sa mentalité en 1638. Destitué, mécontent, aigri, il apporta à son texte primitif de multiples remaniements. D'où la nécessité de ne pas confondre la version restée manuscrite (contenant le jet original des Mémoires) avec celle de 1638. Le premier tome contient le récit des faits de 1570 jusqu'au début de 1601, soit de la paix qui prépara le massacre de la Saint-Barthélemy au mariage du roi avec Marie de Médicis. Le second expose la suite des événements jusqu'à la fin de l'année 1605. Le complément de l'ouvrage ne fut publié qu'en 1662, par les soins de Jean Le Laboureur. La relation commence au début de 1606, et s'achève en février 1611, époque à laquelle le duc fut destitué. Elle est complétée par une suite de pièces documentaires diverses transcrites sans ordre : discours, projets de règlements, états de recettes et de dépenses, notes critiques, lettres, etc. Cette troisième partie, quoique due à des scribes différents, est semblable aux deux premières par la prolixité du style et par les digressions. Les *Économies* sont censées avoir été écrites par les secrétaires de Sully. Elles sont rédigées à la seconde personne, comme une sorte de discours que ceux-ci auraient adressé à leur maître. La tâche imposée aux secrétaires consistait à relier les éléments de plus amples relations transcrites au fur et à mesure des incidents. On estime que la compilation de journaux émanant de La Brosse, médecin de Sully, de Maignan, son écuyer, et de La Fond, son intendant, fut confiée au secrétaire Le Gendre. Sully remania personnellement cette compilation. Le manuscrit couvert de corrections de sa main peut donc être considéré comme son œuvre. Il diffère profondément de l'imprimé, le ministre déchu ayant supprimé en 1638 des passages entiers et en ayant ajouté d'autres. Ce sont ces changements mêmes qui font l'objet des plus vives critiques car ils mettent en cause l'authenticité des Mémoires de Sully. Les *Économies royales* sont avant tout une biographie de Sully en forme de panégyrique, une réponse aux mémorialistes qui ont minimisé son rôle. C'est enfin une série d'attaques contre ses ennemis personnels. La vanité de l'ancien ministre, autant que sa haine, se sont donné libre cours. Dans cette version, l'auteur semble s'être proposé moins de retracer l'histoire de son temps que de s'ériger en pivot du règne de Henri IV. Certes, il est attaché à son roi, mais à sa manière, d'une sorte de sentiment grognon et jaloux. Henri IV est présent partout dans son livre ; il lui rend hommage. Toutefois il n'hésite pas à le glorifier pour se grandir lui-même ou à l'amoindrir pour se hausser encore. Malgré le manque d'ordre et la pesanteur du style, les *Économies royales* constituent un ensemble de documents et de détails extrêmement précieux pour l'histoire de Henri IV et pour celle de Sully, jusqu'au jour où il cessa de diriger les finances et de siéger dans les conseils. Elles ont une haute valeur historique. Sans elles, nombre de faits resteraient ignorés et Sully nous serait mal connu, non moins que le caractère de Henri IV. Compte tenu de l'exagération partisane, ce travail témoigne d'une étonnante pénétration. La critique moderne, en général, se montre sévère. Certains érudits parlent non seulement d'erreurs, de lettres arrangées, d'attaques injustes, mais même de pièces fabriquées et de gros mensonges. Il n'est pas douteux que les remaniements successifs rendent l'œuvre suspecte et que, si les *Économies royales* restent un document essentiel sur le règne, c'est à la condition qu'on le consulte avec prudence. Sully n'épargne personne : huguenots et jésuites, catholiques et politiques, amis, ennemis, parents, maîtresses, tous subissent une impitoyable censure. Enfin, on doit se souvenir que la rédaction de la version imprimée et sa mise en ordre sont postérieures de plus de vingt ans à la mort du roi et qu'elle a été publiée sous Richelieu. Les *Économies* sont insignifiantes au point de vue de la politique extérieure de Henri IV et très discutables quant à la question du « grand dessein », vraisemblablement inventé de toute pièce. Elles demeurent vagues sur le rôle de Sully comme financier, grand voyer, restaurateur de l'agriculture, ses plus beaux titres de gloire cependant. Au XVIIIe siècle, l'abbé de l'Écluse reprit le texte des *Économies*, remplaça la deuxième personne par la première, atténua les éloges outrés, émoussa certains traits, analysa des documents, transformant ainsi la lourde narration de Sully en d'élégants et agréables Mémoires.

SAGESSE. Recueil du poète français Paul Verlaine (1844-1896), publié en 1880. Les premiers poèmes de *Sagesse* datent de 1874 et ont été écrits à la prison de Mons, où Verlaine se trouvait enfermé. Il avait été écroué à Bruxelles le 10 juillet 1873, « sous prévention de blessures faites au moyen d'armes à feu sur la personne d'Arthur Rimbaud », comme dit le rapport établi à l'époque par les gendarmes de la ville. Il s'agissait d'une blessure légère faite d'un coup de revolver au bras de son ami qui voulait le quitter ; mais les juges belges, en considération sans doute des mobiles qui avaient déterminé le geste criminel, se montrèrent impitoyables à l'égard du « poète maudit » à qui ils infligèrent deux ans de prison ferme, le maximum de la peine. À Mons, le poète, « après une nuit douce amère passée à méditer sur la présence réelle », se sentit touché par la grâce et chercha dans la religion la consolation de ses misères et le pardon de ses péchés. *Sagesse* est le fruit de cette conversion, indiscutablement sincère, bien qu'elle n'empêchât pas le poète d'écrire en même temps quelques-uns des vers licencieux qui figurent dans *Parallèlement* (*). Peu après sa sortie de prison, intervenue quelques mois avant la date prévue, le 16 janvier 1875, Verlaine alla s'enfermer à la Trappe, mais il ne put y tenir plus d'un mois. Il ne devait pas tarder à reprendre sa vie bohème et licencieuse d'autrefois. Mais il ne renia pas pour autant son adhésion au catholicisme et bon nombre parmi les poèmes de *Sagesse* sont postérieurs à sa libération. Quant à la valeur poétique du recueil, sans doute quelques-uns parmi les plus connus, et aussi les plus beaux poèmes de Verlaine, y figurent-ils (« Écoutez la chanson bien douce » ; « Les chères mains qui furent miennes » ; « L'espoir luit comme un brin de paille dans l'étable » ; « Je suis venu calme orphelin » ; « Un grand sommeil noir » ; « Le ciel est par-dessus le toit » ; « Je ne sais pourquoi » ; « Le son du cor s'afflige dans les bois » ; « L'échelonnement des haies ») ; mais ce sont rarement les plus « catholiques » ; l'inspiration en est plutôt comparable à celle des *Romances sans paroles* (*). En réalité, le catholicisme de Verlaine, autour duquel on a tant discuté, n'a apporté aucun élément nouveau à son génie poétique, qui avait déjà atteint à cette époque son plein épanouissement.

SAGESSE (Livre de la) ou Sagesse de Salomon. Un des livres de l'Ancien Testament – v. *La Bible* (*) – composé entre les années 100 et 50 av. J.-C. Directement écrit en langue grecque, ce livre ne figure pas au canon hébraïque. Son auteur, dont le nom est demeuré inconnu, est vraisemblablement un Juif originaire d'Alexandrie. Le sujet traité a, par la suite, été repris et complété par les évangélistes, les apôtres, saint Paul en particulier, à la lumière des enseignements du Christ. La sagesse n'est autre que la connaissance de Dieu et des choses divines ; spéculative ou pratique, elle est un don du Très-Haut ; elle participe de la nature de la Sagesse immanente, qui créa jadis tous les êtres et qui aujourd'hui les régit. Tel est le thème central de l'ouvrage – thème exposé et développé avec autant de rigueur que de clarté. On y relève une allusion préfigurative, à peine voilée, au mystère de la Sainte Trinité ; le *Livre de la Sagesse*, en effet, contient déjà en germe la doctrine du Verbe par qui Dieu créa toutes choses (IX, 1 ; cf. *Jean* I, 3). Le Verbe est omnipotent ; consubstantiel à Dieu, il est, comme Dieu, l'infinie sagesse et l'infinie bonté (VII, 25 et ss.) et se tient auprès du trône divin (IX, 4 ; *Jean* I, 3 « Assieds-toi à ma droite »). Il est également fait mention de la troisième personne de la Trinité, l'Esprit saint (I, 5), qui est l'esprit du Seigneur (I, 7) descendu du ciel (IX, 17). Le septième verset du chapitre VIII fait en outre allusion aux quatre vertus cardinales : tempérance, prudence, justice et force d'âme. L'ouvrage débute par une adresse aux rois et aux puissants de la terre : « Aimez la justice, vous qui jugez la terre. » Il se divise en deux parties. La première, essentiellement théorique, énumère toutes les raisons propres à faire rechercher la sagesse et expose les avantages qu'il y a à la pratiquer. L'auteur, à cet effet, prête la parole à Salomon lui-même, le plus sage des rois (980 ?-930 ?). Puissamment évocateur et persuasif dans certains passages : portrait de l'épicurien athée (II), tableau du Jugement dernier (V, 15-23), éloge de la sagesse (VII, 26 ; VIII, 1), le style devient incisif, sarcastique, dès que l'auteur aborde le chapitre de l'idolâtrie (XIII, 11-19). La deuxième partie, de caractère historique, paraphrase et développe la prière que Salomon, le premier jour de son règne, avait adressée au Seigneur pour lui demander la sagesse. L'auteur s'attache ensuite à décrire les effets de ce don divin sur l'esprit des patriarches et du peuple élu, et à dénoncer l'inanité et la corruption de ceux qui s'adonnent à l'idolâtrie. Les six premiers chapitres du *Livre de la Sagesse* sont une ébauche de la future doctrine chrétienne sur l'immortalité de l'âme, le Jugement dernier, la récompense des bons et le châtiment des méchants. – Traduction œcuménique de *La Bible*, Éd. du Cerf, 1988.

SAGESSE D'ANII (La) ou l'Enseignement du scribe Anii. « ... juste enseignement qu'a fait le scribe Anii, appartenant au palais de Nefertari. » Ce texte de l'ancienne Égypte date du Nouvel Empire. Nefertari était

l'épouse du roi Ahmose, premier souverain de la XVIIIe dynastie (1580-1558 av. J.-C.). Nous connaissons l'existence de ce texte grâce à plusieurs copies sur papyrus malheureusement mutilées et à une copie tardive sur tablette conservée au Musée de Berlin qui, elle, présente le texte complet. *La Sagesse d'Anii* s'inscrit dans la tradition de l'enseignement qu'un père transmet à son fils ; enseignement nourri des traditions ancestrales et des propres réflexions que le père a tirées de son expérience de la vie. Ce type d'enseignement contribuera, par sa portée universelle, à l'élaboration, au fil du temps, de la morale hébraïque et de la morale chrétienne — v. aussi *La Sagesse de Ptahhotep* (*). L'importance de ce texte réside bien sûr dans l'intérêt toujours vif de ses maximes : « Lorsque s'est écoulé le courant de l'eau de l'an passé, un autre est là en cette année ; de grandes mers deviennent des étendues arides, tandis que les rivages d'antan se transforment en profondeur. Un homme n'a pas qu'une seule manière d'être, lorsqu'il répond, tandis qu'il vit (litt. "lorsqu'il est possesseur de la vie") », mais aussi dans la discussion finale entre Anii et son fils, le scribe Khnoumhotep, à propos de l'influence de l'éducation sur la nature originelle de l'être.
— Trad. *Textes sacrés et textes profanes de l'ancienne Égypte,* t. I, Gallimard, 1984.

SAGESSE DANS LE SANG (La) [*Wise Blood*]. Premier roman de l'écrivain américain Flannery O'Connor (1925-1964), publié en 1952. Hazel Motes, petit-fils d'un évangéliste, vient d'être démobilisé. Il n'a plus de famille et se rend dans une ville du Sud, Taulkinham, où il ne connaît personne. Là, il découvre l'amour dans les bras d'une prostituée dont il a lu le nom et l'adresse dans les lavabos de la gare. Puis il est fasciné par un évangéliste aveugle, Asa Hawks. Un autre solitaire rencontré dans la rue, le jeune Enoch Emery, qui est gardien au jardin zoologique et croit avoir « la sagesse dans le sang », s'efforce en vain de gagner son amitié. Au bout de quelques jours, Hazel Motes achète une vieille voiture à l'aspect pitoyable et, à l'exemple de son grand-père, devient prêcheur ambulant. Il a fondé sa propre secte — dont il est le seul adepte — l'Église sans Christ, qui nie le péché et n'a que faire d'un Rédempteur. Espionnant Hawks, Hazel parvient à découvrir que l'évangéliste est un faux aveugle, un imposteur. Pour appliquer ses théories, le prophète de l'Église sans Christ tente de pervertir la fille du pseudo-aveugle, Sabbath Lily, mais en fait c'est celle-ci qui, complètement corrompue, entraîne le jeune homme dans son lit. Cependant, obéissant à une trouble inspiration de son « sang », Enoch décide de fournir à Hazel un « nouveau Jésus » : une momie qu'il vole dans la vitrine d'un musée, puis installe dans sa table de toilette transformée en tabernacle. Dans une parodie inconsciente de la scène de la Nativité, Sabbath Lily bercera dans ses bras le « nouveau Jésus » avant que Hazel ne détruise la momie. Hazel ne rencontre aucun succès dans sa prédication, mais, un autre prophète ayant eu la malencontreuse idée de lui faire concurrence, il le tue en l'écrasant sauvagement sous sa vieille voiture. Peu après ce forfait, le criminel s'aveugle avec de la chaux vive, cherchant dans la cécité la vérité et la pureté qu'il n'avait cessé de piétiner. Un jour d'hiver, des policiers le découvriront agonisant dans un fossé, les souliers emplis de morceaux de verre et la poitrine bardée de fil de fer. Stigmatisant les faux prophètes qui se sont écartés de l'orthodoxie, Flannery O'Connor, romancière catholique, use d'une violence qui rappelle la Série noire et corse son étrange récit d'un humour grinçant. « Le style de Flannery O'Connor, a écrit William Goyen, est serré jusqu'à l'étouffement, aussi direct, aussi brutal que l'ordre donné à un peloton d'exécution de tirer sur l'homme debout devant le mur. »
— Trad. et Préface M. E. Coindreau, Gallimard, 1959. Un excellent film a été tiré du roman par John Ford.

SAGESSE DE PTAHHOTEP (La) ou l'Art de vivre de Ptahhotep. Traité de morale de l'ancienne Égypte (le plus ancien connu actuellement). Ptahhotep (nom qui signifie « Puisse le dieu Ptah être satisfait ») était vizir du roi Isesi, avant-dernier roi de la Ve dynastie (vers 2400 av. J.-C.). On possède quatre copies de ce texte : trois sur papyrus, une sur tablette de bois. Le texte le plus complet est inscrit sur le papyrus Prisse conservé à la Bibliothèque nationale de Paris, cette copie date du Moyen Empire ; les deux autres copies sur papyrus sont au British Museum, elles datent du Moyen et du Nouvel Empire ; la tablette de bois ne comporte que le début du texte, elle se trouve au musée du Caire, l'inscription date du Nouvel Empire.

Ce traité de morale, « modèle pour les enfants des Grands », s'inscrit dans la tradition de l'enseignement tel que doit le transmettre un père à son fils — v. *La Sagesse d'Anii* (*) ; il est à la fois porteur des traditions ancestrales et des réflexions personnelles de l'auteur. Ce type d'enseignement atteint une valeur universelle qui au fil du temps contribuera à l'élaboration de la morale hébraïque et de la morale chrétienne. Dans la construction du texte, trois étapes peuvent être distinguées : en introduction, avec toute l'humilité orientale de celui qui s'adresse à son souverain, Ptahhotep présente sa propre personne et l'objet de son intervention : « Le maire de la ville, le vizir Ptahhotep, dit : "Ô souverain, mon seigneur, le grand âge est maintenant arrivé, la vieillesse s'est abattue [...] Permets donc que l'on ordonne à ton serviteur (Ptahhotep lui-même) de constituer un bâton de vieillesse, afin que je puisse lui dire les paroles de ceux qui autrefois ont écouté, et les conseils des ancêtres qui obéirent aux dieux" » ; suivent les maximes elles-mêmes qui traitent aussi bien des règles de conduite en société que des directives intellectuelles et morales à observer : « Si tu figures parmi les convives assis à la table d'un personnage plus important que toi, prends ce qu'il te donne lorsque cela t'est présenté : ne regarde pas ce qui est devant lui, mais ce qui est devant toi... », « Que ton cœur ne soit pas altier à cause de ce que tu sais ; n'emplis pas ton cœur du fait que tu es un savant » ; en conclusion, Ptahhotep revient aux raisons de son intervention et développe une réflexion sur les vertus de l'enseignement d'un père à son fils, ce dernier devant apprendre à écouter pour à son tour transmettre les paroles de sagesse. « Ceci, c'est donc apprendre à parler à un homme que l'on écoute, il est bon de s'adresser à la postérité, car elle entendra », « Agis aussi de façon que ton maître dise à ton propos : "Comme il est parfait celui que son père a instruit, après qu'il fut sorti de son corps. Il lui a dit tout ce qu'il avait acquis, entièrement – mais ce qu'il a fait est plus grand encore que ce qui lui a été dit." » – Trad. *Textes sacrés et textes profanes de l'ancienne Égypte,* t. I, Gallimard, 1984.

SAGESSE DIVINE ET LA THÉANTHROPIE (La). Cette œuvre du théologien russe Serge Boulgakov (1871-1944) forme une trilogie qui embrasse tout l'exposé de la théologie : I. *Le Verbe incarné ou Agnus Dei ;* II. *Le Paraclet ;* III. *L'Épouse de l'Agneau.* L'auteur composa cette trilogie dans les dernières années de sa vie entre 1930 et 1940, alors qu'il était professeur de dogmatique à l'Institut orthodoxe de Paris.

Le Verbe incarné, qui forme le premier tome de cette trilogie, présente d'abord le prologue de la symphonie, puis développe le premier thème, celui du « Dieu-Homme ». Le Prologue annonce les leitmotive de la pensée de Boulgakov (« La Sagesse divine », 1re partie, p. 7 à 38) : – *a*) La Trinité, autorévélation de la Nature divine. Le propre de l'Esprit est d'être l'indissoluble unité d'une personnalité et d'une nature : le moi doit être vivant et vécu. La nature ou le non-moi est donc, à la fois, la source obscure où le moi puise sa vie et le fleuve de vie qui en découle, à la fois potentiel de force cachée et déploiement d'une structure déterminée. C'est que l'Esprit absolu est Trinité. L'affirmation de soi : « Je suis Moi », doit être tri-hypostasique, c'est-à-dire que le sujet, le « Je », ne peut s'exprimer que dans une Nature qui soit elle-même totalement hypostase, qui soit un Moi-Non-Moi, c'est-à-dire un autre Moi, et ne peut vivre l'identité vivante avec cet autre Moi que dans une troisième hypostase, qui n'est plus le Logos, mais la Copule, l'Être. – *b*) La Trinité, sacrifice éternel d'amour ou « kénose ». Cette extase de chaque moi dans l'autre, pour exprimer l'unité divine, est une extase d'amour. L'amour est sortie de soi, dévastation de soi-même pour l'autre, kénose c'est-à-dire anéantissement. Ainsi, il y a une kénose du Père, c'est-à-dire que le Père, en engendrant le Fils, donne totalement son moi à un autre Moi. Il y a une kénose du Fils qui accepte d'être tout entier au Père, d'être uniquement la révélation du Père. Ces dons réciproques sont des actes de sacrifice, et l'Esprit Saint représente « la béatitude du sacrifice apporté et mutuellement accepté » (p. 18). Il y a donc aussi kénose de l'Esprit Saint en tant qu'il n'existe pas pour soi, mais qu'il est tout entier dans les autres. – *c*) La Nature divine comme Sagesse ou Sophie. Bien que totalement personnalisée ou hypostasée, c'est-à-dire totalement limpide, la nature divine a sa réalité propre, car Dieu n'est pas une conscience de soi abstraite, mais vivante et vécue. On peut distinguer deux aspects dans la nature divine : en tant que source et puissance de la vie, la nature est essence (« ousie ») ; en tant que déploiement de la vie, elle est Sagesse ou Sophie. C'est là, avec la kénose, l'intuition centrale de Boulgakov ; la Sagesse divine ou Sophie, c'est le déploiement de la nature de Dieu : « natura naturata. » On peut donner beaucoup de noms à cette Sagesse divine : on peut l'appeler l'Icône propre de la divinité, l'Idée de toutes les idées, la Beauté de toutes les images de Beauté, l'Unité concrète de toute vie, le Logos en tant que le Père révèle sa Sagesse dans le Fils, la Gloire en tant que l'Esprit Saint hypostasie la Joie et la Gloire de la divinité. Enfin la Sagesse est Théanthropie. – *d*) La Théanthropie (ou Déi-humanité). La Sagesse divine s'hypostasie, prend visage dans la dyade du Fils et de l'Esprit Saint, c'est-à-dire que l'unité du Logos et de l'Être, du Sacrifice et de la Joie révèle la nature du Père. Par le fait même, Fils et Esprit Saint, en donnant visage à la Sagesse, sont la Déi-humanité, si l'humanité est une nature qui s'hypostasie. La dyade du Fils et de l'Esprit Saint est le modèle de la dyade qui fait l'intégrité humaine, celle du masculin et du féminin.

C'est à ce thème du Dieu-Homme qu'est consacré l'ensemble du livre sur *Le Verbe incarné.* Ce nom d'« Agneau de Dieu » résume d'ailleurs l'idée directrice. Le Dieu-Homme, Jésus-Christ, est l'« Agneau immolé avant la création du monde » parce que le Verbe, le Fils s'immole au sein même de la Trinité dans la kénose de l'amour trinitaire, s'immole ensuite dans l'extase de l'amour créateur du monde, s'immole enfin dans l'extase de l'Incarnation. Et, au fond de toute éternité, le Verbe est Humanité éternelle parce qu'il est Fils, c'est-à-dire image du Père. Théorie « kénotique » et théorie « sophianique » sont intimement liées dans la contemplation de la création du monde (IIe partie, « La Sagesse créée », p. 38 à 80 et également le chapitre I : « Dieu et le Monde », de la IIIe partie, p. 81 à 93).

La création du monde consiste dans une

extase, donc une kénose de l'Amour divin, qui a voulu aimer, non plus seulement dans sa propre vie, mais aussi ailleurs qu'en Lui-même dans la Création (p. 40). La création du monde consiste en ce que Dieu a posé Son propre monde divin, non pas comme un monde éternellement existant, mais comme un monde en devenir (p. 47). Autrement dit, le monde créé, c'est la Sagesse divine elle-même sous l'aspect de créature : Dieu, pour ainsi dire, projette sa propre essence en dehors de lui-même pour qu'elle se mette en quête d'elle-même, pour qu'elle s'accomplisse dans le devenir. Ainsi, l'Absolu divin veut être un Absolu-Relatif, l'Absolu existant pour un autre, c'est-à-dire pour le Monde. Il y a donc une exigence de l'Incarnation au sein de la Création : Dieu veut participer au devenir du monde. Boulgakov insiste avec une vigueur extrême sur la réalité du temps pour Dieu créateur ; dans le monde et avec le monde, Dieu vit dans le temps. Mais pour cela il faut que Dieu soit homme : car la Sagesse créée, qui n'est autre que la Sagesse divine en devenir, tend à s'hypostasier dans l'homme qui doit devenir l'image filiale de Dieu. Ainsi l'« Incarnation » (IIIe partie, chapitre II) du Fils de Dieu, du Logos divin, exprime la relation la plus fondamentale de Dieu avec le monde (p. 94 à 108). Les termes du problème du motif de l'Incarnation sont renversés : ce n'est pas à cause du péché de l'homme que le Verbe s'incarne, mais puisque Dieu veut, dans la logique de la Création, se « loger » lui-même dans le monde, devenir sujet du devenir du monde, le péché, pas plus que le non-être de la créature, ne lui est un obstacle : l'Agneau de Dieu devient porteur volontaire des péchés du monde. La création de l'homme attendait l'« inhumanation » du Logos.

Ainsi se découvre la réalité de la Théanthropie (IIIe partie, chap. III et IV, p. 109 à 137) telle qu'elle est définie, négativement d'ailleurs, par le IVe concile de Chalcédoine : le Christ est une hypostase en deux natures, divine et humaine « sans confusion », « sans changement », « sans division », « sans séparation ». Pour Boulgakov, l'unité de Dieu et de l'homme est éternelle : il y a un Dieu-Homme céleste qui est le Verbe et un Dieu-Homme terrestre qui est le Seigneur Jésus-Christ. Dans la Trinité, le Verbe donne visage au Corps divin ; dans le monde créé, l'homme donne visage au Cosmos. Mais l'unité fondamentale de la Sophie divine et de la Sophie créée fait aussi l'unité du Logos et de l'Homme. Cette unité rend possible l'Incarnation. Sophie divine et Sophie créée ne diffèrent que par la condition de leur être ; la Sophie divine est Gloire, Éternité, Unité ; la Sophie créée est devenir, multiplicité, succession. Si la nature humaine peut recevoir comme son hypostase propre l'hypostase du Verbe, puisqu'au fond celle-ci est l'hypostase humaine par excellence, la nature divine liée à l'hypostase du Verbe doit revêtir une condition d'être inférieure ; le Verbe en s'incarnant s'humilie.

Connaître le Dieu-Homme (IVe partie, p. 139 à 253), c'est contempler la kénose du Fils de Dieu. Cette kénose (chap. I, p. 139 à 174) doit être admise à partir des textes scripturaires : le Verbe s'est fait chair, cela veut dire : Dieu est devenu non-Dieu, le Créateur est devenu créature. Pour exprimer cette kénose, on peut dire que si Dieu, tout en continuant de vivre par soi, d'être Dieu, peut cesser d'être Dieu pour soi, Dieu a la liberté de limiter par amour sa condition divine, c'est-à-dire sa Gloire pour lui-même. La kénose ne change rien à l'être du Fils, à ses relations trinitaires, à son rôle dans la création du monde, mais la mesure de la nature divine devient l'essence humaine : la nature divine s'ajuste « kénotiquement » à la nature humaine de telle sorte que Dieu en le Christ ne se révèle qu'à travers l'homme (p. 165).

Boulgakov aborde donc avec une grande hardiesse les problèmes que pose l'union des essences divine et humaine dans le Christ (chap. II : « L'Union des essences », chap. III, « La Conscience théanthropique », p. 175 à 253). Il ne veut pas que l'Incarnation soit une sorte de comédie jouée par le Verbe sous le masque d'un homme : le Verbe souffre réellement, ignore réellement, prie réellement, prend conscience de soi réellement et humainement.

L'« Œuvre du Christ » (Ve partie, p. 255 à 377) est aussi théanthropique, humano-divine ; elle est « le centre de toute la vie de l'humanité sur la terre... le fondement même de l'humanité dans l'éternité » (p. 255). Son but est de donner à l'humanité entière la conscience théanthropique, la conscience divine du Verbe. Cette œuvre du Christ se présente sous trois aspects : le « ministère prophétique » (chap. I, p. 255 à 268), le « ministère sacerdotal » (chap. II, p. 269 à 346), le « ministère royal » (chap. III, p. 347 à 377). On peut dire que, par le Christ, Dieu est devenu : Dieu *et* le monde (p. 335). Le ministère royal du Christ continue jusqu'à l'instauration définitive du royaume du Christ ; Boulgakov professe un panchristisme décidé : « Le discours très précis sur le Jugement dernier où le Juge atteste que le Christ vit en chaque homme et peut être, d'une certaine manière, connu et accessible à tout homme que juge le Christ, ce discours confirme dans l'ensemble cette idée générale, à savoir que toute l'histoire humaine après le Christ, avec sa dialectique brisée et étrange, est essentiellement l'histoire *chrétienne,* liée à l'Église du Christ comme à sa finalité intérieure » (p. 338).

Le deuxième volume de la trilogie, *Le Consolateur,* achève l'étude de la dyade Verbe-Esprit dans laquelle se révèle le Père. Après une étude de la tradition patristique sur l'Esprit Saint (p. 7 à 60), qui montre que les pères n'ont pas encore de théologie vraiment trinitaire, Boulgakov expose comment la réflexion sur l'Esprit Saint pose le problème trinitaire : ce problème doit être énoncé en termes de révélation et non de causalité, comme malheureusement l'ont fait les polémistes de la querelle du *Filioque* (p. 61 à 143). Suit l'exposé propre de la pneumatologie de Boulgakov : étude scripturaire (p. 145 à 169) ; étude théologique : comment la Sophie divine, révélation du Père, s'actualise-t-elle dans la dyade Fils-Esprit Saint, et comment cette dyade s'exprime-t-elle dans la Sophie créée ? (p. 171-210). Parallèlement à l'œuvre du Verbe Incarné est étudiée ensuite la « révélation du Saint-Esprit » dans le monde (création, Ancien Testament, Incarnation, Pentecôte), en de magnifiques pages, consacrées notamment à l'amour et à la charité. La Pentecôte, la descente personnelle de l'Esprit Saint dans le monde, est l'aboutissement de la théanthropie, c'est-à-dire de l'unité de l'Humanité et de la Divinité.

On a accusé de gnosticisme sa théorie « sophianique ». Et en effet, si elle puise son origine dans *La Bible* (*Prov.* VIII-IX ; *Sag.* VII-XI ; *Eccle.* I, 24), elle s'inscrit aussi dans une tradition de saveur gnostique, qui passe par Philon, la kabbale, Boehme (cf. Berdiaev : *Deux études sur Boehme,* en introduction à la traduction du *Mysterium magnum,* Aubier 1948), Novalis (la fiancée de Novalis qui inspira toute sa pensée mystique s'appelait Sophie) et Schelling. Bien que Boulgakov critique ce courant de pensée, qui conçoit la Nature de Dieu comme un « Urgrund » obscur, il en reste tributaire, dans la mesure où il admet la problématique de l'idéalisme allemand. Il faudrait ajouter l'influence de Soloviev et de la poésie russe du début du XXe siècle. Mais la pensée de Boulgakov réalise une totale purification métaphysique de cette tradition sophianique, parce qu'elle l'éclaire à la lumière du mystère de l'Incarnation. Il en est de même de la théorie « kénotique » : Boulgakov cite lui-même (p. 146, n. 1) les représentants les plus marquants de cette doctrine. Mais sa théorie de la kénose n'est autre qu'une métaphysique de l'amour : l'amour est créateur parce qu'il est extatique. Boulgakov a su voir que l'ordre de l'amour, qui est l'ordre des personnes, transcende les limites et les barrières des natures et que si l'Absolu est Amour, il doit se nier comme Absolu et se vouloir Relatif. Mais la théorie de la kénose provient également d'une reconnaissance hardie du réalisme de l'Incarnation. Elle essaie de rendre compte du mystère indicible d'un Dieu vivant dans le temps (sur la théorie « kénotique », voir l'article *Kénose,* par le R. P. Henry dans le *Supplément du Dictionnaire de la Bible,* 1950). Il est extraordinaire de constater combien cette pensée qui semble sans cesse recourir à des a priori métaphysiques, à des spéculations gnostiques, s'alimente en fait à la contemplation de la figure humaine de Jésus dans l'*Évangile.* – Trad. Aubier, 1943-1946 ; L'Âge d'Homme, 1982-1984.

SAGESSE D'UNE FEMME (La) [*La prudencia en la mujer*]. Comédie en vers, en trois journées, de l'écrivain espagnol Tirso de Molina (frère Gabriel Téllez, 1583 ?-1648), publiée dans la *Tercera parte* de son théâtre (1634). C'est, de l'avis général, le chef-d'œuvre du théâtre espagnol de caractère historique, si brillamment illustré pourtant par Lope de Vega et Calderón. L'héroïne est la reine Maria, veuve du roi Sanche le Brave et mère de Fernando IV (XIVe siècle), aux temps si troublés où elle luttait âprement pour conserver la couronne à son fils. Deux oncles paternels de Fernando, les infants don Juan et don Enrique, tentent de lui ravir son trône. Don Enrique, nommé régent, ourdit sa trame dans l'ombre, tandis que don Juan a pris ouvertement les armes. En revanche, le généreux et loyal don Diego López de Haro, qui est épris de la reine, lui demeure fidèle, ainsi que deux puissantes familles, les Benavides et les Carvajales, qui, pour la circonstance, ont fait taire leur rivalité. Cette comédie, dont le style porte la marque de l'humanisme renaissant, ne manque pas de force comique, et plus d'une scène (telle la tentative d'empoisonnement) est du grand théâtre. Elle garde encore aujourd'hui l'audience d'un public moyen. Molina a merveilleusement rendu le machiavélisme débonnaire de don Juan, figure à la fois naïve et démoniaque, opiniâtre dans l'infortune et insensible à la générosité de sa souveraine. – Trad. Michel Lévy, 1863.

SAGESSE GRECQUE (La) [*La sapienza greca*]. Œuvre du philosophe italien Giorgio Colli (1917-1979), conçue initialement en onze volumes ; seuls deux parurent du vivant de l'auteur (1977 et 1978) et un troisième, consacré à Héraclite, fut publié posthume (1980) par Dario del Corno. Le projet de *La Sagesse grecque* apparaît comme l'aboutissement du travail philosophique et éditorial de Giorgio Colli. Il s'agissait pour lui de repenser le corpus des «présocratiques» non plus rétroactivement à partir de Socrate et en deçà, mais activement à partir de ce qui constituait selon lui la source de la sagesse grecque. Le terme « présocratique » devenait alors caduc et il lui préféra celui de « Sages », qu'employait encore Platon pour désigner ces auteurs. On doit à Colli d'avoir fait reculer de quelques décennies encore l'origine de la sagesse. Ce n'est donc plus à Thalès de Milet que revient l'honneur d'ouvrir le corpus des *Sages* mais bien à Dionysos lui-même. Cet ancrage de la sagesse au cœur même de ce qui d'ordinaire concerne strictement la sphère religieuse bouleverse entièrement l'idée que l'on pouvait avoir jusqu'alors de ce qui fonde la pensée occidentale. Éleusis n'apparaît plus seulement comme un rituel mystique, mais comme une « fête de la connaissance », et c'est justement ce contact de l'expérience mystique et cognitive qui constitue l'innovation majeure de Colli. Pour lui « l'opinion des modernes sur ce corpus archaïque dérive essentiellement des falsifications aristotéliciennes, éventuellement reprises et élaborées par l'historiographie hégélienne ». Il s'agit dès lors de reconstituer cette parole de l'« immédiateté » en échappant à l'emprise du discours corrupteur. C'est donc par rapport à Aristote que se situeront les textes retenus, pour lesquels il refuse la répartition en « fragments » et « témoignages » habituellement utilisée. À chaque corpus correspond une série de fragments (A) dont la source est antérieure à Aristote – et de fragments (B) qui lui sont postérieurs. Cette partition ne sera toutefois pas appliquée de manière rigide mais concernera surtout le degré de crédibilité des fragments cités. Le premier volume est consacré à Dionysos, Apollon, Orphée, à Éleusis, aux Hyperboréens, à l'Enigme. Le second à Épiménide, Phérécyde, Thalès, Anaximandre, Anaximène, Onomacrite. Est donnée en appendice à ce volume une nouvelle édition du premier livre du *De physicorum opinionibus* de Théophraste. Le troisième volume est entièrement consacré à Héraclite. *La Sagesse grecque* est aussi pour Colli l'occasion de mettre à l'épreuve du texte un certain nombre de concepts fondamentaux qui furent au centre de son œuvre philosophique. Il propose par exemple, pour traduire le terme grec « logos », d'utiliser « expression », s'appuyant sur l'élaboration complexe et brillante d'une *Philosophie de l'expression* dans son œuvre qui porte ce titre [*Filosofia dell'espressione,* 1969]. L'expression, selon Colli, renvoie à la substance du monde, à l'inconnu. Elle est le logos authentique, d'avant la représentation. Ces « décisions », et peut-être aussi le caractère inachevé de l'entreprise font de *La Sagesse grecque* une œuvre de Giorgio Colli à part entière. – Trad. Éditions de l'Éclat, 1990-1992.

M. V.

SAGOUIN (Le). Roman de l'écrivain français François Mauriac (1885-1970), publié en 1951. Le baron Galéas de Cernès, « un monstre débile », tel il était bien apparu à Paule, fille de l'ancien maire de Bordeaux, au temps de ses fiançailles et le jour de son mariage. Mais une « vanité imbécile... le désir de forcer l'entrée d'un milieu interdit » lui masquaient alors la réalité dérisoire du sort qui l'attendait. Maintenant « elle se débattait... dans les ténèbres d'une fosse où elle-même s'était précipitée et d'où elle savait qu'elle ne remonterait pas ». Chienne prisonnière, ayant devant elle des années « à hurler après le mâle absent », c'est à Guillou, son fils, que Paule faisait porter le poids de sa rage et de son exaspération, ne tenant aucun compte de ses « larges yeux couleur de mûres », haïssant en revanche cette « lèvre inférieure un peu pendante » qui lui rappelait une bouche détestée. Pour braver la fierté de sa belle-mère, la baronne de Cernès, et surtout pour sortir de son silence et tenter de se justifier d'une rumeur qui la rend responsable du déplacement d'un jeune prêtre, Paule prend une initiative qui scandalise son entourage. Sous prétexte de parfaire l'éducation de Guillou, qu'aucun établissement scolaire ne consent à garder, elle traîne le bambin chez l'instituteur du village, « un rouge... qui sûrement irait loin ». Au terme de cette marche au supplice, Guillou avait découvert l'existence d'un monde de douceur et de beauté, celui à l'usage du jeune fils de l'instituteur. Ce dernier, absorbé par le tumulte de ses idées et de ses sentiments, s'était dérobé à la tâche de « sauver ce petit être frémissant », lui qui « aurait dû s'émerveiller d'entendre cette voix fervente de l'enfant qui passait pour idiot ». Rendu à sa condition de sagouin, de petit animal « vilain, sale et bête », Guillou avait instinctivement trotté, entraînant son père à sa suite, vers « l'eau endormie de l'écluse », seule capable de le « délivrer de la Gorgone »... de Paule qui, sur son lit de mort, refusera la morphine, s'acharnant à « boire ce calice jusqu'à la dernière goutte ». Vouée à la noirceur, cette courte histoire doit à la perfection d'une technique littéraire éprouvée de ne pas être qu'un cruel et complaisant constat naturaliste.

SÂHIB NÂMÉ [*Le Livre du Seigneur*]. Recueil d'environ trois cents brèves poésies lyriques du poète persan Mosleh al-Dîn Saadi (1209 ?-1292), composé en l'honneur de Chams al-Dîn Joveïni, « Sâhib-divân » (premier ministre) de l'empereur Houlagou et de son successeur, Abaqa Khân. Il s'agit de « ghazal » (brèves compositions contenant un nombre variable de distiques), de « qasidé » (compositions analogues aux précédentes, mais aux vers plus longs, à la forme toujours grave et solennelle) et de « rubaï » (quatrains de caractère philosophique et épigrammatique). L'ouvrage contient des conseils, des préceptes et des sentences, tirés de l'expérience du poète ainsi que quelques épigrammes. Saadi s'en excuse auprès du dédicataire, mais l'amitié qu'il lui porte l'oblige à songer avant tout à son édification. Toute amitié, déclare-t-il, est impossible entre le sot et le sage, ce dernier se voyant réduit au silence du fait que l'autre serait tout juste capable de débiter des sornettes. D'autre part, les défauts innés, tels que la cupidité, l'avidité, brisent même l'amitié la plus solide ; nous retrouvons là, comme dans le *Golestân* (*), l'idée maîtresse de Saadi, selon laquelle les dispositions naturelles sont plus fortes que les bienfaits de l'éducation. Celui qui est né méchant penche vers le mal, et celui qui, dès sa naissance, se révèle sans talent, ne pourra jamais devenir un homme de valeur, même s'il étudie pendant toute sa vie. Néanmoins, l'instruction est nécessaire à celui qui est capable d'apprendre. Le poète enseigne qu'il ne faut pas révéler ses secrets même à son ami le plus fidèle, car ce dernier à son tour peut avoir d'autres amis fidèles, auxquels il racontera vos confidences. Saadi répète souvent cette idée, chère aux poètes de l'Orient, que la vie est vaine, de même que les honneurs et les triomphes. Le prince doit craindre les larmes de son peuple comme le pire des poisons ; personne ne doit s'enrichir au prix de la misère d'autrui. Certains aphorismes définissent parfaitement l'âme bonne et douce du poète : mieux vaut être une fourmi que chacun foule aux pieds que la guêpe qui pique et blesse avec son aiguillon. Il semble bien que ce recueil soit fait de pensées que le poète notait de plein vol sans se soucier de leur ordonnance. W. Racher, auteur d'une édition critique du *Sâhib-nâmé,* déclare que cette œuvre peut être comparée aux *Proverbes de* Goethe — v. *Poésies* (*) de Goethe.

SAINT (Le) [*Der Heilige*]. Roman historique de l'écrivain suisse de langue allemande Conrad Ferdinand Meyer (1825-1898), publié en 1879. Un rude guerrier, qui fut le serviteur et le confident du roi anglo-normand Henri II Plantagenet, tandis que les cloches sonnent pour célébrer la canonisation de Thomas de Cantorbéry, fait le récit de la vie du nouveau saint. Thomas Becket, chancelier d'Henri II, domine par son intelligence supérieure le roi, les quatre princes dont il est l'éducateur et qui l'adorent, ainsi que les belliqueux guerriers normands. Le pâle visage de Becket, ses yeux noirs et son silence énigmatique rappellent son origine à moitié sarrasine. Il a une fille, qu'il cache dans une demeure perdue dans la forêt ; le roi y passe un jour, et, enflammé par la beauté exotique de la jeune fille, la séduit sans savoir qui elle est. La terrible reine Éléonore la fait tuer par vengeance. Le roi apprend tout et est atterré. Mais Thomas garde son silence mystérieux. Alors que le roi se croit pardonné, Becket prépare sa vengeance. À la mort de l'archevêque de Cantorbéry, il le remplace et devient primat. Il mène alors une vie d'ascète et acquiert sur la Cour et le peuple un immense ascendant. Il ouvre les couvents et les églises aux Saxons opprimés et dresse cette immense majorité contre la minorité normande. Les enfants du roi, privés de sa direction, se querellent. Henri et les barons, pris de peur, font assassiner Thomas alors qu'il célèbre la messe, le 29 décembre 1170. Le crime provoque la fureur du peuple ; Richard Cœur de Lion condamne son père, qui fait en vain publiquement pénitence. Henri II meurt avec le pressentiment de la fin de l'Angleterre normande. Cette œuvre de Meyer eut un immense succès, dû aux magnifiques dons d'historien et d'écrivain qui y éclatent : c'est un chef-d'œuvre de la technique moderne du récit. — Trad. L'Âge d'homme, 1984.

SAINTE BARBEGRISE. Récit de l'écrivain français Noël Devaulx (né en 1905), publié en 1952. Ce livre se présente comme des souvenirs d'enfance, mais l'auteur a en réalité imaginé une famille charmante et farfelue, comme il ne saurait en exister que dans les contes. Quant à la sainte qui donne son nom à l'ouvrage, c'est la patronne du port où l'action est située. Elle vivait au Moyen Âge et, un sombre jour que des malandrins voulaient s'amuser d'elle, le ciel, pour la protéger, fit pousser à son menton une opulente barbe poivre et sel. Ce miracle lui valut la canonisation. Il y a d'autres miracles dans ce livre, mais qui relèvent de la magie ou d'une fantaisie clairement avouée. Paulhan disait, en préfaçant son premier livre, que Noël Devaulx, en plus de vingt qualités, avait le mérite d'être ennuyeux : on peut répondre que *Sainte Barbegrise* dément ce propos.

SAINTE FACE (La). Recueil de poèmes de l'écrivain français André Frénaud (1907-1993), publié en 1968. Ce volume regroupe des poèmes et des suites poétiques d'œuvres écrites entre 1932 et 1965. Obéissant à une ordonnance propre à son auteur, *La Sainte Face* ne livre pas les textes dans la chronologie de leur écriture, et André Frénaud, dans une postface, dit vouloir « faire apercevoir quelque chose des géographies secrètes d'un labyrinthe personnel ». Ainsi fait-il « débouler » *Poèmes de dessous le plancher, La Noce noire, Poèmes du petit vieux, Excrétions, misère et facéties, La vie n'a pas main chaude, Agonie du général Krivitski, Civiques, La Nourriture du bourreau, Le Matin venu, Le Silence de Genova, La Secrète Machine, Le Miroir de l'homme par les bêtes, Chuchotements aux oliviers et la sainte face révélée dans les baquets* qui constituent alors l'un des livres de poésie majeurs de ce temps. C'est une image de l'homme que trace Frénaud : de lui, bien sûr, mais de tous ceux qu'il a côtoyés ou auxquels il pense, et ce n'est pas par hasard si *La Sainte Face* s'achève par une méditation sur la présence évanouie du Christ — premier et dernier des hommes du monde chrétien. Cet univers, vacant pour Frénaud, où règne un néant accepté comme à regret, est organisé autour de l'idée de l'homme, de ses joies, de ses malheurs et de ses doutes. À ce propos, l'auteur parlera de l'« innombrable ruée des malheurs publics (qui) s'est effacée pour devenir un miroir ténébreux où le poète s'identifie à l'inconnu qui apparaît sous de nouvelles figures ». Ainsi l'*Agonie du général Krivitski*, l'histoire vraie de son assassinat par les sbires de Staline, noue-t-elle le tragique rapport de l'espérance à l'histoire, dans un long thrène où Frénaud prend le visage du martyr et avoue ses propres illusions. Ainsi les *Poèmes du petit vieux* disent-ils toute l'acrimonie, la méchanceté qu'un homme peut encore cracher au bout de sa vie. Ainsi, *La Noce noire*, dans son sublime chant de foirail et de crassiers, extirpe-t-elle de la dureté de vivre l'image fugace et trop belle de la fiancée. Ainsi *Le Silence de Genova* nous apprend-il à ne pas nous tromper sur le vrai lieu du bonheur... On retrouve dans ce vaste ensemble poétique les obsessions thématiques d'André Frénaud, les interrogations métaphysiques et toutes les virtualités de son écriture. Longs poèmes douloureux ou épiques, textes brefs en forme de rondeaux, de ballades (voire de ritournelles qui allègent la morosité), suites méditatives proches de la prose. Peut-être convient-il de bien entendre l'épigraphe du premier poème de *La Sainte Face* (*Poèmes de dessous le plancher*) pour saisir aussitôt la tonalité exceptionnelle de ce livre : « Si j'ai dénigré l'homme c'est pour lui faire honte, / je n'ai pas plus pitié de moi... »

F. B.

SAINTE FAMILLE (La) ou Critique de la critique critique, contre Bruno Bauer et consorts [*Die heilige Familie oder Kritik der kritischem Kritik gegen Bruno Bauer und Konsorten*]. Œuvre du philosophe et économiste allemand Karl Marx (1818-1883), premier résultat de sa collaboration avec Friedrich Engels (1820-1895), rencontré à Paris en 1843. L'œuvre fut publiée à Francfort-sur-le-Main en 1845. Au point de vue philosophique, l'œuvre marque une date décisive dans les avatars de l'hégélianisme après la mort de son fondateur. Par une analyse qui atteste sa grande érudition, Marx, lui-même issu de Hegel, instaure une critique acerbe des hégéliens de Berlin, groupés sous le nom de « Freien » (affranchis) et menés par Bruno Bauer, directeur de la *Litteraturzeitung*, avec, comme plus illustre représentant, Stirner : le criticisme de Bauer consistait en effet à pousser à l'extrême, mais dans un sens idéaliste, la dialectique hégélienne, et à considérer comme unique réalité le « processus de la pensée » ; il niait donc la valeur de toute affirmation morale ou politique, au nom du progrès souverain de la pensée. L'hégélianisme s'achevait ainsi en un relativisme complet. L'argumentation de Marx tend au contraire à « liquider notre ancienne conscience philosophique hégélienne » en posant la nécessité non plus d'interpréter le monde de multiples manières, comme ont fait jusqu'ici les philosophes, mais de le transformer — ce qui revient à donner le pas, sur les idées, aux facteurs économiques. Au chapitre VI, on trouve d'autre part une remarquable étude des origines du matérialisme français, que Marx rattache à la physique cartésienne et à Bacon, et qu'il montre, pendant tout le XVIIe et le XVIIIe siècle, en lutte contre la métaphysique cartésienne (Spinoza, Malebranche, Leibniz). Au point de vue économique, le livre est né de la révolte de Engels contre les positions adoptées par Ruge au sein du socialisme allemand qui commençait alors à gagner du terrain. Marx et Engels se dressent contre le socialisme d'État de Ruge et soutiennent le principe de la supériorité de la société sur l'État ; ils condamnent le socialisme utopique qui espère arriver à ses fins par des moyens pacifiques et placent le socialisme, dont ils font une foi et une philosophie, au-delà et au-dessus de la politique. Les thèses de Engels sont considérablement amplifiées par Marx. Peut-être celui-ci a-t-il été volontairement prolixe pour échapper à la censure qui ne s'exerçait alors que sur les écrits qui présentaient moins d'un certain nombre de pages. Quoi qu'il en soit, *La Sainte Famille* constitue une œuvre assez lourde répondant mal aux goûts du public, peu attiré par les querelles d'initiés autour desquelles se développe tout l'ouvrage. Elle n'en est pas moins d'une importance capitale pour comprendre l'évolution de la pensée marxiste : au milieu des critiques et des discussions qui ont cessé d'être actuelles apparaissent déjà certaines idées que Marx développera plus tard dans *La Misère de la philosophie* (*) et qu'il érigera en système dans le *Manifeste du parti communiste* (*) et dans *Le Capital* (*). Il y déclare par exemple que prolétariat et richesse sont des contraires et tous deux des produits de la propriété privée ; que la propriété privée est le propre instrument de sa ruine... car c'est elle qui crée le prolétariat, la misère physique et morale consciente, une déshumanisation qui se connaît et tend donc à se supprimer ; que l'idée a toujours échoué quand elle a voulu se séparer de l'intérêt et que le matérialisme est nécessairement lié au socialisme et au collectivisme. Ayant dépassé définitivement le stade des utopies et celui de la philanthropie ou de la prétendue « charité bourgeoise », le socialisme de Marx et de Engels se place, avec *La Sainte Famille*, sur le plan scientifique du matérialisme historique, qui voit dans le socialisme le résultat d'une évolution historique, œuvre du mouvement conscient de la classe ouvrière. — Trad. Costes, 1927 ; Éditions sociales, Éditions de la Pléiade.

SAINTE INÈS [*A Santa Inés na vinda da sua imagem*]. Ode du père jésuite portugais José de Anchieta (1534-1597), missionnaire qui évangélisa une grande partie du Brésil. Dans cette ode pleine de fraîcheur (elle est en langue portugaise), l'auteur invite le peuple à fêter la venue de l'image de sainte Inès et exalte l'Eucharistie (« Cordeirinha santa / de Jesus querida / vossa santa vida / o Diabo espanta »). Les charmants diminutifs lusitaniens ajoutent encore à l'harmonie, à la naïveté de la poésie populaire. Mentionnons que l'on doit à Anchieta, qui était un grand humaniste, la première grammaire de la langue « tupi », ainsi qu'une histoire des jésuites au Brésil.

SAINTE JEANNE DES ABATTOIRS [*Die Heilige Johanna der Schlachthöfe*]. Pièce de l'écrivain allemand Bertolt Brecht (1898-1956). Écrite en 1930 et créée à Berlin en 1932, cette œuvre est une violente et vivante satire du milieu des gros trafiquants de Chicago. Johanna Dark, la jeune, ardente et naïve salutiste qui voulait réintroduire Dieu dans les abattoirs, découvre peu à peu l'hypocrisie des bien-pensants, la misère impuissante des chômeurs, le cynisme des grands et la nécessité de répondre à la violence par la violence. En face d'elle, le curieux personnage de Pierpont Mauler, le roi de la viande, capitaliste, avare, avide, roublard, cynique et désabusé, que traversent par instants des éclairs de sincérité. Johanna, chassée de l'Armée du salut, décide de vivre avec les chômeurs et de partager leurs souffrances. Dans un rythme de plus en plus pressant, les débats sont menés alternativement aux abattoirs, où les chômeurs lancent une grève de soutien des services publics, et à la Bourse, où les hommes d'affaires discutent âprement leurs intérêts dans la langue et le rythme du vers classique. La grève échouera, grâce à Johanna qui tente de mettre tout le monde d'accord, tandis que triomphent les combinaisons de Mauler, salué comme un bienfaiteur de l'humanité par les salutistes. Johanna, épuisée, est arrêtée pour vagabondage et amenée par la police à l'Armée du salut. Cette Jeanne d'Arc à rebours qui les a, sans le vouloir, sauvés de la grève générale, les hommes d'affaires et les bien-pensants s'accordent pour la glorifier et en faire une sainte, qu'ils récupéreront à leur profit dans une scène qui rappelle la scène finale de la Pucelle d'Orléans – v. *Jeanne d'Arc* (*) – de Schiller. Elle meurt au milieu d'une apothéose parodique en disant : « Il n'y a que la violence qui soit efficace là où règne la violence, il n'y a que les hommes qui soient efficaces là où il y a des hommes. » La pièce, avec ses rythmes syncopés, ses brusques et multiples changements de lieux, reflète ce désordre inintelligible d'un monde où tous les rapports sont faussés. L'héroïne, ironique sœur d'une Jeanne d'Arc « démystifiée », accède, après un dur apprentissage, à une juste connaissance des lois qui régissent la société. Cette connaissance, justement à laquelle n'accède pas, en dépit de ses expériences, la *Mère Courage* (*). Œuvre complexe, généreuse, romantique parfois, *Sainte Jeanne des Abattoirs* marque, comme *Homme pour homme* (*), un tournant dans l'œuvre de Brecht. Elle annonce déjà les grandes pièces de l'exil, celles où Brecht, approfondissant ses moyens artistiques, ne cherchera plus à convaincre qu'en restituant au spectateur sa liberté en face du déroulement inexorable des événements. – Trad. L'Arche, 1961.

SAINTE JOIE DE L'ÂME (La) [*Heilige Seelenlust oder geistliche Hirtenlieder der in ihren Jesum verliebten Psyche*]. Recueil de chants religieux en cinq volumes du théologien et poète allemand Johannes Scheffler (Angelus Silesius, 1624-1677), le grand poète religieux du XVIIe siècle, converti au catholicisme. Les trois premiers volumes parurent en 1657, le quatrième quelques mois plus tard, la même année, tandis que le cinquième ne sortit qu'en 1668. Le recueil exprime des pensées profondément mystiques. Cependant l'auteur n'abandonne jamais le terrain délimité par l'Église, comme il l'avait fait au contraire dans son autre œuvre, *Le Pèlerin chérubinique* (*), qui avait été écrite, du moins en partie, avant sa conversion, sous l'influence du mystique Franckenberg et de Tauler. Les trois premiers livres sont comme un drame en trois actes : de l'attente de l'époux, l'âme passe à la joie de sa présence, à la douleur de sa mort et à la sérénité de sa résurrection. L'idée de voir en Jésus l'époux de l'âme et le désir de s'unir à l'aimé sont fréquents dans la tradition mystique. Ce qui est particulier à Silesius, c'est le ton baroque que sa mystique emprunte, ainsi que les formes idylliques et presque mondaines qu'elle revêt. Même pour la prosodie, Silesius s'est inspiré souvent de chansons à la mode, particulièrement d'une plaquette de poésies pastorales de Johann Hermann, *Waldliederlein* (1621) et d'autres compositions profanes de l'époque. Dans cette très longue série de chants aux rythmes légers, extrêmement musicaux, l'âme nous est présentée sous les apparences d'une pastourelle suivant Jésus le berger. Silesius a choisi ces rythmes parce qu'il avait l'intention de renouveler le chant religieux catholique et croyait justement pouvoir rendre la poésie religieuse accessible au peuple en utilisant des rythmes faciles. On reconnaît l'influence des hymnes de la basse latinité et naturellement aussi des cantiques protestants, par exemple ceux de Johann Franck. Malgré l'origine composite de ses modes, cette poésie est cependant de la plus haute importance pour le lyrisme religieux allemand des siècles postérieurs. En particulier la secte protestante des piétistes reprit le ton extatique, amoureux et fervent, d'Angelus Silesius. Elle lui emprunta aussi son expression intense, ses images et ses formes.

SAINTE MISÈRE [*Hurskas kurjuus*]. Roman de l'écrivain finlandais d'expression finnoise Frans Eemil Sillanpää (1888-1964), publié en 1919. Avec *Sainte Misère*, le futur lauréat du prix Nobel de littérature signe une œuvre qui occupe encore aujourd'hui une place centrale dans la littérature finnoise. La guerre civile, avec ses déchirements, ses morts, ses règlements de comptes, vient de s'achever. Elle a opposé les « rouges », ouvriers, paysans misérables de Finlande centrale, alliés du pouvoir révolutionnaire russe, et les « blancs » soutenus par des détachements venus d'Allemagne. Une terrible répression va commencer. Mais déjà Sillanpää est au travail. Ce deuxième roman traite d'événements tout à fait contemporains, mais son mode de traitement n'est principalement ni historique ni social. Sillanpää n'écrit pas pour prendre parti ; il s'intéresse avant tout à son héros, Juha Toivola (« Toivot », en finnois, veut dire espoir), que nous suivons depuis sa naissance, soixante ans avant la guerre civile. Une vie de misère, qui va d'hiver en hiver : des hivers de faim, des décennies de souffrances et d'angoisses, d'une peur élémentaire, celle de ne pas survivre. Peu de joies : celles de la jeunesse, certes, de l'insouciance, sa rencontre avec Riina. Mais bientôt ce sont les enfants, les responsabilités, l'endettement, et ces hivers tant redoutés. Triste, malade, éprouvée par les privations, Riina meurt, de même que leur fille Hiltu. Le moment venu, tout naturellement, spontanément, Juha s'engagera chez les rouges ; au moment des règlements de comptes, lui aussi sera fusillé. Sillanpää dira de lui : « Il est si vieux, si pauvre, si convaincu dans son ignorance et si insensé que toute haine à son égard paraît déplaisante. » Ce qui intéresse Sillanpää en effet, c'est le personnage de Juha, en tant que tel, dans son humanité, exprimée ici à l'état brut. Juha n'est pas un symbole (celui du paysan finlandais...) ni une justification (celle des rouges). Il représente, stylisé, ce principe biologique qui caractérise le début de la carrière littéraire de Sillanpää et qui traverse une bonne partie de ses œuvres. L'homme, dans sa chair et dans son âme, est une entité confrontée à la conjonction de forces hostiles et il est incapable d'y résister. Car Juha ne comprend pas vraiment ce qui lui arrive, il subit. Ce trait se retrouvera, plus tard, dans un récit, *Hiltu et Ragnar*, qui développe un épisode à peine mentionné dans *Sainte Misère* : Hiltu, la fille de Juha, est domestique dans une famille suédoise de Tampere et séduite par le fils de la famille. À l'arrivée de ses premières règles, ignorant ce qui se passe en elle, terrorisée, elle se jette dans le lac. Par son anthropocentrisme, le point de vue de Sillanpää peut être qualifié de tolstoïen. Le travail sur l'histoire reste à faire : ce sera, cinquante ans plus tard, l'œuvre de Väinö Linna, avec sa trilogie *Ici sous l'étoile polaire* (*). — Trad. Nouvelles éditions latines, 1974.

E. T.

SAINT FRANÇOIS D'ASSISE. Opéra en trois actes et huit tableaux, poème et musique du compositeur français Olivier Messiaen (1908-1992). Cet ouvrage, sous-titré « scènes franciscaines », est une commande de Rolf Liebermann pour l'Opéra de Paris et a été créé au Palais Garnier en 1983. Le texte est tiré des *Fioretti* — v. *Œuvres spirituelles* (*) — de saint François auxquels se mêlent quelques emprunts aux *Considérations sur les stigmates* et au *Cantique des créatures* — v. *Cantique du soleil* (*). Messiaen a consacré dix années à écrire cet ouvrage qui est la synthèse des deux axes majeurs de son œuvre : la foi chrétienne et l'ornithologie. Il fait appel à un effectif instrumental et vocal considérable, et le compositeur a lui-même suggéré qu'on en donne des exécutions partielles en version de concert (tableaux III, VII et VIII). Les différents tableaux portent comme titre : « La Croix », « Les Laudes », « Le Baiser au lépreux », « L'Ange voyageur », « L'Ange musicien », « Le Prêche aux oiseaux », « Les Stigmates » et « La Mort et la Nouvelle Vie ».

A. Pâ.

SAINT-GENÈS ou la Vie brève. Roman publié en 1943 par l'écrivain français Roland Cailleux (1908-1980). Brossée à grands traits, c'est l'évocation de la vie d'un homme, Saint-Genès, que l'auteur nous peint dans ce volume. Cailleux prend son héros à treize ans, avec des fragments de journal intime qui nous révèlent un enfant sensible et brillant, fils d'un libraire de théâtre, et très préoccupé de concilier sa foi avec la vie qu'il entrevoit. Plus tard, alors qu'il passe l'oral du bachot, c'est la rencontre de Francis, un ami qui lui ressemble beaucoup, puis de Lefaon, étudiant en médecine, brutal et bon garçon. Les années passent : voici Marie-Anne, une jeune fille avec laquelle Saint-Genès se met en ménage ; un enfant leur naît : Marielle, sans que le père songe à régulariser la situation. Et soudain, c'est le drame : Marie-Anne meurt subitement, l'enfant est confiée à la grand-mère de Saint-Genès. Celui-ci, devenu écrivain, « se fait gloire de vivre seul », comme si la solitude était un brevet de grandeur. Sa vie s'achève entre les amis, une enfant que l'on oublie un peu. Et, brusquement, c'est la mort : « Que fais-je, environné d'obscurité ? » Saint-Genès dresse le bilan d'une vie trop brève. Qu'a-t-il fait ? À quoi a servi sa vie ? Que lui reste-t-il ? Et le livre s'achève sur ces mots, qui sont les derniers de Saint-Genès : « connaissance, connaissance... » « La Vie brève » précise le sous-titre du roman. Il s'agit bien en effet d'une vie trop courte. À l'heure de sa mort, Saint-Genès découvre qu'il tient encore à la terre, et aussi qu'il n'est pas prêt. Les seuls questions qu'il faille se poser, en fin de compte, il s'en est débarrassé « comme un insensé ». Il se dit qu'il y a peut-être des religions ou des philosophies qui l'auraient éclairé, mais il n'a rien fait pour tendre la main vers elles. Devant son pauvre bagage métaphysique, il s'effraie : « Que n'ai-je goûté à l'arbre de la science pour pouvoir me permettre de ne rien regretter. » Et puis, n'a-t-il pas toujours manqué quelque chose à sa vie ? « Je pars avant mon heure. Je n'avais pas tout connu. Je n'avais pas prévu le déchirement actuel. » Mourir n'est pas renaître. Est-ce un cri que pousse ainsi Saint-Genès, ou est-ce une consolation qu'il s'octroie ? N'ajoute-t-il pas : « Vais-je en avoir fini à jamais, ou vais-je reprendre connaissance ? » En 1948, Cailleux publie un second roman, *Une lecture*, où l'œuvre de Proust sous-tend l'action. Puis, en 1955, ce sont *Les Esprits animaux*, recueil de menus textes qui ne sont pas sans évoquer Jules Renard, et où l'auteur fait œuvre de moraliste.

SAINT GENET, COMÉDIEN ET MARTYR. Ouvrage de l'écrivain et philosophe français Jean-Paul Sartre (1905-1980) publié en 1952. Ce livre constitue une préface aux *Œuvres complètes* de Jean Genet. On peut y voir une tentative de « psychanalyse existentielle ». Dans *L'Être et le Néant* (*), Sartre oppose à la psychologie analytique classique la psychanalyse existentielle en tant qu'effort pour comprendre l'homme comme totalité dans son rapport global au monde et dans le projet fondamental qui en est la racine. Dans *Saint Genet,* Sartre part du postulat que toute conduite et toute attitude ont un sens révélateur de ce choix originel, pour étudier la vie et l'œuvre de Genet et mettre en valeur leur caractère exemplaire, en les rattachant au projet fondamental dont elles procèdent. Sartre commence son étude par l'évocation de l'enfance de Genet, pupille de l'Assistance publique et confié à une famille de paysans. C'est au cours de cette enfance que s'est produit l'incident que Genet donne comme l'origine de son destin de voleur : en train de dérober de l'argent à ses parents adoptifs, il a été pris la main dans le sac. L'indignation des adultes et surtout sa propre honte le rejettent du monde des honnêtes gens, au sein duquel, enfant sensible et pieux, il croyait avoir sa place. Promis par les adultes à un destin criminel, il reprend à son compte cette prophétie et décide de se vouloir voleur, de vouloir le Mal. À travers sa vie et son œuvre, Genet se rapportera constamment à cet « instant fatal », qui est celui de la faute et qui a pour toujours partagé sa vie en deux parties : un passé d'innocence irrémédiablement perdue, et son existence de voyou, vouée sans retour au mal et au crime. Cet épisode de sa vie, élevé à la dignité d'origine, perd son caractère historique pour prendre une valeur mythique, échappe au temps pour se transformer en « histoire sainte ». Chargé par l'indignation des honnêtes gens d'incarner le Mal, Genet s'acharne à vouloir être méchant, mais il échoue à le devenir totalement, car le Mal n'a pas d'être, et la contradiction entre la volonté du Mal et l'impossibilité de faire le Mal est au centre des trois aspects de son existence : le vol, l'homosexualité, la création littéraire. Dans le vol, Genet trouve l'occasion de refuser à son tour la réciprocité dans les rapports humains dont on l'a toujours privé. La contradiction fondamentale qui consiste à vouloir le Mal s'exprime dans une autre contradiction : celle qu'il y a entre la volonté de faire et la volonté d'être ; l'attitude de Genet ne cesse pas d'osciller entre le quiétisme et le volontarisme. L'impossibilité de coïncider avec son être renvoie Genet au domaine de l'action, tandis que sa volonté de faire le mal pour *être* méchant relève du domaine de l'être. Dans sa vie amoureuse, Genet est de même partagé entre le projet d'être constitué en objet par le désir de l'autre, et celui de jouir de sa propre subjectivité à travers le désir qu'il éprouve. Il sera donc tour à tour l'amant et l'aimé, mais il ne cherchera dans l'amour que l'occasion de se retrouver lui-même, et ce narcissime transparaît dans une œuvre où tous les personnages sont en quelque sorte son propre reflet, multiplié et réfracté à l'infini par des variations systématiques et concertées de son imagination créatrice. Sartre voit dans l'homosexualité de Genet un des aspects d'une « inversion éthique généralisée » qui pousse Genet à refuser tout ce qui est naturel, et tout ce que la société affecte d'un coefficient positif pour choisir, dans l'artificiel et le négatif, tout ce qui est « antiphysis ». C'est ainsi que Genet se sent plus spécialement attiré vers les hommes que la lâcheté, la violence, la bêtise parent d'un sombre éclat. À travers une perversion de l'ascétisme, Genet veut réaliser avec un de ces hommes « le couple éternel du criminel et de la sainte ». En effet, la vie sexuelle de Genet est moins dominée par la sensualité, qui suppose un abandon dont il est incapable, que par la tension vers une beauté que le crime et la violence doivent dépouiller de tout ce qui pourrait entraîner abandon et confiance. Donc l'amour n'est pas pour Genet l'occasion de rejoindre l'autre, mais le réduit au contraire à une pure apparence conforme à un idéal esthétique. L'amour vise finalement la domination, à travers une soumission si complète qu'elle met à nu celui qui en est l'objet, en le montrant comme indigne d'un dévouement aussi total. La mendicité, le vol, la prostitution ne permettent pas non plus à Genet de réaliser le Mal dans sa pureté puisque, vivant en marge de la société, il retrouve une petite société de voleurs et de criminels, le « Milieu », qui a ses normes propres, et à l'intérieur de laquelle les crimes ne sont plus des crimes, mais la conduite valorisée. Genet sera donc amené à choisir une forme de Mal au deuxième degré, la trahison, par laquelle, déjà exclu de la communauté des honnêtes gens, il se met en marge de la société criminelle où il vit, et atteint ainsi le Mal radical. Mais la trahison elle-même est décevante, elle n'est le Mal que par rapport à un milieu idéal, où régnerait une loyauté sans faille. En fait, la trahison est courante, elle n'est pas le scandale inouï par lequel Genet voudrait se mettre au ban de toute communauté humaine, mais la pratique quotidienne d'une société de malfaiteurs continuellement en voie de dissolution et dont la cohésion est imaginaire. Seule la création littéraire permettra à Genet d'échapper au cercle vicieux dans lequel il tourne, criminel quelconque qui n'arrive à se singulariser que dans l'imaginaire. D'une attitude esthétique qui l'amenait à échapper au réel en transformant ses actes en gestes, Genet passe à la création littéraire qui lui permet de donner une réalité à ses fantasmes, et de conférer à sa volonté de faire le Mal un certain éclat, à travers le scandale que provoquent ses œuvres. En effet, leur beauté est un piège qui permet à Genet d'entraîner le lecteur, par une rhétorique du Mal, vers des pensées et des images qui lui font horreur. Genet donne l'exemple d'une subjectivité qui s'est acharnée à reprendre à son compte toutes les déterminations qui l'ont façonnée pour en faire des termes de l'affirmation de sa liberté. Son œuvre montre que « le génie n'est pas un don mais l'issue qu'on invente dans les cas désespérés ». Sartre montre à quel point cette œuvre, aussi scandaleuse et singulière qu'elle apparaisse, tend à l'homme un miroir où il découvre sa propre image, dépouillée de toutes les déterminations sociales et réduite ainsi à la solitude radicale de la subjectivité quand elle s'interroge sur son être.

SAINT-GERMAIN-DES-PRÉS, MON VILLAGE. Ouvrage de l'écrivain français Léo Larguier (1878-1950), publié en 1938. L'auteur faisait partie de cette race qui disparaît : celle des « flâneurs » dont le passe-temps, bien plus que le métier, était la pêche aux souvenirs. Il aimait à musarder sur cette rive gauche qu'il adorait, en partant de Saint-Germain-des-Prés. Son ouvrage n'a pas d'autre prétention que celle d'être un guide pour qui sait voir et aimer les trésors du vieux Paris. Glaneur infatigable, il nous mène vers les quais, ressuscite un instant la silhouette d'Anatole France, contemple sans y entrer l'Institut et la « Mazarine », poursuit sa route avec le regret de ne pas toujours y retrouver ce qu'il y avait découvert jadis. « Les souvenirs, dit-il, se lèvent à chaque pas comme le gibier devant le chasseur » : fantômes de Marat, Danton, André Chénier, Adrienne Lecouvreur. Un détail inédit décrit les personnages mieux que ne ferait une biographie. Il disparaît toujours avant d'en avoir trop dit, poursuit son chemin, fouille, inventorie, et retient tout. À Saint-Germain-des-Prés, Larguier s'arrête plus longuement et suit avec nous l'amateur de curiosités chez les antiquaires de la rue Bonaparte ou de la rue Jacob. Entrant au « Café des Vosges », il parlera de Coppée qui fut son intime. Dans le jardin du Luxembourg, il évoquera d'autres visages. Prose essentiellement familière : exempte de sécheresse comme de pédantisme, là est son charme.

SAINT-GLINGLIN. Roman de l'écrivain français Raymond Queneau (1903-1976), publié en 1948.

Ce roman constitue un phénomène assez singulier dans notre littérature. En effet, sa première partie est parue, sous le titre de *Gueule de pierre*, en 1934, et la deuxième, *Les Temps mêlés*, en 1941. *Saint-Glinglin* les reprend, en les resserrant (et en modifiant quelques noms) et les complète par une troisième partie, conclusive celle-là.

Cette trilogie est située dans la capitale d'un pays imaginaire : la Ville natale, et raconte l'histoire de la famille Nabonide, sorte de dynastie républicaine dont l'aîné se trouve, de père en fils, premier magistrat de la cité. La Ville natale présente quelques caractères géographiques et sociologiques assez différents des nôtres. Le plus notable est qu'il n'y pleut jamais. Puis, on y pratique des coutumes particulières, comme le cassage public d'assiettes, le jour du Grand Printanier, fête nationale.

Le vieux Nabonide a trois fils : Pierre, Paul et Jean, et une fille, Hélène, qu'il maintient dans l'isolement depuis sa naissance, ce qui lui confère un certain pouvoir vaticinatoire. Ses trois fils se succéderont tour à tour à la tête de la mairie. Pierre est chassé après avoir détraqué le temps (il se met à pleuvoir sans cesse), Paul démissionne pour aller vivre un grand amour à l'étranger, Jean rétablira la sécheresse, et la vie reprendra comme avant.

On peut se demander pourquoi le jeune Raymond Queneau entreprend, juste après *Le Chiendent* (*), qui est son premier ouvrage, un roman aussi différent du précédent. Loin de tenter de restituer, serait-ce avec fantaisie, une réalité quotidienne dont nous reconnaissons les moindres détails, il se lance dans la construction d'un univers que nous découvrons, page après page, comme on découvre un pays étranger. Et cette entreprise lui tient tant à cœur que, commencée en 1933-34, elle ne s'achèvera qu'en 1948. C'est donc quinze ans durant que l'inventeur de la Ville natale continue de rêver à son invention, quinze ans au cours desquels il compose pourtant sept autres romans, trois recueils de poèmes et ses fameux *Exercices de style* (*).

Il faut certainement chercher la raison de cette constance dans l'œuvre elle-même. *Saint-Glinglin* est un récit fondateur de mythe. Réussir un tel projet, c'est s'inscrire dans la plus ancienne et la plus puissante tradition littéraire : celle où la religion et la poésie se confondent.

Bien entendu, le roman de Queneau reste ambigu. Sa conception de la langue et de la littérature, qui le fait balancer entre Homère et Rabelais, n'est pas de nature à rassurer ses lecteurs. Quelle part de gravité son auteur accorde-t-il à ce mythe ? Quelle part d'ironie ? Quelle place l'allégorie occupe-t-elle ici ? Combien de souvenirs, combien de préoccupations quotidiennes, combien de rêves y a-t-il introduits ? Si quelques clés élémentaires permettent d'échafauder plusieurs hypothèses, aucun élément ne permet de répondre avec certitude à aucune de ces questions. Mais chaque lecteur peut y disposer ses propres souvenirs et ses propres rêves, ce qui prouve bien que le mythe a pris corps et fonctionne de la manière habituelle.

J. B.

SAINT-JUST ou la Force des choses. Ouvrage de l'historien français Albert Ollivier (1915-1964), publié en 1954. Celui qu'on appela « l'Archange de la Révolution et de la Terreur » fut un idéaliste en perpétuel conflit avec les réalités d'une révolution : « Ce qui m'a intéressé chez Saint-Just, explique Albert Ollivier, c'est l'expérience d'un homme arrivant au pouvoir, assez jeune et assez sincère pour croire pleinement aux idées qu'il affiche, mais amené par ses fonctions à trancher brutalement ou à composer brutalement avec ce qui est. » En raison de son jeune âge, Saint-Just, qui s'est d'abord signalé par un long poème érotique, n'arrive que très difficilement à se faire des relations dans le milieu parisien révolutionnaire. Son élection à la Convention, il la doit surtout à la franc-maçonnerie, et notamment à la loge « Les Amis réunis » à laquelle il appartient. Le 21 septembre 1792, il se rallie à contrecœur à l'abolition de la monarchie : « Ah ! ils veulent la République, elle leur coûtera cher. » Dès lors, il jouera sans concession le jeu de la révolution et se signalera aux premières semaines de la Convention par ses violents réquisitoires en faveur du procès du roi. De même son action est primordiale dans la chute des Girondins et leur condamnation au début de juin 1793. Le Comité de salut public, dont il est un des membres les plus écoutés, l'envoie en de fréquentes missions auprès des armées dont il surveille la discipline, mais aussi le bien-être, l'habillement, le ravitaillement, la nourriture. Intransigeant et soupçonneux, convaincu que seule une très forte centralisation sauvera la République en danger, il voit dans les politiciens locaux des agents de l'ennemi, cet ennemi avec lequel il refuse de composer ou de négocier : « La République française ne reçoit de ses ennemis et ne leur envoie que du plomb. » Il s'emploie enfin à déjouer la dangereuse conspiration d'Antraigues, et, devenu président de l'Assemblée en 1794, il entreprend une lutte impitoyable contre les corrupteurs de la pure idée républicaine, les dantonistes et les hébertistes : « Il faut gouverner par le fer ceux qui ne peuvent l'être par la justice. » À quelques semaines de sa mort, il établit encore des projets sur la future cité idéale, et en matière de religion se rallie au culte de l'Être suprême.

Mais le puissant intérêt du livre est d'introduire les lecteurs, par des archives inédites, des lettres et des discours de Saint-Just, dans les coulisses du Comité de salut public, et de nous dévoiler les divergences entre Robespierre, Couthon et Saint-Just, thèse qui détruit la légende d'un triumvirat dominant jusqu'au bout la Convention. Dans une Préface, André Malraux a dit de cet ouvrage : « On ne pourra étudier Saint-Just sans passer par ce livre qui tente d'épuiser le possible, et dont la force et la faiblesse sont celles de l'histoire moderne. »

SAINT LOUIS ou la Sainte Couronne reconquise. Épopée en dix-huit chants du père jésuite et écrivain français Pierre Le Moyne (1602-1671), publiée en 1658, et qui raconte la croisade de Saint Louis contre les Sarrasins après la prise de Damiette. Un ange emporte au Ciel le roi Louis qui y rencontre le Christ. Ayant à choisir entre trois couronnes, Louis choisit la couronne d'épines. Le Christ lui promet alors la victoire et prophétise une dynastie glorieuse. Les prodiges chrétiens ont raison des maléfices païens : le jeune Bourbon vainc un dragon monstrueux, les prières de Louis anéantissent les démons de l'enfer évoqués par le sorcier Mireme, un ange ouvre le Nil pour laisser passer les Français, Louis guérit de sa blessure grâce à de l'eau miraculeuse. Les ennemis sont tués, les enfants du sultan, capturés, se convertissent, et Louis s'empare de la sainte couronne. Dans un style grandiose hérité du Tasse, Le Moyne célèbre le culte cornélien de l'héroïsme, mais l'accorde à un éloge monarchique et religieux du « héros chrétien ».

A. Gé.

SAINT MATOREL. C'est sous ce titre que trois ouvrages du poète français Max Jacob (1876-1944) ont été réunis par lui en un volume (1936) : *Saint Matorel* (1911), *Les Œuvres burlesques et mystiques de Frère Matorel mort au couvent* (1912) et *Le Siège de Jérusalem. Grande tentation céleste de saint Matorel* (1914).

Victor Matorel, en religion frère Manassé, s'est retiré au couvent des lazaristes Sainte-Thérèse à Barcelone, où il est mort en 1909. Le prologue, qui établit ainsi le portrait du personnage, aurait dû être l'épilogue, dit l'auteur : « Il n'y a pas d'ordre chronologique. » La confession de Matorel traite de sa vie sur la Terre, dans la compagnie humble de petits employés, et dans le Ciel, où il dialogue avec son Ange et son Diable gardiens. Aucune des vicissitudes humaines ne lui a été étrangère : « J'ai connu l'amour avec une douce horreur. Dois-je avouer que j'ai été sodomite, sans joie, il est vrai, mais avec ardeur. » Le récit établit un tableau de la vie quotidienne selon une conception de l'ordre astral du monde. De la diversité des formes, permutables et équivalentes, Matorel est sauvé par une apparition. Max Jacob livre une nouvelle évocation de l'événement fondamental de son existence qui se produisit le 22 septembre 1909. Un ange apparut sur le mur de sa chambre : « Quel honneur, ô fils de Dieu ! pour ma maison, pour ma chambre, pour moi, fils de Dieu ! » Partagé entre le bien et le mal, selon la conception chrétienne de la grandeur et de la misère de l'homme, Max Jacob représente cette dualité sous la forme d'un héros dédoublé : à Matorel s'oppose son ami Émile Cordier qui porte le diable en lui. Ce livre est ainsi dédié au parrain religieux de

Max Jacob : « À Picasso / pour ce que je sais qu'il sait / pour ce qu'il sait que je sais. »

Le second texte intitulé *Le Siège de Jérusalem* met en scène trente personnages et quelques comparses, autour de saint Matorel, dit Blanquetbleu. La recherche de la clé magique de la Jérusalem se déroule en des temps mêlés. La croisade sera vaine ; nul n'entrera dans la capitale de la Sagesse, comme le souhaitait saint Matorel : « Quel était le but de vos insultes ? / — La vérité. »

Max Jacob tient à assurer l'unité du volume. Aussi ouvre-t-il la troisième partie, *Les Œuvres burlesques,* par un rappel : « J'ai parlé dans un de mes ouvrages d'un certain Victor Matorel, sorte d'Hamlet du faubourg Saint-Germain... » Le volume des œuvres qualifiées de « burlesques » (selon une indication de style propre au XVIIe siècle) est divisé en trois parties : quelques chants « vraiment nationaux », où la complainte se mêle aux imitations du genre troubadour, aux jeux de langage semblables à ceux de J. P. Brisset : « La bourse ou la vie. / Là bout sous la vie. » Des imitations de Franc Nohain et des parodies de Rimbaud (« Je suis du pays noir où les raisins sont roses »), précèdent une dernière partie constituée de poèmes en prose. À la façon de l'épopée, l'ouvrage qui narre le combat du Ciel et de l'Enfer s'achève sur des « Remerciements aux Esprits ». Un ange se désole : « Il est bon religieux, mais nous n'en pourrons faire un poète. »

J. Rou.

SAINT OFFICE (Le). Roman de l'écrivain français Maurice Rheims (né en 1910), publié en 1983. Après des livres où il s'inspirait de ce qu'il avait vu au cours de sa carrière de commissaire-priseur, Maurice Rheims a étendu le sujet de ses romans, afin de faire une peinture tout à la fois drôle et légère de la société. N'ayant fréquenté dans sa vie que le grand monde, il s'est amusé à composer *Le Saint Office,* où il en parlerait par le petit bout de la lorgnette en racontant la destinée d'un valet, Oscar. On sait, depuis le *Journal d'une femme de chambre* (*) d'Octave Mirbeau, que pour pénétrer vraiment dans les coulisses, toucher à l'intimité de gens qui sont la majeure partie de leur temps en représentation, rien ne vaut de les regarder vivre par l'œil de leurs serviteurs. Oscar, à la fois effronté et réservé, fait penser à Scapin, mais il est aussi, par certains côtés, un personnage douteux. Peut-être assassin, à coup sûr voleur, maître chanteur, indicateur (et par là lié à la partie souterraine de la société), il est aux yeux de tous un excellent valet, très apprécié. Il sait passer inaperçu (jusqu'à ne plus se reconnaître lui-même), choisir une bonne bouteille, etc. Lorsqu'on a besoin de ses services pour dénouer une situation difficile, Oscar est toujours à la hauteur. Il est aussi ingénieux que le fameux « butler » anglais, immortalisé sous le nom de Jeeves par l'écrivain Wodehouse. Mais Oscar n'oublie jamais de tirer son épingle du jeu ; collectionneur invétéré de clochettes, il parvient à subtiliser celles qu'il convoite dans l'appartement de ses maîtres. Toutes les maisons dans lesquelles il travaille, et les aventures qui s'y déroulent nous sont décrites dans ce roman avec beaucoup de verve. Maurice Rheims se livre, avec un plaisir évident, à une satire sociale volontiers cruelle. Les anecdotes s'enchaînent avec bonheur, dévoilant les lubies secrètes, souvent cachées par peur du ridicule. Le cas le plus spectaculaire est celui de l'époustouflant Arthur-Arthur, qui prétend mettre au point un système économique complètement fantaisiste. Et quand Oscar est séduit, ou se laisse séduire par la femme du maître, cela donne des dialogues désopilants. Le tout est baigné d'une couleur pastel qui rappelle le XVIIIe siècle, car Maurice Rheims ne peut jamais s'empêcher, dans ses romans, de parler d'art. (De somptueux tableaux de Watteau, Fragonard ou Corot, qui tapissent les murs de ces riches demeures, défilent sous nos yeux.) D'une construction baroque, *Le Saint Office* est un roman étonnant, farfelu, qui manifeste le goût de son auteur pour le singulier sous toutes ses formes.

J.-É. M.

SAINT PIERRE ET LA CHÈVRE [*Sant Peter mit der Gais*]. Fable en vers de l'écrivain allemand Hans Sachs (1494-1576), cordonnier-poète et le plus célèbre des maîtres chanteurs de Nuremberg. La moralité de cette fable tend à démontrer l'incapacité de l'homme à sonder la volonté divine. Saint Pierre reproche un jour à Jésus de manquer de sévérité et de permettre trop d'injustices et de crimes, assurant que si lui-même, saint Pierre, était maître du monde, les choses iraient mieux. Le Seigneur lui donne alors la possibilité de tenir ce rôle l'espace d'une journée. Sur ces entrefaites ils rencontrent une pauvre femme qui, devant aller travailler, demande au Seigneur de lui garder sa chèvre, son seul bien, jusqu'au soir. Saint Pierre, tenu par ses nouvelles fonctions de surveiller l'animal, se verra contraint de le poursuivre tout au long de la journée. Le Seigneur lui demande alors s'il veut continuer à gouverner le monde, et saint Pierre, reconnaissant son orgueil, le supplie de le relever de cette responsabilité. La narration de l'épisode occupe les deux tiers de la fable. L'importance accordée à la moralité prouve combien elle intéressait les esprits, et on peut d'ailleurs déceler dans ce récit comme un écho du renouveau spirituel dû à la Réforme. Saint Pierre, qui est ici présenté sous des traits simples, frustes et naïfs rappelant quelque brave paysan, personnifie l'humanité entière dans son impuissance totale face à l'omniscience divine, selon un principe religieux développé jusqu'à ses ultimes conséquences par Luther.

SAINT PIERRE ET LES PAYSANS [*Sant Peter mit dem hern und faulen pawren Knecht*]. Fable en vers du cordonnier-poète Hans Sachs (1494-1576), le célèbre maître chanteur de Nuremberg. Saint Pierre et le Seigneur demandent leur chemin à un garçon de ferme vautré sous un poirier ; ce dernier se contente, pour toute réponse, de leur désigner du pied la ferme la plus proche, avant de leur tourner le dos pour se rendormir. À la ferme, les deux voyageurs trouvent une femme qui interrompt son travail pour les accueillir aimablement : leur ayant dit qu'ils se sont trompés de chemin, elle les accompagne sur la bonne route. Touché, saint Pierre demande au Seigneur de destiner à une si brave fille un excellent mari ; et le Seigneur, acquiesçant à demi, lui annonce qu'elle épousera le paresseux qui dort paisiblement à l'ombre du poirier. Saint Pierre se scandalise. Mais le Seigneur de répliquer que c'est seulement de cette façon que nos deux paysans seront sauvés : car, autrement, le garçon finirait sur la potence et la femme deviendrait tellement orgueilleuse de ses vertus qu'elle finirait dans le péché. À travers cette moralité inattendue et savoureuse, on retrouve le principe religieux de l'omniscience divine, selon lequel tout ce qui arrive dans le monde est réglé en vue du bien final, sans tenir compte des objections humaines, exprimées une fois de plus par le truchement de la figure caractéristique et fort habilement campée de saint Pierre.

SAINT-SATURNIN. Roman de l'écrivain français Jean Schlumberger (1877-1968), publié en 1931. Ce livre expose tout d'abord un drame du vieillissement. « J'avais un grand sujet, dit l'auteur. Je ne l'avais pas choisi ; il était là ; il m'avait été imposé. Quels que fussent mes scrupules, je savais que je ne l'éluderais pas. La littérature s'est rarement intéressée aux vieillards dont l'esprit se désagrège, s'obscurcit par places, reste ailleurs lucide et peut encore mettre beaucoup d'intelligence au service d'idées aberrantes. Cette menace vers laquelle tout homme, soucieux de sa fierté, devrait tourner un regard inquiet dès que ses organes donnent un signe d'usure : l'idée qu'il peut suffire d'un petit durcissement de nos vaisseaux sanguins pour détruire les parties hantées de notre caractère, faire remonter à la surface toute une lie et disloquer les assises mêmes de notre personnalité : il y a là quelque chose de si blessant pour notre orgueil que nous en détournons tant que nous pouvons notre pensée. » L'auteur étudie la figure du vieux chef de famille William Colombe dont la folie grandissante, rompant avec un passé irréprochable, forme la trame du roman. Mais celui-ci est également le livre de l'attachement à une maison (le domaine normand de Saint-Saturnin), le livre de la solidarité familiale, le livre de la fidélité. Des deux fils Colombe, Louis est le créateur : « Nous ne sommes pas de précieuses merveilles qu'il s'agit de transmettre à la postérité, mais des machines qui, de toute manière, doivent être cassées, jetées à la ferraille. Je suis ici pour créer quelque chose. Le reste n'a pas d'intérêt. Ma vie, en dehors de ce qu'elle peut produire, je n'en donnerais pas dix sous. Je n'en veux pas. » Nicolas Colombe est le conservateur. Après trop d'années de guerre, le repos d'un lit lui semble un lieu de paix presque sacré : « Il n'est pas écrit dans les astres que l'on dormira toujours sous un toit. Il y a bien des endroits sur terre où l'on peut errer de gîte en gîte. Et tout peut advenir, hormis qu'on soit toujours vivant. » Quand il aura renoncé à quitter son domaine normand, à suivre son jeune neveu Gilbert aux colonies, il dira : « Il n'importe pas tant, comme ils croient, de beaucoup produire. Ils nous ont trop longtemps bernés avec leurs statistiques et leurs rendements. C'est quelque chose d'autre qui importe, mais qu'il est difficile de définir. Une force de fidélité... on ne sait pas bien à quoi... Une excellence... on ne sait pas bien laquelle... Mais tout le reste n'est qu'une marchandise de bazar. » Le neveu Gilbert considère son oncle comme un homme d'un autre temps : « L'attachement à une maison, c'est fini, dit-il. C'est bon pour les hirondelles. Aujourd'hui, l'homme est libre. Toute sa fortune tient dans une valise. » La grande question que pose *Saint-Saturnin* porte sur la valeur de cette fortune. Ajoutons que le roman fait une grande place à la description de la campagne normande à travers les saisons. C'est l'œuvre la plus ample de l'auteur.

SAINTS VONT EN ENFER (Les). Ce roman, publié en 1952, a fait la célébrité de l'écrivain français Gilbert Cesbron (1913-1979). Ce livre, qui met en scène des prêtres ouvriers, est paru en effet quelques mois avant la décision du Vatican de mettre un frein à cette expérience apostolique. Mais il serait injuste d'y voir une œuvre de circonstance, une sorte de reportage romancé hâtivement rédigé au gré de l'actualité. Pour s'« imprégner » de son sujet, Gilbert Cesbron avait partagé pendant plusieurs mois la vie d'une communauté de la « Mission de France », dans la région parisienne. Outre les drames de la condition ouvrière, il y avait découvert une façon neuve et absolue de vivre sa conviction religieuse, et visiblement la rédaction de ce roman a été pour lui une expérience spirituelle.

Le personnage principal du roman, Pierre, un jeune prêtre issu d'un milieu très modeste, est envoyé en mission à Sagny, une banlieue ouvrière de Paris. Il y accomplit son désir aussi mystique que réaliste de suivre pas à pas le Christ en se faisant « ouvrier avec les ouvriers ». À ses côtés se dressent des fidèles non moins généreux : Jean, le catéchumène ébloui par la rencontre de Dieu ; Madeleine, pour qui le choix d'être militante n'est pas moins exigeant qu'une vocation religieuse ; le cardinal-archevêque de Paris, soucieux jusqu'à l'angoisse de la déchristianisation croissante de la grande ville... Engagés en pleine vie ouvrière, Pierre et ses amis font leurs tous les espoirs et tous les drames du prolétariat : la crise du logement, le chômage, la grève, les manifestations... Ce ministère est pour le jeune prêtre un véritable cheminement vers la sainteté. Au point qu'il apparaît parfois totalement « transparent » au divin : à son insu, sa bouche et ses mains produisent le miracle en reproduisant les gestes et paroles du Christ. Cependant sa générosité et ses imprudences finissent par inquiéter ses supérieurs ecclésiastiques qui l'envoient vers une autre mission...

M. Ba.

SAISON DE LA MIGRATION VERS LE NORD (La) [*Mawsim al-hijra ilā l-shimāl*]. Roman de l'écrivain soudanais al-Ṭayyib Ṣāliḥ (né en 1929), édité en 1966. Un jeune narrateur revient dans son village du Nord-Soudan, vers la fin des années 50, après un séjour d'études en Grande-Bretagne. Il est intrigué par Muṣṭafā Sa' īd, un quinquagénaire installé dans la région. Avant de disparaître, celui-ci esquisse le récit de son aventure d'individu sans racines, brillant élève migrant à la recherche du savoir vers le nord égyptien ou anglais (d'où le titre du roman), puis économiste devenu dans les années 20 professeur d'université à Londres et dénonciateur du colonialisme. Mais cette réussite n'est qu'apparente, car elle s'accompagne d'une difficulté relationnelle avec les femmes occidentales, tour à tour désirées ou haïes, pourchassées ou contraintes au suicide. Muṣṭafā finit par tuer sa femme frigide Jean et expie dans une vie sans éclat son incapacité à réussir un mariage mixte et à se conformer à un modèle, occidental ou oriental. Son influence individualiste marque même sa femme soudanaise Ḥasnā', contrainte par son père à se remarier avec un vieillard qu'elle tue, avant de se suicider. Le narrateur reste profondément troublé par le déroulement de la vie de Muṣṭafā, peut-être son double, et de Ḥasnā', dont il aurait pu, au moins, empêcher l'issue tragique : emporté par le Nil, prêt à sombrer, il choisit néanmoins la vie. Ṣāliḥ met délicatement en scène ce récit dans des paysages verdoyants ou désertiques, hantés par la présence du grand fleuve et peu à peu gagnés par une modernisation chaotique. Une grande attention est accordée à la complexité des sentiments, des comportements, des jugements et des évaluations : la société rurale est décrite avec attendrissement, mais ses tares sont détaillées sans complaisance ; les bienfaits de l'indépendance sont opposés à la corruption, au centralisme et à l'incurie des nouveaux gouvernants ; la condamnation du colonialisme ne s'étend pas à la part de progrès qu'il a apportée, consciemment ou non. Une distribution subtile et pertinente des registres de langue s'effectue entre les passages dialectaux et l'arabe classique ou moderne. Drame de l'acculturation, cette œuvre est aussi une interrogation sur l'éthique et les problèmes du développement, matériel et spirituel. Ṣāliḥ propose une méditation sur la situation des intellectuels du tiers monde, déchirés entre le passé et le présent, un univers traditionnel qu'ils croient connaître et un univers occidental qu'ils tentent de décrypter. Il y apporte la solution d'un sage, amoureux de la vie, des êtres et des devoirs qu'il décide librement d'assumer. — Trad. Sindbad, 1983. B. Mo.

SAISON DES PLUIES [*Tsuyu no atosaki*]. Roman de l'écrivain japonais Nagai Kafû (1879-1959), publié en 1931. Depuis quelques années, les « cafés » s'étaient multipliés à Tôkyô, le mot français désignant ces temples du clinquant. Une porte en verre coloré, des plantes vertes, des architectures en trompe-l'œil, des décors or et violet... Des phonographes déversaient de la musique, et des serveuses tenaient compagnie aux clients. Kimie, l'héroïne de ce récit, travaille dans un des établissements les plus renommés, le « Don Juan ». Son amant en titre est un écrivain à la mode. Il découvre que cette jeune femme nonchalante, qu'il imaginait toute dévouée, le trahit avec facilité. Au même moment, son épouse le quitte. Il ne tente rien pour la retenir et, envers Kimie, se contente d'imaginer des « plaisanteries » : une feuille à scandales publiera des indiscrétions sur la jeune femme, un taxi l'abandonnera très loin, par une nuit d'orage. L'inquiétude la gagne et elle envisage vaguement de quitter Tôkyô. Un soir, elle rencontre par hasard un homme, abattu et vieilli, qu'elle avait connu jadis : il sort de prison. Elle l'emmène chez elle passer la nuit. Au matin, elle trouve un mot lui annonçant qu'il est parti se suicider.

Plus que tout autre écrivain de sa génération, Kafû a été entouré d'un cercle, restreint mais passionné, d'amateurs, il a été l'objet d'une admiration jalouse et sans réserve. L'usage veut que l'on distingue les diverses périodes de sa production selon les quartiers de plaisir qu'il décrivit tour à tour. À chacun correspond un autre milieu social, une situation historique différente. À son retour de France, le romancier s'applique à évoquer Shinbashi, le monde des geishas, encore imprégné de tradition : à partir de 1916, il publie *Du côté des saules et des fleurs* [*Udekurabe*]. Vers 1930, il fréquente les « cafés » de Ginza. Avec *Histoires singulières à l'est du fleuve* (*), il quitte la ville pour les faubourgs les plus décriés. Malgré leur souci de luxe et d'élégance, les « cafés » sont tout différents des maisons de geishas. Ils représentent bien le Tôkyô « moderne » des années 1930, reconstruit à la hâte, sans ordre ni caractère, après le tremblement de terre de 1923. Originaire de la campagne, Kimie s'est enfuie hors de chez elle, attirée par le rêve de la grande ville. Quand on prononce devant elle un mot tant soit peu difficile, elle n'en comprend pas le sens, mais ne cherche pas à le connaître. Vivant dans un appartement de fortune, elle ne souhaite ni meubles ni vêtements particuliers, elle se laisse vivre. Dans cette œuvre, Kafû commence à décrire avec passion, avec obstination, les paysages quelconques et éphémères, la laideur du nouveau Tôkyô. Le récit est conçu à son image : l'intrigue elle-même semble s'effilocher, les personnages, souvent groupés par couples antithétiques, sont des êtres de convention, les liens qui les unissent se désagrègent, et seul le hasard apporte une « fin ».

Depuis une vingtaine d'années, Kafû avait produit sans relâche nouvelles et romans. Ici, l'intrigue semble devenue un simple prétexte, mais qui lui pèse et dont il n'ose se débarrasser. Quand il oublie les conventions romanesques, ne serait-ce que pour s'abandonner au plaisir de la description, tour à tour inventaire rigoureux et effusion sentimentale, réapparaît le grand écrivain, sûr et amoureux de son métier, toujours avide de capter la langue dans ses moindres chatoiements. Là, on perçoit déjà le charme propre à certains textes en prose, essais ou journaux, qui comptent parmi ses œuvres les plus précieuses, quoique les plus difficiles d'accès.

SAISON EN ENFER (Une). Œuvre en prose du poète français Arthur Rimbaud (1854-1891), écrite en avril-août 1873 et publiée la même année, à Bruxelles, à compte d'auteur. C'est la seule publication faite par le poète : toutefois celui-ci, s'en désintéressant presque aussitôt, ne put, ou négligea de payer l'éditeur, qui conserva les 480 exemplaires constituant la quasi-totalité du tirage ; ils furent découverts en 1901 par un bibliophile belge, lequel ne révéla sa trouvaille qu'en 1914, infirmant ainsi la légende qui voulait que Rimbaud eût détruit lui-même tous les exemplaires de cette édition. *Le Bateau ivre* (*), daté de 1871, clôt une première évolution dont témoignent en grande partie les *Poésies* (*). Mais l'ensemble de cette œuvre « verbale » ne peut être dissocié d'une opération intime et d'une expérience vécue qui en déterminent profondément les aspects ; et le petit recueil d'*Une saison en enfer* vient, en quelque sorte, conférer à ces actes de présence mentale, isolés dans leur absolu, un contexte relatif qui les relie à l'écoulement de la réalité quotidienne, éclairant et permettant de juger à la fois la démarche intérieure et le comportement objectif. Cette réalité quotidienne, Rimbaud ne nous en dit rien directement, puisqu'il n'écrivait en fait qu'à son usage personnel ou celui de quelques amis au courant de sa vie privée : il nous faut donc recourir aux renseignements biographiques recueillis plus tard pour deviner la nécessité et la valeur de cette autobiographie spirituelle. Les années 1872 et 1873 furent pour le jeune poète particulièrement orageuses : on connaît les vicissitudes, allant jusqu'au drame, de son amitié avec Paul Verlaine. En 1872, premier séjour à Londres en compagnie de ce dernier, qu'il quitte brusquement pour retourner à Charleville. En janvier 1873, deuxième et bref séjour au chevet de Verlaine malade : rejoignant alors sa famille, Rimbaud commence à écrire *Une saison en enfer.* Puis, c'est un troisième séjour en Angleterre, au cours duquel Verlaine, abandonnant Rimbaud sans ressources, gagne Bruxelles, essaie de se réconcilier avec sa femme et demande finalement à son ami de venir le retrouver. Rimbaud le rejoint en effet, mais pour lui notifier son intention de se séparer définitivement de lui : c'est alors que Verlaine le blesse d'un coup de revolver. À peine rétabli, Rimbaud retourne à Roche, auprès de sa mère et de sa sœur, s'isole et termine la rédaction d'*Une saison en enfer.*

Comme son titre l'indique, ce petit recueil relate une expérience transitoire, à peine dépassée. Il se compose de neuf parties, tenant à la fois du poème en prose et de la confession : une courte introduction « Jadis si je me souviens bien... », « Mauvais sang », « Nuit de l'Enfer », « Délires I : Vierge folle — L'Époux infernal ». « Délires II : Alchimie du verbe » (où sont insérés cinq des derniers poèmes en vers écrits par Rimbaud : « Chanson de la plus haute tour », « Larme », « Faim », « L'Éternité », « Bonne pensée du matin », « Ô saisons, ô châteaux »), « L'Impossible », « L'Éclair », « Matin », « Adieu ». On ne saurait résumer la richesse de motifs et la densité de ces pages dans lesquelles le poète semble avoir voulu restituer, dans leur unité et leur totalité, sensations, visions, sentiments, pensées, durée et présence lucide à soi-même : de là souvent une écriture hachée, tout en raccourcis et en notations contradictoires, mais qu'anime et relie un même souffle et où les silences prennent une valeur positive. À sa mère qui lui demandait la signification de ce livre, Rimbaud répondit : « J'ai voulu dire ce que ça dit, littéralement et dans tous les sens. » On peut déceler en effet dans ces textes une volonté de restituer le langage dans sa signification implicite et explicite. De l'ensemble, quelques thèmes majeurs se dégagent : innocence et culpabilité, extase des sens et extase de l'âme, domination et soumission, révolte et châtiment, et ce pressentiment d'être au centre d'un mécanisme, d'un mensonge où tout se tient, d'un dualisme auquel on n'échappe qu'en le vivant et en usant simultanément d'un terme contre l'autre pour les annihiler, pour saisir l'être et la vérité dans l'éclair d'un instant. Et du même coup le poète saisit les sources de la mentalité « artiste » : spontanéité ineffable, harmonieuse unité de la création, mais impossibilité de s'y intégrer définitivement et totalement ; inévitable et juste révolte prométhéenne et satanique, doublée d'une non moins inévitable condamnation ; aspiration chrétienne à la plénitude de l'amour humain et divin, réalisé en fait par une volonté de non-volonté, par le sacrifice et l'anéantissement, condamnant sans appel les disciples aux troubles compromissions d'une vie paralysée et aux palliatifs de la pitié ; cycle infernal enfin du sujet, de l'objet et de l'auteur, emprisonné dans sa solitude, harcelé par le temps et la nécessité de la communication, pris au piège d'un idéal impalpable et indicible s'opposant à une réalité matérielle impénétrable et muette. À travers l'expérience de ces états complémentaires, impliqués dans la culture occidentale, Rimbaud touchait à la racine des mythes, à leur interdépendance, à leur puissance d'erreur et de destruction, à leur vacuité dérisoire. Son ambition, proclamée dans la *Lettre du voyant* (*), d'accéder méthodiquement à la connaissance de l'« âme » par une introspection en acte, en usant de toutes les formes de connaissance immédiate, de toutes les déformations et de tous les dérèglements, il l'a menée à terme ; ou plutôt, la matière même de son expérience s'est désagrégée, transformée, au fur et à mesure de cette connaissance vécue. Désormais, il peut dire sans mentir qu'il connaît les mécanismes de la folie et de la passion, qu'il lui « sera loisible de posséder la vérité dans une âme et un corps » : ses expériences d'« alchimie verbale » l'ont mené au silence du signe ; ses expériences morales l'ont mené à la mécanique érotique ; trop sincère pour se complaire d'un « Moi » absolu dont il serait indéfiniment l'acteur et le spectateur désabusés, contredisant en quelque sorte son ancienne affirmation : « Je est un autre », il semble avoir pris conscience du fait que « Je » doit se gagner et se faire, ici et au milieu des autres.

Lorsqu'il achève *Une saison*, Rimbaud a dix-neuf ans. En quelques années il a épuisé, quant à son époque, les possibilités de la création et de la révélation poétiques, il en a découvert les dessous et désamorcé les mobiles ; cette connaissance supprime l'impératif aveugle de la vocation : on peut dire qu'il y eut alors pour lui inutilité d'écrire, puisqu'il semble n'avoir jamais accepté la littérature comme une récréation et une justification facile. Cette attitude, propre à l'adolescence, nous le concevons bien aujourd'hui, donne son âge et sa fonction à l'exercice de la poésie. C'est pourquoi *Une saison en enfer*, en dépit de sa minceur, nous apparaît comme un bilan et le point terminal d'un témoignage authentique, d'autant plus vrai qu'il est « littéraire », et qu'allant à l'extrême du raffinement mental l'auteur s'y contemple avec le sourire de l'incrédulité. L'énorme intérêt suscité par l'œuvre de Rimbaud a multiplié les exégèses et les interprétations, qui se prévalent souvent de passages séparés du contexte. Pour ne citer qu'un exemple entre mille, Paul Claudel voit dans *Une saison* la manifestation d'un « mystique à l'état sauvage » : or, il s'y manifeste, plus vraisemblablement, une prise de conscience de la sauvagerie raffinée et de l'inhumanité profonde de l'« état mystique », produit de vieille civilisation et non d'un comportement primitif. Quoi qu'il en soit, on peut dire de Rimbaud que la poésie lui a permis de se « déposséder » l'esprit et de se faire une volonté d'adulte responsable, auteur de sa destinée ; et il semble n'avoir supporté de vivre qu'en se mettant à l'épreuve et en se contredisant sans cesse pour se dépasser. Après 1873, il effectue divers voyages dans la plupart des pays d'Europe, renouant avec la vie libre, aventureuse et rude de ses quinze ans ; il apprend les langues, s'intéresse aux sciences, essaie de gagner l'Orient ; enfin, après un séjour laborieux à Chypre et en Égypte, il ira mener en Abyssinie une existence d'explorateur et de marchand, ayant ainsi satisfait successivement, fidèle au pressentiment de son enfance, son désir de liberté d'expression et de découverte.

On ne saisit pleinement la portée de l'œuvre rimbaldienne qu'en la replaçant dans la perspective de la poésie française depuis 1830. Il a été donné à Rimbaud, incité par l'exemple de Hugo et de Baudelaire, d'accomplir en trois années cette révolution mentale ouverte par le romantisme, mais dénaturée et mutilée en réalité par une réaction paralysante, consolidée par les profits, les échecs de 1848 et de 1870, la résignation ou l'aveuglement de la jeunesse bourgeoise. Le romantisme, le réalisme, l'« art pour l'art », Rimbaud les a revécus dans leur unité primitive et passionnée, intégrés et non séparés de la vie. Mais il ne put que limiter sa révolution expérimentale à sa réalité individuelle, au présent de son esprit et de son corps. Lorsqu'il parvint à se remettre sur ses pieds, la société de son temps lui apparut à l'envers, tout y procédant encore dans la confusion de la vieille rhétorique et dans les ornières des vieilles erreurs : de là, sentiment d'impuissance et silence. Son œuvre et sa vie préfigurent l'échec profond d'une mythomanie individualiste, mais témoignent en même temps de la validité passionnelle des principes de justice et de liberté : elles ruinent par l'absurde les pseudo-justifications de trois générations, mais jettent un pont entre 1830 et 1930 et replacent les intelligences et les consciences libres face aux responsabilités et aux problèmes du pouvoir et de la volonté.

★ Parmi les compositeurs qui se sont inspirés du texte de Rimbaud, Henry Barraud (né en 1900) a écrit en 1969 quatre mouvements pour grand orchestre sans correspondance directe avec les poèmes retenus (« Mauvais sang », « L'Époux infernal », « Matin », « Adieu ») et Gilbert Amy (né en 1936) une partition pour soprano, piano, percussion et bande magnétique (1980) qui, au contraire, met en musique une partie de l'œuvre originale.

SAISONS (Les) de Donelaïtis [*Metai*]. Poème de l'écrivain lituanien Christian Donelaïtis (1714-1780), découvert et publié après sa mort, en 1818. Il se compose d'une série d'idylles décrivant le cycle des saisons dans la contrée plate et boisée, coupée de canaux, peuplée de pauvres paysans, que formait alors la partie le plus à l'est de la Prusse-Orientale. L'œuvre ne comporte pas d'intrigue à proprement parler. Pourtant, au cours de différents épisodes, on voit se dessiner un véritable tableau de la vie campagnarde : à côté des silhouettes des ménagères bavardes et actives, des propriétaires brutaux et bien nourris, l'on trouve des pauvres diables, paysans, artisans, abrutis par le travail, buvant par vice ou par désespoir, toujours en butte aux duretés du climat. L'ouvrage occupe une place importante dans la littérature lituanienne (dont elle marque l'essor moderne), à cause de l'allure classique du vers, de la richesse du vocabulaire, et surtout du sens poétique de la nature et de la vie humaine qui s'y manifeste. En effet, l'auteur revendique pour les paysans le droit à un traitement meilleur de la part des propriétaires, auxquels il lance des reproches sarcastiques et des invectives. Donelaïtis travailla à son poème pendant presque toute sa vie et le garda en manuscrit jusqu'à sa mort.

SAISONS (Les) de Haydn [*Die Jahreszeiten*]. Oratorio du compositeur autrichien Franz Joseph Haydn (1732-1809) sur un livret de van Swieten, inspiré des *Saisons* de Thomson. Il fut exécuté pour la première fois à Vienne en 1801. Divisé en quatre parties, il comprend en fait quarante-quatre morceaux différents : récitatifs avec et sans accompagnement d'orchestre, soli, duos, trios et chœurs. « Le Printemps » débute par une ouverture ; selon Haydn, celle-ci « représente le passage de l'hiver au printemps ». L'orchestre décrit d'abord la tempête, l'agitation des éléments, puis il s'apaise quelque peu avant de frémir à nouveau. Enfin s'élève la voix de Simon (baryton) ; éclatant à travers les dernières mesures, elle annonce, dans un bref récitatif, que la saison des neiges et des frimas vient de prendre fin et, accompagnée d'un délicieux adagio soutenu par les bois, elle célèbre la naissance du printemps. Suit l'un des plus beaux chœurs que Haydn ait jamais composés, chœur plein d'exquise douceur : « Viens, ô noble printemps, don du ciel. » L'aube point et la voix de Simon s'élève à nouveau : « Déjà le paysan s'apprête aux travaux des champs. » (Cet air, en dépit de son caractère populaire, conserve la même pureté et la même élégance que le reste.) « L'Été » s'ouvre sur un récitatif où Luc et Simon annoncent l'arrivée du jour. Le chant de Simon : « Le berger rassemble son troupeau », est une pastorale alerte, ornée çà et là de quelques fioritures. L'amour, ou du moins un sens très vif de la nature, s'exprime dans le récitatif d'Anne : la voix chante les heures passées au bord des ruisseaux, dans la fraîcheur de la brise, et tout l'orchestre, avec une délicatesse merveilleuse, évoque le bien-être de l'homme qui se baigne, pour ainsi dire, au sein même de la nature. L'« Introduction » à l'automne, dit la notice de Haydn, « a pour thème l'allégresse des paysans devant l'abondance des récoltes ». Ce sentiment vibre comme un hymne à la joie dans le trio, puis dans le chœur célébrant avec une ardente ferveur le « noble travail d'où naît toute richesse ». Après le tendre duo de Luc et d'Anne suit le chœur des chasseurs, puis un chœur bachique au rythme joyeux et endiablé. Le début de la quatrième partie « dépeint la venue des premières brumes hivernales » ; Haydn a rarement exprimé ses sentiments avec autant de perfection que dans ce morceau qui se classe entre ses plus belles pages. La nostalgie du soleil, de la vie au grand air, des joies de la nature se glisse dans chaque note, doucement romantique, pleine d'une émouvante poésie. Le premier morceau réservé ensuite à l'orchestre, de même que le récitatif de Simon et la cavatine d'Anne sont aussi d'une rare beauté. Le ciel morne et gris de l'hiver semble devenir de plus en plus pesant ; il brouille les images et les contours, attriste toutes les âmes. Dans une puissante fugue, le chœur termine par une sorte d'appel à l'humanité, qui s'inspire des théories maçonniques, alors fort répandues en Autriche.

★ Le compositeur russe Alexandre Glazounov (1865-1936) a composé en 1899 un ballet (op. 67) intitulé *Les Saisons*. Piotr Ilitch Tchaïkovski (1840-1893) est aussi l'auteur d'un cycle homonyme, douze pièces pour piano, op. 37b (1875-78).

SAISONS (Les) de Saint-Lambert. Œuvre du poète français Jean François de Saint-Lambert (1716-1803), publiée anonymement en 1764 après une longue gestation et sous son nom en 1769. Le poète se vante d'avoir apporté une note neuve et sincère dans un genre déjà illustré par Thomson — v. *Les Saisons* (*) — et par Gessner dans ses *Idylles* (*). Chez lui, l'amour des champs prend le caractère d'un fait moral : toute son œuvre reflète la bonté du peuple français. Il faut louer le labeur des paysans, la tranquillité des seigneurs qui, dans leurs châteaux, tantôt mènent une somptueuse vie de société, tantôt participent à la simplicité de la vie rurale. L'ensemble des poèmes n'est pas inspiré par un sentiment poétique vraiment fort : les quatre saisons sont présentées avec une certaine sécheresse. Quelques pièces rappellent certaines poésies du XVIe siècle par leur vivacité épisodique, leur apparence d'exercices de rhétorique et leur conclusion morale. Dans le « Printemps », il faut noter les vers sur le gazouillis des oiseaux, sur le réveil de la joie et de l'amour avec le spectacle des prairies en fleurs ; dans l'« Été », ceux qui décrivent la plénitude de la nature, la splendeur de la lumière, le travail des agriculteurs et leur joie à faire la moisson ; les orages mêmes qui sont beaux quand ils ne font pas de mal aux récoltes. Dans l'« Automne », un véritable discours en vers dépeint les plaisirs des vendanges au cours desquelles lettrés et magistrats eux-mêmes trouvent dans la paix des champs un soulagement à leurs fatigues. Avec l'« Hiver », le vent et la pluie plongent l'homme dans la plus sombre des tristesses ; mais, sans se laisser abattre, celui-ci songe aux lendemains heureux, le paysan s'adonne aux travaux de la ferme et attend le printemps, tandis que le seigneur, en son château, trouve des satisfactions dans les plaisirs et dans les arts, encourageant les travaux d'adresse et les œuvres de bien. Le sujet même indique le caractère didactique de l'œuvre ; avec *Les Jardins* (*) de Delille, cet ouvrage peut être considéré comme une des meilleures réussites de la poésie descriptive telle qu'elle s'est développée dans la seconde moitié du XVIIIe siècle.

SAISONS (Les) de Thomson [*The Seasons*]. Poème en vers libres de l'écrivain anglais James Thomson (1700-1748), publié de 1726 à 1730. Il est divisé en quatre livres ou chants (un pour chaque saison) et comprend un « Hymne » final à la Nature. « L'Hiver » [Winter, 1726] décrit la pluie, le vent, la neige, l'arrivée des rouges-gorges ; un homme meurt dans la tourmente, tandis que sa famille angoissée l'attend ; les loups descendent des montagnes ; on participe à la vie de l'étudiant dans son village et à la ville ; on sent le gel, on voit les patineurs et enfin l'aspect qu'offrent les régions voisines du cercle polaire arctique. « L'Été » [Summer, 1727] évoque une belle journée aux champs, avec des scènes de moissons, la tonte des brebis, les bains. Il peint un désert où une caravane est ensevelie par une tempête de sable. Suivent deux récits : l'histoire d'un jeune homme dont la bien-aimée est tuée par la foudre et celle d'un autre amant qui surprend sa belle alors qu'elle est au bain. Ce chant renferme encore un éloge de l'Angleterre. « Le Printemps » [Spring, 1728] dit l'influence de cette saison sur les choses inanimées, les plantes, les animaux, l'homme même, et exalte l'amour conjugal. Il y a entre autres un admirable portrait de pêcheur. « L'Automne » [Autumn, 1730] présente un tableau très animé de la chasse, que l'auteur blâme cependant pour ce qu'elle a de cruel ; on y voit aussi les fruits de la terre venir à maturité, l'arrivée des premières brumes, les fêtes des paysans après les récoltes, avec un passage directement inspiré de celui de Booz – v. *Ruth* (*) – où un certain Palémon s'éprend de la belle Lavinia, qui est venue glaner sur son champ. Ces quatre poèmes rappellent au premier abord les *Géorgiques* (*), car ils semblent procéder de la même intention didactique. Cet ouvrage est né de deux tendances : l'amour de la nature (qui, pour une part plus ou moins importante, est toujours présent dans la littérature anglaise) et une religiosité moralisatrice et sentimentale. On sent que Thomson connaît bien les sites qu'il dépeint : ce sont ceux de l'Écosse méridionale et des environs de Londres ; par contre, l'effort est visible chaque fois qu'il essaie d'imaginer des paysages exotiques. Mais ses descriptions dérivent le plus souvent de notions générales ; elles sont plutôt « pensées » que vues, et les faits naturels, de même que les divers épisodes, renferment un sens symbolique pour chacune des saisons. Par son fond et par sa langue (savante et pleine de latinismes), cette œuvre se rattache visiblement à la tradition classique et l'atmosphère qui s'en dégage rappelle Virgile. La sensibilité de Thomson est néanmoins nuancée de piété et de patriotisme. Il résulte de la fusion de ces deux éléments une profonde connaissance du monde physique et des phénomènes naturels, doublée d'un goût particulier pour les joies délicates et pures que procure la vie champêtre. Tout le lyrisme de Thomson naît de cet enthousiasme ; même si nous oublions les diverses anecdotes et sentences morales qu'il y a introduites, il ne nous reste pas moins en mémoire une suite de visions d'une exquise fraîcheur et d'un charme durable. À ce point de vue, *Les Saisons* se distinguent nettement des œuvres strictement classiques à la manière de Pope et annoncent le romantisme. Elles eurent d'ailleurs une très grande influence sur la littérature anglaise et furent, entre autres, à la base du lyrisme de Gray qui devait conduire la poésie jusqu'au seuil de la grande époque romantique. – Trad. Delalain, 1818.

SAISON VOLÉE (Une). Roman de l'écrivain français Henri Thomas (1912-1993) publié en 1986. Au début de sa vie littéraire, Henri Thomas avait fait de Paul Souvrault, dans *Le Seau à charbon* (1940), *La Vie ensemble* (1945) et *Le Porte-à-Faux* (1948), un double oblique de lui-même. Après l'avoir accidenté dans *La Nuit de Londres* (*) (1956), il le rapatrie d'Amérique dans *Une saison volée*. Dans les quartiers animés de Paris, il retrouve des amours anciennes, un ami menacé par une maladie de cœur, Dordivian (à qui sont prêtés certains traits du poète Armen Lubin). Par affection, et compassion, il l'assiste dans son cheminement vers la mort. À mesure que les promenades dans Paris ressuscitent le souvenir du passé, le crépuscule se fait plus proche ; et, pour ceux qui vont mourir, que ce soit dans le doute de l'œuvre accomplie ou dans l'orgueil d'une gloire secrète, une saison de vie semble avoir été volée, par la misère ou l'imposture.

Les figures amies de Paul Souvrault sont doubles. À celle de Dordivian (nom fictif) s'oppose celle d'Emmanuel Peillet (être réel, dont le rôle essentiel en la littérature contemporaine est ici révélé). Énigmatique et discret, il fut le compagnon d'Henri Thomas dans la khâgne d'Henri-IV en 1932 et 1933. Si rien n'a été publié sous son nom, il a eu une connaissance sûre des nombreux opuscules de Jean-Hugues Sainmont (qui perd la tête dans une clinique psychiatrique du Vaucluse), du Dr Sandomir, de Latis (qui meurt en 1973) et de Mélanie Plumet. On lui doit également de connaître l'œuvre de Julien Torma disparu en 1933, au Tyrol dans une avalanche ; et, plus encore, l'invention du Collège de pataphysique, avec ses rites, son calendrier, ses inestimables publications orientées par l'œuvre d'Alfred Jarry. Jusqu'en 1942, il dirigea un journal, *Le Rouge et le Bleu*, et en avril 1950 fit paraître le numéro 1 des *Cahiers du collège*. Il avait été élève de Michel Alexandre, dont il publia les leçons sur Platon ; professeur à Reims, il est à Paris quand Henri Thomas lui fait rencontrer son ami Paul Souvrault. Progressivement libéré de certains de ses hétéronymes, il se consacre à son œuvre gigantesque (« Nous avons monté une machine comme il n'y en aura jamais d'autre »), et souffre d'une douleur froide la mort de son complice Philippe Merlen. Engagé dans les Waffen SS, Philippe Merlen fut sauvé par Michel Alexandre, et fut tenu pour mort, idéalement, au camp de Thann vers juillet 1944, avant de mourir, corporellement, au Tanganyika. Le roman d'Henri Thomas évoque une part énigmatique mais fondamentale de la littérature contemporaine, une société ignorée bien que non secrète, discrète jusqu'à s'occulter à la disparition de Peillet, féconde parce que non médiatique.

Le titre *Une saison volée* fait allusion à *Une saison en enfer*. Henri Thomas a feuilleté chez Jean-Hugues Sainmont un des très rares exemplaires que ne détruisit pas Arthur Rimbaud. Paul Souvrault assiste à son vol rocambolesque. Mais de quoi cette disparition est-elle le signe, sinon qu'une vie qui ne se change pas en œuvre est infernale ? À une tristesse dominée qui rapproche ce roman d'un travail du deuil s'oppose une espérance fragile mais vivace : une petite fleur demeure présente entre les pierres sans terre du pont Louis-Philippe. Partant pour mourir, Dordivian souhaite la revoir une fois encore. Sur les cinq personnages majeurs du roman veille la Femme-sans-Tête, « sans tête, sans sexe, mais souveraine, ayant l'autorité sur l'empire du jour et de la nuit ».

Une épigraphe extraite de « La Vie du Bouddha » par Daisaku Ikeda précède le roman : « ... il entra dans la première veille de la nuit, où il concentra son esprit sur ses existences antérieures. » Dans le roman d'Henri Thomas, le narrateur, ou le personnage par qui est suivie l'action (ici Paul Souvrault) joue le moindre rôle dans une action qui le concerne à l'extrême ; il n'a pas à provoquer d'événement mais à contempler ; car ce qui survient l'éclaire sur celui qu'il est. Les personnages d'un romancier sont les parts larvaires ou archaïques de lui-même. Ils sont aimés et estimés à égalité, et le romancier peut parler d'êtres qui furent réellement vivants comme d'images de soi. Ainsi se poursuit ce qui était annoncé par Paul Souvrault dans *Le Porte-à-Faux* (1948) : « J'ai déjà occupé de nombreux emplacements dans mon être. »

J. Rou.

SALADE. Divertissement chorégraphique en deux actes du compositeur français Darius Milhaud (1892-1974). Ce ballet fut écrit à la demande du comte de Beaumont, organisateur des « Soirées de Paris », série de spectacles dramatiques, musicaux ou de variété donnés à la « Cigale » durant la saison parisienne de 1924. Il fut conçu en très peu de temps et conjointement avec une autre « commande », *Le Train bleu,* dû cette fois à Serge de Diaghilev, au cours du mois de février 1924. L'argument, qui met en scène des personnages et les schèmes classiques, mimés, de la commedia dell'arte, est commenté par le truchement de quatre parties vocales, qui s'ajoutent à l'orchestre, écrites dans une tessiture élevée, qui leur permet de se détacher avec clarté de la masse instrumentale pour préciser l'articulation de l'action, et comporte également quelques éléments parlés avec accompagnement de batterie. D'une inspiration volontairement composite, utilisant des matériaux musicaux archaïques mêlés parfois à des motifs chorégraphiques d'origine toute moderne et populaire, cette œuvre répond parfaitement aux propos de libre fantaisie suggérés par le commanditaire, et relève nettement de l'esthétique du ballet français contemporain (Satie, Poulenc, Auric), où la désinvolture et le disparate restent toujours soumis aux impératifs du goût et d'une sensibilité raffinée spécifiquement françaises. Ici l'orchestre, éclatant et chaleureux, aussi bien que la qualité des airs ou de la simple scansion du discours parlé assurent à la partition un relief, voire une truculence et un charme très personnels. La chorégraphie était due à Massine qui interpréta lui-même le rôle de Polichinelle, lors de la première représentation de l'œuvre le 17 mai 1924 dans des décors de Georges Braque. Une nouvelle version chorégraphique, due cette fois à Serge Lifar dans les décors de Derain, en fut donnée à l'Opéra de Paris en 1935. Darius Milhaud a extrait de ce ballet une suite pour piano et orchestre intitulée *Le Carnaval d'Aix.*

SALAIRE DE LA PEUR (Le). Roman de l'écrivain français Georges Arnaud (1918-1987), publié en 1950. L'épigraphe du roman est un paradoxe : « Le Guatemala [...] n'existe pas. Je le sais, j'y ai vécu. » Préliminaire insolent et expéditif, âpre comme ce roman d'action où un décor de fin de monde sert de toile de fond aux aventures de ces héros. Décor d'apocalypse, Las Piedras sur la côte Pacifique, dans un pays d'Amérique centrale, est un trou sordide, malsain, peuplé d'aventuriers et d'alcooliques : toute une humanité dégradée, abrutie par les fièvres et les drogues et dont la seule obsession est de fuir. L'alternative qui leur est laissée est sans ambiguïté : partir ou crever. Parmi ces « vagabonds des tropiques » [tropical tramp] se découpe la figure de Gérard Sturmer (comme son nom l'indique, sturm [orage], il symbolise les forces de vie). Lui refuse de laisser sa peau dans ce « dépotoir du littoral Pacifique ». Il acceptera de convoyer un camion chargé de nitroglycérine, seul moyen de toucher suffisamment d'argent pour s'échapper de Las Piedras. Tendu, volontaire, énergique : Arnaud nous décrit la lutte, quasiment titanesque, qui l'opposera à sa propre peur, à celle de son coéquipier Johnny et, surtout, à ce camion qui a la sombre allure du destin. Le combat est sans merci, ponctué de scènes d'humour noir où Gérard remet d'aplomb son coéquipier : « La crise de nerfs, très peu merci. Tu vas fermer ton claque-merde ou je te sonne la gueule dans les grands prix. » La maîtrise de Sturmer sur lui-même (qui n'est pas sans rappeler la volonté de puissance du « loup des mers » de Jack London) aurait dû être payante. Mais une fatalité sournoise veille sur les héros d'Arnaud. Comme dans la tragédie grecque, le héros n'échappe pas à son destin. – Henri-Georges Clouzot a réalisé en 1953 une célèbre adaptation cinématographique de cette œuvre, avec Charles Vanel et Yves Montand dans les rôles principaux. P. Bl.

SALAMANDRE (La). Roman de l'écrivain français Eugène Sue (1804-1857), publié en 1832. C'est le plus célèbre des récits maritimes qui constituent le premier volet de l'œuvre de Sue. Le jeune auteur avait entrepris dès 1830 d'exploiter ses souvenirs de chirurgien auxiliaire à bord des vaisseaux de la Marine royale : cela avait donné *Kernok le pirate,* aventure débridée menée tambour battant autour de la figure dénuée de tout scrupule du terrible bandit Kernok. Le récit se soucie à vrai dire moins de vraisemblance que de frénésie, et la couleur locale s'efface souvent devant l'humour le plus noir. Ainsi l'évocation d'une bataille navale se clôt-elle sur l'image macabre de Mélie (la maîtresse du pirate) sauvant par sa mort le navire du naufrage : elle a bouché avec son corps le trou qu'avait fait dans la cloison le boulet qui l'a tuée ! Mais Sue se prend au jeu et se plaît à distiller son cynisme de dandy dans d'autres aventures plus étoffées. À la publication de *La Salamandre,* il a derrière lui plusieurs réalisations ; l'idée lui vient d'une somme romanesque englobant les œuvres passées et à venir dans une véritable « comédie maritime » dont il annonce les termes dans sa Préface : « En tâchant d'introduire, le premier, la littérature maritime dans notre langue, j'ai dû toucher à toutes les parties de ce genre [...] J'ai tenté dans *Kernok* de mettre en relief le pirate, d'en donner le prototype ; dans *El Gitano* de donner le prototype du contrebandier ; dans *Atar-Gull,* du négrier ; dans *La Salamandre,* du marin militaire. » L'entreprise n'aura guère d'avenir au-delà de *La Vigie du Koat-Ven* ou de *La Cucaratcha ;* reste une intéressante galerie de tableaux (la critique du temps parle de « marines ») dont *La Salamandre* est sans aucun doute le mieux réussi. Le marquis de Longetour, marchand de tabac rétabli dans ses droits par la Restauration, se voit confier le commandement de la frégate « La Salamandre » ; Pierre Huet, son second, découvre hélas que le marquis ne connaît rien à la mer et s'avère tout bonnement incapable de diriger le navire. Pierre, pour qui l'honneur de l'uniforme passe avant tout, décide alors de tenir secrète l'incompétence de son capitaine à qui il soufflera toutes les manœuvres, n'hésitant pas à se tromper pour mieux assurer le prestige du marquis auprès des vieux loups de l'équipage. Il va jusqu'à se mettre lui-même aux arrêts pour dissimuler une erreur de son chef qui entraîne le naufrage de la « Salamandre » ! Pierre Huet finira fusillé par un tribunal militaire, victime de son sens exacerbé de l'honneur ; le marquis sera élevé au rang de capitaine de vaisseau. L'ironie aigre-douce du sujet principal le cède toutefois à la noirceur d'une intrigue secondaire qui constitue le véritable intérêt du livre. Parmi les passagers se trouve un certain Szaffie, personnage cynique « blasé sur tout » qui a entrepris de « faire tout le mal possible à l'humanité ». Il pousse Paul, le fils de Pierre, au suicide, et séduit la jeune Alice (amoureuse de Paul) pour mieux lui « tuer l'âme ». Ce « meurtrier spiritualiste », figure composite qui participe d'un satanisme métaphysique teinté de mondanité désabusée, est avec *Latréaumont* (*) l'une des plus saisissantes créations du Sue première manière ; il enthousiasmera Liszt à ce point que le compositeur envisagera un moment de mettre en musique la fin du livre. L. Ba.

SALAMÂN ET ABSÂL [*Salâman o Absâl*]. Poème allégorique de l'écrivain persan Djâmi de Hérat (1414-1492). Salamân est fils d'un roi de Grèce, mais sa naissance n'est pas l'œuvre d'une femme : elle est l'œuvre d'un savant magicien. Salamân tombe un jour éperdument amoureux de son camarade Absâl et s'enfuit avec lui dans une île. Découverts, les deux amis se sauvent dans un endroit désertique et là, ayant construit un bûcher, se jettent ensemble dans les flammes. Mais, tandis qu'Absâl est la proie du feu, Salamân est sauvé, reconduit au palais et, désormais guéri de son amour impur, est admis à succéder à ses pères sur le trône. Ce récit, apparemment léger, cache une allégorie philosophique : Salamân, c'est l'esprit de l'homme ; Absâl, c'est le corps.

De leur union sur terre naît le mal ; mais, lorsque la mort détruit le corps, l'esprit, libéré, retourne à l'état de béatitude céleste qui lui appartient de tout temps. Les noms de Salamân et d'Absâl sont devenus symboliques dans la littérature musulmane, depuis que le grand Avicenne les utilisa et, après lui, Ibn Tufail dans son célèbre roman philosophique *Havy ibn Yaqzan* (*). — Trad. Paris, 1911.

SALAMMBÔ. Roman de l'écrivain français Gustave Flaubert (1821-1880), publié le 24 novembre 1862. Comme toutes ses œuvres, celle-ci lui valut bien des fatigues et des découragements ; elle fut, elle aussi, le fruit d'une très lente élaboration. C'est sans doute dès son voyage en Orient avec Maxime Du Camp, en 1849-1851 — v. *Correspondance* (*) de Flaubert — qu'il eut l'idée d'évoquer, non plus sur un plan symbolique — v. *La Tentation de saint Antoine* (*) — mais d'une manière réaliste, les civilisations disparues. Tandis qu'il travaillait avec acharnement et fureur au manuscrit de *Madame Bovary* (*), son ami Bouilhet lui lisait des passages du poème qu'il était en train de composer : « Melaenis », sur une courtisane romaine, et Flaubert rêvait sans doute déjà à une évocation du monde antique. Il semble enfin que la rencontre dans la rue à Rome d'une jeune femme en 1851, sur qui il s'exprime, dans ses carnets, avec une vive émotion, lui ait donné l'apparence physique de Salammbô. Néanmoins, ce n'est, semble-t-il, que d'une conversation bien plus tardive avec Théophile Gautier, que devait sortir pour Flaubert la conception, dans ses grandes lignes, de l'œuvre. Aussitôt, en 1857, il se met à des lectures interminables, il prend des monceaux de notes. Enfin, en septembre, il se met à écrire, mais il se rend compte qu'il ne fera rien de bon. Il faut qu'il voie Carthage. Il y fait un bref séjour d'avril à juin 1858 ; décidément rien de ce qu'il a déjà écrit n'est valable. Dans l'exaltation, il se met au travail, aussitôt rentré à Croisset ; et il termine ses notes de voyage par l'invocation : « Que toutes les énergies de la nature que j'ai aspirées me pénètrent et qu'elles s'exhalent dans mon livre. » Ainsi, il retrouvait l'élan lyrique et mystique qui l'avait inspiré quand il écrivait *La Tentation de saint Antoine ;* mais l'expérience qu'il avait acquise avec *Madame Bovary* devait y ajouter une sévère discipline. Ce sont alors des mois et même des années de dur labeur ; Flaubert vit complètement isolé, enfermé avec son manuscrit, dormant peu, s'acharnant et ne pouvant tirer de lui, au plus fort de son travail, que dix pages en dix-huit jours. Les brouillons que nous avons conservés montrent qu'il a recommencé neuf fois, et jusqu'à quatorze fois, le même passage. De temps en temps, il faut qu'il s'interrompe, non pour se reposer, mais pour compléter sa documentation. Parfois, il est prêt à tout abandonner : « Carthage me fera crever de rage. » Enfin, en mai 1861, la rédaction du livre est assez avancée pour qu'il en donne lecture aux Goncourt. Pendant un an, il reprend tout son roman, corrige, refait, élague. En avril 1862, *Salammbô* est prêt pour l'impression. Le livre connut immédiatement un succès considérable auprès du public : deux mille volumes furent enlevés en deux jours. La presse ne fut point si enthousiaste : le genre étonnait, certains avaient l'impression que Flaubert se fourvoyait dans un genre qui n'était pas fait pour lui. Aussi, a priori, estima-t-on que son œuvre devait contenir des inexactitudes historiques, on alla jusqu'à parler de son mépris de l'histoire. Mais Flaubert répondit point par point, d'abord à Sainte-Beuve qui avait donné trois articles sur *Salammbô* au *Constitutionnel*; puis à un Allemand devenu, par la grâce de Napoléon III, conservateur des Antiques au Louvre. Il cite les textes sur lesquels il s'est appuyé, invoque le témoignage des archéologues, expose ses propres expériences sur le site de Carthage. Naturellement, la critique ne se contenta pas d'attaquer les bases historiques du roman ; elle prétendit (Sainte-Beuve lui-même) qu'un lexique était nécessaire pour lire *Salammbô ;* on accusa aussi Flaubert d'obscénité. Mais la réaction du grand public constituait une réponse suffisante à de telles accusations : la mode était à Carthage, et même la mode féminine. D'ailleurs, il n'y eut pas que des mécontents parmi les critiques ; dans un long article, Théophile Gautier faisait justice des accusations portées à la légère contre Flaubert.

L'action se passe à Carthage après la première guerre punique. Les mercenaires, qui n'ont pas encore reçu leur solde, se sont révoltés et constituent pour la ville une grave menace. Ils reçoivent l'ordre d'aller camper à Sicca mais, comme l'argent ne vient toujours pas, ils décident de passer à l'action. Ils sont conduits par l'un d'entre eux, Mâtho le Libyen, lui-même poussé par l'esclave grec Spendius et plus encore par son amour pour la belle Salammbô, fille d'Hamilcar, qu'il a entrevue une fois et dont le charme l'a ensorcelé. Il a l'audace de pénétrer nuitamment dans Carthage et de dérober dans le temple le voile de la déesse lunaire Tânit ; puis il se glisse jusqu'aux appartements de Salammbô, se montre à la jeune fille et s'enfuit, en emportant le voile sacré auquel est suspendu, croit-on, le destin de la ville. Bientôt le Numide Narr'Havas se joint aux insurgés qui remportent divers succès. Hamilcar prend le commandement des troupes lancées contre les rebelles, mais, après la victoire du Macar, il est battu à son tour : il semble vraiment qu'avec le voile de la déesse, la chance ait aussi abandonné Carthage. C'est alors que, sur les conseils du grand sacrificateur, Salammbô, la vierge prêtresse consacrée à Tânit, décide de se rendre au camp ennemi. Ivre de joie en la revoyant, Mâtho lui restitue le précieux voile qu'elle rapporte dans le temple. Aussitôt le sort des armes devient favorable aux Carthaginois qui, avec l'aide de Narr'Havas – revenu dans leurs rangs – mettent les mercenaires en déroute. Néanmoins, la ville reste assiégée et privée d'eau, car l'ennemi a coupé l'aqueduc. Ce n'est qu'après avoir livré nombre de petits enfants en sacrifice à Moloch que la pluie consent à tomber. Hamilcar en profite pour sortir du port avec quelques navires ; les mercenaires, pris entre deux armées, sont refoulés dans une gorge profonde, encerclés à leur tour, et réduits à mourir de faim. Mâtho et les quelques hommes qui lui restent doivent se rendre ; lui, sera condamné au supplice. Quant à Salammbô, à présent fiancée à Narr'Havas, mais qui ne peut oublier l'homme qui l'avait adorée au point de lui restituer le voile de Tânit, elle meurt à la vue de ses affreuses tortures. Des quinze chapitres qui composent le livre, il faut signaler tout particulièrement pour leur richesse d'évocation, leur puissance et leur vie, les vastes fresques que sont le « Festin » (chap. I), « Hamilcar Barca » (chap. VII), l'admirable « Bataille du Macar » (chap. VIII) et l'hallucinante évocation des hommes qui meurent de faim dans « Le Défilé de la Hache » (chap. XIV). C'est une singulière et ambitieuse tentative que celle de Flaubert dans *Salammbô*. Délibérément, il choisit, parmi les peuples de l'Antiquité classique, le plus étrange, le plus barbare et un des moins connus ; et s'il le fait, c'est qu'il veut retrouver une mentalité aussi éloignée que possible de la nôtre, pour en souligner les différences sans doute, mais plus encore pour montrer la permanence des désirs humains. Le personnage de Salammbô n'est pas si loin, sans qu'il en résulte une impression d'inauthenticité, de Madame Bovary. Mais, au lieu de se laisser aller aux caprices de son imagination, Flaubert s'appuie sur des faits reconnus, non seulement dans le domaine de l'histoire, mais de la physiologie ; il s'est inspiré par exemple de la thèse de Savigny – chirurgien de la marine et survivant du naufrage de la « Méduse » –, sur les *Effets de la faim et de la soif* (1812) pour décrire le supplice des guerriers enfermés dans le défilé de la Hache. Toutefois *Salammbô* n'est pas une simple reconstitution historique, une minutieuse évocation ; c'est une œuvre vécue, écrite avec passion, tout animée d'un vaste souffle qui court d'un chapitre à l'autre jusqu'à la fin, c'est une vaste épopée, où ne manquent ni le pittoresque ni la chaleur. Est-ce une réussite complète ? L'évocation est parfois trop somptueuse, trop précise, et l'action s'en ralentit d'autant ; l'intérêt faiblit parfois devant un tel acharnement à faire revivre le réel. Enfin, tout cela ne va pas sans quelques artifices nécessaires. Sans doute, le but de Flaubert est, somme toute, ici le même que celui qu'il poursuivait en composant *Madame Bovary* : asseoir le roman sur la plus stricte réalité, le bâtir à même la vie ; mais la vie qui anime *Madame Bovary*, c'était celle qui entourait Flaubert, alors que dans *Salammbô*, il entend s'en évader. À vouloir insuffler une nouvelle vie à une civilisation morte et qui a laissé relativement peu de traces, il lui arrive de s'époumoner : il recourt alors au pittoresque pur et simple et ne nous convainc plus. Cependant, quelles que soient les faiblesses qu'imposait le genre choisi (et l'on ne peut qu'être surpris qu'il n'y en ait pas davantage), tout le livre est soulevé par une violente passion qui lui confère une présence étonnante. Y contribue naturellement le style magnifique, parfois trop recherché, ce style qui fera école parmi les parnassiens et les symbolistes.

★ Plusieurs opéras ont été tirés de la *Salammbô* de Flaubert. Modeste Petrovitch Moussorgski (1839-1881) fut le premier à s'en inspirer (1863), mais ne composa que quelques scènes.

★ Enfin, le plus célèbre est la *Salammbô* du compositeur français Ernest Reyer (1823-1909) sur un livret de Camille du Locle, représentée à Bruxelles en 1890. L'ouvrage comprend cinq actes et huit tableaux ayant les titres suivants : « Le Festin des mercenaires dans les jardins d'Hamilcar » (acte I) ; « L'Enceinte sacrée du temple de Tanit » (acte II) ; « Le Conseil des Anciens dans le sanctuaire du temple de Moloch » et « La Terrasse de Salammbô » (acte III) ; « Le Camp des mercenaires », « La Tente de Mâtho » et « Le Champ de bataille » (acte IV) ; « Les Noces de Salammbô » (acte V). Par sa grande intensité dramatique, *Salammbô* reste la meilleure partition de Reyer. La musique témoigne de son éclectisme et l'influence de Wagner y prédomine nettement, Reyer ayant été, dans les âpres polémiques de l'époque, l'un des plus ardents défenseurs du maître de Bayreuth. Ce puissant créateur de la seconde moitié du XIXe siècle que fut Reyer est cependant classé parmi les compositeurs de second rang : son inspiration cède trop souvent le pas au souci de la forme, souci qui se révèle à travers toute la partition en dépit d'une écriture qui, parfois, trahit la facilité. *Salammbô* n'en possède pas moins une indéniable vigueur et un rythme dramatique qui lui valent une grande unité, une haute tenue et un caractère original.

★ De son côté, Florent Schmitt (1870-1958) a écrit la musique pour un film sur ce même sujet (1925).

SALAS Y GOMEZ [*Salas y Gomez*]. Poème en tercets, en quatre parties, de l'écrivain allemand d'origine française Adelbert von Chamisso (1781-1838), publié dans l'*Almanach des Muses de Wendt* en 1829. Cet ouvrage, écrit en allemand, fut pour l'écrivain le signal d'une popularité qui ne fit que croître par la suite. Il a pour sujet un voyage autour du monde entrepris par Chamisso à bord du navire russe « Rurik » entre 1815 et 1818. La première partie nous transporte à l'île rocheuse de Salas et Gomez, habitée seulement par les oiseaux, et dans laquelle, si l'on en croit la légende, des naufragés trouvèrent la mort. Le poète rapporte qu'ayant débarqué dans l'île avec un groupe de marins et d'officiers du « Rurik », ils y découvrirent des inscriptions gravées à même la pierre, ainsi que quelques coquilles d'œufs, puis le corps épuisé d'un très vieil homme tout nu qui, lorsqu'il vit les arrivants, ouvrit une dernière fois les yeux avant d'expirer. Près de lui gisaient trois ardoises couvertes d'une écriture serrée, où le vieillard avait raconté en espagnol sa tragique aventure. Chamisso s'efface alors pour laisser parler le mort lui-même. Jeune Espagnol, très épris de son épouse, il avait juré d'accomplir pour elle un exploit sans précédent et de mettre à ses pieds tous les trésors de l'Inde. Il entreprit alors l'audacieuse expédition, mais par suite d'un naufrage, fut rejeté tout seul sur les côtes de l'île. L'Espagnol mesura l'horreur de son destin, et, comme les œufs des oiseaux suffisaient à le nourrir, il ne put même pas espérer une mort rapide. C'est ensuite, avec un réalisme saisissant dans les détails et beaucoup de vérité dans l'analyse psychologique, le navrant récit de l'approche d'un navire qui éveille tous les espoirs dans le cœur du malheureux. Mais c'est en vain qu'il lui fait signe ; le navire disparaît à l'horizon. Le naufragé au désespoir se sent devenir fou ; il pleure pendant trois jours ; la faim le torturant, il cherche de nouveau sa nourriture. Dans un troisième récit, le solitaire décrit la fuite inexorable du temps. Il a renoncé à tout espoir, n'éprouve plus aucun désir : pas même celui d'être sauvé, et sa patrie, désormais, lui est comme étrangère. Mourir... c'est tout ce qu'il demande, avec, au-dessus de sa tête, la croix australe qui brille dans le ciel. Tragique « robinsonnade », empreinte de cette finesse toute française qui, dans les poésies de Chamisso, voisine si heureusement avec la richesse de la langue allemande et l'élégance spontanée de la rime.

SALKA VALKA, petite fille d'Islande [*Salka Valka*]. Roman, publié en 1931, de l'écrivain islandais Halldór Kiljan Laxness (pseud. de Halldór Gudjonsson, né en 1902). Une vagabonde, Sigurlina, venant du Nord, débarque avec sa petite fille Salka dans la bourgade d'Oseyrir, au bord du fjord, ne sachant où passer la nuit. Désormais, elle ne cessera de s'identifier à la « pauvre femme insignifiante, débarquée sur cette grève insignifiante comme une épave venue d'on ne sait où ». Dans la tristesse infinie d'une terre disgraciée au dur climat, la pauvresse, une fille perdue, se heurte bien vite, étrangère et pécheresse, à l'hostilité des habitants et à leur hypocrisie. Sigurlina frappe à la porte de l'Armée du salut, puis, sensible à la séduction des cantiques, son âme fruste aspire à une vie nouvelle. C'est alors une satire très fine de la déformation que, parfois, subissent les gens pieux. De rebuffades en humiliations, la fille Sigurlina en est réduite à mener une vie abjecte en compagnie du pêcheur ivrogne Steindor, et la vie de Salka devient un martyre. Plus encore que sa mère, qu'elle aime et qu'elle juge, la fillette fait l'apprentissage de la « méchanceté du monde », et Laxness note à son propos : « Grandir, c'est s'apercevoir qu'on n'a point de mère, qu'on est tout seul éveillé dans l'obscurité de la nuit. » Salka, cependant, oppose à l'adversité une énergie farouche et devient ouvrière dans les ateliers du patron Bogesen ; mais, là encore, une nouvelle désillusion l'attend : après avoir durement trimé, elle découvre que sa mère s'est adjugé sa paye pour s'acheter une robe. Le tragique destin de Salka, ce sera, enfin, d'être violée, une nuit, par l'amant de sa mère. Steindor s'enfuit aussitôt, et Salka, en grandissant, affirme une personnalité rare dans ce petit monde mesquin où, autour d'elle, gravitent des types sociaux bien dessinés et des garçons qui ne sont pas insensibles à son charme sauvage. L'histoire prend fin après le retour de Steindor, qui désire toujours Salka, et le suicide de Sigurlina, laquelle, entre-temps, a perdu l'enfant qu'elle avait eu de l'ivrogne. Ce roman d'une grande sincérité n'est pas riche seulement en descriptions et en scènes vécues : il rejoint la « réalité cachée derrière les choses réelles ». — Trad. Gallimard, 1939.

SALLE 6 (La) [*Palata nº 6*]. Une des plus vigoureuses nouvelles de l'écrivain russe Anton Pavlovitch Tchekhov (1860-1904), écrite entre 1890 et 1892 et publiée en cette dernière année. Cet ouvrage appartient à la période intermédiaire dans la création artistique de Tchekhov, c'est-à-dire aux années qui virent s'épanouir un fort mouvement de réaction sociale après le meurtre d'Alexandre II. Le fatalisme russe, fruit des misères matérielles et sociales, en fut par le fait même renforcé, et le jeune Tchekhov, qui devait être le chantre de ce fatalisme, versa toute l'amertume de cette époque dans ses drames et dans ses récits. C'est ainsi que naquit *La Salle 6.* C'est une salle d'un hôpital de province, sale et désorganisé, où vivent cinq malades mentaux, dont personne ne s'occupe, à l'exception du gardien qui, de temps en temps, frappe à coups de poing l'un ou l'autre pour le faire tenir tranquille. André Efimytch, le médecin de l'hôpital, dégoûté de l'étroitesse d'esprit de ses concitoyens et désormais résigné à l'impuissance de la médecine, passe par hasard dans la « salle 6 ». Il y trouve un malade intelligent, quoique atteint de la manie de la persécution ; ils deviennent amis et dès lors le docteur passera ses soirées à l'hôpital. Mais son assistant, qui a surpris un jour sa conversation avec l'aliéné, en déduit que son supérieur est devenu fou lui aussi. André Efimytch est obligé de se démettre de ses fonctions et plus tard, après diverses péripéties, il se verra à son tour enfermé dans la « salle 6 » ; dans la mentalité mesquine de ces provinciaux, un homme qui raisonne, et au surplus converse avec un fou, ne peut être une personne normale. Nikita, le gardien, frappe gravement André Efimytch, qui voulait sortir un instant à l'air libre, et celui-ci meurt d'une attaque d'apoplexie. Tchekhov, en suivant le progressif affaiblissement moral du docteur, se montre un maître et égale par moments la profondeur psychologique de Dostoïevski ; mais les conversations entre André Efimytch et le fou manquent de force convaincante. Tchekhov profite de ses colloques pour mettre dans la bouche de l'aliéné, comme il l'avait déjà fait dans *Le Moine noir* (*) avec un fantôme, ses rêves d'avenir pour une humanité sans hôpitaux ni prisons, toute consacrée à la recherche de la vérité. — Trad. *Œuvres,* Bibliothèque de la Pléiade, t. 3, Gallimard, 1971.

SALOMÉ. Drame en un acte et en prose de l'écrivain irlandais Oscar Wilde (1854-1900), écrit directement en français entre 1891 et 1892 à l'intention de Sarah Bernhardt et représenté le 12 février 1896 au théâtre de l'Œuvre, avec Lugné-Poé. À la demande de Wilde lui-même, le texte fut revu par Marcel Schwob, Stuart Merrill et Pierre Louÿs, puis traduit en anglais par Alfred Douglas. Tandis que la pièce remportait à Paris un succès triomphal, la censure britannique l'interdisait pour des motifs religieux ; *Salomé* fut ensuite traduite dans toutes les langues européennes et même en yiddish. Ce sujet avait déjà été exploité de façon moins originale par divers écrivains, tels que Max Bruns dans *Baptiste*, Sudermann dans *Johannès*, et Pfaff dans *Hérodiade*. La technique de Wilde dérive sans doute de celle de Maeterlinck dans *Les Sept Princesses* (1891) ; elle consiste à donner à chaque personnage, instrument aveugle du destin, une vigueur dramatique indépendante des passions environnantes ; sa couleur et la cruauté qui s'en dégage (cruauté bien orientale) sont nées d'une lecture que Wilde fit de l'*Hérodias* — v. *Trois contes* (*) — de Flaubert. Enfin, le poète a voulu donner à la nature même un aspect sombre, lourd de présages funestes, et en faire le reflet des passions malsaines et violentes qu'il met en scène. La belle Salomé, dont le parâtre n'est autre qu'Hérode, tétrarque de Judée, entend la voix du prophète Iokanaan qui s'élève du fond de la citerne où on le tient captif. Elle éprouve le désir de connaître cet homme qui prédit de si terribles châtiments à cette famille princière corrompue, et ordonne à un jeune Syrien de lui amener Iokanaan. À sa vue, elle se sent prise d'une violente passion ; mais le prophète, horrifié, la repousse et la maudit, tandis que le Syrien, amoureux de Salomé, aveuglé par la jalousie, se donne la mort. Son sang se répand sur les pas d'Hérode qui erre dans les jardins, poursuivi par des fantômes et brûlant de désir pour Salomé. Il demande à la jeune fille de danser pour lui et lui promet, en récompense, la tête du prophète. Ainsi Salomé peut baiser les lèvres glacées de la tête coupée que lui apporte le bourreau ; exaspéré par ce spectacle, Hérode donne à ses gardes l'ordre d'écraser sous leurs boucliers celle qu'il n'a pu posséder. Les critiques ont longtemps discuté sur la valeur artistique de ce drame. Robert Ross, exécuteur testamentaire de Wilde et son meilleur commentateur, considère *Salomé* comme l'une de ses œuvres les plus puissantes et les plus achevées. Frank Harris, qui fut lui aussi un ami intime de l'auteur, déclare au contraire qu'elle n'est qu'une pochade d'étudiant, une sorte de plagiat. Cette diversité d'avis est due à la conception hardie de cette pièce, qui n'est pas seulement le fruit d'un simple esthétisme décadent, mais la résultante d'intentions artistiques atteintes pour la plupart. Wilde lui-même la considérait comme une œuvre lyrique à cause de son dramatisme croissant, et Richard Strauss, en effet, y trouva le thème de l'une de ses plus riches partitions.

★ Le poète portugais Eugenio de Castro (1869-1944) a écrit un récit lyrique en quatre parties : *Salomé*, publié à Coïmbre en 1896, qui ne manque pas d'intérêt. Il s'inspire de l'*Hérodias* de Flaubert ; on y revoit, à la fin, la reconstitution du fameux festin d'Hérode. Comme dans l'*Oaristys* (*) du même auteur, il y a dans cette *Salomé* une profusion de motifs précieux : plats d'or et d'argent finement ciselés, mets recherchés, vins capiteux, parfums voluptueux, musique, chants. Salomé y paraît vêtue du « zaïmph », le voile bleuâtre comme la nuit dont Salammbô se drape dans le célèbre roman de Flaubert ; à ses poignets, à ses chevilles, tintent anneaux et bracelets ; elle tient un lys dans chaque main et danse au son des plectres. « Sa danse est si légère qu'elle semble de rêve ; dans l'air naissent des lèvres qui la baisent, et elle, folle, haletante, hésitante, s'envole, languit, s'humilie, supplie... ». Pour récompense, elle réclame la tête de Jean, le redoutable prophète aux sombres prédictions, enfermé sur l'ordre d'Hérode dans la cage d'un lion mort, dont la colère ne semble s'apaiser que lorsque Salomé descend dans les noirs cachots souterrains et le fixe de ses grands yeux songeurs. Ce court récit s'achève sur l'arrivée d'un esclave portant une épée et un plat d'argent.

★ Le même sujet a été repris par Heinrich Heine (1799-1856) dans *Atta Troll* (*). Le poète allemand fut le premier qui introduisit ce thème dans la littérature tel que l'a transmis la tradition populaire. Sur le succès de cette légende auprès des écrivains, consulter : Reimarus, *Stoffgeschichte der Salome-Dichtungen* (Leipzig, 1913) ; Mario Praz, *La Chair, la mort et le diable dans la littérature romantique* (*). Salomé n'a pas manqué d'inspirer les peintres ; mentionnons, pour leurs affinités avec le drame de Wilde, les diverses compositions picturales de Gustave Moreau (1826-1898) qui faisaient les délices de Des Esseintes, le héros d'*À rebours* (*) de J.-K. Huysmans (1848-1907).

★ C'est d'après le drame de Wilde que Hedwig Lachmann composa le livret de la *Salomé* du compositeur allemand Richard Strauss (1864-1949), opéra en un acte, qui, interdit par la censure autrichienne, fut représenté à Paris, au Théâtre du Châtelet, en 1907. Fruit de l'érotomanie d'un Wilde et de la violence raffinée d'un Strauss, cet opéra suscita d'abord la stupeur et l'indignation de la critique. En réalité, c'est, après les œuvres de Wagner et de Brahms, un des sommets de l'art musical allemand. Sa technique consiste strictement en thèmes brefs, ramassés en quelques notes, mais dont chacun n'est pas destiné, comme chez Wagner, à exprimer un motif déterminé ; au contraire, Strauss en utilise plusieurs pour suggérer la même impression, les développant par répercussion, les modifiant par des accouplements nouveaux et des altérations de toute nature, transcrivant en un style riche, ardent et voluptueux, l'atmosphère sensuelle et trouble du drame. La polyphonie que l'on remarque dans chaque mesure provient moins d'accords de neuvième et d'altérations chromatiques de tierces que de l'emploi du contrepoint et de l'écriture horizontale absolue, qui se maintiennent à notre époque, chez les musiciens d'avant-garde, bien qu'on en méconnaisse souvent le premier adepte. La *Salomé* de Strauss est l'un des exemples les plus anciens, les plus achevés et les plus purs de la polyphonie non érigée en système ; la palette orchestrale possède une gamme de timbres d'une richesse inouïe. Une telle opulence se justifie pleinement : elle permet au compositeur de résoudre le problème que pose chaque scène avec une aisance surprenante et un résultat qui n'a pas laissé d'ôter le sommeil à des promotions d'étudiants et à nombre de professionnels chevronnés. Il est à noter que, tandis que les opéras de technique révolutionnaire qui abondèrent au cours de ces quarante dernières années restèrent peu à l'affiche, *Salomé*, en dépit de ses détracteurs, enthousiasme encore le public et triomphe sur toutes les scènes où il est possible de la représenter.

★ Il convient encore de mentionner *La Tragédie de Salomé*, drame chorégraphique (op. 50) en deux actes et sept tableaux du compositeur français Florent Schmitt (1870-1958), représenté à Paris en 1907, qui suit également le récit biblique. Il en existe deux versions : l'une, purement chorégraphique, qui fut interprétée par les Ballets suédois ; l'autre, symphonique, pour les concerts : elle comprend un « Prélude », la « Danse des Perles », les « Enchantements de la Mer », la « Danse des Foudres » et la « Danse de la Terreur ». Malgré le caractère évocateur et descriptif qui distingue chacun d'eux, ces mouvements peuvent être considérés comme les épisodes d'une suite ou d'une symphonie libre. Ainsi que dans les principales œuvres de Florent Schmitt, l'orchestration y est riche, voire somptueuse, la langue harmonique fort colorée et le rythme vif et divers. *La Tragédie de Salomé* révèle les traits saillants de la personnalité de son auteur, depuis sa technique sûre et solide jusqu'à son exubérante vitalité doublée d'une imagination inépuisable.

SALÓN MEXICO (El). Œuvre symphonique du compositeur américain Aaron Copland (1900-1990), esquissée dès 1933, écrite primitivement pour deux pianos (1934), et orchestrée enfin en 1936. *El Salón Mexico* date de la période où Copland s'écarte des préoccupations savantes et ésotériques, qui étaient les siennes vers les années 30, pour écrire une musique plus simple et plus accessible, faisant d'assez larges emprunts au folklore, ici mexicain. Au cours d'un voyage au Mexique, en 1932, Copland fut tenté par l'idée d'écrire une partition basée sur des thèmes populaires de ce pays. À ce projet « thématique » se greffait le souvenir d'une célèbre salle de danses de Mexico, « El Salón Mexico », qui donna son titre à l'œuvre, non par pittoresque arbitraire, mais parce que Copland y avait ressenti, dit-il, un sentiment de compréhension et d'affinité avec le fond même de l'esprit mexicain. Cette évocation musicale est fondée sur l'utilisation de motifs extraits du *Cancionero mejicano* (1931) de Frances Toor, ou de l'œuvre de Ruben M. Campos, *Le Folklore de la Musique mexicaine* [*El folklore literario de Mexico*, 1929], parfois exposés presque intégralement (ainsi « El Mosco » après l'introduction, ou « El Polo verde », ou « La Jesusita », dont les thèmes caractéristiques sont utilisés dès les premières mesures). Il ne s'agit pas là de simples emprunts, et ces motifs donnent lieu à un intéressant travail de transformation et d'intégration, dans un contexte symphonique qui garde une parfaite unité de ton et de construction, jusqu'au finale, fastueuse et brillante combinaison contrapuntique de deux motifs populaires, qui conclut l'œuvre avec un éclat orchestral et une frénésie rythmique très réussie. — Cet alliage de solidité technique et formelle et de simplicité a valu à cette œuvre, dédiée à Victor Kraft, de connaître une grande popularité depuis sa création en 1937 par l'orchestre symphonique de Mexico, sous la direction du compositeur Carlos Chavez, lui-même ami de Copland.

SALONS (Les) de Diderot. Œuvre critique de l'écrivain français Denis Diderot (1713-1784), publiée entre 1759 et 1781. C'est en 1753 que parut dans la fameuse *Correspondance* (*) manuscrite de Grimm le premier compte rendu du Salon de peinture et de sculpture qui se tenait régulièrement tous les deux ans au Louvre. Ce n'était pas d'ailleurs une innovation, le *Mercure de France*, sous la plume de Caylus, l'*Année littéraire*, le *Journal encyclopédique* avaient depuis quelques années publié des notices sur les artistes exposants, mais ces études étaient généralement médiocres. L'époque cependant se passionnait pour les arts, on en discutait dans les salons et les écrivains commençaient à s'intéresser aux problèmes artistiques, non seulement en France mais un peu partout en Europe, surtout en Allemagne où parurent bientôt les ouvrages de Winckelmann — v. *Histoire de l'art chez les Anciens* (*) — et de Mengs — v. *Pensées sur la beauté et le goût dans la peinture* (*). En France, il y avait eu, dès 1719, les *Réflexions critiques sur la poésie et la peinture* (*) de l'abbé Dubos, plus tard les travaux de Lafont de Saint-Yenne, de l'abbé Le Blanc et de Caylus. Mais jusqu'alors on s'était surtout intéressé, en France du moins, au problème des rapports entre les arts. La *Correspondance* de Grimm abordait un genre nouveau, celui de la critique d'art, ou plutôt du journalisme d'art. Après ce premier essai de 1753, la *Correspondance* publia des comptes rendus réguliers en 1755 et 1757 (le premier n'a pas été retrouvé et le second est fort court). Diderot est l'auteur des *Salons* de 1759, 1761, 1763, 1765, 1767, 1769, 1771, 1775, et 1781 ; par contre, les *Salons* de 1773, 1777, 1779 ne sont pas de lui. Comme il est arrivé pour tant d'œuvres de Diderot, le public n'en a pas eu connaissance, et les *Salons* ne virent le jour qu'au XIXe siècle à des dates très diverses, exception faite pour le *Salon* de 1765, publié en 1795, et celui de 1767, l'un des plus longs, publié par les soins de Naigeon en 1798. Les *Salons* sont fort inégaux, certains sont très brefs et ne sont que de secs comptes rendus ; les plus intéressants, ceux dans lesquels Diderot analyse des tableaux fameux, s'efforce de définir la manière d'un peintre et nous donne ses idées sur la peinture, sont ceux de 1761, 1763, 1765 et 1767.

Le *Salon* de 1761 contient deux morceaux d'importance, l'un sur Boucher, que Diderot malmène fort, tout en lui reconnaissant un charme attachant : « Quel tapage d'objets disparates ! On en sent toute l'absurdité ; avec tout cela, on ne saurait quitter le tableau. Il vous attache. On y revient. » Mais avec Greuze, Diderot enfourche son cheval de bataille. Voilà un peintre selon son cœur ; Greuze est pathétique, il est moral, et Diderot de s'attendrir, de relever des détails sur l'ingéniosité desquels il s'extasie. Il voudrait même que Greuze soit encore plus pathétique, plus ingénieux ; pour lui, c'est le peintre de la comédie larmoyante et ses tableaux lui font irrésistiblement penser à son fameux *Père de famille* (*). C'est surtout par les analyses de l'art de Chardin et de l'art de La Tour que le *Salon* de 1763 requiert notre attention. Ce que goûte particulièrement Diderot dans les tableaux de Chardin, c'est l'illusion parfaite de réalité qu'il nous donne. « C'est la nature même ; les objets sont hors de la toile et d'une vérité à tromper les yeux. » De La Tour, il loue surtout la probité, l'art avec lequel il sait capter la vie et la vérité de ses personnages. Le *Salon* de 1765 contient un éloge en forme, qui nous surprend quelque peu, de La Grenée et un portrait de Falconet, qui est surtout une suite d'exclamations louangeuses. Falconet a du génie et Diderot l'oppose au talent besogneux de Pigalle. Mais le morceau de résistance, c'est ici encore l'analyse des œuvres de Greuze : trois esquisses, que Diderot dépeint avec des soins touchants, ne nous faisant grâce d'aucun détail et surtout d'aucune des intentions qu'il croit être celles du peintre. Le *Salon* de 1767 est consacré à Joseph Vernet, peintre de marines, inimitable pour ses effets de lumière, ses clairs de lune, ses évocations de la mer ; à Hubert Robert, peintre des ruines (« Ô les belles, les sublimes ruines ! Quelle fermeté, et en même temps quelle légèreté, sûreté, facilité de pinceau ! Quel effort ! quelle grandeur ! quelle noblesse ! »), mais Diderot reproche à Robert la trop grande abondance de ses personnages et, accusation plus grave, d'ignorer qu'il y a une « poétique » de la peinture des ruines ; à Loutherbourg enfin, alors à ses débuts, et dont les paysages lui tirent des cris d'admiration. Mais le morceau le plus amusant pour nous est celui où il critique son propre portrait par Michel Van Loo : « Très vivant ; c'est sa douceur, avec sa vivacité ; mais trop jeune, tête trop petite, joli comme une femme, lorgnant, souriant, mignard, faisant le petit bec, la bouche en cœur... ; et puis un luxe de vêtements à ruiner le pauvre littérateur, si le receveur de la capitation vient à l'imposer sur sa robe de chambre... ; son toupet gris, avec sa mignardise, lui donne l'air d'une vieille coquette qui fait encore l'aimable. » Et Diderot de s'étonner : comment Van Loo n'a-t-il pas vu qu'il avait une tête de Romain ? Il termine sur une série d'appréciations des différents portraits qu'on a faits de lui. À dire vrai, c'est là la grande faiblesse de Diderot ; ce qui l'intéresse dans un tableau, c'est à coup sûr l'exécution, mais ce sont surtout les intentions du peintre. S'il aime tant Greuze, c'est qu'il est moral, qu'il est didactique, qu'il réalise en peinture ce que lui, Diderot, a voulu faire avec la comédie ; Greuze est pour lui « le premier qui se soit avisé, parmi nous, de donner des mœurs à l'art » et cela justifie sa peinture, oblige à l'admirer. Ce qu'il reproche à Boucher, ce n'est pas tant l'exécution hâtive, la mollesse du trait, la vulgarité de la couleur, c'est son immoralité ; Boucher est un polisson fait pour plaire aux polissons, en voilà assez pour dresser le critique contre lui. Ces jugements peuvent nous surprendre car, depuis le temps de Diderot, nous avons eu Baudelaire et Eugène Fromentin, et bien d'autres ; mais la critique d'art de Diderot est la première en date, elle a joué un rôle considérable, elle a fait désirer à des gens, qui ne les avaient pas vus, de voir les tableaux dont il parle avec tant de fièvre, tant d'éloquence. De plus, la peinture de la fin du XVIIIe siècle était une peinture littéraire, un langage qui s'adressait à l'intelligence et au cœur, inspiré par un goût proprement théâtral. En ce sens, la critique d'art de Diderot convenait parfaitement à l'art de son temps. On peut lire encore ses jugements, émaillés d'anecdotes sur la vie des artistes, de traits de leur caractère qui nous intéressent vivement ; on peut les lire surtout parce qu'ils sont écrits dans un style tout personnel, pétillant de vie, plaisant, familier, remplis de morceaux de bravoure, d'axiomes, de dissertations sur le beau, le sublime, de satires et d'apostrophes.

SALTIMBANQUES (Les). Opérette en trois actes et quatre tableaux du compositeur français Louis Ganne (1862-1923), sur un livret de Maurice Ordonneau, créée à Paris le 30 décembre 1899. L'action tumultueuse, qui se déroule à Versailles et en Normandie dans le monde du cirque, voit la timide chanteuse Suzanne épouser le beau lieutenant André avec la complicité de deux autres saltimbanques, Marion et Paillasse, et de l'hercule Grand Pingouin. On a souvent rapproché *Carmen* (*) et *Les Saltimbanques*, transposition de l'arène sur la piste, de l'opéra-comique en opérette, mais toujours avec la verve caractéristique du renouveau de la musique française de la fin du XIXe siècle. L'œuvre connut un grand succès en son temps, mais elle est un miroir trop parfait de l'époque 1900 pour avoir traversé indemne les épreuves du temps. Elle est parfois reprise sur les scènes de province.

SALUT (Le) [*Ocalenie*]. Poèmes de l'écrivain polonais Czesław Miłosz (né en 1911), parus en 1945. Ce recueil de poèmes écrits en 1932-1939 et pendant la guerre, dont le titre évoque le « but salvateur » de la véritable poésie qui est d'apporter la connaissance et la purification, fut l'un des premiers livres publiés en Pologne immédiatement après guerre. Il marqua une nouvelle approche de la tragédie historique et fut l'une des œuvres qui influencèrent la poésie polonaise jusqu'à la moitié des années 60.

Considérant l'action d'écrire un poème comme un acte de foi, Miłosz y rassembla des vers composés d'éléments hérités de diverses écoles d'avant-garde, y compris du surréalisme (« Un pauvre chrétien regarde le ghetto »). Outre des poèmes qui sont un témoignage, bouleversant et empreint de retenue, de l'époque de la guerre, quelques-uns expriment le pressentiment de l'approche imminente de la catastrophe (« Retour », « Halte hivernale », ou « La Valse »), où transparaissent la nostalgie d'un art pur et joyeux et le sentiment des devoirs du poète envers la société. L'auteur abandonne progressivement ces vestiges du « catastrophisme » d'avant-guerre, persuadé que les « rechutes » ne sont pas définitives. Résistant au désespoir absolu en décrivant la beauté des choses les plus simples (« La Foi », « Espoir », « Amour », « Le Monde »), il tâche de se convaincre que « Point il n'y aura d'autre fin du monde ». « À Varsovie » transmet son message moral, opposant aux expériences cruelles de l'histoire les vertus de « deux mots sauvegardés : vérité et justice ».

Ce recueil fut accueilli comme un hommage rendu à Varsovie occupée, aux luttes tragiques du ghetto, à l'héroïsme des combattants et des victimes de l'insurrection (« À Varsovie », « La Ville », « Faubourgs », « L'Adieu 1945 », « Un pauvre chrétien regarde le ghetto » et le célèbre « Campo di Fiori »).

Poésie métaphysique, poésie morale attestant d'une attitude religieuse à la fois sévère et lucide, pensée sociale aussi, douloureuse souvent, tentée parfois par le désabusement mais également perméable à la grâce, à la beauté, à un accord difficile mais possible avec la vie et son aspect miraculeux et lumineux, l'œuvre de Miłosz distille en fin de compte, à travers ce plaidoyer pour l'homme responsable, « la seule chose qui puisse racheter nos erreurs et nos folies : l'amour ». — Trad. in *Enfant d'Europe et autres poèmes*, L'Âge d'homme, 1980. L. Dy.

SALUT PAR LES JUIFS (Le). Œuvre de l'écrivain français Léon Bloy (1846-1917), publiée en 1892. Ce livre, où Bloy pensait avoir mis le meilleur de lui-même et dont il disait que c'était le seul de ses ouvrages qu'il oserait montrer à Dieu au Jugement dernier, lui fut certainement suggéré par le célèbre pamphlet de Drumont, *La France juive* (*). Bloy fut très irrité de voir Drumont prendre systématiquement le problème juif sous l'angle politique le plus rudimentaire, alors qu'il pensait que c'était là un problème essentiellement religieux, que seules la théologie et l'exégèse chrétiennes étaient capables de résoudre. Ce fut pour lui l'occasion de se livrer à une de ses rêveries poétiques favorites sur les données de l'Écriture : sa thèse s'appuie sur l'idée de la prédilection divine pour Israël, maintenue malgré la condamnation du Christ, et formellement affirmée par saint Paul dans l'*Épître aux Romains* (*). Dès lors, la misère, la douleur, l'ignominie des Juifs à travers l'histoire paraissent à l'auteur autant de témoignages de cette prédilection. S'ils souffrent, c'est que le Christ est toujours en croix. S'ils semblent plus vils et plus méprisables que les autres hommes, c'est encore qu'ils sont à l'image du Christ chargés de tous les péchés du monde. Jésus en effet est toujours sur la Croix depuis vingt siècles. Il continue d'acheter la Rédemption de l'humanité, victime de ses persécuteurs, c'est-à-dire tous les hommes, mais plus particulièrement les Juifs, puisque ce sont eux qui l'ont crucifié. Le supplice du Christ ne pourra donc prendre fin qu'au moment où les Juifs se convertiront : le mystérieux refus de pénitence des Juifs s'identifie au mystère du « retard de la Rédemption » et, comme dit saint Paul, des souffrances qui manquent à la passion du Christ. La race juive, continue Bloy, a donc bien raison d'attendre son Messie : ce Messie ne sera rien d'autre que le Saint-Esprit — dont Bloy, quant à lui, n'a cessé d'espérer voir la venue vengeresse, le Saint-Esprit qui se trouve au centre de sa religion poétique depuis les « révélations » faites à lui et à Hello par Anne-Marie Roulet, la Véronique du *Désespéré* (*). *Le Salut par les Juifs,* qui contient en particulier la splendide évocation du marché juif de Hambourg, est sans doute le plus obscur des livres de Léon Bloy. Les bases exégétiques, en dépit de ce que croyait l'auteur, sont très faibles. Aussi faut-il y voir plutôt une œuvre de poète visionnaire.

SA MAJESTÉ DES MOUCHES [*Lord of the Flies*]. Roman de l'écrivain anglais William Golding (1911-1993), publié en 1954, où est contée l'histoire d'un groupe d'écoliers anglais (âgés de huit à treize ans) évacués au cours d'une guerre nucléaire. L'avion qui les transporte s'écrase sur une île déserte ; tous les adultes sont tués ; les enfants restent seuls. De cette convention abondamment utilisée par les romanciers du XIXe siècle — *Deux ans de vacances* (*) de Jules Verne en France —, Golding fait une utilisation nouvelle qui prend le contre-pied des théories optimistes du siècle précédent. Jadis, en effet, les enfants, ayant surmonté nombre d'épreuves dramatiques, affirmaient la perfection de la civilisation occidentale en recréant sur l'île une société à l'image de celle à laquelle ils avaient été arrachés. Ce schéma traditionnel informait en particulier *L'Île de Corail* [*The Coral Island,* 1857] de R. M. Ballantyne, dont Golding lui-même souligne qu'il servit de point de départ à sa démonstration. Dans un premier temps, les enfants s'efforcent de mettre sur pied une organisation sociale et politique stable. Ils explorent l'île, allument un feu en son point culminant pour attirer l'attention d'éventuels sauveteurs, définissent le rôle et la fonction de chacun (Ralph devient leur chef élu, Jack Merridew prend le commandement des « chasseurs », etc.). Néanmoins, ils dérivent rapidement vers une forme de sauvagerie primitive qui efface tour à tour les emblèmes du monde civilisé. Les « chasseurs », après avoir sauvagement mis à mort une truie, érigent un totem (le « Seigneur des mouches » éponyme), tuent le mystique Simon dans une scène d'apocalypse, assassinent froidement Piggy, conscience intellectuelle et morale du groupe (dont le nom le prédestinait sans doute à la même fin que la truie martyrisée). L'île devient un enfer. Les chasseurs, hirsutes, peints comme des guerriers, armés d'épieux, assoiffés de sang, pourchassent Ralph, rival de leur chef. Au moment où ils vont le rattraper, celui-ci s'effondre aux pieds d'un officier de la Navy venu reconnaître l'île en flammes. Les enfants sont « sauvés », mais l'ironie de Golding est centrale qui les fait tomber de Charybde en Scylla, passer de leur « guéguerre » à un conflit nucléaire mondial. Ralph, devenu adulte, peut alors « pleurer la fin de l'innocence, la noirceur du cœur humain, et la chute [...] de l'ami sage et véritable qui s'appelait Piggy ». Golding a fondé son allégorie sur deux conventions : la dystopie d'un avenir proche, l'île déserte qui, dans l'isolement qu'elle impose, démontre que le mal est dans l'homme. Le titre du roman devrait en fait être *Le Seigneur des mouches,* traduction littérale du Belzébuth de l'hébreu. Le lecteur se voit ainsi confronté à une sorte de fable susceptible d'interprétations variées (freudienne, sociologique, métaphysique), où Golding démontre symboliquement l'échec des institutions et l'isolement de l'individu. Derrière l'apparente simplicité de l'ensemble, l'enchaînement inexorable de l'action élève l'anecdote au-dessus de la réalité quotidienne dans un mécanisme aussi mathématique que tragique (double aspect de la personnalité et de l'écriture de l'auteur). Celui-ci, bien qu'il n'offre aucune solution au problème posé, fait prendre conscience au lecteur de la nécessité qu'il y a pour l'homme à évoluer vers une maturité, une humanité trop souvent méprisées ou bafouées. « C'est peut-être par les livres, les histoires, la poésie, les conférences que nous qui avons l'oreille de l'humanité pourrons amener l'homme à se rapprocher de la sécurité périlleuse d'un monde de paix et d'amour. Nous avons besoin de plus d'humanité, de plus d'affection, de plus d'amour. » Ainsi William Golding définissait-il, dans son discours de réception du prix Nobel de littérature, une philosophie que *Sa Majesté des mouches* illustre déjà trente ans plus tôt. — Trad. Gallimard, 1956.

A. Bl.

SAMAK-É 'AYYÂR. Roman persan d'époque médiévale qui doit son titre au nom du héros Samak. Il s'apparente à une tradition de littérature populaire représentée par des récits d'abord transmis oralement par des conteurs professionnels et par la suite enregistrés par écrit. Présumé d'origine préislamique, ce roman, qui fut commencé d'être fixé au XIIe siècle, est considéré comme l'un des plus anciens. Il est attribué à un certain Farâmarz b. Khodâdâd b. Abdallâh al-Kâteb al-Arrajâni, qui dit tenir son récit de Sadaqeh Abol-Qâsem de Chiraz, tous deux apparaissant tour à tour comme les auteurs du récit, comme ses rapporteurs ou ses compilateurs. Des témoignages de son passé oral subsistent dans le texte et laissent à penser que, narré au cours de séances devant un auditoire, il doit à ce passé des traits de sa structure caractéristique. C'est un très long récit linéaire en prose parfois associé de vers, constitué de séries d'épisodes au cours desquels se développent quantité d'aventures combinées et souvent composées à partir des mêmes éléments, réutilisés et diversement assemblés. Il a pour thème la quête d'un prince pour sa bien-aimée et les guerres qui s'ensuivent. L'aspect divertissant du récit réside dans le merveilleux, l'emprunt à un fonds populaire de motifs de contes, les déplacements à travers le monde ; mais il s'y mêle un souci éthique que semble sous-tendre une volonté didactique. Une place importante, et d'un précieux intérêt, y est faite à l'exposé du code d'honneur de « javânmardi », composé d'un ensemble de valeurs fondées sur la bravoure et la générosité ; celui-ci régit le comportement quotidien et les activités spécifiques et semi-officieuses des « ayyâr-s », jeunes gens issus de milieux populaires urbains et réunis en groupements. Le récit offre un point de vue rare sur ces organisations qui jouèrent leur rôle dans l'histoire de l'Iran médiéval. Son originalité tient aussi dans le fait que le « 'ayyâr » en est ici le héros à côté du prince, qu'il assiste dans sa juste cause. Peu de ces récits populaires ont été préservés ; d'une structure comparable, et passés à l'écrit entre le XIIe et le XVIe siècle, les principaux sont les suivants : le *Dârâb-nâmé* de Mohammad b. Ahmad Bighâmi ; le *Dârâb-nâmé* d'Abou Tâher Tarsoussi ; *Le Roman d'Alexandre* [*Eskandar-nâmé*] et l'*Abou Moslem-nâmé* (Tarsoussi), tous deux comportant un certain fonds historique, ce dernier, ainsi que *L'Histoire de Hamzé* [*Qessé-yé Hamzé*], d'inspiration religieuse. Sous les Safavides, pour des impératifs religieux, le *Qessé-yé Hamzé* fut remanié sous le titre *Les Secrets de Hamzé* [*Romouz-é Hamzé*] (XVIIe siècle). Sur le même type fut aussi rédigé *Hossein-é Kord* et, au XIXe siècle encore, à l'époque qadjâr, *Amir Arsalân*. – Trad. Maisonneuve & Larose, I, 1972.

On peut consulter Jan Rypka, *History of Iranian Literature,* Dordrecht, 1968. Marina Gaillard, *Le Livre de Samak-é 'Ayyâr,* Paris, 1987. William L. Hanaway Jr., « 'Ayyâr », II, *Encyclopaedia Iranica,* I. M. Gd.

SĀMA-VEDA [*Veda des mélodies*]. Collection de mille huit cent dix strophes (mille cinq cent quarante-neuf, déduction faite des répétitions) appartenant à la littérature de l'Inde, empruntées (à soixante-dix-neuf exceptions près) au *Rig-Veda* (*), et qui servent de points d'appui (« yoni », littéralement « matrice ») aux mélodies rituelles exécutées par le prêtre chanteur [udgātar]. Les deux parties [ārcika] de la collection sont associées à plusieurs groupes de « gāṇas » ou « chants », compilés à une date relativement basse, après avoir été transmis de mémoire pendant des siècles. Ce sont les « villageois » [gāṇas grāmageya] et « forestiers » [āranya] qui accompagnent l'ārcika I, tandis que les « chants modifiés » [ūha/ūhya gāṇas] vont de pair avec l'ārcika II. Ce sont eux qui nous font connaître les notes (indiquées par des chiffres ou des syllabes), ainsi que les vocalises [strobha] qui entrecoupent les strophes, par exemple « dada », « auho », « ya », etc. Parmi les mélodies dont les textes rituels font mention, citons les « bṛhat » et « rathmtara-sāmans » qui comportent prélude [prastāva], couplets [udgītha], répons [pratihāra] et finale [nidhana]. Le chant de l'udgātar et de ses adjoints s'accompagne de mouvements des doigts. Les traités samavédiques relèvent de la technique musicale plus que de la littérature. Leur étude est très ardue. On pourra consulter *Sāmavedic Chant* de W. Howard ; sur le chant dans les sacrifices modernes, F. Staal, *Agni. The Vedic Ritual of the Fire Altar.* – Trad. allemande par T. Benfey, 1848, Darmstadt, 2e éd., 1978. J.-M. V.

SAMEDI SOIR, DIMANCHE MATIN [*Saturday Night and Sunday Morning*]. Roman de l'écrivain anglais Alan Sillitoe (né en 1928), publié en 1958, porté à l'écran en 1960. Composé à Majorque, alors que Sillitoe était coupé de Nottingham et de l'Angleterre, il trace le portrait d'un ouvrier de vingt et un ans, Arthur Seaton (mêmes initiales que l'auteur), libre de toute attache, qui travaille à l'usine depuis l'âge de quinze ans et a passé deux ans dans l'armée. On le suit dans tous les épisodes de sa vie quotidienne, chez lui, au travail, au pub (le plus souvent), à la campagne. On partage ses pensées sur la vie, les femmes, le mariage, la politique, ses angoisses, ses projets, etc. On pénètre à l'intérieur de son groupe social, avec Brenda, sa maîtresse et femme de son « ami » Jack. On l'accompagne dans son quartier, sa famille, son usine, où il gagne quatorze livres par semaine comme tourneur dans une usine de bicyclettes (travail que Sillitoe avait connu pendant la guerre). Comme tous les ouvriers de son âge, il donne de l'argent à sa mère et dépense le reste en vêtements, cigarettes, bière, etc. L'intrigue est centrée sur sa liaison avec Brenda, puis avec la sœur de celle-ci, Winnie, dont le mari finit par le passer à tabac. Mais Arthur a déjà une nouvelle amie, Doreen, plus jeune, plus romantique. Le roman se termine trois mois avant leur mariage.

Samedi soir, dimanche matin se présente sous forme de diptyque dont la première partie « Samedi soir » introduit l'action et ses thèmes. Arthur, ivre mort, dévale les escaliers du White Horse Club, c'est « samedi soir, le meilleur moment, le plus joyeux, le plus fou de la semaine, l'une des cinquante-deux parenthèses de la Grande Roue [...] annuelle, préambule violent d'un Sabbath apathique ». La semaine marque en contrepoint l'emprise de l'usine sur le personnage. Le travail affecte Arthur physiquement et moralement. Il n'en tire d'autre satisfaction que l'argent gagné et dépensé le week-end pour oublier la routine accablante de la semaine (ce en quoi il s'oppose radicalement à ses collègues, Robboe, le petit chef, et Jack, qui s'efforcent de gravir les degrés de l'échelle sociale et subissent les pressions de la hiérarchie). Le conflit qui l'oppose aux autres (Nous/Eux) sert d'armature au roman. La rébellion d'Arthur est radicale, il combat l'autorité sous toutes ses formes, individuelles et institutionnelles. Son égoïsme est total, en particulier vis-à-vis des femmes, de Brenda, femme-objet par excellence qu'il contraint à avorter dans l'un des épisodes centraux du roman. « Dimanche matin », la deuxième partie (1/6e du roman) débute le lendemain de la correction. Meurtri dans sa chair, mais intact moralement, Arthur décide de poursuivre la lutte, comme le confirment les dernières lignes du roman « ... la vie est belle, le monde aussi, à condition de ne pas s'attendrir... ». Dans une structure lâche, picaresque, la présence du protagoniste lie une histoire dont la conclusion reste ouverte, le mariage y apparaissant comme un acte de conformisme social superficiel dans une existence cyclique régie par l'heure, le jour, le cycle des saisons, la semaine, le week-end. Le roman sonne une note d'authenticité nouvelle, de sympathie profonde pour une population ouvrière oubliée, négligée, frustrée. Malgré le soin pris par l'auteur à souligner que son héros n'était en rien le porte-parole du prolétariat (Arthur n'est pas « l'ouvrier britannique type [...] ce n'est qu'un individu [...] l'écrivain a la responsabilité de créer des individus »), nul mieux qu'Arthur Seaton n'incarna la révolte des « Jeunes Gens en colère ». *Samedi soir, dimanche matin* obtint l'Author's Award du meilleur premier roman, reçut un accueil phénoménal (six cent mille exemplaires en livre de poche) qu'amplifia un film fétiche du *Free Cinema*. En dépit de ses défauts techniques, il reste un document irremplaçable sur la colère des années 50. — Trad. Le Seuil, 1961.

A. Bl.

SAṂHITĀ [*Collection*]. Nom donné aux quatre recueils de prières, formules magiques, commentaires rituels et notations musicales qui constituent la première littérature apparue sur le sol indien, laquelle est rédigée dans une forme archaïque de sanskrit, le védique — v. *Veda* (*).

J.-M. V.

SAMIENNE (La) [Σαμία]. Comédie du poète grec Ménandre (342-290 ? av. J.-C.), de date inconnue. C'est la comédie des erreurs par excellence. Moschion, fils adoptif d'un riche Athénien, Déméas, a eu un enfant de Plangon, fille de Nikératos, pauvre voisin de Déméas. Moschion n'attend que le retour des deux pères, qui ont fait un long voyage ensemble, pour épouser Plangon. Chrysis, la concubine de Déméas, fait passer l'enfant pour sien. Pendant leur voyage, les deux pères décident de marier Moschion et Plangon. Tout semble aller bien et les préparatifs du mariage se poursuivent. Mais voilà que Déméas surprend la vieille nourrice traitant le bébé comme fils de Moschion. Tempête dans la tête de Déméas : un fils coupable ? Non, un fils victime d'une affreuse séductrice. Il faut la chasser de la maison. Sitôt dit, sitôt fait. Moschion, qui a oublié que Chrysis passe pour la mère de l'enfant, demande où est le mal ; Nikératos, qui n'est au courant de rien, accueille Chrysis chez lui, mais, sitôt rentré, il découvre que l'enfant est celui de Plangon. Dans sa fureur, il menace de mort et Chrysis et l'enfant, mais dans l'entre-temps, Déméas a appris la vérité, accueille Chrysis, calme Nikératos... le mariage peut avoir lieu. Alors, subitement, Moschion se rend compte que son père l'a soupçonné d'avoir séduit Chrysis et qu'il devrait prendre ombrage. Il fait semblant de partir en guerre comme mercenaire. C'est alors que Déméas montre, malgré toutes ses faiblesses qu'il avoue sans fausse honte, l'étendue de son humanité : « Ne garde pas le souvenir d'une seule journée de ma vie où j'ai pu me tromper, en oubliant toutes les autres. » — Trad. Belles Lettres, 1971 ; trad. anglaise Penguin, 1987.

I. L.

SĀṂKHYA-KĀRIKĀS [*Les Strophes du Sāṃkhya*]. Collection de soixante-douze strophes attribuées à Īśvarakṛṣṇa (environ IVe siècle), et qui codifient les points essentiels de l'un des six systèmes [darśana] « philosophiques » de l'Inde ancienne : le *Sāṃkhya* ou « Dénombrement ». Alors que les autres « darsanas » ont pour texte-source des *Sūtra* (*) non versifiés, le *Sāṃkhya* s'appuie lui sur des *kāritās*, c'est-à-dire des versets mnémotechniques qui ont un schéma métrique précis — strophes [āryā] — et des prétentions littéraires. C'est en eux que se trouvent organisées et structurées des idées fort anciennes, presque connaturelles à la pensée indienne, et présentes à l'état brut dans d'autres genres littéraires, entre autres l'épopée. La première de ces idées est le dualisme : la nature [prakṛti], puissance active et une, fait face aux esprits [puruṣa] multiples mais passifs.

La seconde idée est que la prakṛti possède des modes d'action ou « guṇas » qui rendent possible toute création, et qui entrent à des degrés divers dans la composition des créatures. Ce sont les qualités [guṇa] de lumière [sattva], d'énergie [rajas] et d'inertie ou obscurité [tamas]. C'est ainsi qu'un son est apaisant, terrifiant ou ennuyeux selon qu'y prédomine le premier, le deuxième ou le dernier guṇa. Quant aux puruṣas, ils s'évertuent à se détacher de cette nature envahissante pour trouver le salut dans l'isolement en soi-même [kaivalya], plutôt que dans l'échange avec une personne divine par exemple. Le *Sāṃkhya* originel est athée.

Le *Sāṃkhya* a aussi pris sur lui de classer les éléments du psychisme humain et de mettre de l'ordre dans un fouillis de notions hétéroclites. Voici l'émergence de ces entités selon la *kārikā* 22 : « De la nature provient le Grand Principe (= l'intelligence) ; de celui-ci, l'Ego ;

de ce dernier, la troupe des seize (cinq éléments subtils + les cinq sens + les membres, etc.) ; de cinq d'entre ce groupe de seize, les cinq corps grossiers. » Les *Sāṃkhya-Kārikās* ont été commentées d'abord par Gaudapāda (700 de notre ère ?), et ensuite, au xe siècle, par l'érudit Vācaspati Miśra dans la *Sāṃkhya-tattvakaumudī.*

Le texte des *Kārikās* et du commentaire de Gaudapāda a été édité et traduit en français par A. M. Esnoul, Paris, 1961. Sur le *Sāṃkhya*, son histoire et ses idées, voir G. L. Larson, R. S. Bhattacharya, *Encyclopedia of Indian Philosophies*, vol. 4, Delhi, 1987.

SAMOURAÏ (Le) [*Akanishi Kakita*]. Roman de l'écrivain japonais Shiga Naoya (1883-1971), publié en 1917. Cette œuvre déconcerte le lecteur étranger. « Roman », le mot convient mal pour ce récit d'une trentaine de pages. Pourtant, il passe pour l'un des chefs-d'œuvre d'un auteur que l'on s'accorde à ranger parmi les plus grands de son temps. L'intrigue a été imaginée en marge du « cycle des Date », suite de complots survenus au xviie siècle dans une famille seigneuriale du Nord, et que perpétuèrent le théâtre et les conteurs. Les différentes parties s'enchaînent comme des mouvements musicaux. Au début, tout semble terne et insignifiant. La résidence, que les Date possèdent à la capitale, est un petit univers fermé. Il y est arrivé un samouraï laid et médiocre, Akanishi Kakita. Il n'a qu'une passion : manger des gâteaux. Aux échecs, il se montre d'une force inattendue. Ce jeu le lie, par hasard, à un samouraï jeune et beau, qui sert dans une autre propriété de ce daimyô. Soudain les événements se précipitent. Akanishi, malade, aurait, dit-on, tenté de s'ouvrir le ventre. Un masseur, qui l'avait assisté cette nuit-là, est abattu. Il se révèle que les deux samouraï sont de connivence et rédigent un rapport secret sur leur présent maître. Le rythme est à nouveau plus détendu : partie de pêche, plaisanteries à mi-voix. Les deux prévoient leur fuite. Pour pouvoir disparaître sous un motif plausible, Akanishi devra se couvrir de honte. Espérant une rebuffade (et surtout un éclat), il envoie des lettres d'amour : la belle accepte sa déclaration ! Enfin, il se fait réprimander par une vieille gouvernante et s'enfuit. Plus tard, il apprendra que son ami a sans doute été assassiné. Quant aux amours de la belle et du laid samouraï, les chroniques sont muettes.

L'histoire tout entière est un divertissement. Rumeurs invérifiables, comptes rendus « secrets » de tierces personnes, descriptions faussement objectives, plan en trompe-l'œil, tout le récit constitue un labyrinthe où l'auteur joue avec le lecteur. Les personnages portent, dissimulés sous de savants caractères chinois, des noms de poissons ou de coquillages. Cette aventure d'espionnage, il est vrai, est d'un ton peu commun. Alors que le « héros » risque sa vie au moindre faux pas, chaque scène baigne dans une sorte de calme, d'ironie tempérée. Ce samouraï tranquille, conscient de ses faiblesses et qui ne cherche pas à les dissimuler, balourd que touche la réponse de la jeune fille et que son entourage, au fond, estime, amateur de gâteaux et maître aux échecs, était un type tout nouveau dans la littérature. Sans que cela soit jamais dit, il se considère, lui et sa mission, avec un rien de détachement. À dessein, Shiga Naoya use d'une langue simple, de phrases souvent brèves. Il ne veut jamais donner une image complète. Il note un geste. Il limite une scène à quelques lignes, et l'interrompt. D'un épisode à l'autre, il varie le rythme. Il vise à l'art du croquis.

Entre 1910 et 1920, Akutagawa, et même Tanizaki dans certaines de ses nouvelles, s'essayaient au genre historique : ils reprenaient des thèmes anciens très connus dans une histoire parodique. *Le Samouraï* appartient à cette même période. C'est une tentative unique dans l'œuvre de Shiga Naoya, d'autant plus étonnante que pour ses autres créations il ne voulut jamais utiliser que des matériaux qui ne fussent pas « romanesques ». En 1938, *Akanishi Kakita* inspira un film, du même titre, à Sadao Yamanaka, sans doute le réalisateur de films historiques le plus élégant qu'ait connu le Japon, et qui mourut, encore jeune, dans les premières années de la guerre. — Trad. Marabout, 1970.

SAMSON. La figure de Samson abonde en traits caractéristiques ; mais, entendue surtout comme le symbole de la force vaincue par la perfidie de la femme, elle a inspiré de tout temps l'imagination des poètes et des artistes.

★ L'œuvre la plus marquante dérivée de cet épisode biblique est le *Samson combattant* [*Samson Agonistes*] de John Milton (1608-1674), poème dramatique en cinq actes, publié en 1671 dans le volume qui contenait *Le Paradis reconquis* (*). Reproduisant la structure de la tragédie grecque et celle de la tragédie néo-classique italienne de Trissin — v. *Sophonisbe* (*) — de Speroni, etc., le poème de Milton retient les dernières phases de la vie de Samson ; mais il contient aussi, sous le voile du symbole, une part d'autobiographie, où l'auteur s'exprime avec autant de noblesse que de poésie. Au début de l'action, Samson est enfermé dans un cachot, à Gaza. Il se lamente sur son sort, et le chœur fait écho à sa plainte, en rappelant ce que le héros fut jadis par comparaison avec ce qu'il est devenu. Son vieux père Manué vient le voir ; il voudrait le pousser à douter de la justice divine et lui conseille de traiter avec les chefs des Philistins en vue d'obtenir sa libération. Mais Samson refuse toute compromission, et sa douleur n'en devient que plus grande. C'est ensuite Dalila, sa femme, qui s'avance : elle implore son pardon et voudrait se réconcilier avec lui. Mais, comme elle est restée aussi maligne et perverse que naguère, Samson oppose à ses propos l'ardeur de sa foi ; sa tristesse et sa solitude se font plus amères encore. Il est ensuite en butte aux moqueries de Harafa, homme de taille herculéenne, qui le défie : Samson sait demeurer impassible devant les affronts et les menaces, tandis que le chœur chante la grandeur d'âme de celui qui a la constance de résister aux méchants. Survient un officier qui ordonne au captif de le suivre à la grande fête des Philistins où il doit montrer sa force. Samson refuse, car sa loi lui interdit de participer à une cérémonie en l'honneur du dieu Dagon. Le chœur cherche à vaincre ses scrupules et l'encourage à servir les idolâtres ; alors, Samson s'incline, car il sent au fond de lui comme un appel de Dieu dont il se croyait abandonné. Et, tandis que Manué s'apprête à tout mettre en œuvre pour sauver son fils, un messager annonce qu'au milieu de la fête, à l'instant des jeux, Samson a ébranlé, grâce à sa force encore considérable, les colonnes qui soutenaient l'édifice, entraînant dans la mort l'élite des Philistins. Ce poème dramatique, qui suit le récit de *La Bible* (*), s'achève par un chant du chœur célébrant le triomphe de Dieu sur tous ses ennemis. C'est l'une des œuvres les plus achevées de Milton ; certes, l'influence du théâtre italien de la Renaissance, avec son respect de la règle des trois unités, est manifeste. Mais c'est peut-être grâce à cette influence que le poète a pu parvenir à cette forme si dense et quasi parfaite, l'action concourant à la purification des passions qu'elle a fait naître. « Samson Agonistes », c'est l'image même de Milton, aveugle et solitaire, traversant l'une des plus sombres périodes de son existence. Dalila est née de son souverain mépris de la femme, car la vie conjugale du poète fut des plus malheureuses. La division du poème en actes et en scènes n'est pas de lui, mais de certains éditeurs. Harmonieuse conjonction d'influences bibliques et grecques, ce drame est le plus bel exemple du renouvellement du théâtre hellénique auquel aspirait la Renaissance. — Trad. Aubier, 1937.

★ Il existe aussi, sous le titre de *Samson*, un roman biblique de Philipp von Zesen (1619-1689), publié en 1679, et un drame d'Henri Bernstein (1876-1953), représenté pour la première fois à Paris en 1910.

★ Au point de vue musical, signalons les oratorios suivants : *Samson*, de Benedetto Ferrari (1597-1681) ; *Samson aveuglé par les Philistins*, d'Anton Francesco Urio (1660- ?) ; *Samson*, de Georg Friedrich Haendel (1685-1759), donné en 1742. Parmi les opéras, citons celui de Jean-Philippe Rameau (1683-1764), sur un livret de Voltaire, représenté à Paris en 1732, et le *Samson* de Joseph Joachim Raff (1822-1882), sur un livret de Komp ; enfin, la *Dalila* d'Adam Minhejmer (1831-1904).

★ Mais l'œuvre la plus remarquable est l'opéra *Samson et Dalila*, de Camille Saint-Saëns (1835-1921), drame lyrique en trois actes et quatre tableaux d'après un livret de Lemaire ; il fut représenté à Weimar le 2 décembre 1877 et à Paris le 23 novembre 1892. La scène est à Gaza, sur une place de la ville ; les Hébreux rassemblés écoutent les paroles de Samson, qui leur promet une prompte délivrance. Le satrape Abimélech, ayant eu l'audace de venir les insulter, est tué par le héros, ainsi que toute sa suite. Dans Gaza libérée, les femmes des Philistins dansent, et l'une d'elles, Dalila, invite Samson à la suivre dans sa demeure. Le IIe acte nous montre l'épisode fameux où Dalila, à l'instigation d'un prêtre philistin (qui redoute le réveil des Juifs), parvient, après deux vaines tentatives, à arracher à Samson le secret de sa force : c'est dans sa chevelure qu'elle réside. Et, profitant du sommeil de Samson, un barbier lui coupe ses longs cheveux ; après quoi, le héros est enchaîné par les esclaves. Le IIIe acte comprend deux tableaux. Samson, à qui on a crevé les yeux, fait tourner une meule ; il est l'objet de la dérision générale. Puis on le conduit au temple, afin que le peuple réuni puisse le voir rendre hommage aux idoles. Là, le captif se fait conduire entre les deux énormes colonnes qui soutiennent l'édifice ; il invoque le Dieu d'Israël, le supplie de lui rendre un instant sa force première et, l'ayant retrouvée, ébranle les colonnes ; le temple s'écroule et Samson est écrasé sous les ruines avec tous les Philistins. Les critiques font généralement observer que cette œuvre suscite peu d'émotion, en dépit de la perfection de sa facture ; il n'en demeure pas moins que le public l'applaudit toujours. On connaît bien l'air chanté par Dalila à la fin du Ier acte : « Printemps qui commence, / portant l'espérance... » et qui est sans doute l'un des airs les plus expressifs et les plus beaux qu'ait écrits Saint-Saëns. De même, le duo entre Samson et Dalila à la 3e scène du IIe acte. En fait, cette musique si pure semble plus moderne que bien des compositions plus récentes. On pourrait définir *Samson et Dalila* comme le « grand opéra » d'une génération qui commençait à mieux connaître Wagner, tandis que Meyerbeer, Gounod et Thomas ne l'étaient déjà que trop.

★ En 1890 fut représenté à Paris le *Samson* de Jean-Baptiste Théodore Weckerlin (1821-1910), opéra composé sur les paroles de Voltaire. Rappelons enfin le poème symphonique *Samson* (1913) de Rubin Goldmark (1872-1936).

SAN-ANTONIO (Enquêtes de). À côté d'une œuvre confidentielle, signée de son propre nom, l'écrivain français Frédéric Dard (né en 1921) a été le « best-seller » des années 1950-1960, en France, sous le pseudonyme de San-Antonio. Véritable phénomène de société, touchant tous les milieux socio-culturels, les œuvres de ce dernier se sont arrachées à des dizaines de millions d'exemplaires.

Le commissaire San-Antonio, signataire, héros et narrateur de ses propres aventures, campe la figure stylisée et, au début, assez peu originale du « flic » émérite et « beau gosse » auquel aucune belle ne résiste. Les premiers romans de « S.A. » reprennent les formes archétypiques du « roman noir » américain tout nouvellement introduit en France à la faveur de la Libération. Les titres en témoignent : *Les souris ont la peau tendre, Mes hommages à la donzelle*. S'il s'en était tenu à ce pâle ersatz de la « Série Noire », San-Antonio n'aurait pas connu l'extraordinaire et durable faveur dont il a joui. Il fallait bien des éléments profondément nouveaux pour que, en 1965, d'austères universitaires consacrent un séminaire, à Bordeaux, au « phénomène San-Antonio ».

En effet, après quelques romans assez convenus, apparaissent, autour du commissaire, des personnages hauts en couleur et truculents : l'inspecteur Bérurier, obèse, sale, ivrogne, graveleux, obsédé, à la lisière de l'humanité ; son épouse, Berthe, énorme et repoussante nymphomane ; l'inspecteur Pinaud, dit « Pinuche », dit « le vieux débris », sympathique et attachante loque humaine. Dès lors, l'intrigue devient secondaire. Elle cède la place à une gauloiserie sans rivage et à une loufoquerie digne de Pierre Dac et de *Signé Furax*. Jouant sur des ressorts connus au moins depuis Rabelais, San-Antonio se laisse aller à une fantaisie verbale débridée : calembours, contrepèteries, énumérations « non-sensiques » et fortement sexualisées se multiplient. San-Antonio déverse sur son lecteur, qu'il n'hésite d'ailleurs pas à prendre à partie, un véritable déluge verbal qui ne recule ni devant l'à-peu-près, ni devant le « jeu de mots laids ». S'il viole la langue française — avec un plaisir non dissimulé —, il lui fait, pour paraphraser Alexandre Dumas, de nombreux enfants. Les titres mêmes s'en ressentent, qui oscillent entre le jeu de mots (*Entre la vie et la morgue, À tue-et-à toi*) et la reprise d'expressions argotiques ou populaires (*Le Coup du père François, La Fin des haricots, En peignant la girafe*). La conjonction des personnages extrêmes et pittoresques et d'une langue amoureusement et brutalement câlinée a fait la fortune de San-Antonio. Ses livres sont drôles et on peut laisser son éventuel bagage culturel devant la page de garde.

On peut aussi l'apporter avec soi et se délecter, par exemple, d'une parodie du chroniqueur Joinville à propos de Saint Louis (*L'Histoire de France vue par San-Antonio*, 1964). On peut également se régaler de quelques aphorismes : « la seule patrie de l'homme, c'est l'homme », ou, plus obscur : « le propre de l'homme c'est de devenir ce qu'il est en puissance ». Qu'on se rassure, San-Antonio n'est pas un professeur de philosophie. Cependant, il lui arrive de laisser vaguer son angoisse face à la mort, sa nostalgie de l'enfance, en des passages d'autant plus poignants qu'ils se situent, en général, entre deux délires burlesques. Dans tous ses romans, S.A., à côté de personnages à la Dubout, place une figure attachante et protectrice : Félicie, la mère de l'invincible et séduisant policier. Il suffit qu'elle paraisse et s'éteignent l'outrance rabelaisienne et les jeux de mots à répétition. La vraie tendresse est là, et l'on comprend ce que cachent les rodomontades de S.A. : un petit garçon qui a peur dans le noir et qui réclame sa maman. Ce n'est jamais ridicule. C'est touchant.

Les derniers romans signés San-Antonio ne mettent pas en scène le commissaire. À travers une étude satirique des milieux politiques, ils peignent la nature humaine (*Les clefs du pouvoir sont dans la boîte à gants ; Y a-t-il un Français dans la salle ? ; La Vieille qui marchait sur la mer ; Les Soupers du prince*, 1992). S'il fut un temps où avouer qu'on lisait « San-Antonio », c'était déclarer ouvertement son inculture, il n'en va plus de même aujourd'hui. Dard/San-Antonio n'est sûrement pas un des plus grands écrivains français du siècle. Il serait pourtant dommage de se priver de la fréquentation, même occasionnelle, de ses œuvres. On y rit et on y rencontre un homme. Les deux choses sont rares. A. Q.

SANATORIUM AU CROQUE-MORT (Le) [*Sanatorium pod Klepsydra*]. Recueil de nouvelles de l'écrivain polonais Bruno Schulz (1892-1942), publié en 1937. Il forme avec *Les Boutiques de cannelle* (*) le second volet d'un diptyque : même substance d'autobiographie, mêmes personnages archétypes du père, de la mère, de la servante Adèle, même microcosme provincial, avec quelques déplacements significatifs. Tout le recueil est traversé par la quête du « livre authentique », dont le narrateur trouve les traces secrètes en des prospectus de médecine populaire, vaguement infâmes, livrés à sa curiosité (ou son obsession) par Adèle (« Le Livre ») ; un album de timbres, charte du possible cosmique contre la grisaille de l'Empire (« Le Printemps ») ; ou encore, dans « Le Sanatorium au croque-mort », un livre pornographique devenu instrument d'optique aux propriétés inavouables. Du corps même du texte — qui tend à être ce livre — surgissent régulièrement des visions de jeunes femmes à la démarche altière, au pied impérieux, traduisant à leur manière la floraison possible du désir dans le règne en lambeaux de la loi, et traçant le chemin par lequel l'enfance clairvoyante s'évade du temps, pour entrer non dans les rêves, mais dans la nuit secrète de la substance, des saisons, des destins excentrés (« Dodo, Jojo »). En cette traversée du réel, l'authentique deviendra peu à peu cet équilibre propre à Schulz, entre un fantastique du quotidien (qui ressemble assez à Chagall) et l'évocation du monde sensible en sa plus fine présence (ainsi l'équarrissage du bois de chauffe dans « Le Retraité »). Et ce qui le permet, c'est la mise en cause narrative, poétique et métaphysique de la machinerie du temps. Dans « Le Sanatorium sous la clepsydre » (selon le titre polonais) où échoue le père entre vie et mort, l'évanescent directeur soigne ses malades en les plaçant dans une dimension parallèle du temps, où ils vivent des mondes contradictoires et simultanés. Le héros du « Retraité », séparé par sa condition de la fausse existence chronocentrique, se fait admettre dans une école et revit l'enfance sans cesser d'être vieux, puis disparaît dans une tempête d'automne comme on passe dans une autre dimension, laissant le monde, relativisé en son être, à l'absolu de la forme qu'il a été. Si peu d'écrivains donnent comme Schulz le sentiment d'avoir plongé dans la source des rêves, il faut sans doute chercher ailleurs que dans la psychanalyse la clé de ses récits. La source hébraïque y paraîtra une des plus vives, mais aussi la subjectivité moderne, rejoignant l'intuition ancienne de la multiplicité des mondes, et de la métamorphose. L'homme-chien que le narrateur apprivoise puis abandonne dans la chambre glaciale du sanatorium représente ainsi tout autant la terreur devant le meurtre du père qu'une aptitude poétique à comprendre tous les possibles, à les reconnaître et leur donner les couleurs du plus vaste réel, comme, à un autre pôle, la parade d'étoiles dans la nuit extatique du « Printemps ». F. L.

SAN CAMILO 1936 [*Vísperas, festividad y octava de San Camilo del año 1936 en Madrid*]. Roman de l'écrivain espagnol Camilo José Cela (né en 1916), publié en 1969. « Un jour, je reviendrai sur l'idée que les idées sont une maladie », avait écrit Cela dans une note à la troisième édition de *La Ruche* (*). Il semble avoir tenu parole en se livrant ici à la féroce démythification des idéologies qui s'affrontèrent durant la guerre civile espagnole. Celle-ci avait éclaté le 18 juillet 1936, précisément le jour de la saint Camille, et alors que le romancier avait vingt ans. Elle avait fait, selon le titre d'un roman de l'écrivain nationaliste José María Gironella, « un million de morts ». L'héroïsme des combattants républicains avait suscité, en Espagne et au-dehors, des pages exaltées comme *L'Espoir* (*) d'André Malraux, *Pour qui sonne le glas* (*) d'Ernest Hemingway, ou la trilogie de Max Aub, *Le Labyrinthe magique* (+). Or, pour Cela, si l'avant-guerre et la guerre d'Espagne avaient eu leurs hautes figures, elles avaient eu en beaucoup plus grand nombre leurs lâches, leurs pantins, leurs victimes consentantes ou révoltées. Témoin et acteur de la sanglante tragédie, Cela entend démasquer les véritables sentiments qui dominèrent la population madrilène en ces jours meurtriers, aussi bien dans les quartiers résidentiels, les palais des aristocrates, les foyers des députés de tous bords, les couvents, que dans les maisons ouvrières, les grottes des chiffonniers ou ces lieux typiques de la capitale : maisons closes, cafés, bodegas. Dans *San Camilo 1936*, une société enlisée depuis des siècles dans ses tabous et ses préjugés ne se libère pas par l'action héroïque mais s'abandonne au contraire à la peur, à l'angoisse et au désespoir. « Elle commence à sentir le cadavre. » L'auteur lui-même, en sa jeunesse, se traite de « lâche », de « minable », de « pauvre type aux idées rédemptrices qui ne mènent nulle part » et se livre avec dérision à son autocritique : « ... tes idées s'échappent comme des grenouilles, elles sautent de tous côtés pour te laisser soudain la tête vide, sans la moindre grenouille, avec des nouvelles confuses, si confuses que tu n'arrives pas non plus à y mettre de l'ordre [...] Tu t'efforces d'entretenir dans ton crâne des idées de solidarité, mais tu es une marionnette poseuse incapable d'arriver à parler familièrement à ta propre image dans la glace ; allons, tais-toi... » Constitué de chapitres qui ne sont chacun qu'un long flux ininterrompu de phrases haletantes, oppressées comme sa fiction, en fuite comme ses personnages réels ou imaginaires, *San Camilo 1936* a la gravité solennelle de l'incantation. Dans cette vision caustique que les critiques ont parfois qualifiée de célinienne, les réflexions amères brillent comme des perles noires. Celle-ci, notamment, dans l'épilogue : « Nous autres Espagnols nous devons surveiller l'Espagnol que nous portons en nous afin d'éviter qu'il ne nous égorge durant notre sommeil tandis qu'il veille comme un loup à l'affût. » — Trad. Albin Michel, 1974. C. C.

SANCTUAIRE [*Sanctuary*]. Roman de l'écrivain américain William Faulkner (1897-1962), publié à New York le 9 février 1931. *Sanctuaire* a une histoire et, comme toutes les histoires concernant l'œuvre de Faulkner, elle a fait presque autant de bruit que l'œuvre elle-même, qui fut le premier de ses romans à connaître quelque succès. Six tirages se succédèrent en 1931 et, pour la seconde édition, en 1932, Faulkner écrivit une introduction où on lit : « Ce livre fut écrit en trois ans. Pour moi, c'est une idée sans valeur, parce que je l'ai délibérément conçue pour faire de l'argent. » Nous sommes au printemps de 1929 : Faulkner, six mois plus tôt, a achevé *Le Bruit et la Fureur* (*). Mais *Sartoris* (*), son roman précédent, qu'il a dû laisser amputer d'un quart, est un échec : on l'en avait prévenu. Faulkner désespère de son métier. Puis, « je commençai à penser à écrire pour de l'argent. Je décidai qu'après tout je pourrais bien m'y mettre, moi aussi. Je m'accordai quelque temps, et spéculai sur ce qui pourrait bien être "à la mode" pour un Mississippien : je choisis la réponse que je croyais bonne, inventai le conte le plus horrible que je pouvais imaginer, l'écrivis en trois semaines et l'envoyai à Smith, l'éditeur du *Bruit et la Fureur,* qui le refusa. » En conséquence, semble-t-il, Faulkner oublia *Sanctuaire* et, pendant son travail nocturne à l'usine de production électrique d'Oxford (Mississippi), il écrivit *Tandis que j'agonise* (*). Puis il reçut les épreuves de *Sanctuaire* : l'éditeur, apparemment, avait changé d'avis. « Alors je vis que c'était si mauvais qu'il n'y avait que deux choses à faire : le déchirer, ou recommencer. » Il choisit de recommencer (à ses frais), afin d'en « tirer quelque chose qui ne fît pas trop honte au *Bruit et la Fureur* et à *Tandis que j'agonise* ». Et il ajoute : « Je crois m'en être bien sorti et j'espère que vous l'achèterez et en parlerez à vos amis, et qu'ils l'achèteront eux aussi. » Ainsi se termine l'introduction de 1932. Elle est, on le voit, essentielle à la compréhension d'une œuvre qui n'a plus rien, dans sa forme définitive, de « l'idée sans valeur » dont parle l'auteur. Un critique américain a justement intitulé son étude de *Sanctuaire* « La Découverte du mal ». On peut, en effet, estimer que Faulkner s'est servi de cette anecdote (moins inventée qu'il ne le dit) du viol d'une collégienne par un avorton impuissant et pervers pour procéder à une véritable exploration en profondeur du problème du mal que, jusqu'alors, il avait surtout perçu dans ses manifestations psychologiques : Donald, dans *Monnaie de singe* (*), Bayard, dans *Sartoris*, et Quentin, dans *Le Bruit et la Fureur* étaient tous trois, à des degrés divers, des consciences malades du temps. Tous trois mouraient, différemment, certes, mais dans un même rapport avec le temps : c'était un hiatus, où se révélait l'impossibilité radicale de trouver dans le temps une possibilité de survivre à un traumatisme psychique d'origine affective. Le sujet de *Sanctuaire* est bien différent, qui s'impose d'emblée, sans préambule, dans l'extraordinaire « ouverture » du roman : Popeye, l'éternel voyeur, tapi, attend qu'un homme se penche sur la source pour boire : il préexiste à la scène, il a toujours été là. L'homme, c'est Horace Benbow, le pitoyable « justicier » qui, du fait de son passage dans la vieille maison du Français quelques jours avant qu'y échouent Temple Drake et Gowan Stevens, va s'intéresser à l'affaire et plaider — malheureusement — la cause de Lee Goodwin, le distillateur clandestin accusé du meurtre de Tommy et du viol de Temple. Cette scène initiale est célèbre à juste titre ; pourtant, elle n'a pas été conçue pour *Sanctuaire*. Une comparaison attentive avec la fin de *Monnaie de singe* (la scène où Gilligan s'égare dans la forêt après le départ de Margaret) et le début de la dernière section de la deuxième partie de *Sartoris* révèle un phénomène de répétition — superposition caractéristique de la création faulknérienne. Il est remarquable que ces trois scènes, chacune à deux ans d'intervalle, associent la source, symbole de pureté lustrale, et l'alcool clandestin, signe de l'artifice « civilisé » : dans l'ouverture de *Sanctuaire*, il n'y a pas matériellement d'alcool ; mais Popeye, qui ne peut pas boire, associe automatiquement la présence d'un homme près de la source à celle de l'alcool ; et, en un geste qui signifie d'emblée l'abolition des valeurs naturelles, il crache dans la source. C'est le signe que, comme dans *Macbeth* (*), les valeurs vont être inversées. La nature est doublement violée par l'homme, puisque l'alcool qui est supposé s'y consommer est illicite. Plus tard, Ruby Lamar, la compagne de Lee Goodwin, incriminera l'alcool, responsable à ses yeux de tous les maux qui s'enchaînent ; la vision, pour être superficielle, n'est pas fausse. L'exploration du mal commence donc de façon visuelle et même visionnaire ; par le symbolisme de la première scène, le titre se charge aussitôt d'ironie. Or cette scène, dans la première version du livre, ne figurait qu'à la fin du second chapitre ; l'ouverture, tout aussi visuelle mais infiniment moins significative, était consacrée au meurtrier noir chantant des « spirituals » à la fenêtre de la prison où Goodwin vient d'être enfermé (c'est le début du chapitre XVI dans la version publiée). On voit ainsi dans quel sens, et avec quel succès, Faulkner a travaillé pour remanier son roman. *Sanctuaire*, à cet égard, est bien plus qu'une œuvre sauvée de la médiocrité. C'est une œuvre décisive et sans retour, car c'est l'adieu de l'auteur à sa phase première (celle des poèmes et des premiers romans) où dominait la tentation esthétique. Sans *Sanctuaire*, il n'y aurait pas eu *Lumière d'août* (*), qui est le chef-d'œuvre de la méditation éthique de Faulkner, comme *Le Bruit et la Fureur* est le chef-d'œuvre de son analyse psychologique. En retravaillant *Sanctuaire*, Faulkner a évité le pire : un irrémédiable creux dans la ligne des sommets. Mieux, c'est en en faisant une œuvre artistique autonome et profondément signifiante qu'il a rouvert les portes qui semblaient, faute du succès minimum dont a besoin tout écrivain, devoir se fermer sur lui.

Voilà l'importance de ce roman, noir poème du mal mais aussi œuvre rigoureusement structurée selon une alternance symbolique qu'on peut schématiser en opposant les hors-la-loi aux hommes de loi (l'ironie vient du fait que les meilleurs ne sont pas où l'on pense), centrée sur trois lieux (la maison des clandestins dans la nature, la petite ville où s'exerce la force de la « morale » communautaire, et le bordel de miss Reba à Memphis), et culminant en une scène (la grotte, au chapitre XXV) qui est une véritable orgie sacrilège, évocation si audacieuse du renversement des valeurs qu'elle ne peut manquer d'apparaître, en écho à la séquence de chapitres (V et XIV) où se noue secrètement l'action qui culmine dans le viol escamoté de Temple, comme une parodie de messe noire. Au terme de cette saison dans l'enfer de l'avilissement que d'aucuns verront contemporain, l'ironie seule a la parole ; Tommy, le simple d'esprit, est mort en tentant de préserver la virginité d'une fausse innocente promise à une prompte et belle carrière de garce ; Lee Goodwin, « le vrai homme », meurt dans des circonstances atroces pour expier aux yeux des vertueux un double crime (meurtre et viol) qu'il n'a pas commis ; et Popeye, impassible, incarnation dérisoire mais absolue du mal « mécanique », meurt aussi, mais pendu pour un crime dont il est parfaitement « innocent ». Dans l'échec total de la justice, résultat cumulatif d'une série d'échecs relatifs, et non dans la révélation, si terrible soit-elle, des œuvres du mal présentées comme immanentes à l'existence, réside le désespoir, qu'augmente encore l'état dernier des survivants : lugubre est le retour d'Horace chez sa femme Belle, lugubre est le finale, où Temple et son père le Juge errent comme des ombres. Mais le lieu du mal dans *Sanctuaire* n'est pas le temps : c'est la chair, associée constamment, par les symboles et explicitement, à l'inévitable prolifération du printemps (l'action se passe pendant son accomplissement), « le vieux ferment, le leurre verdoyant, présage de déplaisir ». Narcissa (sœur d'Horace) la vertueuse, sereine et bovine, est, dans l'activité, aussi responsable du désastre final des valeurs que Temple Drake l'est dans la passivité d'une évolution tout entière placée sous le signe atrocement ironique de l'innocence. Le mal fonctionne, implacablement, selon un « schéma logique » ; une fois là (comme Popeye au début), rien ne peut empêcher sa carrière : pas même l'abjecte démission de Gowan Stevens, l'odieuse duplicité du sénateur Snopes ou la lamentable naïveté de Benbow — témoins impuissants à attaquer le tout-puissant développement, la sereine autonomie du Mal. *Sanctuaire* est une inoubliable messe noire. Comme on lui demandait si son titre était bien pertinent, Faulkner fit cette réponse : « Pourquoi ? Ne trouvez-vous pas qu'il convient ? » En France, et quoique Coindreau tînt prête dès 1933 sa traduction de *Tandis que j'agonise, Sanctuaire* fut le premier roman de Faulkner à paraître en 1934, précédé de la préface qu'André Malraux achevait par cette formule devenue célèbre : « *Sanctuaire*, c'est l'intrusion de la tragédie grecque dans le roman policier. » — Trad. Gallimard, 1933. M. Gr.

SANDALES DE PAILLE (Les). Publié en 1987, ce volume de l'écrivain français Pierre Albert Jourdan (1924-1981) rassemble (sous le titre de l'un d'entre eux) des recueils de pages de carnets et de fragments publiés de 1979 à 1984, ainsi qu'un livre plus ancien, illustrant ainsi l'évolution de l'auteur. *La Langue des fumées*, de 1961, présente en cinquante-trois feuillets le « calendrier d'un mois d'été » dans le paysage intime et infini de Caromb et du mont Ventoux. En ce livre se fait entendre un langage secret, s'ouvre un regard qui met en jeu profondément un témoin à la fois uni au lieu et séparé, peut-être par le jeu de son propre langage. Le paysage sollicite la parole du poète, mais aussi se dérobe ; d'où deux modes, l'un de célébration, et l'autre de mélancolie. « La contemplation de l'évidence » est aussi une « chasse mortelle. La lumière n'a pas de bras pour nous porter. Au-dessus des têtes, le bleu roi, cette échancrure [...] ; une sorte de stupeur confidente de l'impossible. Un néant raciné. » Dévotion au paysage du mont Ventoux, notations brèves, dans l'abrupt, souci d'une expérience, qui est épreuve et qui défie ou défait le souvenir, caractérisent cet ouvrage, dont l'écriture elle-même oscille entre deux formes, la prose et le vers libre — le poème et le fragment. Tel est le titre — *Fragments* — que Jourdan, qui entre-temps a écrit de nombreux poèmes, choisira de donner au recueil publié dix-huit ans plus tard, en 1979. Le noyau de ce second ouvrage est constitué par un autre petit livre, publié à un nombre limité d'exemplaires en 1976, *Le Matin*. Dans ces notes écrites à l'aube se succèdent des évocations du paysage, qui reste le grand maître, en sa lumière changeante ; des mouvements de pensée liés à l'expérience de soi ; et la rencontre à leur croisement d'une dimension inconnue, qui est « apparition » du réel, en même temps que conscience de l'épreuve qu'il constitue. L'écriture du livre est faite de ce lien dynamique entre une vision (que Jourdan évoque en peinture) et une réflexion qui à la fois en découle et la conduit vers sa fin. « Maintenant le paysage se recompose. Il se recompose parce qu'il y a avancée. Il n'était que nuit et brume, il se reposait. Maintenant, il est soumis à la loi du travail. Il n'est plus visage nu, mais membres dispersés. À ce stade le chant serait erreur. Chant des surfaces hérissées, chant des plaies, fussent-elles merveilleuses. » On ne saurait méconnaître la dimension initiatique de ce livre dont il n'est pas d'autre exemple en français — excepté les *Carnets* (*) de Joubert —, bien qu'elle reste rebelle à toute définition, liée à cette démarche, comme expérimentale, d'une vision qui est aussi une pensée, en son acte même — et se produit dans l'espace de l'écriture. Du moins peut-on tenter de comprendre l'intermittence de la parole — qui toujours recommence autre, ailleurs, ouvrant un espace second, intérieur et analogique. L'évanouissement du langage porte moins le néant que le « sans-mesure », « Puissance », « Souffle », ou « Pitié » — inaperçu sinon dans l'intermittence qui le représente seul. Elle ne s'ouvre que dans une distance prise avec soi-même, un renoncement à soi, tout aussi bien au « moi », qui cherchait la clé de l'être et du paysage. Il y a de *La Langue des fumées* à *Fragments* une conversion à cette religion intérieure — conversion à l'humilité, à la perte, et à cette puissance de destruction dans les apparences, d'où naît la révélation d'une seconde vie du paysage. Un feu saisit la terre, et le témoin participe de ce feu, à la fois sa destruction et la chance de vivre la vérité de sa présence, dans le temps même de l'écriture. Le fragment n'a plus de rapport avec le temps, mais avec la mort ; non avec l'impossible vérité éternelle, mais avec la consumation, et sa révélation : comme une lumière qui éclaire un instant, avant de s'effacer, et est ainsi l'épiphanie de l'instant, à quoi répond le surgissement insaisissable d'une conscience qui a pour traces la compassion et le rire. Pierre Albert Jourdan fera de plus en plus explicitement référence à des écrivains qu'on peut rattacher aux courants de la mystique, et aux auteurs du taoïsme et du bouddhisme, en particulier Lin Tsi – auquel est emprunté le titre des *Sandales de paille* – et Han Shan. Tel est le contexte dans lequel il faut replacer les volumes qui suivent *Fragments. L'Angle mort*, en 1980, confirme le rôle qu'il accorde à la méditation de la mort. « Sur cette route nocturne, il n'y avait ni dangers ni menaces, seulement une Présence noire, qu'aucun phare n'éclairera. » Mais ce constat n'est en rien celui du désespoir, car cette présence pas même inaccessible, pas même indéchiffrable – au-delà de toute idée d'accéder, de déchiffrer – rassemble aussi la communauté des êtres qui partagent son absolu. Telles les herbes, les arbres, les abeilles dont parle *L'Entrée dans le jardin*, ultime hommage au jardin de Caromb, publié en 1981. Et s'il avait décidé en 1980 d'écrire chaque jour sans exception un fragment (ce seront *Les Sandales de paille*, publié après sa mort en 1982) c'était pour étendre la compassion à tous les lieux de sa vie – la banlieue de Paris aussi bien que Caromb – comme à tous ses moments. De même le dernier livre, posthume, *L'Approche*, est-il moins un journal de la maladie que la poursuite de l'exercice – ne peut-on dire spirituel ? – dans la proximité terrible de sa propre mort. On ne peut s'empêcher de penser qu'en écrivant la dernière ligne de ce carnet, « Par grandes lacérations du paysage », il réaffirmait une « révélation de la mort » qui lui était d'abord venue dans l'écriture, et ne l'a excédée que de l'intérieur.

F. L.

SANDRA BELLONI. Roman de l'écrivain anglais George Meredith (1828-1909), publié en 1864 sous le titre d'*Emilia in England* et réédité en 1889 sous son titre actuel. Emilia Alexandra Belloni est la fille d'une Anglaise et d'un Italien émigré en Angleterre. Son père est un musicien paresseux et ivrogne, et Sandra est bientôt contrainte d'abandonner sa triste demeure. La famille Pole la prend sous sa protection et elle tombe éperdument amoureuse de Wilfrid Pole, jeune officier au caractère faible qui, bien qu'attiré par la passion de Sandra, continue à faire sa cour à la riche lady Charlotte Chillingworth. Sandra, avec toute la confiance d'une nature noble, se refuse à croire à la duplicité de Wilfrid jusqu'à ce que lady Charlotte pousse ce dernier à lui faire une déclaration que Sandra surprend, cachée derrière un rideau. Désespérée, elle s'enfuit à Londres et décide d'accepter la proposition de M. Pole, lequel, lui ayant découvert une belle voix, veut se charger de son éducation musicale en l'envoyant suivre les cours du Conservatoire de Milan. Mais, Sandra ayant perdu momentanément la voix, Périclès songe à la renvoyer à son père. Sandra cherche à se cacher à Londres, souffre de la faim et va mourir quand elle est sauvée et soignée par Merthyr Powys et sa sœur Georgiana. Elle retrouve la voix et décide de partir pour Milan, non sans avoir au préalable tiré les Pole de la misère où ils étaient tombés. L'histoire de Sandra Belloni a une suite : *Vittoria* (1868). Dans cette œuvre, Meredith se révèle un profond psychologue. Ayant acquis une vision personnelle du monde et des êtres, il exprime toutes les complexités de la nature humaine et trouve dans le comique l'un des termes de son raisonnement dialectique. Il renforce ainsi le tragique, fondé uniquement sur une conception réaliste de la vie et non sur des complications romanesques. Sandra Belloni est l'une des plus belles héroïnes auxquelles Meredith ait donné naissance. – Trad. Hachette, 1866.

SANDRO DE TCHÉGUÈME [*Sandro iz Čegema*]. Roman de l'écrivain russe d'origine abkhaze Fazil Iskander (né en 1929). Il a d'abord paru en nouvelles séparées dès 1969, sa première publication sous ce titre a lieu en 1973 et sa première édition complète en Occident en 1981. La composition du livre en nouvelles relativement autonomes, les difficultés provoquées par la censure, expliquent l'histoire complexe de cette publication. Sandro, personnage central et fil conducteur du roman, est un héros picaresque qui réunit toutes les qualités de son peuple, la première étant l'amour de la vie. Sorte de héros de légende, il aime les chevaux et est le meilleur cavalier de la contrée, il aime le vin et la fête, et aucun festin dans la région ne peut se dérouler sans sa présence ; il est le meilleur « tamada » (sorte de président de table et ordonnateur du repas) ; il est également le meilleur danseur, l'amant à la réputation la plus flatteuse. À la fois être exceptionnel et incarnation du « Volksgeist », Sandro fait un avec son village de Tchéguème et avec l'histoire de son pays, l'Abkhazie, contrée montagneuse du Caucase descendant jusqu'à la mer Noire et incluse dans la Géorgie.

Le narrateur est un jeune journaliste. Originaire de Tchéguème, il est un auditeur passionné des histoires que lui raconte Sandro et le témoin de ses aventures actuelles. Sandro a traversé les multiples événements historiques qu'a connus son pays depuis le début du siècle. Ainsi les premières aventures concernant la Géorgie d'avant la révolution, quand le prince d'Oldenbourg décide d'aménager la région côtière. Ensuite se déroule, vue par les yeux de Sandro et de ses amis, la conquête de la Géorgie par les bolcheviks, qui en chassent les mencheviks. Sandro devient ensuite, en tant que danseur dans un groupe de chant et de danse, témoin des intrigues de Beria et assiste à un festin en l'honneur de Staline. Après la chute de Lakoba, le secrétaire du parti en Abkhazie, Sandro s'éloigne des grands de ce monde pour, sur le sage conseil de son père, éviter arrestation et exécution (cet épisode est raconté par la mule du vieux père). Nous sommes ensuite témoins des mille et une ruses que déploient Sandro et des habitants du village pour survivre dans le système soviétique, pour l'adapter, dans la mesure du possible, à leurs formes de vie traditionnelles. Mais il ne s'agit pas d'une narration continue : la chronologie est constamment bousculée, des épisodes sans rapport avec Sandro viennent à tout moment s'ajouter au récit, contribuant à lui donner l'aspect d'une chronique légendaire. On a par exemple l'histoire soviétique telle que la voient les habitants de Tchéguème : le Moustachu (Staline) y succède à « Celui qui a voulu bien faire mais n'a pas eu le temps » (Lénine).

Ce livre apparaît comme un adieu au monde « naturel » de la campagne patriarcale. Dans le dernier chapitre, « L'Arbre de l'enfance », l'auteur vient revoir tous ses héros, vieillis mais toujours aussi nobles, et il contemple pour la dernière fois « tout ce que nous aimions, tout ce qui irradiait la lumière de l'espoir, du courage, de la tendresse, de la noblesse... » — Trad. Stock, 1981. A. Be.

SANG suivi de SODOME ET GOMORRHE. Ces nouvelles de l'écrivain italien Curzio Malaparte (pseud. de Kurt-Erich Suckert, 1898-1957), proviennent de deux recueils : *Sodoma e Gomorra* (1931) et *Sangue* (1936), qui se caractérisent par ce mélange de cruauté ostensible et de pitié secrète que l'on retrouvera dans *Kaputt* (*) et dans *La Peau* (*). Comme d'habitude, Malaparte se met volontiers au centre de ses récits, auxquels il prélude par des considérations sur l'horreur que le sang lui inspire. « Et cette horreur procède d'une expérience qui n'appartient pas qu'à moi, mais à toute ma génération. C'est pourquoi d'ailleurs elle a quelque valeur. Les récits groupés dans ce recueil sont le fruit de cette expérience. Ils sont l'histoire de mes premières intuitions, découvertes et révélations des lois mystérieuses du sang, ainsi que du lent et douloureux tourment... » Il s'agit, en fait, non pas de l'histoire d'une vie et d'une expérience, mais de l'histoire d'une conscience. Et si ces pages relèvent de la cruauté, d'un certain goût morbide des images âpres, elles nous montrent comment un homme peut à tous les moments et à travers les expériences les plus douloureuses « parvenir à une suprême et libre conscience de soi-même, de son peuple et de son temps ». De nombreuses pages, comme celles de « Jeux devant l'enfer », « La Fille du pasteur de Börn », « La Neige de Commacchio », « Mère qui cherche son petit », où une femme dans une solitude insupportable a l'impression que la chambre se balance sur la mer, et que la respiration de son enfant fait trembler la maison, ont une force et un éclat incontestables. — Trad. Éditions du Rocher, 1982.

SANG BLEU. Recueil de poèmes de l'écrivain belge d'expression française Robert Goffin (1898-1984), publié en 1939. Poète, essayiste, romancier, avocat, Robert Goffin a abordé tous les genres : le roman (*Passeports pour l'au-delà,* 1944), l'essai (*Rimbaud vivant,* 1937), la poésie (*Foudre nataie,* 1955). Fiévreuse fresque lyrique, historique, hallucinée, cosmique, dédiée aux princes sans dynastie, aux rois sans couronne, aux archanges foudroyés « à sang bleu usés aux empires de la nostalgie », aux poètes qui eurent une destinée tragique, *Sang bleu* se divise en quatre parties : « Vertiges des pentes », « Le Roi des cimes », « Trônes de la fièvre », « Couleur d'absence ». On peut dire que ce long poème est un vent fait de tous les souffles, de tous les échos, de tous les bruits — le souffle des souvenirs, l'écho des cithares dans les hauteurs, le bruit des villes qui vient de si bas qu'il n'atteint pas la région des neiges, le bruit de conque des capitales. On dirait aussi le mouvement continuel d'une roue, chargée de restituer au poète et à l'homme ce qui leur échappe : le temps, la puissance. *Sang bleu,* qui possède un rythme à la fois épique et familier, peut être comparé aux poèmes de Blaise Cendrars et de Valery Larbaud.

SANG ET OR [*Vér és arany*]. Recueil de poèmes de l'écrivain hongrois Endre Ady (1877-1919), publié en 1908. Son titre contient deux symboles que l'on retrouve dans toute l'œuvre du poète et qui lui sont particulièrement chers : désir d'une vie fastueuse, que contrebalance la triste nécessité. Ce que l'inspiration d'Ady comporte de révolutionnaire se manifeste ici dans le plan de l'esthétique comme dans celui de la morale ; son symbolisme n'a rien toutefois de cérébral : il s'exprime en visions de la plus pure fantaisie ou se ramène à l'opposition très concrète de sentiments inconciliables. Dans une suite de poèmes réunis sous le titre de l'un deux, « Le Parent de la mort », on trouve à la fois d'émouvantes peintures de l'automne (« L'automne est tombé sur Paris... ») et des visions d'épouvante comme « La Mort sur le rail » et « Pleurer, pleurer, pleurer ». Dans une autre suite, intitulée « Les Messies hongrois », le poète repousse l'idée de « nation », pour se proclamer le type même du parfait Hongrois que sa sensibilité, son humour et sa bonne humeur font partout reconnaître. Même quand la valeur du symbole est évidente, Ady sait créer des figures qui ne manquent pas de grandeur. Par exemple, ce « Malin ancestral » [Az ós Kaján], incarnation diabolique, démon de l'ivresse et de la luxure, vêtu d'un manteau de pourpre et contre qui l'homme lutte désespérément. Le poème qui a fourni le titre du recueil analyse plus directement le dualisme moral de l'auteur, qui voit le monde mû par deux grandes forces : la sensualité et la cupidité. Dans le cycle intitulé « Léda dans le jardin », sensualité et désir se spiritualisent jusqu'à devenir en même temps haine et culte de la femme. Ce livre contient en outre des passages fort pathétiques ; une pitié intense vibre par exemple dans « Troupe des résignés », où le peuple juif devient le symbole éternel de la rébellion ouverte contre toute tyrannie. Enfin, « De l'Er à l'Océan » évoque le train même de la poésie de l'auteur, qui prend appui sur son âme pour atteindre à l'universel. – Traduction partielle dans *Poèmes* de Ady (Éd. du Seuil, 1951).

SANG NOIR (Le). Roman publié en 1935 par l'écrivain français Louis Guilloux (1899-1980). On pourrait penser que Cripure, le héros de ce roman, n'est qu'un vieil homme au cœur débordant de haine et qui, dans son impuissance, rêve d'épouvantables vengeances. S'il n'est que cela, comment expliquer l'émotion, la sympathie, l'admiration que sa tragique figure éveille ? Qui est-il ? Un martyr, un génie, un fou, un être brisé par la souffrance, un révolté, un saint ? Il est laid, ridicule, sale, avare, lâche, hypocrite, mais il est aussi capable d'extrême courage, d'attaquer tous les conformismes, de se battre, de risquer sa vie, d'être désespérément fidèle au souvenir de la seule femme qu'il ait aimée et qui a trahi son amour. On ne peut pas définir Cripure. Dès les premières pages du livre, il s'empare du lecteur, le fascine sans qu'il puisse démêler la part de la haine et la part de l'amour dans son regard captif. Le vrai nom de Cripure est Merlin, mais les élèves du lycée déshérité où il enseigne la philosophie lui ont donné ce sobriquet de Cripure – à cause de la *Critique de la raison pure* (*) que ses élèves appellent la « Cripure de la raison tique ». Dans son dos ils scandent : « Crip... Crip... Cripure ! » Bien plus, ces potaches le torturent de mille manières, par exemple en dévissant les roues de sa bicyclette. Depuis longtemps il n'a plus aucune autorité. Le drame est plus grand : ses collègues le détestent, le calomnient. Toute la population rit de lui. Quand on le croise on se touche le front : il est fou ! En vérité son comportement peut le laisser croire. Il y a son allure d'abord, cette peau de bique qu'il porte en toutes saisons, son gilet taché. Il y a son regard inquiétant ; il y a ses pieds immenses dans lesquels il s'empêtre ; il y a enfin sa déchéance sociale : ce professeur est marié à une virago « ramassée » à Marseille, ignoble gothon au cœur généreux peut-être mais qui n'apparaît pas tant la vulgarité le cache. La société peut-être pardonnerait et baptiserait tout cela originalité. Mais Cripure est prodigieusement intelligent – au point qu'on pense à lui parfois comme à un Monsieur Teste affronté à l'univers réel et non plus au monde abstrait dans lequel Valéry plaça le sien, comme aussi au Monsieur Ouine de Bernanos. Son intelligence a le dangereux pouvoir de rendre manifestes tous les ridicules et la bêtise. Il est dangereux. On se moque de lui parce qu'on le craint. Un jour, pourtant, un choc va se produire. Du fond de sa détresse, Cripure sera soulevé, révélé par la révolte. Lui le faible, le craintif, trouvera le courage fou de provoquer la bêtise et l'absurdité générales incarnées dans un autre professeur, Nabucet. Au cours d'une scène d'une violence inouïe, il va entamer le combat qui le mènera à la mort, mort grotesque et tout ensemble grandiose que Louis Guilloux nous décrit avec un incroyable talent de peintre fantastique. Vision inoubliable que celle du cadavre de Cripure conduit le long des rues, dans un antique fiacre d'où dépassent et se balancent ses grandes jambes avec, tout autour, la foule stupide qui se presse et qui répète, terrifiée par l'incroyable nouvelle : « C'est Cripure ! Cripure est mort ! » *Le Sang noir*, lors de sa publication, portait cette bande désespérée : « La vérité de cette vie, ce n'est pas qu'on meurt, c'est qu'on meurt volé. » Les plus méprisables créatures de ce roman, aux yeux de leur auteur, ont une excuse dans la souffrance de vivre. Et cependant, ce livre tendu et déchirant, qui mêle à des fantoches misérables des créatures d'exil et de défaite, se situe au-delà du désespoir ou de l'espoir. Nous sommes avec lui au cœur de ces terres inconnues que les grands romanciers russes ont tenté d'explorer. Les êtres y courent à leur fin, à la fois solitaires et confondus, identiques et irremplaçables. Placés au-delà de la justification, ils se détachent alors avec la puissance de la vie, assez semblables à nous pour que nous les reconnaissions, mais portés au-dessus de nous, agrandis par la souffrance qui fixe leurs attitudes dans la mémoire du lecteur et les rend exemplaires : ce sont les grandes images de la compassion. Voilà le grand art de Guilloux qui n'utilise la misère de tous les jours que pour mieux éclairer la douleur du monde. Il pousse ses personnages jusqu'au type universel, mais en les faisant d'abord passer par la réalité la plus humble. *Le Sang noir,* tenu par Gide pour l'un des tout premiers romans de ce siècle, justifie pleinement ce jugement. Outre la chaleur et la vérité humaine qui s'en dégagent, outre les pages d'une exceptionnelle beauté dramatique, il y a dans ce livre des énigmes que l'on sent essentielles et qu'inlassablement on interroge. Qui dira pourquoi Cripure se suicide ? Est-ce par folie, pour tuer l'être infernal qui s'agite en lui ? Est-ce par désespoir ou parce que ainsi seulement viendront le repos et la paix ? Peut-être se tue-t-il pour retrouver sa dignité perdue et nous donner conscience de la nôtre, à nous qui sommes ses frères. Mais le personnage de Cripure, s'il est d'une importance extrême, ne résume pas tout l'intérêt de ce roman, qui dresse par ailleurs un tableau obsédant de l'atmosphère de la Grande Guerre, de l'écroulement des valeurs bourgeoises et de cette mort absurde à laquelle toute la jeunesse d'alors se sentait inutilement promise. Malraux a d'ailleurs souligné : « La mort, immédiate et lente, celle des soldats tués ou celle de Cripure [...] La mort est le personnage principal du *Sang noir*. C'est d'elle qu'il tire malgré son désordre son étonnante unité [...] Elle qui permet à l'auteur [...] de chuchoter tout au long du livre sa vérité tâtonnante, sa vérité à la fois indignée et désespérée d'aveugle : "Les hommes ne sont pas au niveau de leur douleur – Les hommes ne sont pas dignes de leur mort"... car il y a dans ce livre l'éternelle rancune, contre le réel, du poète que la nature de son talent contraint à s'exprimer non par le lyrisme, mais par le réel même. » En 1962, Louis Guilloux a donné, sous le titre de *Cripure*, une transposition pour la scène des aventures de son personnage.

SANINE [*Sanin*]. Ce roman de l'écrivain russe Mikhaïl Petrovitch Artsybachev (1878-1927), publié en 1907, est caractéristique de l'époque de dépression morale qui suivit la révolution de 1905. L'auteur y dépeint la jeunesse d'alors, mais seulement sous un de ses aspects, choisissant en elle les types parvenus, d'après le titre d'un autre roman de l'auteur, « à l'extrême limite » – v. *À l'extrême limite* (*). Le succès en fut prodigieux et eut aussi des échos à l'étranger ; il y provoqua un tel scandale qu'en Allemagne, l'ouvrage fut porté devant un tribunal. En Russie, le succès ne provint pas tellement du caractère scandaleux du roman que de l'éloquence avec laquelle y est défendu le droit à l'amour libre, un des buts chers à la jeunesse révolutionnaire russe. Il nous conte la vie de deux jeunes gens, Vladimir Sanine et Youri Svagoritch qui, ayant renoncé à la cause révolutionnaire, l'un par lassitude, l'autre par dépit, ne cherchent plus qu'en eux-mêmes leur voie. Youri est un intellectuel de type traditionnel, altruiste et préoccupé de problèmes sociaux et moraux ; Sanine se proclame « homme de l'avenir », égoïste, instinctif et libre de toute préoccupation idéologique. Aux aventures des deux jeunes gens se mêlent celles de Lida, sœur de Sanine, séduite et abandonnée par l'officier Zaroudine, et de Karsavina, une jeune institutrice. Celle-ci aime Youri et en est aimée mais, dans un moment de faiblesse, se donne à Sanine qu'elle n'aime pas. Youri, l'apprenant, se tue : il n'a que vingt-six ans ; Karsavina abandonne alors Sanine et celui-ci, après l'enterrement de Youri, disparaît de la ville. Le sujet en soi ne serait pas licencieux, si les personnages n'étaient obsédés par la sensualité qui finit par diriger toutes leurs actions. On remarquera que déjà, dans *Sanine*, le suicide est présenté comme une solution apportée aux problèmes de la vie ; et en cela, ce roman est bien de son temps ; en effet on put assister, en Russie, aux alentours de 1910, à une véritable épidémie de suicides. – Trad. Grasset, 1913.

SANS AIGLES [*Utan örnar*]. Recueil d'essais, sous forme de lettres adressées à une amie, de l'écrivain finlandais d'expression suédoise Örnulf Tigerstedt (1900-1962), publié en 1935. L'auteur, qui a publié de nombreux recueils de poèmes et d'essais, des pièces de théâtre et des romans, y discute, sans prétention aucune, du destin de l'homme. S'inspirant de *L'Étrange Cas du docteur Jekyll et Mr Hyde* (*), Tigerstedt discute le dualisme présent en chacun de nous et montre qu'il s'agit d'une différence entre culture et nature. Il s'oppose à la doctrine de Rousseau sur l'infériorité de la culture et conclut au contraire que, sans elle, l'homme serait une bête. Ces lettres, en vérité écrites à soi-même, sont rédigées dans un style d'une limpidité admirable, qui en fait un chef-d'œuvre du genre.

SANS CŒUR [*Mujŏng*]. Premier roman de l'écrivain coréen Yi Kwangsu (1892-1954 ?), publié de janvier à juin 1917 dans le quotidien *Maeil Shinbo* en cent vingt-six livraisons. Ce premier roman très représentatif des tendances modernistes, c'est-à-dire s'intéressant aux mœurs, au mariage, d'un point de vue critique et moral, relate une tragédie familiale provoquée justement par les mentalités dépassées et plaide pour l'ouverture du pays. Li Hyŏngshik, professeur d'anglais d'esprit moderne, est promis au mariage avec Park Cheyong. Le père de celle-ci est arrêté, elle devient courtisane et décide de disparaître. Mais elle rencontre alors une jeune femme moderne qui lui ouvre les yeux. Hyŏngshik épouse une riche héritière. Dans le train, alors qu'ils partent étudier à l'étranger, les deux protagonistes se rencontrent : ils ont mûri et s'engagent à revenir en Corée répandre les nouvelles pensées.

Pa. Ma.

SANS ESPOIR DE RETOUR [*Streets of no Return*]. Roman policier de l'écrivain américain David Goodis (1917-1967) paru en 1954. À 33 ans, Whitey a les cheveux blancs et il partage depuis sept ans la vie des clochards alcooliques de Skid Row, le quartier déshérité de Philadelphie. Il se nomme en fait Eugène Lindell ; remarqué à 17 ans dans un orphelinat pour sa voix d'or, il devient un chanteur riche et célèbre. Dans une soirée, il rencontre Célia, et leur coup de foudre est réciproque. Mais elle vit avec Sharkey, gangster également fou d'elle qui découvre l'existence de Lindell et lui fait rompre les cordes vocales à coups de matraque par ses acolytes Shop et l'énorme Bertha. Au lieu d'entreprendre une rééducation, Lindell se ruine au jeu et sombre dans l'alcool : il devient Whitey. Sept ans plus tard, il suit Shop dans l'« enfer », le quartier le plus violent de Philadelphie où s'affrontent des gangs de Portoricains. Il découvre que c'est Sharkey qui organise les bagarres pour obtenir le limogeage du capitaine Kinnard qu'on ne peut pas acheter et le remplacer par un de ses lieutenants, moins intègre. Le capitaine démasque le traître, Sharkey s'enfuit avec Célia et ses deux complices, et Whitey retourne à Skid Row avec une bouteille pleine. On retrouve dans ce magnifique roman les principales composantes de l'univers de Goodis : l'amour impossible, la déchéance, la tentative de rédemption et la chute définitive. Le destin cruel reste le maître du jeu. – Trad. Gallimard, 1956. D. B.d.M.

SANS FAMILLE. Roman de l'écrivain français Hector Malot (1830-1907), publié en 1878, et qui obtint un succès considérable. Ce fécond écrivain, dont le *Romain Kalbris* (1869) avait déjà enchanté les enfants, y déploie avec bonheur ses dons d'imagination, de composition, et surtout d'émotion. C'est l'histoire de Remi, enfant trouvé. Recueilli par une brave femme, la mère Barberin, il est acheté au prix de quarante francs par le « signor Vitalis », grand vieillard à barbe blanche, à l'accent italien, et vêtu d'une peau de mouton, qui dirige une troupe ambulante d'animaux savants : trois chiens dont le plus éveillé est Capi, le caniche blanc, et le singe Joli-Cœur, déguisé en général anglais. De tout ce petit monde, Remi devient le « collègue » très aimé, et ils s'en vont sur les routes, avec du « courage dans les jambes », s'arrêtant dans chaque village pour y jouer la comédie. Harpe, fifre, violon : telle est leur vie, mais aussi la faim et le froid. Vitalis ayant été jeté en prison, Remi, avec trois sous en poche, doit subvenir aux besoins de la « troupe ». Il rencontre alors une aimable dame anglaise dont le jeune fils se prend pour lui d'amitié. Vitalis, libéré, reprend la route avec son compagnon et lui confie qu'il est en réalité un ancien chanteur, « le plus fameux de toute l'Italie ». Le tour de France continue, le vieillard meurt de froid, et Remi entre au service d'un jardinier des environs de Paris dont la fille, une muette appelée Lise, ne le laisse pas indifférent. Le jardinier, ruiné par la grêle, est emprisonné pour dettes, et Remi se remet en marche ; mais le voici bientôt qui s'associe à un petit Italien, Mattia, qui joue du violon à la perfection. Leurs affaires, peu à peu, prospèrent (Remi pourra même offrir une vache à la mère Barberin) et le roman ne saurait s'achever sans que l'enfant trouvé, après bien des péripéties, découvre enfin – à Londres – ses parents. Tout est bien qui finit bien : sa mère n'est autre que la dame anglaise, et il épouse la jeune Lise qui, n'étant pas muette de naissance, est délivrée de son infirmité. Remi l'enfant trouvé, l'enfant volé par des marchands ambulants, réside désormais dans le « manoir de ses pères » et Mattia est en passe de devenir le « Chopin du violon »... *Sans famille* doit sa fortune à l'éminente sincérité d'un conteur qui a le respect du public et sait prendre le ton qui plaît à l'enfance. Moraliste discret, Hector Malot a en outre le sens de la vie moderne et un sentiment profond de la peine des hommes. Son attrayant didactisme, le soin scrupuleux qu'il prend de décrire les particularités concrètes d'un milieu ou d'un métier (chaumière de la mère Barberin, vie des mineurs, fabrication du drap, culture des giroflées, etc.) ont valu à son livre d'innombrables réimpressions à l'usage des écoles primaires.

SANS LA MISÉRICORDE DU CHRIST. Roman de l'écrivain français d'origine argentine Hector Bianciotti (né en 1930), écrit directement en français, prix Femina 1985. Le temps de deux saisons, à Paris, entre les portes Saint-Martin et Saint-Denis, tout est joué, tout est dit. Hector Bianciotti empoigne le sublime tragique racinien et le fourre dans le quotidien, le banal, voire le trivial, mais l'en ressort plus grand, plus poignant que jamais. Le narrateur, plutôt sauvage de nature, lie conversation et amitié avec une voisine, Adélaïde Marèse, vieille demoiselle au maintien digne, à la mise impeccable et surannée. Tous deux se rendent au bar-restaurant « Le Mercury » tenu par le musculeux Michelot et son aguicheuse épouse, fréquenté par quelques habitués d'une bonne société que ne rebutent pas les autres familiers : prostituées et leurs protecteurs, ou immigrés. Dans ce lieu plus pittoresquement terre à terre que moralement infâme promène son ennui et son impertinence Rosette, la fille des patrons, un tantinet perverse. Adélaïde reportera sur la « pauvre petite » que lui confient volontiers ses parents un trop-plein d'amour maternel qui n'eut jamais à s'employer. Elle découvrira l'émoi sentimental en la personne d'un paisible retraité, M. Tenant. Mais la trahison, le tragique viennent toujours de ce que l'on se trompe sur soi, sur les autres... Avec la précision du trait des graveurs des XVIe et XVIIe siècles, avec la sombre tonalité traversée de fulgurances révélatrices de certains peintres baroques ou romantiques, Bianciotti construit son récit selon une grande ordonnance dont les points de jonction seraient les hasards nécessaires. Le nombre d'or de cet architecte du roman se nomme souvenir et les scènes s'appellent les unes les autres comme autant de tableaux de genre où le narrateur-donateur Bianciotti figure à propos. De l'évocation de la pampa argentine – car Adélaïde est un autre

Bianciotti – au marché de Saint-Denis, de la folie d'une religieuse aux manigances d'une gamine, en passant par la dissection d'un mot, Hector Bianciotti nous tend un miroir. L'on s'y regarde pour y découvrir un point d'interrogation nostalgique. Avec la miséricorde de l'auteur.

Y. P.

SANS MORALITÉ [*Caritrahīn*]. Roman bengali de l'écrivain indien Śarat Candra Chatterji (1876-1938), publié en 1917. L'intérêt essentiel réside dans la complexité des personnages féminins, ce qui est caractéristique de cet auteur. Sāvitrī est une veuve brâhmane qui, séduite par un lointain parent qui avait promis de l'épouser, ne peut pas revenir dans sa famille et se trouve abandonnée de tous. Elle part pour Calcutta où elle obtient un emploi de servante dans une pension de famille pour étudiants et petits employés. Elle y tombe amoureuse de Satīś, garçon de bonne famille. Le romancier excelle à dépeindre les réticences de son héroïne qui ne peut avouer sa passion tant est fort en elle le respect des valeurs traditionnelles, mais qui ne réussit pas néanmoins à la cacher. Ses tensions intérieures et son déchirement au mariage de Satīś, qu'elle a elle-même encouragé, sont dépeints avec un art consommé. Le conflit entre la morale sociale et la morale individuelle trouve dans ce roman une expression puissante. La deuxième héroïne, Kiranmayī, dont l'histoire est reliée de façon lâche au récit centré autour de Sāvitrī, est une femme mal mariée qui revendique une liberté affective et sexuelle tout à fait atypique pour son milieu et son époque. Elle rejette explicitement les valeurs de la morale sociale et poursuit la recherche de son plaisir. Le romancier fait en elle une création originale. La fin tragique qu'il lui réserve – la déchéance et la folie – montre que, loin d'être un révolutionnaire, il reste attaché à l'image traditionnelle de la femme idéale et souhaite seulement pour celles qui n'ont pu s'y conformer, bien souvent sans faute de leur part, un peu plus de compréhension et de générosité.

F. Bh.

SANS TITRE, par un homme noir blanc de visage. Aphorismes de l'écrivain français Xavier Forneret (1809-1884), publiés en 1838. Ce recueil se signale autant par la bizarrerie de sa composition typographique que par son contenu. La suite d'aphorismes qu'il contient correspond aux jours de l'année. Douze chapitres (douze saisons) constituent les divisions de l'ouvrage ; pour chacun l'auteur a cru bon rappeler : « Exception-règle », laissant ainsi envisager une certaine dialectique ou, du moins, quelque substantiel paradoxe. Ailleurs Forneret nous préviendra : « L'exception, en tout, est la loi de la règle », affirmation aussi spéciale que les contradictoires *Poésies* (*) d'Isidore Ducasse ou la « pataphysique » d'Alfred Jarry. On se méprendrait sans doute à voir en Forneret un penseur de premier ordre ; sa singulière sagesse se moule sur un humour qui n'écarte pas même la bonhomie. *Encore un an de Sans titre* (1840) prouve de sa part une louable obstination à poser en moraliste de la onzième heure, et *Broussailles de la pensée,* publié quelque trente ans plus tard, en 1870, le montre toujours fidèle à un genre que le romantisme français ne sut guère illustrer. Forneret a donc choisi la forme brève, alors même qu'il s'épanchait en drames verbeux. D'une telle contrainte il a tiré de vraies beautés. Dans ses aphorismes comptent tout à la fois la fantaisie d'une pensée souvent « déplacée » et l'attention portée à la polyvalence du langage, voire à la forme même des lettres. Il aime, en outre, manier l'humour noir dont il figure l'un des premiers représentants : « Le sapin, dont on fait les cercueils, est un arbre toujours vert », ou stigmatiser l'éternel féminin : « Le mariage crève les yeux. » Il est aussi capable d'éclairs stupéfiants où s'entend une forme de poésie spirituellement incongrue : « Nous portons à chaque main l'image de cinq mondes habités – cinq ongles –, coupés et repoussants. » Véritable Douanier Rousseau confiant dans son art, mais touchant la merveille plus par hasard que par délibération, il donne une leçon de surprise et de réussite dans l'instantané. Son esthétique aléatoire fait s'accorder naïveté et recherche ambiguë. Une vision du monde s'en dégage, fondée sur d'étranges incohérences et plus encore sur de secrètes cohésions.

Un autre recueil, de contes cette fois, *Pièce de pièces, Temps perdu* (1840), propose, comme par fragments de miroir brisé, un univers fantasque où la passion fatale l'emporte, jointe au plus grand irréalisme. *Un crétin et "sa" harpe* et surtout *Le Diamant de l'herbe,* publié dans ce volume et republiés en 1937 dans *La Révolution surréaliste* (*), nous mettent à l'unisson d'une forme de récit poétique où se croisent, comme en un duel lumineux, maladresses et splendeurs. De tels textes laissent percevoir qu'ils sont peut-être des œuvres, mais qu'il dépend de nous (donc qu'il dépend d'un rien) de leur refuser cette qualité – leur teneur n'allant pas ici sans l'extrême fragilité qui paradoxalement les fonde.

J.-L. St.

SAPHO. Ainsi qu'il en advient pour nombre de poètes, et plus spécialement pour ceux dont le temps a effacé la personnalité historique, Sapho (ou Sappho) est devenue l'héroïne de sa propre poésie, le personnage principal de maintes légendes, parfois contradictoires, les unes très émouvantes, d'autres aimables ou même satiriques. Entre les premières, la plus connue est celle qui évoque l'amour malheureux de Sapho pour le beau Phaon et son saut mortel du haut du rocher de Leucade ; cette légende eut un grand retentissement aux Vᵉ et IVᵉ siècles av. J.-C. et fut reprise par Ovide dans la XVe de ses *Héroïdes* (*).

★ Aux Temps modernes, l'une des premières versions est la comédie romantique, *Sapho et Phaon* [*Sapho and Phao*], écrite en 1584 par l'écrivain anglais John Lyly (1554-1606), auteur comique de l'ère élisabéthaine. Comme les autres pièces de Lyly, elle n'est pas prévue pour le théâtre, mais pour servir de divertissement à la Cour et à la reine. Elle a pour thème les amours de la célèbre poétesse, alors vieillissante, et de Phaon, éphèbe d'une grande beauté. Sapho aime, elle est aimée. Mais la liaison est brève : Phaon quitte sa maîtresse qui, abandonnant toute dignité, clame à tous sa profonde douleur. Tandis qu'elle se lamente, dans un bois, auprès d'une source, une naïade lui apparaît ; cette divinité qui a pitié de sa peine lui conseille de se rendre à Leucade et de se précipiter du haut du fameux rocher ; elle lui cite, pour l'encourager, l'exemple de Deucalion qui, amoureux de Pyrrha, se libéra par cet acte de sa malheureuse passion. La poétesse décide de suivre ce conseil, se libère de son amour et voit Phaon lui revenir. Cette comédie est écrite en prose et vers alternés. La prose, cependant, est rendue pénible par la surabondance des allitérations, des assonances, des antithèses et de mille autres préciosités dont Lyly avait déjà fait usage dans son *Euphuès* (*) (d'où le nom d'euphuisme). Le seul mérite de cette pièce fut d'avoir montré aux écrivains élisabéthains et à Shakespeare lui-même que chant et musique pouvaient être introduits avec bonheur dans une œuvre dramatique, et que la langue était susceptible d'y gagner en finesse et en vivacité. Elle révéla aussi le moyen d'utiliser avec succès des entrées de ballet et donna, avec certaines de ses phrases spirituelles et enjouées, de remarquables modèles de dialogue.

★ Mû par la passion qu'il avait pour la Grèce antique, et s'appuyant sur de solides connaissances, l'écrivain italien Alessandro Verri (1741-1816) écrivit, en quatre mois environ, un roman demeuré célèbre, *Malheurs de Sapho, poétesse de Mytilène* [*Aventure di Saffo, poetessa di Mitilene*], qui fut publié en 1780 sous la fiction d'un manuscrit grec récemment découvert. Le public se laissa prendre à la supercherie, et l'œuvre de Verri eut un tel succès qu'il se vit contraint de sortir de l'anonymat. Son roman repose sur les quelques données laissées par les écrivains de l'Antiquité au sujet de Sapho. L'auteur l'a complété avec des épisodes de son invention, qui dénotent une profonde connaissance du cœur humain et des passions qui l'animent. Sapho y apparaît comme une gracieuse jeune fille ne connaissant l'amour qu'à travers la lecture des poètes mais qui, ayant une fois négligé de sacrifier à Vénus, se voit brusquement accablée par la vengeance de la déesse qui place sur son chemin la troublante beauté de Phaon. Alessandro Verri, dans ce roman, a fait œuvre intelligente d'érudit. Telles qu'elles sont décrites, les fêtes de Mytilène nous font songer aux récits d'Homère, de Sophocle, de Virgile. Verri s'est attaché en outre à rendre sa langue harmonieuse et élégante, tout en se gardant du pédantisme des puristes.

★ Un souffle poétique plus intense anime la *Sapho* [*Sappho*] de l'écrivain autrichien Franz Grillparzer (1791-1872), drame en cinq actes, représenté en 1818 au théâtre Hofburg de Vienne, un an après *L'Aïeule* (*) ; mais, cette fois, l'auteur a délaissé le mode romantique pour suivre la tradition classique. La poétesse de Lesbos, retour des Olympiades, se sent lasse de la gloire et des honneurs ; elle ne songe plus qu'à abandonner les sphères éthérées de son art pour goûter le simple amour terrestre, unique raison de vivre. Phaon, le bel éphèbe que cette femme assoiffée de passion s'est choisi pour amant, ne voit en elle que la poétesse illustre par toute la Grèce et, dans son inexpérience, prend pour de l'amour ce qui n'est en lui que de l'admiration. Il se rend compte de sa méprise le jour où il se trouve en présence de l'éblouissante jeunesse de Melitta, l'esclave de Sapho, simple et ingénue comme lui, et, comme lui aussi, étrangère d'humble origine. Peu à peu les sentiments opposés de Sapho et de Phaon se font plus violents et finissent par provoquer le drame : la poétesse, ayant eu la preuve de l'amour qu'il voue à Melitta, se précipite, ivre de jalousie, sur l'innocente esclave. Phaon, survenu à temps, parvient à lui arracher le poignard qu'elle brandit. Après cette crise de désespoir, l'âme noble et généreuse de Sapho reprend le contrôle de ses sens : elle comprend que l'on ne quitte pas impunément les hautes régions de la poésie pour redescendre parmi les mortels ; elle prend donc congé de tout ce qui lui fut cher et se précipite dans les flots, du haut d'un rocher, afin de s'unir à jamais aux dieux éternels. Une flamme secrète anime ce drame qui, comme l'*Iphigénie* (*) de Goethe, est traité avec une sobriété toute classique. La même simplicité se retrouve dans le choix du mètre (vers iambiques) et dans le style en général. L'œuvre, cependant, ne manque pas de caractères plus complexes, qui se remarquent dans certains contrastes et dans les mille nuances qui donnent vie aux personnages. Notons cependant que le lyrisme de *Sapho* a une teinte nettement élégiaque, et qu'enfin Grillparzer entend démontrer que, la vie étant faite de renoncement continuel, celui-là seul parviendra au bonheur qui saura vaincre ses passions. — Trad. Aubier, 1929.

★ Parmi les meilleurs poèmes chantant les malheurs de Sapho, il convient de mentionner celui de Giacomo Leopardi (1798-1837) : « Le Dernier Chant de Sapho », dans lequel l'auteur a mis son propre pessimisme.

★ Nous devons enfin à l'écrivain espagnol Victor Balaguer (1824-1901) une tragédie intitulée *Saffo*, publiée en 1876.

★ Cette légende a inspiré de nombreux opéras ; il existe en premier lieu une *Sapho*

[*Saffo*] en trois actes de l'Italien Giovanni Pacini (1796-1867) sur un livret de Salvatore Cammarano (1801-1851), qui fut représentée pour la première fois à Naples en 1840. Pacini eut la malchance de s'attirer l'antipathie générale à cause d'une vilenie commise par sa maîtresse, une Russe de noble origine, à l'égard de Bellini. Son opéra, pourtant, peut affronter avec honneur les œuvres les plus réputées du XIXe siècle. Il est d'une facture solide, puissante, colorée, digne de ce maître qui avait une connaissance de l'art du contrepoint bien supérieure à celle de la plupart de ses rivaux.

★ Le compositeur français Charles Gounod (1818-1893) a composé un opéra en trois actes, *Sapho*, sur un livret d'Augier, représenté à Paris en 1851, sans grand succès. Bien que nettement inférieur à *Faust* (*), il possède cependant quelques pages de valeur dont la romance du Ier acte et les airs de Phaon et du berger au IIIe. Remanié et complété (en quatre actes et cinq tableaux cette fois), il fut repris à Paris en 1878.

★ Parmi les autres œuvres musicales inspirées par la vieille légende, citons : *Sapho*, drame de Bernhard Anselm Weber (1776-1821) ; *Sapho*, opéra de Karl Goldmark (1830-1915) ; le *Chant de Sapho* [*Gesang der Sapho*] de Waldemar Bausznern (1866-1931) ; *Sapho*, chant de Granville Bantock (1868-1946), etc.

★ En peinture et en sculpture, il faut mentionner la peinture et la statue antique du musée de Naples, dans lesquelles on a voulu reconnaître la célèbre poétesse, et, plus près de nous, la toile de Gros, *Sapho au cap Leucade*, ainsi que les œuvres de Pradier et de Dupré.

SAPHO. Roman de l'écrivain français Alphonse Daudet (1840-1897) publié en 1884, et qui compte parmi les œuvres les plus importantes de sa seconde manière, ou « manière parisienne ». Inspirée par un réalisme désormais triomphant, l'intrigue est d'une grande simplicité ; l'auteur se borne à suivre les péripéties, qui n'ont rien que de très ordinaire, de la vie d'un seul personnage. Il est question d'un jeune Provençal, qui fréquente à Paris un groupe d'artistes, et dont s'éprend une très belle femme, modèle connu sous le nom de Sapho. Tout d'abord le jeune homme est pris d'une grande exaltation à l'idée de cette conquête ; mais elle lui pèse bientôt, car Sapho n'est plus jeune, et elle s'attache désespérément à lui, l'enserrant dans les mailles d'une sensualité dévorante, dont les raffinements ont quelque chose qui fascine le jeune homme. Peu à peu, Sapho arrive à faire le vide autour du malheureux et le contraint à vivre dans un climat de vulgarité. Incapable de se déprendre et fuyant un mariage qui l'eût sauvé, le jeune homme se prépare à partir pour l'Amérique, où il doit trouver un poste, et il est disposé à emmener avec lui sa maîtresse. Au dernier moment, Sapho refuse de le suivre, se sentant trop vieille pour tenter pareille aventure. Et le petit Provençal peut enfin se libérer de la terrible emprise. Daudet, qui connaissait par expérience certaine société dangereuse de Paris, a voulu reprendre un thème déjà traité dans *Manette Salomon* (*) des frères Goncourt et défendre de manière plus précise un idéal de vie saine, proprement bourgeoise, contre les attraits de la bohème. Le livre porte une dédicace significative : « À mes fils, quand ils auront vingt ans. » Toutefois, *Sapho* n'a rien du rigorisme froid d'un roman à thèse : la vivacité naturelle de l'art de Daudet, ce large courant de sympathie humaine qui vivifie tous ses livres confèrent encore aujourd'hui à son œuvre un intérêt certain. D'autre part, on peut retrouver là cette probité dans l'art, cette recherche de la vérité et cette rigueur dans l'analyse, qui caractérisent les meilleurs romans de la seconde moitié du XIXe siècle.

SARA [*Herself Surprised*]. Premier volume (publié en 1941) d'une trilogie romanesque de l'écrivain anglais Joyce Cary (1888-1957), qui se poursuit avec *Le Grand Chemin* (*) et *La Bouche du cheval* (*). Une femme est en prison et entreprend de raconter une histoire. Sara a débuté dans la vie comme cuisinière ; le fils de la maison où elle était employée, Matt Monday, en est tombé amoureux, l'a enlevée et épousée. Devenue « une dame », Sara a su s'intégrer à son nouveau milieu social ; courtisée par le puissant M. Hickson, elle a même obtenu que son adorateur pousse Matt dans le monde et le fasse parvenir à une situation mondaine qu'il n'eût pu espérer atteindre par ses propres moyens. Mais la vie du ménage Monday est bouleversée par la rencontre d'un « peintre maudit », le cruel, courageux et malchanceux Jimson. L'image trop flatteuse que Matt se faisait de lui-même sera brisée par Jimson, lequel fait la cour à sa femme et suscite en lui une folle jalousie. Après la mort de son mari, Sara devient la maîtresse de Jimson et perd sa fortune en cherchant à obtenir la réussite du peintre. De plus Jimson, dont le caractère est parfois rendu féroce par la misère, la maltraite. Après cinq ans d'une vie où alternent des moments de vif bonheur et d'extrême détresse, le couple se sépare. Sara, qui est maintenant quadragénaire, doit reprendre son métier de cuisinière et entre au service d'un étrange vieux garçon, M. Wilcher, dont elle deviendra la gouvernante. Ce malheureux gentleman se débat entre un souci de rigoureuse respectabilité et de malencontreux désirs d'exhibitionnisme qui l'ont rendu maintes fois passible des tribunaux. Au bout de quelques années, Sara parvient à apprivoiser M. Wilcher pour qui elle éprouve de la pitié, puis devient sa maîtresse. Après divers incidents, M. Wilcher propose à sa gouvernante de l'épouser, elle accepte et le vieux garçon semble avoir retrouvé une nouvelle jeunesse. Malheureusement l'avarice de M. Wilcher a conduit sa gouvernante à commettre un certain nombre de larcins et la famille Wilcher, dans le but d'empêcher le mariage, parvient à faire arrêter Sara la veille de la cérémonie. Tandis que M. Wilcher est plus ou moins séquestré par sa famille, Sara est condamnée à dix-huit mois de prison pour vol. Mais la vieille femme espère bien retrouver une place à sa libération, car « une bonne cuisinière trouve toujours du travail, même sans certificat ».

Sara est dominé par la personnalité étonnamment vivante de la narratrice. Cette paysanne qui a été cuisinière avant de devenir « une dame » et qui se retrouve en prison à la fin de ses jours possède une fraîcheur et une vivacité d'esprit merveilleuses, qui font tout le charme de sa narration. Particulièrement savoureux est le contraste entre les idées religieuses, les goûts de Sara — elle aime la vie paisible, retirée, une maison bien tenue, les objets familiers, la lecture dans un coin de jardin potager — et les situations plus ou moins scabreuses, voire scandaleuses, dans lesquelles elle s'est trouvée si souvent placée. Mais ce que Sara s'efforce de faire comprendre, c'est qu'un acte ne peut être détaché de son contexte, des circonstances qui le précédèrent, l'accompagnèrent. Sans quoi il se transforme en quelque chose de clair, de net, de pur, ce qu'il n'était pas à l'origine, et n'offre plus qu'une caricature mensongère de son auteur. — Trad. Plon, 1954.

SARAH ET LE LIEUTENANT FRANÇAIS [*The French Lieutenant's Woman*]. Roman de l'écrivain anglais John Fowles (né en 1926), publié en 1969. En 1867, la petite ville tranquille de Lyme Regis, en bord de mer, va être le théâtre d'une rencontre explosive entre Sarah Woodruff, jeune préceptrice qui se déclare déshonorée par un lieutenant français, et Charles Smithson, rentier et collectionneur de fossiles marins, par ailleurs fiancé à Ernestina Freeman. À la suite d'une rencontre sur la falaise, au décor sauvage, Charles s'éprend de cette fière et farouche femme ; il apprendra ce qu'il en coûte de braver l'ostracisme dont elle est victime. Pressentant que cette passion sera autant dévorante que dévastatrice, il rompt pourtant ses engagements et, à la suite de la disparition de Sarah, il la fait chercher dans tout le pays avant de partir pour le Nouveau Monde. Lorsqu'il la retrouve, elle vit à Londres, en compagnie du peintre et poète Rossetti. Devenue une « New Woman » (femme moderne), elle a réalisé l'émancipation qu'elle recherchait et seul le « happy end » artificiellement ménagé par le romancier la met en situation d'accepter de lier sa vie à celle de Charles qui le lui demande. La seconde conclusion, moins conventionnelle, paraît plus pessimiste : Charles est repoussé et retourne piteusement à son destin de célibataire. Mais c'est compter sans la leçon philosophique, d'inspiration existentialiste, que Fowles tire pour le lecteur et qu'il place sous le signe de la liberté laissée à chacun de façonner son propre destin, et donc laissée à Sarah, féministe convaincue, de refuser qu'un homme « empiète sur son territoire ». Charles, désillusionné, mais paradoxalement libéré de Sarah et de son emprise, découvre enfin un « atome de confiance en lui-même ». Si la femme est l'agent perturbateur, qui adresse à la société victorienne patriarcale un vivant et poignant reproche, le romancier est l'agent révélateur de cette fiction rusée : il se met en scène, intervient dans le cours de l'action. Sa qualité de « contemporain d'Alain Robbe-Grillet et de Roland Barthes » lui donne le droit, et le devoir, de se livrer à une implacable radiographie critique de la société victorienne : le récit se trouve lesté d'un volumineux ballast épistémologique, à base de notes savantes, de digressions sociologico-historiques et d'extraits d'ouvrages représentatifs d'un questionnement (Marx, Darwin, Arnold). La sexualité des victoriens, examinée à la lumière des travaux postfreudiens, occupe un chapitre entier. Autre contrepoint, celui de la prose et de la poésie des écrivains victoriens cités d'abondance et toujours pour leurs intuitions sceptiques (Tennyson, Clough, Hardy). La déconstruction affecte encore le mécanisme traditionnel de production du récit, allègrement pastiché. L'anachronisme organisé, l'interrogation sur la nature des personnages que le romancier dit ne pas connaître, les deux fins proposées (trois en fait) pour préserver leur liberté ainsi que celle du lecteur moderne, autant de procédés popularisés par le Nouveau Roman et dont Fowles tire ici un ingénieux parti. On notera que lors de l'adaptation filmée du roman, dont le scénario fut confié à Harold Pinter, le va-et-vient entre passé et présent se vit rendu par le jeu des acteurs tournant le film de cette histoire d'amour victorienne, permettant ainsi une habile confrontation parallèle des comportements et des mentalités. — Trad. Le Seuil, 1972.

M. P.

SARASVATĪ. Revue littéraire de langue hindi, fondée en 1903 par l'écrivain indien Mahavir Prasad Dvidevi (1864-1938). Cette revue, qui porte le nom de la déesse de la Connaissance, fut l'instrument des efforts de Dvidevi pour perfectionner et adapter à toutes les exigences de la littérature moderne la « kharı bolı », prose littéraire hindi. Nombreux furent les meilleurs écrivains de langue hindi qui se firent connaître dans les colonnes de *Sarasvatī*. Cette revue contribua de manière essentielle à répandre comme langue littéraire le « hindi supérieur », que Dvidevi s'efforça de débarrasser des incorrections et des emprunts trop libres à l'anglais, au bengali et au marathi.

SARDANAPALE [*Sardanapalus, a Tragedy*]. Tragédie en cinq actes, en vers, du poète anglais George Gordon (lord) Byron (1788-1824), publiée en 1821 et dédiée à Goethe. Elle fut écrite à Ravenne. Le sujet est adapté de la *Bibliothèque historique* (*) de Diodore de Sicile. Sardanapale est représenté comme un monarque adonné à la débauche, courageux, cynique, mais aussi comme un gentilhomme de l'époque des « Lumières ». Beleses, prophète chaldéen, et Arbaces, gouverneur de Médie, prennent la tête d'une révolte contre Sardanapale. Celui-ci, à l'instigation de son esclave grecque favorite, Myrrha, s'arrache à sa vie de plaisir et se lance au combat à la tête de ses troupes. Battu, il s'occupe de sauver sa femme, Zarina, et ses partisans, puis il dresse un bûcher autour de son trône et périt dans les flammes avec Myrrha. — Trad. Migne, 1871.

★ Eugène Delacroix (1798-1863) en tira le sujet d'une toile célèbre, qui se trouve au musée du Louvre et qui représente un massacre d'esclaves sur le bûcher du despote.

★ Le théâtre lyrique montra quelque prédilection pour la figure de Sardanapale. Son histoire inspira différentes œuvres. Rappelons celles de Gian Domenico Freschi (1640-1690), Venise, 1678 ; Félix Joncières (1839-1903), Paris, 1867 : le livret de cet opéra est tiré directement de la tragédie de Byron ; Otto Bach (1833-1893) ; Alphonse Duvernoy (1842-1907). Notons encore la cantate *Sardanapale* d'Hector Berlioz (1803-1869), et l'ouverture du même nom de Wilhelm Mayer (1831-1898).

SARN [*Precious Bane*]. Roman de l'écrivain anglais Mary Webb (1881-1927), publié en 1924. C'est l'histoire d'une famille anglaise, la famille Sarn : de Gédéon, le fils, dit Sarn tout court, et de sa sœur Prue, la narratrice, affligée d'un bec-de-lièvre. Le père est mort d'une attaque en administrant une correction à Sarn : celui-ci, dont l'ambition grandit avec l'âge, jure d'être riche un jour et de devenir le maître du pays. Impitoyable, il fait trimer sa sœur et, estimant que les soins et la nourriture qu'on donne à sa mère lui coûtent trop cher, il n'hésite pas à la faire mourir avec une tisane empoisonnée. Beau, entreprenant, Sarn a de nombreuses aventures villageoises : il séduit d'abord Jancis Beguildy, fille d'une sorte de sorcier local — car le village est habité par des tisserands superstitieux à l'extrême. Il aime passionnément la jeune fille et souhaite de pouvoir l'épouser quand il sera devenu riche : mais le sorcier surprend les amants dans son propre lit. De fureur, car il voulait vendre sa fille au châtelain, il met le feu à une grange de la ferme de Sarn, dont toute la récolte est perdue. Malgré son amour, trop ulcéré par l'attentat du sorcier, Sarn chasse la jeune fille qui revient quelques mois plus tard, après la naissance du fils qu'elle a eu de lui. Mais le sentiment que Sarn avait pour Jancis est maintenant éteint et quelques heures après on tirera de l'étang les corps de Jancis et de son enfant. Sarn est bientôt poursuivi par des apparitions de sa mère et de son ancienne fiancée. À demi fou, il ira, lui aussi, se jeter dans l'étang, victime d'une malédiction que lui avait jetée le sorcier. Quant à Prue Sarn qui, en raison de sa disgrâce physique, semble victime d'un châtiment divin, la population du village la prend pour une sorcière et lui attribue le mauvais œil. Son caractère est pourtant tout à l'opposé de celui de son frère : bonne, elle souffre profondément à la pensée qu'elle ne pourra jamais être aimée et avoir un mari. Le hasard veut pourtant qu'un jeune tisserand très sérieux, Kester, le garçon le plus séduisant du pays, l'aperçoive un jour toute nue. Il s'éprend d'elle. Prue lui sauve la vie, en tuant un chien qui l'attaquait à la gorge, et plus tard Kester lui rendra la pareille en la protégeant de la fureur des villageois qui la rendaient à tort responsable de tous les malheurs du pays et voulaient la jeter dans l'étang. À la fin du livre, malgré la résistance timide de Prue qui ne peut croire qu'on puisse la désirer, Kester réussira à obtenir la main de la jeune fille. Cette évocation dramatique de la campagne anglaise, où le monde mystérieux se mêle étroitement et tragiquement à la vie réelle, est animée d'un bout à l'autre par une profonde poésie de la nature. Sans jamais montrer le moindre cynisme, Mary Webb a pourtant le courage d'ouvrir franchement les yeux sur les bas-fonds de la passion humaine. Sans doute ne possède-t-elle point le talent d'évocation d'une Emily Brontë ; ses personnages sont parfois conventionnels ; mais de chaque page s'élève une impression magique de merveilleux et un hymne à la vie plus fort que les tragédies qui ont empoisonné le foyer des Sarn. — Trad. Grasset, 1930 (rééd. 1987).

SARRASINE. Récit de l'écrivain français Honoré de Balzac (1799-1850) publié en 1830 dans *La Revue de Paris.* L'histoire du sculpteur français Sarrasine, qui s'éprend en 1758 d'une cantatrice, la Zambinella — qui n'est autre qu'un castrat — s'emboîte dans un autre récit qui se situe à Paris en 1830. Le narrateur, invité à une brillante soirée à l'hôtel des Lanty, va confier l'histoire de la fortune mystérieuse de cette famille à une jeune femme intriguée par un vieillard richement paré qui vit caché dans cet hôtel. Le narrateur ne dévoilera qu'à la fin, en évoquant la mort de Sarrasine, que ce castrat qui a fait fortune grâce à sa voix et à sa beauté n'est autre que le spectre qui hante l'hôtel des Lanty. Sarrasine est mort d'avoir voulu dévoiler l'idole. La fortune des Lanty est édifiée sur un passé inavouable. Balzac a su exploiter brillamment tout un réseau de thèmes construit sur un jeu de miroirs et d'antithèses. Ces histoires emboîtées ne constituent pas vraiment une mise en abîme : elles s'éclairent réciproquement. La Zambinella de la deuxième histoire renvoie au vieillard et aux deux enfants de Mme de Lanty. L'ancien castrat renvoie lui-même aux œuvres d'art qu'il a inspirées. Dans ce foisonnement ludique des motifs qui se croisent ou s'opposent, un thème domine tout le récit : l'art. Sarrasine est une méditation sur les arts comparés. À la stabilité et aux limites de la sculpture répondent dans le livre la liberté, l'universalité de la musique qui unit tous les genres, qui incarne la quête de ce chef-d'œuvre, infini et androgyne, que Sarrasine a peut-être cherché désespérément. G. P.

SARTORIS [*Sartoris*]. Roman de l'écrivain américain William Faulkner (1897-1962), publié à New York le 31 janvier 1929. Le troisième roman de Faulkner s'intitulait primitivement *Étendards dans la poussière* [*Flags in the Dust*]. Le manuscrit de l'œuvre complète porte la date du 29 septembre 1927, c'est-à-dire un an seulement après l'achèvement de *Moustiques* (*). Le contrat, stipulant la réduction du texte à 110 000 mots, fut signé par Faulkner et son éditeur le 20 septembre 1928, et le livre, amputé non par l'auteur mais par un ancien camarade de classe, parut quatre mois plus tard. La date de parution – la même année que *Le Bruit et la Fureur* (*) – est donc trompeuse, tant du point de vue de la thématique de la création que de celui de sa chronologie. Car *Sartoris* est seulement à mi-distance du Faulkner encore mineur qui se cherche (les deux premiers romans) et de l'écrivain désormais majeur qui s'est trouvé, sans retour possible, dans *Le Bruit et la Fureur* : ce roman est un véritable poème tragique et l'expression du moi profond de l'auteur. *Sartoris*, au contraire, malgré l'annonce de Quentin Compson qui est faite en la personne du jeune Bayard, le premier « héros malade » de l'œuvre, tente, sans la réussir absolument, l'équation du moi présent et actuel, caractérisé surtout par la frustration – v. *Monnaie de singe* (*) –, avec les figures prestigieuses du passé (le sien propre et celui du Sud), non actuelles mais aussi présentes dans le roman que les contemporains (l'action se passe en 1919) : qu'on lise avec attention le tout premier paragraphe de l'œuvre, et l'on constatera combien l'entreprise consiste, en une sorte d'incantation, à s'approprier l'esprit du passé pour en informer, en éclairer et même en faire signifier un présent pâle et décevant.

La structure de *Sartoris*, une fois qu'on a compris le propos d'ensemble, qui est de présenter la carrière du jeune Bayard, de retour de la Première Guerre mondiale, dans la perspective « maudite » dont l'ancêtre, le colonel John Sartoris, a été l'initiateur, est classique. On sait que Faulkner n'a pas eu à chercher loin le modèle de cet archétype des pionniers prestigieux et violents du Sud : son propre arrière-grand-père, auteur, en plus d'une belle carrière militaire pendant la guerre de Sécession, d'un best-seller romanesque intitulé *La Rose blanche de Memphis*, semblait n'attendre, en effet, qu'une exploitation littéraire. Mais c'est surtout dans *L'Invaincu* (*) que son descendant fera de lui un portrait complet, en pied et en action. Dans *Sartoris*, il se contente (mais c'est pour lui essentiel) de le placer, comme un père archétypal, à l'orée de son œuvre, et au centre du comté imaginaire (le Yoknapatawpha), dont *Sartoris* est la première formulation, comme Faulkner l'a dit en 1956 : « Avec *Sartoris* je découvris que mon propre petit timbre-poste de sol natal valait la peine de l'écriture... ». On peut considérer *Sartoris* comme une tragédie en cinq actes. Chaque partie comporte en effet un événement clé dans l'histoire de Bayard, qui est lui aussi l'arrière-petit-fils du vieux colonel. Bayard est introduit de façon très théâtrale à la fin de l'acte I, après une attente habilement doublée de doute. Mi-« ange déchu » mi-« démon froid », il apparaît tendu, tragique et taciturne, obsédé par la mort inutile mais glorieuse de son frère jumeau, John, dans le ciel de France. Faulkner réitère donc le thème du retour du combattant, mais cette fois, grâce au jumeau, en développant surtout la culpabilité du survivant, qui court vers sa mort par un déterminisme interne, doublé, malheureusement, d'un fatalisme qui l'affaiblit quelque peu. À l'acte II, Bayard fait une brutale chute de cheval. À l'acte III, il a un premier et grave accident dans l'automobile – l'une des premières à violer l'espace traditionnel du Sud – qu'il conduit comme un pitoyable ersatz d'avion héroïque. À l'acte IV, il a un second accident, fatal à son grand-père, et, au début de l'acte V, il finit par se tuer lui-même, dans un avion conçu pour les acrobaties et qui s'en révèle incapable. Cependant il s'est marié à celle qui adorait secrètement son frère jumeau, et un fils lui naît le jour même de sa mort, dont la mère, qui tente pourtant de briser la série fatale en changeant son nom, ne pourra sans doute pas empêcher le destin : comme le dit miss Jenny, la grand-tante de Bayard, première dans la série des merveilleuses invaincues de Faulkner : « Avez-vous jamais entendu parler d'un Sartoris mourant d'une cause naturelle, comme tout le monde ? » Il y a donc un parti pris (la « déloyauté » que reproche injustement Sartre l'essayiste à Faulkner le romancier) de dramatisation dans le sens tragique et même mélodramatique, parti pris qui laisse d'ailleurs intact le psychisme de l'auteur, alors que le suicide de Quentin dans *Le Bruit et la Fureur* sera, lui, véritablement cathartique. Ce parti pris, il est sensible dans la façon dont Faulkner suggère l'accélération du destin de son héros en approchant chaque fois un peu plus l'événement clé de chaque acte du début de cet acte. La vie de Bayard après son retour apparaît ainsi, objectivement, comme une « course à la mort » (c'est le titre d'une nouvelle de Faulkner). Cet aspect de descente vers un but prédéterminé se double, dans une figure qui deviendra le symbole géométrique de l'œuvre, d'un mouvement circulaire et cyclique, ici rendu palpable par le retour des saisons, évoquées d'ailleurs avec un lyrisme où la préciosité de Faulkner est déjà plus contrôlée que dans *Monnaie de singe*. Il n'est pas vain, à cet égard, de noter que le roman dure cinq et non quatre saisons, et que Bayard, arrivé au début du printemps, meurt ironiquement au terme du printemps suivant, comme Donald Mahon. Sachant le titre original du *Bruit et la Fureur*, à savoir « Crépuscule », il n'est pas sans intérêt non plus de souligner la fréquence des scènes vespérales ou nocturnes dans *Sartoris*, l'un des romans les plus sombres de l'auteur. De même, le contrepoint noir, qui sera superbement orchestré dans la dernière partie du *Bruit et la Fureur*, est exploité ici de façon beaucoup plus soutenue que dans *Monnaie de singe*. Enfin, du point de vue thématique comme de celui de l'écriture, il faut dire l'importance et la beauté du chapitre IV, où est décrit le séjour hivernal de Bayard chez les Mac Callum, dans la montagne, sans femmes : cet épisode n'est pas sans évoquer le symbolisme de *L'Adieu aux armes* (*) d'Hemingway, publié en septembre de la même année. Si l'univers des Sartoris est mâle, celui des Benbow, associé d'ailleurs à la ville, est lourdement chargé de sexualité féminine. À cet égard, l'un des nombreux contrastes de ce roman bipolaire est entre Bayard et Horace – l'homme de loi de *Sanctuaire* (*) –, dont le rôle était d'ailleurs beaucoup plus développé dans la première version du roman. Comme Bayard, Horace revient de la guerre, et se marie. Mais il traverse la course de Bayard vers la mort selon une trajectoire horizontale, qui coupe la spirale descendante. Son personnage n'est d'ailleurs pas plus développé que celui de Bayard. Sans *Sartoris*, les personnages apparaissent munis d'une donnée principale à laquelle ils obéissent et qui, comme le dit Sartre après Faulkner lui-même, constitue leur « nature ». Horace et Bayard (et, à un moindre degré, Caspey, leur contemporain noir), dans leurs comportements respectifs, constituent un commentaire sur la « génération perdue » de 1919 : c'est l'année dont Faulkner a pu se considérer comme la victime à double titre. Or, l'un et l'autre, ajoutés comme en une somme sans doute moins arithmétique qu'affective, illustrent les deux formes principales de l'aliénation de la liberté, dont Faulkner a fait son grand sujet : l'un est victime de la sexualité, l'autre du temps. Ce n'est pour le moment qu'un schéma, encore que l'écriture passionnée du roman le rende éminemment dramatique ; mais Faulkner va l'approfondir d'un seul coup, avec *Le Bruit et la Fureur*. – Trad. Gallimard, 1937.

M. G.

SARTOR RESARTUS : Vie et opinions de Herr Teufelsdröckh [*Sartor Resartus : The Life and Opinions of Herr Teufelsdröckh*]. Œuvre de l'écrivain anglais Thomas Carlyle (1795-1881), écrite sous forme de roman et publiée en 1833-1834 dans le *Fraser's Magazine*. Comme *Les Héros* (*), ce livre est un exposé de la conception philosophique et morale de l'auteur. Dans la première partie, celui-ci développe, en l'attribuant à un personnage imaginaire, le professeur allemand Diogène Teufelsdröckh, ce qu'il appelle la « philosophie du vêtement », fondée sur la conception que les institutions, les préjugés, les mœurs en général ne sont que de simples vêtements de l'esprit humain et n'ont donc qu'une valeur purement contingente. Le titre de l'ouvrage (« tailleur retaillant de vieux habits ») contient justement cette idée. La deuxième partie nous donne la biographie de Teufelsdröckh. Celui-ci est un enfant trouvé dont l'adolescence a pour cadre un petit village d'Allemagne, Entepfuhl, où il vit dans la maison du jardinier Andreas Futteral qui l'a recueilli et l'entoure de soins affectueux. Pensif et taciturne, l'enfant entend parler du monde lointain où des millions d'hommes vivent et souffrent, des villes et des campagnes, et il se rend compte de l'étroitesse du milieu où se déroule son existence : il aspire à une vie plus intense, voudrait connaître et comprendre l'origine et la cause première des choses. Privé de toute affection après la mort de son père adoptif, il espère que de grands voyages et l'étude lui donneront le bonheur. Il entreprend donc une longue pérégrination, connaît des hommes et des pays, admire les beautés de la nature, visite des lieux anciens, évoque le passé, mais en définitive ne parvient pas à être heureux. La lecture et l'étude des grands penseurs de l'humanité ne font que jeter le doute dans son esprit, l'amour et l'amitié lui procurent de nombreuses déceptions et il se débat à la fin entre un scepticisme aride et un sentimentalisme douloureux. Le vrai bonheur se trouvait peut-être dans la foi de son enfance, dans la vie étroite et paisible de son village, dans sa soumission absolue à l'autorité de son père adoptif. Par un effort de volonté, il sauve son esprit du naufrage qui le menace. Les souffrances endurées représentent pour lui une riche expérience : il comprend que, à travers les formes périssables de la vie et du monde, l'esprit doit parvenir à la conception d'un principe absolu, divin, commun à tous les êtres. Si la réflexion et la spéculation peuvent détruire la foi naïve de l'enfance, l'esprit, lui, doit pouvoir revenir à une autre foi, plus solide parce que fondée sur la raison.

Sartor Resartus retrace toute l'évolution spirituelle tourmentée de Carlyle : Teufelsdröckh n'est autre que lui-même ; le village de Entepfuhl est celui où il a passé son enfance ; Blumine, le grand amour du protagoniste, est Béatrice Gordon, le grand amour de Carlyle. Le fourvoiement de Teufelsdröckh peint la tragédie intime de l'homme moderne à la foi vacillante, assoiffé de jouissances, prêt à poétiser sa douleur et à s'abandonner à un égoïsme hédoniste qui touche au culte du Moi (« Self-Worship »). Enfermé dans cette « éternelle négation » (« Everlasting no »), Carlyle trouva l'issue et le salut chez les penseurs allemands. En effet la partie philosophique de *Sartor Resartus* s'inspire de Fichte et de Goethe ; le style et la forme du récit de Jean-Paul, pour lequel Carlyle nourrissait une profonde admiration, appréciant surtout sa vision rude, mais saine et honnête de la vie, le portait à s'insurger contre le classicisme hellénisant et décadent qui sévissait en Europe et surtout en France. Plus d'un passage de *Sartor Resartus* rappelle *La Vie de Quintus Fixlein* (*) et *Le Titan* (*). L'ouvrage de Carlyle n'eut aucune résonance en Angleterre, où les divers courants philosophiques sapaient les bases de la foi et où le matérialisme économique portait à un individualisme effréné, trop souvent paré des chatoyantes couleurs d'un esthétisme fin de siècle. — Trad. Mercure de France, 1904 ; Aubier, 1958.

SATAN L'OBSCUR. Roman de l'écrivain français d'origine belge Jean De Boschère (1878-1953), paru en 1933. Après *Marthe et l'Enragé* (*), qui déjà avait fait apparaître la grande souffrance morale et spirituelle de l'auteur, et pour continuer la veine de ses romans autobiographiques, De Boschère écrit au tournant des années 30 ce livre curieux, difficile et réussi qu'est *Satan l'Obscur*. Tout comme *Marthe et l'Enragé*, le roman a un point de départ réel, à savoir la liaison tumultueuse, entre 1916 et 1922, de De Boschère avec une journaliste anglaise du nom de Anne Véra Hamilton, effectivement mère d'une jeune fille qui se fera carmélite. Le roman — et à travers lui un étonnant dédoublement qui s'empare de chaque phrase pour la scinder entre un Pierre narrateur et un Pierre personnage, sans que ce mécanisme littéraire ne lasse — met en scène les amours inassouvies entre Pierre Bioulx d'Ardennes et Douce, qui demandera à son amant (mais l'est-il ?) de faire découvrir l'amour physique à sa fille si froide, Fryne. Au travers de cet argument qu'on jugera avec raison simple, De Boschère tisse de subtiles relations psychologiques entre ces trois personnages, où l'érotisme, rendu nécessaire par l'impuissance de Pierre, alterne avec de précieuses évocations de la nature, des fleurs et des oiseaux. Que le roman s'achève sur le triple échec de la mort de Douce dans d'horribles crises d'épilepsie, de l'impossibilité pour Pierre d'assurer jusqu'au bout l'amour total de Fryne, de la réclusion enfin de cette dernière dans un couvent, n'étonnera pas. On sait Jean De Boschère pris par ce système du mal, par cette affirmation du mal par défaut, par une incapacité spirituelle d'être à Dieu : on a beaucoup évoqué le côté satanique de De Boschère, laissant par là même supposer la présence d'un côté lumineux, ce qui concorde avec la quête spirituelle affirmée plus tard. En 1942, il écrit à Jean Le Loët : « Si vous relisez un jour *Satan l'Obscur*, vous verrez que, dans ce livre, Satan n'est pas le représentant du mal selon l'Église. C'est une sorte d'obscur, habité par le rêve de la perfection de l'absolu... » Plus étonnant pourrait être (en 1930) le parti pris d'une écriture profondément fin de siècle, plus proche à tout prendre de des Eisseintes ou de Péladan que du premier roman de De Boschère, et difficile, car parfois lourde de tournures précieuses : ainsi Artaud, qui a rédigé une note critique dans la *Nouvelle Revue française* (*) sur *Marthe et l'Enragé*, écrit au sujet de *Satan l'Obscur*, dans cette même *N.R.F.*, en avril 1934 : « Il y a des secrets et une atmosphère de fièvre, de cruauté, et aussi de parfums hélas, et de peinture ; mais l'accent suraigu par moments, et le malaise qui s'en dégage, font la rare qualité littéraire et la valeur humaine et poétique de *Satan l'Obscur.* »

V. W.

ŚATAPATHA-BRĀHMAṆA [le «Brāhmana des cent chemins», c'est-à-dire en cent parties ou « leçons » (adhyāya)]. Le plus massif et le plus connu des traités d'exégèse du *Veda* (*) indien appelés *Brāhmaṇa* (*). Il relève du *Yajur-Veda* (*) blanc, école *Vājasaneyi*, et nous est parvenu en deux récensions assez voisines, la *Mādhyaṃdina* (quatorze livres) et la *Kānva* (dix-sept livres). L'œuvre se présente comme la glose des prières qui interviennent dans les principaux sacrifices védiques, et qui constituent la collection — *Saṃhitā* (*) — des ritualistes *Vājasaneyin* (Yajñavalkya, Śāṇḍilya). Les neuf premiers livres (de la version *Mādhyaṃdina*) expliquent les dix-huit premières sections de la *Vājasaneyi-saṃhitā* qui traitent des offrandes végétales lors des rites de nouvelle et pleine lune (*Śatapatha* I-II), du sacrifice de la liqueur sacrée de soma et de l'immolation de la victime animale (III-IV), de la consécration royale, *Rājasūya*, etc. (V), de la construction de l'autel du feu (*Agnicayana*, VI à IX + X en appendice). Les livres XI-XII sont des remarques à certains rites précités. Le livre XIII envisage le sacrifice du cheval (*Aśvamedha*) et le livre XIV l'offrande de lait bouillant — *Pravargya* décrit à la façon d'un *Āraṇyaka* (*) ; la deuxième partie de ce livre n'est autre que la célèbre *Bṛhad-āraṇyaka-upaniṣad* (*). Ce traité a été composé dans la région du Gange et de la Yamunā. Étant donné sa perfection, le *Śatapatha* doit être tenu pour l'aboutissement d'un genre. Il serait plutôt récent dans la série des *Brāhmaṇa* (*), 600/500 avant notre ère (?). La prose du *Śatapatha*, austère et rigoureuse, s'est parfaitement adaptée à la méthode exégétique, tout en gardant une fraîcheur qui s'est perdue dans la scolastique ultérieure. On y rencontre des notations sociales qui sonnent juste, beaucoup d'équivalences mystiques, des mythes et des légendes pittoresques. Voici quelques lignes de la version indienne du déluge, où le premier homme, Manu, est interpellé par un poisson qui le sauvera : « ... En l'année tant et tant, un déluge viendra ; prépare une nef et viens à moi. Et quand le déluge viendra, tu monteras dans la nef et je te sauverai. » Quand le déluge survint... le poisson nagea jusqu'auprès de Manu qui fixa à la corne que le poisson portait l'amarre de sa nef et fila ainsi jusqu'aux montagnes du Nord... (*Śatapatha* I, 8, 1). Le texte du *Śatapatha* nous est parvenu accentué, et certains éléments donnent à penser que ses divisions ont été élaborées par des bardes qui entendaient bien « moderniser » la diction des textes « révélés ». — On pourra consulter les éditions suivantes : A. Weber, Berlin, 1849 ; Delhi, 1964 (version *mādhyaṃdina*) ; éd. partielle de la version *Kāṇva* par Caland et Raghu Vira, Lahore, 1926-39. — Trad. angl. (définitive) par J. Eggeling, *Sacred Books of the East*, 5 vol., 1882-1900 ; Delhi, 1963. — *Études syntaxiques* de A. Minard, Lyon, 1936 ; Paris, 1949, 1956. J.-M. V.

SATIRE DES TROIS ÉTATS, pour louer la vertu et flétrir le vice [*Ane Pleasant Satyre of the Thre Estaits in Commendation of Vertew and Vituperation of Vyce*]. Drame allégorique de l'écrivain écossais sir David Lyndsay (1490-1555), représenté pour la première fois en 1540. Sa représentation dure un jour entier. L'auteur y passe en revue tous les vices de son époque. Ce drame se divise en deux parties : la première met en scène le roi Humanité, que tente sans cesse la Sensualité. Dans le premier acte, on voit cette dernière s'introduire dans le palais du Roi sous l'escorte de Flatterie, de Mensonge et autres vices travestis en vertus. Elle persuade facilement le Roi de faire mettre aux fers Bon Conseil et Vérité, qui ont essayé vainement d'arriver jusqu'à lui. Dans l'intermède qui suit, Chasteté, chassée du grand monde, se réfugie auprès d'un tailleur et d'un savetier ; elle y serait, certes, fort bien accueillie si n'arrivaient mal à propos les femmes de ces derniers. Bref, la pauvre Chasteté se voit contrainte de vider les lieux. Dans le second acte, Correction, le maître de cérémonies, trouve Chasteté qui erre désemparée ; son intention est de la présenter au roi, mais Sensualité s'y oppose et la fait jeter en prison ainsi que Vérité, laquelle réconforte Chasteté en lui annonçant l'arrivée de Châtiment Divin. Flatterie fuit avec ses amis. Bientôt arrive Châtiment Divin qui délivre Bon Conseil, Vérité et Chasteté. Ensemble, ils convainquent le roi de chasser Sensualité et de convoquer les trois États (l'Église, la Noblesse et la Bourgeoisie). Suit un intermède dans lequel Pauper, le pauvre, un fermier réduit à la misère par l'avidité des gens d'Église, réclame justice ; arrive entre-temps un vendeur d'indulgences (Pardonnaire) qui cherche à écouler sa marchandise. Pauper se dispute avec lui et finit par jeter toutes ses reliques à l'eau. La seconde partie traite plus précisément des vices du temps. Les trois États : Spiritualité (les ecclésiastiques), accompagné d'Avidité et de Sensualité ; Temporalité (les seigneurs), accompagné d'Oppression Publique, et Marchand (les bourgeois), accompagné de Mensonge se présentent devant le roi : répondant à l'invitation de Correction, qui appelle les opprimés à exposer leurs doléances, l'« Jean-l'Homme du Peuple » (John Commonweal) prend la parole pour dénoncer les vices des trois États et pour demander qu'on les mette aux fers. Tandis que les seigneurs se repentent de leur conduite, promettent de s'amender et embrassent Jean, les ecclésiastiques soutiennent avec impudence que leurs vices sont parfaitement légitimes : il s'ensuit une discussion, à laquelle prennent part Pauper, le tailleur, le savetier et Vol Commun, lequel finit d'ailleurs par être envoyé en prison à la place d'Oppression Publique qui a réussi à s'évader. On arrête entre-temps Flatterie costumée en moine. Les prélats sont dépouillés de leurs habits somptueux que l'on donne à trois sages et doctes clercs, et Jean, magnifiquement vêtu, se rend au Parlement. Après la promulgation des lois pour la réforme de tous les abus, les malfaiteurs sont condamnés à la peine de la fourche. Mais cette fois encore, Flatterie réussit à s'enfuir sous les habits du bourreau. Ce drame s'achève par un sermon tout à fait burlesque, où les justes observations alternent avec des traits de la pire vulgarité. Dernier héritier écossais de la tradition de Chaucer, l'auteur fait ici la satire de la corruption politique, ecclésiastique et sociale de son temps, comme Dunbar l'avait fait pour l'époque précédente. La *Satire des trois États* met un trait d'union entre le drame populaire et le drame sacré.

SATIRE I, SUR LES CARACTÈRES ET LES MOTS DE CARACTÈRE, DE PROFESSION, etc. Essai satirique en prose de l'écrivain français Denis Diderot (1713-1784), vraisemblablement écrit en 1773, paru dans la *Correspondance* (*) de Grimm en octobre 1778, mais qui n'a été publié qu'en 1798. *Le Neveu de Rameau* (*) est la *Satire II*. Ce bref ouvrage, l'un des plus caractéristiques de Diderot, suffirait, avec l'*Entretien entre d'Alembert et Diderot* (*) et l'essai *Sur les femmes* (*), à témoigner de la richesse et de la diversité du talent, de l'originalité savoureuse de l'écrivain. Ayant cité les premiers vers de la *Satire I* du Livre II d'Horace, Diderot commence par une courte dissertation, étincelante d'esprit, sur la diversité des caractères des hommes, qui peuvent se rapprocher des qualités proverbialement attribuées aux animaux. L'auteur passe ensuite à la variété extraordinaire de leurs jugements, qui naissent pourtant de cerveaux conformés de la même façon. Cette variété, par le fait, ne dépend pas seulement de la diversité des tempéraments : elle est accentuée sans mesure par les conditions de vie, par les habitudes, par la mentalité qui se forme en chacun de nous comme une conséquence de notre profession. Toute la gamme des réactions et des idées que provoque la maladie ou la mort d'un être, chez un parent, chez un ami, chez un moraliste, chez un bigot, chez un savant, est analysée en quelques pages avec une verve étourdissante. Un mélange étrange et suggestif de mots d'esprit, d'anecdotes, d'observations prises sur le vif, de reparties paradoxales, de maximes morales graves ou burlesques, de croquis rapides, minutieusement exacts, trouve une unité, en dépit de sa diversité et de ses contrastes, dans le rythme d'un style limpide et clair, pénétré, dans ses moindres détails, d'intelligence et d'esprit.

SATIRES d'Alfieri [*Satire*]. Les satires de l'écrivain italien Vittorio Alfieri (1749-1803) furent écrites entre 1786 et 1797 et publiées en édition posthume en 1804. Le recueil comprend dix-sept satires, dont un Prologue (« Le Vieux Chevalier servant » [Il cavalier servante veterano]), qui s'intitulent : « Les Rois » [I re], « Les Grands » [I grandi], « La Plèbe » [La plebe], « La Demi-Plèbe » [La sesquiplebe], « Les Lois » [Le leggi], « L'Éducation » [L'educazione], « L'Antireligionisme » [L'antireligioneria], « Le Philanthropisme » [La filantropineria], « Les Pédants » [I pedanti], « Les Voyages » [I viaggi], « Les Duels » [I duelli], « Le Commerce » [Il commercio], « Les Dettes » [I debiti], « La Milice » [La milizia], « Les Impostures » [Le imposture], « Les Femmes » [Le donne]. L'auteur expose son dessein dans le Prologue : moderne Juvénal, partant en guerre, l'épée nue, contre les vices et les erreurs du siècle, il rencontre un premier adversaire, le « vétéran des chevaliers servants », héros du *Jour* (*) de Parini, plus que jamais décrépit et efféminé, victime de son existence oisive ; et l'auteur de s'éloigner plein de mépris, en déclarant qu'il préfère réserver sa colère pour un sujet plus sérieux et un ennemi moins vulgaire. Car il entend se livrer à une satire plus radicale que celle de Parini, qui s'était limité à quelques aspects de la corruption des mœurs, et fustiger ce qu'il considère comme les causes profondes de tous les maux de l'époque. Solitaire, Alfieri combattait en même temps l'ancien régime, contre lequel il avait écrit ses traités politiques, et les promoteurs et représentants de la révolution triomphante. Si aux rois il se contente de lancer : « Pour faire un excellent roi il convient de le défaire », s'il s'attaque avec vigueur aux armées (« La Milice »), soutien des monarchies européennes du XVIIIe siècle, s'il met à nu l'abjection des courtisans (« Les Grands »), il n'épargne pas pour autant la plèbe et encore moins le tiers état : contre les populaires champions des nouvelles idées de liberté, d'égalité et de fraternité, il écrit ses trois satires (« L'Antireligionisme », « Le Philanthropisme », « Les Impostures ») dans lesquelles il oppose l'œuvre des fondateurs de religions, Moïse, le Christ et Mahomet, à la stérile négation de Voltaire, « désinventeur ou inventeur de néant », et raille l'humanitarisme alors en vogue, tragiquement contredit, selon lui, par les atrocités de la Révolution. En fait, ces satires avaient pour raison profonde le rêve héroïque du poète, son suprême idéal de grandeur dont les hommes, autour de lui, lui paraissaient dénués. Citons encore « L'Éducation », la plus populaire de ces pièces satiriques, scène de comédie, mordante et bien enlevée, opposant un comte arrogant et un pauvre prêtre, désigné comme précepteur des six rejetons de cette noble famille, pitoyable et ridicule figure de pédagogue étriqué, moins considéré que le cocher. Chez Alfieri, l'effet satirique est constamment renforcé par la violence du style, le tour elliptique et ce goût du néologisme propre à l'auteur. Les *Satires* comptent, sans aucun doute, parmi les meilleures pièces qu'ait jamais écrites Alfieri.

SATIRES de l'Arioste [*Satire*]. Ces sept satires, écrites entre 1517 et 1525, ne parurent qu'après la mort de l'auteur, en 1534 : le poète italien l'Arioste (Ludovico Ariosto, 1474-1533) ne les jugeait pas dignes d'être publiées à côté de son chef-d'œuvre avant une attentive révision. Les *Satires* ne permettent guère de parler d'un Arioste moraliste, bien que, dans ces tercets limpides, les reproches et les mots acerbes à l'égard de ses contemporains ne manquent pas ; elles révèlent plutôt le vrai visage du poète, ses aspirations et ses peines les plus profondes, constituant ainsi une autobiographie sincère de l'artiste et de l'homme. L'Arioste ne cherche pas à s'y montrer comme étant exempt des défauts de l'humaine nature, mais il y souligne son désir d'une vie économe et simple, fuyant toujours les honneurs et la vie mondaine. Il chérit ses amis ; il se contente de peu, sans pourtant renoncer à cet élémentaire confort qui ne saurait être refusé à personne ; il n'éprouve pas le besoin de peiner autrement, puisqu'il suffit de quelques joies dans la vie, quand il est libéré des ennuis qui s'attachent à ses fonctions. Ainsi, dans la première satire, adressée à son frère Alexandre, il se plaint que le cardinal Hippolyte, son protecteur, veuille l'emmener avec lui en Hongrie : il déclare qu'il préférera toujours une liberté pauvre à un esclavage doré. Ailleurs, il se plaint des ennuis que lui procure sa charge de gouverneur de la Garfagnana ; ou bien, en bon père, il demande à Bembo un maître de grec pour son fils Virginio, regrettant de n'avoir pu approfondir l'étude d'une langue aussi belle ; ou encore il refuse la charge d'ambassadeur auprès de

Clément VII ; toujours il aspire à une vie cachée, paisible, au milieu de bons amis et de bons livres, aux côtés d'une femme aimante et fidèle. Ces *Satires*, qui sont dans la tradition d'Horace, portent la marque d'un art habile et délicat ; c'est la confession humaine et vivante d'un artiste prompt à se réfugier dans le royaume du rêve, où les Muses ne déçoivent pas celui qu'anime une noble inspiration.

SATIRES de Boileau. Portant sur l'homme, la correction des mœurs et la société, à partir de références à la vie parisienne, ces douze satires, en général d'une centaine d'alexandrins, composées par le poète et critique français Nicolas Boileau (1636-1711) entre 1657 et 1706 avec une interruption de vingt-six ans (1668-94), suivent la tradition des *Satires* de Juvénal, d'Horace, ou de Perse – v. *Satires* (*) au nom de ces auteurs –, à cette nuance près qu'elles dépassent les limites du genre par des critiques « ad hominem ». Deux brefs discours en prose leur sont adjoints en 1668 (Le *Discours sur la satire,* à la suite de la Satire IX) et en 1709 (le *Discours ... pour servir d'apologie à la Satire XII sur l'équivoque*). Destinées à être lues dans les salons, leur publication (1666, 1668, 1674, 1683, 1701 ...) fut liée à la crainte des éditions subreptices.

La Satire I rapporte l'adieu d'un poète à Paris où règnent financiers malhonnêtes et mauvais poètes (1657, cent soixante-quatre vers). La Satire II, « À M. de Molière », reconnaît en lui, à la différence des poètes contemporains, un maître ès rime et prose (1664, cent vers). La Satire III joue de l'art du dialogue pour rapporter un repas ridicule (?, cent soixante-six vers) qui, dans une extension ultérieure (soixante-dix vers) s'achève par un débat littéraire (1665 ?). La Satire IV, « À M. l'abbé Le Vayer », retraçant une conversation entre l'abbé, Molière et Boileau, aborde le thème de l'universelle folie (1664, cent vingt-huit vers). La Satire V, « À M. le marquis de Dangeau », dénonce, en harmonie avec la politique royale, le manque de vertu de la noblesse (1664, cent quarante-quatre vers). La Satire VI, pour l'essentiel détachée de la Satire I, déplore bruits et « embarras de Paris » (cent vingt-six vers). La Satire VII est une apologie du genre satirique prenant pour cible plusieurs poètes autour de Chapelain (1663, quatre-vingt-seize vers). La Satire VIII, « À M. M**, docteur en Sorbonne », prenant à partie Claude Morel, hostile aux jansénistes, situe, sur le plan religieux, une réflexion sur l'homme (1667, trois cent huit vers). La Satire IX riposte aux attaques suscitées par l'édition de 1666, en une censure de ses propres défauts par Boileau et un portrait du parfait censeur (1667, trois cent vingt-deux vers). La Satire X, après un bref « Avis au lecteur » en prose, répond à Perrault, dans le cadre de la querelle des Anciens et des Modernes, par une attaque de l'influence croissante des femmes (1694, sept cent trente-huit vers). La Satire XI, « À M. de Valincour », historiographe du roi avec Boileau après la mort de Racine, distingue le faux honneur du vrai dont la source est en Dieu (1698, deux cent six vers). La Satire XII s'élève contre l'équivoque rhétorique où les jésuites excellent et qui génère des troubles en particulier religieux (vers 1705, interdite de publication jusqu'en 1711, trois cent quarante-six vers). Le *Discours sur la satire* répond aux reproches adressés à l'édition de 1666 par une justification des critiques « ad hominem » ; le *Discours de l'auteur pour servir d'apologie à la satire XII* (...) anticipe sur les reproches qu'on pourrait lui adresser.

Ces satires, qui dénoncent l'enflure sous toutes ses formes (du mensonge à l'ambiguïté) et dans toutes ses applications (du domaine social au domaine religieux), sont l'illustration en creux de la recherche théorique de Boileau sur l'art du bien dire pour atteindre le beau c'est-à-dire le vrai (les *Épîtres* (*) en constituent l'illustration en relief). De fait, les *Satires* ouvrent l'œuvre au moment même où Boileau commence sa réflexion poéticienne (débuts de la traduction du *Traité du sublime* (*) de Longin), sont retravaillées et réordonnées les unes par rapport aux autres, au rythme des grandes étapes de cette réflexion qu'elles achèvent consciemment avec la Satire XII, en même temps qu'elles clôturent l'ensemble de l'œuvre : « Me voilà enfin quitte » (lettre à Brossette, 1705). L'itinéraire qu'elles tracent comporte deux étapes dont les vingt-six ans de rupture chronologique soulignent l'autonomie : les sept premières satires, courtes et « agressives » sont ordonnées à fustiger un contexte « social » et à lui fournir un remède « mondain » ; les cinq dernières (plus proches des *Épîtres*), plus longues et plus démonstratives, tendent à proposer un remède moral et ontologique. Si dans la Satire I Boileau constate que la vie sociale urbaine est marquée du sceau du mensonge financier et du mal-dire des poètes, il voit (Satire II) dans l'art poétique, art du dire juste, une voie de redressement dont Molière serait le maître. Mais la commensalité qui lui fournit l'occasion d'approfondir sa réflexion en termes d'échanges spirituels (Satire III) le conduit à porter un regard globalement pessimiste sur une vie sociale marquée de « folie » (Satire IV). Boileau accomplit alors l'aspect social de sa dénonciation selon les deux directions possibles : a) qualitative, à travers le thème de la noblesse, elle porte sur la hiérarchie des hommes (Satire V) ; b) quantitative, à travers le thème de la ville, elle a trait à la réunion des hommes (Satire VI). L'ampleur du désordre nécessite alors une radicalisation du remède : au-delà du recours poétique, une critique en forme par la satire (Satire VII). Ayant ainsi fait le tour des aspects sociaux essentiels, le poète étend sa réflexion à la nature humaine en elle-même qui s'est révélée proche, voire inférieure à l'animale, du fait de cette tendance à l'enflure et au faux (Satire VIII). La satire apparaît dès lors moins comme un outil nécessaire à la vie « sociale » qu'à la vie « morale » d'hommes (Satire IX) passibles d'attaques « ad hominem » (*Discours sur la satire*). Recherchée, la source des désordres moraux est découverte dans la nature féminine et la place des femmes dans la société (Satire X) car elles traduisent une dissociation avec la vraie finalité de la vie humaine et imposent le recours à Dieu (Satire XI). Parvenu à cette cause première, Boileau peut enfin proposer leur ultime rôle à la satire et au poète : restaurer l'ordre du monde en dénonçant et corrigeant la source de tout mal : le principe de l'ambiguïté (Satire XII). F.N.-D.

SATIRES de Juvénal [*Satirae*]. L'écrivain latin Juvénal (Decimus Junius Juvenalis, 60 ?-138 ?) composa, en les classant en cinq livres, seize satires qui se suivent dans l'ordre chronologique. La première (« La Vocation de satirique ») sert d'introduction ; la deuxième attaque l'hypocrisie ; la troisième (« Les Embarras de Rome ») relate l'histoire d'Umbricius quittant Rome pour aller vivre en paix. La quatrième (« Le Turbot ») raconte la pêche d'un énorme turbot ; le conseil des grands de l'État se réunit pour décider quelle dimension doit avoir la casserole et comment il faut faire cuire ce poisson. La cinquième satire (« Les Parasites ») évoque la vulgarité brutale de certains nobles et la soumission des parasites. La sixième (« Contre les femmes »), la plus connue de toutes, est d'un réalisme assez brutal ; la septième (« Misère des gens de lettres ») évoque le triste sort des écrivains, rhéteurs, grammairiens. La huitième (« Les Nobles ») montre que la naissance ne suffit pas à donner la noblesse, si elle ne s'accompagne pas de valeur personnelle et de force de caractère ; souvent on remarque que des plébéiens sont supérieurs en sens politique, en intelligence et en sens moral, aux aristocrates. La neuvième (« Les Protecteurs et les protégés obscènes ») est un dialogue entre le poète et Névolus, victime d'un avare. La dixième satire (« Les Vœux ») ridiculise les vaines aspirations des hommes ; la onzième (« Le Luxe de la table »), adressée à son ami Persius, montre la supériorité de la frugalité sur le luxe et le faste des banquets des nobles. La douzième (« Le Retour d'un ami ») décrit l'heureux retour dans sa patrie de Pacuvius qui vient d'échapper à un naufrage. La treizième (« Le Dépôt ») réconforte le trop scrupuleux Calvinus, en lui montrant que sa faute porte en elle-même sa suffisante punition. La quatorzième traite de l'efficacité de l'éducation (« L'Exemple »), tandis que la quinzième (« La Superstition ») s'attaque avec vigueur au fanatisme religieux des Orientaux, dont les cultes jouissaient alors d'un grand prestige à Rome. La seizième (« Prérogatives de l'état militaire ») défend l'armée qui a fait la gloire de Rome. Juvénal est le poète du passé, de l'ancienne Rome, des mœurs antiques, désormais corrompues, dont la pureté ne survit plus guère que chez les paysans. En tant que poète national, il s'indigne de cette société cosmopolite qui s'était formée à Rome, constituée surtout par les anciens esclaves orientaux et grecs, lâches et corrompus. Sa haine contre les factions politiques, contre les nouveaux riches et le temps présent, le conduit à prévoir la ruine de Rome. On remarque chez lui un retour constant vers le passé le plus lointain où il trouve son idéal patriotique. Son imagination n'est pas débordante, mais suggestive et capable d'évoquer des images précises et nettes. Sa force satirique est quelquefois outrancière. Il est le dernier auteur de la lignée qui donna les *Satires* (*) : Lucilius, Horace et Perse ; néanmoins, Juvénal s'éloigne de ses prédécesseurs par suite de sa conception du monde très différente, pleine de nostalgie. Il ne plaisante jamais ; ce n'est pas un lyrique, ni un philosophe, mais un provincial indigné contre l'immoralité de la capitale, un poète inspiré par sa haine contre un monde abject, au sein duquel il est forcé de vivre. Il n'est, toutefois, jamais guidé par l'envie ou l'ambition personnelle. Il a un sens humain, de la compréhension, bien qu'il s'exprime sur un ton âpre et violent, fort admiré de Hugo. — Trad. Les Belles Lettres, 1921 ; nouv. éd. 1983.

SATIRES de Kantemir [*Satiry*] Œuvre principale du diplomate et écrivain russe d'origine moldave Antioche Kantemir (1708-1744) dont la première édition fut publiée en 1762. Composées en vers syllabiques, de 1729 à 1739, les neuf *Satires,* auxquelles on adjoint généralement *Au zoile* [*Na zoila*], ont été d'abord publiées en traduction française, puis allemande. Remaniées à plusieurs reprises, leur texte définitif ne saurait être qu'approché. On décèle dans les *Satires* l'influence de Théophraste et d'Horace, de Boileau et de La Bruyère, et aussi, chez ce connaisseur de la culture italienne, de Boccace. La fidélité au vers syllabique d'origine polonaise *(wiersz),* le goût des inversions rattachent d'autre part les *Satires* à la poésie savante du XVIIe siècle. On commettrait pourtant un contresens en voyant en elles une pâle copie. En littérature comme en politique, ce thuriféraire de Pierre Ier veut innover. Sa langue, comme l'a dit Belinski, unit pour la première fois en Russie « la poésie et la vie ». L'usage circonspect des tropes, l'introduction du lexique populaire, le maintien, en versification, du rejet, impriment aux *Satires* une étonnante souplesse, et une oralité qui n'a pas vieilli. La dénonciation satirique empruntant la forme du dialogue, c'est dans leur propre discours que les personnages étalent leur cynisme et leur bassesse : autodénonciation dont la « vis comica » reste intacte.

Mais surtout, les *Satires* expriment le credo humaniste et rationaliste des Lumières. La satire populaire russe du XVIIe siècle ridiculisait victimes et bourreaux. Ici, les faux dévots, les juges corrompus, les aristocrates méprisants ne sont pas drôles, et le poète les dénonce comme dangereux. Les satires les plus ancrées dans la réalité russe sont les deux premières : *Aux détracteurs de l'instruction* [*Na huljaščih učenie*], dont le sous-titre *À mon esprit* [*K umu svoemu*] est inspiré de Boileau, et *Sur l'envie et l'orgueil des mauvais nobles* [*Na zavist' i gordost' dvorjan zlonravnyh*], qui rejette le droit du sang et affirme l'égalité physique des hommes. Dans la satire IV *Du danger des œuvres satiriques* [*O opasnoti satiričeskih sočinenij*] Kantemir s'exprime sur son art et livre des renseignements autobiographiques. Les satires III et V (*De la diversité des passions humaines* [*O različii strastej čelovečeskih*] *et sur les défauts humains en général* [*Na čelovečeskie zlonravija voobšče*]) affirment l'esthétique du classicisme, avec sa partition des hommes en bons et en méchants. La satire VI, *Du véritable bonheur* [*O istinnom blaženstve,* 1738], en exaltant l'*Aurea mediocritas* d'Horace, tend vers la fable philosophique. La satire VII, *De l'éducation* [*O vospitanii*], initie un des thèmes privilégiés des Lumières russes. Les satires VIII et IX, enfin – *Sur la prétention impudente* [*Na besstydnuju nahal'čivost'*] et *Au soleil. Sur l'état de ce monde* [*K solncu. Na sostojanie sveta sego*] –, contrastant avec l'alacrité combative des premières œuvres, disent la lassitude devant le triomphe permanent de la bêtise et de la méchanceté. – Trad. par l'abbé de Guasco, Londres, 1749. J. B.

SATIRES de Krasicki [*Satyry*]. Publiées en deux groupes en 1779 et en 1784, elles constituent le meilleur de l'œuvre de l'écrivain polonais Ignacy Krasicki (1735-1801), évêque de Warmie, chapelain et ami du dernier roi de Pologne Stanislas Poniatowski. Avec un sens critique aigu, parfois empreint d'une légère amertume, mais le plus souvent imprégné d'un indulgent esprit de compréhension, le poète examine les faits et gestes de la société de son temps qu'il considère souvent avec un humour joyeux et débonnaire. Il y a en particulier des inversions de situation inattendues qui, par leur contraste improvisé, provoquent un rire spontané. Ainsi dans la satire « Au roi » [Do Króla], qui ouvre le premier opuscule, ce qui était un long réquisitoire contre les défauts du souverain devient tout d'un coup le panégyrique de ses vertus. Dans la « Femme à la mode » [Żona modna], on y voit une femme, tout récemment mariée, mettre sa maison sens dessus dessous grâce à mille innovations inutiles et folles. Dans « Ivresse » [Pijaństwo], une de ses meilleures satires, l'esprit du poète éclate joyeusement, après un long discours dans lequel un ivrogne, ayant reconnu son vice et énuméré tous les inconvénients qui en découlent, prend congé de son interlocuteur en lui annonçant qu'il se rend de ce pas au cabaret, bien décidé à boire. D'autres fois ce sont les intentions moralisatrices qui apparaissent au premier plan : ainsi dans la satire sur « Le Monde corrompu » [Świat zepsuty], où le poète blâme la société qui, éblouie par les fausses splendeurs, dissolue et hypocrite, ne respecte même pas le lien sacré du mariage. D'autres satires enfin constituent une galerie ironique de types variés, présentés sous leurs aspects les plus caractéristiques, parmi lesquels « Le Présomptueux » [Mędrek], jeune homme brillant qui, sans s'être rendu à l'étranger, se sent désormais supérieur à tous et seul capable de critiquer et de mépriser tout ce qu'il avait respecté jusqu'alors. Les *Satires* de Krasicki aidèrent puissamment à ce mouvement de renaissance qui marqua la littérature polonaise au cours du XVIIIe siècle, mouvement qui succédait à une période pauvre et malheureuse. Formé à l'école de la poésie classique française, et d'après les idées occidentales, le poète unit à son bon sens un humour naturel et une élégance des plus raffinées, dont le meilleur témoignage tient dans l'emploi d'une langue très pure et d'une versification parfaite.

SATIRES de Lucilius [*Saturae*]. Sous le nom de « satura » étaient compris, dans la littérature latine archaïque, différents genres d'ouvrages. La « satura » dramatique (la plus ancienne) constitua, selon le témoignage de Tite-Live, la première représentation théâtrale en règle, comportant les divers genres : poésie, musique et danse ; elle fut justement appelée « satura » en raison de sa variété (« saturitas »). Ce genre fut suivi, plus tard, par la satire littéraire, ainsi nommée pour la variété de ses sujets et des mètres. Elle fut cultivée, entre autres, par Ennius ; mais c'est Lucilius qui la transforma et lui donna une forme stable qui devint l'un des genres les plus caractéristiques de la littérature latine. Les *Satires* du poète latin Lucilius (environ 180-103 av. J.-C.) formaient trente livres. L'auteur avait publié successivement les livres XXVI à XXX, contenant les satires en vers trochaïques, de sept syllabes, et en vers ïambiques, de six syllabes ; le groupe des livres I à XXI ne comprend que des hexamètres ; le reste (XXII à XXV), dont nous ne possédons plus que de petits fragments, semble avoir été composé surtout en vers élégiaques et aurait été ajouté à l'ensemble des œuvres de Lucilius après sa mort. Ce recueil, très connu et très étudié dans l'Antiquité, fut égaré et on ne le mentionne plus après le IVe siècle de notre ère, de sorte que notre connaissance directe de l'œuvre de Lucilius se limite aux passages qui nous ont été laissés par d'autres poètes, par des orateurs et des érudits, soit en tout environ 1 400 vers. Par contre, les critiques et les appréciations des Anciens ne nous manquent pas. Juvénal et Perse, chacun d'un point de vue différent, déclarent que Lucilius est leur source et leur inspirateur ; Cicéron, Quintilien et les grammairiens s'y réfèrent souvent ; Horace reconnaît en lui son modèle (II, 1, 28), ce qui ne l'empêche pas (I, 4, 8 et ss.) de lui reprocher son style négligé. Tout en appartenant au parti oligarchique, Lucilius attaque ceux qui, comme Métellus et Lupus, utilisaient pour des fins injustes leurs privilèges de sénateurs et dénonce souvent (v. fragments des livres II, IV, V, IX) la corruption de la noblesse romaine, qui lui apparaissait d'autant plus grave qu'il la comparait à l'idéal de vertu que lui avait enseigné l'historien Panétius. Les fragments du livre IX, où l'on trouve des polémiques contre la réforme de l'orthographe d'Accius, nous montrent que Lucilius étudia également des problèmes de grammaire et de rhétorique. Il est intéressant de noter que Lucilius, élevé à l'école des classiques, de la philosophie stoïcienne néo-académique, et surtout des écrivains grecs de théâtre (avec lesquels il avait certains points de ressemblance), aime l'invective et la parodie, qu'il utilise dans le but de corriger les mœurs et de faire triompher la vertu. — Trad. Les Belles Lettres, 1978-1979.

SATIRES de Perse [*Saturae*]. Le poète latin Perse (34-62) nous a laissé six satires en hexamètres. La première s'en prend aux poètes à la mode : ceux qui donnent dans le purisme ou la mythologie surannée. Détestant son époque, l'auteur exalte d'une façon conventionnelle les temps antiques et la tradition. Dans la deuxième satire, écrite en forme de lettre, Perse recommande à un de ses amis de prier les dieux afin qu'ils lui accordent vertu et bonheur, et non point des satisfactions mondaines ; la vertu en effet est chose que l'on obtient beaucoup moins par des offrandes superstitieuses que par la prière. Ce qui domine ici, c'est le problème des rapports entre l'homme et Dieu, et c'est bien là le fond de la doctrine stoïcienne. En soi le trait satirique est faible ; on retiendra en revanche ce que l'auteur dit de la prière : elle ne consiste plus, comme l'imaginèrent les Romains avec l'esprit juridique qui leur est propre, dans une sorte de contrat, mais bien dans ce don de l'âme où l'homme s'humilie devant Dieu. La satire III met aux prises un pédagogue et un jeune noble ; enseignant à celui-ci que la noblesse est aussi vaine que la richesse, le maître l'incite à se préoccuper du salut de son âme ; l'essentiel est de pénétrer les mystères de la nature, tout en préservant la santé du corps. Ce dialogue est des plus animés : on y voit le jeune noble à son réveil, ses vantardises, ses excès de boisson et de nourriture. Pourtant, l'auteur s'attache moins à ces détails qu'à l'évocation des grands problèmes de la vie humaine ; celle-ci doit être consacrée, avant tout, à la pratique des plus nobles vertus. La satire IV a un caractère politique : s'adressant à un jeune homme, auquel est confiée l'administration d'un État (ne s'agirait-il pas de Néron ?), l'auteur insinue que celui-ci pourrait bien ne pas être à la hauteur de sa tâche, vu que le pouvoir tourne chez lui au despotisme. Satire courte et violente, où Perse utilise un langage cru, réaliste et plébéien. La satire V est dédiée au philosophe Cornutus : l'auteur remercie son maître de lui avoir appris, dans sa jeunesse, que la vraie liberté de l'homme est essentiellement d'ordre spirituel. Ici, le souvenir d'Horace est plus apparent que réel, et sa critique de la société contemporaine est pleine de conviction. La dernière satire, de loin la plus triste, est adressée au poète Cesius Bassus. Adepte du stoïcisme, et tout près de la mort, l'auteur parle d'une voix éteinte des biens familiaux. Rongé par la maladie depuis sa plus tendre enfance, la mort devait l'emporter à l'âge de 28 ans ; est-ce une raison pour se révolter ? Perse n'a que résignation devant la mort, et c'est sans regret qu'il se séparera de toutes les bonnes choses dont la terre regorge. Écrites sous le règne de Néron, les *Satires* de Perse sont l'expression d'une société assez hostile à cet empereur. Aussi plurent-elles à tout le monde. Ce succès est dû surtout au style sobre et incisif de l'auteur. Toute la tradition satirique de Rome le poussait, d'ailleurs, à garder le ton de la prose. De plus, en tant que stoïcien, il entendait se défaire de tous les artifices de style. Il arrive que ses *Satires* manquent parfois de mouvement et d'émotion, étant inspirées en effet bien plus par des lectures et des conversations que par des impressions directes. — Trad. Les Belles Lettres, 1921. Trad. angl. et commentaire de J. Conington, 3e éd. par Nettleship, réimpr. Olms, Hildesheim, 1967.

SATIRES de Régnier. L'œuvre du poète français Mathurin Régnier (1573-1613) comprend seize *Satires*, trois *Épîtres,* cinq *Élégies*, des *Poésies diverses* (odes, stances, sonnets et épigrammes) et des *Poésies spirituelles.* Mais c'est surtout aux *Satires* que le poète doit sa célébrité. Les éditions publiées du vivant de l'auteur, entre 1608 et 1612, sont incorrectes. La première édition sérieuse est celle de Brossette (Londres, 1729 et Paris, 1735). Enfin, en 1823, parut à Paris l'édition critique des *Œuvres* par Violet-le-Duc. Le recueil des *Satires* s'ouvre sur une « Epistre liminaire » au roi Henri IV. La Satire I, « Discours au roy » n'est pas la première œuvre de Régnier ; composée après l'entière extinction de la Ligue, elle célèbre la sagesse du souverain, non sans l'inciter à la prudence. La Satire II, « Les Poètes », est dédiée à M. le comte de Garamain, Adrien de Monluc, l'un des plus beaux esprits de la cour de Louis XIII ; c'est la première satire composée par Régnier qui, après avoir souligné la misère des poètes, proclame son amour de la liberté, avoue ses faiblesses, mais réaffirme ses résolutions vertueuses. La Satire III, « La Vie de cour », est dédiée à M. le marquis de Cœuvres, François Annibal d'Estrée ; après s'être demandé s'il vaut mieux pour lui s'engager à la Cour ou se remettre à l'étude, le poète choisit les aléas et les servitudes de la misère qu'il oppose aux servilités et aux vaines ambitions des courtisans. La Satire IV, « La Poésie toujours pauvre », dédiée à M. Motin, ami de l'auteur, tend à prouver que les sciences et surtout la poésie, bien loin d'être un moyen pour accéder à la richesse, constituent le plus souvent un obstacle à la fortune, d'où il s'ensuit, en dépit des apparences, que la noblesse et la vertu vont au poète. La Satire V, « Le goût particulier décide de tout », dédiée à M. Bertaut, évêque de Séez, qui avait contribué à la conversion d'Henri IV, réaffirme les principes de tolérance qui furent ceux de l'auteur. La Satire VI, « L'Honneur ennemi de la vie », dédiée à M. de Béthune, ambassadeur de Sa Majesté, que Régnier accompagna à Rome en 1601 (il s'y était déjà rendu en 1543, à la suite du cardinal de Joyeuse, et ces voyages lui fournirent l'occasion de connaître et d'étudier les poètes italiens), est imitée de deux « Capitoli » de Mauro : défenseur du bon sens, Régnier s'élève contre les impératifs de l'honneur dans la mesure où ils sont contraires à nos plaisirs et à notre liberté, s'inscrivant ainsi contre un code de « caste » en contradiction avec un sens de la justice fondé sur la raison. La Satire VII, « L'Amour qu'on ne peut dompter », dédiée à M. le marquis de Cœuvres, est un plaidoyer pour la liberté de la passion, imité de la quatrième élégie du Livre II des *Amours* (*) d'Ovide ; Régnier y décrit le penchant invincible qu'il a pour l'amour et les femmes, comme quoi nul n'élude sa réalité et franchise vaut mieux que dissimulation. La Satire VIII, « L'Importun ou le Fâcheux », dédiée à l'abbé de Beaulieu, reprend le thème d'une satire d'Horace et ridiculise ces personnages envahissants qui s'étalent et s'imposent sans souci de la liberté d'autrui. La Satire IX, « Le Critique outré », dédiée à M. Rapin, raille vertement Malherbe qui avait critiqué Desportes, oncle de l'auteur ; c'est une des rares satires personnelles de Régnier. La Satire X, « Le Souper ridicule », imitée en partie du poète italien Caporali, servit de modèle à Boileau. Dans cette satire, célèbre à juste titre, Régnier, retrouvant la verve de Béroalde et de Rabelais, décrit sur le ton épique un souper mal assorti auquel il fut convié malgré lui. La Satire XI, « Le Mauvais Gîte », peut être considérée comme une suite de la précédente et décrit, avec un réalisme truculent, les épisodes d'une nuit mouvementée passée dans le logis sordide d'une pauvre prostituée. La Satire XII, « Régnier apologiste de soy-mesme », est dédiée à Martin Frémet, peintre ordinaire d'Henri IV (cette satire est la dixième et dernière dans l'édition de 1608) ; dans cette confession ironique, l'auteur, convenant qu'il s'est complu à censurer les vices des hommes, accepte que les hommes censurent à leur tour les siens. La Satire XIII, « Macette ou l'hypocrisie déconcertée », est inspirée d'Ovide, de Properce et de Jean de Meun ; le poète y rapporte les propos malfaisants que la vieille courtisane Macette, véritable Tartuffe féminin, tient à sa maîtresse pour l'amener à sa merci ; c'est la mieux versifiée des satires de Régnier, la plus belle aussi, et elle obtint un vif succès dès sa parution. La Satire XIV, « La folie est générale », proclame que tous les hommes sont fous car, agissant toujours selon leur raison particulière, ils perdent de vue leur raison commune. Dans la Satire XV, « Le Poète malgré soy », l'auteur se plaint de l'inspiration tyrannique qui le contraint à écrire des vers : toutefois, son esprit, amoureux de la liberté et incapable du moindre déguisement, l'oblige ainsi à dire la vérité, à rendre justice au vrai mérite, à blâmer le vice et à louer la vertu, justifiant sa vocation. La Satire XVI, « Ny crainte ny espérance », expose la philosophie de Régnier, esprit lucide, conscience qui se fait un devoir de juger et de témoigner. Cette pièce ferme le recueil des *Satires.*

Les *Épîtres* faisaient partie des *Satires* dans les premières éditions. Dans l'Épître I, « Discours au roy », Régnier, sous une forme allégorique, loue l'action de Henri le Grand qui a su rendre la paix au royaume. Dans l'Épître II, « À Monsieur de Forquevaus », s'inspirant d'Horace, il fait le bilan de ses expériences amoureuses et déclare préférer désormais aux faveurs des grandes dames des amours modestes et variées, substituant ainsi à la fougue irréfléchie de la jeunesse un sage épicurisme. L'Épître III, en vers octosyllabiques, décrit les visions et les pensées extravagantes qui traversaient la tête du poète pendant une maladie : Régnier note ici des manifestations poétiques à l'état brut que, deux siècles plus tard, les poètes allaient exploiter (« d'un bâton je fais un cheval, j'apprends aux ânes à voler... »).

L'Élégie I fut écrite par Régnier pour Henri IV, il en est de même pour l'Élégie V, dans laquelle le poète prête sa plume à une nouvelle passion du roi. Les Élégies II et III, imitées d'Ovide, peignent les fureurs de l'amour et de la jalousie. Enfin, l'Élégie IV, toujours imitée d'Ovide, traite plaisamment de l'« impuissance ».

Les *Poésies diverses* comprennent une « Ode », très belle, dans laquelle un homme, usé par les plaisirs, invective contre les peines et les servitudes de l'amour ; des stances, « Plainte », regrets sur l'absence d'une maîtresse, une des poésies des plus tendres et des plus délicates que Régnier ait faites dans le genre érotique ; des stances d'un érotisme plus libre et plus cru (« Contre une vieille M... », « La Douleur d'amour », « Contre un amoureux transi », etc.) ; un admirable « dialogue » ; « Chloris et Philis », pièce inachevée, d'une noblesse d'accent et d'écriture qui annonce l'art de Racine ; des sonnets « Sur la mort de M. Passerat » et « Sur la mort de M. Rapin » ; enfin des « Épigrammes » grivoises.

Quant aux *Poésies spirituelles*, elles groupent des « Stances », dans lesquelles l'auteur, déplorant la perte de sa santé, revient à Dieu avec des sentiments de pénitence ; un « Hymne sur la Nativité de Notre-Seigneur », composé en 1611-1612 ; des « Sonnets » d'inspiration religieuse et un fragment de « poème sacré ». Les *Œuvres* de Régnier comportent en outre une série de poésies attribuées, pièces grivoises pour la plupart, où on ne retrouve pas la verve, et la maîtrise du poète. On peut dire de Mathurin Régnier qu'il compte au nombre des écrivains les plus originaux du XVIIe siècle : non qu'il faille lui attribuer une grande profondeur de pensée ; mais ce poète authentique, qui gaspilla sa vie et mourut jeune, fut non seulement un peintre de mœurs incomparable, mais sut également redonner au langage littéraire une vigueur populaire et une liberté d'allure qui annoncent à la fois Molière, La Fontaine et Voltaire. Nul n'a mieux rendu les traits du Paris d'Henri IV, de cette société où la grossièreté commençait à se teinter de politesse castillane. Villon, Montaigne et Rabelais, les burlesques italiens et l'Antiquité, tout cela se fond dans la franchise drue, la couleur, la verve et le souffle large de cet amant de la liberté. Certains vers de *L'Art poétique* (*) de Boileau, dans lesquels le talent de Régnier est assez maigrement apprécié, ne sont pas étrangers au silence qu'a longtemps subi le poète de la part des biographes et des critiques dont il alarmait les oreilles pudiques : le temps l'a remis à sa vraie place. Dans cette période de transition entre la Renaissance et le classicisme, qui voit l'individualisme bourgeois, aux prises avec les termes antithétiques d'une tradition féodale, essayer de se forger une conscience et un langage, Mathurin Régnier, fils d'aubergiste, clerc malgré lui, à demi courtisan par nécessité, ne pouvait que se railler et s'enorgueillir d'être poète : en fait, il renforçait un courant à la fois subjectif et réaliste qui allait s'épanouir plus tard dans la comédie et le roman de mœurs, où se fixeront définitivement les types et les thèmes de la sentimentalité populaire, transposition psychologique de la réalité sociale.

SATIRES de Rosa [*Satire*]. Les sept satires que nous a laissées le peintre et poète italien Salvatore Rosa (1615-1673) s'intitulent : « La Musique » [La Musica], « La Poésie » [La Poesia], « La Peinture » [La Pittura], « La Guerre » [La Guerra], « L'Envie » [L'Invidia], « Babylone » [La Babilonia] ; connues du vivant de l'auteur, qui les lisait à ses amis, elles furent publiées en édition posthume, à Amsterdam, en 1695 ; enfin, une septième satire, « Tirreno », qui devait servir de conclusion, ne fut publiée qu'au siècle dernier. On peut joindre aux satires le « Mémoire à la Congrégation sacrée » [« Memoriale alla Sacra Congregazione], défense passionnée de l'œuvre satirique du peintre-poète et des intentions hautement morales qui l'ont inspirée. Rosa s'élève contre les vices de son siècle, s'en prenant tour à tour aux artistes et à leurs protecteurs, dont il qualifie le goût de corrompu. Il dénonce également les maux de la guerre et fustige la jalousie de ses ennemis, ainsi que les mœurs dissolues de la cour romaine.

SATIRES de Yaghma. Poèmes du poète et satiriste persan Abol-Hassan Yaghma (1782-1859). Composées sous forme de « ghazals », ce sont les œuvres les plus caractéristiques de cet auteur. Ces satires injurieuses et obscènes sont au nombre de cinq, mais les plus célèbres sont la satire *Sardâriyya*, dirigée contre le « sardâr » [général] Dhol-Fikr Khân, pleine de grossièretés qui dépassent toute mesure. (Yaghma compose son « ghazal » après avoir été innocenté d'une fausse accusation à son encontre) ; et la *Description courte de l'ignominie* [*Khulâsat al-iftidâh*], dirigée contre une famille de nobles de Kâchân, où Yaghma est alors vizir du gouverneur de la ville. Son poème lui vaudra d'être mis à l'Index et, du haut de la chaire de la mosquée, d'être stigmatisé comme incroyant par le mollah.

Bertels a vu dans ces œuvres une amorce de révolte contre les injustices politiques et sociales, cependant Yaghma ne semble pas s'élever au-dessus de ses griefs personnels.

M.-H. P.

SATIRES ET POÈMES. [*Collected Satires and Poems*]. Recueil poétique de l'écrivain anglais sir Osbert Sitwell (1892-1969), publié en 1931. Frère d'Edith et de Sacheverell Sitwell, qui s'illustrèrent tous deux dans la littérature, sir Osbert est certainement l'esprit le plus profond de la famille bien que la gloire un peu excentrique de sa sœur ait éclipsé sa réputation. Il est souvent détaché et excelle dans les observations satiriques — une satire dans la lignée de celle de Dryden, c'est-à-dire nourrie d'engagement politique, d'émotions passionnées et de préoccupations morales. Cet aristocrate cultivé et élégant se double d'un pacifiste convaincu : nombreuses sont les pièces qui démontrent le mécanisme absurde de la guerre, tandis que son fameux « oratorio séculier » *Demos l'empereur* [*Demos the Emperor*, 1949] s'en prend au mythe de la démocratie. L'auteur s'est essayé, non sans succès, au roman et à la nouvelle, comme en témoigne *L'Homme qui se perdit* [*The Man who Lost Himself*, 1929]. Mais il s'est encore plus intéressé à la poésie, soit qu'il en compose, soit qu'il en traite dans : *Qui a tué le rouge-gorge ?* [*Who Killed Cockrobin ? Reflec-*

tions on Modern Poetry, 1921]. Sa langue est riche et classique, les formes qu'il utilise demeurent traditionnelles, même quand les techniques imagistes auraient pu mieux correspondre à ses épigrammes que les vers réguliers qu'il emploie. Dans ce cadre stable, il montre parfois un élan qui surprend et une inspiration satirique toute byronienne, qu'enrichissent la fantaisie et l'humour.

Tandis que *Satires et Poèmes* contiennent sans doute la fleur de son œuvre poétique, le testament philosophique d'Osbert Sitwell se trouve dans *Sagesse à la livre* [*Pound Wise*], petit volume d'essais critiques et moraux qu'il a publié en 1963. Ces textes ont été composés sur une quarantaine d'années. On y trouve la substance d'*Airs graves, airs légers* [*Sing High, Sing Low,* 1944] et de six volumes d'autobiographie dont *Main droite* [*Right Hand,* 1944] et *L'Arbre écarlate* [*The Scarlet Tree,* 1935] sont les plus connus. Ce recueil est d'une variété extrême dans les thèmes traités, mais tous définissent la personnalité de l'auteur : jugements moraux, esthétiques, souvenirs d'enfance et de jeunesse, remarques pleines d'humour sur les incidents de la vie quotidienne, commentaires acerbes ou pertinents sur la situation politique. Du feu croisé des boutades ou des analyses, une personnalité se dégage, plus attachante que ne le laissaient prévoir le cadre et le milieu. L'auteur fait preuve d'une liberté que seuls peuvent se permettre ceux qui ont les moyens de se dégager des conventions et des nécessités courantes. Aucune concession à la mode, aux idées reçues ou au snobisme. Au contraire, une conception fort sérieuse et fort humble de ses responsabilités d'écrivain. « Lettre à mon fils » [Letter to my Son] termine l'ouvrage en exprimant toute une philosophie de l'existence. Osbert Sitwell représente tout un aspect de la meilleure tradition aristocratique anglaise, qui s'auréole déjà des charmes brumeux de la Belle Époque et unit le divertissement à la sagesse. Le Londres qu'évoque cette prose splendide et mesurée a changé de visage. Le type d'éducation qui fit l'objet de ses attaques s'est peu à peu modifié. Mais cette finesse révèle dans le satiriste Sitwell un successeur de Montaigne plus que de Dryden.

SATIRES MÉNIPPÉES [*Saturae Menippeae*]. Encyclopédie latine, divisée en cent cinquante livres, dont il reste environ six cents fragments, de l'écrivain et homme politique latin Varron (116-27 av. J.-C.). Mélange de prose et de vers, elle traite des sujets les plus variés. L'auteur s'est inspiré pour son œuvre du philosophe cynique Ménippe de Gadara (IIIe siècle av. J.-C.), qui avait représenté satiriquement la société grecque dans tous ses travers. Une centaine de titres, latins, grecs et néo-latins, illustrent le contenu de chacune des satires : noms mythologiques, mots tombés en désuétude et étranges, vocables relatifs à la secte des Cyniques, proverbes, etc. En réalité, c'est plus en puisant à la philosophie académique qu'au cynisme de Ménippe que Varron donna une forme à sa méditation poétique. Il sera intéressant de se rappeler, avant d'aborder cette œuvre, que Varron, fervent admirateur de la civilisation grecque, fit un séjour prolongé à Athènes (90-84) : il fut en effet fasciné par l'éclat de la « blanche vérité, élève de la philosophie attique ». Son admiration pour Socrate, en particulier, fut grande : il trouvait dans chacune des paroles du maître une matière des plus propres à exciter cet esprit de curiosité et cette volonté de savoir qu'il posséda au plus haut point. Homme de lettres attiré par la diversité et le chatoiement des théories, il fut ce qu'on appelle un éclectique : parfaitement au courant, bien que parfois d'une façon superficielle, des différentes expériences philosophiques de son temps, il ne retint de celles-ci le plus souvent que l'architecture externe dont il subissait profondément le charme. Aussi est-ce tout naturellement qu'il en vint à un scepticisme radical et à toute épreuve. Cela est si vrai qu'au cours des années qui suivirent immédiatement son initiation philosophique, à l'école académique d'Athènes, il ne sentit aucunement le besoin d'exposer par écrit le chemin que parcourut son esprit, si ce n'est précisément dans ces *Satires Ménippées.* S'étant, à la même époque, laissé séduire par les activités du citoyen qui prend part à la chose publique, il n'eut qu'une hâte : se mettre en garde contre son propre enthousiasme, en entreprenant cette production satirique qui nous intéresse. De quelques satires, on peut, avec une certaine vraisemblance, imaginer le contenu : « Le Serviteur de Marcus » [Marcipor] racontait un voyage riche en péripéties, comparable à celui des Argonautes ; les « Endymions » [Endymiones] raillaient ceux qui, amants de la lune comme Endymion, croyaient avoir les deux pieds sur terre, alors qu'ils s'obstinaient à rêver ou, pis encore, à dormir ; les « Fêtes de Minerve » [Quinquatrus] étaient une satire de la médecine du temps et des neuf thérapeutiques ; les « Méléagres » [Meleagri], une satire de la chasse, d'après le mythique Méléagre, le premier des chasseurs ; « Parménon » [Parmeno], un véritable art poétique, avec une allégorie du monde littéraire contemporain ; la « Loi Maenia » [Lex Maenia], paradoxale loi sur les banquets, permettait de faciles sarcasmes sur les mœurs relâchées et sur la moralité douteuse de l'époque ; « Un Ulysse et demi » [Sesqueulixes], autobiographie plaisante de Varron qui, tel Ulysse, lorsque la guerre l'exigea, se vit obligé de s'en aller loin de la patrie ; dans les « Euménides » [Eumenides], l'auteur décrit les furies qui poursuivent les hommes et les font devenir fous ; non pas celles qui tourmentèrent le pauvre Oreste meurtrier de sa mère, mais bien celles qui poussent le peuple romain à la folie des religions orientales, qui sont désormais adoptées par toutes les classes sociales avec une fureur véritablement maladive. Dans presque toutes ces satires revient comme un leitmotiv, et aussi comme un signe de vieillesse, la polémique du passé contre le présent, la critique des mœurs contemporaines, et le regret de n'avoir pas vécu pendant les générations précédentes, dépeintes comme celles d'un âge heureux. — Trad. avec texte latin et commentaires, J.-P. Cèbe, École française de Rome, 9 vol. parus, 1972 sq.

SATIRICON. Roman de l'époque de Néron, attribué à un certain Pétrone (Petronius Arbiter, 20 ?-66 ap. J.-C.), écrivain latin, très probablement le même que le Pétrone dont Tacite nous apprend dans *Les Annales* (*) qu'il fut un épicurien raffiné de la cour impériale, une sorte d'intendant des plaisirs du prince, d'arbitre des élégances (« elegantiæ arbiter »). Cette œuvre nous est parvenue incomplète, amputée de son début et de sa fin. Les deux « héros » Encolpe et Ascylte, avec leur petit ami Giton, errent dans les villes de l'Italie méridionale, vivant d'expédients, escroquant des repas, essayant de filouter partout où ils le peuvent ; parfois ils mettent à profit même leur culture littéraire et leurs qualités de beaux parleurs. Le roman, dans l'état où il nous est parvenu, débute en effet par une scène de déclamation comme on en voyait dans les écoles des rhéteurs ou sous les portiques des forums. Tout à coup, tandis qu'un orateur est en train de capter l'attention des auditeurs par sa conférence, Encolpe s'aperçoit que l'ami Ascylte a disparu ; désirant lui parler, il le cherche dans toute la ville, mais ne le retrouve qu'à l'auberge où les trois amis étaient logés. Décidés à fuir la chaleur d'été, si accablante en ville, ils se réfugient à la campagne, en acceptant l'hospitalité du chevalier Lycurgue ; chez celui-ci se trouvent déjà deux autres riches personnages, Lichas, le propriétaire d'un navire qui transporte des marchandises et des passagers, et Tryphène, une femme splendide, amie de Lichas. Mais, en raison des multiples rivalités, la bonne entente ne peut guère durer ; les trois jeunes gens, après avoir lié de nombreuses relations amoureuses, souvent peu avouables, avec leurs riches hôtes, commencent à s'ennuyer de cette vie monotone, si éloignée de leurs goûts d'aventure. Aussi, s'étant disputés avec le maître de la maison, ils le quittent nuitamment, emportant les objets les plus précieux trouvés dans sa demeure. Les voilà de nouveau forcés de vivre au jour le jour : les trois jeunes gens y sont aidés pendant un certain temps grâce à une bourse remplie de pièces d'or, trouvée par hasard, puis de nouveau égarée dans un bois et volée au paysan qui l'avait retrouvée. Le problème pécuniaire ainsi résolu, les aventures galantes ne vont guère manquer ; mais voici que Quartilla, prêtresse de Priape, apprenant qu'ils ont violé les rites du dieu, les invite chez elle et les y emprisonne ; grâce à un heureux hasard, les trois amis parviennent, en s'enfuyant, à se soustraire aux tortures que leur infligeaient Quartilla et les femmes de sa secte. Ils reçoivent alors une invitation au festin offert par Trimalcion. La description de ce souper comprend une bonne partie des chapitres qui sont parvenus jusqu'à nous ; il est même possible que ce fragment du roman ait été découpé exprès, dans le but de conserver la description de ce repas, précédée et suivie par quelques épisodes jouant le rôle de cadre. Ce qui frappe le lecteur dès qu'il entre, à la suite de nos trois aventuriers, dans le palais de Trimalcion, c'est son faste architectural, la richesse des meubles et des peintures. La masse des esclaves qui vit au palais et dans les immenses propriétés de Trimalcion est gouvernée par un régime qui nous fait songer à la tyrannie de Néron, et oscille de l'indulgence bienveillante à la sévérité la plus injuste et la plus cruelle. Le souper est offert par un personnage digne de Rabelais ; il dure des heures. Les mets se succèdent ; l'on dirait que le cuisinier essaie sans cesse de se dépasser en inventant des plats nouveaux susceptibles d'étonner les convives. Les hors-d'œuvre sont servis sur un plateau représentant un petit âne portant deux paniers : dans l'un d'eux il y a des olives noires, dans l'autre des olives vertes. Les œufs, posés dans une corbeille, sous une poule artificielle, comme si elle les couvait, contiennent des oisillons rôtis. Toutes sortes de viandes, de poissons et d'autres mets sont disposés avec art, formant une sphère qui représente la voûte céleste avec les douze constellations. Un grand sanglier est représenté poursuivi par une meute de chiens ; le sanglier porte au flanc une blessure béante qui laisse échapper de gros étourneaux. Entre les plats, la conversation va son train : Trimalcion, nouveau riche, montre ici son ignorance effrontée. En voulant placer son mot à tout propos, il dit des énormités, qu'il s'agisse d'histoire, de mythologie ou d'astronomie ; puis, échauffé par le vin, il improvise un poème. Lorsque, en pleine nuit, le banquet prend fin, les convives, tout à fait ivres, se rendent au « vomitorium ». À ce moment-là, Encolpe, Ascylte et Giton, impatients de quitter cette maison, profitent de la confusion générale engendrée par une parodie des obsèques de Trimalcion, et disparaissent dans les ténèbres. Après avoir passé une nuit à cuver leur vin, les trois amis se réveillent : Ascylte s'enfuit avec Giton. Encolpe, demeuré seul, fait la connaissance dans une galerie de tableaux, d'Eumolpe, poète ridicule, qui lui récite soixante-cinq vers sur la *Prise de Troie.* Après diverses péripéties, Encolpe et Giton, qui se sont retrouvés, fuient Ascylte en montant avec Eumolpe sur un bateau en partance. Mais — étrange hasard ! — ce bateau n'est autre que celui de Lichas et de Tryphène. Bien que les jeunes gens se soient déguisés, ils sont reconnus, torturés et mis aux fers. Le vieil Eumolpe, qui est aussi bien l'ami des persécuteurs que des persécutés, parvient à obtenir des mesures de clémence en leur faveur et à mettre tout le monde d'accord. Il conte l'histoire de la matrone d'Ephèse, déclame deux cent quatre-vingt-quinze vers sur la *Guerre civile*. La paix ne dure, toutefois, pas longtemps ; bientôt les anciennes rancunes renaissent, plus vives que jamais : Encolpe et Giton subiraient un triste sort, si une tempête providentielle ne faisait couler le bateau, les jetant tous sur les rivages de Crotone. En haillons, blessés, sans argent, les trois larrons organisent leur escroquerie la plus extraordinaire ; ils font semblant d'être les esclaves d'un riche propriétaire terrien, « dont les campagnes s'étendent sur des milliers d'hectares, en Afrique ». C'est sous cet aspect qu'Encolpe et Giton présentent aux habitants de Crotone leur « maître » Eumolpe ; chacun, en entendant exalter ses richesses, les invite dans sa maison. Il y a même des individus qui espèrent se faire inscrire sur la liste de ses héritiers !... Le vieillard joue son rôle à merveille et obtient ainsi, pour lui-même et pour ses serviteurs, une aisance inhabituelle. Encolpe, qui prudemment se fait appeler Polyaenos, profite de ce bien-être pour nouer une intrigue amoureuse avec Circé, riche matrone de l'endroit ; mais la femme de chambre de celle-ci tombe à son tour amoureuse de Polyaenos, auquel elle apporte les messages de sa maîtresse. Tout à coup, les mensonges sont découverts, ainsi que la véritable identité d'Eumolpe. Encolpe prend la fuite avec Giton, laissant les habitants de Crotone se venger sur le vieillard de l'escroquerie commise à leur détriment. De nouvelles mésaventures attendent Encolpe au temple de Priape à cause des sortilèges de la prêtresse Oenothée ; il retrouve ses moyens, tandis qu'Eumolpe fait son testament : il met pour condition que ses héritiers dévorent son corps. Parmi les personnages du roman, Eumolpe se fait remarquer par son incontinence sexuelle et verbale. Encolpe a, lui aussi, ces mêmes défauts ; inquiet, vagabond, il a été dès son jeune âge poussé, par son esprit aventureux, à voler, à tuer, à faire la noce. Giton est son tendre amour, mais cet amour ne le laisse jamais en paix : la jalousie le ronge. En effet, ce garçon de seize ans, frêle, beau, changeant comme une courtisane et rusé comme un esclave des comédies de Plaute, suscite trop de désirs. Ascylte est un aventurier amoral et violent ; quant à Trimalcion, il vit dans un univers particulier. Son palais se distingue par son architecture vulgaire, qui ignore la délicatesse des lignes et où seule la richesse des matériaux est appréciée : l'or éclate partout, précieux, étincelant, lourd, écrasant. Ces personnages, campés dans le décor fastueux de la vie à Rome sous Néron, sont particulièrement vivants et représentent bien le milieu, plein d'amoralité et de corruption, qui fut celui d'une colonie grecque dans l'Italie du Sud. Ce qui donne un très grand prix à cet ouvrage, c'est qu'il décrit la vie des petites gens, et cela de la manière la plus réaliste. En effet, lorsque c'est l'auteur qui parle, la langue du *Satiricon* est fort châtiée et le style d'une grande élégance, alors que les propos des personnages sont émaillés des termes et des tours les plus caractéristiques du latin vulgaire. Ce roman, livre de chevet du Grand Condé, a été fort admiré par Saint-Evremond, par Henry de Montherlant, Raymond Queneau, et maints autres. — Trad. Garnier, 1934 ; Les Belles Lettres, 1950 ; Gallimard, 1958.

SATTASAĪ [*Les Sept Cents Strophes*]. Recueil de poèmes indiens écrits en langue vulgaire [prâkrit], attribués à Hāla Sātavāhana, roi de l'Inde méridionale, dont les dates ne nous sont pas connues (Iᵉʳ siècle ?). D'ailleurs, Hāla ne fut probablement que le compilateur de ces poèmes. Telle qu'elle nous est parvenue, cette œuvre remonte à une période qui se situe entre le début du IIIᵉ et la seconde moitié du Vᵉ siècle ; elle représente l'écrit indien le plus ancien, du moins parmi ceux qui ont trait à la poésie d'amour. L'ouvrage nous est parvenu en plusieurs rédactions (au moins six), ce qui atteste sa popularité. On y trouve seulement quatre cent trente strophes communes à toutes les rédactions. Bien qu'écrit en langue vulgaire, cet ouvrage appartient à la poésie artistique indienne ; le caractère amoureux de la plupart de ces stances est le même qui, plus tard, formera l'élément essentiel de la fameuse « centurie » appelée en sanskrit *Amaru Śataka* (*). À vrai dire, le sujet traité est infiniment plus vaste, et c'est toute la vie du peuple indien qui est évoquée dans les strophes de la *Sattasaī*. En général les strophes sont indépendantes les unes des autres, mais parfois deux ou trois se suivent et forment un ensemble homogène. Le sujet en est très varié ; dans certaines on ne trouve aucune intrigue : ce n'est qu'un état d'âme ou un sentiment exprimés d'une façon poétique et évoquant ce qu'il y a d'éternel et d'immuable dans le cœur humain. Les élans d'une femme amoureuse, ses tourments, ses désirs, ses invocations, son regret d'être seule y sont exprimés en des images qui sont parmi les plus heureuses et les plus spontanées de la poésie de tous les temps. Le caractère dominant du recueil est la délicatesse des sentiments et des affections ; c'est cette délicatesse qui pousse par exemple une femme, heureuse du retour de son mari bien-aimé, à ne point se parer, de peur de froisser la sensibilité de sa voisine, pauvre femme dont le mari est encore absent. On rencontre néanmoins, de temps à autre, quelques images, quelques comparaisons fort sensuelles : ainsi, le sein d'une femme, sortant de son corsage, est comparé à la lune jaillissant des nuages. Il y a aussi de petits tableaux empruntés à la vie familiale, aux saisons, à l'orage, au monde animal, etc. ; l'on trouve même des strophes en forme d'aphorismes. Les citations très fréquentes de certains passages du *Sattasaī*, que l'on trouve dans les ouvrages indiens concernant l'art poétique, confirment la haute valeur littéraire de ce recueil.

SATURNALES [*Saturnalia*]. Ouvrage d'érudition sous forme de dialogues de l'écrivain latin Macrobe, écrivain latin du Ve siècle apr. J.-C., dédié au fils de l'auteur, Eustache, pour l'instruction duquel Macrobe, ainsi qu'il le dit dans son introduction, a groupé les connaissances les plus diverses provenant des ouvrages grecs et latins, qui n'étaient d'ailleurs probablement, eux aussi, que des résumés. Les sept livres qui composaient à l'origine cet ouvrage nous sont parvenus pleins de lacunes. L'auteur imagine des dialogues qui se dérouleraient pendant les fêtes Saturnales (d'où le titre de l'œuvre) entre les savants de son époque, Agonius Vettius Praetextatus, Symmaque, Albinus Cecina, le grammairien Servius et quelques autres. Ces savants traitent des sujets les plus divers, entre autres de l'origine des Saturnales, de la division de l'année, du culte de certaines divinités ; pour lui, Apollon est le dieu unique sous des noms et des apparences divers. Prenant comme point de départ un vers cité par l'un des convives, l'auteur discute, tout au long des livres III et IV, de l'art et de la technique de Virgile ; il le compare à Homère en détail. Quant au dernier livre, il est consacré à une multitude de renseignements très variés, tels que la danse, les poissons, les lois contre le luxe, etc. Les *Saturnales* n'ont d'original que le cadre ; tout le reste est puisé à des sources très disparates, qu'il est difficile d'identifier. En effet, Macrobe cite beaucoup d'auteurs qu'il ne connaît même pas, et en démarque d'autres, par exemple Aulu-Gelle et Plutarque, sans les citer. Le commentaire sur Virgile, qui constitue le sujet central de l'ouvrage, n'apporte rien de nouveau, ni de personnel, à la critique virgilienne : sa source essentielle est Aelius Donat. Le mérite de Macrobe réside dans le fait d'avoir su présenter, d'une façon assez vivante et ordonnée, des sujets essentiellement différents et de nous avoir conservé ainsi une masse de renseignements et d'informations précieuses puisées dans des ouvrages disparus depuis. – Trad. Garnier, 1937.

SATURNE ET LA MÉLANCOLIE [*Saturn and Melancholy*]. Essai écrit en collaboration par Erwin Panofsky (1892-1968), Fritz Saxl (1890-1948) et Raymond Klibansky (né en 1905), publié à Londres en 1964. *Saturne et la mélancolie* est donc le fruit d'une triple collaboration : Saxl apportant sa connaissance de l'iconographie astrologique, Panofsky son iconologie de la gravure de Dürer et Klibansky sa science de la théorie hippocratique et de ses avatars médiévaux. Au commencement était un « faux » : Hippocrate découvre un homme « malpropre, le teint très jaune et le corps décharné ». C'est Démocrite qui rédige un ouvrage sur la « mélancolie ». Cette légende atteste qu'au début de notre ère s'était déjà constituée une théorie de la « bile noire » dont il faut faire remonter l'origine à un texte non moins apocryphe, le *Problème XXX,* attribué à Aristote. En soi, pourtant, la bile noire n'est que l'une des quatre humeurs présente en chaque homme avec le sang, la bile jaune et le flegme. Tout dépendra de l'altération de l'humeur sous l'effet d'une chaleur ou d'un froid immodérés, à moins que l'on n'ait affaire à une prépondérance constitutive de l'humeur noire. Dans ce dernier cas, l'excès d'atrabile fait de l'individu un « mélancolique de nature », un être « normalement anormal ». Avec Galien puis Isidore de Séville s'opère la liaison morale entre « melancholia » et « malus », le second s'appliquant même à faire dériver le mot « malus » du grec « mélan », désignation traditionnelle de la bile noire. Mais la Renaissance, avec Marsile Ficin et son *De vita triplici,* réhabilitera le mélancolique. Très tôt, la théorie des quatre humeurs sera mise en relation avec les quatre saisons et les quatre âges de la vie, base d'une théorie des tempéraments. C'est alors qu'intervint l'astrologie qui, bousculant les catégories médicales trop rigides, associe chaque tempérament à l'influence des astres (le sanguin sera associé à Jupiter, le colérique à Mars, le flegmatique à Vénus et le mélancolique à Saturne) et consacre le triomphe d'une version positive de la mélancolie. La percée de cette tradition en Europe du Nord inspira Paracelse et une foule d'images, dont la gravure de Dürer, *Melencholia,* n'est que la plus connue. Dans des pages décisives, Panofsky fait le tour de toutes les théories de la mélancolie que Dürer a pu connaître et démontre avec rigueur que l'artiste de Nuremberg n'a pu produire cette image qu'à l'heure où l'idée que l'on se faisait de la mélancolie passait du négatif au positif – la *Melencholia I,* « imaginative », étant virtuellement subordonnée à une *Melencholia II* et *III,* respectivement rationnelle et mentale suivant une hiérarchie développée par A. De Nettesheim. Jamais la mélancolie ne fut plus généreuse que du jour où elle se trouva soustraite à la compétence du médecin pour devenir le domaine d'élection de l'artiste, de Dürer à Munch en passant par Cranach et Goya. – Trad. Gallimard, 1989. P.-E. D.

SATURNE, LE DESTIN, L'ART ET GOYA. Œuvre de l'écrivain français André Malraux (1901-1976), publiée en 1978. Elle est la version remaniée et enrichie de sa Préface aux *Dessins de Goya au Musée du Prado* (1947), devenue en 1950 *Saturne, Essai sur Goya.* Comme le précise l'auteur dans l'avant-dire, il ne s'agit pas d'une « monographie et moins encore d'une biographie, bien que la maladie de Goya y jou(e) un rôle décisif », mais d'une recherche du sens de son œuvre. Pour lui, Goya n'est pas d'abord un peintre espagnol du XVIIIe siècle, bien qu'il fasse entendre la voix de l'Espagne à travers ses *Tauromachies,* ses scènes d'Inquisition et de Carnaval, c'est essentiellement un homme aux prises avec l'angoisse existentielle et parvenu grâce à son art à une écriture sans âge de l'« angoisse éternelle ». Ses œuvres sont le témoignage visuel de « l'une des plus désespérées parmi les aventures spirituelles de l'Occident ». Malraux ne nous en offre pas une revue exhaustive et chronologique, mais procède de façon sélective en passant sous silence des pans entiers pour aller directement aux œuvres qui l'ont fasciné et qui nous font pénétrer dans un monde de malheur et de sang. Il cherche la spécificité de son univers imaginaire et surtout de son « écriture » plastique à travers tout un réseau de correspondances secrètes où le temps historique ne joue plus aucun rôle (rapprochements avec Ensor, Füssli, Rembrandt, Sade, Dostoïevski, Laclos). Il ne s'attarde guère sur le temps de la jeunesse où le charmant peintre de cartons pour tapisserie est encore guidé par la recherche de l'harmonie ou du pittoresque et soumis à l'influence de la peinture italienne et de certains maîtres (Magnasco, Vélasquez, Watteau). Il fait commencer l'activité du peintre de génie à la quarantaine. La maladie, en le rendant sourd, l'a fait brutalement entrer dans « l'irrémédiable » ; solitaire, il ose cesser de plaire (même les portraits royaux de ce célèbre peintre de Cour relèvent du jeu de massacre). Il met au point un style singulier, virulent, style de l'invective ou du cauchemar, que traduit la « brisure de la coulée du pinceau », le trait qui tend de plus en plus à l'esquisse, où tout est suggéré. L'auteur s'attache surtout aux dessins en noir et blanc, aux gravures à l'eau-forte, aux lithographies auxquels il prête un rôle décisif : les *Caprices,* et surtout les *Désastres,* les *Disparates,* les peintures noires de la *Maison du sourd* (dont le sanglant *Saturne* – qui est aussi Cronos, le dieu du temps – donne son nom à l'ouvrage), autant d'œuvres restées plus ou moins secrètes. Sur les tableaux de Goya, l'auteur se livre à une rêverie sinueuse, martelée par ses propres obsessions, ses interrogations. De ce peintre, il fait un voyant dont le fantastique envahit l'œuvre avec sorcières, monstres et revenants. Les *Désastres de la guerre* imposent un style haletant, fébrile, celui de l'atroce, avec ses spectacles de viol, de prison, de corps découpés en morceaux... Goya rétablit le dialogue avec une voix sans âge qui remonte de la nuit des temps. L'auteur voit dans cet univers imaginaire les prémices de l'art moderne, car Goya en dressant contre la culture dans laquelle il était né « son art solitaire et désespéré », a revendiqué la liberté « de dessiner et de peindre pour s'exprimer soi-même. Les couleurs de Goya n'ont d'autres raisons d'être que ses tableaux ». Ch. Mo.

SATYRE (Le) [*Cabot Wright Begins*]. Roman de l'écrivain américain James Purdy (né en 1923), publié en 1964. Une satire qui s'intitule *Le Satyre,* voilà qui éveille la curiosité. Cabot Wright séduit beaucoup de monde, comme son prédécesseur dans *Malcolm* (*), mais à la différence de celui-ci, c'est un violeur, même si c'est parce qu'elles sont irrésistiblement séduites que ses victimes se laissent violer : « Toutes en témoignèrent par la suite, il exerçait une sorte d'hypnotisme. Il violait sans peine et s'en acquittait bien. » Cabot Wright n'est donc pas un violeur authentique – il n'y a que dans les romans qu'on peut imaginer des viols qui n'en seraient pas – et le récit le concernant est une métaphore pour autre chose. Quoi ? C'est ce que, à l'instigation d'un éditeur en quête d'un bon sujet pour réaliser de grosses ventes, vont chercher successivement Bernie Gladhart et Zoé Bickle, deux écrivains à la petite semaine montés de leur province jusqu'à New York, où se cache le satyre après sa sortie de prison, afin de retrouver sa trace et de lui arracher les vers du nez. À partir de là, l'anamnèse à laquelle Cabot Wright se livre sur sa période criminelle sert de prétexte à un tableau dans lequel tous les aspects de la société américaine sont tournés en dérision : « Mais n'était-ce pas aussi le problème des U.S.A. tout entiers ? Avec leurs divers généraux, joueurs de poker, gentilshommes campagnards, marchands de chemises et petits-fils de rois du whisky en guise de présidents, et pendant que l'Amérique encule le reste du monde ou enfourne dans l'incinérateur une île jaune ou l'autre au nom de la liberté... le fait demeure que les Américains... tous ont le cerveau, sinon le corps, anesthésié. Ils entendent, mais ne comprennent pas. Ils voient, mais l'image est brouillée. La pluie voile leurs écrans. "C'est toujours la même histoire !" s'écrie l'Amérique en tournant une nouvelle page de son almanach télévisé. "Aïe, mes hémorroïdes !" » Toutefois, la satire sociale n'est pas, dans ce livre, ce qu'il y a de meilleur – de toute façon, comment aller plus loin, dans ce registre, que n'a été un William Burroughs, dont le ton se retrouve à la fin de l'extrait qui précède ? Non, la métaphore est, plus largement, celle de l'inadaptation à toute société. Si Cabot Wright ne peut se lancer dans le monde des affaires, celui de l'« équipe gagnante » (« Travaille, Cabot, c'est la formule, travaille et fais-toi une place dans l'équipe gagnante... Que représentent nos gratte-ciel, mon garçon ?... C'est l'équipe gagnante qui donne les réponses »), s'il ne peut et ne pourra jamais « faire ses débuts » (« Cabot Wright Begins », dit le titre original, très important, du livre), c'est parce que le don dont il est pourvu, à savoir des dispositions du tissu érectile supérieures à la moyenne et un « inquiétant pouvoir de disposer » de ces dames, est complètement antagoniste à la société, contraire à la productivité et à l'esprit industrialiste, antiaméricain au possible, anarchiste, nuisible et immoral. Cabot Wright est un surdoué, mais pas là où il faut. C'est un monstre et les monstres gênent. Le « best-seller » qu'on aurait pu tirer de ses souvenirs priapiques ne paraîtra jamais, car il révélerait aux Américains trop de choses sur eux-mêmes. — Trad. Gallimard, 1967.

Ph. Mi.

SATYRE MÉNIPPÉE (La). Satire politique en prose et en vers, anonyme, publiée en France en 1594. De toutes les satires engendrées par une époque fertile en luttes politiques et religieuses, celle-ci est sans doute la plus célèbre. Elle naît à l'extrême fin du XVIe siècle, au moment où la France connaît l'une des plus graves crises de son histoire : celle de la Ligue. Après l'assassinat d'Henri III par Jacques Clément (1589), l'héritier légitime du trône n'était autre qu'Henri de Navarre, toujours protestant malgré la promesse plusieurs fois faite d'une conversion. En 1584, la Ligue était née précisément du refus de voir un jour un prince hérétique monter sur le trône de France. La citadelle ligueuse est Paris, grâce à un certain nombre de ses bourgeois, de ses parlementaires, et surtout grâce au petit peuple galvanisé par les sermons des curés. Mais, contrairement à ce qu'écrivit le XIXe siècle, les ligueurs ne sont pas de simples fanatiques. Ce sont aussi des hommes de conviction pour qui la religion catholique est la valeur suprême, et, pour certains d'entre eux, des hommes de culture. Le prestige d'Henri III est au plus bas. En mai 1588, il est chassé de la capitale par une émeute populaire, et les tractations qu'il engage avec Henri de Navarre, le chef des protestants, persuadent les ligueurs qu'il joue double jeu. C'est dans ces circonstances qu'il est assassiné.

Les protestants ne sont pas les seuls partisans du Béarnais, comme l'appellent ses adversaires. Se rallient à lui des catholiques modérés et surtout des « politiques », qui pensent que l'unité du royaume est une valeur supérieure à toute considération religieuse. C'est parmi eux que se recrutent les auteurs de *La Satyre Ménippée.* Ils sont six : Pierre Le Roy, chanoine de la Sainte-Chapelle ; Jean Passerat, professeur au Collège royal ; Nicolas Rapin, poète ; Jacques Gillot, conseiller-clerc au parlement de Paris ; Florent Chrestien, médecin et humaniste protestant ; enfin et surtout Pierre Pithou, remarquable érudit, à la fois historien et juriste, qui sera bientôt promu par Henri IV conservateur de la Bibliothèque royale. Contrairement à une légende, ces hommes ne se réunissent pas dans un cabaret pour composer leur satire entre deux verres de vin. Ils décident d'intervenir par la plume lorsque les ligueurs, maîtres de Paris et toujours opposés à Henri de Navarre, convoquent des états généraux afin d'élire un roi, bien sûr catholique, et sans doute inféodé à l'Espagne. Les séances commencent le 26 janvier 1593 au Louvre, et c'est alors que prend naissance dans l'esprit de Pierre Le Roy l'idée d'une parodie de ces états généraux, où un représentant de l'Espagne n'hésitait pas à présenter la candidature de la fille de Philippe II : une femme sur le trône de France ! Pierre Le Roy est sans doute l'auteur unique d'une ébauche de la *Satyre* qui circule, manuscrite, pendant les premiers mois de 1593 sous le titre : *Abbregé et l'Âme des Estatz convoquez à Paris en l'an 1593, le 10 de febvrier.* La première édition, imprimée à Tours par Jamet Metayer, libraire du roi, entre le sacre d'Henri IV à Chartres (27 février 1594) et son entrée à Paris (22 mars), propose un texte beaucoup plus long, auquel ont collaboré les auteurs mentionnés ci-dessus.

Il s'agit toujours d'une parodie des états généraux, ouverts par une procession grotesque, qui donne le ton des discours qui suivent et que nos auteurs ont librement imaginés. Sept harangues sont prêtées, dans l'ordre, au lieutenant général Mayenne, qui se voit déjà roi, au légat du pape, réputé pour sa laideur, au cardinal de Pelvé, archevêque de Reims, protégé par les Guises et par Philippe II, à l'archevêque de Lyon, Pierre d'Épinac, au recteur de l'université de Paris, Roze, qui s'embrouille dans son discours, au sieur de Rieux, un rustre qui s'est anobli tout seul, et enfin à Claude d'Aubray, prévôt des marchands de Paris, qui parle au nom du tiers état. Tous les discours tenus par des ligueurs sont des chefs-d'œuvre d'éloquence ridicule : c'est à qui parlera le plus mal, chacun cherchant son intérêt personnel, attaquant les autres, et montrant ce qu'est réellement la Ligue aux yeux des partisans d'Henri IV : le rassemblement fortuit d'intérêts personnels. La harangue de Claude d'Aubray, en revanche, composée selon la tradition par Pierre Pithou, se signale par son élévation d'esprit, la clarté des idées et la perfection de la forme. Partisan d'Henri IV, il dénonce violemment la politique menée par les ligueurs, leurs ambitions contradictoires, et surtout leur absence totale de patriotisme : les ligueurs ne sont que les serviteurs, parfois stipendiés, du pape et de l'Espagne. Il plaide avec chaleur la cause de l'héritier légitime dont, apparemment, il ignore la conversion, mais dont, en tout état de cause, il assure qu'il saura ramener la paix et la prospérité.

La Satyre Ménippée est un creuset où se fondent bien des formes et des traditions littéraires. Elle se souvient de la « satire » antique, à laquelle elle prête, grâce à une fausse étymologie, la liberté d'allure et de parole des « satyres » de la mythologie. Le terme de « ménippée » renvoie aussi à l'Antiquité, où l'on désignait par cet adjectif une œuvre mêlée de prose et de vers. Ceux-ci abondent dans l'ouvrage de Pithou et de ses amis : citations de poètes grecs et latins, chansons d'allure populaire qui se moquent de la corpulence de Mayenne ou de la fuite des troupes catholiques à la bataille d'Ivry. Ces vers introduisent une bonne humeur « bien française » dans une scène assez sombre et rappellent que la patrie de Rabelais n'est pas décidée à vivre à l'heure de la pénitence comme le voudraient l'austérité espagnole ou l'esprit du concile de Trente. On ne compte pas, d'ailleurs, les références et les allusions à Rabelais qui fournit à *La Satyre Ménippée* les thèmes et les motifs carnavalesques adaptés à la circonstance. Ce qui a fait, en définitive, le succès de cette œuvre, c'est la parfaite adaptation de la forme littéraire à l'idéologie : Henri IV victorieux, c'est le triomphe de la liberté religieuse (que va assurer l'édit de Nantes, en 1598) et de la liberté littéraire. D. M.

SATYROS ou le Faune fait dieu [*Satyros oder der vergötterte Waldteufel*]. Drame satirique en vers, en cinq actes, de l'écrivain allemand Johann Wolfgang Goethe (1749-1832), écrit vers la fin de l'année 1773. En juin de la même année, le *Goetz de Berlichingen* (*) avait mûri dans son esprit, comme une affirmation inconsciente de sa propre personnalité, et après une méditation de quelques mois il écrivit *Satyros*, qui est par certains côtés une véritable autocritique. Satyros se fait le prophète de la nouvelle religion de la nature et attire à lui le peuple qui l'adore comme un nouveau dieu, condamnant l'ancien ermite, objet jusqu'alors de la vénération de tous. Cependant, au moment où ce dernier va être sacrifié, on découvre que le nouveau prophète courtise Eudora, femme d'Hermès, un de ses disciples. À première vue, il semble que la satire soit dirigée contre Herder qui, dans sa vie privée, descendait de la sublimité de ses grandioses visions à des faiblesses plus qu'humaines. Mais la partie la plus intéressante est celle qui est dirigée contre l'exaltation religieuse du « Sturm und Drang », dont Goethe lui-même avait été victime. Ici, il sort pour ainsi dire de lui-même, et tourne en dérision cet élan sentimental qui l'enivra un temps, mais qui n'était pas — il le sent maintenant — suffisamment fort pour dominer sa vie. De cette pièce se détachent çà et là des vers d'un merveilleux lyrisme, freiné, il est vrai, par l'ironie. Ce faune villageois n'est pas satanique comme Méphistophélès ; il ne pose ni ne résout de problèmes éthiques ou philosophiques, ce n'est ni un tentateur ni un humain. Il personnifie la bestialité heureuse des sens, élevée au rang de religion. Dans la vie de Goethe, il représente comme une limite extrême ; l'amour chez lui n'est encore ni passion ni élévation ; le moment esthétique va prendre le dessus, et la méditation commence à apparaître comme facteur critique. Les allusions à des personnages connus sont évidentes ; outre Satyros qui personnifie Herder et, en partie aussi, Hamman, l'ermite représente l'auteur, et Psyché, qui se donne aveuglément au nouveau dieu, Caroline Flachsland, femme de Herder ; mais tous ces personnages sont considérés du seul point de vue de Goethe, pour l'impression momentanée qu'ils exercèrent sur lui, pour l'écho qu'ils éveillèrent dans son âme. Le protagoniste est Goethe, Goethe seul, écartelé entre son présent et son passé. — Trad. Gallimard, 1942 ; Aubier-Montaigne, 1954.

SAUDADES DO BRAZIL. Recueil de pièces pour piano du compositeur français Darius Milhaud (1892-1974). L'influence du folklore brésilien se manifeste dans de nombreuses œuvres de Darius Milhaud, réminiscences de son séjour à Rio en 1917-18, en qualité de secrétaire de Paul Claudel, alors ministre de France. Ces éléments populaires, assimilés et stylisés, s'imbriquent le plus souvent dans la structure et le langage de l'œuvre du compositeur sans en former à proprement parler le fond, ni même le « décor » mais comme composante esthétique intimement associée au développement musical et à l'expression, par exemple dans *L'Homme et son désir* (*). Par contre, dans les *Saudades do Brazil,* c'est l'évocation même de Rio qui sert de prétexte à la composition. Celle-ci est en effet un recueil de douze tangos dont chacun porte le nom d'un des quartiers de la ville : « Sorocabo », « Botofago », « Leme », « Copacabana », « Ipanema », « Gavea », « Corcovado », « Tijuca », « Sumaré », « Paineras », « Larenjeiras », « Paysandù ». Néanmoins, il ne s'agit pas d'une simple transcription, mais bien d'une stylisation de matériaux musicaux populaires, qui en concentre le pouvoir de suggestion et traduit une vision idéalisée mais pleine de chaleur et de vie de la grande cité, et des rythmes et des chanas qui l'animent. L'écriture, très pianistique, en est très hardie, mais sans que la constante superposition de tonalités différentes nuise au charme et au naturel, à l'élégance ou à l'éclat de ces pièces dont elle accentue au contraire l'allégresse rythmique ou le caractère parfois nostalgique. Ces danses ont été transcrites pour orchestre par Darius Milhaud lui-même.

SAUF-CONDUIT [*Ohrannaja gramota*]. Essai autobiographique du poète russe Boris Pasternak (1890-1960), publié en 1931. Entrepris aussitôt après la mort de Rilke (31 décembre 1926) comme un hommage à celui que Pasternak considère comme son premier maître, cet essai sur la poésie est construit sur une trame autobiographique. Les deux premières parties ont pour sujet central les deux ruptures à travers lesquelles s'est déterminée sa vocation : la rupture soudaine avec la musique, en 1909, au moment même où ses premières compositions reçoivent l'approbation de son idole, le compositeur Scriabine ; la rupture avec la philosophie, à Marbourg en 1912, à l'occasion d'une première déclaration d'amour, au moment où son maître admiré, le néokantien Hermann Cohen, le remarque et lui suggère une carrière universitaire. À la faveur de ces deux épisodes, Pasternak expose sa conception de l'art en général et de la poésie en particulier : l'art, lyrique dans son essence, naît du besoin lancinant de « lancer à la poursuite de la vie ce que celle-ci a laissé en arrière » ; grâce à la « métaphore par contiguïté », ou métonymie, qui traduit le syncrétisme de la sensation, la poésie parvient à fixer « l'état dans lequel se trouve la réalité "bouleversée" par le sentiment » (c'est-à-dire perçue en dehors des cadres fixés par le langage) ; elle exprime ainsi l'irréductible nouveauté de la sensation du réel par laquelle se manifeste la vie.

L'actualité politique a marqué de son empreinte la seconde moitié de l'œuvre, écrite en 1930. Le récit d'un séjour à Venise, en 1912, marqué par la découverte de la peinture vénitienne, donne à Pasternak l'occasion de suggérer, par l'évocation des rapports entre l'art et l'État policier, les répressions secrètes qui accompagnent l'établissement de la dictature de Staline, dont il mentionne indirectement l'une des victimes. Le suicide de Maïakovski (14 avril 1930) fera de celui-ci la figure dominante de la troisième partie, où il se substitue au narrateur pour illustrer le principe lyrique dans lequel celui-ci voit l'essence de la poésie. En exaltant le « jeune Maïakovski » des années futuristes, que son geste désespéré a fait revivre, Pasternak l'oppose implicitement au poète officiel qu'il avait voulu être après la Révolution, et qu'il deviendra effectivement après sa mort. Publié en volume en juin 1931, *Sauf-Conduit* sera dénoncé pour idéalisme. Interdit par la censure en 1933, il ne sera réédité en URSS qu'en 1982. – Trad. in *Œuvres*, Bibliothèque de la Pléiade, Gallimard, 1990. M. A.

SAÜL. La tragique figure de ce souverain biblique se trouve dans le *Livre des Rois* (*) et le drame de cet homme à l'âme déchirée entre le ciel et la terre a été, depuis l'Antiquité, et demeure, encore à notre époque, un des grands thèmes d'inspiration.

★ Ce furent d'abord les auteurs de « mystères » qui portèrent à la scène le vieux récit biblique. Notons surtout la *Rappresentazione di Saul*, œuvre italienne imprimée à Florence en 1559.

★ Vient ensuite, dans le genre tragique créé par la Pléiade et inauguré par la *Cléopâtre* (*) d'Étienne Jodelle, la belle et puissante tragédie en cinq actes de Jean de La Taille (vers 1533-avant 1617), *Saül le Furieux*, publiée en 1572. Pour la première fois, le personnage de ce farouche monarque est campé de façon magistrale et digne de lui. L'action se passe dans les monts de Gelboé, lors de la lutte contre les Philistins. Saül, au milieu de ses fils, délire, en proie à de véritables accès de fureur, car David est absent, David qui, seul, savait l'apaiser au son de sa harpe. Puis, brisé par sa propre violence et ses gestes désordonnés, le roi s'endort d'un sommeil plein de songes dont il s'éveille bientôt, plus menaçant et encore plus inquiet. Pourquoi l'Éternel s'obstine-t-il à le persécuter ? C'est lui, répond l'un de ses écuyers, parce qu'il a, contre la volonté divine, épargné Agag, le chef des ennemis ; on lui reproche aussi la haine qu'il voue à David et la mort d'Achimelech. Désireux de connaître l'avenir, il s'adresse à une sorcière qui évoque pour lui l'ombre de Samuel ; le fantôme du prophète lui annonce sa ruine, celle des siens, et la gloire de David. En une plainte déchirante, le roi invoque le Dieu qui l'a frappé de la sorte. Enfin, lorsqu'il apprend la défaite de son armée et la mort de ses fils, Saül se refuse à fuir et, puisque son écuyer ne veut pas le tuer de sa main, il se précipite dans la mêlée. David, dont on sent la présence invisible à travers toute l'action, n'entre en scène qu'au Ve acte ; son aide arrive trop tard ; Saül vient de se tuer sur les corps de ses fils. La conception humaniste dont s'est inspiré l'auteur pour son drame est évidente : qu'on en juge par la ressemblance qu'il offre avec l'*Hercule furieux* — v. *Hercule* (*) — de Sénèque, comme par la présence du chœur. La part consacrée au récit et aux longues déclamations lyriques prévaut sur l'action proprement dite. Le personnage principal est une figure vivante et hautement poétique, en qui sont rassemblées toutes les caractéristiques qui seront reprises plus tard par d'autres auteurs, pour d'autres *Saül* : il est à la fois l'homme abandonné au péché, le père le plus aimant, le roi dans toute sa dignité. – La pièce de Jean de La Taille a été publiée par E. Forsyth (STFM, Paris, 1968).

★ La tragédie de l'écrivain français Pierre Du Ryer (1600-1658), *Saül*, créée en 1640 et publiée en 1642, est considérée comme l'une des plus belles tragédies religieuses du XVIIe siècle. Du Ryer, qui avait conquis la notoriété par ses tragi-comédies, puis la célébrité grâce à sa tragédie *Alcionée* (*) (1637), est le premier auteur de sa génération à oser produire une œuvre à sujet biblique sur une scène professionnelle : « J'ai eu cet avantage d'y faire paraître le premier des sujets de cette nature avec quelque sorte d'applaudissement. » Ne gardant que les grandes lignes du récit biblique (sauf à l'acte III avec la visite de Saül à la nécromancienne), empruntant à Jean de La Taille — v. *Saül le Furieux* — le thème de l'amour filial, et surtout à Claude Billard (1550-1618) l'idée de la révolte de Jérusalem contre son roi, Du Ryer a fait de son *Saül* une tragédie d'amour (Phalti aime Michol, qui aime David) et une tragédie politique (le roi et le héros), tout en faisant de son Saül un personnage plus tragique encore que ceux qui l'ont précédé.

★ La meilleure tragédie qui ait jamais été composée en Italie sur ce sujet est le *Saül* en cinq actes du dramaturge Vittorio Alfieri (1749-1803). Écrite en 1782, elle est de la même année que *Mérope* (*), et un certain intervalle la sépare des douze premières pièces de l'auteur. Elle est son chef-d'œuvre, l'expression la plus puissante et la plus achevée de son lyrisme. Du récit biblique, le poète a su tirer un drame très original. Son héros est le type du tyran dominé par la soif dévorante du pouvoir absolu tel qu'il l'a si souvent représenté. Mais il lui a donné aussi des traits profondément humains et une noblesse de caractère que l'on ne trouve pas dans les monarques de ses autres tragédies, personnages de cauchemar plutôt que figures vivantes. Saül aime son peuple, ses fils, même David puisqu'il en a fait l'époux de sa fille Michol ; mais sa passion du pouvoir est si forte, elle est devenue si exclusive et si farouche aux bords de la vieillesse et de la décrépitude, qu'il soupçonne tous ceux qui l'entourent de vouloir la lui ravir : les prêtres qui en détiennent une part, David qu'il croit être leur créature, et toutes les personnes de sa suite qui semblent prendre parti pour son gendre, jeune rival couvert de gloire, héros sûr de soi, comme le vieux Saül l'était jadis. C'est alors un duel entre sa conscience et son orgueil blessé qui le pousse à abattre David. Cet état d'esprit si contradictoire et dont Saül ne peut se libérer finit par ressembler à de la folie. Ainsi son esprit s'épuise en décisions et gestes incohérents, qui révèlent à la fois toute la grandeur et la misère de son âme en train de sombrer dans la démence. L'action débute par l'arrivée de David, que Saül avait chassé, rentrant au camp nuitamment pour venir en aide à son peuple et à son roi. Au lever du jour, Saül sort de sa tente et veut se délivrer de son secret tourment en le confessant à son ministre Abner. Il entrevoit déjà la paix et la fin de ses tourments, car David se montre à lui et, après un bref interrogatoire, est jugé innocent. Le monarque joyeux l'accepte à nouveau au sein de sa famille. Hélas ! les soupçons reprennent vite le dessus dans son esprit que troublent d'affreuses visions ; David l'apaise par son chant mais, à la suite d'une parole imprudente, Saül se précipite sur lui, l'épée à la main, dans un rugissement de fol orgueil. Le drame gagne en violence : Saül, qui jusque-là adorait ses enfants, les chasse loin de lui. Il croit avoir retrouvé son énergie d'autrefois et décide de la montrer, en faisant abattre les traîtres dont il se dit entouré ; le premier condamné à mort sera le vieux prêtre Achimelech, protecteur de David. Mais son énergie n'était que velléité, et le sang versé bouleverse encore plus son esprit malade. Son gendre, toujours soumis à la volonté de Dieu, fuit à nouveau. Dans la nuit, les Philistins tentent un brusque assaut contre le camp des Juifs. Sortant de son délire, Saül se jette dans la mêlée pour y trouver une fin glorieuse et, avec elle, la délivrance tant souhaitée. Cette consolation lui est refusée : tous ses partisans périssent, ses fils sont tués, mais Michol et lui survivent. Il confie sa fille à Abner afin qu'elle soit conduite en lieu sûr et, seul face au désastre, il trouve en lui une nouvelle certitude : roi d'Israël dans toute sa gloire, n'a-t-il jamais été si grand qu'en cet instant, alors qu'il a tout perdu ? L'Éternel lui a ravi tous ses biens, ses enfants, mais non sa volonté ; il se sent libre et fort et s'adresse à Dieu en termes où percent à la fois la reconnaissance et le défi (« De l'inflexible Dieu la colère est contente »). Et, tandis que les ennemis surviennent de toute part, il se perce de son glaive, en narguant le vainqueur auquel il lance ces ultimes et fières paroles : « Enfants de Philistée, approchez-vous de moi : / Vous allez me trouver mort [...] mais du moins en roi ! » Et par ce suicide grandiose s'achève le drame. — Trad. Plon, 1857.

★ C'est en 1903 que parut le *Saül* de l'écrivain français André Gide (1869-1951), tragédie en cinq actes où l'épisode biblique a été traité avec la plus grande liberté. Le personnage principal, dépouillé de tout ce qui pouvait le grandir, nous est présenté comme la victime de sa misère morale, comme un homme qui s'est toujours soumis à ses instincts et à sa soif de jouissances. Gide entend montrer par là les terribles conséquences résultant de l'abandon de toutes « règles ». Dans cet ouvrage, l'auteur a délaissé le lyrisme pur de ses œuvres précédentes pour adopter le genre analytique dans lequel, de plus en plus, le simple exposé des faits sera remplacé par le développement de réflexions et d'arguments ayant trait à la morale. Ce genre, il faut le reconnaître, est du meilleur Gide.

★ L'œuvre musicale la plus importante consacrée à l'histoire du premier roi des Hébreux est le *Saül* de Georg Friedrich Haendel (1685-1759), oratorio composé d'après le poème d'un auteur anglais inconnu (peut-être Newburg Hamilton) ; il fut donné pour la première fois à Londres en 1739. Cet oratorio ressemble fort à un opéra, car il n'a pas de partie narrative (appelée « texte » ou « historique ») telle qu'on en trouve dans l'oratorio classique de Giacomo Carissimi et dans les *Passions* (*) de Bach. *Saül*, au contraire, ne comportant que des dialogues, peut parfaitement être représenté à la scène. Si certains passages, en outre, sont dépourvus d'action proprement dite, il en est d'autres, en revanche, qui ne manquent pas de mouvement ; par exemple l'apparition de l'ombre de Samuel au IIIe acte et la marche funèbre des héros tombés dans la bataille de Gelboé. Le style musical ne se différencie même pas de celui des mélodrames de Haendel, qui modifia et renouvela avec beaucoup de goût le caractère de l'opéra italien. Seul l'esprit diffère : nous ne trouvons dans *Saül* aucun récitatif sans accompagnement, et ceux qui le sont n'ont qu'une part restreinte. Le seul que l'on puisse distinguer est celui de Jonathan, au Ier acte (« Oh filial piety »), qui précède la remarquable mélodie « No, cruel father », où le fils du souverain se refuse à tuer David, ainsi que son père le lui a ordonné. Comme dans les opéras de Haendel, la musique ici est sobre et pure et donne l'impression d'avoir été profondément méditée ; un véritable souffle biblique semble la pénétrer. Tous les personnages sont admirablement campés. Les solistes n'ont pas ce rôle impersonnel que l'on remarque dans certains oratorios, tels qu'*Israël en Égypte* (*) ou le *Messie* (*) ; chacun vit, chacun a une psychologie particulière. De tous, Saül est certainement le moins réussi, tandis que les femmes sont finement représentées. La partie chorale est d'une richesse et d'une beauté bien supérieures à celles des opéras de l'époque, exception faite, peut-être, de certains opéras français. Dans les airs domine un style de monodie accompagnée, riche d'harmonie ; dans les chœurs, au contraire, c'est le Haendel polyphoniste qui se révèle en une écriture fuguée et des fugues proprement dites. D'autres chœurs ont un caractère plus simple, presque populaire, tel celui du premier acte « Welcome, welcome » (accompagné par les carillons de l'orchestre), qui célèbre les glorieuses victoires remportées par Saül et David. À travers tout l'oratorio, les parties chantées conservent ce ton solennel qui rappelle l'art de Purcell, dont Haendel, qui vécut longtemps en Angleterre, sentit la saine influence. Les parties réservées à l'orchestre sont nombreuses : longue symphonie en guise d'introduction et nombreux interludes.

★ De nombreux oratorios suivirent celui de Haendel ; mentionnons notamment : *Les Lamentations de David sur Saül et Jonathan* [*David's Lamentations over Saul and Jonathan*] de William Boyce (1710-1779) ; *Les Fureurs de Saül* de Jean Joseph Mondonville (1711-1772). Notons encore la musique de scène d'Arthur Honegger (1892-1955) pour le drame de Gide (1922), l'opéra de Carl Nielsen (1865-1931) *Saül et David* [*Saul og David*] créé à Copenhague en 1902.

SAUVAGINE (La). Recueil de contes de l'écrivain provençal Joseph d'Arbaud (1874-1950), publié en 1929. Cet ouvrage comprend sept contes. Dans l'un d'eux (« Bouah-Hou »), on fait connaissance de Riri l'étourneau, lequel est l'ami d'un gros taureau noir de Camargue. Il lui mange les bestioles qui l'habitent et, pour le remercier, le taureau le promène. Riri ne craint plus les chasseurs, car le taureau a plus d'un tour dans son sac. Il lui suffit de projeter avec ses sabots quelques mottes de terre pour aveugler le chasseur et le faire fuir. Dans un autre conte (« Les Nids de buses »), l'auteur fait dialoguer un courlis et un héron. Ce dernier, qui s'appelle Mouah, se désole de voir les buses enlever ses petits. Par la perfidie d'un misérable serpent et la rancune d'une grenouille boiteuse, il ne restera bientôt plus d'enfants hérons sur le marais. Dans un troisième (« Le Secret des anguilles »), on rencontre Kélélé, un jeune poulain passablement prétentieux. De plus, son ignorance à nulle autre pareille l'empêche de reconnaître une anguille d'un serpent d'eau. Il est et demeurera la honte de la Camargue. Chacun de ces sept contes champêtres constitue un petit bestiaire où les animaux tiennent un langage humain. Ils se montrent parfois d'ailleurs bien plus raisonnables que les hommes. Petites histoires naturelles où l'on découvre un amour profond des bêtes, un brin d'ironie, une solide morale, et juste ce qu'il faut de philosophie souriante pour faire de ce recueil un petit chef-d'œuvre mûri au soleil de Provence.

SAUVER LA GUERRE. Essai publié en 1961 par le sociologue français Gaston Bouthoul (1896-1980). L'éminent sociologue, créateur de la polémologie, ou science de la guerre étudiée dans ses causes et dans ses effets, nous donne ici un très important essai où l'appareil scientifique est servi par une rédaction littéraire aussi claire que passionnante, à l'usage de tout honnête homme. Voici quelques-unes des questions, aujourd'hui vitales, auxquelles il répond dans *Sauver la guerre*, essai sous-titré *Lettre aux futurs survivants* : pourquoi l'histoire est-elle régulièrement ponctuée de grandes tueries ? Pourquoi depuis un demi-siècle les guerres sont-elles d'une férocité croissante ? Pourquoi notre langage s'est-il enrichi de ce mot effrayant : le génocide ? Comment comprendre cette étrange épidémie mentale qui s'empare de nations entières, civilisées ou non, et les fait périodiquement se ruer au massacre ? Comment les impulsions belliqueuses collectives montent-elles à la tête des peuples comme une ivresse ? Comment l'homme tranquille se transforme-t-il à certains moments en « homo furiosus » ? La guerre est-elle un instrument politique ou une fonction sociale ? Un moyen ou une fin ? La crainte d'être obligé de renoncer à la guerre, institution sociale la plus vénérable de toutes, avant d'avoir trouvé le moyen de la remplacer dans les fonctions qu'elle remplit est certainement pour une grande part dans le malaise actuel. Sauver la guerre ! C'est aujourd'hui le problème le plus urgent, la solution obscurément souhaitée par tous, parce que chacun sent qu'il n'existe aucune autre institution capable de la remplacer dans ses fonctions millénaires de rééquilibration et de réajustement démo-économiques. Mais ce n'est pas tout ; des raisons d'ordre intellectuel cette fois exigent à tout prix que la guerre soit préservée ; sans l'idée de la guerre, tout l'édifice logique de notre droit international et notre dialectique de développement des nations sont boiteux. Aujourd'hui chacun s'efforce, consciemment ou non, en adoucissant les armements, de rendre à nouveau la guerre possible, et même « attrayante » ; de ne rien faire pour freiner la surpopulation génératrice d'exaspération et d'agressivité dans un monde rétréci. De l'humanité des temps paniques aux hommes que l'auteur appelle les futurs survivants, ce livre bouleversant montre comment les choses se passent, se passeront, et dans quelle mesure nous sommes capables d'y remédier.

SAUVÉS [*Saved*]. Pièce de l'écrivain anglais Edward Bond (né en 1934), créée au Royal Court Theatre de Londres le 3 novembre 1965 dans ue mise en scène de William Gaskill, publiée à Londres en 1966. Le scandale fit beaucoup, à l'origine, pour la notoriété de *Sauvés :* la censure officielle ayant exigé de sévères coupures, Bond décide de passer outre ; la pièce reçoit du public et d'une grande partie de la critique un accueil hostile. Certaines scènes sont, il est vrai, d'une violence spectaculaire : *Sauvés* est, sur ce plan, la pièce la plus significative des « Jeunes gens en colère ».

Ces « jeunes gens » ouvrent la pièce dont l'action se situe dans le sud ouvrier de Londres. La rencontre de Pam et Len enclenche aussitôt une relation sado-masochiste : Len s'installe chez Pam dans l'appartement où elle vit avec ses parents, et il y subira l'enfer quotidien, la haine froide des parents qui ne se parlent plus depuis des années, les humiliations que lui inflige Pam qui s'est entichée de Fred, dont elle aura un enfant. Len tient bon, mais il ne pourra empêcher le pire dont il restera le spectateur parfaitement passif ; c'est la fameuse scène du parc, au cours de laquelle le bébé que Pam a abandonné dans son landau est victime d'un exercice de torture collective perpétré par de jeunes « hooligans », amis de Fred. Malgré la mort du bébé, la vie continue. Rien ne semble à même de pouvoir « sauver » la relation de Pam et Len. Et pourtant la parole, comme un ouragan de furie trop contenue, émergera à nouveau entre le père et la mère, et d'imprévisibles rencontres se dessineront : entre Len et Mary, la mère, autour d'un bas filé ; entre Len et Harry, le père, après la violente dispute qui l'a opposé à sa femme. Len renonce à partir : la dernière scène, pratiquement muette, laisse supposer qu'un nouvel équilibre s'est formé autour de Len.

« Sauvés », mais de qui, et de quoi ? L'angélisme de Len – son optimisme, dit Bond dans sa Préface – a permis assurément de sauvegarder envers et contre tout la cohésion familiale. Demeure une vision du monde d'une noirceur pire que celle du film *Family Life* de Kenneth Loach. Les objets, d'autant que la scène doit être « nue », revêtent une présence hallucinatoire : le canapé du living-room, la télévision, dont le son couvre mal les pleurs du bébé, le landau, surmonté de son ballon bleu, qui devient un cercueil ambulant... Le dialogue, écrit dans une langue argotique en répliques courtes et syncopées, est d'un naturalisme qui finit par annuler tout effet de réalité. Si la pièce dérange, ce ne sont sans doute pas les explications de Bond (selon lesquelles la lapidation du bébé est « d'une atrocité négligeable » comparée au bombardement des villes allemandes ou au sort quotidien de bien des enfants) qui pourraient lever l'ambiguïté. Mais *Sauvés,* au-delà de son naturalisme militant, propose des pistes : celle d'un Œdipe moderne – la version « hooligan » de la « furie atavique » déchaînée sur l'enfant –, celle d'une conséquence sociale d'une guerre trop proche, aux atrocités trop vite enfouies. C'est cette esquisse de symbolisation, première tentative de rationalisation de la colère, qui fait la force de *Sauvés.* – Trad. Bourgois, 1971. A. Va.

SAUVETEUR DE L'ÉGARÉ (Le) [*Al-munqidh min al-ḍalāl*]. Essai d'autobiographie spirituelle du penseur musulman d'expression arabe Abū Ḥamīd al-Ghazālī (né à Ṭūs, Iran oriental, 1058-1111). Rédigé à l'issue de la crise spirituelle qui l'amena, en 1095, à abandonner une brillante carrière d'enseignant, ce bref ouvrage est l'un des rares représentants du genre autobiographique dans la littérature arabe classique, si l'on excepte, dans un registre totalement différent, *Des enseignements de la vie* (*) d'Usāma ibn Munqidh. Au reste, la confidence personnelle est toujours, chez al-Ghazālī, mise au service d'un propos universel ; c'est ce dernier qui impose son organisation à l'ouvrage, aux dépens d'un ordre strictement narratif. La question que se pose al-Ghazālī est la suivante : comment guérir cette « maladie de l'âme » qu'est le doute ? Il s'agit bien, en effet d'une maladie : la croyance ou l'incroyance ne relèvent pas de la volonté et du choix, mais d'une adhésion intérieure qui transcende les règles de la logique, et sans laquelle même les premiers principes de la raison apparaissent entachés d'incertitude. Partant de là, l'auteur envisage les solutions proposées par les différents courants de pensée existant à son époque. Tout d'abord par la théologie spéculative [kalām] : celle-ci, utile pour combattre certaines idées fausses, ne saurait cependant arriver à une certitude positive ; pis, la subtilité excessive de ses discussions peut facilement perturber les croyants ordinaires. En ce qui concerne la philosophie issue de l'héritage hellénique [falsafa], al-Ghazālī, dans la *Réfutation des philosophes* s'attache à démontrer que celle-ci, contrairement à ce que prétendent ses défenseurs, est loin de constituer un édifice monolithique, et se compose en réalité de disciplines indépendantes, dont chacune doit être jugée en elle-même : on peut parfaitement, selon lui, accepter la validité de la logique, des mathématiques, voire, jusqu'à un certain point, des sciences naturelles, sans pour autant être obligé d'admettre la métaphysique, dont il s'attache à démontrer qu'elle est inconsistante avec l'ensemble et largement entachée d'erreur – la position inverse fut défendue par Averroès dans *La Réfutation de la réfutation* (*). Passant ensuite à l'imamisme ismaélien, pour qui l'accès à la vérité suprême suppose la reconnaissance de l'« imam caché », dépositaire et garant du sens ésotérique de la révélation, al-Ghazālī, tout en admettant la nécessité rationnelle d'une autorité extérieure à la raison, oppose, à la figure ésotérique de l'imam, celle du prophète, dont l'exemple [sunna], relevant d'un savoir public et collectif, fournit à chacun une règle de conduite suffisante pour accéder aux plus hauts degrés de la réalisation spirituelle. Toutefois, l'autorité du prophète elle-même, pour un esprit suffisamment exigeant, nécessite à son tour d'être fondée ; ce fondement ne saurait se trouver que dans l'expérience vécue des mystiques, par laquelle l'adepte participe, bien qu'à un niveau inférieur, à la conscience prophétique. « Science de dévoilement », incommunicable par la parole, mais source d'inspiration publique grâce à l'enseignement et à l'exemple des maîtres, le ṣūfisme devient dès lors la clé de voûte non seulement de la vie religieuse, mais aussi de la vie sociale. – Trad. *Journal asiatique*, 1877. J.-P. G.

SAVANT ET LE POLITIQUE (Le). Cet ouvrage du sociologue allemand Max Weber (1864-1920) est un recueil de deux textes de 1919 portant sur « Le Métier et la vocation de savant » [Wissenschaft als Beruf] et « Le Métier et la vocation d'homme politique » [Politik als Beruf]. Weber tente de dégager l'éthique propre à chacune de ces activités ainsi que leur finalité. Il explicite la position de l'universitaire dans les institutions politiques allemandes, en soulignant qu'il est un rouage de l'État. L'université étant une entreprise à la fois capitaliste et bureaucratique, la vocation de savant, dans un monde moderne marqué par la spécialisation des savoirs, est une passion d'autant plus difficile à cerner qu'en raison des progrès des sciences sa production est destinée à être rapidement périmée et ne sera pas vérité éternelle ; elle ne procurera au plus qu'un apport positif à la vie pratique en refusant les jugements de valeur et en fondant ses analyses sur l'expérimentation rationnelle. Le savant contribue donc à donner une vision « désenchantée » du monde, à l'opposé du religieux.

En ce qui concerne l'homme politique, Weber le définit comme celui qui agit sur la direction du « groupement politique » (l'État) ou qui l'influence. L'État se définissant par le moyen d'existence qui lui est propre comme « monopole de la violence physique légitime », il fixe un rapport de domination qui peut prendre trois formes : charismatique, traditionnel, ou rationnel-légal. La première repose sur la puissance de conviction de son chef, la deuxième sur la force que donne aux règles la tradition, la troisième sur l'aspect universel et légal des règles imposées. L'homme politique sera celui qui vivra pour exercer cette domination ou pour avoir une influence sur ceux qui l'exercent : tel sera son but. Au début l'aspect économique est décisif : pour faire de la politique il faut avoir des sources de revenus suffisantes et qui laissent les loisirs nécessaires. Peu à peu les hommes politiques vont devenir des politiciens professionnels et non plus occasionnels, il leur faudra donc pouvoir vivre grâce à leur activité politique. C'est dans le sens de cette évolution que tend l'État moderne où l'homme politique vivra « pour » la politique et « de » la politique. Au départ les hommes politiques professionnels apparaissent dans la lutte entre les princes et les ordres religieux comme des auxiliaires des premiers, ce sont les clercs, puis les lettrés, puis la noblesse de cour, puis la « gentry » en Angleterre, les juristes en Occident depuis le XVIIIe siècle et en particulier les avocats. Dans les États constitutionnels et les démocraties, au cours de la seconde moitié du XIXe siècle, on voit apparaître d'autres catégories sociales, petites-bourgeoises et même prolétaires, qui viennent concurrencer les élites traditionnelles, au fur et à mesure que la politique devient une activité occupant davantage de personnes qui l'exercent comme profession principale. Cette évolution est étroitement liée à l'organisation moderne des partis qui résulte, avec l'introduction du suffrage universel, de la nécessité d'organiser les masses de manière disciplinée. C'est alors que dans les partis apparaissent des « permanents » qui définissent le travail à l'intérieur de l'organisation partisane et donnent les directives politiques pour les campagnes électorales, dont l'argument reposera plus que jamais sur le charisme des chefs. Le parti se transforme dans le sens de la bureaucratisation et de l'usage de la démagogie. Ce processus s'observe en Allemagne, en Angleterre et en France. Max Weber réfléchit enfin sur l'« ethos » de l'homme politique, c'est-à-dire sur les buts qu'il se propose, et sur les moyens dont il use pour y parvenir. L'éthique de la conviction (poursuite d'un but parce qu'on le croit bon) cède alors le pas à celle de la responsabilité (poursuite d'un but qui peut être rationnellement atteint). Cette réflexion sur l'organisation des partis politiques et sur le métier d'homme politique constitue une des sources théoriques principales de la science politique contemporaine. – Trad. Plon, 1959. H. T.

SA VIE À SES ENFANTS. Récit autobiographique de la vie du poète français Théodore Agrippa d'Aubigné (1552-1630), rédigé probablement entre 1626 et 1629. Il l'a légué à ses enfants en indiquant que le livre ne devait connaître que deux copies à leur usage exclusif. Cette volonté procède d'un but : son grand âge dans son exil genevois, les déceptions qui suivent la trahison de son fils Constant, l'effondrement du parti protestant après la chute de La Rochelle et la paix d'Alès en 1629, la persécution infligée à son « grand œuvre » de l'*Histoire universelle* l'amènent à faire un point exemplaire sur son comportement de croyant et sa fidélité à la monarchie. Le texte semble d'abord avoir été dicté à un secrétaire, puis copié sur un premier récit perdu, et enfin corrigé de la main même de d'Aubigné (Mss Tronchin 156). *Sa vie à ses enfants* est en partie un double de l'*Histoire universelle* (qui n'est terminée qu'en 1626), si l'on considère le récit des événements où Aubigné se peint en témoin et acteur, après s'en être fait l'historien : soixante ans d'engagement personnel dans une épopée collective changent ici d'interprétation. Y entrent aussi des épisodes marginaux que la dignité de l'écriture historique n'aurait pas supportés. C'est à ce titre de complément et de curiosité historique et politique que *Sa vie* a été publiée en 1729. Cette autobiographie est pour nous partielle : peu d'indices affectifs, spirituels, intellectuels, dans cette série chronologique, agrémentée de scènes parfois pittoresques, qui semble d'abord une « re-mise en scène » de l'Histoire focalisée sur un héros, ses actes guerriers, ses répliques percutantes, son « panache », au milieu d'une époque mouvementée et de compagnons prestigieux. Les auteurs de romans y puiseront sans vergogne (Dumas, ou J.-P. Chabrol dans *Le Bouc du désert*). Mais ses lignes directrices fortes ont un sens profond. Naissance en 1552, qui cause la mort de sa mère, serment exigé par le père de venger les conjurés d'Amboise, première menace de mort faite par un inquisiteur à l'enfant de 10 ans, les scènes initiales organisent une sorte de prélude dramatique à des actes qui n'en sont que l'expansion. Guerres de Religion, engagement sans transaction dans le Parti réformé, relations passionnelles avec Henri de Navarre, conflits jusqu'à l'exil à Genève : tout cela témoigne de la constance et de la vérité, mais aussi de la générosité, de l'attachement à des valeurs fondamentales nobiliaires et religieuses. D'Aubigné ne veut pas seulement se justifier devant l'histoire : ce discours de compensation, apologétique, construit une figure idéale du Moi, projet autobiographique encore rarement dessiné au début du XVIIe siècle. Un peu de vanité, certes, et la revanche sur divers échecs commandent la valorisation de soi, mais le récit est à sa manière prière et remerciement du croyant, qui discerne dans les vicissitudes de sa vie un dessein divin, une continuité des « merveilles de Dieu ».

M.-M. F.

SAVOIR LOCAL, SAVOIR GLOBAL. Les lieux du savoir [*Local Knowledge. Further Essays in interpretive Anthropology*]. Œuvre de l'anthropologue américain Clifford Geertz (né en 1926), publiée en 1983. Dû à un auteur bien connu outre-Atlantique (Clifford Geertz est professeur au célèbre Institute for Advanced Studies à Princeton), ce recueil d'essais réunit des conférences consacrées à des observations générales ou théoriques sur l'évolution de l'anthropologie, ses méthodes et ses résultats, ainsi que sa signification dans la culture moderne. C'est un mélange de réflexions historiques, littéraires ou philosophiques, et d'évocations ethnographiques subtiles présentées à travers une écriture raffinée, élégante, au pouvoir persuasif.

La caractéristique essentielle de l'anthropologie, et qui pour Geertz en fait l'originalité et l'intérêt, serait d'osciller entre les abstractions et les détails concrets : la discipline traite en effet des problèmes philosophiques fondamentaux (comment pense-t-on le monde, comment s'organise telle société, etc.) en étudiant tous les aspects de l'existence quotidienne de villages exotiques. L'auteur compare ainsi la conception de la personne à Java, à Bali et au Maroc, les symboliques du pouvoir dans l'Angleterre d'Élisabeth Ire, Java et le Maroc. La persistance d'une partie considérable du caractère culturel d'un peuple est l'un des plus profonds mystères des sciences humaines. La nature figurative de la théorie sociale, l'effet moral réciproque de mentalités contrastantes ; les difficultés pratiques à voir les choses comme les autres les voient, le statut épistémologique du sens commun, le pouvoir révélateur de l'art, la construction symbolique de l'autorité, la variété scintillante de la vie intellectuelle moderne, et le rapport entre ce que les gens tiennent pour un fait et ce qu'ils considèrent comme la justice, sont traités l'un après l'autre dans un effort pour comprendre de quelque façon comment il se fait que nous entendions des entendements qui ne sont pas les nôtres. « Nous voir comme les autres nous voient peut ouvrir les yeux. Voir les autres comme partageant une nature avec nous-mêmes est la moindre politesse. Mais c'est à partir de ce qui est beaucoup plus difficile : nous voir parmi les autres comme un exemple local des formes que la vie humaine a prises ici et là, un cas parmi les cas, un monde parmi les mondes, que vient la largeur d'esprit sans laquelle l'objectivité est congratulation de soi et la tolérance imposture. Si l'anthropologie interprétative a un rôle général quelconque dans le monde, c'est d'enseigner encore et toujours cette vérité fugace. » — Trad. PUF, 1986.

D. P.

SAVON (Le). Texte de l'écrivain français Francis Ponge (1899-1988). Commencé en avril 1942, l'ouvrage sera terminé en janvier 1965 et paraîtra en 1967. « Il y a plus à bafouiller qu'à dire touchant le savon. » Sitôt pris en main et « agacé avec de l'eau », le savon nous échappe. Et c'est cette échappée loquace, bavarde, que dans leur incorrigible retard les mots tenteront, dans leur retenue, de dire. « Le parti pris des choses » et « la rage de l'expression » vont, après s'être exercés sur maints autres objets moins fuyants (le galet, par exemple), tenter l'impossible rencontre de ce qui n'est qu'en perpétuelle métamorphose. Ni objet, posé là devant nous, ni non plus simple « objeu » articulé-articulant d'une expérience de vision, le savon « *se* signifie [...] s'éternise enfin, dans l'objoie ». Cette jubilation provoquée par le savon n'est pas séparable de la jubilation propre au texte qui cherche à y correspondre. Qu'est-ce, en effet, que le savon ? Autant réalité matérielle en perpétuelle dissolution, que réalité langagière en constant effort de se dire. Le savon n'est pas seulement « pierre bavarde » servant à la toilette, il est aussi, inséparablement, « prétexte ». Non que le texte viendrait en offrir un substitut verbal ou l'image reflétée à travers une subjectivité parlante, le savon, objet parlé (une partie du texte fut prononcée à la radio), est petite machine à décrasser l'intellect. Produit de cosmétique, le savon engendre le monde (cosmos) textuel — celui du *Savon.* S'il est de l'essence du savon de se dissoudre, « de s'user [...] de se perdre dans sa fonction », non sans avoir en cours de disparition laissé des bulles, il est de l'essence du texte, « à la recherche du savon perdu », de s'effacer après avoir laissé les traces de son passage. Le texte lavé au savon, rincé à grande eau, inscrit noir sur blanc les marques de son inscription/effacement. Entreprise paradoxale dont l'ironie (voire l'humour) provoqua les réserves de Camus et le silence de Paulhan lorsqu'ils en reçurent (en 1943) des extraits. Les incessantes reprises du texte, ses constantes avancées et ses remords perpétuels, les digressions (morales, esthétiques, politiques) qui en ponctuent le cours, plus polyphonique que simplement sinueux, en font un véritable travail de Pénélope à la fois léger et vain. C'est, en effet, à une « composition en forme de fugue » qu'il faut rapporter ce « *dossier*-savon » ou « dossier-*savon* ». Dossier, atelier dont chacune des strates est datée : Roanne, 1942, premières notes sur le savon, Coligny, 1943, où est présenté ce que l'on pourrait appeler le « journal du savon », vient ensuite un « Prélude en saynète, ou Momon », mise en scène bouffonne de la parole à propos du savon, suivent de courts textes qui sont comme le centre du livre et qui ne sont pas sans faire penser aux textes du *Parti pris des choses* (*), l'ouvrage se termine sur cinq appendices écrits entre 1964 et 1965, et qui constituent comme autant d'approfondissements du propos et de réflexions sur le projet. Réalité du texte et réalité de la chose se confondent, symphonisent. L'écriture du texte, mais aussi sa lecture auront été des exercices de « toilette intellectuelle ». F. W.

SAYF (Roman de). Roman populaire arabe à caractère épico-fantastique, rapportant les aventures supposées du prince yéménite Sayf ibn Dhī Yazan (mort en 574 ?), qui contribua à débarrasser le sud de l'Arabie du joug abyssin. Composé en Égypte à une date probablement assez tardive (XIVe-XVe siècles), mais incorporant des matériaux beaucoup plus anciens, le roman situe l'action dans un passé démesurément lointain et passablement fantaisiste : descendant à la quatrième génération du patriarche Sem, Sayf a pour destin de réaliser la « malédiction de Noé », par laquelle celui-ci a condamné les Abyssins et les Soudanais, descendants de Cham, à être asservis par les Yéménites, descendants de Sem ; il doit également « libérer » le Nil, qu'un puissant sortilège maintient arrêté en Abyssinie, privant l'Égypte de ses bienfaits. Sayf, présenté comme champion de la « religion d'Abraham », est ainsi amené à s'opposer aux rois « païens » du Soudan et d'Abyssinie, et notamment au plus puissant d'entre eux, Sayf Arʿad, adepte d'un culte stellaire dont les deux grands prêtres, les mages Saqardios et Saqardion, sont les plus redoutables ennemis du héros. Mais celui-ci doit également déjouer les complots de sa propre mère, l'affreuse sorcière Qamariyya, qui l'a abandonné dans son enfance pour régner à sa place et ne cesse de le poursuivre de sa haine, tentant à plusieurs reprises de l'assassiner. Heureusement pour lui, il dispose de son côté d'alliés aussi efficaces qu'inattendus : le « capitaine » Saʿdūn, ex-bandit de grand chemin au verbe truculent et au courage indomptable, l'enchanteur Barnūkh, irascible mais efficace, et la propre fille du roi des djinns, ʿAqīṣa, qui intervient toujours à point nommé pour sauver le héros, qui fut jadis son frère de lait, des situations les plus critiques. À cela s'ajoute tout un bric-à-brac d'objets magiques aux propriétés plus ou moins farfelues (on notera entre autres un casque d'invisibilité fabriqué par le philosophe Platon, ainsi qu'une sorte de marmite à réaction qui permet de voyager dans les airs). À côté de cet usage débridé et non dépourvu de charme des thèmes fantastiques, le roman se caractérise aussi par la place importante qu'y occupe l'élément amoureux, traité avec une liberté et une grâce sensuelle qui rappellent davantage l'atmosphère de certains contes des *Mille et Une Nuits* (*) que la passion héroïque et courtoise de *ʿAntar* (*) ou la conjugalité quelque peu rigoriste de *Baybars* (*). Les innombrables amourettes du héros sont ainsi l'occasion de présenter toute une galerie de personnages féminins, princesses, ou magiciennes, parmi lesquelles se détache tout particulièrement la délicieuse figure de Shāmeh, sa première épouse et compagne de plusieurs de ses aventures, mélange de grâce adolescente et de sagesse pratique, libre et hardie dans ses allures et son comportement tout en sachant préserver sa pudeur et sa dignité. J.-P. G.

SAYNÈTES de Tchekhov. Comédies brèves de l'écrivain russe Anton Tchekhov (1860-1904), datant de ses débuts. *Anniversaire de la fondation* [*Jubilej,* 1887] met en scène un directeur de banque : alors qu'il se prépare pour la fête que lui réserve son personnel, il est assailli par des fâcheux extravagants. Il ne parvient pas à s'en débarrasser : une bataille éclate, au plus fort de laquelle survient le conseil d'administration qui venait féliciter le malheureux directeur de la parfaite organisation de sa maison ! — La jolie veuve de *L'Ours* [*Medved'*, 1888] a juré de rester éternellement fidèle à la mémoire de son défunt mari. Elle reçoit un jour la visite d'un arrogant créancier, auquel elle demande vainement un délai. Le ton monte, au point que les deux antagonistes décident de se battre en duel. Mais le créancier tombe soudain amoureux de la belle dame, l'ours se fait agneau et la vertueuse veuve tombe dans ses bras. — Dans *Une demande en mariage* [*Predloženié*, 1888], un propriétaire terrien vient demander à son voisin de lui accorder la main de sa fille. Les deux hommes ne tardent pas à se disputer, au sujet de la possession d'un pré, et le prétendant est jeté dehors. Mais la jeune fille, toute en pleurs, supplie son amoureux de revenir : les deux hommes se raccordent, pour reprendre immédiatement leur querelle, mais cette fois sur la beauté réciproque de leurs chiens. À la fin, heureusement, tout s'arrange. — Dans *Une noce* [*Svad'ba*, 1884], à un banquet de noces auquel assistent des gens de conditions très diverses, mais généralement médiocres, on donne vingt-cinq roubles à un agent d'assurances pour qu'il réussisse, à ce prix, à inviter un général. Le général se fait longtemps attendre, puis, une fois là, ne parle que de marine et de stratégie, pour le plus grand ennui de tous. On finit par le prier de changer de conversation : le « général » se fâche et demande pourquoi on l'appelle ainsi, attendu qu'il n'est qu'un simple colonel ! Stupeur des invités : « Mais alors, demande la maîtresse de maison, puisque vous n'êtes pas général... pourquoi avez-vous empoché les vingt-cinq roubles ? » Et le colonel, rouge de colère, part en faisant un esclandre ! Mais Tchekhov ne se contente pas toujours de brosser des types ou des scènes simplement ridicules, pour le seul effet comique. Parfois, sous le comique, on voit percer l'amertume, et même la tragédie de l'existence. — C'est l'homme écrasé sous la vie quotidienne, qu'on pourra reconnaître dans *Le Tragique malgré lui* et *Les Méfaits du tabac*. Dans la première de ces saynètes [*Tragik penevolé*, 1887], un père de famille, excédé par la vie de bureau et de famille, en arrive à demander à un ami de lui prêter un revolver pour se suicider. Le malheureux est surtout excédé par les innombrables commissions dont le chargent chaque jour sa femme et ses enfants. L'ami serviable le plaint beaucoup et lui demande seulement un petit service : ne pourrait-il, par hasard, rapporter à une amie une machine à coudre et une cage de canari ? On ne sait si le pauvre homme se suicidera : mais, devant la proposition de son ami, il pourrait bien mourir de colère. Dans la seconde saynète [*O vrede tabaka*, 1886], l'époux d'une directrice de collège fait une conférence sur la nocivité de la nicotine. Il parle du tabac, mais en même temps de son travail au pensionnat, de ses disputes conjugales, des difficultés de la vie : et, sous prétexte de nicotine, c'est tout le malheur secret d'un pauvre homme qui nous est un moment dévoilé. — Il arrive même que, dans ces saynètes, la situation soit franchement tragique : le vieil acteur du *Chant du cygne* [*Lebedinaja pesnja*, 1886], pris un soir de boisson, a été enfermé dans le théâtre après la représentation. Il rencontre le souffleur et finit par lui confesser sa vie misérable d'artiste vieux, raté, et privé d'amour. — Dans *Sur la grand-route* [*Na bolchoj dorogé*], un noble, ruiné par sa femme et devenu clochard, retrouve son ancien cocher, qui lui paie à boire et raconte aux paysans l'histoire de son maître. L'épouse infidèle entre se chauffer, pendant que le cocher est allé réparer le traîneau. Interpellée par son mari, la dame le traite avec le plus humiliant mépris. Un des assistants se jette sur elle pour la tuer, mais elle parvient à s'échapper. Ces œuvres de jeunesse ont le grand intérêt de nous montrer le réalisme de Tchekhov en train de se découvrir et de s'affirmer. S'il fait ici à l'effet scénique une part qu'on ne retrouvera point dans ses œuvres futures, on voit bien déjà le caractère essentiel de son art : se garder de bâtir une intrigue, pour s'en tenir à des « tranches de vie », que l'on a stylisées avec soin. Et rien ne pouvait mieux convenir à ce dessein que la saynète. — Trad. Gallimard, 1989.

SCANDALE (Le) [*El escándalo*]. Roman de l'écrivain espagnol Pedro de Alarcón (1833-1891), publié en 1875. Ce livre représente la dernière manière de l'écrivain lorsque, revenu à la foi, il entreprit de réagir contre le naturalisme de ses meilleurs écrits. Un jeune aristocrate, Fabián Conde, après une vie de débauche, rompt avec son passé sous l'influence du noble amour que lui voue Gabriela, et décide de mener une vie exemplaire. Mais Gregoria, la femme de son meilleur ami, se voyant méprisée par le libertin repenti, colporte à son sujet maintes calomnies, au point d'armer contre lui Diego, mari de Gabriela et ami très cher de Fabián. L'honneur du jeune homme est en jeu, son bonheur et sa vie sont menacés, mais la foi que suscite un pur amour lui donnera la force de surmonter cette épreuve et, guidé par un jésuite nommé Manrique, il s'engage dans la voie du sacrifice. Le roman se déroule dans une atmosphère intensément religieuse et spirituelle, avec pour thème dominant le plus délicat problème de la spiritualité catholique, celui du mal et de la rédemption. Le mal, conclut Alarcón, loin d'être une ombre, constitue au contraire une réalité très lourde qui entraîne de tout son poids le pécheur vers l'abîme : et la grâce divine elle-même, si le pécheur ne la seconde pas de tous ses efforts, est impuissante à conjurer les effets du mal. Un tel livre, où étaient soulevés des problèmes si passionnément débattus dans l'Espagne de la fin du XIXe siècle assoiffée de rationalisme, ne pouvait manquer d'être l'objet des plus âpres critiques. L'auteur fut accusé, tantôt d'avoir écrit un livre fallacieux, et tantôt de verser dans les théories ultramontaines, sans toutefois que l'on ait jamais contesté la valeur littéraire du roman. *Le Scancale* n'est pas, du reste, un roman à thèse, mais une œuvre de grand art et remarquablement construite, où des idées ne font qu'un avec la vie. — Trad. Hachette, 1890.

SCEAU DES SCEAUX (Le) [*Sigillus sigillorum*]. Traité philosophique en latin du philosophe italien, Giordano Bruno (1548-1600). Écrit en 1583, il appartient, avec *Des ombres des idées* (*), l'*Explication des trente sceaux* (*) et la *Composition des images et des idées,* au groupe des œuvres néo-platoniciennes. L'ouvrage, qui ne laisse pas de présenter quelques affinités avec ceux qu'il écrivit sous l'influence de Lulle (cf. *Lampe combinatoire de Lulle, Précis et complément de l'art de Lulle*), s'en distingue cependant par cette orientation psychologique qui caractérise toute recherche relative aux lois de la mémoire ; dans *Le Sceau des sceaux,* comme dans *Des ombres,* cette orientation prend même un aspect métaphysique. L'écrit de Bruno est représentatif de l'esprit de la Renaissance qui, s'étant libéré des influences du Moyen Âge, s'exprime essentiellement dans deux tendances : la critique des sources de la connaissance (qui aboutira au scepticisme) et la contemplation de Dieu dans la nature (qui aboutira au naturalisme). Les sceaux sont l'expression abrégée des lois, tant logiques que psychologiques, sur lesquelles se fonde l'artifice mnémonique ; et le « sigillus sigillorum » est la doctrine idéologique, c'est-à-dire le principe suprême de ces lois. L'œuvre se divise en deux parties : la première traite des facultés de la connaissance et de leur progrès, la seconde de leurs produits. L'objet de la connaissance est pour Bruno la Vérité, de même que l'Être est l'objet de la philosophie et le Bien suprême celui de la morale : il pose donc comme des absolus la Vérité, l'Être et le Bien. Mais à la connaissance suprême de la Vérité on parvient par degrés, c'est-à-dire en passant de la sensation à la raison, à l'intellect et à l'esprit ; ou encore, de la perception sensible à l'imagination, puis à l'intellect et à la seconde mémoire (intellect acquis ou habituel). Les sens servent uniquement à exciter la raison, non à juger ou à condamner ; ils ne peuvent voir l'infini, car il n'y a en eux aucun principe de certitude. La sensation, degré infime de la connaissance, se déroule en ligne droite, à partir des objets extérieurs, et comprend deux moments : un moment inférieur qui ne distingue aucune qualité des choses, et ne perçoit que des impressions, et un moment supérieur, qui saisit ces qualités. L'imagination reflète la vérité d'une manière discursive et présente, elle aussi, deux moments : l'un pénétré de raison, l'autre tourné vers l'instinct ; l'intellect, lui, se saisit de la vérité comme principe et conclusion, mais ce n'est que dans la seconde mémoire ou esprit qu'elle trouve sa forme propre. L'esprit seul est capable d'appréhender intellectuellement l'infini ; la profondeur de l'esprit est la très haute demeure où se trouve Dieu. La différence entre l'esprit et l'intellect consiste en ceci, que dans l'intellect on a l'unité comme produit de « plusieurs », tandis que dans l'esprit se trouve l'unité immédiate de « tous les plusieurs », pris en tant qu'unité. L'esprit procède en se concentrant sur lui-même en ligne circulaire, contrairement aux sens qui procèdent en ligne droite ; les autres facultés intermédiaires participent de l'une et de l'autre de ces formes, c'est-à-dire qu'elles procèdent en ligne oblique. Dans cette ascension consistent le rythme et le processus éternel de l'esprit, de lui-même par lui-même, vers lui-même. Ce processus, d'après Bruno, ne finit jamais ; il n'est pas sans solution (position sceptique), mais il ne comporte pas non plus une solution déterminée (position dogmatique) : c'est un éternel problème qui est en même temps une éternelle solution ; à la différence de ce que soutiendront Spinoza (éternelle solution sans problème) et Kant (éternel problème sans solution). Or, étant donné cet enchaînement naturel des idées, les connaissances se conservent si elles sont ordonnées et liées, sinon elles demeurent obscures et se perdent. Il est utile à la mémoire que les idées et les images émeuvent le sentiment, car à sa plus grande violence correspond une plus grande capacité de retenir et une action plus prompte. En outre, les images centrales de la mémoire devront être concrètes, c'est-à-dire sensibles, car ce n'est qu'en liaison avec elles qu'on retiendra les idées abstraites. La seconde partie de l'ouvrage traite des produits de l'intellect, à savoir l'amour, l'art, les mathématiques et la magie. Le premier nous amène jusqu'à l'intuition de Dieu — v. *Fureurs héroïques* (*) ; l'art est présent en toute chose ; les mathématiques constituent le guide le plus sûr pour la contemplation du pur intelligible ; la magie est excellente si, découvrant les rapports entre les choses, elle fortifie les sens ; néfaste, si, fondée sur l'incrédulité, elle contribue à les mortifier. Conformément à ces guides de l'intellect, on a les quatre objectifs de l'esprit : la lumière, la couleur, la figure et la forme. En dépit de ses nombreux artifices, l'œuvre est une des meilleures du genre ; elle accepte, mais en la critiquant, la doctrine platonicienne ; et elle est imprégnée de ce monisme que son auteur développera dans son traité *Cause, principe et unité* (*). Elle marque le passage de l'obscur platonisme des premières œuvres, écrites sous l'influence de Lulle, au naturalisme qui triomphera dans toute la philosophie de la Renaissance. Ainsi Bruno annonce la nouvelle philosophie et, par son intégration du problème de la connaissance dans la métaphysique, Leibniz lui-même.

SCEAU ÉGYPTIEN (Le) [*Egipetskaja marka*]. Récit du poète russe Ossip Mandelstam (1891-1938), publié en 1928. C'est une chronique poétique des journées de la Révolution de 1917 à Saint-Pétersbourg en huit chapitres brefs. Ce récit d'un poète mélancolique et burlesque, lyrique et précieux, n'obéit à aucun genre précis. Tout s'y mêle : autobiographie, collages, tableaux de la ville, portraits savoureux, récits mythiques des rassemblements populaires de la Révolution et rappel du passé lointain ou de pays étrangers. La musique est le tempo de ce poème en prose qui semble se démembrer au fur et à mesure que la ville en révolution où tout change et où tout demeure, meurt et renaît : c'est le monde démembré des petits commerçants juifs (blanchisseries, pâtisseries, pharmacies), des objets les plus quotidiens et les plus divers (fers à repasser, miettes de pain, calèches, carafes) — monde sur-réaliste vu par l'imagination débordante d'un poète subtil. La mélancolie et l'angoisse du doute ne cessent de ronger l'auteur : « Il est terrifiant de penser que votre vie est un récit sans sujet ni héros, faite de vide et de verre, de balbutiement ardent des seules défaites, du délire enrhumé de Pétersbourg. » Cette vie écorche sans cesse un tel poète qui, trop lucide, n'a jamais pu abdiquer ses rêves. Il nous reste ce regard étrange sur le monde et cette certitude que, malgré la peur, l'imagination, en transfigurant le quotidien, le fait voir dans sa profondeur, ambigu. — Trad. L'Âge d'homme, 1968.

SCÈNE CAPITALE (La). Récits de l'écrivain français Pierre-Jean Jouve (1887-1976). Sous ce titre sont réunis en 1961 un ensemble de dix courts récits : *Histoires sanglantes* (*) (1932) ainsi qu'un petit roman en deux volets (*La Victime* et *Dans les années profondes*) : *La Scène capitale* (1935). Après ce dernier texte, contemporain de la rédaction du recueil de poèmes *Sueur de sang* (*), Jouve renoncera définitivement au genre romanesque. Dans son « journal sans date », *En miroir* (*), l'auteur revient longuement sur la genèse de ces proses où le « fond personnel », intimement mêlé aux rêves exploités avec rage, trouve à s'exprimer dans une langue d'une rare densité dont la précision quasi clinique exclut tous les artifices. Les *Histoires sanglantes* sont comme la voie d'accès à *La Scène capitale*, nous dit leur auteur. La violence des scènes racontées, travaillées à même la matière onirique qui en fournit le tissu, est organisée par une mise en récit extraordinairement efficace. Ce travail de la forme en quoi réside toute la valeur de l'art va consister à « rendre en émotion » l'informe magma qu'est notre inconscient. Il ne faut pas oublier que Jouve s'était intéressé de très près aux théories freudiennes de l'appareil psychique (avec son épouse, Blanche Reverchon, il avait même traduit certains textes de Freud). Il n'est pas excessif de prétendre qu'il est l'un des rares auteurs à avoir réussi à produire des œuvres littéraires de qualité à partir de la théorie psychanalytique. D'où sa singularité et sa modernité. Les conflits entre Éros et la pulsion de mort vont former la trame même de ces récits et vont en tisser les intrigues de façon de plus en plus complexe. L'amour, s'il n'exclut pas le plaisir et les « obsessions de l'intimité sexuelle » ne saurait s'y réduire : il touche par ses racines au sang, au crime, à l'impossible réalisation, à la mort. Jouve aime à citer Baudelaire sous le patronage duquel il écrit : « La volupté unique et suprême de l'amour gît dans la certitude de faire le "mal". » De cette certitude vont naître trouble et culpabilité. L'art seul offre une possibilité de salut : « Je n'aurais jamais écrit une ligne si je n'avais cru au rôle sanctificateur de l'art. » Le réalisme, voire la cruauté de ces récits, tient à leur sincérité : l'art ne doit en rien édulcorer la réalité mais lui permettre de trouver une forme communicable, sans rien altérer de son énigmaticité. Dans *Dans les années profondes*, à travers le personnage d'Hélène ce sont « trois figures de femme éloignées l'une de l'autre » qui sont évoquées et composées en une véritable « synthèse sentimentale ». Hélène, objet aux confins de la réalité interdite (elle figure la mère) et du rêve inaccessible (l'idéal irrésistible), va faire l'éducation amoureuse du héros (Léonide) : il abandonnera sa fascination narcissique adolescente, devra éliminer ses rivaux et enfin possèdera charnellement son initiatrice qui mourra quelques instants après cette union. Hélène morte « met au monde » (de l'art) celui à qui elle s'est livrée en le contraignant à faire le récit de cette « scène capitale ».

F. W.

SCÈNES, suites pour orchestre, de Massenet. Musicien de théâtre, le compositeur français Jules Massenet (1842-1912) composa plusieurs suites d'orchestre, qui s'apparentent cependant à l'art lyrique par leur caractère dramatique, descriptif et essentiellement mélodique. 1°) *Scènes de féerie* (1880) divisées en quatre tableaux : « Cortège », « Ballet », « Apparition » et Bacchanale » ; 2°) *Scènes napolitaines* (1864) comprenant trois parties : « Danse », « Procession et Improvisation », « La Fête » ; 3°) *Scènes dramatiques* (1873), directement issues du théâtre de Shakespeare. C'est d'abord « La Tempête » que traversent Ariel et les Esprits ; puis le « Sommeil de Desdémone », tout en douceur candide ; vient ensuite la « Ronde nocturne dans le jardin de Juliette » ; enfin « Macbeth », où sont juxtaposés les épisodes des sorcières, du festin, des apparitions, du couronnement de Malcolm. La partition s'achève sur une fanfare éclatante ; 4°) Massenet écrivit une seconde *Scène dramatique,* limitée à deux parties : « Prélude » et « Mélodrame » ; 5°) Les *Scènes hongroises* (1871) débutent par une « Entrée en forme de danse » ; suivent alors « Intermède », « Adieux à la fiancée » et « Cortège nuptial ». Massenet ne s'est pas inspiré ici du folklore hongrois ; mais il a recréé une atmosphère où nous retrouvons, sinon la Hongrie authentique, du moins celle que nous imaginons ; 6°) Les *Scènes pittoresques* (1874) sont annoncées par une « Marche » rapide et joyeuse ; l'« Air de ballet » éveille des souvenirs d'Espagne, d'une Espagne un peu conventionnelle, telle que la voyaient les artistes du XIXe siècle ; l'« Angelus », que sonnent, non pas les cloches, mais les cors, est riche d'un calme serein que nul trouble ne peut ébranler. La « Fête bohème », enfin, entraîne les danseurs dans le tourbillon de ses rythmes étourdissants et de sa joie populaire ; 7°) Les *Scènes alsaciennes* (1881) demeurent l'œuvre symphonique la plus célèbre de Massenet. Il les écrivit au lendemain de la guerre de 1870, et les fit précéder de l'argument suivant : « Il me revient de ce pays perdu toutes mes impressions d'autrefois ; ce que je me rappelle avec bonheur, c'est le village alsacien, le dimanche matin, à l'heure des offices ; les rues désertes, les maisons vides, avec quelques vieux qui se chauffent devant l'église pleine, et les chants religieux entendus par bouffées, au passage. Et le cabaret dans la grande rue, avec ses vitraux cernés de plomb, enguirlandés de houblon [...] Et la chanson du garde forestier. Plus loin, toujours dans le même village, c'était le grand silence des après-midi d'été et, tout au bout du pays, la longue avenue des tilleuls à l'ombre desquels, la main dans la main, marchait paisiblement un couple d'amoureux. Le dimanche soir sur la grande place, que de bruit et de mouvement [...] Voici la danse que rythment les chants du pays [...] Puis c'est la retraite qui sonne, la retraite française. Roulements de tambour, la danse reprend plus amoureuse encore. » Massenet a scrupuleusement suivi le plan qu'il s'était fixé dans les quatre volets de son polyptyque : « Dimanche matin », « Au cabaret », « Sous les tilleuls » et « Dimanche soir ».

SCÈNES ANDALOUSES [*Escenas andaluzas*]. Publiées en 1847, elles constituent le livre le plus connu de l'écrivain espagnol Serafín Estébanez Calderón (1799-1867), qui signait du romantique pseudonyme « El solitario », en réminiscence peut-être de « L'Hermite » dont se servait le journaliste français Étienne Jouy, auteur de *L'Hermite de la Chaussée-d'Antin.* Il s'agit ici d'admirables petits tableaux de genre de la vie populaire andalouse, fort intéressants du point de vue folklorique, mais parsemés d'idiotismes locaux et d'archaïsmes voulus qui enlèvent au texte sa spontanéité et en rendent la lecture parfois inintelligible. Quelques-uns sont de vivants portraits de types inoubliables, tels « Pulpete y Balbeja o los Valientes » et « Manolito Gásquez », le roi de l'hyperbole, dont les mémorables « andaluzadas » étaient devenues populaires dans toute l'Espagne ; d'autres offrent la description des danses typiques du pays (« el bolero », « el olé », « el jaleo de Jerez », « la tirana », « la cachucha », etc.) ou des pittoresques coutumes populaires, comme « La feria de Mairena », « Un baile en Triana » ; ou encore le récit de curieux épisodes : « Los percheles de Málaga », « Los filósofos en el figón » ; d'autres enfin sont d'agréables propos, pleins de verve, comme le « Gracia y donaires de la capa », gracieuse apologie de la classique cape espagnole, « Fisiología y chistes del cigarro », etc. Livre facile dont le style, tout à tour maniéré et populaire, va de la sécheresse à la surabondance, mais est toujours riche de couleurs et plein d'intérêt.

SCÈNES DANS LE CHÂTEAU. Recueil de nouvelles de l'écrivain français Paul Gadenne (1907-1956), paru posthume en 1986. L'ouvrage réunit des nouvelles et des textes courts, publiés précédemment en revue, ou déjà parus en volumes. L'ordre et le titre du recueil respectent la volonté de Gadenne, et l'on admirera ici l'art des narrations courtes, chez un auteur qui a donné des romans substantiels, *Siloé* (*) ou *Les Hauts Quartiers* (*). Si l'on voulait trouver les lignes de force qui constituent ces scènes (ayant en mémoire la volonté intuitive, marquée par Gadenne, d'y déceler l'unité, la construction mentale symbolisée par l'image du château), on s'intéresserait tout d'abord à ces personnages en marche, ces grands arpenteurs au cœur à vif qui, dans des paysages de neige ou sur des plages désertes, révèlent leur état de chagrin permanent, l'incapacité à accorder la vie et leur monde intérieur. On retrouvera alors ces intellectuels malades, incapables aussi du moindre signe d'achèvement, ces grands bâtisseurs de tours d'ivoire dont on ne sort jamais, tant les murs ainsi élevés (par le chagrin, l'amitié impossible, les femmes absentes) sont trop hauts, trop foncièrement irréels pour être abattus. Dans ce jeu de l'intérieur et de l'extérieur, dans cette mise en abîme perpétuelle de l'altérité impossible, les personnages de Gadenne apparaissent comme d'actifs nihilistes, les sapeurs de leur propre libération, qui ne dédaigneront pas une pointe de masochisme. Ils promènent sur les scènes du monde (des paysages urbains, une nature trop belle) leur état d'écorchés, ils le confrontent à la réalité, seul moyen, semble-t-il, de s'assurer de leur différence, de confirmer toujours l'existence, à côté de soi, d'un plus fort, d'un plus heureux. Si l'on voulait un moment confronter les nouvelles de Gadenne à son travail romanesque, ce serait peu d'affirmer ici l'économie de la création littéraire, ces raccourcis qui vont à l'essentiel, qui empêche le lecteur, trop confiant, ou démesurément aveugle, de se raccrocher à une réalité que créerait le roman. Car ici tout sera explicite, tout sera signe de ce double mouvement qui enferme les personnages de Gadenne sur eux-mêmes, et qui les attire un moment vers l'autre, vers cet autre parfait qu'est la femme, mais pour mieux tomber : et on remarquera combien ces nouvelles obsessionnelles ne font que répéter, mais d'une façon autre, un même début de roman, savoir que tout est de l'ordre de l'échec, et que cet échec doit être inlassablement vérifié, certifié par les hommes. Si l'on voulait aborder Gadenne pour la première fois, la lecture de ces *Scènes dans le château,* qui rassemblent certains de ses textes les plus noirs dans leur brièveté, serait peut-être la meilleure des introductions.

V. W.

SCÈNES DE LA FORÊT [*Waldszenen*]. Pièces pour piano, op. 82, du compositeur allemand Robert Schumann (1810-1856), publiées en 1848-1849. C'est une brève « suite » (morceaux inspirés par des scènes de campagne et de forêt), véritable introduction à l'art du musicien. Il faut se rapporter à la ferveur du mouvement romantique et au rôle qu'y jouait le concept de nature : l'égocentrisme de Fichte, qui subordonne la nature du moi, et l'animisme de Schelling, qui voit dans la nature un esprit infini, sont les forces opposées qui se disputent la suprématie de l'âme romantique et qui cherchent dans l'art une conciliation chimérique, en opposant le fini du moi à l'infini du tout. Il s'agit donc d'un retour passionné vers la nature, d'une interrogation angoissée pour forcer ses secrets et découvrir son âme, son langage. Un programme esthétique en somme, qui confine à la métaphysique, mais dont le premier fruit est de balayer toute trace de réalisme. C'est tout cela qu'on peut relever dans les *Waldszenen* de Schumann. Le prologue, « Entrée dans la forêt » [Eintritt], est tout imprégné de joie souriante et douce —, joie d'interroger la nature et d'en recevoir une réponse —, mais aussi est envahi d'une sensation de bien-être, de détente, telle qu'en éprouve le citadin qui s'aventure dans la paix de la campagne. En plus de l'inspiration appartenant typiquement à Schumann, on y trouve quelque chose d'enfantin ; c'est un peu comme la joie de l'écolier qui va à la campagne au début des vacances d'été. Une fois le prologue déroulé, l'auteur paraît se disperser dans la description de petits tableaux de genre, comme le « Chasseur aux aguets » [Jäger auf der Lauer] : c'est une vignette de chasse, plutôt réaliste, où la nature se trouve subordonnée au divertissement de l'homme. « Fleurs solitaires » [Einsame Blumen] évoque, dans un coin de forêt, quelques fleurs à peine entrouvertes dans le matin. Schumann en cueille les secrets et les entretiens confidentiels, en surprend le langage mystérieux. Il s'agit en fait d'un léger contrepoint à propositions et réponses, où la rencontre d'une partie avec l'autre produit de temps en temps des amalgames, des dissonances rapides. Et voici l'extraordinaire « Oiseau prophète » [Vogel als Prophet], le morceau qui justifie l'importance accordée à cette suite. Le mythe en est celui de l'oiseau divin qui révèle à l'homme, dans le langage qui lui est propre, les secrets de la nature, de la vie, de l'avenir ; l'« Oiseau prophète » symbolise en somme la fusion de l'âme avec les forces naturelles. Il est à peine nécessaire de rappeler Siegfried. Dès la première apparition du motif mystérieux :

la magie est complète ; d'un seul coup, l'auteur atteint à une illumination quasi miraculeuse. La nature extérieure et le monde se transforment, deviennent nature intérieure, âme, fantaisie et mystère. Le secret réside dans la changeante instabilité harmonique, d'une légèreté véritablement exceptionnelle, et dans le contraste de ces triples-croches, qui, en un mouvement lent et tendrement ondoyant, insinuent leur bruissement rapide et dynamique. À la moitié du morceau, après un errement ininterrompu de modulations, on assiste à un brusque passage de la tonalité en ut mineur à la tonalité en sol majeur : les accents solennels et confiants d'un choral religieux résonnent, tels un chant d'action de grâces, car la communion avec le grand Tout est enfin réalisée. Cette joie, angélique et humaine tout à la fois, réapparaîtra, bien que plus lente et comme perdue dans le lointain, avec l'apparition de la tonalité en mi bémol majeur. Un bruyant « Chant de chasse » , d'un heureux effet, et l'« Adieu à la forêt » [Abschied], page délicate, sensible et affectueuse, terminent la suite, qui compte parmi les plus belles œuvres de Schumann.

SCÈNES DE LA VIE CONJUGALE. Sous ce titre générique, l'écrivain français Marcel Jouhandeau (1888-1979) a regroupé neuf volumes de récits et chroniques publiés de 1948 à 1959.

Le premier volume, *Ménagerie domestique* (1948), nous restitue des souvenirs couvrant les années 1940-1942 : Élise bien sûr, toujours Élise, contradictoire, qui part à la campagne « au ravitaillement » et ramène à son époux des souvenirs d'âne, de lapins bleus, de porcs ; un hiver rigoureux ; le passage d'un cirque avec lions et dromadaires, girafe et hippopotame. Tout un bestiaire tendre et complice auquel Jouhandeau nous a déjà accoutumés, mais que nous retrouvons ici sous le double regard de Marcel et d'Élise. Car Élise, si dure et si brutale, s'amollit au contact des bêtes et des plantes, témoin ce saule dont elle fume soigneusement les racines, et toute sa compassion pour les animaux malades. C'est qu'Élise a toujours rêvé d'être fermière, de s'entourer de poules, de lapins, de canards, de bourriques et de chèvres. Et puis voici les canaris : Orphée, Eurydice et Toupette, qui vivent eux aussi leurs scènes de la vie conjugale ; le chat Doudou, goinfre et voleur ; et, bien sûr, Jouhandeau montrant son « ourse », Élise.

« On ne peut la supporter tout à fait ni dans le détail de ses actions, ni davantage dans l'étendue imposante de sa personne. » C'est d'Élise bien sûr qu'il s'agit. Toutes les stratégies lui sont bonnes, et toutes les ruses seront efficaces pour le narrateur, et cependant l'angoisse existe bel et bien. *L'Imposteur* (1950) n'est imposteur que forcé par les circonstances : c'est Élise, l'iconoclaste, qui l'oblige à adopter cette position, la seule planche de salut. Et pourtant, quel amour ne lui voue-t-il pas ! Jouhandeau serait-il un Masoch ? écoutons-le avouer pourquoi il a commis cet ouvrage : « Et ce que je me propose ici, c'est de savoir où j'en suis à chaque seconde avec elle, sans me perdre dans les détails, ni laisser d'être sensible à tous. » C'est qu'Élise reste la femme, l'unique, l'épouse de Marcel : « J'habite avec Élise un glacier dont nous sommes seuls à pouvoir supporter la solitude, l'altitude, le froid. » Ce ne sont pas là des mots en l'air ; le jansénisme de la femme l'emporte souvent sur la douceur apparente du mari, mais il n'en reste pas moins que ce couple existe, avec ses moments de communion, dans la douleur et jamais dans la joie, car en vérité la joie semble être un mot banni de leur vocabulaire.

En 1951, Jouhandeau publie le troisième volume, *Élise architecte.* Élise a décidé d'agrandir la maison : bien sûr sans consulter son époux, sinon pour lui signifier que les frais seront à sa charge. Et Jouhandeau l'observe au milieu du ballet des entrepreneurs, arpenteurs, scribes et ouvriers de tous ordres ; au milieu de ceux-ci qui tâtonnent, elle seule est clairvoyante ; elle met même la main à la pâte puisqu'elle décore les murs de sa chambre d'une arabesque d'or. « Romancière de l'ameublement », elle dispose, transporte, installe. Elle s'édifie un jardin comme un paradis. « Élise s'est construit un temple, où nous viendrons l'adorer à ses heures. » Jouhandeau complète ce volume avec le récit de *L'Incroyable Journée :* rencontre de la Duchesse rue Saint-Ferdinand, qui l'emmène chez elle et lui parle de Wagner ; puis de Bouche d'Ivoire, marié et père de famille. Jouhandeau va terminer sa soirée chez Véronique ; ils parlent d'Élise : « Votre mariage n'est justement plausible que pour ce qu'il a d'invraisemblable. »

Quatrième volume publié en 1953, le *Nouveau Bestiaire* reprend et développe les thèmes du premier : « Les animaux n'ont pas été corrompus par la notion du bien ou du mal. Ils n'ont rien à faire ni avec l'un ni avec l'autre. C'est pourquoi je me plais en leur compagnie. » Nous retrouvons la basse-cour d'Élise : une oie dénommée Tatou, Follette la dernière poule, Sophie la tortue, canards et pigeons, encore Doudou, et un nouveau chat, Figaro.

Le cinquième volume, *Galande ou Convalescence au village,* publié en 1953, raconte un séjour au pays d'Élise. Pour Jouhandeau, Galande est un nouveau Chaminadour — v. *Chaminadour* (*) — sur lequel il pourra exercer ses talents d'observateur et d'ironiste : voici les petits métiers, les sobriquets, les mots entendus. Et puis toujours le bestiaire : la jument, le coq, les chiens et le chat-huant. Le ménage Jouhandeau paraît retrouver une certaine paix au sein de toute cette campagne ; l'auteur semble accepter volontiers sa belle-mère, Mme Apremont, et sa belle-sœur Madeleine, se complaire même à rapporter leurs mots et leurs contes, ainsi que toutes les anecdotes sur le boulanger ou l'épicier. Mais voici que toute cette belle sérénité se trouble : échange de mots sur un prétexte futile, l'auteur menace de partir, Élise se jette entre la porte et lui : « Ces dames Apremont sont comme ça. » Cet orage, promptement levé, annonçait un retour général ; le pauvre Marcel, ployant sous les bagages, reprend son chemin du Golgotha.

Mme Apremont, la mère d'Élise, occupe une place déjà importante dans les *Chroniques maritales* (*) et dans l'œuvre de Jouhandeau. Ce sixième volume de notre cycle, *Ana de Mme Apremont,* publié en 1954, lui est consacré tout entier et nous révèle un personnage unique de son espèce, dont le caractère puissant, voisin parfois de la férocité, le bon sens, la ténacité, une franchise à toute épreuve, sont servis par un singulier bonheur d'expression et par une exceptionnelle éloquence. Témoin cette réflexion : « Quand je vois ce que je vois, je pense ce que je pense » ou celle-ci : « Une vipère, mon gendre, c'est quelqu'un. » Et les chapitres consacrés à ses mots, à son vocabulaire, à ses rapports avec ses filles ou ses neveux, contiennent bien d'autres propos savoureux.

Le septième volume, *La Ferme en folie,* primitivement publié en 1950, n'a été rattaché au cycle des *Scènes de la vie conjugale* que vers 1955. Cette mince plaquette se compose de trois courts récits : « La Petite Fille violée », « Le Sacrifice du porc » et « La Ferme en folie » consacrés tous trois à « Médème Tébèrin », la fermière des Blottières.

M. Godeau a la jaunisse. Il a trop mangé de pêches. Élise s'est cassé le bras gauche en tombant dans l'escalier. Ces incommodités, et quelques autres moins physiques, donnent à Jouhandeau l'occasion d'écrire son huitième volume, *Jaunisse,* publié en 1956. Encore une fois, c'est Élise le personnage central. Mais la richesse d'un être est inépuisable pour qui sait la voir et l'exploiter. Au bout du compte, cet amour et cette haine que l'auteur lui voue aboutissent, par leur conjugaison, à cette qualité suprême : l'impartialité, mais une impartialité passionnée : « Les jeunes gens s'enhardissent à me parler de mon impureté, qu'ils qualifient il est vrai de pure pour faire passer l'insolence. Ils jugent Élise aussi d'une puérilité insupportable, maintenant qu'elle n'a plus quinze ou vingt ans, comme eux. Seulement, leur jeunesse passée, rien ne restera de leur gloire, quand l'originalité d'Élise lui survivra peut-être et à eux — quelque temps... Je me réveille au moins deux fois chaque nuit ; une fois pour la maudire et une fois pour l'adorer. »

L'Éternel Procès, neuvième et dernier volume publié en 1959, c'est bien sûr celui que M. Godeau fait à son inspiratrice et son tourment : Élise. Mais c'est aussi peut-être celui que l'homme ne se lasse pas de faire à la femme. Peut-être nous trouvons-nous en présence de la conclusion que Jouhandeau entend donner à ses *Chroniques maritales.* Le couple y est dépeint, comme toujours, dans une vérité tantôt humble, misérable, voire déplaisante, tantôt grandiose et même bouleversante. Inexorablement, l'auteur semble requérir contre ce que ses biographes seront peut-être contraints d'appeler son amour, et il en fait tour à tour l'apologie. Élise est là, peinte au naturel ; avec le coup de crayon féroce de Daumier, son effigie gravée au vitriol, mais de temps en temps affleure, inattendue, une couleur exquise, adorable, que ne renierait pas Angelico.

SCÈNES DE LA VIE DE BOHÈME. Roman de l'écrivain français Henri Murger (1822-1861), publié en 1848. Il est composé en grande partie par des articles parus en 1847 dans un journal très modeste, *Le Corsaire*, dont Murger était un des rédacteurs. Les chapitres n'ont aucun lien apparent entre eux : ils ne sont, comme d'ailleurs l'indique le titre du livre, que des « scènes de la vie de bohème », de la véritable « bohème ». En effet l'auteur, dans sa préface, s'attache à la distinguer de toutes les autres formes d'existence vagabonde qu'on a l'habitude d'appeler de ce nom. Selon Murger, la « bohème » est cette première forme d'existence à travers laquelle doivent passer tous les artistes et les hommes de lettres, avant d'atteindre une renommée bien assise. (« La bohème, c'est le stage de la vie artistique. C'est la préface de l'Académie, de l'Hôtel-Dieu ou de la morgue. ») Les personnages principaux du livre sont le musicien Schaunard, le poète Rodolphe, le peintre Marcel, le philosophe Colline : s'étant rencontrés par hasard, au moment où ils étaient tous dans une situation matérielle difficile, ils décident de constituer une sorte d'association en vue d'affronter ensemble les événements agréables ou pénibles de leur vie vagabonde. La plus grande indépendance règne entre eux ; ils disparaissent et réapparaissent chacun leur tour, au gré de leurs aventures amoureuses et de leurs ressources pécuniaires, sans que ceux qui demeurent s'en soucient le moins du monde ou que cela brise leur fraternelle camaraderie. Tous quatre semblent s'acheminer vers un certain succès : de temps à autre, leurs noms sont sur les lèvres des critiques ; on recherche leurs ouvrages. Mais le plus souvent le besoin les harcèle, les force à entreprendre des disputes humoristiques avec le propriétaire de leur logement, ou avec les créanciers les plus pressants, et parfois même les pousse à dormir à la belle étoile. Mais, dès que la chance frappe à leur porte, ils font bombance jusqu'au moment où, le dernier sou dépensé, il faut revenir à la dure réalité quotidienne. Près d'eux passent et repassent de nombreuses silhouettes féminines, compagnes fugaces d'une heure ou d'une journée de liesse. Rappelons surtout Musette, l'amie de Marcel, capable d'aimer et de trahir avec la même franchise spontanée, et Mimi, douce jeune fille pleine de tact et de délicatesse qui, après avoir quitté Rodolphe pour aller vivre avec un riche vicomte, revient mourir dans les bras de son amoureux. La froide et sombre mansarde ou le petit café de Montparnasse pendant l'hiver, et l'été, les boulevards, voilà la toile de fond de cette existence qui se déroule en marge de la société. Murger a été, lui aussi, « bohème », et par conséquent ces scènes ont un accent de sincérité qui fait tout leur prix. Ce livre, où un réalisme savoureux, baigné d'une tendre mélancolie, se colore de reflets romantiques, plut aux contemporains, et les noms de Rodolphe, Musette, Marcel et Mimi demeurèrent en quelque sorte le symbole de la jeunesse insouciante si ce n'est heureuse.

★ Théodore Barrière (1823-1877) en tira un drame en cinq actes, *La Vie de bohème*, représenté au théâtre des Variétés à Paris, le 22 novembre 1849.

★ Ce roman de Murger devait inspirer les musiciens de la fin du XIXe siècle. L'opéra en quatre actes de Giacomo Puccini (1858-1924) est célèbre ; la musique a été composée d'après le livret des écrivains italiens Luigi Illica (1859-1919) et de Giuseppe Giacosa (1847-1906). *La Bohème* a été jouée pour la première fois à Turin en 1896 (et à Paris, à l'Opéra-Comique, le 10 juin 1898). L'intrigue très mince du roman a été adaptée par les auteurs du livret, en fonction des exigences théâtrales, et a perdu quelque peu de cette fraîcheur et de cet aspect d'image claire et charmante qui faisaient sa valeur et la rendaient inimitable. Dans l'opéra, les épisodes ont été choisis et arrangés selon les principes d'un réalisme sentimental trop recherché et artificiel : les auteurs se sont contentés d'évoquer seulement les aspects les plus médiocres et les plus mesquins de cette existence vagabonde. Autour des quatre protagonistes masculins (Rodolphe le poète, Schaunard le musicien, Marcel le peintre, Colline le philosophe) et des deux femmes (Mimi et Musette) se déroule la partie essentielle de l'action, dont les différents épisodes sont reliés avec un art consommé et facile : la scène dans la mansarde, entre les quatre amis, indigents mais joyeux ; l'expédient par lequel ils se débarrassent du gênant propriétaire de la maison M. Benoît ; la rencontre entre Rodolphe et Mimi, la petite ruse de la clé perdue dans l'obscurité, que le jeune homme glisse dans sa poche ; la rencontre plus vulgaire entre Marcel et Musette (au IIe acte) ; au IIIe acte, dominé par une atmosphère de neige et les cris éloignés des colporteurs : la triste conversation qui précède la séparation entre Rodolphe et Mimi, misérable épilogue d'une union lamentable ; enfin, au IVe acte, le retour dans la mansarde glaciale et désolée, où Mimi vient se réfugier pour vivre, aux côtés de son amant et de ses amis, les derniers instants de sa vie rongée par la tuberculose, tandis que Musette se transforme en un ange de bonté... Telle fut la matière qui inspira Giacomo Puccini ; il devait en tirer un opéra qui, comme *Manon Lescaut* (*), peut être considéré comme le plus équilibré et le plus sincère, si par sincérité on entend seulement l'épanchement libre et spontané de ses propres tendances sentimentales, sans se soucier de leur qualité. Cet opéra devait néanmoins rencontrer un succès extraordinaire. La musique en est construite selon quelques thèmes fondamentaux, d'une valeur minime, mais bien choisis pour les situations qu'ils doivent exprimer, et rappelés tout le long de l'opéra, selon le modèle fourni par Wagner. Bien que cette œuvre soit le fruit d'une habileté théâtrale consommée, on ne peut lui accorder qu'elle soit une réussite sur le plan proprement artistique. Le désir trop marqué de flatter la sentimentalité du public en gâte les meilleurs moments.

★ Ruggero Leoncavallo (1858-1919) s'inspira du même sujet dans sa *Bohème*, opéra en quatre actes, dont il composa lui-même le livret, joué pour la première fois au Théâtre de la Fenice, le 6 mai 1897. Cette *Bohème* représente, après les *Médicis* (1893) et *Chatterton* (*), une tendance sentimentale et pathétique qu'il reprendra plus tard dans *Zaza* et qu'il abandonnera ensuite dans *Roland de Berlin* (1904). Cet opéra, indiscutablement inférieur à celui de Puccini, a néanmoins quelques traits lyriques assez bons, surtout dans les deux premiers actes. Mais l'ensemble manque d'unité et d'une réelle inspiration. Après avoir fait le tour d'usage dans tous les théâtres du monde, cet opéra fut rangé de façon définitive aux archives.

SCÈNES DE LA VIE DU CLERGÉ [*Scenes of Clerical Life*]. Trois longs récits de l'écrivain anglais George Eliot (Mary Ann Evans, 1819-1880), publiés en deux volumes en 1858, après avoir paru l'année précédente dans *Blackwood's Magazine*. George Eliot n'avait écrit jusque-là que des articles de critique et de science ; elle composa ces récits à trente-sept ans, en doutant de son talent de romancière. Ce fut une réussite. George Eliot y montrait ses dons d'observation et sa forte psychologie. Le premier (et le meilleur) de ces récits est intitulé « Les Tribulations du révérend Amos Barton » [The Sad Fortunes of the Rev. Amos Barton]. Amos Barton est un vicaire campagnard anglican, marié et père de six enfants. La cure de Shepperton est si peu importante que la famille ne pourrait vivre sans l'aide de quelques paroissiens et surtout sans l'activité et l'habileté de la jeune femme, la charmante Milly, toute dévouée à son mari et à ses enfants. Le pauvre Amos, qui n'a jamais pu s'attirer la confiance de ses ouailles, commet une maladresse qui les lui rend même hostiles : il accueille chez lui un aventurier qui promet de lui obtenir, grâce à son influence, une cure plus importante. L'aventurier s'en ira à la suite des rebuffades que lui fait subir la servante. Peu après, Milly, épuisée par les fatigues, met au monde un enfant qui meurt prématurément, et elle meurt aussi. La grande détresse de l'inconsolable Amos lui fait retrouver la sympathie de ses paroissiens. Pourtant il n'a même pas la consolation de rester dans le pays, près de la tombe de sa femme, car il est nommé dans une paroisse lointaine. De longues années s'écoulent ; quand il revient, accompagné de sa fille Patty, sur la tombe de sa femme, sa vie touche à sa fin, il est plein de sérénité et presque gai. Le contraste entre la médiocrité de cet homme, qui frise le ridicule, et l'immensité de sa douleur fait de cette nouvelle un véritable chef-d'œuvre. Les autres récits sont moins remarquables. « Le Roman de M. Gilfil » [Mr. Gilfil Love-Story] est le roman sentimental du prédécesseur d'Amos Barton à la cure de Shepperton. Maynard Gilfil, chapelain de sir Christopher Cheverel, est éperdument amoureux de Caterina Sarti, fille d'un malheureux chanteur italien, que les Cheverel ont adoptée. La jeune fille est également courtisée par Anthony Wybrow, héritier de sir Christopher, qui la délaisse pour épouser une riche jeune fille. Caterina, dans un accès de jalousie, s'arme d'un poignard, résolue à tuer l'infidèle. Arrivée au lieu du rendez-vous, elle trouve Anton mort de maladie. Tourmentée de remords, elle se juge criminelle, pour avoir eu l'intention de tuer. Les exhortations de Gilfil l'apaisent peu à peu ; sa gratitude se tourne en affection, et elle accepte de devenir la femme du pasteur ; leur bonheur est de courte durée, car la jeune femme, minée par les angoisses qu'elle a subies, languit et meurt. « La Conversion de Jeanne » [Janet's Repentance] traite d'un conflit moral et religieux et de l'influence d'une âme charitable. Edgar Tryan, pasteur plein d'ardeur, cherche à évangéliser la population d'une ville industrielle. Il se heurte à l'hostilité d'un groupe d'hommes, à la tête desquels se trouve Dempster, avocat ivrogne, qui bat sa femme, Jeanne, laquelle cherche elle-même dans l'alcool l'oubli de sa misère. Une nuit, après une scène affreuse, elle se réfugie chez un ami et le lendemain se rend chez Tryan pour lui demander aide et conseil, bien qu'elle l'ait jusqu'ici, sur l'instigation de son mari, tourné en dérision. Sous l'influence du pasteur, Jeanne cesse de boire et retrouve sa dignité. Dempster meurt d'une crise de delirium tremens. Jeanne se dévoue alors pour Tryan qui, épuisé par ses efforts incessants, s'éteint lentement ; elle l'assiste dans ses derniers moments. Jeanne, désormais, est prête à affronter seule une vie d'entière abnégation. Le récit, plein de fines observations et de scènes vivantes, reste cependant assez languissant : le ton didactique et moralisateur, que l'auteur s'impose volontairement, nuit aux qualités profondes de l'œuvre. – Trad. Hachette, 1887-1911 ; Bourgois, 1981.

SCÈNES DE LA VIE D'UN FAUNE [*Aus dem Leben eines Fauns*]. Roman de l'écrivain allemand Arno Schmidt (1914-1979), publié en 1953. Düring est fonctionnaire dans une sous-préfecture de l'Allemagne du Nord. Dans les rues, des haut-parleurs crachent des slogans nazis. Au bureau, les talons claquent, des « Heil Hitler ! » retentissent dès que s'ouvre une porte, et des vannes bestiales fusent quand on est « entre collègues ». À la maison l'attend une épouse acariâtre, il faut se méfier de tout, même de ses propres enfants qui paradent déjà en uniformes constellés d'insignes. Mais Düring mène une double vie, il tient un journal. Les dates : 1) février 1939 ; 2) mai-août 1939 ; 3) août-septembre 1944. Faune il est, parce qu'il se moque férocement du quotidien le plus brutal et dangereux en l'exposant aux pouvoirs « paniques » de son intelligence et de ses livres fétiches ; faune, parce qu'il hante les bois avec la belle Käthe, sa « Louve », sur les traces du « loup-garou » Caterre, un déserteur de l'armée napoléonienne. Sa cabane dans les marais, vieille de 150 ans, leur servira de refuge quand leur lotissement sera pris sous un bombardement apocalyptique. Schmidt procède par paragraphes brefs (« succession d'instantanés scintillants, en vrac »), disposés comme en contrepoint des communiqués bêtifiants hurlés dans les rues, et inaugurés par des « incipits » en italique qui agissent sur les nerfs comme une sirène annonçant l'imminence d'une déflagration poétique et furieuse. *Scènes de la vie d'un faune* est le livre le plus « enragé » d'Arno Schmidt – Trad. Julliard, 1962. C. Ri.

SCÈNES DE LA VIE D'UN PROPRE-À-RIEN [*Aus dem Leben eines Taugenichts*]. Récit du poète allemand Josef von Eichendorff (1788-1857), publié en 1826. Ce « propre-à-rien » est le jeune fils d'un meunier qui, par curiosité et désir de liberté, se met à courir le monde. Sans souci et sans programme, avec son violon pour seul compagnon, sensible aux beautés de la nature, à la joie comme à la peine, il vibre à mille impressions diverses et toujours intensément. Une belle dame, charmée par sa musique, l'emmène dans un château sur le Danube, près de Vienne, où il reste quelque temps, menant la vie paisible d'un jardinier. Mais amoureux d'Aurélia, la belle dame qui ne semble pas le payer de retour, et tourmenté par son désir d'aventures, il reprend la route. Son violon attire les paysans et les filles, et réveille l'écho des bois et des vallons. Le voilà dans une Italie qui ressemble à son Allemagne natale, et autour de lui, toujours candide, des personnages divers : musiciens, étudiants, artistes, apparaissent et disparaissent. D'abord Rome l'émerveille, puis il est pris de la nostalgie du Nord, et le souvenir d'Aurélia le tourmente toujours. Il prend le chemin du retour. Après d'autres aventures nombreuses et variées, il finit par trouver la dame de ses rêves, qui n'est autre que la nièce du concierge du château et qui répond à son amour. Le récit est écrit à la première personne, il s'y mêle d'aimables chansons et s'y fait constamment jour un délicat sentiment de la nature : les bois, la campagne y tendent en effet une toile de fond aux aventures du héros ; la grâce et l'esprit qui se dégagent de ces pages font penser à Jean-Paul. Ce « propre-à-rien » est une des figures du romantique allemand avec ses inquiétudes et sa nostalgie perpétuelle. – Trad. Toison d'Or, 1944 ; Aubier-Flammarion, 1968 ; et Phoebus, 1990.

SCÈNES DE LA VIE FUTURE. Roman de l'écrivain français Georges Duhamel (1884-1966), publié en 1930. Malgré l'humour, malgré l'ironie et l'apparente allure de pamphlet, cet ouvrage est un cri d'angoisse provoqué par la vue d'une civilisation fausse dont le plus grand tort aux yeux de Duhamel est de diminuer, jusqu'à les réduire à néant, le rôle et donc la dignité de la personne humaine. Pour lui, les États-Unis sont l'image de ce que seront demain les peuples de l'Ancien Monde, si nul d'entre nous n'y met bon ordre (d'où le titre indiquant le dessein du livre). Ainsi, l'auteur affirme-t-il son dédain pour tout ce qui tend, dans la civilisation européenne, de plus en plus américanisée, à faire reculer la liberté devant la réglementation, à faire disparaître l'initiative et l'enthousiasme au profit de l'automatisme exigé par la machine, à perdre l'individu dans l'immense tourbillon de la collectivité. Duhamel ne peut croire que la civilisation soit seulement une sorte de conformisme universel qui supprime la pensée. Certains chapitres (celui qui accuse le système généralisé de « l'assurance » d'amoindrir la délicatesse morale et d'abolir la conscience) ont une forte valeur philosophique. Le plus souvent, l'intérêt du livre se tient dans le ton inimitable de fine raillerie et dans le choix ingénieux et spirituel des détails révélateurs. Il ne faut pas s'attendre à une histoire. Duhamel, lui-même, laisse entendre qu'il ne peint que l'envers d'une civilisation, laissant à d'autres le soin d'en présenter l'endroit. Ses tableaux, tels quels, ont une verve et une saveur qui font tout accepter : bouderie, brusquerie, exagération, caricature. Ainsi peut-on percevoir la disproportion entre les efforts ambitieux des hommes et leurs misérables réalisations, l'insondable profondeur de la sottise et de l'ignorance, la valeur illusoire de ce que nous appelons orgueilleusement « le progrès ». Le désenchantement de l'écrivain n'est amer que par instants ; le plus souvent, il sait faire jouer, à travers la satire, le miroitement d'une agréable ironie. Par ses tableaux, anecdotes et formules définitives, c'est l'Amérique et son appétit dérisoire qu'il vise : et plus loin encore l'humanité, sous le déguisement universel de ses modes d'action, de ses sentiments et de ses espoirs. L'auteur triomphe dans la forme. La richesse et l'imprévu du vocabulaire, le mouvement et la vigueur incisive du dialogue, la force des sous-entendus et des réticences sont un enchantement pour l'esprit.

SCÈNES D'ENFANTS. Ces pièces pour piano du compositeur allemand Robert Schumann (1810-1856) méritent doublement leur titre par la fraîcheur des sentiments qui l'inspirèrent et par leur relative facilité d'exécution. Les difficultés techniques croissent d'ailleurs dans chacun des treize épisodes. 1° « Hommes et pays nouveaux » [Von Fremden Ländern und Menschen] : un thème plein de simplicité et de calme se répète deux fois. C'est la voix du voyageur qui raconte une très douce histoire où tout finit bien ; 2° « Histoire curieuse » [Kuriose Geschichte] : ce sont les battements du cœur de l'enfant qui écoute un récit d'aventure et sursaute à chaque fin de phrase, jusqu'à ce que l'apparition de la tonique apporte une conclusion apaisante ; 3° « Cache-cache » [Hasche-Mann] : une course éperdue sur la pointe des pieds ; 4° « L'Enfant qui prie » [Bittendes Kind] : un sourire mêlé de larmes. Le même thème interrogatif se répète et se charge de nuances de plus en plus suppliantes, pour s'achever dans une ultime prière, touchante par son ingénuité ; 5° « Bonheur parfait » [Glückes genug] : le total abandon d'un cœur pur ; 6° « Un grand événement » [Wichtige Begebenheit] : des accords solennels évoquent l'émoi de l'enfant dépassé par des événements sans importance. Ce passage est un chef-d'œuvre d'humour attendri ; 7° « Rêverie » [Träumerei] : ce célèbre morceau évoque l'état d'âme d'un enfant perdu dans ses songes et qui s'exalte peu à peu avant de sombrer dans le sommeil ; 8° « Au coin du feu » [Am Kamin] : l'enfant poursuit sa rêverie. Une longue phrase s'étire, flamboie et s'évapore comme une flambée ; 9° « Sur le cheval de bois » [Ritter vom Steckenpferd] : un rythme à 3/4 évoque le galop du cheval de bois que ponctuent les syncopes ; 10° « Presque trop sérieux » [Fast zu ernst] : une ligne mélodique hachée de contre-temps, une respiration haletante ; 11° « Pour faire peur » [Fürchtenmachen] : un thème plein de mystère est exposé, puis brièvement développé sur un ton rapide et menaçant. Le même jeu se répète trois fois, et chaque fois le commentaire se fait plus terrifiant ; 12° « L'Enfant s'endort » [Kind im Einschlummern] : une douce berceuse au rythme profond comme une respiration tranquille et qui s'achève dans la tonalité claire de sol majeur ; 13° « Le poète parle » [Der Dichter spricht] : Schumann fait ici ses confidences à un enfant, dans une langue très simple, avec des accents d'une touchante sincérité. Les *Scènes d'enfants* (op. 15) datent de 1838. Schumann les écrivit pour l'anniversaire de sa fille aînée ; « Ce sont surtout, écrivait-il, des souvenirs pour les personnes qui ont grandi. »

SCHÉHÉRAZADE. Suite symphonique, op. 35, du compositeur russe Nicolas Rimski-Korsakov (1844-1908). Il s'agit d'un poème symphonique inspiré par les récits des *Mille et Une Nuits* (*) et composé en 1888. Le compositeur, dans son autobiographie, prévient le public de ne pas chercher, dans la suite, un véritable programme, ou des leitmotive fixes, mais de considérer la suite elle-même comme une élaboration libre du matériel thématique qui lui fut inspiré par les divers épisodes fantastiques de la légende. On a voulu toutefois y reconnaître les différents épisodes d'un récit tant pour justifier une telle abondance de musique évidemment descriptive que pour permettre au mélomane de s'y retrouver ; c'est ainsi que l'on pense volontiers à l'histoire de Sindbâd le marin : la mer et le navire de Sindbâd, le récit du prince Calender, le jeune prince et la jeune princesse, la fête à Bagdad, la mer et le naufrage. Il faut toutefois remarquer que, dans toutes les parties de ce très long poème, un thème domine : celui-ci même qui éclate dès le début de la partition. En dehors de sa grande beauté, de la variété de ses teintes sonores et de son étonnant manteau instrumental, *Schéhérazade* est une œuvre nécessaire, plus qu'indispensable pour comprendre l'évolution de la musique symphonique du XXe siècle. Le chorégraphe Fokine réalisa sur la musique de ce poème un ballet qui, représenté à la Scala de Milan (1911), ne rencontra pas l'entière faveur du public, mais fut très loué par la critique.

SCHELOMO. Rhapsodie pour violoncelle et orchestre du compositeur suisse naturalisé américain Ernest Bloch (1880-1959). C'est, suivant l'intention du maître, une œuvre spécifiquement inspirée par le judaïsme. L'idée initiale lui en aurait été suggérée par une statue représentant le roi Salomon [Schelomo], œuvre du sculpteur Catherine Barjanska, épouse du violoncelliste auquel est dédié l'ouvrage. Le violoncelle solo personnifie Salomon. Tantôt lyrique, tantôt déclamatoire, le soliste évoque le monarque dans toute sa gloire. L'œuvre débute par une sorte de récitatif du violoncelle, ponctué d'accords de la petite harmonie. Une phrase mélancolique à découvert du soliste amène le premier des deux thèmes principaux, un motif saccadé, suggéré « mezzo voce » d'abord par les cordes, puis repris par les cors, et enfin par le tutti. C'est ensuite un long et tendre monologue du violoncelle à quoi s'oppose un élan passionné des cordes, ponctué d'exclamations des cuivres. De nouveau sans accompagnement, le violoncelle introduit la seconde partie, dont le motif principal est une mélodie de style oriental énoncée aux bassons et hautbois. Ce thème est longuement repris et développé par le violoncelle (auquel l'orchestre oppose en contrepoint d'autres éléments thématiques), puis par le tutti. Une majestueuse et déclamatoire intervention des cuivres appuie la montée des cordes, véhémente et passionnée, puis le violoncelle s'abandonne à un long monologue méditatif, et la partition s'achève sur un retour du premier thème, réexposé par les cuivres puis par le soliste, et finalement par l'ensemble de l'orchestre.

SCHERZOS de Chopin. Le compositeur polonais Frédéric Chopin (1810-1849) a composé quatre pièces pour piano portant ce titre : en si mineur, op. 20 (1835) ; en si bémol mineur, op. 31 (1838) ; en ut dièse mineur, op. 39 (1840) ; en mi majeur, op. 54 (1843). Le titre du scherzo ne doit pas être entendu comme se rapportant au caractère et à la structure du scherzo de la forme sonate traditionnelle ; au scherzo de Chopin pourrait convenir également le titre de caprice ou d'impromptu. La forme est libre et construite essentiellement sur le contraste de deux thèmes principaux, qui donnent lieu à des épisodes où se trouvent développés alternativement l'élément dynamique et brillant, et l'élément lyrique et expressif. Le *Scherzo* op. 20 débute par un presto con fuoco, après deux accords fortissimo (qu'on ne manqua pas de qualifier d'audacieusement dissonants), avec le développement impétueux d'un dessin de croches soutenu par un insistant dessin de la basse pour arriver à un molto più lento, de caractère doux et expressif, et ensuite à la reprise de l'idée initiale et à une pressante coda servant de conclusion. Le *Scherzo* op. 31, qui est le plus souvent exécuté, débute lui aussi par un presto. L'épisode central introduit une nouvelle idée, cantabile. Il en découle alors un développement, puis nous arrivons à une réexposition de l'épisode initial et à une conclusion vigoureuse et brillante. Le troisième *Scherzo* op. 30, qui doit être considéré comme l'une des plus belles compositions de Chopin, après une brève introduction, expose un thème mâle et incisif, en octaves aux deux mains. Le développement de ce thème, sobre et d'un grand effet, conduit à une seconde idée, qui se développe en des accords qui alternent avec de rapides et légers dessins d'arpèges descendants, jusqu'à la reprise de l'épisode initial. Vient ensuite la réexposition du second épisode et le morceau s'achève par une « coda » animée, d'une intense vitalité sonore et expressive. Le quatrième *Scherzo* op. 54 est d'une forme plus fragmentaire, toute proche de l'improvisation, et d'un bout à l'autre alternent des moments lyriques et des passages mouvementés et brillants.

SCHÜDDERUMP (Le) [*Der Schüdderump*]. Publié en 1870, ce roman de l'écrivain allemand Wilhelm Raabe (Jacob Corvinus, 1831-1910) est le dernier de la trilogie qui comprend *Le Pasteur de la faim* (+) et *Abu Telfan* (*). Ces trois ouvrages ont pour but d'illustrer la théorie de Raabe selon laquelle, en ce monde, les méchants — bien qu'inférieurs en nombre — triomphent presque invariablement des justes. Cette conception pessimiste de la vie, bien que très voisine de celle de Schopenhauer, repose chez Raabe toutefois sur des bases beaucoup plus pratiques que métaphysiques. Le « Schüdderump » est le tombereau qui, sans trêve, mène au cimetière, par monceaux, les cadavres des victimes de la peste ; c'est, ici, le symbole de la Mort qui fauche inexorablement les vies humaines. Mais Raabe n'en conserve pas moins sa foi en des valeurs éternelles : le mal, à ses yeux, est passager, comme la vie elle-même. Élevée par les châtelains du pays, les von Lauen, puis contrainte par son père à un mariage désastreux, Maria, accompagnée de sa fille Toni, revient, gravement malade, finir ses jours à l'hospice de Krodebeck. Le destin de Toni est curieusement calqué sur celui de sa mère. Sous la protection de la bonne Mme von Lauen et de ses amis (parmi lesquels le chevalier von Glaubigern, un original), elle vit tout d'abord au château. Le fils de Mme von Lauen, Hennig, s'est épris de la jeune fille. Soudain entre en scène l'oncle de Toni. Celui-ci, baron autrichien de noblesse fort récente, et parvenu de la pire espèce, vient réclamer sa nièce, dont il compte exploiter la beauté à son profit. Les années passent. Un jour, Hennig retrouve à Vienne une Toni toute déchirée, que son oncle est sur le point de marier contre son gré, pour conclure quelque louche affaire. Hennig ne sait trouver les mots qui pourraient sauver Toni du désespoir : celle-ci ne croit pas à la profondeur de son amour, et décide de se sacrifier, lorsque survient le vieil et fidèle von

Glaubigern qui la ramène, malade, au château des von Lauen. Trop tard : Toni meurt, victime de la médiocrité humaine. Sa mort toutefois ne sera pas inutile : elle fera de Hennig un homme. Les trois romans de Raabe occupent une place à part dans la littérature allemande, entre le pessimisme de Jean-Paul et le réalisme de Keller.

SCIENCE DE DIEU (La). Œuvre de l'écrivain français Jean-Pierre Brisset (1837-1923), publiée en 1900. Elle se veut un livre de révélation en même temps qu'elle prétend répondre à la vieille question de l'origine des langues qui avait agité les esprits, au XVIIIe siècle notamment. Brisset, avec ce livre, n'en était pas à son premier essai. En 1883, en effet, il avait publié la seconde version de sa *Grammaire logique* où l'analyse méthodique se teintait fréquemment des plus incroyables anomalies. L'auteur s'y employait, entre autres raisonnements, à prouver que le latin était une langue artificielle et à annoncer que « la Parole, qui est Dieu, a conservé en ses plis l'histoire du genre humain ». Fort d'une illumination quasi mystique, Brisset, dans *La Science de Dieu*, assure que « toutes les idées exprimées par des sons semblables ont une même origine » et qu'il nous est possible ainsi de comprendre notre plus lointain passé. Avec une imperturbable logique qui relève d'une sorte de paranoïa moins agressive qu'interprétante, il croit alors retrouver le secret universel du langage à partir du seul français, au mépris de toute étymologie et par la vertu de purs et simples à-peu-près phoniques qui lui paraissent expliquer le lexique par lui-même. Soit la question primordiale : « Où nos ancêtres étaient-ils logés ? », il déduit de ce *logés* un « l'eau j'ai, j'ai l'eau, je suis dans l'eau ». Le tout à l'avenant. Se fondant sur une équivoque aussi ténue, il n'hésite pas à élaborer une réflexion anthropologique. Vocables à l'appui, il nous donne très sérieusement les grenouilles pour ancêtres et retrace notre histoire, non sans corroborer ses propos par des citations bibliques (mais il déteste les prêtres, ces odieux sacrificateurs). « Il n'y a rien de figuré qui n'ait été vrai au physique », affirme-t-il encore. On ne saurait, certes, faire une lecture suivie de son livre, mais quelques pages parcourues avèrent le tour de force auquel il s'est livré, à l'aise dans un babélisme tourbillonnaire. Auditionnant le français, il l'a modelé au gré de ses fantasmes : origine aquatique, oralité dévorante, mais aussi extraordinaire usage de la sexualité : « C'est par des jeux d'amour que l'esprit a créé la parole. » Ce savoir, qui prémonitoirement lui ouvre le septième sceau de l'Apocalypse, anime une poésie involontaire. La folie verbale, tressée de calembours, déroule par fragments une geste fantasque nourrie d'écholalies. Le rire qu'elle ne manque pas de provoquer se doit de capituler parfois devant de burlesques évidences qui revêtent, un instant, l'aspect de la plus désarmante vérité.

J.-L. S.

SCIENCE DE LA LOGIQUE [*Wissenschaft der Logik*]. Œuvre du philosophe allemand Georg Wilhelm Friedrich Hegel (1770-1831), parue en 1812. Le développement de l'esprit humain est l'autocompréhension de l'esprit universel ; la nature de toutes les choses peut se comprendre par le processus grâce auquel l'esprit humain est parvenu à la compréhension de sa propre organisation et, par là, de l'organisation de l'univers. C'est pourquoi la science de la logique, qui étudie les liens universels et nécessaires de la pensée, est en même temps une métaphysique, une explication de l'Absolu qui est réel en tant que rationnel et rationnel en tant que réel. Les catégories, principes fondamentaux de la pensée unificatrice de l'expérience, ne sont pas seulement les formes de l'activité de l'esprit, mais en même temps les moments de l'absolu en devenir, les formes objectives de la vie ; à la logique formelle Hegel substitue la logique réelle. La compréhension des catégories ne peut être obtenue par la définition, qui fixe un concept dans l'immobilité et l'abstraction ; toute pensée est essentiellement mouvement et relation avec son contraire, car ce n'est que par l'opposition qui se résout dans une unité supérieure, pour engendrer une nouvelle opposition, que naît le processus d'autoconscience. Les catégories sont donc les moments nécessaires de la pensée et les schémas de toute la vie réelle : leur développement, leur engendrement mutuel, sont une explicitation du processus universel. La méthode de la logique n'est donc pas la définition, ni la classification, mais la méthode dialectique : méthode qui saisit la réalité dans son mouvement, dans le passage d'un moment à l'autre, dans la vie qui est vérité en ce qu'elle se crée comme vérité. Toute pensée fondamentale, toute catégorie est un moment nécessaire de la conscience ; mais aucune catégorie ne peut s'isoler des autres qui l'impliquent, ni de l'unité qui les comprend toutes : unité organique de toutes les différences, autoconscience. Mais si l'autoconscience comprend et implique toutes les catégories, sa définition, c'est-à-dire l'analyse de tous les éléments contenus dans l'idée d'autoconscience, sera la logique elle-même ; celle-ci, étant donné qu'elle étudie les divers moments à travers lesquels la conscience se développe pour parvenir à l'unité organique des différences, à l'intégration de toutes les catégories dans la catégorie suprême, doit partir d'un principe où l'unité se trouve présente sous une forme implicite, pour ensuite saisir, au fur et à mesure, les liens grâce auxquels les divers éléments s'intègrent mutuellement. Ce principe sera la plus simple et la plus abstraite de toutes les catégories, celle de l'être ; en vertu de laquelle chaque chose est rapportée à elle-même, comme si elle n'avait aucun rapport avec les autres choses, ni avec l'esprit. La première forme de la connaissance est l'appréhension des choses en soi ; affirmer qu'elles « sont » présuppose qu'elles sont seulement « en soi », en dehors de tout rapport. Mais la réflexion nous porte à constater que, des choses finies, on peut dire également qu'elles « sont » ou qu'elles « ne sont pas ». L'« être » de la réalité immédiate est sa détermination, c'est-à-dire le fait qu'il n'est pas autre ; l'être « est » donc, dans la mesure où il implique une relation avec le non-être, où il s'identifie à son contraire. L'opposition est donc relation, c'est-à-dire « identité dans la différence », identité qui n'est pas statique, mais dynamique : l'être se détermine selon les catégories de quantité et de qualité, mais le « comment » et le « combien » varient, se transforment en quelque chose de différent qui, à la fois, les conserve et les nie : la relation entre l'être et le non-être est le changement, le devenir. Dans l'unité du devenir, les deux termes opposés sont en même temps conservés et annulés : conservés en tant que moments nécessaires de l'unité, niés en tant qu'opposition. L'être immédiat n'est donc pas le réel concret : la conscience réfléchie passe de l'affirmation immédiate à la négation, pour parvenir à la connaissance médiate, à l'affirmation de l'unité dans l'opposition. Mais le devenir n'est qu'une naissance et une renaissance continuelle d'oppositions et de différenciations ; la conscience scientifique vise à saisir le lien nécessaire entre les aspects opposés des choses, à définir leurs relations essentielles comme des lois. Les catégories fondamentales dont se sert la conscience scientifique sont celles du « un » et du « plusieurs » ; de « forme » et de « matière » ; de « loi » et de « phénomène », de « substance » et d'« accident ». Mais la réalité comprise dans la relation nécessaire entre le permanent et le changeant n'est plus l'objet abstrait, l'Être dans sa détermination qualitative et quantitative, où la relativité n'est pas exprimée, encore qu'implicite ; c'est la réalité entendue en un sens plus profond que celui de l'objectivité immédiate, en tant qu'organisation et en tant que loi. La catégorie qui embrasse la réalité ainsi conçue est l'Essence ; comme l'être est l'objet de la perception, l'Essence l'est de la pensée. Le concept d'essence se présente tout d'abord comme le contraire de celui d'existence ; mais, à travers le développement successif des catégories d'« identité », de « distinction », de « contradiction », ce contraste disparaît, et toute la réalité est conçue comme un agrégat indéfini d'existences corrélatives et transitoires, dont chacune n'existe que dans la mesure où elle détermine les autres et se trouve par elles déterminée en conformité avec des lois générales. La loi, justement, de réciprocité et de relativité universelles naît de la synthèse de l'essence et de l'existence. La pensée scientifique, quand elle développe les catégories de « causalité » ou d'« action réciproque », s'élève à une conception de la réalité en tant que loi organique des phénomènes. Mais celle-ci, qui est à la fois une « réaffirmation généralisée » et une négation des phénomènes, est incapable de donner une explication complète des phénomènes immédiats : le principe auquel elle les rapporte n'en épuise jamais la signification, parce qu'il les présuppose. La loi se rapporte essentiellement aux phénomènes et a besoin des phénomènes pour être à son tour confirmée et expliquée. L'application des catégories scientifiques laisse donc subsister, sans le résoudre, un dualisme ; une réinterprétation des résultats de la science grâce à des catégories supérieures est donc nécessaire. Comme la science est la vérité de la pensée commune, la philosophie est la vérité de la science. Ce qui dans le changement demeure, le principe qui pose les déterminations et les relations ne peut pas consister dans l'objectivité comme être ou comme essence, dans ce qui est déterminé ou dans la relation ; c'est le principe qui s'autodétermine, relatif à lui-même, se déroulant dans les changements ; c'est le principe idéal des faits qui, en se déroulant, explicite la richesse de son contenu. Cette unité est la raison de son propre changement et de toutes les relations ; les moments de son autodéveloppement sont les déterminations grâce auxquelles ce qui était implicite en elle parvient à la conscience. La réalité se révèle donc en tant que Sujet. La logique subjective développe ainsi la doctrine du concept, c'est-à-dire de la pensée philosophique. Le concept philosophique se distingue des concepts abstraits et généraux des sciences et des mathématiques, puisqu'il est universel et concret, unité impliquant la multiplicité des distinctions, l'opposition et la relation. Par le concept, la pensée s'affirme comme conscience de soi ; mais cette conscience suppose l'opposition et la relation entre le moi et le non-moi. Cette opposition révèle l'exigence d'une unité plus haute, puisque le moi ne peut être conscient de soi, et donc distinct et relatif, que dans la mesure où il dépasse la distinction entre lui-même et son objet. Les catégories philosophiques de la subjectivité et de l'objectivité créent donc la catégorie de l'unité organique qui est autoconscience ; et celle-ci s'avère être le principe fondamental de tout le processus de la réalité et de la pensée. Le développement de l'autoconscience aboutit donc à l'« idée » même d'autoconscience. Idée absolue qui se manifeste dans la différence entre le moi et le non-moi, et qui, en dépassant cette différence, réalise l'unité suprême avec elle-même. C'est là la plus haute des catégories, celle qui contient et implique toutes les autres, de même qu'elle est implicite dans chacune et dans toutes, comme leur signification et leur vérité dernière. L'œuvre de Hegel représente la tentative la plus puissante de substituer une nouvelle logique, logique de l'esprit ou du devenir, à celle d'Aristote, qui avait jusque-là dominé la philosophie. – Trad. Aubier, 1949 ; Vrin, 1970.

SCIENCE DE L'OCCULTE (La) [*Die Geheimwissenschaft im Umriss*]. Cette œuvre du philosophe et pédagogue autrichien Rudolf Steiner (1861-1925), publiée en 1910, est un exposé de sa doctrine spiritualiste et anthroposophique. Dans le premier chapitre, il cherche à montrer combien il est nécessaire, selon lui, d'éclairer les problèmes de la sensibilité à la lumière du savoir spirituel, affirmant qu'il n'est pas de limites à la connaissance humaine, que celles-ci concernent uniquement la connaissance sensible intellectualiste, et conclut par cette remarque que si pour découvrir les données suprasensibles le don de seconde vue est nécessaire, la pensée ordinaire suffit pour les comprendre. Suit une description de la nature humaine, telle qu'elle apparaît aux savants doués de seconde vue. Partant de ces remarques, l'auteur analyse le sommeil et le rêve, les expériences de l'âme dans le monde des âmes et de l'esprit dans le monde des esprits après la mort ; il traite de la réincarnation et étudie la part de l'homme dans la détermination de son destin. Le chapitre suivant est consacré à l'évolution du monde et de l'homme. Au début, le monde et l'homme n'existaient pas : il n'y avait que des hiérarchies spirituelles, des anges aux séraphins, dont l'holocauste a donné naissance à l'homme et à la terre. La première manifestation a été la chaleur et c'est dans la chaleur que les hiérarchies ont créé le germe du corps humain. À la chaleur vient se joindre l'air et ainsi du sein des hiérarchies surgit un élément nouveau, le corps éthéré, la vie. Puis, à la chaleur et à l'air s'ajoute l'eau. Les hiérarchies confèrent la sensibilité au corps vivant, c'est-à-dire qu'elles insufflent à l'homme le « corps astral » ou âme et refaçonnent le corps physique et éthéré à l'image de celui-ci. L'enveloppe humaine est enfin achevée et les hiérarchies allument en lui l'Esprit ou Moi. C'est alors que le Tentateur s'approche de l'homme doué de l'Esprit ou du Moi pour détruire en lui la conscience qu'il a de l'existence des hiérarchies. À partir de ce moment, l'histoire de l'humanité est celle de la création de facultés nouvelles, sous l'influence des Esprits tentateurs, et de sa lutte contre eux. Les hiérarchies aident à l'évolution par l'intermédiaire des initiés, fondateurs des grands cultes, jusqu'au jour où, avec l'avènement du Christ, la Force spirituelle et créatrice suprême s'unit à la terre pour donner à l'homme qui spontanément la reçoit la possibilité d'un retour conscient aux royaumes dont il provient. Mais il y retourne désormais comme un être libre, autonome et fort des facultés qu'il a conquises durant sa destinée terrestre. – Trad. Perrin, 1938 ; Triades, 1976.

SCIENCE ET LE MONDE MODERNE (La) [*Science and the Modern World*]. C'est l'ouvrage le plus important du philosophe américain Alfred North Whitehead (1861-1947). Publié en 1926, il connut de nombreuses rééditions. Il s'agit d'une étude de certains aspects de la culture occidentale pendant les trois derniers siècles, eu égard à l'influence qu'exerça sur cette culture le développement scientifique. Autrefois, les préoccupations prépondérantes de la pensée étaient : la religion, la morale et la métaphysique ; aujourd'hui, par contre, c'est l'interprétation de la nature. Notre mode de vie tout entier est en fonction étroite de la science. Cependant la science en elle-même – cette idée est le fil conducteur du livre – est imparfaite ; elle a besoin de se laisser intégrer dans la philosophie, « la plus effective de toutes les recherches intellectuelles... » La philosophie est en effet l'« architecte des monuments de l'esprit et, en même temps, leur dissolvant ». Même lorsque la philosophie paraît absente du panorama intellectuel, elle guide toute forme de pensée, ne serait-ce que de manière cachée. Il est donc nécessaire que la science abandonne l'illusion dangereuse d'être autonome ; elle doit se soumettre à la critique supérieure de la philosophie et, lorsque ses intuitions au sujet de la nature des choses se montrent divergentes, la science doit faire confiance à la philosophie afin que celle-ci les réconcilie et les harmonise sur un plan infiniment plus élevé. Le livre est le fruit de dix brèves conférences faites en Amérique en 1925, auxquelles s'ajoutent deux chapitres originaux. Cependant tous les sujets traités suivent une seule ligne de pensée. Les huit premiers chapitres présentent une histoire rapide des théories et des méthodes scientifiques de Galilée jusqu'à la physique moderne de la relativité et des quanta. Plus que le progrès technique, l'auteur essaie de mettre en relief la signification, d'ordre culturel et spirituel, de la marche triomphale de la science, ses mobiles cachés et ses conséquences essentielles dans tous les domaines. Au neuvième chapitre, les rapports entre la science et la philosophie sont étudiés dans toute leur ampleur. L'auteur conclut que « la philosophie moderne est teintée de subjectivisme, à l'encontre de l'attitude objective des anciennes ». La science, par contre, essentiellement objective, cherche à absorber tout subjectivisme. De là cette lutte aiguë entre les deux disciplines, lutte qui ne peut être apaisée, d'un côté que par une philosophie correspondant davantage à l'esprit moderne, et de l'autre, en faisant une plus large part aux expériences psychologiques, éthiques et esthétiques, et en les opposant à une conception du monde purement physique et mécanique. En ce sens, le mathématicien Descartes représente une vision partielle de la réalité, tandis que le psychologue James en donne une vision plus complète. Les deux chapitres suivants sont consacrés à la métaphysique. Dans le premier, intitulé « Abstraction », Whitehead développe une conception platonicienne des deux mondes : le monde idéal des « objets éternels » et le monde actuel de tous les phénomènes de notre expérience. Le premier est le monde des possibilités, le second est celui des occasions actuelles et particulières qui, dans l'espace et dans le temps, réalisent de manière finie les possibilités éternelles et représentent des hiérarchies finies d'éléments, lesquels s'insèrent dans la hiérarchie infinie et organique du Réel. L'autre chapitre, intitulé « Dieu », développe la théologie la plus étrange. Dieu est conçu comme l'entité qui choisit l'une ou l'autre des actualisations infinies possibles ; ce sont les phénomènes effectivement actualisés ; ce choix n'est pourtant pas dirigé par n'importe quel critère rationnel. Dieu y est défini comme « la limitation ultime, et Son existence est l'ultime irrationalité [...] Dieu a été conçu par certains philosophes comme le fondement de la réalité métaphysique et son activité primordiale. Si l'on adhère à cette conception, il ne peut y avoir d'autre alternative que de distinguer en lui l'origine de tout le mal, en même temps que de tout le bien [...] Mais s'il est conçu comme une raison suprême de la limitation, il est dans sa nature même de séparer le bien du mal ». À ce chapitre se joint une étude intéressante sur l'antagonisme existant entre religion et science, lequel, selon Whitehead, ne devrait plus subsister si la science s'inspirait de la philosophie. Le livre se termine par une allusion aux « Conditions requises du progrès social ». Après un bref examen des réactions principales de la science sur notre société civilisée, l'auteur combat la spécialisation technique et termine son œuvre en exaltant la « puissance de la raison », son influence décisive sur la vie de l'humanité. — Trad. Payot, 1930.

SCIENCE ET L'HYPOTHÈSE (La). Œuvre du mathématicien et philosophe français Henri Poincaré (1854-1912), publiée en 1902. L'auteur y défend deux thèses principales : le caractère foncièrement conventionnel des sciences et la liberté créatrice de l'esprit. Il n'existe pas d'« expérience pure », de passivité de l'expérimentateur, comme le prétend le positivisme. Les hypothèses jouent un rôle décisif et irremplaçable dans la construction du savoir scientifique ; le savant ne se borne pas à refléter l'expérience : il la généralise, la corrige et, en définitive, la construit. Dans toute science, il y a toujours une part de choix et de convention, une hypothèse. Quelques-unes de ces hypothèses sont vérifiables, et, une fois vérifiées par l'expérience, elles peuvent devenir des vérités fécondes ; d'autres sont utiles pour fixer notre pensée ; d'autres encore ne sont des hypothèses qu'en apparence : elles se réduisent à des définitions ou à des conventions plus ou moins masquées. Comme Boutroux, Poincaré reconnaît qu'il existe une différence de procédés entre les diverses branches de la science. Le « raisonnement par récurrence », ou induction mathématique, nous permet de résoudre ce que l'auteur appelle l'énigme des mathématiques, c'est-à-dire le caractère rigoureusement déductif de cette discipline, qui ne se laisse toutefois pas réduire à une immense tautologie. Le raisonnement par récurrence consiste à démontrer que si une proposition est vraie pour 1 et qu'en outre on puisse établir que si elle est vraie pour $n-1$, elle l'est aussi pour n, on peut en conclure qu'elle l'est aussi pour tous les nombres et qu'il s'agit d'une vérité tout à fait générale. On se trouve ici en présence d'un procédé inductif, du particulier au général, ce qui explique pourquoi les mathématiques aident au progrès de nos connaissances ; toutefois, à la différence du raisonnement inductif de la physique, l'induction mathématique s'impose par nécessité intuitive. Du fait qu'il nous permet d'éviter une série infinie de vérifications, le raisonnement par récurrence est l'instrument qui nous permet de passer du fini à l'infini. Différent du principe de contradiction, auquel on ne saurait le ramener, inaccessible à l'expérience, il représente le type le plus authentique de raisonnement synthétique a priori. Il ne s'agit pas d'une convention, mais d'une vérité supralogique, intuitive. Ce jugement s'impose à nous avec une évidence irrésistible, puisqu'il n'est que l'affirmation de la puissance de l'esprit, qui se sait capable de concevoir la répétition indéfinie d'un même acte, si cet acte a été possible une seule fois. Le raisonnement par récurrence ne vaut que pour l'arithmétique et l'analyse pure. Avec la géométrie, nous tombons dans le domaine du conventionnel. Les axiomes qui fixent les propriétés du temps et de l'espace ne sont pas des jugements synthétiques a priori, ni des faits expérimentaux, mais des schémas où nous encadrons l'expérience, car ils nous paraissent « commodes ». Le choix entre toutes les conventions possibles nous est dicté par l'expérience, mais il demeure entièrement libre et n'est borné que par la nécessité d'éviter toute contradiction. Se demander donc si la géométrie euclidienne est vraie est aussi absurde que de se demander si le système métrique est plus exact que les anciens systèmes de mesure. La géométrie euclidienne est uniquement plus commode que les autres géométries, parce que plus simple et s'accordant avec les propriétés des solides naturels avec lesquels nous sommes en contact direct. Même les principes de la mécanique, bien que fondés plus directement sur l'expérience, participent du caractère conventionnel des postulats géométriques. Jusqu'ici le nominalisme triomphe. Mais lorsqu'on passe aux sciences physiques, on se trouve en présence d'un autre type d'hypothèses, celles qui peuvent être vérifiées. Ici l'expérience est la seule source de la vérité : elle seule peut nous apprendre quelque chose de nouveau et nous fournir une certitude. De conventionnel, il ne reste que le langage dans lequel les hypothèses s'expriment.

Dans chaque domaine, Poincaré tend à réagir contre une conception dogmatique et absolue de la science. D'où l'importance essentielle qu'il attribue au calcul des probabilités et les limites qu'il impose au déterminisme. Hypothétique et conventionnel ne sont pas, à ses yeux, synonymes d'arbitraire et d'artificiel. Les efforts de la science pour saisir la réalité ne sont pas vains : toutefois, ce quelle peut atteindre n'est pas la « substance » des phénomènes, mais les « rapports » qui les unissent. Une fois qu'on connaît ces rapports, la prévision et la science deviennent possibles et peu importe l'image que le savant se fait des phénomènes eux-mêmes. Ce qu'il y a de vraiment éphémère dans le devenir de la science, ce sont les théories proprement dites, c'est-à-dire les hypothèses métaphysiques. Ces thèses font de Poincaré le représentant le plus typique de la « critique de la science ». Son principal mérite est d'avoir effectué cette critique en se plaçant du point de vue de la science elle-même.

SCIENCE ET MÉTHODE. Recueil d'essais du mathématicien et philosophe français Henri Poincaré (1854-1912), publié en 1909. Avec les deux autres ouvrages de Poincaré, *La Science et l'Hypothèse* (*) et *La Valeur de la science* (*), ce livre constitue une des contributions les plus remarquables à la critique de la science qui aient été apportées par l'école positiviste. Sans même se poser le problème de l'objectivité ou de la subjectivité du réel, Poincaré entreprend d'examiner celui du « choix » des faits dans l'analyse scientifique. Il établit entre eux une hiérarchie, en observant que certains sont sans importance, d'autres au contraire d'une très grande utilité pour le progrès de la recherche. Les faits à grand rendement – dit-il – sont ceux que nous jugeons simples, soit parce qu'ils le sont réellement, étant déterminés par un petit nombre de circonstances bien définies, soit que les nombreuses circonstances dont ils dépendent obéissent aux lois du hasard et finissent donc par se compenser mutuellement. Après une analyse subtile de la « loi des grands nombres », l'auteur, sans nier la distinction entre les mathématiques et les sciences physiques, fait ressortir l'analogie entre leurs procédés respectifs qui consistent toujours à remonter du fait à la loi et à rechercher les faits pouvant amener à la formulation d'une loi. Pour éclairer ce point, l'auteur nous décrit l'activité de l'esprit mathématique sous ses divers aspects : tantôt inventeur et créateur, tantôt – comme il arrive dans la première enfance – construisant presque inconsciemment l'espace par des procédés qui rappellent ceux de l'humanité primitive, ou encore pendant l'adolescence, quand le maître apprend à l'élève les premiers rudiments de la science et s'efforce de lui en faire comprendre les principes fondamentaux. À l'aide d'une analyse subtile qui révèle chez l'auteur des qualités imprévues de psychologue, Poincaré souligne le caractère toujours créateur de la recherche mathématique, que la Logistique cherchait alors à enserrer dans les procédés purement mécaniques de son symbolisme. Cela revenait à vouloir substituer à l'esprit humain, source vivante de toute connaissance, un système de formules qui, « mutatis mutandis », aurait dû renouveler le miracle de la « machine pensante » autour de laquelle s'affairèrent au Moyen Âge tant de nobles esprits, comme Ramón Lull et Roger Bacon. Poincaré, au contraire, insiste opportunément sur la valeur de l'« intuition pour le progrès et la compréhension des sciences, y compris les mathématiques », et conclut en affirmant que, même dans la suite de raisonnements qui aboutissent à une démonstration, la logique est loin d'être tout. Le vrai raisonnement mathématique, bien que différent sous plusieurs aspects du raisonnement inductif employé en physique, procède néanmoins comme lui du particulier au général. Tous les efforts qu'on a faits pour renverser cet ordre (allusion aux théories de Peano et de Russell), et pour ramener l'induction mathématique aux règles de la logique, n'ont abouti qu'à des échecs, mal dissimulés par l'emploi d'un langage inaccessible aux profanes. Ayant ainsi réaffirmé la valeur du principe « intuitif » en matière de recherche scientifique, l'auteur nous montre comment il s'applique dans les différentes sciences physiques, où un « choix » intelligent des faits entraîne parfois des conséquences révolutionnaires. Il cite en exemple l'expérience de Kauffmann sur les émissions du radium, qui a été à l'origine d'un renversement des conceptions traditionnelles en mécanique, en optique et en astronomie. Au fur et à mesure que les sciences se développent, conclut-il, nous reconnaissons de mieux en mieux les liens qui les unissent et nous commençons à apercevoir le contour général du grand tableau de la science universelle. Même quand aucun lien direct ne les unit, les sciences s'éclairent mutuellement par l'analogie. Ainsi, l'étude du comportement des gaz a rendu possibles les progrès de l'astronomie, qui s'en est servie pour établir certaines théories sur la Voie lactée ; de même l'observation géodésique peut donner lieu à des hypothèses intéressantes sur la composition intérieure du globe.

Les divers essais de Poincaré contenus dans ce recueil présentent à vrai dire une unité logique bien moins rigoureuse que l'auteur ne le prétend dans la conclusion de son ouvrage : ils ont été rédigés à des époques différentes et dans des buts divers. Ce manque d'unité et ce défaut de structure ne nuisent pas seulement à la clarté de l'exposé ; celui-ci, en dépit de sa vivacité, manque parfois d'une certaine rigueur logique. De plus, il arrive à l'auteur de s'égarer dans certaines considérations par trop techniques, l'intérêt pour un problème particulier l'emportant : toutefois, il est vrai que ce rappel continuel de la réalité de la science contribue à rendre sa pensée plus vivante et concrète. Quoi qu'il en soit, si *Science et Méthode* n'apporte aucune contribution essentielle et décisive à la gnoséologie de la science, il reste un livre d'une lecture captivante, en raison de l'intelligence et de la liberté d'esprit dont témoigne son auteur.

SCIENCE ET PHILOSOPHIE. Œuvre du chimiste et historien des sciences français Pierre Eugène Marcelin Berthelot (1827-1907), publiée en 1886. Recueil d'écrits parus dans des revues et de cours professés à l'Université, ce livre constitue une sorte de biographie intellectuelle et morale du grand savant, et, indépendamment de sa valeur scientifique, présente un intérêt philosophique considérable. La découverte grâce à laquelle Berthelot prouva l'identité des lois de la chimie organique et de celles de la chimie générale – c'est-à-dire la création de corps organiques par une méthode purement rationnelle – mit en lumière le pouvoir créateur de la matière et de ses principes en éliminant de la science l'idée d'une « force vitale ». Ces questions forment l'objet de l'article capital que Berthelot publia en 1859 et de sa leçon d'ouverture au cours institué pour lui au Collège de France en 1864 (« Les Méthodes générales de synthèse »). Le livre contient encore divers exposés d'ordre technique, dont les plus remarquables sont l'essai sur les explosifs, écrit à l'intention du gouvernement provisoire lors du siège de Paris, et le rapport qu'il rédigea à la même occasion sur les communications entre Paris et la province et les transmissions télégraphiques à travers la Seine. Citons encore les extraits de son ouvrage sur *Les Origines de l'alchimie* et des discours commémoratifs prononcés en l'honneur de collègues et de savants. Les pages les plus vivantes de l'œuvre sont celles où l'auteur affirme la valeur de la science et la nécessité d'une totale liberté de pensée dans le domaine scientifique. C'est le thème de la lettre (par laquelle s'ouvre le recueil) que Berthelot écrivit à son ami Renan et qui porte ce titre significatif : « La Science idéale et la science positive ». Berthelot s'y élève contre l'ancienne métaphysique et contre le monde des syllogismes, auquel il oppose un monde nouveau fondé sur la recherche et sur la confiance dans l'activité humaine. Pour atteindre à ce qu'il appelle la science idéale, qu'il s'agisse du monde physique ou du monde moral, Berthelot ne reconnaît d'autres voies que celles qui ont permis à la science positive de s'affirmer et d'établir des certitudes. C'est là un des plus beaux témoignages que l'on possède d'une foi dans la pensée laïque et libre ; il est vrai que, dans son exaltation de la philosophie « positive », l'auteur manifeste un mépris peut-être excessif pour la philosophie proprement dite.

SCIENCE ET SANTÉ [*Science and Health*]. Ouvrage de la mystique américaine Mary Eddy Baker (1821-1910), publié en 1875. Ce livre est, à côté de *La Bible,* le texte sacré des adeptes de la « Christian Science », secte religieuse dont Mary Eddy Baker fut la fondatrice. Elle y nie la réalité objective de la matière et du mal. Le mal spirituel, comme le mal physique, ne sont qu'une illusion de l'esprit et doivent être guéris dans l'esprit, ainsi que le faisait le Christ. Il faut donc proscrire les remèdes et toute thérapeutique empirique, et soigner le mal dans l'esprit, car rien de l'homme n'est matériel. Le style de l'ouvrage, redondant et incorrect dans la première édition, devint plus sobre dans les éditions successives, tout en conservant un ton inspiré et prophétique. L'influence exercée par les idées de Mary Eddy Baker fut considérable : mille cinq cents communautés d'adeptes témoignent de la diffusion de sa doctrine, et les guérisons obtenues avec le système psychomystique prôné par les adeptes de la « Christian Science » ont été l'objet d'examens et d'études attentives de la part d'éminents praticiens et savants.

SCIENCE NOUVELLE (La) [*La scienza nuova*]. L'œuvre capitale du philosophe italien Giambattista Vico (1668-1744), à plusieurs reprises recommencée, remaniée ou entièrement refondue par l'auteur, fut le fruit de vingt-cinq ans de labeur et de méditation ininterrompus. Abandonnant l'éclectisme néoplatonicien et cartésien de sa jeunesse, Vico, dès 1708, avait ébauché une philosophie personnelle (leçon d'ouverture à l'université de Naples, sous le titre *De nostri temporis studiorum ratione*), en une lucide polémique anti-cartésienne. En 1710, sa gnoséologie très originale, qui l'amènera plus tard à devancer l'historisme de Kant, de Hegel et de Croce, s'exprime dans la première partie *(Liber Metaphysicus)* – seule publiée – de son traité *De la très ancienne philosophie des peuples italiques* [*De antiquissima Italorum sapientia ex latinae linguae originibus eruenda*] : la base de la connaissance est la « conversion du vrai dans le fait » ; Dieu seul, créateur, peut donc « connaître » les choses ; l'homme ne peut en avoir que la « conscience ». Les mathématiques, création de l'homme, sont sa seule connaissance parfaite ; mais, étant fondées sur des fictions humaines, elles restent arbitraires et ne peuvent régir le savoir tout entier. L'homme ne pouvant atteindre qu'au « certain » (ou au particulier) et non au « vrai » (ou à l'universel), la hiérarchie cartésienne des sciences est fausse. Que celles-ci se fondent sur le raisonnement (métaphysique, théologie, etc.) ou sur l'intuition (histoire, poésie, sciences naturelles, etc.), leur noblesse est égale. Enfin, entre 1714 et 1716, l'élaboration d'une biographie, remarquable, du maréchal Antonio Carafa *(Vie d'Antonio Carafa)* conduisit Vico à étudier Grotius – v. *Droit de la guerre et de la paix* (*) –, les théoriciens du droit naturel John Selden et Samuel Pufendorf et enfin Hobbes. En une révélation tumultueuse, où la vision poétique de Lucrèce s'embrasait de lueurs surgies aussi bien de Bacon que des hypothèses des juristes du droit naturel, qu'il fera siennes en les renversant et en les transformant, jaillirent en Vico les premières idées de sa science nouvelle. Son érudition prodigieuse se gonfle et se vivifie d'un souffle impétueux et inspiré. Un autre Vico naît, puissant, génial, prophète et poète, très différent du philosophe pondéré, méthodique qu'il avait été. Enivrant et douloureux, au milieu de l'indifférence et de l'incompréhension générales, commence cet enfantement monstrueux de *La Science nouvelle,* qui ne devait cesser qu'avec la mort de l'auteur. Des annotations, aujourd'hui perdues, à l'œuvre de Grotius (1717), une leçon d'ouverture à l'université de Naples (1719), un écrit plus important dont il ne reste que des fragments, enfin une sorte d'esquisse de son œuvre, *Le Droit universel* (*), publiée entre 1720 et 1722, ébauchent la future *Science nouvelle.* Une première rédaction, aujourd'hui perdue, que l'on désigne sous le nom de *La Science nouvelle sous sa forme négative,* portait en réalité le titre : *Doutes et désirs au sujet de la théologie des païens,* changé ensuite en : *Science nouvelle au sujet des débuts de l'humanité.* Le cardinal Corsini, futur Clément XII, qui en avait accepté la dédicace, s'étant dérobé au moment de l'impression, Vico remaniait son ouvrage en le réduisant, et le publiait à ses frais, en 1725, sous le titre : *Principes d'une science nouvelle concernant la nature des nations, par laquelle on retrouve les principes d'un autre système du droit naturel des peuples* [*Principii di una scienza nuova dintorno alla natura delle nazioni, per la quale si ritruovano i principii di altro sistema del diritto naturale delle genti*] : on le désigne sous le nom de *Science nouvelle première.* Le livre n'eut aucun succès. En 1728-1729, une seconde édition devait être imprimée à Venise, sur l'initiative du comte de Porcia, du père C. Lodoli et d'Antoine Conti. Vico joignit au texte près de six cents pages manuscrites, contenant quatre cent quatorze *Annotations* aujourd'hui perdues ; piqué par les discussions avec l'imprimeur, il retira le manuscrit, et en un effort surhumain, en l'espace de cent sept jours, entre le jour de Noël 1729 et le jour de Pâques 1730, il refondit une fois de plus son ouvrage. Sa nouvelle rédaction (désignée sous le nom de *Science nouvelle seconde*) fut publiée à compte d'auteur en 1730, en un caractère presque illisible, à peu près le corps 6 d'aujourd'hui, et ne rencontra pas beaucoup plus de succès que les précédentes. Dès 1730, Vico publiait deux séries de « corrections, améliorations, additions » ; il en préparait deux autres séries en 1731 et 1733. Enfin, vers 1734, il s'attela à préparer une éventuelle nouvelle édition, en remaniant le texte et en y incorporant des corrections. Cette troisième édition, connue sous le nom de *Science nouvelle troisième,* parut en juin 1734, cinq mois après la mort de l'auteur, sous le titre : *Principes d'une science nouvelle* « de Giambattista Vico, traitant de la nature commune des nations ; troisième impression avec corrections, additions et éclaircissements nombreux apportés par l'auteur ». *La Science nouvelle* comprend cinq Livres, d'une noble ordonnance. Le premier, après une Introduction présentant le plan général de l'ouvrage sous une forme imagée, expose une Table chronologique suivie d'Annotations, mettant en parallèle les trois époques fabuleuses, des dieux, des héros et des hommes, dans les différentes civilisations, depuis le Déluge jusqu'aux temps historiques (deuxième guerre de Carthage). Suivent cent quatorze axiomes ou « dignités », devant servir de normes dans la science nouvelle. Vico définit ensuite les principes de cette science et sa méthode, fondés sur l'union de la philosophie et de la philologie, sur le refus des affabulations tardives, et sur la recherche du document primitif : langue, mythes, monuments ; sur l'effort de recréer en nous l'âme même de ces temps obscurs, mais humains, en oubliant notre conscience d'hommes civilisés ; enfin sur la séparation de l'érudition et de l'historiographie. Le Livre II reconstruit la « sagesse poétique », c'est-à-dire la mentalité, la religion, la vie des premiers âges de l'humanité. Loin d'avoir connu un « âge d'or », les premiers hommes ont dû traverser un « âge bestial ». Une longue série de chapitres est dédiée à la métaphysique, à la morale et à la politique des âges poétiques. Première lueur métaphysique, la naissance du sentiment religieux ; première forme de la sagesse, la poésie, fille de l'intuition et non de l'intelligence ; premiers savants, les poètes théologiens créateurs des mythes, non point fables ou allégories, mais récits de faits réels tels que les a vus l'imagination poétique. Le langage naît spontanément, par signes d'abord, par objets symboliques ensuite. Avec les premières formes du droit, avec le mariage, avec la famille, s'instaure une vie sociale embryonnaire, et ce patriarcat s'élargit en donnant asile aux hommes faibles qui demandent assistance et subsistance en échange d'un servage consenti. De l'union des « patres » de plusieurs familles pour la défense commune contre les « famuli » exigeant la parité des droits surgit enfin la cité, sous un régime aristocratique. Peu à peu, la lutte entre les nobles « patres » et les « famuli », devenus la plèbe, se résout – à travers les concessions successives de droits civils et politiques – par le passage du régime aristocratique du temps des héros au régime démocratique du temps des hommes, et ensuite au régime monarchique. La Providence divine est le principe qui régit les lois constantes de l'histoire de l'humanité, en forçant les hommes à réaliser le cours fatal des événements en dépit de leurs passions et de leurs desseins individuels. Profondément religieux, et peut-être aussi habilement prudent, Vico s'interdit a priori le domaine de l'histoire du peuple élu, berceau du christianisme, en la séparant complètement de celle du restant de l'humanité. Son esquisse d'une histoire universelle de la société héroïque a pour cadre la Grèce et surtout Rome au cours de la période des rois. Mais, comme les mythes des douze dieux majeurs ne sont que la traduction poétique des étapes successives de ce long parcours, les rois ne sont que des caractères poétiques des institutions politiques successivement établies. Le Livre II, qui représente à lui seul la moitié de l'ouvrage, comprend encore une série de courts chapitres traitant de la physique, de la cosmographie, de l'astronomie, de la chronologie, de la géographie des époques poétiques. Comme un corollaire au Livre II, le Livre III se propose la « découverte du véritable Homère ». Procédant à une véritable rénovation critique de l'histoire littéraire de l'Antiquité, en étudiant les incohérences et les contradictions de langage, de mœurs, de géographie, etc. présentées par les poèmes homériques, et la légende même de la vie du poète, Vico conclut qu'Homère n'est qu'un caractère poétique matérialisant la longue métamorphose de la matière poétique de la Grèce héroïque : ces poèmes sont « deux admirables trésors pour la connaissance du droit naturel des peuples de la Grèce ». Le Livre IV et le Livre V, en reprenant le motif gréco-hindou des cycles historiques, dégagent de l'analyse des faits une science empirique du « cours » uniforme des nations, suivant une division ternaire : trois sortes de natures donnent naissance successivement à trois espèces de mœurs, d'où dérivent trois formes de droit naturel et trois types de république ; trois langues, trois sortes de caractères, trois sortes de jugements, etc. Parvenues au sommet de leur « cours » (« corso »), les nations se corrompent et se barbarisent, retombent à l'animalité et revivent ensuite un nouvel âge héroïque, recommençant le cycle. Ce « retour » (« ricorso ») est traité dans le Livre V par l'étude du Moyen Âge, où Vico retrouve les analogies essentielles avec l'âge des héros. En avance de plus d'un siècle sur la pensée de son temps, avec cette œuvre étonnante, bouillonnante de génie, désordonnée, parfois obscure, mais toujours puissante et profonde, Vico énonce une philosophie de l'esprit qui pressent Kant et Hegel, crée l'esthétique moderne dans le sens de Kant, de Hegel et de Croce, fonde l'historiographie contemporaine. Ses vues géniales, ses « découvertes » importantes dans le domaine de la philosophie, de la linguistique, de l'histoire mythique et héroïque, de l'histoire civile, politique et juridique, de la critique poétique, de la philosophie de la religion et même de la sociologie (partie la plus arbitraire de son œuvre), justifient la définition de Croce ; après avoir relevé que presque toutes les idées capitales de la philosophie idéaliste du XIXe siècle peuvent être considérées comme des « retours » des doctrines de Vico, Croce peut dire de l'auteur : « Il fut ni plus ni moins que le dix-neuvième siècle en germe. » — Une traduction partielle de *La Science nouvelle,* par Michelet (1827), malgré ses défauts, contribua à faire connaître à l'Europe le nom encore obscur de Vico. Une traduction complète, d'une très haute tenue scientifique, a été donnée, sous les auspices de l'Unesco, par A. Doubine, avec introduction et notes de F. Nicolini (Éditions Nagel, Paris, 1953). *De la très ancienne philosophie des peuples italiques,* éd. bilingue latin-français, Ter, 1987.

SCOOP [*Scoop*]. Roman de l'écrivain anglais Evelyn Waugh (1903-1966), publié en 1938. Après *Ces corps vils* (*), Waugh composa une biographie du martyr jésuite de l'époque élisabéthaine Edmond Campion, qui lui valut le prix Hawthornden, puis il mit à profit, dans *Scoop* et *Diablerie* [*Black Mischief*, 1933] ses expériences abyssiniennes et ses souvenirs de correspondant de guerre appointé par le *Daily Mail. Scoop* est l'histoire d'une méprise : le magnat de la presse lord Copper, se targuant de son flair pour découvrir des as du journalisme, envoie un novice comme correspondant particulier en Ishmaélie où vient d'éclater une guerre civile. En quête de nouvelles fraîches pour *La Bête* (le journal rival s'intitule *La Brute*), William Boot va gagner une fortune, échappant aux purges et aux terroristes, rencontrant la belle de sa vie — Kätchen — et, hélas, son mari, ne trouvant la gloire que pour lui préférer la vie tranquille d'un romancier. Waugh mêle une satire du monde de la presse à une critique acerbe des « bienfaits de la civilisation ». Sa fantaisie, aidée par l'exotisme, frôle à tout moment l'invraisemblance, et ce court roman, par sa structure même, n'est qu'un « divertissement ». Le conteur ne se prend d'ailleurs pas au sérieux ; sur un ton qui rappelle l'aisance et la rouerie de Diderot dans *Jacques le Fataliste* (*), il conduit le lecteur à un épilogue où sont disposées sagement ses marionnettes. C'est son expérience abyssinienne qui inspira à Waugh le cadre de *Diablerie*, roman d'aventures picaresques se déroulant en Azanie, un empire africain célèbre sous le roi Salomon, mais retombé dans la barbarie et la corruption. Le nouvel empereur Seth est « Seigneur de Wanda, tyran des mers, et licencié d'Oxford ». Un camarade de collège, Basil Seal, aventurier dissolu et astucieux de la haute société londonienne, l'aide à réformer son royaume, mais non à le rendre à sa splendeur première. — Trad. Julliard, 1980, et sous le titre *Sensation*, Presses de Belgique, 1946 ; *Diablerie*, Grasset, 1938.

SCORPION (Le). Roman de l'écrivain tunisien naturalisé français Albert Memmi (né en 1920), publié à Paris en 1969. La quête introspective de Mordekhaï, héros de *La Statue de sel* (1953), premier roman du même auteur, se doublait déjà d'une interrogation constante sur les autres, par lesquels il se définissait. Son célèbre « Qui suis-je ? », consécutif à sa confrontation au monde, prenait ainsi une double valeur, individuelle et sociale : qui suis-je certes, mais tout autant : que suis-je pour autrui ? En recherchant aussi avidement en lui, ce personnage en arrive forcément à faire l'inventaire de ce que lui-même représente aux yeux d'autrui. C'est cette double épreuve qui, peu ou prou, attend tous les héros d'Albert Memmi, d'ailleurs souvent dédoublés – J. H./Mordekhaï dans *La Statue de sel,* Marcel/Émile dans *Le Scorpion,* Ghozlan/Benillouche dans *Le Pharaon* (1988) – et habités d'une même volonté : se découvrir eux-mêmes, retrouver sous le regard intérieur ou dans le miroir le moi d'avant la dispersion, et corrélativement « essayer le monde », et faire dans cette confrontation sociale l'« épreuve des hommes ».

Ainsi Memmi présente-t-il dans *Le Scorpion* Marcel, chargé par l'éditeur de son frère Émile – un écrivain extrêmement préoccupé de ses origines et de son identité – de remettre de l'ordre dans la « cave » de celui-ci – « ce tiroir toujours entrouvert, en haut à droite de son bureau, où il jetait en vrac, au jour le jour, tous ses manuscrits et documents de travail ». Ce genre de fiction permettant la multiplicité des instances narratives, les voix d'Émile (notamment à travers les écrits que découvre son frère) et de Marcel ne cessent de se croiser, s'opposer, se compléter et se corriger, conduisant le lecteur à une réflexion sur le réel, l'imaginaire, le supposé, le mensonger, d'où découle la théorie d'Albert Memmi sur l'utilité d'une écriture colorée, apte à rendre compte de ces différents niveaux de perception du monde... Ce qui permet également l'insertion dans le récit d'illustrations diverses, présentées comme provenant de la Cave, ou brandies comme preuves ou hypothèses dans des raisonnements souvent contradictoires.

G. Du.

SCRUTINY. Cette importante revue critique anglaise fut fondée en 1932, et du premier au dernier numéro l'écrivain Franck Raymond Leavis (1895-1978) joua un rôle important dans sa direction. La revue bénéficia de l'expérience du *Calendrier des Lettres modernes* [*Calendar of Modern Letters*, 1925-27] et de l'aide de Mrs. Queenie Roth Leavis dont l'ouvrage sur *La Fiction et le public littéraire* [*Fiction and the Reading Public*, 1930] avait souligné la pauvreté culturelle des lecteurs populaires. S'adressant à un « public intelligent, instruit et soucieux de sa responsabilité morale », la revue visait à développer le jugement critique d'un public à même de préserver les valeurs culturelles traditionnelles. En même temps, les critiques se préoccupaient de la « vie actuelle de la littérature du passé » et de « distinguer intelligemment et avec sensibilité » les nouvelles formes vivantes de la littérature contemporaine. Les critères d'appréciation furent définis par un groupe de critiques que l'on désigna sous le nom de « groupe de Cambridge » : les Leavis, L. C. Knights, Ronald Bottral, influencés à la fois par T. S. Eliot et I. A. Richards. La contribution essentielle du groupe de *Scrutiny* à la définition d'une sensibilité culturelle moderne fut sa réévaluation rigoureuse de la tradition littéraire anglaise. Les auteurs les plus appréciés par la revue étaient en général ceux qui se prononçaient en faveur de la vie – comme D. H. Lawrence – contre le dessèchement des valeurs culturelles modernes. L. H. Myers, T. F. Powys et W. H. Auden furent applaudis tandis que les Sitwell, le groupe de Bloomsbury, Evelyn Waugh, Elizabeth Bowen et Graham Greene étaient accusés de se couper des « sources vitales ». La revue représenta ainsi un point de vue important mais isolé : moderniste contre l'académisme, mais conservateur contre les expérimentations modernes (dont James Joyce). Le ton de la critique était cependant très élevé ; le fait que la plupart des critiques et des écrivains se connaissaient personnellement contribuant à nuancer certains jugements sans exclure la sévérité. L'entente implicite des collaborateurs de la revue sur la nature de leurs fonctions permit d'organiser les articles en symposiums, en leur donnant une perspective cohérente et unifiée. Avec le temps, cependant, l'intérêt des auteurs semble s'être restreint, tandis que leurs études devinrent plus spécialisées et plus érudites. Après vingt et un ans d'existence, et après avoir survécu à la Seconde Guerre mondiale, la revue cessa de paraître parce qu'elle avait en quelque sorte gagné la bataille pour l'avènement d'une critique textuelle exacte en rapport avec les intérêts du public contemporain. Le dernier éditorial déplorait qu'il fût désormais impossible de « former un noyau compétent de collaborateurs constants ». Quoi qu'il en soit, la revue de F. R. Leavis publia les articles les plus féconds de la nouvelle critique britannique, et a contribué à en répandre les principes en Europe et aux États-Unis.

SCULPTEUR SUR BOIS ET LA MORT (Le) [*Träsnidaren och döden*]. Roman de l'écrivain finnois d'expression suédoise Hagar Olsson (1893-1978), publié en 1940. Le sculpteur sur bois Abel Myyriäinen réalise un jour qu'il est un mauvais artiste. Il n'a plus aucun contact avec l'humanité. Il prend alors la décision de tout quitter et de traverser à pied la Carélie. Sur son chemin, il rencontre Lampinen, chaudronnier cherchant de l'aide pour sa fille mourante, Sanni. Le miracle escompté a lieu : Sanni trouve la paix avant de mourir, et le sculpteur sur bois le contact avec les hommes. L'artiste qui s'enferme dans son art au point d'oublier autrui fait fausse route. Pour Hagar Olsson, l'art pour l'art est stérile. La mission de l'écrivain est de servir l'humanité. Il ne peut le faire s'il ne vit pas avec ses frères. Hagar Olsson est obsédée par la mort. Son premier roman s'appelait *Lars Thorman et la Mort* [*Lars Thorman och döden,* 1916] et enseignait déjà que seule la mort donne un sens à la vie. Ce beau roman est aussi un émouvant adieu à la Carélie, cette province que la Finlande venait de perdre.

SCYTHES (Les) [*Skify*]. Poème lyrique de l'écrivain russe Alexandre Blok (1880-1921), publié en 1918. Blok écrivit ce poème en deux jours (les 29 et 30 janvier 1918), immédiatement après avoir achevé son grand poème *Les Douze* (*). Par leur genre, *Les Scythes* appartiennent à la lignée des poèmes oratoires à thématique politique, illustrée en Russie par les plus grands noms de la poésie lyrique (Lomonossov, Derjavine, Pouchkine, Tiouttchev). C'est, développée selon les lois d'une rhétorique éprouvée, une ardente invective lancée contre les pays occidentaux qui refusent de négocier la paix avec les bolcheviques. Mais ce poème livre aussi un des aspects du « scythisme » idéologique auquel se rattachait Blok aux côtés de Bely : l'opposition entre, d'une part, l'Occident bourgeois et civilisé, et, d'autre part, la Russie orientale, « asiatique » et barbare, conception manichéenne empruntée à Vladimir Soloviev. Le poème *Les Scythes* peut se lire aussi bien comme une déclaration d'amour ou une déclaration de haine envers cet Occident qui temporise et tente d'imposer des conditions exorbitantes dans les pourparlers de Brest-Litovsk. Une note de Blok dans son journal intime, à la date du 11 janvier 1918, témoigne de son état d'esprit au moment de la rédaction des *Scythes* : « Le "résultat" des pourparlers de Brest [...] – Nul, c'est bon. Mais la honte de trois ans et demi ("la guerre", "le patriotisme"), il faut la laver. Pointe, pointe ton doigt sur la carte, canaille allemande, vil bourgeois. Rouspétez, Angleterre et France. Nous accomplirons notre mission historique. Si vous ne lavez pas au moins par une "paix démocratique" la honte de votre patriotisme militaire, si vous faites périr notre révolution, alors vous n'êtes plus des aryens. Et nous ouvrirons toutes larges nos portes à l'Orient. Nous vous regardions avec des yeux d'aryens, aussi longtemps que vous aviez un visage. Mais votre gueule, nous allons la voir avec notre regard oblique, malin et vif. Nous allons nous transformer en Asiates, et alors l'Orient fondra sur vous. Vos peaux iront faire des tambourins chinois. Celui qui s'est déshonoré à ce point, celui qui a menti à ce point n'est plus un aryen... Nous sommes des barbares ? Très bien. Nous allons vous montrer ce que c'est, les barbares. Et notre cruelle, notre terrible réponse sera la seule qui soit digne de l'homme. » – Trad. Éd. de Minuit, 1967.

J.-C. L.

SÉANCE DE THÉ (Une) [*Haflate châye*]. Comédie en un acte, en arabe littéraire, de l'écrivain égyptien Mahmūd Taymūr (1894-1973), publiée en 1943. Elle tourne en ridicule un couple de jeunes époux, qui veulent imiter maladroitement les manières occidentales au cours d'une réception avec thé qu'ils offrent à leurs amis. La scène est d'un comique achevé et ne le cède en rien à certaines parties des *Précieuses ridicules* (*). D'autres œuvres théâtrales sont à signaler : *Abu chūcha* (1941), comédie en un acte, peint la vie dans un village égyptien ; *Mensonges sur mensonges* [*Kidhb fî kidhb*, 1943] est une comédie sociale écrite dans le dialecte local. Dans *L'Abri n° 13* [*al-Makhba' raqm 13*, 1941], comédie en trois actes et deux versions, l'une en arabe dialectal, l'autre en arabe classique, un groupe d'hommes et de femmes se réfugient dans un abri, lors d'un bombardement. Leurs réactions peignent leurs différentes origines ; le marchand de petits pains y devient roi et le chanteur de cabaret appelé « Chasteté » se présente comme son échanson. *Le Cortège* [*al-Mawkib*, 1941] est lui aussi écrit en arabe classique et dialectal. C'est une comédie sur l'exode rural. *Bombes* [*Qanâbil*, 1943] traite le sujet contraire : des citadins se réfugient à la campagne pour fuir les bombardements durant la guerre. *Le Truand* [*al-Su'lūk*, 1941], pièce en un acte, décrit une femme de plaisir. Il faut citer encore : *Plus malin que le diable* [*Achtar mine Iblîs*, 1953] et *Les Faussaires* [*al-Mouzayyifoûn*, 1953]. Ce théâtre comique est vivant, alerte et peint non seulement une société en pleine transformation, mais la bonne humeur de l'Égyptien qui s'exerce partout et toujours, pour critiquer gentiment la foule de ses semblables.

SÉBASTIEN ROCH. Roman de l'écrivain français Octave Mirbeau (1848-1917), paru en 1890 sans que personne, ou presque, ose en parler. Mirbeau y transpose ses quatre années d'« enfer » chez les jésuites de Vannes, jusqu'à son renvoi, dans des conditions plus que suspectes. Le jeune Sébastien Roch mène une existence saine et prometteuse dans un petit bourg du Perche, lorsque son père, un quincaillier prudhommesque soucieux d'élévation sociale, l'expédie à Vannes poursuivre ses études. Il y est profondément malheureux : ses aspirations affectives et intellectuelles y sont comprimées, on l'abrutit de connaissances inutiles et de dogmes absurdes et, comme roturier, il subit maintes avanies de la part de ses professeurs et de ses camarades. Son seul réconfort, il le trouve chez le « taiseux » Bolorec, son compagnon d'infortune, qui rêve d'étriper les jésuites et qui s'engagera plus tard dans le mouvement révolutionnaire. Sébastien est séduit, puis violé par son maître d'études, de Kern – inspiré de Stanislas Du Lac, futur maître à penser du haut état-major pendant l'affaire Dreyfus. De peur d'être dénoncé par sa victime, le prêtre infâme la fait chasser ignominieusement du collège sous prétexte d'amitié particulière avec Bolorec. Dès lors toute la vie de Sébastien est brisée : son père ne lui adresse plus la parole, sa sexualité est pervertie, son intelligence et son goût sont dévoyés, son génie potentiel a été étouffé dans l'œuf. L'armée parachève ce « meurtre d'une âme d'enfant » : Sébastien est tué au cours de la guerre de 1870. Dans ce roman impressionniste, sobre et émouvant, les faits importent moins que l'impression qu'ils produisent sur la sensibilité de l'adolescent. Mirbeau – dont l'inspiration est clairement anarchiste – y stigmatise ces « pétrisseurs » et « pourrisseurs d'âmes » que sont les jésuites, et plaide pour le libre épanouissement des enfants (cf. ses *Combats pour l'enfant,* édités en 1990), dont les aspirations saines et naturelles sont anéanties dans ces étouffoirs que sont la famille et l'école. Pi. Mi.

SÉCHERESSE [*Vidas secas*]. Roman de l'écrivain brésilien Graciliano Ramos (1892-1953), publié en 1938. Roman « démontable » par sa structure en treize chapitres autonomes qui permettent à chacun des protagonistes de donner à tour de rôle sa vision sur le problème central : la sécheresse dans le sertão du Nordeste du Brésil. Tribulations d'une famille de migrants composée du père (Fabiano), de la mère (Sinha Vitoria), de deux enfants et de la chienne Baleia, soumis à l'hostilité oppressive de la nature et de ceux qui détiennent le pouvoir, et qui errent dans la « caatinga » dans l'espoir de gagner des régions moins hostiles pendant la période de sécheresse. Ils s'arrêtent dans une fazenda abandonnée et vivent là des moments tragiques : Fabiano tue la chienne qu'il croit enragée. Il est lui-même incarcéré injustement par un soldat. Avec les pluies, ils retournent d'où ils viennent... à une vie qu'ils espèrent nouvelle. Fabiano, figure centrale du roman, est le type du Nordestin soumis à la dure loi de la terre continuellement menacée de dévastation et de mort, contraint à la résistance passive. La langue exigeante et synthétique de ce petit chef-d'œuvre de sobriété formelle reflète la désagrégation et l'effilochage de ces vies inutiles : les dialogues rudimentaires traduisent l'incapacité de ces êtres à communiquer entre eux. De ce roman à la construction cinématographique, Nelson Pereira dos Santos a tiré le film homonymique en 1963. – Trad. Gallimard, 1964.
M. Le M.

SECOND (Le) [*Sekonden*]. Roman de l'écrivain suédois Per Olov Enquist (né en 1934), publié en 1971. Principal représentant du roman documentaire en Suède avec Sundman, Enquist a recours ici à la méthode de l'enquête pour cerner sa propre identité et celle de sa génération. Il construit son récit sur deux plans : l'histoire du mouvement sportif suédois permet de comprendre le développement du personnage principal (le second qui est la projection de l'auteur) et d'approfondir le débat sur le rôle du sport qu'Enquist présente comme un miroir de la société. Il dénonce la social-démocratie qui a trahi la classe ouvrière en refusant de soutenir une puissante organisation sportive socialiste en Suède. Convaincu qu'il s'agit d'une erreur tactique, il montre combien l'utilisation du sport à des fins politiques a renforcé le pouvoir en République démocratique allemande. Pour illustrer cette trahison, il analyse la destinée d'un lanceur de marteau pris en flagrant délit de fraude en 1947. L'ascension et la chute de ce champion, présenté dans l'œuvre comme le père du narrateur, prend ainsi des dimensions symboliques. Passionné de sport, lui-même athlète de saut en hauteur, Enquist est enclin à pardonner cet acte malhonnête à un père profondément généreux qui s'est laissé prendre dans l'engrenage des records et à en rejeter la responsabilité sur la société. Ce roman dévoile la mauvaise conscience de ce fils qui, après avoir secondé son père, l'a déçu en abandonnant le sport pour devenir fonctionnaire ; mauvaise conscience de ce fils également vis-à-vis de sa mère qu'il a reléguée dans la solitude, de connivence avec le père ; mauvaise conscience enfin vis-à-vis de la femme qu'il aime mais qu'il n'a pas épousée. Roman courageux sur la fascination pour le sport, suggéré par les réflexions de Roland Barthes, *Le Second* s'avère parfois déroutant par sa structure éclatée, son style volontiers didactique et la naïveté de certaines prises de position politiques ; il reflète néanmoins avec lucidité l'itinéraire intellectuel d'un écrivain suédois engagé, confronté aux bouleversements idéologiques de l'après-guerre. – Trad. Actes Sud, 1989.
M.-B. L.

SECOND ALCIBIADE ou Sur la prière [*Ἀλκιβιάδης δεύτερος ἢ περὶ προσευχῆς*]. Dialogue attribué dans l'Antiquité au philosophe grec Platon (428 ?-347 ? av. J.-C.), dans lequel il est discuté de l'utilité et de l'efficacité de la prière. Alcibiade s'est mis en route, avec un air de componction, pour aller prier les dieux. Socrate le rencontre et lui fait observer qu'il faut être prudent dans les prières que nous adressons aux dieux ; parfois ce que nous demandons se réalise, mais sous forme de malheur, ainsi qu'il advint à Œdipe. Œdipe était fou, objecte le jeune homme. Mais, lui réplique Socrate, Alcibiade sait-il bien distinguer les sages des gens déraisonnables ? S'il pense que la folie est le contraire de la sagesse, la folie serait identique à la déraison qui est bien le contraire de la sagesse ; étant donné que les gens qui déraisonnent sont les plus nombreux, la vie serait peu sûre parmi tant de fous. Il faut donc penser que déraison est un terme général dont la folie n'est que la forme extrême. Or si l'on peut manquer de bon sens sans pour cela être fou, il convient de faire attention et de ne pas prier les dieux à la légère ; sait-on si ce que nous demandons nous sera véritablement utile. Mieux vaut dans ce cas implorer, d'une façon générale, le bien et conjurer, d'une manière générale, le mal. Alcibiade reconnaît alors que la cause de tout mal est l'ignorance. Certes, cela est vrai, reprend Socrate, mais pas toujours : seule l'ignorance du bien est préjudiciable, de même que la connaissance du bien est toujours profitable. Mais pour ceux qui se réfèrent constamment à l'opinion, le non-savoir est, à tout le moins, un frein. Pour qui ne possède pas la science du bien, même la prière peut avoir un effet nuisible. Alcibiade ferait donc bien de ne pas se presser, tant qu'il n'aura pas appris la manière de se comporter vis-à-vis des dieux. — Trad. Les Belles Lettres, 1930 ; Gallimard 1943.

SECONDE ÎLE DE JOHN BULL (La) [*John Bull's Other Island*]. Comédie de l'écrivain irlandais George Bernard Shaw (1856-1950), écrite en 1904, publiée en 1907. Deux ingénieurs, Broadbent et Doyle, associés en affaires, sont de caractères très différents. Le premier est un Anglais, vulgaire, plein de sens pratique, aux idées politiques conventionnelles, et surtout très sûr de lui, le vrai type de John Bull ; Doyle, un Irlandais, est un rêveur furieux de l'être, qui voudrait vivre là où la réalité n'est pas brutale et les songes irréels. Il conserve un mauvais souvenir de son village natal, Rosskullen, où règnent l'ignorance, la bigoterie et une médiocrité sans espoir. Et pourtant il y a dans ce village une femme, Nora, qui a représenté le rêve de toute sa jeunesse et qui l'attend toujours. Mais, irrésolu comme il l'est, il n'a aucune intention de l'épouser. Les deux ingénieurs doivent précisément se rendre à Rosskullen pour le compte d'un syndicat qui veut entreprendre d'importantes constructions (édification de grands hôtels, salles de jeux, etc.). Là, Broadbent, par sa rude assurance, réussit à conquérir la sympathie de la population qui, le prenant également pour un naïf, veut hypocritement l'envoyer comme représentant au Parlement. Nora elle-même, en dépit de sa sensibilité, est séduite par la force de Broadbent et accepte de devenir sa femme. En attendant, l'ingénieur l'exploite en tant qu'agent électoral. Le pauvre Doyle est oublié de tous. À côté des personnages, l'auteur dépeint satiriquement l'atmosphère de l'Irlande, l'« autre île », dont il raille la fausse vertu, le snobisme et les préjugés. Remarquable est le personnage du père Keegan, que ses concitoyens considèrent comme un fou. Ancien missionnaire aux Indes, il lui est resté quelques idées de la philosophie hindoue et, dégoûté de ce monde, il pense que la Terre est un enfer où nous expions les fautes d'une vie antérieure. Là aussi le goût du grotesque et du paradoxe entraîne l'auteur, qui fait alterner les scènes de sentiment et de gros comique. Ainsi que dans ses autres œuvres, en guise de préface, G. B. Shaw a placé, en tête de sa comédie, quelques pages où il est traité du problème irlandais ; si ces pages ont en partie perdu de leur actualité politique, le contenu humain du drame lui-même conserve toute sa valeur. — Trad. Aubier, 1945.

SECONDE NAISSANCE (La) de Papini [*La seconda nascita*]. Essai de l'écrivain italien Giovanni Papini (1881-1956), publié posthume en 1958. *Un homme fini* (*) et *La Seconde Naissance* nous montrent le cheminement intellectuel et spirituel de Papini, ce Florentin impétueux, aussi ardent à nier Dieu qu'à s'en faire l'apôtre. Le premier livre révèle avec un mélange de lyrisme et de hargne l'amertume de l'échec et de la déception, sur un ton si misérable qu'il est important de savoir que ce livre a été écrit avant sa conversion et qu'il n'est pas un recueil de souvenirs du temps de l'incroyance recomposés après coup pour la bonne cause. C'est l'angoisse d'un homme qui sent l'absence de Dieu comme un vide à combler. Les étapes de la conversion, dont les mobiles sont plus poétiques et sentimentaux qu'intellectuels, sont racontées dans *La Seconde Naissance*. Le livre est de 1923, mais Papini ne le publia pas. Titre liturgique, pourrait-on dire, souvenir de la joie des premières Églises chrétiennes, lorsqu'elles fêtaient ceux qui venaient de naître une seconde fois par le baptême. Il y a dans ce deuxième livre des pages charmantes sur l'amour de la campagne, la vie simple et vraie des paysans, des épisodes qui sont le signe d'une élection, l'analyse faite, dans une grande humilité d'esprit, de l'amour d'une femme comme stimulant de la foi. Mais aussi trop d'insistance à justifier les variations d'opinion qui avaient fait à Papini de nombreux adversaires, trop de tentatives de mises au point sur la guerre ou le modernisme qui restent naïves ou superficielles.

SECONDE NAISSANCE (Une) de Farrokhzâd [*Tavallodi Digar*]. Recueil de la poétesse iranienne Forough Farrokhzâd (1934-1967), publié en 1963. Ce recueil (qui comprend, outre celui qui lui a donné son titre, trente autres poèmes composés de 1959 à 1963) est précédé de trois autres : *La Prisonnière* [*Asir*], *Le Mur* [*Divâr*], *La Révolte* [*Esyân*]. Il marque pourtant le premier pas du poète dans la maîtrise de son art et dans l'affranchissement et la maturité ; au plan des techniques poétiques et de l'audace de l'expression, Farrokhzâd est reconnue par le monde des lettres à partir de ce recueil qui, par son titre, annonce un changement radical dans la vision du poète.

Autrefois prisonnière de son ego, Farrokhzâd opère ici une sortie de soi vers le monde, et son message devient universel. Du sentimentalisme, elle passe à la vraie émotion, du rêve romantique, à la force du réel. Toutefois il ne faudrait pas mésestimer la force « critique » et « révolutionnaire » des trois premiers recueils ; il s'en dégage un portrait nouveau et incisif de la femme iranienne moderne, de son destin tragique dans la société masculine iranienne. Mais l'affrontement du réel est pour Farrokhzâd source de peur et d'angoisse. La mort est partout présente, et tout est menacé de ruine. Même l'amour est suspect, même le bonheur. Les hommes ressemblent pour Farrokhzâd à des poupées mécaniques qui regardent le monde de leurs yeux inertes et glauques. Pour les enfants, demain n'a plus de sens. Il reste au poète le désir de la lumière. Farrokhzâd réagit avec courage, lucidité et vigueur en regardant la vie en face et en décrivant les instants les plus quotidiens de sa vie présente et passée avec une passion pour la vérité. C'est sa réponse à la peur et à l'angoisse. La poésie de Farrokhzâd n'est pas une belle figure de la réalité, mais un cri jailli de cette vie elle-même, sans fard et sans distance intellectuelle. *Une seconde naissance* est aujourd'hui encore objet de controverse dans les milieux littéraires iraniens. Farrokhzâd y crie son besoin d'amour et de relations humaines authentiques et libres, son exigence d'être respectée en tant que personne. Ce nouveau recueil indique les changements radicaux survenus dans les conditions de vie de la poétesse. Il y a entre sa poésie et sa vie interrelation : la poésie fait éclater les modes de vie conventionnels ; les nouveaux modes de vie font éclore la richesse thématique et la liberté formelle. *Une seconde naissance* (poème et recueil) offre un premier constat de l'inachèvement de la relation amoureuse. Nul ne se « réalise » complètement dans l'autre. Alors que les trois premiers recueils décrivent l'expérience amère de la déception amoureuse d'une femme prisonnière de son désir de relations et de son rôle social conventionnel, l'amour est désormais observé dans toutes ses dimensions, non comme un privilège mais une expérience vive qui agit sur la croissance de la personne. Avant le poète subissait l'échec de l'inconciliable (amour réel et amour imaginaire, moi et autrui, réel et idéal) ; maintenant il peut affronter le réel et faire l'« expérience » de l'amour, s'engager malgré les écueils, faire l'unité de sa personnalité. *Une seconde naissance* marque le début d'une réconciliation de soi (sexualité, intelligence, émotivité) et d'une intégration des divers aspects de l'expérience humaine, qui seules permettent la réciprocité de la relation. Ces poèmes inaugurent un nouveau type d'amoureux, à l'opposé du « Madjnoun » de la tradition, qui découvre l'altérité et l'égalité de l'amour, la reconnaissance mutuelle, et non l'aliénation. Ni maître ni esclave. Ainsi peut-on lire l'évolution de Farrokhzâd dans son œuvre, sa « métamorphose ». De femme complexée (*La Prisonnière*), elle devient féministe révoltée (*Le Mur, La Révolte*), puis femme émancipée consciente de son originalité (*Une seconde naissance*). Le destin de Farrokhzâd — qui trouve dans sa poésie son expression achevée — est exceptionnel dans l'histoire de la littérature persane. L'œuvre de Farrokhzâd détruit le mythe de la femme que la société masculine d'Iran avait contribué à forger depuis des siècles. — Trad. : Il n'existe pas de traduction complète de l'œuvre de Farrokhzâd, mais des traductions partielles, en anglais, dans des revues ou des anthologies (Amin Banani, *The Penguin Book of Women Poets,* 1978 ; *Another Birth : Selected Poems of F. F.,* CA. Albany Press, 1981).

C. Ba.

SECONDE SURPRISE DE L'AMOUR (La). Comédie en trois actes, en prose, de l'écrivain français Marivaux (1688-1763), jouée aux Français le 31 décembre 1727. Cette pièce, qui n'obtint pas un grand succès, est l'une des comédies de Marivaux le plus souvent reprise par la suite et le plus goûtée du public, encore aujourd'hui. La marquise et le chevalier trouvent une consolation à mêler leurs larmes et leurs regrets, elle d'un mari trop tôt perdu, lui d'une fiancée que le cloître lui a ravie. Lisette, suivante de la marquise, voudrait pour sa maîtresse de plus douces consolations, qu'elles viennent d'un chevalier moins fidèle à la mémoire de son Angélique, ou du comte, qui aime la marquise, et dont on demande au chevalier d'appuyer les chances. Lubin, valet du chevalier, pleure par compliment envers son maître, rit par inclination envers Lisette. Hortensius, plaisante figure de pédant, lecteur de la marquise à qui il enseigne les belles lettres, la morale et la philosophie, sans préjudice des autres sciences, tourne à Lisette des madrigaux en syllogisme, et se trouve bien dans son fromage, d'où un mariage pourrait le déloger. La situation ainsi posée dans un Ier acte bien construit et bien équilibré, se développe harmonieusement dans un IIe acte rempli d'esprit, de grâce, nuancé, d'une psychologie achevée, d'un comique accompli. L'adresse de Lisette, la maladresse de Lubin, la sottise d'Hortensius, se mêlant à tort et à travers des affaires de cœur de leurs maîtres, provoquent le dépit et le ressentiment de la marquise, réveillent sa coquetterie, sèment le trouble et l'inquiétude dans le cœur du chevalier, y font germer la jalousie. Après une première passe d'armes, où les deux adversaires sondent avec prudence les défauts de leurs cuirasses, l'escrime devient plus serrée ; dans une scène très divertissante, on se pique, on se fâche, pendant que le pédant fait la lecture de sages pensées inspirées de Sénèque ; on se réconcilie sur le dos de Sénèque, aux dépens du comte, aux frais d'Angélique, au dommage surtout d'Hortensius qui sera congédié ; mais l'amour se déguise toujours sous le masque de l'amitié. Au IIIe acte, dans cette amitié obstinée, le comte jette le pavé de l'ours. Il se flatte, en parlant au chevalier, de ne point être indifférent à la marquise ; le chevalier, dépité, jaloux, abonde dans son sens, se déclare ravi, proclame libre son cœur, accepte d'enthousiasme l'idée d'épouser la sœur du comte, annonce tout cela à la marquise. Celle-ci, piquée, lui rend la monnaie de sa pièce, elle agrée le comte. Et pendant que l'heureux prétendant, impatient, court chercher un notaire, les deux amants voient enfin clair en leurs cœurs, et se désespèrent, l'un dans les coulisses, devant Lubin qui nous le répétera, l'autre en scène, devant Lisette, fine mouche, qui jette de l'huile sur le feu. Pour une fois Lubin fait merveille : la lettre d'adieu, la lettre d'amour du chevalier, donnée, reprise, jetée, qu'il apporte en cachette à la marquise, ne permet plus au dernier duo de faire fausse route ; et le notaire, amené par le comte, ne viendra pas inutilement. La pièce reprend, en la transformant et en la développant, l'intrigue de la première *Surprise de l'amour* (*). D'une construction plus achevée, elle affirme la maîtrise de Marivaux, « mais parfois l'on se prend à regretter l'allure primesautière de l'ancienne *Surprise*, ce jeu qui ne touchait pas le sol, la simplicité paradoxale de l'intrigue » (Marcel Arland).

SECRET (Le). Pièce en trois actes de l'auteur dramatique français Henry Bernstein (1876-1953), jouée à Paris pour la première fois en 1913. Épouse irréprochable, heureuse, fortunée, Gabrielle Jannelot n'en est pas moins ce qu'on appelle un monstre de perfidie. Sous le masque de la droiture, possédée d'on ne sait quel démon, elle supporte mal le bonheur des autres. Aussi s'ingénie-t-elle toujours à le détruire. Experte en ruses, elle compte mainte victime dans le cercle de ses relations. Enhardie par l'impunité, elle jette enfin son dévolu sur sa meilleure amie, Henriette. En la voyant par trop heureuse de son remariage avec le brave Denis Le Guenn, elle cède au terrible besoin de la salir aux yeux de ce dernier : sa femme, un soir, s'est oubliée dans les bras de Ponta-Tulli, un séducteur qui ne lâche pas la proie pour l'ombre. Cette fois, Gabrielle ne sort pas indemne de l'affaire. Démasquée, elle sera contrainte de s'expliquer sur le fond même de sa nature : ce démon de la méchanceté qui la possède et la fait d'autant plus souffrir que cette méchanceté est gratuite. Dans le théâtre de Bernstein, cette pièce forte et belle marque un tournant des plus heureux. En effet, l'action, sans perdre sa violence extérieure, se développe en profondeur pour dégager un caractère. On sait que cette évolution s'est poursuivie dans *Judith* (*), *La Galerie des glaces, Le Venin*, etc. Citons ici Pierre Brisson : « La réussite de l'auteur est de peindre une figure non pas avec des mots, mais avec des faits... L'aventure se déroule de façon à faire éclater un coup de théâtre. Mais ce coup de théâtre n'est plus la révélation d'un événement : il nous apporte la révélation d'un caractère. Supériorité très remarquable : les circonstances définissent un être. Supériorité si évidente que le seul moment où la pièce fléchisse est celui où l'auteur passe de la méthode allusive à la confession directe. »

SECRÉTAIRE PARTICULIER (Le) [*The Confidential Clerk*]. Cette pièce de l'écrivain anglais Thomas Stearns Eliot (1888-1965), publiée en 1954, se présente d'abord comme une sorte de divertissement en vers. Sir Claude Mulhammer, financier prospère, éprouve en vieillissant du regret de n'avoir pas eu d'enfant de son épouse, la fantaisiste lady Elizabeth. Il va donc remplacer son secrétaire particulier par Colby Simpkins, une sorte de poète délicat, qui est — croit-il — son fils naturel. Non content de s'enticher de Colby au point de l'adopter comme le souhaitait son mari, lady Elizabeth croit reconnaître en lui son propre fils naturel. Or, Lucasta, la protégée et fille naturelle de sir Claude, tombe amoureuse de Colby ; mis au courant par celui qu'il croit être son père, le jeune homme la fuit et elle épouse Barnabas Kagan ; mais la nourrice, Mrs. Guzzard, révèle la véritable filiation : Barnabas, que lady Elizabeth déteste, est son propre fils, celui qu'elle avait confié à la nourrice. Quant à Colby, il est le fils de cette dernière et d'un musicien, que Mrs. Guzzard a substitué au fils décédé de sir Claude afin d'assurer son avenir. Colby se consacre à son métier d'organiste avec l'espoir de devenir prêtre, tandis que sir Claude reporte son affection sur sa fille Lucasta. Ce canevas comique est emprunté à l'*Ion* (*) d'Euripide, mais il n'est jamais traité sur un ton burlesque ni même badin. Le dialogue est pétillant et serré, il fait sans cesse avancer l'action. Il cache pourtant une amertume profonde, la peine de sir Claude à qui pèse sa solitude et qui cherche, au seuil de la vieillesse, quelqu'un à aimer. Le langage, empreint de pudeur et de discrétion, paraît un peu terne, en comparaison de celui des poèmes où les images sont d'une densité étonnante. C'est que le but du dramaturge est différent de celui du poète. Il donne à ses vers les intonations et les rythmes de la langue quotidienne afin de forcer le spectateur à voir les implications du dialogue sans attirer indûment son attention sur la forme poétique elle-même. Cette écriture sert en quelque sorte à vulgariser pour un public théâtral moins averti les explorations fascinantes auxquelles Eliot invite dans ses poèmes le lecteur cultivé. L'auteur reprit le thème d'*Œdipe à Colonne* (*) dans *Fin de carrière* [*The Elder Statesman*, 1958] avec un certain bonheur. Ses dernières pièces, pour lesquelles il s'est montré assez sévère, nous conduisent ainsi vers une sérénité tranquille après le déchaînement des furies de

La Réunion de famille (*) ou les chassés-croisés de *La Cocktail-Party* (*). – Trad. Le Seuil, 1961.

SECRET DE JAVOTTE (Le). Nouvelle de l'écrivain français Alfred de Musset (1810-1857), publiée en 1844. C'est l'une de ses dernières œuvres. Elle atteste bien que l'écrivain n'était pas, comme on l'a prétendu, mort aux lettres à partir de 1842, époque vers laquelle sa santé commença de décliner. L'on retrouve ici ce poète des lorettes et des grisettes à qui Brizeux reprochait avec quelque parti pris de porter trop d'intérêt aux entresols de la rue Saint-Georges. *Le Secret de Javotte* met aux prises, dans un paysage d'Ile-de-France, le jeune hussard Tristan de Berville et une châtelaine, sa voisine, la marquise de Vernage, coquette, spirituelle et qui aime les militaires. Un certain La Bretonnière, hobereau terne et assez grognon, qui demeure dans les environs, l'accompagne toujours, et sa présence n'est pas sans impatienter Tristan. Bientôt les agaceries de la coquette mettent à l'épreuve le jeune amoureux. Mme de Vernage n'a-t-elle pas insinué – d'après la confidence que lui en aurait faite un capitaine de dragons nommé Saint-Aubin – que Berville, après lui avoir pris sa maîtresse, la modiste Javotte, aurait refusé à son rival une réparation par les armes. Les effets de cette sotte histoire nous transportent dans le monde des grisettes. Pour laver son honneur de tout soupçon, Tristan, privé du témoignage de Saint-Aubin, qui vient de se faire tuer en Algérie, s'en va à la recherche de Javotte, et les domiciles successifs de la jeune femme indiquent autant d'étapes de son élévation sociale. Il s'agissait pour Tristan de se faire rendre par la grisette un bracelet d'or où Saint-Aubin et lui, réconciliés, avaient fait graver leurs deux signatures. Chose troublante : sur la cheminée du salon où il est reçu par la prima donna, Tristan a remarqué la carte de La Bretonnière. Peu de temps après, ce dernier survient, et Tristan le provoque en duel. Le lendemain, Javotte se décide à rendre le bracelet, mais trop tard : Tristan de Berville vient d'être tué.

SECRET DE LUC (Le) [*Il segreto di Luca*]. Roman de l'écrivain italien Ignazio Silone (pseud. de Secondo Tranquilli, 1900-1978), publié en 1956. Dans un village des Abruzzes, Luc Sabatini revient après quarante ans de bagne. Il a été gracié et reconnu innocent. Mais il se heurte à un mur d'hostilité et de défiance. Seul, Andrea Cipriani, un instituteur devenu un militant communiste, lui accorde un généreux soutien et cherche à établir avec une passion et une obstination paysannes les raisons de l'ancienne condamnation de Luc et de son refus de se défendre. Sur ces données se bâtit le roman. Ses mailles d'abord un peu lâches se resserrent au fur et à mesure qu'elles recouvrent une réalité plus précise et plus complexe. Une sorte de récit policier nous est proposé, mais un récit policier paysan où l'épaisseur de l'action ne naît que de la lenteur secrète de la psychologie. Psychologie d'un monde clos, d'un monde de la terre – l'Italie âpre, sèche et dure des précédents romans de Silone. Et, comme chez les romanciers américains, le drame de Luc nous est dévoilé à travers différents témoignages qui se complètent, se corrigent, s'ajustent les uns aux autres jusqu'à nous livrer la seule vérité obscure, humaine, irréductible aux apparences, marquée du sceau de la liberté. – Trad. Grasset, 1957 ; Del Duca, 1970.

SECRET DU BOSCO VECCHIO (Le) [*Il segreto del bosco Vecchio*]. Récit de l'écrivain italien Dino Buzzati (1906-1972), publié en 1935. Après avoir fait sentir sa présence tout au long de *Barnabo des montagnes* (*), premier roman de l'auteur, la nature fournit à Buzzati les principaux personnages de son second ouvrage. Dans *Le Secret du bosco Vecchio,* arbres, vents et torrents sont individualisés, vivent et meurent tout comme les hommes. Ils parlent aussi, mais seuls les enfants les comprennent. Le bosco Vecchio est une antique forêt, où la tradition veut que l'on ne fasse pas de coupe. Chaque sapin y abrite un génie, créature sage et douce qui peut, au besoin, sortir de l'arbre sous une apparence animale ou humaine. Malheureusement, un officier au cœur sec, le colonel Sebastiano Procolo, vient d'hériter, avec son jeune neveu et pupille Benvenuto, du domaine dans lequel est compris le bosco. Insensible aux beautés de la nature, Procolo décide de rompre la tradition et de livrer la forêt aux bûcherons. Les génies, dont la vie est liée à celle de leur arbre, sont directement menacés. L'un d'eux, sous le nom de Bernardi, s'était déjà introduit dans la commission forestière pour protéger ses frères. Sa connaissance des hommes en fait le négociateur attitré des génies. C'est lui qui obtient de Procolo le renvoi des bûcherons : en compensation, les génies ramasseront pour le colonel tout le bois mort du bosco. Cependant, Procolo a libéré le vent Matteo, qui était enfermé depuis vingt ans dans une caverne, et en a fait son allié. Voulant s'emparer de la part d'héritage de son pupille, il donne à Matteo l'ordre de le tuer puis, le vent ayant échoué dans sa mission, tente, sans plus de succès, de perdre son neveu dans les bois. Sa méchanceté a mis Procolo au ban de la nature. Un tribunal d'oiseaux le condamne, et son ombre elle-même, écœurée, le quitte. Alors le colonel connaît la honte, et lorsque Benvenuto, malade, est sur le point de mourir, il supplie Bernardi de le sauver. Les génies acceptent de guérir l'enfant contre l'assurance que le colonel les laissera désormais en paix, et Procolo retrouve son ombre. L'irascible officier semble dès lors secrètement converti à la bonté, et c'est en cherchant à retrouver

Benvenuto, qu'il croit enseveli par une avalanche, qu'il trouvera la mort. Le vent Matteo, qui est devenu vieux, va bientôt disparaître à son tour. Ce n'est plus qu'un souffle toujours plus léger qui monte vers le ciel et que Benvenuto suit le plus longtemps possible à travers le bosco Vecchio. Mais le garçon ne pleurera pas longtemps la mort de Matteo. Dans quelques heures Benvenuto ne sera plus un enfant, il oubliera ses amis les animaux, les vents, les cours d'eau pour entrer dans le monde des adultes. Frais comme un conte de Perrault, *Le Secret du bosco Vecchio* est une fable pour grande personne qui parvient à unir avec un rare bonheur l'humour et la tendresse, la fantaisie et le message philosophique. — Trad. à la suite de *Barnabo des montagnes,* Robert Laffont, 1959.

SECRET DU PROGRÈS INDIVIDUEL (Le) [*The Secret of Self-Development*]. Essai de l'écrivain anglais John Cowper Powys (1872-1963), publié aux États-Unis en 1926. La vraie culture individuelle ne se dissocie pas d'une vision poétique des choses. C'est elle qui permet de dérober aux tâches les plus sordides des moments d'indépendance « chargés de nectar ». Le contact avec la réalité brutale est même le test ultime de la culture. En vérité, la culture individuelle est simplement, mais essentiellement, une augmentation de la conscience que nous avons d'être vivants : ni poursuite du bien ni recherche de la vérité, mais réponse à cet aspect mystérieux de l'univers que nous appelons beauté. Or l'appareil traditionnel de la culture (poésie, musique, peinture, sculpture, histoire, philosophie) n'a servi de rien si, en présence du spectacle brut, fortuit et chaotique de la vie, nous nous contentons de nous transformer en patientes bêtes de charge jusqu'à ce que la tyrannie du jour s'achève. Il n'est de spectacle, si dénué de « beauté » soit-il, qui ne cède à qui sait les choisir des éléments révélateurs d'un absolu non utilitaire. Car tout le problème de la culture s'inscrit dans la sphère de la réalité immédiate et harcelante. La culture individuelle est la réplique de l'homme aux dures réalités de l'univers. En lisant les « grands humanistes sagaces » (d'Homère à Proust), on apprend l'ironie et la poésie, « qui sont de toutes les qualités mortelles celles qui nous arment le mieux contre le mystère de l'existence ». En vérité, l'idée répandue de la culture est fausse, qui la veut réservée à ceux qui ont des loisirs. Or elle est aussi indispensable à chacun que l'amour. La vraie culture n'a évidemment rien de commun avec la raison qui, si elle n'est tempérée par l'instinct, peut devenir féroce et dévorer ses propres entrailles. La vraie culture exclut la vantardise intellectuelle et n'est pas à proprement parler « livresque » : elle ne s'épuise pas en vaines tentatives d'érudition. Elle se contente de traductions simples, voire littérales (Homère). Elle tend simplement à une osmose partielle des grands esprits, qui doit servir à affronter le quotidien. En fait, la culture individuelle peut prendre la place de l'amour, de l'ambition, de l'aventure. Ce petit essai relève de ce qu'on pourrait appeler la « polémique powysienne » et annonce les grands essais des années 30. C'est encore une esquisse : mais il contient l'essentiel des idées de Powys sur la culture, à savoir sa portée immédiate sur le réel, et la valeur précieuse de la lecture des grands humanistes du passé dans la conduite de la vie. Sans être littéralement engagé, il s'inscrit avec véhémence contre la conception bourgeoise et luxueuse de la culture. Malgré sa naïveté, c'est à ce titre-là qu'il est intéressant, plus qu'à celui d'une réflexion exhaustive sur la culture : c'est *Le Sens de la culture* [*The Meaning of Culture*, 1929] qui sera le véritable ouvrage sur la question. — Trad. *Le Sens de la culture*, L'Âge d'Homme, 1982. M. Gr.

SECRETS (Les) [*Tajne*]. Roman de l'écrivain, poète et homme politique serbe Oskar Davičo (1909-1989), publié en 1964. C'est le troisième roman de la tétralogie que cet auteur a consacrée à la lutte des révolutionnaires yougoslaves dans les prisons, à la veille de la dernière guerre, intitulée *Le Bagne*. *Les Secrets* parlent des « pénibles épreuves qui attendent un révolutionnaire sur son épineux chemin ». Le fond historique de ce roman est la lutte fractionniste, à la veille de la dernière guerre, qui faillit paralyser l'action du parti communiste yougoslave. Une tension fort dramatique est créée dans ce roman à partir d'une divergence de vues sur des questions clés, entre les principaux révolutionnaires des deux premiers romans. Les idées dogmatiques et déshumanisées sont présentées, avec tout leur alarmant pouvoir destructeur, comme un « mécanisme militarisé du mouvement communiste » qui oublie l'homme et son bonheur personnel. Par les dénouements favorables donnés aux conflits, l'auteur a voulu symboliser le rejet des dogmes idéologiques dans la pensée communiste, et l'aplanissement des chemins démocratiques et humains vers la liberté et le socialisme.

SECRETS DE LA MER ROUGE (Les). Récit de voyages de l'écrivain français Henry de Monfreid (1879-1974), publié en 1932. Épris de liberté et d'aventures, Henry de Monfreid quitte l'Europe vers 1910 et débarque à Djibouti. Il sillonnera durant des années l'Éthiopie, naviguera dans le golfe Persique et la mer Rouge. Toute son œuvre sera nourrie de ces expéditions, souvent dangereuses. *Les Secrets de la mer Rouge* racontent, sous la forme d'une chronique romanesque, le début de cette vie vagabonde. Monfreid travaille d'abord dans une factorerie à Djibouti, mais il achète bientôt une embarcation à voiles, embauche quelques hommes : son objectif est de ramener des perles de la mer Rouge. Au passage, il espionne pour le compte du gouverneur de Djibouti la région de Cheik-Saïd, tenue par une garnison turque. Monfreid est un excellent navigateur et réchappe de toutes les intempéries. Il atteint ainsi l'archipel de Dahlak, réputé pour la pêche des perles. À Massaouah, il fait la connaissance d'un Français, Jacques Schouchana, marchand de perles ; il se lie également à un aventurier arabe très riche, Cheik Issa. Mais Monfreid n'obtient guère de résultats. Suivant les conseils de Cheik Issa, il tente sa chance dans la contrebande des armes vers Kor-Omeira. Ce trafic faisait la prospérité de Djibouti, cependant son attitude non conformiste vaut à Monfreid l'hostilité de l'administration française, qui essaie par tous les moyens de l'empêcher de naviguer et lui tend même un guet-apens. Monfreid déjoue le piège, et porte l'affaire devant le tribunal. Il gagne son procès, mais sa victoire est de courte durée ; en effet, la guerre éclate en 1914, et les Anglais se plaignent aux autorités françaises des contrebandiers qui, de Djibouti, fournissent des armes aux Arabes. Monfreid est le bouc émissaire idéal. Son bateau et ses armes de contrebande sont saisis. Il n'a plus qu'à retourner en France pour combattre, préférant la guerre à la prison. Il se jure cependant de revenir dans ce pays dont le charme l'a envoûté. J.-É. M.

SECTES À L'ENCAN (Les) [Βίων πρᾶσις]. Dialogue de l'écrivain grec Lucien de Samosate (125 ?-192 ? ap. J.-C.). C'est une fine satire des diverses écoles philosophiques. On y voit leurs fondateurs (Pythagore, Diogène, Aristippe, Démocrite, Héraclite, Socrate, Épicure, Aristote, Chrysippe et Pyrrhon) vendus à l'encan par Zeus et Hermès. À première vue, ce dialogue pourrait passer pour l'œuvre d'un sceptique, bien qu'il s'en prenne aussi à cette secte. Il est dans la manière originale de Lucien qui, hostile à toute règle systématique, sait voir et critiquer pertinemment ce qu'il y a d'excessif et d'inacceptable dans toutes les doctrines philosophiques. Il paraît s'être inspiré du *Diogène à l'encan* de Ménippe. Cependant, l'intensité dramatique de la vente aux enchères est propre à l'auteur : ce n'est plus une description, mais une véritable représentation exécutée avec un brio et une allure absolument remarquables. — Trad. Hachette, 1912.

SÉDUCTION (La) [*Glahn*]. Roman de l'écrivain Knut Faldbakken (né en 1941), publié en 1985. En norvégien, le titre du roman, *Glahn,* est aussi le nom du héros d'un des premiers et plus prenants romans de Hamsun, *Pan* (*) (1894). Hymne extatique à la nature de la Norvège septentrionale, ce dernier livre est le récit des flamboyantes et lunatiques amours de Glahn, le chasseur solitaire, et de la jeune Edvarda, la fille du commerçant Mack. De la part de Knut Faldbakken, la référence est voulue. Son héros, « le barbare, le chasseur solitaire », s'appelle lui aussi Glahn, et il prend lui aussi la plume pour nous conter le récit de ses amours avec Edvarda, à l'instigation, il est vrai, de son psychiatre, car l'affaire a été des plus rudes, et il est maintenant interné. L'intrigue commence un jour d'été à Oslo, lorsque Glahn rencontre Mack, un ancien camarade de régiment, qui l'introduit dans sa famille et lui fait connaître sa fille Edvarda. Dans l'Oslo estivale, Glahn entreprend de la séduire puis, après qu'elle s'est peu à peu éloignée, il devient l'amant d'Éva, la femme de Mack, jusqu'au jour où, de la main de l'un ou l'autre homme, rapprochés dans un moment d'intimité exaltée, elle trouve la mort. À la fin du livre, Glahn se suicidera. Excellant, sur les brisées du maître, à rendre le jeu d'une séduction profondément destructrice, l'auteur met aussi en cause le mythe masculin chez Hamsun, en même temps qu'il ouvre de nouvelles perspectives sur la véritable nature des rapports qu'entretiennent entre eux leurs communs héros. — Trad. Presses de la Renaissance, 1988. É. E.

SE FAIRE DES AMIS [*Ganar amigos*]. Comédie de l'écrivain espagnol Juan Ruiz de Alarcón y Mendoza (1581 ?-1639), classée habituellement, à cause de son intrigue, de ses personnages et du ton élevé du dialogue, parmi les comédies « héroïques ». Répondant à l'intention morale de l'auteur, elle tend à exalter le sentiment de la générosité. Don Fernando de Godoy, qui aime éperdument doña Flor — à la main de laquelle aspire le marquis don Fadrique —, lui donne un rendez-vous nocturne, mais un chevalier essaie d'empêcher l'entretien amoureux. Don Fernando le tue, et recourt à la protection du marquis qui lui promet la libération. Plus tard, on apprend que la victime est justement le frère du marquis, mais celui-ci entend demeurer fidèle à la parole donnée ; toutefois, avant de sauver don Fernando, il veut savoir qui il est et si Flor est innocente ou coupable. Celui-ci révèle son nom, mais se refuse à compromettre en quoi que ce soit l'honneur de la dame. Ils croisent l'épée ; lorsque don Fernando, jeté à terre et vaincu, s'obstine à garder le silence, le marquis, plein d'admiration devant une telle noblesse d'âme, lui accorde la vie en lui demandant de devenir son ami. Dans la lutte, il a vaincu le meurtrier de son frère, mais en lui pardonnant il triomphe de lui-même et acquiert ainsi un ami. Cependant le roi voudrait punir le meurtrier inconnu : le marquis, son confident, feint de ne pas le connaître ; au contraire il demande et obtient pour lui le pardon du roi. Don Diego, frère de doña Flor, aime d'un amour qui n'est pas partagé une amie de sa sœur, doña Ana ;

s'étant mis d'accord avec les domestiques, il pénètre pendant la nuit dans la chambre de la jeune fille et lui fait violence en se faisant passer pour le marquis. Celui-ci a été chargé par le roi de l'exécution de don Pedro de Luna, coupable d'avoir violé la clôture du palais pour y courtiser une dame ; mais, toujours poussé par ses généreux instincts, le marquis lui offre de remplacer, à Grenade, un général mort dans un combat contre les Maures. Don Pedro croit qu'il agit par envie, et, lorsque doña Ana dénonce au roi l'affront qu'elle a subi, il est content de mettre le marquis en disgrâce auprès du roi, qui le fait emprisonner. Finalement tous reconnaissent leurs torts respectifs, et font assaut de générosité pour obtenir la libération du marquis. Touché par tant de vertu, le roi accorde à tous le pardon et la liberté.

Le caractère des personnages, parmi lesquels, à cause de la rare noblesse de ses sentiments, domine la figure du marquis don Fadrique, reflète non seulement le goût et le tempérament particulier du poète, mais aussi l'esprit chevaleresque du temps où il vécut. Nous sommes loin des idéalisations excessives. Les caractères des différents personnages se détachent avec une vérité singulière : tous guidés par leur passion, ils demeurent cependant capables de freiner et dominer leurs sentiments, grâce à une volonté énergique que soutient une intelligence lucide et toujours ouverte au bien. Parmi les figures féminines de cette comédie, celle de doña Flor est peut-être une des plus réussies du théâtre d'Alarcón : un peu frivole et coquette, mais en somme, elle aussi, loyale et généreuse.

SEFER EMUNOTH WE-DE'OT [*Livre des articles de la foi et des opinions* ou, en arabe : *Kitâb al Amânât wa'l- I'tiqâdât*]. Exposé des croyances religieuses du judaïsme par le célèbre rabbin égyptien Saadia ben Josef Fayyūmí, dit le Gaon (882-942), écrit en arabe vers 934. L'œuvre se propose de préciser l'idéologie philosophique et religieuse du judaïsme, en tenant compte des résultats de l'expérience et des exigences du raisonnement tout autant que de la révélation biblique, et de sauver ainsi la tradition hébraïque prise entre le double écueil du rationalisme et de la superstition : d'où son importance fondamentale pour la compréhension de la philosophie hébraïque contemporaine. L'auteur commence par constater, en la déplorant, la crise religieuse dont souffre son époque : foi irrationnelle des fidèles du judaïsme, à laquelle font pendant les sarcasmes dont leurs erreurs sont l'objet de la part des infidèles ; il voit partout des hommes en proie à l'erreur et au doute, sans personne qui les aide à raffermir leur foi et à surmonter leurs terreurs. Il analyse les causes de l'incrédulité et la nature de la foi. Les sources naturelles de la connaissance sont, selon lui : la perception des sens, la lumière de la raison, la démonstration logique. Mais la « vraie révélation » est la « crainte de Dieu » dont parle l'Écriture. L'œuvre comprend dix parties. Les deux premières exposent les problèmes métaphysiques de l'unité de Dieu et de la création du monde ; l'auteur traite ensuite : de la théorie hébraïque de la révélation ; de la foi fondée sur la justice de Dieu ; de l'obéissance et de la désobéissance ; du mérite et du démérite ; de l'âme et de la mort ; de la résurrection des morts liée à la rédemption messianique ; de la vie future ; de ses récompenses et de ses châtiments ; de la meilleure conduite à suivre en ce monde. L'auteur insiste surtout sur les points suivants : 1) La création du monde à partir du néant, dont il donne quatre preuves, en réfutant douze opinions contraires sur son origine (Liv. I, chap. 4) ; il témoigne de sa connaissance de la philosophie grecque, et notamment des « Catégories » d'Aristote et des concepts tirés de la notion de temps et d'espace ; 2) L'argument « a priori » de l'existence de Dieu, que saint Anselme de Cantorbery — v. *Proslogion* (*) — reprendra un siècle plus tard : étant donné que la raison humaine remonte progressivement des sensations aux concepts les plus abstraits, l'idée de Dieu, qui les transcende tous, contient en elle-même la preuve de sa vérité. Le Créateur doit donc être « vie, puissance, connaissance », et c'est une fausse interprétation de ses attributs qui a donné naissance à la doctrine chrétienne de la Trinité. De l'unité de Dieu, il est fourni trois preuves directes et trois indirectes, tirées de l'absurdité du dualisme. L'auteur examine les différentes interprétations de la personne de Jésus données par les chrétiens. À l'aide des dix catégories aristotéliciennes, il répond à toutes les objections contre la pureté du monothéisme qui pourrait inspirer tant la raison que la lecture de *La Bible* (*). Il nie — fait important, surtout pour son époque — l'existence de Satan. Il montre le rapport entre Dieu et l'âme, pénétrée de la vraie connaissance de la divinité ; 3) Conciliation du libre arbitre avec l'idée de l'omniscience divine. Admettant que l'homme est le but de la création, l'auteur dissipe l'équivoque que peuvent faire naître certains passages de *La Bible,* apparemment inconciliables avec la liberté humaine ; 4) Examen des dix catégories d'hommes, en fonction du mérite et du démérite de leur conduite religieuse et morale, avec examen de la question suivante : pourquoi les justes souffrent-ils le plus souvent, alors que les méchants se réjouissent ? 5) Théorie de l'âme et de ses rapports avec le corps ; fondement de leur union, collaboration et séparation. État de l'âme après la mort ; réfutation de la métempsycose.

L'auteur y ajoute une série d'exhortations engageant les hommes à choisir une vie rationnelle et morale, à réaliser une combinaison harmonieuse entre les diverses facultés et les impulsions de leur âme, et un juste équilibre entre les cinq sens. Il conclut enfin que le but de son œuvre est de purifier et d'anoblir l'esprit des lecteurs. Ce livre fait de Saadia le créateur de la philosophie religieuse judaïque, exerçant, jusqu'à nos jours, une influence profonde sur la pensée hébraïque. S'il doit à la civilisation arabe sa connaissance de la pensée classique, il a cherché à concilier ces emprunts avec la tradition hébraïque, faisant figure de « moderniste » en matière religieuse. En effet, comme l'a remarqué S. Munk dans ses *Mélanges de philosophie juive et arabe :* « Saadia a le grand mérite d'avoir montré à ses contemporains juifs que la religion, loin d'avoir à craindre les lumières de la raison, peut, au contraire, trouver dans celle-ci un appui solide. » La traduction en hébreu de Yehuda ben Saoul ben Tibon, qui date de 1186, fut publiée à Constantinople en 1562 et à Amsterdam en 1648, et traduite en allemand par Fürst (Leipzig, 1845).

SEIGNEUR DES ANNEAUX (Le) [*The Lord of the Rings*]. Roman fantastique de l'écrivain anglais John Reginald Reuel Tolkien (1892-1973), publié en 1954-55, grande épopée en trois volumes, à la structure multiple, reflétant les diverses époques au cours desquelles l'auteur y travailla. Il est clair tout d'abord, comme Tolkien le dit dans une préface, que le récit a pris de la substance à mesure qu'il prenait forme. Commencé immédiatement après *Bilbo le Hobbit* (*), en 1937, son but était d'en dire plus long sur la gent hobbite aux lecteurs gourmands.

La première partie, *La Fraternité des anneaux* [*The Fellowship of the Rings*], expose effectivement comment le magicien Gandalf le Gris découvre que l'anneau rapporté par Bilbo le Hobbit et légué à son neveu Frodon est en fait l'Anneau Unique qui gouverne tous les autres anneaux d'un système collégial de pouvoir, lequel a été confisqué pour le pire par Sauron de Mordor, au détriment du roi légitime, de ses vassaux et de tous les peuples des Terres du Milieu. Cet anneau, perdu et recherché par Sauron, par l'intermédiaire de ses terrifiants Cavaliers Noirs, est la cause de la fuite de Frodon et de ses amis Merry, Pippin et Sam : ils quittent leur contrée bienheureuse pour lui éviter l'attaque du mal. Après maintes épreuves (liminaires), ils se réfugient à Fondcombe, chez Elrond, un sage ami, moitié homme, moitié elfe. Là, à la suite d'un solennel et long conseil des sages, il est décidé de tenter la destruction de l'anneau : il faudra qu'un porteur le reporte jusqu'aux forges dont il est issu, à Mordor, au cœur du territoire inaccessible de Sauron.

Neuf héros — baptisés « Compagnons de l'Anneau » — sont choisis pour cette mission : Aragorn le Rôdeur noir d'Ériador, et Boromir, fils du seigneur de Gondor ; Legolas, fils du roi des elfes ; un nain : Gimli, fils de Gloïn ; les quatre hobbits et Gandalf, qui ne le cède en savoir magique qu'à Saroumane de l'Isengard, qui, apprend-on, vient de passer dans le camp de Sauron. Dans une dynamique qui lui est propre, le récit oublie alors les hobbits et dérive vers la cosmogonie du troisième âge des Terres du Milieu. Le récit avance peu, sinon de façon savante et statique : toute la fin du premier volume précise à l'infini les liens internes, les ramifications, les aires géographiques, les généalogies de chaque groupe en présence. On sent que Tolkien prend un plaisir intense à la création de noms, de mots, de devises, de chants et de poèmes, de lois, d'uniformes militaires et même de décors. L'action s'engourdit, enlisée dans des récits de seconde main, tandis que la Communauté de l'Anneau essuie une série de revers, le moindre n'étant pas la mort (apparente) de Gandalf, qui disparaît de la scène. Le temps fuit, il faut procéder à des choix, et la Communauté éclate en trois groupes qui partent chacun à la poursuite de buts fragmentaires, tandis que Frodon et Sam courent à toutes jambes vers une mort évidente, de plus en plus épuisés et démunis.

À partir de la fin du second livre, l'auteur emprunte au feuilleton une structure propre à mieux éveiller l'incertitude du lecteur. Suivant un groupe, on oublie les autres fils du récit, et la curiosité reste en panne, en haleine. Tout le volume II est traité ainsi, jusqu'au déclenchement de la guerre de l'Anneau, précédée par la venue sur terre de la Grande Obscurité et accompagnée de quelques dizaines de milliers de figurants, tous plus ignobles, nauséabonds, gluants, pusillanimes, cruels et manipulés les uns que les autres.

Les héros n'ont pas que des déconvenues : ils rencontrent quelques alliés dont les Ents, Eomer et les cavaliers du Rohan, Gandalf revenu de la mort plus fort que jamais sous la forme d'un Cavalier Blanc. Ils réchappent de chaque épreuve, non sans qu'il leur en coûte du sang, de la sueur et des larmes, non sans voir diminuer leur capital de ressources, de joie de vivre, et même de dignité. Ainsi Boromir, Frodon et même Pippin tombent, ne serait-ce que momentanément, sous la coupe de Sauron via l'anneau ou d'autres artefacts. Deux victoires marquent toutefois ce volume en demi-teinte : celle de Fort le Cor, où la charge de cavalerie est superbe — c'est une immense bataille en « technicolor » et « vistavision » qui se joue sous nos yeux, et qui vaut largement les récits d'Azincourt revus par Shakespeare et Laurence Olivier, ou la geste de Roland à Roncevaux ; et celle de l'Isengard où la marche des arbres est non seulement grandiose, mais émouvante avec un rien de grotesque, mélange des genres bien shakespearien, une fois encore.

Le volume III, *Le Retour du roi* [*The Return of the King*], commencé sur ce même mode, s'interrompt soudain lorsque Frodon met enfin à exécution le projet initial et se défait de l'anneau. C'est alors tout le Mordor, et Sauron lui-même qui sont précipités dans les forges immenses du Mordor... Dès lors l'action se réunifie, Gandalf et Frodon étant, grâce aux Aigles, doués de quasi-ubiquité. Le monde retourne progressivement à la paix et à ses préoccupations normales. Deux très passagères histoires d'amour acquièrent même droit de cité : elles se terminent, comme il se doit dans une tradition d'amour courtois, par deux mariages dynastiques fort bienvenus. Le dernier Livre est l'histoire du retour des hobbits à la contrée, où ils découvrent le mal en action, sous forme d'un régime militarisé, basé sur la contrainte et la privation. Ils se porteront à la tête du mouvement de révolte et détruiront les usurpateurs. Le thème de l'idylle pré-industrielle, entrevu dans *The Hobbit,* et plus encore dans les autres contes pour enfants, fait un retour en force.

À en croire Tolkien, *Le Seigneur des anneaux* résulte du « désir du conteur de s'essayer à un récit vraiment long, qui retiendrait l'attention du lecteur, l'amuserait, l'enchanterait, et même, par instants, l'enflammerait ou le jetterait dans une émotion profonde ». Trois longs volumes plus tard, il en concluait qu'il avait encore fait trop court, et se lançait dans des ouvrages annexes qui allaient donner *Le Silmarillon* [*The Silmarillon*] et *Contes et légendes inachevés* [*Unfinished Tales of Numeror and Middle Earth*].

Quant à une quelconque « thèse » pacifiste ou autre, l'auteur s'en défend absolument. *Le Seigneur des anneaux* n'est ni allégorique ni topique, toute cette histoire remontant bien en deçà des années 30 et, finalement, au seul Moyen Âge. Or le bien et le mal ne sont-ils pas une dychotomie classique, permanente, éternelle ? Tant qu'à se sentir endetté, Tolkien préfère que ce soit envers l'histoire et la philologie. Bons ou mauvais, ses personnages sont en effet plus porteurs de qualités historiques que riches de psychologie : ce sont des rois, des chevaliers, des guerriers... Ils sont déterminés par le sens de leur mission, non leurs passions personnelles. L'amitié, l'allégeance du féal surpassent même l'amour familial. À peine si la belle dame Eowyn ose s'éprendre... de l'amour, en se trompant d'ailleurs de cible. Chacun s'en va dans la vie, chargé d'une seule mission. Examinée selon d'autres critères, toute cette humanité foisonnante, mais parfois redondante, risquerait d'être un peu pâle. Ils sont, en tout état de cause, bien plus falots que Bilbo, et que le Gandalf que nous avions connu dans *Bilbo le Hobbit.* Ils sont sauvés soit par leurs attributs, soit par leur magie langagière, soit par leur cadre. Si la référence de Tolkien est l'Histoire, on peut dire en effet que ses héros ressemblent fort à ceux de la tapisserie de Bayeux ou des manuels anciens pour lesquels seul l'événementiel et l'héroïque sont pris en compte, au mépris de tout ce qui fait la vie d'un peuple. Jusqu'à l'humour qui a pratiquement disparu du *Seigneur des anneaux.* Au sein de ce monde finalement rassurant par sa répétitivité et par la simplicité des règles du jeu, des millions de lecteurs ont trouvé leur appartenance, se reconnaissant membres de la Communauté de l'Anneau. Une immense connivence est née entre porteurs d'anneaux, porteurs d'étoiles, combattants du Rohan et victimes de Sauron : Tous unis contre Saroumane et sus au Mordor ! s'écrient-ils en manière de signe de reconnaissance. Il faut croire que cette trilogie est arrivée en un temps où l'imaginaire avait besoin d'un nouveau souffle. On trouvera la source et l'inspiration des « jeux de rôles » à la mode dans cet univers bipolaire, la création d'un linguiste pour qui même la vraie langue était devenue si étroite qu'il lui fallut en créer une autre, l'elfique. — Trad. Christian Bourgois, 1972-1975 ; *Le Silmarillon,* Bourgois, 1978 ; *Contes et légendes inachevées,* Bourgois, 1982.

J. Co.

SEIGNEURS DE L'INSTRUMENTALITÉ (Les) [*The Instrumentality of Mankind*]. Cycle romanesque de l'écrivain américain Cordwainer Smith (1913-1966), publié entre 1963 et 1979. Ce monument de la science-fiction comporte trente-sept histoires, dont deux romans, et a été ébauché par l'auteur dès l'âge de quinze ans avec sa nouvelle *La Guerre n° 81-Q* [*War N° 81-Q*]. Le premier texte publié fut *Les sondeurs vivent en vain* [*Scanners Live in Vain,* 1950] ; les derniers le furent après la mort de l'auteur. La structure de l'ensemble étant complexe, on conseille au lecteur l'édition complète établie par Jacques Goimard, qui distribue les textes dans l'ordre de l'action et non dans celui de leur parution, en même temps qu'elle propose une bibliographie exhaustive. Elle compte six volumes qui ne coïncident pas exactement avec les titres américains correspondants : *Tu seras un autre* [*You Will Never Be the Same,* 1963] ; *Le Rêveur aux étoiles* [*Stardreamer,* 1971] ; *Les Puissances de l'espace* [*Spacelords,* 1965] ; *L'Homme qui acheta la Terre* [*The Planet Buyer,* 1964] ; *Le Sous-Peuple* [*The Underpeople,* 1968] ; *La Quête des trois mondes* [*Quest of the Three Worlds,* 1966]. Le cycle conte par petites touches, sur une trame non systématique qui n'exclut ni de vastes lacunes ni même des contradictions internes, une histoire du futur sur des milliers d'années. Après les « Anciennes guerres », c'est l'« Âge sombre », où les « Terres sauvages » sont parcourues par des machines à tuer et des animaux mutants. Les « Hommes véritables » se sont réfugiés dans des Cités sous le contrôle de philosophes chinois soucieux de perfection. L'humanité perd sa vitalité dans cette paix apathique. Elle en est tirée par les sœurs vom Acht, demeurées des millénaires en hibernation et dont les enfants, la « Bande des cousins », deviendront, en s'alliant et se partageant un pouvoir généralement bienveillant, les « Seigneurs de l'instrumentalité ». Comme le note J. Goimard, cette notion d'instrumentalité est à la fois théologique et empruntée à l'instrumentalisme pragmatique de John Dewey. Cette aristocratie singulière partage et parfois transgresse une éthique qui vise à laisser s'épanouir l'humanité sans lui permettre pourtant l'accès à l'autonomie et donc à la maturité. Deux « Âges de l'espace » se succèdent, conduisant à une société galactique. Une drogue produite sur la planète Norstralie assure la longévité de tous les humains qui vivent dans le loisir tandis que des robots et des sous-êtres — des animaux transformés en quasi-humains — assurent les tâches nécessaires. Des Seigneurs conscients du risque de voir l'humanité agoniser dans la torpeur réintroduisent l'incertitude, tandis que les sous-êtres conquièrent durement leur droit à la dignité. Résumer Cordwainer Smith, c'est le trahir. Son univers est acentrique, ses héros toujours sur les lisières. Chaque histoire est unique, servie par une langue surprenante et poétique. — Trad., pour l'édition complète, Presses-Pocket, 1987. G. K.

SEINS PRIVILÉGIÉS (Les) [*Los pechos privilegiados*]. Comédie en trois journées et en vers de l'écrivain espagnol Juan Ruiz de Alarcón y Mendoza (1581 ?-1639), représentée en 1625, publiée dans la *Parte segunda de las comedias* (Barcelone, 1634). Elle est connue aussi sous le titre *Nunca mucho costa poco,* qu'il ne faut pas confondre avec celle de Lope de Vega qui porte le même titre. Voici sa donnée : le comte Melendo promet à Rodrigue de Villagómez, favori du roi de León, la main de sa propre fille Léonor, mais le jeune homme, ayant refusé de s'entremettre en faveur du roi qui est épris d'Elvire — l'autre fille du comte Melendo —, tombe en disgrâce. C'est en vain que le roi tente de séduire Elvire : pour préserver l'honneur de sa famille, le vieux Melendo s'installe hors du royaume. Rodrigue, avec l'aide de sa vieille nourrice Chimène, réussit à arracher au roi, dont la vie est en péril, l'autorisation d'épouser Léonor, et cherche à unir Elvire au roi de Navarre. Au dernier moment, le roi de León se résout à demander la main d'Elvire dont il n'avait pensé faire que sa maîtresse. Cette comédie à base de sentiments héroïques, où se meuvent des personnages d'exception, ne compte pas parmi les meilleures d'Alarcón. La figure de la nourrice est, toutefois, à retenir : l'auteur, à l'exemple de Lope de Vega (dont c'est peut-être une parodie ?), la fait parler dans un argot savoureusement archaïque. C'est une fille des champs fière et rusée, une émouvante incarnation de la fidélité du peuple à son roi. La comédie doit au fait suivant son titre peu banal : le roi de León, finalement, décerne la qualification de « seins privilégiés » à Chimène, ainsi qu'à toutes les nourrices futures des comtes de Villagómez.

SEIZE SONATES ET QUATRE INTERLUDES POUR PIANO PRÉPARÉ [*Sixteen Sonatas and Four Interludes for Prepared Piano*]. Œuvre du compositeur américain John Cage (1912-1992), d'une durée d'environ soixante-dix minutes, composée entre 1946 et 1948. Création partielle par la dédicataire, la pianiste Maro Ajemian, au Town Hall de New York, le 14 avril 1946. Création intégrale par Maro Ajemian au Carnegie Recital Hall, le 12 janvier 1949. Une étudiante noire, Syvilla Fort, avait demandé en 1938 à John Cage, alors accompagnateur de la classe de danse à la Cornish School de Seattle, de composer la musique d'un ballet « sauvage » intitulé *Bacchanale.* L'espace manquait pour installer un ensemble de percussions ; mais il y avait un piano. Se rappelant l'exemple de son maître Henry Cowell, qui avait jadis introduit à l'intérieur d'un piano un œuf à repriser, Cage eut l'idée de placer entre les cordes, à des endroits mûrement choisis, quelques vis, écrous et boulons. Miracle : « Le piano était devenu un orchestre à percussion, contrôlable par un seul exécutant ! » Le succès fut immédiat ; encouragé, l'inventeur « de génie » qu'était John Cage (selon le mot d'Arnold Schönberg) se mit en devoir d'explorer systématiquement le filon ainsi découvert : les *Sonates et Interludes,* fruit de cette vaste recherche, ont non seulement renouvelé l'écriture du piano, mais fait vaciller la distinction sacro-sainte du « son musical » et du bruit en imposant une écoute plurale, tenant compte de la complexité du timbre. Il s'agissait au départ d'exprimer les neuf « émotions permanentes » de la « tradition esthétique de l'Inde » : l'« héroïque, l'érotique, le merveilleux, la joie, la douleur, la peur, la colère, l'odieux et leur tendance commune vers la tranquillité ». Mais « tranquillité » équivaut, en Orient comme en Occident, à « silence » ; et ce que son et silence ont en commun est le temps. D'où une poétique de la « durée », qui a marqué tout le XXe siècle. D. Ch.

SE-K'OU TSUAN-CHOU (*Siku quanshu*) [*Collection complète des quatre dépôts*]. Collection de livres chinois qui comprend trente-six mille volumes et que fit faire un empereur de la dynastie Ts'ing (1644-1912). Les travaux de compilation s'étendirent sur plus de dix ans (1772-1782) et furent dirigés par Tsi Yuen (1724-1805). On exécuta sept copies manuscrites, et l'on construisit sept dépôts, ou bibliothèques, pour les conserver, dont quatre furent réservés à la Maison impériale, et les trois autres répartis dans les provinces du Tche-tsiang et du Tsiang-sou, afin que les lettrés puissent y avoir recours. Une fois menée à bien cette immense entreprise, l'empereur Ts'ien Long (qui régna de 1736 à 1796) ordonna que l'on fît une compilation du *Se-K'ou tsuan-Chou Tsong-Mou* [*Catalogue général du Se-K'ou tsuan-Chou*] en deux cents volumes, qui est un dictionnaire des œuvres. Celles-ci sont classées suivant quatre catégories : « Tsing » [classiques], « Che » [histoire], « Tse » [philosophie], « Tsi » [littérature]. Chaque catégorie se divise elle-même en deux parties : la première comprend les œuvres rassemblées dans le *Se-K'ou tsuan-Chou* et la seconde celles qui ne sont point renfermées dans ladite collection. À chaque œuvre sont joints une critique et un résumé. Une édition simplifiée en vingt volumes, à laquelle manquent les œuvres de la seconde partie, a été publiée sous le titre de : *Se-K'ou Ts'uan-Chou T'sien-Ming Mou-Lou.* Les trois ouvrages ayant été compilés par ordre de l'empereur, on les désigne aussi par le commencement de leur titre officiel. *Ts'in-ting* [par ordre de l'empereur].

SEL DE LA TERRE (Le) [*Sól ziemi*]. Roman de l'écrivain polonais Józef Wittlin (1896-1976), publié en 1936. Ce livre, consacré à la Première Guerre mondiale, fait penser au *Feu* (*) de Barbusse ou au roman de Remarque *À l'Ouest, rien de nouveau* (*). Il en est néanmoins différent. Fruit d'un travail de dix ans, écrit au moment où un certain recul facilitait à l'auteur une vue impartiale, et publié à la veille de la Seconde Guerre mondiale, il est non seulement un cri de protestation et d'alarme, mais également un exposé épique et distancié du mécanisme de l'absurde. Un homme simple, Piotr Niewiadomski, se voit arraché au rythme paisible de ses habitudes, poussé dans un monde qu'il n'avait jamais connu, happé par les rouages d'une machine gigantesque et infernale. Mobilisé, il s'en va, tête baissée, remplir scrupuleusement la besogne qu'on lui impose : il portera le fusil, accomplira des gestes appris, tuera des hommes. Niewiadomski n'a pas la trempe des rebelles. Il est docile, discipliné. Ce « fantassin patient », dépourvu d'esprit critique et d'idée de révolte, qui se borne à murmurer quelques mots d'étonnement timide, est précisément, grâce à son obéissance aveugle, un instrument idéal permettant de mettre à nu les aspects insensés de l'entreprise guerrière. Niewiadomski ne hait personne, ni ceux qui le commandent ni ceux qu'il combat. Il est attaché à son village et a un vague sentiment patriotique. Mais quel lien peut-il exister entre son village perdu dans les montagnes et sa vie présente, où il lui faut manier le fusil, exécuter les ordres, s'exposer aux attaques de l'ennemi ? Niewiadomski n'a pas peur ; il n'a pas non plus l'ambition de devenir un héros. Il voudrait seulement comprendre et n'y parvient pas. Plein de bonne volonté, malheureux et voué à l'échec dans ses tentatives de compréhension, il inspire aux lecteurs une profonde sympathie teintée d'une amère tristesse. – Trad. Albin Michel, 1939.

SELF DÉFENSE. Bref recueil de notes de critique esthétique du poète français Pierre Reverdy (1889-1960), publié en 1919. Ce recueil, qui se situe dans la ligne des réflexions sur l'art que Reverdy publie par ailleurs dans *Nord-Sud* (*), est dédié à Juan Gris. Le texte en est repris dans le volume des œuvres complètes paru en 1975 et intitulé *Nord Sud, Self défense et autres écrits sur l'art et la poésie,* qui rassemble, outre *Self défense* et *Pablo Picasso et son œuvre* (1924), précédemment parus en volume, les articles, notes ou essais parus de 1917 à 1926 dans des périodiques.

SEMAILLES ET LES MOISSONS (Les). Second cycle romanesque de l'écrivain français d'origine russe Henri Troyat (pseud. de Lev Tarassov, né en 1911). Il se compose de cinq volumes : *Les Semailles et les Moissons* (1953), *Amélie* (1955), *La Grive* (1956), *Tendre et violente Élisabeth* (1957), *La Rencontre* (1958). Il raconte l'ascension d'une famille française au XXe siècle, toujours soucieuse du lendemain et dont la vie quotidienne est décrite avec un grand luxe de détails. Les héros sont peu nombreux et leurs aventures sans éclats. Amélie, une fille de forgeron corrézien, ouvre un bistrot à Montreuil, après avoir épousé Pierre Mazalaigue, à la veille de la guerre de 1914. Elle se retrouve seule pendant que son mari est au front. L'attente, l'angoisse et les privations deviennent alors une souffrance de chaque jour, jusqu'à ce que Pierre revienne, blessé et réformé, auprès de sa femme et de sa fille Élisabeth. En 1924, ils habitent Montmartre où ils ont un café-tabac, Pierre n'étant plus que l'apparence de lui-même, et Amélie son infirmière. Drame sentimental donc à l'ombre de la réussite financière, mais aussi découverte du monde par Élisabeth qui devient le personnage central. Elle est envoyée dans un pensionnat puis chez des oncle et tante instituteurs. À 19 ans, la « Grive » vit à Mégève où ses parents possèdent un hôtel, puis se retrouve à Paris après une aventure malheureuse, meurtrie et solitaire. Nous sommes en 1938. Viennent la guerre, l'exode de 1940, l'Occupation et enfin la rencontre avec Boris Danoff, le jeune héros du dernier tome de *Tant que la terre durera* (le cycle précédent d'Henri Troyat) qui opère dans une certaine mesure la fusion romanesque des deux œuvres – les titres des deux cycles proviennent d'ailleurs de la même citation de *La Bible* (*) : « Tant que la terre durera, les semailles et les moissons, le froid et le chaud, l'été et l'hiver, le jour et la nuit ne cesseront point de s'entre-suivre. » C. de C.

SEMAINE (La) ou la Création du monde. Ample poème de près de sept mille vers, répartis en sept Jours, de l'écrivain français Guillaume Salluste Du Bartas (1544-1590). Le genre en est difficile à définir, de l'aveu même de l'auteur, qui décrit son œuvre à la fois comme « épique, héroïque, panégyrique, prophétique et didascalique » (didactique).

Le poème suit la chronologie de la *Genèse* mais l'imagination forte et généreuse de Du Bartas ne s'enferme pas dans les limites imposées par cette progression. Constamment elle anticipe, déborde, va et vient d'un âge à l'autre (d'un Jour à l'autre), accumule les descriptions, les anecdotes, et communique dans les meilleurs moments une vie foisonnante à cette évocation du monde surgissant sous les yeux du lecteur. C'est que *La Semaine* n'est pas seulement le récit de la Création en train de se faire mais la description du résultat achevé et vivant de cette création. Le présent se mêle ainsi au passé, le futur à l'événement raconté. Du Bartas parle-t-il de l'Éternel séparant les terres des eaux au second Jour, par exemple, qu'il narre aussi, dans une large anticipation, le Déluge qui bien plus tard ensevelira le monde. On pourrait multiplier les exemples de ces bonds à travers le temps, qui font même parfois du poète le témoin de la Création.

La Semaine fut publiée en 1578 à Paris avec un succès prodigieux, non seulement en France mais à travers l'Europe, comme le montre la quantité des traductions (en anglais, en italien, en néerlandais, en latin, etc.). Au moment de sa mort, cinq ans après celle de Ronsard, la renommée de Du Bartas éclipsait celle du Vendômois, et jusque vers 1620 on compte une cinquantaine de rééditions de son poème dont l'influence est attestée chez les plus grands (Le Tasse en Italie, Milton en Angleterre, Vondel aux Pays-Bas).

C'est que *La Semaine* répondait à une attente du public qui y trouvait un résumé des connaissances du temps, si bien que, pour en revenir à la question du genre de l'œuvre, on pourrait dire qu'il s'agit essentiellement d'un poème « encyclopédique » (au sens strict : qui fait le tour des connaissances). Calviniste, Du Bartas connaissait bien *La Bible* (*). Lettré, il avait lu les Anciens. Curieux, il n'ignorait pas les Modernes, et les références de toutes natures abondent dans son œuvre. Pour en faciliter la lecture, dès 1581 le pasteur Simon Goulart composait un commentaire copieux et érudit qui, désormais, accompagnait la plupart des rééditions du poème.

En 1584, Du Bartas publia les deux premiers Jours d'une *Seconde Semaine* qui devait conter l'histoire de l'humanité, de l'Éden au Jugement dernier, mais qu'il laissa inachevée à sa mort. Malgré des ajouts posthumes, *La Seconde Semaine* ne dépassa pas le quatrième Jour. Elle atteignait déjà quatorze mille vers.

La réputation de l'auteur des *Semaines,* qui était montée si haut, s'effondra complètement après 1630. On lui reprochait un style emphatique et ampoulé et une vision du monde périmée. Il ne fut pas réhabilité avec d'autres poètes du XVIe siècle par Sainte-Beuve, qui ne l'aimait pas : trop loin du « bon goût » classique. Ce n'est que récemment que la redécouverte du baroque a commencé à lui rendre, sinon une popularité, du moins une estime nouvelle auprès des amateurs et des lettrés.

Y. B.

SEMAINE DU BERGER (La) [*The Shepherd's Week*]. Recueil de poésies pastorales du poète anglais John Gay (1685-1732), publié en 1714. Le prologue, adressé à sir John Bolingbroke, contient de flatteuses allusions à quelques dames de son temps. Les pastorales portent les noms des six jours de la semaine. Dans « Lundi ou la Dispute » [Monday or The Squable], deux bergers, Lobbin Clout et Cuddy, chantent tour à tour la beauté de leurs belles : jeunes filles se balançant sur l'escarpolette ou se livrant à des jeux champêtres ; dans « Mardi ou la Chanson » [Tuesday or The Ditty], la bergère Marian chante son amour pour Colin Clout qui l'a quittée pour une autre ; elle évoque avec mélancolie le passé et rappelle les plaisirs qu'elle a pris et qu'elle prendrait encore si l'infidèle lui revenait ; dans « Mercredi ou la Mélancolie » [Wednesday or The Dumps], Sparabella, abandonnée par Bumkinet, se lamente aussi et tourne sa rivale en ridicule : elle voudrait se tuer, mais le soir tombe et elle remet ses sombres projets au lendemain. « Jeudi ou l'Enchantement » [Thursday or The Spell] est la description d'un rite propitiatoire accompli par la bergère Hobnelia pour reconquérir l'amour de Lubberskin qui ne veut plus d'elle. « Vendredi ou le Chant funèbre » [Friday or The Dirge] est une lamentation au sujet de la mort d'une bergère qui, au moment de mourir, avait confié ses animaux préférés à sa mère et à ses sœurs. Dans « Samedi ou les Vols » [Saturday or The Flights], le chanteur Bowzybeus est surpris, dans son sommeil, par des bergères ; éveillé par la douceur de leurs baisers, il chante la nature, la route des étoiles, les fêtes champêtres, et évoque de vieilles légendes. *La Semaine du berger* prend place, dans la littérature pastorale anglaise, entre *Le Calendrier des bergers* (*) de Spenser et l'*Aimable berger* [*The Gentle Shepherd,* 1725] d'Allan Ramsay. John Gay avait d'abord écrit ces poèmes pour tourner en ridicule le style niais des pastorales de son contemporain Philips ; mais son accent réaliste et plein d'humour fit qu'elles obtinrent vite un succès considérable.

SEMAINE SAINTE (La). Roman de l'écrivain français Louis Aragon (1897-1982), publié en 1958. Il s'agit de la semaine sainte de 1815, entre le 18 et le 25 mars, quand Napoléon franchit les dernières étapes du retour de l'île d'Elbe tandis que Louis XVIII s'enfuit de Paris et gagne la frontière des Pays-Bas. C'est précisément la fuite du roi, des quelques courtisans et généraux et du peu de troupes qui l'accompagnent que le romancier suit ici, des Tuileries à Lille. Pourtant, et bien qu'il n'y ait pas d'entorse grave à l'exactitude des faits, l'auteur a averti le lecteur : « Ceci n'est pas un roman historique. » Sans doute faut-il entendre cette phrase liminaire en ce sens que l'essentiel du roman, sa substance propre, n'est pas constitué par l'événement en tant que tel, mais par la recréation ou re-découverte d'un certain nombre d'hommes et de femmes surpris dans cette tourmente, revus et revécus par un homme du XXe siècle, qui apporte dans cette exploration ses propres hantises, ses propres préoccupations. Et parfois, cet homme d'aujourd'hui interrompt soudain la narration et parle en son nom. De la foule des personnages de *La Semaine sainte*, qui vont de Louis XVIII lui-même, gras et répugnant, à un maréchal-ferrant et des ouvriers républicains de Picardie, trois ou quatre figures émergent, sur qui se concentre l'intérêt et en qui se réfracte le drame des événements. Au premier plan, il y a un certain Théodore, lieutenant de la maison du roi, qui n'est autre que Théodore Géricault, peintre déjà maître de son art, fou de chevaux et de beaux corps, qui a échoué, pour ainsi dire par hasard, dans l'armée royale, alors que ses sympathies, ses amitiés, son art lui-même le porteraient plutôt de l'autre côté. Mais il a suivi le roi simplement parce que, en voyant le vieil homme sortir des Tuileries, il s'est fait en lui « un immense trou de pitié ». En cours de route, arrêté une nuit à Poix, sur la route d'Amiens, c'est par les yeux de Théodore que nous assisterons à la réunion clandestine, dans une clairière, des membres d'une organisation secrète républicaine, à qui un délégué envoyé de Paris vient demander de prendre le parti de Napoléon, en dépit de tout, parce que, en face de la royauté et des armées étrangères, il n'y a pas d'autre choix possible. Cette « nuit des arbrisseaux » est un des sommets du roman, et le reflet de l'histoire contemporaine, des luttes ouvrières, de la Résistance, de ce qui a suivi la Libération, sur le récit romanesque est tellement évident que l'auteur le souligne lui-même à plaisir : « Rien de tout cela n'a pu se passer en 1815, voyons. Les sources en sont évidentes. Ma vie, c'est ma vie. » Et il insère là-dedans un morceau de souvenir, celui de sa présence en 1919 dans un détachement français qui fut sur le point de faire feu sur des mineurs sarrois en grève. « Plus tard, bien plus tard, j'ai eu l'impression que cette nuit-là avait pesé lourd dans ma destinée », comme la « nuit des arbrisseaux » pèse sur le Géricault du roman, mousquetaire du roi et qui se sent du parti de Napoléon. Enfin, Théodore, ayant déserté à Béthune, se retrouvera nez à nez avec son ami Robert Dieudonné, qui fait partie d'un détachement de l'armée de l'empereur lancé à la poursuite du roi, et il rentre. « Au bout du compte, avec ou sans raisons, il avait une furieuse envie de vivre. Arrivé à cette frontière de lui-même où il faut choisir, passer de l'autre côté, étranger désormais à la vie, ou retourner vers elle et s'y plonger, voilà qu'il était pris comme d'une passion des choses à faire. » C'est-à-dire de son œuvre picturale, dont on sait bien qu'elle ne va pas dans le sens du conservatisme. De ces quelques jours de la vie de Théodore Géricault se dégage bien le véritable thème du roman : le chemin sinueux, souvent à l'inverse de toute logique, que suit un être humain au milieu d'une histoire dont le rythme s'accélère, et, du coup, non seulement la difficulté, mais le danger qu'il y aurait à le classer une fois pour toutes, à le figer dans l'attitude, la situation, peut-être apparentes, d'un moment donné. Il y a au contraire ici un immense souci de déchiffrer les personnages de la tragédie, de déceler ce qu'ils portent en eux de futur, ou, dans le présent, de meilleur que leur apparence. C'est ainsi qu'à propos d'un personnage relativement épisodique et pourtant éclairant, le colonel Fabvier, l'auteur écrit : « Demeure-t-il le même, cet officier de l'Empire, qui a considéré de son devoir de rester dans l'armée de la France sous un roi revenu... si l'on sait ce qu'il advient de lui plus tard » (c'est-à-dire prenant part aux conspirations républicaines, à la guerre de Grèce, à la révolution de 1830). De même, le projecteur du romancier s'arrête longuement sur la curieuse personnalité du duc de Richelieu, qui fut le créateur d'Odessa et un fonctionnaire du tsar avant de devenir, au-delà du roman, un Premier ministre français. Ou encore sur le dénouement de la vie de Berthier, passionnément attaché à Mme Visconti, mais aussi à sa patrie, et qui se suicidera à Bamberg. « Les hommes et les femmes, écrit encore le romancier, ne sont point que les porteurs de leur passé, les héritiers d'un monde, les responsables d'une série d'actes, ils sont aussi les graines de l'avenir. Le romancier n'est pas qu'un juge qui leur demande compte de ce qui fut, il est aussi l'un d'eux, un être avide de savoir ce qui sera, qui questionne passionnément ces destins individuels, en quête d'une grande réponse lointaine. » C'est là, à l'intérieur même du livre, la meilleure clé du roman. On voit aussi que dans ce livre s'engage le dialogue entre le romancier et ce qui fait la matière de son roman, dialogue auquel *La Mise à mort* (*) donnera sept ans après une plus grande ampleur.

SEMAISON (La). Carnets 1954-1979. Œuvre de Philippe Jaccottet, écrivain suisse d'expression française (né en 1925), publiée en 1984. La publication de ces notes se fait graduellement : l'édition de 1984 reprend les précédents volumes (1963, 1971 et *Journées*, 1977), un dernier volume, *Autres Journées* (carnets 1980-1984), étant publié séparément en 1987. *La Semaison* occupe une place centrale dans l'œuvre du poète de Grignan : c'est en quelque sorte son atelier, le lieu où se recueille le plus clair de ses « journées ». Lectures (Stifter : « On dirait ces pages éclairées par un soleil à la fois réel, familier et surnaturel ») ; écoutes de la musique (Schubert : « Une parole à la fois toute proche et infiniment lointaine ») ; choses du monde naturel contemplées ou entraperçues (« Le petit pêcher rose, dans la distance, sur un coin de pré vert clair. Rien que cela, flèche qui creuse au plus profond de nous ») ; acquis des voyages (la Grèce : « Nulle part je n'ai vu clarté plus proche du cristal, sans la moindre froideur ») ; réflexion sur le travail poétique (« La difficulté n'est pas d'écrire, mais de vivre de telle manière que l'écrit naisse naturellement. [...] Poésie comme épanouissement, floraison, ou rien ») ; fragments ou ébauches de poèmes, traductions parcellaires, récits de rêves... Mais tout ce qui concerne étroitement le moi (plaintes, échos de conversations intimes) est banni de ces livres. Les rencontres humaines relatées étant plutôt celles d'inconnus croisés par hasard, tel ce vieux couple dans un train (leur « affection sans réserve »). Car la bonté « ajoure », la simple bonté qui ne fait pas de littérature... La première note date de 1954, la seule cette année à être retenue (à l'évidence, un filtre, parfois peut-être excessivement sévère, est à l'œuvre, du carnet au livre), mais cette note est capitale : « L'attachement à soi augmente l'opacité de la vie. Un moment de vrai oubli, et tous les écrans les uns derrière les autres deviennent transparents, de sorte qu'on voit la clarté jusqu'au fond, aussi loin que la vue porte ; et du même coup plus rien ne pèse. Ainsi l'âme est vraiment changée en oiseau. » Comme dans les carnets de Hopkins, c'est essentiellement la beauté et la lumière du monde qui sont écoutées patiemment. La semaison (mot rare, mais présent déjà dans d'autres livres du poète), c'est, selon Littré, la « dispersion naturelle des graines d'une plante ». Les mots sont comme des graines qui pourraient « replanter la forêt spirituelle ». Devant ce parcours de trente ans, le sentiment qui l'emporte est celui de l'unité, au-delà de la fragmentation des jours et des saisons. Tout cela dans un dénuement exemplaire : « À partir du rien. Là est ma loi. »

« Nul masque, ici, mais bien une vigilance admirable au cœur d'un monde défait », écrit Pierre-Albert Jourdan à propos de ce livre.

J.-P. V.

SEMENCE DES PLEURS (La) [*Il seme del piangere*]. Recueil du poète italien Giorgio Caproni (1912-1990), publié en 1959. *La Semence des pleurs* au titre dantesque (*Purgatoire,* XXXI, 46) opère un tournant radical dans l'œuvre de Caproni, en très fort contraste avec le recueil précédent, *Le Passage d'Énée* (1956). D'abord par un retour aux rythmes populaires (le septénaire), à la ballade héritée des « stilnovistes », par l'emploi d'une ironie légère qui balaie tout le champ de l'humour. Ensuite, par l'abandon de Gênes au profit de Livourne, la ville de la mère et de la première enfance. Car c'est Annina, Anna Picchi, la mère du poète, morte en 1950, qui est évoquée dans ce recueil. Giorgio refuse sa mort avec véhémence : il la revoit sur sa bicyclette, l'observe dans son travail de brodeuse, exalte son allure de « reine-ouvrière », s'invente des messagers (son âme) pour aller à sa rencontre. Il l'insère dans la trame du port de mer dont elle répète les parfums. Sortie du temps, elle n'a plus d'âge et, comme Pasolini sa mère, Caproni considère Annina en fiancée perdue qu'il tente de retrouver.

Mais le recours aux cadences populaires, aux images fréquentes d'une mère-enfant, l'évocation du noyau familial en dehors de toute logique spatio-temporelle sont un écran qui veut éloigner la douleur atroce née d'une perte irrémédiable. Comment refaire de la vie avec des mots ? En effet, tout le recueil est aussi un art poétique conscient qui tente de trouver les paroles et les sons adaptés (« pour elle je veux des rimes claires ») pour dire une telle rupture, tenter une telle résurrection. Les mots essaient en vain de sauver de la mort, mais Caproni-Orphée ne réussira pas dans son entreprise ; on peut même dater de cette époque le doute systématique qui va tordre et distendre le mot avant de le dissoudre et d'anéantir ainsi l'objet qu'il prétend sauvegarder. — Trad. (extraits) in *Le Mur de la terre,* Maurice Nadeau, 1985.

P. R.

SÉMINAIRE DE BORDEAUX (Le). Roman de l'écrivain français Jean Dutourd (né en 1920), publié en 1987. *Le Séminaire de Bordeaux* est un roman qui met en scène quelques couples des années 70, « libérés » et grands lecteurs de Marx. Jean Dutourd va alors se livrer, en minutieux entomologiste d'un « clan », à l'observation des us et coutumes de ses « sujets ». Il va en étudier les préjugés, les œillères, le folklore particulier, le langage de clan, le fanatisme. Mais d'abord les ridicules ; avec un humour féroce Jean Dutourd croque ses personnages. Ainsi de Mme Simonot qui accouche pendant mai 68 : « Il lui était d'autant plus pénible d'être ainsi emprisonnée qu'elle professait des opinions terribles et que depuis l'âge de quinze ans elle attendait la Commune. » Brigitte Simonot (le prosaïsme du nom de famille contraste comiquement avec les ambitions de révolutionnaire) est mariée à Jean-Claude Simonot, chercheur au C.N.R.S. : « Le C.N.R.S. était ce qui lui convenait ; il y menait une existence d'enfant, protégée de tous côtés, immuable, assez inutile, avec des camarades de son âge... » Ces sociologues qui assistent à des « séminaires » se dispersent en colloques et en études dérisoires (M. Simonot se livre à l'étude du « comportement sexuel des artisans plumassiers entre 1740 et 1750 dans le quartier du Gros-Caillou) perdant progressivement le contact avec les « choses réelles ». L'amour, les relations sexuelles, la vie de couple obéissent à des slogans, des partis pris ; la libération des mœurs a des airs de sergent recruteur. La relation sexuelle est ainsi comparée à une transaction entre contractants : « (ils eurent) une façon ennuyée et pratique d'arranger les détails de la fornication qui montra à chacun qu'il avait affaire à un partenaire des plus satisfaisants. » Le romancier se fait alors pamphlétaire ; il prend un malin plaisir à se moquer des lieux communs d'une époque. Les femmes, ces Brigitte, ces Adeline qui peuplent le roman, sont prisonnières de leurs préjugés. Brigitte qui, au nom de l'amour libre, refuse de reconnaître la violence de la jalousie ; Adeline empêtrée dans un corps maladroit et des phrases toutes faites. Lorsqu'elle est en face de Mme Schwob (vieille dame très digne, au langage poli), elle ne sait que lâcher des borborygmes ridicules : « Chuis sûre que la prochaine fois, on déhouchera sur du concret. » La leçon du moraliste Dutourd est une leçon de bon sens. P. Bl.

SÉMIRAMIS. La figure mythique de la belle reine de Babylone, au caractère violent et cruel, aux mœurs dissolues, à la volonté inébranlable, souveraine à laquelle la légende attribue en même temps crimes et actions d'éclat, n'a pas manqué d'inspirer maintes fois les artistes. Dramaturges, poètes et compositeurs se sont intéressés à elle. Nombre d'écrivains grecs et latins d'abord, de Ctésias à Hérodote, de Diodore à Valère-Maxime, en ont parlé, et c'est sur les renseignements qu'ils nous ont transmis, vagues ou contradictoires, qu'ont été composées les œuvres ultérieures.

★ Vers la fin de la Renaissance, divers auteurs s'attachèrent au même sujet, mais en y apportant des variantes. En 1609, l'Espagnol Cristobal de Virués (1550-1609) publia à Madrid, dans son recueil *Obras tragicas y líricas*, une tragédie intitulée *La Grande Sémiramis* [*La gran Semíramis*]. Cette histoire fut reprise plus tard, avec une originalité notable et davantage de goût, par Pedro Calderón de la Barca (1600-1681) dans sa *Fille de l'air* (*).

★ En France, citons, entre autres, la tragédie de Prosper Jolyot de Crébillon (1675-1762), écrite en 1717 ; en 1748, elle fut reprise et remaniée par Voltaire (1694-1778), sans en acquérir pourtant plus de valeur. Jean-Jacques Le Franc de Pompignan (1709-1784) a laissé également un drame du même nom.

★ En Italie, la *Sémiramis* [*Semiramide*] la plus célèbre est le mélodrame de Métastase (Pietro Trapassi, 1698-1782). Composée en 1729, elle fut ensuite mise en musique par Vinci. C'est l'une des pièces les plus touffues de Métastase car, la légende ne lui fournissant que des données très imprécises, il s'est cru obligé, voulant suivre son système d'écriture de prédilection, de pourvoir la célèbre reine d'un passé et d'une famille selon son imagination. Sémiramis y apparaît comme la fille d'un souverain égyptien et la sœur d'un certain Myrthée élevé à la cour de Zoroastre, roi de Bactriane. Malgré tous les efforts d'invention déployés par Métastase, son œuvre est dénuée d'intérêt ; ce n'est qu'un banal mélodrame.

★ C'est pourtant la possibilité d'une riche mise en scène qui a incité de nombreux compositeurs à s'inspirer de la *Sémiramis* de Métastase. Certes, il existait déjà une *Sémiramis aux Indes* de Francesco Sacrati (1602-1650), représentée à Venise en 1648, une *Sémiramis* de Marc'Antonio Cesti (1623-1669), Vienne, 1667, et d'autres de moindre importance. En 1724, Nicola Porpora (1686-1766) fit représenter à Naples une *Sémiramis* qui fut plus tard remaniée suivant les motifs de la pièce de Métastase et donnée, en 1729, à Venise sous le titre de *Sémiramis reconnue*. Il existe encore une *Sémiramis* d'Antonio Vivaldi (1678-1741), représentée à Mantoue en 1732, ainsi qu'une *Sémiramis reconnue* de Christophe-Willibald Gluck (1714-1787), Vienne, 1748. Les XVIIIe et XIXe siècles en connurent bien d'autres encore, parmi lesquelles rappelons celles des compositeurs ci-après : Niccolò Jommelli (1714-1774) ; Antonio Sacchini (1730-1786), Rome, 1762 ; Tommaso Traetta (1729-1779), Parme, 1765 ; Giovanni Paisiello (1740-1816), Rome, 1773 ; Antonio Salieri (1750-1825), Munich, 1782 ; Domenico Cimarosa (1749-1801), Naples, 1799. Notons enfin la cantate de Florent Schmitt (1870-1958).

★ L'œuvre la plus digne de mention est l'opéra *Sémiramis* du compositeur italien Gioacchino Rossini (1792-1868), sur un livret tiré de la tragédie de Voltaire. Il fut représenté pour la première fois à Venise en 1823. Ce livret fut modifié par la suite, et la même partition, sous le titre de *Saül*, fut exécutée à Rome en 1834, sous forme d'oratorio. L'intrigue en est plus simple que dans le mélodrame de Métastase : le prince Assur, amant de Sémiramis, empoisonne Ninus, son époux, et tente même de faire assassiner son fils, Ninias, de crainte qu'il ne lui dispute le trône. Avant d'expirer, Ninus a le temps d'envoyer un message à son ami Fradatès pour lui révéler le complot dont il est la victime et lui confier le jeune prince qui aura mission de le venger. Ninias est donc élevé loin de Babylone jusqu'au jour où son protecteur, lui ayant remis un coffret à offrir au dieu Bêl, lui conseille de regagner sa patrie sous un nom d'emprunt, celui d'Arsace. Quant à l'écrin, il renferme une couronne, une épée et une lettre de son père. Le voilà de retour à Babylone, alors que Sémiramis s'apprête à de nouvelles noces. Un oracle lui ayant prédit qu'elle trouvera la paix souhaitée à l'arrivée d'un certain Arsace, elle offre sa main au jeune voyageur sans soupçonner qu'il est son fils. Mais le fantôme de Ninus apparaît : il promet à Arsace qu'il retrouvera le trône de ses ancêtres, à condition qu'il descende dans son sépulcre et lui immole une victime. Couronné par le grand prêtre, et ayant reçu de ses mains l'épée et la lettre de son père, Arsace se prépare à descendre dans le sépulcre. Mais Assur l'y a devancé pour le mettre à mort, et Sémiramis y est entrée à son tour pour protéger le jeune roi. Celui-ci arrive enfin pour sacrifier comme il lui est prescrit ; il voit Assur, se jette sur lui le glaive à la main, mais c'est sa mère qui, s'étant interposée, recevra le coup mortel. Les premières représentations de *Sémiramis* n'eurent pas tout le succès que Rossini en escomptait et qu'il croyait mériter, car jamais il n'avait travaillé avec autant de soin, d'intelligence et de passion. Mais ce demi-échec se transforma bien vite en un triomphe éclatant, et cet opéra fut longtemps considéré comme le chef-d'œuvre du maître.

SENILIA. Roman de l'écrivain suédois Lars Gyllensten (né en 1921), publié en 1956. Tout en approfondissant les investigations menées dans *Infantilia* (*) sur les choix existentiels qui s'offrent à l'homme, Lars Gyllensten expérimente une voie nouvelle qui consiste à se détacher par l'esprit d'une situation personnelle pour en juger plus objectivement, attitude qui d'ordinaire est l'apanage de la vieillesse. Cette œuvre, d'une complexité remarquable, s'articule pourtant autour d'une action banale concentrée sur quelques heures. Le personnage principal, Torsten Lerr, se réveille le dimanche 30 octobre 1955, prend son petit déjeuner avec sa demi-sœur et maîtresse Ester à qui il dicte ensuite ses pensées, à titre d'exercice de sténographie, et sort enfin promener son chien. L'intérêt du roman réside dans la cascade de souvenirs que ces événements anodins éveillent chez Torsten Lerr. En toute conscience, cet homme de 38 ans se remémore les faits marquants de son passé et tente diverses explications afin d'en décrypter le sens. Son but est de se forger une connaissance précise de son histoire pour pouvoir se libérer de ses sentiments et instincts douloureux car difficiles à maîtriser, comme la jalousie ou le désir sexuel. À son avis, ceux-ci sont des manifestations évidentes de l'enfant qu'il n'a pas réussi à tuer au fond de lui-même. En pur intellectuel, il lui importe en effet de rejeter tout comportement infantile, tel celui de son ami Gunnar – réincarnation du Karl-Axel d'*Infantilia* – qui ne domine pas ses pulsions, comme le montre sa tentative de meurtre sur sa propre fille. Torsten Lerr estime que tout besoin irrépressible d'affection ne peut qu'entraîner asservissement et destruction. Il recherche son idéal dans le mode de vie des vieillards et s'astreint à suivre les conseils de son père en disciplinant les penchants qu'il juge être des signes de puérilité. En revivant ses expériences, il s'exerce au stoïcisme et cherche à parvenir à la sagesse. Méfiant à l'égard de son corps dont les réactions sont imprévisibles, il choisit de s'armer d'indifférence face à l'amour et de renoncer à la sexualité qui l'attire tout en l'écœurant car elle lui semble incestueuse. L'imbrication et l'étrangeté des relations entre les êtres qui peuplent son univers lui inspirent un grand nombre de digressions philosophiques et religieuses, sortes d'essais incorporés dans le roman. Grâce à sa force de réflexion, Torsten Lerr finit par atteindre son objectif, mais le détachement qu'il recherchait ne risque-t-il pas de le plonger dans la solitude et l'isolement ? La nausée et le sentiment de vide qu'il ressent sont la preuve de l'ambivalence de l'auteur vis-à-vis d'une attitude aussi extrême. Par le biais de l'ironie, Lars Gyllensten distille sa critique pour inciter le lecteur à prendre activement position dans un débat en réalité jamais tranché. En effet, l'interprétation tantôt attirante tantôt repoussante que propose l'écrivain ne saurait laisser indifférent. Avec cette œuvre baroque au style très élaboré, Lars Gyllensten se situe dans la mouvance de grands auteurs du XXe siècle, Joyce, Proust et T. Mann.

M.-B. L.

SENILITÀ [*Senilità*]. Roman de l'écrivain italien Italo Svevo (1861-1928), publié en 1898. Après l'échec en 1892 de son premier livre, *Une vie* (*), Svevo tente à nouveau sa chance et publie à compte d'auteur ce roman d'inspiration autobiographique. Relativement court et de facture très classique, il a longtemps été considéré comme son chef-d'œuvre. Le livre relate l'histoire d'un employé triestin, écrivain raté, Emilio Brentani, qui s'éprend d'une belle jeune fille rencontrée par hasard, Angiolina. Celle-ci, dont le passé n'est pas sans tache, joue les innocentes et se refuse longtemps, cependant que la passion de Brentani redouble. Et, quand elle sera enfin devenue sa maîtresse, Angiolina saura à nouveau se rendre insaisissable, suscitant avec une intelligence perverse une jalousie qui met définitivement Emilio à sa merci, car celui-ci y trouve une sorte de trouble satisfaction, jusqu'au jour où elle disparaît définitivement, en compagnie d'un nouvel amant.

Mais cette aventure qui aurait pu n'être qu'une banale variation sur un thème classique (« la femme et le pantin »), se double d'intrigues parallèles qui enrichissent singulièrement le roman. En effet, Brentani a un ami, Balli, un sculpteur séduisant et cynique qui est son exact opposé, et aussi une sœur, Amalia, vieille fille avant l'âge avec laquelle il menait une manière de vie de couple, douillette et frileuse. Amalia ne peut évidemment accepter l'aventure avec Angiolina qui lui arrache son frère bien-aimé, et elle tente de se consoler par un amour à sens unique pour Balli. Mais rien ne lui réussit, et Amalia finit par chercher à oublier ses malheurs en se droguant à l'éther. Elle meurt bientôt, veillée par Emilio qui, trop tard, se rend compte qu'il n'a jamais su trouver les mots justes avec les femmes qui comptaient pour lui. Il restera donc seul, à méditer sur ce qu'il a perdu, non sans parer ses souvenirs d'un halo de poésie.

Le titre de ce roman ne doit pas faire illusion, car si « senilità » a le même sens en français et en italien, Brentani n'a rien d'un vieillard. Svevo prend soin de préciser qu'il est âgé d'environ trente-cinq ans et que, s'il est question de vieillesse, c'est plutôt de celle du cœur qu'il est question ici. Le protagoniste vit plutôt dans la dimension du passé, du souvenir, et sur la base d'une expérience qui doit davantage à ses lectures qu'à ce qu'il a pu faire effectivement. Cela dit, Svevo a su réussir en lui un étonnant portrait d'antihéros, qui rappelle celui d'Alfonso Nitti dans *Une vie* et qu'on retrouvera, avec l'humour en plus, dans *La Conscience de Zeno* (*). Et l'analyse de la jalousie, thème obsédant chez Svevo, qui traverse en filigrane toute sa correspondance et ses écrits personnels, est traitée avec une force saisissante, même et surtout parce qu'il ne s'agit que d'un cas particulier de l'impossibilité d'établir une relation vraie entre les êtres. – Trad. Le Seuil, 1960. M. Fu.

SENS COMMUN (Le) [*Common Sense*]. Œuvre de l'écrivain anglo-américain Thomas Paine (1737-1809). Ce pamphlet parut à Philadelphie le 10 janvier 1776, sans nom d'auteur, mais la seule mention « écrit par un Anglais », ce qui ne manqua pas de susciter bien des interrogations sur la paternité de l'ouvrage. Certains soupçonnèrent Franklin, Samuel Adams ou John Adams de l'avoir écrit. Mais la connaissance des institutions anglaises était telle que seul un Anglais pouvait l'avoir écrit. Or Paine était arrivé d'Angleterre en 1774, probablement déjà décidé à publier ce pamphlet, dont l'idée lui aurait été suggérée par Franklin, rencontré à Londres avant son départ. Paine élargit les suggestions de Franklin pour en faire un instrument plus percutant, en ouvrant la voie vers la rupture définitive entre les colonies et l'Angleterre. À la différence des leaders coloniaux, Paine était un homme simple, voire fruste, peu instruit et dépourvu de tout respect pour l'institution monarchique. Le pamphlet comprend quatre chapitres : 1) De l'origine et du but du gouvernement en général, suivi de brèves remarques sur la Constitution anglaise ; 2) De la monarchie et de la succession héréditaire ; 3) Considérations sur l'état présent des affaires de l'Amérique ; 4) De la capacité présente de l'Amérique, suivi de quelques réflexions diverses ; un appendice clôt le pamphlet. Il s'agit d'un ouvrage de dimensions modestes, qui ne peut se comparer aux grands ouvrages de science politique du XVIIIe siècle. C'est avant tout une œuvre de circonstance, destinée à couper le lien entre les colonies et l'Angleterre. Deux arguments sont développés. Le premier, c'est le caractère néfaste de la monarchie et de la succession héréditaire. « ... Les rois qui règnent aujourd'hui dans le monde ont des origines honorables. Or il est plus que probable que, si nous pouvions soulever le voile obscur de l'Antiquité et remonter jusqu'à la source initiale, nous découvririons que le premier d'entre eux n'était autre que le meneur d'une bande turbulente, un brigand dont les manières sauvages... lui avaient valu, parmi les pillards, le titre de chef... » Le second argument, c'est que l'indépendance est indispensable pour éviter une guerre civile : « Je redoute l'issue d'une réconciliation scellée aujourd'hui avec la Grande-Bretagne, parce qu'il est plus que probable qu'elle déclencherait... une révolte dont les conséquences seraient peut-être bien plus funestes que toutes les vilenies de l'Angleterre. » La vigueur de l'attaque entraîna le succès du pamphlet : cent cinquante mille exemplaires la première année, selon Paine, chiffre sans doute exagéré, mais certainement le plus grand succès d'édition alors sur le sol américain, sans parler des traductions dans les pays européens. C. F.

SENS DE LA BEAUTÉ (Le) [*The Sense of Beauty*]. Ce livre, publié en 1896, est la première œuvre importante du philosophe américain d'origine espagnole, George Santayana (1863-1952). C'est un recueil des cours sur l'esthétique qu'il fit à l'université Harvard. Elle valut à l'auteur une solide renommée de penseur et d'écrivain, et en effet elle représente dans la littérature américaine le premier traité d'esthétique organique et complet. Santayana se propose de rechercher dans quelles conditions se manifeste la beauté, à quelles exigences un objet doit satisfaire pour être beau, quelles facultés dans notre nature nous rendent sensibles à la beauté, et quel rapport existe entre l'objet et notre émotion. Il pense que, loin d'être la perception d'une donnée de fait, la beauté est une émotion à laquelle participe notre volition. Cette émotion a pour caractéristiques d'être positive (la beauté en effet, contrairement à la morale, qui a également un aspect négatif, est exclusivement liée à la présence ou à l'absence de quelque chose de beau), intrinsèque (à la différence de ce qui est moral, le beau nous plaît en lui-même, indépendamment de toute considération d'utilité, même lointaine) et objective. Cette objectivité échappe au vulgaire qui, ému par la vue d'un tableau ou d'un coucher de soleil, s'imagine naïvement qu'il doit son émotion à une qualité, la beauté, inhérente au tableau ou au coucher du soleil, alors que c'est son plaisir personnel qu'il projette sur l'objet et qu'il prend pour la voix authentique de la nature. Trois chapitres de l'ouvrage sont consacrés, respectivement, à la matière dont est fait le beau, au plaisir esthétique que procure la forme – qui est arrangement harmonieux ou symétrique de la matière sensible –, et à l'expression qui fait que l'objet ne plaît pas par sa matière ou par sa forme, mais par les souvenirs et les associations qu'il éveille chez l'observateur. L'art cherche à réaliser dans la mesure du possible l'harmonie entre notre nature personnelle et notre expérience, en créant sa justification spirituelle, le beau. Déjà, dans cette œuvre de jeunesse, se dessine cette attitude antidogmatique et cette ouverture d'esprit qui porteront l'auteur vers les expériences les plus diverses et l'amèneront à une vision esthétique du monde, qui trouvera son expression la plus achevée dans les cinq volumes de *La Vie de la raison* (*).

SENS DE LA MORT (Le). Roman de l'écrivain français Paul Bourget (1852-1935), publié en 1915. Ortègue, chirurgien célèbre, en qui une incrédulité religieuse absolue s'allie à une parfaite solidarité chrétienne pour toutes les souffrances humaines, a obtenu de militariser, pendant la guerre, sa propre clinique ; il est assisté dans son travail par sa femme Catherine et par son aide, Marsal. Ortègue, très épris de sa femme, beaucoup plus jeune que lui, se sachant condamné par une maladie qui ne pardonne pas, obtient de Catherine la promesse qu'elle mourra avec lui. Marsal est au courant du drame et en vit toute l'horreur avec les protagonistes. Un cousin de Catherine, Le Gallic, jeune officier grièvement blessé, arrive à la clinique. La sérénité consciente avec laquelle Le Gallic, profondément religieux, attend la mort, contraste avec l'aride désespoir du vieil incrédule. La souffrance physique et morale rend injuste Ortègue envers le jeune blessé : il souffre aussi de jalousie, pour la première fois de sa vie. Catherine, de qui la jeunesse se révolte physiquement devant l'idée de la mort, supplie son mari de lui permettre de vivre, par quelques lignes tracées en un moment de crise spirituelle. Ortègue, vaincu par la souffrance, se tue. Le Gallic, pour qui la science est impuissante, meurt sereinement, heureux de son sacrifice à la Patrie, et dans l'espoir que Catherine retrouvera le chemin de la religion.

SENS DE LA SIGNIFICATION (Le) [*The Meaning of Meaning : A Study of the Influence of Language upon Thought and of the Science of Symbolism*]. Avec cette étude monumentale, publiée en 1923, les écrivains anglais Ivor Armstrong Richards (1893-1979) et Charles Kay Ogden (1889-1957) tentèrent de définir une théorie de la nature des signes et de leur interprétation. L'année précédente avaient paru leurs *Fondements de l'esthétique* [*The Foundations of Aesthetics*], écrits en collaboration avec le critique d'art James Wood, qui s'efforçait de définir la nature du beau. Couvrant en une centaine de pages toute l'histoire de l'esthétique, ils offraient leur propre définition : la beauté est ce qui conduit à un équilibre synesthésique. En transportant le concept de beauté dans l'esprit ou l'expérience du public, les auteurs niaient « la qualité mystérieure de l'œuvre d'art » et érigeaient en méthode un point de vue qui demeure celui du *Sens de la signification.* S'aidant d'une psychologie qui emprunte librement aux écoles modernes les plus diverses, ils élaborent une technique de définitions multiples et « une science du symbole » . Leur terminologie, adaptée à l'évaluation des signes comme « symboles » et « référents », s'appuie sur les rapports entre l'interprétation et les processus mentaux. Pensant que la signification peut se définir sans recours aux images critiquant la notion « d'appréhension directe », tentant de substituer au concept de causalité celui de « direction pour l'action future » ou de « référence », les auteurs finissent par dresser une théorie du raisonnement. Reprenant les recherches de leur premier ouvrage, ils examinent les conceptions esthétiques, des exemples de pensée philosophique puis l'ensemble de la poésie elle-même. Pour ce faire, ils établissent une distinction entre la signification symbolique de la prose ou de la science, et la signification évocative ou émotionnelle de la poésie. Cet ouvrage ardu se trouve ainsi à la source de la critique moderne, d'une part parce que Richards en reprit les principes pour les appliquer à la littérature dans ses *Principes de critique littéraire* (*), d'autre part à cause de l'influence qu'il exerça sur d'autres critiques tels que William Empson, F. R. Leavis et le groupe de *Scrutiny* (*). Richards et Ogden eux-mêmes reconnaissent leur dette envers l'école de John Stuart Mill, envers le philosophe américain Charles Sanders Pierce et surtout envers l'anthropologue Bronislas Malinowski, tous savants auxquels ils ont emprunté leur classification des signes et une étude du langage en tant que véhicule vide de signification mais établissant des relations entre ceux qui parlent. Essentiellement psychologue, Richards est aussi logicien, sinologue et linguiste.

SENS DE LA VIE (Le). Roman de l'écrivain suisse d'expression française Édouard Rod (1857-1910), publié en 1889. En forme de journal intime, il note l'attitude d'un homme devant les problèmes de la vie : le mariage, la paternité, la religion, l'amour du prochain. Parisien superficiel que lasse sa vie de garçon, le héros entre dans la vie conjugale avec un scepticisme non dénué de remords ; mais, petit à petit, la grâce et la bonté de sa compagne font de lui un tout autre homme. L'annonce d'une paternité prochaine le trouble et l'effraie ; il y voit la fin d'une douce intimité. Toutefois, peu à peu, il accepte la chose et finit par adorer son enfant. Quand, à son chevet, il le dispute à la mort, il bénit la vie dont il sent le prix à travers les angoisses et les désillusions. À force de s'analyser et d'analyser son entourage, il en arrive à se poser le problème de son devoir envers son prochain. Son goût de l'individualisme le rend inapte à la vie politique. Néanmoins le spectacle de la misère du peuple, de la haine des classes et du scepticisme général lui cause un malaise toujours grandissant. Il s'appliquera désormais à détruire son égoïsme. Tout s'achève par une prière à Dieu, qui est encore celle d'un athée, mais d'un athée qui veut croire et qui lutte contre l'esprit de négation. Cette œuvre, qu'on peut à peine appeler un roman tant l'imagination y fait partout défaut, se rattache à la tradition de la Suisse protestante lorsqu'elle traite des problèmes moraux ; on peut y sentir aussi l'influence de Tolstoï et de Dostoïevski. Son sérieux, sa sincérité en font un document intéressant pour l'histoire de la conscience à la fin du XIXe siècle.

SENS DES CHOSES ET DE LA MAGIE (Du) [*De sensitiva rerum facultate*, intitulé ensuite : *De sensu rerum et magia*]. Œuvre du philosophe italien Tommaso Campanella (1568-1639), écrite en plusieurs versions latines et italiennes entre 1590 et 1607, publiée en latin en 1620. La composition de l'œuvre, qui se divise en quatre livres, part de l'exposé fait par G. B. Della Porta (dans son *De humana physiognomonia*) sur l'inexplicable sympathie ou antipathie des choses. Voici la thèse fondamentale de Campanella : si les animaux ont la faculté de sentir, les éléments et le monde sentent aussi, puisqu'il n'y a pas d'effets sans cause. Et cette faculté de sentir, ce « sens », n'est pas plus une attitude passive qu'une « véritable recherche de puissance », comme le voudrait Aristote, mais une attitude partiellement immuable de l'être sensible qui, par un raisonnement si rapide qu'on ne peut le distinguer, juge, au moyen d'une « perception rationnelle », toutes choses produisant en lui des modifications. Si la sensation n'existait pas dans les éléments du monde, celui-ci serait un chaos, étant donné que rien ne tendrait à la destruction des contraires ni à la production des semblables. L'instinct est une impulsion de la nature sensible ; et l'horreur du vide, que l'on trouve chez tous les êtres, n'est explicable que si l'on admet qu'il existe en eux un « sens ». Le monde est un animal mortel : lui refuser toute sensibilité parce qu'il n'a ni yeux, ni bouche, ni oreilles, c'est comme nier la vue chez l'homme qui se trouve en pleine campagne, parce qu'il n'y a pas de fenêtres. La matière (livre II), informe et ténébreuse en soi, est parfaitement apte à sentir et à désirer toutes les formes. Mais ni le sens ni l'âme ne sortent du sein de la matière ; ils naissent de la vertu de l'agent. L'âme est un esprit chaud, subtil, mobile, apte à sentir et à souffrir : la manière dont se forme l'animal le prouve, même dans la génération spontanée. Ce même esprit est âme, sous ses différentes formes : consciente, irascible, concupiscente et motrice ; et il ne semble divers que parce qu'il habite en des organes divers. Cette doctrine, qui reconnaît la faculté de sentir au « corps subtil », peut expliquer la multiplicité et la variété simultanée des sensations : ce qui serait impossible avec la théorie d'Aristote, dont le « sens commun » devient en même temps superflu. En outre, l'âme n'est pas forme, mais maîtresse du corps : et seul le « mens » que Dieu donne à l'homme peut être forme du corps. De l'infini de la pensée humaine, Campanella conclut à son immortalité et à sa divinité, ne pouvant admettre que sa valeur infinie tire son origine de ce qui est fini. Du reste, toute chose est et agit comme instrument de la cause première, qui est aussi la fin suprême de toute chose créée. La sensation est connaissance véritable ; la mémoire est une sensation affaiblie ; la connaissance discursive est sensation « étrangère et lointaine » ; l'intelligence est sensation éloignée et confuse. Mais la première et la véritable science active et non passive est la sensation de soi-même, le sens intime (« abditus ») ; et la perception des choses extérieures n'est que secondaire (« superadditus »). Par analogie, Campanella attribue également au monde une âme immortelle : s'il n'en était pas ainsi, l'homme, qui est une partie du monde, serait supérieur au tout. Le ciel et les étoiles (livre III) sont ignés et sensibles, et mus par la puissance de leur sensation. Les cieux sont peut-être mus par des intelligences angéliques. La lumière, le feu, les ténèbres, le froid, l'air, les vents ont la faculté de sentir. L'air a la propriété de pressentir les choses futures ou éloignées et de les communiquer en rêve aux hommes. Le livre IV est consacré à la magie, science à la fois spéculative et pratique, qui se subdivise en magie divine, impossible sans la grâce de Dieu, en magie naturelle et en magie diabolique. La magie naturelle est pratiquée par les savants et consiste à imiter la nature. Elle peut allonger ou abréger la vie. Dans les cadavres et en général dans les corps des êtres qui ne vivent plus, non seulement subsiste la faculté de sentir qui s'exerçait dans leur vie passée, mais encore un sentiment nouveau apparaît. L'auteur développe les arguments les plus extravagants à l'appui de cette thèse. Puis il énonce les règles universelles pour soumettre à la magie les sentiments et la nature. L'astrologie est nécessaire au bon magicien, et Campanella en célèbre la puissance infinie. L'œuvre se termine par un Épilogue qui chante la louange du monde, conçu comme la vivante statue du Très-Haut. L'homme, épilogue du monde, peut admirer l'art divin et y coopérer en vue d'atteindre l'universelle unité de toutes choses. *Le Sens des choses* est un singulier mélange de tendances contradictoires : le point de départ initial, d'inspiration naturaliste, aboutit à une conception du sens comme activité, qui annonce déjà les théories idéalistes modernes ; la recherche de nature métaphysique, qui fait l'objet des premiers livres, n'est plus dans le quatrième qu'un inventaire des affirmations les plus grossières des magiciens. Mais tout cela, et aussi les équivoques fréquentes, les définitions qui renvoient de l'une à l'autre (« le sens est l'intelligence rapprochée, l'intelligence est sens lointain et confus ») n'arrivent pas à enlever à cette œuvre la grande valeur qu'elle conserve ; annonciatrice des temps modernes, elle aida puissamment à mettre au clair la notion, alors toute nouvelle, de « conscience de soi ».

SENSITIVE (La) [*The Sensitive Plant*]. Ce poème du poète anglais Percy Bysshe Shelley (1792-1822), publié en 1820, compte au nombre de ses plus célèbres. Plus que tout autre, *La Sensitive* repose sur la grâce extrême de l'expression, sur la fluidité de la pensée. C'est à propos de ce poème qu'Edgar Poe écrivait : « Si jamais poète laissa se faire le naufrage de ses pensées dans l'expression, ce fut Shelley. Si jamais poète chanta, comme l'oiseau chante, impulsivement, ardemment, dans un complet abandon, pour lui-même seulement, et pour la pure joie de chanter, ce poète fut l'auteur de *La Sensitive*. » On conçoit que, dans ces conditions, l'analyse de ce poème soit à peu près impossible : elle ne laisse subsister qu'un squelette dérisoire. Dans la première partie, le poète nous décrit la sensitive au milieu du jardin enchanté par le printemps ; en quelques notes aériennes, il peint le lys de la vallée « par sa jeunesse si beau, si pâle par sa passion », la jacinthe et la rose qui y croissent ; parmi ces splendeurs, la petite plante qui ne donne pas de fleur éclatante, ni d'odeur suave, est la plus fortunée de toutes, car elle aime. Voici venir la Puissance de ce jardin, la Dame qui, du matin au soir, y règne et en prend soin mais, au seuil de l'automne, elle meurt (deuxième partie). La troisième partie évoque la ruine du jardin, sous les coups redoublés des vents et des pluies ; dans une atmosphère d'humide décomposition, les plantes une à une périssent, laissant la place à ces fantômes que sont les mousses et les lichens : « Quand l'hiver fut parti et que le printemps revint / La Sensitive était un débris sans feuilles ; / Mais les mandragores, les champignons, les parelles, les ivraies / Se levaient tels les morts de leurs charniers en ruine. » En conclusion, le poète nous donne la clé de son poème : n'est-ce pas le destin de tout homme, n'est-ce pas le sort de toute créature que cette brève floraison et cette lente corruption, que « cette vie d'erreur, d'ignorance et de lutte, / Où rien n'est, mais où toutes choses semblent, / Et nous-mêmes, les ombres d'un rêve ? » Qu'importent les formes et les êtres qui disparaissent, puisque subsiste la plus pure émanation d'eux-mêmes : « Toutes les figures suaves, les odeurs / En vérité jamais n'ont passé. / C'est nous qui avons changé. » Le spectacle demeure, car « pour l'amour et la beauté et le délice, / Il n'y a mort ni changement ». Ce qui fait l'originalité de la rêverie de Shelley, qui semble reprendre ici un thème devenu presque un lieu commun, c'est qu'il ne s'agit nullement d'une vision d'ordre moral transposée en images, mais d'une sensation spontanée, d'une pure création fantastique. C'est en lui-même que le sort de ces plantes répond au destin humain, ce n'est pas par une interprétation qui lui serait surajoutée. Derrière la mélancolie désespérée de cette fin paraît l'éternité incorruptible de l'idée et du rêve, et se montre, comme en filigrane, ce panthéisme consolant de Shelley qui fait tout le charme de sa poésie. – Trad. Les Belles Lettres, 1931.

SENSO, Nouvelles histoires vaines [*Senso, Nuove storielle vane*]. Recueil de nouvelles de l'architecte et écrivain italien Camillo Boito (1836-1914) publié en 1883. Le volume rencontra un succès discret. Il se conclut par la nouvelle la plus célèbre, « Senso », dont Visconti a tiré le scénario du film portant le même nom. Saisie par le besoin d'éclaircir un moment désormais lointain de sa vie, la comtesse Livia entreprend, au seuil de la quarantaine, une sorte d'auto-analyse sous forme de journal. Nous voici reportés vingt ans en arrière. Livia, qui a épousé un comte fort âgé, s'éprend violemment d'un officier autrichien, Remigio Ruz. Passion ambivalente, puisque la fascination qu'exerce le personnage tient à son cynisme, à son immoralité, à sa vilenie. Amant passionné, mais plus encore intéressé, il exerce sur elle un chantage aux sentiments afin d'obtenir l'argent qui lui permettra de corrompre un médecin militaire. Déclaré inapte à la guerre, il se retire à Vérone. Livia l'y rejoint pour le découvrir avec une femme, tenant sur elle des propos triviaux. Elle se retire sans se faire voir. À l'aube, elle a décidé de dénoncer Remigio au commandement autrichien. Il faudra le traîner, sanglotant, jusqu'au peloton d'exécution. – Trad. *Senso, carnet secret de la comtesse Livia,* Actes Sud, 1983 ; Le Seuil, 1985.

SENS PLASTIQUE. Ouvrage de l'écrivain mauricien d'expression française Malcolm de Chazal (1902-1981), édité en France en 1948, et qui « semble chu comme un os, comme une pierre venue d'une autre planète », écrit Jean Paulhan dans sa préface. Recueil de pensées, de métaphores ou plutôt de correspondances, qui tiennent de deux à quarante lignes, courtes comme des proverbes : « La rose c'est les dents de lait du soleil. » « L'œil a tous les gestes du poisson. » Ou beaucoup plus longues : « L'image jaillit. Mais en jaillissant, elle s'accompagne d'une sorte de combustion. Au lieu de deux objets, elle n'en laisse plus qu'un. Plus moyen de distinguer entre le précis et le confus, entre le plastique et le non-plastique. » Chazal s'est réfugié, comme il le dit très bien lui-même du dormeur, « dans les passages et les couloirs entre les sens », prêt à tout instant à glisser de l'un à l'autre. « Je donne, écrit-il, à toute forme de vie corps et visage humains, afin de lui faire révéler ses secrets. Cela, tous les poètes l'ont fait mais dans un but flou et spécifiquement esthétique alors que j'y mets une intention philosophique avec le but bien défini de découvrir du nouveau. » Dans un style rude où chaque mot joue son personnage et chaque membre de phrase est un nouvel étage à gravir, Chazal nous invite à assister à une expérience à l'état brut de « littérature-peinture » ou de « surpoésie ».

SENS UNIQUE [*Einbahnstrasse*]. Recueil d'aphorismes de l'essayiste et écrivain allemand Walter Benjamin (1892-1940). Publié en 1928, le texte a été désormais repris dans l'édition des œuvres complètes de 1972. Benjamin renoue avec une tradition tout autant classique que romantique et la prolonge dans une perspective critique : chaque petit texte est intitulé de manière que son titre introduise déjà à la fois une surprise et une tension avec le contenu immédiat du propos. Ce décalage, générateur voulu d'associations imprévisibles, entre le titre et le thème sera repris de manière systématique par Theodor W. Adorno, dont l'amitié pour Benjamin lui permettra d'être profondément influencé par cet aîné, dans son ouvrage *Minima Moralia.* Benjamin reprend en les combinant l'humour acide d'un Lichtenberg et l'ironie d'un Nietzsche fustigeant son époque. Il s'agit bien, en effet, de critique, mais sans que soient dissociés les composantes esthétiques, les effets rhétoriques et poétiques de surprise ou de provocation quasi surréaliste, les éléments proprement sociaux comme les interprétations laconiques de telle ou telle tendance culturelle, de tel mouvement psychique, de tel phénomène social. Des rêves personnels sont même convoqués, toujours pour renvoyer à un contenu de vérité vers lequel ils font signe à condition que l'énigme qu'ils contiennent soit correctement déchiffrée. Ce recueil, que le philosophe Ernst Bloch appellera un « bazar philosophique », Benjamin le destinait d'abord à ses amis ; mais après un séjour à Paris où il fait la connaissance d'Aragon qui vient de publier *Le Paysan de Paris* (*) (1926), et face à la crise qui ébranle la République de Weimar, Benjamin donne une ampleur plus sérieuse et plus incisive à ces textes où se lit une vision pessimiste de l'histoire comme catastrophe. Il ne s'agit pas pourtant de prédire quoi que ce soit puisque « convaincre est infécond », pas plus qu'il ne faut développer comme par le passé d'imposants traités scientifiques délivrant un sens objectif de l'évolution culturelle. La pensée doit mimer les nouveaux médias de communication et en utiliser la force d'impact. En la subvertissant, l'histoire apparaît comme une sorte de déchéance continue à partir de ce qui aurait pu être une vraie vie, se précipitant au hasard et aveuglément vers un avenir dont rien n'est garanti. Le seul spectacle qui nous est offert, c'est le champ de ruines du passé. — Trad. Maurice Nadeau, Les Lettres nouvelles, 1988. M. B. L.

SENTENCES de Paulus [*Julii Pauli sententiae* ou *Libri V sententiarum ad filium* ou *Recepta sententiae*]. Julius Paulus, jurisconsulte latin et disciple de Scaevola, a vécu à la fin du IIe et au commencement du IIIe siècle de notre ère. Il représente avec Ulpien la phase ultime de la jurisprudence classique. Les *Sentences* forment son ouvrage le plus célèbre : leur popularité a été telle, à l'époque post-classique, que l'on s'est demandé si elles constituaient bien une œuvre originale du jurisconsulte, ou s'il ne s'agissait pas plutôt — selon une hypothèse récente — d'une compilation réalisée à l'époque post-classique, à l'aide de maximes tirées de l'ensemble de ses œuvres. Quoi qu'il en soit, la première compilation est postérieure au règne de Dioclétien. Évidemment les passages qui nous sont parvenus ont subi des interpolations dans les rédactions ultérieures, à tel point que la valeur de l'œuvre en est notablement diminuée. Il nous en reste environ la sixième partie, si l'on rassemble les fragments rapportés dans le *Digeste* de Justinien — v. *Corpus de droit civil* (*) —, dans la *Comparaison entre les lois de Moïse et les lois romaines*, dans la *Consultation d'un jurisconsulte ancien* et, spécialement, dans certains passages de la *Loi romaine des Wisigoths* (*). Il s'agit d'un recueil de maximes rédigées avec concision, ordonné selon le plan des Digestes classiques, et destiné, plus particulièrement, aux étudiants et aux praticiens. L'ouvrage est divisé en cinq livres, chaque livre en titres, et les titres en numéros ou paragraphes : la plupart des titres ont une « inscriptio » qui en indique le contenu. Cette œuvre est comprise dans le recueil des *Fontes juris romani antejustinioni,* édité par les soins de Riccobono, Baviera et Ferrini (Florence, 1909). Paulus fut un des plus éminents juristes de l'époque classique romaine. Ses *Sentences* étaient investies d'une très grande autorité, et elles furent érigées en règles ayant force de lois, par Justinien et par les auteurs des codifications ultérieures. — Trad. Metz, 1811.

SENTENCES de Publilius Syrus. Recueil de maximes extraites des *Mimes* (*) de l'écrivain latin, esclave d'origine syrienne, Publilius Syrus (Ier siècle av. J.-C.), formant en tout sept cents vers, sénaires ïambiques ou septénaires trochaïques. Le contenu moral de ces maximes est en contraste avec le caractère obscène et licencieux propre aux mimes de Publilius, qui sont tous perdus aujourd'hui ; ce contenu justifie l'estime et l'admiration que Sénèque a souvent exprimées pour leur auteur. Les *Sentences* proviennent d'un recueil plus vaste, d'environ mille vers, ordonnés alphabétiquement, dont le noyau était déjà constitué longtemps avant la mort de Publilius ; leur authenticité est en partie garantie par d'autres citations antiques. Elles sont très claires et concises et, à ce point de vue, supérieures aux autres maximes analogues, fréquentes, par exemple, dans les œuvres d'Euripide et de Ménandre. Elles ne sont inspirées par aucune doctrine philosophique en particulier, mais plutôt par un solide bon sens populaire (« Celui qui pèse trop laisse souvent passer l'occasion » ; « Au pauvre, il manque beaucoup ; à l'avare, il manque tout » ; « C'est une loi commune qui commande de naître et de mourir », « À la nécessité, le sage ne refuse rien ») ; dans certaines, il y a des traces d'une philosophie plus profonde, d'origine certainement stoïcienne, mais toujours de caractère profondément pratique (« Laisse les espoirs et les craintes, et ta vie sera heureuse »). Comme beaucoup d'œuvres de ce genre, les *Sentences* eurent du succès et furent très vite introduites dans les écoles ; enrichies de sentences extraites d'œuvres et d'auteurs divers, désormais difficiles à reconnaître, et mêlées à des sentences en prose attribuées à Sénèque, elles nous sont parvenues par de nombreux manuscrits assez différents les uns des autres, dont beaucoup sous le titre de *Sentences de Sénèque.*

SENTENCES DRAMATIQUES [*Dramatische Sprüche*]. C'est le titre d'ensemble que le poète allemand Hans Sachs (1494-1576) donna à ses deux cent huit compositions poétiques de contenu dramatique, les divisant en *Fastnachtspiele* — v. *Farces de Carnaval* (*) —, comédies, tragédies et « actions » [Spiele]. Le terme « Spruch » (sentence, maxime) dérive du caractère moralisateur que présentent toutes ces compositions, le sujet étant une illustration de l'enseignement moral qui est parfois énoncé à la fin par un « Herold » (héraut, messager). Alors que les *Fastnachtspiele* ont des caractères propres, comédies et tragédies ne se distinguent entre elles que par une plus ou moins grande rigueur morale. Les sujets sont en général de genre classique, médiéval ou religieux. Les premiers ont leur source dans les grandes œuvres poétiques et historiques de l'Antiquité, célébrées par l'humanisme : *Les Ménechmes* (*) de Plaute, *L'Eunuque* (*) de Térence, *Ploutos* (*) d'Aristophane, etc. Ceux à contenu médiéval s'inspirent des sagas germaniques, des poèmes chevaleresques, des *Livres populaires allemands* (*), de contes dans le genre de Boccace, de chroniques, comme *Siegfried* (*), *Olivier et Arthur, Tristan* (*), *Roman de Mélusine* (*), *Pontus et Sidonie, Octavien, Fortunat* (*), *Grisélidis* (*), etc. Enfin, ceux à contenu religieux sont surtout tirés de *La Bible* (*) : *Le Péché originel, La Nativité de Jésus, La Passion, Le Jugement dernier, Josué, Gédéon, Samson, Judith et Holopherne, L'Enfant prodigue*, etc. Ces actions dramatiques ne correspondent guère aux normes du théâtre moderne. L'action est arbitrairement et extérieurement divisée en actes et on n'y trouve aucune division par scènes ; elles ne comportent en outre aucun développement d'intrigue ou de caractères, à telle enseigne que l'élément proprement dramatique en est absent et se résume à une suite de dialogues sans unité profonde. Ceci du fait que Hans Sachs concevait le théâtre comme devant « représenter dramatiquement une histoire », autrement dit traiter une fable sous une forme dialoguée, avec un semblant d'intrigue. Un même sujet est souvent utilisé dans des œuvres de genres différents et l'action englobe une vie entière ou se perd en digressions. Aussi est-il vain de rechercher dans ces œuvres le sens du tragique ou de l'héroïque. Hans Sachs est un poète purement bourgeois et ne manifeste de compréhension qu'à l'égard du monde dans lequel il vit, avec une tendance à tout ramener à ces limites. Mais il apporte alors dans ces descriptions une savoureuse vigueur. C'est dire qu'en dépit des anachronismes et des naïvetés on est touché par la bonne humeur de l'écrivain.

SENTIER EN MARCHE (Le) [*El sendero andante*]. Œuvre de l'écrivain espagnol Ramón Pérez de Ayala (1881-1962), publiée en 1921. Ce livre de poèmes prolonge les deux « sentiers » précédents : *La Paix du sentier* [*La paz del sendero*] — consacré à la terre, très influencé par les modernistes, ou encore F. Jammes — et *Le Sentier innombrable* [*El sendero innumerable*], où Ayala apparaît comme le chantre de la mer. Ces deux premières œuvres avaient été publiées respectivement en 1904 et 1917. *Le Sentier en marche* paraît lorsque l'auteur a quarante ans. C'est dire qu'il s'agit d'une œuvre de la maturité, encore que la date de rédaction des poèmes oscille entre 1905 et 1919. Le recueil est divisé en quatre parties : « Les Moments », « Les Modes », « Dithyrambes » et « Préceptes de vie et de nature », d'une valeur et d'une étendue inégales. En tête, un poème au titre significatif : « Le Fleuve » qui, tout en servant d'introduction, situe l'œuvre dans le genre lyrico-philosophique auquel il appartient. La citation marginale de Pascal (« le fleuve est un chemin qui marche ») et les allusions à la fugacité et au devenir des êtres et des choses font que cette œuvre apparaît, dans son ensemble, comme une méditation sur la vanité du monde où les échos de la philosophie d'Héraclite se mêlent à des réminiscences de l'éducation catholique reçue par l'auteur, bien qu'il ait perdu la foi depuis ses jeunes années. Les thèmes traités sont très divers : souvenirs d'enfance, évocations amoureuses, impressions paysagistes, qui alternent avec des lettres à des amis écrivains (Azorín par exemple), avec des rappels de la Castille médiévale et même un vaste poème à la gloire de l'imprimerie et des imprimeurs. Le recueil se termine sur un poème intitulé « Philosophie », où, après avoir insisté sur divers concepts déjà vus dans l'introduction, l'auteur conclut avec fermeté que, dans la mesure précisément où tout est éphémère et passager, tout est nécessaire et obligatoire, encourageant le lecteur à « semer le blé » et à « boire le bon vin » de la vie. L'œuvre s'achève donc sur un ton nettement optimiste reflété par le rythme. Les poèmes présentent une métrique très variée, depuis les octosyllabes assonancés, caractéristiques du romance espagnol, jusqu'aux alexandrins de quatorze syllabes réhabilités et remis à la mode par le mouvement moderniste au début du siècle. Çà et là se perçoivent quelques échos de cette école littéraire, au hasard des pages du *Sentier en marche*.

SENTIER VERS L'INVISIBLE [*Zga*]. Recueil de contes de l'écrivain russe Alexei Remizov (1877-1957), écrits pour la plupart entre 1906 et 1910, et choisis parmi les quelque soixante volumes de l'auteur. Deux traditions, profondément orientales, s'y trouvent confondues : le vieil esprit des légendes populaires, avec ses superstitions peuplées de créatures surnaturelles ou magiques, et, pour la forme, un héritage byzantin qui se manifeste dans l'extrême souci du détail. Dans « L'Incendie », c'est l'histoire d'une sorcière, qu'on égorge pour lui faire payer ses maléfices, mais que le Diable venge en incendiant le village tout entier. Le « Jugement de Dieu » (très caractéristique du pessimisme religieux de Remizov) met en scène un moine exemplaire qui s'est acquis, à juste titre, une réputation de directeur infaillible. Au cours d'un voyage en chemin de fer, le père Hilarion rencontre un jeune homme que ses parents veulent marier de force, mais qui vit déjà en ménage, à Moscou, avec une femme dont il a un enfant. Le père Hilarion lui conseille de retourner auprès de cette femme. Puis, soudainement pris d'un doute, il se ravise et interroge le sort devant une icône miraculeuse qu'il transporte avec lui. La réponse est contraire : le jeune homme doit donc obéir à ses parents. Le père assiste même au mariage, pendant lequel il est gratifié d'une vision qui le convainc que cette union aura un sort funeste. Désemparé, sentant sa foi chanceler, il disparaît dans la steppe en compagnie d'un pèlerin. « La Princesse Mymra », c'est le drame éternel de l'enfance perdue et d'un petit garçon qui, ayant pris une femme entretenue pour une princesse de contes de fées, sera cruellement détrompé. « Le Lieu béni » est une nouvelle qui semble tout entière jaillie du fond superstitieux de la vieille Russie : histoire fantastique, où les songes prémonitoires, des mystérieux sacrifices d'animaux et toute une série de manifestations diaboliques viennent semer le désordre et la mort dans une maison autrefois si heureuse qu'on l'avait surnommée le « Lieu béni ». Parfois Remizov se contente d'esquisser de simples évocations d'atmosphère, de relater des conversations avec des gosses de la rue parisienne, qu'il dépeint avec une perspicacité pleine de tendresse. — Trad. Éditions du Chêne, 1945.

SENTIMENTS DE L'ACADÉMIE SUR « LE CID ». Œuvre de critique de l'écrivain français Jean Chapelain (1595-1674), parue en 1637 : c'est une analyse du *Cid* (*) de Pierre Corneille joué l'année précédente, en vue de résoudre, sur l'ordre du cardinal Richelieu, une controverse littéraire qui n'est pas à l'honneur du grand ministre et de ses acolytes. Georges de Scudéry avait publié d'assez impertinentes observations sur le chef-d'œuvre du grand tragique et, se servant peut-être des rancœurs que Richelieu, fondateur de l'Académie, un peu par rivalité d'auteur, nourrissait pour Corneille (si tant est qu'on n'a pas exagéré cette rancune), avait soumis son œuvre au jugement de l'Académie elle-même. La noble assemblée demanda pour cela au poète la permission d'examiner *Le Cid* et ce dernier l'accorda avec une digne fierté. Après divers examens de commissaires sur l'œuvre et sur sa critique, Chapelain recueillit les mémoires de ses collègues et les fondit en un travail personnel qui fut présenté sous forme manuscrite au cardinal. Sans cependant déplaire au puissant ministre, il réussit à faire certaines observations justes et nuancées, laissa échapper le moins de mots inopportuns qu'il put, et ne chercha pas à dissimuler la valeur du chef-d'œuvre. Le critique comprit que *Le Cid* était une œuvre puissante qui renouvelait entièrement un ancien sujet, et que le fait que ce sujet fût tiré de l'histoire espagnole ne suffisait pas à enlever son mérite à l'auteur. Corneille est parvenu à une ingénieuse fusion du sens du devoir et de la galanterie moderne, rendant son œuvre vivante et passionnée par le contraste entre l'amour et le devoir. Le côté romanesque du drame le rend cher à la foule des spectateurs ; et ce jugement n'est pas en lui-même dépourvu de valeur. Certes il y a dans cette œuvre des erreurs, et l'Académie, avec la science qui la distingue, fait remarquer des fautes de versification, une faiblesse dans la conception du plan, des images forcées et des inégalités dans les caractères : ce qui n'exclut pas qu'elle peut déjà voir, dans *Le Cid*, un chef-d'œuvre mémorable. Boileau, implacable satiriste de Chapelain poète et de ses compagnons, pouvait écrire plus tard, dans un passage fameux, qu'en vain un ministre se met contre *Le Cid* : tout Paris est pour ses héros et si l'Académie solennellement réunie fait des censures, « le public révolté s'obstine à l'admirer ». Mais au moins Chapelain avait adroitement montré plus de bon sens que d'ordinaire, et son habituelle pédanterie lui avait cependant épargné la rigueur d'une ridicule condamnation.

SENTIMENTS SUR LES LETTRES ET SUR L'HISTOIRE AVEC DES SCRUPULES SUR LE STYLE. Traité de l'écrivain français du XVIIe siècle, Du Plaisir, paru en 1683, à Paris en même temps qu'à Lyon. Lancé par une élogieuse campagne de presse dans *Le Mercure galant* (*), l'ouvrage ne semble pas avoir eu un grand retentissement. Comme son titre le fait entrevoir, il est composé de trois parties, mais l'intérêt qu'il suscite aujourd'hui tient essentiellement à la seconde, dans laquelle on trouve une expression remarquable, par sa cohérence et son parti pris théorique, des bouleversements que subit le genre romanesque dans le dernier tiers du XVIIe siècle. Du Plaisir est « parmi les critiques du "nouveau roman" des années 1680, celui qui a la conscience la plus nette des caractères qui le distinguent de l'ancien roman » (Jean Rousset). Aux énormes romans héroïques qui caractérisaient l'époque baroque, Du Plaisir oppose les « romans nouveaux » qu'il désigne sous le terme de « nouvelles » ou encore d'« histoires » (l'auteur étant lui-même évoqué comme l'« historien »). La narration, comme l'entend Du Plaisir, doit suivre l'ordre chronologique des faits, s'abstenir des retours en arrière et des digressions, refuser les interruptions causées par de longues discussions ou considérations psychologiques. Le roman nouveau privilégie la brièveté : « La distribution d'une histoire en quatre ou six volumes est à présent excessive ; on ne prend ordinairement pour matière des romans qu'un seul événement principal, et on ne le charge point de circonstances qui ne puissent être contenues en deux tomes. » Les lieux et les circonstances sont assez proches du lecteur pour qu'il puisse goûter la fidélité de leur évocation, les conversations ne sont point apprêtées. Le romancier doit respecter la vraisemblance dans l'enchaînement des événements, et s'effacer autant que possible de son œuvre. Du Plaisir privilégie ainsi tout ce qui lui semble rapprocher l'œuvre romanesque d'une simple chronique de faits : la linéarité de la narration et le « désintéressement » de l'auteur (c'est-à-dire sa vigilance à ne manifester aucune opinion sur les personnages qu'il met en scène). Toute cette théorie est fondée sur une considération du lecteur, dont le roman doit s'assurer l'adhésion et maintenir la curiosité. Ainsi les épisodes merveilleux et les exploits, qui parsemaient les romans baroques, sont exclus du « roman nouveau », au nom d'une théorie de la réception (en parfaite conformité avec l'esthétique classique) : « Nous ne nous appliquons point ces prodiges et ces grands excès ; la pensée que l'on est à couvert de semblables malheurs fait qu'on est médiocrement touché de leur lecture. »

La première partie de l'ouvrage — les « Sentiments sur les lettres » — concerne l'art épistolaire. L'auteur s'y emploie à bien identifier les différents types de lettres et à donner des règles stylistiques précises pour chacun : lettres d'affaires communes, lettres enjouées, lettres tendres, lettres passionnées (à propos desquelles l'ouverture des *Lettres portugaises* (*) fait l'objet d'une cruelle critique stylistique), billets, épîtres dédicatoires. Les « Scrupules sur le style » enfin, qui concluent le traité, attestent une préoccupation présente tout au long de l'œuvre (on trouve ainsi, dans la deuxième partie, une longue analyse des différences entre le style qui convient aux héros d'un roman et celui qui est propre au narrateur). L'auteur ajoute à ses considérations générales des « difficultés plus particulières » sur quelques tours ou expressions.

Lors de la parution des *Sentiments*, la nouvelle esthétique romanesque était déjà bien installée : *La Princesse de Montpensier* (*) date de 1662 et *La Princesse de Clèves* (*) de 1678. Aussi ne faudrait-il pas prêter à l'œuvre de Du Plaisir un rôle déterminant dans l'apparition du « roman nouveau ». Son mérite est d'avoir perçu a posteriori avec une grande intelligence la nature des changements et leur importance. « Sans doute a-t-il voulu exposer la synthèse de tout ce qui, à ses yeux, justifiait l'évolution du roman au cours de ces dernières années » (Ph. Hourcade). L. T.

SENTIMENT TRAGIQUE DE LA VIE (Le) [*Del sentimiento trágico de la vida en los hombres y en los pueblos*]. Œuvre de l'écrivain et philosophe espagnol Miguel de Unamuno (1864-1936), publiée en 1914. Cet essai sur l'angoisse religieuse du monde moderne et de l'homme éternel ne rappelle en rien par sa forme les traditionnels traités de métaphysique ou de religion : tout y sort du cœur, de l'âme, on n'y suit pas l'enchaînement d'une pensée logique, mais le rythme d'un jaillissement intérieur, des besoins instinctifs d'un homme qui, simplement, ne veut pas mourir. Il n'est pas d'expression plus totale d'un certain catholicisme hispanique, à la fois fidèle et adorant, et sans cesse aux limites de l'hérésie, qui nomme ses autorités bien moins chez les docteurs de l'Église que chez les mystiques universels, les métaphysiciens du fond de l'âme, du « Gemüt », et surtout chez Cervantès : ce sentiment tragique de la vie est à la base du « quichottisme », tel qu'Unamuno l'a exposé dans sa *Vie de Don Quichotte et de Sancho Pança* (*). Le point de départ de l'auteur est aussi celui de Pascal, de Kierkegaard, de Nietzsche : l'homme concret, inséparablement chair et esprit, désir et connaissance, l'homme qui possède une destinée exceptionnelle unique, affronté à la souffrance, à la joie, à la mort. Non pas l'homme affectif, au détriment de l'homme raisonnable, mais l'homme affectif autant que l'homme raisonnable. Unamuno reprend le grand thème de Nietzsche : il n'y a pas une philosophie, il n'y a que des philosophes. Chaque conception du monde naît du plus intérieur et du moins communicable de la personnalité : ainsi la philosophie se trouve être plus proche de la poésie que de la science. Elle doit exprimer l'aventure individuelle, dans le temps et devant l'éternité, et seulement cela : « Notre philosophie, c'est-à-dire notre manière de comprendre ou de ne pas comprendre le monde, jaillit de notre sentiment même de la vie. » Même une pensée d'apparence toute impersonnelle, comme le kantisme, ne serait rien sans son auteur. Ce qui importe, c'est l'homme Kant : « L'homme Kant, homme de cœur et de tête, c'est-à-dire homme, reconstruit avec le cœur ce qu'il avait abattu avec la tête [...] L'homme Kant ne se résignait pas à mourir tout entier. Et c'est pour cela qu'il fit ce saut, le saut immortel de l'une à l'autre critique. » Les professeurs rédigent des histoires de la philosophie, alors qu'il n'y a que des aventures, des destinées de philosophes.

Quel est ce sentiment tragique, à l'origine de toute philosophie ou religion, commun à tous les êtres, et pourtant exprimé par chacun d'une manière unique ? Unamuno répond : le besoin immortel d'immortalité, le combat éternel de tout homme pour ne pas mourir. Certains génies, dont Unamuno se sent le frère, ont eu le courage de laisser tout crûment s'épancher ce besoin : l'œuvre d'un Nietzsche, d'un Leopardi, d'un Rousseau, d'un Pascal, d'un saint Augustin, d'un Marc Aurèle, n'en est rien d'autre que le pur, déchirant miroir. C'est par rapport à ce besoin qu'il convient d'envisager le problème de l'immortalité dans l'histoire des philosophies et des religions. La plus décisive des solutions qui lui furent données, la plus vitale pour nous, est la solution chrétienne, qu'Unamuno étudie longuement dans un admirable chapitre intitulé : « L'Essence du catholicisme ». Tout le christianisme tient dans une double et unique révélation : révélation de la mort, révélation de la victoire sur la mort. Le Christ, l'Homme parfait qui ne devait pas mourir, est mort, parce qu'ainsi seulement il pouvait être vraiment homme. Mais le christianisme, c'est la résurrection. Le fait christique n'est pas d'abord moral, ni cosmique ; il n'est le signe ni d'une métamorphose de la nature, ni de l'établissement d'une nouvelle évaluation du bien et du mal. Le christianisme traditionnel — dont l'auteur se sépare ici — met l'accent sur le péché, et comprend la mort comme une conséquence du péché ; Unamuno lui ne définit le Christ que par rapport à la réalité de la mort. Dans une telle perspective, toute théologie dogmatique devient naturellement irrationnelle. Le Dieu créateur, auteur et gardien de l'ordre du monde, est absorbé dans le Dieu vital, crucifié mais vainqueur de la mort, dont le catholicisme est le soldat contre les puissances de sclérose, c'est-à-dire contre le rationalisme. Il n'empêche que saint Thomas est le plus grand docteur d'une Église qui a baptisé Aristote : la raison attaquant la foi, dit Unamuno, la foi a dû essayer de pactiser avec la raison. De la religion, qui était essentiellement un élan vital, on a fait ainsi une théologie. Mais peut-on croire avec la raison ? Les deux termes ne sont-ils point inconciliables, contradictoires ? « Et la vérité ? Doit-on la vivre, ou la comprendre ?... » L'attaque d'Unamuno contre la raison est vitaliste et non mystique : à ces derniers, il reprocherait d'absorber notre personnalité en Dieu, par suite d'atténuer l'angoisse tout comme fait le rationalisme. Unamuno est bien l'esprit le moins quiétiste qui soit, le plus éloigné du « pur amour », le plus « intéressé » au sens que Fénelon donnait à ce mot : sa religion est essentiellement anthropocentrique, et — comme il va l'exposer dans sa troisième partie — les preuves de l'existence de Dieu n'en forment nullement une part essentielle. Il suffit que l'homme veuille que Dieu existe, ce Dieu étant conçu exclusivement comme Celui qui nous rend immortel. La doctrine catholique de l'âme individuelle s'oppose donc à toute tentative de synthèse rationnelle. Après en avoir produit une preuve positive, Unamuno en trouve une négative dans l'histoire du rationalisme moderne : tous les arguments rationnels en faveur d'une immortalité personnelle ne sont qu'invention. Hume déjà, fidèle à sa méthode purement intellectuelle, aboutissait à la négation de l'unité de l'âme, et donc de son immortalité. C'est d'autre part une pure illusion que de s'imaginer que des motifs d'agir et de vivre peuvent subsister, une fois niée l'immortalité personnelle. Les « vérités » rationnelles se trouvent donc radicalement opposées à l'exigence de l'existence. « Tout le vital est antirationnel » et le rationnel « antivital ». La tragique histoire de la pensée humaine n'est que celle d'une lutte entre la raison et la vie, celle-là s'obstinant à rationaliser celle-ci, en lui imposant la résignation à l'inévitable et à la mort ; et celle-ci — la vie — s'obstinant à vitaliser la raison en l'obligeant à « appuyer ses aspirations vitales ».

Mythes et scepticisme sont les deux pôles entre lesquels se débat l'âme moderne. Le scepticisme scientifique a instauré une véritable dictature sur les âmes : la Renaissance, la Réforme, la Révolution ont « apporté une nouvelle Inquisition : celle de la science, ou de la culture, qui emploie pour armes le ridicule et le mépris contre ceux qui ne se rendent pas à son orthodoxie ». Mais du pire peut naître le salut du monde moderne. Du choc, au fond de la conscience, entre le scepticisme et l'instinct vital, de la lutte éternelle entre les deux puissances de notre être — celle qui veut l'immortalité, celle qui nourrit les complaisances, pour le tout-fait, l'habituel et la mort — jaillit en effet « la sainte, la douce, la salvatrice incertitude, notre suprême consolation ». Le scepticisme n'est pas surmonté, ni oublié : il devient un scepticisme actif, qui sans cesse se combat lui-même et nourrit ses énergies de son éternel déchirement. C'est là l'angoisse, et l'homme est d'autant plus homme et d'autant plus divin qu'il a plus de capacité pour l'angoisse. Cette guerre irréductible, au fond de chaque être, il ne faut rien faire pour l'apaiser ou la réduire ;

elle est formatrice, éducatrice, école de courage. Unamuno trouve un recours dans une majestueuse et ardente philosophie de la volonté. L'existence de Dieu, envisagée de ce point de vue, ne se pose plus comme celle d'un être extérieur, mais comme la possibilité maxima de la volonté : ce Dieu peut-être n'existe pas, mais il faut le créer à notre usage, comme don Quichotte créait ses chevaliers et ses princesses. Les thèmes de cette dernière partie, Unamuno semble les arracher de son expérience personnelle : il ne se soucie plus d'aucune explication logique. C'est le saut « existentiel », de l'extrême négation à l'extrême affirmation, à la manière du consentement nietzschéen à l'éternel retour. Cette œuvre, si pleinement personnelle, se rattache en effet étroitement à plusieurs courants de pensée : l'influence du pragmatisme religieux de William James est certaine. Mais encore plus réelle est celle de Kierkegaard, qu'Unamuno admirait au point d'avoir appris le danois uniquement pour lire ses livres. Toute la première partie, critique, est directement inspirée de Nietzsche. Sur plus d'un point, en dépit de sa ferveur pour le catholicisme, Unamuno franchissait les limites de l'orthodoxie ; sa pensée ne s'apparente pas moins à la réaction antirationaliste que menaient, à la même époque, des chrétiens comme Péguy et Claudel. En Espagne, elle fut poursuivie par José Bergamín qui, à la suite d'Unamuno, s'efforça de délivrer la religion de son aspect figé. Mais, au-delà même du christianisme, le livre d'Unamuno est une étape décisive vers la solution du problème majeur de la civilisation occidentale, depuis Descartes : le dualisme corps-esprit. Avec force, il a suggéré qu'il convenait de chercher l'unité de la personnalité au-delà de l'un ou l'autre terme de cette alternative, mais dans un besoin d'immortalité. — Trad. Gallimard, 1917, puis 1937.

SÉPARATION DES RACES (La). Roman de l'écrivain suisse d'expression française Charles-Ferdinand Ramuz (1878-1947), publié en 1923. Sur les versants opposés d'une chaîne de montagnes vivent deux groupes ethniques entre lesquels existent des divergences profondes. La montagne qui pourrait rapprocher à son sommet ceux du versant nord, grands et blonds, et ceux du versant sud, qui sont bruns, les sépare au contraire inexorablement en formant un rempart inaccessible avec ses neiges éternelles. Le rapt d'une jeune fille, accompli à la suite d'un pari par Firmin (qui est vite séduit par sa beauté blonde) est le nœud du roman ; la séparation des races est symbolisée par cet amour impossible qui aurait pu être et qui n'est pas, car la jeune fille médite silencieusement sa vengeance, d'où il ne sortira que mort et dévastation. Le naturalisme tragique de Ramuz trouve ici une de ses plus fortes expressions.

SEPT CHANSONS pour chœur a cappella. Œuvre du compositeur français Francis Poulenc (1899-1963). De ses études avec Charles Kœchlin, de 1921 à 1924, Francis Poulenc a tiré une solide technique de l'art choral qui, joint à un sens exceptionnellement sûr du maniement des voix, lui a permis de réaliser en ce domaine, dans le genre profane et religieux, quelques-unes de ses œuvres les plus marquantes. La première en date, si l'on excepte la « chanson à boire » composée en 1922 pour le chœur d'étudiants du Glee Club d'Harvard, est le recueil des *Sept Chansons*, écrit en 1936 à la demande de la chorale des chanteurs de Lyon. Cinq de ces chansons sont extraites du recueil de Paul Éluard : *La Vie immédiate* (*) : « À peine défigurée », « Par une nuit nouvelle », « Tous les droits », « Belle et ressemblante », « Luire ». Deux ont été composées sur des poèmes d'Apollinaire : « La Blanche Neige » et « Marie ». Issu de ces textes d'une inspiration assez dissemblable — à la fantaisie des poèmes d'Apollinaire s'opposent l'âpreté et la véhémence des poèmes d'Éluard —, le recueil forme cependant un ensemble musical indissociable, caractérisé par un grand raffinement de l'écriture, une ingéniosité remarquable dans la combinaison des timbres et des tessitures, sur le plan de la sonorité comme sur celui de la réalisation d'ensemble, conçu dans un style quasi orchestral et concertant. Elles présentent une parenté esthétique très nette avec la chanson polyphonique du XVIe siècle. Les *Sept Chansons* furent données en première audition le 21 mai 1937 par les chanteurs de Lyon et remportèrent un vif succès.

SEPT CONTES GOTHIQUES [*Seven Gothic Tales*]. Recueil de l'écrivain danois Karen Blixen (Karen Dinesen, baronne Blixen-Finecke, 1885-1962), publié sous le nom d'Isak Dinesen en 1934. Ces contes se situent dans la première partie du XIXe siècle, ils sont gothiques dans la mesure où le XIXe siècle romantique renoue avec le Moyen Âge. Il faut rappeler aussi que le Danemark, pays de Hamlet, est resté la terre élue du romantisme. On y aime les méditations philosophiques. La poésie, l'humour, l'émotion, le sens romantique de l'étrange entrent pour beaucoup dans la verve de l'auteur ainsi qu'une singulière tendresse pour l'être humain directement issue de l'expérience d'un poète initié à ce mystère : notre monde contient partout la formule du bonheur, mais cachée derrière les circonstances, accessible seulement à ceux qui peuvent voir et sentir. Karen Blixen nous offre ce monde tel qu'elle a su en prendre possession. Elle nous révèle, ou nous rappelle, les merveilles innombrables disséminées sur la Terre : les auberges où de vieux princes, à la chandelle, boivent un vin aromatique en philosophant avant de se battre en duel avec leur meilleur ami ; les routes blanches sous le soleil que parcourent au galop des carrosses où méditent de jeunes seigneurs qui poursuivent leur amour ; les pigeonniers où un cardinal et une vieille dame, confinés par l'inondation, recomposent la théologie avant d'être engloutis ; les jeunes filles déguisées en cavaliers ; les abbesses qui ne partagent leur secret qu'avec leur singe ; les antiques maisons à pignons d'Elseneur où deux vieilles sœurs spirituelles et un peu toquées s'entretiennent jusqu'à minuit avec le fantôme, leur frère. Tout ce peuple foisonne bel et bien, comme aux chapiteaux et aux vitraux la création gothique où le fabliau s'entrelace à *La Bible*. Ces personnages se déplacent beaucoup, sillonnent les continents, jonglent avec cent paradoxes ; jeunes barons et grandes dames discutent de métaphysique, d'astronomie et d'amour ; tôt ou tard, chacun explique comment il essaie de capturer la joie et de la retenir. Ce conteur reste maître de ses fantasmagories et leur fait danser un ballet dont les figures dessinent toujours, pour qui sait lire, quelque vérité secrète. Elles en illustrent une fort vieille : les splendeurs de la richesse, les extravagances du luxe, les périls même de l'aventure ne sont qu'ennui et cendre s'ils ne servent de cadre à un cœur épris d'amour. Karen Blixen brode sur ce thème avec une si capricieuse inspiration qu'elle nous en fait goûter la jeunesse brûlante. La grande cantatrice Pellegrina Leoni, dont l'histoire admirablement contée apparaît comme l'une des plus attachantes du recueil, exprime une autre leçon : « Regarde. Voilà une paysanne qui va travailler dans les champs ; elle s'appelle peut-être Maria. Elle est contente, parce que son mari a été gentil et lui a donné un collier de corail. Ou peut-être est-elle triste, parce qu'il la tourmente par sa jalousie. Et qu'en pensons-nous, toi et moi ? Une femme qui s'appelle Maria est triste, disons-nous, et nous n'y pensons plus. Et voici une autre avec un âne qui porte ses légumes à Milan. Elle est fâchée parce que l'âne est si vieux qu'il ne marche que lentement... Oui et quoi ? Nous n'y pensons plus non plus. Eh bien ! l'heure est venue où je veux être cela : une femme quelconque... Et si je viens à être trop occupée de cette femme je veux immédiatement disparaître et en devenir une autre, une dentellière en ville, une institutrice d'une petite école de filles, une dame qui se rend à Jérusalem... Je puis être beaucoup de femmes. Qu'elles soient heureuses ou non, sages ou sales, n'importe... Je suis sûre, Marcus, que si chacun sur terre était plus d'une seule personne, tous, oui, tous les hommes auraient le cœur plus léger. N'est-ce pas curieux qu'aucun philosophe n'y ait pensé ? » Une autre question que se pose l'auteur est celle-ci : « Dieu exige-t-il de nous la vérité ? » C'est d'abord un cardinal qui essaie d'y répondre. Pour commencer, il évoque un souvenir de jeunesse, quand il était à la cour du duc de Chartres, qui avait émigré à Coblence. Le cardinal rencontra là le grand peintre Abildgaard. Le rêve de toutes les dames de la Cour était d'avoir leur portrait par Abildgaard, mais il leur disait : « Lavez vos visages, mesdames, point de poudre, de fard ni de teinture, car, si vous vous peignez vous-mêmes, je ne peux pas vous peindre. » Le cardinal pense que c'est peut-être là ce que Dieu exige des vaniteux mortels : « Lavez vos visages car, si vous les recouvrez d'une épaisse couche d'humilité, de renoncement et de vanité, je n'en puis rien faire. » Mlle Nuit-et-Jour n'est pas de cet avis. C'est une vieille demoiselle un peu toquée, qui mène la vie la plus digne et s'imagine avoir un passé de grande courtisane : « D'où peut vous venir l'idée, dit-elle, que c'est la vérité que le Seigneur attend de nous ? Hélas ! Le Seigneur la connaît d'avance et jusqu'à en bâiller d'ennui sans doute. Je pense, au contraire, que Dieu a un faible pour la mascarade. Il s'en est d'ailleurs permis une très audacieuse quand il s'est fait chair et a séjourné parmi les hommes... » Le cardinal réplique : « Quand Notre-Seigneur vécut pendant trente années sous le déguisement d'un fils de l'homme, cela n'aurait rien signifié s'il n'avait eu en vérité un cœur humain et de l'amour même pour les hommes qui, en toute modestie, trouvent leur joie dans le bon vin. » Le cardinal expose dans une théorie du masque : « Au bal masqué, la femme spirituelle choisit un déguisement qui révèle ingénieusement son esprit et son cœur. Quand elle choisit le vilain masque vénitien à long nez, elle nous apprend non seulement qu'il recouvre un nez classique, mais aussi quelque chose de mieux, et qu'elle exige d'être adorée pour autre chose que sa beauté. » Plus loin, le cardinal propose : « Accordons-nous à nous déclarer que le jour du jugement n'est pas, comme le prétendent d'insipides sermonneurs, le moment où nos pauvres petites tentatives de tromperie – que le Seigneur connaît déjà trop bien – doivent s'exercer, mais au contraire l'heure où le Tout-Puissant lui-même laisse tomber le masque. Quel moment ! » Dans le dialogue entre le cardinal et Nuit-et-Jour, on peut découvrir l'art poétique de Karen Blixen. Précisons que ce dialogue s'échange dans la grange d'une ferme de la côte danoise, au cours du raz de marée de 1835. La ferme est entourée d'eau, et peut-être les planchers céderont-ils avant l'arrivée de la barque libératrice. Avec le cardinal et Nuit-et-Jour, il y a là une jeune fille qui s'est évadée du château de son oncle, le poète Platen, et un jeune homme mélancolique. Nous aurons droit au récit des aventures de chacun. Et nous apprendrons, entre autres choses, que le cardinal n'est pas le vrai cardinal, mais son valet de chambre assassin, acteur de profession et bâtard de Philippe Égalité. Avant de faire ses révélations, il aura uni la jeune fille fugitive et le jeune homme triste par les liens sacrés du mariage. Les personnages de Karen Blixen pensent à une infinité de choses surprenantes. Chacun a sa sagesse et sa folie ; chacun nous entraîne derrière lui parmi les détours de son destin, et nous gagnons beaucoup à les suivre. – Trad. Stock, 1980.

SEPT CONTRE THÈBES (Les) [Ἑπτὰ ἐπὶ Θήβας]. Cette pièce du poète tragique grec Eschyle (525-456 av. J.-C.) jouée en 467, est la dernière d'une trilogie empruntant ses données à la matière thébaine. Les fragments des deux pièces perdues ne permettent guère de se représenter de quelle façon Eschyle a traité la transgression par Laïos d'un interdit oraculaire (« le roi assurera le salut de la ville de Thèbes s'il reste sans descendance ») et l'histoire d'Œdipe. *Les Sept contre Thèbes* nous conduisent jusqu'à la mort des fils nés de l'inceste, Étéocle et Polynice. Ce dernier, évincé du trône par son frère, a convaincu Adraste, le roi d'Argos, son allié, de monter une expédition contre Thèbes. L'armée argienne assiège la ville depuis plusieurs jours : le moment de la décision est proche. Étéocle, qui agit en chef de la cité, organise la défense. Puis des femmes, qui composeront le chœur, font une irruption tumultueuse : la peur perturbe jusqu'aux prières qu'elles adressent de manière désordonnée aux dieux. Dans leurs invocations, l'association de deux divinités doit attirer notre attention, celle entre Arès et Aphrodite, père et mère d'Harmonie, l'épouse de Cadmos, ancêtre de la cité. À travers ce couple se donne à lire en filigrane tout le destin de la première fondation thébaine. Arès, le dieu des turbulences guerrières, de l'irrépressible désir de conflits, et Aphrodite, la déesse qui pousse indifféremment les êtres à s'unir, ne peuvent manquer de provoquer des effets néfastes quand ils règnent ensemble à l'intérieur d'une cité. Leur patronage signifie le refus de tout partage avec l'autre, ce qui s'exprime sous deux formes d'inversion, complémentaires l'une de l'autre, la guerre civile et les unions incestueuses. À l'imploration des femmes, à leurs prières apeurées, Étéocle oppose sa détermination implacable. Les citoyens, protecteurs du lien qui les unit à la terre d'où ils sont issus, en combattant l'envahisseur rendent aux dieux le seul vrai culte. Étéocle ne doute à aucun moment de la rectitude de sa cause. Pour lui, abattre l'ennemi est un acte rituel. Le seul cri des femmes qu'il veut entendre, c'est celui qui accompagne la chute de la victime sacrificielle. Tel est le seul statut qu'il reconnaît à ses ennemis, celui d'un animal dont il tissera, avec la lance, les dépouilles en ornements qu'il offrira aux puissances du sol. L'ouvrage du guerrier unit en lui toutes les sphères de l'action (guerre et sacrifice) et tous les rôles sociaux (masculins et féminins). Bref, Étéocle est l'homme qui, mû par un idéal d'autarcie, refuse toute forme d'hétéronomie. Dans le morceau lyrique qui suit, le chœur reformule sa prière de voir la cité sauvée en évoquant les conséquences d'une défaite : femmes emportées en esclavage, meurtres sauvages, carnage de la curée, rivalités des vainqueurs entre eux pour accroître leur butin, fruits de la terre abandonnés à la pourriture. Ce chant est d'une ironie profonde : il tente de conjurer un mal présent ; Thèbes est déjà minée de l'intérieur par une guerre fratricide, par cette rivalité entre souverains dans le refus de partager le butin. Il apparaîtra avec toujours plus de clarté qu'Étéocle ne pouvait se préparer à la bataille que parce qu'il ne voyait pas la faille de son propre système de défense. Lui-même n'en est pas encore à cette prise de conscience-là : il lui reste de dernières mesures à prendre. Il a envoyé des espions contrôler la position des chefs ennemis devant chacune des sept portes de la cité. Un messager lui rapporte le défi que jette chacun d'eux et décrit les blasons dont s'ornent leurs boucliers. Chacun de ces défis donne l'occasion à Étéocle, avant qu'il ne désigne l'adversaire approprié, d'en retourner la menace contre celui qui le profère. Les blasons sont des « semata », des « signes » : ils constituent, dans leur succession, une écriture secrète qui permet à Eschyle de superposer aux propos explicites d'Étéocle d'autres significations. De manière générale, construite sur des effets de dédoublement et d'inversion, la scène suggère un monde de reflets ; les individus ne s'y distinguent l'un de l'autre que sous le mode du dédoublement. La scène culmine avec le dévoilement du face à face des deux frères : au moment où Étéocle se découvre son adversaire fraternel, il recouvre la lucidité ; le masque du droit tombe. Il comprend qu'il ne combattra que pour conduire jusqu'à sa conclusion la malédiction d'Œdipe (à la fois celle qu'entraînait la filiation incestueuse, et celle que le père avait proférée). Les fils ne sauraient se départager que « par le fer ». Chacun recherche, sous deux modalités opposées, la même négation du double. Étéocle confond la sauvegarde de l'intégrité du bien commun avec le refus de tout partage (entre soi et l'autre, l'homme et la femme, l'organisation sociale et son territoire) ; en outre il se confond avec la cause qu'il défend. De son côté, Polynice, pour faire reconnaître un droit privé, entreprend une guerre ; il cherche à liquider une querelle en supprimant la partie adverse. Le chœur des femmes tente en vain de dissuader Étéocle de se battre contre son frère. Pour lui, « quand ce sont les dieux qui les envoient, on ne saurait échapper aux malheurs ». Cette mission divine n'est rien d'autre, en vérité, que l'irrésistible mouvement de haine d'un partage de soi qui le porte à supprimer son double. Un messager viendra annoncer la victoire thébaine et dire comment Étéocle et Polynice sont en effet allés jusqu'au bout de leur impossibilité de se départager, en s'entre-pénétrant par le fer pour s'unir en un monstrueux corps à corps. On apporte leurs cadavres sur scène. Dans l'état où nous la lisons, la pièce ne s'arrête pas là. Un héraut apparaît pour annoncer ce que l'on vient de décréter :

Étéocle aura droit à des funérailles ; le corps de Polynice devra être rejeté sans sépulture. Antigone, la sœur de Polynice, s'oppose aussitôt à cet ordre et promet qu'elle rendra à son frère les honneurs funèbres. Le chœur se divise : un premier groupe suivra Antigone pour faire cortège aux funérailles de Polynice, le second se soumettra à l'ordre de la cité. À partir du XIXe siècle, une telle conclusion a paru être inspirée par *Antigone* (*), la pièce de Sophocle ; on a donc supposé qu'elle avait été ajoutée lors d'une reprise de la trilogie d'Eschyle, dès la fin du Ve siècle avant notre ère. Il n'est pas impossible, cependant, de la considérer comme une conclusion eschyléenne, dans la logique de ce qui précède. La division, fondée sur le refus de partage, qui jusqu'alors affectait le corps des citoyens, après la mort des frères rivaux atteint le monde féminin au moment de remplir la fonction qui lui revient, celle de rendre aux morts les honneurs funèbres. Dans la reprise de la matière thébaine, Eschyle a infléchi la légende par le simple usage d'une ambiguïté. Aussitôt qu'il apprend leur mort, le chœur évoque Polynice et Étéocle comme des chefs de guerre « ateknous » : le mot grec peut signifier « sans enfants » ou « enfants monstrueux » (enfants dont la naissance était interdite ; exclus donc de la possibilité d'un partage ; voués à s'entre-déchirer : inconcevables). La lecture « sans enfants » contredit à la tradition légendaire selon laquelle les fils des premiers agresseurs, ceux que l'on a désignés comme les « épigones », ont vengé leur père en détruisant Thèbes. Or, dans le thrène, le chœur fait allusion à des « épigones » à qui Étéocle et Polynice, en s'entre-tuant, ont abandonné leur héritage. L'interprétation d'« enfants monstrueux » paraîtrait donc s'imposer. On peut cependant préserver l'ambiguïté. Il pourrait bien y avoir déjà sur scène deux « épigones », ce sont les deux sœurs survivantes, elles-mêmes « ateknous », prêtes, avec les femmes thébaines, à perpétuer l'héritage des frères, celui d'une rivalité mortelle. Plus sûrement que d'une nouvelle attaque, Thèbes périra d'une division d'elle-même contre elle-même, selon la logique de ce qui la fonde, et dont on ne saurait dire si c'est une haine amoureuse d'un soi sans partage ou un amour haineux d'un soi partagé. – Trad. Les Belles-Lettres, 1921.

A. Sa.

SEPT DORMEURS (Les). Tel est le titre d'une fameuse légende chrétienne des premiers siècles, qui eut une fortune extraordinaire dans les littératures orientales, chrétiennes et musulmanes. Son origine est syriaque et doit être située dans la première moitié du VIe siècle, peut-être même à la fin du Ve. Elle raconte comment sept jeunes chrétiens d'Éphèse, pour se soustraire à l'abjuration imposée par l'empereur Décius, se retirèrent dans une caverne près de la ville et s'y endormirent, pour être réveillés, trois cents ans plus tard, par la volonté divine, au temps de Théodose II. Elle fut traduite en grec, en copte et en arabe. Sa fortune, dans l'Islam, est due au fait qu'elle fut accueillie par Mahomet dans le *Coran* [*] (surate XVIII, « de la caverne »). Il la traita, selon son habitude, de manière vague et confuse ; il passa sous silence les détails d'époque et de lieu, ainsi que les noms des dormeurs. L'exégèse coranique reprit, plus ou moins altérés par la tradition gréco-syriaque, les noms des dormeurs et du persécuteur, et développa avec abondance de détails fantastiques ce récit qui, parallèlement, se répandait, dans le monde chrétien-oriental, en des versions éthiopiennes et arméniennes.

★ La légende, qui eut différentes versions dans les œuvres des Pères de l'Église et aussi dans le *Talmud* (*), inspira, au XVIe siècle, en Italie, le *Jeu des sept dormeurs*, qui reste parmi les plus caractéristiques. L'empereur Décius part de Rome pour aller à Éphèse « exterminer des chrétiens » ; là, se présentent à lui les sept frères éphésiens. Mais Décius est contraint de s'occuper de la guerre contre Alexandrie qui s'est révoltée, de sorte que les sept frères s'enfuient, après avoir tout donné aux pauvres, et se réfugient dans une caverne, où Décius les fait emmurer. Puis on apprend la mort de Décius dans un combat mené contre les Tartares. À ce point du récit, une note explicative déclare : « Ici l'on passe de Décius à l'empereur Théodose. » Nous sommes donc maintenant en plein triomphe du christianisme, et Théodose est préoccupé de la lutte contre les hérétiques. Tandis que Théodose réunit un concile pour discuter la question de la résurrection des morts, on voit un berger et un citadin démolir le mur qui ferme la caverne où furent enfermés les sept frères ; l'un d'eux sort et constate avec stupeur que, sur le monde transformé, règne partout le signe de la Croix. S'étant dirigé vers une boulangerie, il paie avec de la monnaie de Décius, aussi est-il accusé d'avoir découvert un trésor dont il ne veut pas révéler l'existence. Il est alors conduit chez le préfet Antipater et son cas est examiné par l'évêque Martin. C'est à ce moment que l'on découvre une lettre racontant l'histoire des sept frères ; on l'envoie à Théodose qui, aussitôt, rend visite aux sept dormeurs et en tire la preuve de la résurrection des morts. Les frères meurent alors pour monter au ciel. La représentation est naïve et fabuleuse, mais pleine de couleur dans les épisodes, où elle semble pressentir certains modes de la « commedia dell'arte ».

★ Cette légende a été traitée, sous forme dramatique, par l'auteur arabo-égyptien Tawfiqal-Hakim (1898-1987), dans *Les Gens de la caverne* [*Ashâb al-Kahf*, 1933]. Partant des données coraniques et les complétant par d'autres venant de l'exégèse, il a repris le thème ancien, y introduisant un esprit tout à fait moderne et symboliste. Ses trois dormeurs réveillés sont présentés comme des saints qui ne réussissent pas à s'accoutumer à leur nouveau milieu : leur esprit, leurs passions, leur foi ont gardé la forme qu'ils avaient dans le passé. Liés à leur temps, ils ne peuvent survivre dans une atmosphère qui n'est plus la leur, et retournent s'endormir pour toujours dans la caverne, avec leurs songes et leurs affections désormais irréalisables sur cette terre.

SEPTEMBRE [*Septemvri*]. Poème expressionniste du poète bulgare Guéo Milev (1895-1925), publié en 1924. Exploitant largement les possibilités stylistiques du vers libre, de la métaphore, de la « musique verbale » et du fragment, le poète traduit le mécontentement des masses populaires pendant l'insurrection du mois de septembre 1923 en Bulgarie. Il confère à cet événement historique, d'impact purement national, des dimensions mythiques en suggérant, par des symboles universels de révolte, une représentation dramatique du monde et de l'homme en général. Ce poème polyphonique, assez complexe, devient un modèle de l'histoire et de la condition humaine, dominé par la force fougueuse, farouche et primitive des populations mécontentes, avides de vengeance et de justice. – Trad. in *La Poésie bulgare, Anthologie*, Seghers, 1968. É. F.

SEPTEMBRE DERNIER [*The Last September*]. Second roman, publié en 1929, de l'écrivain anglais Elizabeth Bowen (1899-1973). Il développe un thème – la jeune innocente devant un monde hostile – que le premier, *L'Hôtel* (*), abordait déjà. Au lieu toutefois que le premier récit demeurait circonscrit dans son anecdote, celui-ci est remarquable par sa résonance. Ce gain en approfondissement de la sensibilité résulte plus que vraisemblablement en tout premier lieu du cadre même où le roman est situé. Il s'agit d'une ancienne demeure de l'aristocratie irlandaise (donc d'une demeure anglo-irlandaise) que l'auteur a nommée Danielstown, mais dans laquelle on reconnaît le domaine familial où Elizabeth Bowen fut élevée. Cette émergence de l'air natal ajoute à la fiction une nostalgie, une qualité d'émerveillement à l'arrière-plan de ce qui objectivement est une tragédie.

Nous sommes au temps de la révolte irlandaise. La jeune fille Lois aime un officier britannique et est aimée de lui (les soldats du roi sont en garnison dans une ville proche). La tante de Lois est hostile à cette idylle, jugeant le garçon pauvre et de petite famille. Elle parvient à éloigner les jeunes gens. Alors, l'officier est tué par les Sinn Feiners. À la fin du récit, les mêmes patriotes irlandais raseront la gentilhommière. *Septembre dernier* a été comparé non sans quelque raison aux pièces de Tchekhov.

SEPTENTRION. En raison de sa nature, ce livre de l'écrivain français d'origine italienne Louis Calaferte (né en 1928) fut condamné à ne paraître qu'en édition dite « hors commerce » (1963). Sa véritable publication n'interviendra que vingt ans plus tard, en 1984. Elle consacrera la réputation sulfureuse d'un auteur dont la verve s'est entre-temps illustrée dans plusieurs genres : le récit, la poésie, le théâtre, le journal intime. Composé de trois parties et de sept chapitres bien tassés, cet ouvrage, d'un lyrisme âpre et violent, est une fresque autobiographique, visionnaire et obsessionnelle qui ne cesse d'osciller entre la révolte d'un Artaud et la rage imprécatoire d'un Céline. De la première phrase (« Au commencement était le sexe ») à la dernière (« Sur ce, bonsoir, j'en ai assez dit – ite missa est ») qui donnent bien le ton de l'ensemble, un torrent gronde, vitupère, s'exalte, prophétise, en charriant dans le même flux délirant les pierres de l'insurrection, les boues nauséabondes de la société et les herbes du désir, de l'amour et de la folie. C'est un réquisitoire à la fois et une plaidoirie. Contre l'inhumanité des lois, les mensonges de la morale, la bêtise des masses qui se laissent tondre, l'hypocrisie de la société et son injustice foncière, la bienséance et le faux amour. Pour la liberté, la tendresse, la création, la vie sans entraves : « Vivre. Être la vie. Se saisir du monde, comme d'un bien personnel, et en jouir, librement. Se dépouiller, se gonfler, s'épuiser de vie et arriver nu jusqu'à Dieu. Dieu qui n'est peut-être que l'extrémité de soi. Se présenter les mains vides, volontairement pauvre, mais l'âme plongée dans un ravissement de joie. » Un programme ambitieux que le narrateur s'efforce de mettre séance tenante en pratique, avec les déboires qu'on imagine, mais sans rien perdre de sa ferveur. D'abord manœuvre en usine et grand resquilleur devant l'Éternel, il a tôt fait d'être renvoyé à la rue. Se sentant porteur d'une œuvre forte, il cherche à s'assurer les moyens de sa réalisation, hors de l'asservissement à la société par le travail. Il commence par de petits emprunts aux amis et connaissances, puis rencontre Mlle Van Hoeck, une Hollandaise nymphomane, qui l'entretient royalement en échange de ses performances sexuelles. Vaincu par la bêtise de celle-ci autant que par le luxe et l'oisiveté qui l'enferment de plus en plus dans une lutte épuisante et stérile, il rompt avec elle et connaît alors la vie misérable du vagabond. Jusqu'à ce qu'il trouve le gîte et le couvert chez son vieil ami Gaubert, un « assis » heureux et satisfait de son sort. Mais ce havre doucereux s'avère être finalement une manière de castration pour le « fils aîné de l'insouciance » que le narrateur est devenu. Il lui faudra encore affronter d'autres aventures et mésaventures avant d'entrer tout entier, vivant, vibrant, dans son livre. La puissance d'évocation de Calaferte, son sens du rythme, la force corrosive de ses portraits, sa langue verte et drue et la vigueur de ses attaques font de ce texte singulier un livre dérangeant qui ne vieillira pas. G. G.

SEPT ESSAIS D'INTERPRÉTATION DE LA RÉALITÉ PÉRUVIENNE [*Siete ensayos de interpretación de la realidad peruana*]. Essai de l'écrivain péruvien José Carlos Mariátegui (1894-1930), publié à Lima en 1928. Le plus célèbre ouvrage de Mariátegui, publié par ses soins deux ans avant sa mort, n'est pas selon ses propres mots un « livre organique » ; il s'agit, sous une forme réélaborée, d'un recueil d'articles publiés dans *Mundial* et dans *Amauta*, et dont le point commun est de cerner la réalité nationale. D'emblée, dans son avertissement préliminaire, l'auteur définit son point de vue : c'est un socialiste qui parle, et un socialiste qui s'est nourri aux sources européennes. Rien d'étonnant, donc, si les *Sept essais* constituent une révision critique, la réplique d'un révolutionnaire aux exégètes conservateurs de l'histoire et de la culture péruviennes.

En bon marxiste, Mariátegui fonde l'histoire nationale sur l'étude du fait économique. Sa première réflexion est consacrée à l'évolution économique du Pérou. Il souligne qu'à la colonisation espagnole a succédé le néo-colonialisme anglais, ce qui a entraîné la survivance de structures féodales et le maintien de formes retardataires du capitalisme. Parmi celles-ci, l'auteur s'attache au « gamonalismo » andin, qui asservit la paysannerie indigène, objet de sa deuxième étude. La question indigène n'est ni un problème racial, ni un problème moral, ni un problème éducatif, rappelle-t-il ; c'est avant tout un problème agraire. Pour Mariátegui, le communisme indigène traditionnel doit permettre le passage direct à la coopérative agricole, seule susceptible de développer les richesses humaines et naturelles de la nation. La deuxième partie du livre concerne la vie culturelle du Pérou. L'auteur y examine l'agitation universitaire, le rôle de l'Église et la possibilité de remplacer les anciens mythes religieux par de nouveaux mythes révolutionnaires (un des aspects les plus originaux de sa pensée), la poussée régionaliste ; enfin, le dernier et le plus long de ses essais est consacré au procès (au sens judiciaire) de la littérature. Mariátegui opère une révision critique et partisane (il assume le mot) des jugements de valeur émis par l'*establishment* « civiliste » qu'incarne son contemporain José de la Riva Agüero, et il propose des critères d'appréciation différents. Pour Mariátegui, la littérature péruvienne sort à peine de sa phase coloniale ; s'ouvrant aux influences étrangères, qu'elle ne doit pas redouter, elle trouvera sa voie vers l'identité nationale, clé de l'universalité.

Depuis plus de soixante ans, les *Sept essais* émergent avec juvénilité du contexte médiocre dans lequel ils furent audacieusement conçus. Malgré quelques imperfections minimes, le livre de Mariátegui reste fondateur ; la révision idéologique qu'il entreprend, les clichés qu'il élimine, les perspectives qu'il trace, tout contribue à faire de cet ouvrage, qui est la grande référence des progressistes, la pierre angulaire d'un Pérou moderne. — Trad. Maspero, 1969. E. Fe.

SEPT FOUS (Les) [*Los siete locos*]. Roman de l'écrivain argentin Roberto Arlt (1900-1942), publié en 1929. « Les êtres humains sont des monstres qui pataugent dans les ténèbres », affirmait Roberto Arlt. Ici, le protagoniste, Erdosaín, est, comme son créateur, un névropathe désabusé qui porte en lui une insurmontable et épouvantable tristesse. Comme Arlt aussi, c'est un inventeur au cerveau bouillonnant d'idées qui voudrait métamorphoser la banalité de la vie quotidienne en fabriquant, grâce à la galvanoplastie, des roses en or ou des cravates métalliques, et en teignant les chiens en vert, en bleu, en jaune, en violet. L'échec fait de lui un caissier escroc qui se réfugie dans les rêves les plus délirants et que son épouse Elsa abandonne pour un amour plus réaliste. Dénoncé par un cousin de sa femme, et cherchant des amis disposés à lui prêter les six cents pesos qu'il doit rembourser, il projette avec les six « fous » de son acabit qu'il rencontre de fonder une société secrète financée par les bénéfices d'un réseau de maisons closes et destinée à fomenter une révolution dans le pays et à l'étranger. Réunions et conciliabules, enlèvement puis séquestration du dénonciateur, chantage à l'argent, crime projeté et, pour finir, simplement simulé, révèlent l'incapacité de ces hommes détruits par les désillusions de tramer autre chose que des chimères. Dans notre monde tout est possible, pourvu qu'on le découvre, semble dire Roberto Arlt. Sauf le bonheur. Le cherchez-vous, et vous ne rencontrerez que délires, utopies ou mensonges comparables à ceux qui se conjuguent avec un ahurissant brio dans *Les Sept Fous*. Encore que, peut-être, comme le prétend l'un d'entre eux, l'Astrologue, « les mensonges extraordinaires soient le seul moyen efficace d'ébranler les hommes ». Dans *Les Lance-Flammes* [*Los lanzallamas*], publié en 1931, Roberto Arlt poursuit avec la même verve cruelle les aventures rocambolesques et ingénieuses de son héros Erdosaín. — Trad. *Les Sept Fous*, Belfond, 1981 ; *Les Lance-Flammes*, Belfond, 1983. C. C.

SEPT FRÈRES (Les) [*Seitsemän veljestä*]. Roman de l'écrivain finnois Alexis Kivi (1834-1872), publié en 1870. C'est un vivant tableau des landes vierges de la Finlande, défrichées, non sans fatigue, par les bras de sept frères. C'est aussi une vision de l'évolution progressive de l'homme primitif vers la vie sociale organisée. Les sept fils d'un intendant ruiné, l'ancien maître de Jukola, mus par l'amour de la liberté, entrent en conflit avec la communauté, représentée par un pasteur qui voudrait leur imposer la connaissance de l'alphabet. Ils se réfugient dans un bois qui fait partie de leur bien, où ils vivent, presque comme des nomades, de chasse et de pêche jusqu'au jour où, après une série de péripéties pénibles, ils se voient obligés de s'adonner aux travaux agricoles. Avec des efforts héroïques, ils apprendront aussi à lire et à écrire et finiront par rentrer dans le milieu social, où ils seront accueillis comme des citoyens écoutés et respectés. Ce roman de mœurs et d'aventures, satirique et épique, auquel l'auteur travailla pendant près de dix ans, est son chef-d'œuvre. Par son réalisme, sa tonalité populaire, mélange d'idylle et de farce, ses scènes rabelaisiennes et son atmosphère de légende romantique, l'ouvrage rompait avec le romantisme conventionnel de certains milieux littéraires finlandais et suscita les fureurs de la critique académique ; on le considère aujourd'hui comme le plus grand roman de la littérature finnoise. – Trad. Stock, 1940.

SEPT FUGITIFS (Les) [*The Seven Who Fled*]. Roman de l'écrivain américain Frederick Prokosch (1908-1989), publié en 1937. Partis avec la caravane du docteur Liéou, en route pour Ngan, sept personnages, qui fuient l'Europe, vont se trouver confrontés à la solitude et à l'échec. La caravane en effet se débande bientôt, et chacun des « sept » ne peut plus compter que sur ce qui a fait de lui un fugitif, et qui se dilue au contact de la réalité asiatique. Ainsi, au pied des montagnes tibétaines dont la blancheur le subjuguait, et qu'il n'atteindra jamais, Layeville s'endort en rêvant à l'Angleterre et aux illusions de son adolescence. M. de la Scase s'abandonne, quant à lui, aux phantasmes voluptueux qui viennent le hanter dans le caravansérail où il a trouvé refuge, cependant qu'Olivia, sa femme, perd toute volonté et s'enlise dans la fatalité qui plane sur le pays. Scrafimov, le Russe épris d'espace, devient fou d'amour pour une prostituée qui le repousse, et en arrive à étrangler Goupillère, son rival, un autre fugitif qui, lui-même, avait autrefois, à Marseille, étranglé son amie. Les deux derniers fugitifs, un Allemand mi-soldat et mi-savant, Wildenbruck, et Van Wald, un jeune explorateur, seront également défaits dans leur quête d'une autre patrie, tant spirituelle que réelle. Tout se termine donc par l'échec, à moins que le sens de ce livre ne soit dans la recherche de l'abandon de l'individualité, mais l'impression dominante est ailleurs, dans le caractère inaccessible de l'amour et du bonheur – d'où la raison pour laquelle peut-être, au moment du dernier renoncement, les « sept fugitifs » revoient l'Europe et le pays qu'ils ont fui comme un paradis perdu. Le meilleur du livre est sans doute dans cette évocation déchirante d'un pays à jamais disparu, identique au temps passé et à la jeunesse. – Trad. Gallimard, 1948.

SEPT HAÏKAÏ. Esquisses « japonaises » du compositeur français Olivier Messiaen (1908-1992), écrites en 1962 à la suite d'un voyage au Japon, et destinées aux instruments suivants : piano solo, xylophone, marimba, deux clarinettes, une trompette et petit orchestre. Cette œuvre n'est pas fondée sur des poèmes ; son titre, *Haïkaï,* indique seulement que les sept pièces qui la composent sont courtes, comme les poèmes japonais du même nom. La dédicace, adressée à quelques personnes, amis et collaborateurs de Messiaen, l'est aussi « aux paysages, aux musiques et à tous les oiseaux du Japon ». Elle situe parfaitement les sources de l'œuvre. L'auteur s'y exprime dans un langage complexe, usant d'une orchestration originale et inattendue, de rythmes hindous mêlés aux divers chants d'oiseaux entendus dans les forêts, au bord des lacs ; il y chante la libre végétation, la mer, un temple, un parc aux trois mille lanternes. Timbres et harmonies des bois, cuivres, violons et cloches, piano, crotales et triangles, etc., se fondent et se superposent en combinaisons colorées chères à Messiaen. Les sept pièces portent les titres suivants : « Introduction », « Le Parc de Nara et les Lanternes de pierre », « Yamanaka-cadenza », « Gagaku », « Miyajima et le Torri dans la mer », « Les Oiseaux de Karnizawa », « Coda ». « Introduction » et « Coda » comportent les mêmes éléments rythmiques et harmoniques partiellement rétrogradés. La quatrième pièce, « Gagaku », est une transposition de la musique noble du théâtre japonais du VIIe siècle et qui se pratique encore à la Cour impériale. Elle est le centre structurel et expressif de l'œuvre. De part et d'autre, deux couples de pièces semblables : évocations de paysages (2 et 5), suivies de « pièces ornithologiques » (3 et 6), comportant plusieurs cadences de piano solo. – Les *Sept Haïkaï* ont été donnés en première audition, le 30 octobre 1963, à Paris, aux concerts du Domaine musical (Odéon Théâtre de France), sous la direction de Pierre Boulez, avec Yvonne Loriod au piano.

SEPT HIVERS [*Seven Winters*]. Autobiographie de la romancière anglaise Elizabeth Bowen (1899-1973), publiée en 1942. Romancière anglaise par la langue dans laquelle elle écrit ; par la tradition littéraire dans laquelle elle s'inscrit – on l'a fréquemment comparée à Jane Austen, et elle-même est l'auteur d'une introduction à *Orgueil et Préjugés* (*) ; enfin par ses années de formation puisqu'elle a fait ses études dans le Kent. Elle est néanmoins née dans le milieu traditionnel des familles anglo-irlandaises de l'Irlande du Sud. Elle est de plus de lointaine ascendance galloise. On peut donc voir en elle une « Celto-Anglaise ». Tous les éléments biographiques trouvent leur importance au regard d'une œuvre qui survivra aux modes littéraires. On les trouvera, précisés et nuancés, dans *Sept hivers,* livre qui se prolonge lui-même dans ses compléments, *Bowen's Court* (une chronique de la demeure familiale de l'auteur, également publiée en 1942), et marginalement *The Shelbourne* (l'histoire du Shelbourne, hôtel de Dublin, 1951).

SEPTIÈME ANNEAU (Le) [*Der siebente Ring*]. Volume de vers du poète allemand Stefan George (1868-1933), publié hors commerce en 1907 et en édition courante en 1909. Le livre comprend sept parties, la quatrième constituant en quelque sorte un apogée. Les trois premières parties se composent de : « Poésies du temps », « Silhouettes », « Hommes et choses temporelles » ; la quatrième renferme les poèmes « Sur la vie et la mort de Maximin » ; les trois dernières s'intitulent « Obscurité de songe », « Chansons », « Tables ». Dans les premiers poèmes, l'auteur lance un défi à son époque, s'affirmant dans sa véritable personnalité de « prince dominateur ». Viennent ensuite, à titre d'exemple, les évocations de quelques hautes figures de ces temps de bassesse : Nietzsche, Böcklin, Léon XIII. Une nouvelle invective contre la décadence de l'époque clôt cette première partie. C'est alors que commence le cycle de « Maximin », où l'auteur expose le but de sa mission : laisser transparaître la divinité à travers la figure humaine et donner à la figure divine un corps humain. Mais il ne s'agit pas ici de religion et nous demeurons toujours sur le plan esthétique. Maximin est également le symbole de l'Ange – v. *Tapis de la vie* (*) –, qui trouve ici son plus large développement. Aux yeux de George, il est le prêtre de la beauté, du corps déifié dans l'harmonie du geste et de l'esprit. Maximin rachète le vieux monde et le conduit vers le royaume de la grâce. De là, le poète, à travers les plus troubles érotismes et de sombres paysages, accède à la résurrection de la clarté religieuse. Dans la dernière partie du livre, qui représente le monde racheté, l'âme passe du « Songe » au royaume des « Chansons », pour s'arrêter enfin aux « Tables », épigrammes frappant en quelques vers une idée ou un symbole. Par le jugement qu'il porta sur ses contemporains, le poète s'attira l'hostilité de nombre de gens. Malgré tout, en dépit de certaines défections, les meilleurs de ses disciples lui demeurèrent fidèles et des nouveaux venus (Ernst Gundolf, Hildebrandt, Morwitz) s'associèrent à eux pour former le nouveau cénacle – v. *L'Étoile d'alliance* (*) –, qui combattit l'esprit pédantesque de l'Allemagne du début du siècle. – Trad. Aubier, 1943.

SEPTIÈME CROIX (La) [*Das siebte Kreuz*]. Roman de l'écrivain allemand Anna Seghers (1900-1983), publié en 1942. Écrite dans le style direct du réalisme socialiste, toute l'œuvre d'Anna Seghers sert la cause révolutionnaire, et ce livre, l'un des plus célèbres de l'auteur avec *Les morts restent jeunes* (*), est composé en l'honneur de la solidarité prolétarienne. Pour traduire l'atmosphère nazie, l'auteur relate l'évasion de sept prisonniers d'un camp situé entre Mayence et Francfort. Le récit est mené par phases concentriques dont le foyer est le camp de Westhofen, auquel l'auteur revient sans cesse. Mais en réalité, c'est la fuite de Georg que nous suivons, le seul des sept prisonniers qui parvient à s'échapper, grâce à son courage, à ses amis cachés et à tout un concours de circonstances heureuses. Et si nous passons d'un personnage à un autre, du commandant Fahrenberg à la femme de Georg, puis à Georg lui-même, à un de ses co-évadés, il n'en reste pas moins que cet émiettement apparent n'a qu'un but : nous parler de Georg, nous montrer d'une façon plus directe et plus efficace les remous et les réactions que produit sa fuite, nous restituer celle-ci sous des angles différents, dès que la nouvelle s'en propage à l'intérieur du camp lui-même. En effet, de près ou de loin, les divers personnages nous rattachent à lui, soit qu'ils mettent tout en œuvre pour le sauver, soit qu'ils essaient de le reprendre. C'est ainsi l'occasion de décrire en toute objectivité une infinité d'êtres humains : ceux qui dans l'ombre travaillent encore pour la liberté, Hermann, Franz, Roeder, même si la peur les traverse ; les apolitiques, ne demandant qu'à travailler en paix, tel le beau-père de Georg, Mettenheimer ; ceux qui, gagnés au régime nazi, commencent cependant à le remettre en question, comme le petit Helwig ; enfin, ceux qui ont le pouvoir et en abusent. Certains ont un relief étonnant, et tout d'abord le personnage central, Georg, autrefois un homme sans grandeur et en qui le camp a éveillé le courage et la volonté. Durant son évasion, il lutte contre la fatigue, les embûches, la malchance, tout en continuant à vivre dans la mémoire de ceux qui l'ont connu. Peu à peu, il devient un être vivant en même temps que le symbole de la lutte de l'opprimé contre l'oppression, et c'est ainsi qu'il apparaît à ses compagnons de captivité lorsqu'on abat devant leurs yeux la septième croix, et qu'ils savent que les autorités du camp ont renoncé à reprendre Georg : « Nous sentions tous à quelles profondeurs terribles les puissances du dehors peuvent ravager l'homme jusqu'au plus intime de son être ; mais nous sentions aussi qu'en ces profondeurs demeurait quelque chose d'intangible, d'indestructible. » Savamment construit, ce livre est un tableau saisissant de l'Allemagne nazie, mais il est aussi parcouru par un véritable souffle épique, qui en fait le poème de la liberté. – Trad. Gallimard, 1947.

SEPTIÈME LIVRE (Le) [*Sedmaja kniga*]. Cycles de vers (1936-1964) de la poétesse russe Anna Akhmatova (1889-1966) comprenant les poèmes patriotiques du « Vent de la guerre » [Veter Vojny] et plusieurs cycles de poèmes personnels, où le génie de la sensation et le génie de la langue sont particulièrement évidents : ce sont à la fois poèmes de mémoire et plongées à travers le présent, chant de l'aujourd'hui mais nourri d'expérience, images enracinées dans le passé collectif. Ainsi dans « Le Serment » [Kliatva], poème de guerre : « Toi qui t'arraches à ton amour / Fortifie-toi de ta douleur / Et jure aux morts comme aux vivants / Que nul n'asservira leur langue et leur visage. » Si la traduction est impuissante à rendre le génie d'Akhmatova parce qu'il est particulièrement lié à sa langue, elle échoue davantage encore devant les poèmes de ce recueil, d'une simplicité toujours renouvelée. Dans un article publié à l'occasion du soixante-quinzième anniversaire de la poétesse et intitulé « La Voix délivrée de ses chaînes », Siniavski a bien défini les variations de l'inspiration d'Akhmatova : « D'un murmure à peine audible à l'ardeur d'un discours enflammé, d'une attitude aux paupières modestement baissées, aux foudres et aux éclairs [...] du pathétique des poèmes patriotiques à la sérénité des contemplations métaphysiques, des claires images de nature à l'éclat sonore et discordant des disputes entre morts et vivants. » – Trad. in *Poème sans héros et autres œuvres,* F. Maspero, 1982.

SEPT INFANTS DE LARA (Les) [*Los siete infantes de Lara*]. La légende des « sept enfants de Lara » est un des thèmes les plus populaires de la littérature espagnole et a donné naissance à une tradition littéraire qui s'étend jusqu'à nos jours. Nous en retrouvons d'abord l'écho dans deux chansons de geste, l'une du XIIe, l'autre du XIVe siècle, toutes deux mises en prose et insérées comme éléments historiques dans diverses chroniques médiévales. D'après ces chroniques, et notamment d'après la *Première Chronique générale* (*) (chap. 207-243) d'Alphonse le Sage et ses remaniements, le philologue Ramón Menéndez Pidal a pu reconstituer les fragments les plus importants (environ 300 vers) des deux chansons de geste, et retrouver la légende dans ses lignes essentielles (*La Leyenda de los infantes de Lara*, Madrid, 1896). Les sept enfants de Lara se rendent à Burgos avec leur mère, doña Sancha, pour fêter les noces de leur oncle Ruy Velázquez avec doña Lambra, fille du comte de Castille. Au cours des jeux naît une dispute entre le dernier des enfants et un cousin de doña Lambra, Alvar Sanchez ; ce dernier est tué. Il en résulte une querelle générale entre les enfants et les familiers de doña Lambra. La paix étant rétablie grâce à l'intervention du comte de Castille et de Gonzalo Gustios, père des enfants, ceux-ci accompagnent la mariée à Barbadillo. C'est alors qu'un serviteur, pour avoir lancé une pastèque pleine de sang contre les enfants, est tué, bien qu'il ait cherché protection auprès de doña Lambra. Celle-ci, avide de vengeance, s'adresse à Ruy Velázquez qui fait tomber Gonzalo Gustios dans les mains d'Almanzor, roi maure de Cordoue ; puis, ayant attiré les enfants et leur précepteur Nuño Salido dans une embuscade, il les fait décapiter et envoie leurs têtes à Almanzor. Le roi maure, qui tout d'abord devait tuer Gonzalo et s'est contenté de l'emprisonner, lui remet le macabre envoi. Le malheureux père embrasse, l'une après l'autre, les « amadas cabezas » : c'est un des moments les plus beaux du chant. Almanzor, ému, libère Gonzalo. Mais, avant de partir, celui-ci donnera à l'esclave maure, mise à son service par le roi, la moitié d'un anneau. Grâce à cet anneau, il lui sera possible de reconnaître plus tard l'enfant qu'il attend d'elle. C'est ainsi que les choses se passeront : elle donnera le jour à un fils, Mudarra. L'enfant grandira et, grâce à l'anneau, il pourra rerouver son père. Parvenu à l'âge d'homme, il vengera ses frères, en tuant Ruy Velázquez et en brûlant vive doña Lambra.

La légende se divise en deux parties : le chant le plus ancien, dans sa sobriété, a toute la vraisemblance du fait historique ; quant au second chant, il conte les aventures de Mudarra, élaborées sur le plan des romans épiques de basse époque. De ces deux chansons de geste (l'existence d'une troisième est douteuse) dérivent les nombreux « romances viejos » qui, intégrés au *Romancero* (*), constituent le cycle des « Infants de Lara » et dont les plus beaux sont « Pártese el moro Alicante », qui contient la lamentation de Gonzalo sur les têtes de ses fils, et « Yo me estaba en Barbadillo », la plainte de doña Lambra.

★ La légende fut mise à la scène par Juan de la Cueva (1543 ?-1610), dans une tragédie en vers divisée en quatre parties ou « jornadas », *Los siete infantes de Lara*, représentée pour la première fois à Séville en 1579. Cette pièce fut réunie à ses comédies et tragédies et publiée à Séville en 1588. La Cueva est le premier dramaturge espagnol qui tire son inspiration du patrimoine légendaire historique. Il a traité le sujet d'après la *Segunda crónica general* de 1344 et d'après l'*Hystoria breve del muy eccellente cavallero el Conde Fernán González con la muerte de los siete Infante de Lara*, en 1511. Il est à noter que, dans cette transposition scénique, l'auteur a plus volontiers retenu, des « romances », chroniques et chansons de geste, les éléments humains que leur côté cruel de vengeance familiale. L'action commence par ce qui est en réalité la seconde partie de l'histoire. D'abord l'adieu de Ruy Velázquez, la mission du beau-frère Gonçalo Bustos (ou Gustios) ambassadeur, le massacre des enfants dans la plaine d'Almenar : tout ceci est porté à la connaissance du spectateur dès l'exposition du sujet. L'œuvre débute par la présentation d'Almançor à sa cour de Cordoue ; il écoute, de la bouche de ses capitaines, Viara et Galve, le récit de la mort très courageuse des enfants. Tandis que Gonçalo Bustos, père des sept jeunes gens, proteste pour avoir été emprisonné par lui, Almançor lui fait connaître une lettre de Ruy Velázquez selon laquelle il aurait dû être tué sans plus d'histoire. La seconde « journée » se déroule à la Cour ; le capitaine Viara parle de son passé glorieux et de ses exploits ; à un banquet auquel il assiste avec Almançor, qui raconte l'horrible bataille, Gonçalo Bustos voit les têtes des sept jeunes gens et de leur précepteur Nuño Salido placées devant lui ; les ayant reconnues comme étant celles de ses fils bien-aimés, désespéré, il éclate en sanglots. Le Maure se laisse toucher par la compassion et lui accorde la liberté afin qu'il puisse retourner chez lui. Dans la troisième « journée », Gonçalo quitte la Cour ; Çayda, sœur d'Almançor, amoureuse du prisonnier, cherche vainement à le retenir par des exorcismes. Il s'éloigne, bien qu'il la sache enceinte : il laisse à la femme la moitié de son anneau, afin que l'enfant attendu puisse plus tard se faire reconnaître de lui, et l'aider à se venger de Ruy Velázquez. Çayda donne le jour à un enfant ; Almançor, blessé dans son orgueil par l'amour qu'a porté sa sœur à un prisonnier chrétien, ne se calme que devant les supplications passionnées de cette dernière : du reste, il a vaincu ses puissants ennemis et se sent fort dans son royaume. Dans la quatrième « journée », le jeune bâtard — du nom de Gonçalo Mudarra — est armé chevalier, il quitte sa mère et va vers les terres de Gonçalo Bustos. Il veut venger l'outrage fait à son père et à ses sept frères. Il arrive ainsi à la cour de Ruy Velázquez, se laisse baptiser, non sans quelques difficultés, selon la volonté de son père. Il rencontre enfin le vieux Velázquez qui a fait massacrer sa famille, le défie en duel et le frappe à mort. Puis, ayant mis le feu à la maison de doña Lambra, il se moque durement de la vieille femme qui se débat au milieu des flammes. La vengeance est accomplie (« Parte de la maldad por esta via / Se va pagando.. »). La tragédie, peut-être faiblement ordonnée quant à son intrigue, a de réels accents d'humanité et de sincérité. Mais, dans l'ensemble, elle se ressent de la diversité des sources et de la difficulté qu'il y avait à donner une unité d'action à un sujet aussi varié et aussi complexe.

★ Après La Cueva, la légende fut mise en drame en 1583 par un auteur anonyme [*Los famosos hechos de Mudarra*] et par Lope de Vega qui, pour sa part, fit revivre le tragique épisode dans la comédie *Le Bâtard de Mudarra et les sept infants de Lara* [*El bastardo Mudarra y siete infantes de Lara*], représentée en 1612. D'autres suivirent : Alfonso Hurtado de Velarde avec *La Grande Tragédie des sept infants de Lara* [*Gran tragedia de los siete infantes de Lara*], composée entre 1612 et 1615 ; Alvaro Cubillo avec *La Foudre de l'Andalousie* [*El rayo de Andalucia y Genizaro de España,* 1632] ; Juan de Matos Fragoso avec *Le Traître à son sang* [*El traidor contra su sangre*] (aux environs de 1650), et beaucoup d'autres. Au XIXe siècle, la légende fut reprise notamment par le comte de Noroña dans la tragédie *Mudarra González*, et par le duc de Rivas dans *Le Maure, enfant trouvé* [*El moro expósito,* 1829-1833].

SEPT LAMPES DE L'ARCHITECTURE (Les) [*The Seven Lamps of Architecture*]. Œuvre de l'écrivain anglais John Ruskin (1819-1900), publiée en 1849. Pour l'auteur, l'architecture n'est pas seulement la technique de la construction, c'est aussi un art. Elle imprime aux édifices une beauté qui les rend vénérables. Étroitement apparentée à la sculpture et à la peinture, l'architecture est comme une association de ces deux arts. Ruskin appelle « lampes de l'architecture » les grandes lois auxquelles l'artiste doit se soumettre, et il en énumère sept. La première est la loi du Sacrifice, qui veut que l'on offre des choses précieuses non parce qu'elles sont nécessaires, mais uniquement parce qu'elles sont précieuses. Celui qui édifie une église prodigue les matériaux coûteux et travaille dans un esprit de dévouement. La seconde est la Vérité ; celui qui veut donner l'impression d'une structure différente de la structure réelle, qui peint les surfaces de manière à falsifier leur véritable matière, qui use d'ornements faits au moule ou à la machine, contrevient à cette loi. La troisième est la Force ou puissance : un édifice, pour paraître dans toute sa grandeur, doit pouvoir s'embrasser d'un coup d'œil. Ce qui le rend imposant, ce ne sont pas seulement ses dimensions et sa masse, mais aussi les ombres qui soulignent ses proportions. La Beauté est la quatrième « lampe » : toutes les belles lignes sont des adaptations des lignes les plus communes de l'univers. La symétrie est liée à la ligne horizontale. La ligne verticale est en relation avec la proportion. Les couleurs à retenir sont de préférence celles des pierres naturelles. La cinquième « lampe » est la Vie. Les choses sont d'autant plus nobles qu'elles sont douées de vie ou du moins qu'elles en portent la marque ou le cachet. Les signes de la vie sont une certaine négligence, certaines violations de la symétrie, certains traits qui donnent l'impression d'une force virile. En matière d'art ce qui est vivant, c'est ce qui a été fait avec joie. La sixième « lampe » est le Souvenir. L'architecture centralise et protège l'influence sacrée du souvenir ; l'œuvre doit susciter des souvenirs, elle doit être un monument. Même la maison d'habitation devrait être une construction durable et plaisante. Les maisons d'aujourd'hui, au contraire, sont peu différentes des tentes des Arabes et des Bohémiens. La septième « lampe » est l'Obéissance, ou fidélité à une école nationale. Dans les différents chapitres abondent les préceptes techniques, les exemples tirés surtout des chefs-d'œuvre italiens et français, des observations pénétrantes sur l'art classique et médiéval. Comme dans toutes ses œuvres, Ruskin insiste ici sur la subordination de l'esthétique à la morale. Esprit profondément religieux, doué d'une sensibilité délicate, il exprime ses pensées dans un style orné et solennel, et les entoure de ce climat mystique dans lequel se préparait le mouvement préraphaélite. – Trad. Laurens, 1916 ; Denoël, 1987.

SEPT MANIFESTES DADA (Les). Œuvre de l'écrivain français d'origine roumaine Tristan Tzara (1896-1963). Publiés à Paris en 1924, ces *Sept manifestes* ont pour titre : « Le Manifeste de monsieur Antipyrine » (lu à Zurich le 14 juillet 1916), « Le Manifeste Dada 1918 » (lu à Zurich, salle Meise, le 23 mars 1918), « La Proclamation sans prétention » (lue à la huitième soirée Dada à Zurich, salle Kaufleuten, le 8 avril 1919), « Le Manifeste de M. Aa l'antiphilosophe » (lu au Grand Palais des Champs-Élysées, le 5 février 1920), « Le Manifeste Tristan Tzara » (lu le 19 février 1920), « M. Aa nous envoie ce manifeste » (lu au festival Dada, salle Gaveau, à Paris, le 22 mai 1920), « Le Manifeste sur l'amour faible et l'amour amer » (lu à la Galerie Povolozky, à Paris, le 12 décembre 1920). La réédition de 1963 donne en outre : « L'Annexe : Comment je suis devenu charmant, sympathique et délicieux » (lu à la galerie Povolozky le 19 décembre 1920). Dada est né à une époque où l'impatience de vivre était grande, où la jeunesse n'avait que dégoût pour toutes les formes de la civilisation à cause de la grande tuerie de la guerre, et dégoût en particulier pour sa logique et son langage. Dada, Tzara l'a précisé au cours d'un entretien radiophonique avec Ribemont-Dessaignes, « naquit d'une exigence morale, d'une volonté implacable d'atteindre un absolu moral », et il devait s'efforcer de mettre en déroute les valeurs sociales ou personnelles, jusque-là consacrées par la hiérarchie bourgeoise, afin de libérer l'homme de tous les asservissements, qu'ils soient d'origine économique, intellectuelle, morale ou religieuse. Il s'agit alors de détruire le langage, ou du moins ses formes sclérosées, ce système d'ornières qu'il est devenu et où s'emprisonne l'esprit. Il faut rompre la syntaxe et les garde-fous de sa logique, il faut rendre aux mots eux aussi la liberté. « Le contrôle de la morale et de la logique nous ont infligé l'impossibilité devant les agents de police-cause de l'esclavage, rats putrides dont les bourgeois ont plein le ventre et qui ont infecté les seuls corridors de verres clairs et propres qui restèrent ouverts aux artistes. » L'humour et la recherche du scandale débouchent tout naturellement sur une attitude d'agression poétique. « Coucher sur un rasoir et sur les puces en rut – voyager en baromètre – pisser comme une cartouche – faire des gaffes, être idiot, prendre des douches de minutes saintes, être battu, être toujours en dernier, crier le contraire de ce que l'autre dit, être la salle de rédaction et de bain de Dieu qui prend chaque jour un bain en nous, en compagnie de vidangeur, voilà la vie des dadaïstes. » Explosion nihiliste, Dada marque un tournant dans la sensibilité européenne et les *Sept Manifestes Dada* en demeurent un des documents fondamentaux : « Dada ne signifie rien. » « Pas de pitié. Il nous reste après le carnage l'espoir d'une humanité purifiée... » « Je détruis les tiroirs du cerveau et ceux de l'organisation sociale : démoraliser partout et jeter la main du ciel en enfer, les yeux de l'enfer au ciel, la roue d'un cirque universel dans les puissances réelles de chaque individu. »

Sous le titre de *Lampisteries,* Tzara a regroupé à la suite des *Manifestes,* dans l'édition de 1963, des notes publiées entre 1917 et 1922 dans des revues dadaïstes depuis longtemps introuvables, le texte aussi d'une conférence sur Dada, prononcée à Weimar et à Iéna, à l'automne 1922. Parmi ces textes, l'un des plus importants est la « Note sur l'art nègre » parue dans *Sic* (*) en 1917, où il est dit : « Nous voulons la clarté qui est directe [...] Du noir puisons la lumière. Simple, riche naïveté lumineuse. Les matériaux divers, balances de la forme. Construire en hiérarchie équilibrée. » Il faut mentionner également les notes sur Arp, Apollinaire, Albert-Birot, Picabia, Lautréamont, Man Ray et Reverdy.

SEPT MERS (Les) [*Seven Seas*]. Poèmes de l'écrivain anglais Rudyard Kipling (1865-1936), publiés en 1896 à la gloire de l'impérialisme britannique. Les joies et les fatigues des longues navigations, la richesse des armateurs, la puissance de la marine de guerre, l'enchantement des terres proches et lointaines de l'Empire, baignées par sept mers, sont le thème explicite ou voilé de ces trente-trois poésies, dont la valeur n'est pas toujours égale. Le premier groupe est intitulé « La Chanson des Anglais ». Il comprend surtout : « Les Câbles sous-marins », et la « Chanson des cités », dans lequel les principaux ports de l'Empire racontent leur histoire ; une « Riposte de l'Angleterre », d'une épique grandeur, où l'Angleterre est comparée à l'épouse de la Mer qui envoie ses propres fils aux quatre coins du monde à la recherche d'aventures. La mer est, pour Kipling, une splendide école contre la corruption de la civilisation moderne. Dans une longue et dramatique poésie : « La Mary Gloster », le très riche propriétaire d'une société de navigation, pour sauver son fils, amolli par la métropole londonienne, lui impose, avant de mourir, de mettre sa dépouille sur son plus beau navire et de la jeter au plus profond de l'océan au large de Macassar. La métrique de presque toutes ces poésies est celle des chansonnettes londoniennes de café-concert au rythme fortement accentué ; souvent, on y observe un contraste entre la forme vulgaire et la pensée élevée et solennelle. L'expression n'est cependant pas toujours exempte de rhétorique, d'idées imprécises et de lieux communs. — Trad. Stock, 1924.

SEPT PAROLES DU CHRIST (Les) [*Die Sieben Worte des Erlösers am Kreuze*]. Une des plus remarquables œuvres pour quatuor à cordes du compositeur autrichien Franz Joseph Haydn (1732-1809). Dans les grandes églises de Madrid et de Cadix, chaque année, pour le jeudi saint, on célébrait l'« Entierro », c'est-à-dire les funérailles du Christ. Un prédicateur expliquait les sept paroles dites sur la Croix et, entre chaque parole, on avait l'habitude d'intercaler de la musique pour laisser reposer l'orateur et donner plus de solennité à la cérémonie. Dans toute l'Europe, les ambassades espagnoles lancèrent une sorte de concours pour la meilleure composition destinée à remplir ce but ; le concours fut remporté par Haydn en 1785, avec une œuvre pour orchestre (cordes, cuivres et timbales) ; de cette première composition, l'auteur lui-même fit une réduction pour quatuor à cordes (1786) et ce n'est que plus tard (1796) qu'il en tira un oratorio pour chœur et orchestre. La version la plus remarquable est celle du quatuor, composée d'une introduction, de sept sonates et d'un finale descriptif que Haydn lui-même appelait le « tremblement de terre ». Dans l'oratorio, le chœur commence chaque partie en répétant les premières paroles de la phrase sacrée ; le quatuor a conservé la répétition des notes par les quatre instruments, au début de chaque morceau ; étant donné la brièveté de chacun de ceux-ci, on ne peut parler d'une véritable construction, mais on se trouve en face de petites idées qui semblent naître d'une germination spontanée, l'une de l'autre, sans que s'efface jamais l'idée initiale et principale. C'est peut-être par cette spontanéité de l'invention que Haydn réussit à composer des pages d'une intense émotion. L'austérité du programme qu'il s'était fixé et le lieu de l'exécution (l'église) lui imposent une atmosphère sévère, chose qui lui est facile car il excelle dans les adagios, qui constituent chacune des sept sonates, toutes construites approximativement de la même manière. Les paroles sont les suivantes : I) « Pater, dimitte illis, non enim sciunt quid faciant », II) « Amen dico tibi : hodie mecum eris in paradiso », III) « Mulier, ecce filius tuus, et tu, ecce mater tua », IV) « Eli, Eli, Lamma sabactani », V) « Sitio », VI) « Consummatum est », VII) « Pater, in manus tuas commendo spiritum meum ». L'inspiration musicale trouve dans cette œuvre de Haydn une de ses formes les plus élevées et les plus expressives parmi les œuvres sacrées du XVIIIe siècle.

SEPT PIÈCES CARACTÉRISTIQUES op. 7 [*Sieben Charakterstücke*]. Pièces pour piano du compositeur allemand Felix Mendelssohn (1809-1847) composées en 1828. L'influence de Bach sur la musique de Mendelssohn a été si puissante et si profonde que celle-ci en est marquée dans le détail même de sa structure. Cette suite de pièces brèves a été évidemment conçue dans une atmosphère romantique ; les titres mêmes en sont la preuve : « Doux, avec sentiment », « Avec ardeur », « Léger et aérien », etc. ; on trouve cependant parmi ces pièces une « fugue » de forme tout académique. La première de ces compositions, et sans doute la meilleure, débute par quatre mesures dont l'harmonie et le contrepoint rappellent Bach ; ce n'est qu'à la cinquième mesure en effet que le ton devient romantique. La pièce continue alors dans une atmosphère idyllique, légèrement compassée, dont le rythme toutefois rappelle Bach à chaque instant. Cette composition, dans l'ensemble, est déjà caractéristique du climat que l'on retrouvera dans les œuvres suivantes de Mendelssohn. La même atmosphère se reflète dans les autres pièces où l'influence de Bach n'a pas ce caractère aussi marqué que l'on remarque dans plusieurs œuvres d'inspiration religieuse et notamment dans la fugue de ces *Sept pièces caractéristiques* — plutôt rigide et froide et où, à partir de la mesure 176, apparaît périodiquement un rappel du troisième *Concerto brandebourgeois* (*) de Bach. Mendelssohn, artiste de tempérament doux et contemplatif, reflète et transfigure son monde intérieur dans un langage musical teinté de mélancolie : la passion tourne rarement au drame, mais se résout le plus souvent en une calme sérénité.

SEPT PILIERS DE LA SAGESSE (Les) [*Seven Pillars of Wisdom, a Triumph*]. Œuvre de l'officier et écrivain anglais Thomas Edward Lawrence (1888-1935) dit « Lawrence d'Arabie ». Le premier manuscrit ayant été perdu, l'auteur récrivit le livre avec beaucoup de remaniements ; l'ouvrage parut en 1926, dans une édition à tirage limité, aussitôt épuisée et qui atteignit des prix fabuleux. L'année suivante, sous le titre *Révolte dans le désert* (*), fut publiée une édition abrégée et expurgée. Une réédition de l'œuvre intégrale eut lieu en 1935. Ces mémoires constituent un document essentiel sur la sensibilité de l'aventurier contemporain. En 1914, Lawrence, jeune archéologue en mission dans le Moyen-Orient, refusé dans l'armée active pour raisons de santé, réussit à se faire accepter comme agent de l'Intelligence Service. Un renouveau du nationalisme arabe s'étant produit dans les années précédant immédiatement la Grande Guerre avec le mouvement des « Jeunes Turcs », l'Angleterre, et particulièrement lord Kitchener, eut l'idée de gagner à la cause alliée les forces turques de Mésopotamie et de susciter une révolte, capable de provoquer le démembrement de l'empire de Constantinople. Pour préparer ce soulèvement, Lawrence fut dépêché auprès de Feyçal et de Hussein, grand chérif de La Mecque, rallié à la cause anglaise.

Il s'agissait, naturellement, d'une mission destinée à servir les seuls intérêts anglais. Mais elle provoqua chez Lawrence le réveil d'un vieux rêve de jeunesse, poursuivi depuis les années d'Oxford. L'agent de l'Intelligence Service cessa bientôt de voir dans la révolte un simple moyen. Elle devint à ses yeux une fin prestigieuse, et qui se suffisait à elle-même. Il s'agissait de « forcer l'Asie à prendre la forme nouvelle qu'inexorablement le temps poussait vers nous » ou, comme l'auteur l'explique dans une introduction à son livre publiée dans ses *Lettres* (*), « de créer une nation nouvelle, faire revenir au monde une influence perdue, donner à vingt millions de sémites les fondations sur lesquelles bâtir un château de rêve avec les inspirations de leur pensée nationale ». Manœuvrant à sa guise, Lawrence ne tarde point à donner aux Arabes des avis, fort éloignés parfois des buts de la politique anglaise. Non qu'il renie son pays : il en conserve même la vanité. Mais d'une part, c'est un être naturellement indiscipliné : il dénonce la discipline militaire, « servitude qui, pour être volontaire au début, n'en est pas moins abjecte ». Et surtout, il a décidé de se faire arabe parmi les Arabes : l'effort qu'il poursuit en ce sens l'a, dit-il, dépouillé de sa « personnalité anglaise ; j'ai pu ainsi considérer l'Occident et ses conventions avec des yeux neufs, en fait cesser d'y croire ».

À vrai dire, l'entreprise échoua et, de cet échec, Lawrence prend une grande part de responsabilité : il n'a point détrompé les Arabes et a continué ainsi, malgré et contre ses vœux, de servir la politique anglaise : « L'honneur, écrit-il mélancoliquement, ne l'avais-je pas perdu l'année précédente, quand j'avais affirmé aux Arabes que les Anglais tenaient leurs engagements ? » Mais, plus profondément, le rêve d'une résurrection politique du monde arabe ne fut qu'un rêve que Lawrence ne se soucia guère d'asseoir sur de fortes bases historiques. Il a pu s'évader de l'Occident ; malgré ses efforts, il ne s'est point créé une nouvelle vie arabe. Dans l'aventure qu'il a tentée, moins qu'un accord avec de grandes forces historiques, il avait recherché l'âpre sentiment de la totale indépendance que lui donnait cette force guerrière cimentée par une pure idée : « Nous étions une armée concentrée sur elle-même, sans parade ni geste, toute dévouée à la liberté, la seconde des croyances humaines. » Pour gagner les Arabes, Lawrence avait voulu les imiter afin qu'eux-mêmes un jour viennent à l'imiter ; mais cette substitution de personnalité sociale était-elle possible ? Réfléchissant sur l'aventure, il faut bien que Lawrence la reconnaisse : « Comment se faire une peau arabe ? Ce fut de ma part affectation pure. Il est aisé de faire perdre la foi à un homme, mais il est difficile ensuite de le convertir à une autre. Ayant dépouillé une forme sans en acquérir de nouvelle, j'étais devenu semblable au légendaire cercueil de Mohammed. »

Lawrence est resté un étranger. La solitude est bien en effet un des traits caractéristiques de son destin : elle engendre un sentiment de mépris intense « non pour les autres, mais pour tout ce qu'ils font ». Pourquoi se complaît-il en récits ignobles ou atroces, flagellation, meurtres, exécutions de prisonniers (coupables eux-mêmes d'atrocités) ? Il semble que Lawrence veuille ainsi exacerber cette impression d'étrangeté, d'indépendance complète par rapport aux hommes et au monde ; son ascétisme n'aura pas d'autre but : bourreau de son corps, nous le voyons passer des jours et des nuits sur un chameau, sans manger, sans boire. Dépouillé de lui-même, il est bien alors, comme l'a défini Louis Gillet, un de ces « individus qui trouvent moyen, dans le renoncement total, d'exercer le pouvoir sans limites ». Pour cette âme libre, mais prisonnière d'elle-même, la politique et l'histoire deviennent les formes d'un rêve intérieur. Lorsque Lawrence convient que la révolte arabe n'était qu'un jeu supérieur, nous sentons bien qu'avec l'aventurier anglais, nous atteignons au point extrême de la rêverie politique romantique. Lawrence est de la race des Chateaubriand et des Barrès : « Les rêveurs du jour, écrit-il en songeant à lui-même, sont des hommes dangereux, car ils peuvent jouer leur rêve les yeux ouverts et le rendre possible. » Si son entreprise lui plaît, ce n'est point tant pour le bonheur à venir d'un peuple, que comme la plus belle figure de ses songes : « Je t'aimais : c'est pourquoi, tirant de mes mains ces marées d'hommes, j'ai tracé en étoiles ma volonté dans le ciel, afin de te gagner la liberté, la maison digne de toi. » On se demande alors si l'échec n'a pas été volontaire, et destiné à préserver la pureté du rêve ; moins que la conquête, c'est l'effort qui exalte Lawrence, l'active contemplation de la pure énergie : « Quand une chose était à ma portée, je n'en voulais plus. Ma joie était dans le désir. » Cette passion, plus que d'un conquérant ou d'un politique, est d'un intellectuel. L'auteur est trop lucide pour ne pas se l'avouer : ma guerre était trop méditée, parce que je n'étais pas soldat, mes actes étaient trop « travaillés », parce que je n'étais pas un « homme d'action ». C'étaient autant d'efforts intensément conscients, accomplis sous les yeux et sous la critique latérale d'un moi désintéressé. Désintéressement typique d'un esprit marqué des décadences modernes : l'aventure, pour Lawrence, ressemble beaucoup à ce salut par l'art qui tentait les écrivains à la fin du XIXe siècle et c'est encore, au sein de la plus brûlante réalité, le « Réfugions-nous dans l'artificiel » d'un Barrès. Lawrence n'édifie point l'empire arabe. Mais qu'importe le succès ou l'échec de son entreprise, si cette dernière lui permet de façonner quelque œuvre d'art ? « Je n'avais eu, dit-il, qu'un grand désir dans mon existence : pouvoir m'exprimer sous quelque forme imaginative, mais mon esprit trop diffus n'avait jamais su acquérir une technique. Le hasard, avec un humour pervers, me jetait dans l'action, m'avait donné une place dans la révolte arabe... m'offrant ainsi une chance en littérature, l'art-sans-technique ! » Que l'exemple de Lawrence puisse être considéré comme le type de cette race d'esprits hautains, proies du nihilisme métaphysique, au fond assez désintéressés de la vie, mais qui font de la politique le champ pour une affirmation du moi plus vaste que celle que peut réserver la littérature, les expériences parallèles d'un Malraux, d'un Drieu la Rochelle, d'un Ernst von Salomon l'attestent suffisamment. – Trad. Payot, 1935.

SEPT PRINCESSES (Les) [*Haft Peïkar*]. Poème romanesque, une des cinq œuvres du poète persan Nizâmi (1141-1209), consacré aux aventures du roi sassanide Bahrâm Gour (ve siècle apr. J.-C.). En reprenant l'ancien folklore romanesque arabo-persan, au fond duquel subsistent de réelles données historiques, Nizâmi chante l'adolescence de Bahrâm qui s'est déroulée à Hira, dans le mythique château Khavarnaq, sa vie de grand chasseur et son accession au trône héréditaire de Perse. Dans une des salles du Khavarnaq, il vit un jour sept portraits [haft peïkar] de princesses d'une beauté extraordinaire. Devenu roi, il se fit construire sept châteaux. Dans chacun d'eux il fit venir une des sept princesses après les avoir obtenues en mariage. Ces princesses viennent de sept régions de la terre. Il visite une princesse par jour et écoute, récité par chacune d'elles, un conte en vers : ces sept contes sont insérés dans le corps du poème, dont ils forment un tiers. Lorsque l'empereur de Chine prend les armes contre Bahrâm, ce dernier, qui avait jusqu'alors confié les soins du gouvernement à son ministre, découvre la conduite inique de celui-ci et le fait mettre à mort. Après d'autres aventures, Bahrâm, désormais vieux, aspire au repos en Dieu. En poursuivant un onagre dans une caverne, il y disparaît à jamais, quittant ainsi la vie terrestre pour l'immortalité. *Haft Peïkar* est considéré par certains comme le chef-d'œuvre de Nizâmi, tant pour l'exubérance fantastique et la variété de l'action que pour l'habileté de la narration. Il est certainement un des plus remarquables monuments de la poésie romanesque persane.

SEPT TRAITÉS (Les) [*Los siete tratados*]. Né en Équateur, libéral convaincu, l'écrivain Juan Montalvo (1832-1889) publia à Besançon en 1882, sept ans avant d'y mourir, *Les Sept Traités* écrits un an plus tôt. Parce que l'auteur y écrit de toutes choses, on a rapproché cette œuvre des *Essais* (*) de Montaigne. Comme Montaigne, il est vrai, Juan Montalvo aborde tous les sujets avec une parfaite liberté, au gré de sa générosité et de son caractère. Mais plus que Montaigne, Juan Montalvo aime le commentaire et surtout la polémique. Son « traité de la noblesse » est resté célèbre par la virulence avec laquelle, démocrate épris de fraternité universelle, il dénonce l'esprit colonial de l'oligarchie de son époque.

SEPT TYPES D'AMBIGUÏTÉ [*Seven Types of Ambiguity*]. Ouvrage critique publié en 1930 par l'écrivain anglais William Empson (1906-1984). L'auteur prend pour sujet ce qui avait été jusque-là considéré comme une limitation de la poésie – son manque de clarté et son imprécision – et entreprend de montrer que cette ambiguïté constitue au contraire une richesse. L'ouvrage en décrit sept types (liste arbitraire et non limitative selon l'auteur) : (1) quand un mot, exprimant une seule chose, a plusieurs niveaux de sens ; (2) quand d'autres sens se superposent à celui choisi par l'auteur ; (3) quand deux idées se rapportant au même contexte sont exprimées par un seul mot ; (4) quand plusieurs significations ne concordant pas renvoient à l'état d'âme complexe de l'auteur ; (5) quand l'auteur découvre son idée au moment où il écrit, si bien qu'il utilise un terme ne s'appliquant pas à un objet particulier mais correspondant au passage d'un objet à un autre ; (6) quand une expression est tautologique, contradictoire ou absurde, forçant le lecteur à inventer une signification ; (7) quand un mot offre, dans le contexte, la possibilité de deux significations opposées montrant ainsi le conflit intérieur de l'auteur. Quoique l'ouvrage ait eu à l'époque un caractère révolutionnaire, Empson reprend des notions déjà exprimées. Il doit ainsi à I. A. Richards ses concepts de base : que la substance de la poésie consiste essentiellement en la communication de significations et que ces significations ne sont pas moins ouvertes à l'analyse que n'importe quelle autre expérience humaine. Il soumet donc à un examen minutieux le voile dans lequel les romantiques drapaient la poésie. En d'autres termes, il applique à la littérature les découvertes de la « nouvelle philosophie » britannique de G. E. Moore, Russel et Wittgenstein, qui, supposant que les problèmes métaphysiques naissent de difficultés inhérentes à l'ambiguïté du langage, se proposaient de créer une langue scientifique qui permettrait d'éliminer les systèmes de pensées fondés sur l'ambiguïté linguistique. Pour Empson, malgré tout, l'ambiguïté est une forme d'ironie dramatique, allant de la plénitude de la tragédie à la confusion d'esprit d'un mauvais poète. Explorant dans ses sept types de stades de plus en plus avancés de désordre logique, l'auteur applique sa méthode à l'écrivain « le plus ambigu », Shakespeare, ce qui le conduit à conserver simultanément toutes les variantes collationnées dans les éditions critiques. Il pense en effet que les jeux de mots ou les obscurités de Shakespeare contiennent le plus important de son message et s'oppose à la critique universitaire qui s'acharne à les clarifier. L'ouvrage contient les interprétations les plus stimulantes nées d'une lecture de la poésie qui n'avait jamais été si précise ni si riche. Il fut réimprimé en 1947, avec de nombreuses révisions qui le rendent plus clair et plus exact, mais lui ôtent l'entrain et les brillantes envolées imaginatives qui faisaient l'intérêt de la première version. Dans *Quelques versions de la pastorale* (+), Empson a repris les concepts utilisés dans son premier ouvrage en les appliquant à ce genre littéraire particulier. — Trad. partielle in *Sémantique de la poésie*, Seuil, 1979.

SEPTUOR. Œuvre pour piano, violon, alto, violoncelle, cor, clarinette et basson, écrite entre juillet 1952 et février 1953 par le compositeur russe Igor Stravinski (1882-1971). Le *Septuor* est la seule œuvre exclusivement instrumentale de musique de chambre écrite depuis le *Dumbarton Oaks Concerto* — v. *Concertos* (*) de Stravinski —, avec lequel il présente plusieurs similitudes. Cependant, le *Septuor* a plus d'un titre d'originalité. Tout d'abord, ses trois mouvements sont bâtis sur le même thème, présenté sous des aspects différents : en ritournelle dans le premier mouvement, en thème de passacaille dans le second (passacaille à huit variations), en sujet de gigue dans le dernier (gigue constituée de quatre fugues consécutives). D'autre part, si le premier mouvement est traité harmoniquement dans des relations classiques (tonique, dominante, etc., tonalité de la, accords parfaits), le second est déjà sériel, mais essentiellement horizontal. C'est la « Gigue » qui est le mouvement le plus décisif, sériel contrapuntiquement et en grande partie harmoniquement. Avec le « Ricercare 2 » de la *Cantate* (*), la « Gigue » est la première incursion de Stravinski dans la discipline sérielle, à laquelle il apporte de profondes transformations marquées du sceau de sa puissante personnalité. C'est ainsi que sa « série », au lieu de comporter exclusivement les douze demi-tons de la gamme, est faite de seize sons, dont huit seulement sont différents. Nombreuses sont d'ailleurs les hérésies vis-à-vis de l'orthodoxie sérielle, ne serait-ce que l'emploi de la forme fugue. Mais, par ces moyens, Stravinski renouvelle un genre ancien auquel il donne une densité d'écriture tout à fait extraordinaire. On remarquera, entre autres, que les deuxième et quatrième fugues sont des doubles fugues, dans lesquelles le piano ne fait que reprendre intégralement la fugue du mouvement précédent, tandis que d'autres instruments greffent par-dessus une nouvelle fugue, toujours sur le même sujet modifié. Cette œuvre peu connue, mais capitale dans l'évolution de Stravinski, a été exécutée pour la première fois le 23 janvier 1954 à Dumbarton Oaks (près de Washington), sous la direction du compositeur.

SEPT VISIONS DE L'AMEN. Pièces pour deux pianos du compositeur français Olivier Messiaen (1908-1992), écrites en 1943. Comme son nom l'indique, l'œuvre est une suite de sept visions, plutôt que de sept méditations, sur les façons infiniment variées dont toutes les créatures peuvent dire l'*Amen* [« qu'il en soit ainsi »] : qu'il s'agisse d'un acte créateur, d'un acte de soumission, du désir mystique ou de la contemplation béatifique. Les sept pièces sont, dans l'ordre : « Amen de la Création », « Amen des étoiles, de la planète à l'anneau », « Amen de l'agonie de Jésus », « Amen du désir », « Amen des anges, des saints, du chant des oiseaux », « Amen du Jugement », « Amen de la consommation ». L'écriture est complexe ; chaque pièce est bâtie sur un schéma à trois thèmes, avec variations rythmiques, canons, rythmes non rétrogradables, etc. et fait appel à toutes les ressources qu'offrent les deux pianos. La technique pianistique elle-même est très neuve et exploite des possibilités expressives proprement inouïes. La science de la composition s'efface, cependant, derrière la puissante impression que laissent les *Sept Visions* : accords larges et solennels du thème de la Création, carillons, harmonies colorées, chants d'oiseaux, unis en une vaste fresque puissamment inspirée. — Les *Sept Visions de l'Amen* ont été données en première audition à Paris, le 10 mai 1943, par Yvonne Loriod et l'auteur.

SÉQUENCES d'Adam de Saint-Victor. Ces proses, appelées « séquences », que l'on chante à la messe, les jours de fête, après le « graduel » et l'« alléluia », formaient à l'origine un ensemble strictement musical, difficile à retenir et c'est seulement au IXe siècle que Notker le Bègue, moine de l'abbaye de Saint-Gall, imagina de lier cette musique à un texte fixe (la « séquence »). La séquence de Notker, appelée « prose » parce qu'elle n'était pas tributaire de la métrique, fut remplacée, trois siècles plus tard, par une séquence en vers, grâce à l'innovation d'Adam de Saint-Victor, le plus grand poète liturgique du Moyen Âge. De ce moine (1122 ?-1192 ?), nous savons peu de chose. De même que Hugues et Richard de Saint-Victor, avec lesquels on le confond parfois, il appartenait à la célèbre abbaye dont il porte le nom et qui fut un des plus hauts lieux de la culture médiévale. Les séquences qui lui sont attribuées figurent dans tous les missels à partir du XIIIe siècle et il est même curieux de constater que les plus anciens de ces livres liturgiques proviennent non pas du monastère parisien, mais de l'abbaye Saint-Martial de Limoges. L'abbaye était en relations avec les troubadours, et l'on conçoit aisément l'intérêt que ces artistes pouvaient porter aux expériences poétiques d'Adam. L'immense succès du moine lui valut maints imitateurs et il n'est pas toujours facile de reconnaître son œuvre propre. Loin de laisser paraître, en effet, une personnalité très originale, ses strophes révèlent surtout un technicien extrêmement subtil du rythme et de la rime. L'auteur de l'*Elucidarium ecclesiasticum*, qui a recueilli 37 séquences d'Adam, précise que ce sont les seules qui proviennent de son monastère, tout en admettant que le religieux peut en avoir composé beaucoup d'autres. On trouve également 26 séquences d'Adam de Saint-Victor dans *La Patrologie latine* (*) de Migne ; 45 autres proviennent d'un manuscrit de la Bibliothèque nationale en date de 1239. En tout état de cause, les poésies liturgiques d'Adam, fort influencées par le symbolisme mystique d'Hugues de Saint-Victor, sont les unes des séquences *De tempore* (théologiques), les autres des séquences *De sanctis* (hagiographiques) exaltant d'une façon très simple les symboles, les mystères et les dogmes, inspirées de *La Bible* (*) et, parfois aussi de la rhétorique classique (ainsi, la fameuse « Si crystallus sit humecta... »). Une des nombreuses séquences sur la résurrection (« Mundi renovatio ») est particulièrement remarquable, car le thème de la renaissance de la nature au printemps y fait songer aux chansons des troubadours. — L. Gautier a publié les *Œuvres poétiques* d'Adam de Saint-Victor (3e éd., Paris, 1894) et E. Misset et P. Aubry *Les Proses d'Adam de Saint-Victor,* texte et musique (Paris, 1900).

SEQUENZA de Berio. Série de neuf pièces pour un instrument du compositeur italien Luciano Berio (né en 1925) qui constituent des œuvres de référence de la virtuosité contemporaine et ont servi de modèle à de nombreux autres compositeurs : *Sequenza I* pour flûte (1958), *Sequenza II* pour harpe (1963), *Sequenza III* pour voix (1965), *Sequenza IV* pour piano (1966), *Sequenza V* pour trombone (1966), *Sequenza VI* pour alto (1967), *Sequenza VII* pour hautbois (1969), *Sequenza VIII* pour percussion (1975), *Sequenza IX* pour clarinette (ou saxophone) et filtre digital programmé (1980). Elles ont été écrites pour des interprètes précis qui ont, par ailleurs, suscité d'autres œuvres contemporaines : Severino Gazzelloni (flûte), Francis Pierre (harpe), Cathy Berberian (voix), Vinko Globokar (trombone), Walter Trampler (alto)... La *Sequenza* pour flûte est l'une des premières pages qui laisse à l'interprète la liberté de modifier le texte au moment de l'exécution grâce à un jeu de durées variables. Les autres pages sont de caractère divers, allant de l'étude comique (*Sequenza* pour trombone) à la pièce obsessive (*Sequenza* pour hautbois). Avec la complicité de l'interprète-dédicataire, Berio remet en question la technique traditionnelle de l'instrument et élargit son champ d'action à des sonorités qui ne sont pas nécessairement les plus pures, mais qui en accroissent considérablement les possibilités.

A. Pâ.

SÉQUESTRATION DU GÉNÉRAL (La) [*El secuestro del general*]. Roman de l'écrivain équatorien Demetrio Aguilera-Malta (1909-1980), publié à Mexico en 1973. Œuvre d'une puissante originalité, à la fois satirique et symbolique, ce roman renouvelle le thème classique de la dictature latino-américaine. L'histoire se déroule dans un pays imaginaire, Babelandia, où règne un dictateur militaire Holoformes Verbofilia. Aguilera-Malta définit ainsi son propos : « C'est une allégorie de la Mort représentée par un dictateur militaire squelettique, dans un quelconque pays sous-développé d'Amérique latine. Il ne s'agit pas de la Mort habituelle ; le Squelette allégorique représente la Mort qui cherche à détruire les idéaux, le désir de création, les forces vitales et positives de l'humanité. » Verbofilia a donc l'aspect d'un squelette qui ne s'exprime que par les cassettes placées dans sa cage thoracique. Il est entouré de représentants zoomorphes des forces du mal, son Secrétaire-cheval ou le Général-singe dont le rapt constitue l'anecdote du livre. Ainsi *La Séquestration du général* se déploie comme une farce médiévale où les bons et les méchants affichent leur identité sur leur sexe ou sur leur groin, arrachant aux spectateurs des cris de terreur ou d'encouragement. Il s'y ajoute un humour corrosif et une distance permanente qui incitent les personnages à s'interroger sur leur propre statut littéraire, au cœur même de l'action. Au-delà de la caricature, c'est une œuvre attachante et complexe.

E. Fe.

SÉQUESTRÉE DE POITIERS (La). Œuvre de l'écrivain français André Gide (1869-1951), publiée en 1930, qui se rattache à la série des *Souvenirs de la cour d'assises* (*). André Gide relate une extraordinaire affaire judiciaire qui provoqua une vive émotion dans les provinces du Sud-Ouest à la fin du XIXe siècle : pendant vingt-cinq ans, une jeune fille de grande bourgeoisie, atteinte de divers phénomènes de folie mystique, fut séquestrée par sa mère et son frère dans une chambre aux fenêtres hermétiquement closes et maintenue dans la plus grande saleté. La mère étant morte au cours de l'instruction et la complicité du frère, ancien sous-préfet, étant mal établie, le procès se termina par un acquittement. Gide prétend s'être contenté de réunir des documents ; mais il l'a fait avec un art très habile à faire ressortir les détails les plus sordides, et ce court ouvrage prend ainsi la valeur d'une critique sociale.

SÉQUESTRÉS D'ALTONA (Les). Pièce en cinq actes de l'écrivain et philosophe français Jean-Paul Sartre (1905-1980), représentée pour la première fois le 23 septembre 1959 au théâtre de la Renaissance ; publiée en 1960. Ce drame a pour héros principal un ex-officier allemand, Frantz, qui passe pour mort et qui depuis treize ans, depuis son retour de guerre, vit enfermé dans une pièce de la maison familiale, ne voyant que sa sœur, Leni.

Son père, un puissant entrepreneur de construction navale à Hambourg, est atteint d'un cancer et veut avoir une dernière entrevue avec Frantz avant de mourir. Par l'entremise de Johanna, femme de son fils Werner, une ancienne actrice, il finira par obtenir cette rencontre. L'action de la pièce est constituée par la découverte progressive du drame de Frantz, à travers ses rapports avec les autres personnages. Il est toujours vêtu de son uniforme d'officier en loques ; Leni, qui lui porte un amour incestueux et veut le garder pour elle seule, le persuade que l'Allemagne est toujours en ruine, opprimée par des vainqueurs qui la réduisent à la famine. Dans des monologues délirants, traversés d'un humour sinistre, Frantz plaide la cause de l'Allemagne devant les siècles futurs. Il prétend s'être enfermé pour ne pas assister à la mort de son pays, mais Johanna, qui est attirée par lui, découvre peu à peu son drame : il a autrefois caché dans sa chambre un Juif que son père a dénoncé aux nazis, en obtenant pour lui l'impunité s'il s'engageait dans la Wehrmacht. Sur le front de Russie, dans la guerre contre les partisans, il a fait mourir sous la torture des paysans. Le remords et la haine contre son père, qui pour le sauver l'a contraint à un destin dont il a horreur, l'ont conduit à la réclusion. L'attirance que Johanna éprouve pour lui cède la place à la répulsion quand elle le découvre tortionnaire. Frantz, qui se trouvait une raison de vivre dans le rôle de témoin d'une Allemagne martyre, ne peut plus s'enfermer dans cette illusion. Repoussé par Johanna, il revoit son père, mais pour lui demander de l'aider à mourir. La pièce finit par un double suicide, le père conduisant le fils dans la voiture qui se fracassera dans un virage. — Cette pièce, qui fut jouée pour la première fois pendant la guerre d'Algérie, en même temps qu'elle évoque une Allemagne partagée entre sa prospérité et la hantise d'un passé atroce, touchait au drame de la torture, tel qu'il était vécu en France à ce moment-là. La tension dramatique, les personnages, à la fois attirants par l'intensité de leurs sentiments et repoussants par la monstruosité de leurs actes, font de cette pièce une des plus attachantes et des plus frappantes qu'ait écrites Sartre.

SÉRAPHÎTA. Ce curieux récit de l'écrivain français Honoré de Balzac (1799-1850) fut écrit de décembre 1833 à novembre 1835 et publié à la fin de l'année 1835. Plus tard, Balzac l'incorpora dans le cadre des « Études philosophiques » de *La Comédie humaine* (*). L'œuvre est précédée d'une dédicace à Mme Eveline de Hanska, née comtesse Rzewuska, que Balzac devait épouser l'année même de sa mort. L'auteur y trace les limites de son œuvre ; il connaît son imperfection, il n'a fait que tenter d'arracher ce livre aux « profondeurs de la mysticité », à la demande de sa belle amie ; il lui manquait les « couleurs de l'Orient » pour l'écrire. L'ouvrage est divisé en sept chapitres : « Séraphîtus », « Séraphîta », « Séraphîtus-Séraphîta », « Les Nuées du sanctuaire », « Les Adieux », « Le Chemin pour aller au ciel », « L'Assomption ». L'histoire se passe dans un village de Norvège, perdu au milieu des glaces et des neiges de l'hiver boréal, au-dessus d'un fjord où gronde la tempête. La douce et fragile Minna, fille du pasteur du lieu, est parvenue sous la conduite d'un jeune homme, Séraphîtus, au sommet du Falberg, que personne n'a jamais pu atteindre de mémoire d'homme. Là, elle sent que celui qui l'a accompagnée est le maître de son cœur, mais l'étrange créature repousse cet amour : que Minna aime son fiancé Wilfrid, quant à lui il n'est plus de ce monde ! De son côté, le fiancé de Minna, retenu par l'hiver à Jardis, est tombé sous le charme d'une femme incomparable, Séraphîta, qui habite seule avec un vieux serviteur l'austère château du lieu. Séraphîtus et Séraphîta ne sont qu'un seul et même être, qui réunit en sa personne ambiguë toute la force d'esprit d'un homme, toute la tendresse d'une femme. Un être qui a transcendé la chair et qui vit déjà dans le monde céleste. Séraphîtus-Séraphîta n'attire les humains que pour les repousser, les conviant à abandonner leurs désirs et leurs aspirations terrestres pour s'élever jusqu'à lui. À Wilfrid qui l'interroge, le vieux pasteur apprend une partie du mystère de cet être androgyne. Elle est la fille d'un ami et parent de Swedenborg, le baron de Séraphitz, et sa naissance a été entourée d'étranges prodiges. Suit l'analyse fervente de l'œuvre du mage suédois. Balzac prend pour des vérités d'ordre scientifique les visions de Swedenborg. S'il bute sur quelques bizarreries notoires, telle la phrase : « Je vis des esprits assemblés, ils avaient des chapeaux sur leurs têtes », il n'en considère pas moins, par ses porte-parole, que Swedenborg a « mathématiquement établi que l'homme vit éternellement en des sphères, soit inférieures, soit supérieures », et qu'il a donné une description exacte de ce monde hors du monde. Dans ce vaste système qui englobe le ciel et la terre, le visible et l'invisible, Séraphîtus-Séraphîta joue un rôle : elle est esprit dissimulé sous une forme humaine et destinée à obliger ceux qui la fréquentent à la purification et à l'élévation de leur âme. Sur le point de quitter la terre, cet être mystérieux indique à Minna et à Wilfrid le chemin qu'ils auront à parcourir de leur côté pour le rejoindre dans le ciel. Puis devant eux, dans une scène apocalyptique, où paraissent des anges et des figures symboliques, l'Esprit se transforme en séraphin et, dans une joie ineffable, monte au ciel. Minna et Wilfrid, qui ont assisté à ce spectacle et vu les merveilles de l'au-delà, décident de parcourir, en se soutenant l'un l'autre, le chemin qui leur a été tracé par l'Esprit ; ils ne sont encore « que sur les confins de la première sphère », ils essaieront de « franchir les espaces sur les ailes de la prière ».

Ce curieux récit est bien déconcertant. S'il rassemble, en une série de symboles quelque peu naïfs et dans des scènes où la mystique se fait extérieure, les idées non pas religieuses, mais gnostiques de Balzac sur la vie de l'au-delà, et par là donne l'explication de nombreuses allusions à l'illuminisme et au mesmérisme — v. en particulier *La Recherche de l'absolu* (*), *Ursule Mirouet* (*) — que contiennent un certain nombre de romans de *La Comédie humaine,* il ne parvient pas à donner corps à des personnages qui demeurent de pures entités (l'Esprit, l'Homme, la Jeune Fille) et ne réussissent pas à retenir notre intérêt. Quant aux fondements idéologiques de cette œuvre, ce ne sont qu'une adaptation assez naïve de Swedenborg, et Balzac n'y est pas à la hauteur de ce curieux personnage. Le dualisme de Séraphîtus-Séraphîta est évidemment inspiré de la dualité Animus-Anima des philosophes mystiques ; si le personnage est double c'est qu'il est à la fois âme et esprit, et c'est seulement comme esprit qu'il monte au ciel. Toutefois, Balzac n'a pas tiré de cette donnée métaphysique des aperçus nouveaux. Le récit présente en outre un caractère nettement biographique, évoqué d'ailleurs dans la dédicace : il symbolise l'union de Balzac avec cet « ange » qu'était pour lui la comtesse Hanska, union mystique que l'écrivain ne devait réaliser sur le plan humain que peu avant de mourir. Malgré son incohérence, ce court récit est fort intéressant dans la mesure où il nous donne un aperçu sur le monde des idées de Balzac, bien inférieur au monde social dont il a été le génial inventeur.

SÉRÉES (Les). L'écrivain français Guillaume Bouchet, sieur de Brocourt (1513-1593 env.), fut libraire-imprimeur et juge-consul des marchands de Poitiers. Assez érudit, il conçut vers la fin de sa vie le projet de faire, lui aussi, un livre ; pour cela, il n'eut qu'à feindre de rassembler les propos tenus à table et après le repas par les bons bourgeois de Poitiers qu'il fréquentait. C'est la peinture de ces conversations provinciales qui devint *Les Sérées.* Dès sa publication, en 1584, l'ouvrage connut un si vif succès que Bouchet dut leur composer une suite : les deuxième et troisième livres des *Sérées* virent le jour en 1597 et 1598. Par le décousu des propos, par la verve charmante qui les anime, *Les Sérées* ne sont pas sans annoncer les très réalistes *Caquets de l'accouchée* (*) du XVIIe siècle. Elles nous donnent une idée très vivante et pleine de pittoresque de ces assemblées de bourgeois auxquelles font pendant les divertissements campagnards des *Propos rustiques* de Noël Du Fail — v. *Œuvres* (*) de Du Fail. Malheureusement, comme bien des auteurs du XVIe siècle, Bouchet est quelque peu pédant, aussi ne manque-t-il pas de faire étalage de son érudition.

SÉRÉNADE [*Serenade*]. Roman de l'écrivain américain James Mallahan Cain (1892-1977), publié en 1937. Le héros parle. Il s'appelle John Howard Sharp. C'était un grand chanteur d'opéra, mais il a brusquement perdu sa voix, à Paris. Maintenant, il est à Mexico, au bord de la misère, futur clochard. Pour gagner une femme, il joue ses derniers sous sur un billet de loterie. Ce geste séduit Juana, mais vite la bizarrerie de Sharp l'inquiète, et elle le repousse, bien qu'elle soit une prostituée. Bientôt cependant, parce qu'elle a gagné à la loterie et qu'elle pense que Sharp ne lui créera pas d'ennuis avec les « muchachas », elle l'emmène à Acapulco où elle veut ouvrir une maison close. Au cours du voyage, Juana se laisse malgré tout séduire par Sharp. Il est heureux, il chante. Il retrouve sa voix. Sa virilité aussi, et, pour avoir assommé le protecteur de Juana, un homme politique, il doit fuir. Avec Juana, il gagne les États-Unis. Il trouve un engagement. Le succès vient. Contrats à Hollywood, à New York. Juana le suit partout. À New York, Sharp retrouve Winston, le chef d'orchestre aux allures d'esthète, dont l'amitié par trop particulière avait été à l'origine des troubles qui lui avaient fait perdre sa voix. Winston rôde autour de lui, le poursuit, et Sharp est en proie à l'angoisse. Pour le protéger, Juana tue Winston. Et de nouveau Sharp doit fuir. Avec Juana, il passe au Guatemala. Dans ce pays, l'ennui plane, grandit, les écrase peu à peu. Sharp fréquente les bordels, la nuit. Juana, elle, y passe ses journées, se prostituant comme autrefois. Enfin, ils retournent à Mexico, et Juana y reprend son métier jusqu'au jour où elle est assassinée par son ancien protecteur. Sharp pleure, couvre son cercueil de fleurs. Il est en proie à un « épouvantable sentiment de culpabilité ». Il ne chantera plus. Il le crie, et une sorte de « paix grise » tombe sur lui. Les phrases essaient de recréer cette brutalité tragique qui faisait la valeur du *Facteur sonne toujours deux fois* (*), mais elles s'essoufflent, paraissent laborieuses, échouent à retrouver le rythme de la fatalité. Et cette histoire, au lieu de prendre un tour exemplaire, sombre dans le roman sentimental, vaguement épicé d'érotisme trouble, d'exotisme, d'aventure et de mort. — Trad. Gallimard, 1954.

SÉRÉNADE POUR TÉNOR, COR ET CORDES de Britten. Cycle de mélodies, op. 31, du compositeur anglais Benjamin Britten (1913-1976). Six poèmes (sur le thème de la nuit et du sommeil) de Cotton (« Pastorale »), Tennyson (« Un soleil tombe sous le rempart »), Blake (« Élégie »), un auteur anonyme (« The Lyke-Wake Dirge »), Ben Jonson (« Hymne à Diane ») et Keats (« Sonnet au sommeil ») sont encadrés par un prologue et un épilogue pour cor seul. Cette œuvre est la première d'une longue série que

Britten a écrite pour son ami Peter Pears, qui l'a créée à Londres en 1943. A. Pâ.

SÉRÉNADES de Mozart. Douze œuvres en cinq mouvements, que le compositeur autrichien Wolfgang Amadeus Mozart (1756-1791) écrivit pour divers ensembles instrumentaux, en un genre assez cultivé à l'époque, d'abord pour des exécutions en plein air, ensuite pour être jouées chez de grands personnages, à l'occasion de fêtes. Dans sa forme, la sérénade diffère de la symphonie parce que, outre l'unique minuetto qui fait partie de cette dernière, elle en comporte un autre, placé ordinairement après le premier mouvement ; quant à l'instrumentation, la différence consiste en l'absence de parties de remplissage et dans l'importance plus grande accordée aux instruments à vent. Toutefois aucune des sérénades de Mozart n'approche, par son architecture et la noblesse de l'inspiration, du caractère symphonique. La première *Sérénade en ré* (K 100), pour deux violons, deux altos, un basson, deux hautbois, deux cors et deux trompettes, date de 1767, lorsque Mozart, alors âgé de onze ans, revient à Salzbourg après avoir été à l'étranger, pour y commencer une période d'études intenses. Bien que Mozart y révèle déjà son prodigieux talent, ce premier essai n'a qu'une faible valeur expressive. C'est seulement en 1773, quand Mozart se rend à Vienne où il reste plus de deux mois, qu'apparaissent les premières sérénades où s'affirme sa personnalité. Pour son esprit extraordinairement souple, cette brève période suffit à le marquer du goût viennois personnifié par Florian Gassmann (1729-1774) et Franz Joseph Haydn (1732-1809). Ainsi naissent les six *Quatuors à cordes* (*) (K 168-173) et l'étonnante *Sérénade en ré* (K 185) pour deux violons, alto, deux hautbois (deux flûtes dans l'Andante), deux cors, deux trompettes et basson, commandée à l'auteur par un jeune seigneur salzbourgeois pour ses noces. Ce qui surprend dans cette composition c'est qu'en dépit de l'imitation évidente dont elle se recommande, elle soit animée d'une vie intérieure, exubérante et personnelle. C'est encore sous l'influence de Haydn et de son frère Michael que Mozart, l'année suivante, s'oriente vers le style « galant » ; il ne s'agit pas seulement de l'assimilation d'un langage, c'est le caractère du monde poétique mozartien qui s'enrichit de nouveaux aspects lyriques. Il en résulte un genre plus varié et brillant, les idées y étant plus élégamment dessinées, la mélodie d'un souffle plus ample dans les temps lents ; il suffit de donner comme exemple l'Andante de la *Sérénade en ré* (K 203) pour deux violons, alto, deux hautbois ou flûtes, deux bassons, deux cors, deux trompettes et basse. Tandis que les autres mouvements sont de peu d'intérêt, cette page surpasse tous les modèles précédents par son inspiration poétique où le chant expressif du violon alterne avec les brefs soli du hautbois. Le Mozart le plus typique de cette période apparaît ensuite dans la *Sérénade en ré* (K 204) pour deux violons, alto, deux flûtes, deux hautbois, deux bassons, deux cors, deux trompettes et basse, écrite en 1775 : c'est une composition aux rythmes variés et vivaces, peut-être un peu trop extérieurs ; mais l'originalité de la forme est remarquable, surtout dans le finale dont un Andantino grazioso précède l'Allegro et réapparaît comme un refrain. C'est à l'année 1776, la vingtième de la vie de Mozart, qu'appartiennent trois sérénades. La première, *Sérénade nocturne en ré* (K 239) pour deux orchestres, est brève et très simple. La suivante, la grande *Sérénade en ré* (K 250), est plus importante ; pour quatuor à cordes, deux hautbois, deux flûtes dans le second minuetto, deux bassons, deux cors et deux trompettes, elle fut écrite pour les noces d'Elisabeth Haffner ; c'est une œuvre parfaite dans sa structure et son expression : chacun des mouvements y est bien différencié, quoique dominé par l'évidente préoccupation d'une unité de style qui, en aucun cas, ne porte préjudice à l'émotion. La troisième est la *Sérénade en fa* (K 101) pour deux violons, deux hautbois, deux cors et basse : modeste suite de quatre morceaux vraisemblablement composée pour être jouée en plein air. Le *Nocturne en ré* (K 286) offre un vif intérêt ; il est écrit pour quatre ensembles, chacun de deux violons, un alto, deux cors et basse. L'ouvrage, composé à Salzbourg en 1777 et demeuré incomplet (il se limite à deux seuls grands morceaux, auxquels plus tard fut ajouté un minuetto), est caractérisé par des effets d'écho ; chaque phrase est exécutée par le premier ensemble instrumental, puis répétée, plus brièvement, par chacun des trois autres : procédé probablement suggéré par des compositions analogues des deux Haydn, mais qui acquiert chez Mozart un accent et une richesse d'invention de goût raffiné. La *Sérénade en ré* (K 320), composé en 1779, offre la preuve, par son élégante et savante instrumentation, de l'influence de l'école instrumentale de Mannheim. Elle est écrite pour deux violons, deux altos, basse, deux flûtes, deux hautbois, deux bassons, deux cors, deux trompettes et timbales. En 1781, Mozart quitte définitivement Salzbourg pour s'établir à Vienne, où commence l'âge d'or de son génie. Cette même année voit apparaître deux chefs-d'œuvre : la *Sérénade en si bémol* (K 370) et la *Sérénade en mi bémol* (K 375), toutes deux pour instruments à vent seulement ; œuvres parfaites par la densité de la mélodie des adagios, la grâce pleine d'aisance des minuettos et la gaieté fraîche et populaire des finales. L'année suivante, 1782, voit la création de la *Sérénade en ut mineur* (K 388) pour deux hautbois, deux clarinettes, deux cors et deux bassons : œuvre vigoureuse qui annonce Beethoven, par l'énergique attaque à l'unisson du premier mouvement. L'Andante passe d'un rythme haletant à un calme solennel et la même alternance sentimentale se répète dans le dernier mouvement, précédé d'un minuetto avec trio en canon, gracieuse arabesque sonore. Cette *Sérénade* fut par la suite transcrite par Mozart lui-même pour quintette à cordes (K 406).

SÉRÉNITÉ [Γαλήνη]. Roman de l'écrivain grec Ilias Vénézis (1904-1973), paru à Athènes en 1939. C'est le second volet d'une trilogie consacrée à l'Asie Mineure dont le premier est *La Grande Pitié* (*) et le troisième *Terre éolienne* (*). À l'inverse des deux autres, *Sérénité* évoque le destin des réfugiés d'Asie Mineure non sur place, au moment du drame, mais en Grèce, après la fin de la catastrophe. Établis dans une région aride et déserte de la côte attique, à Anabyssos, des réfugiés finissent, à force de patience et d'acharnement, par s'enraciner dans ce lieu hostile mais baigné de lumière grecque. Parmi eux se détache la figure du médecin Dimitris Vergis qui, par sa sagesse, son infinie patience, son optimisme, parvient à calmer les angoisses de chacun, à leur faire espérer un sort meilleur, à les réconcilier avec la vie. La vie reprend donc, peu à peu, une vie incertaine encore mais où chacun pressent un avenir possible. Le malheur — ou la fatalité — pourtant n'a pas désarmé. Des accidents, des drames, un meurtre ensanglantent le bonheur fragile de ces hommes. Seront-ils toujours condamnés aux catastrophes, seront-ils partout des étrangers ? La sérénité apparente qui gagnait peu à peu leur vie risque fort, comme celle de la mer, de n'être que le visage secret et enjôleur d'un destin qui s'acharne sur eux. La vie continuera malgré tout, parce qu'elle ne peut faire autrement et des enfants grandiront ici même, oublieux de la patrie perdue.

SÉRIE DISCONTINUE [*Discrete Series*]. Recueil de poèmes du poète américain George Oppen (1908-1984), publié en 1934. Ce minuscule premier recueil d'à peine quinze pages a placé d'emblée son auteur parmi les grands poètes américains. Il s'agit d'une suite de vignettes (« Événements/Successifs »), stylisées mais pourtant empreintes d'une certaine « rugosité », tant dans leur rythme interne que dans celui de leur succession rapide et imprévue, un peu à la manière des « riffs » d'un saxophone capricieux. Oppen a dépeint ici, avec un art consommé de l'ellipse, un paysage urbain, dont la forte charge érotique rappelle les intérieurs si désirablement vides des tableaux d'Edward Hopper.

Certes, *Série discontinue* participe de l'esthétique de l'imagisme alors dominante aux États-Unis — on pense surtout au William Carlos Williams de « La Brouette rouge » —, mais Oppen y fait déjà preuve d'une attention au monde et à son mouvement qui ôte toute raideur à ses poèmes et préfigure ses œuvres à venir. Le dernier élément de la « série » en pose d'ailleurs les jalons : « Structure écrite, / Forme de l'art. / Plus cérémonieuse / Que ne le serait un champ / (y exister) / Son plaisir de femme est / Plus libre... » A. Ca.

SERMENT (Le) [Ορκος]. Nouvelle en vers publiée en 1875 par le poète grec Gérasime Markorás (1826-1911), disciple et continuateur de Solomos. Ce poème glorifie l'insurrection crétoise de 1866, à travers l'exaltation du magnifique épisode d'Arkadi, « l'héroïque monastère qui lutta comme une forteresse et finit comme un volcan », selon l'expression de Hugo. Ce monastère, âme de la résistance, servit de refuge aux femmes et aux enfants. La défense se poursuivit jusqu'à l'extrême limite des forces humaines. Lorsque la fin apparut comme inévitable, lorsque la marée des assaillants turcs eut envahi la cour du cloître, l'higoumène Gabriel (le chef de la communauté) mit le feu aux poudres. Vaincus et vainqueurs périrent dans l'explosion. Sur ce fond héroïque se dessine une histoire d'amour, où les sentiments humains les plus légitimes s'effacent devant l'amour de la Patrie. Le poème commence au moment où, la lutte terminée depuis déjà trois ans, femmes et enfants retournent dans leur patrie martyre. Sur le triste navire qui ramène les réfugiés se trouve une jeune fille, Eudoxie, restée orpheline à la suite de l'insurrection. Personne ne l'attend, mais son cœur est ému à la pensée de retrouver le jeune homme qu'elle aime, Manthos. Celui-ci, en lui disant adieu, en un serment quasi prophétique, lui avait communiqué la certitude qu'il survivrait à la lutte. Mais le pressentiment s'est révélé faux : le jeune Manthos est tombé avec les preux dans la défense du monastère. La malheureuse jeune fille abandonne la maison paternelle déserte ; s'acheminant vers les pentes du mont Ida, elle gravit péniblement les ruines d'Arkadi, pour baiser la terre où reposent les restes de son bien-aimé. Dans la nuit, l'ombre de Manthos lui apparaît et, en un long récit qui remplit toute la seconde partie de l'ouvrage, évoque l'héroïque défense du monastère, la figure inspirée de l'higoumène et la fin glorieuse des Crétois. Attirant près de lui l'âme de sa fiancée, il la conduit vers la lumière du Paradis, restant ainsi fidèle à son serment. La versification est aisée, variée et harmonieuse. L'œuvre est une des plus attachantes de la littérature grecque contemporaine.

SERMENT DE KOLVILLÀG (Le). Roman de l'écrivain juif d'expression française Élie Wiesel (né en 1928), publié en 1973. Un jeune homme, anonyme, rencontre le soir où il a décidé de se suicider un vieillard nommé Azriel, seul survivant de Kolvillàg, ville imaginaire d'Europe centrale entièrement détruite par un pogrom gigantesque. Pour dissuader le jeune homme de mettre fin à ses jours, Azriel entreprend de lui confier l'histoire de Kolvillàg, bien qu'à cette époque Moshe le fou, après avoir en vain essayé de sauver sa communauté en prenant sur lui la responsabilité du meurtre supposé d'un enfant chrétien, ait exigé de tous les Juifs le silence absolu sur le destin de Kolvillàg. Azriel rompt ainsi le serment dans le but de sauver quelqu'un, mais aussi pour pouvoir mourir à son tour, après avoir transmis son témoignage, et son fardeau. Cependant, au tout dernier moment, il affirmera que le secret n'a pas été trahi, et que donc l'essentiel réside en dehors de l'histoire qu'il a contée.

Par le biais de cette ville et de ce pogrom imaginaires, qui confond dans sa tourmente les victimes et les bourreaux, Élie Wiesel tisse une fable tragique autour de son expérience des camps d'extermination, tout en insistant sur le fait que nul ne peut dire précisément ce qui y a été vécu, et sur l'importance du témoignage dont le flambeau doit se transmettre de génération en génération. V. E.

SERMENT D'HIPPOCRATE ['Ορκος]. Les opinions des érudits varient considérablement au sujet de ce célèbre serment dont se réclame aujourd'hui encore la médecine occidentale. Selon certains, il aurait été écrit vers le ve siècle avant J.-C., au moment où la profession médicale se serait ouverte à des personnes extérieures à la famille médicale des Asclépiades. Le *Serment* aurait alors été un contrat liant les nouveaux disciples et garantissant leur comportement, préservant ainsi les privilèges d'un corps professionnel détenant le savoir médical. D'autres l'interprètent comme un texte plus tardif, reflétant l'opinion d'une minorité médicale pythagoricienne, dont les idées (comme l'assistance au suicide ou l'interdiction de pratiquer l'avortement) n'eurent de retentissement véritable qu'après l'avènement du christianisme. Ainsi, bien que considéré depuis lors comme un modèle absolu du comportement médical, le *Serment,* quelle que soit l'interprétation qu'on en donne, est en réalité le reflet d'une éthique médicale liée à des circonstances historiques et sociales précises : en atteste notamment la diversité des formes sous lesquelles il a circulé au cours des siècles. — Voir L. Edelstein, *The Hippocratic Oath : Text, Translation and Interpretation,* Baltimore, 1943 ; K. Deichgräber, *Der Hippokratische Eid,* Stuttgart, 1955 ; Ch. Lichtenthaeler, *Der Eid des Hippokrates. Ursprung und Bedeutung,* Cologne, 1984. D. Bou.

SERMENTS DE STRASBOURG. Ce sont deux formules de serment, en deux langues différentes, rapportées par l'historien franc Nithard (800 ?-844) dans son *Histoire des fils de Louis le Pieux* (*), par lesquelles, le 14 février 842, à Strasbourg, les deux frères Louis le Germanique et Charles le Chauve s'engagèrent à demeurer unis dans leur lutte commune contre leur frère Lothaire. La formule prononcée par Charles le Chauve est en « langue romane » de Franconie occidentale, celle prononcée par Louis le Germanique est en « langue tudesque » de Franconie orientale. Respectivement, les vassaux des deux rois prononcèrent, chacun dans sa propre langue, une formule selon laquelle ils s'engageaient à ne pas suivre leur roi si celui-ci violait son propre serment. La langue utilisée par les germaniques est le paléo-allemand comportant des caractéristiques locales franco-rhénanes. Les *Serments* constituent le premier monument écrit de la langue romane. — L'on utilisera l'édition de Nithard par Ph. Lauer, Paris, 1926, qui comporte une traduction et un commentaire des *Serments de Strasbourg.*

SERMENTS INDISCRETS (Les). Cette comédie, en cinq actes et en prose, de l'écrivain français Marivaux (1688-1763), fut représentée pour la première fois par les Comédiens français ordinaires du roi le 8 juin 1732. Dans un Avertissement placé en tête de l'édition de sa pièce, Marivaux répond à ceux qui l'avaient accusé de reprendre ici encore une intrigue qu'il avait déjà développée dans *La Surprise de l'amour* (1722) (*) et dans *La Seconde Surprise de l'amour* (1727) (*). Il est de fait que l'accusation avait quelque fondement. Orgon et Ergaste ont décidé d'unir leurs enfants, Lucile et Damis, qui leur semblent faits l'un pour l'autre. Mais, sans même se connaître, les deux jeunes gens éprouvent une méfiance réciproque ; Lucile entend rester fille, Damis se trouve trop jeune et n'entend pas abdiquer son indépendance. À l'acte I, Lucile écrit une lettre à Damis, mais elle n'a pas la peine de l'envoyer, car le jeune homme vient lui rendre visite ; ils sont bien vite d'accord : « Nous n'avons à nous craindre ni l'un ni l'autre : vous ne vous souciez point de moi, je ne me soucie point de vous. » Lucile suggère à Damis de faire la cour à sa sœur, Phénice. Naturellement elle prendra ombrage de voir que le jeune homme la prend au mot, et elle pousse les choses assez loin pour qu'on s'apprête à signer le contrat de mariage. Heureusement, grâce à l'intervention de Lisette, suivante de lucile, tout s'arrangera et, au dernier moment, Lucile, que Damis n'a pas cessé d'aimer, se substituera à Phénice. Il peut sembler que cinq actes soient bien longs pour développer une trame aussi mince ; mais Marivaux sait nous intéresser aux mille rebondissements psychologiques, aux subtiles nuances de ces joutes amoureuses. Il le fait avec rigueur et souplesse, en un style délicat et sans faiblesse. Il était inévitable qu'on fît le rapprochement avec les deux *Surprises de l'amour* ; si, dans la première *Surprise*, il est question de la naissance de l'amour entre un homme meurtri par la trahison d'une maîtresse et une femme qui méprise les hommes, si la *Seconde surprise* mettait en scène une veuve, décidée à rester fidèle au souvenir de son mari, et un jeune homme, mal remis du coup que lui a porté celle qu'il aimait en entrant au couvent ; ici, ce sont deux jeunes gens inexpérimentés qui s'affrontent, tous deux désireux de conserver leur liberté et considérant le mariage comme une chaîne et comme l'abdication de leurs personnalités. Sans doute le thème reste le même : deux êtres qui décident de ne pas s'aimer et qui, insensiblement et sans s'en rendre compte eux-mêmes, capitulent devant l'amour, mais chacune des trois pièces est une variation, nettement distincte des deux autres. Il semble que Marivaux ait voulu exploiter systématiquement toutes les situations qui dérivent d'un thème, une fois adopté. C'est pourquoi les critiques dont on l'assaillit lors des *Serments* semblent assez mal fondées ; à vrai dire, elles pourraient tout aussi bien porter sur l'ensemble de son théâtre, qui est la mise en œuvre d'un certain nombre de situations, étroitement apparentées les unes aux autres, mais toujours différentes.

SERMON CONTRE L'HÉRÉSIE DES BOGOMILES QUI S'EST RÉCEMMENT MANIFESTÉE [*Slovo protiv novopojavilata se bogomilska cres*]. Oraison du prêtre bulgare Kozma (xe siècle), incluse dans une œuvre plus vaste du même auteur, le *Sermon sur les hérétiques et doctrine tirée des livres divins* [*Slovo na eretiky i poučenie ot božestvenih knig*]. Cet ouvrage est la principale source pour la connaissance du bogomilisme, doctrine dérivée de la secte chrétienne des « Bogomiles », formée au IXe siècle chez les Slaves de la péninsule Balkanique ; l'auteur s'insurge contre cette nouvelle doctrine et la réfute. Le *Sermon* a une importance particulière pour l'histoire de la culture ainsi que pour l'histoire littéraire, tant par la peinture qu'il fait de la vie de l'époque que par son style vif et naturel. Rédigé en vieux bulgare, avec quelque prétention à l'originalité qui l'éloigne des habituels modèles byzantins, ce sermon s'en prend aux maux qui tourmentent la société bulgare à cette époque et que l'auteur identifie comme étant l'hérésie et la corruption du clergé. Il prêche l'humilité et l'étude, invite le peuple à la prière et au respect du tsar.

SERMONS d'Augustin [*Sermones*]. Le recueil le plus complet des *Sermons* de saint Augustin, théologien latin (354-430), est celui qui fut édité au XVIIe siècle par les bénédictins de la congrégation de Saint-Maur. Il comprend trois cent soixante-trois sermons authentiques répartis en quatre classes : sermons sur des sujets tirés de l'« Ancien » et du « Nouveau Testament » (1-183), sermons sur les diverses fêtes liturgiques (184-272), sermons à la mémoire des saints (273-340) et sermons sur des sujets divers (341-363). D'autres sermons furent publiés en grand nombre, successivement par M. Denis, Fontani, Angelo Mai, F. Liverani, mais surtout par le moine bénédictin Germain Morin, qui a édité, entre autres, un recueil de trente-trois homélies de saint Augustin, retrouvées dans un manuscrit de Wolfenbüttel (*S. Aurelii Augustini tractatus sine sermones inediti ex codice Guelferbytano 4096*, Kempten et Munich, 1917). Il n'est pas encore certain aujourd'hui que tous les sermons véritables aient été publiés, ni que tous ceux publiés soient authentiques, étant donné que pendant les trente-cinq années de son épiscopat (de 395 ou 397 à 430 env.) saint Augustin n'a rédigé d'avance ses homélies ou ses sermons que dans des cas très exceptionnels. Des sténographes, ou quelquefois des fidèles eux-mêmes, recueillaient comme ils pouvaient les prédications du saint. Malgré cela, malgré le grand nombre de textes apocryphes, malgré, enfin, l'impossibilité d'établir un ordre chronologique parmi cette masse énorme d'écrits, les *Sermons* de saint Augustin sont, non seulement dans leur ensemble un exemple inégalé de l'éloquence chrétienne, mais encore, sans aucun doute, une de ses œuvres les plus belles et les plus significatives par leur valeur littéraire ; il en est beaucoup qui ne sont que des paraphrases, parfois lassantes, de passages bibliques ; souvent les mêmes sujets se répètent dans des sermons différents. Le souci principal de l'orateur est de se rapprocher, avec un sens de profonde humanité et une grande compréhension, de l'âme du plus simple de ses fidèles, traduisant même les sujets les plus complexes, qui forment la trame de ses grandes œuvres théologiques et apologétiques, en des explications claires, illustrées d'exemples. Le langage est simple, les paroles sont semblables à celles dont le peuple use tous les jours, les phrases limpides et incisives sont souvent passées en proverbes ; l'argumentation peut être comprise par n'importe qui ; le ton est toujours affectueux et débonnaire, empreint d'une grande humilité ; et tout est imprégné par un esprit d'apostolat ardent et constant.

SERMONS de Bossuet. Nous possédons un nombre considérable de sermons du prélat et écrivain français Jacques-Bénigne Bossuet (1627-1704) ; le premier fut prononcé alors qu'il avait seize ans, le dernier alors qu'il était âgé de soixante-quinze ans, deux ans avant sa mort. Ainsi, ses *Sermons* encadrent toute sa vie, et si saint Vincent de Paul l'a encouragé et même contraint à la prédication, c'est sans doute parce qu'il se rendait compte qu'il avait affaire à une véritable vocation. Tonsuré à huit ans, chanoine à treize, Bossuet commença à quinze ans ses études de théologie, au collège de Navarre, sous la direction de ce maître dont il devait plus tard prononcer l'oraison funèbre, Nicolas Cornet — v. *Oraisons funèbres* (*) de Bossuet —, mais ses études de théologie n'empêchaient pas le jeune clerc de sortir dans le monde. En compagnie de son ami Rancé (celui qui devait devenir par la suite le réformateur de la Trappe), il fréquentait le théâtre et se laissait charmer par les tragédies de Corneille. Un de ses protecteurs, le marquis de Feuquières, l'introduisit à l'Hôtel de Rambouillet. C'est là que le jeune théologien de seize ans fit ses débuts publics d'orateur sacré, en prononçant à onze heures du soir un sermon improvisé sur le *Jugement dernier*. Cet événement fit dire à Voiture : « Je n'ai jamais ouï prêcher ni si tôt, ni si tard », et l'on parla dans le monde d'une si étonnante précocité. Dans le fragment de ce sermon qui est parvenu jusqu'à nous, on s'étonne de reconnaître déjà cette éloquence pleine, robuste, qu'on retrouvera dans les grandes œuvres oratoires de l'auteur, débarrassée toutefois de ces traits de préciosité, bien pardonnables à cet âge. Il n'était encore que diacre quand il fut nommé, à vingt-deux ans, directeur de la confrérie du Rosaire et, à ce titre, prêcha pour les membres de cette société de 1649 à 1652. Un des sermons de cette série mérite d'être noté : c'est celui qu'il prononça le Samedi saint de l'année 1652. Sans doute y sent-on le jeune orateur encore mal dégagé de l'influence de l'éducation qu'il vient de recevoir : il accumule les idées plutôt qu'il ne les choisit ; le style est gauche, archaïque, quelque peu embarrassé, mais on ne peut lui dénier la vigueur, la chaleur de l'inspiration. À Metz, à côté des premières Oraisons funèbres et des premiers Panégyriques — v. *Panégyriques* (*) de Bossuet —, nous relevons un *Sermon sur la Providence*, prêché en 1656. Mais, après ces exercices préliminaires, c'est en 1659 que nous trouvons le premier sermon de Bossuet où il atteignit à la pleine maîtrise. Le *Sermon sur l'éminente dignité des pauvres dans l'Église de Jésus-Christ* fut prononcé, probablement en novembre 1659, au séminaire des Filles de la Providence, fondé par saint Vincent de Paul ; cet établissement était considéré comme la maison mère de l'Asile de la Propagation de la foi de Metz, dont Bossuet était alors directeur. Ce sermon est caractéristique, par son esprit et par sa forme, de cette période de l'éloquence de Bossuet qui porte la marque de saint Vincent de Paul. Nulle pompe ici, nul ornement, une éloquence simple, sans apprêts, tout évangélique. Le sujet d'ailleurs l'exigeait. Bossuet s'y fait l'avocat des pauvres qu'il représente, ainsi que son maître, comme des privilégiés dans l'Église. Les pauvres, qui sont les derniers dans le monde, sont les premiers dans l'Église. Les riches doivent honorer la condition des pauvres, objets de prédilection de Jésus et de ses Apôtres, ils ont le strict devoir de soulager leurs infortunes : les riches n'ont d'autre raison d'être dans l'Église que le soulagement des pauvres, ils doivent prendre part à leurs privilèges, qui consistent à être unis étroitement à Jésus par leur dénuement et leurs souffrances. C'est à ce privilège que les riches doivent prendre part s'ils veulent être sauvés. Cette bonté vraiment chrétienne à l'égard des déshérités, cette dureté pour les privilégiés du monde seront, malgré les apparences, une des constantes de l'attitude de Bossuet. Il y reviendra à de nombreuses reprises dans ses sermons.

C'est devant un tout autre public que Bossuet est ensuite amené à prêcher. En 1660, il commence sa carrière d'orateur mondain, de prédicateur à la mode. Cette année-là, il est appelé à donner toute sa mesure : il prêche le *Carême* à l'église des Minimes, l'une des plus mondaines de Paris. C'est pour lui, une période d'hésitation, il balance entre l'éloquence dépouillée dont, sous l'influence de saint Vincent de Paul, il s'était fait le représentant le plus autorisé, et une éloquence plus solennelle et plus ornée qui lui paraît mieux convenir à son nouvel auditoire. Deux sermons de ce *Carême* montrent bien les deux pôles entre lesquels oscille l'éloquence de Bossuet. Dans l'un, le *Sermon sur l'honneur du monde*, prononcé le dimanche des Rameaux, ce sont déjà les nobles périodes des *Oraisons funèbres ;* dans l'autre, le *Sermon sur la Passion de Jésus-Christ*, l'évocation des souffrances du Christ est pleine d'une émotion sincère qui ne recule pas devant l'expression la plus brutale. En 1661, Bossuet prêche le *Carême* au couvent des Grandes-Carmélites du faubourg Saint-Jacques. Cette fois, c'est devant des religieuses et un public restreint (parmi lequel se trouvait peut-être Pascal) qu'il prêche ; aussi trouve-t-on dans ces sermons moins de recherches oratoires : ce sont plutôt des instructions, pénétrées de la compréhension de l'Écriture et de recueillement. Tel le très beau et très simple *Sermon sur la parole de Dieu*, prononcé le 13 mars 1661. Désormais, l'éloquence de Bossuet est toute formée et il peut se produire devant le public le plus difficile, celui de la Cour. En 1662, il prêche le *Carême* au Louvre et il atteint alors au sommet de sa puissance. Bossuet, nouveau venu à la Cour, y fait preuve d'un courage exemplaire, il ose affronter le jeune Louis XIV, alors fier de sa puissance et de sa jeune gloire, et qui attendait des hommages. S'il ne manque pas de lui accorder les compliments indispensables (et qui, dans sa bouche, sont toujours sincères), il lui parle surtout des devoirs des rois, des obligations des puissants et des riches, il ose lui rappeler que les pauvres meurent de faim à la porte du Louvre ; enfin, surtout, il ne ménage pas les allusions à une intrigue dont toute la Cour s'entretenait, la liaison du roi avec Louise de La Vallière. Il faut croire que Bossuet fut persuasif, puisqu'un jour, pendant ce carême, émue par la forte parole de l'orateur, Mademoiselle de La Vallière s'échappa de la Cour pour se réfugier dans un couvent. Louis XIV se mit à sa poursuite et la ramena. Mais c'est Bossuet qui aura le dernier mot plus tard. Parmi les sermons de ce *Carême*, il faut particulièrement signaler le *Sermon sur le mauvais riche ou sur l'impénitence finale*, dont le thème est si austère, le ton si impitoyable : le riche est esclave de ses biens qui le corrompent et l'entraînent dans tous les vices ; occupé de mille affaires, il n'a pas le temps de penser à la mort qui arrive quand il ne l'attend pas : il meurt privé de tout, abandonné des siens, les pauvres qu'il n'a pas secourus se tournent contre lui. L'hiver de 1661 avait été particulièrement dur et c'est le cri de la misère humaine que Bossuet fait entendre ici : il y revint à deux reprises, en particulier dans le *Sermon sur la Providence*. Cette fois, c'est le contraste entre la fortune du mauvais riche et le dénuement du pauvre Lazare qui est le thème de son sermon. Les « libertins » tirent argument de ce contraste de la distribution des biens et des maux qui paraît injuste, pour attaquer la Providence. Mais, dit l'orateur, le désordre des choses humaines n'est qu'apparent. Dieu, qui a mis tant d'harmonie dans le monde matériel, n'a pu abandonner l'homme qu'il a fait à son image. Après ce temps d'épreuve qu'est la vie terrestre, il rétablira l'équilibre entre les bons et les méchants. Cette leçon est complétée dans le *Sermon sur l'ambition*. Prenant comme exemple Jésus qui fuit au désert pour échapper aux honneurs, Bossuet entend montrer que la fortune nous joue lors même qu'elle nous est libérale, que « toutes les complaisances de la fortune ne sont pas des faveurs, mais des trahisons ».

Cependant c'est avec le *Sermon sur la mort* que Bossuet atteint à la plus haute leçon chrétienne et à la pointe de son éloquence. La mort apprend à l'homme « qu'il est infiniment méprisable en tant qu'il passe, et infiniment estimable en tant qu'il aboutit à l'éternité ». Dès les premiers mots du Sermon, Bossuet ne ménage pas ses auditeurs : « Me sera-t-il permis aujourd'hui d'ouvrir un tombeau devant la Cour, et des yeux si délicats ne seront-ils point offensés d'un objet si funèbre ? » La vie humaine n'est que de quelques jours et que reste-t-il de l'homme après sa mort ? « Ô Dieu ! encore une fois, qu'est-ce que de nous ? Si je jette la vue devant moi, quel espace infini où je ne suis pas ! Si je la retourne en arrière, quelle suite effroyable où je ne suis plus, et que j'occupe peu de place dans cet abîme immense du temps ! Je ne suis rien : un si petit intervalle n'est pas capable de me distinguer du néant. On ne m'a envoyé que pour faire nombre : encore n'avait-on que faire de moi, et la pièce n'en aurait pas été moins jouée, quand je serais demeuré derrière le théâtre. » Mais il y a en nous quelque chose qui ne meurt pas, qui participe de l'Esprit de Dieu. Sans cela, l'homme n'aurait pu se soumettre la nature par ses inventions, il n'aurait pas eu l'idée du devoir et de la grandeur du devoir, et il n'aurait pu concevoir un Esprit pur. Sans doute nous sommes un mélange de misère et de grandeur que les philosophes n'ont pu expliquer. Mais la foi nous explique à nous-mêmes : la grandeur en nous est naturelle et la misère est la conséquence du péché. Bossuet devait revenir souvent sur ce thème, en particulier dans la plus émouvante de ses *Oraisons funèbres*, celle de Mme Henriette d'Angleterre, duchesse d'Orléans ; mais nulle part il n'atteint à une telle force, à un tel pouvoir de conviction. On ne peut pas, en lisant ce sermon, ne pas penser à Pascal : la doctrine qui sous-tend l'éloquence de Bossuet est la même qui fait le fond de l'argumentation des *Pensées* (*). Le Carême du Louvre valut un immense succès à Bossuet, il apparaissait alors aux yeux de tous comme le maître de la chaire française.

Dans les années suivantes, il prêche souvent à la Cour : Carême à Saint-Thomas du Louvre et Avent à la Cour (1665) ; Carême à Saint-Germain devant la Cour (1666) ; Avent à Saint-Thomas du Louvre (1668) ; Avent à Saint-Germain (1669). Mais en 1669, un nouveau prédicateur fait ses débuts, c'est Bourdaloue ; dès 1670, il remplacera Bossuet comme prédicateur de Cour. L'année 1670 marque aussi les débuts de Fléchier. Désormais, Bossuet ne reparaîtra plus devant la Cour qu'à de rares occasions. Mais, entre-temps, il a acquis un renom que personne ne songe à lui disputer dans l'Oraison funèbre. Des sermons de la période de Cour de Bossuet (de 1662 à 1669), il y a peu à dire ; jamais il ne dépasse en éloquence simple, forte et entraînante, le Carême de 1662. Le plus souvent, d'ailleurs, il reprend des sermons qu'il a déjà prononcés et les adapte à son nouvel auditoire. On peut cependant mentionner deux beaux sermons de Carême de 1666 : le *Sermon sur la justice* et le *Sermon sur l'honneur*, qui sont loin de manquer de vigueur, et le *Sermon sur la conception de la Vierge* (Avent de Saint-Germain, 1669), intéressant du point de vue dogmatique, car l'orateur y considère le dogme de l'Immaculée Conception comme un article de foi, alors qu'il n'était pas encore défini ; de plus, ce sermon tend à répondre aux objections des protestants sur le culte marial. Bossuet précise que nous honorons Marie et les saints pour plaire à Dieu et pour nous exciter à les imiter. Pendant quelques années, Bossuet, qui vient d'être reçu à l'Académie française et nommé précepteur du dauphin, quitte la chaire. Il fallut un événement exceptionnel, l'entrée de Louise de La Vallière dans les ordres, pour qu'il y remonte. Depuis 1667, Mlle de La Vallière avait perdu la faveur du roi ; celui-ci ne l'avait pourtant pas autorisée à quitter la Cour et c'est contre son gré que, en 1674, elle put mettre enfin à exécution son projet de se retirer au couvent. Bossuet joua un grand rôle dans cette conversion, il facilita cette retraite, et le jour de la profession de la nouvelle religieuse, ce fut lui qui prononça le Sermon. Toute la Cour était au pied de la chaire, on s'attendait à des allusions. Le sermon déçut, on trouva l'orateur « moins divin » qu'on ne l'espérait, dit Mme de Sévigné. C'est que Bossuet avait su éviter toutes les facilités. Il prononça un sermon d'une grande noblesse de ton, d'une belle élévation de pensée, mais sans faire preuve de personnalité. Le thème du sermon est la misère de l'âme solitaire, sans Dieu : l'âme humaine, qui était faite pour Dieu, l'a quitté pour se chercher elle-même ; mais, dans cet état, elle ne peut plus se supporter. Aussitôt qu'elle est seule avec elle-même, sa solitude lui fait horreur ; elle trouve en elle-même un vide infini que Dieu seul pouvait remplir. Sa seule ressource est de chercher des distractions ; elle s'adresse alors aux sens, aux passions, aux créatures. Elle en devient l'esclave. Elle finit par se méconnaître et par méconnaître Dieu. Mais cette âme faite pour Dieu entend enfin son appel. Elle renonce au monde : alors elle se retrouve et se reconnaît en elle-même. Elle va plus loin : s'étant retrouvée, elle s'oublie pour n'aimer que Dieu. En 1681, nouvelle occasion pour Bossuet de prêcher devant la Cour ; le prédicateur prévu pour le Carême étant malade, on le remplaça par dix autres prédicateurs, dont Bossuet qui donna le Sermon de clôture, le jour de Pâques. En voici le thème : « Je ne m'étonne pas si nous ne sentons rien d'immortel en nous : nous ne désirons même pas l'immortalité ; nous cherchons des félicités que le temps emporte et une fortune qu'un souffle renverse. Ainsi, étant nés pour l'éternité, nous nous mettons volontairement sous le joug du temps, qui brise et ravage tout par son invincible rapidité... » ; il faut se convertir, renverser en nous l'ordre des valeurs du monde, faire de notre mort une vie. Une fois de plus, Bossuet retrouve ici le grand thème qui sous-tend toute son œuvre de prédicateur : la vanité de l'existence humaine, leçon si utile au milieu des grandeurs de son temps.

Après 1681, Bossuet, tout occupé de son rôle de docteur de l'Église, de chef de l'Église gallicane, ne prêche plus. Ce n'est qu'en se retirant dans son diocèse de Meaux qu'il reprend ses prédications, lesquelles font partie de ses devoirs d'évêque. De cette dernière période, nous ne possédons à peu près rien, Bossuet n'écrivait plus ses *Sermons.* Les quelques fragments qui nous soient parvenus sont ceux d'un sermon prononcé à Meaux, le jour de la Pentecôte 1692, ainsi que l'analyse du dernier sermon qu'il prononça le 18 juin 1702. Ce qui frappe dans ces quelques extraits, c'est l'onction, la familiarité du ton, la simplicité de la doctrine qui s'y exprime. Sans doute le changement d'auditoire y est-il pour quelque chose, mais surtout, Bossuet est revenu de cette vanité, elle aussi ; il est désabusé de l'éloquence et c'est l'éloquence simple du disciple de saint Vincent de Paul qu'il retrouve. Ainsi, c'est par un retour à sa jeunesse que se termine la carrière oratoire de Bossuet.

Il ne vint jamais à l'idée de Bossuet de publier ses *Sermons ;* pour lui, ils n'étaient qu'une matière théologique qu'il convenait d'adapter aux diverses circonstances et aux différents auditoires. Après sa mort, les manuscrits devinrent la propriété de son neveu, l'abbé Bossuet, puis d'un petit-neveu de l'évêque de Meaux. Un grand nombre d'entre eux furent dispersés et perdus. Au XVIIIe siècle, l'abbé Lequeux et dom Déforis recueillirent tout ce qu'ils en purent trouver et le publièrent dans leur édition des *Œuvres de Messire Jacques-Bénigne Bossuet, évêque de Meaux* (Paris, 1772-1778, 19 volumes). Cette édition dite des bénédictins a le mérite de contenir tout ce qui reste des sermons de Bossuet ; toutefois le texte en est peu correct et les éditeurs ont parfois pris avec lui quelque liberté. Une excellente édition est celle des *Œuvres oratoires de Bossuet* par l'abbé Lebarcq (Lille, 1890-1897, 7 vol.). Bossuet avait longuement réfléchi sur son art, il hésita longtemps entre plusieurs méthodes avant de parvenir, par l'expérience, à un système harmonieusement équilibré. Mais quelles qu'aient été ses hésitations, il a toujours considéré la prédication comme un ministère sacré qui met en cause toute la destinée de l'homme et du chrétien. L'orateur sacré doit s'oublier lui-même, il doit viser à la simplicité ; le fond de la prédication doit être le dogme catholique étudié comme lumière de la conduite et fondement de la morale ; le sermon doit donner des leçons et ces leçons doivent être convaincantes et pratiques ; un sermon est, avant tout, une instruction. C'est pourquoi l'orateur doit adapter le choix de son sujet et le ton à l'auditoire auquel son sermon est destiné. Bossuet est un rationaliste, mais il est rationaliste comme Pascal, c'est-à-dire qu'il tend toujours à dépasser la raison, après avoir pris sur elle un solide point d'appui : d'une part, il n'est jamais abstrait et ramène toujours son auditoire à des réalités concrètes, d'autre part, parlant d'abord à l'esprit, c'est le cœur qu'il vise et qu'il sait émouvoir. Alors que Bossuet écrivait et apprenait par cœur ses *Oraisons funèbres* (qu'il laissait imprimer), il n'écrivait jamais ses sermons pour les retraites et les auditoires intimes ; et s'il écrivait ceux qu'il devait prononcer devant la Cour (ses Avents et ses Carêmes), il se libérait de sa rédaction, une fois en chaire, et improvisait autour des notes qu'il avait prises. Devenu docteur de l'Église et possédant une technique oratoire éprouvée, il relisait ses rédactions d'autrefois et méditait ; « Enfin, monté en chaire et dans la prononciation même, il suivait l'impression de sa parole sur son auditoire et soudain, effaçant volontairement de son esprit ce qu'il avait médité, attaché à sa pensée présente, il poussait le mouvement par lequel il voyait sur le visage les cœurs ébranlés ou attendris [...] Dans le pathétique, il s'insinuait jusqu'au plus intime par ses tours nouveaux et inconnus. Ses tendres yeux, son air accueillant, sa voix douce, son geste modeste et naturel et sa dignité, tout parlait, tout était passionné. » Ainsi nous le décrit son secrétaire, l'abbé Ledieu, dans ses *Mémoires*. On a dit que l'éloquence de Bossuet ne fut pas goûtée de son temps. C'est une exagération manifeste.

De 1659 à 1670, Bossuet fut considéré comme le premier orateur chrétien. Son silence, le fait que ses *Sermons* ne furent pas publiés, le succès de Bourdaloue, dont on préférait la finesse psychologique à la logique passionnée de Bossuet, firent qu'on oublia un peu l'orateur. Pour les contemporains, après 1670, il est l'auteur des *Oraisons funèbres*, le précepteur du dauphin et surtout il est un grand théologien, un savant, et bientôt un Père de l'Église. Le XVIIIe siècle ne comprit pas plus Bossuet qu'il ne comprit Corneille et Pascal. Mais Bossuet connut une réhabilitation, peut-être excessive d'ailleurs, car il est le seul orateur sacré qu'on lise encore de nos jours.

★ *Sur le style et la lecture des écrivains et des Pères de l'Église pour former un orateur.* Ce petit écrit de Bossuet se rattache intimement à son œuvre d'orateur sacré. En 1669, Emmanuel-Théodore de La Tour d'Auvergne, abbé-duc d'Albret, avait été promu au cardinalat ; il demanda conseil à Bossuet sur la prédication. L'évêque de Condom lui répondit par une lettre d'un tour nettement autobiographique, qui présente pour nous le très vif intérêt de nous donner une idée des lectures de Bossuet. Bossuet y reconnaît qu'il tient son style des livres latins et un peu des grecs ; il conseille l'étude de Cicéron avant tout, puis de Tive-Live, Salluste et Térence ; parmi les poètes, il recommande Virgile, Homère, Horace. Quant aux auteurs français, il cite Guez de Balzac dont les œuvres « peuvent donner quelque idée du style fin et tourné délicatement » ; mais les œuvres qu'il estime vraiment, ce sont les ouvrages de ces Messieurs de Port-Royal et avant tout les *Lettres au provincial* – v. *Les Provinciales* (*) –, « dont quelques-unes ont beaucoup de force et de véhémence, et toutes une extrême délicatesse ». Enfin, « pour les poètes, je trouve la force et la véhémence dans Corneille ; plus de justesse et de régularité dans Racine ». Il faut noter que Bossuet écrivait cela alors que Racine n'avait encore donné au théâtre qu'*Alexandre le Grand* (*), *Andromaque* (*) et *Britannicus* (*). Ce petit écrit, d'un ton très familier et dédié au cardinal de Bouillon, ne fut découvert qu'en 1855. Il nous apporte des renseignements fort intéressants sur les goûts littéraires de Bossuet.

SERMONS de Bourdaloue. Le jour même où Bossuet prêchait sa dernière station à la Cour en 1669, Louis Bourdaloue (1632-1704) faisait ses débuts de prédicateur à Paris, dans la chapelle de la maison professe des jésuites. Son succès fut immédiat et prodigieux. Il fut aussitôt appelé à la Cour pour y prêcher l'Avent en 1670. Bourdaloue, entré de bonne heure chez les jésuites, se consacra pendant quelques années à l'enseignement, puis de 1659 à 1669, il prêcha en province. À partir de 1670, Bourdaloue devient « prédicateur du roi ». On sait en effet que, chaque année, à la fin du Carême, le grand aumônier présentait à Louis XIV une liste des orateurs sacrés qui avaient été les plus suivis à la ville : le roi désignait lui-même deux orateurs, l'un pour l'Avent, l'autre pour le Carême. Ceux-ci conservaient par la suite le titre de prédicateur du roi. Il était de tradition qu'un sermonnaire ne revînt pas plus de trois fois devant la Cour. Bossuet y avait prêché quatre fois. Bourdaloue tint la chaire de la chapelle royale jusqu'à dix fois. Il prêcha en effet devant le roi les Avents de 1670, 1684, 1686, 1689, 1691, 1693, ainsi que les Carêmes de 1672, 1674, 1675, 1680 et 1682. La faveur dont il jouit dépassa donc de beaucoup celle de Bossuet et, à n'en juger que par le succès qu'il eut en son temps, on peut dire que Bourdaloue fut sinon le plus grand prédicateur du siècle de Louis XIV, du moins le plus suivi. Les contemporains, et particulièrement Mme de Sévigné, dans ses *Lettres* (*), se font les échos des triomphes de cet homme qui sut cependant rester modeste. Bossuet tenta à plusieurs reprises de l'attirer dans son diocèse. Cet immense et universel succès ne s'explique même pas par les effets oratoires que Bourdaloue aurait pu déployer en chaire. Nous savons par les *Dialogues sur l'éloquence* (*) de Fénelon que Bourdaloue avait le geste rare, la voix mélodieuse mais monotone, qu'il ne déclamait pas mais récitait ses sermons appris par cœur, et Fénelon concluait : « C'est un grand homme qui n'est pas orateur. » Ce n'est pas non plus une impression très vive que nous ressentons à la lecture de ses œuvres. Nous possédons quatre-vingt-cinq sermons, recueillis par le père Bretonneau et qui ne furent publiés qu'après la mort de leur auteur, dans une édition en seize volumes qui vit le jour de 1707 à 1734, et qui ne présente pas toutes les garanties d'authenticité. Parmi les plus remarquables, citons : *La Pensée de la mort, Le Respect humain, L'Ambition, Le Devoir des pères* (où le prédicateur s'attaque au problème des vocations religieuses imposées par les familles), *L'Hypocrisie* – sermon contemporain du *Tartuffe* (*) de Molière et où Bourdaloue expose le point de vue chrétien sur l'opportunité de s'attaquer à l'hypocrisie et sur la nécessité de bien distinguer les faux et les vrais dévots –, *L'Aumône, Le Pardon des injures, Le Jugement dernier, Les Divertissements du monde.* Il faut mentionner à part les sermons où Bourdaloue répond, au nom de la Compagnie de Jésus, aux attaques lancées par Pascal dans *Les Provinciales* (*), en particulier le fameux *Sermon sur la médisance* et ceux où il condamne la morale des jansénistes, tout en manifestant son profond respect pour les hommes et la dignité de leur vie, entre autres dans le *Sermon sur la sévérité évangélique*, où il se peut que Bourdaloue ait voulu faire un portrait de M. de Tréville, capitaine des mousquetaires, qui venait de faire retraite à Port-Royal.

Ce qui frappe particulièrement dans ces *Sermons*, c'est la rigueur des divisions :

Bourdaloue avait une tendance presque maniaque à diviser et à subdiviser ses arguments ; il y a quelque chose de géométrique, et presque de cartésien, dans la démarche de sa pensée. Et c'est sans doute ce caractère purement intellectuel et logique, qui nous semble si froid aujourd'hui, qui convenait particulièrement bien à son auditoire. Autre attrait, la sûreté du style et de la parole, qui complète la rigueur de sa pensée. De plus, Bourdaloue dans sa sécheresse reste toujours accessible ; il est constamment proche de son public, il le connaît admirablement, il en sait les points faibles – et Mme de Sévigné pouvait écrire : « Il frappe comme un sourd [...] Sauve qui peut ! » Autre mérite fort sensible de son temps, mais, pour nous, bien atténué puisque nous ne connaissons plus les originaux et que nous avons même les plus grandes peines à les identifier. Bourdaloue émaille ses sermons de portraits, peints sur le vif ; il évoque le courtisan dans sa pensée quotidienne, dans son attitude vis-à-vis de ses devoirs religieux. Enfin – et c'est là sans doute le plus important –, Bourdaloue est un moraliste chrétien : il est le moraliste chrétien par excellence du siècle de Louis XIV. La connaissance des âmes acquise dans la direction spirituelle des consciences, il la met à profit dans ses *Sermons.* Sa morale est essentiellement pratique, toujours précise et particulière. Dans l'analyse des passions, il vaut La Bruyère et parfois le dépasse. Il est certain que son influence pratique et immédiate fut très grande sur la vie de ses contemporains. Quant à ses défauts, ils sont avant tout ceux de son temps et ils comptèrent parmi les raisons de son succès. Il faut d'ailleurs ajouter que la version que nous possédons des *Sermons* est pour quelque chose dans cette impression de sécheresse et de monotonie qui s'en dégage à la lecture. On remarquera en effet que les différents manuscrits des copistes, qui prenaient des notes au pied même de la chaire, nous offrent un aspect moins austère du grand prédicateur. On y trouve de temps à autre des accents brusques et familiers, une couleur fort réaliste. Il est donc probable qu'en voulant épurer l'éloquence de Bourdaloue, le père Bretonneau l'ait sensiblement édulcorée.

SERMONS d'Eckhart [*Predigten*]. De tous les écrits du célèbre philosophe et mystique allemand maître Johannes Eckhart (1260 ?-1328), les *Sermons* sont les plus importants, parce qu'on y découvre le fond de sa pensée, obscurcie dans ses œuvres théoriques en latin par une pesante érudition scolastique. Les *Sermons* furent prononcés à Strasbourg et à Cologne où maître Eckhart prêcha jusqu'à sa mort. Il y enseigne la doctrine mystique de la profonde unité de l'âme et de Dieu : quand l'âme réussit à imposer silence au tumulte intérieur et extérieur et à rester face à face avec elle-même, elle découvre qu'elle ne fait qu'un avec Dieu, avec le tout éternel qui est aussi le néant éternel, antérieur à toutes les créatures finies et déterminées. D'où un quiétisme absolu, le sommet de la vie spirituelle étant dans un abandon total de l'âme à Dieu : dans cet état, l'âme n'a besoin ni d'œuvres ni d'action. Elle ne doit se sanctifier par aucune œuvre, puisqu'elle est déjà sainte et divine, elle ne doit rien demander à Dieu, car demander c'est déjà se détacher de lui. Sous une apparente orthodoxie, Eckhart est très loin du christianisme, son attitude se rapproche du bouddhisme, de la philosophie hindoue, des néo-platoniciens. Du Christ, totalement absent, il n'est gardé que le nom. Eckhart parvient même à une sorte de panthéisme, la divinité telle qu'il la conçoit se réalisant dans l'univers en faisant participer à son être la totalité des créatures. L'univers apparaît ainsi comme un processus de développement divin : le Père engendre à la fois le Fils, système des idées éternelles, Verbe qui devient acte, et le monde où germent les idées contenues dans le Verbe. Ensuite Dieu et le monde communient dans l'amour de l'Esprit saint. Des érudits, tels que Denifle, de Wulf et Vernat ont donné de l'œuvre d'Eckhart une tout autre interprétation : d'après eux, si les *Sermons* sont l'écrit le plus passionné d'Eckhart, ils n'en sont pas le plus significatif : les œuvres latines par exemple – v. *Œuvre tripartite* (*) – leur paraissent bien plus précieuses. Ils ne voient dans le prétendu panthéisme du mystique allemand qu'une manière particulièrement passionnée d'exprimer des idées qui existaient déjà chez le pseudo-Denys, chez saint Augustin, saint Bernard, Hugues de Saint-Victor et jusque chez saint Thomas lui-même. Il n'est pas jusqu'à l'accusation de quiétisme que ne repoussent ces fervents défenseurs de son orthodoxie, qui soutiennent que le maître n'a jamais condamné l'action, mais seulement le but fini de celle-ci, l'acte limité à lui-même. – Trad. Gallimard, 1942 ; Seuil, 1974-79.

SERMONS de Gerson. Parmi les grands sermonnaires de la fin du XIVe siècle, le plus remarquable au témoignage des contemporains et l'un des rares dont les *Sermons* nous soient parvenus est le théologien français Jean Charlier, originaire de Gerson près de Rethel (1363-1429). Gerson, universitaire, d'abord chancelier du collège de Navarre, puis curé de Saint-Jean-en-Grève, à Paris, envoyé du roi et de l'Université au concile de Constance (1414), retiré enfin au couvent des célestins de Lyon, consacra toute sa vie à se dévouer à l'Université, à l'Église, au royaume et au peuple de France. Dépourvu d'ambition, Gerson mit toute sa culture – et il était une des lumières du siècle –, toute son éloquence et toute sa ferveur à prêcher l'union : union des Français, union des catholiques et de l'Église alors déchirée par les schismes. Loin de s'enfermer dans sa théologie et dans sa connaissance des grands auteurs de l'Antiquité, il se donna pour mission d'instruire les Français en leur langue et en termes toujours clairs et accessibles à tous. Une soixantaine de ses discours nous sont parvenus. Les uns furent prêchés devant la Cour, de 1389 à 1397, comme l'admirable exhortation, adressée à Charles VI et à ses oncles, à travailler à la pacification de l'Église : « Ô roi très chrétien, ô roi par miracle consacré, ne souffrez point qu'en votre temps cette chose ne se fasse. Ne laissez point que n'en ayez l'honneur, le mérite et la gloire... Et si parfinir ne se pouvait en notre temps, ce que je ne crois pas, au moins grand'chose serait de l'encommencer. » D'autres furent prêchés en sa paroisse entre 1401 et 1414 ; ceux-ci nous intéressent particulièrement par le caractère très direct de cette prédication populaire. Enfin nous possédons un certain nombre de harangues ou « propositions » adressées au roi ou au peuple, généralement au nom de l'Université : ce sont de véritables discours politiques empreints du patriotisme le plus ardent et le plus pur, dans lesquels Gerson n'hésite pas à prendre à partie le roi et les princes. Il faut signaler aussi la magnifique « Plainte de l'Université », véritable sermon développé par le chancelier de Navarre devant le Parlement sur le texte « Estote misericordes ». L'éloquence de Gerson, bien qu'elle soit quelque peu entachée de l'abus de l'allégorie et de la scolastique, beaucoup moins toutefois que celle des prédicateurs du temps, est courageuse et digne ; elle est directe et parfois populaire, jamais triviale cependant, mais d'un caractère soutenu et plein d'onction. — Il existe une édition moderne des *Œuvres complètes* de Jean Gerson établie par Mgr Glorieux (10 vol., Paris - Tournai, 1960-1973).

SERMONS de Maillard. Vicaire général des cordeliers, professeur de théologie à la Sorbonne, prédicateur très estimé de Louis XI et finalement confesseur de Charles VIII, le moine français Olivier Maillard (1430?-1502) prêcha de 1460 à 1502. Ses *Sermons* ont été publiés en latin, mais ils furent prononcés en français et nous en avons conservé trois en cette langue : « La Confession », « La Passion » et « Le Sermon de Bruges » (surnommé le « sermon tousseux », car le prédicateur aurait marqué dans son texte les endroits où il s'arrêterait pour tousser). Ils sont empreints d'une verve railleuse et d'une véhémence satirique assez proche de celle de son contemporain Menot — v. *Sermons* (*) de Menot —, dont il se distingue pourtant par une exaltation toute biblique. C'est en effet avec l'audace et la violence d'un prophète qu'il apostrophe ses auditeurs, qu'ils soient princes ou roturiers. « La Passion », prêchée à Laval, contient une magnifique et dramatique peinture de la mort du Christ, qui dans son cruel réalisme n'est pas sans faire penser à *La Ballade des pendus* (*) de Villon.

SERMONS de Menot. Le XVᵉ et le début du XVIᵉ siècle connurent un grand éclat de l'éloquence religieuse ; les deux plus célèbres prédicateurs français de cette époque sont deux cordeliers, Michel Menot (1440-1518) et Olivier Maillard ; ils se distinguent par leur éloquence directe, populaire, voire brutale et crue. Michel Menot prêcha de 1470 à 1510. Sa popularité fut telle qu'on le surnomma « langue d'or » comme saint Jean Chrysostome ; nous sommes loin cependant avec lui de la science théologique et de la subtilité de ce Père de l'Église grecque ; Menot est plutôt un tribun du peuple, qui sut remuer les masses. Ses *Sermons* (nous n'en avons conservé que deux, l'un sur sainte Madeleine, l'autre sur l'enfant prodigue, dont le texte est d'ailleurs incertain) semblent avoir mêlé les plaisanteries les plus triviales, les facéties, les souvenirs personnels, les dialogues interrompant le discours, les scènes dramatiques, dans un pittoresque mélange de français et de latin ; mais on y trouve des accents d'une indignation passionnée, d'une éloquence brûlante quand il s'attaque aux privilégiés : « Aujourd'hui, messires gens de justice portent longues robes et leurs femmes sont vêtues comme princesses. Si les vêtements de ceux-là et de celles-ci étaient mis sous le pressoir, le sang des pauvres en dégoutterait. »

DANS LA MÊME COLLECTION

HISTOIRE ET ESSAIS

ANSERMET, Ernest
Les Fondements de la musique dans la conscience humaine et autres écrits *(1 volume)*

ANTHOLOGIE MONDIALE DE LA STRATÉGIE
Des origines au nucléaire, édition établie par Gérard Chaliand *(1 volume)*

BARK, Dennis L. — GRESS David R.
Histoire de l'Allemagne (depuis 1945) *(1 volume)*

BENNASSAR, Bartolomé
Histoire des Espagnols (VIe-XXe siècle) *(1 volume)*

BENOIST-MÉCHIN, Jacques
Soixante Jours qui ébranlèrent l'Occident (10 mai - 10 juillet 1940) *(1 volume)*
Histoire de l'armée allemande *(2 volumes)* : *Tome 1* : 1918-1937 — *Tome 2* : 1937-1939

BOORSTIN, Daniel
Les Découvreurs *(1 volume)*
Histoire des Américains *(1 volume)*

COURRIÈRE, Yves
La Guerre d'Algérie *(2 volumes sous coffret)* : *Tome 1* : (1954-1957) : Les Fils de la Toussaint — Le Temps des léopards — *Tome 2* : (1958-1962) : L'Heure des colonels — Les Feux du désespoir

ELLIOTT, John H.
Olivares (1587-1645) : L'Espagne de Philippe IV *(1 volume)*

FRAZER, James George
Le Rameau d'Or *(4 volumes)* : *Tome 1* : Le Roi magicien dans la société primitive — Tabou ou les périls de l'âme — *Tome 2* : Le Dieu qui meurt — Adonis — Atys et Osiris — *Tome 3* : Esprits des blés et des bois — Le Bouc émissaire — *Tome 4* : Balder le Magnifique — Bibliographie générale

GABORY, Émile
Les Guerres de Vendée : La Révolution et la Vendée — Napoléon et la Vendée — Les Bourbons et la Vendée — L'Angleterre et la Vendée *(1 volume)*

GIBBON, Edward
Histoire du déclin et de la chute de l'Empire romain *(2 volumes)* : *Tome 1* : Rome de 96 à 582 — *Tome 2* : Byzance de 455 à 1500

GUILLEMINAULT, Gilbert
Le Roman vrai de la IIIe et de la IVe République (1870-1958) *(2 volumes)* : *Tome 1* : 1870-1918 — *Tome 2* : 1919-1958

HÉRITAGE DE LA GRÈCE ET DE ROME (L')
Édition établie par M. I. Finley et Cyril Bailey *(1 volume)*

HISTOIRE AUGUSTE, édition bilingue latin-français établie par André Chastagnol
Les empereurs romains des IIe et IIIe siècles. *(1 volume à paraître)*

LAVISSE, Ernest

Louis XIV. Histoire d'un grand règne (1643-1715) *(1 volume)*

LEROY-BEAULIEU, Anatole

L'Empire des tsars et les Russes *(1 volume)*

MACAULAY, Thomas Babington

Histoire d'Angleterre. Depuis l'avènement de Jacques II (1685) jusqu'à la mort de Guillaume III (1702) *(2 volumes sous coffret)*

McPHERSON, James M.

La Guerre de Sécession (1861-1865) *(1 volume)*

MICHELET, Jules

Histoire de la Révolution française *(2 volumes sous coffret)* : *Tome 1* : Le Moyen Âge — *Tome 2* : Renaissance et Réforme : Histoire de France au XVIe siècle

MOMMSEN, Theodor

Histoire romaine *(2 volumes)* : *Tome 1* : Des commencements de Rome jusqu'aux guerres civiles — *Tome 2* : La Monarchie militaire — Les Provinces sous l'Empire

MONDE ET SON HISTOIRE (LE), édition dirigée par Maurice Meuleau *(4 volumes)*

Tome 1 : Le Monde antique et les débuts du Moyen Âge, par Maurice Meuleau et Luce Pietri — *Tome 2* : La Fin du Moyen Âge et les débuts du monde moderne, par Luce Pietri et Marc Venard — *Tome* 3 : Les Révolutions européennes et le partage du monde, par Louis Bergeron ; Le Monde contemporain de 1914 à 1938, par Marcel Roncayolo — *Tome 4* : Le Monde contemporain de la Seconde Guerre mondiale à nos jours, par Marcel Roncayolo

MOUSNIER, Roland

L'Homme rouge ou la Vie du cardinal duc de Richelieu (1585-1642) *(1 volume)*

NAPOLÉON A SAINTE-HÉLÈNE

Par les « quatre Évangélistes » : Las Cases, Gourgaud, Montholon, Bertrand. Textes préfacés, choisis et commentés par Jean Tulard *(1 volume)*

RANKE, Leopold

Histoire de la papauté pendant les XVIe et XVIIe siècles *(1 volume)*

RÉAU, Louis

Histoire du vandalisme : les monuments détruits de l'art français *(1 volume à paraître)*

REVEL, Jean-François

Ni Marx ni Jésus — La tentation totalitaire — La grâce de l'État — Comment les démocraties finissent *(1 volume)*

RÉVOLUTION FRANÇAISE (LA) (1789-1799)

Histoire et dictionnaire par Jean Tulard, Jean-François Fayard, Alfred Fierro *(1 volume)*

RIASANOVSKY, Nicholas

Histoire de la Russie (des origines à 1992) *(1 volume)*

ROSTOVTSEFF, Michel

Histoire économique et sociale de l'Empire romain *(1 volume)*

Histoire économique et sociale du monde hellénistique *(1 volume)*

SAINTYVES, Pierre

Les Contes de Perrault et les récits parallèles — En marge de la *Légende dorée* — Les Reliques et les images légendaires *(1 volume)*

SHAW, Georges Bernard

Écrits sur la musique *(1 volume)*

TAINE, Hippolyte

Les Origines de la France contemporaine *(2 volumes)* : *Tome 1* : L'Ancien Régime — La Révolution — *Tome 2* : La Révolution — Le Régime moderne

THOMAS, Hugh
La Guerre d'Espagne (juillet 1936-mars 1939) *(1 volume)*

THUCYDIDE
Histoire de la guerre du Péloponnèse, *précédé de* En campagne avec Thucydide, par Albert Thibaudet — Dictionnaire de Thucydide, sous la direction de Jacqueline de Romilly, de l'Académie Française *(1 volume)*

TOCQUEVILLE, Alexis de
De la démocratie en Amérique — Souvenirs — L'Ancien Régime et la Révolution *(1 volume)*

TREVELYAN, George Macaulay
Six siècles d'histoire de Chaucer à la reine Victoria *(1 volume)*

VIANSSON-PONTÉ, Pierre
Histoire de la République gaullienne (mai 1958-avril 1969) *(1 volume)*

VIGUERIE, Jean de
Histoire et dictionnaire du temps des Lumières *(1 volume à paraître)*

WALLON, Henri
Histoire de l'esclavage dans l'Antiquité *(1 volume)*

WILSON, Arthur M.
Diderot — Sa vie et son œuvre *(1 volume)*

POÉSIE

ANTHOLOGIE DE LA POÉSIE FRANÇAISE (UNE), édition établie par Jean-François Revel *(1 volume)*

BAUDELAIRE, Charles
Œuvres complètes *(1 volume)*

MILLE ET CENT ANS DE POÉSIE FRANÇAISE
Anthologie établie par Bernard Delvaille *(1 volume)*

RIMBAUD, Arthur
Œuvres complètes et correspondance, *précédé d'un* Dictionnaire d'Arthur Rimbaud *(1 volume)*

RIMBAUD — CROS — CORBIÈRE — LAUTRÉAMONT
Œuvres poétiques complètes *(1 volume)*

TOULET, Paul-Jean
Œuvres complètes *(1 volume)*

VERLAINE, Paul
Œuvres poétiques complètes, *précédé d'un* Dictionnaire de Paul Verlaine *(1 volume)*

VICTOR HUGO : ŒUVRES COMPLÈTES

ROMAN I
Han d'Islande — Bug-Jargal — Le Dernier jour d'un condamné — Notre-Dame de Paris — Claude Gueux *(1volume)*

ROMAN II
Les Misérables *(1volume)*

ROMAN III
L'Archipel de la Manche — Les Travailleurs de la mer — L'Homme qui rit — Quatre-vingt-treize *(1volume)*

POÉSIE I

Premières Publications — Odes et Ballades — Les Orientales — Les Feuilles d'automne — Les Chants du crépuscule — Les Voix intérieures — Les Rayons et les Ombres *(1 volume)*

POÉSIE II

Châtiments — Les Contemplations — La Légende des siècles, première série — Les Chansons des rues et des bois — La Voix de Guernesey *(1 volume)*

POÉSIE III

L'Année terrible — La Légende des siècles, nouvelle série — La Légende des siècles, dernière série — L'Art d'être grand-père — Le Pape — La Pitié suprême — Religions et Religion — L'Âne — Les Quatre Vents de l'esprit *(1 volume)*

POÉSIE IV

La Fin de Satan — Dieu — Le Verso de la page — Toute la Lyre — Les Années funestes — Dernière Gerbe *(1 volume)*

THÉATRE I

Cromwell — Amy Robsart — Hernani — Marion de Lorme — Le roi s'amuse — Lucrèce Borgia — Marie Tudor — Angelo, tyran de Padoue — La Esmeralda *(1 volume)*

THÉATRE II

Ruy Blas — Les Burgraves — Torquemada — Théâtre en liberté — Les Jumeaux — Mille francs de récompense — L'Intervention *(1 volume)*

POLITIQUE

Paris — Mes fils — Actes et Paroles I — Actes et Paroles II — Actes et Paroles III — Actes et Paroles IV — Testament littéraire — Préface à l'édition *ne varietur (1 volume)*

CRITIQUE

La Préface de *Cromwell* — Littérature et philosophie mêlées — William Shakespeare — Proses philosophiques des années 60-66 *(1 volume)*

HISTOIRE

Napoléon-le-Petit — Histoire d'un crime — Choses vues *(1 volume)*

VOYAGES

Le Rhin — Fragment d'un voyage aux Alpes — France et Belgique — Alpes et Pyrénées — Voyages et Excursions — Carnets 1870-1871 — Annexes *(1 volume)*

CHANTIERS

Reliquat de *Notre-Dame de Paris* — Suite de *Châtiments* — La Fin de Satan (fragments) — Dieu (fragments) — Le Dossier des *Misérables* — Autour des *Chansons des rues et des bois* — Fragments critiques — Fragments dramatiques *(1 volume)*

OCÉAN

Océan prose — Philosophie prose — Faits et croyances — Moi, l'amour, la femme — Philosophie vers — Plans et projets *(1 volume)*

INDEX GÉNÉRAL *(à paraître)*

CORRESPONDANCE

Correspondance familiale et écrits intimes : *Tome 1* : 1802-1828 *(1 volume)*
Correspondance familiale et écrits intimes : *Tome 2* : 1828-1839 *(1 volume)*

OUVRAGES DE RÉFÉRENCE
OUVRAGES PRATIQUES

ATLAS HISTORIQUES, de Colin Mc Evedy *(4 volumes)*
Tome 1 : Histoire ancienne — *Tome 2* : Histoire du Moyen Âge — *Tome 3* : Histoire moderne — *Tome 4*: Histoire des XIXe et XXe siècles

CERVEAU, UN INCONNU (LE)
Dictionnaire encyclopédique, par l'université d'Oxford sous la direction de Richard L. Gregory *(1 volume)*

CUISINE SANS SOUCI, de Rose Montigny *(1 volume)*

DE LA TÊTE AUX PIEDS
Toute la chirurgie, rien que la vérité, par le pr. Herbert Lippert *(1 volume)*

DICTIONNAIRE D'ÉMILE ZOLA.
Sa vie, son œuvre, son époque. Suivi du Dictionnaire des « Rougon-Macquart » et des Catalogues des ventes après décès des biens de Zola, de Colette Becker, Gina Gourdin-Servenière, Véronique Lavielle *(1 volume)*

DICTIONNAIRE DE L'ALIMENTATION, de John Yudkin *(1 volume)*

DICTIONNAIRE DE L'ANTIQUITÉ
Mythologie — Littérature — Civilisation, par l'université d'Oxford sous la direction de M. C. Howatson *(1 volume)*

DICTIONNAIRE DE L'ARCHÉOLOGIE, de Guy Rachet *(1 volume)*

LE NOUVEAU DICTIONNAIRE DES AUTEURS
De tous les temps et de tous les pays *(3 volumes sous coffret)*

DICTIONNAIRE DE LA BÊTISE — LE LIVRE DES BIZARRES, de Guy Bechtel et Jean-Claude Carrière *(1 volume)*

DICTIONNAIRE DE LA BIBLE, de André-Marie Gerard *(1 volume)*

DICTIONNAIRE DE LA CIVILISATION INDIENNE, de Louis Frédéric *(1 volume)*

DICTIONNAIRE DE LA SAGESSE ORIENTALE
Bouddhisme, hindouisme, taoïsme, zen *(1 volume)*

DICTIONNAIRE DES DISQUES ET DES COMPACTS
Guide critique de la musique classique enregistrée, par l'équipe rédactionnelle et technique de la revue *Diapason (1 volume)*

DICTIONNAIRE DES FEMMES CÉLÈBRES, de Lucienne Mazenod et Ghislaine Schoeller *(1 volume)*

DICTIONNAIRE DES INTERPRÈTES
Et de l'interprétation musicale au XXe siècle, d'Alain Pâris *(1 volume)*

DICTIONNAIRE DES MÉDICAMENTS
Tout ce qu'il faut savoir sur les 4 300 médicaments français et leur bon usage, du Dr Jean Thuillier *(1 volume)*

LE NOUVEAU DICTIONNAIRE DES ŒUVRES
De tous les temps et de tous les pays *(6 volumes , + index sous coffret)*

DICTIONNAIRE DES PERSONNAGES
Littéraires et dramatiques de tous les temps et de tous les pays*(1 volume)*

DICTIONNAIRE DES SYMBOLES, de Jean Chevalier et Alain Gheerbrant *(1 volume)*

DICTIONNAIRE DU CINÉMA *(3volumes)*
Tome 1 : Les réalisateurs, de Jean Tulard — *Tome 2* : Les acteurs, de Jean Tulard — *Tome 3* : Les films, de Jacques Lourcelles

DICTIONNAIRE DU COMPORTEMENT ANIMAL, par l'université d'Oxford sous la direction de David McFarland *(1 volume)*

DICTIONNAIRE DU JAZZ, de Philippe Carles, André Clergeat et Jean-Louis Comolli *(1 volume)*

DICTIONNAIRE ENCYCLOPÉDIQUE DE LA MUSIQUE, par l'université d'Oxford sous la direction de Denis Arnold *(2 volumes sous coffret)*

ENCYCLOPÉDIE DES VINS ET DES ALCOOLS, d'Alexis Lichine *(1 volume)*

ÉSOTÉRISME (L'), de Pierre Riffard
Qu'est-ce que l'ésotérisme ? — Anthologie de l'ésotérisme occidental *(1 volume)*

GASTRONOMIE, par Catherine Descargues
Gastronomie des cardiaques, des diabétiques, des « hépatiques » et colopathes, de la femme enceinte et qui allaite, des enfants bien portants, des enfants malades, *suivi d'un* Lexique des plantes *(1 volume)*

GUIDE DE LA MUSIQUE ANCIENNE ET BAROQUE
Dictionnaire à l'usage des discophiles, sous la direction d'Ivan Alexandre *(1 volume)*

GUIDE DES ÉCHECS (LE),
Traité complet, de Nicolas Giffard et Alain Biénabe *(1 volume)*

GUIDE DES FILMS, de Jean Tulard *(2 volumes sous coffret)*

HISTOIRE DE LA MUSIQUE (UNE), de Lucien Rebatet *(1 volume)*

HISTOIRE UNIVERSELLE DES CHIFFRES
Lorsque les nombres racontent les hommes et l'intelligence, de Georges Ifrah *(1 volume)*

IMPRESSIONNISME ET SON ÉPOQUE (L')
Dictionnaire international, de Sophie Monneret *(2 volumes sous coffret)*

LANGAGES DE L'HUMANITÉ (LES), de Michel Malherbe *(1 volume à paraître)*

LIVRE DES SUPERSTITIONS (LE), de Éloise Mozzani *(1 volume à paraître)*

LIVRETS D'OPÉRA (LES), édition bilingue établie par Alain Pâris *(2 volumes sous coffret)*

MON BOUQUIN DE CUISINE, de Françoise Burgaud *(1 volume)*

MOZART
Sa vie musicale et son œuvre, de T. de Wyzewa et G. de Saint-Foix *(2 volumes)* : *Tome 1* : 1756-1777 : L'Enfant Prodige — Le Jeune Maître — *Tome 2* : 1777-1791 : Le Grand Voyage — L'Épanouissement — Les Dernières Années

SYMPTÔMES ET MALADIES
Encyclopédie médicale de la famille ; les règles d'or pour vivre plus longtemps et rester toute sa vie en bonne santé, de Sigmund S. Miller, assisté de vingt spécialistes *(1 volume)*

TOUT L'OPÉRA, de Gustave Kobbé *(1 volume)*

VOTRE ENFANT
Guide à l'usage des parents, par le Dr Lyonel Rossant avec la collaboration
du Dr Jacqueline Rossant-Lumbroso *(1 volume)*

VOTRE SANTÉ
Encyclopédie médicale à l'usage de tous, par les Dr Lyonel Rossant et Jacqueline Rossant-Lumbroso *(1 volume)*

DÉPÔT LÉGAL : OCTOBRE 1994

N° D'ÉDITEUR : L 07713

ACHEVÉ D'IMPRIMER POUR
LES ÉDITIONS ROBERT LAFFONT
SUR BOOKOMATIC
MAURY EUROLIVRES S.A.
45300 MANCHECOURT

Imprimé en France

BOUQU

COLLECTION D

GUY SCHO